BIBLIOTHÈQUE

DE LA PLÉIADE

MARCEL PROUST

À la recherche du temps perdu

III

ÉDITION PUBLIÉE SOUS LA DIRECTION
DE JEAN-YVES TADIÉ
AVEC, POUR CE VOLUME, LA COLLABORATION
D'ANTOINE COMPAGNON
ET DE PIERRE-EDMOND ROBERT

GALLIMARD

CE VOLUME CONTIENT :

Sodome et Gomorrhe

Texte présenté, établi et annoté par Antoine Compagnon
Relevé de variantes par Antoine Compagnon

La Prisonnière

Texte présenté, établi et annoté par Pierre-Edmond Robert
Relevé de variantes par Pierre-Edmond Robert

ESQUISSES

Sodome et Gomorrhe

Texte établi et annoté par Antoine Compagnon
Relevé de variantes par Antoine Compagnon

La Prisonnière

Texte établi et annoté par Pierre-Edmond Robert
Relevé de variantes par Pierre-Edmond Robert

Notices,
Notes et variantes
Résumé
Table de concordance

SODOME ET GOMORRHE

I[1]

Première apparition des hommes-femmes, descendants de ceux des habitants de Sodome qui furent épargnés par le feu du ciel[2].

La femme aura Gomorrhe et l'homme aura Sodome[3].
ALFRED DE VIGNY[a].

On sait[b] que bien avant d'aller ce jour-là (le jour où avait lieu la soirée de la princesse de Guermantes) rendre au duc et à la duchesse la visite que je viens de raconter, j'avais épié leur retour et fait, pendant la durée de mon guet, une découverte, concernant particulièrement M. de Charlus, mais si importante en elle-même que j'ai jusqu'ici, jusqu'au moment de pouvoir lui donner la place et l'étendue voulues, différé de la rapporter[4]. J'avais, comme je l'ai dit, délaissé le point de vue merveilleux, si confortablement aménagé au haut de la maison, d'où l'on embrasse les pentes accidentées par où l'on monte jusqu'à l'hôtel de Bréquigny[5], et qui sont gaiement décorées à l'italienne par le rose campanile[c] de la remise appartenant au marquis de Frécourt. J'avais trouvé plus pratique, quand j'avais pensé que le duc et la duchesse étaient sur le point de revenir, de me poster sur l'escalier. Je regrettais un peu mon séjour d'altitude. Mais à cette heure-là, qui était celle d'après le déjeuner, j'avais moins à regretter, car je n'aurais pas vu comme le matin les minuscules personnages de tableaux, que devenaient à distance les valets de pied de l'hôtel de Bréquigny et de Tresmes, faire[d] la lente ascension de la côte abrupte, un plumeau à la main, entre les larges feuilles de mica transparentes qui se détachaient si plaisamment sur les contreforts rouges. À défaut de la contemplation du géologue, j'avais du moins celle du botaniste et regardais par les volets de l'escalier le petit arbuste de la duchesse et la plante précieuse exposés dans la cour avec cette insistance qu'on met à faire sortir les jeunes gens à marier, et je me demandais si l'insecte improbable viendrait, par un hasard providentiel, visiter le pistil offert[a] et délaissé[1]. La curiosité m'enhardissant peu à peu, je descendis jusqu'à la fenêtre du rez-de-chaussée, ouverte elle aussi et dont les volets n'étaient qu'à moitié clos. J'entendais distinctement, se préparant à partir, Jupien qui ne pouvait me découvrir derrière mon store où je restai immobile jusqu'au moment où je me rejetai brusquement de côté par peur d'être vu de M. de Charlus, lequel allant chez Mme de Villeparisis, traversait lentement la cour, bedonnant, vieilli par le plein jour, grisonnant[2]. Il avait fallu une indisposition de Mme de Villeparisis (conséquence de la maladie du marquis de Fierbois[3] avec[b] lequel il était personnellement brouillé à mort) pour que M. de Charlus fît une visite, peut-être la première fois de son existence, à cette heure-là[c]. Car avec cette singularité des Guermantes qui, au lieu de se conformer à la vie mondaine, la modifiaient d'après leurs habitudes[d] personnelles (non mondaines, croyaient-ils, et dignes par conséquent qu'on humiliât devant elles cette chose sans valeur, la mondanité — c'est ainsi que Mme de Marsantes n'avait pas de jour, mais recevait tous les matins ses amies de 10 heures à midi), le baron, gardant ce temps pour la lecture, la recherche des vieux bibelots, etc., ne faisait jamais une visite qu'entre 4 et 6 heures du soir. À 6 heures il allait au Jockey ou se promener au Bois. Au bout[e] d'un instant je fis un nouveau mouvement de recul pour ne pas être vu par Jupien ; c'était bientôt son heure de partir au bureau, d'où il ne revenait que pour le dîner, et même pas toujours depuis une semaine que sa nièce était allée avec ses apprenties à la campagne chez une cliente finir une robe. Puis me rendant compte que personne ne pouvait me voir, je résolus de ne plus me déranger de peur de manquer, si le miracle devait se produire, l'arrivée presque impossible à espérer (à travers tant d'obstacles, de distance, de risques contraires, de dangers) de l'insecte envoyé de si loin en ambassadeur à la vierge qui depuis longtemps prolongeait son attente. Je savais que cette attente n'était pas plus passive que chez la fleur mâle, dont les étamines s'étaient spontanément tournées pour que l'insecte pût plus facilement la recevoir ; de même la fleur femme qui était ici, si l'insecte venait, arquerait coquettement ses « styles » et pour être mieux pénétrée par lui ferait imperceptiblement, comme une jouvencelle hypocrite mais ardente, la moitié du chemin[1]. Les lois du monde végétal sont gouvernées elles-mêmes par des lois de plus en plus hautes. Si la visite[a] d'un insecte, c'est-à-dire l'apport de la semence d'une autre fleur, est habituellement nécessaire pour féconder une fleur, c'est que l'autofécondation, la fécondation de la fleur par elle-même, comme les mariages répétés dans une même famille, amènerait la dégénérescence et la stérilité, tandis que le croisement opéré par les insectes donne aux générations suivantes de la même espèce une vigueur inconnue de leurs aînées. Cependant cet essor peut être excessif, l'espèce se développer démesurément ; alors comme une antitoxine défend contre la maladie, comme le corps thyroïde règle notre embonpoint, comme la défaite vient punir l'orgueil, la fatigue le plaisir, et comme le sommeil repose à son tour de la fatigue[b], ainsi un acte exceptionnel d'autofécondation vient à point nommé donner son tour de vis, son coup de frein, fait rentrer dans la norme la fleur qui en était exagérément sortie[2]. Mes réflexions avaient suivi une pente que je décrirai plus tard et j'avais déjà tiré de la ruse apparente des fleurs une conséquence sur toute une partie inconsciente de l'œuvre littéraire[3], quand je vis M. de Charlus qui ressortait de chez la marquise. Il ne s'était passé[c] que quelques minutes depuis son entrée. Peut-être avait-il appris de sa vieille parente elle-même, ou seulement par un domestique, le grand mieux ou plutôt la guérison complète de ce qui n'avait été chez Mme de Villeparisis qu'un malaise. À ce moment[d], où il ne se croyait regardé par personne, les paupières baissées contre le soleil, M. de Charlus avait relâché dans son visage cette tension, amorti cette vitalité factice, qu'entretenaient chez lui l'animation de la causerie et la force de la volonté[4]. Pâle comme un marbre, il avait le nez fort, ses traits fins ne recevaient plus d'un regard volontaire une signification différente qui altérât la beauté de leur modelé ; plus rien qu'un Guermantes, il semblait déjà sculpté, lui Palamède XV, dans la chapelle de Combray. Mais ces[e] traits généraux de toute une famille prenaient pourtant dans le visage de M. de Charlus une finesse plus spiritualisée, plus douce surtout. Je regrettais pour lui qu'il adultérât habituellement de tant de violences, d'étrangetés déplaisantes, de potinages, de dureté, de susceptibilité et d'arrogance, qu'il cachât sous une brutalité postiche l'aménité, la bonté qu'au moment où il sortait de chez Mme de Villeparisis, je voyais s'étaler si naïvement sur son visage. Clignant des yeux contre le soleil, il semblait presque sourire, je trouvai à sa figure vue ainsi au repos et comme au naturel quelque chose de si affectueux, de si désarmé, que je ne pus m'empêcher de penser combien M. de Charlus eût été fâché s'il avait pu se savoir regardé ; car[a] ce à quoi me faisait penser cet homme qui était si épris, qui se piquait si fort de virilité, à qui tout le monde semblait odieusement efféminé, ce à quoi[b] il me faisait penser tout d'un coup, tant il en avait passagèrement les traits, l'expression, le sourire[c], c'était à une femme[d] !

J'allais me déranger de nouveau pour qu'il ne pût m'apercevoir ; je n'en eus ni le temps, ni le besoin. Que vis-je[1] ! Face à face, dans cette cour où ils ne s'étaient certainement jamais rencontrés (M. de Charlus ne venant à l'hôtel Guermantes que dans l'après-midi, aux heures où Jupien était à son bureau), le baron ayant soudain largement ouvert ses yeux mi-clos, regardait avec une attention extraordinaire l'ancien giletier sur le seuil de sa boutique, cependant que celui-ci, cloué subitement sur place devant M. de Charlus, enraciné comme une plante, contemplait d'un air émerveillé l'embonpoint du baron vieillissant. Mais chose plus étonnante encore, l'attitude de M. de Charlus ayant changé, celle de Jupien se mit aussitôt, comme selon les lois d'un art secret, en harmonie avec elle. Le baron, qui cherchait maintenant à dissimuler l'impression qu'il avait ressentie, mais qui, malgré son indifférence affectée, semblait ne s'éloigner qu'à regret, allait, venait, regardait dans le vague de la façon qu'il pensait mettre le plus en valeur la beauté de ses prunelles, prenait un air fat, négligent, ridicule. Or Jupien, perdant aussitôt l'air humble et bon que je lui avais toujours connu, avait — en symétrie parfaite avec le baron — redressé la tête, donnait à sa taille un port avantageux, posait avec une impertinence grotesque son poing sur la hanche, faisait saillir son derrière, prenait des poses avec la coquetterie qu'aurait pu avoir l'orchidée[2] pour le bourdon providentiellement survenu. Je ne savais pas qu'il pût avoir l'air si antipathique. Mais j'ignorais aussi qu'il fût capable de tenir à l'improviste sa partie dans cette sorte de scène des deux muets, qui (bien qu'il se trouvât pour la première fois en présence de M. de Charlus) semblait avoir été longuement répétée ; — on n'arrive spontanément à cette perfection que quand on rencontre à l'étranger un compatriote, avec lequel alors l'entente se fait d'elle-même, le truchement étant identique, et sans qu'on se soit pourtant jamais vu.

Cette scène n'était, du reste, pas[a] positivement comique, elle était empreinte d'une étrangeté, ou si l'on veut d'un naturel, dont la beauté allait croissant. M. de Charlus avait beau prendre un air détaché, baisser distraitement les paupières, par moments il les relevait et jetait alors sur Jupien un regard attentif. Mais (sans doute parce qu'il pensait qu'une pareille scène ne pouvait se prolonger indéfiniment dans cet endroit, soit pour des raisons qu'on comprendra plus tard, soit enfin par ce sentiment de la brièveté de toutes choses qui fait qu'on veut que chaque coup porte juste, et qui rend si émouvant le spectacle de tout amour), chaque fois que M. de Charlus regardait Jupien, il s'arrangeait pour que son regard fût accompagné d'une parole, ce qui le rendait infiniment dissemblable des regards habituellement dirigés sur une personne qu'on connaît ou qu'on ne connaît pas ; il regardait Jupien avec la fixité particulière de quelqu'un qui va vous dire : « Pardonnez-moi mon indiscrétion, mais vous avez un long fil blanc qui pend dans votre dos », ou bien : « Je ne dois pas me tromper, vous devez être aussi de Zurich, il me semble bien vous avoir rencontré souvent chez le marchand d'antiquités. » Telle, toutes les deux minutes, la même question semblait intensément posée à Jupien dans l'œillade de M. de Charlus, comme ces phrases interrogatives de Beethoven, répétées indéfiniment, à intervalles égaux, et destinées — avec un luxe exagéré de préparations — à amener un nouveau motif, un changement de ton, une « rentrée[1] ». Mais justement la beauté des regards de M. de Charlus et de Jupien venait, au contraire, de ce que, provisoirement du moins, ces regards ne semblaient pas avoir pour but de conduire à quelque chose. Cette beauté, c'était la première fois que je voyais le baron et Jupien la manifester. Dans les yeux de l'un et de l'autre, c'était le ciel non pas de Zurich, mais de quelque cité orientale dont je n'avais pas encore deviné le nom, qui venait de se lever. Quel que fût[a] le point qui pût retenir M. de Charlus et le giletier, leur accord semblait conclu et ces inutiles regards n'être que des préludes rituels, pareils aux fêtes qu'on donne avant un mariage décidé. Plus près de la nature encore — et la multiplicité de ces comparaisons est elle-même d'autant plus naturelle qu'un même homme, si on l'examine pendant quelques minutes, semble successivement un homme, un homme-oiseau ou un homme-insecte, etc. — on eût dit[b] deux oiseaux, le mâle et la femelle, le mâle cherchant à s'avancer, la femelle — Jupien — ne répondant plus par aucun signe à ce manège, mais regardant son nouvel ami sans étonnement, avec une fixité inattentive, jugée sans doute plus troublante et seule utile, du moment que le mâle avait fait les premiers pas, et se contentant de lisser[c] ses plumes. Enfin l'indifférence de Jupien ne parut plus lui suffire ; de cette certitude d'avoir conquis, à se faire poursuivre et désirer, il n'y avait qu'un pas et Jupien, se décidant à partir pour son travail, sortit par la porte cochère. Ce ne fut pourtant qu'après[d] avoir retourné deux ou trois fois la tête, qu'il s'échappa dans la rue où le baron, tremblant[e] de perdre sa piste (sifflotant d'un air fanfaron, non sans crier un « au revoir » au concierge qui, à demi saoul et traitant des invités dans son arrière-cuisine, ne l'entendit même pas), s'élança vivement pour le rattraper[f]. Au même instant où M. de Charlus avait passé la porte en sifflant comme un gros bourdon, un autre, un vrai celui-là, entrait dans la cour. Qui sait si ce n'était pas celui attendu depuis si longtemps par l'orchidée, et qui venait lui apporter le pollen si rare sans lequel elle resterait vierge ? Mais je fus distrait de suivre les ébats de l'insecte, car au bout de quelques minutes, sollicitant davantage mon attention, Jupien[1] (peut-être afin de prendre un paquet qu'il emporta plus tard et que dans l'émotion que lui avait causée l'apparition de M. de Charlus, il avait oublié, peut-être tout simplement pour une raison plus naturelle), Jupien revint, suivi par le baron. Celui-ci, décidé à brusquer les choses, demanda du feu au giletier, mais observa aussitôt : « Je vous demande du feu, mais je vois que j'ai oublié mes cigares. » Les lois de l'hospitalité l'emportèrent sur les règles de la coquetterie. « Entrez, on vous donnera tout ce que vous voudrez », dit le giletier, sur la figure de qui le dédain fit place à la joie.

La porte[a] de la boutique se referma sur eux et je ne pus plus rien entendre. J'avais perdu de vue le bourdon, je ne savais pas s'il était l'insecte qu'il fallait à l'orchidée, mais je ne doutais plus, pour un insecte très rare et une fleur captive, de la possibilité miraculeuse de se conjoindre, alors que M. de Charlus (simple comparaison pour les providentiels hasards, quels qu'ils soient, et sans la moindre prétention scientifique de rapprocher certaines lois de la botanique et ce qu'on appelle parfois fort mal l'homosexualité), qui, depuis des années, ne venait dans cette maison qu'aux heures où Jupien n'y était pas, par le hasard d'une indisposition de Mme de Villeparisis, avait rencontré le giletier et avec lui la bonne fortune réservée aux hommes du genre du baron par un de ces êtres qui peuvent même être, on le verra, infiniment plus jeunes que Jupien et plus beaux, l'homme prédestiné pour que ceux-ci aient leur part de volupté sur cette terre : l'homme qui n'aime que les vieux messieurs[b].

Ce que je viens de dire d'ailleurs ici est ce que je ne devais comprendre que quelques minutes plus tard, tant adhèrent à la réalité ces propriétés d'être invisible, jusqu'à ce qu'une circonstance l'ait dépouillée d'elles. En tous cas pour le moment j'étais fort ennuyé de ne plus entendre la conversation de l'ancien giletier et du baron. J'avisai alors la boutique à louer séparée seulement de celle de Jupien par une cloison extrêmement mince. Je n'avais pour m'y rendre qu'à remonter à notre appartement, aller à la cuisine, descendre l'escalier de service jusqu'aux caves, les suivre intérieurement pendant toute la largeur de la cour, et arrivé à l'endroit du sous-sol, où l'ébéniste il y a quelques mois encore serrait ses boiseries, où Jupien comptait mettre son charbon, monter les quelques marches qui accédaient à l'intérieur de la boutique. Ainsi toute ma route se ferait à couvert, je ne serais vu de personne. C'était le moyen le plus prudent. Ce ne fut pas celui que j'adoptai, mais longeant les murs, je contournai à l'air libre la cour en tâchant de ne pas être vu. Si je ne le fus pas, je pense que je le dois plus au hasard qu'à ma sagesse. Et au fait que j'aie pris un parti si imprudent, quand le cheminement dans la cave était si sûr, je vois trois raisons possibles, à supposer qu'il y en ait une. Mon impatience d'abord. Puis peut-être un obscur ressouvenir de la scène de Montjouvain, caché devant la fenêtre de Mlle Vinteuil[1].

De fait, les choses de ce genre auxquelles j'assistai eurent toujours, dans la mise en scène, le caractère le plus imprudent et le moins vraisemblable, comme si de telles révélations ne devaient être la récompense que d'un acte plein de risques, quoique en partie clandestin. Enfin j'ose à peine, à cause de son caractère d'enfantillage, avouer la troisième raison, qui fut, je crois bien, inconsciemment déterminante. Depuis que pour suivre — et voir se démentir — les principes militaires de Saint-Loup, j'avais suivi avec grand détail la guerre des Boers[1], j'avais été[a] conduit à relire d'anciens récits d'explorations, de voyages. Ces récits m'avaient passionné et j'en faisais l'application dans la vie courante pour me donner plus de courage. Quand des crises m'avaient forcé à rester plusieurs jours et plusieurs nuits de suite non seulement sans dormir, mais sans m'étendre, sans boire et sans manger, au moment où l'épuisement et la souffrance devenaient tels que je me figurais n'en sortir jamais, alors je pensais à tel voyageur[b] jeté sur la grève, empoisonné par des herbes malsaines, grelottant de fièvre dans ses vêtements trempés par l'eau de la mer, et qui pourtant se sentait mieux au bout de deux jours, reprenait au hasard sa route, à la recherche d'habitants quelconques qui seraient peut-être des anthropophages. Leur exemple me tonifiait, me rendait l'espoir, et j'avais honte d'avoir eu un moment de découragement. Pensant aux Boers qui, ayant en face d'eux des armées anglaises, ne craignaient pas de s'exposer au moment où il fallait traverser, avant de retrouver un fourré, des parties de rase campagne : « Il ferait beau voir, pensais-je, que je fusse plus pusillanime, quand le théâtre d'opérations est simplement notre propre cour, et quand, moi qui viens d'avoir plusieurs duels sans aucune crainte, à cause de l'affaire Dreyfus[c], le seul fer que j'aie à redouter est celui du regard des voisins qui ont autre chose à faire qu'à regarder dans la cour[2]. »

Mais quand je fus dans la boutique, évitant de faire craquer le moins du monde le plancher, en me rendant compte que le plus léger bruit dans la boutique de Jupien s'entendait de la mienne, je songeai combien Jupien et M. de Charlus avaient été imprudents et combien la chance les avait servis.

Je n'osais bouger. Le palefrenier des Guermantes, profitant sans doute de leur absence, avait bien transféré dans la boutique où je me trouvais une échelle serrée jusque-là dans la remise. Et si j'y étais monté j'aurais pu ouvrir le vasistas et entendre comme si j'avais été chez Jupien même. Mais je craignais de faire du bruit. Du reste c'était inutile. Je n'eus même pas à regretter de n'être arrivé qu'au bout de quelques minutes dans ma boutique. Car d'après ce que j'entendis les premiers temps dans celle de Jupien et qui ne furent que des sons inarticulés, je suppose que peu de paroles furent[a] prononcées. Il est vrai que ces sons étaient si violents que, s'ils n'avaient pas été toujours repris un octave plus haut par une plainte parallèle, j'aurais pu croire qu'une personne en égorgeait une autre à côté de moi et qu'ensuite le meurtrier et sa victime ressuscitée prenaient un bain pour effacer les traces du crime. J'en conclus plus tard qu'il y a une chose aussi bruyante que la souffrance, c'est le plaisir, surtout quand s'y ajoutent — à défaut de la peur d'avoir des enfants, ce qui ne pouvait être le cas ici malgré l'exemple peu probant de la *Légende dorée*[1] — des soucis immédiats de propreté. Enfin au bout d'une demi-heure environ (pendant laquelle je m'étais hissé à pas de loup sur mon échelle afin de voir par le vasistas que je n'ouvris pas), une conversation s'engagea. Jupien refusait avec force l'argent que M. de Charlus voulait lui donner.

Puis M. de Charlus fit un pas hors de la boutique. « Pourquoi[b] avez-vous votre menton rasé comme cela, dit-il au baron d'un ton de câlinerie. C'est si beau une belle barbe ! — Fi ! c'est dégoûtant », répondit le baron. Cependant il s'attardait encore sur le pas de la porte et demandait à Jupien des renseignements sur le quartier. « Vous ne savez rien sur le marchand de marrons[c] du coin, pas à gauche, c'est une horreur, mais du côté pair, un grand gaillard tout noir ? Et le pharmacien d'en face, il a un cycliste[d] très gentil qui porte ses médicaments. » Ces questions froissèrent sans doute Jupien car, se redressant avec le dépit d'une grande coquette trahie, il répondit : « Je vois que vous avez un cœur d'artichaut. » Proféré d'un ton douloureux, glacial et maniéré, ce reproche fut sans doute sensible à M. de Charlus qui, pour effacer la mauvaise impression que sa curiosité avait produite, adressa à Jupien, trop bas pour que je distinguasse bien les mots, une prière qui nécessiterait sans doute qu'ils prolongeassent leur séjour dans la boutique[e] et qui toucha assez le giletier pour effacer sa souffrance, car il considéra la figure du baron[a], grasse et congestionnée sous les cheveux gris, de l'air noyé de bonheur[b] de quelqu'un dont on vient de flatter profondément l'amour-propre et se décidant à accorder à M. de Charlus ce que celui-ci venait de lui demander, Jupien, après des remarques dépourvues de distinction telles que : « Vous en avez un gros pétard ! », dit au baron d'un air souriant, ému, supérieur et reconnaissant : « Oui, va, grand gosse[1] ! »

« Si je reviens sur la question du conducteur de tramway[2], reprit M. de Charlus avec ténacité, c'est qu'en dehors de tout, cela pourrait présenter quelque intérêt pour le retour. Il m'arrive en effet, comme le calife qui parcourait Bagdad pris pour un simple marchand[3], de condescendre à suivre quelque curieuse petite personne dont la silhouette m'aura amusé. » Je fis ici la même remarque que j'avais faite sur Bergotte. S'il avait jamais à répondre devant un tribunal, il userait non des phrases propres à convaincre les juges, mais de ces phrases bergottesques que son tempérament littéraire particulier lui suggérait naturellement et lui faisait trouver plaisir à employer. Pareillement M. de Charlus se servait avec le giletier du même langage qu'il eût fait avec des gens du monde de sa coterie, exagérant même ses tics, soit que la timidité contre laquelle il s'efforçait de lutter le poussât à un excessif orgueil, soit que l'empêchant de se dominer (car on est plus troublé devant quelqu'un qui n'est pas de votre milieu), elle le forçât de dévoiler, de mettre à nu sa nature, laquelle était en effet orgueilleuse et un peu folle, comme disait Mme de Guermantes. « Pour ne pas perdre sa piste, continua-t-il, je saute comme un petit professeur, comme un jeune et beau médecin, dans le même tramway[c] que la petite personne, dont nous ne parlons au féminin que pour suivre la règle (comme on dit en parlant d'un prince : Est-ce que Son Altesse est bien portante ?). Si elle change[d] de tramway, je prends, avec peut-être les microbes de la peste, la chose incroyable appelée “correspondance”, un numéro, et qui, bien qu'on le remette à *moi*, n'est pas toujours le n° 1 ! Je change ainsi jusqu'à trois, quatre fois de “voiture”. Je m'échoue parfois à onze heures du soir à la gare d'Orléans, et il faut revenir ! Si encore ce n'était que de la gare d'Orléans ! Mais une fois, par exemple, n'ayant pu entamer la conversation avant, je suis allé jusqu'à Orléans même, dans un de ces affreux wagons où on a comme vue, entre des triangles d'ouvrages dits de "filet", la photographie des principaux chefs-d'œuvre d'architecture du réseau. Il n'y avait qu'une place de libre, j'avais en face de moi, comme monument historique, une "vue" de la cathédrale d'Orléans, qui est la plus laide de France[1], et aussi fatigante à regarder ainsi malgré moi que si on m'avait forcé d'en fixer les tours dans la boule de verre de ces porte-plume optiques qui donnent des ophtalmies. Je descendis aux Aubrais en même temps que ma jeune personne qu'hélas, sa famille (alors que je lui supposais tous les défauts excepté celui d'avoir une famille) attendait sur le quai ! Je n'eus pour consolation, en attendant le train qui me ramènerait à Paris, que la maison de Diane de Poitiers[2]. Elle a eu beau charmer un de mes ancêtres royaux, j'eusse préféré une beauté plus vivante. C'est pour cela, pour remédier à l'ennui de ces retours seul, que j'aimerais assez connaître un garçon des wagons-lits, un conducteur d'omnibus. Du reste ne soyez pas choqué, conclut le baron, tout cela est une question de genre. Pour les jeunes gens du monde par exemple, je ne désire aucune possession physique, mais je ne suis tranquille qu'une fois que je les ai touchés, je ne veux pas dire matériellement, mais touché leur corde sensible. Une fois qu'au lieu de laisser mes lettres sans réponse, un jeune homme ne cesse plus de m'écrire, qu'il est à ma disposition morale, je suis apaisé ou du moins je le serais, si je n'étais bientôt saisi par le souci d'un autre. C'est assez curieux, n'est-ce pas ? À propos de jeunes gens du monde, parmi ceux qui viennent ici, vous n'en connaissez pas ? — Non, mon bébé. Ah ! si, un brun, très grand, à monocle, qui rit toujours et se retourne. — Je ne vois pas qui vous voulez dire. » Jupien compléta le portrait, M. de Charlus ne pouvait arriver à trouver de qui il s'agissait, parce qu'il ignorait que l'ancien giletier était une de ces personnes, plus nombreuses qu'on ne croit, qui ne se rappellent pas la couleur des cheveux des gens qu'ils connaissent peu. Mais pour moi qui savais cette infirmité de Jupien et qui remplaçai brun par blond, le portrait me parut se rapporter exactement au duc de Châtellerault. « Pour revenir aux jeunes gens qui ne sont pas du peuple, reprit le baron, en ce moment j'ai la tête tournée par un étrange petit bonhomme, un intelligent

petit bourgeois, qui montre à mon égard une incivilité prodigieuse. Il n'a aucunement la notion du prodigieux personnage que je suis et du microscopique vibrion qu'il figure. Après tout qu'importe, ce petit âne peut braire autant qu'il lui plaît devant ma robe auguste d'évêque.
— Évêque ! » s'écria Jupien qui n'avait rien compris des dernières phrases que venait de prononcer M. de Charlus, mais que le mot d'évêque stupéfia. « Mais cela ne va guère avec la religion, dit-il. — J'ai trois papes dans ma famille[1], répondit M. de Charlus, et le droit de draper en rouge à cause d'un titre cardinalice, la nièce du cardinal mon grand-oncle ayant apporté à mon grand-père le titre de duc qui fut substitué. Je vois que les métaphores vous laissent sourd et l'histoire de France indifférent. Du reste, ajouta-t-il peut-être moins en manière de conclusion que d'avertissement, cet attrait qu'exercent sur moi les jeunes personnes qui me fuient, par crainte bien entendu, car seul le respect leur ferme la bouche pour me crier qu'elles m'aiment, requiert-il d'elles un rang social éminent. Encore leur feinte indifférence peut-elle produire malgré cela l'effet directement contraire. Sottement prolongée elle m'écœure. Pour prendre un exemple dans une classe qui vous sera plus familière, quand on répara mon hôtel, pour ne pas faire de jalouses entre toutes les duchesses qui se disputaient l'honneur de pouvoir me dire qu'elles m'avaient logé, j'allai passer quelques jours à l'"hôtel", comme on dit. Un des garçons d'étage m'était connu, je lui désignai un curieux petit "chasseur" qui fermait les portières et qui resta réfractaire à mes propositions. À la fin exaspéré, pour lui prouver que mes intentions étaient pures, je lui fis offrir une somme ridiculement élevée pour monter seulement me parler cinq minutes dans ma chambre. Je l'attendis inutilement. Je le pris alors en un tel dégoût que je sortais par la porte de service pour ne pas apercevoir la frimousse de ce vilain petit drôle. J'ai su depuis qu'il n'avait jamais eu aucune de mes lettres, qui avaient été interceptées, la première par le garçon d'étage qui était envieux, la seconde par le concierge de jour qui était vertueux, la troisième par le concierge de nuit qui aimait le jeune chasseur et couchait[a] avec lui à l'heure où Diane se levait. Mais mon dégoût n'en a pas moins persisté et, m'apporterait-on le chasseur comme un simple gibier de chasse sur un plat d'argent, je le repousserais avec un

vomissement. Mais voilà le malheur, nous avons parlé de choses sérieuses et maintenant c'est fini entre nous pour ce que j'espérais. Mais vous pourriez me rendre de grands services, vous entremettre ; et puis non, rien que cette idée me rend quelque gaillardise et je sens que rien n'est fini. »

Dès le début de cette scène une révolution, pour mes yeux dessillés, s'était opérée en M. de Charlus, aussi complète, aussi immédiate que s'il avait été touché par une baguette magique[1]. Jusque-là, parce que je n'avais pas compris, je n'avais pas vu. Le vice (on parle ainsi pour la commodité du langage), le vice de chacun l'accompagne à la façon de ce génie qui était invisible pour les hommes tant qu'ils ignoraient sa présence. La bonté, la fourberie, le nom, les relations mondaines, ne se laissent pas découvrir, et on les porte cachés. Ulysse lui-même ne reconnaissait pas d'abord Athéné[2]. Mais les dieux sont immédiatement perceptibles aux dieux, le semblable aussi vite au semblable, ainsi encore l'avait été M. de Charlus à Jupien. Jusqu'ici je m'étais trouvé en face de M. de Charlus de la même façon qu'un homme distrait, lequel, devant une femme enceinte dont il n'a pas remarqué la taille alourdie, s'obstine, tandis qu'elle lui répète en souriant : « Oui, je suis un peu fatiguée en ce moment », à lui demander indiscrètement : « Qu'avez-vous donc ? » Mais que quelqu'un lui dise : « Elle est grosse », soudain il aperçoit le ventre et ne verra plus que lui. C'est la raison qui ouvre les yeux ; une erreur dissipée nous donne un sens de plus.

Les personnes qui n'aiment pas se reporter comme exemples de cette loi aux messieurs de Charlus de leur connaissance, que pendant bien longtemps elles n'avaient pas soupçonnés, jusqu'au jour où sur la surface unie de l'individu pareil aux autres sont venus apparaître, tracés en une encre jusque-là invisible, les caractères qui composent le mot cher aux anciens Grecs, n'ont, pour se persuader[a] que le monde qui les entoure leur apparaît d'abord nu, dépouillé de mille ornements qu'il offre à de plus instruits, qu'à se souvenir combien de fois, dans la vie, il leur est arrivé d'être sur le point de commettre une gaffe. Rien, sur le visage privé de caractères de tel ou tel homme, ne pouvait leur faire supposer qu'il était précisément le frère, ou le fiancé, ou l'amant d'une femme dont elles allaient dire : « Quel chameau ! » Mais alors, par bonheur, un mot que leur chuchote un voisin arrête sur leurs lèvres le terme fatal. Aussitôt apparaissent, comme un *Mané, Thécel, Pharès*[1], ces mots : il est le fiancé, ou il est le frère, ou il est l'amant de la femme qu'il ne convient pas d'appeler devant lui : « chameau ». Et cette seule notion nouvelle entraînera tout un regroupement, le retrait ou l'avance de la fraction des notions, désormais complétées, qu'on possédait sur le reste de la famille. En M. de Charlus un autre être avait beau s'accoupler, qui le différenciait des autres hommes, comme dans le centaure le cheval, cet être avait beau faire corps avec le baron, je ne l'avais jamais aperçu. Maintenant l'abstrait s'était matérialisé[a], l'être enfin compris avait aussitôt perdu son pouvoir de rester invisible et la transmutation de M. de Charlus en une personne nouvelle était si complète que non seulement les contrastes de son visage, de sa voix, mais rétrospectivement les hauts et les bas eux-mêmes de ses relations avec moi, tout ce qui avait paru jusque-là incohérent à mon esprit, devenait intelligible, se montrait évident comme une phrase, n'offrant aucun sens tant qu'elle reste décomposée en lettres disposées au hasard, exprime, si les caractères se trouvent replacés dans l'ordre qu'il faut, une pensée que l'on ne pourra plus oublier.

De plus je comprenais maintenant pourquoi tout à l'heure, quand je l'avais vu sortir de chez Mme de Villeparisis, j'avais pu trouver que M. de Charlus avait l'air d'une femme : c'en était une[2] ! Il appartenait à la race de ces êtres moins contradictoires qu'ils n'en ont l'air, dont l'idéal est viril, justement parce que leur tempérament est féminin, et qui sont dans la vie pareils, en apparence seulement, aux autres hommes ; là où chacun porte, inscrite en ces yeux à travers lesquels il voit toutes choses dans l'univers, une silhouette intaillée dans la facette de la prunelle, pour eux ce n'est pas celle d'une nymphe, mais d'un éphèbe[b]. Race sur qui pèse une malédiction et qui doit vivre dans le mensonge et le parjure, puisqu'elle sait tenu pour punissable et honteux, pour inavouable, son désir, ce qui fait[c] pour toute créature la plus grande douceur de vivre ; qui doit renier son Dieu, puisque, même chrétiens, quand à la barre du tribunal ils comparaissent comme accusés, il leur faut, devant le Christ et en son nom, se défendre comme d'une calomnie de ce qui est leur vie même ; fils sans mère, à laquelle ils sont obligés de mentir même à l'heure[a] de lui fermer les yeux ; amis sans amitiés, malgré toutes celles que leur charme fréquemment reconnu inspire et que leur cœur souvent bon ressentirait ; mais peut-on appeler amitiés ces relations qui ne végètent qu'à la faveur d'un mensonge et d'où le premier élan de confiance et de sincérité qu'ils seraient tentés d'avoir les ferait rejeter avec dégoût, à moins qu'ils n'aient à faire à un esprit impartial, voire sympathique, mais qui alors, égaré à leur endroit par une psychologie de convention, fera découler du vice confessé l'affection même qui lui est la plus étrangère, de même que certains juges supposent et excusent plus facilement l'assassinat chez les invertis et la trahison chez les Juifs pour des raisons tirées du péché originel et de la fatalité de la race ? Enfin — du moins selon la première théorie que j'en esquissais alors, qu'on verra se modifier par la suite, et en laquelle cela les eût par-dessus tout fâchés si cette contradiction n'avait été dérobée à leurs yeux par l'illusion même qui les faisait voir et vivre — amants à qui est presque fermée la possibilité de cet amour dont l'espérance leur donne la force de supporter tant de risques et de solitudes, puisqu'ils sont justement épris d'un homme qui n'aurait rien d'une femme, d'un homme qui ne serait pas inverti et qui, par conséquent, ne peut les aimer ; de sorte que leur désir serait à jamais inassouvissable si l'argent ne leur livrait de vrais[b] hommes, et si l'imagination ne finissait par leur faire prendre pour de vrais hommes les invertis à qui ils se sont prostitués[1]. Sans honneur que précaire, sans liberté que provisoire jusqu'à la découverte du crime ; sans situation qu'instable, comme pour le poète la veille fêté dans tous les salons, applaudi dans tous les théâtres de Londres, chassé le lendemain de tous les garnis sans pouvoir trouver un oreiller où reposer sa tête[2], tournant la meule comme Samson et disant comme lui :

Les deux sexes mourront chacun de son côté[3] ;

exclus même, hors les jours de grande infortune où le plus grand nombre se rallie autour de la victime, comme les Juifs autour de Dreyfus, de la sympathie — parfois de la société — de leurs semblables, auxquels ils donnent le dégoût de voir ce qu'ils sont, dépeint dans un miroir qui, ne les flattant plus, accuse toutes les tares qu'ils n'avaient pas voulu remarquer chez eux-mêmes et qui leur fait comprendre que ce qu'ils appelaient leur amour (et à quoi, en jouant sur le mot, ils avaient, par sens social, annexé tout ce que la poésie, la peinture, la musique, la chevalerie, l'ascétisme, ont pu ajouter à l'amour) découle non d'un idéal de beauté qu'ils ont élu, mais d'une maladie inguérissable ; comme[a] les Juifs encore (sauf quelques-uns qui ne veulent fréquenter que ceux de leur race, ont toujours à la bouche les mots rituels et les plaisanteries consacrées), se fuyant les uns les autres, recherchant ceux qui leur sont le plus opposés, qui ne veulent pas d'eux, pardonnant leurs rebuffades, s'enivrant de leurs complaisances ; mais aussi rassemblés à leurs pareils par l'ostracisme qui les frappe, l'opprobre où ils sont tombés, ayant fini par prendre, par une persécution semblable à celle d'Israël, les caractères physiques et moraux d'une race, parfois beaux, souvent affreux, trouvant[b] (malgré toutes les moqueries dont celui qui, plus mêlé, mieux assimilé à la race adverse, est relativement, en apparence, le moins inverti, accable celui qui l'est demeuré davantage) une détente dans la fréquentation de leurs semblables, et même un appui dans leur existence, si bien que, tout en niant qu'ils soient une race (dont le nom est[c] la plus grande injure), ceux qui parviennent à cacher qu'ils en sont, ils les démasquent volontiers, moins pour leur nuire, ce qu'ils ne détestent pas, que pour s'excuser, et allant chercher, comme un médecin l'appendicite, l'inversion jusque dans l'histoire, ayant plaisir à rappeler que Socrate était l'un d'eux, comme les Israélites disent que Jésus était juif, sans songer[d] qu'il n'y avait pas d'anormaux quand l'homosexualité était la norme, pas d'antichrétiens avant le Christ, que l'opprobre seul fait le crime, parce qu'il n'a laissé subsister que ceux qui étaient réfractaires à toute prédication, à tout exemple, à tout châtiment, en vertu d'une disposition innée tellement spéciale qu'elle répugne plus aux autres hommes (encore qu'elle puisse s'accompagner de hautes qualités morales) que de certains vices qui y contredisent comme le vol, la cruauté, la mauvaise foi, mieux compris, donc plus excusés du commun des hommes ; formant une franc-maçonnerie bien plus étendue, plus efficace et moins soupçonnée que celle des loges, car elle repose sur une identité de goûts, de besoins, d'habitudes, de dangers, d'apprentissage, de savoir, de trafic, de glossaire, et dans laquelle les membres mêmes qui souhaitent de ne pas se connaître, aussitôt se reconnaissent à des signes naturels ou de convention, involontaires ou voulus, qui signalent un de ses semblables au mendiant dans le grand seigneur à qui il ferme la portière de sa voiture, au père dans le fiancé de sa fille, à celui qui avait voulu se guérir, se confesser, qui avait à se défendre, dans le médecin, dans le prêtre, dans l'avocat qu'il est allé trouver ; tous obligés à protéger leur secret, mais ayant leur part d'un secret des autres que le reste de l'humanité ne soupçonne pas et qui fait qu'à eux les romans d'aventure les plus invraisemblables semblent vrais ; car dans cette vie romanesque, anachronique, l'ambassadeur est ami du forçat ; le prince, avec une certaine liberté d'allures que donne l'éducation aristocratique et qu'un petit bourgeois tremblant n'aurait pas, en sortant de chez la duchesse s'en va conférer avec l'apache ; partie réprouvée de la collectivité humaine, mais partie importante, soupçonnée là où elle n'est pas, étalée, insolente, impunie là où elle n'est pas devinée ; comptant des adhérents partout, dans le peuple, dans l'armée, dans le temple, au bagne, sur le trône ; vivant enfin, du moins un grand nombre, dans l'intimité caressante et dangereuse avec les hommes de l'autre race, les provoquant, jouant avec eux à parler de son vice comme s'il n'était pas sien, jeu qui est rendu facile par l'aveuglement ou la fausseté des autres, jeu[a] qui peut se prolonger des années jusqu'au jour du scandale où[b] ces dompteurs sont dévorés ; jusque-là obligés de cacher leur vie, de détourner leurs regards d'où ils voudraient se fixer, de les fixer sur ce dont ils voudraient se détourner, de changer le genre de bien des adjectifs dans leur vocabulaire, contrainte sociale légère auprès de la contrainte intérieure que leur vice, ou ce qu'on nomme improprement ainsi, leur impose[c] non plus à l'égard des autres mais d'eux-mêmes, et de façon qu'à eux-mêmes il ne leur paraisse pas un vice. Mais certains, plus pratiques, plus pressés, qui n'ont pas le temps d'aller faire leur marché et de renoncer à la simplification de la vie et à ce gain de temps qui peut résulter de la coopération, se sont fait deux sociétés dont la seconde est composée exclusivement d'êtres pareils à eux[d].

Cela frappe chez ceux qui sont pauvres et venus de la province, sans relations, sans rien que l'ambition d'être un jour médecin ou avocat célèbre, ayant un esprit encore vide d'opinions, un corps dénué de manières et qu'ils comptent rapidement orner, comme ils achèteraient pour leur petite chambre du Quartier latin des meubles d'après ce qu'ils remarqueraient et calqueraient chez ceux qui sont déjà « arrivés » dans la profession utile et sérieuse où ils souhaitent de s'encadrer et de devenir illustres ; chez ceux-là, leur goût spécial, hérité à leur insu comme des dispositions pour le dessin, pour la musique, à la cécité, est peut-être la seule originalité[a] vivace, despotique — et qui tels soirs les force à manquer telle réunion utile à leur carrière avec des gens dont pour le reste ils adoptent les façons de parler, de penser, de s'habiller, de se coiffer. Dans leur quartier, où ils ne fréquentent sans cela que des condisciples, des maîtres ou quelque compatriote arrivé et protecteur, ils ont vite découvert d'autres jeunes gens que le même goût particulier rapproche d'eux, comme dans une petite ville se lient le professeur de seconde et le notaire qui aiment tous les deux la musique de chambre, les ivoires[b] du moyen âge ; appliquant à l'objet de leur distraction le même instinct utilitaire, le même esprit professionnel qui les guide dans leur carrière, ils les retrouvent à des séances où nul profane n'est plus admis qu'à celles qui réunissent des amateurs de vieilles tabatières, d'estampes[c] japonaises, de fleurs rares, et où, à cause du plaisir de s'instruire, de l'utilité des échanges et de la crainte des compétitions, règnent à la fois, comme dans une bourse aux timbres[1], l'entente étroite des spécialistes et les féroces rivalités des collectionneurs. Personne d'ailleurs dans le café où ils ont leur table ne sait quelle est cette réunion, si c'est celle d'une société de pêche, des secrétaires de rédaction, ou des enfants de l'Indre, tant leur tenue est correcte, leur air réservé et froid, et tant ils n'osent regarder qu'à la dérobée les jeunes gens à la mode, les jeunes « lions » qui, à quelques mètres plus loin, font grand bruit de leurs maîtresses, et parmi lesquels ceux qui les admirent sans oser lever les yeux apprendront seulement vingt ans plus tard, quand les uns seront à la veille d'entrer dans une académie, et les autres de vieux hommes de cercle, que le plus séduisant, maintenant un gros et grisonnant Charlus, était en réalité pareil à eux, mais ailleurs, dans un autre monde, sous d'autres symboles extérieurs, avec des signes étrangers, dont la différence les a induits en erreur. Mais les groupements sont plus ou moins avancés ; et comme l'« Union des gauches » diffère de la « Fédération socialiste » et telle société de musique mendelssohnienne de la Schola cantorum[1], certains soirs, à une autre table, il y a des extrémistes qui laissent passer un bracelet sous leur manchette, parfois un collier dans l'évasement de leur col, forcent par leurs regards insistants, leurs gloussements, leurs rires, leurs caresses entre eux, une bande de collégiens à s'enfuir au plus vite, et sont servis, avec une politesse sous laquelle couve l'indignation, par un garçon qui, comme les soirs où il sert des dreyfusards, aurait plaisir à aller chercher la police s'il n'avait avantage à empocher les pourboires.

C'est à ces organisations professionnelles que l'esprit oppose le goût des solitaires, et sans trop d'artifices d'une part, puisqu'il ne fait en cela qu'imiter les solitaires eux-mêmes qui croient que rien ne diffère plus du vice organisé que ce qui leur paraît à eux un amour incompris, avec quelque artifice toutefois, car ces différentes classes répondent, tout autant qu'à des types physiologiques divers, à des moments successifs d'une évolution pathologique ou seulement sociale. Et il est bien rare, en effet, qu'un jour ou l'autre, ce ne soit pas dans de telles organisations que les solitaires viennent se fondre, quelquefois par simple lassitude, par commodité (comme finissent ceux qui en ont été le plus adversaires par faire poser chez eux le téléphone, par recevoir les Iéna, ou par acheter[a] chez Potin[2]). Ils y sont d'ailleurs généralement assez mal reçus, car, dans leur vie relativement pure, le défaut d'expérience, la saturation par la rêverie où ils sont réduits, ont marqué plus fortement en eux ces caractères particuliers d'efféminement que les professionnels ont cherché à effacer[b]. Et il faut avouer que chez certains de ces nouveaux venus, la femme n'est pas seulement intérieurement unie à l'homme, mais hideusement visible, agités qu'ils sont dans un spasme d'hystérique, par un rire aigu qui convulse leurs genoux et leurs mains, ne ressemblant pas plus au commun des hommes que ces singes à l'œil mélancolique et cerné, aux pieds prenants, qui revêtent le smoking et portent une cravate noire ; de sorte que ces nouvelles recrues sont jugées, par de moins chastes pourtant, d'une fréquentation compromettante, et leur admission difficile ; on les accepte cependant et ils bénéficient alors de ces facilités par lesquelles le commerce, les grandes entreprises, ont transformé la vie des individus, leur ont rendu accessibles des denrées jusque-là trop dispendieuses à acquérir et même difficiles à trouver, et qui maintenant les submergent par la pléthore de ce que seuls ils n'avaient pu arriver à découvrir dans les plus grandes foules. Mais, même avec ces exutoires innombrables, la contrainte sociale est trop lourde encore pour certains, qui se recrutent surtout[a] parmi ceux chez qui la contrainte mentale ne s'est pas exercée et qui tiennent encore pour plus rare qu'il n'est leur genre d'amour. Laissons pour le moment de côté ceux qui, le caractère exceptionnel de leur penchant les faisant se croire supérieurs[b] à elles, méprisent les femmes, font de l'homosexualité le privilège des grands génies et des époques glorieuses et, quand ils cherchent à faire partager leur goût, le font[c] moins à ceux qui leur semblent y être prédisposés, comme le morphinomane fait pour la morphine, qu'à ceux qui leur en semblent dignes, par zèle d'apostolat, comme d'autres prêchent le sionisme, le refus du service militaire, le saint-simonisme, le végétarisme et l'anarchie. Quelques-uns, si on les surprend[d] le matin, encore couchés, montrent une admirable tête de femme, tant l'expression est générale et symbolise tout le sexe ; les cheveux eux-mêmes l'affirment ; leur inflexion est si féminine, déroulés, ils tombent si naturellement en tresses sur la joue, qu'on s'émerveille que la jeune femme, la jeune fille, Galatée qui s'éveille à peine dans l'inconscient de ce corps d'homme où elle est enfermée[1], ait su si ingénieusement, de soi-même, sans l'avoir appris de personne, profiter des moindres issues de sa prison, trouver ce qui était nécessaire à sa vie. Sans doute le jeune homme qui a cette tête délicieuse ne dit[e] pas : « Je suis une femme[f]. » Même, si — pour tant de raisons possibles — il vit avec une femme, il peut lui nier que lui en soit une, lui jurer qu'il n'a jamais eu de relations avec des hommes. Qu'elle le regarde comme nous venons de le montrer, couché dans un lit, en pyjama, les bras nus, le cou nu sous les cheveux noirs. Le pyjama est devenu une camisole de femme, la tête, celle d'une jolie Espagnole. La maîtresse s'épouvante de ces confidences faites à ses regards, plus vraies que ne pourraient être des paroles, des actes mêmes, et que d'ailleurs les actes, s'ils[g] ne l'ont déjà fait, ne pourront manquer de confirmer, car tout être suit son plaisir ; et si cet être n'est pas trop vicieux, il le cherche dans un sexe opposé au sien. Or pour l'inverti[a] le vice commence, non pas quand il noue des relations (car trop de raisons peuvent les commander), mais quand il prend son plaisir avec des femmes. Le jeune homme que nous venons d'essayer de peindre était si évidemment une femme, que les femmes qui le regardaient avec désir étaient vouées (à moins d'un goût particulier) au même désappointement que celles qui, dans les comédies de Shakespeare, sont déçues par une jeune fille déguisée qui se fait passer pour un adolescent[1]. La tromperie est égale, l'inverti même le sait, il devine la désillusion que, le travestissement ôté, la femme éprouvera, et sent combien cette erreur sur le sexe est une source de fantaisiste poésie. Du reste, même à son exigeante maîtresse, il a beau ne pas avouer (si elle n'est pas gomorrhéenne) : « Je suis une femme », pourtant en lui, avec quelles ruses, quelle agilité, quelle obstination de plante grimpante, la femme inconsciente et visible cherche-t-elle l'organe masculin ! On n'a qu'à regarder cette chevelure bouclée sur l'oreiller blanc pour comprendre que le soir, si ce jeune homme glisse hors des doigts de ses parents, malgré eux, malgré lui, ce ne sera pas[b] pour aller retrouver des femmes. Sa maîtresse peut le châtier, l'enfermer, le lendemain l'homme-femme aura trouvé[c] le moyen de s'attacher à un homme, comme le volubilis jette ses vrilles là où se trouve une pioche ou un râteau[2]. Pourquoi, admirant dans le visage de cet homme des délicatesses[d] qui nous touchent, une grâce, un naturel dans l'amabilité comme les hommes n'en ont point, serions-nous désolés d'apprendre que ce jeune homme recherche les boxeurs ? Ce sont les aspects différents d'une même réalité. Et même, celui qui nous répugne est le plus touchant, plus touchant que toutes les délicatesses, car il représente un admirable effort inconscient de la nature : la reconnaissance du sexe par lui-même, malgré les duperies du sexe, apparaît la tentative inavouée pour s'évader vers ce qu'une erreur initiale de la société a placé loin de lui. Pour les uns, ceux qui ont eu l'enfance la plus timide sans doute, ils ne se préoccupent guère de la sorte matérielle de plaisir qu'ils reçoivent, pourvu qu'ils puissent le rapporter à un visage masculin. Tandis que d'autres, ayant des sens plus violents sans doute, donnent à leur plaisir matériel d'impérieuses localisations. Ceux-là choqueraient peut-être par leurs aveux la moyenne du monde. Ils vivent peut-être moins exclusivement sous le satellite de Saturne[1], car pour eux les femmes ne sont pas entièrement exclues comme pour les premiers, à l'égard desquels elles n'existeraient pas sans la conversation, la coquetterie, les amours de tête. Mais les seconds recherchent celles qui aiment les femmes, elles peuvent leur procurer un jeune homme, accroître le plaisir qu'ils ont à se trouver avec lui ; bien plus, ils peuvent, de la même manière, prendre avec elles le même plaisir qu'avec un homme. De là vient que la jalousie n'est excitée, pour ceux qui aiment les premiers, que par le plaisir qu'ils pourraient prendre avec un homme et qui seul leur semble une trahison, puisqu'ils ne participent pas à l'amour des femmes, ne l'ont pratiqué que comme habitude et pour se réserver la possibilité du mariage, se représentant si peu le plaisir qu'il peut donner, qu'ils ne peuvent souffrir que celui qu'ils aiment le goûte ; tandis que les seconds inspirent souvent de la jalousie par leurs amours avec des femmes. Car dans les rapports qu'ils ont avec elles, ils jouent pour la femme qui aime les *femmes* le rôle d'une autre femme, et la femme leur offre en même temps à peu près ce qu'ils trouvent chez l'homme, si bien que l'ami jaloux souffre de sentir celui qu'il aime rivé à celle qui est pour lui presque un homme, en même temps qu'il le sent presque lui échapper, parce que, pour ces femmes, il est quelque chose qu'il ne connaît pas, une espèce de femme. Ne parlons pas non plus de ces jeunes fous qui[a] par une sorte d'enfantillage, pour taquiner leurs amis, choquer leurs parents, metent une sorte d'acharnement à choisir des vêtements qui ressemblent à des robes, à rougir leurs lèvres et noircir leurs yeux ; laissons-les de côté, car ce sont eux qu'on retrouve, quand ils auront trop cruellement porté la pene de leur affectation, passant toute une vie à essayer vainenent de r rer par une tenue sévère, protestante, le tort qu'ils se t fait quand ils étaient emportés par le même démon q ousse des jeunes *femmes* du faubourg Saint-Germain à re d'une façon scandaleuse, à rompre avec tous les usa à bafouer leur famille, jusqu'au jour où elles se mett vec persévérance et sans succès à remonter la pent elles avaient trouvé si amusant, ou plutôt qu'elles ent pas pu s'empêcher de descendre[a]. Laissons enfin pour plus tard ceux qui ont conclu un pacte avec Gomorrhe. Nous en parlerons quand M. de Charlus les connaîtra. Laissons tous ceux, d'une variété ou d'une autre, qui apparaîtront à leur tour, et pour finir ce premier exposé, ne disons un mot que de ceux dont nous avions commencé de parler tout à l'heure, des solitaires. Tenant leur vice pour plus exceptionnel qu'il n'est, ils sont allés vivre seuls du jour qu'ils l'ont découvert, après l'avoir porté longtemps[b] sans le connaître, plus longtemps seulement que d'autres. Car personne ne sait tout d'abord qu'il est inverti, ou poète, ou snob, ou méchant. Tel collégien[c] qui apprenait des vers d'amour ou regardait des images obscènes, s'il se serrait alors contre un camarade, s'imaginait seulement communier avec lui dans un même désir de la femme. Comment croirait-il n'être pas pareil à tous, quand ce qu'il éprouve il en reconnaît la substance[d] en lisant Mme de Lafayette, Racine, Baudelaire, Walter Scott, alors qu'il est encore trop peu capable de s'observer soi-même pour se rendre compte de ce qu'il ajoute de son cru, et que si le sentiment est le même l'objet diffère, que ce qu'il désire c'est Rob-Roy et non Diana Vernon[1] ? Chez beaucoup, par une prudence défensive de l'instinct qui précède la vue plus claire de l'intelligence, la glace et les murs de leur chambre disparaissent sous des chromos représentant des actrices[2] ; ils font des vers[e] tels que :

Je n'aime que Chloé au monde[f],
Elle est divine, elle est blonde,
Et d'amour mon cœur s'inonde.

Faut-il pour cela mettre au commencement de ces vies un goût qu'on ne devait point retrouver chez eux dans la suite[g], comme ces boucles blondes des enfants qui doivent ensuite devenir les plus bruns ? Qui sait si les photographies de femmes ne sont pas un commencement d'hypocrisie, un commencement aussi d'horreur pour les autres invertis ? Mais les solitaires[h] sont précisément ceux à qui l'hypocrisie est douloureuse. Peut-être l'exemple des Juifs, d'une colonie différente, n'est-il même pas assez fort pour expliquer combien l'éducation a peu de prise sur eux, et avec quel art ils arrivent à revenir, peut-être pas à quelque chose d'aussi simplement atroce que le suicide (où les fous, quelque précaution qu'on prenne, reviennent et, sauvés[a] de la rivière où ils se sont jetés, s'empoisonnent, se procurent un revolver, etc.), mais à une vie dont les hommes de l'autre race non seulement ne comprennent pas, n'imaginent pas, haïssent les plaisirs nécessaires, mais encore dont le danger fréquent et la honte permanente leur feraient horreur. Peut-être, pour les peindre, faut-il penser sinon aux animaux qui ne se domestiquent pas, aux lionceaux prétendus apprivoisés mais restés lions, du moins aux noirs, que l'existence confortable des blancs désespère et qui préfèrent les risques de la vie sauvage et ses incompréhensibles joies. Quand le jour[b] est venu où ils se sont découverts incapables à la fois de mentir aux autres et de se mentir à soi-même, ils partent vivre à la campagne, fuyant leurs pareils (qu'ils croient peu nombreux) par horreur de la monstruosité ou crainte de la tentation, et le reste de l'humanité par honte. N'étant jamais parvenus à la véritable maturité, tombés[c] dans la mélancolie, de temps à autre, un dimanche sans lune, ils vont faire une promenade sur un chemin jusqu'à un carrefour, où sans qu'ils se soient dit un mot, est venu les attendre un de leurs amis d'enfance qui habite un château voisin. Et ils recommencent les jeux d'autrefois, sur l'herbe, dans la nuit, sans échanger une parole. En semaine, ils se voient l'un chez l'autre, causent de n'importe quoi, sans une allusion à ce qui s'est passé, exactement comme s'ils n'avaient rien fait et ne devaient rien refaire, sauf, dans leurs rapports, un peu de froideur, d'ironie, d'irritabilité et de rancune, parfois de la haine. Puis le voisin part pour un dur voyage à cheval, et, à mulet, ascensionne des pics, couche dans la neige ; son ami, qui identifie son propre vice avec une faiblesse de tempérament, la vie casanière et timide, comprend que le vice ne pourra plus vivre en son ami émancipé, à tant de milliers de mètres au-dessus du niveau de la mer. Et en effet[d], l'autre se marie. Le délaissé pourtant ne guérit pas (malgré les cas où l'on verra que l'inversion est guérissable[1]). Il exige[e] de recevoir lui-même le matin dans sa cuisine la crème fraîche des mains du garçon laitier et, les soirs où des désirs l'agitent trop, il s'égare jusqu'à remettre dans son chemin un ivrogne, jusqu'à arranger la blouse de l'aveugle. Sans doute la vie de certains invertis paraît quelquefois changer, leur vice (comme on dit) n'apparaît plus[a] dans leurs habitudes ; mais rien ne se perd : un bijou caché se retrouve ; quand la quantité des urines d'un malade diminue, c'est bien qu'il transpire davantage, mais il faut toujours que l'excrétion se fasse. Un jour cet homosexuel perd un jeune cousin et, à son inconsolable[b] douleur, vous comprenez que c'était dans cet amour, chaste peut-être et qui tenait plus à garder l'estime qu'à obtenir la possession, que les désirs avaient passé par virement, comme dans un budget, sans rien changer au total, certaines dépenses sont portées à un autre exercice. Comme il en est pour ces malades chez qui une crise d'urticaire fait disparaître pour un temps leurs indispositions habituelles, l'amour pur à l'égard d'un jeune parent semble, chez l'inverti, avoir momentanément remplacé, par métastase, des habitudes qui reprendront[c] un jour ou l'autre la place du mal vicariant et guéri.

Cependant le voisin marié du solitaire est revenu ; devant la beauté de la jeune épouse et la tendresse que son mari lui témoigne, le jour où l'ami est forcé de les inviter à dîner, il a honte du passé. Déjà dans une position intéressante, elle doit rentrer de bonne heure, laissant son mari ; celui-ci, quand l'heure est venue de rentrer, demande un bout de conduite à son ami que d'abord aucune suspicion n'effleure, mais qui au carrefour se voit renversé sur l'herbe, sans une parole, par l'alpiniste bientôt père. Et les rencontres recommencent jusqu'au jour où vient s'installer non loin de là un cousin de la jeune femme, avec qui se promène maintenant toujours le mari. Et celui-ci, si le délaissé vient le voir et cherche[d] à s'approcher de lui, furibond, le repousse avec l'indignation que l'autre n'ait pas eu le tact de pressentir le dégoût qu'il inspire désormais. Une fois pourtant se présente un inconnu envoyé par le voisin infidèle ; mais, trop affairé, le délaissé[e] ne peut le recevoir et ne comprend que plus tard dans quel but l'étranger était venu.

Alors le solitaire languit seul. Il n'a d'autre[f] plaisir que d'aller à la station de bains de mer voisine demander un renseignement à un certain employé de chemin de fer. Mais celui-ci a reçu de l'avancement, est nommé à l'autre bout de la France ; le solitaire ne pourra plus aller lui demander l'heure des trains, le prix des premières, et avant[g] de rentrer rêver dans sa tour, comme Grisélidis[1], il s'attarde sur la plage, telle une étrange Andromède qu'aucun Argonaute ne viendra délivrer[1], comme une méduse stérile qui périra sur le sable, ou bien il reste paresseusement, avant le départ du train, sur le quai, à jeter sur la foule des voyageurs un regard qui semblera indifférent, dédaigneux ou distrait à ceux d'une autre race, mais qui, comme l'éclat lumineux dont se parent certains insectes pour attirer ceux de la même espèce, ou comme le nectar qu'offrent certaines fleurs pour attirer les insectes qui les féconderont, ne tromperait pas l'amateur[a] presque introuvable d'un plaisir trop singulier[2], trop difficile à placer, qui lui est offert, le confrère avec qui notre spécialiste pourrait parler la langue insolite ; tout au plus à celle-ci quelque loqueteux du quai fera-t-il semblant de s'intéresser, mais pour un bénéfice matériel seulement, comme ceux qui, au Collège de France, dans la salle où le professeur de sanscrit parle sans auditeur, vont suivre le cours, mais seulement pour se chauffer[3]. Méduse ! Orchidée ! Quand je ne suivais que mon instinct, la méduse me répugnait à Balbec ; mais si je savais la regarder, comme Michelet, du point de vue de l'histoire naturelle et de l'esthétique, je voyais une délicieuse[b] girandole d'azur[4]. Ne sont-elles pas, avec le velours transparent de leurs pétales, comme les mauves orchidées de la mer ? Comme tant de créatures du règne animal et du règne végétal, comme la plante qui produirait la vanille, mais qui, parce que, chez elle, l'organe mâle est séparé par une cloison de l'organe femelle, demeure stérile si les oiseaux-mouches ou certaines petites abeilles ne transportent le pollen des unes aux autres ou si l'homme ne les féconde artificiellement[5], M. de Charlus (et ici le mot fécondation doit être pris au sens moral, puisqu'au sens physique l'union du mâle avec le mâle est stérile, mais il n'est pas indifférent qu'un individu puisse rencontrer le seul plaisir qu'il soit susceptible de goûter, et « qu'ici-bas toute âme » puisse donner à quelqu'un « sa musique, sa flamme ou son parfum[6] »), M. de Charlus était de ces hommes qui peuvent être appelés exceptionnels, parce que, si nombreux soient-ils, la satisfaction, si facile chez d'autres, de leurs besoins sexuels, dépend de la coïncidence de trop de conditions, et trop difficiles à rencontrer. Pour des hommes comme M. de Charlus (et sous la réserve des accommodements qui paraîtront peu à peu et qu'on a pu déjà pressentir, exigés par le besoin de plaisir qui se résigne à de demi-consentements), l'amour mutuel, en dehors des difficultés si grandes, parfois insurmontables, qu'il rencontre chez le commun des êtres, leur en ajoute de si spéciales, que ce qui est toujours très rare pour tout le monde devient à leur égard à peu près impossible, et que si se produit pour eux une rencontre vraiment heureuse ou que la nature leur fait paraître telle, leur bonheur, bien plus encore que celui de l'amoureux normal, a quelque chose d'extraordinaire, de sélectionné, de profondément nécessaire. La haine des Capulet et des Montaigu[1] n'était rien auprès des empêchements de tout genre qui ont été vaincus, des éliminations spéciales que la nature a dû faire subir aux hasards déjà peu communs qui amènent l'amour, avant qu'un ancien giletier, qui comptait partir sagement pour son bureau, titube, ébloui, devant un quinquagénaire bedonnant. Ce Roméo[a] et cette Juliette peuvent croire à bon droit que leur amour n'est pas le caprice d'un instant, mais une véritable prédestination préparée par les harmonies de leur tempérament, non pas seulement par leur tempérament propre, mais par celui de leurs ascendants, par leur plus lointaine hérédité, si bien que l'être qui se conjoint à eux leur appartient avant la naissance, les a attirés par une force comparable à celle qui dirige les mondes où nous avons passé nos vies antérieures. M. de Charlus m'avait distrait de regarder si le bourdon apportait à l'orchidée le pollen qu'elle attendait depuis si longtemps, qu'elle n'avait chance de recevoir que grâce à un hasard si improbable qu'on le pouvait appeler une espèce de miracle. Mais c'était un miracle aussi auquel je venais d'assister, presque du même genre, et non moins merveilleux. Dès que j'eus considéré cette rencontre de ce point de vue, tout m'y sembla empreint de beauté. Les ruses les plus extraordinaires que la nature a inventées[2] pour forcer les insectes à assurer la fécondation des fleurs qui, sans eux, ne pourraient pas l'être parce que la fleur mâle y est trop éloignée de la fleur femelle, ou celle qui, si c'est le vent qui doit assurer le transport du pollen, le rend[b] bien plus facile à détacher de la fleur mâle, bien plus aisé à attraper au passage par la fleur[c] femelle, en supprimant la sécrétion du nectar, qui n'est plus utile puisqu'il n'y a pas d'insectes à attirer, et même l'éclat des corolles qui les attirent, et la ruse qui, pour que[d] la fleur soit réservée au pollen qu'il faut, qui ne peut fructifier qu'en elle, lui fait sécréter une liqueur qui l'immunise contre les autres pollens[1] — ne me semblaient pas plus merveilleuses que l'existence de la sous-variété d'invertis destinée à assurer les plaisirs de l'amour à l'inverti devenant vieux : les hommes qui sont attirés non par tous les hommes, mais — par un phénomène de correspondance et d'harmonie comparable à ceux qui règlent la fécondation des fleurs hétérostylées trimorphes comme le *Lythrum salicaria*[2] — seulement par les hommes beaucoup plus âgés qu'eux. De cette sous-variété Jupien venait de m'offrir un exemple, moins saisissant pourtant que d'autres que tout herborisateur humain, tout botaniste moral, pourra observer, malgré leur rareté, et qui leur présentera un frêle jeune homme qui attendait les avances d'un robuste et bedonnant quinquagénaire, restant aussi indifférent aux avances des autres jeunes gens que restent stériles les fleurs hermaphrodites à court style de la *Primula veris* tant qu'elles ne sont fécondées que par d'autres *Primula veris* à court style aussi, tandis qu'elles accueillent avec joie le pollen des *Primula veris* à long style[3]. Quant à ce qui était de M. de Charlus, du reste, je me rendis compte dans la suite qu'il y avait pour lui divers genres de conjonctions et desquelles certaines, par leur multiplicité, leur instantanéité à peine visible, et surtout le manque de contact entre les deux acteurs, rappelaient plus encore ces fleurs qui dans un jardin sont fécondées par le pollen d'une fleur voisine qu'elles ne toucheront jamais. Il y avait en effet certains êtres qu'il lui suffisait de faire venir chez lui, de tenir pendant quelques heures sous la domination de sa parole, pour que son désir, allumé dans quelque rencontre, fût apaisé. Par simples paroles la conjonction était faite aussi simplement qu'elle peut se produire chez les infusoires. Parfois, ainsi que cela lui était sans doute arrivé pour moi le soir où j'avais été mandé par lui après le dîner Guermantes, l'assouvissement avait lieu grâce à une violente semonce que le baron jetait à la figure du visiteur, comme certaines fleurs, grâce à un ressort, aspergent à distance l'insecte inconsciemment complice et décontenancé[4]. M. de Charlus, de dominé devenu dominateur, se sentait purgé de son inquiétude et calmé, renvoyait le visiteur qui avait aussitôt cessé de lui paraître désirable. Enfin, l'inversion elle-même venant de ce que l'inverti se rapproche trop de la femme pour pouvoir avoir des rapports utiles avec elle, se rattache par là à une loi plus haute qui fait que tant de fleurs hermaphrodites restent infécondes, c'est-à-dire à la stérilité de l'autofécondation. Il est vrai que les invertis à la recherche d'un mâle se contentent souvent d'un inverti aussi efféminé qu'eux. Mais il suffit qu'ils n'appartiennent pas au sexe féminin, dont ils ont en eux un embryon dont ils ne peuvent se servir, ce qui arrive à tant de fleurs hermaphrodites et même à certains animaux hermaphrodites, comme l'escargot[1], qui ne peuvent être fécondés par eux-mêmes, mais peuvent l'être par d'autres hermaphrodites. Par là les invertis, qui se rattachent volontiers à l'antique Orient ou à l'âge d'or de la Grèce, remonteraient plus haut encore, à ces époques d'essai où n'existaient ni les fleurs dioïques ni les animaux unisexués, à cet hermaphroditisme initial dont quelques rudiments d'organes mâles dans l'anatomie de la femme et d'organes femelles dans l'anatomie de l'homme semblent conserver la trace[2]. Je trouvais la mimique, d'abord incompréhensible pour moi, de Jupien et de M. de Charlus aussi curieuse que ces gestes tentateurs adressés aux insectes, selon Darwin, par les fleurs dites composées[a], haussant les demi-fleurons de leurs capitules pour être vues de plus loin[3], comme certaine hétérostylée qui retourne ses étamines et les courbe pour frayer le chemin aux insectes, ou qui leur offre une ablution, et tout simplement même que les parfums de nectar, l'éclat[b] des corolles, qui attiraient en ce moment des insectes dans la cour. À partir de ce jour, M. de Charlus devait changer l'heure de ses visites à Mme de Villeparisis, non qu'il ne pût voir Jupien ailleurs et plus commodément, mais parce qu'aussi bien qu'ils l'étaient pour moi, le soleil de l'après-midi et les fleurs de l'arbuste étaient sans doute liés à son souvenir. D'ailleurs, il ne se contenta pas de recommander les Jupien[c] à Mme de Villeparisis, à la duchesse de Guermantes, à toute une brillante clientèle qui fut d'autant plus assidue auprès de la jeune brodeuse que les quelques dames qui avaient résisté ou seulement tardé furent de la part du baron l'objet de terribles représailles, soit afin qu'elles servissent d'exemple, soit parce qu'elles avaient éveillé sa fureur et s'étaient dressées contre ses entreprises de domination. Il rendit la place de Jupien de plus en plus lucrative jusqu'à ce qu'il le prît définitivement comme secrétaire et l'établît dans les conditions que nous verrons plus tard. « Ah ! en voilà[a] un homme heureux que ce Jupien », disait Françoise qui avait une tendance à diminuer ou à exagérer les bontés selon qu'on les avait pour elle ou pour les autres. D'ailleurs là elle n'avait pas besoin d'exagération ni n'éprouvait d'ailleurs d'envie, aimant sincèrement Jupien. « Ah ! c'est un si bon homme que le baron, ajoutait-elle, si bien, si dévot, si comme il faut ! Si j'avais une fille à marier et que j'étais du monde riche, je la donnerais au baron les yeux fermés. — Mais, Françoise, disait doucement ma mère, elle aurait bien des maris cette fille. Rappelez-vous que vous l'avez déjà promise à Jupien. — Ah ! dame, répondait Françoise, c'est que c'est encore quelqu'un qui rendrait une femme bien heureuse. Il y a beau avoir des riches et des pauvres misérables, ça ne fait rien pour la nature. Le baron et Jupien, c'est bien le même genre de personnes[b]. »

Au reste j'exagérais beaucoup alors, devant cette révélation première, le caractère électif d'une conjonction si sélectionnée. Certes, chacun des hommes pareils à M. de Charlus est une créature extraordinaire, puisque, s'il ne fait pas de concessions aux possibilités de la vie, il recherche essentiellement l'amour d'un homme de l'autre race, c'est-à-dire d'un homme aimant les femmes (et qui par conséquent ne pourra pas l'aimer) ; contrairement à ce que je croyais dans la cour où je venais de voir Jupien tourner autour de M. de Charlus comme l'orchidée faire des avances au bourdon, ces êtres d'exception que l'on plaint sont une foule, ainsi qu'on le verra au cours de cet ouvrage, pour une raison qui ne sera dévoilée qu'à la fin, et se plaignent eux-mêmes d'être plutôt trop nombreux que trop peu. Car les deux anges qui avaient été placés aux portes de Sodome pour savoir si ses habitants, dit la Genèse[1], avaient entièrement fait toutes ces choses dont le cri était monté jusqu'à l'Éternel, avaient été, on ne peut que s'en réjouir, très mal choisis par le Seigneur, lequel n'eût dû confier la tâche qu'à un Sodomiste. Celui-là, les excuses : « Père de six enfants, j'ai deux maîtresses, etc. » ne lui eussent pas fait abaisser bénévolement l'épée flamboyante[2] et adoucir les sanctions. Il aurait répondu : « Oui, et ta femme souffre les tortures de la jalousie. Mais même quand ces femmes n'ont pas été choisies par toi à Gomorrhe, tu passes tes nuits avec un gardeur de troupeaux de l'Hébron. » Et il l'aurait immédiatement fait rebrousser chemin vers la ville qu'allait détruire la pluie de feu et de soufre. Au contraire, on laissa s'enfuir tous les Sodomistes honteux, même si, apercevant un jeune garçon ils détournaient la tête, comme la femme de Loth, sans être pour cela changés comme elle en statues de sel[1]. De sorte qu'ils eurent une nombreuse postérité chez qui ce geste est resté habituel, pareil à celui des femmes débauchées qui, en ayant l'air de regarder un étalage de chaussures placées derrière une vitrine, retournent la tête vers un étudiant. Ces descendants des Sodomistes, si nombreux qu'on peut leur appliquer l'autre verset de la Genèse : « Si quelqu'un peut compter la poussière de la terre, il pourra aussi compter cette postérité[2] », se sont fixés sur toute la terre, ils ont eu accès à toutes les professions et entrent si bien dans les clubs les plus fermés que, quand un sodomiste n'y est pas admis, les boules noires y sont en majorité celles de sodomistes, mais qui ont soin d'incriminer la sodomie, ayant hérité le mensonge qui permit à leurs ancêtres de quitter la ville maudite. Il est possible qu'ils y retournent un jour. Certes ils forment dans tous les pays une colonie orientale, cultivée, musicienne, médisante, qui a des qualité charmantes et d'insupportables défauts. On les verra d'une façon plus approfondie au cours des pages qui suivront ; mais[a] on a voulu provisoirement prévenir l'erreur funeste qui consisterait, de même qu'on a encouragé un mouvement sioniste, à créer un mouvement sodomiste et à rebâtir Sodome. Or, à peine arrivés, les sodomistes quitteraient la ville pour ne pas avoir l'air d'en être, prendraient femme, entretiendraient des maîtresses dans d'autres cités où ils trouveraient d'ailleurs toutes les distractions convenables. Ils n'iraient à Sodome que les jours de suprême nécessité, quand leur ville serait vide, par ces temps où la faim fait sortir le loup du bois, c'est-à-dire que tout se passerait en somme comme à Londres, à Berlin, à Rome, à Pétrograd[3] ou à Paris.

En tous cas ce jour-là, avant ma visite à la duchesse, je ne songeais pas si loin et j'étais désolé d'avoir, par attention à la conjonction Jupien-Charlus, manqué peut-être de voir la fécondation de la fleur par le bourdon.

II

CHAPITRE PREMIER

M. de Charlus dans le monde. — Un médecin. — Face caractéristique de Mme de Vaugoubert. — Mme d'Arpajon, le jet d'eau d'Hubert Robert et la gaieté du grand-duc Wladimir. — Mme d'Amoncourt, Mme de Citri, Mme de Saint-Euverte, etc. — Curieuse conversation entre Swann et le prince de Guermantes. — Albertine au téléphone. — Visites en attendant mon dernier et deuxième séjour à Balbec. — Arrivée à Balbec. — Jalousie à l'égard d'Albertine. — Les intermittences du cœur[a].

Comme je n'étais pas pressé[b] d'arriver à cette soirée des Guermantes où je n'étais pas certain d'être invité[1], je restais oisif dehors ; mais le jour d'été ne semblait pas avoir plus de hâte que moi à bouger. Bien qu'il fût plus de neuf heures, c'était lui encore qui sur la place de la Concorde donnait à l'obélisque de Louqsor un air de nougat rose[2]. Puis il en modifia la teinte et le changea en une matière métallique de sorte que l'obélisque ne devint pas seulement plus précieux, mais sembla aminci et presque flexible. On s'imaginait qu'on aurait pu tordre, qu'on avait peut-être déjà légèrement faussé ce bijou. La lune était maintenant dans le ciel comme un quartier d'orange pelé délicatement quoique un peu entamé[3]. Mais elle devait plus tard être faite de l'or le plus résistant. Blottie toute seule derrière elle, une pauvre petite étoile allait servir d'unique compagne à la lune solitaire, tandis que celle-ci, tout en protégeant son amie, mais plus hardie et allant de l'avant, brandirait comme une arme irrésistible, comme un symbole oriental, son ample et merveilleux croissant d'or.

Devant l'hôtel de la princesse de Guermantes, je rencontrai le duc de Châtellerault[4] ; je ne me rappelais plus qu'une demi-heure auparavant me persécutait encore la crainte — laquelle allait du reste bientôt me ressaisir — de venir sans avoir été invité. On s'inquiète, et c'est parfois longtemps après l'heure du danger, oubliée grâce à la distraction, que l'on se souvient de son inquiétude. Je dis bonjour au jeune duc et pénétrai dans l'hôtel. Mais ici il faut d'abord que je note une circonstance minime, laquelle permettra de comprendre un fait qui suivra bientôt.

Il y avait quelqu'un qui, ce soir-là comme les précédents, pensait beaucoup au duc de Châtellerault, sans soupçonner du reste qui il était : c'était l'huissier (qu'on appelait dans ce temps-là « l'aboyeur ») de Mme de Guermantes. M. de Châtellerault, bien loin d'être un des intimes — comme il était l'un des cousins — de la princesse, était reçu dans son salon pour la première fois. Ses parents, brouillés avec elle depuis dix ans, s'étaient réconciliés depuis quinze jours, et forcés d'être ce soir absents de Paris, avaient chargé leur fils de les représenter. Or, quelques jours auparavant, l'huissier de la princesse avait rencontré dans les Champs-Élysées un jeune homme qu'il avait trouvé charmant mais dont il n'avait pu arriver à établir l'identité[1]. Non que le jeune homme ne se fût montré aussi aimable que généreux. Toutes les faveurs que l'huissier s'était figuré avoir à accorder à un monsieur si jeune, il les avait au contraire reçues. Mais M. de Châtellerault était aussi froussard qu'imprudent ; il était d'autant plus décidé à ne pas dévoiler son incognito qu'il ignorait à qui il avait à faire ; il aurait eu une peur bien plus grande — quoique mal fondée — s'il l'avait su. Il s'était borné à se faire passer pour un Anglais, et à toutes les questions passionnées de l'huissier désireux de retrouver quelqu'un à qui il devait tant de plaisir et de largesses, le duc s'était borné à répondre, tout le long de l'avenue Gabriel : « *I do not speak french.* »

Bien que, malgré tout — à cause de l'origine maternelle de son cousin[2] — le duc de Guermantes affectât de trouver un rien de Courvoisier dans le salon de la princesse de Guermantes-Bavière, on jugeait généralement l'esprit d'initiative et la supériorité intellectuelle de cette dame d'après une innovation qu'on ne rencontrait nulle part ailleurs dans ce milieu[3]. Après le dîner, et quelle que fût l'importance du raout qui devait suivre, les sièges, chez la princesse de Guermantes, se trouvaient disposés de telle façon qu'on formait de petits groupes, qui, au besoin, se tournaient le dos. La princesse marquait alors son sens social en allant s'asseoir, comme par préférence, dans l'un d'eux. Elle ne craignait pas du reste d'élire et d'attirer le membre d'un autre groupe. Si, par exemple, elle avait fait remarquer à M. Detaille[1], lequel avait naturellement acquiescé, combien Mme de Villemur, que sa place dans un autre groupe faisait voir de dos, possédait un joli cou, la princesse n'hésitait pas à élever la voix : « Madame de Villemur, M. Detaille, en grand peintre qu'il est, est en train d'admirer votre cou. » Mme de Villemur sentait là une invite directe à la conversation ; avec l'adresse que donne l'habitude du cheval, elle faisait lentement pivoter sa chaise selon un arc de trois quarts de cercle et sans déranger en rien ses voisins, faisait presque face à la princesse. « Vous ne connaissez pas M. Detaille ? » demandait la maîtresse de maison, à qui l'habile et pudique conversion de son invitée ne suffisait pas. « Je ne le connais pas, mais je connais ses œuvres », répondait Mme de Villemur, d'un air respectueux, engageant, et avec un à-propos que beaucoup enviaient, tout en adressant au célèbre peintre, que l'interpellation n'avait pas suffi à lui présenter d'une manière formelle, un imperceptible salut. « Venez, monsieur Detaille, disait la princesse, je vais vous présenter à Mme de Villemur. » Celle-ci mettait alors autant d'ingéniosité à faire une place à l'auteur du *Rêve*[2] que tout à l'heure à se tourner vers lui. Et la princesse s'avançait une chaise pour elle-même ; elle n'avait en effet interpellé Mme de Villemur que pour avoir un prétexte de quitter le premier groupe où elle avait passé les dix minutes de règle, et d'accorder une durée égale de présence au second. En trois quarts d'heure, tous les groupes avaient reçu sa visite, laquelle semblait n'avoir été guidée chaque fois que par l'improviste et les prédilections, mais avait surtout pour but de mettre en relief avec quel naturel « une grande dame sait recevoir ». Mais maintenant les invités de la soirée commençaient d'arriver et la maîtresse de maison s'était assise non loin de l'entrée — droite et fière, dans sa majesté quasi royale, les yeux flambant par leur incandescence propre — entre deux altesses sans beauté et l'ambassadrice d'Espagne.

Je faisais la queue derrière quelques invités arrivés plus tôt que moi. J'avais en face de moi la princesse, de laquelle la beauté ne me fait pas seule sans doute, entre tant d'autres, souvenir de cette fête-là. Mais ce visage de la maîtresse de maison était si parfait, était frappé comme une si belle médaille, qu'il a gardé pour moi une vertu commémorative. La princesse avait l'habitude de dire à ses invités, quand elle les rencontrait quelques jours avant une de ses soirées : « Vous viendrez, n'est-ce pas ? » comme si elle avait un grand désir de causer avec eux. Mais comme au contraire elle n'avait à leur parler de rien, dès qu'ils arrivaient devant elle, elle se contentait, sans se lever, d'interrompre un instant sa vaine conversation avec les deux altesses et l'ambassadrice et de remercier en disant : « C'est gentil d'être venu », non qu'elle trouvât que l'invité eût fait preuve de gentillesse en venant, mais pour accroître encore la sienne ; puis aussitôt le rejetant à la rivière, elle ajoutait : « Vous trouverez M. de Guermantes à l'entrée des jardins », de sorte qu'on partait visiter et qu'on la laissait tranquille. À certains même elle ne disait rien, se contentant de leur montrer ses admirables yeux d'onyx, comme si on était venu seulement à une exposition de pierres précieuses.

La première personne à passer avant moi était le duc de Châtellerault.

Ayant à répondre à tous les sourires, à tous les bonjours de la main qui lui venaient du salon, il n'avait pas aperçu l'huissier. Mais dès le premier instant l'huissier l'avait reconnu. Cette identité qu'il avait tant désiré d'apprendre, dans un instant il allait la connaître. En demandant à son « Anglais » de l'avant-veille quel nom il devait annoncer, l'huissier n'était pas seulement ému, il se jugeait indiscret, indélicat. Il lui semblait qu'il allait révéler à tout le monde (qui pourtant ne se douterait de rien) un secret qu'il était coupable de surprendre de la sorte et d'étaler publiquement. En entendant la réponse de l'invité : « Le duc de Châtellerault », il se sentit troublé d'un tel orgueil qu'il resta un instant muet. Le duc le regarda, le reconnut, se vit perdu, cependant que le domestique, qui s'était ressaisi et connaissait assez son armorial pour compléter de lui-même une appellation trop modeste, hurlait avec l'énergie professionnelle qui se veloutait d'une tendresse intime : « Son Altesse Monseigneur le duc de Châtellerault ! » Mais c'était maintenant mon tour d'être annoncé. Absorbé dans la contemplation de la maîtresse de maison qui ne m'avait pas encore vu, je n'avais pas songé aux fonctions terribles pour moi — quoique d'une autre façon que pour M. de Châtellerault — de cet huissier habillé de noir comme un bourreau, entouré d'une troupe de valets aux livrées les plus riantes, solides gaillards prêts à s'emparer d'un intrus et à le mettre à la porte[1]. L'huissier me demanda mon nom, je le lui dis aussi machinalement que le condamné à mort se laisse attacher au billot. Il leva aussitôt majestueusement la tête et, avant que j'eusse pu le prier de m'annoncer à mi-voix pour ménager mon amour-propre si je n'étais pas invité, et celui de la princesse de Guermantes si je l'étais, il hurla les syllabes inquiétantes avec une force capable d'ébranler la voûte de l'hôtel.

L'illustre Huxley (celui dont le neveu occupe actuellement une place prépondérante dans le monde de la littérature anglaise) raconte qu'une de ses malades n'osait plus aller dans le monde parce que souvent, dans le fauteuil même qu'on lui indiquait d'un geste courtois, elle voyait assis un vieux monsieur[2]. Elle était bien certaine que, soit le geste inviteur, soit la présence du vieux monsieur, était une hallucination, car on ne lui aurait pas ainsi désigné un fauteuil déjà occupé. Et quand Huxley, pour la guérir, la força à retourner en soirée, elle eut un instant de pénible hésitation en se demandant si le signe aimable qu'on lui faisait était la chose réelle, ou si, pour obéir à une vision inexistante, elle allait en public s'asseoir sur les genoux d'un monsieur en chair et en os. Sa brève incertitude fut cruelle. Moins peut-être que la mienne. À partir du moment où j'avais perçu le grondement de mon nom, comme le bruit préalable d'un cataclysme possible, je dus, pour plaider en tous cas ma bonne foi et comme si je n'étais tourmenté d'aucun doute, m'avancer vers la princesse d'un air résolu.

Elle m'aperçut comme j'étais à quelques pas d'elle et, ce qui ne me laissa plus douter que j'avais été victime d'une machination, au lieu de rester assise comme pour les autres invités, elle se leva, vint à moi. Une seconde après, je pus pousser le soupir de soulagement de la malade d'Huxley, quand ayant pris le parti de s'asseoir dans le fauteuil, elle le trouva libre et comprit que c'était le vieux monsieur qui était une hallucination. La princesse venait de me tendre la main en souriant. Elle resta quelques instants debout, avec le genre de grâce particulier à la stance de Malherbe qui finit ainsi :

Et pour leur faire honneur les Anges se lever[3].

Elle s'excusa de ce que la duchesse ne fût pas encore arrivée comme si je devais m'ennuyer sans elle. Pour me dire ce bonjour, elle exécuta autour de moi, en me tenant la main, un tournoiement plein de grâce, dans le tourbillon duquel je me sentais emporté. Je m'attendais presque à ce qu'elle me remît alors, telle une conductrice de cotillon, une canne à bec d'ivoire, ou une montre-bracelet. Elle ne me donna à vrai dire rien de tout cela, et comme si au lieu de danser le boston elle avait plutôt écouté un sacro-saint quatuor de Beethoven dont elle eût craint de troubler les sublimes accents, elle arrêta là la conversation, ou plutôt ne la commença pas et radieuse encore de m'avoir vu entrer, me fit part seulement de l'endroit où se trouvait le prince.

Je m'éloignai d'elle et n'osai plus m'en rapprocher, sentant qu'elle n'avait absolument rien à me dire et que, dans son immense bonne volonté, cette femme merveilleusement haute et belle, noble comme l'étaient tant de grandes dames qui montèrent si fièrement à l'échafaud, n'aurait pu, faute d'oser m'offrir de l'eau de mélisse, que me répéter ce qu'elle m'avait déjà dit deux fois : « Vous trouverez le prince dans le jardin. » Or, aller auprès du prince, c'était sentir renaître sous une autre forme mes doutes.

En tous cas fallait-il trouver quelqu'un qui me présentât. On entendait, dominant toutes les conversations, l'intarissable jacassement de M. de Charlus, lequel causait avec Son Excellence le duc de Sidonia, dont il venait de faire la connaissance. De profession à profession, on se devine, et de vice à vice aussi. M. de Charlus et M. de Sidonia avaient chacun immédiatement flairé celui de l'autre, et qui, pour tous les deux, était dans le monde d'être monologuistes, au point de ne pouvoir souffrir aucune interruption. Ayant jugé tout de suite que le mal était sans remède, comme dit un célèbre sonnet[1], ils avaient pris la détermination, non de se taire, mais de parler chacun sans s'occuper de ce que dirait l'autre. Cela avait réalisé ce bruit confus, produit dans les comédies de Molière par plusieurs personnes qui disent ensemble des choses différentes[2]. Le baron, avec sa voix éclatante, était du reste certain d'avoir le dessus, de couvrir la voix faible de M. de Sidonia, sans décourager ce dernier pourtant, car, lorsque M. de Charlus reprenait un instant haleine, l'intervalle était rempli par le susurrement du grand d'Espagne qui avait continué imperturbablement son discours. J'aurais bien demandé à M. de Charlus de me présenter au prince de Guermantes, mais je craignais (avec trop de raison) qu'il ne fût fâché contre moi. J'avais agi envers lui de la façon la plus ingrate en laissant pour la seconde fois tomber ses offres et en ne lui donnant pas signe de vie depuis le soir où il m'avait si affectueusement reconduit à la maison. Et pourtant je n'avais nullement comme excuse anticipée la scène que je venais de voir, cet après-midi même, se passer entre Jupien et lui. Je ne soupçonnais rien de pareil. Il est vrai que peu de temps auparavant, comme mes parents me reprochaient ma paresse et de n'avoir pas encore pris la peine d'écrire un mot à M. de Charlus, je leur avais violemment reproché de vouloir me faire accepter des propositions déshonnêtes[1]. Mais seuls la colère, le désir de trouver la phrase qui pouvait leur être le plus désagréable m'avaient dicté cette réponse mensongère. En réalité, je n'avais rien imaginé de sensuel, ni même de sentimental, sous les offres du baron. J'avais dit cela à mes parents comme une folie pure. Mais quelquefois l'avenir habite en nous sans que nous le sachions, et nos paroles qui croient mentir dessinent une réalité prochaine.

M. de Charlus m'eût sans doute pardonné mon manque de reconnaissance. Mais ce qui le rendait furieux, c'est que ma présence ce soir chez la princesse de Guermantes, comme depuis quelque temps chez sa cousine, paraissait narguer la déclaration solennelle : « On n'entre dans ces salons-là que par moi. » Faute grave, crime peut-être inexpiable, je n'avais pas suivi la voie hiérarchique. M. de Charlus savait bien que les tonnerres qu'il brandissait contre ceux qui ne se pliaient pas à ses ordres, ou qu'il avait pris en haine, commençaient à passer, selon beaucoup de gens, quelque rage qu'il y mît, pour des tonnerres en carton, et n'avaient plus la force de chasser n'importe qui de n'importe où. Mais peut-être croyait-il que son pouvoir amoindri, grand encore, restait intact aux yeux des novices tels que moi. Aussi ne le jugeai-je pas très bien choisi pour lui demander un service dans une fête où ma présence seule semblait un ironique démenti à ses prétentions.

Je fus à ce moment arrêté par un homme assez vulgaire, le professeur E***[2]. Il avait été surpris de m'apercevoir chez les Guermantes. Je ne l'étais pas moins de l'y trouver car jamais on n'avait vu, et on ne vit dans la suite, chez la princesse, un personnage de sa sorte. Il venait de guérir le prince, déjà administré, d'une pneumonie infectieuse, et la reconnaissance toute particulière qu'en avait pour lui Mme de Guermantes était cause qu'on avait rompu avec les usages et qu'on l'avait invité. Comme il ne connaissait absolument personne dans ces salons et ne pouvait y rôder indéfiniment seul comme un ministre de la mort, m'ayant reconnu, il s'était senti, pour la première fois de sa vie, une infinité de choses à me dire, ce qui lui permettait de prendre une contenance, et c'était une des raisons pour lesquelles il s'était avancé vers moi. Il y en avait une autre. Il attachait beaucoup d'importance à ne jamais faire d'erreur de diagnostic. Or son courrier était si nombreux qu'il ne se rappelait pas toujours très bien, quand il n'avait vu qu'une fois un malade, si la maladie avait bien suivi le cours qu'il lui avait assigné. On n'a peut-être pas oublié qu'au moment de l'attaque de ma grand-mère, je l'avais conduite chez lui, le soir où il se faisait coudre tant de décorations. Depuis le temps écoulé, il ne se rappelait plus le faire-part qu'on lui avait envoyé à l'époque. « Madame votre grand-mère est bien morte, n'est-ce pas ? » me dit-il d'une voix où une quasi-certitude calmait une légère appréhension. « Ah ! En effet ! Du reste dès la première minute où je l'ai vue, mon pronostic avait été tout à fait sombre, je me souviens très bien. »

C'est ainsi que le professeur E*** apprit ou rapprit la mort de ma grand-mère, et je dois le dire à sa louange, qui est celle du corps médical tout entier, sans manifester, sans éprouver peut-être de satisfaction. Les erreurs des médecins sont innombrables. Ils pèchent d'habitude par optimisme quant au régime, par pessimisme quant au dénouement. « Du vin ? en quantité modérée cela ne peut vous faire du mal, c'est en somme un tonifiant... Le plaisir physique ? après tout c'est une fonction. Je vous le permets sans abus, vous m'entendez bien. L'excès en tout est un défaut. » Du coup quelle tentation pour le malade de renoncer à ces deux résurrecteurs, l'eau et la chasteté ! En revanche si l'on a quelque chose au cœur, de l'albumine, etc., on n'en a pas pour longtemps. Volontiers, des troubles graves, mais fonctionnels, sont attribués à un cancer imaginé. Il est inutile de continuer des visites qui ne sauraient enrayer un mal inéluctable.

Que le malade livré à lui-même s'impose alors un régime implacable, et ensuite guérisse ou tout au moins survive, le médecin, salué par lui avenue de l'Opéra quand il le croyait depuis longtemps au Père-Lachaise, verra dans ce coup de chapeau un geste de narquoise insolence. Une innocente promenade effectuée à son nez et à sa barbe ne causerait pas plus de colère au président d'assises qui, deux ans auparavant, a prononcé contre le badaud, qui semble sans crainte, une condamnation à mort. Les médecins (il ne s'agit pas de tous, bien entendu, et nous n'omettons pas, mentalement, d'admirables exceptions) sont en général plus mécontents, plus irrités de l'infirmation de leur verdict que joyeux de son exécution. C'est ce qui explique que le professeur E***, quelque satisfaction intellectuelle qu'il ressentît sans doute à voir qu'il ne s'était pas trompé, sut ne me parler que tristement du malheur qui nous avait frappés. Il ne tenait pas à abréger la conversation, qui lui fournissait une contenance et une raison de rester. Il me parla de la grande chaleur qu'il faisait ces jours-ci, mais, bien qu'il fût lettré et eût pu s'exprimer en bon français, il me dit : « Vous ne souffrez pas de cette hyperthermie ? » C'est que la médecine a fait quelques petits progrès dans ses connaissances depuis Molière, mais aucun dans son vocabulaire. Mon interlocuteur ajouta : « Ce qu'il faut, c'est éviter les sudations que cause, surtout dans les salons surchauffés, un temps pareil. Vous pouvez y remédier, quand vous rentrez et avez envie de boire, par la chaleur » (ce qui signifie évidemment[a] des boissons chaudes).

À cause de la façon dont était morte ma grand-mère, le sujet m'intéressait et j'avais lu récemment dans un livre d'un grand savant que la transpiration était nuisible aux reins, en faisant passer par la peau ce dont l'issue est ailleurs. Je déplorais ces temps de canicule par lesquels ma grand-mère était morte et n'étais pas loin de les incriminer. Je n'en parlai pas au docteur E*** mais de lui-même il me dit : « L'avantage de ces temps très chauds, où la transpiration est très abondante, c'est que le rein en est soulagé d'autant. » La médecine n'est pas une science exacte.

Accroché à moi le professeur E*** ne demandait qu'à ne pas me quitter. Mais je venais d'apercevoir, faisant à la princesse de Guermantes de grandes révérences de droite et de gauche, après avoir reculé d'un pas, le marquis de Vaugoubert. M. de Norpois m'avait dernièrement fait faire sa connaissance et j'espérais que je trouverais en lui quelqu'un qui fût capable de me présenter au maître de maison. Les proportions de cet ouvrage ne me permettent pas d'expliquer ici à la suite de quels incidents de jeunesse M. de Vaugoubert était un des seuls hommes du monde (peut-être le seul) qui se trouvât ce qu'on appelle à Sodome être « en confidences » avec M. de Charlus[1]. Mais si notre ministre auprès du roi Théodose avait quelques-uns des mêmes défauts que le baron, ce n'était qu'à l'état de bien pâle reflet. C'était seulement sous une forme infiniment adoucie, sentimentale et niaise qu'il présentait ces alternances de sympathie et de haine par où le désir de charmer, et ensuite la crainte — également imaginaire — d'être, sinon méprisé, du moins découvert, faisait passer le baron. Rendues ridicules par une chasteté, un « platonisme » (auxquels en grand ambitieux il avait, dès l'âge du concours, sacrifié tout plaisir), par sa nullité intellectuelle surtout, ces alternances, M. de Vaugoubert les présentait pourtant. Mais tandis que chez M. de Charlus les louanges immodérées étaient clamées avec un véritable éclat d'éloquence, et assaisonnées des plus fines, des plus mordantes railleries et qui marquaient un homme à jamais, chez M. de Vaugoubert au contraire, la sympathie était exprimée avec la banalité d'un homme de dernier ordre, d'un homme du grand monde, et d'un fonctionnaire, les griefs (forgés généralement de toutes pièces comme chez le baron) par une malveillance sans trêve mais sans esprit et qui choquait d'autant plus qu'elle était d'habitude en contradiction avec les propos que le ministre avait tenus six mois avant et tiendrait peut-être à nouveau dans quelque temps : régularité dans le changement qui donnait une poésie presque astronomique aux diverses phases de la vie de M. de Vaugoubert, bien que sans cela personne moins que lui ne fît penser à un astre.

Le bonsoir qu'il me rendit n'avait rien de celui qu'aurait eu M. de Charlus. À ce bonsoir M. de Vaugoubert, outre les mille façons qu'il croyait celles du monde et de la diplomatie, donnait un air cavalier, fringant, souriant pour sembler d'une part ravi de l'existence — alors qu'il remâchait intérieurement les déboires d'une carrière sans avancement et menacée d'une mise à la retraite — d'autre part jeune, viril et charmant, alors qu'il voyait et n'osait même plus aller regarder dans sa glace les rides se figer aux entours d'un visage qu'il eût voulu garder plein de séductions. Ce n'est pas qu'il eût souhaité des conquêtes effectives dont la seule pensée lui faisait peur à cause du qu'en-dira-t-on, des éclats, des chantages. Ayant passé d'une débauche presque infantile à la continence absolue datant du jour où il avait pensé au quai d'Orsay et voulu faire une grande carrière, il avait l'air d'une bête en cage, jetant dans tous les sens des regards qui exprimaient la peur, l'appétence et la stupidité. La sienne était telle qu'il ne réfléchissait pas que les voyous de son adolescence n'étaient plus des gamins et que, quand un marchand de journaux lui criait en plein nez : « *La Presse*[1] ! » plus encore que de désir il frémissait d'épouvante, se croyant reconnu et dépisté.

Mais à défaut des plaisirs sacrifiés à l'ingratitude du quai d'Orsay, M. de Vaugoubert — et c'est pour cela qu'il aurait voulu plaire encore — avait de brusques élans de cœur. Dieu sait de combien de lettres il assommait le ministère, quelles ruses personnelles il déployait, combien de prélèvements il opérait sur le crédit de Mme de Vaugoubert (qu'à cause de sa corpulence, de sa haute naissance, de son air masculin, et surtout à cause de la médiocrité du mari, on croyait douée de capacités éminentes et remplissant les vraies fonctions de ministre), pour faire entrer sans aucune raison valable un jeune homme dénué de tout mérite dans le personnel de la légation. Il est vrai que quelques mois, quelques années après, pour peu que l'insignifiant attaché parût, sans l'ombre d'une mauvaise intention, avoir donné des marques de froideur à son chef, celui-ci se croyant méprisé ou trahi mettait la même ardeur hystérique à le punir que jadis à le combler. Il remuait ciel et terre pour qu'on le rappelât et le directeur des Affaires politiques recevait journellement une lettre : « Qu'attendez-vous pour me débarrasser de ce lascar-là ? Dressez-le un peu dans son intérêt. Ce dont il a besoin c'est de manger un peu de vache enragée. » Le poste d'attaché auprès du roi Théodose était à cause de cela peu agréable. Mais pour tout le reste, grâce à son parfait bon sens d'homme du monde, M. de Vaugoubert était un des meilleurs agents du gouvernement français à l'étranger. Quand un homme prétendu supérieur, jacobin, qui était savant en toutes choses, le remplaça plus tard, la guerre ne tarda pas à éclater entre la France et le pays dans lequel régnait le roi.

M. de Vaugoubert comme M. de Charlus n'aimait pas dire bonjour le premier. L'un et l'autre préféraient « répondre », craignant toujours les potins que celui auquel ils eussent sans cela tendu la main avait pu entendre sur leur compte depuis qu'ils ne l'avaient vu. Pour moi, M. de Vaugoubert n'eut pas à se poser la question, j'étais en effet allé le saluer le premier, ne fût-ce qu'à cause de la différence d'âge. Il me répondit d'un air émerveillé et ravi, ses deux yeux continuant à s'agiter comme s'il y avait eu de la luzerne défendue à brouter de chaque côté. Je pensai qu'il était convenable de solliciter de lui ma présentation à Mme de Vaugoubert, avant celle au prince dont je comptais ne lui parler qu'ensuite. L'idée de me mettre en rapports avec sa femme parut le remplir de joie pour lui comme pour elle et il me mena d'un pas délibéré vers la marquise. Arrivé devant elle et me désignant de la main et des yeux, avec toutes les marques de considération possibles, il resta néanmoins muet et se retira au bout de quelques secondes, d'un air frétillant, pour me laisser seul avec sa femme. Celle-ci m'avait aussitôt tendu la main, mais sans savoir à qui cette marque d'amabilité s'adressait, car je compris que M. de Vaugoubert avait oublié comment je m'appelais, peut-être même ne m'avait pas reconnu, et n'ayant pas voulu, par politesse, me l'avouer, avait fait consister la présentation en une simple pantomime. Aussi je n'étais pas plus avancé ; comment me faire présenter au maître de la maison par une femme qui ne savait pas mon nom ? De plus, je me voyais forcé de causer quelques instants avec Mme de Vaugoubert. Et cela m'ennuyait à deux points de vue. Je ne tenais pas à m'éterniser dans cette fête car j'avais convenu avec Albertine (je lui avais donné une loge pour *Phèdre*[1]) qu'elle viendrait me voir un peu avant minuit. Certes je n'étais nullement épris d'elle ; j'obéissais en la faisant venir ce soir à un désir tout sensuel, bien qu'on fût à cette époque torride de l'année où la sensualité libérée visite plus volontiers les organes du goût, recherche surtout la fraîcheur. Plus que du baiser d'une jeune fille, elle a soif d'une orangeade, d'un bain, voire de contempler cette lune épluchée et juteuse qui désaltérait le ciel. Mais pourtant je comptais me débarrasser aux côtés d'Albertine — laquelle du reste me rappelait la fraîcheur du flot — des regrets que ne manqueraient pas de me laisser bien des visages charmants (car c'était aussi bien une soirée de jeunes filles que de dames que donnait la princesse). D'autre part, celui de l'imposante Mme de Vaugoubert, bourbonien et morose, n'avait rien d'attrayant.

On disait au ministère, sans y mettre ombre de malice, que dans le ménage, c'était le mari qui portait les jupes et la femme les culottes. Or il y avait plus de vérité là-dedans qu'on ne le croyait. Mme de Vaugoubert, c'était un homme. Avait-elle toujours été ainsi, ou était-elle devenue ce que je la voyais, peu importe, car dans l'un et l'autre cas on a affaire à l'un des plus touchants miracles de la nature et qui, le second surtout, font ressembler le règne humain au règne des fleurs. Dans la première hypothèse — si la future Mme de Vaugoubert avait toujours été aussi lourdement hommasse — la nature, par une ruse diabolique et bienfaisante, donne à la jeune fille l'aspect trompeur d'un homme. Et l'adolescent qui n'aime pas les femmes et veut guérir trouve avec joie ce subterfuge de découvrir une fiancée qui lui représente un fort aux halles. Dans le cas contraire, si la femme n'a d'abord pas les caractères masculins, elle les prend peu à peu pour plaire à son mari, même inconsciemment, par cette sorte de mimétisme qui fait que certaines fleurs se donnent l'apparence des insectes qu'elles veulent attirer. Le regret de ne pas être aimée, de ne pas être homme, la virilise. Même en dehors du cas qui nous occupe, qui n'a remarqué combien les couples les plus normaux finissent par se ressembler, quelquefois même par interchanger leurs qualités ? Un ancien chancelier allemand, le prince de Bülow, avait épousé une Italienne. À la longue, sur le Pincio, on remarqua combien l'époux germanique avait pris de finesse italienne, et la princesse italienne de rudesse allemande[1]. Pour sortir jusqu'à un point excentrique des lois que nous traçons, chacun connaît un éminent diplomate français dont l'origine n'était rappelée que par son nom, un des plus illustres de l'Orient[2]. En mûrissant, en vieillissant, s'est révélé en lui l'Oriental qu'on n'avait jamais soupçonné, et en le voyant on regrette l'absence du fez qui le compléterait.

Pour en revenir à des mœurs fort ignorées de l'ambassadeur dont nous venons d'évoquer la silhouette ancestralement épaissie, Mme de Vaugoubert réalisait le type acquis ou prédestiné dont l'image[a] immortelle est la princesse Palatine[1], toujours en habit de cheval et qui, ayant pris[b] de son mari plus que la virilité, épousant les défauts des hommes qui n'aiment pas les femmes, dénonce dans ses lettres de commère les relations qu'ont entre eux tous les grands seigneurs de la cour de Louis XIV. Une des causes qui ajoutent encore à l'air masculin des femmes telles que Mme de Vaugoubert est que l'abandon où elles sont laissées par leur mari, la honte qu'elles en éprouvent, flétrissent peu à peu chez elles tout ce qui est de la femme. Elles finissent par prendre les qualités et les défauts que le mari n'a pas. Au fur et à mesure qu'il est plus frivole, plus efféminé, plus indiscret, elles deviennent comme l'effigie sans charme des vertus que l'époux devrait pratiquer.

Des traces d'opprobre, d'ennui, d'indignation, ternissaient le visage régulier de Mme de Vaugoubert. Hélas, je sentais qu'elle me considérait avec intérêt et curiosité comme un de ces jeunes hommes qui plaisaient à M. de Vaugoubert et qu'elle aurait tant voulu être, maintenant que son mari vieillissant préférait la jeunesse. Elle me regardait avec l'attention de ces personnes de province qui dans un catalogue de magasin de nouveautés copient la robe tailleur si seyante à la jolie personne dessinée (en réalité la même à toutes les pages, mais multipliée illusoirement en créatures différentes grâce à la différence des poses et à la variété des toilettes). L'attrait végétal qui poussait vers moi Mme de Vaugoubert était si fort qu'elle alla jusqu'à m'empoigner le bras pour que je la conduisisse boire un verre d'orangeade. Mais je me dégageai en alléguant que moi qui allais bientôt partir, je ne m'étais pas fait présenter encore au maître de la maison.

La distance qui me séparait de l'entrée des jardins où il causait avec quelques personnes n'était pas bien grande. Mais elle me faisait plus peur que si pour la franchir il eût fallu s'exposer à un feu continu.

Beaucoup de femmes par qui il me semblait que j'eusse pu me faire présenter étaient dans le jardin où, tout en feignant une admiration exaltée, elles ne savaient pas trop que faire. Les fêtes de ce genre sont en général anticipées.

Elles n'ont guère de réalité que le lendemain, où elles occupent l'attention des personnes qui n'ont pas été invitées. Un véritable écrivain, dépourvu du sot amour-propre de tant de gens de lettres, si, lisant l'article d'un critique qui lui a toujours témoigné la plus grande admiration, il voit cités les noms d'auteurs médiocres mais pas le sien, n'a pas le loisir de s'arrêter à ce qui pourrait être pour lui un sujet d'étonnement : ses livres le réclament. Mais une femme du monde n'a rien à faire, et en voyant dans *Le Figaro* : « Hier le prince et la princesse de Guermantes ont donné une grande soirée, etc. », elle s'exclame : « Comment ! j'ai, il y a trois jours, causé une heure avec Marie-Gilbert sans qu'elle m'en dise rien ! » et elle se casse la tête pour savoir ce qu'elle a pu faire aux Guermantes. Il faut dire qu'en ce qui concernait les fêtes de la princesse, l'étonnement était quelquefois aussi grand chez les invités que chez ceux qui ne l'étaient pas. Car elles explosaient au moment où on les attendait le moins, et faisaient appel à des gens que Mme de Guermantes avait oubliés pendant des années. Et presque tous les gens du monde sont si insignifiants que chacun de leurs pareils ne prend, pour les juger, que la mesure de leur amabilité, invité les chérit, exclu les déteste. Pour ces derniers, si, en effet, la princesse, même s'ils étaient de ses amis, ne les conviait pas, cela tenait souvent à sa crainte[a] de mécontenter « Palamède » qui les avait excommuniés. Aussi pouvais-je être certain qu'elle n'avait pas parlé de moi à M. de Charlus, sans quoi je ne me fusse pas trouvé là. Il s'était maintenant accoudé devant le jardin, à côté de l'ambassadeur d'Allemagne[1], à la rampe du grand escalier qui ramenait dans l'hôtel, de sorte que les invités, malgré les trois ou quatre admiratrices qui s'étaient groupées autour du baron et le masquaient presque, étaient forcés de venir lui dire bonsoir. Il y répondait en nommant les gens par leur nom. Et on entendait successivement : « Bonsoir, monsieur du Hazay, bonsoir, madame de La Tour du Pin-Verclause, bonsoir, madame de La Tour du Pin-Gouvernet[2], bonsoir, Philibert, bonsoir, ma chère ambassadrice, etc. » Cela faisait un glapissement continu qu'interrompaient des recommandations bénévoles ou des questions (desquelles il n'écoutait pas la réponse), et que M. de Charlus adressait d'un ton radouci, factice afin de témoigner l'indifférence, et bénin : « Prenez garde que la petite n'ait pas froid, les jardins c'est toujours un peu humide. Bonsoir, madame de Brantes[1]. Bonsoir, madame de Mecklembourg[2]. Est-ce que la jeune fille est venue ? A-t-elle mis la ravissante robe rose ? Bonsoir, Saint-Géran. » Certes il y avait de l'orgueil dans cette attitude. M. de Charlus savait qu'il était un Guermantes occupant une place prépondérante dans cette fête. Mais il n'y avait pas que de l'orgueil, et ce mot même de fête évoquait, pour l'homme aux dons esthétiques, le sens luxueux, curieux, qu'il peut avoir si cette fête est donnée non chez des gens du monde, mais dans un tableau de Carpaccio ou de Véronèse[3]. Il est même plus probable que le prince allemand qu'était M. de Charlus devait plutôt se représenter la fête qui se déroule dans *Tannhäuser*, et lui-même comme le Margrave, ayant, à l'entrée de la Warburg, une bonne parole condescendante pour chacun des invités, tandis que leur écoulement dans le château ou le parc est salué par la longue phrase, cent fois reprise, de la fameuse « Marche[4] ».

Il fallait pourtant me décider. Je reconnaissais bien sous les arbres des femmes avec qui j'étais plus ou moins lié, mais elles semblaient[a] transformées parce qu'elles étaient chez la princesse et non chez sa cousine, et que je les voyais assises non devant une assiette de Saxe mais sous les branches d'un marronnier. L'élégance du milieu n'y faisait rien. Eût-elle été infiniment moindre que chez « Oriane », le même trouble eût existé en moi. Que l'électricité vienne à s'éteindre dans notre salon et qu'on doive la remplacer par des lampes à huile, tout nous paraît changé. Je fus tiré de mon incertitude par Mme de Souvré[5]. « Bonsoir, me dit-elle en venant à moi. Y a-t-il longtemps que vous n'avez vu la duchesse de Guermantes ? » Elle excellait à donner à ce genre de phrases une intonation qui prouvait qu'elle ne les débitait pas par bêtise pure comme les gens qui, ne sachant pas de quoi parler, vous abordent mille fois en citant une relation commune, souvent très vague. Elle eut au contraire un fin fil conducteur du regard qui signifiait : « Ne croyez pas que je ne vous aie pas reconnu. Vous êtes le jeune homme que j'ai vu chez la duchesse de Guermantes. Je me rappelle très bien. » Malheureusement cette protection qu'étendait sur moi cette phrase d'apparence stupide et d'intention délicate était extrêmement fragile et s'évanouit aussitôt que je voulus en user.

Mme de Souvré avait l'art, s'il s'agissait d'appuyer une sollicitation auprès de quelqu'un de puissant, de paraître à la fois aux yeux du solliciteur le recommander, et aux yeux du haut personnage ne pas recommander ce solliciteur, de manière que ce geste à double sens lui ouvrait un crédit de reconnaissance envers ce dernier sans lui créer aucun débit vis-à-vis de l'autre. Encouragé par la bonne grâce de cette dame à lui demander de me présenter à M. de Guermantes, elle profita d'un moment où les regards du maître de maison n'étaient pas tournés vers nous, me prit maternellement par les épaules et, souriant à la figure détournée du prince qui ne pouvait pas la voir, elle me poussa vers lui d'un mouvement prétendu protecteur et volontairement inefficace qui me laissa en panne presque à mon point de départ. Telle est la lâcheté des gens du monde.

Celle d'une dame qui vint me dire bonjour en m'appelant par mon nom fut plus grande encore. Je cherchais à retrouver le sien tout en lui parlant ; je me rappelais très bien avoir dîné avec elle, je me rappelais des mots qu'elle avait dits. Mais mon attention, tendue vers la région intérieure où il y avait ces souvenirs d'elle, ne pouvait y découvrir ce nom[1]. Il était là pourtant. Ma pensée avait engagé comme une espèce de jeu avec lui pour saisir ses contours, la lettre par laquelle il commençait, et l'éclairer enfin tout entier. C'était peine perdue, je sentais à peu près sa masse, son poids, mais pour ses formes, les confrontant au ténébreux captif blotti dans la nuit intérieure, je me disais : « Ce n'est pas cela. » Certes mon esprit aurait pu créer les noms les plus difficiles. Par malheur il n'avait pas à créer mais à reproduire. Toute action de l'esprit est aisée si elle n'est pas soumise au réel. Là, j'étais forcé de m'y soumettre. Enfin d'un coup le nom vint tout entier : « Madame d'Arpajon[2]. » J'ai tort de dire qu'il vint, car il ne m'apparut pas, je crois, dans une propulsion de lui-même. Je ne pense pas non plus que les légers et nombreux souvenirs qui se rapportaient à cette dame, et auxquels je ne cessais de demander de m'aider (par des exhortations comme celle-ci : « Voyons, c'est cette dame qui est amie de Mme de Souvré, qui éprouve à l'endroit de Victor Hugo une admiration si naïve, mêlée de tant d'effroi et d'horreur[3] »), je ne crois pas que tous ces souvenirs, voletant entre moi et son nom, aient servi en quoi que ce soit à le renflouer. Dans ce grand « cache-cache » qui se joue dans la mémoire quand on veut retrouver un nom, il n'y a pas une série d'approximations graduées. On ne voit rien, puis tout d'un coup apparaît le nom exact et fort différent de ce qu'on croyait deviner. Ce n'est pas lui qui est venu à nous. Non, je crois plutôt qu'au fur et à mesure que nous vivons, nous passons notre temps à nous éloigner de la zone où un nom est distinct, et c'est par un exercice de ma volonté et de mon attention, qui augmentait l'acuité de mon regard intérieur, que tout d'un coup j'avais percé la demi-obscurité et vu clair. En tous cas s'il y a des transitions entre l'oubli et le souvenir, alors ces transitions sont inconscientes. Car les noms d'étape par lesquels nous passons, avant de trouver le nom vrai, sont, eux, faux, et ne nous rapprochent en rien de lui. Ce ne sont même pas à proprement parler des noms, mais souvent de simples consonnes et qui ne se retrouvent pas dans le nom retrouvé. D'ailleurs ce travail de l'esprit passant du néant à la réalité est si mystérieux, qu'il est possible après tout que ces consonnes fausses soient des perches préalables, maladroitement tendues pour nous aider à nous accrocher au nom exact. « Tout ceci, dira le lecteur, ne nous apprend rien sur le manque de complaisance de cette dame ; mais puisque vous vous êtes si longtemps arrêté, laissez-moi, monsieur l'auteur, vous faire perdre une minute de plus pour vous dire qu'il est fâcheux que, jeune comme vous l'étiez (ou comme était votre héros s'il n'est pas vous), vous eussiez déjà si peu de mémoire, que de ne pouvoir vous rappeler le nom d'une dame que vous connaissiez fort bien. » C'est très fâcheux en effet, monsieur le lecteur. Et plus triste que vous croyez, quand on y sent l'annonce du temps où les noms et les mots disparaîtront de la zone claire de la pensée, et où il faudra, pour jamais, renoncer à se nommer à soi-même ceux qu'on a le mieux connus. C'est fâcheux en effet qu'il faille ce labeur dès la jeunesse pour retrouver des noms qu'on connaît bien. Mais si cette infirmité ne se produisait que pour des noms à peine connus, très naturellement oubliés, et dont on ne voulût pas prendre la fatigue de se souvenir, cette infirmité-là ne serait pas sans avantages. « Et lesquels, je vous prie ? » Hé, monsieur, c'est que le mal seul fait remarquer et apprendre et permet de décomposer les mécanismes que sans cela on ne connaîtrait pas. Un homme qui chaque soir tombe comme une masse dans son lit et ne vit plus jusqu'au moment de s'éveiller et de se lever, cet homme-là songera-t-il jamais à faire, sinon de grandes découvertes, au moins de petites remarques sur le sommeil ? À peine sait-il s'il dort. Un peu d'insomnie n'est pas inutile pour apprécier le sommeil, projeter quelque lumière dans cette nuit. Une mémoire sans défaillance n'est pas un très puissant excitateur à étudier les phénomènes de mémoire. « Enfin, Mme d'Arpajon vous présenta-t-elle au prince ? » Non, mais taisez-vous et laissez-moi reprendre mon récit.

Mme d'Arpajon fut plus lâche encore que Mme de Souvré, mais sa lâcheté avait plus d'excuses. Elle savait qu'elle avait toujours eu peu de pouvoir dans la société. Ce pouvoir avait été encore affaibli par la liaison qu'elle avait eue avec le duc de Guermantes ; l'abandon de celui-ci y porta le dernier coup. La mauvaise humeur que lui causa ma demande de me présenter au prince détermina chez elle un silence, qu'elle eut la naïveté de croire un semblant de n'avoir pas entendu ce que j'avais dit. Elle ne s'aperçut même pas que la colère lui faisait froncer les sourcils. Peut-être au contraire s'en aperçut-elle, ne se soucia pas de la contradiction, et s'en servit pour la leçon de discrétion qu'elle pouvait me donner sans trop de grossièreté, je veux dire une leçon muette et qui n'était pas pour cela moins éloquente.

D'ailleurs, Mme d'Arpajon était fort contrariée ; beaucoup de regards s'étant levés vers un balcon Renaissance à l'angle duquel, au lieu des statues monumentales qu'on y avait appliquées si souvent à cette époque, se penchait, non moins sculpturale qu'elles, la magnifique duchesse de Surgis-le-Duc[1], celle qui venait de succéder à Mme d'Arpajon dans le cœur de Basin de Guermantes. Sous le léger tulle blanc qui la protégeait de la fraîcheur nocturne on voyait, souple, son corps envolé de Victoire. Je n'avais plus recours qu'auprès de M. de Charlus, rentré dans une pièce du bas, laquelle accédait au jardin. J'eus tout le loisir (comme il feignait d'être absorbé dans une partie de whist simulée qui lui permettait de ne pas avoir l'air de voir les gens) d'admirer la volontaire et artiste simplicité de son frac qui, par des riens qu'un couturier seul eût discernés, avait l'air d'une « Harmonie » noir et blanc de Whistler[2] ; noir, blanc et rouge plutôt, car M. de

Charlus portait, suspendue à un large cordon au jabot de l'habit, la croix en émail blanc, noir et rouge de chevalier de l'ordre religieux de Malte[1]. À ce moment la partie du baron fut interrompue par Mme de Gallardon, conduisant son neveu, le vicomte de Courvoisier, jeune homme d'une jolie figure et d'un air impertinent : « Mon cousin, dit Mme de Gallardon, permettez-moi de vous présenter mon neveu Adalbert. Adalbert, tu sais, le fameux oncle Palamède dont tu entends toujours parler. — Bonsoir, madame de Gallardon », répondit M. de Charlus. Et il ajouta sans même regarder le jeune homme : « Bonsoir, monsieur », d'un air bourru et d'une voix si violemment impolie que tout le monde en fut stupéfait. Peut-être M. de Charlus, sachant que Mme de Gallardon avait des doutes sur[a] ses mœurs et n'avait pu résister une fois au plaisir d'y faire une allusion, tenait-il à couper court à tout ce qu'elle aurait pu broder sur un accueil aimable fait à son neveu, en même temps qu'à faire une retentissante profession d'indifférence à l'égard des jeunes gens ; peut-être n'avait-il pas trouvé que ledit Adalbert eût répondu aux paroles de sa tante par un air suffisamment respectueux ; peut-être, désireux de pousser plus tard sa pointe avec un aussi agréable cousin, voulait-il se donner les avantages d'une agression préalable, comme les souverains qui, avant d'engager une action diplomatique, l'appuient d'une action militaire.

Il n'était pas aussi difficile que je le croyais que M. de Charlus accédât à ma demande de me présenter. D'une part, au cours de ces vingt dernières années, ce Don Quichotte s'était battu contre tant de moulins à vent (souvent des parents qu'il prétendait s'être mal conduits à son égard), il avait avec tant de fréquence interdit « comme une personne impossible à recevoir » d'être invité chez tels ou telles Guermantes, que ceux-ci commençaient à avoir peur de se brouiller avec tous les gens qu'ils aimaient, de se priver jusqu'à leur mort de la fréquentation de certains nouveaux venus dont ils étaient curieux, pour épouser les rancunes tonnantes mais inexpliquées d'un beau-frère ou cousin qui aurait voulu qu'on abandonnât pour lui femme, frère, enfants[2]. Plus intelligent que les autres Guermantes, M. de Charlus s'apercevait qu'on ne tenait plus compte de ses exclusives qu'une fois sur deux et, anticipant l'avenir, craignant qu'un jour ce fût de lui qu'on se privât, il avait commencé à faire la part du feu, à baisser, comme on dit, ses prix. De plus, s'il avait la faculté de donner pour des mois, des années, une vie identique à un être détesté — à celui-là il n'eût pas toléré qu'on adressât une invitation, et se serait plutôt battu comme un portefaix avec une reine, la qualité de ce qui lui faisait obstacle ne comptant plus pour lui —, en revanche il avait de trop fréquentes explosions de colère pour qu'elles ne fussent pas assez fragmentaires. « L'imbécile, le méchant drôle ! on va vous remettre cela à sa place, le balayer dans l'égout où malheureusement il ne sera pas inoffensif pour la salubrité de la ville », hurlait-il même seul chez lui, à la lecture d'une lettre qu'il jugeait irrévérente, ou en se rappelant un propos qu'on lui avait redit. Mais une nouvelle colère contre un second imbécile dissipait l'autre, et pour peu que le premier se montrât déférent, la crise occasionnée par lui[a] était oubliée, n'ayant pas assez duré pour faire un fond de haine où construire. Aussi, peut-être eussé-je — malgré sa mauvaise humeur contre moi — réussi auprès de lui quand je lui demandai de me présenter au prince, si je n'avais pas eu la malheureuse idée d'ajouter par scrupule, et pour qu'il ne pût pas me supposer l'indélicatesse d'être entré à tout hasard en comptant sur lui pour me faire rester : « Vous savez que je les connais très bien, la princesse a été très gentille pour moi. — Hé bien, si vous les connaissez, en quoi avez-vous besoin de moi pour vous présenter ? » me répondit-il d'un ton claquant, et me tournant le dos, il reprit sa partie feinte avec le nonce, l'ambassadeur d'Allemagne et un personnage que je ne connaissais pas.

Alors, du fond de ces jardins où jadis le duc d'Aiguillon faisait élever les animaux rares[1], vint jusqu'à moi, par les portes grandes ouvertes, le bruit d'un reniflement qui humait tant d'élégances et n'en voulait rien laisser perdre. Le bruit se rapprocha, je me dirigeai à tout hasard dans sa direction, si bien que le mot « bonsoir » fut susurré à mon oreille par M. de Bréauté, non comme le son ferrailleux et ébréché d'un couteau qu'on repasse pour l'aiguiser, encore moins comme le cri du marcassin dévastateur des terres cultivées, mais comme la voix d'un sauveur possible. Moins puissant que Mme de Souvré, mais moins foncièrement atteint qu'elle d'inserviabilité, beaucoup plus à l'aise avec le prince que ne l'était

Mme d'Arpajon, se faisant peut-être des illusions sur ma situation dans le milieu des Guermantes, ou peut-être la connaissant mieux que moi, j'eus pourtant les premières secondes quelque peine à capter son attention, car les papilles du nez frétillantes, les narines dilatées, il faisait face de tous côtés, écarquillant curieusement son monocle comme s'il s'était trouvé devant cinq cents chefs-d'œuvre. Mais ayant entendu ma demande, il l'accueillit avec satisfaction, me conduisit vers le prince et me présenta à lui d'un air friand, cérémonieux et vulgaire, comme s'il lui avait passé en les recommandant une assiette de petits fours. Autant l'accueil du duc de Guermantes était, quand il le voulait, aimable, empreint de camaraderie, cordial et familier, autant je trouvai celui du prince compassé, solennel, hautain. Il me sourit à peine, m'appela gravement : « Monsieur. » J'avais souvent entendu le duc se moquer de la morgue de son cousin. Mais aux premiers mots qu'il me dit et qui, par leur froideur et leur sérieux faisaient le plus entier contraste avec le langage de Basin, je compris tout de suite que l'homme foncièrement dédaigneux était le duc qui vous parlait dès la première visite de « pair à compagnon », et que des deux cousins celui qui était vraiment simple c'était le prince. Je trouvai dans sa réserve un sentiment plus grand, je ne dirai pas d'égalité, car ce n'eût pas été concevable pour lui, au moins de la considération qu'on peut accorder à un inférieur, comme il arrive dans tous les milieux fortement hiérarchisés, au Palais par exemple, dans une faculté, où un procureur général ou un « doyen » conscients de leur haute charge cachent peut-être plus de simplicité réelle, et quand on les connaît davantage, plus de bonté, de simplicité vraie, de cordialité, dans leur hauteur traditionnelle que de plus modernes dans l'affectation de la camaraderie badine. « Est-ce que vous comptez suivre la carrière de monsieur votre père ? » me dit-il d'un air distant, mais d'intérêt. Je répondis sommairement à sa question, comprenant qu'il ne l'avait posée que par bonne grâce, et je m'éloignai pour le laisser accueillir les nouveaux arrivants.

J'aperçus Swann, voulus lui parler, mais à ce moment je vis que le prince de Guermantes, au lieu de recevoir sur place le bonsoir du mari d'Odette, l'avait aussitôt, avec la puissance d'une pompe aspirante, entraîné avec lui au fond du jardin, mais me dirent[a] certaines personnes, « afin de le mettre à la porte ».

Tellement distrait dans le monde que je n'appris que le surlendemain, par les journaux, qu'un orchestre tchèque avait joué toute la soirée et que, de minute en minute, s'étaient succédé les feux de Bengale, je retrouvai quelque faculté d'attention à la pensée d'aller voir le célèbre jet d'eau d'Hubert Robert[1].

Dans une clairière réservée par de beaux arbres dont plusieurs étaient aussi anciens que lui, planté à l'écart, on le voyait de loin, svelte, immobile, durci, ne laissant agiter par la brise que la retombée plus légère de son panache pâle et frémissant. Le XVIIIe siècle avait épuré l'élégance de ses lignes, mais, fixant le style du jet, semblait en avoir arrêté la vie ; à cette distance on avait l'impression de l'art plutôt que la sensation de l'eau. Le nuage humide lui-même qui s'amoncelait perpétuellement à son faîte gardait le caractère de l'époque comme ceux qui dans le ciel s'assemblent autour des palais de Versailles. Mais de près on se rendait compte que tout en respectant, comme les pierres d'un palais antique, le dessin préalablement tracé, c'était des eaux toujours nouvelles qui, s'élançant et voulant obéir aux ordres anciens de l'architecte, ne les accomplissaient exactement qu'en paraissant les violer, leurs mille bonds épars pouvant seuls donner à distance l'impression d'un unique élan. Celui-ci était en réalité aussi souvent interrompu que l'éparpillement de la chute, alors que, de loin, il m'avait paru infléchissable, dense, d'une continuité sans lacune. D'un peu près, on voyait que cette continuité, en apparence toute linéaire, était assurée à tous les points de l'ascension du jet, partout où il aurait dû se briser, par l'entrée en ligne, par la reprise latérale d'un jet parallèle qui montait plus haut que le premier et était lui-même, à une plus grande hauteur, mais déjà fatigante pour lui, relevé par un troisième. De près, des gouttes sans force retombaient de la colonne d'eau en croisant au passage leurs sœurs montantes et, parfois, déchirées, saisies dans un remous de l'air troublé par ce jaillissement sans trêve, flottaient avant d'être chavirées dans le bassin. Elles contrariaient de leurs hésitations, de leur trajet en sens inverse, et estompaient de leur molle vapeur la rectitude et la tension de cette tige, portant au-dessus de soi un nuage oblong fait de mille gouttelettes, mais en apparence peint en brun doré et immuable, qui montait, infrangible, immobile, élancé et rapide, s'ajouter aux nuages du ciel. Malheureusement un coup de vent suffisait à l'envoyer obliquement sur la terre ; parfois même un simple jet désobéissant divergeait et, si elle ne s'était pas tenue à une distance respectueuse, aurait mouillé jusqu'aux moelles la foule imprudente et contemplative.

Un de ces petits accidents, qui ne se produisaient guère qu'au moment où la brise s'élevait, fut assez désagréable. On avait fait croire à Mme d'Arpajon que le duc de Guermantes — en réalité non encore arrivé — était avec Mme de Surgis dans les galeries de marbre rose où on accédait par la double colonnade, creusée à l'intérieur, qui s'élevait de la margelle du bassin. Or, au moment où Mme d'Arpajon allait s'engager dans l'une des colonnades, un fort coup de chaude brise tordit le jet d'eau et inonda si complètement la belle dame que, l'eau dégoulinant de son décolletage dans l'intérieur de sa robe, elle fut aussi trempée que si on l'avait plongée dans un bain. Alors non loin d'elle, un grognement scandé retentit assez fort pour pouvoir se faire entendre à toute une armée et pourtant prolongé par périodes comme s'il s'adressait non pas à l'ensemble, mais successivement à chaque partie des troupes ; c'était le grand-duc Wladimir[1] qui riait de tout son cœur en voyant l'immersion de Mme d'Arpajon, une des choses les plus gaies, aimait-il à dire ensuite, à laquelle il eût assisté de toute sa vie. Comme quelques personnes charitables faisaient remarquer au Moscovite qu'un mot de condoléances de lui serait peut-être mérité et ferait plaisir à cette femme qui, malgré sa quarantaine bien sonnée, et tout en s'épongeant avec son écharpe, sans demander le secours de personne, se dégageait malgré l'eau qui mouillait malicieusement[a] la margelle de la vasque, le grand-duc, qui avait bon cœur, crut devoir s'exécuter et les derniers roulements militaires du rire à peine apaisés, on entendit un nouveau grondement plus violent encore que l'autre. « Bravo, la vieille[2] ! » s'écriait-il en battant des mains comme au théâtre. Mme d'Arpajon ne fut pas sensible à ce qu'on vantât sa dextérité aux dépens de sa jeunesse. Et comme quelqu'un lui disait, assourdi par le bruit de l'eau, que dominait pourtant le tonnerre de Monseigneur : « Je crois que Son Altesse Impériale vous a dit quelque chose. — Non ! c'était à Mme de Souvré », répondit-elle.

Je traversai les jardins et remontai l'escalier où l'absence du prince, disparu à l'écart avec Swann, grossissait autour de M. de Charlus la foule des invités, de même que quand Louis XIV n'était pas à Versailles, il y avait plus de monde chez Monsieur, son frère[1]. Je fus arrêté au passage par le baron, tandis que derrière moi deux dames et un jeune homme s'approchaient pour lui dire bonjour.

« C'est gentil de vous voir ici », me dit-il, en me tendant la main. « Bonsoir madame de La Trémoïlle, bonsoir ma chère Herminie. » Mais sans doute le souvenir de ce qu'il m'avait dit sur son rôle de chef dans l'hôtel Guermantes lui donnait le désir de paraître éprouver à l'endroit de ce qui le mécontentait mais qu'il n'avait pu empêcher, une satisfaction à laquelle son impertinence de grand seigneur et son égaillement d'hystérique donnèrent immédiatement une forme d'ironie excessive : « C'est gentil, reprit-il, mais c'est surtout bien drôle. » Et il se mit à pousser des éclats de rire qui semblèrent à la fois témoigner de sa joie et de l'impuissance où la parole humaine était de l'exprimer, cependant que certaines personnes, sachant combien il était à la fois difficile d'accès et propre aux « sorties » insolentes, s'approchaient avec curiosité et, avec un empressement presque indécent, prenaient leurs jambes à leur cou. « Allons, ne vous fâchez pas, me dit-il, en me touchant doucement l'épaule, vous savez que je vous aime bien. Bonsoir, Antioche, bonsoir, Louis-René. Avez-vous été voir le jet d'eau ? » me demanda-t-il sur un ton plus affirmatif que questionneur. « C'est bien joli, n'est-ce pas ? C'est merveilleux. Cela pourrait être encore mieux, naturellement, en supprimant certaines choses, et alors il n'y aurait rien de pareil en France. Mais tel que c'est, c'est déjà parmi les choses les mieux. Bréauté vous dira qu'on a eu tort de mettre des lampions, pour tâcher de faire oublier que c'est lui qui a eu cette idée absurde. Mais, en somme, il n'a réussi que très peu à enlaidir. C'est beaucoup plus difficile de défigurer un chef-d'œuvre que de le créer. Nous nous doutions du reste déjà vaguement que Bréauté était moins puissant qu'Hubert Robert. »

Je repris la file des visiteurs qui entraient dans l'hôtel. « Est-ce qu'il y a longtemps que vous avez vu ma délicieuse cousine Oriane ? » me demanda la princesse qui avait depuis peu déserté son fauteuil à l'entrée, et avec qui je retournais dans les salons. « Elle doit venir ce soir, je l'ai vue dans l'après-midi[a], ajouta la maîtresse de maison. Elle me l'a promis. Je crois du reste que vous dînez avec nous deux chez la reine d'Italie[1], à l'ambassade, jeudi. Il y aura toutes les altesses possibles, ce sera très intimidant. » Elles ne pouvaient nullement intimider la princesse de Guermantes, de laquelle les salons en foisonnaient et qui disait : « Mes petits Cobourg » comme elle eût dit : « Mes petits chiens[2]. » Aussi, Mme de Guermantes dit-elle : « Ce sera très intimidant », par simple bêtise, qui, chez les gens du monde, l'emporte encore sur la vanité. À l'égard de sa propre généalogie, elle en savait moins qu'un agrégé d'histoire. Pour ce qui concernait ses relations, elle tenait à montrer qu'elle connaissait les surnoms qu'on leur avait donnés. M'ayant demandé si je dînais la semaine suivante chez la marquise de la Pommelière, qu'on appelait souvent « la Pomme », la princesse, ayant obtenu de moi une réponse négative, se tut pendant quelques instants. Puis, sans aucune autre raison qu'un étalage voulu d'érudition involontaire, de banalité et de conformité à l'esprit général, elle ajouta : « C'est une assez agréable femme, la Pomme ! »

Tandis que la princesse causait avec moi, faisaient précisément leur entrée le duc et la duchesse de Guermantes. Mais je ne pus d'abord aller au-devant d'eux, car je fus happé au passage par l'ambassadrice de Turquie[3], laquelle, me désignant la maîtresse de maison que je venais de quitter, s'écria en m'empoignant par le bras : « Ah ! quelle femme délicieuse que la princesse ! Quel être supérieur à tous ! Il me semble que si j'étais un homme », ajouta-t-elle, avec un peu de bassesse et de sensualité orientales, « je vouerais ma vie à cette céleste créature. » Je répondis qu'elle me semblait charmante en effet, mais que je connaissais plus sa cousine la duchesse. « Mais il n'y a aucun rapport, me dit l'ambassadrice. Oriane est une charmante femme du monde qui tire son esprit de Mémé et de Babal, tandis que Marie-Gilbert, c'est *quelqu'un*. »

Je n'aime jamais beaucoup qu'on me dise ainsi sans réplique ce que je dois penser des gens que je connais. Et il n'y avait aucune raison pour que l'ambassadrice de Turquie eût sur la valeur de la duchesse de Guermantes un jugement plus sûr que le mien. D'autre part, ce qui expliquait aussi mon agacement contre l'ambassadrice, c'est que les défauts d'une simple connaissance, et même d'un ami, sont pour nous de vrais poisons, contre lesquels nous sommes heureusement « mithridatés ». Mais, sans apporter le moindre appareil de comparaison scientifique et parler d'anaphylaxie, disons qu'au sein de nos relations amicales ou purement mondaines, il y a une hostilité momentanément guérie, mais récurrente par accès. Habituellement on souffre peu de ces poisons tant que les gens sont « naturels ». En disant « Babal », « Mémé », pour désigner des gens qu'elle ne connaissait pas, l'ambassadrice de Turquie suspendait les effets du « mithridatisme » qui d'ordinaire me la rendait tolérable. Elle m'agaçait, ce qui était d'autant plus injuste qu'elle ne parlait pas ainsi pour faire mieux croire qu'elle était intime de « Mémé », mais à cause d'une instruction trop rapide qui lui faisait nommer ces nobles seigneurs selon ce qu'elle croyait la coutume du pays. Elle avait fait ses classes en quelques mois et n'avait pas suivi la filière. Mais en y réfléchissant je trouvais à mon déplaisir de rester auprès de l'ambassadrice une autre raison. Il n'y avait pas si longtemps que chez « Oriane » cette même personnalité diplomatique m'avait dit, d'un air motivé et sérieux, que la princesse de Guermantes lui était franchement antipathique. Je crus bon de ne pas m'arrêter à ce revirement : l'invitation à la fête de ce soir l'avait amené. L'ambassadrice était parfaitement sincère en me disant que la princesse de Guermantes était une créature sublime. Elle l'avait toujours pensé. Mais n'ayant jamais été jusqu'ici invitée chez la princesse, elle avait cru devoir donner à ce genre de non-invitation la forme d'une abstention volontaire par principes. Maintenant qu'elle avait été conviée et vraisemblablement le serait désormais, sa sympathie pouvait librement s'exprimer. Il n'y a pas besoin, pour expliquer les trois quarts des opinions qu'on porte sur les gens, d'aller jusqu'au dépit amoureux, jusqu'à l'exclusion du pouvoir politique. Le jugement reste incertain : une invitation refusée ou reçue le détermine. Au reste l'ambassadrice de Turquie, comme disait la duchesse de Guermantes qui passa avec moi l'inspection des salons, « faisait bien ». Elle était surtout fort utile. Les étoiles véritables du monde sont fatiguées d'y paraître. Celui qui est curieux de les apercevoir doit souvent émigrer dans un autre hémisphère, où elles sont à peu près seules. Mais les femmes pareilles à l'ambassadrice ottomane, toutes récentes dans le monde, ne laissent pas d'y briller, pour ainsi dire partout à la fois. Elles sont utiles à ces sortes de représentations qui s'appellent une soirée, un raout, et où elles se feraient traîner, moribondes, plutôt que d'y manquer. Elles sont les figurantes sur qui on peut toujours compter, ardentes à ne jamais manquer une fête. Aussi, les sots jeunes gens, ignorant que ce sont de fausses étoiles, voient-ils en elles les reines du chic, tandis qu'il faudrait une leçon pour leur expliquer en vertu de quelles raisons Mme Standish[1], ignorée d'eux et peignant des coussins, loin du monde, est au moins une aussi grande dame que la duchesse de Doudeauville[2].

Dans l'ordinaire de la vie, les yeux de la duchesse de Guermantes étaient distraits et un peu mélancoliques ; elle les faisait briller seulement d'une flamme spirituelle chaque fois qu'elle avait à dire bonjour à quelque ami, absolument comme si celui-ci avait été quelque mot d'esprit, quelque trait charmant, quelque régal pour délicats dont la dégustation a mis une expression de finesse et de joie sur le visage du connaisseur. Mais pour les grandes soirées, comme elle avait trop de bonjours à dire, elle trouvait qu'il eût été fatigant, après chacun d'eux, d'éteindre à chaque fois la lumière. Tel un gourmet de littérature, allant au théâtre voir une nouveauté d'un des maîtres de la scène, témoigne sa certitude de ne pas passer une mauvaise soirée en ayant déjà, tandis qu'il remet ses affaires à l'ouvreuse, sa lèvre ajustée pour un sourire sagace, son regard avivé pour une approbation malicieuse ; ainsi c'était dès son arrivée que la duchesse allumait pour toute la soirée. Et tandis qu'elle donnait son manteau du soir, d'un magnifique rouge Tiepolo[3], lequel laissa voir un véritable carcan de rubis qui enfermait son cou, après avoir jeté sur sa robe ce dernier regard rapide, minutieux et complet de couturière qui est celui d'une femme du monde, Oriane s'assura du scintillement de ses yeux non moins que de ses autres bijoux. Quelques « bonnes langues » comme M. de Jouville[a] eurent beau se précipiter sur le duc pour l'empêcher d'entrer : « Mais vous ignorez donc que le pauvre Mama est à l'article de la mort ? On vient de l'administrer. — Je le sais, je le sais, répondit M. de Guermantes en refoulant le fâcheux pour entrer. Le viatique a produit le meilleur effet », ajouta-t-il en souriant de plaisir à la pensée de la redoute à laquelle il était décidé de ne pas manquer, après la soirée du prince[1]. « Nous ne voulions pas qu'on sût que nous étions rentrés », me dit la duchesse[2]. Elle ne se doutait pas que la princesse avait d'avance infirmé cette parole en me racontant qu'elle avait vu un instant sa cousine qui lui avait promis de venir. Le duc, après un long regard dont pendant cinq minutes il accabla sa femme : « J'ai raconté à Oriane les doutes que vous aviez. » Maintenant qu'elle voyait qu'ils n'étaient pas fondés et qu'elle n'avait aucune démarche à faire pour essayer de les dissiper, elle les déclara absurdes, me plaisanta longuement. « Cette idée de croire que vous n'étiez pas invité ! On est toujours invité ! Et puis[a], il y avait moi. Croyez-vous que je n'aurais pas pu vous faire inviter chez ma cousine ? » Je dois dire qu'elle fit, souvent dans la suite, des choses bien plus difficiles pour moi ; néanmoins je me gardai de prendre ses paroles dans ce sens que j'avais été trop réservé. Je commençais à connaître l'exacte valeur du langage parlé ou muet de l'amabilité aristocratique, amabilité heureuse de verser un baume sur le sentiment d'infériorité de ceux à l'égard desquels elle s'exerce mais pas pourtant jusqu'au point de la dissiper, car dans ce cas elle n'aurait plus de raison d'être. « Mais vous êtes notre égal, sinon mieux », semblaient, par toutes leurs actions, dire les Guermantes ; et ils le disaient de la façon la plus gentille que l'on puisse imaginer, pour être aimés, admirés, mais non pour être crus ; qu'on démêlât le caractère fictif de cette amabilité, c'est ce qu'ils appelaient être bien élevés ; croire l'amabilité réelle, c'était la mauvaise éducation. Je reçus du reste à peu de temps de là une leçon qui acheva de m'enseigner, avec la plus parfaite exactitude, l'extension et les limites de certaines formes de l'amabilité aristocratique. C'était à une matinée donnée par la duchesse de Montmorency[3] pour la reine d'Angleterre ; il y eut une espèce de petit cortège pour aller au buffet et en tête marchait la souveraine ayant à son bras le duc de Guermantes. J'arrivai à ce moment-là. De sa main libre, le duc me fit au moins à quarante mètres[b] de distance mille signes d'appel et d'amitié et qui avaient l'air de vouloir dire que je pouvais m'approcher sans crainte, que je ne serais pas mangé tout cru à la place des sandwichs. Mais[c] moi qui commençais à me perfectionner dans le langage des cours, au lieu de me rapprocher même d'un seul pas, à mes quarante mètres de distance je m'inclinai profondément, mais sans sourire, comme j'aurais fait devant quelqu'un que j'aurais à peine connu, puis continuai mon chemin en sens opposé. J'aurais pu écrire un chef-d'œuvre, les Guermantes m'en eussent moins fait d'honneur que de ce salut. Non seulement il ne passa pas inaperçu aux yeux du duc, qui ce jour-là pourtant eut à répondre à plus de cinq cents personnes, mais à ceux de la duchesse, laquelle ayant rencontré ma mère le lui raconta et se gardant bien de lui dire que j'avais eu tort, que j'aurais dû m'approcher, elle lui dit[a] que son mari avait été émerveillé de mon salut, qu'il était impossible d'y faire tenir plus de choses. On ne cessa de trouver à ce salut toutes les qualités, sans mentionner toutefois celle qui avait paru la plus précieuse, à savoir qu'il avait été discret, et on ne cessa pas non plus de me faire des compliments dont je compris qu'ils étaient encore moins une récompense pour le passé qu'une indication pour l'avenir, à la façon de celle délicatement fournie à ses élèves par le directeur d'un établissement d'éducation : « N'oubliez pas, mes chers enfants, que ces prix sont moins pour vous que pour vos parents, afin qu'ils vous renvoient l'année prochaine. » C'est ainsi que Mme de Marsantes, quand quelqu'un d'un monde différent entrait dans son milieu, vantait devant lui les gens discrets « qu'on trouve quand on va les chercher et qui se font oublier le reste du temps », comme on prévient sous une forme indirecte un domestique qui sent mauvais que l'usage des bains est parfait pour la santé.

Pendant que, avant même qu'elle eût quitté le vestibule, je causais avec Mme de Guermantes, j'entendis une voix d'une sorte qu'à l'avenir je devais, sans erreur possible, discerner. C'était, dans le cas particulier, celle de M. de Vaugoubert causant avec M. de Charlus. Un clinicien n'a même pas besoin que le malade en observation soulève sa chemise ni d'écouter la respiration, la voix suffit[1]. Combien de fois plus tard fus-je frappé dans un salon par l'intonation ou le rire de tel homme, qui pourtant copiait exactement le langage de sa profession ou les manières de son milieu, affectant une distinction sévère ou une familière grossièreté, mais dont la voix fausse suffisait pour apprendre : « C'est un Charlus » à mon oreille[b] exercée comme le diapason d'un accordeur ! À ce moment tout le personnel d'une ambassade passa, lequel salua M. de Charlus. Bien que ma découverte du genre de maladie en question datât seulement du jour même (quand j'avais aperçu M. de Charlus et Jupien), je n'aurais pas eu besoin, pour donner un diagnostic, de poser des questions, d'ausculter. Mais M. de Vaugoubert causant avec M. de Charlus parut incertain. Pourtant il aurait dû savoir à quoi s'en tenir après les doutes de l'adolescence. L'inverti se croit seul de sa sorte dans l'univers ; plus tard seulement, il se figure — autre exagération — que l'exception unique, c'est l'homme normal. Mais ambitieux et timoré, M. de Vaugoubert ne s'était pas livré depuis bien longtemps à ce qui eût été pour lui le plaisir. La carrière diplomatique avait eu sur sa vie l'effet d'une entrée dans les ordres. Combinée avec l'assiduité à l'École des sciences politiques, elle l'avait voué depuis ses vingt ans à la chasteté du chrétien. Aussi comme chaque sens perd de sa force et de sa vivacité, s'atrophie quand il n'est plus mis en usage, M. de Vaugoubert, de même que l'homme civilisé qui ne serait plus capable des exercices de force, de la finesse d'ouïe de l'homme des cavernes, avait perdu la perspicacité spéciale qui se trouvait rarement en défaut chez M. de Charlus ; et aux tables officielles, soit à Paris, soit à l'étranger, le ministre plénipotentiaire n'arrivait même plus à reconnaître ceux qui, sous le déguisement de l'uniforme, étaient au fond ses pareils. Quelques noms que prononça M. de Charlus, indigné si on le citait pour ses goûts, mais toujours amusé de faire connaître ceux des autres, causèrent à M. de Vaugoubert un étonnement délicieux. Non qu'après tant d'années il songeât à profiter d'aucune aubaine. Mais ces révélations rapides, pareilles à celles qui dans les tragédies de Racine apprennent à Athalie et à Abner que Joas est de la race de David, qu'Esther assise dans la pourpre[1] a des parents[a] youpins, changeant l'aspect de la légation de X... ou de tel service[b] du ministère des Affaires étrangères, rendaient rétrospectivement ces palais aussi mystérieux que le temple de Jérusalem ou la salle du trône de Suse[2]. Pour cette ambassade dont le jeune personnel vint tout entier serrer la main de M. de Charlus, M. de Vaugoubert prit l'air émerveillé d'Élise s'écriant dans *Esther* :

Ciel ! quel nombreux essaim d'innocentes beautés

S'offre à mes yeux en foule et sort de tous côtés !
Quelle aimable pudeur sur leur visage est peinte[1] *!*

Puis désireux d'être plus « renseigné », il jeta en souriant à M. de Charlus un regard niaisement interrogateur et concupiscent : « Mais voyons, bien entendu », dit M. de Charlus, de l'air docte d'un érudit parlant à un ignare. Aussitôt M. de Vaugoubert (ce qui agaça beaucoup M. de Charlus) ne détacha plus ses yeux de ces jeunes secrétaires, que l'ambassadeur de X en France, vieux cheval de retour, n'avait pas choisis au hasard[2]. M. de Vaugoubert se taisait, je voyais seulement ses regards. Mais habitué dès mon enfance à prêter, même à ce qui est muet, le langage des classiques, je faisais dire aux yeux de M. de Vaugoubert les vers par lesquels Esther explique à Élise que Mardochée a tenu, par zèle pour sa religion, à ne placer auprès de la reine que des filles qui y appartinssent.

Cependant son amour pour notre nation
A peuplé ce palais de filles de Sion,
Jeunes et tendres fleurs par le sort agitées,
Sous un ciel étranger comme moi transplantées.
Dans un lieu séparé de profanes témoins,
Il (l'excellent ambassadeur) *met à les former son étude*
[et ses soins[3]*.*

Enfin M. de Vaugoubert parla, autrement que par ses regards. « Qui sait, dit-il avec mélancolie, si dans le pays où je réside, la même chose n'existe pas ? — C'est probable, répondit M. de Charlus, à commencer par le roi Théodose, bien que je ne sache rien de positif sur lui. — Oh ! pas du tout ! — Alors il n'est pas permis d'en avoir l'air à ce point-là. Et il fait des petites manières. Il a le genre "ma chère", le genre que je déteste le plus. Je n'oserais pas me montrer avec lui dans la rue. Du reste, vous devez bien le connaître pour ce qu'il est, il est connu comme le loup blanc. — Vous vous trompez tout à fait sur lui. Il est du reste charmant. Le jour où l'accord avec la France a été signé, le roi m'a embrassé. Je n'ai jamais été si ému. — C'était le moment de lui dire ce que vous désiriez. — Oh ! mon Dieu, quelle horreur, s'il avait seulement un soupçon ! Mais je n'ai pas de crainte à cet égard. » Paroles que j'entendis car j'étais peu éloigné, et qui firent que je me récitai mentalement :

Le roi jusqu'à ce jour ignore qui je suis,
Et ce secret toujours tient ma langue enchaînée[1].

Ce dialogue moitié muet, moitié parlé, n'avait duré que peu d'instants, et je n'avais encore fait que quelques pas dans les salons avec la duchesse de Guermantes quand une petite dame brune, extrêmement jolie, l'arrêta :

« Je voudrais bien vous voir. D'Annunzio[2] vous a aperçue d'une loge, il a écrit à la princesse de T*** une lettre où il dit qu'il n'a jamais rien vu de si beau. Il donnerait toute sa vie pour dix minutes d'entretien avec vous. En tous cas, même si vous ne pouvez pas ou ne voulez pas, la lettre est en ma possession. Il faudrait que vous me fixiez un rendez-vous. Il y a certaines choses secrètes que je ne puis dire ici. Je vois que vous ne me reconnaissez pas, ajouta-t-elle en s'adressant à moi ; je vous ai connu chez la princesse de Parme (chez qui je n'étais jamais allé). L'empereur de Russie voudrait que votre père fût envoyé à Petersbourg. Si vous pouviez venir mardi, justement Isvolski[3] sera là, il en parlerait avec vous. J'ai un cadeau à vous faire, chérie, ajouta-t-elle en se tournant vers la duchesse, et que je ne ferais à personne qu'à vous. Les manuscrits de trois pièces d'Ibsen[4], qu'il m'a fait porter par son vieux garde-malade. J'en garderai une et vous donnerai les deux autres. »

Le duc de Guermantes n'était pas enchanté de ces offres. Incertain si Ibsen ou d'Annunzio étaient morts ou vivants, il voyait déjà des écrivains, des dramaturges allant faire visite à sa femme et la mettant dans leurs ouvrages. Les gens du monde se représentent volontiers les livres comme une espèce de cube dont une face est enlevée, si bien que l'auteur se dépêche de « faire entrer » dedans les personnes qu'il rencontre. C'est déloyal évidemment, et ce ne sont que des gens de peu. Certes, ce ne serait pas ennuyeux de les voir « en passant », car grâce à eux, si on lit un livre ou un article, on connaît « le dessous des cartes », on peut « lever les masques ». Malgré tout le plus sage est de s'en tenir aux auteurs morts. M. de Guermantes trouvait seulement « parfaitement convenable » le monsieur qui faisait la nécrologie dans *Le Gaulois*[5].

Celui-là, du moins, se contentait de citer le nom de M. de Guermantes en tête des personnes remarquées « notamment » dans[a] les enterrements où le duc s'était inscrit. Quand ce dernier préférait que son nom ne figurât pas, au lieu de s'inscrire il envoyait une lettre de condoléances à la famille du défunt en les assurant de ses sentiments bien tristes. Que si cette famille faisait mettre dans le journal : « Parmi les lettres reçues, citons celle du duc de Guermantes, etc. », ce n'était pas la faute de l'échotier, mais du fils, frère, père de la défunte, que le duc qualifiait d'arrivistes, et avec qui il était désormais décidé à ne plus avoir de relations (ce qu'il appelait, ne sachant pas bien le sens des locutions, « avoir maille à partir »). Toujours est-il que les noms d'Ibsen et d'Annunzio, et leur survivance incertaine, firent se froncer les sourcils du duc, qui n'était pas encore assez loin de nous pour ne pas avoir entendu les amabilités diverses de Mme Timoléon d'Amoncourt. C'était une femme charmante, d'un esprit, comme sa beauté, si ravissant, qu'un seul des deux eût réussi à plaire. Mais, née hors du milieu où elle vivait maintenant, n'ayant aspiré d'abord qu'à un salon littéraire, amie successivement — nullement amante, elle était de mœurs fort pures — et exclusivement de chaque grand écrivain qui lui donnait tous ses manuscrits, écrivait des livres pour elle, le hasard l'ayant introduite dans le faubourg Saint-Germain, ces privilèges littéraires l'y servirent. Elle avait maintenant une situation à n'avoir pas à dispenser d'autres grâces que celles que sa présence répandait. Mais habituée jadis à l'entregent, aux manèges, aux services à rendre, elle y persévérait bien qu'ils ne fussent plus nécessaires. Elle avait toujours un secret d'État à vous révéler, un potentat à vous faire connaître, une aquarelle de maître à vous offrir. Il y avait bien dans tous ces attraits inutiles un peu de mensonge, mais ils faisaient de sa vie une comédie d'une complication scintillante et il était exact qu'elle faisait nommer des préfets et des généraux.

Tout en marchant à côté de moi, la duchesse de Guermantes laissait la lumière azurée de ses yeux flotter devant elle, mais dans le vague, afin d'éviter les gens avec qui elle ne tenait pas à entrer en relations et dont elle devinait parfois, de loin, l'écueil menaçant. Nous avancions entre une double haie d'invités, lesquels, sachant qu'ils ne connaîtraient jamais « Oriane », voulaient au moins, comme une curiosité, la montrer à leur femme : « Ursule, vite, vite, venez voir madame de Guermantes qui cause avec ce jeune homme. » Et on sentait qu'il ne s'en fallait pas de beaucoup pour qu'ils fussent montés sur des chaises, pour mieux voir, comme à la revue du 14 juillet ou au Grand Prix[1]. Ce n'est pas que la duchesse de Guermantes eût un salon plus aristocratique que sa cousine. Chez la première fréquentaient des gens que la seconde n'eût jamais voulu inviter, surtout à cause de son mari. Jamais elle n'eût reçu Mme Alphonse de Rothschild[2], qui, intime amie de Mme de La Trémoïlle[3] et de Mme de Sagan[4], comme Oriane elle-même, fréquentait beaucoup chez cette dernière. Il en était encore de même du baron Hirsch[5] que le prince de Galles avait amené chez elle, mais non chez la princesse à qui il aurait déplu, et aussi de quelques grandes notoriétés bonapartistes ou même républicaines, qui intéressaient la duchesse mais que le prince, royaliste convaincu, n'eût pas voulu recevoir. Son antisémitisme étant aussi de principe ne fléchissait devant aucune élégance, si accréditée fût-elle, et s'il recevait Swann dont il était l'ami de tout temps, étant d'ailleurs le seul des Guermantes qui l'appelât Swann et non Charles, c'est que, sachant que la grand-mère de Swann, protestante mariée à un juif, avait été la maîtresse du duc de Berri[6], il essayait, de temps en temps, de croire à la légende qui faisait du père de Swann un fils naturel du prince. Dans cette hypothèse, laquelle était d'ailleurs fausse, Swann, fils d'un catholique, fils lui-même d'un Bourbon et d'une catholique, n'avait rien que de chrétien.

« Comment, vous ne connaissez pas ces splendeurs ? » me dit la duchesse, en me parlant de l'hôtel où nous étions. Mais après avoir célébré le « palais » de sa cousine, elle s'empressa d'ajouter qu'elle préférait mille fois « son humble trou ». « Ici, c'est admirable pour *visiter.* Mais je mourrais de chagrin s'il me fallait rester à coucher dans des chambres où ont eu lieu tant d'événements historiques. Ça me ferait l'effet d'être restée après la fermeture, d'avoir été oubliée, au château de Blois, de Fontainebleau ou même au Louvre, et d'avoir comme seule ressource contre la tristesse de me dire que je suis dans la chambre où a été assassiné Monaldeschi[7]. Comme camomille, c'est insuffisant. Tiens, voilà Mme de Saint-

Euverte[1]. Nous avons dîné tout à l'heure chez elle. Comme elle donne demain sa grande machine annuelle, je pensais qu'elle serait allée se coucher. Mais elle ne peut pas rater une fête. Si celle-ci avait eu lieu à la campagne, elle serait montée sur une tapissière plutôt que de ne pas y être allée. »

En réalité, Mme de Saint-Euverte était venue, ce soir, moins pour le plaisir de ne pas manquer une fête chez les autres que pour assurer le succès de la sienne, recruter les derniers adhérents, et en quelque sorte passer *in extremis* la revue des troupes qui devaient le lendemain évoluer brillamment à sa garden-party. Car depuis pas mal d'années, les invités des fêtes Saint-Euverte n'étaient plus du tout les mêmes qu'autrefois. Les notabilités féminines du milieu Guermantes, si clairsemées alors, avaient — comblées de politesses par la maîtresse de la maison — amené peu à peu leurs amies. En même temps, par un travail parallèlement progressif, mais en sens inverse, Mme de Saint-Euverte avait d'année en année réduit le nombre des personnes inconnues au monde élégant. On avait cessé de voir l'une, puis l'autre. Pendant quelque temps fonctionna le système des « fournées » qui permettait, grâce à des fêtes sur lesquelles on faisait le silence, de convier les réprouvés à venir se divertir entre eux, ce qui dispensait de les inviter avec les gens bien[a]. De quoi pouvaient-ils se plaindre ? N'avaient-ils pas *(panem et circenses*[b2]*)* des petits fours et un beau programme musical ? Aussi, en symétrie en quelque sorte avec les deux duchesses en exil, qu'autrefois, quand avait débuté le salon Saint-Euverte, on avait vues en soutenir, comme deux cariatides, le faîte chancelant, dans les dernières années on ne distingua plus, mêlées au beau monde, que deux personnes hétérogènes : la vieille Mme de Cambremer et la femme à belle voix d'un architecte à laquelle on était souvent obligé de demander de chanter. Mais ne connaissant plus personne chez Mme de Saint-Euverte, pleurant leurs compagnes perdues, sentant qu'elles gênaient, elles avaient l'air prêtes à mourir de froid comme deux hirondelles qui n'ont pas émigré à temps. Aussi l'année suivante ne furent-elles pas invitées ; Mme de Franquetot tenta une démarche en faveur de sa cousine qui aimait tant la musique. Mais comme elle ne put pas obtenir pour elle une réponse plus explicite que ces mots :

« Mais on peut toujours entrer écouter de la musique si ça vous amuse, ça n'a rien de criminel ! », Mme de Cambremer ne trouva pas l'invitation assez pressante et s'abstint.

Une telle transmutation, opérée par Mme de Saint-Euverte, d'un salon de lépreux en un salon de grandes dames (la dernière forme, en apparence ultra-chic, qu'il avait prise), on pouvait s'étonner que la personne qui donnait le lendemain la fête la plus brillante de la saison eût eu besoin de venir la veille adresser un suprême appel à ses troupes. Mais c'est que la prééminence du salon Saint-Euverte n'existait que pour ceux dont la vie mondaine consiste seulement à lire le compte rendu des matinées et soirées, dans *Le Gaulois* ou *Le Figaro*[1], sans être jamais allés à aucune. À ces mondains qui ne voient le monde que par le journal, l'énumération des ambassadrices d'Angleterre, d'Autriche, etc., des duchesses d'Uzès[2], de La Trémoïlle[3], etc.[a], etc., suffisait pour qu'ils s'imaginassent volontiers le salon Saint-Euverte comme le premier de Paris, alors qu'il était un des derniers. Non que les comptes rendus fussent mensongers. La plupart des personnes citées avaient bien été présentes. Mais chacune était venue à la suite d'implorations, de politesses, de services, et en ayant le sentiment d'honorer infiniment Mme de Saint-Euverte. De tels salons, moins recherchés que fuis, et où on va pour ainsi dire en service commandé, ne font illusion qu'aux lectrices de « Mondanités ». Elles glissent sur une fête, vraiment élégante celle-là, où la maîtresse de la maison pouvant avoir toutes les duchesses, lesquelles brûlent d'être « parmi les élus », ne demande qu'à deux ou trois, et ne fait pas mettre le nom de ses invités dans le journal[b]. Aussi ces femmes, méconnaissant ou dédaignant le pouvoir qu'a pris aujourd'hui la publicité, sont-elles élégantes pour la reine d'Espagne, mais méconnues de la foule, parce que la première sait et que la seconde ignore qui elles sont.

Mme de Saint-Euverte n'était pas de ces femmes, et en bonne butineuse elle venait cueillir pour le lendemain tout ce qui était invité. M. de Charlus ne l'était pas, il avait toujours refusé d'aller chez elle. Mais il était brouillé avec tant de gens, que Mme de Saint-Euverte pouvait mettre cela sur le compte du caractère.

Certes, s'il n'y avait eu là qu'Oriane, Mme de Saint-Euverte eût pu ne pas se déranger, puisque l'invitation avait été faite de vive voix, et d'ailleurs acceptée avec cette charmante bonne grâce trompeuse dans l'exercice de laquelle triomphent ces académiciens de chez lesquels le candidat sort attendri et ne doutant pas qu'il peut compter sur leur voix. Mais il n'y avait pas qu'elle. Le prince d'Agrigente viendrait-il ? Et Mme de Durfort[1] ? Aussi pour veiller au grain, Mme de Saint-Euverte avait-elle cru plus expédient de se transporter elle-même ; insinuante avec les uns, impérative avec les autres, pour tous elle annonçait à mots couverts d'inimaginables divertissements qu'on ne pourrait revoir une seconde fois, et à chacun promettait qu'il trouverait chez elle la personne qu'il avait le désir, ou le personnage qu'il avait le besoin de rencontrer. Et cette sorte de fonction dont elle était investie pour une fois dans l'année — telles certaines magistratures du monde antique — de personne qui donnera le lendemain la plus considérable garden-party de la saison lui conférait une autorité momentanée. Ses listes étaient faites et closes, de sorte que tout en parcourant les salons de la princesse avec lenteur pour verser successivement dans chaque oreille : « Vous ne m'oublierez pas demain », elle avait la gloire éphémère de détourner les yeux en continuant à sourire, si elle apercevait un laideron à éviter ou quelque hobereau qu'une camaraderie de collège avait fait admettre chez « Gilbert », et duquel la présence à sa garden-party n'ajouterait rien. Elle préférait ne pas lui parler pour pouvoir dire ensuite : « J'ai fait mes invitations verbalement, et malheureusement je ne vous ai pas rencontré[2]. » Ainsi elle, simple Saint-Euverte, faisait-elle de ses yeux fureteurs un « tri » dans la composition de la soirée de la princesse. Et elle se croyait, en agissant ainsi, une vraie duchesse de Guermantes.

Il faut dire que celle-ci n'avait pas non plus tant qu'on pourrait croire la liberté de ses bonjours et de ses sourires. Pour une part, sans doute, quand elle les refusait, c'était volontairement : « Mais elle m'embête, disait-elle, est-ce que je vais être obligée de lui parler de sa soirée pendant une heure ? »

On vit passer une duchesse fort noire, que sa laideur et sa bêtise, et certains écarts de conduite, avaient exilée non de la société, mais de certaines intimités élégantes. « Ah ! » susurra Mme de Guermantes, avec le coup d'œil exact et désabusé du connaisseur à qui on montre un bijou faux, « on reçoit ça ici ! » Sur la seule vue de la dame à demi tarée, et dont la figure était encombrée de trop de grains de poils noirs, Mme de Guermantes cotait la médiocre valeur de cette soirée. Elle avait été élevée, mais avait cessé toutes relations avec cette dame ; elle ne répondit à son salut que par un signe de tête des plus secs. « Je ne comprends pas », me dit-elle, comme pour s'excuser, « que Marie-Gilbert nous invite avec toute cette lie. On peut dire qu'il y en a ici de toutes les paroisses. C'était beaucoup mieux arrangé chez Mélanie Pourtalès[1]. Elle pouvait avoir le Saint synode[2] et le temple de l'Oratoire[3] si ça lui plaisait, mais au moins, on ne nous faisait pas venir ces jours-là. » Mais[4], pour beaucoup, c'était par timidité, peur d'avoir une scène de son mari, qui ne voulait pas qu'elle reçût des artistes, etc. (« Marie-Gilbert » en protégeait beaucoup, il fallait prendre garde de ne pas être abordée par quelque illustre chanteuse allemande), par quelque crainte aussi à l'égard du nationalisme qu'en tant que, détenant comme M. de Charlus l'esprit des Guermantes, elle méprisait au point de vue mondain (on faisait passer maintenant, pour glorifier l'état-major, un général plébéien avant certains ducs), mais auquel pourtant, comme elle se savait cotée mal pensante, elle faisait de larges concessions, jusqu'à redouter d'avoir à tendre la main à Swann dans ce milieu antisémite. À cet égard elle fut vite rassurée, ayant appris que le prince n'avait pas laissé entrer Swann et avait eu avec lui « une espèce d'altercation ». Elle ne risquait pas d'avoir à faire publiquement la conversation avec « pauvre Charles » qu'elle préférait chérir dans le privé.

« Et qu'est-ce encore que celle-là ? » s'écria Mme de Guermantes en voyant une petite dame l'air un peu étrange, dans une robe noire tellement simple qu'on aurait dit une malheureuse, lui faire, ainsi que son mari, un grand salut. Elle ne la reconnut pas et, ayant de ces insolences, se redressa comme offensée, et regarda sans répondre : « Qu'est-ce[a] que c'est que cette personne, Basin ? » demanda-t-elle d'un air étonné, pendant que M. de Guermantes, pour réparer l'impolitesse d'Oriane, saluait la dame et serrait la main du mari[b]. « Mais, c'est Mme de Chaussepierre, vous avez été très impolie. — Je ne sais pas ce que c'est Chaussepierre. — Le neveu de la vieille mère Chanlivault. — Je ne connais rien de tout ça. Qui est la femme, pourquoi me salue-t-elle ? — Mais, vous ne connaissez que ça, c'est la fille de Mme de Charleval, Henriette Montmorency. — Ah ! mais j'ai très bien connu sa mère, elle était charmante, très spirituelle. Pourquoi a-t-elle épousé tous ces gens que je ne connais pas ? Vous dites qu'elle s'appelle Mme de Chaussepierre ? » dit-elle en épelant ce dernier mot d'un air interrogateur et comme si elle avait peur de se tromper. Le duc lui jeta un regard dur. « Cela n'est pas si ridicule que vous avez l'air de croire de s'appeler Chaussepierre ! Le vieux Chaussepierre était le frère de la Charleval[1] déjà nommée, de Mme de Sennecour et de la vicomtesse du Merlerault. Ce sont des gens bien. — Ah ! assez », s'écria la duchesse qui, comme une dompteuse, ne voulait jamais avoir l'air de se laisser intimider par les regards dévorants du fauve. « Basin, vous faites ma joie. Je ne sais pas où vous avez été dénicher ces noms, mais je vous fais tous mes compliments. Si j'ignorais Chaussepierre, j'ai lu Balzac, vous n'êtes pas le seul, et j'ai même lu Labiche. J'apprécie Chanlivault, je ne hais pas Charleval, mais j'avoue que du Merlerault est le chef-d'œuvre. Du reste, avouons que Chaussepierre n'est pas mal non plus. Vous avez collectionné tout ça, ce n'est pas possible. Vous qui voulez faire un livre, me dit-elle, vous devriez retenir Charleval et du Merlerault. Vous ne trouverez pas mieux. — Il se fera faire tout simplement procès, et il ira en prison ; vous lui donnez de très mauvais conseils, Oriane. — J'espère pour lui qu'il a à sa disposition des personnes plus jeunes s'il a envie de demander des mauvais conseils, et surtout de les suivre. Mais s'il ne veut rien faire de plus mal qu'un livre ! » Assez loin de nous, une merveilleuse et fière jeune femme se détachait doucement dans une robe blanche, toute en diamants et en tulle. Mme de Guermantes la regarda qui parlait devant tout un groupe aimanté par sa grâce. « Votre sœur est partout la plus belle ; elle est charmante ce soir », dit-elle, tout en prenant une chaise, au prince de Chimay[2] qui passait. Le colonel de Froberville (il avait pour oncle le général du même nom) vint s'asseoir à côté de nous, ainsi que M. de Bréauté, tandis que M. de Vaugoubert se dandinant (par un excès de politesse qu'il gardait même quand il jouait au tennis où à force de demander des permissions aux personnages de marque avant d'attraper la balle, il faisait inévitablement perdre la partie à son camp) retournait auprès de M. de Charlus (jusque-là quasi enveloppé par l'immense jupe de la comtesse Molé, qu'il faisait profession d'admirer entre toutes les femmes), et par hasard au moment où plusieurs membres d'une nouvelle mission diplomatique à Paris saluaient le baron. À la vue d'un jeune secrétaire à l'air particulièrement intelligent, M. de Vaugoubert fixa sur M. de Charlus un sourire où s'épanouissait visiblement une seule question. M. de Charlus eût peut-être volontiers compromis quelqu'un, mais se sentir, lui, compromis par ce sourire partant d'un autre et qui ne pouvait avoir qu'une signification, l'exaspéra. « Je n'en sais absolument rien, je vous prie de garder vos curiosités pour vous-même. Elles me laissent plus que froid. Du reste, dans le cas particulier, vous faites un impair de tout premier ordre. Je crois ce jeune homme absolument le contraire. » Ici, M. de Charlus, irrité d'avoir été dénoncé par un sot, ne disait pas la vérité. Le secrétaire eût, si le baron avait dit vrai, fait exception dans cette ambassade. Elle était, en effet, composée de personnalités fort différentes, plusieurs extrêmement médiocres, en sorte que si l'on cherchait quel avait pu être le motif du choix qui s'était porté sur elles, on ne pouvait découvrir que l'inversion. En mettant à la tête de ce petit Sodome diplomatique un ambassadeur aimant au contraire les femmes avec une exagération comique de compère de revue qui faisait manœuvrer en règle son bataillon de travestis, on semblait avoir obéi à la loi des contrastes. Malgré ce qu'il avait sous les yeux, il ne croyait pas à l'inversion. Il en donna immédiatement la preuve en mariant sa sœur à un chargé d'affaires qu'il croyait bien faussement un coureur de poules. Dès lors il devint un peu gênant et fut bientôt remplacé par une excellence nouvelle qui assura l'homogénéité de l'ensemble. D'autres ambassades cherchèrent à rivaliser avec celle-là, mais elles ne purent lui disputer le prix (comme au concours général, où un certain lycée l'a toujours) et il fallut que plus de dix ans se passassent avant que, des attachés hétérogènes s'étant introduits dans ce tout si parfait, une autre pût enfin lui arracher la funeste palme et marcher en tête.

Rassurée sur la crainte d'avoir à causer avec Swann, Mme de Guermantes n'éprouvait plus que de la curiosité au sujet de la conversation qu'il avait eue avec le maître de maison. « Savez-vous à quel sujet ? demanda le duc à M. de Bréauté. — J'ai entendu dire, répondit celui-ci, que c'était à propos d'un petit acte que l'écrivain Bergotte avait fait représenter chez eux. C'était ravissant, d'ailleurs. Mais il paraît que l'acteur s'était fait la tête de Gilbert, que d'ailleurs le sieur Bergotte aurait voulu en effet dépeindre. — Tiens, cela m'aurait amusée de voir contrefaire Gilbert, dit la duchesse en souriant rêveusement. — C'est sur cette petite représentation, reprit M. de Bréauté en avançant sa mâchoire de rongeur, que Gilbert a demandé des explications à Swann, qui s'est contenté de répondre, ce que tout le monde trouva très spirituel : “Mais, pas du tout, cela ne vous ressemble en rien, vous êtes bien plus ridicule que ça !” Il paraît, du reste, reprit M. de Bréauté, que cette petite pièce était ravissante. Mme Molé y était, elle s'est énormément amusée. — Comment, Mme Molé va là ? dit la duchesse étonnée. Ah ! c'est Mémé qui aura arrangé cela. C'est toujours ce qui finit par arriver avec ces endroits-là. Tout le monde, un beau jour, se met à y aller, et moi qui me suis volontairement exclue par principe, je me trouve seule à m'ennuyer dans mon coin. » Déjà, depuis le récit que venait de leur faire M. de Bréauté, la duchesse de Guermantes (sinon sur le salon Swann, du moins sur l'hypothèse de rencontrer Swann dans un instant) avait comme on voit adopté un nouveau point de vue. « L'explication que vous nous donnez, dit à M. de Bréauté le colonel de Froberville, est de tout point controuvée. J'ai mes raisons pour le savoir. Le prince a purement et simplement fait une algarade à Swann et lui a fait assavoir, comme disaient nos pères, de ne plus avoir à se montrer chez lui, étant donné les opinions qu'il affiche. Et selon moi, mon oncle Gilbert a eu mille fois raison, non seulement de faire cette algarade, mais aurait dû en finir il y a plus de six mois avec un dreyfusard avéré. »

Le pauvre M. de Vaugoubert, devenu cette fois-ci de trop lambin joueur de tennis une inerte balle de tennis elle-même qu'on lance sans ménagements, se trouva projeté vers la duchesse de Guermantes à laquelle il présenta ses hommages. Il fut assez mal reçu, Oriane vivant dans la persuasion que tous les diplomates — ou hommes politiques — de son monde étaient des nigauds.

M. de Froberville avait forcément bénéficié de la situation de faveur qui depuis peu était faite aux militaires dans la société. Malheureusement, si la femme qu'il avait épousée était parente très véritable des Guermantes, c'en était une aussi extrêmement pauvre, et comme lui-même avait perdu sa fortune, ils n'avaient guère de relations et c'étaient de ces gens qu'on laissait de côté hors des grandes occasions, quand ils avaient la chance de perdre ou de marier un parent. Alors, ils faisaient vraiment partie de la communion du grand monde, comme les catholiques de nom qui ne s'approchent de la sainte table qu'une fois l'an. Leur situation matérielle eût même été malheureuse si Mme de Saint-Euverte, fidèle à l'affection qu'elle avait eue pour feu le général de Froberville, n'avait pas aidé de toutes façons le ménage, donnant des toilettes et des distractions aux deux petites filles. Mais le colonel, qui passait pour un bon garçon, n'avait pas l'âme reconnaissante. Il était envieux des splendeurs d'une bienfaitrice qui les célébrait elle-même sans trêve et sans mesure. La garden-party annuelle était pour lui, sa femme et ses enfants, un plaisir merveilleux qu'ils n'eussent pas voulu manquer pour tout l'or du monde, mais un plaisir empoisonné par l'idée des joies d'orgueil qu'en tirait Mme de Saint-Euverte. L'annonce de cette garden-party dans les journaux qui, ensuite, après un récit détaillé, ajoutaient machiavéliquement : « Nous reviendrons sur cette belle fête », les détails complémentaires sur les toilettes, donnés pendant plusieurs jours de suite, tout cela faisait tellement mal aux Froberville, qu'eux, assez sevrés de plaisirs et qui savaient pouvoir compter sur celui de cette matinée, en arrivaient chaque année à souhaiter que le mauvais temps en gênât la réussite, à consulter le baromètre et à anticiper avec délices les prémices d'un orage qui pût faire rater la fête.

« Je ne discuterai pas politique avec vous, Froberville, dit M. de Guermantes, mais pour ce qui concerne Swann, je peux dire franchement que sa conduite à notre égard a été inqualifiable. Patronné jadis dans le monde par nous, par le duc de Chartres[1], on me dit qu'il est ouvertement dreyfusard. Jamais je n'aurais cru cela de lui, de lui un fin gourmet, un esprit positif, un collectionneur, un amateur de vieux livres, membre du Jockey, un homme entouré de la considération générale, un connaisseur de bonnes adresses qui nous envoyait le meilleur porto qu'on puisse boire, un dilettante, un père de famille. Ah ! j'ai été bien trompé. Je ne parle pas de moi, il est convenu que je suis une vieille bête, dont l'opinion ne compte pas, une espèce de va-nu-pieds, mais rien que pour Oriane, il n'aurait pas dû faire cela, il aurait dû désavouer ouvertement les Juifs et les sectateurs du condamné. »

« Oui, après l'amitié que lui a toujours témoignée ma femme », reprit le duc, qui considérait évidemment que condamner Dreyfus pour haute trahison, quelque opinion qu'on eût dans son for intérieur sur sa culpabilité, constituait une espèce de remerciement pour la façon dont on avait été reçu dans le faubourg Saint-Germain, « il aurait dû se désolidariser. Car, demandez à Oriane, elle avait vraiment de l'amitié pour lui. » La duchesse, pensant qu'un ton ingénu et calme donnerait une valeur plus dramatique et sincère à ses paroles, dit d'une voix d'écolière, comme laissant sortir simplement la vérité de sa bouche et en donnant seulement à ses yeux une expression un peu mélancolique : « Mais c'est vrai, je n'ai aucune raison de cacher que j'avais une sincère affection pour Charles ! — Là, vous voyez, je ne lui fais pas dire. Et après cela, il pousse l'ingratitude jusqu'à être dreyfusard ! »

« À propos de dreyfusards, dis-je, il paraît que le prince Von l'est. — Ah ! vous faites bien de me parler de lui, s'écria M. de Guermantes, j'allais oublier qu'il m'a demandé de venir dîner lundi. Mais qu'il soit dreyfusard ou non, cela m'est parfaitement égal puisqu'il est étranger. Je m'en fiche comme de colin-tampon. Pour un Français, c'est autre chose. Il est vrai que Swann est juif. Mais jusqu'à ce jour — excusez-moi, Froberville — j'avais eu la faiblesse de croire qu'un Juif peut être français, j'entends un Juif honorable, homme du monde. Or Swann était cela dans toute la force du terme. Hé bien ! il me force à reconnaître que je me suis trompé, puisqu'il prend parti pour ce Dreyfus (rui, coupable ou non, ne fait nullement partie de son milieu, qu'il n'aurait jamais rencontré) contre une société qui l'avait adopté, qui l'avait traité comme un des siens. Il n'y a pas à dire, nous nous étions tous portés garants de Swann, j'aurais répondu de son patriotisme comme du mien. Ah ! il nous récompense bien mal. J'avoue que de sa part je ne me serais jamais attendu à cela. Je le jugeais mieux. Il avait de l'esprit (dans son genre, bien entendu). Je sais bien qu'il avait déjà fait l'insanité de son honteux mariage. Tenez, savez-vous quelqu'un à qui le mariage de Swann a fait beaucoup de peine ? C'est à ma femme. Oriane a souvent ce que j'appellerai une affectation d'insensibilité. Mais au fond, elle ressent avec une force extraordinaire. » Mme de Guermantes, ravie de cette analyse de son caractère, l'écoutait d'un air modeste mais ne disait pas un mot, par scrupule d'acquiescer à l'éloge, surtout par peur de l'interrompre. M. de Guermantes aurait pu parler une heure sur ce sujet qu'elle eût encore moins bougé que si on lui avait fait de la musique. « Hé bien ! je me rappelle quand elle a appris le mariage de Swann, elle s'est sentie froissée ; elle a trouvé que c'était mal de quelqu'un à qui nous avions témoigné tant d'amitié. Elle aimait beaucoup Swann ; elle a eu beaucoup de chagrin. N'est-ce pas Oriane ? » Mme de Guermantes crut devoir répondre à une interpellation aussi directe, sur un point de fait qui lui permettrait, sans en avoir l'air, de confirmer des louanges qu'elle sentait terminées. D'un ton timide et simple, et un air d'autant plus appris qu'il voulait paraître « senti », elle dit avec une douceur réservée : « C'est vrai, Basin ne se trompe pas. — Et pourtant ce n'était pas encore la même chose. Que voulez-vous, l'amour est l'amour, quoique à mon avis il doive rester dans certaines bornes. J'excuserais encore un jeune homme, un petit morveux, se laissant emballer par les utopies. Mais Swann, un homme intelligent, d'une délicatesse éprouvée, un fin connaisseur en tableaux, un familier du duc de Chartres, de Gilbert lui-même ! » Le ton dont M. de Guermantes disait cela était d'ailleurs parfaitement sympathique, sans ombre de la vulgarité qu'il montrait trop souvent. Il parlait avec une tristesse légèrement indignée, mais tout en lui respirait cette gravité douce qui fait le charme onctueux et large de certains personnages de Rembrandt, le bourgmestre Six par exemple[1]. On sentait que la question de l'immoralité de la conduite de Swann dans l'Affaire ne se posait même pas pour le duc tant elle faisait peu de doute ; il en ressentait l'affliction d'un père voyant un de ses enfants, pour l'éducation duquel il a fait les plus grands sacrifices, ruiner volontairement la magnifique situation qu'il lui a faite et déshonorer par des frasques que les principes ou les préjugés de la famille ne peuvent admettre, un nom respecté. Il est vrai que M. de Guermantes n'avait pas manifesté autrefois un étonnement aussi profond et aussi douloureux quand il avait appris que Saint-Loup était dreyfusard. Mais d'abord il considérait son neveu comme un jeune homme dans une mauvaise voie et de qui rien jusqu'à ce qu'il se soit amendé ne saurait étonner, tandis que Swann était ce que M. de Guermantes appelait « un homme pondéré, un homme ayant une position de premier ordre ». Ensuite et surtout, un assez long temps avait passé pendant lequel, si, au point de vue historique, les événements avaient en partie semblé justifier la thèse dreyfusiste, l'opposition antidreyfusarde avait redoublé de violence, et de purement politique d'abord était devenue sociale. C'était maintenant une question de militarisme, de patriotisme, et les vagues de colère soulevées dans la société avaient eu le temps de prendre cette force qu'elles n'ont jamais au début d'une tempête. « Voyez-vous, reprit M. de Guermantes, même au point de vue de ses chers Juifs, puisqu'il tient absolument à les soutenir, Swann a fait une boulette d'une portée incalculable. Il prouve qu'ils sont tous unis secrètement et qu'ils sont en quelque sorte[a] forcés de prêter appui à quelqu'un de leur race, même s'ils ne le connaissent pas. C'est un danger public. Nous avons évidemment été trop coulants, et la gaffe que commet Swann aura d'autant plus de retentissement qu'il était estimé, même reçu, et qu'il était à peu près le seul Juif qu'on connaissait. On se dira : *Ab uno disce omnes*[1]. » (La satisfaction d'avoir trouvé à point nommé, dans sa mémoire, une citation si opportune, éclaira seule d'un orgueilleux sourire la mélancolie du grand seigneur trahi.)

J'avais grande envie de savoir ce qui s'était exactement passé entre le prince et Swann et de voir ce dernier, s'il n'avait pas encore quitté la soirée. « Je vous dirai », me répondit la duchesse, à qui je parlais de ce désir, « que moi je ne tiens pas excessivement à le voir parce qu'il paraît, d'après ce qu'on m'a dit tout à l'heure chez Mme de Saint-Euverte, qu'il voudrait avant de mourir que je fasse la connaissance de sa femme et de sa fille. Mon Dieu, ça me fait une peine infinie qu'il soit malade, mais d'abord j'espère que ce n'est pas aussi grave que ça. Et puis enfin ce n'est tout de même pas une raison, parce que ce serait vraiment trop facile. Un écrivain sans talent n'aurait qu'à dire : "Votez pour moi à l'Académie parce que ma femme va mourir et que je veux lui donner cette dernière joie." Il n'y aurait plus de salons si on était obligé de faire la connaissance de tous les mourants. Mon cocher pourrait me faire valoir : "Ma fille est très mal, faites-moi recevoir chez la princesse de Parme[1]." J'adore Charles, et cela me ferait beaucoup de chagrin de lui refuser, aussi est-ce pour cela que j'aime mieux éviter qu'il me le demande. J'espère de tout mon cœur qu'il n'est pas mourant, comme il le dit, mais vraiment si cela devait arriver, ce ne serait pas le moment pour moi de faire la connaissance de ces deux créatures qui m'ont privée du plus agréable de mes amis pendant quinze ans, et qu'il me laisserait pour compte une fois que je ne pourrais même pas en profiter pour le voir lui, puisqu'il serait mort ! »

Mais M. de Bréauté n'avait cessé de ruminer le démenti que lui avait infligé le colonel de Froberville. « Je ne doute pas de l'exactitude de votre récit, mon cher ami, dit-il, mais je tenais le mien de bonne source. C'est le prince de La Tour d'Auvergne qui me l'avait narré. — Je m'étonne qu'un savant comme vous dise encore le prince de La Tour d'Auvergne, interrompit le duc de Guermantes, vous savez qu'il ne l'est pas le moins du monde. Il n'y a plus qu'un seul membre de cette famille. C'est l'oncle d'Oriane, le duc de Bouillon[2]. — Le frère de Mme de Villeparisis ? » demandai-je, me rappelant que celle-ci était une demoiselle de Bouillon. « Parfaitement. Oriane, Mme de Lambresac[3] vous dit bonjour. »

En effet, on voyait par moments se former et passer comme une étoile filante un faible sourire destiné par la duchesse de Lambresac à quelque personne qu'elle avait reconnue. Mais ce sourire, au lieu de se préciser en une affirmation active, en un langage muet mais clair, se noyait presque aussitôt en une sorte d'extase idéale qui ne distinguait rien, tandis que la tête s'inclinait en un geste de bénédiction béate rappelant celui qu'incline vers la foule des communiantes un prélat un peu ramolli. Mme de Lambresac ne l'était en aucune façon. Mais je connaissais déjà ce genre particulier de distinction désuète. À Combray et à Paris toutes les amies de ma grand-mère avaient l'habitude de saluer, dans une réunion mondaine, d'un air aussi séraphique que si elles avaient aperçu quelqu'un de connaissance à l'église, au moment de l'Élévation ou pendant un enterrement, et lui jetaient mollement un bonjour qui s'achevait en prière. Or, une phrase de M. de Guermantes allait compléter le rapprochement que je faisais. « Mais vous avez vu le duc de Bouillon, me dit M. de Guermantes. Il sortait tantôt de ma bibliothèque comme vous y entriez, un monsieur court de taille et tout blanc. » C'était celui que j'avais pris pour un petit bourgeois de Combray, et dont maintenant, à la réflexion, je dégageais la ressemblance avec Mme de Villeparisis. La similitude des saluts évanescents de la duchesse de Lambresac avec ceux des amies de ma grand-mère avait commencé de m'intéresser, en me montrant que dans les milieux étroits et fermés, qu'ils soient de petite bourgeoisie ou de grande noblesse, les anciennes manières persistent, nous permettant comme à un archéologue de retrouver ce que pouvait être l'éducation, et la part d'âme qu'elle reflète, au temps du vicomte d'Arlincourt[1] et de Loïsa Puget[2]. Mieux maintenant la parfaite conformité d'apparence entre un petit bourgeois de Combray de son âge et le duc de Bouillon me rappelait (ce qui m'avait déjà tant frappé quand j'avais vu le grand-père maternel de Saint-Loup, le duc de La Rochefoucauld[3], sur un daguerréotype où il était exactement pareil comme vêtements, comme air et comme façons à mon grand-oncle) que les différences sociales, voire individuelles, se fondent à distance dans l'uniformité d'une époque. La vérité est que la ressemblance des vêtements et aussi la réverbération par le visage de l'esprit de l'époque tiennent, dans une personne, une place tellement plus importante que sa caste, qui en occupe[a] une grande seulement dans l'amour-propre de l'intéressé et l'imagination des autres, que pour se rendre compte qu'un grand seigneur du temps de Louis-Philippe est moins différent d'un bourgeois du temps de Louis-Philippe que d'un grand seigneur du temps de Louis XV, il n'est pas nécessaire de parcourir les galeries du Louvre.

À ce moment, un musicien bavarois à grands cheveux que protégeait la princesse de Guermantes salua Oriane. Celle-ci répondit par une inclinaison de tête, mais le duc, furieux de voir sa femme dire bonsoir à quelqu'un qu'il ne connaissait pas, qui avait une touche singulière, et qui, autant que M. de Guermantes croyait le savoir, avait fort mauvaise réputation, se retourna vers sa femme d'un air interrogateur et terrible, comme s'il disait : « Qu'est-ce que c'est que cet ostrogoth-là ? » La situation de la pauvre Mme de Guermantes était déjà assez compliquée, et si le musicien eût eu un peu pitié de cette épouse martyre, il se serait au plus vite éloigné. Mais, soit désir de ne pas rester sur l'humiliation qui venait de lui être infligée en public, au milieu des plus vieux amis du cercle du duc, desquels la présence avait peut-être bien motivé un peu sa silencieuse inclinaison, et[a] pour montrer que c'était à bon droit, et non sans la connaître, qu'il avait salué Mme de Guermantes, soit obéissant à l'inspiration obscure et irrésistible de la gaffe qui le poussa — dans un moment où il eût dû se fier plutôt à l'esprit — à appliquer la lettre même du protocole, le musicien s'approcha davantage de Mme de Guermantes et lui dit : « Madame la duchesse, je voudrais solliciter l'honneur d'être présenté au duc. » Mme de Guermantes était bien malheureuse. Mais enfin, elle avait beau être une épouse trompée, elle était tout de même la duchesse de Guermantes et ne pouvait avoir l'air d'être dépouillée de son droit de présenter à son mari les gens qu'elle connaissait. « Basin, dit-elle, permettez-moi de vous présenter M. d'Herweck[1]. » « Je ne vous demande pas si vous irez demain chez Mme de Saint-Euverte », dit le colonel de Froberville à Mme de Guermantes pour dissiper l'impression pénible produite par la requête intempestive de M. d'Herweck. « Tout Paris y sera. » Cependant, se tournant d'un seul mouvement et comme d'une seule pièce vers le musicien indiscret, le duc de Guermantes, faisant front, monumental, muet, courroucé, pareil à Jupiter tonnant, resta immobile ainsi quelques secondes, les yeux flambant de colère et d'étonnement, ses cheveux crespelés semblant sortir d'un cratère. Puis, comme dans l'emportement d'une impulsion qui seule lui permettait d'accomplir la politesse qui lui était demandée, et après avoir semblé par son attitude de défi attester toute l'assistance qu'il ne connaissait pas le musicien bavarois, croisant derrière le dos ses deux mains gantées de blanc, il se renversa en avant et assena au musicien un salut si profond, empreint de tant de stupéfaction et de rage, si brusque, si violent, que l'artiste tremblant recula tout en s'inclinant pour ne pas recevoir un formidable coup de tête dans le ventre.

« Mais c'est que justement je ne serai pas à Paris, répondit la duchesse au colonel de Froberville. Je vous dirai (ce que je ne devrais pas avouer) que je suis arrivée à mon âge sans connaître les vitraux de Montfort-l'Amaury[1]. C'est honteux mais c'est ainsi. Alors pour réparer cette coupable ignorance, je me suis promis d'aller demain les voir. » M. de Bréauté sourit finement. Il comprit en effet que, si la duchesse avait pu rester jusqu'à son âge sans connaître les vitraux de Montfort-l'Amaury, cette visite artistique ne prenait pas subitement le caractère urgent d'une intervention « à chaud » et eût pu sans péril, après avoir été différée pendant plus de vingt-cinq ans, être reculée de vingt-quatre heures. Le projet qu'avait formé la duchesse était simplement le décret rendu, dans la manière des Guermantes, que le salon Saint-Euverte n'était décidément pas une maison vraiment bien, mais une maison où on vous invitait pour se parer de vous dans le compte rendu du *Gaulois*[2], une maison qui décernerait un cachet de suprême élégance à celles, ou en tout cas, à celle, si elle n'était qu'une, qu'on n'y verrait pas. Le délicat amusement de M. de Bréauté, doublé de ce plaisir poétique qu'avaient les gens du monde à voir Mme de Guermantes faire des choses que leur situation moindre ne leur permettait pas d'imiter, mais dont la vision seule leur causait le sourire du paysan attaché à sa glèbe qui voit des hommes plus libres et plus fortunés passer au-dessus de sa tête, ce plaisir délicat n'avait aucun rapport avec le ravissement dissimulé mais éperdu, qu'éprouva aussitôt M. de Froberville.

Les efforts que faisait M. de Froberville pour qu'on n'entendît pas son rire l'avaient fait devenir rouge comme un coq, et malgré cela c'est en entrecoupant ses mots de hoquets de joie qu'il s'écria d'un ton miséricordieux : « Oh ! pauvre tante Saint-Euverte, elle va en faire une maladie ! Non ! la malheureuse femme ne va pas avoir sa duchesse, quel coup ! mais il y a de quoi la faire crever ! » ajouta-t-il, en se tordant de rire. Et dans son ivresse il ne pouvait s'empêcher de faire des appels de pied et de se frotter les mains. Souriant d'un œil et d'un seul coin de la bouche à M. de Froberville dont elle appréciait l'intention aimable, mais ne sentait pas moins le mortel ennui, Mme de Guermantes finit[a] par se décider à le quitter.

« Écoutez, je vais être *obligée* de vous dire bonsoir », lui dit-elle en se levant d'un air de résignation mélancolique, et comme si ç'avait été pour elle un malheur. Sous l'incantation de ses yeux bleus, sa voix doucement musicale faisait penser à la plainte poétique d'une fée. « Basin veut que j'aille voir un peu Marie. » En réalité, elle en avait assez d'entendre Froberville, lequel ne cessait plus de l'envier d'aller à Montfort-l'Amaury quand elle savait fort bien qu'il entendait parler de ces vitraux pour la première fois, et que d'autre part, il n'eût pour rien au monde lâché la matinée Saint-Euverte. « Adieu, je vous ai à peine parlé, c'est comme ça dans le monde, on ne se voit pas, on ne dit pas les choses qu'on voudrait se dire ; du reste, partout, c'est la même chose dans la vie. Espérons qu'après la mort ce sera mieux arrangé. Au moins on n'aura toujours pas besoin de se décolleter. Et encore qui sait ? On exhibera peut-être ses os et ses vers pour les grandes fêtes. Pourquoi pas ? Tenez, regardez la mère Rampillon, trouvez-vous une très grande différence entre ça et un squelette en robe ouverte ? Il est vrai qu'elle a tous les droits, car elle a au moins cent ans. Elle était déjà un des monstres sacrés devant lesquels je refusais de m'incliner quand j'ai fait mes débuts dans le monde. Je la croyais morte depuis très longtemps ; ce qui serait d'ailleurs la seule explication du spectacle qu'elle nous offre. C'est impressionnant et liturgique. C'est du "Camposanto[1]" ! » La duchesse avait quitté Froberville ; il se rapprocha : « Je voudrais vous dire un dernier mot. » Un peu agacée : « Qu'est-ce qu'il y a encore ? » lui dit-elle avec hauteur. Et lui, ayant craint qu'au dernier moment elle ne se ravisât pour Montfort-l'Amaury : « Je n'avais pas osé vous en parler à cause de Mme de Saint-Euverte, pour ne pas lui faire de peine, mais puisque vous ne comptez pas y aller, je puis vous dire que je suis heureux pour vous, car il y a de la rougeole chez elle ! — Oh ! Mon Dieu ! » dit Oriane qui avait peur des maladies. « Mais pour moi ça ne fait rien, je l'ai déjà eue. On ne peut pas l'avoir deux fois. — Ce sont les médecins qui disent ça ; je connais des gens qui l'ont eue jusqu'à quatre. Enfin, vous êtes avertie. » Quant à lui, cette rougeole fictive, il eût fallu qu'il l'eût réellement et qu'elle l'eût cloué au lit pour qu'il se résignât à manquer la fête Saint-Euverte attendue depuis tant de mois. Il aurait le plaisir d'y voir tant d'élégances ! le plaisir plus grand d'y constater certaines choses ratées, et surtout celui de pouvoir longtemps se vanter d'avoir frayé avec les premières et, en les exagérant ou en les inventant, de déplorer les secondes.

Je profitai de ce que la duchesse changeait de place, pour me lever aussi, afin d'aller vers le fumoir, m'informer de Swann. « Ne croyez pas un mot de ce qu'a raconté Babal, me dit-elle. Jamais la petite Molé ne serait allée se fourrer là-dedans. On nous dit ça pour nous attirer. Ils ne reçoivent personne et ne sont invités nulle part. Lui-même l'avoue : "Nous restons tous les deux seuls au coin de notre feu." Comme il dit toujours *nous,* non pas comme le roi, mais pour sa femme, je n'insiste pas. Mais je suis très renseignée », ajouta la duchesse. Elle et moi nous croisâmes deux jeunes gens dont la grande et dissemblable beauté tirait d'une même femme son origine. C'étaient les deux fils de Mme de Surgis, la nouvelle maîtresse du duc de Guermantes. Ils resplendissaient des perfections de leur mère, mais chacun d'une autre. En l'un avait passé, ondoyante en un corps viril, la royale prestance de Mme de Surgis, et la même pâleur ardente, roussâtre et sacrée affluait aux joues marmoréennes de la mère et de ce fils ; mais son frère avait reçu le front grec, le nez parfait, le cou de statue, les yeux infinis ; ainsi faite de présents divers que la déesse avait partagés, leur double beauté offrait le plaisir abstrait de penser que la cause de cette beauté était en dehors d'eux ; on eût dit que les principaux attributs de leur mère s'étaient incarnés en deux corps différents ; que l'un des jeunes gens était la stature de sa mère et son teint, l'autre son regard comme les êtres divins qui n'étaient que la Force et la Beauté de Jupiter ou de Minerve[1]. Pleins de respect pour M. de Guermantes dont ils disaient : « C'est un grand ami de nos parents », l'aîné cependant crut qu'il était prudent de ne pas venir saluer la duchesse dont il savait, sans en comprendre peut-être la raison, l'inimitié pour sa mère, et à notre vue il détourna légèrement la tête. Le cadet, qui imitait toujours son frère, parce qu'étant stupide et de plus myope, il n'osait pas avoir d'avis personnel, pencha la tête selon le même angle, et ils se glissèrent tous deux vers la salle de jeux, l'un derrière l'autre, pareils à deux figures allégoriques.

Au moment d'arriver à cette salle, je fus arrêté par la marquise de Citri[2], encore belle mais presque l'écume aux dents. D'une naissance assez noble, elle avait cherché et fait un brillant mariage en épousant M. de Citri, dont l'arrière-grand-mère était Aumale-Lorraine[1]. Mais aussitôt cette satisfaction éprouvée, son caractère négateur lui avait fait prendre les gens du grand monde en une horreur qui n'excluait pas absolument la vie mondaine. Non seulement dans une soirée elle se moquait de tout le monde, mais cette moquerie avait quelque chose de si violent que le rire même n'était pas assez âpre et se changeait en guttural sifflement : « Ah ! » me dit-elle, en me montrant la duchesse de Guermantes qui venait de me quitter et qui était déjà un peu loin, « ce qui me renverse c'est qu'elle puisse mener cette vie-là. » Cette parole était-elle d'une sainte furibonde, et qui s'étonne que les gentils ne viennent pas d'eux-mêmes à la vérité, ou bien d'une anarchiste en appétit de carnage ? En tous cas cette apostrophe était aussi peu justifiée que possible. D'abord, la « vie que menait » Mme de Guermantes différait très peu (à l'indignation près) de celle de Mme de Citri. Mme de Citri était stupéfaite de voir la duchesse capable de ce sacrifice mortel : assister à une soirée de Marie-Gilbert. Il faut dire dans le cas particulier que Mme de Citri aimait beaucoup la princesse, qui était en effet très bonne, et qu'elle savait en se rendant à sa soirée lui faire grand plaisir. Aussi avait-elle décommandé, pour venir à cette fête, une danseuse à qui elle croyait du génie et qui devait l'initier aux mystères de la chorégraphie russe. Une autre raison qui ôtait quelque valeur à la rage concentrée qu'éprouvait Mme de Citri en voyant Oriane dire bonjour à tel ou telle invité est que Mme de Guermantes, bien qu'à un état beaucoup moins avancé, présentait les symptômes du mal qui ravageait Mme de Citri. On a du reste vu qu'elle en portait les germes de naissance. Enfin plus intelligente que Mme de Citri, Mme de Guermantes aurait eu plus de droits qu'elle à ce nihilisme (qui n'était pas que mondain), mais il est vrai que certaines qualités aident plutôt à supporter les défauts du prochain qu'elles ne contribuent à en faire souffrir ; et un homme de grand talent prêtera d'habitude moins d'attention à la sottise d'autrui que ne ferait un sot. Nous avons assez longuement décrit le genre d'esprit de la duchesse pour convaincre que s'il n'avait rien de commun avec une haute intelligence, il était du moins de l'esprit, de l'esprit adroit à utiliser (comme un traducteur) différentes formes de syntaxe. Or, rien de tel ne semblait qualifier Mme de Citri à mépriser des qualités tellement semblables aux siennes. Elle trouvait tout le monde idiot, mais dans sa conversation, dans ses lettres, se montrait plutôt inférieure aux gens qu'elle traitait avec tant de dédain. Elle avait du reste un tel besoin de destruction que lorsqu'elle eut à peu près renoncé au monde, les plaisirs qu'elle rechercha alors subirent l'un après l'autre son terrible pouvoir dissolvant. Après avoir quitté les soirées pour des séances de musique elle se mit à dire : « Vous aimez entendre cela, de la musique ? Ah ! mon Dieu, cela dépend des moments. Mais ce que cela peut être ennuyeux ! Ah ! Beethoven, la barbe ! » Pour Wagner, puis pour Franck, pour Debussy, elle ne se donnait même pas la peine de dire « la barbe » mais se contentait de faire passer la main comme un barbier sur son visage. Bientôt, ce qui fut ennuyeux, ce fut tout. « C'est si ennuyeux les belles choses ! Ah ! les tableaux, c'est à vous rendre fou. Comme vous avez raison, c'est si ennuyeux d'écrire des lettres ! » Finalement ce fut la vie elle-même qu'elle nous déclara une chose rasante sans qu'on sût bien où elle prenait son terme de comparaison.

Je ne sais si c'est à cause de ce que la duchesse de Guermantes[a], le premier soir que j'avais dîné chez elle, avait dit de cette pièce, mais la salle de jeux ou fumoir avec son pavage illustré, ses trépieds, ses figures de dieux et d'animaux qui vous regardaient, les sphinx allongés aux bras des sièges, et surtout l'immense table en marbre ou en mosaïque émaillée, couverte de signes symboliques plus ou moins imités de l'art étrusque et égyptien, cette salle de jeux me fit l'effet d'une véritable chambre magique. Or, sur un siège approché de la table étincelante et augurale, M. de Charlus, lui, ne touchant à aucune carte, insensible à ce qui se passait autour de lui, incapable de s'apercevoir que je venais d'entrer, semblait précisément un magicien appliquant toute la puissance de sa volonté et de son raisonnement à tirer un horoscope. Non seulement comme à une Pythie sur son trépied les yeux lui sortaient de la tête, mais pour[b] que rien ne vînt le distraire de travaux qui exigeaient la cessation des mouvements les plus simples, il avait (pareil à un calculateur qui ne veut rien faire d'autre tant qu'il n'a pas résolu son problème) posé auprès de lui le cigare qu'il avait un peu auparavant dans la bouche et qu'il n'avait plus la liberté d'esprit nécessaire pour fumer. En apercevant les deux divinités accroupies[a] que portait à ses bras le fauteuil placé en face de lui, on eût pu croire que le baron cherchait à découvrir l'énigme du Sphinx, si ce n'avait pas été plutôt celle d'un jeune et vivant Œdipe, assis précisément dans ce fauteuil où il s'était installé pour jouer. Or, la figure à laquelle M. de Charlus appliquait et avec une telle contention toutes ses facultés spirituelles et qui n'était pas à vrai dire de celles qu'on étudie d'habitude *more geometrico,* c'était celle que lui proposaient les lignes de la figure du jeune marquis de Surgis ; elle semblait[b], tant M. de Charlus était profondément absorbé devant elle, être quelque mot en losange, quelque devinette, quelque problème d'algèbre dont il eût cherché à percer l'énigme ou à dégager la formule. Devant lui les signes sibyllins et les figures inscrites sur cette table de la Loi semblaient le grimoire qui allait permettre au vieux sorcier de savoir dans quel sens s'orientaient les destins du jeune homme. Soudain, il s'aperçut que je le regardais, leva la tête comme s'il sortait d'un rêve et me sourit en rougissant. À ce moment l'autre fils de Mme de Surgis vint[c] auprès de celui qui jouait, regarder ses cartes. Quand M. de Charlus eut appris de moi qu'ils étaient frères, son visage ne put dissimuler l'admiration que lui inspirait une famille créatrice de chefs-d'œuvre aussi splendides et aussi différents. Et ce qui eût ajouté à l'enthousiasme du baron, c'est d'apprendre que les deux fils de Mme de Surgis-le-Duc n'étaient pas seulement de la même mère mais du même père. Les enfants de Jupiter sont dissemblables, mais cela vient de ce qu'il épousa d'abord Métis, dans le destin de qui il était de donner le jour à de sages enfants, puis Thémis, et ensuite Eurynome, et Mnémosyne, et Léto, et en dernier lieu seulement Junon. Mais d'un seul père Mme de Surgis avait fait naître deux fils qui avaient reçu des beautés d'elle, mais des beautés différentes[1].

J'eus enfin le plaisir que Swann entrât dans cette pièce qui était fort grande, si bien qu'il ne m'aperçut pas d'abord. Plaisir mêlé de tristesse, d'une tristesse que n'éprouvaient peut-être pas les autres invités, mais qui chez eux consistait dans cette espèce de fascination qu'exercent les formes inattendues et singulières d'une mort prochaine, d'une mort qu'on a déjà, comme dit le peuple, sur le visage.

Et c'est avec une stupéfaction presque désobligeante, où il entrait de la curiosité indiscrète, de la cruauté, un retour à la fois quiet et soucieux sur soi-même (mélange[a] à la fois de *suave mari magno* et de *memento quia pulvis*[1], eût dit Robert), que tous les regards s'attachèrent à ce visage duquel la maladie avait si bien rongé les joues, comme une lune décroissante, que sauf sous un certain angle, celui sans doute sous lequel Swann se regardait , elles tournaient court comme un décor inconsistant auquel une illusion d'optique peut seule ajouter l'apparence de l'épaisseur. Soit à cause de l'absence de ces joues qui n'étaient plus là pour le diminuer, soit que l'artériosclérose, qui est une intoxication aussi, le rougît comme eût fait l'ivrognerie ou le déformât comme eût fait la morphine, le nez de polichinelle de Swann, longtemps résorbé dans un visage agréable, semblait maintenant énorme, tuméfié, cramoisi, plutôt celui d'un vieil Hébreu que d'un curieux Valois[2]. D'ailleurs peut-être chez lui en ces derniers jours la race faisait-elle reparaître plus accusé[b] le type physique qui la caractérise, en même temps que le sentiment d'une solidarité morale avec les autres Juifs, solidarité que Swann semblait avoir oubliée toute sa vie, et que greffées les unes sur les autres, la maladie mortelle, l'affaire Dreyfus, la propagande antisémite avaient réveillée. Il y a certains Israélites, très fins pourtant et mondains délicats, chez lesquels restent en réserve et dans la coulisse, afin de faire leur entrée à une heure donnée de leur vie, comme dans une pièce, un mufle et un prophète. Swann était arrivé à l'âge du prophète. Certes avec sa figure d'où, sous l'action de la maladie, des segments entiers avaient disparu comme dans un bloc de glace qui fond et dont des pans entiers sont tombés, il avait bien changé[c]. Mais je ne pouvais m'empêcher d'être frappé combien davantage il avait changé par rapport à moi. Cet homme excellent, cultivé, que j'étais bien loin d'être ennuyé de rencontrer, je ne pouvais arriver à comprendre comment j'avais pu l'ensemencer autrefois d'un mystère tel que son apparition dans les Champs-Élysées me faisait battre le cœur au point que j'avais honte de m'approcher de sa pèlerine doublée de soie, qu'à la porte de l'appartement où vivait un tel être, je ne pouvais sonner sans être saisi d'un trouble et d'un effroi infinis ; tout cela avait disparu non seulement de sa demeure mais de sa personne, et l'idée de causer avec lui pouvait m'être agréable ou non, mais n'affectait en quoi que ce fût mon système nerveux.

Et de plus combien il était changé depuis cet après-midi même où je l'avais rencontré — en somme quelques heures auparavant — dans le cabinet du duc de Guermantes ! Avait-il vraiment eu une scène avec le prince et qui l'avait bouleversé ? La supposition n'était pas nécessaire. Les moindres efforts qu'on demande à quelqu'un qui est très malade deviennent vite pour lui un surmenage excessif. Pour peu qu'on l'expose, déjà fatigué, à la chaleur d'une soirée, sa mine se décompose et bleuit comme fait en moins d'un jour une poire trop mûre, ou du lait près de tourner. De plus, la chevelure de Swann était éclaircie par places, et comme disait Mme de Guermantes, avait besoin du fourreur, avait l'air camphrée, et mal camphrée. J'allais traverser le fumoir et parler à Swann quand malheureusement une main s'abattit sur mon épaule : « Bonjour, mon petit, je suis à Paris pour quarante-huit heures. J'ai passé chez toi, on m'a dit que tu étais ici, de sorte que c'est toi qui vaux à ma tante[a] l'honneur de ma présence à sa fête[1]. » C'était Saint-Loup. Je lui dis combien je trouvais la demeure belle. « Oui, ça fait assez monument historique. Moi, je trouve ça assommant. Ne nous mettons[b] pas près de mon oncle Palamède, sans cela nous allons être happés. Comme Mme Molé (car c'est elle qui tient la corde en ce moment) vient de partir, il est tout désemparé. Il paraît que c'était un vrai spectacle, il ne l'a pas quittée d'un pas, il ne l'a laissée que quand il l'a eu mise en voiture. Je n'en veux pas à mon oncle, seulement je trouve drôle que mon conseil de famille, qui s'est toujours montré si sévère pour moi, soit composé précisément des parents qui ont le plus fait la bombe, à commencer par le plus noceur de tous, mon oncle Charlus, qui est mon subrogé tuteur, qui a eu autant de femmes que don Juan et qui à son âge ne dételle pas. Il a été question à un moment qu'on me nomme un conseil judiciaire. Je pense que quand tous ces vieux marcheurs se réunissaient pour examiner la question et me faisaient venir pour me faire de la morale et me dire que je faisais de la peine à ma mère, ils ne devaient pas pouvoir se regarder sans rire. Tu examineras la composition du conseil, on a l'air d'avoir choisi exprès ceux qui ont le plus retroussé de jupons. » En mettant à part M. de

Charlus au sujet duquel l'étonnement de mon ami ne me paraissait pas plus justifié, mais pour d'autres raisons et qui devaient d'ailleurs se modifier plus tard dans mon esprit, Robert avait bien tort de trouver extraordinaire que des leçons de sagesse fussent données à un jeune homme par des parents qui ont fait les fous, ou le font encore.

Quand l'atavisme, les ressemblances familiales seraient seules en cause, il est inévitable que l'oncle qui fait la semonce ait à peu près les mêmes défauts que le neveu qu'on l'a chargé de gronder. L'oncle n'y met d'ailleurs aucune hypocrisie, trompé qu'il est par la faculté qu'ont les hommes de croire à chaque nouvelle circonstance qu'il s'agit « d'autre chose », faculté qui leur permet d'adopter des erreurs artistiques, politiques, etc., sans s'apercevoir que ce sont les mêmes qu'ils ont prises pour des vérités, il y a dix ans, à propos d'une autre école de peinture qu'ils condamnaient, d'une autre affaire politique qu'ils croyaient mériter leur haine, dont ils sont revenus, et qu'ils épousent sans les reconnaître sous un nouveau déguisement. D'ailleurs même si les fautes de l'oncle sont différentes de celles du neveu, l'hérédité peut n'en être pas moins dans une certaine mesure la loi causale, car l'effet ne ressemble pas toujours à la cause, comme la copie à l'original, et même si les fautes de l'oncle sont pires, il peut parfaitement les croire moins graves[1].

Quand M. de Charlus venait de faire des remontrances indignées à Robert, qui d'ailleurs ne connaissait pas les goûts véritables de son oncle, à cette époque-là, et même si c'eût encore été celle où le baron flétrissait ses propres goûts, il eût parfaitement pu être sincère en trouvant, du point de vue de l'homme du monde, que Robert était infiniment plus coupable que lui. Robert n'avait-il pas failli, au moment où son oncle avait été chargé de lui faire entendre raison, se faire mettre au ban de son monde ? ne s'en était-il pas fallu de peu qu'il ne fût blackboulé au Jockey[2] ? n'était-il pas un objet de risée par les folles dépenses qu'il faisait pour une femme de la dernière catégorie, par ses amitiés avec des gens, auteurs, acteurs, Juifs, dont pas un n'était du monde, par ses opinions qui ne se différenciaient pas de celles des traîtres, par la douleur qu'il causait à tous les siens ? En quoi cela pouvait-il se comparer, cette vie scandaleuse, à celle de M. de Charlus qui avait su, jusqu'ici, non seulement[a] garder, mais grandir encore sa situation de Guermantes, étant dans la société un être absolument privilégié, recherché, adulé par la société la plus choisie, et qui, marié à une princesse de Bourbon[1], femme éminente, avait su la rendre heureuse, avait voué à sa mémoire un culte plus fervent, plus exact qu'on n'a l'habitude dans le monde, et avait ainsi été aussi bon mari que bon fils ?

« Mais es-tu sûr que M. de Charlus ait eu tant de maîtresses ? » demandai-je, non certes dans l'intention diabolique de révéler à Robert le secret que j'avais surpris, mais agacé cependant de l'entendre soutenir une erreur avec tant de certitude et de suffisance. Il se contenta de hausser les épaules en réponse à ce qu'il croyait de ma part de la naïveté. « Mais d'ailleurs, je ne l'en blâme pas, je trouve qu'il a parfaitement raison. » Et il commença à m'esquisser une théorie qui lui eût fait horreur à Balbec (où il ne se contentait pas de flétrir les séducteurs, la mort lui paraissant le seul châtiment proportionné au crime). C'est qu'alors il était encore amoureux et jaloux. Il alla jusqu'à me faire l'éloge des maisons de passe[2]. « Il n'y a que là qu'on trouve chaussure à son pied, ce que nous appelons au régiment son gabarit. » Il n'avait plus pour ce genre d'endroits le dégoût qui l'avait soulevé à Balbec quand j'avais fait allusion à eux, et en l'entendant maintenant, je lui dis que Bloch m'en avait fait connaître, mais Robert me répondit que celle où allait Bloch devait être « extrêmement purée, le paradis du pauvre ». « Ça dépend, après tout : où était-ce ? » Je restai dans le vague, car je me rappelai que c'était là, en effet, que se donnait pour un louis cette Rachel que Robert avait tant aimée[3]. « En tout cas, je t'en ferai connaître de bien mieux, où il va des femmes épatantes. » En m'entendant exprimer le désir qu'il me conduisît le plus tôt possible dans celles qu'il connaissait et qui devaient en effet être bien supérieures à la maison que m'avait indiquée Bloch, il témoigna d'un regret sincère de ne le pouvoir pas cette fois puisqu'il repartait le lendemain. « Ce sera pour mon prochain séjour, dit-il. Tu verras, il y a même des jeunes filles, ajouta-t-il d'un air mystérieux. Il y a une petite demoiselle de... je crois d'Orgeville[4], je te dirai exactement, qui est la fille de gens tout ce qu'il y a de mieux ; la mère est plus ou moins née La Croix-l'Évêque[5], ce sont des gens du gratin, même un peu parents, sauf erreur, à ma tante Oriane. Du reste, rien qu'à voir la petite, on sent que c'est la fille de gens bien (je sentis s'étendre un instant sur la voix de Robert l'ombre du génie des Guermantes qui passa comme un nuage, mais à une grande hauteur et ne s'arrêta pas). Ça m'a tout l'air d'une affaire merveilleuse. Les parents sont toujours malades et ne peuvent s'occuper d'elle. Dame, la petite se désennuie et je compte sur toi pour lui trouver des distractions, à cette enfant ! — Oh ! quand reviendras-tu ? — Je ne sais pas ; si tu ne tiens pas absolument à des duchesses (le titre de duchesse étant pour l'aristocratie le seul qui désigne un rang particulièrement brillant, comme on dirait dans le peuple des princesses), dans un autre genre il y a la première femme de chambre de Mme Putbus[1]. »

À ce moment, Mme de Surgis entra dans le salon de jeu pour chercher ses fils. En l'apercevant M. de Charlus alla à elle avec une amabilité dont la marquise fut d'autant plus agréablement surprise que c'est une grande froideur qu'elle attendait du baron, lequel s'était posé de tout temps comme le protecteur d'Oriane et seul de la famille — trop souvent complaisante aux exigences du duc à cause de son héritage et par jalousie à l'égard de la duchesse — tenait impitoyablement à distance les maîtresses de son frère. Aussi Mme de Surgis eût-elle fort bien compris les motifs de l'attitude qu'elle redoutait chez le baron, mais ne soupçonna nullement ceux de l'accueil tout opposé qu'elle reçut de lui. Il lui parla avec admiration du portrait que Jacquet avait fait d'elle autrefois[2]. Cette admiration s'exalta même jusqu'à un enthousiasme qui, s'il était en partie intéressé pour empêcher la marquise de s'éloigner de lui, pour « l'accrocher », comme Robert disait des armées ennemies dont on veut forcer les effectifs à rester engagés sur un certain point, était peut-être aussi sincère. Car si chacun se plaisait à admirer dans les fils le port de reine et les yeux de Mme de Surgis, le baron pouvait éprouver un plaisir inverse mais aussi vif à retrouver ces charmes réunis en faisceau chez leur mère, comme en un portrait qui n'inspire pas lui-même de désirs, mais nourrit de l'admiration esthétique qu'il inspire, ceux qu'il réveille. Ceux-ci venaient rétrospectivement donner un charme voluptueux au portrait de Jacquet lui-même et en ce moment le baron l'eût volontiers acquis pour étudier en lui la généalogie physiologique des deux jeunes Surgis.

« Tu vois que je n'exagérais pas, me dit Robert. Regarde un peu l'empressement de mon oncle auprès de Mme de Surgis. Et même là, cela m'étonne. Si Oriane le savait elle serait furieuse. Franchement il y a assez de femmes sans aller juste se précipiter sur celle-là », ajouta-t-il ; comme tous les gens qui ne sont pas amoureux, il s'imaginait qu'on choisit la personne qu'on aime après mille délibérations et d'après des qualités et convenances diverses. Du reste, tout en se trompant sur son oncle qu'il croyait adonné aux femmes, Robert, dans sa rancune, parlait de M. de Charlus avec trop de légèreté. On n'est pas toujours impunément le neveu de quelqu'un. C'est très souvent par son intermédiaire qu'une habitude héréditaire est transmise tôt ou tard. On pourrait faire ainsi toute une galerie de portraits, ayant le titre de la comédie allemande *Oncle et neveu*[1], où l'on verrait l'oncle veillant jalousement, bien qu'involontairement, à ce que son neveu finisse par lui ressembler. J'ajouterai même que cette galerie serait incomplète si l'on n'y faisait pas figurer les oncles qui n'ont aucune parenté réelle, n'étant que les oncles de la femme du neveu. Les messieurs de Charlus sont, en effet, tellement persuadés d'être les seuls bons maris, en plus les seuls dont une femme ne soit pas jalouse, que généralement, par affection pour leur nièce, ils lui font épouser aussi un Charlus. Ce qui embrouille l'écheveau des ressemblances. Et à l'affection pour la nièce se joint parfois de l'affection aussi pour son fiancé. De tels mariages ne sont pas rares, et sont souvent ce qu'on appelle heureux.

« De quoi parlions-nous ? Ah ! de cette grande blonde, la femme de chambre de Mme Putbus. Elle aime aussi les femmes, mais je pense que cela t'est égal ; je peux te dire franchement, je n'ai jamais vu créature aussi belle. — Je me l'imagine assez Giorgione[2] ? — Follement[a] Giorgione ! Ah ! si j'avais du temps à passer à Paris, ce qu'il y a de choses magnifiques à faire ! Et puis, on passe à une autre. Car pour l'amour, vois-tu, c'est une bonne blague, j'en suis bien revenu. » Je m'aperçus bientôt, avec surprise, qu'il n'était pas moins revenu de la littérature, alors que c'était seulement des littérateurs qu'il m'avait paru désabusé à notre dernière rencontre (« C'est presque tous fripouille et compagnie », m'avait-il dit), ce qui se pouvait expliquer par sa rancune justifiée à l'endroit de certains amis de Rachel. Ils lui avaient en effet persuadé qu'elle n'aurait jamais de talent si elle laissait Robert, « homme d'une autre race », prendre de l'influence sur elle, et avec elle se moquaient de lui, devant lui, dans les dîners qu'il leur donnait. Mais en réalité l'amour de Robert pour les Lettres n'avait rien de profond, n'émanait pas de sa vraie nature, il n'était qu'un dérivé de son amour pour Rachel, et il s'était effacé avec celui-ci[a], en même temps que son horreur des gens de plaisir et que son respect religieux pour la vertu des femmes.

« Comme ces deux jeunes gens ont un air étrange ! Regardez cette curieuse passion du jeu, marquise », dit M. de Charlus, en désignant à Mme de Surgis ses deux fils, comme s'il ignorait absolument qui ils étaient. « Ce doivent être deux Orientaux, ils ont certains traits caractéristiques, ce sont peut-être des Turcs[b] », ajouta-t-il à la fois pour confirmer encore sa feinte innocence, témoigner d'une vague antipathie, qui quand elle ferait place ensuite à l'amabilité, prouverait que celle-ci s'adresserait seulement à la qualité de fils de Mme de Surgis, n'ayant commencé que quand le baron avait appris qui ils étaient[c]. Peut-être aussi M. de Charlus, de qui l'insolence était un don de nature qu'il avait joie à exercer, profitait-il de la minute pendant laquelle il était censé ignorer qui étaient ces deux jeunes gens[d] pour se divertir aux dépens de Mme de Surgis, et se livrer à ses railleries coutumières, comme Scapin met à profit le déguisement de son maître pour lui administrer des volées de coups de bâton.

« Ce sont mes fils », dit Mme de Surgis, avec une rougeur qu'elle n'aurait pas eue si elle avait été plus fine sans être plus vertueuse. Elle eût compris alors que l'air d'indifférence absolue ou de raillerie que M. de Charlus manifestait à l'égard d'un jeune homme n'était pas plus sincère que l'admiration toute superficielle qu'il témoignait à une femme n'exprimait le vrai fond de sa nature. Celle à qui il pouvait tenir indéfiniment les propos les plus complimenteurs aurait pu être jalouse du regard que, tout en causant avec elle, il lançait à un homme qu'il feignait ensuite de n'avoir pas remarqué. Car ce regard-là était un regard autre que ceux que M. de Charlus avait pour les femmes ; un regard particulier, venu des profondeurs, et qui même dans une soirée ne pouvait s'empêcher d'aller naïvement aux jeunes gens, comme les regards d'un couturier qui décèlent sa profession par la façon immédiate qu'ils ont de s'attacher aux habits.

« Oh[a] ! comme c'est curieux », répondit non sans insolence M. de Charlus, en ayant l'air de faire faire à sa pensée un long trajet pour l'amener à une réalité si différente de celle qu'il feignait d'avoir supposée. « Mais je ne les connais pas », ajouta-t-il, craignant d'être allé un peu loin dans l'expression de l'antipathie et d'avoir paralysé ainsi chez la marquise l'intention de lui faire faire leur connaissance. « Est-ce que vous voudriez me permettre de vous les présenter ? demanda timidement Mme de Surgis. — Mais mon Dieu ! comme vous penserez, moi, je veux bien, je ne suis pas peut-être un personnage bien divertissant pour d'aussi jeunes gens », psalmodia M. de Charlus avec l'air d'hésitation et de froideur de quelqu'un qui se laisse arracher une politesse. « Arnulphe, Victurnien, venez vite », dit Mme de Surgis. Victurnien se leva avec décision. Arnulphe, sans voir plus loin que son frère, le suivit docilement.

« Voilà le tour des fils, maintenant, me dit Robert. C'est à mourir de rire. Jusqu'au chien du logis, il s'efforce de complaire[1]. C'est d'autant plus drôle que mon oncle déteste les gigolos. Et regarde comme il les écoute avec sérieux. Si c'était moi qui avais voulu les lui présenter, ce qu'il m'aurait envoyé dinguer. Écoute, il va falloir que j'aille dire bonjour à Oriane. J'ai si peu de temps à passer à Paris que je veux tâcher de voir ici tous les gens à qui j'aurais été sans cela mettre des cartes. » « Comme ils ont l'air bien élevés, comme ils ont de jolies manières, était en train de dire M. de Charlus. — Vous trouvez ? » répondait Mme de Surgis, ravie.

Swann m'ayant aperçu s'approcha de Saint-Loup et de moi. La gaieté juive était chez Swann moins fine que les plaisanteries de l'homme du monde. « Bonsoir, nous dit-il. Mon Dieu ! tous trois ensemble, on va croire à une réunion du Syndicat[b]. Pour un peu on va chercher où est la caisse ! » Il ne s'était pas aperçu que M. de Beaucerfeuil était dans son dos et l'entendait. Le général fronça involontairement les sourcils. Nous entendions la voix de M. de Charlus tout près de nous : « Comment ? vous vous appelez Victurnien, comme dans *Le Cabinet des Antiques*[2] », disait le baron pour prolonger la conversation avec les deux jeunes gens. « De Balzac, oui », répondit l'aîné des

Surgis qui n'avait jamais lu une ligne de ce romancier, mais à qui son professeur avait signalé, il y avait quelques jours, la similitude de son prénom avec celui de d'Esgrignon. Mme de Surgis était ravie de voir son fils briller et M. de Charlus[a] extasié devant tant de science.

« Il paraît que Loubet[1] est en plein pour nous, de source tout à fait sûre », dit à Saint-Loup, mais cette fois à voix plus basse pour ne pas être entendu du général, Swann pour qui les relations républicaines de sa femme devenaient plus intéressantes depuis que l'affaire Dreyfus était le centre de ses préoccupations. « Je vous dis cela parce que je sais que vous marchez à fond avec nous.

— Mais, pas tant[b] que ça ; vous vous trompez complètement, répondit Robert. C'est une affaire mal engagée dans laquelle je regrette bien de m'être fourré. Je n'avais rien à voir là-dedans. Si c'était à recommencer, je m'en tiendrais bien à l'écart. Je suis soldat et avant tout pour l'armée. Si tu restes un moment avec M. Swann, je te retrouverai tout à l'heure, je vais près de ma tante. » Mais je vis que c'était avec Mlle d'Ambresac[c] qu'il allait causer et j'éprouvai du chagrin à la pensée qu'il m'avait menti sur leurs fiançailles possibles. Je fus rasséréné quand j'appris qu'il lui avait été présenté une demi-heure avant par Mme de Marsantes, qui désirait ce mariage, les Ambresac étant très riches.

« Enfin, dit M. de Charlus à Mme de Surgis, je trouve un jeune homme instruit, qui a lu, qui sait ce que c'est que Balzac. Et cela me fait d'autant plus de plaisir de le rencontrer là où c'est devenu le plus rare, chez un de mes pairs, chez un des nôtres », ajouta-t-il en insistant sur ces mots. Les Guermantes avaient beau faire semblant de trouver tous les hommes pareils, dans les grandes occasions où ils se trouvaient avec des gens « nés », et surtout moins bien « nés », qu'ils désiraient et pouvaient flatter, ils n'hésitaient pas à sortir les vieux souvenirs de famille. « Autrefois, reprit le baron, aristocrates voulait dire les meilleurs, par l'intelligence, par le cœur. Or, voilà le premier d'entre nous que je vois sachant ce que c'est que Victurnien d'Esgrignon. J'ai tort de dire le premier. Il y a aussi un Polignac et un Montesquiou[2] », ajouta M. de Charlus qui savait que cette double assimilation ne pouvait qu'enivrer la marquise. « D'ailleurs vos fils ont de qui tenir, leur grand-père maternel avait une collection célèbre du XVIIIe siècle[a]. Je vous montrerai la mienne si vous voulez me faire le plaisir de venir déjeuner un jour, dit-il au jeune Victurnien. Je vous montrerai une curieuse édition du *Cabinet des Antiques* avec des corrections de la main de Balzac. Je serai charmé de confronter ensemble les deux Victurnien. »

Je ne pouvais me décider à quitter Swann. Il était arrivé à ce degré de fatigue où le corps d'un malade n'est plus qu'une cornue où s'observent des réactions chimiques. Sa figure se marquait de petits points bleu de Prusse, qui avaient l'air de ne pas appartenir au monde vivant, et dégageait ce genre d'odeur qui, au lycée, après les « expériences », rend si désagréable de rester dans une classe de « Sciences ». Je lui demandai s'il n'avait pas eu une longue conversation avec le prince de Guermantes et s'il ne voulait pas me raconter ce qu'elle avait été. « Si, me dit-il, mais allez d'abord un moment avec M. de Charlus et Mme de Surgis, je vous attendrai ici. »

En effet, M. de Charlus ayant proposé à Mme de Surgis de quitter cette pièce trop chaude et d'aller s'asseoir un moment avec elle dans une autre, n'avait pas demandé aux deux fils de venir avec leur mère, mais à moi. De cette façon, il se donnait l'air, après les avoir amorcés, de ne pas tenir aux deux jeunes gens. Il me faisait de plus une politesse facile, Mme de Surgis-le-Duc étant assez mal vue.

Malheureusement, à peine étions-nous assis dans une baie sans dégagements, que Mme de Saint-Euverte, but des quolibets du baron, vint à passer. Elle, peut-être pour dissimuler, ou dédaigner ouvertement les mauvais sentiments qu'elle inspirait à M. de Charlus, et surtout montrer qu'elle était intime avec une dame qui causait si familièrement avec lui, dit un bonjour dédaigneusement amical à la célèbre beauté, laquelle lui répondit tout en regardant du coin de l'œil M. de Charlus avec un sourire moqueur. Mais la baie était si étroite que Mme de Saint-Euverte quand elle voulut, derrière nous, continuer de quêter ses invités du lendemain, se trouva prise et ne put facilement se dégager, moment précieux dont M. de Charlus, désireux de faire briller sa verve insolente aux yeux de la mère des deux jeunes gens, se garda bien de ne pas profiter. Une niaise question que je lui posai sans malice lui fournit l'occasion d'un triomphal couplet dont la pauvre Saint-Euverte, quasi immobilisée derrière nous, ne pouvait guère perdre un mot. « Croyez-vous que cet impertinent jeune homme, dit-il en me désignant à Mme de Surgis, vient de me demander, sans le moindre souci qu'on doit avoir de cacher ces sortes de besoins, si j'allais chez Mme de Saint-Euverte, c'est-à-dire, je pense, si j'avais la colique[1]. Je tâcherais en tous cas de m'en soulager dans un endroit plus confortable que chez une personne qui, si j'ai bonne mémoire, célébrait son centenaire quand je commençai à aller dans le monde, c'est-à-dire pas chez elle. Et pourtant qui plus qu'elle serait intéressante à entendre ? Que de souvenirs historiques, vus et vécus du temps du Premier Empire et de la Restauration, que d'histoires intimes aussi qui n'avaient certainement rien de "saint", mais devaient être très "vertes", si l'on en croit la cuisse restée légère de la vénérable gambadeuse ! Ce qui m'empêcherait de l'interroger sur ces époques passionnantes, c'est la sensibilité de mon appareil olfactif. La proximité de la dame suffit. Je me dis tout d'un coup : "Oh ! mon Dieu, on a crevé ma fosse d'aisances", c'est simplement la marquise qui dans quelque but d'invitation vient d'ouvrir la bouche. Et vous comprenez que si j'avais le malheur d'aller chez elle, la fosse d'aisances se multiplierait en un formidable tonneau de vidange. Elle porte pourtant un nom mystique qui me fait toujours penser avec jubilation quoiqu'elle ait passé depuis longtemps la date de son jubilé, à ce stupide vers dit "déliquescent" : *Ah ! verte, combien verte était mon âme ce jour-là*[2]... Mais il me faut une plus propre verdure. On me dit que l'infatigable marcheuse donne des "garden-parties", moi j'appellerais ça "des invites à se promener dans les égouts". Est-ce que vous allez vous crottez là » ? demanda-t-il à Mme de Surgis, qui cette fois se trouva ennuyée. Car voulant feindre de n'y pas aller vis-à-vis du baron, et sachant qu'elle donnerait des jours de sa propre vie plutôt que de manquer la matinée Saint-Euverte, elle s'en tira par une moyenne, c'est-à-dire l'incertitude. Cette incertitude prit une forme si bêtement dilettante et si mesquinement couturière, que M. de Charlus, ne craignant pas d'offenser Mme de Surgis à laquelle pourtant il désirait plaire, se mit à rire pour lui montrer que « ça ne prenait pas ».

« J'admire toujours les gens qui font des projets, dit-elle ; je me décommande souvent au dernier moment.

Il y a une question de robe d'été qui peut changer les choses. J'agirai sous l'inspiration du moment. »

Pour ma part j'étais indigné de l'abominable petit discours que venait de tenir M. de Charlus. J'aurais voulu combler de biens la donneuse de garden-parties. Malheureusement dans le monde, comme dans le monde politique, les victimes sont si lâches qu'on ne peut pas en vouloir bien longtemps aux bourreaux. Mme de Saint-Euverte qui avait réussi à se dégager de la baie dont nous barrions l'entrée, frôla involontairement le baron en passant, et, par un réflexe de snobisme qui annihilait chez elle toute colère, peut-être même dans l'espoir d'une entrée en matière d'un genre dont ce ne devait pas être le premier essai : « Oh ! pardon, monsieur de Charlus, j'espère que je ne vous ai pas fait mal », s'écria-t-elle comme si elle s'agenouillait devant son maître. Celui-ci ne daigna répondre autrement que par un large rire ironique et concéda seulement un « bonsoir », qui, comme s'il s'apercevait seulement de la présence de la marquise une fois qu'elle l'avait salué la première, était une insulte de plus. Enfin, avec une platitude suprême dont je souffris pour elle, Mme de Saint-Euverte s'approcha de moi et, m'ayant pris à l'écart, me dit à l'oreille : « Mais, qu'ai-je fait à M. de Charlus ? On prétend qu'il ne me trouve pas assez chic pour lui », dit-elle, en riant à gorge déployée. Je restai sérieux. D'une part, je trouvais stupide qu'elle eût l'air de croire[a] ou de vouloir faire croire que personne n'était, en effet, aussi chic qu'elle. D'autre part, les gens qui rient si fort de ce qu'ils disent, et qui n'est pas drôle, nous dispensent par-là, en prenant à leur charge l'hilarité, d'y participer.

« D'autres assurent qu'il est froissé que je ne l'invite pas. Mais il ne m'encourage pas beaucoup. Il a l'air de me bouder (l'expression me parut faible). Tâchez de le savoir et venez me le dire demain. Et s'il a des remords et veut vous accompagner, amenez-le. À tout péché miséricorde. Cela me ferait même assez plaisir, à cause de Mme de Surgis que cela ennuierait. Je vous laisse carte blanche. Vous avez le flair le plus fin de toutes ces choses-là et je ne veux pas avoir l'air de quémander des invités. En tous cas, sur vous, je compte absolument. »

Je songeai que Swann devait se fatiguer à m'attendre. Je ne voulais pas, du reste, rentrer trop tard à cause d'Albertine, et, prenant congé de Mme de Surgis et de M. de Charlus, j'allai retrouver mon malade dans la salle de jeu. Je lui demandai si ce qu'il avait dit[a] au prince dans leur entretien au jardin était bien ce que M. de Bréauté (que je ne lui nommai pas) nous avait rendu et qui était relatif à un petit acte de Bergotte. Il éclata de rire : « Il n'y a pas un mot de vrai, pas un seul, c'est entièrement inventé et aurait été absolument stupide. Vraiment c'est inouï, cette génération spontanée de l'erreur. Je ne vous demande pas qui vous a dit cela, mais ce serait vraiment curieux dans un cadre aussi délimité que celui-ci de remonter de proche en proche pour savoir comment cela s'est formé. Du reste, comment cela peut-il intéresser les gens, ce que le prince m'a dit ? Les gens sont bien curieux. Moi, je n'ai jamais été curieux, sauf quand j'ai été amoureux et quand j'ai été jaloux. Et pour ce que cela m'a appris ! Êtes-vous jaloux ? » Je dis à Swann que je n'avais jamais éprouvé de jalousie, que je ne savais même pas ce que c'était. « Hé bien ! je vous en félicite. Quand on l'est peu, cela n'est pas tout à fait désagréable à deux points de vue. D'une part, parce que cela permet aux gens qui ne sont pas curieux de s'intéresser à la vie des autres personnes, ou au moins d'une autre. Et puis, parce que cela fait assez bien sentir la douceur de posséder, de monter en voiture avec une femme, de ne pas la laisser aller seule. Mais cela, ce n'est que dans les tout premiers débuts du mal ou quand la guérison est presque complète. Dans l'intervalle, c'est le plus affreux des supplices. Du reste, même les deux douceurs dont je vous parle, je dois vous dire[b] que je les ai peu connues : la première, par la faute de ma nature qui n'est pas capable de réflexions très prolongées ; la seconde, à cause des circonstances, par la faute de la femme, je veux dire des femmes, dont j'ai été jaloux. Mais cela ne fait rien. Même quand on ne tient plus aux choses, il n'est pas absolument indifférent d'y avoir tenu, parce que c'était toujours pour des raisons qui échappaient aux autres. Le souvenir de ces sentiments-là, nous sentons qu'il n'est qu'en nous ; c'est en nous qu'il faut rentrer pour le regarder. Ne vous moquez pas trop de ce jargon idéaliste, mais ce que je veux dire, c'est que j'ai beaucoup aimé la vie et que j'ai beaucoup aimé les arts. Hé bien ! maintenant que je suis un peu trop fatigué pour vivre avec les autres, ces anciens sentiments si personnels à moi que j'ai eus, me semblent, ce qui est la manie de tous les collectionneurs, très précieux. Je m'ouvre à moi-même mon cœur comme une espèce de vitrine, je regarde un à un tant d'amours que les autres n'auront pas connus. Et de cette collection à laquelle je suis maintenant plus attaché encore qu'aux autres, je me dis, un peu comme Mazarin pour ses livres, mais, du reste, sans angoisse aucune, que ce sera bien embêtant de quitter tout cela. Mais venons à l'entretien avec le prince, je ne le raconterai qu'à une seule personne, et cette personne, cela va être vous. » J'étais gêné pour l'entendre par la conversation que, tout près de nous M. de Charlus, revenu dans la salle de jeu, prolongeait indéfiniment. « Et vous lisez vous aussi[a] ? Qu'est-ce que vous faites ? » demanda-t-il au comte Arnulphe qui ne connaissait même pas le nom de Balzac. Mais sa myopie, comme il voyait tout très petit, lui donnait l'air de voir de très loin[b], de sorte que, rare poésie en un sculptural dieu grec, dans ses prunelles s'inscrivaient comme de distantes et mystérieuses étoiles.

« Si nous allions faire quelques pas dans le jardin, Monsieur », dis-je à Swann, tandis que le comte Arnulphe, avec une voix zézayante qui semblait indiquer que son développement au moins mental n'était pas complet, répondait à M. de Charlus avec une précision complaisante et naïve : « Oh ! moi, c'est plutôt le golf, le tennis, le ballon, la course à pied, surtout le polo. » Telle Minerve, s'étant subdivisée, avait cessé, dans certaine cité, d'être la déesse de la Sagesse et avait incarné une part d'elle-même en une divinité purement sportive, hippique, « Athénè Hippia ». Et il allait aussi à Saint-Moritz faire du ski, car Pallas Tritogeneia fréquente les hauts sommets et rattrape les cavaliers[1]. « Ah ! » répondit M. de Charlus avec le sourire transcendant de l'intellectuel qui ne prend même pas la peine de dissimuler qu'il se moque, mais qui, d'ailleurs, se sent si supérieur aux autres et méprise tellement l'intelligence de ceux qui sont le moins bêtes, qu'il les différencie à peine de ceux qui le sont le plus, du moment qu'ils peuvent lui être agréables d'une autre façon. En parlant à Arnulphe, M. de Charlus trouvait qu'il lui conférait par là même une supériorité que tout le monde devait envier et reconnaître. « Non, me répondit Swann, je suis trop fatigué pour marcher, asseyons-nous plutôt dans un coin, je ne tiens plus debout. » C'était vrai, et pourtant, commencer à causer lui avait déjà rendu une certaine vivacité. C'est que dans la fatigue la plus réelle il y a, surtout chez les gens nerveux, une part qui dépend de l'attention et qui ne se conserve que par la mémoire. On est subitement las dès qu'on craint de l'être, et pour se remettre de sa fatigue, il suffit de l'oublier. Certes, Swann n'était pas tout à fait de ces infatigables épuisés qui, arrivés défaits, flétris, ne se soutenant plus[a], se raniment dans la conversation comme une fleur dans l'eau et peuvent pendant des heures puiser dans leurs propres paroles des forces qu'ils ne transmettent malheureusement pas à ceux qui les écoutent et qui paraissent de plus en plus abattus au fur et à mesure que le parleur se sent plus réveillé. Mais Swann appartenait à cette forte race juive, à l'énergie vitale, à la résistance à la mort de qui les individus eux-mêmes semblent participer. Frappés chacun de maladies particulières, comme elle l'est, elle-même, par la persécution[b], ils se débattent indéfiniment dans des agonies terribles qui peuvent se prolonger au-delà de tout terme vraisemblable, quand déjà on ne voit plus qu'une barbe de prophète surmontée d'un nez immense qui se dilate pour aspirer les derniers souffles, avant l'heure des prières rituelles et que commence le défilé ponctuel des parents éloignés s'avançant avec des mouvements mécaniques, comme sur une frise[c] assyrienne.

Nous allâmes nous asseoir, mais avant de s'éloigner du groupe que M. de Charlus formait avec les deux jeunes Surgis et leur mère, Swann ne put s'empêcher d'attacher sur le corsage de celle-ci de longs regards de connaisseur dilatés et concupiscents. Il mit son monocle[d] pour mieux apercevoir, et tout en me parlant, de temps à autre il jetait un regard vers la direction de cette dame. « Voici mot pour mot, me dit-il quand nous fûmes assis, ma conversation avec le prince, et si vous vous rappelez ce que je vous ai dit tantôt, vous verrez pourquoi je vous choisis pour confident. Et puis aussi, pour une autre raison que vous saurez un jour. “Mon cher Swann, m'a dit le prince de Guermantes, vous m'excuserez si j'ai paru vous éviter depuis quelque temps. (Je ne m'en étais nullement aperçu, étant malade et fuyant moi-même tout le monde.) D'abord, j'avais entendu dire, et je prévoyais bien, que vous aviez dans la malheureuse affaire qui divise le pays, des opinions entièrement opposées aux miennes. Or il m'eût été excessivement pénible que vous les professiez devant moi. Ma nervosité était si grande que la princesse ayant entendu, il y a deux ans, son beau-frère, le grand-duc de Hesse[1], dire que Dreyfus était innocent, elle ne s'était pas contentée de relever le propos avec vivacité, mais ne me l'avait pas répété pour ne pas me contrarier. Presque à la même époque, le prince royal de Suède[2] était venu à Paris, et ayant probablement entendu dire que l'impératrice Eugénie était dreyfusiste[3], avait confondu avec la princesse (étrange confusion, vous l'avouerez, entre une femme du rang de ma femme et une Espagnole, beaucoup moins bien née qu'on ne dit, et mariée à un simple Bonaparte) et lui avait dit : 'Princesse, je suis doublement heureux de vous voir, car je sais que vous avez les mêmes idées que moi sur l'affaire Dreyfus, ce qui ne m'étonne pas puisque Votre Altesse est bavaroise.' Ce qui avait attiré au prince cette réponse : 'Monseigneur, je ne suis plus qu'une princesse française, et je pense comme tous mes compatriotes.' Or, mon cher Swann, il y a environ un an et demi, une conversation que j'eus avec le général de Beauserfeuil me donna le soupçon que, non pas une erreur, mais de graves illégalités avaient été commises dans la conduite du procès" »

Nous fûmes interrompus (Swann ne tenait pas à ce qu'on entendît son récit) par la voix de M. de Charlus qui (sans se soucier de nous, d'ailleurs) passait en reconduisant Mme de Surgis et s'arrêta pour tâcher de la retenir encore, soit à cause des ses fils, ou de ce désir qu'avaient les Guermantes de ne pas voir finir la minute actuelle, lequel les plongeait dans une sorte d'anxieuse inertie. Swann m'apprit à ce propos, un peu plus tard, quelque chose qui ôta pour moi au nom de Surgis-le-Duc toute la poésie que je lui avais trouvée. La marquise de Surgis-le-Duc avait une beaucoup plus grande situation mondaine, de beaucoup plus belles alliances que son cousin, le comte de Surgis[a] qui, pauvre, vivait dans ses terres. Mais le mot qui terminait le titre, « le Duc », n'avait nullement l'origine que je lui prêtais et qui m'avait fait le rapprocher, dans mon imagination, de Bourg-l'Abbé, Bois-le-Roi, etc.[4]. Tout simplement, un comte de Surgis avait épousé, pendant la Restauration, la fille d'un richissime industriel, M. Leduc, ou Le Duc, fils lui-même d'un fabricant de produits chimiques, l'homme le plus riche de son temps, et qui était pair de France. Le roi Charles X avait créé pour l'enfant issu de ce mariage, le marquisat de Surgis-le-Duc, le marquisat de Surgis existant déjà dans la famille. L'adjonction du nom bourgeois n'avait pas empêché cette branche de s'allier, à cause de l'énorme fortune, aux premières familles du royaume. Et la marquise actuelle de Surgis-le-Duc, d'une grande naissance, aurait pu avoir une situation de premier ordre. Un démon de perversité[1] l'avait poussée, dédaignant la situation toute faite, à s'enfuir de la maison conjugale, à vivre de la façon la plus scandaleuse. Puis, le monde dédaigné par elle à vingt ans, quand il était à ses pieds, lui avait cruellement manqué à trente, quand, depuis dix ans, personne, sauf de rares amies fidèles, ne la saluait plus, et elle avait entrepris de reconquérir laborieusement pièce par pièce ce qu'elle possédait en naissant (aller et retour qui ne sont pas rares).

Quant aux grands seigneurs[a] ses parents, reniés jadis par elle, et qui l'avaient reniée à leur tour, elle s'excusait de la joie qu'elle aurait à les ramener à elle sur des souvenirs d'enfance qu'elle pourrait évoquer avec eux. Et en disant cela, pour dissimuler son snobisme, elle mentait peut-être moins qu'elle ne croyait. « Basin, c'est toute ma jeunesse ! » disait-elle le jour où il lui était revenu. Et, en effet, c'était un peu vrai. Mais elle avait mal calculé en le choisissant comme amant. Car toutes les amies de la duchesse de Guermantes allaient prendre parti pour elle et ainsi Mme de Surgis descendrait pour la deuxième fois[b] cette pente qu'elle avait eu tant de peine à remonter. « Hé bien ! » était en train de lui dire M. de Charlus, qui tenait à prolonger l'entretien, « vous mettrez mes hommages au pied du beau portrait. Comment va-t-il ? Que devient-il ? — Mais, répondit Mme de Surgis, vous savez que je ne l'ai plus : mon mari n'en a pas été content. — Pas content ! d'un des chefs-d'œuvre de notre époque, égal à la duchesse de Châteauroux de Nattier[2] et qui du reste ne prétendait pas à fixer une moins majestueuse et meurtrière déesse ! Oh ! le petit col bleu ! C'est-à-dire que jamais Ver Meer n'a peint une étoffe avec plus de maîtrise, ne le disons pas trop haut pour que Swann ne s'attaque pas à nous dans l'intention de venger son peintre favori, le maître de Delft. » La marquise se retournant adressa un sourire et tendit la main à Swann qui s'était soulevé pour la saluer.

Mais presque sans dissimulation, qu'une vie[a] déjà avancée lui en eût ôté soit la volonté morale, par l'indifférence à l'opinion, soit le pouvoir physique, par l'exaltation du désir et l'affaiblissement des ressorts qui aident à le cacher, dès que Swann eut, en serrant[b] la main de la marquise, vu sa gorge de tout près et de haut[c], il plongea un regard attentif, sérieux, absorbé, presque soucieux, dans les profondeurs du corsage, et ses narines que le parfum[d] de la femme grisait, palpitèrent comme un papillon prêt à aller se poser sur la fleur entrevue. Brusquement il s'arracha au vertige qui l'avait saisi, et Mme de Surgis elle-même, quoique gênée, étouffa une respiration profonde, tant le désir est parfois contagieux. « Le peintre s'est froissé, dit-elle à M. de Charlus, et l'a repris. On avait dit qu'il était maintenant chez Diane de Saint-Euverte. — Je ne croirai jamais, répliqua le baron, qu'un chef-d'œuvre ait si mauvais goût. »

« Il lui parle[e] de son portrait. Moi, je lui en parlerais aussi bien que Charlus, de ce portrait, me dit Swann, affectant un ton traînard et voyou et suivant des yeux le couple qui s'éloignait. Et cela me ferait sûrement plus de plaisir qu'à Charlus », ajouta-t-il. Je lui demandai si ce qu'on disait de M. de Charlus était vrai, en quoi je mentais doublement, car si je ne savais pas qu'on eût jamais rien dit, en revanche je savais fort bien depuis tantôt que ce que je voulais dire était vrai. Swann haussa les épaules, comme si j'avais proféré une absurdité. « C'est-à-dire que c'est un ami délicieux. Mais ai-je besoin d'ajouter que c'est purement platonique. Il est plus sentimental que d'autres, voilà tout ; d'autre part, comme il ne va jamais très loin avec les femmes, cela a donné une espèce de crédit aux bruits insensés dont vous voulez parler. Charlus aime peut-être beaucoup ses amis, mais tenez pour assuré que cela ne s'est jamais passé ailleurs que dans sa tête et dans son cœur. Enfin[f], nous allons peut-être avoir deux secondes de tranquillité. Donc, le prince de Guermantes continua : "Je vous avouerai que cette idée d'une illégalité possible dans la conduite du procès m'était extrêmement pénible à cause du culte que vous savez que j'ai pour l'armée ; j'en reparlai avec le général, et je n'eus plus, hélas ! aucun doute à cet égard. Je vous dirai franchement que dans tout cela, l'idée qu'un innocent pourrait subir la plus infamante des peines ne m'avait même pas effleuré.

Mais tourmenté par cette idée[a] d'illégalité, je me mis à étudier ce que je n'avais pas voulu lire, et voici que des doutes, cette fois non plus seulement sur l'illégalité[b] mais sur l'innocence, vinrent me hanter. Je ne crus pas en devoir parler à la princesse. Dieu sait qu'elle est devenue aussi française que moi. Malgré tout, du jour où je l'ai épousée, j'eus tant de coquetterie à lui montrer dans toute sa beauté notre France, et ce que pour moi elle a de plus splendide, son armée, qu'il m'était trop cruel de lui faire part de mes soupçons qui n'atteignaient, il est vrai, que quelques officiers. Mais je suis d'une famille de militaires, je ne voulais pas croire que des officiers pussent se tromper. J'en reparlai encore à Beauserfeuil, il m'avoua que des machinations coupables avaient été ourdies, que le bordereau n'était peut-être pas de Dreyfus, mais que la preuve éclatante de sa culpabilité existait. C'était la pièce Henry[1]. Et quelques jours après, on apprenait que c'était un faux. Dès lors, en cachette de la princesse je me mis à lire tous les jours *Le Siècle*[2], *L'Aurore*[3] ; bientôt je n'eus plus aucun doute, je ne pouvais plus dormir. Je m'ouvris de mes souffrances morales à notre ami, l'abbé Poiré, chez qui je rencontrai avec étonnement la même conviction, et je fis dire par lui des messes à l'intention de Dreyfus, de sa malheureuse femme et de ses enfants. Sur ces entrefaites, un matin que j'allais chez la princesse, je vis sa femme de chambre qui cachait quelque chose qu'elle avait dans la main. Je lui demandai en riant ce que c'était, elle rougit et ne voulut pas me le dire. J'avais la plus grande confiance dans ma femme, mais cet incident me troubla fort (et sans doute aussi la princesse à qui sa camériste avait dû le raconter), car ma chère Marie me parla à peine pendant le déjeuner qui suivit. Je demandai ce jour-là à l'abbé Poiré s'il pourrait dire le lendemain ma messe pour Dreyfus." Allons, bon ! » s'écria Swann à mi-voix en s'interrompant. Je levai la tête et vis le duc de Guermantes qui venait à nous. « Pardon de vous déranger mes enfants. Mon petit, dit-il en s'adressant à moi, je suis délégué auprès de vous par Oriane. Marie et Gilbert lui[c] ont demandé de rester à souper à leur table avec cinq ou six personnes seulement : la princesse de Hesse[4], Mme de Ligne[5], Mme de Tarente[6], Mme de Chevreuse[7], la duchesse d'Arenberg[8]. Malheureusement, nous ne pouvons pas rester, parce que nous allons à une espèce de petite redoute. »

J'écoutais, mais chaque fois[a] que nous avons quelque chose à faire à un moment déterminé, nous chargeons en nous-même[b] un certain personnage habitué à ce genre de besogne de surveiller l'heure et de nous avertir à temps. Ce serviteur[c] interne me rappela, comme je l'en avais prié il y a quelques heures, qu'Albertine, en ce moment bien loin de ma pensée, devait venir chez moi aussitôt après le théâtre. Aussi, je refusai le souper. Ce n'est pas que je ne me plusse chez la princesse de Guermantes. Ainsi les hommes peuvent avoir plusieurs sortes de plaisirs. Le véritable est celui pour lequel ils quittent l'autre. Mais ce dernier, s'il est apparent, ou même seul apparent, peut donner le change sur le premier, rassure ou dépiste les jaloux, égare le jugement du monde. Et pourtant, il suffirait pour que nous le sacrifiions à l'autre d'un peu de bonheur ou d'un peu de souffrance. Parfois un troisième ordre de plaisirs plus graves, mais plus essentiels, n'existe pas encore pour nous chez qui sa virtualité ne se traduit qu'en éveillant des regrets, des découragements. Et c'est à ces plaisirs-là pourtant que nous nous donnerons plus tard. Pour en donner un exemple tout à fait secondaire, un militaire en temps de paix sacrifiera la vie mondaine à l'amour, mais la guerre déclarée (et sans qu'il soit même besoin de faire intervenir l'idée d'un devoir patriotique), l'amour à la passion, plus forte que l'amour, de se battre. Swann avait beau[d] dire qu'il était heureux de me raconter son histoire, je sentais bien que sa conversation avec moi, à cause de l'heure tardive, et parce qu'il était trop souffrant, était une de ces fatigues dont ceux qui savent qu'ils se tuent par les veilles, par les excès[e], ont en rentrant un regret exaspéré, pareil à celui qu'ont de la folle dépense qu'ils viennent encore de faire, les prodigues qui ne pourront pourtant pas s'empêcher le lendemain de jeter l'argent par les fenêtres. À partir d'un certain degré d'affaiblissement, qu'il soit causé par l'âge ou par la maladie, tout plaisir pris aux dépens du sommeil, en dehors des habitudes, tout dérèglement, devient un ennui. Le causeur continue à parler par politesse, par excitation, mais il sait que l'heure où il aurait pu encore s'endormir est déjà passée, et il sait aussi les reproches qu'il s'adressera au cours de l'insomnie et de la fatigue qui vont suivre. Déjà d'ailleurs, même le plaisir momentané a pris fin, le corps et l'esprit sont trop démeublés de leurs forces pour accueillir agréablement ce qui paraît un divertissement à votre interlocuteur. Ils ressemblent à un appartement un jour de départ ou de déménagement, où ce sont des corvées que les visites que l'on reçoit assis sur des malles, les yeux fixés sur la pendule. « Enfin seuls, me dit-il ; je ne sais plus où j'en suis. N'est-ce pas, je vous ai dit que le prince avait demandé à l'abbé Poiré s'il pourrait faire dire sa messe pour Dreyfus. " 'Non, me répondit l'abbé' " (je vous dis *me,* me dit Swann, parce que c'est le prince qui me parle, vous[a] comprenez ?) " 'car j'ai une autre messe qu'on m'a chargé de dire également ce matin pour lui — Comment, lui dis-je, il y a un autre catholique que moi qui est convaincu de son innocence ? — Il faut le croire. — Mais la conviction de cet autre partisan doit être[b] moins ancienne que la mienne. — Pourtant, ce partisan me faisait déjà dire des messes quand vous croyiez encore Dreyfus coupable. — Ah ! je vois bien que ce n'est pas quelqu'un de notre milieu. — Au contraire ! — Vraiment, il y a parmi nous des dreyfusistes ? Vous m'intriguez ; j'aimerais m'épancher avec lui, si je le connais, cet oiseau rare. — Vous le connaissez. — Il s'appelle ? — La princesse de Guermantes[1].' Pendant que je craignais de froisser les opinions nationalistes, la foi française de ma chère femme, elle, avait eu peur d'alarmer mes opinions religieuses, mes sentiments patriotiques. Mais de son côté, elle pensait comme moi, quoique depuis plus longtemps que moi. Et ce que sa femme de chambre cachait en entrant dans sa chambre, ce qu'elle allait lui acheter tous les jours, c'était *L'Aurore*[c]. Mon cher Swann, dès ce moment je pensai au plaisir que je vous ferais en vous disant combien mes idées étaient sur ce point parentes des vôtres ; pardonnez-moi de ne l'avoir pas fait plus tôt. Si vous vous reportez au silence que j'avais gardé vis-à-vis de la princesse, vous ne serez pas étonné que penser comme vous m'eût alors encore plus écarté de vous que penser autrement que vous. Car ce sujet m'était infiniment pénible à aborder. Plus je crois qu'une erreur, que même des crimes ont été commis, plus je saigne dans mon amour de l'armée. J'aurais pensé que des opinions semblables aux miennes étaient loin de vous inspirer la même douleur, quand on m'a dit l'autre jour que vous réprouviez avec force les injures à l'armée et que les dreyfusistes acceptassent de s'allier à ses insulteurs. Cela[d] m'a décidé, j'avoue qu'il m'a été cruel de vous confesser ce que je pense de certains officiers, peu nombreux heureusement, mais c'est un soulagement pour moi de ne plus avoir à me tenir loin de vous et surtout que vous sentiez bien que si j'avais pu être dans d'autres sentiments, c'est que je n'avais pas un doute sur le bien-fondé du jugement rendu. Dès que j'en eus un, je ne pouvais plus désirer qu'une chose, la réparation de l'erreur." Je vous avoue[a] que ces paroles du prince de Guermantes m'ont profondément ému. Si vous le connaissiez comme moi, si vous saviez d'où il a fallu qu'il revienne pour en arriver là, vous auriez de l'admiration pour lui, et il en mérite. D'ailleurs, son opinion ne m'étonne pas, c'est une nature si droite ! » Swann oubliait que dans l'après-midi, il m'avait dit au contraire que les opinions en cette affaire Dreyfus étaient commandées par l'atavisme. Tout au plus avait-il fait exception pour l'intelligence, parce que chez Saint-Loup elle était arrivée à vaincre l'atavisme et à faire de lui un dreyfusard. Or il venait de voir que cette victoire avait été de courte durée et que Saint-Loup avait passé dans l'autre camp. C'était donc maintenant à la droiture du cœur qu'il donnait le rôle dévolu tantôt à l'intelligence. En réalité, nous découvrons toujours après coup que nos adversaires avaient une raison d'être du parti où ils sont et qui ne tient pas à ce qu'il peut y avoir de juste dans ce parti, et que ceux qui pensent comme nous, c'est que l'intelligence, si leur nature morale est trop basse pour être invoquée, ou leur droiture, si leur pénétration est faible, les y a contraints.

Swann trouvait maintenant indistinctement intelligents ceux qui étaient de son opinion[b], son vieil ami le prince de Guermantes, et mon camarade Bloch qu'il avait tenu à l'écart jusque-là, et qu'il invita à déjeuner. Swann intéressa beaucoup Bloch en lui disant que le prince de Guermantes était dreyfusard. « Il faudrait lui demander de signer nos listes pour Picquart[1] ; avec un nom comme le sien, cela ferait un effet formidable. » Mais Swann, mêlant à son ardente conviction d'Israélite la modération diplomatique du mondain, dont il avait trop pris les habitudes pour pouvoir si tardivement s'en défaire, refusa d'autoriser[c] Bloch à envoyer au prince, même comme spontanément, une circulaire à signer. « Il ne peut pas faire cela, il ne faut pas demander l'impossible, répétait

Swann. Voilà un homme charmant qui a fait des milliers de lieues pour venir jusqu'à nous. Il peut nous être très utile. S'il signait votre liste, il se compromettrait simplement auprès des siens, serait châtié à cause de nous, peut-être se repentirait-il de ses confidences et n'en ferait-il plus. » Bien plus, Swann refusa son propre nom. Il le trouvait trop hébraïque pour ne pas faire mauvais effet. Et puis, s'il approuvait tout ce qui touchait à la révision, il ne voulait être mêlé en rien à la campagne antimilitariste. Il portait, ce qu'il n'avait jamais fait jusque-là, la décoration qu'il avait gagnée comme tout jeune mobile, en 70, et ajouta à son testament un codicille pour demander que, contrairement à ses dispositions précédentes, des honneurs militaires fussent rendus à son grade de chevalier de la Légion d'honneur. Ce qui assembla autour de l'église de Combray tout un escadron de ces cavaliers sur l'avenir desquels pleurait autrefois Françoise, quand elle envisageait la perspective d'une guerre[1]. Bref Swann refusa de signer la circulaire de Bloch de sorte que s'il passait pour un dreyfusard enragé aux yeux de beaucoup, mon camarade le trouva tiède, infecté de nationalisme, et cocardier.

Swann me quitta[a] sans me serrer la main pour ne pas être obligé de faire des adieux dans cette salle où il avait trop d'amis[b], mais il me dit : « Vous devriez venir voir votre amie Gilberte. Elle a réellement grandi[c] et changé, vous ne la reconnaîtriez pas. Elle serait si heureuse ! » Je n'aimais plus Gilberte. Elle était pour moi comme une morte qu'on a longtemps pleurée, puis l'oubli est venu, et si elle ressuscitait, elle ne pourrait plus s'insérer dans une vie qui n'est plus faite pour elle. Je n'avais plus envie de la voir, ni même cette envie de lui montrer que je ne tenais pas à la voir et que chaque jour, quand je l'aimais, je me promettais de lui témoigner quand je ne l'aimerais plus.

Aussi, ne cherchant plus qu'à me donner, vis-à-vis de Gilberte, l'air d'avoir désiré[d] de tout mon cœur la retrouver, et d'en avoir été empêché par des circonstances dites « indépendantes de ma volonté » et qui ne se produisent en effet, au moins avec une certaine suite, que quand la volonté ne les contrecarre pas, bien loin d'accueillir avec réserve l'invitation de Swann, je ne le quittai pas qu'il ne m'eût promis d'expliquer en détail à sa fille les contretemps qui m'avaient privé, et me priveraient encore d'aller la voir. « Du reste, je vais lui écrire tout à l'heure en rentrant, ajoutai-je. Mais dites-lui bien que c'est une lettre de menaces, car dans un mois ou deux, je serai tout à fait libre, et alors qu'elle tremble, car je serai chez vous aussi souvent même qu'autrefois. »

Avant de laisser Swann[a], je lui dis un mot de sa santé. « Non, ça ne va pas si mal que ça, me répondit-il. D'ailleurs comme je vous le disais, je suis assez fatigué et accepte d'avance avec résignation ce qui peut arriver. Seulement, j'avoue que ce serait bien agaçant de mourir avant la fin de l'affaire Dreyfus. Toutes ces canailles-là[b] ont plus d'un tour dans leur sac. Je ne doute pas qu'ils soient finalement vaincus, mais enfin ils sont très puissants, ils ont des appuis partout. Dans le moment où ça va le mieux, tout craque. Je voudrais bien vivre assez pour voir Dreyfus réhabilité et Picquart colonel[1]. »

Quand Swann fut parti, je retournai dans le grand salon où se trouvait cette princesse de Guermantes avec laquelle je ne savais pas alors que je dusse être un jour si lié. La passion qu'elle eut pour M. de Charlus ne se découvrit pas d'abord à moi. Je remarquai seulement que le baron, à partir d'une certaine époque et sans être pris[c] contre la princesse de Guermantes d'aucune de ces inimitiés qui chez lui n'étonnaient pas, tout en continuant à avoir pour elle autant, plus d'affection peut-être encore, paraissait mécontent et agacé chaque fois qu'on lui parlait d'elle. Il ne donnait plus jamais son nom dans la liste des personnes avec qui il désirait dîner.

Il est vrai[d] qu'avant cela, j'avais entendu un homme du monde très méchant dire que la princesse était tout à fait changée, qu'elle était amoureuse de M. de Charlus, mais cette médisance m'avait paru absurde et m'avait indigné. J'avais bien remarqué avec étonnement que quand je racontais quelque chose qui me concernait, si au milieu intervenait M. de Charlus, l'attention de la princesse se mettait aussitôt à ce cran plus serré qui est celui d'un malade qui, nous entendant parler de nous, par conséquent d'une façon distraite et nonchalante, reconnaît tout d'un coup qu'un nom est celui du mal dont il est atteint, ce qui à la fois l'intéresse et le réjouit. Telle, si je lui disais : « Justement M. de Charlus me racontait... », la princesse reprenait en mains les rênes détendues de son attention. Et une fois ayant dit devant elle que M. de Charlus avait en ce moment un assez vif sentiment pour une certaine personne, je vis[a] avec étonnement s'insérer dans les yeux de la princesse ce trait différent et momentané qui trace dans les prunelles comme le sillon d'une fêlure et qui provient d'une pensée que nos paroles à leur insu ont agitée en l'être à qui nous parlons, pensée secrète qui ne se traduira pas par des mots, mais qui montera des profondeurs remuées par nous, à la surface un instant altérée du regard. Mais si mes paroles avaient ému la princesse, je n'avais pas soupçonné de quelle façon.

D'ailleurs[b], peu de temps après, elle commença à me parler de M. de Charlus, et presque sans détours. Si elle faisait allusion aux bruits que de rares personnes faisaient courir sur le baron, c'était seulement comme à d'absurdes et infâmes inventions. Mais d'autre part, elle disait : « Je trouve qu'une femme qui s'éprendrait d'un homme de l'immense valeur de Palamède devrait avoir assez de hauteur de vues, assez de dévouement, pour l'accepter et le comprendre en bloc, tel qu'il est, pour respecter sa liberté, ses fantaisies, pour chercher seulement à lui aplanir les difficultés et à le consoler de ses peines. » Or, par ces propos pourtant si vagues, la princesse de Guermantes révélait ce qu'elle cherchait à magnifier, de la même façon que faisait parfois M. de Charlus lui-même. N'ai-je pas entendu à plusieurs reprises ce dernier dire à des gens qui jusque-là étaient incertains si on le calomniait ou non : « Moi, qui ai eu bien des hauts et bien des bas dans ma vie, qui ai connu toute espèce de gens, aussi bien des voleurs que des rois, et même je dois dire, avec une légère préférence pour les voleurs, qui ai poursuivi la beauté sous toutes ses formes, etc.[1] », et par ces paroles qu'il croyait habiles, et en démentant des bruits dont on ne soupçonnait pas qu'ils eussent couru (ou pour faire à la vérité, par goût, par mesure, par souci de la vraisemblance une part qu'il était seul à juger minime), il ôtait leurs derniers doutes sur lui aux uns, inspirait leurs premiers à ceux qui n'en avaient pas encore. Car le plus dangereux de tous les recels, c'est celui de la faute elle-même dans l'esprit du coupable. La connaissance permanente qu'il a d'elle l'empêche de supposer combien généralement elle est ignorée, combien un mensonge complet serait aisément cru, et en revanche de se rendre compte à quel degré de vérité commence pour les autres, dans des paroles qu'il croit innocentes, l'aveu. Et d'ailleurs il aurait eu de toute façon bien tort de chercher à le taire, car il n'y a pas de vices qui ne trouvent dans le grand monde des appuis complaisants et l'on a vu bouleverser l'aménagement d'un château pour faire coucher une sœur près de sa sœur dès qu'on eut appris qu'elle ne l'aimait pas qu'en sœur[a]. Mais ce qui me révéla tout d'un coup l'amour de la princesse, ce fut un fait particulier et sur lequel je n'insisterai pas ici, car il fait partie du récit tout autre où M. de Charlus laissa mourir une reine plutôt que de manquer le coiffeur qui devait le friser au petit fer pour un contrôleur d'omnibus devant lequel il se trouva prodigieusement intimidé[1]. Cependant, pour en finir avec l'amour de la princesse, disons quel rien m'ouvrit les yeux. J'étais ce jour-là, seul en voiture avec elle. Au moment où nous passions devant une poste, elle fit arrêter. Elle n'avait pas emmené de valet de pied. Elle sortit à demi une lettre de son manchon et commença le mouvement de descendre pour la mettre dans la boîte. Je voulus l'arrêter, elle se débattit légèrement, et déjà nous nous rendions compte l'un et l'autre que notre premier geste avait été, le sien compromettant en ayant l'air de protéger un secret, le mien indiscret en m'opposant à cette protection. Ce fut elle qui se ressaisit le plus vite. Devenant subitement très rouge, elle me donna la lettre, je n'osai plus ne pas la prendre, mais, en la mettant dans la boîte, je vis, sans le vouloir, qu'elle était adressée à M. de Charlus.

Pour revenir en arrière et à cette première soirée chez la princesse de Guermantes, j'allai lui dire adieu, car son cousin et sa cousine me ramenaient et étaient fort pressés[2]. M. de Guermantes voulait cependant dire au revoir à son frère. Mme de Surgis ayant eu le temps, dans une porte, de dire au duc que M. de Charlus avait été charmant[b] pour elle et pour ses fils, cette grande gentillesse de son frère et la première que celui-ci eût eue dans cet ordre d'idées, toucha profondément Basin et réveilla chez lui des sentiments de famille qui ne s'endormaient jamais longtemps. Au moment où[c] nous disions adieu à la princesse, il tint, sans dire expressément ses remerciements à M. de Charlus, à lui exprimer sa tendresse, soit qu'il eût en effet peine à la contenir, soit pour que le baron se souvînt que le genre d'action qu'il avait eu ce soir ne passait pas inaperçu aux yeux d'un frère, de même que dans le but de créer pour l'avenir des associations de souvenirs salutaires, on donne du sucre à un chien qui a fait le beau. « Hé bien ! petit frère », dit le duc en arrêtant M. de Charlus et en le prenant tendrement sous le bras, « voilà comment on passe devant son aîné sans même un petit bonjour. Je ne te vois plus, Mémé, et tu ne sais pas comme cela me manque[a]. En cherchant de vieilles lettres j'en ai justement retrouvé de la pauvre maman qui sont toutes si tendres pour toi. — Merci, Basin », répondit M. de Charlus d'une voix altérée car il ne pouvait jamais parler sans émotion de leur mère. « Tu devrais te décider à me laisser t'installer un pavillon à Guermantes », reprit le duc. « C'est gentil de voir les deux frères si tendres l'un avec l'autre, dit la princesse à Oriane. — Ah ! çà, je ne crois pas qu'on puisse trouver beaucoup de frères comme cela. Je vous inviterai avec lui, me promit-elle. Vous n'êtes pas mal avec lui ?... Mais[b] qu'est-ce qu'ils peuvent avoir à se dire? » ajouta-t-elle d'un ton inquiet, car elle entendait imparfaitement leurs paroles. Elle avait toujours eu une certaine jalousie du plaisir que M. de Guermantes éprouvait à causer avec son frère d'un passé à distance duquel il tenait un peu sa femme. Elle sentait que, quand ils étaient heureux d'être ainsi l'un près de l'autre et que[c] ne retenant plus son impatiente curiosité elle venait se joindre à eux, son arrivée ne leur faisait pas plaisir. Mais ce soir, à cette jalousie habituelle s'en ajoutait une autre. Car si Mme de Surgis avait raconté à M. de Guermantes les bontés qu'avait eues son frère afin qu'il l'en rermerciât, en même temps des amies dévouées du couple Guermantes avaient cru devoir prévenir la duchesse que la maîtresse de son mari avait été vue en tête à tête avec le frère de celui-ci. Et Mme de Guermantes en était tourmentée. « Rappelle-toi comme nous étions heureux jadis à Guermantes, reprit le duc en s'adressant à M. de Charlus. Si tu y venais quelquefois l'été, nous reprendrions notre bonne vie. Te rappelles-tu le vieux père Courveau : "Pourquoi est-ce que Pascal est troublant ? Parce qu'il est trou... trou... — Blé" », prononça M. de Charlus comme s'il répondait encore à son professeur. « "Et pourquoi est-ce que Pascal est troublé ? parce qu'il est trou... parce qu'il est trou... — Blanc. — Très bien, vous serez reçu, vous aurez certainement une mention, et Mme la duchesse vous donnera un dictionnaire chinois". — Car tu te rappelles, Basin, à ce moment-là, Basin, j'avais une toquade de chinois. — Si je me rappelle[a], mon petit Mémé ! Et la vieille potiche que t'avait rapportée Hervey de Saint-Denis[1], je la vois encore. Tu nous menaçais d'aller passer définitivement ta vie en Chine tant tu étais épris de ce pays ; tu aimais déjà faire de longues vadrouilles. Ah ! tu as été un type spécial car on peut dire qu'en rien tu n'as jamais eu les goûts de tout le monde... » Mais à peine avait-il dit ces mots que le duc piqua ce qu'on appelle un soleil, car il connaissait sinon les mœurs, du moins la réputation de son frère. Comme il ne lui en parlait jamais, il était d'autant plus gêné d'avoir dit quelque chose qui pouvait avoir l'air de s'y rapporter, et plus encore d'avoir paru gêné. Après une seconde de silence : « Qui sait, dit-il pour effacer ses dernières paroles, tu étais peut-être amoureux d'une Chinoise avant d'aimer tant de blanches et de leur plaire, si j'en juge par une certaine dame à qui tu as fait bien plaisir ce soir en causant avec elle. Elle a été ravie de toi. » Le duc s'était promis de ne pas parler de Mme de Surgis, mais au milieu du désarroi que la gaffe qu'il avait faite venait de jeter dans ses idées, il s'était jeté sur la plus voisine qui était précisément celle qui ne devait pas paraître dans l'entretien, quoiqu'elle l'eût motivé. Mais M. de Charlus avait remarqué la rougeur de son frère. Et comme les coupables qui ne veulent pas avoir l'air embarrassé qu'on parle devant eux du crime qu'ils sont censés ne pas avoir commis et croient devoir prolonger une conversation périlleuse : « J'en suis charmé, lui répondit-il, mais je tiens à revenir sur ta phrase précédente qui me semble profondément vraie. Tu disais que je n'ai jamais eu les idées de tout le monde, tu ne disais pas les idées, tu disais les goûts. Comme c'est juste ! Je n'ai jamais eu en rien les goûts de tout le monde, comme c'est juste ! Tu disais que j'avais des goûts spéciaux[b]. — Mais non », protesta M. de Guermantes, qui en effet n'avait pas dit ces mots et ne croyait peut-être pas chez son frère à la réalité de ce qu'ils désignent. Et d'ailleurs, se croyait-il le droit de le tourmenter pour des singularités qui en tous cas étaient restées assez douteuses ou assez secrètes pour ne nuire en rien à l'énorme situation du baron ? Bien plus, sentant que cette situation de son frère allant se mettre au service de ses maîtresses, le duc se disait que cela valait bien quelques complaisances en échange ; eût-il à ce moment connu quelque liaison « spéciale» de son frère que, dans l'espoir de l'appui que celui-ci lui prêterait, espoir uni au pieux souvenir du temps passé, M. de Guermantes eût passé dessus, fermant les yeux sur elle, et au besoin prêtant la main. « Voyons, Basin ; bonsoir, Palamède », dit la duchesse qui, rongée de rage et de curiosité, n'y pouvait plus tenir, « si vous avez décidé de passer la nuit ici, il vaut mieux que nous restions à souper. Vous nous tenez debout, Marie et moi, depuis une demi-heure. » Le duc quitta son frère après une significative étreinte et nous descendîmes tous trois l'immense escalier de l'hôtel de la princesse.

Des deux côtés[a], sur les marches les plus hautes, étaient répandus des couples qui attendaient que leur voiture fût avancée. Droite, isolée, ayant à ses côtés son mari et moi, la duchesse se tenait à gauche de l'escalier, déjà enveloppée dans son manteau à la Tiepolo, le col enserré dans le fermoir de rubis, dévorée des yeux par des femmes, des hommes, qui cherchaient à surprendre le secret de son élégance et de sa beauté. Attendant sa voiture sur le même degré de l'escalier que Mme de Guermantes, mais à l'extrémité opposée, Mme de Gallardon, qui avait perdu depuis longtemps tout espoir d'avoir jamais la visite de sa cousine, tournait le dos pour ne pas avoir l'air de la voir, et surtout pour ne pas offrir la preuve que celle-ci ne la saluait pas. Mme de Gallardon était de fort méchante humeur parce que des messieurs qui étaient avec elle avaient cru devoir lui parler d'Oriane : « Je ne tiens pas du tout à la voir, leur avait-elle répondu, je l'ai du reste aperçue tout à l'heure, elle commence à vieillir ; il paraît qu'elle ne peut pas s'y faire. Basin lui-même le dit. Et dame ! je comprends ça, parce que comme elle n'est pas intelligente, qu'elle est méchante comme une teigne et qu'elle a mauvaise façon, elle sent bien que, quand elle ne sera plus belle, il ne lui restera rien du tout. »

J'avais mis mon pardessus, ce que M. de Guermantes, qui craignait les refroidissements, blâma, en descendant avec moi, à cause de la chaleur qu'il faisait. Et la génération de nobles qui a plus ou moins passé par monseigneur Dupanloup[1], parle un si mauvais français (excepté les Castellane[2]), que le duc exprima ainsi sa pensée : « Il vaut mieux ne pas être couvert avant d'aller dehors, du moins *en thèse générale.* » Je revois toute cette sortie, je revois, si ce n'est pas à tort que je le place sur cet escalier, portrait détaché de son cadre, le prince de Sagan[1] duquel ce dut être la dernière soirée mondaine, se découvrant pour présenter ses hommages à la duchesse, avec une si ample révolution du chapeau haut de forme dans sa main gantée de blanc, qui répondait au gardénia de la boutonnière, qu'on s'étonnait que ce ne fût pas un feutre à plume de l'ancien régime, duquel plusieurs visages ancestraux étaient exactement reproduits dans celui de ce grand seigneur. Il ne resta qu'un peu de temps auprès d'elle, mais ses poses même d'un instant suffisaient à composer tout un tableau vivant et comme une scène historique. D'ailleurs comme il est mort depuis, et que je ne l'avais de son vivant qu'aperçu, il est tellement devenu pour moi un personnage d'histoire, d'histoire mondaine du moins, qu'il m'arrive de m'étonner en pensant qu'une femme, qu'un homme que je connais sont sa sœur et son neveu[a].

Pendant que nous descendions l'escalier, le montait, avec un air de lassitude qui lui seyait, une femme qui paraissait une quarantaine d'années bien qu'elle eût davantage. C'était la princesse d'Orvillers, fille naturelle, disait-on, du duc de Parme[2], et dont la douce voix se scandait d'un vague accent autrichien. Elle s'avançait, grande, inclinée, dans une robe de soie blanche à fleurs, laissant battre sa poitrine délicieuse, palpitante et fourbue, à travers un harnais de diamants et de saphirs. Tout en secouant la tête comme une cavale de roi qu'eût embarrassée son licol de perles, d'une valeur inestimable et d'un poids incommode, elle posait çà et là ses regards doux et charmants, d'un bleu qui, au fur et à mesure qu'il commençait à s'user, devenait plus caressant encore, et faisait à la plupart des invités qui s'en allaient un signe de tête amical. « Vous arrivez à une jolie heure, Paulette ! dit la duchesse. — Ah ! j'ai un tel regret ! Mais vraiment il n'y a pas eu la possibilité matérielle », répondit la princesse d'Orvillers qui avait pris à la duchesse de Guermantes ce genre de phrases, mais y ajoutait sa douceur naturelle et l'air de sincérité donné par l'énergie d'un accent lointainement tudesque dans une voix si tendre. Elle avait l'air de faire allusion à des complications de vie trop longues à dire, et non vulgairement à des soirées, bien qu'elle revînt en ce moment de plusieurs.

Mais ce n'était pas elles qui la forçaient de venir si tard. Comme le prince de Guermantes avait pendant de longues années empêché sa femme de recevoir Mme d'Orvillers, celle-ci, quand l'interdit fut levé, se contenta de répondre aux invitations, pour ne pas avoir l'air d'en avoir soif, par de simples cartes déposées. Au bout de deux ou trois ans de cette méthode, elle venait elle-même, mais très tard, comme après le théâtre. De cette façon, elle se donnait l'air de ne tenir nullement à la soirée, ni à y être vue[a], mais simplement de venir faire une visite au prince et à la princesse, rien que pour eux, par sympathie, au moment où, les trois quarts des invités déjà partis, elle « jouirait mieux d'eux ». « Oriane est vraiment tombée au dernier degré, ronchonna Mme de Gallardon. Je ne comprends pas Basin de la laisser parler à Mme d'Orvillers. Ce n'est pas M. de Gallardon qui m'eût permis cela. » Pour moi, j'avais reconnu en Mme d'Orvillers la femme qui, près de l'hôtel Guermantes, me lançait de longs regards langoureux, se retournait, s'arrêtait devant les glaces des boutiques. Mme de Guermantes me présenta, Mme d'Orvillers fut charmante, ni trop aimable, ni piquée. Elle me regarda comme tout le monde de ses yeux doux... Mais je ne devais plus jamais, quand je la rencontrerais, recevoir d'elle une seule de ces avances où elle avait semblé s'offrir. Il y a des regards particuliers et qui ont l'air de vous reconnaître, qu'un jeune homme ne reçoit jamais de certaines femmes — et de certains hommes — que jusqu'au jour où ils vous connaissent et apprennent que vous êtes l'ami de gens avec qui ils sont liés aussi[1].

On annonça[b] que la voiture était avancée. Mme de Guermantes prit sa jupe rouge comme pour descendre et monter en voiture, mais saisie peut-être d'un remords, ou du désir de faire plaisir et surtout de profiter de la brièveté que l'empêchement matériel de le prolonger imposait à un acte aussi ennuyeux, regarda Mme de Gallardon ; puis, comme si elle venait seulement de l'apercevoir, prise d'une inspiration, elle retraversa avant de descendre toute la longueur du degré et arrivée à sa cousine ravie, lui tendit la main. « Comme il y a longtemps ! » lui dit la duchesse qui, pour ne pas avoir à développer tout ce qu'était censé contenir de regrets et de légitimes excuses cette formule, se tourna d'un air effrayé vers le duc, lequel en effet descendu avec moi vers la voiture, tempêtait en voyant que sa femme était partie vers Mme de Gallardon et interrompait la circulation des autres voitures. « Oriane est tout de même encore bien belle ! dit Mme de Gallardon. Les gens m'amusent quand ils disent que nous sommes en froid ; nous pouvons pour des raisons où nous n'avons pas besoin de mettre les autres rester des années sans nous voir, nous avons trop de souvenirs communs pour pouvoir jamais être séparées, et au fond, elle sait bien qu'elle m'aime plus que tant de gens qu'elle voit tous les jours et qui ne sont pas de son sang. » Mme de Gallardon[a] était en effet comme ces amoureux dédaignés qui veulent à toute force faire croire qu'ils sont plus aimés que ceux que choie leur belle. Et (par les éloges que, sans souci de la contradiction avec ce quelle avait dit peu avant, elle prodigua en parlant de la duchesse de Guermantes) elle prouva indirectement que celle-ci possédait à fond les maximes qui doivent guider dans sa carrière une grande élégante, laquelle, dans le moment même où sa plus merveilleuse toilette excite, à côté de l'admiration, l'envie, doit savoir traverser tout un escalier pour la désarmer. « Faites au moins attention de ne pas mouiller vos souliers » (il avait tombé une petite pluie d'orage), dit le duc, qui était encore furieux d'avoir attendu.

Pendant le retour[b], à cause de l'exiguïté du coupé, les souliers rouges[1] se trouvèrent forcément peu éloignés des miens, et Mme de Guermantes, craignant même qu'ils ne les eussent touchés, dit au duc : « Ce jeune homme va être obligé de me dire comme dans je ne sais plus quelle caricature : "Madame, dites-moi tout de suite que vous m'aimez, mais ne me marchez pas sur les pieds comme cela[2]" ». Ma pensée d'ailleurs était assez loin de Mme de Guermantes. Depuis que Saint-Loup m'avait parlé d'une jeune fille de grande naissance qui allait dans une maison de passe et de la femme de chambre de la baronne Putbus, c'était dans ces deux personnes que, faisant bloc, s'étaient résumés les désirs que m'inspiraient chaque jour tant de beautés de deux classes[3], d'une part les vulgaires et magnifiques, les majestueuses femmes de chambre de grande maison enflées d'orgueil et qui disent « nous » en parlant des duchesses, d'autre part ces jeunes filles dont il me suffisait parfois, même sans les avoir vues passer en voiture ou à pied, d'avoir lu le nom dans un compte rendu de bal pour que j'en devinsse amoureux et qu'ayant consciencieusement cherché dans l'annuaire des châteaux où elles passaient l'été (bien souvent en me laissant égarer par un nom similaire) je rêvasse tour à tour d'aller habiter les plaines de l'Ouest, les dunes du Nord, les bois de pins du Midi. Mais j'avais beau fondre toute la matière charnelle la plus exquise pour composer, selon l'idéal que m'en avait tracé Saint-Loup, la jeune fille légère et la femme de chambre de Mme Putbus, il manquait à mes deux beautés possédables ce que j'ignorais tant que je ne les aurais pas vues : le caractère individuel. Je devais m'épuiser vainement à chercher à me figurer, pendant les mois où mon désir se portait plutôt sur les jeunes filles, comment était faite, qui était, celle dont Saint-Loup m'avait parlé, et pendant les mois où j'eusse préféré une femme de chambre, celle de Mme Putbus. Mais quelle tranquillité, après avoir été perpétuellement troublé par mes désirs inquiets pour tant d'êtres fugitifs dont souvent je ne savais même pas le nom, qui étaient en tous cas si difficiles à retrouver, encore plus à connaître, impossibles peut-être à conquérir, d'avoir prélevé sur toute cette beauté éparse, fugitive, anonyme, deux spécimens de choix munis de leur fiche signalétique et que j'étais du moins certain de me procurer quand je le voudrais ! Je reculais l'heure de me mettre à ce double plaisir, comme celle du travail, mais la certitude de l'avoir quand je voudrais me dispensait presque de le prendre, comme ces cachets soporifiques qu'il suffit d'avoir à la portée de la main pour n'avoir pas besoin d'eux et s'endormir. Je ne désirais plus dans l'univers que deux femmes dont je ne pouvais, il est vrai, arriver à me représenter le visage, mais dont Saint-Loup m'avait appris les noms et garanti la complaisance. De sorte que s'il avait par ses paroles de tout à l'heure fourni un rude travail à mon imagination, il avait par contre procuré une appréciable détente, un repos durable à ma volonté.

« Hé bien[a] ! me dit la duchesse, en dehors de vos bals, est-ce que je ne peux vous être d'aucune utilité ? Avez-vous trouvé un salon où vous aimeriez que je vous présente ? » Je lui répondis que je craignais que le seul qui me fit envie ne fût trop peu élégant pour elle. « Qui est-ce ? » demanda-t-elle d'une voix menaçante et rauque[b], sans presque ouvrir la bouche. « La baronne Putbus[1]. » Cette fois-ci elle feignit une véritable colère. « Ah ! non, çà, par exemple, je crois que vous vous fichez de moi. Je ne sais même pas par quel hasard je sais le nom de ce chameau. Mais c'est la lie de la société. C'est comme si vous me demandiez de vous présenter à ma mercière. Et encore non, car ma mercière est charmante. Vous êtes un peu fou, mon pauvre petit. En tous cas, je vous demande en grâce d'être poli avec les personnes à qui je vous ai présenté, de leur mettre des cartes, d'aller les voir et de ne pas leur parler de la baronne Putbus, qui leur est inconnue. » Je demandai si Mme d'Orvillers n'était pas un peu légère. « Oh ! pas du tout, vous confondez, elle serait plutôt bégueule[a]. N'est-ce pas, Basin ? — Oui, en tous cas je ne crois pas qu'il y ait jamais rien eu à dire sur elle », dit le duc.

« Vous ne voulez pas venir avec nous à la redoute ? me demanda-t-il. Je vous prêterais un manteau vénitien et je sais quelqu'un à qui cela ferait bougrement plaisir, à Oriane d'abord, cela ce n'est pas la peine de le dire, mais à la princesse de Parme. Elle chante tout le temps vos louanges, elle ne jure que par vous. Vous avez la chance — comme elle est un peu mûre — qu'elle soit d'une pudicité absolue. Sans cela elle vous aurait certainement pris comme sigisbée, comme on disait dans ma jeunesse, une espèce de cavalier servant. »

Je ne tenais pas à la redoute, mais au rendez-vous avec Albertine. Aussi je refusai. La voiture[b] s'était arrêtée, le valet de pied demanda la porte cochère, les chevaux piaffèrent jusqu'à ce qu'elle fût ouverte toute grande, et la voiture s'engagea dans la cour. « À la revoyure, me dit le duc. — J'ai quelquefois regretté de demeurer aussi près de Marie, me dit la duchesse, parce que si je l'aime beaucoup, j'aime un petit peu moins la voir. Mais je n'ai jamais regretté cette proximité autant que ce soir puisque cela me fait rester si peu avec vous. — Allons, Oriane, pas de discours. » La duchesse aurait voulu que j'entrasse un instant chez eux. Elle rit beaucoup, ainsi que le duc, quand je dis que je ne pouvais pas parce qu'une jeune fille devait précisément venir me faire une visite maintenant. « Vous avez une drôle d'heure pour recevoir vos visites, me dit-elle. — Allons, mon petit, dépêchons-nous, dit M. de Guermantes à sa femme. Il est minuit moins le quart et le temps de nous costumer... » Il se heurta devant sa porte, sévèrement gardée par elles, aux deux dames à canne qui n'avaient pas craint de descendre nuitamment de leur cime afin d'empêcher un scandale. « Basin, nous avons tenu à vous prévenir, de peur que vous ne soyez vu à cette redoute : le pauvre Amanien vient de mourir, il y a une heure[1]. » Le duc eut un instant d'alarme. Il voyait la fameuse redoute s'effondrer pour lui du moment que par ces maudites montagnardes, il était averti de la mort de M. d'Osmond. Mais il se ressaisit bien vite et lança aux deux cousines ce mot où il faisait entrer, avec la détermination de ne pas renoncer à un plaisir, son incapacité d'assimiler exactement les tours de la langue française : « Il est mort ! Mais non, on exagère, on exagère[2] ! » Et sans plus s'occuper des deux parentes qui, munies de leurs alpenstocks, allaient faire l'ascension dans la nuit, il se précipita aux nouvelles en interrogeant son valet de chambre : « Mon casque est bien arrivé ? — Oui, Monsieur le duc. — Il y a bien un petit trou pour respirer ? Je n'ai pas envie d'être asphyxié, que diable ! — Oui, Monsieur le duc. — Ah ! tonnerre de Dieu, c'est un soir de malheur. Oriane, j'ai oublié de demander à Babal si les souliers à la poulaine étaient pour vous ! — Mais, mon petit, puisque le costumier de l'Opéra-Comique est là, il nous le dira. Moi, je ne crois pas que ça puisse aller avec vos éperons. — Allons trouver le costumier, dit le duc. Adieu, mon petit, je vous dirais bien d'entrer avec nous pendant que nous essaierons, pour vous amuser. Mais nous causerions, il va être minuit et il faut que nous n'arrivions pas en retard pour que la fête soit complète. »

Moi aussi j'étais pressé de quitter M. et Mme de Guermantes au plus vite. *Phèdre* finissait vers onze heures et demie. Le temps de venir, Albertine devait être arrivée. J'allai droit à Françoise : « Mlle Albertine est là ? — Personne n'est venu. » Mon Dieu, cela voulait-il dire que personne ne viendrait ? J'étais tourmenté, la visite d'Albertine me semblant maintenant d'autant plus désirable qu'elle était moins certaine. Françoise était ennuyée aussi, mais pour une tout autre raison. Elle venait d'installer sa fille à table pour un succulent repas. Mais en m'entendant venir, voyant le temps lui manquer pour enlever les plats et disposer des aiguilles et du fil comme s'il s'agissait d'un ouvrage et non d'un souper : « Elle vient de prendre une cuillère de soupe, me dit Françoise, je l'ai forcée de sucer un peu de carcasse », pour diminuer ainsi jusqu'à rien le souper de sa fille, et comme si ç'avait été coupable qu'il fût copieux. Même au déjeuner ou au dîner, si je commettais la faute d'entrer dans la cuisine, Françoise faisait semblant qu'on eût fini et s'excusait même en disant : « J'avais voulu manger un *morceau* » ou « une *bouchée* ». Mais on était vite rassuré en voyant la multitude des plats qui couvraient la table et que Françoise, surprise par mon entrée soudaine, comme un malfaiteur qu'elle n'était pas, n'avait pas eu le temps de faire disparaître. Puis elle ajouta : « Allons, va te coucher, tu as assez travaillé comme cela aujourd'hui (car elle voulait que sa fille eût l'air non seulement de ne nous coûter rien, de vivre de privations, mais encore de se tuer au travail pour nous). Tu ne fais qu'encombrer la cuisine et surtout gêner Monsieur qui attend de la visite. Allons, monte », reprit-elle, comme si elle était obligée d'user de son autorité pour envoyer coucher sa fille qui, du moment que le souper était raté, n'était plus là que pour la frime, et si j'étais resté cinq minutes encore, eût d'elle-même décampé. Et se tournant vers moi, avec ce beau français populaire et pourtant un peu individuel qui était le sien : « Monsieur ne voit pas que l'envie de dormir lui coupe la figure. » J'étais resté ravi de ne pas avoir[a] à causer avec la fille de Françoise.

J'ai dit qu'elle était d'un petit pays qui était tout voisin de celui de sa mère, et pourtant différent par la nature du terrain, les cultures, le patois, par certaines particularités des habitants, surtout[1]. Ainsi la « bouchère » et la nièce de Françoise s'entendaient fort mal, mais avaient ce point commun, quand elles partaient faire une course, de s'attarder des heures « chez la sœur » ou « chez la cousine », étant d'elles-mêmes incapables de terminer une conversation, conversation au cours de laquelle le motif qui les avait fait sortir s'évanouissait au point que si on leur disait à leur retour : « Hé bien, M. le marquis de Norpois sera-t-il visible à six heures un quart ? », elles ne se frappaient même pas le front en disant : « Ah ! j'ai oublié », mais : « Ah ! je n'ai pas compris que Monsieur avait demandé cela, je croyais qu'il fallait seulement lui donner le bonjour. » Si elles « perdaient la boule » de cette façon pour une chose dite une heure auparavant, en revanche il était impossible de leur ôter de la tête ce qu'elles avaient une fois entendu dire par la sœur ou par la cousine. Ainsi, si la bouchère avait entendu dire que les Anglais nous avaient fait la guerre en 70 en même temps que les Prussiens (et j'avais eu beau expliquer que ce fait était faux), toutes les trois semaines la bouchère me répétait au cours d'une conversation : « C'est cause à cette guerre que les Anglais nous ont faite en 70 en même temps que les Prussiens. — Mais je vous ai dit cent fois que vous vous trompez. » Elle répondait, ce qui impliquait que rien n'était ébranlé dans sa conviction : « En tous cas, ce n'est pas une raison pour leur en vouloir. Depuis 70, il a coulé de l'eau sous les ponts, etc. » Une autre fois, prônant une guerre avec l'Angleterre, que je désapprouvais, elle disait : « Bien sûr, vaut toujours mieux pas de guerre ; mais puisqu'il le faut, vaut mieux y aller tout de suite. Comme l'a expliqué tantôt la sœur, depuis cette guerre que les Anglais nous ont faite en 70, les traités de commerce nous ruinent. Après qu'on les aura battus, on ne laissera plus entrer en France un seul Anglais sans payer trois cents francs d'entrée, comme nous maintenant pour aller en Angleterre. »

Tel était, en dehors de beaucoup d'honnêteté et, quand ils parlaient, d'une sourde obstination à ne pas se laisser interrompre, à reprendre vingt fois là où ils en étaient si on les interrompait, ce qui finissait par donner à leurs propos la solidité inébranlable d'une fugue de Bach, le caractère des habitants[a] dans ce petit pays qui n'en comptait pas cinq cents et que bordaient ses châtaigniers, ses saules, ses champs de pommes de terre et de betteraves.

La fille de Françoise, au contraire, parlait, se croyant une femme d'aujourd'hui et sortie des sentiers trop anciens, l'argot parisien et ne manquait aucune des plaisanteries adjointes[1]. Françoise lui ayant dit que je venais de chez une princesse : « Ah ! sans doute une princesse à la noix de coco. » Voyant que j'attendais une visite, elle fit semblant de croire que je m'appelais Charles. Je lui répondis naïvement que non, ce qui lui permit de placer : « Ah ! je croyais ! Et je me disais Charles attend (charlatan). » Ce n'était pas de très bon goût. Mais je fus moins indifférent lorsque comme consolation du retard d'Albertine, elle me dit : « Je crois que vous pouvez l'attendre à perpète. Elle ne viendra plus. Ah ! nos gigolettes d'aujourd'hui ! » »

Ainsi son parler différait de celui de sa mère ; mais ce qui est plus curieux, le parler de sa mère différait de celui[b] de sa grand-mère, native de Bailleau-le-Pin[2], qui était si près du pays de Françoise. Pourtant les patois différaient légèrement comme les deux paysages. Le pays de la mère de Françoise, en pente et descendant à un ravin, était fréquenté par les saules. Et, très loin de là, au contraire, il y avait en France une petite région où on parlait presque tout à fait le même patois qu'à Méséglise. J'en fis la découverte en même temps que j'en éprouvai l'ennui. En effet, je trouvai une fois Françoise en grande conversation avec une femme de chambre de la maison, qui était de ce pays et parlait ce patois. Elles se comprenaient presque, je ne les comprenais pas du tout, elles le savaient et ne cessaient pas pour cela, excusées, croyaient-elles, par la joie d'être payses quoique nées si loin l'une de l'autre, de continuer à parler devant moi cette langue étrangère, comme lorsqu'on ne veut pas être compris. Ces pittoresques études de géographie linguistique et de camaraderie[a] ancillaire se poursuivirent chaque semaine dans la cuisine, sans que j'y prisse aucun plaisir.

Comme chaque fois[b] que la porte cochère s'ouvrait, le concierge[c] appuyait sur un bouton électrique qui éclairait l'escalier, et comme il n'y avait pas de locataires qui ne fussent rentrés, je quittai immédiatement la cuisine et revins m'asseoir dans l'antichambre, épiant, là où la tenture un peu trop étroite qui ne couvrait pas complètement la porte vitrée de notre appartement, laissait passer la sombre raie verticale faite par la demi-obscurité de l'escalier. Si tout d'un coup cette raie devenait d'un blond doré, c'est qu'Albertine viendrait d'entrer en bas et serait dans deux minutes près de moi ; personne d'autre ne pouvait plus venir à cette heure-là. Et je restais, ne pouvant détacher mes yeux de la raie qui s'obstinait à demeurer sombre ; je me penchais tout entier pour être sûr de bien voir ; mais j'avais beau regarder, le noir trait vertical, malgré mon désir passionné, ne me donnait pas l'enivrante allégresse que j'aurais eue si je l'avais vu changé, par un enchantement soudain et significatif, en un lumineux barreau d'or. C'était bien de l'inquiétude pour cette Albertine à laquelle je n'avais pas pensé trois minutes pendant la soirée Guermantes ! Mais, réveillant les sentiments d'attente jadis éprouvés à propos d'autres jeunes filles, surtout de Gilberte, quand elle tardait à venir, la privation possible d'un simple plaisir physique me causait une cruelle souffrance morale.

Il me fallut rentrer dans ma chambre. Françoise m'y suivit. Elle trouvait, comme j'étais revenu de ma soirée, qu'il était inutile que je gardasse la rose que j'avais à la boutonnière et vint pour me l'enlever. Son geste, en me rappelant qu'Albertine pouvait ne plus venir, et en m'obligeant aussi à confesser que je désirais être élégant pour elle, me causa une irritation qui fut redoublée du fait qu'en me dégageant violemment, je froissai la fleur et que Françoise me dit[a] : « Il aurait mieux valu me la laisser ôter plutôt que non pas la gâter ainsi. » D'ailleurs, ses moindres paroles m'exaspéraient. Dans l'attente, on souffre tant de l'absence de ce qu'on désire qu'on ne peut supporter une autre présence.

Françoise sortie de la chambre, je pensai que si c'était pour en arriver maintenant à avoir de la coquetterie à l'égard d'Albertine, il était bien fâcheux que je me fusse montré tant de fois à elle si mal rasé, avec une barbe de plusieurs jours, les soirs où je la laissais venir pour recommencer nos caresses. Je sentais qu'insoucieuse de moi, elle me laissait seul. Pour embellir[b] un peu ma chambre, si Albertine venait encore, et parce que c'était une des plus jolies choses que j'avais, je remis pour la première fois depuis des années, sur la table qui était auprès de mon lit, ce portefeuille orné de turquoises que Gilberte m'avait fait faire pour envelopper la plaquette de Bergotte[1] et que, si longtemps, j'avais voulu garder avec moi pendant que je dormais, à côté de la bille d'agate. D'ailleurs[c], autant peut-être qu'Albertine, toujours pas venue, sa présence en ce moment dans un « ailleurs » qu'elle avait évidemment trouvé plus agréable et que je ne connaissais pas, me causait un sentiment douloureux qui, malgré ce que j'avais dit, il y avait à peine une heure, à Swann, sur mon incapacité d'être jaloux, aurait pu, si j'avais vu mon amie à des intervalles moins éloignés, se changer en un besoin anxieux de savoir où, avec qui, elle passait son temps. Je n'osais pas envoyer chez Albertine, il était trop tard, mais dans l'espoir que soupant peut-être avec des amies, dans un café, elle aurait l'idée de me téléphoner, je tournai le commutateur et, rétablissant la communication dans ma chambre, je la coupai entre le bureau de postes et la loge du concierge à laquelle il était relié d'habitude à cette heure-là. Avoir un récepteur dans le petit couloir où donnait la chambre de Françoise eût été plus simple, moins dérangeant, mais inutile. Les progrès de la civilisation permettent à chacun de manifester des qualités insoupçonnées ou de nouveaux vices qui les rendent plus chers ou plus insupportables à leurs amis. C'est ainsi que la découverte d'Edison[1] avait permis à Françoise d'acquérir un défaut de plus, qui était de se refuser, quelque utilité, quelque urgence qu'il y eût, à se servir du téléphone. Elle trouvait le moyen de s'enfuir quand on voulait le lui apprendre, comme d'autres au moment d'être vaccinés. Aussi le téléphone était-il placé dans ma chambre, et pour qu'il ne gênât pas mes parents, sa sonnerie était remplacée par un simple bruit de tourniquet. De peur de ne pas l'entendre, je ne bougeais pas. Mon immobilité était telle que, pour la première fois depuis des mois, je remarquai le tic-tac de la pendule. Françoise vint arranger des choses. Elle causait avec moi, mais je détestais cette conversation, sous la continuité uniformément banale de laquelle mes sentiments changeaient de minute en minute, passant de la crainte à l'anxiété, de l'anxiété à la déception complète. Différent des paroles vaguement satisfaites que je me croyais obligé de lui adresser, je sentais mon visage si malheureux que je prétendis que je souffrais d'un rhumatisme pour expliquer le désaccord entre mon indifférence simulée et cette expression douloureuse ; puis je craignais que les paroles prononcées, d'ailleurs à mi-voix, par Françoise (non à cause d'Albertine, car elle jugeait passée depuis longtemps l'heure de sa venue possible) risquassent de m'empêcher[a] d'entendre l'appel sauveur qui ne viendrait plus. Enfin Françoise alla se coucher ; je la renvoyai avec une rude douceur, pour que le bruit qu'elle ferait en s'en allant ne couvrît pas celui du téléphone. Et je recommençai à écouter, à souffrir ; quand nous attendons, de l'oreille qui recueille les bruits à l'esprit qui les dépouille et les analyse, et de l'esprit au cœur à qui il transmet ses résultats, le double trajet est si rapide que nous ne pouvons même pas percevoir sa durée, et qu'il semble que nous écoutions directement avec notre cœur.

J'étais torturé[b] par l'incessante reprise du désir toujours plus anxieux, et jamais accompli, d'un bruit d'appel ; arrivé au point culminant d'une ascension tourmentée dans les spirales de mon angoisse solitaire, du fond du Paris populeux et nocturne approché soudain de moi, à côté de ma bibliothèque, j'entendis tout à coup, mécanique et sublime, comme dans *Tristan* l'écharpe agitée ou le chalumeau du pâtre, le bruit de toupie du téléphone[1]. Je m'élançai, c'était Albertine[2]. « Je ne vous dérange pas en vous téléphonant à une pareille heure ? — Mais non... », dis-je en comprimant ma joie, car ce qu'elle disait de l'heure indue était sans doute pour s'excuser de venir dans un moment, si tard, non parce qu'elle n'allait pas venir. « Est-ce que vous venez ? demandai-je d'un ton indifférent. — Mais... non, si vous n'avez pas absolument besoin de moi. »

Une partie de moi à laquelle l'autre voulait se rejoindre était en Albertine. Il fallait qu'elle vînt, mais je ne le lui dis pas d'abord ; comme nous étions en communication, je me dis que je pourrais toujours l'obliger à la dernière seconde soit à venir chez moi, soit à me laisser courir chez elle. « Oui[a], je suis près de chez moi, dit-elle, et un peu loin de chez vous[b] ; je n'avais pas bien lu votre mot. Je viens de le retrouver et j'ai eu peur que vous ne m'attendiez. » Je sentais qu'elle mentait et c'était maintenant, dans ma fureur, plus encore par besoin de la déranger que de la voir que je voulais l'obliger à venir. Mais je tenais d'abord à refuser ce que je tâcherais d'obtenir dans quelques instants. Mais où était-elle ? À ses paroles se mêlaient d'autres sons : la trompe d'un cycliste, la voix d'une femme qui chantait, une fanfare lointaine, retentissaient aussi distinctement que la voix chère, comme pour me montrer que c'était bien Albertine dans son milieu actuel qui était près de moi en ce moment, comme une motte de terre avec laquelle on a emporté toutes les graminées qui l'entourent. Les mêmes bruits que j'entendais frappaient aussi son oreille et mettaient une entrave à son attention : détails de vérité, étrangers au sujet, inutiles en eux-mêmes, d'autant plus nécessaires à nous révéler l'évidence du miracle ; traits sobres et charmants, descriptifs de quelque rue parisienne, traits perçants aussi et cruels d'une soirée inconnue qui, au sortir de *Phèdre,* avaient empêché Albertine de venir chez moi. « Je commence par vous prévenir que ce n'est pas pour que vous veniez, car à cette heure-ci vous me gêneriez beaucoup[c]..., lui dis-je, je tombe de sommeil. Et puis, enfin, mille complications. Je tiens[d] à vous dire qu'il n'y avait pas de malentendu possible dans ma lettre. Vous m'avez répondu que c'était convenu. Alors, si vous n'aviez pas compris, qu'est-ce que vous entendiez par-là ? — J'ai dit que c'était convenu, seulement je ne me souvenais plus trop de ce qui était convenu. Mais je vois que vous êtes fâché, cela m'ennuie. Je regrette d'être allée à *Phèdre.* Si j'avais su que cela ferait tant d'histoires... » ajouta-t-elle, comme tous les gens qui, en faute pour une chose, font semblant de croire que c'est une autre qu'on leur reproche. « *Phèdre* n'est pour rien dans mon mécontentement, puisque c'est moi qui vous ai demandé d'y aller. — Alors, vous m'en voulez, c'est ennuyeux qu'il soit trop tard ce soir, sans cela je serais allée chez vous, mais je viendrai demain ou après-demain pour m'excuser. — Oh ! non, Albertine, je vous en prie, après m'avoir fait perdre une soirée, laissez-moi au moins la paix les jours suivants. Je ne serai pas libre avant une quinzaine de jours ou trois semaines. Écoutez, si cela vous ennuie que nous restions sur une impression de colère, et au fond, vous avez peut-être raison, alors j'aime encore mieux, fatigue pour fatigue, puisque je vous ai attendue jusqu'à cette heure-ci et que vous êtes encore dehors, que vous veniez tout de suite, je vais prendre du café pour me réveiller. — Ce ne serait pas possible de remettre cela à demain ? parce que la difficulté... » En entendant ces mots d'excuse, prononcés comme si elle n'allait pas venir, je sentis qu'au désir de revoir la figure veloutée qui déjà à Balbec dirigeait toutes mes journées vers le moment où, devant la mer mauve de septembre, je serais auprès de cette fleur rose, tentait douloureusement de s'unir un élément bien différent. Ce terrible besoin d'un être à Combray, j'avais appris à le connaître au sujet de ma mère[a], et jusqu'à vouloir mourir si elle me faisait dire par Françoise qu'elle ne pourrait pas monter. Cet effort de l'ancien sentiment pour se combiner et ne faire qu'un élément unique avec l'autre, plus récent, et qui, lui, n'avait pour voluptueux objet que la surface colorée, la rose carnation d'une fleur de plage, cet effort aboutit souvent à ne faire (au sens chimique) qu'un corps nouveau, qui peut ne durer que quelques instants. Ce soir-là, du moins, et pour longtemps encore, les deux éléments restèrent dissociés[1]. Mais déjà aux derniers mots entendus au téléphone, je commençai à comprendre que la vie d'Albertine était située (non pas matériellement sans doute) à une telle distance de moi qu'il m'eût fallu toujours de fatigantes explorations pour mettre la main sur elle, mais de plus, organisée comme des fortifications de campagne et, pour plus de sûreté, de l'espèce de celles que l'on a pris plus tard l'habitude d'appeler « camouflées ». Albertine, au reste, faisait, à un degré plus élevé de la société, partie de ce genre de personnes à qui la concierge promet à votre porteur de faire remettre la lettre quand elle rentrera — jusqu'au jour où vous vous apercevez que c'est précisément elle, la personne rencontrée dehors et à laquelle vous vous êtes permis d'écrire, qui est la concierge, de sorte qu'elle habite bien — mais dans la loge — le logis qu'elle vous a indiqué (lequel, d'autre part, est une petite maison de passe dont la concierge est la maquerelle) — ou bien qui donne comme adresse un immeuble où elle est connue par des complices qui ne vous livreront pas son secret, d'où on lui fera parvenir vos lettres, mais où elle n'habite pas, où elle a tout au plus laissé des affaires. Existences disposées sur cinq ou six lignes de repli de sorte que quand on veut voir cette femme, ou savoir, on est venu frapper trop à droite, ou trop à gauche, ou trop en avant, ou trop en arrière, et qu'on peut pendant des mois, des années, tout ignorer. Pour Albertine, je sentais que je n'apprendrais jamais rien, qu'entre la multiplicité entremêlée des détails réels et des faits mensongers je n'arriverais jamais à me débrouiller. Et que ce serait toujours ainsi, à moins que de la mettre en prison (mais on s'évade) jusqu'à la fin. Ce soir-là, cette conviction ne fit passer à travers moi qu'une inquiétude, mais où je sentais frémir comme une anticipation de longues souffrances.

« Mais non, répondis-je, je vous ai déjà dit que je ne serais pas libre avant trois semaines, pas plus demain qu'un autre jour. — Bien, alors... je vais prendre le pas de course... c'est ennuyeux, parce que je suis chez une amie qui... » Je sentais qu'elle n'avait pas cru que j'accepterais sa proposition de venir, laquelle n'était donc pas sincère, et je voulais la mettre au pied du mur. « Qu'est-ce que ça peut me faire, votre amie ? venez ou ne venez pas, c'est votre affaire, ce n'est pas moi qui vous demande de venir, c'est vous qui me l'avez proposé. — Ne vous fâchez pas, je saute dans un fiacre et je serai chez vous dans dix minutes. » Ainsi, de ce Paris des profondeurs nocturnes duquel avait déjà émané jusque dans ma chambre, mesurant le rayon d'action d'un être lointain, le message invisible, ce qui allait surgir[a] et apparaître, après cette première annonciation, c'était cette Albertine que j'avais connue jadis sous le ciel de Balbec, quand les garçons du Grand-Hôtel, en mettant le couvert, étaient aveuglés par la lumière du couchant, que les vitres étant entièrement tirées, les souffles imperceptibles du soir passaient librement de la plage où s'attardaient les derniers promeneurs à l'immense salle à manger où les premiers dîneurs n'étaient pas assis encore, et que dans la glace placée derrière le comptoir passait le reflet rouge de la coque et s'attardait longtemps le reflet gris de la fumée du dernier bateau pour Rivebelle. Je ne me demandais plus ce qui avait pu mettre Albertine en retard, et quand Françoise entra dans ma chambre me dire : « Mademoiselle Albertine est là », si je répondis sans même bouger la tête, ce fut seulement par dissimulation : « Comment mademoiselle Albertine vient-elle aussi tard ? » Mais levant alors les yeux sur Françoise comme dans une curiosité d'avoir sa réponse qui devait corroborer l'apparente sincérité de ma question, je m'aperçus avec admiration et fureur que, capable de rivaliser avec la Berma elle-même dans l'art de faire parler les vêtements inanimés et les traits du visage, Françoise avait su faire la leçon à son corsage, à ses cheveux dont les plus blancs avaient été ramenés à la surface, exhibés comme un extrait de naissance, à son cou courbé par la fatigue et l'obéissance. Ils la plaignaient d'avoir été tirée du sommeil et de la moiteur du lit, au milieu de la nuit, à son âge, obligée de se vêtir quatre à quatre, au risque de prendre une fluxion de poitrine. Aussi, craignant d'avoir eu l'air de m'excuser de la venue tardive d'Albertine : « En tous cas, je suis bien content qu'elle soit venue, tout est pour le mieux », et je laissai éclater ma joie profonde. Elle ne demeura pas longtemps sans mélange, quand j'eus entendu la réponse de Françoise. Celle-ci, sans proférer aucune plainte, ayant même l'air d'étouffer de son mieux une toux irrésistible, et croisant seulement sur elle son châle comme si elle avait froid, commença par me raconter tout ce qu'elle avait dit à Albertine, n'ayant pas manqué de lui demander des nouvelles de sa tante. « Justement j'y disais, Monsieur devait avoir crainte que Mademoiselle ne vienne plus, parce que ce n'est pas une heure pour venir, c'est bientôt le matin. Mais elle devait être dans des endroits qu'elle s'amusait bien car elle ne m'a pas seulement dit qu'elle était contrariée d'avoir fait attendre Monsieur, elle m'a répondu d'un air de se ficher du monde : "Mieux vaut tard que jamais !" » Et Françoise ajouta ces mots qui me percèrent le cœur : « En parlant comme ça elle s'est vendue. Elle aurait peut-être bien voulu se cacher, mais... »

Je n'avais pas de quoi être bien étonné. Je viens de dire que Françoise rendait rarement compte, dans les commissions qu'on lui donnait, sinon de ce qu'elle avait dit et sur quoi elle s'étendait volontiers, du moins de la réponse attendue. Mais, si par exception elle nous répétait les paroles que nos amis avaient dites, si courtes qu'elles fussent, elle s'arrangeait généralement, au besoin grâce à l'expression, au ton dont elle assurait qu'elles avaient été accompagnées, à leur donner quelque chose de blessant. À la rigueur, elle acceptait d'avoir subi d'un fournisseur chez qui nous l'avions envoyée une avanie, d'ailleurs probablement imaginaire, pourvu que s'adressant à elle qui nous représentait, qui avait parlé en notre nom, cette avanie nous atteignît par ricochet. Il n'eût resté qu'à lui répondre qu'elle avait mal compris, qu'elle était atteinte de délire de persécution et que tous les commerçants n'étaient pas ligués contre elle. D'ailleurs leurs sentiments m'importaient peu. Il n'en était pas de même de ceux d'Albertine. Et en me redisant ces mots ironiques : « Mieux vaut tard que jamais ! », Françoise m'évoqua aussitôt les amis dans la société desquels Albertine avait fini sa soirée, s'y plaisant donc plus que dans la mienne. « Elle est comique, elle a un petit chapeau plat, avec ses gros yeux, ça lui donne un drôle d'air, surtout avec son manteau qu'elle aurait bien fait d'envoyer chez l'estoppeuse car il est tout mangé. Elle m'amuse », ajouta, comme se moquant d'Albertine, Françoise qui partageait rarement mes impressions, mais éprouvait le besoin de faire connaître les siennes. Je ne voulais même pas avoir l'air de comprendre que ce rire signifiait le dédain et la moquerie[a], mais pour rendre coup pour coup, je répondis à Françoise, bien que je ne connusse pas le petit chapeau dont elle parlait : « Ce que vous appelez "petit chapeau plat" est quelque chose de simplement ravissant... — C'est-à-dire que c'est trois fois rien », dit Françoise en exprimant, franchement cette fois, son véritable mépris. Alors (d'un ton doux et ralenti pour que ma réponse mensongère eût l'air d'être l'expression non de ma colère mais de la vérité, en ne perdant pas de temps cependant, pour ne pas faire attendre Albertine), j'adressai à Françoise ces paroles cruelles : « Vous êtes excellente, lui dis-je mielleusement, vous êtes gentille, vous avez mille qualités, mais vous en êtes au même point que le jour où vous êtes arrivée à Paris, aussi bien pour vous connaître en choses de toilette que pour bien prononcer les mots et ne pas faire de cuirs. » Et ce reproche était particulièrement stupide, car ces mots français que nous sommes si fiers de prononcer exactement ne sont eux-mêmes que des « cuirs » faits par des bouches gauloises qui prononçaient de travers le latin ou le saxon, notre langue n'étant que la prononciation défectueuse de quelques autres. Le génie linguistique à l'état vivant, l'avenir et le passé du français, voilà ce qui eût dû m'intéresser dans les fautes de Françoise. L'« estoppeuse » pour la « stoppeuse » n'était-il pas aussi curieux que ces animaux survivants des époques lointaines, comme la baleine ou la girafe, et qui nous montrent les états que la vie animale a traversés ? « Et, ajoutai-je, du moment que depuis tant d'années vous n'avez pas su apprendre, vous n'apprendrez jamais. Vous pouvez vous en consoler, cela ne vous empêche pas d'être une très brave personne, de faire à merveille le bœuf à la gelée, et encore mille autres choses. Le chapeau que vous croyez simple est copié sur un chapeau de la princesse de Guermantes qui a coûté cinq cents francs. Du reste, je compte en offrir prochainement un encore plus beau à Mlle Albertine. » Je savais que ce qui pouvait le plus ennuyer Françoise c'est que je dépensasse de l'argent pour des gens qu'elle n'aimait pas. Elle me répondit par quelques mots que rendit peu intelligibles un brusque essoufflement. Quand j'appris plus tard qu'elle avait une maladie de cœur, quel remords j'eus de ne m'être jamais refusé le plaisir féroce et stérile de riposter ainsi à ses paroles ! Françoise détestait du reste Albertine parce que, pauvre, Albertine ne pouvait accroître ce que Françoise considérait comme mes supériorités. Elle souriait avec bienveillance chaque fois que j'étais invité par Mme de Villeparisis. En revanche elle était indignée qu'Albertine ne pratiquât pas la réciprocité. J'en étais arrivé[a] à être obligé d'inventer de prétendus cadeaux faits par celle-ci et à l'existence desquels Françoise n'ajouta jamais l'ombre de foi. Ce manque de réciprocité la choquait surtout en matière alimentaire. Qu'Albertine acceptât des dîners de maman, si nous n'étions pas invités chez Mme Bontemps (laquelle pourtant n'était pas à Paris la moitié du temps, son mari acceptant des « postes » comme autrefois quand il avait assez du ministère), cela lui paraissait de la part de mon amie une indélicatesse qu'elle flétrissait indirectement en récitant ce dicton courant à Combray :

Mangeons mon pain.
— Je le veux bien.
— Mangeons le tien.
— Je n'ai plus faim.

Je fis semblant d'être en train d'écrire[a]. « À qui écriviez-vous ? me dit Albertine en entrant. — À une jolie amie à moi, à Gilberte Swann[b]. Vous ne la connaissez pas ? — Non[1]. » Je renonçai à poser à Albertine des questions sur sa soirée, je sentais que je lui ferais des reproches et que nous n'aurions plus le temps[c], vu l'heure qu'il était, de nous réconcilier suffisamment pour passer aux baisers et aux caresses. Aussi ce fut par eux que je voulais dès la première minute commencer. D'ailleurs si j'étais un peu calmé, je ne me sentais pas heureux. La perte de toute boussole, de toute direction, qui caractérise l'attente, persiste encore après l'arrivée de l'être attendu, et substituée en nous au calme à la faveur duquel nous nous peignions sa venue comme un tel plaisir, nous empêche d'en goûter aucun. Albertine était là : mes nerfs démontés, continuant leur agitation, l'attendaient encore. « Je peux prendre un bon, Albertine[d2] ? — Tant que vous voudrez », me dit-elle avec toute sa bonté. Je ne l'avais jamais vue aussi jolie. « Encore un ? Mais vous savez que ça me fait un grand, grand plaisir. — Et à moi encore mille fois plus, me répondit-elle. Oh ! le joli portefeuille que vous avez là ! — Prenez-le, je vous le donne en souvenir. — Vous êtes trop gentil... » On serait à jamais guéri du romanesque si l'on voulait, pour penser à celle qu'on aime, tâcher d'être celui qu'on sera quand on ne l'aimera plus. Le portefeuille, la bille d'agate de Gilberte, tout cela n'avait reçu jadis son importance que d'un état purement intérieur, puisque maintenant[a] c'était pour moi un portefeuille, une bille quelconques.

Je demandai à Albertine si elle voulait boire. « Il me semble que je vois là des oranges et de l'eau, me dit-elle. Ce sera parfait. » Je pus goûter ainsi avec ses baisers cette fraîcheur qui me paraissait supérieure à eux, chez la princesse de Guermantes. Et l'orange pressée dans l'eau semblait me livrer au fur et à mesure que je buvais, la vie secrète de son mûrissement, son action heureuse contre certains états de ce corps humain qui appartient à un règne si différent, son impuissance à le faire vivre, mais en revanche les jeux d'arrosage par où elle pouvait lui être favorable, cent mystères dévoilés par le fruit à ma sensation, nullement à mon intelligence.

Albertine partie, je me rappelai que j'avais promis à Swann d'écrire à Gilberte et je trouvai plus gentil de le faire tout de suite[1]. Ce fut sans émotion et comme mettant la dernière ligne à un ennuyeux devoir de classe, que je traçai sur l'enveloppe le nom de Gilberte Swann dont je couvrais jadis mes cahiers pour me donner l'illusion de correspondre avec elle. C'est que si autrefois, ce nom-là, c'était moi qui l'écrivais, maintenant la tâche en avait été dévolue par l'habitude à l'un de ces nombreux secrétaires qu'elle s'adjoint. Celui-là pouvait écrire le nom de Gilberte avec d'autant plus de calme que placé récemment chez moi par l'habitude, récemment entré à mon service, il n'avait pas connu Gilberte et savait seulement, sans mettre aucune réalité sous ces mots, parce qu'il m'avait entendu parler d'elle, que c'était une jeune fille de laquelle j'avais été amoureux.

Je ne pouvais[b] l'accuser de sécheresse. L'être que j'étais maintenant vis-à-vis d'elle était le « témoin » le mieux choisi pour comprendre ce qu'elle-même avait été. Le portefeuille, la bille d'agate, étaient simplement devenus pour moi[c] à l'égard d'Albertine ce qu'ils avaient été pour Gilberte, ce qu'ils eussent été pour tout être qui n'eût pas fait jouer sur eux le reflet d'une flamme intérieure. Mais maintenant un nouveau trouble était en moi qui altérait à son tour la puissance véritable des choses et des mots. Et comme Albertine me disait, pour me remercier encore : « J'aime tant les turquoises ! », je lui répondis : « Ne laissez pas mourir celles-là », leur confiant ainsi comme à des pierres l'avenir de notre amitié qui pourtant n'était pas plus capable d'inspirer un sentiment à Albertine qu'il ne l'avait été de conserver celui qui m'unissait autrefois à Gilberte[a].

Il se produisit à cette époque un phénomène qui ne mérite d'être mentionné que parce qu'il se retrouve à toutes les périodes importantes de l'histoire[1]. Au moment même où j'écrivais à Gilberte, M. de Guermantes, à peine rentré de la redoute, encore coiffé de son casque, songeait que le lendemain il serait bien forcé d'être officiellement en deuil, et décida d'avancer de huit jours la cure d'eaux qu'il devait faire. Quand il en revint trois semaines après (et pour anticiper puisque je viens seulement de finir ma lettre à Gilberte), les amis du duc qui l'avaient vu, si indifférent au début, devenir un antidreyfusard forcené, restèrent muets de surprise en l'entendant (comme si la cure n'avait pas agi seulement sur la vessie) leur répondre : « Hé bien, le procès sera révisé et il sera acquitté ; on ne peut pas condamner un homme contre lequel il n'y a rien. Avez-vous jamais vu un gaga comme Froberville ? Un officier préparant les Français à la boucherie[b2] (pour dire la guerre) ! Étrange époque ! » Or dans l'intervalle, le duc de Guermantes avait connu aux eaux trois[c] charmantes dames (une princesse italienne et ses deux belles-sœurs). En les entendant dire quelques mots sur les livres qu'elles lisaient, sur une pièce qu'on jouait au Casino, le duc avait tout de suite compris qu'il avait à faire à des femmes d'une intellectualité supérieure et avec lesquelles, comme il le disait, il n'était pas de force. Il n'en avait été que plus heureux d'être invité à jouer au bridge par la princesse. Mais à peine arrivé chez elle, comme il lui disait, dans la ferveur de son antidreyfusisme sans nuances : « Hé bien, on ne nous parle plus de la révision du fameux Dreyfus », sa stupéfaction avait été grande d'entendre la princesse et ses belles-sœurs dire : « On n'en a jamais été si près. On ne peut pas retenir au bagne quelqu'un qui n'a rien fait. — Ah ? Ah ? » avait d'abord balbutié le duc, comme à la découverte d'un sobriquet bizarre qui eût été en usage dans cette maison pour tourner en ridicule quelqu'un qu'il avait cru jusque-là intelligent. Mais au bout de quelques jours, comme par lâcheté et esprit d'imitation, on crie : « Eh ! là, Jojotte[3] », sans savoir pourquoi, à un grand artiste qu'on entend appeler ainsi, dans cette maison, le duc, encore tout gêné par la coutume nouvelle, disait cependant : « En effet, s'il n'y a rien contre lui. » Les trois charmantes dames trouvaient qu'il n'allait pas assez vite et le rudoyaient un peu : « Mais au fond personne d'intelligent n'a pu croire qu'il y eût rien. » Chaque fois qu'un fait « écrasant » contre Dreyfus se produisait et que le duc croyant que cela allait convertir les trois dames charmantes, venait le leur annoncer, elles riaient beaucoup et n'avaient pas de peine, avec une grande finesse de dialectique, à lui montrer que l'argument était sans valeur et tout à fait ridicule. Le duc était rentré à Paris dreyfusard enragé. Et certes nous ne prétendons pas que les trois dames charmantes ne fussent pas, dans ce cas-là, messagères de vérité. Mais il est à remarquer que tous les dix ans, quand on a laissé un homme rempli d'une conviction véritable, il arrive qu'un couple intelligent, ou une seule dame charmante, entrent dans sa société et qu'au bout de quelques mois on l'amène à des opinions contraires. Et sur ce point il y a beaucoup de pays qui se comportent comme l'homme sincère, beaucoup de pays qu'on a laissés remplis de haine pour un peuple et qui, six mois après, ont changé de sentiment et renversé leurs alliances.

Je ne vis plus de quelque temps Albertine, mais continuai, à défaut de Mme de Guermantes qui ne parlait plus à mon imagination, à voir d'autres fées[a] et leurs demeures, aussi inséparables d'elles que, du mollusque qui la fabriqua et s'en abrite, la valve de nacre ou d'émail ou la tourelle à créneaux de son coquillage. Je n'aurais pas su classer ces dames, la difficulté du problème étant qu'autant qu'insignifiant il était impossible non seulement à résoudre mais à poser. Avant la dame[b] il fallait aborder le féerique hôtel. Or l'une recevant tous les jours après déjeuner les mois d'été, même[c] avant d'arriver chez elle, il avait fallu faire baisser la capote du fiacre, tant tapait dur le soleil dont le souvenir, sans que je m'en rendisse compte, allait entrer dans l'impression totale. Je croyais seulement aller au Cours-la-Reine[1] ; en réalité, avant d'être arrivé dans la réunion dont un homme pratique se fût peut-être moqué, j'avais comme dans un voyage à travers l'Italie, un éblouissement, des délices, dont l'hôtel ne serait plus séparé dans ma mémoire. De plus, à cause de la chaleur de la saison et de l'heure, la dame avait clos hermétiquement les volets dans les vastes salons rectangulaires du rez-de-chaussée où elle recevait. Je reconnaissais mal d'abord la maîtresse de maison et ses visiteurs, même la duchesse de Guermantes, qui de sa voix rauque me demandait de venir m'asseoir auprès d'elle, dans un fauteuil de Beauvais représentant *L'Enlèvement d'Europe*[1]. Puis je distinguais sur les murs les vastes tapisseries du XVIIIe siècle représentant des vaisseaux aux mâts fleuris de roses trémières, au-dessous desquels je me trouvais comme dans le palais non de la Seine mais de Neptune, au bord du fleuve Océan, où la duchesse de Guermantes devenait comme une divinité des eaux. Je n'en finirais pas si j'énumérais tous les salons différents de celui-là. Cet exemple suffit à montrer que je faisais entrer dans mes jugements mondains des impressions poétiques que je ne faisais jamais entrer en ligne de compte au moment de faire le total, si bien que, quand je calculais les mérites d'un salon, mon addition n'était jamais juste.

Certes ces causes d'erreur étaient loin d'être les seules, mais je n'ai plus le temps, avant mon départ pour Balbec (où, pour mon malheur, je vais faire un second séjour qui sera aussi le dernier[2]), de commencer des peintures du monde qui trouveront leur place bien plus tard. Disons seulement qu'à cette première fausse raison (ma vie relativement frivole et qui faisait supposer l'amour du monde) de ma lettre à Gilberte et du retour aux Swann qu'elle semblait indiquer, Odette aurait pu en ajouter tout aussi inexactement une seconde[3]. Je n'ai imaginé[a] jusqu'ici les aspects différents que le monde prend pour une même personne qu'en supposant que le monde ne change pas : si la même dame[b] qui ne connaissait personne[c] va chez tout le monde, et que telle autre qui avait une position dominante est délaissée, on est tenté d'y voir uniquement de ces hauts et bas purement personnels qui de temps à autre amènent dans une même société, à la suite de spéculations de bourse, une ruine retentissante ou un enrichissement inespéré. Or ce n'est pas seulement cela. Dans une certaine mesure les manifestations mondaines (fort inférieures aux mouvements artistiques, aux crises politiques, à l'évolution qui porte le goût public vers le théâtre d'idées, puis vers la peinture impressionniste, puis vers la musique allemande et complexe, puis vers la musique russe et simple, ou vers les idées sociales, les idées de justice, la réaction religieuse, le sursaut patriotique) en sont cependant le reflet lointain, brisé, incertain, troublé, changeant. De sorte que même les salons ne peuvent être dépeints dans une immobilité statique qui a pu convenir jusqu'ici à l'étude des caractères, lesquels devront eux aussi être comme entraînés[a] dans un mouvement quasi historique. Le goût de nouveauté qui porte les hommes du monde plus ou moins sincèrement avides de se renseigner sur l'évolution intellectuelle à fréquenter les milieux où ils peuvent suivre celle-ci, leur fait préférer d'habitude quelque maîtresse de maison jusque-là inédite, qui représente encore toutes fraîches les espérances de mentalité supérieure si fanées et défraîchies chez les femmes qui ont exercé depuis longtemps le pouvoir mondain, desquelles ils connaissent le fort et le faible et qui ne parlent plus[b] à leur imagination. Et chaque époque se trouve ainsi personnifiée dans des femmes nouvelles, dans un nouveau groupe de femmes, qui, rattachées étroitement à ce qui pique les curiosités les plus neuves, semblent, dans leur toilette, apparaître seulement à ce moment-là[c], comme une espèce inconnue née du dernier déluge, beautés irrésistibles de chaque nouveau Consulat, de chaque nouveau Directoire. Mais très souvent les maîtresses de maison nouvelles sont tout simplement, comme certains hommes d'État dont c'est le premier ministère mais qui depuis quarante ans frappaient à toutes les portes sans se les voir ouvrir, des femmes[d] qui n'étaient pas connues de la société mais n'en recevaient pas moins, depuis fort longtemps, et faute de mieux, quelques « rares intimes ». Certes, ce n'est pas toujours le cas, et quand avec l'efflorescence prodigieuse des Ballets russes[1], révélatrice coup sur coup de Bakst[2], de Nijinski[3], de Benois[4], du génie de Stravinski[5], la princesse Yourbeletieff[6], jeune marraine de tous ces grands hommes nouveaux, apparut portant sur la tête une immense aigrette tremblante inconnue des Parisiennes et qu'elles cherchèrent toutes à imiter, on put croire que cette merveilleuse créature avait été apportée dans leurs innombrables bagages et comme leur plus précieux trésor, par les danseurs russes ; mais quand à côté d'elle, dans son avant-scène, nous verrons, à toutes les représentations des « Russes », siéger comme une véritable fée, ignorée jusqu'à ce jour de l'aristocratie, Mme Verdurin, nous pourrons répondre aux gens du monde qui croiront[e] aisément Mme Verdurin fraîchement débarquée avec la troupe de Diaghilev[1], que cette dame avait déjà existé dans des temps différents, et passé par divers avatars dont celui-là ne différait qu'en ce qu'il était le premier qui amenait enfin, désormais assuré, et en marche d'un pas de plus en plus rapide, le succès si longtemps et si vainement attendu par la Patronne. Pour Mme Swann, il est vrai, la nouveauté qu'elle représentait n'avait pas le même caractère collectif. Son salon s'était cristallisé autour d'un homme, d'un mourant, qui avait presque tout d'un coup passé, aux moments[a] où son talent s'épuisait, de l'obscurité à la grande gloire. L'engouement pour les œuvres de Bergotte était immense. Il passait toute la journée, exhibé, chez Mme Swann[2] qui chuchotait à un homme influent : « Je lui parlerai, il vous fera un article. » Il était du reste en état de le faire, et même un petit acte pour Mme Swann. Plus près de la mort, il allait[b] un peu moins mal qu'au temps où il venait prendre des nouvelles de ma grand-mère. C'est que de grandes douleurs physiques lui avaient imposé un régime. La maladie est le plus écouté des médecins : à la bonté, au savoir on ne fait que promettre ; on obéit à la souffrance.

Certes le petit clan des Verdurin avait actuellement un intérêt autrement vivant que le salon légèrement nationaliste, plus encore littéraire, et avant tout bergottique, de Mme Swann. Le petit clan était en effet le centre actif d'une longue crise politique arrivée à son maximum d'intensité : le dreyfusisme. Mais les gens du monde étaient pour la plupart tellement antirévisionnistes, qu'un salon dreyfusien semblait quelque chose d'aussi impossible qu'à une autre époque un salon communard. La princesse de Caprarola[3] qui avait[c] fait la connaissance de Mme Verdurin à propos d'une grande exposition qu'elle avait organisée, avait bien été rendre à celle-ci une longue visite, dans l'espoir de débaucher quelques éléments intéressants du petit clan et de les agréger à son propre salon, visite au cours de laquelle la princesse (jouant[d] au petit pied les duchesses de[e] Guermantes) avait pris la contrepartie des opinions reçues, déclaré les gens de son monde idiots, ce que Mme Verdurin avait trouvé d'un grand courage. Mais ce courage ne devait pas aller plus tard jusqu'à[f] oser, sous le feu des regards de dames nationalistes, saluer Mme Verdurin aux courses de Balbec. Pour Mme Swann, les antidreyfusards lui savaient, au contraire, gré d'être « bien pensante », ce à quoi, mariée à un Juif, elle avait un mérite double. Néanmoins les personnes qui n'étaient jamais allées chez elle s'imaginaient qu'elle recevait seulement quelques Israélites obscurs et des élèves de Bergotte. On classe ainsi des femmes autrement qualifiées que Mme Swann au dernier rang de l'échelle sociale, soit à cause de leurs origines, soit parce qu'elles n'aiment pas les dîners en ville et les soirées où on ne les voit jamais, ce qu'on suppose faussement dû à ce qu'elles n'auraient pas été invitées, soit parce qu'elles ne parlent jamais de leurs amitiés mondaines mais seulement de littérature et d'art, soit parce que les gens se cachent d'aller chez elles, ou que pour ne pas faire d'impolitesse aux autres elles se cachent de les recevoir, enfin pour mille raisons qui achèvent de faire de telle ou telle d'entre elles, aux yeux de certains, la femme qu'on ne reçoit pas. Il en était ainsi pour Odette. Mme d'Épinoy[1], à l'occasion d'un versement qu'elle désirait pour la « Patrie française[2] », ayant eu à aller la voir, comme elle serait entrée chez sa mercière, convaincue d'ailleurs qu'elle ne trouverait que des visages, non pas même méprisés mais inconnus, resta clouée sur la place quand la porte s'ouvrit, non sur le salon qu'elle supposait mais sur une salle magique où, comme grâce à un changement à vue dans une féerie, elle reconnut dans des figurantes éblouissantes, à demi étendues sur des divans, assises sur des fauteuils, appelant la maîtresse de maison par son petit nom, les altesses, les duchesses qu'elle-même, la princesse d'Épinoy, avait grand-peine à attirer chez elle, et auxquelles en ce moment, sous les yeux bienveillants d'Odette, le marquis du Lau[3], le comte Louis de Turenne[4], le prince Borghèse[5], le duc d'Estrées[6], portant l'orangeade et les petits fours, servaient de panetiers et d'échansons. La princesse d'Épinoy, comme elle mettait, sans s'en rendre compte, la qualité mondaine à l'intérieur des êtres, fut obligée de désincarner Mme Swann et de la réincarner en une femme élégante. L'ignorance de la vie réelle que mènent les femmes qui ne l'exposent pas dans les journaux, tend ainsi sur certaines situations (contribuant[a] par là à diversifier les salons) un voile de mystère. Pour Odette, au commencement, quelques hommes[b] de la plus haute société, curieux de connaître Bergotte, avaient été dîner chez elle dans l'intimité. Elle avait eu le tact récemment acquis de n'en pas faire étalage ; ils trouvaient là

— souvenir peut-être du petit noyau dont Odette avait gardé, depuis le schisme, les traditions — le couvert mis, etc. Odette les emmenait avec Bergotte que cela achevait d'ailleurs de tuer, aux « premières » intéressantes. Ils parlèrent d'elle à quelques femmes de leur monde capables de s'intéresser à tant de nouveauté. Elles étaient persuadées qu'Odette, intime de Bergotte, avait plus ou moins collaboré à ses œuvres, et la croyaient mille fois plus intelligente que les femmes les plus remarquables du Faubourg, pour la même raison qu'elles mettaient tout leur espoir politique en certains républicains bon teint comme M. Doumer[1] et M. Deschanel[2], tandis qu'elles voyaient la France aux abîmes si elle était confiée au personnel monarchiste qu'elles recevaient à dîner, aux Charette[3], aux Doudeauville[4], etc. Ce changement de la situation d'Odette s'accomplissait de sa part avec une discrétion qui le rendait plus sûr et plus rapide, mais ne le laissait[a] nullement soupçonner du public enclin à s'en remettre aux chroniques du *Gaulois*[5] des progrès ou de la décadence d'un salon, de sorte qu'un jour, à une répétition générale d'une pièce de Bergotte donnée dans une salle des plus élégantes au bénéfice d'une œuvre de charité, ce fut un vrai coup de théâtre quand on vit dans la loge de face, qui était celle de l'auteur, venir s'asseoir à côté de Mme Swann, Mme de Marsantes et celle qui par l'effacement progressif de la duchesse de Guermantes (rassasiée d'honneurs, et s'annihilant par moindre effort), était en train de devenir la lionne, la reine du temps, la comtesse Molé. « Quand nous ne nous doutions pas même qu'elle avait commencé à monter », se dit-on d'Odette au moment où on vit entrer la comtesse Molé dans la loge, « elle a franchi le dernier échelon. » De sorte que Mme Swann pouvait croire que c'était par snobisme que je me rapprochais de sa fille. Odette, malgré ses brillantes[b] amies, n'écouta pas moins la pièce avec une extrême attention comme si elle eût été là seulement pour l'entendre, de même que jadis elle traversait le Bois par hygiène et pour faire de l'exercice. Des hommes qui étaient jadis moins empressés autour d'elle vinrent au balcon, dérangeant tout le monde, se suspendre à sa main pour approcher le cercle imposant dont elle était environnée. Elle, avec un sourire plutôt encore d'amabilité que d'ironie, répondait patiemment à leurs questions, affectant plus de calme qu'on n'aurait cru et qui était peut-être sincère, cette exhibition n'étant que l'exhibition tardive d'une intimité habituelle et discrètement cachée. Derrière ces trois dames attirant tous les yeux était Bergotte entouré par le prince d'Agrigente[a], le comte Louis de Turenne, et le marquis de Bréauté. Et il est aisé de comprendre que, pour des hommes qui étaient reçus partout et qui ne pouvaient plus attendre une surélévation que de recherches d'originalité, cette démonstration de leur valeur qu'ils croyaient faire en se laissant attirer par une maîtresse de maison réputée de haute intellectualité et auprès de qui ils s'attendaient à rencontrer tous les auteurs dramatiques et tous les romanciers en vogue, était plus excitante et vivante que ces soirées chez la princesse de Guermantes, lesquelles, sans aucun programme et attrait nouveau, se succédaient depuis tant d'années, plus ou moins pareilles à celle que nous avons si longuement décrite. Dans ce grand monde-là, celui des Guermantes, d'où la curiosité se détournait un peu, les modes intellectuelles nouvelles ne s'incarnaient pas en divertissements à leur image, comme en ces bluettes de Bergotte écrites pour Mme Swann, comme en ces véritables séances de Salut Public (si le monde avait pu s'intéresser à l'affaire Dreyfus) où chez Mme Verdurin se réunissaient Picquart, Clemenceau, Zola, Reinach et Labori[1].

Gilberte servait aussi à la situation de sa mère, car un oncle de Swann venait de laisser près de quatre-vingts millions à la jeune fille, ce qui faisait que le faubourg Saint-Germain commençait à penser à elle. Le revers de la médaille était que Swann d'ailleurs mourant avait des opinions dreyfusistes, mais cela même ne nuisait pas à sa femme et même lui rendait service. Cela ne lui nuisait pas parce qu'on disait : « Il est gâteux, idiot, on ne s'occupe[b] pas de lui, il n'y a que sa femme qui compte et elle est charmante. » Mais même le dreyfusisme de Swann était utile à Odette. Livrée à elle-même elle se fût peut-être laissée aller à faire aux femmes chic des avances qui l'eussent perdue. Tandis que les soirs où elle traînait son mari dîner dans le faubourg Saint-Germain, Swann, restant farouchement dans son coin, ne se gênait pas, s'il voyait Odette se faire présenter à quelque dame nationaliste, de dire à haute voix : « Mais voyons, Odette, vous êtes folle. Je vous prie de rester tranquille. Ce serait une platitude de votre part de vous faire présenter à des antisémites. Je vous le défends. » Les gens du monde après qui chacun court ne sont habitués ni à tant de fierté ni à tant de mauvaise éducation. Pour la première fois ils voyaient quelqu'un qui se croyait « plus » qu'eux. On se racontait ces grognements de Swann, et les cartes cornées pleuvaient chez Odette. Quand celle-ci était en visite[a] chez Mme d'Arpajon, c'était un vif et sympathique mouvement de curiosité. « Ça ne vous a pas ennuyée que je vous l'aie présentée, disait Mme d'Arpajon. Elle est très gentille. C'est Marie de Marsantes qui me l'a fait connaître. — Mais non, au contraire, il paraît qu'elle est tout ce qu'il y a de plus intelligente, elle est charmante. Je désirais au contraire la rencontrer ; dites-moi donc où elle demeure. » Mme d'Arpajon disait à Mme Swann qu'elle s'était beaucoup amusée chez elle l'avant-veille et avait lâché avec joie pour elle Mme de Saint-Euverte. Et c'était vrai, car préférer Mme Swann c'était montrer qu'on était intelligent, comme d'aller au concert au lieu d'aller à un thé. Mais quand Mme de Saint-Euverte venait chez Mme d'Arpajon en même temps qu'Odette, comme Mme de Saint-Euverte était très snob et que Mme d'Arpajon tout en la traitant d'assez haut tenait à ses réceptions, Mme d'Arpajon ne présentait pas Odette pour que Mme de Saint-Euverte ne sût pas qui c'était. La marquise s'imaginait que ce devait être quelque princesse qui sortait très peu pour qu'elle ne l'eût jamais vue, prolongeait sa visite, répondait indirectement à ce que disait Odette, mais Mme d'Arpajon restait de fer. Et quand Mme de Saint-Euverte vaincue s'en allait : « Je ne vous ai pas présentée, disait la maîtresse de maison à Odette, parce qu'on n'aime pas beaucoup aller chez elle et elle invite énormément ; vous n'auriez pas pu vous en dépêtrer. — Oh ! cela ne fait rien », disait Odette avec un regret. Mais elle gardait l'idée qu'on n'aimait pas aller chez Mme de Saint-Euverte, ce qui dans une certaine mesure était vrai, et elle en concluait qu'elle avait une situation très supérieure à Mme de Saint-Euverte bien que celle-ci en eût une très grande, et Odette encore aucune.

Elle ne s'en rendait pas compte, et bien que toutes les amies de Mme de Guermantes fussent liées avec Mme d'Arpajon, quand celle-ci invitait Mme Swann, Odette disait d'un air scrupuleux : « Je vais[b] chez Mme d'Arpajon, mais vous allez me trouver bien vieux jeu ; cela me choque, à cause de Mme de Guermantes » (qu'elle ne connaissait pas du reste). Les hommes distingués pensaient que le fait que Mme Swann connût peu de gens du grand monde tenait à ce qu'elle devait être une femme[a] supérieure, probablement une grande musicienne, et que ce serait une espèce de titre extra-mondain, comme pour un duc d'être docteur ès sciences, que d'aller chez elle. Les femmes complètement nulles étaient attirées vers Odette par une raison contraire ; apprenant[b] qu'elle allait au concert Colonne[1] et se déclarait wagnérienne, elles en concluaient que ce devait être une « farceuse », et elles étaient fort allumées[c] par l'idée de la connaître. Mais peu assurées dans leur propre situation, elles craignaient de se compromettre en public en ayant l'air liées avec Odette et si dans un concert de charité elles apercevaient Mme Swann, elles détournaient la tête, jugeant impossible de saluer sous les yeux de Mme de Rochechouart une femme qui était bien capable d'être allée à Bayreuth[2] — ce qui voulait dire faire les cent dix-neuf coups.

Chaque personne en visite chez une autre devenait différente. Sans parler des métamorphoses merveilleuses qui s'accomplissaient ainsi chez les fées, dans le salon de Mme Swann, M. de Bréauté, soudain mis en valeur par l'absence des gens qui l'entouraient d'habitude, par l'air de satisfaction qu'il avait de se trouver là aussi bien que si au lieu d'aller à une fête il avait chaussé des besicles pour s'enfermer à lire *La Revue des Deux Mondes,* par le rite[d] mystérieux qu'il avait l'air d'accomplir en venant voir Odette, M. de Bréauté lui-même semblait un homme nouveau. J'aurais beaucoup donné pour voir quelles altérations la duchesse de Montmorency-Luxembourg[3] aurait subies dans ce milieu nouveau. Mais elle était une des personnes à qui jamais on ne pourrait présenter Odette. Mme de Montmorency, beaucoup plus bienveillante pour Oriane que celle-ci n'était pour elle, m'étonnait beaucoup en me disant à propos de Mme de Guermantes : « Elle connaît des gens d'esprit, tout le monde l'aime, je crois que si elle avait eu un peu plus d'esprit de suite, elle serait arrivée à se faire un salon. La vérité est qu'elle n'y tenait pas, elle a bien raison, elle est heureuse comme cela, recherchée de tous. » Si Mme de Guermantes n'avait pas un « salon », alors qu'est-ce que c'était qu'un « salon » ? La stupéfaction où me jetèrent ces paroles n'était pas plus grande que celle que je causai à Mme de Guermantes en lui disant que j'aimais bien aller chez Mme de Montmorency. Oriane la trouvait[a] une vieille crétine. « Encore moi, disait-elle, j'y suis forcée, c'est ma tante ; mais vous ! Elle ne sait même pas attirer les gens agréables. » Mme de Guermantes ne se rendait pas compte que les gens agréables me laissaient froid, que quand elle me disait « salon Arpajon » je voyais un papillon jaune, et « salon Swann » (Mme Swann était chez elle l'hiver de six à sept) un papillon noir aux ailes feutrées de neige. Encore ce dernier salon, qui n'en était pas un, elle le jugeait, bien qu'inaccessible pour elle, excusable pour moi, à cause des « gens d'esprit ». Mais Mme de Luxembourg ! Si j'eusse déjà « produit » quelque chose qui eût été remarqué, elle eût conclu qu'une part de snobisme peut s'allier au talent. Et je mis le comble à sa déception ; je lui avouai que je n'allais pas chez Mme de Montmorency (comme elle croyait) pour « prendre des notes » et « faire une étude ». Mme de Guermantes ne se trompait du reste pas plus que les romanciers mondains qui analysent cruellement du dehors les actes d'un snob ou prétendu tel, mais ne se placent jamais à l'intérieur de celui-ci, à l'époque où fleurit dans l'imagination tout un printemps social. Moi-même, quand je voulus savoir quel si grand plaisir j'éprouvais à aller chez Mme de Montmorency, je fus un peu désappointé. Elle habitait, dans le faubourg Saint-Germain, une vieille demeure remplie de pavillons que séparaient de petits jardins[1]. Sous la voûte, une statuette, qu'on disait de Falconet, représentait une source d'où, du reste, une humidité perpétuelle suintait[2]. Un peu plus loin la concierge, toujours les yeux rouges, soit chagrin, soit neurasthénie, soit migraine, soit rhume, ne vous répondait jamais, vous faisait un geste vague indiquant que la duchesse était là et laissait tomber de ses paupières quelques gouttes au-dessus d'un bol rempli de « ne m'oubliez pas ». Le plaisir que j'avais à voir la statuette, parce qu'elle me faisait penser à un petit jardinier en plâtre qu'il y avait dans un jardin de Combray, n'était rien auprès de celui que me causaient le grand escalier humide et sonore, plein d'échos, comme celui de certains établissements de bains d'autrefois, aux vases remplis de cinéraires — bleu sur bleu — dans l'antichambre, et surtout le tintement de la sonnette, qui était exactement celui de la chambre d'Eulalie. Ce tintement mettait le comble à mon enthousiasme mais me semblait trop humble pour que je le pusse expliquer à Mme de Montmorency, de sorte que cette dame me voyait toujours dans un ravissement dont elle ne devina jamais la cause[a].

LES INTERMITTENCES DU CŒUR[1]

Ma seconde arrivée à Balbec[b] fut bien différente de la première[2]. Le directeur était venu en personne m'attendre à Pont-à-Couleuvre[3], répétant combien il tenait à sa clientèle titrée, ce qui me fit craindre qu'il m'anoblît jusqu'à ce que j'eusse compris que dans l'obscurité de sa mémoire grammaticale, titrée signifiait simplement attitrée[4]. Du reste au fur et à mesure qu'il apprenait de nouvelles langues, il parlait plus mal les anciennes. Il m'annonça qu'il m'avait logé tout en haut de l'hôtel. « J'espère, dit-il, que vous ne verrez pas là un manque d'impolitesse, j'étais ennuyé de vous donner une chambre dont vous êtes indigne, mais je l'ai fait rapport au bruit, parce que comme cela vous n'aurez personne au-dessus de vous pour vous fatiguer le trépan (pour tympan). Soyez tranquille, je ferai fermer les fenêtres pour qu'elles ne battent pas. Là-dessus je suis intolérable » (ces mots n'exprimant pas sa pensée, laquelle était qu'on le trouverait toujours inexorable à ce sujet, mais peut-être bien celle de ses valets d'étage). Les chambres étaient d'ailleurs celles du premier séjour. Elles n'étaient pas plus bas mais j'avais monté dans l'estime du directeur. Je pourrais faire faire du feu si cela me plaisait (car sur l'ordre des médecins j'étais parti dès Pâques), mais il craignait qu'il n'y eût des « fixures » dans le plafond. « Surtout attendez toujours pour allumer une flambée que la précédente soit consommée (pour consumée). Car l'important c'est d'éviter de ne pas mettre le feu à la cheminée, d'autant plus que pour égayer un peu j'ai fait placer dessus une grande postiche en vieux Chine, que cela pourrait abîmer. »

Il m'apprit avec beaucoup de tristesse la mort du bâtonnier de Cherbourg : « C'était un vieux routinier », dit-il (probablement pour roublard) et me laissa entendre que sa fin avait été avancée par une vie de déboires, ce qui signifiait de débauches. « Déjà depuis quelque temps je remarquais qu'après le dîner il s'accroupissait dans le salon (sans doute pour s'assoupissait). Les derniers temps, il était tellement changé que si l'on n'avait pas su que c'était lui, à le voir il était à peine reconnaissant » (pour reconnaissable sans doute).

Compensation heureuse, le premier président de Caen venait de recevoir la « cravache » de commandeur de la Légion d'honneur. « Sûr et certain qu'il a des capacités mais paraît qu'on la lui a donnée surtout à cause de sa grande impuissance ». On revenait du reste sur cette décoration dans *L'Écho de Paris*[1] de la veille, dont le directeur n'avait encore lu que « le premier paraphe » (pour paragraphe). La politique de M. Caillaux y était bien arrangée. « Je trouve du reste qu'ils ont raison, dit-il. Il nous met trop sous la coupole de l'Allemagne » (sous la coupe)[2]. Comme ce genre de sujet traité par un hôtelier me paraissait ennuyeux, je cessai d'écouter. Je pensais aux images qui m'avaient décidé de retourner à Balbec. Elles étaient bien différentes de celles d'autrefois, la vision que je venais chercher était aussi éclatante que la première était brumeuse ; elles ne devaient pas moins me décevoir[3]. Les images choisies par le souvenir sont aussi arbitraires, aussi étroites, aussi insaisissables que celles que l'imagination avait formées et la réalité détruites. Il n'y a pas de raison pour qu'en dehors de nous, un lieu réel possède plutôt les tableaux de la mémoire que ceux du rêve. Et puis une réalité nouvelle nous fera peut-être oublier, détester même les désirs à cause desquels nous étions partis.

Ceux qui m'avaient fait partir pour Balbec tenaient en partie à ce que les Verdurin[a] (des invitations de qui je n'avais jamais profité, et qui seraient certainement heureux de me recevoir, si j'allais à la campagne m'excuser de n'avoir jamais pu leur faire une visite à Paris), sachant que plusieurs fidèles passeraient les vacances sur cette côte, et ayant à cause de cela loué pour toute la saison un des châteaux de M. de Cambremer (La Raspelière[4]), y avaient invité Mme Putbus. Le soir où je l'avais appris (à Paris), j'envoyai, en véritable fou, notre jeune valet de pied s'informer si cette dame emmènerait à Balbec sa camériste[5]. Il était onze heures du soir. Le concierge mit longtemps à ouvrir et par miracle n'envoya pas promener mon messager, ne fit pas appeler la police, se contenta de le recevoir très mal, tout en lui fournissant le renseignement désiré. Il dit qu'en effet la première femme de chambre accompagnerait sa maîtresse, d'abord aux eaux en Allemagne, puis à Biarritz, et pour finir, chez Mme Verdurin[1]. Dès lors j'avais été tranquille et content d'avoir ce pain sur la planche. J'avais pu me dispenser de ces poursuites dans les rues où j'étais dépourvu auprès des beautés rencontrées de cette lettre d'introduction que serait auprès du « Giorgione » d'avoir dîné le soir même, chez les Verdurin, avec sa maîtresse. D'ailleurs elle aurait peut-être meilleure idée de moi encore en sachant que je connaissais non seulement les bourgeois locataires de La Raspelière mais ses propriétaires, et surtout Saint-Loup qui, ne pouvant me recommander à distance à la femme de chambre (celle-ci ignorant le nom de Robert), avait écrit pour moi une lettre chaleureuse aux Cambremer. Il pensait qu'en dehors de toute l'utilité dont ils me pourraient être, Mme de Cambremer, la belle-fille née Legrandin, m'intéresserait en causant avec moi. « C'est une femme intelligente », m'avait-il assuré. « Jusqu'à un certain point, naturellement. Elle ne te dira pas[a] des choses définitives » (les choses « définitives » avaient été substituées aux choses « sublimes » par Robert qui modifiait, tous les cinq ou six ans, quelques-unes de ses expressions favorites tout en conservant les principales), « mais c'est une nature, elle a une personnalité, de l'intuition, elle jette à propos la parole qu'il faut. De temps en temps elle est énervante, elle lance des bêtises pour "faire gratin", ce qui est d'autant plus ridicule que rien n'est moins élégant que les Cambremer, elle n'est pas toujours *à la page,* mais, somme toute, elle est encore dans les personnes les plus supportables à fréquenter. »

Aussitôt que la recommandation de Robert leur était parvenue, les Cambremer, soit snobisme qui leur faisait désirer d'être indirectement aimables pour Saint-Loup, soit reconnaissance de ce qu'il avait été pour un de leurs neveux à Doncières, et plus probablement surtout par bonté et traditions hospitalières, avaient écrit de longues lettres demandant que j'habitasse chez eux, et si je préférais être plus indépendant, s'offrant à me chercher un logis. Quand Saint-Loup leur eut objecté que j'habiterais le

Grand-Hôtel de Balbec, ils répondirent que, du moins, ils attendaient une visite dès mon arrivée et si elle tardait trop, ne manqueraient pas de venir me relancer pour m'inviter à leurs garden-parties.

Sans doute rien ne rattachait d'une façon essentielle la femme de chambre de Mme Putbus au pays de Balbec ; elle n'y serait pas pour moi comme la paysanne que[a] seul sur la route de Méséglise[1], j'avais si souvent appelée en vain, de toute la force de mon désir.

Mais j'avais depuis longtemps cessé de chercher à extraire d'une femme comme la racine carrée de son inconnu, lequel ne résistait pas souvent à une simple présentation. Du moins à Balbec[b] où je n'étais pas allé depuis longtemps, j'aurais cet avantage, à défaut du rapport nécessaire qui n'existait pas entre le pays et cette femme, que le sentiment de la réalité n'y serait pas supprimé pour moi par l'habitude comme à Paris où, soit dans ma propre maison, soit dans une chambre connue, le plaisir auprès d'une femme ne pouvait pas me donner un instant l'illusion, au milieu des choses quotidiennes, qu'il m'ouvrait accès à une nouvelle vie. (Car si l'habitude est une seconde nature, elle nous empêche de connaître la première dont elle n'a ni les cruautés, ni les enchantements.) Or cette illusion, je l'aurais peut-être dans un pays nouveau où renaît la sensibilité, devant un rayon de soleil, et où justement achèverait de m'exalter la femme de chambre que je désirais : or on verra[c] les circonstances faire non seulement que cette femme ne vint pas à Balbec, mais que je ne redoutai rien tant qu'elle y pût venir, de sorte que ce but principal de mon voyage ne fut ni atteint, ni même poursuivi. Certes Mme Putbus ne devait pas aller aussi tôt dans la saison chez les Verdurin ; mais ces plaisirs qu'on a choisis peuvent être lointains si leur venue est assurée et que dans leur attente on puisse se livrer d'ici là à la paresse de chercher à plaire et à l'impuissance d'aimer. Au reste, à Balbec, je n'allais pas dans un esprit aussi peu pratique que la première fois[d] ; il y a toujours moins d'égoïsme dans l'imagination pure que dans le souvenir ; et je savais que j'allais précisément me trouver dans un de ces lieux où foisonnent les belles inconnues ; une plage n'en offre pas moins qu'un bal, et je pensais d'avance aux promenades devant l'hôtel, sur la digue, avec ce même genre de plaisir que Mme de Guermantes m'aurait procuré si, au lieu de me faire inviter dans des dîners brillants, elle avait donné plus souvent mon nom pour leurs listes de cavaliers aux maîtresses de maison chez qui l'on dansait. Faire des connaissances féminines à Balbec[a] me serait aussi facile que cela m'avait été malaisé autrefois, car j'y avais maintenant autant de relations et d'appuis que j'en étais dénué à mon premier voyage[b].

Je fus tiré de ma rêverie par la voix du directeur dont je n'avais pas écouté les dissertations politiques. Changeant de sujet, il me dit la joie du premier président en apprenant mon arrivée et qu'il viendrait me voir dans ma chambre, le soir même. La pensée de cette visite m'effraya si fort, car je commençais à me sentir fatigué, que je le priai d'y mettre obstacle (ce qu'il me promit) et pour plus de sûreté de faire, pour le premier soir, monter la garde à mon étage par ses employés. Il ne paraissait pas les aimer beaucoup. « Je suis tout le temps obligé de courir après eux parce qu'ils manquent trop d'inertie. Si je n'étais pas là ils ne bougeraient pas. Je mettrai le liftier de planton à votre porte. » Je demandai s'il était enfin « chef des chasseurs ». « Il n'est pas encore assez vieux dans la maison, me répondit-il. Il a des camarades plus âgés que lui, cela ferait crier. En toutes choses il faut des granulations. Je reconnais[c] qu'il a une bonne aptitude (pour attitude) devant son ascenseur. Mais c'est encore un peu jeune pour des situations pareilles. Avec d'autres qui sont trop anciens, cela ferait contraste. Ça manque un peu de sérieux, ce qui est la qualité primitive (sans doute la qualité primordiale, la qualité la plus importante). Il faut qu'il ait un peu plus de plomb dans l'aile (mon interlocuteur voulait dire dans la tête). Du reste il n'a qu'à se fier à moi. Je m'y connais. Avant de prendre mes galons comme directeur du Grand-Hôtel, j'ai fait mes premières armes sous M. Paillard[1]. » Cette comparaison m'impressionna et je remerciai le directeur d'être venu lui-même jusqu'à Pont-à-Couleuvre. « Oh ! de rien. Cela ne m'a fait perdre qu'un temps infini » (pour infime). Du reste nous étions arrivés.

Bouleversement de toute ma personne[2]. Dès la première nuit, comme je souffrais d'une crise de fatigue cardiaque, tâchant de dompter ma souffrance, je me baissai avec lenteur et prudence pour me déchausser[d]. Mais à peine eus-je touché le premier bouton de ma bottine, ma poitrine s'enfla, remplie d'une présence inconnue, divine, des sanglots me secouèrent, des larmes ruisselèrent de mes yeux. L'être qui venait à mon secours, qui me sauvait de la sécheresse de l'âme, c'était celui qui, plusieurs années auparavant, dans un moment de détresse et de solitude identiques, dans un moment où je n'avais plus rien de moi, était entré, et qui m'avait rendu à moi-même, car il était moi et plus que moi (le contenant qui est plus que le contenu et me l'apportait). Je venais d'apercevoir, dans ma mémoire, penché sur ma fatigue, le visage tendre, préoccupé et déçu de ma grand-mère, telle qu'elle avait été ce premier soir d'arrivée[1]; le visage de ma grand-mère, non pas de celle que je m'étais étonné et reproché de si peu regretter et qui n'avait d'elle que le nom, mais de ma grand-mère véritable dont, pour la première fois depuis les Champs-Élysées où elle avait eu son attaque, je retrouvais dans un souvenir involontaire et complet la réalité vivante. Cette réalité n'existe pas pour nous tant qu'elle n'a pas été recréée par notre pensée (sans cela les hommes qui ont été mêlés à un combat gigantesque seraient tous de grands poètes épiques) ; et ainsi, dans un désir fou de me précipiter dans ses bras, ce n'était qu'à l'instant — plus d'une année après son enterrement, à cause de cet anachronisme qui empêche si souvent le calendrier des faits de coïncider avec celui des sentiments — que je venais d'apprendre qu'elle était morte. J'avais souvent parlé d'elle depuis ce moment-là et aussi pensé à elle, mais sous mes paroles et mes pensées de jeune homme ingrat, égoïste et cruel, il n'y avait jamais rien eu qui ressemblât à ma grand-mère, parce que, dans ma légèreté, mon amour du plaisir, mon accoutumance à la voir malade, je ne contenais en moi qu'à l'état virtuel le souvenir de ce qu'elle avait été. À n'importe quel moment que nous la considérions, notre âme totale n'a qu'une valeur presque fictive, malgré le nombreux bilan de ses richesses, car tantôt les unes, tantôt les autres sont indisponibles, qu'il s'agisse d'ailleurs de richesses effectives aussi bien que de celles de l'imagination, et pour moi par exemple, tout autant que de l'ancien nom de Guermantes, de celles combien plus graves, du souvenir vrai de ma grand-mère. Car aux troubles de la mémoire sont liées les intermittences du cœur[2]. C'est sans doute l'existence de notre corps, semblable pour nous à un vase où notre spiritualité serait enclose, qui nous induit à supposer que tous nos biens intérieurs, nos joies passées, toutes nos douleurs sont perpétuellement en notre possession. Peut-être est-il aussi inexact de croire qu'elles s'échappent ou reviennent. En tous cas si elles restent en nous, c'est la plupart du temps dans un domaine inconnu où elles ne sont de nul service pour nous, et où même les plus usuelles sont refoulées par des souvenirs d'ordre différent et qui excluent toute simultanéité avec elles dans la conscience. Mais si le cadre de sensations où elles sont conservées est ressaisi, elles ont à leur tour ce même pouvoir d'expulser tout ce qui leur est incompatible, d'installer seul en nous, le moi qui les vécut. Or comme celui que je venais subitement de redevenir n'avait pas existé depuis ce soir lointain où ma grand-mère m'avait déshabillé à mon arrivée à Balbec, ce fut tout naturellement, non pas après la journée actuelle que ce moi ignorait, mais — comme s'il y avait dans le temps des séries différentes et parallèles — sans solution de continuité, tout de suite après le premier soir d'autrefois, que j'adhérai à la minute où ma grand-mère s'était penchée vers moi. Le moi que j'étais alors et qui avait disparu si longtemps, était de nouveau si près de moi qu'il me semblait encore entendre les paroles qui avaient immédiatement précédé et qui n'étaient pourtant plus qu'un songe, comme un homme mal éveillé croit percevoir tout près de lui les bruits de son rêve qui s'enfuit. Je n'étais plus que cet être qui cherchait à se réfugier dans les bras de sa grand-mère, à effacer les traces de ses peines en lui donnant des baisers, cet être que j'aurais eu à me figurer, quand j'étais tel ou tel de ceux qui s'étaient succédé en moi depuis quelque temps, autant de difficulté que maintenant il m'eût fallu d'efforts, stériles d'ailleurs, pour ressentir les désirs et les joies de l'un de ceux que, pour un temps du moins, je n'étais plus. Je me rappelais comme, une heure avant le moment où ma grand-mère s'était penchée ainsi, dans sa robe de chambre, vers mes bottines, errant dans la rue étouffante de chaleur, devant le pâtissier, j'avais cru que je ne pourrais jamais dans le besoin que j'avais de l'embrasser, attendre l'heure qu'il me fallait encore passer sans elle. Et maintenant que ce même besoin renaissait, je savais que je pouvais attendre des heures après des heures, qu'elle ne serait plus jamais auprès de moi, je ne faisais que de le découvrir parce que je venais, en la sentant pour la première fois, vivante, véritable, gonflant mon cœur à le briser, en la retrouvant enfin, d'apprendre que je l'avais perdue pour toujours. Perdue pour toujours ; je ne pouvais comprendre et je m'exerçais à subir la souffrance de cette contradiction : d'une part, une existence, une tendresse, survivantes en moi telles que je les avais connues, c'est-à-dire faites pour moi, un amour où tout trouvait tellement en moi son complément, son but, sa constante direction, que le génie de grands hommes, tous les génies qui avaient pu exister depuis le commencement du monde n'eussent pas valu pour ma grand-mère un seul de mes défauts ; et d'autre part, aussitôt que j'avais revécu, comme présente, cette félicité, la sentir traversée par la certitude, s'élançant comme une douleur physique à répétition, d'un néant qui avait effacé mon image de cette tendresse, qui avait détruit cette existence, aboli rétrospectivement notre mutuelle prédestination, fait de ma grand-mère, au moment où je la retrouvais comme dans un miroir, une simple étrangère qu'un hasard a fait passer quelques années auprès de moi, comme cela aurait pu être auprès de tout autre, mais pour qui, avant et après, je n'étais rien, je ne serais rien.

Au lieu des plaisirs que j'avais eus depuis quelque temps, le seul qu'il m'eût été possible de goûter en ce moment c'eût été, retouchant le passé, de diminuer les douleurs que ma grand-mère avait autrefois ressenties. Or, je ne me la rappelais pas seulement dans cette robe de chambre, vêtement approprié, au point d'en devenir presque symbolique, aux fatigues, malsaines sans doute, mais douces aussi, qu'elle prenait pour moi ; peu à peu voici que je me souvenais de toutes les occasions que j'avais saisies, en lui laissant voir, en lui exagérant au besoin mes souffrances, de lui faire une peine que je m'imaginais ensuite effacée par mes baisers comme si ma tendresse eût été aussi capable que mon bonheur de faire le sien ; et pis que cela, moi qui ne concevais plus de bonheur maintenant qu'à en pouvoir retrouver répandu dans mon souvenir sur les plans de ce visage modelés et inclinés par la tendresse[a], j'avais mis autrefois une rage insensée à chercher d'en extirper jusqu'aux plus petits plaisirs, tel ce jour où Saint-Loup avait fait la photographie de grand-mère et où ayant peine à dissimuler à celle-ci la puérilité presque ridicule de la coquetterie qu'elle mettait à poser, avec son chapeau à grands bords, dans un demi-jour seyant, je m'étais laissé aller à murmurer quelques mots impatientés et blessants, qui, je l'avais senti à une contraction de son visage, avaient porté, l'avaient atteinte ; c'était moi qu'ils déchiraient maintenant qu'était impossible à jamais la consolation de mille baisers[1].

Mais jamais je ne pourrais plus effacer cette contraction de sa figure, et cette souffrance de son cœur ou plutôt du mien ; car comme les morts n'existent plus qu'en nous, c'est nous-mêmes que nous frappons sans relâche quand nous nous obstinons à nous souvenir des coups que nous leur avons assenés. Ces douleurs, si cruelles qu'elles fussent, je m'y attachais de toutes mes forces, car je sentais bien qu'elles étaient l'effet du souvenir de ma grand-mère, la preuve que ce souvenir que j'avais était bien présent en moi. Je sentais que je ne me la rappelais vraiment que par la douleur et j'aurais voulu que s'enfonçassent plus solidement encore en moi ces clous qui y rivaient sa mémoire. Je ne cherchais pas à rendre la souffrance plus douce, à l'embellir, à feindre que ma grand-mère ne fût qu'absente et momentanément invisible, en adressant à sa photographie (celle que Saint-Loup avait faite et que j'avais avec moi) des paroles et des prières comme à un être séparé de nous mais qui, resté individuel, nous connaît et nous reste relié par une indissoluble harmonie. Jamais je ne le fis, car je ne tenais pas seulement à souffrir, mais à respecter l'originalité de ma souffrance telle que je l'avais subie tout d'un coup sans le vouloir, et je voulais continuer à la subir, suivant ses lois à elle, à chaque fois que revenait cette contradiction si étrange de la survivance et du néant entrecroisés en moi. Cette impression douloureuse et actuellement incompréhensible, je savais, non certes pas si j'en dégagerais un peu de vérité un jour, mais que si ce peu de vérité je pouvais jamais l'extraire, ce ne pourrait être que d'elle, si particulière, si spontanée, qui n'avait été ni tracée par mon intelligence, ni infléchie ni atténuée par ma pusillanimité[a], mais que la mort elle-même, la brusque révélation de la mort, avait comme la foudre creusée en moi, selon un graphique surnaturel, inhumain, comme un double[b] et mystérieux sillon. (Quant à l'oubli de ma grand-mère où j'avais vécu jusqu'ici, je ne pouvais même pas songer à m'attacher à lui pour en tirer de la vérité ; puisqu'en lui même il n'était rien qu'une négation, l'affaiblissement de la pensée incapable de recréer un moment réel de la vie et obligée de lui substituer des images conventionnelles et indifférentes.) Peut-être pourtant l'instinct de conservation, l'ingéniosité de l'intelligence à nous préserver de la douleur, commençant déjà à construire sur des ruines encore fumantes, à poser les premières assises de son œuvre utile et néfaste, goûtais-je trop la douceur de me rappeler tels et tels jugements de l'être chéri, de me les rappeler comme si elle eût pu les porter encore, comme si elle existait, comme si je continuais d'exister pour elle. Mais dès que je fus arrivé à m'endormir, à cette heure, plus véridique, où mes yeux se fermèrent aux choses du dehors, le monde du sommeil (sur le seuil duquel l'intelligence et la volonté momentanément paralysées ne pouvaient plus me disputer à la cruauté de mes impressions véritables) refléta, réfracta la douloureuse synthèse de la survivance et du néant, dans la profondeur organique et devenue translucide des viscères mystérieusement éclairés[1]. Monde du sommeil où la connaissance interne, placée sous la dépendance des troubles de nos organes, accélère le rythme du cœur ou de la respiration, parce qu'une même dose d'effroi, de tristesse, de remords, agit, avec une puissance centuplée si elle est ainsi injectée dans nos veines ; dès que pour y parcourir les artères de la cité souterraine, nous nous sommes embarqués sur les flots noirs de notre propre sang comme sur un Léthé[2] intérieur[a] aux sextuples replis, de grandes figures solennelles nous apparaissent, nous abordent et nous quittent, nous laissant en larmes. Je cherchai[b] en vain celle de ma grand-mère dès que j'eus abordé sous les porches sombres ; je savais pourtant qu'elle existait encore, mais d'une vie diminuée, aussi pâle que celle du souvenir ; l'obscurité grandissait, et le vent ; mon père n'arrivait pas qui devait me conduire à elle. Tout d'un coup la respiration me manqua, je sentis mon cœur comme durci, je venais de me rappeler que depuis de longues semaines j'avais oublié d'écrire à ma grand-mère. Que devait-elle penser de moi ? « Mon Dieu, me disais-je, comme elle doit être malheureuse dans cette petite chambre qu'on a louée pour elle, aussi petite que pour une ancienne domestique, où elle est toute seule avec la garde qu'on a placée pour la soigner et où elle ne peut pas bouger, car elle est toujours un peu paralysée et n'a pas voulu une seule fois se lever ! Elle doit croire que je l'oublie depuis qu'elle est morte, comme elle doit se sentir seule et abandonnée ! Oh ! il faut que je coure la voir, je ne peux pas attendre une minute, je ne peux pas attendre que mon père arrive mais où est-ce ? comment ai-je pu oublier l'adresse ? pourvu qu'elle me reconnaisse encore ! Comment ai-je pu l'oublier pendant des mois ? » Il fait noir, je ne trouverai pas, le vent m'empêche d'avancer ; mais voici mon père qui se promène devant moi ; je lui crie : « Où est grand-mère ? dis-moi l'adresse. Est-elle bien ? Est-ce bien sûr qu'elle ne manque de rien ? — Mais non, me dit mon père, tu peux être tranquille. Sa garde est une personne ordonnée. On envoie de temps en temps une toute petite somme pour qu'on puisse lui acheter le peu qui lui est nécessaire. Elle demande quelquefois ce que tu es devenu. On lui a même dit que tu allais faire un livre. Elle a paru contente. Elle a essuyé une larme[1]. » Alors je crus me rappeler qu'un peu après sa mort, ma grand-mère m'avait dit en sanglotant d'un air humble, comme une vieille servante chassée, comme une étrangère : « Tu me permettras bien de te voir quelquefois tout de même, ne me laisse pas trop d'années sans me visiter. Songe que tu as été mon petit-fils et que les grands-mères n'oublient pas. » En revoyant le visage si soumis, si malheureux, si doux qu'elle avait, je voulais courir immédiatement et lui dire ce que j'aurais dû lui répondre alors : « Mais, grand-mère, tu me verras autant que tu voudras, je n'ai que toi au monde, je ne te quitterai plus jamais. » Comme mon silence a dû la faire sangloter depuis tant de mois que je n'ai été là où elle est couchée ! Qu'a-t-elle pu se dire ? Et c'est en sanglotant que moi aussi je dis à mon père : « Vite, vite, son adresse, conduis-moi. » Mais lui : « C'est que... je ne sais si tu pourras la voir. Et puis, tu sais, elle est très faible, très faible, elle n'est plus elle-même, je crois que ce te sera plutôt pénible. Et je ne me rappelle pas le numéro exact de l'avenue. — Mais dis-moi, toi qui sais, ce n'est pas vrai que les morts ne vivent plus. Ce n'est pas vrai tout de même, malgré ce qu'on dit, puisque grand-mère existe encore. » Mon père sourit tristement : « Oh ! bien peu, tu sais, bien peu. Je crois que tu ferais mieux de n'y pas aller. Elle ne manque de rien. On vient tout mettre en ordre. — Mais elle est souvent seule ? — Oui, mais cela vaut mieux pour elle. Il vaut mieux qu'elle ne pense pas, cela ne pourrait que lui faire de la peine. Cela fait souvent de la peine de penser. Du reste, tu sais, elle est très éteinte. Je te laisserai l'indication précise pour que tu puisses y aller ; je ne vois pas[a] ce que tu pourrais y faire et je ne crois pas que la garde te la laisserait voir. — Tu sais bien pourtant que je vivrai toujours près d'elle, cerfs, cerfs, Francis Jammes, fourchette[b]. » Mais déjà j'avais retraversé le fleuve aux ténébreux méandres, j'étais remonté à la surface où s'ouvre le monde des vivants ; aussi si je répétais encore : « Francis Jammes, cerfs, cerfs », la suite[c] de ces mots ne m'offrait plus le sens limpide et la logique qu'ils exprimaient si naturellement pour moi il y a un instant encore et que je ne pouvais plus me rappeler[1]. Je ne comprenais plus même pourquoi le mot *Aias*[2], que m'avait dit tout à l'heure mon père, avait immédiatement signifié : « Prends garde d'avoir froid », sans aucun doute possible. J'avais oublié de fermer les volets et sans doute le grand jour m'avait éveillé. Mais je ne pus supporter d'avoir sous les yeux ces flots de la mer que ma grand-mère pouvait autrefois contempler pendant des heures ; l'image nouvelle de leur beauté indifférente[d] se complétait aussitôt par l'idée qu'elle ne les voyait pas ; j'aurais voulu boucher mes oreilles à leur bruit, car maintenant la plénitude lumineuse de la plage creusait un vide dans mon cœur ; tout semblait me dire comme ces allées et ces pelouses d'un jardin public où je l'avais autrefois perdue, quand j'étais tout enfant : « Nous ne l'avons pas vue », et sous la rotondité du ciel pâle et divin je me sentais oppressé comme sous une immense cloche bleuâtre fermant un horizon où ma grand-mère n'était pas. Pour ne plus rien voir, je me tournai du côté du mur, mais hélas ! ce qui était contre moi c'était cette cloison qui servait jadis entre nous deux de messager matinal, cette cloison qui, aussi docile qu'un violon à rendre toutes les nuances d'un sentiment, disait si exactement à ma grand-mère ma crainte à la fois de la réveiller, et si elle était éveillée déjà, de n'être pas entendu d'elle et qu'elle n'osât bouger, puis aussitôt comme la réplique d'un second instrument, m'annonçant sa venue et m'invitant au calme. Je n'osais pas approcher de cette cloison plus que d'un piano où ma grand-mère aurait joué et qui vibrerait encore de son toucher. Je savais que je pourrais frapper maintenant, même plus fort, que rien ne pourrait plus la réveiller, que je n'entendrais aucune réponse, que ma grand-mère ne viendrait plus. Et je ne demandais rien de plus à Dieu, s'il existe un paradis, que d'y pouvoir frapper contre cette cloison les trois petits coups que ma grand-mère reconnaîtrait entre mille, et auxquels elle répondrait par ces autres coups qui voulaient dire : « Ne t'agite pas, petite souris, je comprends que tu es impatient, mais je vais venir », et qu'il me laissât rester avec elle toute l'éternité, qui ne serait pas trop longue pour nous deux.

Le directeur[a] vint me demander si je ne voulais pas descendre. À tout hasard il avait veillé à mon « placement » dans la salle à manger. Comme il ne m'avait pas vu, il avait craint que je ne fusse repris de mes étouffements d'autrefois. Il espérait que ce ne serait qu'un tout petit « maux de gorge » et m'assura avoir entendu dire qu'on les calmait à l'aide de ce qu'il appelait : le « calyptus ».

Il me remit un petit mot d'Albertine. Elle n'avait pas dû venir à Balbec cette année mais ayant changé de projets, elle était depuis trois jours, non à Balbec même, mais à dix minutes par le tram, à une station voisine. Craignant que je ne fusse fatigué par le voyage elle s'était abstenue pour le premier soir, mais me faisait demander quand je pourrais la recevoir. Je m'informai si elle était venue elle-même, non pour la voir, mais pour m'arranger à ne pas la voir. « Mais oui, me répondit le directeur. Mais elle voudrait que ce soit le plus tôt possible, à moins que vous n'ayez pas de raisons tout à fait nécessiteuses. Vous voyez, conclut-il, que tout le monde ici vous désire, en définitif. » Mais moi, je ne voulais voir personne.

Et pourtant la veille à l'arrivée, je m'étais senti repris par le charme indolent de la vie de bains de mer. Le même lift silencieux, cette fois par respect, non par dédain, et rouge de plaisir, avait mis en marche l'ascenseur. M'élevant le long de la colonne montante, j'avais retraversé ce qui avait été autrefois pour moi le mystère d'un hôtel inconnu, où quand on arrive, touriste sans protection et sans prestige, chaque habitué qui rentre dans sa chambre, chaque jeune fille qui descend dîner, chaque bonne qui passe dans les couloirs étrangement délinéamentés, et la jeune fille venue d'Amérique avec sa dame de compagnie et qui descend dîner, jettent sur vous un regard où l'on ne lit rien de ce qu'on aurait voulu[1]. Cette fois-ci au contraire j'avais éprouvé le plaisir trop reposant de faire la montée d'un hôtel connu, où je me sentais chez moi, où j'avais accompli une fois de plus cette opération toujours à recommencer, plus longue, plus difficile que le retournement de la paupière, et qui consiste à poser sur les choses l'âme qui nous est familière au lieu de la leur qui nous effrayait. Faudrait-il maintenant, m'étais-je dit, ne me doutant pas du brusque changement d'âme qui m'attendait, aller toujours dans d'autres hôtels où je dînerais pour la première fois, où l'habitude n'aurait pas encore tué à chaque étage, devant chaque porte, le dragon terrifiant qui semblait veiller sur une existence enchantée, où j'aurais à approcher de ces femmes inconnues que les palaces, les casinos, les plages ne font, à la façon des vastes polypiers[2], que réunir et faire vivre en commun ?

J'avais ressenti du plaisir même à ce que l'ennuyeux premier président fût si pressé de me voir ; je voyais, pour le premier jour, des vagues, les chaînes de montagnes d'azur de la mer, ses glaciers et ses cascades, son élévation et sa majesté négligente — rien qu'à sentir pour la première fois depuis si longtemps, en me lavant les mains, cette odeur spéciale des savons trop parfumés du Grand-Hôtel[3] — laquelle semblant appartenir à la fois au moment présent et au séjour passé, flottait entre eux comme le charme réel d'une vie particulière où l'on ne rentre que pour changer de cravate. Les draps du lit, trop fins, trop légers, trop vastes, impossibles à border, à faire tenir, et qui restaient soufflés autour des couvertures en volutes mouvantes, m'eussent attristé autrefois. Ils bercèrent seulement sur la rondeur incommode et bombée de leurs voiles, le soleil glorieux et plein d'espérances du premier matin. Mais celui-ci n'eut pas le temps de paraître. Dans la nuit même l'atroce et divine présence avait ressuscité. Je priai le directeur de s'en aller, de demander que personne n'entrât. Je lui dis que je resterais couché et repoussai son offre de faire chercher chez le pharmacien l'excellente drogue. Il fut ravi de mon refus car il craignait que des clients ne fussent incommodés par l'odeur du « calyptus ». Ce qui me valut ce compliment : « Vous êtes dans le mouvement » (il voulait dire : « dans le vrai »), et cette recommandation : « Faites attention de ne pas vous salir à la porte, car, rapport aux serrures, je l'ai faite "induire" d'huile ; si un employé se permettait de frapper à votre chambre, il serait "roulé" de coups. Et qu'on se le tienne pour dit, car je n'aime pas les "répétitions" (évidemment cela signifiait : je n'aime pas répéter deux fois les choses). Seulement, est-ce que vous ne voulez pas pour vous remonter un peu de vin vieux dont j'ai en bas une bourrique (sans doute pour barrique) ? Je ne vous l'apporterai pas sur un plat d'argent comme la tête de Ionathan[1] et je vous préviens que ce n'est pas du château-lafite, mais c'est à peu près équivoque (pour équivalent). Et comme c'est léger, on pourrait vous faire frire une petite sole. » Je refusai le tout, mais fus surpris d'entendre le nom du poisson (la sole) être prononcé comme l'arbre « le saule », par un homme qui avait dû en commander tant dans sa vie.

Malgré les promesses du directeur on m'apporta un peu plus tard la carte cornée de la marquise de Cambremer[a]. Venue pour me voir, la vieille dame avait fait demander si j'étais là, et quand elle avait appris que mon arrivée datait seulement de la veille, et que j'étais souffrant, elle n'avait pas insisté, et (non sans s'arrêter sans doute devant le pharmacien ou la mercière, chez lesquels le valet de pied, sautant du siège, entrait payer quelque note ou faire des provisions) la marquise était repartie pour Féterne, dans sa vieille calèche à huit ressorts attelée de deux chevaux. Assez souvent d'ailleurs, on entendait le roulement et on admirait l'apparat de celle-ci dans les rues de Balbec et de quelques autres petites localités de la côte, situées entre Balbec et Féterne. Non pas que ces arrêts chez des fournisseurs fussent le but de ces randonnées. Il était au contraire quelque goûter, ou garden-party, chez un hobereau ou un bourgeois fort indignes de la marquise. Mais celle-ci, quoique dominant de très haut, par sa naissance et sa fortune, la petite noblesse des environs, avait dans sa bonté et sa simplicité parfaites, tellement peur de décevoir quelqu'un qui l'avait invitée qu'elle se rendait aux plus insignifiantes réunions mondaines du voisinage. Certes, plutôt que de faire tant de chemin pour venir entendre, dans la chaleur d'un petit salon étouffant, une chanteuse généralement sans talent et qu'en sa qualité de grande dame de la région et de musicienne renommée il lui faudrait ensuite féliciter avec exagération, Mme de

Cambremer eût préféré aller se promener ou rester[a] dans ses merveilleux jardins de Féterne au bas desquels le flot assoupi d'une petite baie vient mourir au milieu des fleurs. Mais elle savait que sa venue probable avait été annoncée par le maître de maison, que ce fût un noble ou un franc-bourgeois de Maineville-la-Teinturière ou de Chattoncourt-l'Orgueilleux. Or, si Mme de Cambremer était sortie ce jour-là sans faire acte de présence à la fête, tel ou tel des invités venu d'une des petites plages qui longent la mer avait pu entendre et voir la calèche de la marquise, ce qui eût ôté l'excuse de n'avoir pu quitter Féterne. D'autre part, ces maîtres de maison avaient beau[b] avoir vu souvent Mme de Cambremer se rendre à des concerts donnés chez des gens où ils considéraient que ce n'était pas sa place d'être, la petite diminution qui à leurs yeux était de ce fait infligée à la situation de la trop bonne marquise, disparaissait aussitôt que c'était eux qui recevaient, et c'est avec fièvre qu'ils se demandaient s'ils l'auraient ou non à leur petit goûter. Quel soulagement à des inquiétudes ressenties depuis plusieurs jours, si après le premier morceau chanté par la fille des maîtres de la maison ou par quelque amateur en villégiature, un invité annonçait (signe infaillible que la marquise allait venir à la matinée) avoir vu les chevaux de la fameuse calèche arrêtés devant l'horloger ou le droguiste ! Alors Mme de Cambremer (qui en effet n'allait pas tarder à entrer suivie de sa belle-fille, des invités en ce moment à demeure chez elle, et qu'elle avait demandé la permission, accordée avec quelle joie, d'amener) reprenait tout son lustre aux yeux des maîtres de maison, pour lesquels la récompense de sa venue espérée avait peut-être été la cause déterminante et inavouée de la décision qu'ils avaient prise il y a un mois : s'infliger les tracas et faire les frais de donner une matinée. Voyant la marquise présente à leur goûter, ils se rappelaient non plus sa complaisance à se rendre à ceux de voisins peu qualifiés, mais l'ancienneté de sa famille, le luxe de son château, l'impolitesse de sa belle-fille née Legrandin qui, par son arrogance, relevait la bonhomie un peu fade de la belle-mère. Déjà ils croyaient lire, au courrier mondain du *Gaulois*[1], l'entrefilet qu'ils cuisineraient eux-mêmes en famille, toutes portes fermées à clef, sur « le petit coin de Bretagne où l'on s'amuse ferme, la matinée ultra-select où l'on ne s'est séparé qu'après avoir fait promettre aux maîtres de maison de bientôt recommencer ». Chaque jour ils attendaient le journal, anxieux de ne pas avoir encore vu leur matinée y figurer, et craignant de n'avoir eu Mme de Cambremer que pour leurs seuls invités et non pour la multitude des lecteurs. Enfin le jour béni arrivait : « La saison est exceptionnellement brillante cette année à Balbec. La mode est aux petits concerts d'après-midi, etc. » Dieu merci, le nom de Mme de Cambremer avait été bien orthographié et « cité au hasard », mais en tête. Il ne restait plus qu'à paraître ennuyé de cette indiscrétion des journaux qui pouvait amener des brouilles avec les personnes qu'on n'avait pu inviter, et à demander hypocritement, devant Mme de Cambremer, qui avait pu avoir la perfidie d'envoyer cet écho dont la marquise, bienveillante et grande dame, disait : « Je comprends que cela vous ennuie mais pour moi je n'ai été que très heureuse qu'on me sût chez vous. »

Sur la carte qu'on me remit, Mme de Cambremer avait griffonné qu'elle donnait une matinée le surlendemain. Et certes il y a seulement deux jours, si fatigué de vie mondaine que je fusse, c'eût été un vrai plaisir pour moi que de la goûter transplantée dans ces jardins où poussaient en pleine terre, grâce à l'exposition de Féterne, les figuiers, les palmiers, les plants de rosiers, jusque dans la mer souvent d'un calme et d'un bleu méditerranéens et sur laquelle le petit yacht des propriétaires allait, avant le commencement de la fête, chercher dans les plages de l'autre côté de la baie, les invités les plus importants, servait, avec ses vélums tendus[a] contre le soleil, quand tout le monde était arrivé, de salle à manger pour goûter, et repartait le soir reconduire ceux qu'il avait amenés. Luxe charmant, mais si coûteux que c'était en partie afin de parer aux dépenses qu'il entraînait que Mme de Cambremer avait cherché à augmenter ses revenus de différentes façons, et notamment en louant, pour la première fois, une de ses propriétés, fort différente de Féterne : La Raspelière. Oui, il y a deux jours, combien une telle matinée, peuplée de petits nobles inconnus, dans un cadre nouveau, m'eût changé de la « haute vie » parisienne ! Mais maintenant les plaisirs n'avaient plus aucun sens pour moi. J'écrivis donc à Mme de Cambremer pour m'excuser, de même qu'une heure avant j'avais fait congédier Albertine : le chagrin avait aboli en moi la possibilité du désir aussi complètement qu'une forte fièvre coupe l'appétit. Ma mère devait arriver le lendemain. Il me semblait que j'étais moins indigne de vivre auprès d'elle, que je la comprendrais mieux, maintenant que toute une vie étrangère et dégradante avait fait place à la remontée des souvenirs déchirants qui ceignaient et ennoblissaient mon âme comme la sienne de leur couronne d'épines. Je le croyais ; en réalité il y a bien loin des chagrins véritables comme était celui de maman — qui vous ôtent littéralement la vie pour bien longtemps, quelquefois pour toujours, dès qu'on a perdu l'être qu'on aime — à ces autres chagrins, passagers malgré tout comme devait être le mien, qui s'en vont vite comme ils sont venus tard, qu'on ne connaît que longtemps après l'événement parce qu'on a eu besoin pour les ressentir de le « comprendre[a] » ; chagrins comme tant de gens en éprouvent et dont celui qui était actuellement ma torture ne se différenciait que par cette modalité du souvenir involontaire.

Quant à un chagrin aussi profond que celui de ma mère[b], je devais le connaître un jour, on le verra dans la suite de ce récit, mais ce n'était pas maintenant, ni ainsi que je me le figurais. Néanmoins comme un récitant qui devrait connaître son rôle et être à sa place depuis bien longtemps mais qui est arrivé[c] seulement à la dernière seconde et n'ayant lu qu'une fois ce qu'il a à dire, sait dissimuler assez habilement quand vient le moment où il doit donner la réplique, pour que personne ne puisse s'apercevoir de son retard, mon chagrin tout nouveau me permit quand ma mère arriva, de lui parler comme s'il avait toujours été le même. Elle crut seulement que la vue de ces lieux où j'avais été avec ma grand-mère (et ce n'était d'ailleurs pas cela) l'avait réveillé. Pour la première fois alors, et parce que j'avais une douleur qui n'était rien à côté de la sienne, mais qui m'ouvrait les yeux, je me rendis compte avec épouvante de ce qu'elle pouvait souffrir. Pour la première fois je compris que ce regard fixe et sans pleurs (ce qui faisait que Françoise la plaignait peu) qu'elle avait depuis la mort de ma grand-mère, était arrêté sur cette incompréhensible contradiction du souvenir et du néant. D'ailleurs, quoique toujours dans ses voiles noirs, plus habillée dans ce pays nouveau, j'étais plus frappé de la transformation qui s'était accomplie en elle. Ce n'est pas assez de dire qu'elle avait perdu toute gaieté ; fondue, figée en une sorte d'image implorante, elle semblait avoir peur d'offenser d'un mouvement trop brusque, d'un son de voix trop haut, la présence douloureuse qui ne la quittait pas. Mais surtout, dès que je la vis entrer dans son manteau de crêpe, je m'aperçus — ce qui m'avait échappé à Paris — que ce n'était plus ma mère que j'avais sous les yeux, mais ma grand-mère. Comme dans les familles royales et ducales, à la mort du chef le fils prend son titre et de duc d'Orléans, de prince de Tarente ou de prince des Laumes, devient roi de France[1], duc de la Trémoïlle[2], duc de Guermantes, ainsi souvent, par un avènement d'un autre ordre et de plus profonde origine, le mort saisit le vif qui devient son successeur ressemblant, le continuateur de sa vie interrompue. Peut-être le grand chagrin qui suit chez une fille telle qu'était maman, la mort de sa mère, ne fait-il que briser plus tôt la chrysalide, hâter la métamorphose et l'apparition d'un être qu'on porte en soi et qui, sans cette crise qui fait brûler les étapes et sauter d'un seul coup des périodes, ne fût survenu que plus lentement. Peut-être dans le regret de celle qui n'est plus y a-t-il une espèce de suggestion qui finit par amener sur nos traits des similitudes que nous avions d'ailleurs en puissance, et y a-t-il surtout arrêt de notre activité plus particulièrement individuelle (chez ma mère, de son bon sens, de la gaieté moqueuse qu'elle tenait de son père), que nous ne craignions pas, tant que vivait l'être bien-aimé, d'exercer, fût-ce à ses dépens, et qui contrebalançait le caractère que nous tenions exclusivement de lui. Une fois[a] qu'elle est morte, nous aurions scrupule à être autre, nous n'admirons plus que ce qu'elle était, ce que nous étions déjà, mais mêlé à autre chose, et ce que nous allons être désormais uniquement. C'est dans ce sens-là (et non dans celui si vague, si faux où on l'entend généralement) qu'on peut dire que la mort n'est pas inutile, que le mort continue à agir sur nous. Il agit même plus qu'un vivant parce que, la véritable réalité n'étant dégagée que par l'esprit, étant l'objet d'une opération spirituelle, nous ne connaissons vraiment que ce que nous sommes obligés de recréer par la pensée, ce que nous cache la vie de tous les jours... Enfin dans ce culte du regret pour nos morts, nous vouons une idolâtrie à ce qu'ils ont aimé. Non seulement ma mère ne pouvait se séparer du sac de ma grand-mère, devenu plus précieux que s'il eût été de saphirs et de diamants, de son manchon, de tous ces vêtements qui accentuaient encore la ressemblance d'aspect entre elles deux, mais même des volumes de Mme de Sévigné que ma grand-mère avait toujours avec elle, exemplaires que ma mère n'eût pas changés contre le manuscrit même des *Lettres*. Elle plaisantait autrefois ma grand-mère qui ne lui écrivait jamais une fois sans citer une phrase de Mme de Sévigné ou de Mme de Beausergent[1]. Dans chacune des trois lettres que je reçus de maman avant[a] son arrivée à Balbec, elle me cita Mme de Sévigné, comme si ces trois lettres eussent été non pas adressées par elle à moi, mais par ma grand-mère adressées à elle. Elle voulut descendre sur la digue voir cette plage dont ma grand-mère lui parlait tous les jours en lui écrivant. Tenant à la main l'« en-tout-cas[2] » de sa mère, je la vis de la fenêtre s'avancer toute noire, à pas timides, pieux, sur le sable que des pieds chéris avaient foulé avant elle, et elle avait l'air d'aller à la recherche d'une morte que les flots devaient ramener. Pour ne pas la laisser dîner seule, je dus descendre avec elle. Le premier président et la veuve du bâtonnier se firent présenter à elle. Et tout ce qui avait rapport à ma grand-mère lui était si sensible qu'elle fut touchée infiniment, garda toujours le souvenir et la reconnaissance de ce que lui dit le premier président, comme elle souffrit avec indignation de ce qu'au contraire la femme du bâtonnier n'eût pas une parole de souvenir pour la morte. En réalité, le premier président ne se souciait pas plus d'elle que la femme du bâtonnier. Les paroles émues de l'un et le silence de l'autre, bien que ma mère mît entre eux une telle distance n'étaient[b] qu'une façon diverse d'exprimer cette indifférence que nous inspirent les morts. Mais je crois que ma mère trouva surtout de la douceur dans les paroles où malgré moi je laissai passer un peu de ma souffrance. Elle ne pouvait que rendre maman heureuse (malgré toute la tendresse qu'elle avait pour moi), comme tout ce qui assurait à ma grand-mère une survivance dans les cœurs. Tous les jours suivants ma mère descendit s'asseoir sur la plage, pour faire exactement ce que sa mère avait fait, et elle lisait ses deux livres préférés, les *Mémoires* de Mme de Beausergent et les *Lettres* de Mme de Sévigné. Elle, et aucun de nous, n'avait pu supporter qu'on appelât cette dernière la « spirituelle marquise », pas plus que La Fontaine « le Bonhomme[3] ». Mais quand elle lisait dans les lettres ces mots : « ma fille », elle croyait entendre sa mère lui parler.

Elle eut la mauvaise chance, dans un de ces pèlerinages où elle ne voulait pas être troublée, de rencontrer sur la plage une dame de Combray, suivie de ses filles[1]. Je crois que son nom était Mme Poussin. Mais nous ne l'appelions jamais entre nous que « Tu m'en diras des nouvelles », car c'est par cette phrase perpétuellement répétée qu'elle avertissait ses filles des maux qu'elles se préparaient, par exemple en disant à l'une qui se frottait les yeux : « Quand tu auras une bonne ophtalmie, tu m'en diras des nouvelles. » Elle adressa de loin à maman de longs saluts éplorés, non en signe de condoléance, mais par genre d'éducation. Nous n'eussions pas perdu ma grand-mère et n'eussions eu que des raisons d'être heureux qu'elle eût fait de même. Vivant assez[a] retirée à Combray dans un immense jardin, elle ne trouvait jamais rien assez doux et faisait subir des adoucissements aux mots et aux noms mêmes de la langue française. Elle trouvait trop dur d'appeler « cuiller » la pièce d'argenterie qui versait ses sirops et disait en conséquence « cueiller » ; elle eût eu peur de brusquer le doux chantre de Télémaque en l'appelant rudement Fénelon — comme je faisais moi-même en connaissance de cause, ayant pour ami le plus cher l'être le plus intelligent, bon et brave, inoubliable à tous ceux qui l'ont connu, Bertrand de Fénelon[2] — et elle ne disait jamais que « Fénélon » trouvant que l'accent aigu ajoutait quelque mollesse. Le gendre moins doux de cette Mme Poussin et duquel j'ai oublié le nom, étant notaire à Combray, emporta la caisse et fit perdre à mon oncle, notamment, une assez forte somme. Mais la plupart des gens de Combray étaient si bien avec les autres membres de la famille qu'il n'en résulta aucun froid et qu'on se contenta de plaindre Mme Poussin. Elle ne recevait pas, mais chaque fois qu'on passait devant sa grille on s'arrêtait à admirer ses admirables ombrages, sans pouvoir distinguer autre chose. Elle ne nous gêna guère à Balbec où je ne la rencontrai qu'une fois, à un moment où elle disait à sa fille en train de se ronger les ongles : « Quand tu auras un bon panaris, tu m'en diras des nouvelles. »

Pendant que maman lisait sur la plage je restais seul dans ma chambre[b]. Je me rappelais les derniers temps de la vie de ma grand-mère et tout ce qui se rapportait à eux, la porte de l'escalier qui était maintenue ouverte quand nous étions sortis pour sa dernière promenade. En contraste avec tout cela le reste du monde semblait[a] à peine réel et ma souffrance l'empoisonnait tout entier. Enfin ma mère exigea que je sortisse. Mais à chaque pas, quelque aspect oublié du casino, de la rue où en l'attendant, le premier soir, j'étais allé jusqu'au monument de Duguay-Trouin[1], m'empêchait, comme un vent contre lequel on ne peut lutter, d'aller plus avant ; je baissais les yeux pour ne pas voir. Et après avoir repris quelque force, je revenais vers l'hôtel, vers l'hôtel où je savais qu'il était désormais impossible que, si longtemps dussé-je attendre, je retrouvasse ma grand-mère, ma grand-mère que j'avais retrouvée autrefois[b], le premier soir d'arrivée. Comme c'était la première fois que je sortais, beaucoup de domestiques que je n'avais pas encore vus me regardèrent curieusement. Sur le seuil même de l'hôtel un jeune chasseur ôta sa casquette pour me saluer et la remit prestement. Je crus qu'Aimé lui avait, selon son expression, « passé la consigne » d'avoir des égards pour moi. Mais je vis au même moment que pour une autre personne qui rentrait, il l'enleva de nouveau. La vérité était que dans la vie, ce jeune homme ne savait qu'ôter et remettre sa casquette, et le faisait parfaitement bien. Ayant compris qu'il était incapable d'autre chose et qu'il excellait dans celle-là, il l'accomplissait le plus grand nombre de fois qu'il pouvait par jour, ce qui lui valait de la part des clients une sympathie discrète mais générale, une grande sympathie aussi de la part du concierge à qui revenait la tâche d'engager les chasseurs et qui, jusqu'à cet oiseau rare, n'avait pas pu en trouver un qui ne se fît renvoyer en moins de huit jours, au grand étonnement d'Aimé qui disait : « Pourtant dans ce métier-là on ne leur demande guère que d'être poli, ça ne devrait pas être si difficile. » Le directeur tenait aussi à ce qu'ils eussent ce qu'il appelait une belle « présence », voulant dire qu'ils restassent là, ou plutôt ayant mal retenu le mot prestance. L'aspect de la pelouse qui s'étendait derrière l'hôtel avait été modifié par la création de quelques plates-bandes fleuries et l'enlèvement non seulement d'un arbuste exotique, mais du chasseur qui, la première année, décorait extérieurement l'entrée par la tige souple de sa taille et la coloration curieuse de sa chevelure[1]. Il avait suivi une comtesse polonaise qui l'avait pris comme secrétaire, imitant en cela ses deux aînés et sa sœur dactylographe, arrachés à l'hôtel par des personnalités de pays et de sexe divers, qui s'étaient éprises de leur charme. Seul demeurait leur cadet dont personne ne voulait parce qu'il louchait. Il était fort heureux quand la comtesse polonaise et les protecteurs des deux autres venaient passer quelque temps à l'hôtel de Balbec. Car, malgré qu'il enviât ses frères, il les aimait et pouvait ainsi pendant quelques semaines cultiver des sentiments de famille. L'abbesse de Fontevrault[2] n'avait-elle pas l'habitude, quittant pour cela ses moinesses, de venir partager l'hospitalité qu'offrait Louis XIV à cette autre Mortemart, sa maîtresse, Mme de Montespan[3] ? Pour lui c'était la première année qu'il était à Balbec ; il ne me connaissait pas encore, mais ayant entendu ses camarades plus anciens faire suivre quand ils me parlaient le mot de monsieur de mon nom, il les imita dès la première fois avec l'air de satisfaction, soit de manifester son instruction relativement à une personnalité qu'il jugeait connue, soit de se conformer à un usage qu'il ignorait il y a cinq minutes mais auquel il lui semblait qu'il était indispensable de ne pas manquer. Je comprenais très bien le charme que ce grand palace pouvait offrir à certaines personnes. Il était dressé comme un théâtre, et une nombreuse figuration l'animait jusque dans les cintres[4]. Bien[a] que le client ne fût qu'une sorte de spectateur, il était mêlé perpétuellement au spectacle, non même comme dans ces théâtres où les acteurs jouent une scène dans la salle, mais comme si la vie du spectateur se déroulait au milieu des somptuosités de la scène. Le joueur de tennis pouvait rentrer en veston de flanelle blanche, le concierge s'était mis en habit bleu galonné d'argent pour lui donner ses lettres. Si ce joueur de tennis ne voulait pas monter à pied, il n'était pas moins mêlé aux acteurs en ayant à côté de lui pour faire monter l'ascenseur le lift aussi richement costumé. Les couloirs des étages dérobaient une fuite de caméristes et de courrières, belles sur la mer comme la frise des Panathénées[5], et jusqu'aux[b] petites chambres desquelles les amateurs de la beauté féminine ancillaire arrivaient par de savants détours. En bas, c'était l'élément masculin qui dominait et faisait de cet hôtel, à cause de l'extrême et oisive jeunesse des serviteurs, comme une sorte de tragédie judéo-chrétienne ayant pris corps[a] et perpétuellement représentée. Aussi ne pouvais-je m'empêcher de me dire à moi-même, en les voyant, non certes les vers de Racine qui m'étaient venus à l'esprit chez la princesse de Guermantes tandis que M. de Vaugoubert regardait de jeunes secrétaires d'ambassade saluant M. de Charlus, mais d'autres vers de Racine, cette fois-ci non plus d'*Esther* mais d'*Athalie*[1] : car dès le hall, ce qu'au XVIIe siècle on appelait les portiques, « un peuple florissant[2] » de jeunes chasseurs se tenait, surtout à l'heure du goûter, comme les jeunes Israélites des chœurs de Racine. Mais je ne crois pas qu'un seul eût pu fournir même la vague réponse que Joas trouve pour Athalie quand celle-ci demande au prince enfant : « Quel est donc votre emploi[3] ? » car ils n'en avaient aucun. Tout au plus, si l'on avait demandé à n'importe lequel d'entre eux, comme la vieille reine[b] :

> « *Mais tout ce peuple enfermé dans ce lieu,*
> *À quoi s'occupe-t-il*[4] *?* »

aurait-il pu dire :

> « *Je vois l'ordre pompeux de ces cérémonies*[5]

et j'y contribue. » Parfois un des jeunes figurants allait vers quelque personnage plus important, puis cette jeune beauté rentrait dans le chœur, et à moins que ce ne fût l'instant d'une détente contemplative, tous entrelaçaient leurs évolutions inutiles, respectueuses, décoratives et quotidiennes. Car sauf leur « jour de sortie », « loin du monde élevés[6] » et ne franchissant pas le parvis, ils menaient la même existence ecclésiastique que les lévites dans *Athalie,* et devant cette « troupe jeune et fidèle[7] » jouant aux pieds des degrés couverts de tapis magnifiques, je pouvais me demander si je pénétrais dans le Grand-Hôtel de Balbec ou dans le temple de Salomon.

Je remontais directement à ma chambre. Mes pensées[c] étaient habituellement attachées aux derniers jours de la maladie de ma grand-mère, à ces souffrances que je revivais, en les accroissant de cet élément, plus difficile encore à supporter que la souffrance même des autres et auxquelles il est ajouté par notre cruelle pitié ; quand nous croyons seulement recréer les douleurs d'un être cher, notre pitié les exagère ; mais peut-être est-ce elle qui est dans le vrai, plus que la conscience qu'ont de ces douleurs ceux qui les souffrent, et auxquels est cachée cette tristesse de leur vie, que la pitié, elle, voit, dont elle se désespère. Toutefois ma pitié eût dans un élan nouveau dépassé les souffrances de ma grand-mère si j'avais su alors ce que j'ignorai longtemps, que, la veille de sa mort, dans un moment de conscience et s'assurant que je n'étais pas là, elle avait pris[a] la main de maman et, après y avoir collé ses lèvres fiévreuses, lui avait dit : « Adieu, ma fille, adieu pour toujours. » Et c'est peut-être aussi ce souvenir-là que ma mère n'a plus jamais cessé de regarder si fixement. Puis les doux souvenirs me revenaient. Elle était ma grand-mère et j'étais son petit-fils. Les expressions de son visage semblaient écrites dans une langue qui n'était que pour moi ; elle était tout dans ma vie, les autres n'existaient que relativement à elle, au jugement qu'elle me donnerait sur eux ; mais non, nos rapports ont été trop fugitifs pour n'avoir pas été accidentels. Elle ne me connaît plus, je ne la reverrai jamais. Nous n'avions pas été créés uniquement l'un pour l'autre, c'était une étrangère. Cette étrangère, j'étais en train d'en regarder la photographie par Saint-Loup. Maman qui avait rencontré Albertine, avait insisté pour que je la visse à cause des choses gentilles qu'elle lui avait dites sur grand-mère et sur moi. Je lui avais donc donné rendez-vous. Je prévins le directeur pour qu'il la fît attendre au salon. Il me dit qu'il la connaissait depuis bien longtemps, elle et ses amies, bien avant qu'elles eussent atteint « l'âge de la pureté », mais qu'il leur en voulait de choses qu'elles avaient dites de l'hôtel. « Il faut qu'elles ne soient pas bien "illustrées" pour causer ainsi. À moins qu'on ne les ait calomniées. » Je compris[b] aisément que « pureté » était dit pour « puberté ». En attendant[c] l'heure d'aller retrouver Albertine, je tenais mes yeux fixés, comme sur un dessin qu'on finit par ne plus voir à force de l'avoir regardé, sur la photographie que Saint-Loup avait faite, quand tout d'un coup, je pensai de nouveau : « C'est grand-mère, je suis son petit-fils », comme un amnésique retrouve son nom, comme un malade change de personnalité. Françoise entra me dire qu'Albertine était là et voyant la photographie : « Pauvre Madame, c'est bien elle, jusqu'à son bouton de beauté sur la joue ; ce jour que le marquis l'a photographiée, elle avait été bien malade, elle s'était deux fois trouvée mal. "Surtout, Françoise, qu'elle m'avait dit, il ne faut pas que mon petit-fils le sache." Et elle le cachait bien, elle était toujours gaie en société. Seule par exemple, je trouvais qu'elle avait l'air par moments d'avoir l'esprit un peu monotone. Mais ça passait vite. Et puis elle me dit comme ça : "Si jamais il m'arrivait quelque chose, il faudrait qu'il ait un portrait de moi. Je n'en ai jamais fait faire un seul." Alors elle m'envoya dire à monsieur le marquis, en lui recommandant de ne pas raconter à Monsieur que c'était elle qui l'avait demandé, s'il ne pourrait pas lui tirer sa photographie. Mais quand je suis revenue lui dire que oui, elle ne voulait plus parce qu'elle se trouvait trop mauvaise figure. "C'est pire encore, qu'elle me dit, que pas de photographie du tout." Mais comme elle n'était pas bête, elle finit par s'arranger si bien en mettant un grand chapeau rabattu, qu'il n'y paraissait plus quand elle n'était pas au grand jour. Elle en était bien contente de sa photographie, parce qu'en ce moment-là[a] elle ne croyait pas qu'elle reviendrait de Balbec. J'avais beau lui dire : "Madame, il ne faut pas causer comme ça, j'aime pas entendre Madame causer comme ça" c'était dans son idée. Et dame il y avait plusieurs jours qu'elle ne pouvait pas manger. C'est pour cela qu'elle poussait Monsieur à aller dîner très loin avec monsieur le marquis. Alors au lieu d'aller à table elle faisait semblant de lire et dès que la voiture du marquis était partie, elle montait se coucher. Des jours elle voulait prévenir Madame d'arriver pour la voir encore. Et puis elle avait peur de la surprendre, comme elle ne lui avait rien dit. "Il vaut mieux qu'elle reste avec son mari, voyez-vous Françoise." » Françoise, me regardant, me demanda tout à coup si je me « sentais indisposé ». Je lui dis que non ; et elle : « Et puis vous me ficelez là à causer avec vous. Votre visite est peut-être déjà arrivée. Il faut que je descende. Ce n'est pas une personne pour ici. Et avec une allant vite comme elle, elle pourrait être repartie. Elle n'aime pas attendre. Ah ! maintenant, mademoiselle Albertine, c'est quelqu'un. — Vous vous trompez, Françoise, elle est assez bien, trop bien pour ici. Mais allez la prévenir que je ne pourrai pas la voir aujourd'hui. »

Quelles déclamations apitoyées j'aurais éveillées en Françoise si elle m'avait vu pleurer ! Soigneusement je me cachai. Sans cela j'aurais eu sa sympathie. Mais je lui donnai la mienne. Nous ne nous mettons pas assez dans le cœur de ces pauvres femmes de chambre qui ne peuvent pas nous voir pleurer, comme si pleurer nous faisait mal ; ou peut-être leur faisait mal, Françoise m'ayant dit quand j'étais petit : « Ne pleurez pas comme cela, je n'aime pas vous voir pleurer comme cela. » Nous n'aimons pas les grandes phrases, les attestations, nous avons tort, nous fermons ainsi notre cœur au pathétique des campagnes, à la légende que la pauvre servante, renvoyée, peut-être injustement, pour vol, toute pâle, devenue subitement plus humble comme si c'était un crime d'être accusée, déroule en invoquant l'honnêteté de son père, les principes[a] de sa mère, les conseils de l'aïeule. Certes ces mêmes domestiques qui ne peuvent supporter nos larmes, nous feront prendre sans scrupule une fluxion de poitrine parce que la femme de chambre d'au-dessous aime les courants d'air et que ce ne serait pas poli de les supprimer. Car il faut que ceux-là mêmes qui ont raison, comme Françoise, aient tort aussi, pour faire de la Justice une chose impossible. Même les humbles plaisirs des servantes provoquent ou le refus ou la raillerie de leurs maîtres. Car c'est toujours un rien, mais niaisement sentimental, antihygiénique. Aussi peuvent-elles dire : « Comment, moi qui ne demande que cela dans l'année, on ne me l'accorde pas. » Et pourtant les maîtres accorderaient[b] beaucoup plus, qui ne fût pas stupide et dangereux pour elles — ou pour eux. Certes, à l'humilité de la pauvre femme de chambre, tremblante, prête à avouer ce qu'elle n'a pas commis, disant « je partirai ce soir s'il le faut », on ne peut pas résister. Mais il faut savoir aussi ne pas rester insensible, malgré la banalité solennelle et menaçante des choses qu'elle dit, son héritage maternel et la dignité du « clos », devant une vieille cuisinière drapée dans une vie et une ascendance d'honneur, tenant le balai comme un sceptre, poussant son rôle au tragique, l'entrecoupant de pleurs, se redressant avec majesté. Ce jour-là je me rappelai ou j'imaginai de telles scènes, je les rapportai à notre vieille servante, et, depuis lors, malgré tout le mal qu'elle put faire à Albertine, j'aimai Françoise d'une affection, intermittente il est vrai, mais du genre le plus fort, celui qui a pour base la pitié.

Certes, je souffris toute la journée en restant devant la photographie de ma grand-mère. Elle me torturait. Moins pourtant que ne fit le soir la visite du directeur[a]. Comme je lui parlais de ma grand-mère et qu'il me renouvelait ses condoléances, je l'entendis me dire (car il aimait employer les mots qu'il prononçait mal) : « C'est comme le jour où Madame votre grand-mère avait eu cette symecope, je voulais vous en avertir, parce qu'à cause de la clientèle, n'est-ce pas ? cela aurait pu faire du tort à la maison. Il aurait mieux valu qu'elle parte le soir même. Mais elle me supplia de ne rien dire et me promit qu'elle n'aurait plus de symecope ou qu'à la première elle partirait. Le chef de l'étage m'a pourtant rendu compte qu'elle en a eu une autre. Mais dame vous étiez de vieux clients qu'on cherchait à contenter, et du moment que personne ne s'est plaint... » Ainsi ma grand-mère avait des syncopes et me les avait cachées. Peut-être au moment où j'étais le moins gentil pour elle, où elle était obligée, tout en souffrant, de faire attention à être de bonne humeur pour ne pas m'irriter et à paraître bien portante pour ne pas être mise à la porte de l'hôtel. « Symecope » c'est un mot que, prononcé ainsi, je n'aurais jamais imaginé, qui m'aurait peut-être, s'appliquant à d'autres, paru ridicule, mais qui, dans son étrange nouveauté sonore, pareille à celle d'une dissonance originale, resta longtemps ce qui était capable d'éveiller en moi les sensations les plus douloureuses.

Le lendemain j'allai à la demande de maman m'étendre un peu sur le sable, ou plutôt dans les dunes, là où on est caché par leurs replis, et où je savais qu'Albertine et ses amies ne pourraient pas me trouver. Mes paupières, abaissées, ne laissaient passer qu'une seule lumière, toute rose, celle des parois intérieures des yeux. Puis elles se fermèrent tout à fait[1]. Alors ma grand-mère m'apparut assise dans un fauteuil. Si faible, elle avait l'air de vivre moins qu'une autre personne. Pourtant je l'entendais respirer ; parfois un signe montrait qu'elle avait compris ce que nous disions, mon père et moi. Mais j'avais beau l'embrasser, je ne pouvais pas arriver à éveiller un regard d'affection dans ses yeux, un peu de couleur sur ses joues. Absente d'elle-même, elle avait l'air de ne pas m'aimer, de ne pas me connaître, peut-être de ne pas me voir[b]. Je ne pouvais deviner le secret de son indifférence, de son abattement, de son mécontentement silencieux. J'entraînai mon père à l'écart. « Tu vois tout de même, lui dis-je, il n'y a pas à dire, elle a saisi exactement chaque chose.

C'est l'illusion complète de la vie. Si on pouvait faire venir ton cousin qui prétend que les morts ne vivent pas ! Voilà plus d'un an qu'elle est morte et en somme elle vit toujours. Mais pourquoi ne veut-elle pas m'embrasser ? — Regarde, sa pauvre tête retombe. — Mais elle voudrait aller aux Champs-Élysées tantôt. — C'est de la folie ! — Vraiment, tu crois que cela pourrait lui faire mal, qu'elle pourrait mourir davantage ? Il n'est pas possible qu'elle ne m'aime plus. J'aurai beau l'embrasser, est-ce qu'elle ne me sourira plus jamais ? — Que veux-tu, les morts sont les morts. »

Quelques jours plus tard la photographie qu'avait faite Saint-Loup m'était douce à regarder ; elle ne réveillait pas le souvenir de ce que m'avait dit Françoise parce qu'il ne m'avait plus quitté et je m'habituais à lui. Mais en regard de l'idée que je me faisais de son état si grave, si douloureux ce jour-là, la photographie, profitant encore des ruses qu'avait eues ma grand-mère et qui réussissaient à me tromper même depuis qu'elles m'avaient été dévoilées, me la montrait si élégante, si insouciante[a], sous le chapeau qui cachait un peu son visage, que je la voyais moins malheureuse et mieux portante que je ne l'avais imaginée. Et pourtant, ses joues ayant à son insu une expression à elles, quelque chose de plombé, de hagard, comme le regard d'une bête qui se sentirait déjà choisie et désignée, ma grand-mère avait un air de condamnée à mort, un air involontairement sombre, inconsciemment tragique qui m'échappait mais qui empêchait maman de regarder jamais cette photographie, cette photographie qui lui paraissait moins une photographie de sa mère que de la maladie de celle-ci, d'une insulte que cette maladie faisait au visage brutalement souffleté de grand-mère.

Puis un jour je me décidai à faire dire à Albertine que je la recevrais prochainement[1]. C'est qu'un matin de grande chaleur prématurée, les mille cris des enfants qui jouaient, des baigneurs plaisantant, des marchands de journaux, m'avaient décrit en traits de feu, en flammèches entrelacées, la plage ardente que les petites vagues venaient une à une arroser de leur fraîcheur ; alors avait commencé le concert symphonique mêlé au clapotement de l'eau, dans lequel les violons vibraient comme un essaim d'abeilles égaré sur la mer. Aussitôt j'avais désiré de réentendre le rire d'Albertine, de revoir ses amies, ces jeunes filles se détachant sur les flots, et restées dans mon souvenir le charme inséparable, la flore caractéristique de Balbec ; et j'avais résolu d'envoyer par Françoise un mot à Albertine, pour la semaine prochaine, tandis que montant doucement, la mer à chaque déferlement de lame recouvrait complètement de coulées de cristal la mélodie dont les phrases apparaissaient séparées les unes des autres, comme ces anges luthiers qui, au faîte de la cathédrale italienne, s'élèvent entre les crêtes de porphyre bleu et de jaspe écumant. Mais le jour où Albertine vint, le temps s'était de nouveau gâté et rafraîchi, et d'ailleurs je n'eus pas l'occasion d'entendre son rire ; elle était de fort mauvaise humeur. « Balbec est assommant cette année, me dit-elle. Je tâcherai de ne pas rester longtemps. Vous savez que je suis ici depuis Pâques, cela fait plus d'un mois. Il n'y a personne. Si vous croyez que c'est folichon. » Malgré la pluie récente et le ciel changeant à toute minute, après avoir accompagné Albertine jusqu'à Épreville[a1], car Albertine faisait selon son expression la « navette » entre cette petite plage où était[b] la villa de Mme Bontemps, et Incarville[2] où[c] elle avait été « prise en pension » par les parents de Rosemonde, je partis me promener seul vers cette grande route que prenait la voiture de Mme de Villeparisis quand nous allions nous promener avec ma grand-mère ; des flaques d'eau que le soleil qui brillait n'avait pas séchées, faisaient du sol un vrai marécage, et je pensais à ma grand-mère qui jadis ne pouvait marcher deux pas sans se crotter. Mais dès que je fus arrivé à la route ce fut un éblouissement. Là où je n'avais vu avec ma grand-mère, au mois d'août, que les feuilles et comme l'emplacement des pommiers, à perte de vue ils étaient en pleine floraison, d'un luxe inouï, les pieds dans la boue et en toilette de bal, ne prenant pas de précautions pour ne pas gâter le plus merveilleux satin rose qu'on eût jamais vu et que faisait briller le soleil ; l'horizon lointain de la mer fournissait aux pommiers comme un arrière-plan d'estampe japonaise ; si je levais la tête pour regarder le ciel entre les fleurs[d], qui faisaient paraître son bleu rasséréné, presque violent, elles semblaient s'écarter pour montrer la profondeur de ce paradis. Sous cet azur une brise légère mais froide faisait trembler légèrement les bouquets rougissants. Des mésanges bleues venaient se poser sur les branches et sautaient entre les fleurs, indulgentes, comme si c'eût été un amateur d'exotisme et de couleurs qui avait artificiellement créé cette beauté vivante. Mais elle touchait jusqu'aux larmes parce que, si loin qu'elle allât[a] dans ses effets d'art raffiné, on sentait qu'elle était naturelle, que ces pommiers étaient là en pleine campagne comme des paysans, sur une grande route de France. Puis aux rayons du soleil succédèrent subitement ceux de la pluie ; ils zébrèrent tout l'horizon, enserrèrent la file des pommiers dans leur réseau gris. Mais ceux-ci continuaient à dresser leur beauté, fleurie et rose, dans le vent devenu glacial sous l'averse qui tombait : c'était une journée de printemps[b].

CHAPITRE DEUXIÈME

Les mystères d'Albertine. — Les jeunes filles qu'elle voit dans la glace. — La dame inconnue. — Le liftier. — Madame de Cambremer. — Les plaisirs de M. Nissim Bernard. — Première esquisse du caractère étrange de Morel. — M. de Charlus dîne chez les Verdurin.

Dans ma crainte que le plaisir trouvé dans cette promenade solitaire n'affaiblît en moi le souvenir de ma grand-mère, je cherchais de le raviver en pensant à telle grande souffrance morale qu'elle avait eue ; à mon appel[c] cette souffrance essayait de se construire dans mon cœur, elle y élançait ses piliers immenses ; mais mon cœur sans doute était trop petit pour elle, je n'avais pas la force de porter une douleur si grande, mon attention se dérobait au moment où elle se reformait tout entière, et ses arches s'effondraient avant de s'être rejointes comme avant d'avoir parfait leur voûte, s'écroulent les vagues.

Cependant, rien que par mes rêves quand j'étais endormi, j'aurais pu apprendre que mon chagrin de la mort de ma grand-mère diminuait, car elle y apparaissait moins opprimée par l'idée que je me faisais de son néant. Je la voyais toujours malade, mais en voie de se rétablir ; je la trouvais mieux. Et si elle faisait allusion à ce qu'elle avait souffert, je lui fermais la bouche avec mes baisers et je l'assurais qu'elle était maintenant guérie pour toujours. J'aurais voulu faire constater aux sceptiques que la mort est vraiment une maladie dont on revient.

Seulement je ne trouvais plus chez ma grand-mère la riche spontanéité d'autrefois. Ses paroles n'étaient qu'une réponse affaiblie, docile, presque un simple écho de mes paroles ; elle n'était plus que le reflet de ma propre pensée.

Incapable comme je l'étais encore d'éprouver à nouveau un désir physique, Albertine recommençait cependant à m'inspirer comme un désir de bonheur. Certains rêves de tendresse partagée, toujours flottants en nous, s'allient volontiers par une sorte d'affinité au souvenir (à condition que celui-ci soit déjà devenu un peu vague) d'une femme avec qui nous avons eu du plaisir. Ce sentiment me rappelait des aspects du visage d'Albertine, plus doux, moins gais, assez différents de ceux que m'eût évoqués le désir physique ; et comme il était aussi moins pressant que ne l'était ce dernier, j'en eusse volontiers ajourné la réalisation à l'hiver suivant sans chercher à revoir Albertine à Balbec avant son départ. Mais même au milieu d'un chagrin encore vif le désir physique renaît. De mon lit où on me faisait rester longtemps tous les jours à me reposer, je souhaitais qu'Albertine vînt recommencer nos jeux d'autrefois. Ne voit-on pas, dans la chambre même où ils ont perdu un enfant, des époux bientôt de nouveau entrelacés donner un frère au petit mort[a] ? J'essayais de me distraire de ce désir en allant jusqu'à la fenêtre regarder la mer de ce jour-là. Comme la première année, les mers, d'un jour à l'autre, étaient rarement les mêmes. Mais d'ailleurs elles ne ressemblaient[b] guère à celles de cette première année, soit parce que maintenant c'était le printemps avec ses orages, soit parce que, même si j'étais venu à la même date que la première fois, des temps différents, plus changeants, auraient pu déconseiller cette côte à certaines mers indolentes, vaporeuses et fragiles que j'avais vues pendant des jours ardents dormir sur la plage en soulevant imperceptiblement leur sein bleuâtre d'une molle palpitation, soit surtout parce que mes yeux instruits par Elstir à retenir précisément les éléments que j'écartais volontairement jadis, contemplaient longuement ce que la première année ils ne savaient pas voir. Cette opposition qui alors me frappait tant entre les promenades agrestes que je faisais avec Mme de Villeparisis et ce voisinage fluide, inaccessible et mythologique, de l'Océan éternel, n'existait plus pour moi. Et certains jours la mer me semblait au contraire maintenant presque rurale elle-même[1]. Les jours, assez rares, de vrai beau temps, la chaleur avait tracé sur les eaux[a], comme à travers champs, une route poussiéreuse et blanche derrière laquelle la fine pointe d'un bateau de pêche dépassait comme un clocher villageois. Un remorqueur dont on ne voyait que la cheminée fumait au loin[b] comme une usine écartée, tandis que seul à l'horizon un carré blanc et bombé, peint sans doute par une voile mais qui semblait compact et comme calcaire, faisait penser à l'angle ensoleillé de quelque bâtiment isolé, hôpital ou école. Et les nuages et le vent, les jours où il s'en ajoutait au soleil, parachevaient sinon l'erreur du jugement, du moins l'illusion du premier regard, la suggestion qu'il éveille dans l'imagination. Car l'alternance d'espaces de couleurs nettement tranchées, comme celles qui résultent dans la campagne, de la contiguïté de cultures différentes, les inégalités âpres, jaunes, et comme boueuses de la surface marine, les levées, les talus qui dérobaient à la vue une barque où une équipe d'agiles matelots semblait moissonner, tout cela par les jours orageux, faisait de l'océan quelque chose d'aussi varié, d'aussi consistant, d'aussi accidenté, d'aussi populeux, d'aussi civilisé que la terre carrossable sur laquelle j'allais autrefois et ne devais pas tarder à faire des promenades. Et une fois, ne pouvant plus résister à mon désir, au lieu de me recoucher, je m'habillai et partis chercher Albertine à Incarville. Je lui demanderais[c] de m'accompagner jusqu'à Douville[d] où j'irais faire à Féterne une visite à Mme de Cambremer, et à La Raspelière une visite à Mme Verdurin. Albertine m'attendrait[e] pendant ce temps-là sur la plage et nous reviendrions ensemble dans la nuit. J'allai prendre le petit chemin de fer d'intérêt local dont j'avais par Albertine et ses amies appris autrefois tous les surnoms dans la région, où on l'appelait[f] tantôt le *Tortillard*[g] à cause de ses innombrables détours, le *Tacot* parce qu'il n'avançait pas, le *Transatlantique* à cause d'une effroyable sirène qu'il possédait pour que se garassent les passants, le *Decauville*[2] et le *Funi*, bien que ce ne fût nullement un funiculaire mais parce qu'il grimpait sur la falaise, ni même à proprement parler un Decauville mais parce qu'il avait une voie de 60, le *B.A.G.* parce qu'il allait de Balbec à Grattevast[3] en passant par Angerville, le *tram* et le *T.S.N.* parce qu'il faisait partie de la ligne des tramways du Sud de la Normandie[4]. Je m'installai dans un wagon où j'étais seul ; il faisait un soleil splendide, on étouffait ; je baissai le store bleu qui ne laissa passer qu'une raie de soleil. Mais aussitôt je vis ma grand-mère, telle qu'elle était assise dans le train à notre départ de Paris pour Balbec[a], quand, dans la souffrance de me voir prendre de la bière, elle avait préféré ne pas regarder, fermer les yeux et faire semblant de dormir. Moi qui ne pouvais supporter autrefois la souffrance qu'elle avait quand mon grand-père prenait du cognac, je lui avais infligé celle, non pas même seulement de me voir prendre sur l'invitation d'un autre, une boisson qu'elle croyait funeste pour moi, mais je l'avais forcée à me laisser libre de m'en gorger à ma guise ; bien plus, par mes colères, mes crises d'étouffement, je l'avais forcée à m'y aider, à me le conseiller, dans une résignation suprême dont j'avais devant ma mémoire l'image muette, désespérée, aux yeux clos pour ne pas voir. Un tel souvenir, comme un coup de baguette, m'avait de nouveau rendu l'âme que j'étais en train de perdre depuis quelque temps ; qu'est-ce que j'aurais pu faire de Rosemonde[b1] quand mes lèvres tout entières étaient parcourues seulement par le désir désespéré d'embrasser une morte ? qu'aurais-je pu dire aux Cambremer et aux Verdurin quand mon cœur battait si fort parce que s'y reformait à tout moment la douleur que ma grand-mère avait soufferte ? Je ne pus rester[c] dans ce wagon. Dès que le train s'arrêta à Maineville-la-Teinturière, renonçant à mes projets, je descendis. Maineville avait acquis[d] depuis quelque temps une importance considérable et une réputation particulière, parce qu'un directeur de nombreux casinos, marchand de bien-être, avait fait construire[e] non loin de là, avec un luxe de mauvais goût capable de rivaliser avec celui d'un palace, un établissement sur lequel nous reviendrons, et qui était à franc-parler la première maison publique pour gens chic qu'on eût eu l'idée de construire sur les côtes de France. C'était la seule. Chaque port a bien la sienne, mais bonne seulement pour les marins et pour les amateurs de pittoresque que cela amuse de voir, tout près de l'église immémoriale, la patronne presque aussi vieille, vénérable et moussue, se tenir devant sa porte mal famée en attendant le retour des bateaux de pêche.

M'écartant de l'éblouissante maison de « plaisir », insolemment dressée là malgré les protestations des familles inutilement adressées au maire, je rejoignis la falaise et j'en suivis les chemins sinueux dans la direction de Balbec. J'entendis sans y répondre l'appel des aubépines. Voisines moins cossues des fleurs de pommiers, elles les trouvaient bien lourdes, tout en reconnaissant le teint frais qu'ont les filles, aux pétales rosés, de ces gros fabricants de cidre. Elles savaient que, moins richement dotées, on les recherchait cependant davantage et qu'il leur suffisait, pour plaire, d'une blancheur chiffonnée.

Quand je rentrai, le concierge[a] de l'hôtel me remit une lettre de deuil où faisaient part le marquis et la marquise de Gonneville, le vicomte et la vicomtesse d'Amfreville, le comte et la comtesse de Berneville, le marquis et la marquise de Graincourt, le comte d'Amenoncourt, la comtesse de Maineville, le comte et la comtesse de Franquetot, la comtesse de Chaverny née d'Aigleville, et de laquelle je compris enfin pourquoi elle m'était envoyée quand je reconnus les noms de la marquise de Cambremer née du Mesnil La Guichard, du marquis et de la marquise de Cambremer, et que je vis que la morte, une cousine des Cambremer, s'appelait Éléonore-Euphrasie-Humbertine de Cambremer, comtesse de Criquetot. Dans toute l'étendue de cette famille provinciale dont le dénombrement remplissait des lignes fines et serrées, pas un bourgeois, et d'ailleurs pas un titre connu, mais tout le ban et l'arrière-ban des nobles de la région qui faisaient chanter leurs noms — ceux de tous les lieux intéressants du pays — aux joyeuses finales en *ville*, en *court*, parfois plus sourdes (en *tot*[1]). Habillés des tuiles de leur château ou du crépi de leur église, la tête branlante dépassant à peine la voûte ou le corps de logis, et seulement pour se coiffer du lanternon normand ou des colombages du toit en poivrière, ils avaient l'air d'avoir sonné le rassemblement de tous les jolis villages échelonnés ou dispersés à cinquante lieues à la ronde et de les avoir disposés en formation serrée, sans une lacune, sans un intrus, dans le damier compact et rectangulaire de l'aristocratique lettre bordée de noir[2].

Ma mère était remontée dans sa chambre, méditant cette phrase de Mme de Sévigné : « Je ne vois aucun de ceux qui veulent me divertir ; en paroles[b] couvertes c'est qu'ils veulent m'empêcher de penser à vous et cela m'offense[3] », parce que le premier président lui avait dit qu'elle devrait se distraire. À moi il chuchota : « C'est la princesse de Parme. » Ma peur se dissipa en voyant que la femme que me montrait le magistrat n'avait aucun rapport avec Son Altesse Royale. Mais comme elle avait fait retenir une chambre pour passer la nuit en revenant de chez Mme de Luxembourg, la nouvelle eut pour effet sur beaucoup de leur faire prendre toute nouvelle dame arrivée pour la princesse de Parme — et pour moi, de me faire monter m'enfermer dans mon grenier. Je n'aurais pas voulu y rester seul. Il était à peine quatre heures. Je demandai à Françoise d'aller chercher Albertine pour qu'elle vînt passer la fin de l'après-midi avec moi.

Je crois que je mentirais en disant que commença déjà la douloureuse et perpétuelle méfiance que devait m'inspirer Albertine, à plus forte raison le caractère particulier, surtout gomorrhéen, que devait revêtir cette méfiance. Certes dès ce jour-là — mais ce n'était pas le premier — mon attente fut un peu anxieuse. Françoise, une fois partie, resta si longtemps que je commençai à désespérer. Je n'avais pas allumé[a] de lampe. Il ne faisait plus guère jour. Le vent faisait claquer le drapeau du casino. Et, plus débile encore dans le silence de la grève sur laquelle la mer montait, et comme une voix qui aurait traduit et accru le vague énervant de cette heure inquiète et fausse, un petit orgue de Barbarie arrêté devant l'hôtel jouait des valses viennoises. Enfin Françoise arriva, mais seule. « Je suis été aussi vite que j'ai pu mais elle ne voulait pas venir à cause qu'elle ne se trouvait pas assez coiffée. Si elle n'est pas restée une heure d'horloge à se pommader, elle n'est pas restée cinq minutes. Ça va être une vraie parfumerie ici. Elle vient, elle est restée en arrière pour s'arranger devant la glace. Je croyais la trouver là. » Le temps fut long encore avant qu'Albertine arrivât. Mais la gaieté, la gentillesse qu'elle eut cette fois dissipèrent ma tristesse. Elle m'annonça (contrairement à ce qu'elle avait dit l'autre jour) qu'elle resterait la saison entière et me demanda si nous ne pourrions pas, comme la première année, nous voir tous les jours. Je lui dis qu'en ce moment j'étais trop triste et que je la ferais plutôt chercher de temps en temps au dernier moment, comme à Paris. « Si jamais vous vous sentez de la peine ou que le cœur vous en dise, n'hésitez pas, me dit-elle, faites-moi chercher, je viendrai en vitesse, et si vous ne craignez pas que cela fasse scandale dans l'hôtel, je resterai aussi longtemps que vous voudrez. » Françoise avait, en la ramenant, eu l'air heureuse comme chaque fois qu'elle avait pris une peine pour moi et avait réussi à me faire plaisir. Mais Albertine elle-même n'était pour rien dans cette joie et dès le lendemain Françoise devait me dire ces paroles profondes : « Monsieur ne devrait pas voir cette demoiselle. Je vois bien le genre de caractère qu'elle a, elle vous fera des chagrins. » En reconduisant Albertine, je vis par la salle à manger éclairée la princesse de Parme. Je ne fis que la regarder en m'arrangeant à n'être pas vu. Mais j'avoue que je trouvai une certaine grandeur dans la royale politesse qui m'avait fait sourire chez les Guermantes. C'est un principe que les souverains sont partout chez eux, et le protocole le traduit en usages morts et sans valeur comme celui qui veut que le maître de la maison tienne à la main son chapeau, dans sa propre demeure, pour montrer qu'il n'est plus chez lui mais chez le prince. Or cette idée, la princesse de Parme ne se la formulait peut-être pas, mais elle en était tellement imbue que tous ses actes, spontanément inventés pour les circonstances, la traduisaient. Quand elle se leva de table elle remit un gros pourboire à Aimé comme s'il avait été là uniquement pour elle et si elle récompensait en quittant un château un maître d'hôtel affecté à son service. Elle ne se contenta d'ailleurs pas du pourboire, mais avec un gracieux sourire lui adressa quelques paroles aimables et flatteuses, dont sa mère l'avait munie. Un peu plus, elle lui aurait dit qu'autant l'hôtel était bien tenu, autant était florissante la Normandie, et qu'à tous les pays du monde elle préférait la France. Une autre pièce[a] glissa des mains de la princesse, pour le sommelier qu'elle avait fait appeler et à qui elle tint à exprimer sa satisfaction comme un général qui vient de passer une revue. Le lift était à ce moment venu lui donner une réponse ; il eut aussi un mot, un sourire et un pourboire, tout cela mêlé de paroles encourageantes et humbles destinées à leur prouver qu'elle n'était pas plus que l'un d'eux. Comme Aimé, le sommelier, le lift et les autres crurent qu'il serait impoli de ne pas sourire jusqu'aux oreilles à une personne qui leur souriait, elle fut bientôt entourée d'un groupe de domestiques avec qui elle causa bienveillamment ; ces façons étant inaccoutumées dans les palaces, les personnes qui passaient sur la plage, ignorant son nom[a], crurent qu'ils voyaient une habituée de Balbec, et qui à cause d'une extraction médiocre ou dans un intérêt professionnel (c'était peut-être la femme d'un placier en champagne), était moins différente de la domesticité que les clients vraiment chic. Pour moi je pensai au palais de Parme, aux conseils moitié religieux, moitié politiques donnés à cette princesse, laquelle agissait avec le peuple comme si elle avait dû se le concilier pour régner un jour ; bien plus, si elle régnait déjà[b].

Je remontai dans ma chambre, mais je n'y étais pas seul. J'entendais quelqu'un jouer avec moelleux des morceaux de Schumann. Certes il arrive que les gens, même ceux que nous aimons le mieux, se saturent de la tristesse ou de l'agacement qui émane de nous. Il y a pourtant quelque chose qui est capable d'un pouvoir d'exaspérer où n'atteindra jamais une personne : c'est un piano.

Albertine m'avait fait prendre en note les dates où elle devait s'absenter et aller chez des amies pour quelques jours, et m'avait fait inscrire aussi leur adresse pour si j'avais besoin d'elle un de ces soirs-là, car aucune n'habitait bien loin. Cela fit que pour la trouver, de jeune fille en jeune fille, se nouèrent tout naturellement autour d'elle des liens de fleurs. J'ose avouer que beaucoup de ses amies — je ne l'aimais pas encore — me donnèrent sur une plage ou une autre des instants de plaisir. Ces jeunes camarades bienveillantes ne me semblaient pas très nombreuses. Mais dernièrement j'y ai repensé, leurs noms me sont revenus. Je comptai que dans cette seule saison, douze me donnèrent leurs frêles faveurs. Un nom me revint ensuite, ce qui fit treize. J'eus alors comme une crainte enfantine[c] de rester sur ce nombre. Hélas, je songeais que j'avais oublié la première, Albertine qui n'était plus et qui fit la quatorzième.

J'avais, pour reprendre le fil du récit, inscrit les noms et les adresses des jeunes filles chez qui je la trouverais tel jour où elle ne serait pas à Incarville, mais de ces jours-là j'avais pensé que je profiterais plutôt pour aller chez Mme Verdurin. D'ailleurs nos désirs[d] pour différentes femmes n'ont pas toujours la même force. Tel soir nous ne pouvons nous passer d'une qui, après cela, pendant un mois ou deux ne nous troublera guère. Et puis outre les causes d'alternance que ce n'est pas le lieu d'étudier ici, après les grandes[a] fatigues charnelles, la femme dont l'image hante notre sénilité momentanée est une femme qu'on ne ferait presque que baiser sur le front. Quant à Albertine, je la voyais rarement[b], et seulement les soirs fort espacés où je ne pouvais me passer d'elle. Si un tel désir me saisissait quand elle était trop loin de Balbec pour que Françoise pût aller jusque-là, j'envoyais le lift à Épreville[1], à La Sogne, à Saint-Frichoux, en lui demandant de terminer son travail un peu plus tôt. Il entrait dans ma chambre mais en laissait la porte ouverte car, bien qu'il fît avec conscience son « boulot », lequel était fort dur, consistant dès cinq heures du matin en nombreux nettoyages, il ne pouvait se résoudre à l'effort de fermer une porte et si on lui faisait remarquer qu'elle était ouverte, il revenait en arrière et, aboutissant à son maximum d'effort, la poussait légèrement. Avec l'orgueil démocratique qui le caractérisait et auquel n'atteignent pas dans les carrières libérales les membres de professions un peu nombreuses, avocats, médecins, hommes de lettres appelant seulement un autre avocat, homme de lettres ou médecin : « Mon confrère », lui, usant avec raison d'un terme réservé aux corps restreints comme les académies par exemple, il me disait en parlant d'un chasseur qui était lift un jour sur deux : « Je vais voir à me faire remplacer par mon *collègue.* » Cet orgueil ne l'empêchait pas, dans le but d'améliorer ce qu'il appelait *son traitement,* d'accepter pour ses courses des rémunérations qui l'avaient fait prendre en horreur à Françoise : « Oui la première fois qu'on le voit on lui donnerait le bon Dieu sans confession, mais il y a des jours où il est poli comme une porte de prison. Tout ça c'est des tire-sous. » Catégorie[c] où elle avait si souvent fait figurer Eulalie et où, hélas, pour tous les malheurs que cela devait un jour amener, elle rangeait déjà Albertine, parce qu'elle me voyait souvent demander à maman, pour mon amie peu fortunée, de menus objets, des colifichets, ce que Françoise trouvait inexcusable, parce que Mme Bontemps n'avait qu'une bonne à tout faire. Bien vite, le lift, ayant retiré ce que j'eusse appelé sa livrée et ce qu'il nommait sa tunique, apparaissait en chapeau de paille, avec une canne, soignant sa démarche et le corps redressé, car sa mère lui avait recommandé de ne jamais prendre le genre « ouvrier » ou « chasseur[d] ». De même que grâce aux livres la science l'est à un ouvrier qui n'est plus ouvrier quand il a fini son travail, de même, grâce au canotier et à la paire de gants, l'élégance devenait accessible au lift qui, ayant cessé pour la soirée de faire monter les clients, se croyait, comme un jeune chirurgien qui a retiré sa blouse, ou le maréchal des logis Saint-Loup, son uniforme[a], devenu un parfait homme du monde. Il n'était pas d'ailleurs sans ambition, ni talent non plus pour manipuler sa cage et ne pas vous arrêter entre deux étages. Mais son langage était défectueux. Je croyais à son ambition parce qu'il disait en parlant du concierge, duquel il dépendait : « Mon concierge[1] », sur le même ton qu'un homme possédant à Paris ce que le chasseur eût appelé « un hôtel particulier », eût parlé de son portier. Quant au langage du liftier, il est curieux que quelqu'un qui entendait cinquante fois par jour un client appeler : « Ascenseur », ne dît jamais lui-même qu'« accenseur[2] ». Certaines choses étaient extrêmement agaçantes chez ce liftier : quoi que je lui eusse dit, il m'interrompait par une locution, « Vous pensez ! » ou « Pensez ! », qui semblait signifier ou bien que ma remarque était d'une telle évidence que tout le monde l'eût trouvée, ou bien reporter sur lui le mérite comme si c'était lui qui attirait mon attention là-dessus. « Vous pensez ! » ou « Pensez ! », exclamé avec la plus grande énergie, revenait toutes les deux minutes dans sa bouche, pour des choses dont il ne se fût jamais avisé, ce qui m'irritait tant que je me mettais aussitôt à dire le contraire pour lui montrer qu'il n'y comprenait rien. Mais à ma seconde assertion, bien qu'elle fût inconciliable avec la première, il ne répondait pas moins : « Vous pensez ! », « Pensez ! », comme si ces mots étaient inévitables. Je lui pardonnais difficilement aussi qu'il employât certains termes de son métier et qui eussent à cause de cela été parfaitement convenables au propre, seulement dans le sens figuré, ce qui leur donnait une intention spirituelle assez bébête, par exemple le verbe pédaler. Jamais il n'en usait quand il avait fait une course à bicyclette. Mais si à pied, il s'était dépêché pour être à l'heure, pour signifier qu'il avait marché vite il disait : « Vous pensez si on a pédalé ! » Le liftier était plutôt petit, mal bâti et assez laid. Cela n'empêchait pas que chaque fois qu'on lui parlait d'un jeune homme de taille haute, élancée et fine, il disait : « Ah ! oui, je sais, un qui est juste de ma grandeur. » Et un jour que j'attendais une réponse de lui, comme on avait monté l'escalier, au bruit des pas j'avais par impatience ouvert la porte de ma chambre et j'avais vu un chasseur beau comme Endymion[1], les traits incroyablement parfaits, qui venait pour une dame que je ne connaissais pas. Quand le liftier était rentré, en lui disant avec quelle impatience j'avais attendu sa réponse, je lui avais raconté que j'avais cru qu'il montait mais que c'était un chasseur de l'hôtel de Normandie. « Ah ! oui, je sais lequel, me dit-il, il n'y en a qu'un, un garçon de ma taille. Comme figure aussi il me ressemble tellement qu'on pourrait nous prendre l'un pour l'autre, on dirait tout à fait mon frangin. » Enfin il voulait paraître avoir tout compris dès la première seconde, ce qui faisait que dès qu'on lui recommandait quelque chose il disait : « Oui, oui, oui, oui, oui, je comprends très bien », avec une netteté et un ton intelligent qui me firent quelque temps illusion ; mais les personnes, au fur et à mesure qu'on les connaît, sont comme un métal plongé dans un mélange altérant, et on les voit peu à peu perdre leurs qualités (comme parfois leurs défauts). Avant de lui faire mes recommandations, je vis qu'il avait laissé la porte ouverte ; je lui fis remarquer, j'avais peur qu'on ne nous entendît ; il condescendit à mon désir et revint ayant diminué l'ouverture. « C'est pour vous faire plaisir. Mais il n'y a plus personne à l'étage que nous deux. » Aussitôt j'entendis passer une, puis deux, puis trois personnes. Cela m'agaçait à cause de l'indiscrétion possible, mais surtout parce que je voyais que cela ne l'étonnait nullement et que c'était un va-et-vient normal. « Oui, c'est la femme de chambre d'à côté qui va chercher ses affaires. Oh ! c'est sans importance, c'est le sommelier qui remonte ses clefs. Non, non, ce n'est rien, vous pouvez parler, c'est mon collègue qui va prendre son service. » Et comme les raisons que tous les gens avaient de passer ne diminuaient pas mon ennui qu'ils pussent m'entendre, sur mon ordre formel, il alla, non pas fermer la porte, ce qui était au-dessus des forces de ce cycliste qui désirait une « moto », mais la pousser un peu plus. « Comme ça nous sommes bien tranquilles. » Nous l'étions tellement qu'une Américaine entra et se retira en s'excusant de s'être trompé de chambre. « Vous allez me ramener cette jeune fille », lui dis-je, après avoir fait claquer moi-même la porte de toutes mes forces (ce qui amena un autre chasseur s'assurer qu'il n'y avait pas de fenêtre ouverte). « Vous vous rappelez bien : Mlle Albertine Simonet. Du reste c'est sur l'enveloppe. Vous n'avez qu'à lui dire que cela vient de moi. Elle viendra très volontiers, ajoutai-je pour l'encourager à ne pas trop m'humilier. — Vous pensez ! — Mais non, au contraire ce n'est pas du tout naturel qu'elle vienne volontiers. C'est très incommode de venir de Berneville ici. — Je comprends ! — Vous lui direz de venir avec vous. — Oui, oui, oui, oui, je comprends très bien », répondait-il de ce ton précis et fin qui depuis longemps avait cessé de me faire « bonne impression » parce que je savais qu'il était presque mécanique et recouvrait sous sa netteté apparente beaucoup de vague et de bêtise. « À quelle heure serez-vous revenu ? — J'ai pas pour bien longtemps », disait le lift qui, poussant à l'extrême la règle édictée par Bélise d'éviter la récidive du *pas* avec le *ne,* se contentait toujours d'une seule négative[1]. « Je peux très bien y aller. Justement les sorties ont été supprimées ce tantôt parce qu'il y avait un salon de vingt couverts pour le déjeuner. Et c'était mon tour de sortir le tantôt. C'est bien juste si je sors un peu ce soir. Je prends n'avec moi mon vélo[2]. Comme cela je ferai vite. » Et une heure après il arrivait en me disant : « Monsieur a bien attendu, mais cette demoiselle vient n'avec moi. Elle est en bas. — Ah ! merci, le concierge ne sera pas fâché contre moi ? — Monsieur Paul ? Il sait seulement pas où je suis été. Même le chef de la porte n'a rien à dire. » Mais une fois où je lui avais dit : « Il faut absolument que vous la rameniez », il me dit en souriant : « Vous savez que je ne l'ai pas trouvée. Elle n'est pas là. Et j'ai pas pu rester plus longtemps ; j'avais peur d'être comme mon collègue qui a été envoyé de l'hôtel » (car le lift qui disait rentrer pour une profession où on entre pour la première fois : « je voudrais bien rentrer dans les postes », par compensation[a] ou pour adoucir la chose s'il s'était agi de lui, ou l'insinuer plus doucereusement et perfidement s'il s'agissait d'un autre, supprimait l'*r* et disait : « Je sais qu'il a été envoyé »). Ce n'était pas par méchanceté qu'il souriait, mais à cause de sa timidité. Il croyait diminuer l'importance de sa faute en la prenant en plaisanterie. De même s'il m'avait dit : « *Vous savez* que je ne l'ai pas trouvée », ce n'est pas qu'il crût qu'en effet je le susse déjà. Au contraire il ne doutait pas que je l'ignorasse et surtout il s'en effrayait. Aussi disait-il « vous le savez » pour s'éviter à lui-même les affres qu'il traverserait en prononçant les phrases destinées à me l'apprendre. On ne devrait jamais se mettre en colère contre ceux qui, pris en faute par nous, se mettent à ricaner. Ils le font non parce qu'ils se moquent, mais tremblent que nous puissions être mécontents. Témoignons une grande pitié, montrons une grande douceur à ceux qui rient. Pareil à une véritable attaque, le trouble du lift avait amené chez lui non seulement une rougeur apoplectique mais une altération du langage devenu soudain familier. Il finit par m'expliquer qu'Albertine n'était pas à Épreville[1], qu'elle devait revenir seulement à neuf heures et que si des fois, ce qui voulait dire par hasard, elle rentrait plus tôt, on lui ferait la commission, et qu'elle serait[a] en tous cas chez moi avant une heure du matin[b].

Ce ne fut pas ce soir-là encore d'ailleurs, que commença à prendre consistance ma cruelle méfiance. Non, pour le dire tout de suite et bien que le fait ait eu lieu seulement quelques semaines après, elle naquit d'une remarque de Cottard[2]. Albertine et ses amies avaient voulu ce jour-là m'entraîner au casino d'Incarville et, pour ma chance, je ne les y eusse pas rejointes (voulant aller faire une visite à Mme Verdurin qui m'avait invité plusieurs fois), si je n'eusse été arrêté à Incarville même par une panne de tram qui allait demander un certain temps de réparation. Marchant de long en large en attendant qu'elle fût finie, je me trouvai tout à coup face à face avec le docteur Cottard venu à Incarville en consultation. J'hésitai presque à lui dire bonjour comme il n'avait répondu à aucune de mes lettres. Mais l'amabilité ne se manifeste pas chez tout le monde de la même façon. N'ayant pas été astreint par l'éducation aux mêmes règles fixes de savoir-vivre que les gens du monde, Cottard était plein de bonnes intentions qu'on ignorait, qu'on niait, jusqu'au jour où il avait l'occasion de les manifester. Il s'excusa, avait bien reçu mes lettres, avait signalé ma présence aux Verdurin, qui avaient grande envie de me voir et chez qui il me conseillait d'aller. Il voulait même m'y emmener le soir même, car il allait reprendre le petit chemin de fer d'intérêt local pour y aller dîner. Comme j'hésitais et qu'il avait encore un peu de temps pour son train, la panne devant être assez longue, je le fis entrer dans le petit casino, un de ceux qui m'avaient paru si tristes le soir de ma première arrivée, maintenant plein du tumulte des jeunes filles qui, fautes de cavaliers, dansaient ensemble. Andrée vint à moi en faisant des glissades, je comptais repartir dans un instant avec Cottard chez les Verdurin, quand je refusai définitivement son offre, pris d'un désir trop vif de rester avec Albertine. C'est que je venais de l'entendre rire. Et ce rire évoquait aussitôt les roses[a] carnations, les parois parfumées contre lesquelles il semblait qu'il vînt de se frotter et dont, âcre, sensuel et révélateur comme une odeur de géranium, il semblait transporter avec lui quelques particules presque pondérables, irritantes et secrètes.

Une des jeunes filles que je ne connaissais pas se mit au piano, et Andrée demanda à Albertine de valser avec elle. Heureux, dans ce petit casino, de penser que j'allais rester avec ces jeunes filles, je fis remarquer à Cottard comme elles dansaient bien. Mais lui, du point de vue spécial du médecin, et avec une mauvaise éducation qui ne tenait pas compte de ce que je connaissais ces jeunes filles à qui il avait pourtant dû me voir dire bonjour, me répondit : « Oui, mais les parents sont bien imprudents qui laissent leurs filles prendre de pareilles habitudes. Je ne permettrais certainement pas aux miennes de venir ici. Sont-elles jolies au-moins ? Je ne distingue pas leurs traits. Tenez, regardez », ajouta-t-il en me montrant Albertine et Andrée qui valsaient lentement, serrées l'une contre l'autre, « j'ai oublié mon lorgnon et je ne vois pas bien, mais elles sont certainement au comble de la jouissance. On ne sait pas assez que c'est surtout par les seins que les femmes l'éprouvent. Et voyez, les leurs se touchent complètement. » En effet, le contact n'avait pas cessé entre ceux d'Andrée et ceux d'Albertine. Je ne sais si elles entendirent ou devinèrent la réflexion de Cottard, mais elles se détachèrent légèrement l'une de l'autre tout en continuant à valser. Andrée dit à ce moment un mot à Albertine et celle-ci rit du même rire pénétrant et profond que j'avais entendu tout à l'heure. Mais le trouble qu'il m'apporta cette fois ne me fut plus que cruel ; Albertine avait l'air d'y montrer, de faire constater à Andrée quelque frémissement voluptueux et secret. Il sonnait comme les premiers ou les derniers accords d'une fête inconnue. Je repartis avec Cottard, distrait en causant avec lui, ne pensant que par instants à la scène que je venais de voir[a]. Ce n'était pas que la conversation de Cottard fût intéressante. Elle était même en ce moment devenue aigre car nous venions d'apercevoir le docteur du Boulbon, qui ne nous vit pas. Il était venu passer quelque temps de l'autre côté de la baie de Balbec, où on le consultait beaucoup. Or, quoique Cottard eût l'habitude de déclarer qu'il ne faisait pas de médecine en vacances, il avait espéré se faire sur cette côte, une clientèle de choix, à quoi du Boulbon se trouvait mettre obstacle. Certes le médecin de Balbec ne pouvait gêner Cottard. C'était seulement un médecin très consciencieux qui savait tout et à qui on ne pouvait parler de la moindre démangeaison sans qu'il vous indiquât aussitôt, dans une formule complexe, la pommade, lotion ou liniment qui convenait[b]. Comme disait Marie Gineste dans son joli langage[1], il savait « charmer » les blessures et les plaies. Mais il n'avait pas d'illustration. Il avait bien causé un petit ennui à Cottard. Celui-ci, depuis qu'il voulait troquer sa chaire contre celle de thérapeutique, s'était fait une spécialité des intoxications. Les intoxications, périlleuse innovation de la médecine, servant à renouveler les étiquettes des pharmaciens dont tout produit est déclaré nullement toxique, au rebours des drogues similaires, et même désintoxiquant[2]. C'est la réclame à la mode ; à peine s'il survit en bas, en lettres illisibles, comme une faible trace d'une mode précédente, l'assurance que le produit a été soigneusement antiseptisé. Les intoxications servent aussi à rassurer le malade qui apprend avec joie que sa paralysie n'est qu'un malaise toxique. Or un grand-duc étant venu passer quelques jours à Balbec et ayant un œil extrêmement enflé avait fait venir Cottard lequel, en échange de quelques billets de cent francs (le professeur ne se dérangeait pas à moins), avait imputé comme cause à l'inflammation un état toxique et prescrit un régime désintoxiquant. L'œil ne désenflant pas, le grand-duc se rabattit sur le médecin ordinaire de Balbec, lequel en cinq minutes retira un grain de poussière. Le lendemain il n'y paraissait plus. Un rival plus dangereux pourtant était une célébrité des maladies nerveuses. C'était un homme rouge, jovial, à la fois parce que la fréquentation de la déchéance nerveuse ne l'empêchait pas d'être très bien portant mais aussi pour rassurer ses malades par le gros rire de son bonjour et de son au revoir, quitte à aider de ses bras d'athlète à leur passer plus tard la camisole de force[a]. Néanmoins dès qu'on causait avec lui dans le monde, fût-ce de politique ou de littérature, il vous écoutait avec une bienveillance attentive, d'un air de dire : « De quoi s'agit-il ? », sans prononcer tout de suite, comme s'il s'était agi d'une consultation. Mais enfin celui-là, quelque talent qu'il eût, était un spécialiste. Aussi toute la rage de Cottard était-elle reportée sur du Boulbon. Je quittai du reste bientôt, pour rentrer, le professeur ami des Verdurin, en lui promettant d'aller les voir.

Le mal que m'avaient fait ses paroles concernant Albertine et Andrée était profond, mais les pires souffrances n'en furent pas senties par moi immédiatement, comme il arrive pour ces empoisonnements qui n'agissent qu'au bout d'un certain temps.

Albertine, le soir où le lift était allé la chercher, ne vint pas, malgré les assurances de celui-ci. Certes les charmes d'une personne sont une cause moins fréquente d'amour qu'une phrase du genre de celle-ci : « Non, ce soir je ne serai pas libre. » On ne fait guère attention à cette phrase si on est avec des amis ; on est gai toute la soirée, on ne s'occupe pas d'une certaine image ; pendant ce temps-là elle baigne dans le mélange nécessaire ; en rentrant on trouve le cliché, qui est développé et parfaitement net. On s'aperçoit que la vie n'est plus la vie qu'on aurait quittée pour un rien la veille, parce que, si on continue à ne pas craindre la mort, on n'ose plus penser à la séparation.

Du reste, à partir, non d'une heure du matin (heure que le liftier avait fixée), mais de trois heures, je n'eus plus comme autrefois la souffrance de sentir diminuer mes chances qu'elle apparût. La certitude qu'elle ne viendrait plus m'apporta un calme complet, une fraîcheur ; cette nuit était tout simplement une nuit comme tant d'autres où je ne la voyais pas, c'est de cette idée que je partais. Et dès lors la pensée que je la verrais le lendemain ou d'autres jours, se détachant sur ce néant accepté, devenait douce. Quelquefois, dans ces soirées d'attente, l'angoisse est due à un médicament qu'on a pris. Faussement interprétée par celui qui souffre, il croit être anxieux à cause de celle qui ne vient pas. L'amour naît dans ce cas comme certaines maladies nerveuses de l'explication inexacte d'un malaise pénible. Explication qu'il n'est pas utile de rectifier, du moins en ce qui concerne l'amour, sentiment qui (quelle qu'en soit la cause) est toujours erroné.

Le lendemain, quand Albertine m'écrivit qu'elle venait seulement de rentrer à Épreville[1], n'avait donc pas eu mon mot à temps, et viendrait, si je le permettais, me voir le soir, derrière les mots de sa lettre comme derrière ceux qu'elle m'avait dits une fois au téléphone, je crus sentir la présence de plaisirs, d'êtres, qu'elle m'avait préférés. Encore une fois je fus agité tout entier par la curiosité douloureuse de savoir ce qu'elle avait pu faire, par l'amour latent qu'on porte toujours en soi ; je pus croire un moment qu'il allait m'attacher à Albertine, mais il se contenta de frémir sur place et ses dernières rumeurs s'éteignirent sans qu'il se fût mis en marche[a].

J'avais mal compris dans mon premier séjour à Balbec — et peut-être bien Andrée[b] avait fait comme moi — le caractère d'Albertine. J'avais cru que c'était frivolité naïve de sa part si toutes nos supplications ne réussissaient pas[c] à la retenir et lui faire manquer une garden-party, une promenade à ânes, un pique-nique. Dans mon second séjour à Balbec, je soupçonnai que cette frivolité n'était qu'une apparence, la garden-party qu'un paravent, sinon une invention. Il se passait sous des formes diverses la chose suivante (j'entends la chose vue par moi, de mon côté du verre, qui n'était nullement transparent, et sans que je puisse savoir ce qu'il y avait de vrai de l'autre côté). Albertine me faisait les protestations de tendresse les plus passionnées. Elle regardait l'heure parce qu'elle devait aller faire une visite à une dame qui recevait, paraît-il, tous les jours à cinq heures à Infreville. Tourmenté[d] d'un soupçon et me sentant d'ailleurs souffrant, je demandais à Albertine, je la suppliais de rester avec moi. C'était impossible (et même elle n'avait plus que cinq minutes à rester) parce que cela fâcherait cette dame, peu hospitalière et susceptible, et, disait Albertine, assommante. « Mais on peut bien manquer une visite. — Non, ma tante m'a appris qu'il fallait être polie avant tout. — Mais je vous ai vue si souvent être impolie. — Là ce n'est pas la même chose, cette dame m'en voudrait et me ferait des histoires avec ma tante. Je ne suis déjà pas si bien que cela avec elle. Elle tient à ce que je sois allée une fois la voir. — Mais puisqu'elle reçoit tous les jours. » Là, Albertine sentant qu'elle s'était « coupée », modifiait la raison. « Bien entendu elle reçoit tous les jours. Mais aujourd'hui j'ai donné rendez-vous chez elle à des amies. Comme cela on s'ennuiera moins. — Alors, Albertine, vous préférez la dame et vos amies à moi, puisque pour ne pas risquer de faire une visite ennuyeuse, vous préférez de me laisser seul, malade et désolé ? — Cela me serait bien égal que la visite fût ennuyeuse. Mais c'est par dévouement pour elles. Je les ramènerai dans ma carriole. Sans cela elles n'auraient plus aucun moyen de transport. » Je faisais remarquer à Albertine qu'il y avait des trains jusqu'à dix heures du soir, d'Infreville. « C'est vrai[a], mais vous savez, il est possible qu'on nous demande de rester à dîner. Elle est très hospitalière. — Hé bien, vous refuserez. — Je fâcherais encore ma tante. — Du reste, vous pouvez dîner et prendre le train de dix heures. — C'est un peu juste. — Alors je ne peux jamais aller dîner en ville et revenir par le train. Mais tenez, Albertine, nous allons faire une chose bien simple : je sens que l'air me fera du bien ; puisque vous ne pouvez lâcher la dame, je vais vous accompagner jusqu'à Infreville. Ne craignez rien, je n'irai pas jusqu'à la *Tour Élisabeth* (la villa de la dame), je ne verrai ni la dame, ni vos amies. » Albertine avait l'air d'avoir reçu un coup terrible. Sa parole était entrecoupée. Elle dit que les bains de mer ne lui réussissaient pas. « Si ça vous ennuie que je vous accompagne ? — Mais comment pouvez-vous dire cela, vous savez bien que mon plus grand plaisir est de sortir avec vous. » Un brusque revirement s'était opéré. « Puisque nous allons nous promener ensemble, me dit-elle, pourquoi n'irions-nous pas de l'autre côté de Balbec, nous dînerions[b] ensemble. Ce serait si gentil. Au fond, cette côte-là est bien plus jolie. Je commence à en avoir soupé d'Infreville et de tous[c] ces petits coins vert épinard. — Mais l'amie de votre tante sera fâchée si vous n'allez pas la voir. — Hé bien, elle se défâchera. — Non, il ne faut pas fâcher les gens. — Mais elle ne s'en apercevra même pas, elle reçoit tous les jours ; que j'y aille demain, après-demain, dans huit jours, dans quinze jours, cela fera toujours l'affaire. — Et vos amies ? — Oh ! elles m'ont assez souvent plaquée. C'est bien mon tour. — Mais du côté que vous me proposez, il n'y a pas de train après neuf heures. — Hé bien, la belle affaire ! neuf heures c'est parfait. Et puis il ne faut jamais se laisser arrêter par les questions de retour. On trouvera toujours une charrette, un vélo, à défaut on a ses jambes. — On trouve toujours, Albertine, comme vous y allez ! Du côté d'Infreville, où les petites stations de bois sont collées les unes à côté des autres, oui. Mais du côté opposé ce n'est[a] pas la même chose. — Même de ce côté-là. Je vous promets de vous ramener sain et sauf. » Je sentais qu'Albertine renonçait pour moi à quelque chose d'arrangé qu'elle ne voulait pas me dire, et qu'il y avait quelqu'un qui serait malheureux comme je l'étais. Voyant que ce qu'elle avait voulu n'était pas possible, puisque je voulais l'accompagner, elle renonçait franchement. Elle savait que ce n'était pas irrémédiable. Car, comme toutes les femmes qui ont plusieurs choses dans leur existence, elle avait ce point d'appui qui ne faiblit jamais : le doute et la jalousie. Certes elle ne cherchait pas à les exciter, au contraire. Mais les amoureux sont si soupçonneux qu'ils flairent tout de suite le mensonge. De sorte qu'Albertine n'étant pas[b] mieux qu'une autre, savait par expérience (sans deviner le moins du monde qu'elle le devait à la jalousie) qu'elle était toujours sûre de retrouver les gens qu'elle avait plaqués un soir. La personne inconnue qu'elle lâchait pour moi souffrirait, l'en aimerait davantage (Albertine ne savait pas que c'était pour cela), et pour ne pas continuer à souffrir reviendrait de soi-même vers elle, comme j'aurais fait. Mais je ne voulais ni faire de la peine, ni me fatiguer, ni entrer dans la voie terrible des investigations, de la surveillance multiforme, innombrable. « Non, Albertine, je ne veux pas gâter votre plaisir, allez chez votre dame d'Infreville, ou enfin[c] chez la personne dont elle est le porte-nom, cela m'est égal. La vraie raison pour laquelle je ne vais pas avec vous, c'est que vous ne le désirez pas, que la promenade que vous feriez avec moi n'est pas celle que vous vouliez faire, la preuve en est que vous vous êtes contredite plus de cinq fois sans vous en apercevoir. » La pauvre Albertine craignit que ses contradictions, qu'elle n'avait pas aperçues, eussent été plus graves, ne sachant pas exactement les mensonges qu'elle avait faits : « C'est très possible que je me sois contredite. L'air de la mer m'ôte tout raisonnement. Je dis tout le temps les noms les uns pour les autres. » Et (ce qui me prouva qu'elle n'aurait pas eu besoin, maintenant, de beaucoup[d] de douces affirmations pour que je la crusse) je ressentis la souffrance d'une blessure en entendant cet aveu de ce que je n'avais que faiblement supposé. « Hé bien, c'est entendu, je pars », dit-elle d'un ton tragique, non sans regarder l'heure afin de voir si elle n'était pas en retard pour l'autre, maintenant que je lui fournissais le prétexte de ne pas passer la soirée avec moi. « Vous êtes trop méchant. Je change tout pour passer une bonne soirée avec vous et c'est vous qui ne voulez pas, et vous m'accusez de mensonge. Jamais je ne vous avais encore vu si cruel. La mer sera mon tombeau. Je ne vous reverrai jamais. (Mon cœur battit à ces mots bien que je fusse sûr qu'elle reviendrait le lendemain, ce qui arriva.) Je me noierai, je me jetterai à l'eau. — Comme Sapho[1]. — Encore une insulte de plus ; vous n'avez pas seulement des doutes sur ce que je dis mais sur ce que je fais. — Mais, mon petit, je ne mettais aucune intention, je vous le jure, vous savez que Sapho s'est précipitée dans la mer. — Si, si, vous n'avez aucune confiance en moi. » Elle vit qu'il était moins vingt à la pendule ; elle craignit de rater ce qu'elle avait à faire, et choisissant l'adieu le plus bref (dont elle s'excusa du reste en me venant voir[a] le lendemain ; probablement ce lendemain-là l'autre personne n'était pas libre), elle s'enfuit au pas de course en criant : « Adieu pour jamais », d'un air désolé. Et peut-être était-elle désolée. Car sachant ce qu'elle faisait en ce moment mieux que moi, plus sévère et plus indulgente à la fois à elle-même que je n'étais pour elle, peut-être avait-elle tout de même un doute que je ne voudrais plus la recevoir après la façon dont elle m'avait quitté. Or je crois qu'elle tenait à moi, au point que l'autre personne était plus jalouse que moi-même[b].

Quelques jours après, à Balbec, comme nous étions dans la salle de danse du casino, entrèrent la sœur et la cousine de Bloch[2], devenues l'une et l'autre fort jolies, mais que je ne saluais plus à cause de mes amies, parce que la plus jeune, la cousine, vivait au su de tout le monde, avec l'actrice dont elle avait fait la connaissance pendant mon premier séjour. Andrée, sur une allusion qu'on fit à mi-voix à cela, me dit : « Oh ! là-dessus je suis comme Albertine, il n'y a rien qui nous fasse horreur à toutes les deux comme cela. » Quant à Albertine, se mettant à causer avec moi sur le canapé où nous étions assis, elle avait tourné le dos aux deux jeunes filles de mauvais genre. Et pourtant j'avais remarqué qu'avant ce mouvement, au moment où étaient apparues Mlle Bloch et sa cousine, avait passé dans les yeux de mon amie cette attention brusque et profonde qui donnait parfois au visage de l'espiègle jeune fille un air sérieux, même grave, et la laissait triste après. Mais Albertine avait aussitôt détourné vers moi ses regards restés pourtant singulièrement immobiles et rêveurs. Mlle Bloch et sa cousine ayant fini par s'en aller après avoir ri très fort et poussé des cris peu convenables, je demandai à Albertine si la petite blonde (celle qui était l'amie de l'actrice) n'était pas la même qui la veille avait eu le prix dans la course pour les voitures de fleurs. « Ah ! je ne sais pas, dit Albertine, est-ce qu'il y en a une qui est blonde ? Je vous dirai qu'elles ne m'intéressent pas beaucoup, je ne les ai jamais regardées. Est-ce qu'il y en a une qui est blonde ? » demanda-t-elle d'un air interrogateur et détaché à ses trois amies. S'appliquant à des personnes qu'Albertine rencontrait tous les jours sur la digue, cette ignorance me parut bien excessive pour ne pas être feinte. « Elles n'ont pas l'air de nous regarder beaucoup non plus », dis-je à Albertine, peut-être dans l'hypothèse, que je n'envisageais pourtant pas d'une façon consciente, où Albertine eût aimé les femmes, afin de lui[a] ôter tout regret en lui montrant qu'elle n'avait pas attiré l'attention de celles-ci, et que d'une façon générale il n'est pas d'usage, même pour les plus vicieuses, de se soucier des jeunes filles qu'elles ne connaissent pas. « Elles ne nous ont pas regardées ? me répondit étourdiment Albertine. Elles n'ont pas fait autre chose tout le temps. — Mais vous ne pouvez pas le savoir, lui dis-je, vous leur tourniez le dos. — Eh bien, et cela ? » me répondit-elle en me montrant, encastrée dans le mur en face de nous, une grande glace que je n'avais pas remarquée, et sur laquelle je comprenais maintenant que mon amie, tout en me parlant, n'avait pas cessé de fixer ses beaux yeux remplis de préoccupation[b].

À partir du jour où Cottard fut entré avec moi dans le petit casino d'Incarville, sans partager l'opinion qu'il avait émise, Albertine ne me sembla plus la même ; sa vue me causait de la colère. Moi-même j'avais changé tout autant qu'elle me semblait autre. J'avais cessé[c] de lui vouloir du bien ; en sa présence, hors de sa présence quand cela pouvait lui être répété, je parlais d'elle de la façon la plus blessante. Il y avait des trêves cependant. Un jour j'apprenais qu'Albertine et Andrée avaient accepté toutes deux une invitation chez Elstir. Ne doutant pas que ce fût en considération de ce qu'elles pourraient pendant le retour s'amuser comme des pensionnaires à contrefaire les jeunes filles qui ont mauvais genre, et y trouver un plaisir inavoué de vierges qui me serrait le cœur, sans m'annoncer, pour les gêner et priver Albertine du plaisir sur lequel elle comptait, j'arrivais à l'improviste chez Elstir. Mais je n'y trouvais qu'Andrée. Albertine avait choisi un autre jour où sa tante devait y aller. Alors je me disais que Cottard avait dû se tromper ; l'impression favorable que m'avait produite la présence d'Andrée sans son amie se prolongeait et entretenait en moi des dispositions plus douces à l'égard d'Albertine. Mais elles ne duraient pas plus longtemps que la fragile bonne santé de ces personnes délicates sujettes à des mieux passagers, et qu'un rien suffit à faire retomber malades. Albertine incitait Andrée[1] à des jeux qui, sans aller bien loin, n'étaient peut-être pas tout à fait innocents ; souffrant de ce soupçon, je finissais par l'éloigner. À peine j'en étais guéri qu'il renaissait sous une autre forme. Je venais de voir Andrée dans un de ces mouvements gracieux qui lui étaient particuliers, poser câlinement sa tête sur l'épaule d'Albertine, l'embrasser dans le cou en fermant à demi les yeux ; ou bien elles avaient échangé un coup d'œil ; une parole avait échappé à quelqu'un qui les avait vues seules ensemble et allant se baigner, petits riens tels qu'il en flotte d'une façon habituelle dans l'atmosphère ambiante où la plupart des gens les absorbent toute la journée sans que leur santé en souffre ou que leur humeur s'en altère, mais qui sont morbides et générateurs de souffrances nouvelles pour un être prédisposé. Parfois même, sans que j'eusse revu Albertine, sans que personne m'eût parlé d'elle, je retrouvais dans ma mémoire une pose d'Albertine auprès de Gisèle[2] et qui[a] m'avait paru innocente alors ; elle suffisait maintenant pour détruire le calme que j'avais pu retrouver, je n'avais même plus besoin d'aller respirer au-dehors des germes dangereux, je m'étais, comme aurait dit Cottard, intoxiqué moi-même[3]. Je pensais alors à tout ce que j'avais appris de l'amour de Swann pour Odette, de la façon dont Swann avait été joué toute sa vie. Au fond si je veux y penser, l'hypothèse qui me fit peu à peu construire tout le caractère d'Albertine et interpréter douloureusement chaque moment d'une vie que je ne pouvais pas contrôler tout entière[a], ce fut le souvenir, l'idée fixe du caractère de Mme Swann, tel qu'on m'avait raconté qu'il était[b]. Ces récits contribuèrent à faire que dans l'avenir mon imagination faisait le jeu de supposer qu'Albertine aurait pu, au lieu d'être une jeune fille bonne, avoir la même immoralité, la même faculté de tromperie qu'une ancienne grue, et je pensais à toutes les souffrances qui m'auraient attendu dans ce cas si j'avais jamais dû l'aimer.

Un jour, devant le Grand-Hôtel où nous étions réunis sur la digue, je venais d'adresser à Albertine les paroles les plus dures et les plus humiliantes, et Rosemonde[1] disait : « Ah ! ce que vous êtes changé tout de même pour elle, autrefois il n'y en avait que pour elle, c'était elle qui tenait la corde, maintenant elle n'est plus bonne à donner à manger aux chiens. » J'étais en train, pour faire ressortir davantage encore mon attitude à l'égard d'Albertine, d'adresser toutes les amabilités possibles à Andrée qui, si elle était atteinte du même vice, me semblait plus excusable parce qu'elle était souffrante et neurasthénique, quand nous vîmes déboucher au petit trot de ses deux chevaux, dans la rue perpendiculaire à la digue à l'angle de laquelle nous nous tenions, la calèche de Mme de Cambremer. Le premier président qui, à ce moment, s'avançait vers nous, s'écarta d'un bond quand il reconnut la voiture, pour ne pas être vu dans notre société ; puis, quand il pensa que les regards de la marquise allaient pouvoir croiser les siens, s'inclina en lançant un immense coup de chapeau. Mais la voiture, au lieu de continuer comme il semblait probable, par la rue de la Mer, disparut derrière l'entrée de l'hôtel. Il y avait bien dix minutes de cela lorsque le lift tout essoufflé vint me prévenir : « C'est la marquise de Camembert[2] qui vient n'ici pour voir Monsieur. Je suis monté à la chambre, j'ai cherché au salon de lecture, je ne pouvais pas trouver Monsieur. Heureusement que j'ai eu l'idée de regarder sur la plage. » Il finissait à peine son récit que, suivie de sa belle-fille et d'un monsieur très cérémonieux, s'avança vers moi la marquise, arrivant probablement d'une matinée ou d'un thé dans le voisinage et toute voûtée sous le poids moins de la vieillesse que de la foule d'objets de luxe dont elle croyait plus aimable et plus digne de son rang d'être recouverte afin de paraître le plus « habillé » possible aux gens qu'elle venait voir.

C'était en somme, à l'hôtel, ce « débarquage » des Cambremer que ma grand-mère redoutait si fort autrefois quand elle voulait qu'on laissât ignorer à Legrandin que nous irions peut-être à Balbec. Alors maman riait des craintes inspirées par un événement qu'elle jugeait impossible. Voici qu'enfin il se produisait pourtant mais par d'autres voies et sans que Legrandin y fût pour quelque chose. « Est-ce que je peux rester si je ne vous dérange pas, me demanda Albertine (dans les yeux de qui restaient, amenées par les choses cruelles que je venais de lui dire, quelques larmes que je remarquai sans paraître les voir, mais non sans en être réjoui), j'aurais quelque chose à vous dire. » Un chapeau à plumes, surmonté lui-même d'une épingle de saphir, était posé n'importe comment sur la perruque de Mme de Cambremer, comme un insigne dont l'exhibition est nécessaire, mais suffisante, la place indifférente, l'élégance conventionnelle, et l'immobilité inutile. Malgré la chaleur, la bonne dame avait revêtu un mantelet de jais pareil à une dalmatique, par-dessus lequel pendait une étole d'hermine dont le port semblait en relation non avec la température et la saison, mais avec le caractère de la cérémonie. Et sur la poitrine de Mme de Cambremer un tortil de baronne relié à une chaînette pendait à la façon d'une croix pectorale. Le monsieur[1] était un célèbre avocat de Paris, de famille nobiliaire, qui était venu passer trois jours chez les Cambremer. C'était un de ces hommes à qui leur expérience professionnelle consommée fait un peu mépriser leur profession et qui disent par exemple : « Je sais que je plaide bien, aussi cela ne m'amuse plus de plaider », ou : « Cela ne m'intéresse plus d'opérer ; je sais que j'opère bien. » Intelligents, *artistes*, ils voient autour de leur maturité fortement rentée par le succès, briller cette « intelligence », cette nature d'« artiste » que leurs confrères leur reconnaissent et qui leur confère un à-peu-près de goût et de discernement. Ils se prennent de passion pour la peinture non d'un grand artiste, mais d'un artiste cependant très distingué, et à l'achat des œuvres duquel ils emploient les gros revenus que leur procure leur carrière. Le Sidaner[2] était l'artiste élu par l'ami des Cambremer, lequel était du reste très agréable. Il parlait bien des livres mais non de ceux des vrais maîtres, de ceux qui se sont maîtrisés. Le seul défaut gênant qu'offrît cet amateur était qu'il employait certaines expressions toutes faites d'une façon constante, par exemple : « en majeure partie », ce qui donnait à ce dont il voulait parler quelque chose d'important et d'incomplet. Mme de Cambremer avait profité[a], me dit-elle, d'une matinée que des amis à elle avaient donnée ce jour-là à côté de Balbec, pour venir me voir, comme elle l'avait promis à Robert de Saint-Loup. « Vous savez qu'il doit bientôt venir passer quelques jours dans le pays. Son oncle Charlus y est en villégiature chez sa belle-sœur, la duchesse de Luxembourg, et M. de Saint-Loup profitera de l'occasion pour aller à la fois dire bonjour à sa tante et revoir son ancien régiment, où il est très aimé, très estimé[1]. Nous recevons souvent des officiers qui nous parlent tous de lui avec des éloges infinis. Comme ce serait gentil si vous nous faisiez le plaisir de venir tous les deux à Féterne. » Je lui présentai Albertine et ses amies. Mme de Cambremer nous nomma à sa belle-fille. Celle-ci, si glaciale avec les petits nobliaux que le voisinage de Féterne la forçait à fréquenter, si pleine de réserve de crainte de se compromettre, me tendit[b] au contraire la main avec un sourire rayonnant, mise comme elle était en sûreté et en joie devant un ami de Robert de Saint-Loup et que celui-ci, gardant plus de finesse mondaine qu'il ne voulait le laisser voir, lui avait dit très lié avec les Guermantes. Telle, au rebours de sa belle-mère, Mme de Cambremer avait-elle deux politesses infiniment différentes. C'est tout au plus la première, sèche, insupportable, qu'elle m'eût concédée si je l'avais connue par son frère Legrandin. Mais pour un ami des Guermantes elle n'avait pas assez de sourires. La pièce[c] la plus commode de l'hôtel pour recevoir était le salon de lecture, ce lieu jadis si terrible où maintenant j'entrais dix fois par jour, ressortant librement, en maître, comme ces fous peu atteints et depuis si longtemps pensionnaires d'un asile que le médecin leur en a confié la clef. Aussi offris-je à Mme de Cambremer de l'y conduire. Et comme ce salon ne m'inspirait plus de timidité et ne m'offrait plus de charme parce que le visage des choses change pour nous comme celui des personnes, c'est sans trouble que je lui fis cette proposition. Mais elle la refusa, préférant rester dehors, et nous nous assîmes en plein air, sur la terrasse de l'hôtel. J'y trouvai et recueillis un volume de Mme de Sévigné que maman n'avait pas eu le temps d'emporter dans sa fuite précipitée, quand elle avait appris qu'il arrivait des visites pour moi. Autant que[a] ma grand-mère elle redoutait ces invasions d'étrangers et par peur de ne plus pouvoir s'échapper si elle se laissait cerner, elle se sauvait avec une rapidité qui nous faisait toujours, à mon père et à moi, nous moquer d'elle. Mme de Cambremer tenait à la main, avec la crosse d'une ombrelle, plusieurs sacs brodés, un vide-poche, une bourse en or d'où pendaient des fils de grenats, et un mouchoir en dentelle. Il me semblait qu'il lui eût été plus commode de les poser sur une chaise ; mais je sentais qu'il eût été inconvenant et inutile de lui demander d'abandonner les ornements de sa tournée pastorale et de son sacerdoce mondain. Nous regardions la mer calme où des mouettes éparses flottaient comme des corolles blanches. À cause du niveau de simple « médium » où nous abaisse[b] la conversation mondaine, et aussi notre désir de plaire non à l'aide de nos qualités ignorées de nous-mêmes, mais de ce que nous croyons devoir être prisé par ceux qui sont avec nous, je me mis instinctivement à parler à Mme de Cambremer, née Legrandin, de la façon qu'eût pu faire son frère. « Elles ont, dis-je, en parlant des mouettes, une immobilité et une blancheur de nymphéas. » Et en effet elles avaient l'air d'offrir un but inerte aux petits flots qui les ballottaient au point que ceux-ci, par contraste, semblaient dans leur poursuite, animés d'une intention, prendre de la vie. La marquise douairière ne se lassait pas de célébrer la superbe vue de la mer que nous avions à Balbec, et m'enviait, elle qui de La Raspelière (qu'elle n'habitait du reste pas cette année) ne voyait les flots que de si loin. Elle avait deux singulières habitudes qui tenaient à la fois à son amour exalté pour les arts (surtout pour la musique) et à son insuffisance dentaire. Chaque fois qu'elle parlait esthétique ses glandes salivaires, comme celles de certains animaux au moment du rut, entraient dans une phase d'hypersécrétion telle que la bouche édentée de la vieille dame laissait passer au coin des lèvres légèrement moustachues, quelques gouttes dont ce n'était pas la place[1]. Aussitôt elle les ravalait avec un grand soupir, comme quelqu'un qui reprend sa respiration. Enfin s'il s'agissait d'une trop grande beauté musicale, dans son enthousiasme elle levait les bras et proférait quelques jugements sommaires, énergiquement mastiqués et au besoin venant du nez. Or[c] je n'avais jamais songé que la vulgaire plage de Balbec pût offrir en effet une « vue de mer » et les simples paroles de Mme de Cambremer changeaient mes idées à cet égard. En revanche, et je le lui dis, j'avais toujours entendu célébrer le coup d'œil unique de La Raspelière, située au faîte de la colline et où, dans un grand salon à deux cheminées, toute une rangée de fenêtres regarde au bout des jardins, entre les feuillages, la mer jusqu'au-delà de Balbec, et l'autre rangée, la vallée. « Comme vous êtes aimable et comme c'est bien dit : la mer entre les feuillages. C'est ravissant, on dirait... un éventail. » Et je sentis à une respiration profonde destinée à rattraper la salive et à assécher la moustache, que le compliment était sincère. Mais la marquise née Legrandin resta froide pour témoigner de son dédain non pas pour mes paroles mais pour celles de sa belle-mère. D'ailleurs elle ne méprisait pas seulement l'intelligence de celle-ci, mais déplorait son amabilité, craignant toujours que les gens n'eussent pas une idée suffisante des Cambremer. « Et comme le nom est joli, dis-je. On aimerait savoir l'origine de tous ces noms-là. — Pour celui-là je peux vous le dire, me répondit avec douceur la vieille dame. C'est une demeure de famille, de ma grand-mère Arrachepel[1], ce n'est pas une famille illustre, mais c'est une bonne et très ancienne famille de province. — Comment, pas illustre ? interrompit sèchement sa belle-fille. Tout un vitrail de la cathédrale de Bayeux[2] est rempli par ses armes, et la principale église d'Avranches[3] contient leurs monuments funéraires. Si ces vieux noms vous amusent, ajouta-t-elle, vous venez un an trop tard. Nous avions fait nommer à la cure de Criquetot, malgré[a] toutes les difficultés qu'il y a à changer de diocèse, le doyen d'un pays où j'ai personnellement des terres, fort loin d'ici, à Combray, où le bon prêtre se sentait devenir neurasthénique. Malheureusement l'air de la mer n'a pas réussi à son grand âge ; sa neurasthénie s'est augmentée et il est retourné à Combray. Mais il s'est amusé pendant qu'il était notre voisin, à aller consulter toutes les vieilles chartes, et il a fait une petite brochure assez curieuse sur les noms de la région[4]. Cela l'a d'ailleurs mis en goût, car il paraît qu'il occupe ses dernières années à écrire un grand ouvrage sur Combray et ses environs. Je vais vous envoyer sa brochure sur les environs de Féterne. C'est un travail[b] de bénédictin. Vous y lirez des choses très intéressantes sur notre vieille Raspelière dont ma belle-mère parle beaucoup trop modestement. — En tout cas, cette année, répondit Mme de Cambremer douairière, La Raspelière n'est plus nôtre et ne m'appartient pas. Mais on sent que vous avez une nature de peintre ; vous devriez dessiner, et j'aimerais tant vous montrer Féterne qui est bien mieux que La Raspelière. » Car depuis que les Cambremer avaient loué cette dernière demeure aux Verdurin, sa position dominante avait brusquement cessé de leur apparaître ce qu'elle avait été pour eux pendant tant d'années, c'est-à-dire donnant l'avantage unique dans le pays d'avoir vue à la fois sur la mer et sur la vallée, et en revanche leur avait présenté tout à coup — et après coup — l'inconvénient qu'il fallait toujours monter et descendre pour y arriver et en sortir. Bref, on eût cru que si Mme de Cambremer l'avait louée, c'était moins pour accroître ses revenus que pour reposer ses chevaux. Et elle se disait ravie de pouvoir enfin posséder tout le temps la mer de si près, à Féterne, elle qui pendant si longtemps, oubliant les deux mois qu'elle y passait, ne l'avait vue que d'en haut et comme dans un panorama. « Je la découvre à mon âge, disait-elle, et comme j'en jouis ! Ça me fait un bien ! Je louerais La Raspelière pour rien afin d'être contrainte d'habiter Féterne. »

« Pour revenir à des sujets plus intéressants, reprit la sœur de Legrandin qui disait : " Ma mère " à la vieille marquise, mais avec les années avait pris des façons insolentes avec elle, vous parliez de nymphéas : je pense que vous connaissez ceux que Claude Monet a peints. Quel génie ! Cela m'intéresse d'autant plus qu'auprès de Combray, cet endroit où je vous ai dit que j'avais des terres... » Mais elle préféra ne pas trop parler de Combray. « Ah ! c'est sûrement la série dont nous a parlé Elstir, le plus grand des peintres contemporains, s'écria Albertine qui n'avait rien dit jusque-là[1]. — Ah ! on voit que Mademoiselle aime les arts », s'écria Mme de Cambremer qui, en poussant une respiration profonde, résorba un jet de salive. « Vous me permettrez de lui préférer Le Sidaner[2], mademoiselle », dit l'avocat en souriant d'un air connaisseur. Et, comme il avait goûté, ou vu goûter, autrefois certaines « audaces » d'Elstir, il ajouta : « Elstir était doué, il a même fait presque partie de l'avant-garde, mais je ne sais pas pourquoi il a cessé de suivre, il a gâché sa vie. » Mme de Cambremer donna raison à l'avocat en ce qui concernait Elstir, mais, au grand chagrin de son invité, égala Monet à Le Sidaner. On ne peut pas dire qu'elle fût bête[a] ; elle débordait d'une intelligence que je sentais m'être entièrement inutile. Justement, le soleil s'abaissant, les mouettes étaient maintenant jaunes, comme les nymphéas dans une autre toile de cette même série de Monet. Je dis que je la connaissais et (continuant à imiter le langage du frère dont je n'avais pas encore osé citer le nom) j'ajoutai qu'il était malheureux qu'elle n'eût pas eu plutôt l'idée de venir la veille, car à la même heure, c'est une lumière de Poussin[b] qu'elle eût pu admirer. Devant un hobereau normand inconnu des Guermantes et qui lui eût dit qu'elle eût dû venir la veille, Mme de Cambremer-Legrandin se fût sans doute redressée d'un air offensé. Mais j'aurais pu être bien plus familier encore qu'elle n'eut été que douceur moelleuse et fondante ; je pouvais[c] dans la chaleur de cette belle fin d'après-midi butiner à mon gré dans le gros gâteau de miel que Mme de Cambremer était si rarement et qui remplaça les petits fours que je n'eus pas l'idée d'offrir. Mais le nom de Poussin, sans altérer l'aménité de la femme du monde, souleva les protestations de la dilettante. En entendant ce nom, Mme de Cambremer fit entendre à six reprises[d] que ne séparait presque aucun intervalle, ce petit claquement de la langue contre les lèvres qui sert à signifier à un enfant qui est en train de faire une bêtise, à la fois un blâme d'avoir commencé et l'interdiction de poursuivre. « Au nom du ciel, après un peintre comme Monet, qui est tout bonnement un génie, n'allez pas nommer un vieux poncif sans talent comme Poussin. Je vous dirai tout nûment que je le trouve le plus barbifiant des raseurs. Qu'est-ce que vous voulez, je ne peux pourtant pas appeler cela de la peinture. Monet, Degas, Manet, oui, voilà des peintres ! C'est très curieux », ajouta-t-elle, en fixant un regard scrutateur et ravi sur un point vague de l'espace où elle apercevait sa propre pensée, « c'est très curieux, autrefois je préférais Manet. Maintenant, j'admire toujours Manet, c'est entendu, mais je crois que je lui préfère peut-être encore Monet. Ah ! les cathédrales[1] ! » Elle mettait autant de scrupules que de complaisanse à me renseigner sur l'évolution qu'avait suivie son goût. Et on sentait que les phases par lesquelles avait passé ce goût n'étaient pas, selon elle, moins importantes que les différentes manières de Monet lui-même. Je n'avais pas du reste à être flatté qu'elle me fît confidence de ses admirations, car, même devant la provinciale la plus bornée, elle ne pouvait pas rester cinq minutes sans éprouver le besoin de les confesser. Quand une dame noble d'Avranches, laquelle n'eût pas été capable de distinguer Mozart de Wagner, disait devant Mme de Cambremer : « Nous n'avons pas eu de nouveauté intéressante pendant notre séjour à Paris, nous avons été une fois à l'Opéra-Comique, on donnait *Pelléas et Mélisande*[1], c'est affreux », Mme de Cambremer non seulement bouillait mais éprouvait le besoin de s'écrier : « Mais au contraire, c'est un petit chef-d'œuvre », et de « discuter ». C'était peut-être une habitude de Combray, prise auprès des sœurs de ma grand-mère qui appelaient cela : « combattre pour la bonne cause », et qui aimaient les dîners où elles savaient, toutes les semaines, qu'elles auraient à défendre leurs dieux contre des Philistins. Telle Mme de Cambremer aimait à se « fouetter le sang » en se « chamaillant » sur l'art, comme d'autres sur la politique. Elle prenait le partie de Debussy comme elle aurait fait celui d'une de ses amies dont on eût incriminé la conduite. Elle devait pourtant bien comprendre qu'en disant : « Mais non, c'est un petit chef-d'œuvre », elle ne pouvait pas improviser, chez la personne qu'elle remettait à sa place, toute la progression de culture artistique au terme de laquelle elles fussent tombées d'accord sans avoir besoin de discuter. « Il faudra que je demande à Le Sidaner ce qu'il pense de Poussin, me dit l'avocat. C'est un renfermé, un silencieux, mais je saurai bien lui tirer les vers du nez. »

« Du reste, continua[a] Mme de Cambremer, j'ai horreur des couchers de soleil, c'est romantique, c'est opéra. C'est pour cela que je déteste la maison de ma belle-mère, avec ses plantes du Midi. Vous verrez, ça a l'air d'un parc de Monte-Carlo. C'est pour cela que j'aime mieux votre rive. C'est plus triste, plus sincère ; il y a un petit chemin d'où on ne voit pas la mer. Les jours de pluie, il n'y a que de la boue, c'est tout un monde. C'est comme à Venise, je déteste le Grand Canal et je ne connais rien de touchant comme les petites ruelles. Du reste c'est une question d'ambiance. — Mais » lui dis-je, sentant que la seule manière de réhabiliter Poussin aux yeux de Mme de

Cambremer c'était d'apprendre à celle-ci qu'il était redevenu à la mode, « M. Degas assure qu'il ne connaît rien de plus beau que les Poussin de Chantilly[1]. — Ouais ? Je ne connais pas ceux de Chantilly, me dit Mme de Cambremer qui ne voulait pas être d'un autre avis que Degas, mais je peux parler de ceux du Louvre qui sont des horreurs. — Il les admire aussi énormément. — Il faudra que je les revoie. Tout cela est un peu ancien dans ma tête », répondit-elle après un instant de silence et comme si le jugement favorable qu'elle allait certainement bientôt porter sur Poussin devait dépendre, non de la nouvelle que je venais de lui communiquer, mais de l'examen supplémentaire et cette fois définitif qu'elle comptait faire subir aux Poussin du Louvre pour avoir la faculté de se déjuger. Me contentant de ce qui était un commencement de rétractation[2] puisque si elle n'admirait pas encore les Poussin, elle s'ajournait pour une seconde délibération, pour ne pas la laisser plus longtemps à la torture je dis à sa belle-mère combien on m'avait parlé des fleurs admirables de Féterne. Modestement elle parla du petit jardin de curé qu'elle avait derrière et où le matin, en poussant une porte, elle allait en robe de chambre donner à manger à ses paons, chercher les œufs pondus, et cueillir des zinnias ou des roses qui, sur le chemin de table, faisant aux œufs à la crème ou aux fritures une bordure de fleurs, lui rappelaient ses allées[3]. « C'est vrai que nous avons beaucoup de roses, me dit-elle, notre roseraie est presque un peu trop près de la maison d'habitation, il y a des jours où cela me fait mal à la tête. C'est plus agréable de la terrasse de La Raspelière où le vent apporte l'odeur des roses[4], mais déjà moins entêtante. » Je me tournai vers la belle-fille : « C'est tout à fait *Pelléas*, lui dis-je, pour contenter son goût de modernisme, cette odeur de roses montant jusqu'aux terrasses. Elle est si forte dans la partition que, comme j'ai le hay-fever et la rose-fever, elle me faisait éternuer chaque fois que j'entendais cette scène. — Quel chef-d'œuvre[a] que *Pelléas* ! s'écria Mme de Cambremer, j'en suis férue » ; et s'approchant de moi avec les gestes d'une femme sauvage qui aurait voulu me faire des agaceries, s'aidant des doigts pour piquer les notes imaginaires, elle se mit à fredonner quelque chose que je supposai être pour elle les adieux de Pelléas et continua avec une véhémente insistance comme s'il avait été d'importance que Mme de Cambremer me rappelât en ce moment cette scène, ou peut-être plutôt me montrât qu'elle se la rappelait. « Je crois que c'est encore plus beau que *Parsifal*[1], ajouta-t-elle, parce que dans *Parsifal* il s'ajoute aux plus grandes beautés un certain halo de phrases mélodiques, donc caduques puisque mélodiques. — Je sais que vous êtes une grande musicienne, madame, dis-je à la douairière. J'aimerais beaucoup vous entendre. » Mme de Cambremer-Legrandin regarda la mer pour ne pas prendre part à la conversation. Considérant que ce qu'aimait sa belle-mère n'était pas de la musique, elle considérait le talent, prétendu selon elle, et des plus remarquables en réalité, qu'on lui reconnaissait, comme une virtuosité sans intérêt. Il est vrai que la seule élève encore vivante de Chopin[2] déclarait avec raison que la manière de jouer, le « sentiment » du Maître, ne s'était transmis, à travers elle, qu'à Mme de Cambremer, mais jouer comme Chopin était loin d'être une référence pour la sœur de Legrandin, laquelle ne méprisait personne autant que le musicien polonais[3]. « Oh ! elles s'envolent », s'écria Albertine en me montrant les mouettes qui, se débarrassant pour un instant de leur incognito de fleurs, montaient toutes ensemble vers le soleil. « Leurs ailes de géants les empêchent de marcher », dit Mme de Cambremer, confondant les mouettes avec les albatros[4]. « Je les aime beaucoup, j'en voyais à Amsterdam[5], dit Albertine. Elles sentent la mer, elles viennent la humer même à travers les pierres des rues. — Ah ! vous avez été en Hollande, vous connaissez les Ver Meer ? » demanda impérieusement Mme de Cambremer et du ton dont elle aurait dit : « Vous connaissez les Guermantes ? », car le snobisme en changeant d'objet ne change pas d'accent. Albertine répondit non : elle croyait que c'étaient des gens vivants[6]. Mais il n'y parut pas. « Je serais très heureuse de vous faire de la musique, me dit Mme de Cambremer. Mais vous savez, je ne joue que des choses qui n'intéressent plus votre génération. J'ai été élevée dans le culte de Chopin », dit-elle à voix basse car elle redoutait sa belle-fille et savait que celle-ci considérait que Chopin n'étant pas de la musique, le bien jouer ou le mal jouer étaient des expressions dénuées de sens. Elle reconnaissait que sa belle-mère avait du mécanisme, perlait les traits.

« Jamais on ne me fera dire qu'elle est musicienne », concluait Mme de Cambremer-Legrandin. Parce qu'elle se croyait « avancée » et (en art seulement) « jamais assez à gauche », disait-elle, elle se représentait non seulement que la musique progresse, mais sur une seule ligne, et que Debussy était en quelque sorte un sur-Wagner encore un peu plus avancé que Wagner. Elle ne se rendait pas compte que si Debussy n'était pas aussi indépendant de Wagner qu'elle-même devait le croire dans quelques années, parce qu'on se sert tout de même des armes conquises pour achever de s'affranchir de celui qu'on a momentanément vaincu, il cherchait cependant, après la satiété qu'on commençait à avoir des œuvres trop complètes où tout est exprimé, à contenter un besoin contraire. Des théories, bien entendu, étayaient momentanément cette réaction, pareilles à celles qui, en politique, viennent à l'appui des lois contre les congrégations[1], des guerres en Orient[2] (enseignement contre nature, péril jaune etc., etc.). On disait qu'à une époque de hâte convenait un art rapide, absolument comme on aurait dit que la guerre future ne pouvait pas durer plus de quinze jours, ou qu'avec les chemins de fer seraient délaissés les petits coins chers aux diligences et que l'auto pourtant devait remettre en honneur. On recommandait de ne pas fatiguer l'attention de l'auditeur, comme si nous ne disposions pas d'attentions différentes dont il dépend précisément de l'artiste d'éveiller les plus hautes. Car ceux qui bâillent de fatigue après dix lignes d'un article médiocre avaient refait tous les ans le voyage de Bayreuth pour entendre la *Tétralogie*. D'ailleurs le jour devait venir où, pour un temps, Debussy serait déclaré aussi fragile que Massenet et les tressautements de Mélisande abaissés au rang de ceux de Manon[3]. Car les théories[a] et les écoles, comme les microbes et les globules, s'entre-dévorent et assurent, par leur lutte, la continuité de la vie. Mais ce temps n'était pas encore venu.

Comme à la Bourse[b], quand un mouvement de hausse se produit, tout un compartiment de valeurs en profitent, un certain nombre[c] d'auteurs dédaignés bénéficiaient de la réaction, soit parce qu'ils ne méritaient pas ce dédain, soit simplement — ce qui permettait de dire une nouveauté en les prônant — parce qu'ils l'avaient encouru. Et on allait même chercher, dans un passé isolé, quelques talents indépendants sur la réputation de qui ne semblait pas devoir influer le mouvement actuel, mais dont un des maîtres nouveaux passait pour citer le nom avec faveur. Souvent c'était parce qu'un maître, quel qu'il soit, si exclusive que doive être son école, juge d'un sentiment original, rend justice au talent partout où il se trouve, et même moins qu'au talent, à quelque agréable inspiration qu'il a goûtée autrefois, qui se rattache à un moment aimé de son adolescence. D'autres fois parce que certains artistes d'une autre époque ont dans un simple morceau réalisé quelque chose qui ressemble à ce que le maître peu à peu s'est rendu compte que lui-même avait voulu faire. Alors il voit en cet ancien comme un précurseur ; il aime chez lui, sous une autre forme, un effort momentanément, partiellement fraternel. Il y a des morceaux de Turner[a] dans l'œuvre de Poussin, une phrase de Flaubert dans Montesquieu[1]. Et quelquefois aussi ce bruit de la prédilection du maître était le résultat d'une erreur, née on ne sait où et colportée dans l'école. Mais le nom cité bénéficiait alors de la firme sous la protection de laquelle il était entré juste à temps, car s'il y a quelque liberté, un goût vrai, dans le choix du maître, les écoles, elles, ne se dirigent plus que suivant la théorie. C'est ainsi que l'esprit, suivant son cours habituel qui s'avance par digressions, en obliquant un fois dans un sens, la fois suivante dans le sens contraire, avait ramené la lumière d'en haut sur un certain nombre d'œuvres auxquelles le besoin de justice, ou de renouvellement, ou le goût de Debussy, ou son caprice, ou quelque propos qu'il n'avait peut-être pas tenu, avaient ajouté celles de Chopin. Prônées par les juges en qui on avait toute confiance, bénéficiant de l'admiration qu'excitait *Pelléas,* elles avaient retrouvé un éclat nouveau, et ceux mêmes qui ne les avaient pas réentendues étaient si désireux de les aimer qu'ils le faisaient malgré eux, quoique avec l'illusion de la liberté. Mais Mme de Cambremer-Legrandin restait une partie de l'année en province. Même à Paris, malade, elle vivait beaucoup dans sa chambre. Il est vrai que l'inconvénient pouvait surtout s'en faire sentir dans le choix des expressions que Mme de Cambremer croyait à la mode et qui eussent convenu plutôt au langage écrit, nuance qu'elle ne discernait pas, car elle les tenait plus de la lecture que de la conversation. Celle-ci n'est pas aussi nécessaire pour la connaissance exacte des opinions que des expressions nouvelles. Pourtant ce rajeunissement des *Nocturnes* n'avait pas encore été annoncé par la critique[1]. La nouvelle s'en était transmise seulement par des causeries de « jeunes ». Il restait ignoré de Mme de Cambremer-Legrandin. Je me fis un plaisir de lui apprendre, mais en m'adressant pour cela à sa belle-mère, comme quand au billard, pour atteindre une boule on joue par la bande, que Chopin, bien loin d'être démodé, était le musicien préféré de Debussy[2]. « Tiens, c'est amusant », me dit en souriant la belle-fille, comme si ce n'avait été là qu'un paradoxe lancé par l'auteur de *Pelléas.* Néanmoins il était bien certain maintenant qu'elle n'écouterait plus Chopin qu'avec respect et même avec plaisir. Aussi mes paroles qui venaient de sonner l'heure de la délivrance pour la douairière, mirent-elles dans sa figure une expression de gratitude pour moi, et surtout de joie. Ses yeux brillèrent comme ceux de Latude dans la pièce appelée *Latude ou trente-cinq ans de captivité*[3] et sa poitrine huma l'air de la mer avec cette dilatation que Beethoven a si bien marquée dans *Fidelio,* quand ses prisonniers respirent enfin « cet air qui vivifie[4] ». Je crus qu'elle allait poser sur ma joue ses lèvres moustachues. « Comment, vous aimez Chopin ? Il aime Chopin, il aime Chopin », s'écria-t-elle dans un nasonnement passionné, comme elle aurait dit[a] : « Comment, vous connaissez aussi Mme de Francquetot ? » avec cette différence que mes relations avec Mme de Francquetot lui eussent été profondément indifférentes, tandis que ma connaissance de Chopin la jeta dans une sorte de délire artistique. L'hypersécrétion salivaire ne suffit plus. N'ayant même pas essayé de comprendre le rôle de Debussy dans la réinvention de Chopin, elle sentit seulement que mon jugement était favorable. L'enthousiasme musical la saisit. « Élodie ! Élodie ! il aime Chopin. » Ses seins se soulevèrent et elle battit[b] l'air de ses bras. « Ah ! j'avais bien senti que vous étiez musicien, s'écria-t-elle. Je comprends, hhartiste comme vous êtes, que vous aimiez cela. C'est si beau ! » Et sa voix était aussi caillouteuse que si, pour m'exprimer son ardeur pour Chopin, elle eût, imitant Démosthène, rempli sa bouche avec tous les galets de la plage. Enfin le reflux vint, atteignant jusqu'à la voilette qu'elle n'eut pas le temps de mettre à l'abri et qui fut transpercée, enfin la marquise essuya avec son mouchoir brodé la bave d'écume dont le souvenir de Chopin venait de tremper ses moustaches.

« Mon Dieu[a], me dit Mme de Cambremer-Legrandin, je crois que ma belle-mère s'attarde un peu trop, elle oublie que nous avons à dîner mon oncle de Ch'nouville[1]. Et puis Cancan n'aime pas attendre. » Cancan me resta incompréhensible et je pensai qu'il s'agissait peut-être d'un chien. Mais pour les cousins de Ch'nouville, voilà. Avec l'âge s'était amorti chez la jeune marquise le plaisir qu'elle avait à prononcer leur nom de cette manière. Et cependant c'était pour le goûter qu'elle avait jadis décidé son mariage. Dans d'autres groupes mondains[2], quand on parlait des Chenouville, l'habitude était (du moins chaque fois que la particule était précédée d'un nom finissant par une voyelle, car dans le cas contraire on était bien obligé de prendre appui sur le *de,* la langue se refusant à prononcer Madam' d' Ch'nonceaux) que ce fut l'*e* muet de la particule qu'on sacrifiât. On disait : « Monsieur d' Chenouville ». Chez les Cambremer la tradition était inverse, mais aussi impérieuse. C'était l'*e* muet de Chenouville que dans tous les cas on supprimait. Que le nom fût précédé de mon cousin ou de ma cousine, c'était toujours de « Ch'nouville » et jamais de Chenouville. (Pour le père de ces Chenouville on disait notre oncle, car on n'était pas assez gratin à Féterne pour prononcer notre « onk », comme eussent fait les Guermantes dont le baragouin voulu, supprimant les consonnes et nationalisant les noms étrangers, était aussi difficile à comprendre que le vieux français ou le moderne patois.) Toute personne qui entrait dans la famille Cambremer recevait aussitôt, sur ce point des Ch'nouville, un avertissement dont Mlle Legrandin n'avait pas eu besoin. Un jour en visite, entendant une jeune fille dire : « ma tante d'Uzai », « mon onk de Rouan », elle n'avait pas reconnu immédiatement les noms illustres qu'elle avait l'habitude de prononcer : Uzès et Rohan ; elle avait eu l'étonnement, l'embarras et la honte de quelqu'un qui a devant lui à table un instrument nouvellement inventé dont il ne sait pas l'usage et dont il n'ose pas[b] commencer à manger. Mais la nuit suivante et le lendemain, elle avait répété avec ravissement : « ma tante d'Uzai » avec cette suppression de l'*s* finale, suppression qui l'avait stupéfaite la veille, mais qu'il lui semblait maintenant si vulgaire de ne pas connaître qu'une de ses amies lui ayant parlé d'un buste de la duchesse d'Uzès, Mlle Legrandin lui avait répondu avec mauvaise humeur, et d'un ton hautain : « Vous pourriez au moins prononcer comme il faut : Mame d'Uzai. » Dès lors elle avait compris qu'en vertu de la transmutation des matières consistantes en éléments de plus en plus subtils, la fortune considérable et si honorablement acquise qu'elle tenait de son père, l'éducation complète qu'elle avait reçue, son assiduité à la Sorbonne, tant aux cours de Caro[1], qu'à ceux de Brunetière[2], et aux concerts Lamoureux[3], tout cela devait se volatiliser, trouver sa sublimation dernière dans le plaisir de dire un jour : « ma tante d'Uzai ». Il n'excluait pas de son esprit qu'elle continuerait à fréquenter, au moins dans les premiers temps qui suivraient son mariage, non pas certaines amies qu'elle aimait et qu'elle était résignée à sacrifier, mais certaines autres qu'elle n'aimait pas et à qui elle voulait pouvoir dire (puisqu'elle se marierait pour cela) : « Je vais vous présenter ma tante d'Uzai », et quand elle vit que cette alliance était trop difficile : « Je vais vous présenter à ma tante de Ch'nouville » et « Je vous ferai dîner avec les Uzai. » Son mariage avec M. de Cambremer avait procuré à Mlle Legrandin l'occasion de dire la première de ces phrases mais non la seconde, le monde que fréquentaient ses beaux-parents n'étant pas celui qu'elle avait cru et duquel elle continuait à rêver. Aussi après m'avoir dit de Saint-Loup (en adoptant pour cela une expression de Robert, car si pour causer avec elle je parlais comme Legrandin[a], par une suggestion inverse elle me répondait dans le dialecte de Robert, qu'elle ne savait pas emprunté à Rachel), en rapprochant le pouce de l'index et en fermant à demi les yeux comme si elle regardait quelque chose d'infiniment délicat qu'elle était parvenue à capter : « Il a une jolie qualité d'esprit » ; elle fit son éloge avec tant de chaleur qu'on aurait pu croire qu'elle était amoureuse de lui (on avait d'ailleurs prétendu qu'autrefois, quand il était à Doncières, Robert avait été son amant), en réalité simplement pour que je le lui répétasse, et aboutir à : « Vous êtes très lié avec la duchesse de Guermantes. Je suis souffrante, je ne sors guère, et je sais qu'elle reste confinée dans un cercle d'amis choisis, ce que je trouve très bien, aussi je la connais très peu, mais je sais que c'est une femme absolument supérieure. » Sachant[a] que Mme de Cambremer la connaissait à peine, et pour me faire aussi petit qu'elle, je glissai sur ce sujet et répondis à la marquise que j'avais connu surtout son frère, M. Legrandin. À ce nom, elle prit le même air évasif que j'avais eu pour Mme de Guermantes, mais en y joignant une expression de mécontentement car elle pensa que j'avais dit cela pour humilier non pas moi, mais elle. Était-elle rongée par le désespoir d'être née Legrandin ? C'est du moins ce que prétendaient les sœurs et belles-sœurs de son mari, dames nobles de province qui ne connaissaient personne et ne savaient rien, jalousaient l'intelligence de Mme de Cambremer, son instruction, sa fortune, les agréments physiques qu'elle avait eus avant de tomber malade. « Elle ne pense pas à autre chose, c'est cela qui la tue » disaient ces méchantes dès qu'elles[b] parlaient de Mme de Cambremer à n'importe qui, mais de préférence à un roturier, soit, s'il était fat et stupide, pour donner plus de valeur, par cette affirmation de ce qu'a de honteux la roture, à l'amabilité[c] qu'elles marquaient pour lui, soit, s'il était timide et fin et s'appliquait le propos à soi-même, pour avoir le plaisir, tout en le recevant bien, de lui faire indirectement une insolence. Mais si ces dames croyaient dire vrai pour leur belle-sœur, elles se trompaient. Celle-ci souffrait d'autant moins d'être née Legrandin qu'elle en avait perdu le souvenir[1]. Elle fut froissée que je le lui rendisse et se tut comme si elle n'avait pas compris, ne jugeant pas nécessaire d'apporter une précision, ni même une confirmation aux miens[d].

« Nos parents ne sont pas la principale cause de l'écourtement de notre visite », me dit Mme de Cambremer douairière qui était probablement plus blasée que sa belle-fille sur le plaisir qu'il y a à dire : « Ch'nouville ». « Mais pour ne pas vous fatiguer de trop de monde, monsieur, dit-elle en montrant l'avocat, n'a pas osé faire venir jusqu'ici sa femme et son fils. Ils se promènent sur la plage en nous attendant et doivent commencer à s'ennuyer. » Je me les fis désigner exactement et courus les chercher. La femme avait une figure ronde comme certaines fleurs de la famille des renonculacées, et au coin de l'œil un assez large signe végétal. Et les générations des hommes gardant leurs caractères comme une famille de plantes, de même que sur la figure flétrie de la mère, le même signe, qui eût pu aider au classement d'une variété, se gonflait sous l'œil du fils. Mon empressement auprès de sa femme et de son fils toucha l'avocat. Il montra de l'intérêt au sujet de mon séjour à Balbec. « Vous devez vous trouver un peu dépaysé, car il y a ici, en majeure partie, des étrangers. » Et il me regardait tout en me parlant, car n'aimant pas les étrangers, bien que beaucoup fussent de ses clients, il voulait s'assurer que je n'étais pas hostile à sa xénophobie, auquel cas il eût battu en retraite en disant : « Naturellement Mme X peut être une femme charmante. C'est une question de principes. » Comme je n'avais à cette époque aucune opinion sur les étrangers, je ne témoignai pas de désapprobation, il se sentit en terrain sûr. Il alla jusqu'à me demander de venir un jour chez lui, à Paris, voir sa collection de Le Sidaner, et d'entraîner avec moi les Cambremer, avec lesquels il me croyait évidemmetnt intime. « Je vous inviterai avec Le Sidaner, me dit-il, persuadé que je ne vivrai plus que dans l'attente de ce jour béni. Vous verrez quel homme exquis. Et ses tableaux vous enchanteront. Bien entendu je ne puis rivaliser avec les grands collectionneurs, mais je crois que c'est moi qui ai le plus grand nombre de ses toiles préférées[a]. Cela vous intéressera d'autant plus, venant de Balbec, que se sont des marines, du moins en majeure partie[1]. » La femme et le fils, pourvus du caractère végétal, écoutaient avec recueillement. On sentait qu'à Paris leur hôtel était une sorte de temple de Le Sidaner[b]. Ces sortes de temples ne sont pas inutiles. Quand le dieu a des doutes sur lui-même, il bouche aisément les fissures de son opinion par les témoignages[c] irrécusables d'êtres qui ont voué leur vie à son œuvre.

Sur un signe de sa belle-fille, Mme de Cambremer allait se lever et me disait : « Puisque vous ne voulez pas vous installer à Féterne, ne voulez-vous pas au moins venir déjeuner, un jour de la semaine, demain par exemple[d] ? » Et dans sa bienveillance, pour me décider elle ajouta : « Vous *retrouverez* le comte de Crisenoy[2] » que je n'avais nullement perdu, pour la raison que je ne le connaissais pas. Elle commençait à faire luire à mes yeux d'autres tentations encore, mais elle s'arrêta net. Le premier président qui, en rentrant, avait appris qu'elle était à l'hôtel, l'avait sournoisement cherchée partout, attendue ensuite et feignant de la rencontrer par hasard, vint lui présenter ses hommages. Je compris que Mme de Cambremer ne tenait pas à étendre à lui l'invitation à déjeuner qu'elle venait de m'adresser. Il la connaissait pourtant depuis bien plus longtemps que moi, étant depuis des années un de ces habitués des matinées de Féterne que j'enviais tant durant mon premier séjour à Balbec. Mais l'ancienneté ne fait pas tout pour les gens du monde. Et ils réservent plus volontiers les déjeuners aux relations nouvelles qui piquent encore leur curiosité, surtout quand elles arrivent précédées d'une prestigieuse et chaude recommandation comme celle de Saint-Loup. Mme de Cambremer supputa que le premier président n'avait pas entendu ce qu'elle m'avait dit, mais pour calmer les remords qu'elle éprouvait, elle lui tint les plus aimables propos. Dans l'ensoleillement qui noyait à l'horizon la côte dorée, habituellement invisible, de Rivebelle, nous discernâmes, à peine séparées du lumineux azur, sortant des eaux, roses, argentines, imperceptibles, les petites cloches de l'*angelus* qui sonnaient aux environs de Féterne. « Ceci est encore assez *Pelléas*, fis-je remarquer à Mme de Cambremer-Legrandin. Vous savez la scène que je veux dire. — Je crois bien que je sais[1] » ; mais « je ne sais pas du tout » était proclamé par sa voix et son visage qui ne se moulaient à aucun souvenir, et par son sourire sans appui, en l'air. La douairière ne revenait pas de ce que les cloches portassent jusqu'ici et se leva en pensant à l'heure : « Mais en effet, dis-je, d'habitude, de Balbec, on ne voit pas cette côte, et on ne l'entend pas non plus. Il faut que le temps ait changé et ait doublement élargi l'horizon. À moins qu'elles ne viennent vous chercher puisque je vois qu'elles vous font partir ; elles sont pour vous la cloche du dîner. » Le premier président, peu sensible aux cloches, regardait furtivement la digue qu'il se désolait de voir ce soir aussi dépeuplée. « Vous êtes un vrai poète, me dit Mme de Cambremer. On vous sent si vibrant, si artiste ; venez, je vous jouerai du Chopin », ajouta-t-elle en levant les bras d'un air extasié et en prononçant les mots d'une voix rauque qui avait l'air de déplacer des galets. Puis vint la déglutition de la salive, et la vieille dame essuya instinctivement la légère brosse, dite à l'américaine, de sa moustache avec son mouchoir. Le premier président[a] me rendit sans le vouloir un très grand service en empoignant la marquise par le bras pour la conduire à sa voiture, une certaine dose de vulgarité, de hardiesse et de goût pour l'ostentation dictant une conduite que d'autres hésiteraient à assumer, et qui[a] est loin de déplaire dans le monde. Il en avait d'ailleurs, depuis tant d'années, bien plus l'habitude que moi. Tout en le bénissant je n'osai l'imiter et marchai à côté de Mme de Cambremer-Legrandin, laquelle voulut voir le livre que je tenais à la main. Le nom de Mme de Sévigné lui fit faire la moue ; et usant d'un mot qu'elle avait lu dans certains journaux, mais qui parlé et mis au féminin, et appliqué à un écrivain du XVIIe siècle, faisait un effet bizarre, elle me demanda : « La trouvez-vous vraiment talentueuse[1] ? » La marquise donna au valet de pied l'adresse d'un pâtissier où elle avait à aller[b] avant de repartir sur la route, rose de la poussière du soir, où bleuissaient en forme de croupes les falaises échelonnées. Elle demanda à son vieux cocher si un de ses chevaux qui était frileux avait eu assez chaud, si le sabot de l'autre ne lui faisait pas mal. « Je vous écrirai pour ce que nous devons convenir, me dit-elle à mi-voix. J'ai vu que vous causiez littérature avec ma belle-fille, elle est adorable », ajouta-t-elle, bien qu'elle ne le pensât pas, mais elle avait pris l'habitude — gardée par bonté — de le dire pour que son fils n'eût pas l'air d'avoir fait un mariage d'argent. « Et puis, ajouta-t-elle dans un dernier mâchonnement enthousiaste, elle est si hartthhisstte ! » Puis elle monta[c] en voiture, balançant la tête, levant la crosse de son ombrelle, et repartit par les rues de Balbec, surchargée des ornements de son sacerdoce, comme un vieil évêque en tournée de confirmation.

« Elle vous a invité à déjeuner », me dit sévèrement le premier président quand la voiture se fut éloignée et que je rentrai avec mes amies. « Nous sommes en froid. Elle trouve que je la néglige. Dame, je suis facile à vivre. Qu'on ait besoin de moi, je suis toujours là pour répondre : "Présent." Mais ils ont voulu jeter le grappin sur moi. Ah ! alors, cela », ajouta-t-il d'un air fin et en levant le doigt comme quelqu'un qui distingue et argumente, « je ne permets pas ça. C'est attenter à la liberté de mes vacances. J'ai été obligé de dire : " Halte-là ! " Vous paraissez fort bien avec elle. Quand vous aurez mon âge, vous verrez que c'est bien peu de chose, le monde, et vous regretterez d'avoir attaché tant d'importance à ces riens. Allons, je vais faire un tour avant dîner. Adieu les enfants », cria-t-il à la cantonade, comme s'il était déjà éloigné de cinquante pas.

Quand j'eus dit au revoir à Rosemonde et à Gisèle[1], elles virent avec étonnement Albertine arrêtée qui ne les suivait pas. « Hé bien, Albertine, qu'est-ce que tu fais, tu sais l'heure ? — Rentrez, leur répondit-elle avec autorité. J'ai à causer avec lui », ajouta-t-elle en me montrant d'un air soumis. Rosemonde et Gisèle me regardèrent, pénétrées[a] pour moi d'un respect nouveau. Je jouissais de sentir que, pour un moment du moins, aux yeux mêmes de Rosemonde et de Gisèle, j'étais pour Albertine quelque chose de plus important que l'heure de rentrer, que ses amies, et pouvais même avoir avec elle de graves secrets auxquels il était impossible qu'on les mêlât. « Est-ce que nous ne te verrons pas ce soir ? — Je ne sais pas, ça dépendra de celui-ci. En tous cas à demain. — Montons dans ma chambre », lui dis-je, quand ses amies se furent éloignées. Nous prîmes l'ascenseur ; elle garda le silence devant le lift. L'habitude d'être obligé de recourir à l'observation personnelle et à la déduction pour connaître les petites affaires des maîtres, ces gens étranges qui causent entre eux et ne leur parlent pas, développe chez les « employés » (comme le lift appelait les[b] domestiques) un plus grand pouvoir de divination que chez les « patrons ». Les organes s'atrophient ou deviennent plus forts ou plus subtils selon que le besoin qu'on a d'eux croît ou diminue. Depuis qu'il existe des chemins de fer, la nécessité de ne pas manquer le train nous a appris à tenir compte des minutes alors que chez les anciens Romains, dont l'astronomie n'était pas seulement plus sommaire mais aussi la vie moins pressée, la notion, non pas de minutes, mais même d'heures fixes, existait à peine. Aussi le lift avait-il compris et comptait-il raconter à ses camarades que nous étions préoccupés, Albertine et moi. Mais il nous parlait sans arrêter parce qu'il n'avait pas de tact. Cependant je voyais se peindre sur son visage, substitué à l'impression habituelle d'amitié et de joie de me faire monter dans son ascenseur, un air d'abattement et d'inquiétude extraordinaires. Comme j'en ignorais la cause, pour tâcher de l'en distraire, et quoique plus préoccupé d'Albertine, je lui dis que la dame qui venait de partir s'appelait la marquise de Cambremer et non de

Camembert. À l'étage devant lequel nous passions alors[a], j'aperçus, portant un traversin, une femme de chambre affreuse qui me salua avec respect, espérant un pourboire au départ. J'aurais voulu savoir si c'était celle que j'avais tant désirée le soir de ma première arrivée à Balbec, mais je ne pus jamais arriver à une certitude[1]. Le lift me jura, avec la sincérité de la plupart des faux témoins mais sans quitter son air désespéré, que c'était bien sous le nom de Camembert que la marquise lui avait demandé de l'annoncer. Et à vrai dire il était bien naturel qu'il eût entendu un nom qu'il connaissait déjà. Puis, ayant sur la noblesse et la nature des noms avec lesquels se font les titres les notions fort vagues qui sont celles de beaucoup de gens qui ne sont pas liftiers, le nom de Camembert lui avait paru d'autant plus vraisemblable que, ce fromage étant universellement connu, il ne fallait point s'étonner qu'on eût tiré un marquisat d'une renommée aussi glorieuse, à moins que ce ne fût celle du marquisat qui eût donné sa célébrité au fromage. Néanmoins, comme il voyait que je ne voulais pas avoir l'air de m'être trompé et qu'il savait que les maîtres aiment à voir obéis leurs caprices les plus futiles et acceptés leurs mensonges les plus évidents, il me promit, en bon domestique, de dire désormais Cambremer. Il est vrai qu'aucun boutiquier de la ville ni aucun paysan des environs, où le nom et la personne des Cambremer étaient parfaitement connus, n'auraient jamais pu commettre l'erreur du lift. Mais le personnel du « Grand-Hôtel de Balbec » n'était nullement du pays. Il venait en droite ligne[b], avec tout le matériel, de Biarritz, Nice et Monte-Carlo, une partie ayant été dirigée sur Deauville, une autre sur Dinard et la troisième réservée à Balbec.

Mais la douleur anxieuse du lift ne fit que grandir. Pour qu'il oubliât ainsi de me témoigner son dévouement par ses habituels sourires, il fallait qu'il lui fût arrivé quelque malheur. Peut-être avait-il été « envoyé ». Je me promis dans ce cas de tâcher d'obtenir qu'il restât, le directeur m'ayant promis de ratifier tout ce que je déciderais concernant son personnel. « Vous pouvez toujours faire ce que vous voulez, je rectifie d'avance. » Tout à coup, comme je venais de quitter l'ascenseur, je compris la détresse, l'air atterré du lift. À cause de la présence d'Albertine je ne lui avais pas donné les cent sous que j'avais l'habitude de lui remettre en montant. Et cet imbécile, au lieu de comprendre que je ne voulais pas faire devant des tiers étalage de pourboires, avait commencé à trembler, supposant que c'était fini une fois pour toutes, que je ne lui donnerais plus jamais rien. Il s'imaginait que j'étais tombé dans la « dèche » (comme eût dit le duc de Guermantes), et sa supposition ne lui inspirait aucune pitié pour moi, mais une terrible déception égoïste. Je me dis que j'étais moins déraisonnable que ne trouvait ma mère quand je n'osais pas ne pas donner un jour la somme exagérée mais fiévreusement attendue que j'avais donnée la veille. Mais aussi la signification donnée jusque-là par moi, et sans aucun doute, à l'air habituel de joie où je n'hésitais pas à voir un signe d'attachement, me parut d'un sens moins assuré. En voyant le liftier prêt, dans son désespoir, à se jeter des cinq étages, je me demandais si, nos conditions sociales se trouvant respectivement changées, du fait par exemple d'une révolution, au lieu de manœuvrer gentiment pour moi l'ascenseur, le lift, devenu bourgeois, ne m'en eût pas précipité[1], et s'il n'y a pas dans certaines classes du peuple plus de duplicité que dans le monde où, sans doute, l'on réserve pour notre absence les propos désobligeants, mais où l'attitude à notre égard ne serait pas insultante si nous étions malheureux.

On ne peut pourtant pas dire qu'à l'hôtel de Balbec, le lift fût le plus intéressé. À ce point de vue le personnel se divisait en deux catégories : d'une part, ceux qui faisaient des différences entre les clients, plus sensibles au pourboire raisonnable d'un vieux noble (d'ailleurs en mesure de leur éviter 28 jours en les recommandant au général de Beautreillis[2]) qu'aux largesses inconsidérées d'un rasta qui décelait par là même un manque d'usage que, seulement devant lui, on appelait de la bonté. D'autre part, ceux pour qui noblesse, intelligence, célébrité, situation, manières, était inexistant, recouvert par un chiffre. Il n'y avait pour ceux-là qu'une hiérarchie, l'argent qu'on a, ou plutôt celui qu'on donne. Peut-être Aimé lui-même, bien que prétendant, à cause du grand nombre d'hôtels où il avait servi, à un grand savoir mondain, appartenait-il à cette catégorie-là. Tout au plus donnait-il un tour social et de connaissance des familles à ce genre d'appréciation, en disant de la princesse de Luxembourg par exemple : « Il y a beaucoup d'argent là dedans ? »

(le point d'interrogation étant afin de se renseigner, ou de contrôler définitivement les renseignements qu'il avait pris, avant de procurer à un client un « chef » pour Paris, ou de lui assurer une table à gauche, à l'entrée, avec vue sur la mer, à Balbec). Malgré cela, sans être dépourvu d'intérêt, il ne l'eût pas exhibé avec le sot désespoir du lift. Au reste, la naïveté de celui-ci simplifiait peut-être les choses. La commodité d'un grand hôtel, d'une maison comme était autrefois celle de Rachel, c'est que[a], sans intermédiaires, sur la face jusque-là glacée d'un employé ou d'une femme, la vue d'un billet de cent francs, à plus forte raison de mille, même donné pour cette fois-là à un autre, amène un sourire et des offres. Au contraire dans la politique, dans les relations d'amant à maîtresse, il y a trop de choses placées entre l'argent et la docilité. Tant de choses que ceux-là mêmes chez qui l'argent éveille finalement le sourire, sont souvent incapables de suivre le processus interne qui les relie, se croient, sont plus délicats. Et puis cela décante la conversation polie des « Je sais ce qui me reste à faire, demain on me trouvera à la Morgue ». Aussi rencontre-t-on dans la société polie peu de romanciers, de poètes, de tous ces êtres sublimes qui parlent justement de ce qu'il ne faut pas dire.

Aussitôt seuls[b] et engagés dans le corridor, Albertine me dit : « Qu'est-ce que vous avez contre moi ? » Ma dureté avec elle m'avait-elle été plus pénible à moi-même ? N'était-elle de ma part qu'une ruse inconsciente se proposant d'amener vis-à-vis de moi mon amie à cette attitude de crainte et de prière qui me permettrait de l'interroger, et peut-être d'apprendre laquelle des deux hypothèses[1] que je formais depuis longtemps sur elle était la vraie[c] ? Toujours est-il que quand j'entendis sa question, je me sentis soudain heureux comme quelqu'un qui touche à un but si longtemps désiré. Avant de lui répondre je la conduisis jusqu'à ma porte. Celle-ci en s'ouvrant fit refluer la lumière rose qui remplissait la chambre et changeait la mousseline blanche des rideaux tendus sur le soir en lampas[d] aurore. J'allai jusqu'à la fenêtre ; les mouettes étaient posées de nouveau sur les flots ; mais maintenant elles étaient roses. Je le fis remarquer à Albertine : « Ne détournez pas la conversation, me dit-elle, soyez franc comme moi. » Je mentis. Je lui déclarai qu'il lui fallait écouter un aveu préalable, celui d'une grande passion que j'avais depuis quelque temps pour Andrée, et je le lui fis avec une simplicité et une franchise dignes du théâtre mais qu'on n'a guère dans la vie que pour les amours qu'on ne ressent pas. Reprenant le mensonge dont j'avais usé avec Gilberte avant mon premier séjour[a] à Balbec[1] mais le variant, j'allai, pour mieux me faire croire d'elle quand je lui disais maintenant que je ne l'aimais pas, jusqu'à laisser échapper qu'autrefois j'avais été sur le point d'être amoureux d'elle, mais que trop de temps avait passé, qu'elle n'était plus pour moi qu'une bonne camarade et que, l'eussé-je voulu, il ne m'eût plus été possible d'éprouver de nouveau à son égard des sentiments plus ardents. D'ailleurs en appuyant ainsi devant Albertine sur ces protestations de froideur pour elle, je ne faisais — à cause d'une circonstance et en vue d'un but particuliers — que rendre plus sensible, marquer avec plus de force, ce rythme binaire qu'adopte l'amour chez tous ceux qui doutent trop d'eux-mêmes pour croire qu'une femme puisse jamais les aimer, et aussi qu'eux-mêmes puissent l'aimer véritablement. Ils se connaissent assez pour savoir qu'auprès des plus différentes, ils éprouvaient les mêmes espoirs, les mêmes angoisses, inventaient les mêmes romans, prononçaient les mêmes paroles, pour s'être rendu ainsi compte que leurs sentiments, leurs actions, ne sont pas en rapport étroit et nécessaire avec la femme aimée, mais passent à côté d'elle, l'éclaboussent, la circonviennent comme le flux qui se jette le long des rochers, et le sentiment de leur propre instabilité augmente encore chez eux la défiance que cette femme, dont ils voudraient tant être aimés, ne les aime pas. Pourquoi le hasard aurait-il fait, puisqu'elle n'est qu'un simple accident placé devant le jaillissement de nos désirs, que nous fussions nous-mêmes le but de ceux qu'elle a ? Aussi, tout en ayant besoin d'épancher vers elle tous ces sentiments, si différents des sentiments simplement humains que notre prochain nous inspire, ces sentiments si spéciaux que sont les sentiments amoureux après avoir fait un pas en avant, en avouant à celle que nous aimons notre tendresse pour elle, nos espoirs, aussitôt craignant de lui déplaire, confus aussi de sentir que le langage que nous lui avons tenu n'a pas été formé expressément pour elle, qu'il nous a servi, nous servira pour d'autres, que si elle ne nous aime pas elle ne peut pas nous comprendre et que nous avons parlé alors avec le manque de goût, l'impudeur du pédant adressant à des ignorants des phrases subtiles qui ne sont pas pour eux, cette crainte, cette honte, amènent le contre-rythme, le reflux, le besoin, fût-ce en reculant d'abord, en retirant vivement la sympathie précédemment confessée, de reprendre l'offensive et de ressaisir l'estime, la domination ; le rythme double est perceptible dans les diverses périodes d'un même amour, dans toutes les périodes correspondantes d'amours similaires, chez tous les êtres qui s'analysent mieux qu'ils ne se prisent haut. S'il était pourtant un peu plus vigoureusement accentué qu'il n'est d'habitude dans ce discours que j'étais en train de faire[a] à Albertine, c'était simplement[b] pour me permettre de passer plus vite et plus énergiquement au rythme opposé que scanderait ma tendresse.

Comme si Albertine avait dû avoir de la peine à croire ce que je lui disais de mon impossibilité de l'aimer de nouveau, à cause du trop long intervalle, j'étayais ce que j'appelais une bizarrerie de mon caractère d'exemples tirés de personnes avec qui j'avais, par leur faute ou la mienne, laissé passer l'heure de les aimer, sans pouvoir, quelque désir que j'en eusse, la retrouver après. J'avais ainsi l'air à la fois de m'excuser auprès d'elle, comme d'une impolitesse, de cette incapacité de recommencer à l'aimer, et de chercher à lui en faire comprendre les raisons psychologiques comme si elles m'eussent été particulières. Mais en m'expliquant de la sorte, en m'étendant sur le cas de Gilberte, vis-à-vis de laquelle en effet avait été rigoureusement vrai ce qui le devenait si peu appliqué à Albertine, je ne faisais que rendre mes assertions aussi plausibles que je feignais de croire qu'elles le fussent peu. Sentant qu'Albertine appréciait ce qu'elle croyait mon « franc parler » et reconnaissait dans mes déductions la clarté de l'évidence, je m'excusai du premier, lui disant que je savais bien qu'on déplaisait toujours en disant la vérité et que celle-ci d'ailleurs devait lui paraître incompréhensible. Elle me remercia au contraire de ma sincérité et ajouta qu'au surplus elle comprenait à merveille un état d'esprit si fréquent et si naturel.

Cet aveu à Albertine d'un sentiment imaginaire pour Andrée, et pour elle-même d'une indifférence que, pour paraître tout à fait sincère et sans exagération, je lui assurai incidemment, comme par un scrupule de politesse, ne pas devoir être prise trop à la lettre, je pus enfin, sans crainte qu'Albertine y soupçonnât de l'amour, lui parler avec une douceur que je me refusais depuis si longtemps et qui me parut délicieuse. Je caressais presque ma confidente ; en lui parlant de son amie que j'aimais, les larmes me venaient aux yeux. Mais venant au fait, je lui dis enfin qu'elle savait ce qu'était l'amour, ses susceptibilités, ses souffrances, et que peut-être, en amie déjà ancienne pour moi, elle aurait à cœur de faire cesser les grands chagrins qu'elle me causait, non directement puisque ce n'était pas elle que j'aimais, si j'osais le redire sans la froisser, mais indirectement en m'atteignant dans mon amour pour Andrée. Je m'interrompis pour regarder et montrer à Albertine un grand oiseau solitaire et hâtif qui loin devant nous, fouettant l'air du battement régulier de ses ailes, passait à toute vitesse au-dessus de la plage tachée çà et là de reflets pareils à des[a] petits morceaux de papier rouge déchirés et la traversait dans toute sa longueur, sans ralentir son allure, sans détourner son attention, sans dévier de son chemin, comme un émissaire qui va porter bien loin un message urgent et capital. « Lui, du moins va droit au but ! me dit Albertine d'un air de reproche. — Vous me dites cela parce que vous ne savez pas ce que j'aurais voulu vous dire. Mais c'est tellement difficile que j'aime mieux y renoncer ; je suis certain que je vous fâcherais ; alors cela n'aboutira qu'à ceci : je ne serai en rien plus heureux avec celle que j'aime d'amour et j'aurai perdu une bonne camarade. — Mais puisque je vous jure que je ne me fâcherai pas. » Elle avait l'air si doux, si tristement docile et d'attendre de moi son bonheur, que j'avais peine à me contenir et à ne pas embrasser — à embrasser presque avec le genre de plaisir que j'aurais eu à embrasser ma mère — ce visage nouveau[b] qui n'offrait plus la mine éveillée et rougissante d'une chatte mutine et perverse au petit nez rose et levé, mais semblait, dans la plénitude de sa tristesse accablée, fondu, à larges coulées aplaties et retombantes, dans de la bonté. Faisant abstraction de mon amour comme d'une folie chronique sans rapport avec elle, me mettant à sa place, je m'attendrissais devant cette brave fille habituée à ce qu'on eût pour elle des procédés aimables et loyaux, et que le bon camarade qu'elle avait pu croire que j'étais pour elle, poursuivait depuis des semaines de persécutions qui étaient enfin arrivées à leur point culminant. C'est parce que je me plaçais à un point de vue purement humain, extérieur à nous deux et d'où mon amour jaloux s'évanouissait, que j'éprouvais pour Albertine cette pitié profonde, qui l'eût moins été si[a] je ne l'avais pas aimée. Du reste, dans cette oscillation rythmée qui va de la déclaration à la brouille (le plus sûr moyen, le plus efficacement dangereux pour former[b] par mouvements opposés et successifs un nœud qui ne se défasse pas et nous attache solidement à une personne), au sein du mouvement de retrait qui constitue l'un des deux éléments du rythme, à quoi bon distinguer encore les reflux de la pitié humaine, qui, opposés à l'amour, quoique ayant peut-être inconsciemment la même cause, produisent en tout cas[c] les mêmes effets ? En se rappelant plus tard le total de tout ce qu'on a fait pour une femme, on se rend compte souvent que les actes inspirés par le désir de montrer qu'on aime, de se faire aimer, de gagner des faveurs, ne tiennent guère plus de place que ceux dus au besoin humain de réparer ses torts[d] envers l'être qu'on aime, par simple devoir moral, comme si on ne l'aimait pas. « Mais enfin qu'est-ce que j'ai pu faire ? » me demanda Albertine[1]. On frappa ; c'était le lift ; la tante d'Albertine qui passait devant l'hôtel en voiture, s'était arrêtée à tout hasard pour voir si elle n'y était pas et la ramener. Albertine fit répondre qu'elle ne pouvait pas descendre, qu'on dînât sans l'attendre, qu'elle ne savait pas à quelle heure elle rentrerait. « Mais votre tante sera fâchée ? — Pensez-vous ! Elle comprendra très bien. » Ainsi donc, — en ce moment du moins, tel qu'il n'en reviendrait peut-être pas — un entretien avec moi se trouvait, par suite des circonstances, être aux yeux d'Albertine une chose d'une importance si évidente qu'on devait la faire passer avant tout[e], et à laquelle, se reportant sans doute instinctivement à une jurisprudence familiale, énumérant telles conjonctures où, quand la carrière de M. Bontemps était en jeu, on n'avait pas regardé à un voyage, mon amie ne doutait pas que sa tante trouvât tout naturel de voir sacrifier l'heure du dîner. Cette heure lointaine qu'elle passait sans moi, chez les siens, Albertine l'ayant fait glisser jusqu'à moi me la donnait ; j'en pouvais user à ma guise. Je finis par oser lui dire ce qu'on m'avait raconté de son genre de vie, et que malgré le profond dégoût que m'inspiraient les femmes atteintes du même vice, je ne m'en étais pas soucié jusqu'à ce qu'on m'eût nommé sa complice, et qu'elle pouvait comprendre facilement, au point où j'aimais Andrée, quelle douleur j'en avais ressentie. Il eût peut-être été plus habile de dire qu'on m'avait cité aussi d'autres femmes, mais qui m'étaient indifférentes. Mais la brusque et terrible révélation que m'avait faite Cottard était entrée en moi me déchirer, telle quelle, tout entière, mais sans plus. Et de même qu'auparavant je n'aurais jamais eu de moi-même l'idée qu'Albertine aimait Andrée, ou du moins pût avoir des jeux caressants avec elle, si Cottard ne m'avait pas fait remarquer leur pose en valsant, de même je n'avais pas su passer de cette idée à celle, pour moi tellement différente, qu'Albertine pût avoir avec d'autres femmes qu'Andrée des relations dont l'affection n'eût même pas été l'excuse. Albertine, avant même de me jurer que ce n'était pas vrai, manifesta, comme toute personne à qui on vient d'apprendre qu'on a ainsi parlé d'elle, de la colère, du chagrin et à l'endroit du calomniateur inconnu, la curiosité rageuse de savoir qui il était et le désir d'être confrontée avec lui pour pouvoir le confondre. Mais elle m'assura qu'à moi du moins, elle n'en voulait pas. « Si cela avait été vrai, je vous l'aurais avoué. Mais Andrée et moi nous avons aussi horreur l'une que l'autre de ces choses-là. Nous ne sommes pas arrivées à notre âge sans voir des femmes aux cheveux courts, qui ont des manières d'hommes et le genre que vous dites, et rien ne nous révolte autant. » Albertine ne me donnait que sa parole, une parole péremptoire et non appuyée de preuves. Mais c'est justement ce qui pouvait le mieux me calmer, la jalousie appartenant à cette famille de doutes maladifs que lève[a] bien plus l'énergie d'une affirmation que sa vraisemblance. C'est d'ailleurs le propre de l'amour de nous rendre à la fois plus défiants et plus crédules, de nous faire soupçonner, plus vite que nous n'aurions fait une autre, celle que nous aimons, et d'ajouter foi plus aisément à ses dénégations. Il faut aimer pour prendre souci qu'il n'y ait pas que des honnêtes femmes, autant dire pour s'en aviser, et il faut aimer aussi pour souhaiter, c'est-à-dire pour s'assurer qu'il y en a. Il est humain de chercher la douleur et aussitôt à s'en délivrer. Les propositions qui sont capables d'y réussir nous semblent facilement vraies, on ne chicane pas beaucoup sur un calmant qui agit. Et puis, si multiple que soit l'être que nous aimons, il peut en tous cas nous présenter deux personnalités essentielles selon qu'il nous apparaît comme nôtre, ou comme tournant ses désirs ailleurs que vers nous. La première de ces personnalités possède la puissance particulière qui nous empêche de croire à la réalité de la seconde, le secret spécifique pour apaiser les souffrances que cette dernière a causées. L'être aimé est successivement le mal et le remède qui suspend et aggrave le mal. Sans doute j'avais été depuis longtemps, par la puissance qu'exerçait sur mon imagination et ma faculté d'être ému l'exemple de Swann, préparé à croire vrai ce que je craignais au lieu de ce que j'aurais souhaité. Aussi la douceur apportée par les affirmations d'Albertine faillit-elle en être compromise un moment parce que je me rappelai l'histoire d'Odette. Mais je me dis que s'il était juste de faire sa part au pire, non seulement quand, pour comprendre les souffrances de Swann, j'avais essayé de me mettre à la place de celui-ci, mais maintenant qu'il s'agissait de moi-même, en cherchant la vérité comme s'il se fût agi d'un autre, il ne fallait cependant pas que par cruauté pour moi-même, soldat qui choisit le poste non pas où il peut être le plus utile mais où il est le plus exposé, j'aboutisse à l'erreur de tenir une supposition pour plus vraie que les autres, à cause de cela seul qu'elle était la plus douloureuse. N'y avait-il pas un abîme entre Albertine, jeune fille d'assez bonne famille bourgeoise, et Odette, cocotte vendue par sa mère dès son enfance ? La parole de l'une ne pouvait être mise en comparaison avec celle de l'autre. D'ailleurs Albertine n'avait en rien à me mentir le même intérêt qu'Odette à Swann. Et encore à celui-ci Odette avait avoué ce qu'Albertine venait de nier. J'aurais donc commis une faute de raisonnement aussi grave — quoique inverse — que celle qui m'eût incliné vers une hypothèse parce que celle-ci m'eût fait moins souffrir que les autres, en ne tenant pas compte de ces différences de fait dans les situations, et en reconstituant la vie réelle de mon amie uniquement d'après ce que j'avais appris de celle d'Odette. J'avais devant moi une nouvelle Albertine, déjà entrevue plusieurs fois, il est vrai, vers la fin de mon premier séjour à Balbec, franche, bonne, une Albertine qui venait, par affection pour moi, de me pardonner mes soupçons et de tâcher à les dissiper. Elle me fit asseoir à côté d'elle sur mon lit. Je la remerciai de ce qu'elle m'avait dit, je l'assurai que notre réconciliation était faite et que je ne serais plus jamais dur avec elle. Je dis[a] à Albertine qu'elle devrait tout de même rentrer dîner. Elle me demanda si je n'étais pas bien comme cela. Et attirant ma tête pour une caresse qu'elle ne m'avait encore jamais faite et que je devais peut-être à notre brouille finie, elle passa légèrement sa langue sur mes lèvres qu'elle essayait d'entrouvrir. Pour commencer je ne les desserrai pas. « Quel grand méchant vous faites ! » me dit-elle.

J'aurais dû partir ce soir-là sans jamais la revoir. Je pressentais dès lors que dans l'amour non partagé — autant dire dans l'amour, car il est des êtres pour qui il n'est pas d'amour partagé — on peut goûter du bonheur seulement ce simulacre qui m'en était donné à un de ces moments uniques dans lesquels la bonté d'une femme, ou son caprice, ou le hasard, appliquent sur nos désirs, en une coïncidence parfaite, les mêmes paroles, les mêmes actions, que si nous étions vraiment aimés. La sagesse eût été de considérer avec curiosité, de posséder avec délices cette petite parcelle de bonheur à défaut de laquelle je serais mort sans avoir soupçonné ce qu'il peut être pour des cœurs moins difficiles ou plus favorisés ; de supposer qu'elle faisait partie d'un bonheur vaste et durable qui m'apparaissait en ce point seulement ; et pour que le lendemain n'inflige pas un démenti à cette feinte, de ne pas chercher à demander une faveur de plus après celle qui n'avait été due qu'à l'artifice d'une minute d'exception. J'aurais dû quitter Balbec, m'enfermer dans la solitude, y rester en harmonie avec les dernières vibrations de la voix que j'avais su rendre un instant amoureuse, et de qui je n'aurais plus rien exigé que de ne pas s'adresser davantage à moi ; de peur que par une parole nouvelle qui n'eût pu désormais être que différente, elle vînt blesser d'une dissonance le silence sensitif où, comme grâce à quelque pédale, aurait pu survivre longtemps en moi la tonalité du bonheur[1].

Tranquillisé par mon explication avec Albertine je recommençai à vivre davantage auprès de ma mère. Elle aimait à me parler doucement du temps où ma grand-mère était plus jeune. Craignant que je ne me fisse des reproches sur les tristesses dont j'avais pu assombrir la fin de cette vie, elle revenait volontiers aux années où mes premières études avaient causé à ma grand-mère des satisfactions que jusqu'ici on m'avait toujours cachées. Nous reparlions de Combray. Ma mère me dit que là-bas du moins je lisais et qu'à Balbec je devrais bien faire de même, si je travaillais pas. Je répondis que pour m'entourer justement des souvenirs de Combray et des jolies assiettes peintes j'aimerais relire *Les Mille et Une Nuits*[1]. Comme jadis à Combray quand elle me donnait des livres pour ma fête, c'est en cachette, pour me faire une surprise, que ma mère me fit venir à la fois *Les Mille et Une Nuits* de Galland et *Les Mille Nuits et Une Nuit* de Mardrus[2]. Mais après avoir jeté un coup d'œil sur les deux traductions, ma mère aurait bien voulu que je m'en tinsse à celle de Galland, tout en craignant de m'influencer à cause du respect qu'elle avait de la liberté intellectuelle, de la peur d'intervenir maladroitement dans la vie de ma pensée, et du sentiment qu'étant une femme, d'une part elle manquait, croyait-elle, de la compétence littéraire qu'il fallait, d'autre part elle ne devait pas[a] juger d'après ce qui la choquait les lectures d'un jeune homme. En tombant sur certains contes elle avait été révoltée par l'immoralité du sujet et la crudité de l'expression. Mais surtout, conservant précieusement comme des reliques, non pas seulement la broche, l'en-tout-cas[3], le manteau, le volume de Mme de Sévigné, mais aussi les habitudes de pensée et de langage de sa mère, cherchant en toute occasion quelle opinion celle-ci eût émise, ma mère ne pouvait douter de la condamnation que ma grand-mère eût prononcée contre le livre de Mardrus[4]. Elle se rappelait qu'à Combray tandis qu'avant de partir marcher du côté de Méséglise, je lisais Augustin Thierry[5], ma grand-mère, contente de mes lectures, de mes promenades, s'indignait pourtant de voir celui dont le nom restait attaché à cet hémistiche : « Puis règne Mérovée » appelé Merowig, refusait de dire Carolingiens pour les Carlovingiens auxquels elle restait fidèle. Enfin[b] je lui avais raconté ce que ma grand-mère avait pensé des noms grecs que Bloch, d'après Leconte de Lisle, donnait aux dieux d'Homère[6], allant même, pour les choses les plus simples, à se faire un devoir religieux en lequel il croyait que consistait le talent littéraire, d'adopter une orthographe grecque. Ayant par exemple à dire dans une lettre que le vin qu'on buvait chez lui était un vrai nectar, il écrivait un vrai nektar, avec un *k*, ce qui lui permettait de ricaner au nom de Lamartine. Or si une *Odyssée* d'où étaient absents les noms d'Ulysse et de Minerve n'était plus pour elle l'*Odyssée*, qu'aurait-elle dit en voyant déjà déformé sur la couverture le titre de ses *Mille et Une Nuits*, en ne retrouvant plus, exactement transcrits comme elle avait été de tout temps habituée à les dire, les noms immortellement familiers de Shéhérazade, de Dinarzade, où[a] débaptisés eux-mêmes, si l'on ose employer le mot pour des contes musulmans, le charmant Calife et les puissants Génies se reconnaissaient à peine, étant appelés l'un le « Kalifat », les autres les « Gennis » ? Pourtant ma mère me remit les deux ouvrages et je lui dis que je les lirais les jours où je serais trop fatigué pour me promener.

Ces jours-là n'étaient pas très fréquents d'ailleurs. Nous allions goûter comme autrefois « en bande », Albertine, ses amies et moi, sur la falaise ou à la ferme Marie-Antoinette. Mais il y avait des fois où Albertine me donnait ce grand plaisir. Elle me disait : « Aujourd'hui je veux être un peu seule avec vous, ce sera plus gentil de se voir tous les deux. » Alors elle disait qu'elle avait à faire, que d'ailleurs elle n'avait pas de comptes à rendre, et pour que les autres, si elles allaient tout de même sans nous se promener et goûter, ne pussent pas nous retrouver, nous allions comme deux amants tout seuls à Bagatelle ou à la Croix d'Heulan, pendant que la bande, qui n'aurait jamais eu l'idée de nous chercher là et n'y allait jamais, restait indéfiniment, dans l'espoir de nous voir arriver, à Marie-Antoinette. Je me rappelle les temps chauds qu'il faisait alors, où du front des garçons de ferme travaillant au soleil une goutte de sueur tombait verticale, régulière, intermittente, comme la goutte d'eau d'un réservoir, et alternait avec la chute du fruit mûr qui se détachait de l'arbre dans les « clos » voisins[1] ; ils sont restés, aujourd'hui encore, avec ce mystère d'une femme cachée, la part la plus consistante de tout amour qui se présente pour moi. Une femme dont on me parle et à laquelle je ne songerais pas un instant, je dérange tous les rendez-vous de ma semaine pour la connaître, si c'est une semaine où il fait un de ces temps-là, et si je dois la voir dans quelque ferme isolée. J'ai beau savoir que ce genre de temps et de rendez-vous n'est pas d'elle, c'est l'appât, pourtant bien connu de moi, auquel je me laisse prendre et qui suffit pour m'accrocher. Je sais que cette femme, par un temps froid, dans une ville, j'aurais pu la désirer, mais sans accompagnement de sentiment romanesque, sans devenir amoureux ; l'amour n'en est pas moins fort une fois que grâce à des circonstances il m'a enchaîné, il est seulement plus mélancolique comme le deviennent dans la vie nos sentiments pour des personnes, au fur et à mesure que nous nous apercevons davantage de la part de plus en plus petite qu'elles y tiennent et que l'amour nouveau que nous souhaiterions si durable, abrégé en même temps que notre vie même, sera le dernier[a].

Il y avait encore peu de monde à Balbec, peu de jeunes filles[1]. Quelquefois j'en voyais telle ou telle arrêtée sur la plage, sans agrément et que pourtant bien des coïncidences semblaient certifier être la même que j'avais été désespéré de ne pouvoir approcher au moment où elle sortait avec ses amies du manège ou de l'école de gymnastique. Si c'était la même (et je me gardais d'en parler à Albertine), la jeune fille que j'avais crue enivrante n'existait pas. Mais je ne pouvais arriver à une certitude car le visage de ces jeunes filles n'occupait pas sur la plage une grandeur, n'offrait pas une forme permanente, contracté, dilaté, transformé qu'il était par ma propre attente, l'inquiétude de mon désir ou un bien-être qui se suffit à lui-même, les toilettes différentes qu'elles portaient, la rapidité de leur marche ou leur immobilité. De tout près pourtant, deux ou trois me semblaient adorables. Chaque fois que je voyais une de celles-là, j'avais envie de l'emmener dans l'avenue des Tamaris[2], ou dans les dunes, mieux encore sur la falaise. Mais bien que dans le désir, par comparaison avec l'indifférence, il entre déjà cette audace qu'est un commencement même unilatéral de réalisation, tout de même, entre mon désir et l'action que serait ma demande de l'embrasser, il y avait tout le « blanc » indéfini de l'hésitation, de la timidité. Alors j'entrais chez le pâtissier-limonadier, je buvais l'un après l'autre sept à huit verres de porto. Aussitôt, au lieu de l'intervalle impossible à combler entre mon désir et l'action, l'effet de l'alcool traçait une ligne qui les conjoignait tous deux. Plus de place pour l'hésitation ou la crainte. Il me semblait que la jeune fille allait voler jusqu'à moi. J'allais jusqu'à elle, d'eux-mêmes ces mots sortaient[a] de mes lèvres : « J'aimerais me promener avec vous. Vous ne voulez pas qu'on aille sur la falaise, on n'y est dérangé par personne derrière le petit bois qui protège du vent la maison démontable actuellement inhabitée ? » Toutes les difficultés de la vie étaient aplanies, il n'y avait plus d'obstacles à l'enlacement de nos deux corps. Plus d'obstacles pour moi du moins. Car ils n'avaient pas été volatilisés pour elle qui n'avait pas bu de porto. L'eût-elle fait, et l'univers eût-il perdu quelque réalité à ses yeux, le rêve longtemps chéri qui lui aurait alors paru soudain réalisable n'eût peut-être pas été du tout de tomber dans mes bras.

Non seulement les jeunes filles étaient peu nombreuses mais en cette saison qui n'était pas encore « la saison », elles restaient peu. Je me souviens d'une au teint roux de coléus, aux yeux verts, aux deux joues rousses et dont la figure double et légère ressemblait aux graines ailées de certains arbres. Je ne sais quelle brise l'amena à Balbec et quelle autre la remporta. Ce fut si brusquement que j'en eus pendant plusieurs jours un chagrin que j'osai avouer à Albertine quand je compris qu'elle était partie pour toujours[1].

Il faut dire que plusieurs étaient ou des jeunes filles que je ne connaissais pas du tout, ou que je n'avais pas vues depuis des années. Souvent, avant de les rencontrer, je leur écrivais. Si leur réponse me faisait croire à un amour possible quelle joie ! On ne peut pas, au début d'une amitié pour une femme, et même si elle ne doit pas se réaliser par la suite, se séparer de ces premières lettres reçues. On les veut avoir tout le temps auprès de soi, comme de belles fleurs reçues, encore toutes fraîches, et qu'on ne s'interrompt de regarder que pour les respirer de plus près. La phrase qu'on sait par cœur est agréable à relire et, dans celles moins littéralement apprises, on veut vérifier le degré de tendresse d'une expression. A-t-elle écrit : « Votre chère lettre » ? Petite déception dans la douceur qu'on respire, et qui doit être atribuée soit à ce qu'on a lu trop vite, soit à l'écriture illisible de la correspondante ; elle n'a pas mis : « et votre chère lettre », mais : « en voyant cette lettre ». Mais le reste est si tendre. Oh ! que de pareilles fleurs viennent demain ! Puis cela ne suffit plus, il faudrait aux mots écrits confronter les regards, la voix. On prend rendez-vous, et — sans qu'elle ait changé peut-être — là où on croyait, sur la description faite ou le souvenir personnel, rencontrer la fée Viviane[1] on trouve le Chat botté[2]. On lui donne rendez-vous pour le lendemain quand même, car c'est tout de même *elle* et ce qu'on désirait, c'est elle. Or ces désirs pour une femme dont on a rêvé ne rendent pas absolument nécessaire la beauté de tel trait précis[a]. Ces désirs sont seulement le désir de tel être[3] ; vagues comme des parfums, comme le styrax était le désir de Prothyraïa[4], le safran le désir éthéré[5], les aromates le désir d'Héra[6], la myrrhe le parfum des nuages[7], la manne[b] le désir de Nikè[8], l'encens le parfum de la mer[9]. Mais ces parfums que chantent les Hymnes orphiques sont bien moins nombreux que les divinités qu'ils chérissent. La myrrhe est le parfum des nuages, mais aussi[c] de Protogonos[10], de Neptune[11], de Nérée[12], de Lèto[13] ; l'encens est le parfum de la mer[14], mais aussi de la belle Dikè[15], de Thémis[16], de Circé[17], des neuf Muses[18], d'Éos[19], de Mnémosyne[20], du Jour[21], de Dikaïosunè[22]. Pour le styrax, la manne et les aromates, on n'en finirait pas de dire les divinités qui les inspirent, tant elles sont nombreuses. Amphiétès a tous les parfums excepté l'encens[23], et Gaïa rejette uniquement les fèves et les aromates[24]. Ainsi en était-il de ces désirs de jeunes filles que j'avais. Moins nombreux qu'elles n'étaient, ils se changeaient en des déceptions et des tristesses assez semblables les unes aux autres. Je n'ai jamais voulu de la myrrhe. Je l'ai réservée pour Jupien et pour la princesse de Guermantes, car elle est le désir de Protogonos « aux deux sexes, ayant le mugissement du taureau, aux nombreuses orgies, mémorable, inénarrable, descendant, joyeux, vers les sacrifices des Orgiophantes[25] ».

Mais bientôt la saison battit son plein ; c'était tous les jours une arrivée nouvelle et à la fréquence subitement croissante de mes promenades, remplaçant la lecture charmante des *Mille et Une Nuits*, il y avait une cause dépourvue de plaisir et qui les empoisonnait tous. La plage était maintenant peuplée de jeunes filles, et l'idée que m'avait suggérée Cottard m'ayant, non pas fourni de nouveaux soupçons, mais rendu sensible et fragile de ce côté, et prudent à ne pas en laisser se former en moi, dès qu'une jeune femme arrivait à Balbec, je me sentais mal à l'aise, je proposais à Albertine les excursions les plus éloignées, afin qu'elle ne pût faire sa connaissance[a] et même, si c'était possible, pût ne pas apercevoir la nouvelle venue. Je redoutais naturellement davantage encore celles dont on remarquait le mauvais genre ou connaissait la mauvaise réputation ; je tâchais de persuader à mon amie que cette mauvaise réputation n'était fondée sur rien, était calomnieuse, peut-être sans me l'avouer par une peur, encore inconsciente, qu'elle cherchât à se lier avec la dépravée, ou qu'elle regrettât de ne pouvoir le chercher à cause de moi, ou qu'elle crût, par le nombre des exemples, qu'un vice si répandu n'est pas condamnable. En le niant de chaque coupable je ne tendais pas à moins qu'à prétendre que le saphisme n'existe pas. Albertine adoptait mon incrédulité pour le vice de telle et telle : « Non, je crois que c'est seulement un genre qu'elle cherche à se donner, c'est pour faire du genre. » Mais alors je regrettais presque d'avoir plaidé l'innocence, car il me déplaisait qu'Albertine, si sévère autrefois, pût croire que ce « genre » fût quelque chose d'assez flatteur, d'assez avantageux, pour qu'une femme exempte de ces goûts eût cherché à s'en donner l'apparence. J'aurais voulu qu'aucune femme ne vînt plus à Balbec ; je tremblais en pensant que comme c'était à peu près l'époque où Mme Putbus devait arriver chez les Verdurin, sa femme de chambre dont Saint-Loup ne m'avait pas caché les préférences, pourrait venir excursionner jusqu'à la plage, et si c'était un jour où je n'étais pas auprès d'Albertine, essayer de la corrompre. J'arrivais à me demander, comme Cottard ne m'avait pas caché que les Verdurin tenaient beaucoup à moi, et tout en ne voulant pas avoir l'air, comme il disait, de me courir après, auraient donné beaucoup pour que j'allasse chez eux, si je ne pourrais pas, moyennant les promesses[b] de leur amener à Paris tous les Guermantes du monde, obtenir de Mme Verdurin que, sous un prétexte quelconque, elle prévînt Mme Putbus qu'il lui était impossible de la garder chez elle et la fît repartir au plus vite.

Malgré ces pensées et comme c'était surtout la présence d'Andrée qui m'inquiétait, l'apaisement que m'avaient procuré les paroles d'Albertine persistait encore un peu. Je savais d'ailleurs que bientôt j'aurais moins besoin de lui, Andrée devant partir[c] avec Rosemonde et Gisèle[1] presque au moment où tout le monde arrivait et n'ayant plus à rester auprès d'Albertine que quelques semaines. Pendant celles-ci d'ailleurs, Albertine sembla combiner tout ce qu'elle faisait, tout ce qu'elle disait, en vue de détruire mes soupçons s'il m'en restait, ou de les empêcher de renaître. Elle s'arrangeait à ne jamais rester seule avec Andrée, et insistait, quand nous rentrions, pour que je l'accompagnasse jusqu'à sa porte, pour que je vinsse l'y chercher quand nous devions sortir. Andrée cependant[a] prenait de son côté une peine égale, semblait éviter de voir Albertine. Et cette apparente entente entre elles n'était pas le seul indice qu'Albertine avait dû mettre son amie au courant de notre entretien et lui demander d'avoir la gentillesse de calmer mes absurdes soupçons[b].

Vers cette époque se produisit au Grand-Hôtel de Balbec un scandale qui ne fut pas pour changer la pente de mes tourments. La sœur de Bloch avait depuis quelque temps, avec une ancienne actrice, des relations secrètes qui bientôt ne leur suffirent plus. Être vues leur semblait ajouter de la perversité à leur plaisir, elles voulaient faire baigner leurs dangereux ébats dans les regards de tous. Cela commença par des caresses, qu'on pouvait en somme attribuer à une intimité amicale, dans le salon de jeu, autour de la table de baccara. Puis elles s'enhardirent. Et enfin un soir, dans un coin pas même obscur de la grande salle de danse, sur un canapé, elles ne se gênèrent pas plus que si elles avaient été dans leur lit. Deux officiers qui étaient non loin de là avec leurs femmes se plaignirent au directeur. On crut un moment que leur protestation aurait quelque efficacité. Mais ils avaient contre eux que venus pour un soir de Netteholme où ils habitaient, à Balbec, ils ne pouvaient en rien être utiles au directeur. Tandis que même à son insu, et quelque observation que lui fît le directeur, planait sur Mlle Bloch la protection de M. Nissim Bernard. Il faut dire pourquoi. M. Nissim Bernard pratiquait au plus haut point les vertus de famille. Tous les ans il louait à Balbec une magnifique villa pour son neveu, et aucune invitation n'aurait pu le détourner de rentrer dîner dans son chez lui, qui était en réalité leur chez eux. Mais jamais il ne déjeunait chez lui. Tous les jours il était à midi au Grand-Hôtel. C'est qu'il entretenait, comme d'autres un rat d'opéra, un « commis », assez pareil à ces chasseurs dont nous avons parlé, et qui nous faisaient penser aux jeunes israélites d'*Esther* et d'*Athalie*[1]. À vrai dire, les quarante années qui séparaient M. Nissim Bernard du jeune commis auraient dû préserver celui-ci d'un contact peu aimable. Mais comme le dit Racine avec tant de sagesse dans les mêmes chœurs :

Mon Dieu, qu'une vertu naissante
Parmi tant de périls marche à pas incertains !
Qu'une âme qui te cherche et veut être innocente
Trouve d'obstacle à ses desseins[2] *!*

Le jeune commis avait eu beau être « loin du monde élevé[3] », dans le Temple-Palace de Balbec, il n'avait pas suivi le conseil de Joad :

Sur la richesse et l'or ne mets point ton appui[4].

Il s'était peut-être fait une raison en disant : « Les pécheurs couvrent la terre[5]. » Quoi qu'il en fût et bien que M. Nissim Bernard n'espérât pas un délai aussi court, dès le premier jour,

Et soit frayeur encor ou pour le caresser[a],
De ses bras innocents il se sentit presser[6].

Et dès le deuxième jour, M. Nissim Bernard[b] promenant le commis, « l'abord contagieux altérait son innocence[7] ». Dès lors la vie du jeune enfant avait changé. Il avait beau porter le pain et le sel, comme son chef[c] de rang le lui commandait, tout son visage chantait : .

De fleurs en fleurs, de plaisirs en plaisirs
Promenons nos désirs[8].
De nos ans passagers le nombre est incertain.
Hâtons-nous aujourd'hui de jouir de la vie[9] *!*
L'honneur et les emplois
Sont le prix d'une aveugle et douce obéissance,
Pour la triste innocence
Qui viendrait élever la voix[10].

Depuis ce jour-là M. Nissim Bernard n'avait jamais manqué de venir occuper sa place au déjeuner (comme l'eût fait à l'orchestre quelqu'un qui entretient une figurante, une figurante celle-là d'un genre fortement caractérisé, et qui attend encore son Degas). C'était le plaisir de M. Nissim Bernard de suivre dans la salle à manger, et jusque dans les perspectives lointaines où sous son palmier trônait la caissière, les évolutions de l'adolescent empressé au service, au service de tous, et moins de M. Nissim Bernard depuis que celui-ci l'entretenait, soit que le jeune enfant de chœur ne crût pas nécessaire de témoigner la même amabilité à quelqu'un de qui il se croyait suffisamment aimé, soit que cet amour l'irritât ou qu'il craignît que, découvert, il lui fît manquer d'autres occasions. Mais cette froideur même plaisait à M. Nissim Bernard par tout ce qu'elle dissimulait. Que ce fût[a] par atavisme hébraïque ou par profanation du sentiment chrétien, il se plaisait singulièrement, qu'elle fût juive ou catholique, à la cérémonie racinienne. Si elle eût été une véritable représentation d'*Esther* ou d'*Athalie* M. Bernard eût regretté que la différence de siècles ne lui eût pas permis de connaître l'auteur, Jean Racine, afin d'obtenir pour son protégé un rôle plus considérable. Mais la cérémonie du déjeuner n'émanant d'aucun écrivain, il se contentait d'être en bons termes avec le directeur et avec Aimé pour que le « jeune israélite » fût promu aux fonctions souhaitées, ou demi-chef, ou même de chef de rang. Celles de sommelier[b] lui avaient été offertes. Mais M. Bernard l'obligea à les refuser car il n'aurait plus pu venir chaque jour le voir courir dans la salle à manger verte et se faire servir par lui comme un étranger. Or ce plaisir était si fort que tous les ans M. Bernard revenait à Balbec et y prenait son déjeuner hors de chez lui, habitudes où M. Bloch voyait, dans la première un goût poétique pour la belle lumière, les couchers de soleil de cette côte préférée à toute autre ; dans la seconde, une manie invétérée de vieux célibataire.

À vrai dire cette erreur des parents de M. Nissim Bernard, lesquels ne soupçonnaient pas la vraie raison de son retour annuel à Balbec et de ce que[c] la pédante Mme Bloch appelait ses découchages en cuisine, cette erreur était une vérité plus profonde et du second degré. Car M. Nissim Bernard ignorait lui-même ce qu'il pouvait entrer d'amour de la plage de Balbec, de la vue qu'on avait du restaurant sur la mer, et d'habitudes maniaques, dans le goût qu'il avait d'entretenir comme un rat d'opéra d'une autre sorte, à laquelle il manque encore un Degas[a], l'un de ses servants qui étaient encore des filles. Aussi M. Nissim Bernard entretenait-il avec le directeur de ce théâtre qu'était l'hôtel de Balbec, et avec le metteur en scène et régisseur Aimé — desquels le rôle en toute cette affaire n'était pas des plus limpides — d'excellentes relations. On intriguerait un jour pour obtenir un grand rôle, peut-être une place de maître d'hôtel. En attendant, le plaisir de M. Nissim Bernard, si poétique et calmement contemplatif qu'il fût, avait un peu le caractère de ces hommes[b] à femmes qui savent toujours — Swann jadis par exemple — qu'en allant dans le monde ils vont retrouver leur maîtresse. À peine M. Nissim Bernard serait-il assis qu'il verrait l'objet de ses vœux s'avancer sur la scène portant à la main des fruits ou des cigares sur un plateau. Aussi tous les matins, après avoir embrassé sa nièce, s'être inquiété des travaux de mon ami Bloch et avoir donné[c] à manger à ses chevaux des morceaux de sucre posés dans sa paume tendue, avait-il une hâte fébrile d'arriver pour le déjeuner au Grand-Hôtel. Il y eût eu le feu chez lui, sa nièce eût eu une attaque, qu'il fût sans doute parti tout de même. Aussi craignait-il comme la peste un rhume pour lequel il eût gardé le lit — car il était hypocondriaque — et qui eût nécessité qu'il fît demander à Aimé de lui envoyer chez lui, avant l'heure du goûter[d], son jeune ami.

Il aimait d'ailleurs tout le labyrinthe de couloirs, de cabinets secrets, de salons, de vestiaires, de garde-manger, de galeries qu'était l'hôtel de Balbec. Par atavisme d'Oriental il aimait les sérails et quand il sortait le soir, on le voyait en explorer furtivement les détours[1].

Tandis que se risquant[e] jusqu'aux sous-sols et cherchant malgré tout à ne pas être vu et à éviter le scandale, M. Nissim Bernard, dans sa recherche des jeunes lévites, faisait penser à ces vers de *La Juive* :

> *Ô Dieu de nos pères,*
> *Parmi nous descends,*
> *Cache nos mystères*
> *À l'œil des méchants*[2] *!*

je montais au contraire dans la chambre de deux sœurs qui avaient accompagné à Balbec, comme femmes de chambre, une vieille dame étrangère. C'était ce que le langage des hôtels appelait deux courrières et celui de Françoise, laquelle s'imaginait qu'un courrier ou une courrière sont là pour faire des courses, deux « coursières ». Les hôtels, eux, en sont restés, plus noblement, au temps où l'on chantait : « C'est un courrier de cabinet[1]. »

Malgré la difficulté qu'il y avait pour un client à aller dans des chambres de courrières, et réciproquement, je m'étais très vite lié d'une amitié très vive quoique très pure avec ces deux jeunes personnes, Mlle Marie Gineste et Mme Céleste Albaret[2]. Nées au pied des hautes montagnes du centre de la France, au bord de ruisseaux et de torrents (l'eau passait même sous leur maison de famille où tournait un moulin et qui avait été dévastée plusieurs fois par l'inondation), elles semblaient en avoir gardé la nature. Marie Gineste était plus régulièrement rapide et saccadée, Céleste Albaret plus molle et languissante, étalée comme un lac, mais avec de terribles retours de bouillonnement où sa fureur rappelait le danger des crues et des tourbillons liquides qui entraînent tout, saccagent tout. Elles venaient souvent le matin me voir quand j'étais encore couché. Je n'ai jamais connu de personnes aussi volontairement ignorantes, qui n'avaient absolument rien appris à l'école, et dont le langage eût pourtant quelque chose de si littéraire que sans le naturel presque sauvage de leur ton, on aurait cru leurs paroles affectées. Avec une familiarité que je ne retouche pas, malgré les éloges (qui ne sont pas ici pour me louer, mais pour louer le génie étrange de Céleste) et les critiques, également faux, mais très sincères, que ces propos semblent comporter à mon égard, tandis que je trempais des croissants dans mon lait, Céleste me disait : « Oh ! petit diable noir aux cheveux de geai, ô profonde malice ! je ne sais pas à quoi pensait votre mère quand elle vous a fait, car vous avez tout d'un oiseau. Regarde, Marie, est-ce qu'on ne dirait pas qu'il se lisse ses plumes, et tourne son cou avec une souplesse ? il a l'air tout léger, on dirait qu'il est en train d'apprendre à voler. Ah ! vous avez de la chance que ceux qui vous ont créé vous aient fait naître dans le rang des riches ; qu'est-ce que vous seriez devenu, gaspilleur comme vous êtes ? Voilà qu'il jette son croissant parce qu'il a touché le lit. Allons bon, voilà qu'il répand son lait, attendez que je vous mette une serviette car vous ne sauriez pas vous y prendre, je n'ai jamais vu quelqu'un de si bête et de si maladroit que vous. » On entendait alors le bruit plus régulier de torrent de Marie Gineste qui, furieuse, faisait des réprimandes à sa sœur : « Allons, Céleste, veux-tu te taire ? Es-tu pas folle de parler à Monsieur comme cela ? » Céleste n'en faisait que sourire ; et comme je détestais qu'on m'attachât une serviette : « Mais non, Marie, regarde-le, bing ! voilà qu'il s'est dressé tout droit comme un serpent. Un vrai serpent, je te dis[1]. » Elle prodiguait, du reste, les comparaisons zoologiques, car selon elle on ne savait pas quand je dormais, je voltigeais toute la nuit comme un papillon, et le jour j'étais aussi rapide que ces écureuils, « tu sais, Marie, comme on voit chez nous, si agiles que même avec les yeux on ne peut pas les suivre. — Mais, Céleste, tu sais qu'il n'aime pas avoir une serviette quand il mange. — Ce n'est pas qu'il n'aime pas ça, c'est pour bien dire qu'on ne peut pas lui changer sa volonté. C'est un seigneur et il veut montrer qu'il est un seigneur. On changera les draps dix fois s'il le faut, mais il n'aura pas cédé. Ceux d'hier avaient fait leur course, mais aujourd'hui ils viennent seulement d'être mis et déjà il faudra les changer. Ah ! j'avais raison de dire qu'il n'était pas fait pour naître parmi les pauvres. Regarde, ses cheveux se hérissent, ils se boursouflent par la colère comme les plumes des oiseaux. Pauvre *ploumissou !* » Ici ce n'était pas seulement Marie qui protestait, mais moi, car je ne me sentais pas seigneur du tout. Mais Céleste ne croyait jamais à la sincérité de ma modestie et, me coupant la parole : « Ah ! sac à ficelles, ah ! douceur, ah ! perfidie ! rusé entre les rusés, rosse des rosses ! Ah ! Molière ! » (C'était le seul nom d'écrivain qu'elle connût, mais elle me l'appliquait, entendant par là quelqu'un qui serait capable à la fois de composer des pièces et de les jouer.) « Céleste ! » criait impérieusement Marie qui, ignorant le nom de Molière, craignait que ce ne fût une injure nouvelle. Céleste se remettait à sourire : « Tu n'as donc pas vu dans son tiroir sa photographie quand il était enfant ? Il avait voulu nous faire croire qu'on l'habillait toujours très simplement. Et là, avec sa petite canne, il n'est que fourrures et dentelles, comme jamais prince n'a eu. Mais ce n'est rien à côté de son immense majesté et de sa bonté encore plus profonde. — Alors, grondait le torrent Marie, voilà que tu fouilles dans ses tiroirs maintenant. » Pour apaiser les craintes de Marie je lui demandais ce qu'elle pensait de ce que M. Nissim Bernard faisait. « Ah ! Monsieur, c'est des choses que je n'aurais pas pu croire que ça existait : il a fallu venir ici » et, damant pour une fois le pion à Céleste par une parole plus profonde : « Ah ! voyez-vous, Monsieur, on ne peut jamais savoir ce qu'il peut y avoir dans une vie. » Pour changer le sujet, je lui parlais de celle de mon père, qui travaillait nuit et jour. « Ah ! Monsieur, ce sont des vies dont on ne garde rien pour soi, pas une minute, pas un plaisir ; tout, entièrement tout est un sacrifice pour les autres, ce sont des vies *données*... Regarde, Céleste, rien que pour poser sa main sur la couverture et prendre son croissant, quelle distinction ! il peut faire les choses les plus insignifiantes, on dirait que toute la noblesse de France, jusqu'aux Pyrénées, se déplace dans chacun de ses mouvements. »

Anéanti par ce portrait si peu véridique, je me taisais ; Céleste voyait là une ruse nouvelle : « Ah ! front qui as l'air si pur et qui caches tant de choses, joues amies et fraîches comme l'intérieur d'une amande, petites mains de satin tout pelucheux, ongles comme des griffes, etc. Tiens, Marie, regarde-le boire son lait avec un recueillement qui me donne envie de faire ma prière. Quel air sérieux ! On devrait bien tirer son portrait en ce moment. Il a tout des enfants. Est-ce de boire du lait comme eux qui vous a conservé leur teint clair ? Ah ! jeunesse ! ah ! jolie peau ! Vous ne vieillirez jamais. Vous avez de la chance, vous n'aurez jamais à lever la main sur personne car vous avez des yeux qui savent imposer leur volonté. Et puis le voilà en colère maintenant. Il se tient debout, tout droit comme une évidence. »

Françoise n'aimait pas du tout que celles qu'elle appelait les deux enjôleuses vinssent ainsi tenir conversation avec moi. Le directeur, qui faisait guetter par ses employés tout ce qui se passait, me fit même observer gravement qu'il n'était pas digne d'un client de causer avec des courrières. Moi qui trouvais les « enjôleuses » supérieures à toutes les clientes de l'hôtel, je me contentai de lui éclater de rire au nez, convaincu qu'il ne comprendrait pas mes explications. Et les deux sœurs revenaient. « Regarde, Marie, ses traits si fins. Ô miniature parfaite, plus belle que la plus précieuse qu'on verrait sous une vitrine, car il a les mouvements, et des paroles à l'écouter des jours et des nuits[1]. »

C'est miracle qu'une dame étrangère ait pu les emmener, car sans savoir l'histoire ni la géographie, elles détestaient de confiance les Anglais, les Allemands, les Russes, les Italiens, la « vermine » des étrangers et n'aimaient, avec des exceptions, que les Français. Leur figure avait tellement gardé l'humidité de la glaise malléable de leurs rivières, que dès qu'on parlait d'un étranger qui était dans l'hôtel, pour répéter ce qu'il avait dit, Céleste et Marie appliquaient sur leurs figures sa figure, leur bouche devenait sa bouche, leurs yeux ses yeux, on aurait voulu garder ces admirables masques de théâtre. Céleste même, en faisant semblant de ne redire que ce qu'avait dit le directeur, ou tel de mes amis, insérait dans son petit récit des propos feints où étaient peints malicieusement tous les défauts de Bloch, ou du premier président, etc., sans en avoir l'air. C'était, sous la forme de compte rendu d'une simple commission dont elle s'était obligeamment chargée, un portrait inimitable. Elles ne lisaient jamais rien, pas même un journal. Un jour pourtant, elles trouvèrent sur mon lit un volume. C'étaient des poèmes admirables mais obscurs de Saint-Léger Léger. Céleste lut quelques pages et me dit : « Mais êtes-vous bien sûr que ce sont des vers, est-ce que ce ne serait pas plutôt des devinettes[2] ? » Évidemment pour une personne qui avait appris dans son enfance une seule poésie : *Ici-bas tous les lilas meurent*[3], il y avait manque de transition. Je crois que leur obstination à ne rien apprendre tenait un peu à leur pays malsain. Elles étaient pourtant aussi douées qu'un poète, avec plus de modestie qu'ils n'en ont généralement. Car si Céleste avait dit quelque chose de remarquable et que, ne me souvenant pas bien, je lui demandais de me le rappeler, elle assurait avoir oublié. Elles ne liront jamais de livres, mais n'en feront jamais non plus.

Françoise fut assez impressionnée en apprenant que les deux frères de ces femmes si simples avaient épousé, l'un la nièce de l'archevêque de Tours, l'autre une parente de l'évêque de Rodez[4]. Au directeur, cela n'eût rien dit. Céleste reprochait quelquefois à son mari de ne pas la comprendre, et moi je m'étonnais qu'il pût la supporter.

Car à certains moments, frémissante, furieuse, détruisant tout[a], elle était détestable. On prétend que le liquide salé qu'est notre sang n'est que la survivance intérieure de l'élément marin primitif. Je crois de même que Céleste, non seulement dans ses fureurs, mais aussi dans ses heures de dépression, gardait le rythme des ruisseaux de son pays. Quand elle était épuisée, c'était à leur manière ; elle était vraiment à sec. Rien n'aurait pu alors la revivifier. Puis tout d'un coup la circulation reprenait dans son grand corps magnifique et léger. L'eau coulait dans la transparence opaline de sa peau bleuâtre. Elle souriait au soleil et devenait plus bleue encore. Dans ces moments-là elle était vraiment céleste[b].

La famille de Bloch avait beau n'avoir jamais soupçonné la raison pour laquelle son oncle ne déjeunait jamais à la maison et avoir accepté cela dès le début comme une manie de vieux célibataire, peut-être pour les exigences d'une liaison avec quelque actrice, tout ce qui touchait M. Nissim Bernard était « tabou » pour le directeur de l'hôtel de Balbec. Et voilà pourquoi, sans en avoir même référé à l'oncle, il n'avait finalement pas osé donner tort à la nièce, tout en lui recommandant quelque circonspection. Or la jeune fille et son amie qui, pendant quelques jours, s'étaient figuré être exclues du casino et du Grand-Hôtel, voyant que tout s'arrangeait, furent heureuses de montrer à ceux des pères de famille qui les tenaient à l'écart qu'elles pouvaient impunément tout se permettre. Sans doute n'allèrent-elles pas jusqu'à renouveler la scène publique qui avait révolté tout le monde. Mais peu à peu leurs façons reprirent insensiblement. Et un soir où je sortais du casino à demi éteint avec Albertine, et Bloch que nous avions rencontré, elles passèrent enlacées, ne cessant de s'embrasser, et arrivées à notre hauteur poussèrent des gloussements, des rires, des cris indécents[1]. Bloch baissa les yeux pour ne pas avoir l'air de reconnaître sa sœur, et moi j'étais torturé en pensant que ce langage particulier et atroce s'adressait peut-être à Albertine.

Un autre incident fixa davantage encore mes préoccupations du côté de Gomorrhe[c]. J'avais vu sur la plage une belle jeune femme élancée et pâle de laquelle les yeux, autour de leur centre, disposaient des rayons si géométriquement lumineux qu'on pensait, devant son regard, à quelque constellation. Je songeais combien cette jeune fille était plus belle qu'Albertine et comme il était plus sage de renoncer à l'autre . Tout au plus le visage de cette belle jeune femme était-il passé au rabot invisible d'une grande bassesse de vie, de l'acceptation constante d'expédients vulgaires, si bien que ses yeux, plus nobles pourtant que le reste du visage, ne devaient rayonner que d'appétits et de désirs. Or le lendemain, cette jeune femme étant placée très loin de nous au casino, je vis qu'elle ne cessait de poser sur Albertine les feux alternés et tournants de ses regards. On eût dit qu'elle lui faisait des signes comme à l'aide d'un phare. Je souffrais que mon amie vît qu'on faisait si attention à elle, je craignais que ces regards incessamment allumés n'eussent la signification conventionnelle d'un rendez-vous d'amour pour le lendemain. Qui sait ? ce rendez-vous n'était peut-être pas le premier. La jeune femme aux yeux rayonnants avait pu venir une autre année à Balbec. C'était peut-être parce qu'Albertine avait déjà cédé à ses désirs ou à ceux d'une amie que celle-ci se permettait de lui adresser ces brillants signaux. Ils faisaient alors plus que réclamer quelque chose pour le présent, ils s'autorisaient pour cela des bonnes heures du passé.

Ce rendez-vous, en ce cas[a], ne devait pas être le premier, mais la suite de parties faites ensemble d'autres années. Et en effet les regards ne disaient pas : « Veux-tu ? » Dès que la jeune femme avait aperçu Albertine, elle avait tourné tout à fait la tête et fait luire vers elle des regards chargés de mémoire, comme si elle avait eu peur et stupéfaction que mon amie ne se souvînt pas. Albertine, qui la voyait très bien, resta flegmatiquement immobile, de sorte que l'autre, avec le même genre de discrétion qu'un homme qui voit son ancienne maîtresse avec un autre amant, cessa de la regarder et de s'occuper plus d'elle que si elle n'avait pas existé[1].

Mais quelques jours après j'eus la preuve des goûts de cette jeune femme et aussi de la probabilité qu'elle avait connu Albertine autrefois. Souvent, quand dans la salle du casino deux jeunes filles se désiraient, il se produisait comme un phénomène lumineux, une sorte de traînée phosphorescente allant de l'une à l'autre. Disons en passant que c'est à l'aide de telles matérialisations, fussent-elles impondérables, par ces signes astraux enflammant toute une partie de l'atmosphère, que Gomorrhe, dispersée, tend, dans chaque ville, dans chaque village, à rejoindre ses membres séparés, à reformer la cité biblique tandis que partout, les mêmes efforts sont poursuivis, fût-ce en vue d'une reconstruction intermittente, par les nostalgiques, par les hypocrites, quelquefois par les courageux exilés de Sodome.

Une fois je vis l'inconnue qu'Albertine avait eu l'air de ne pas reconnaître, juste à un moment où passait la cousine de Bloch. Les yeux de la jeune femme s'étoilèrent, mais on voyait bien qu'elle ne connaissait pas la demoiselle israélite. Elle la voyait pour la première fois, éprouvait un désir, guère de doutes, nullement la même certitude qu'à l'égard d'Albertine, Albertine sur la camaraderie de qui elle avait dû tellement compter que devant sa froideur elle avait ressenti la surprise d'un étranger habitué de Paris mais qui ne l'habite pas et qui, étant revenu y passer quelques semaines, à la place du petit théâtre où il avait l'habitude de passer de bonnes soirées, voit qu'on a construit une banque[1].

La cousine de Bloch alla s'asseoir à une table où elle regarda un magazine. Bientôt la jeune femme vint s'asseoir d'un air distrait à côté d'elle. Mais sous la table on aurait pu voir bientôt se tourmenter leurs pieds, puis leurs jambes et leurs mains qui étaient confondues[a]. Les paroles suivirent, la conversation s'engagea, et le naïf mari de la jeune femme qui la cherchait partout fut étonné de la trouver faisant des projets pour le soir même avec une jeune fille qu'il ne connaissait pas. Sa femme lui présenta comme une amie d'enfance la cousine de Bloch, sous un nom inintelligible, car elle avait oublié de lui demander comment elle s'appelait. Mais la présence du mari fit faire un pas de plus à leur intimité, car elles se tutoyèrent, s'étant connues au couvent, incident dont elles rirent fort plus tard, ainsi que du mari berné, avec une gaieté qui fut une occasion de nouvelles tendresses.

Quant à Albertine je ne peux pas dire que nulle part, au casino, sur la plage, elle eût avec une jeune fille des manières trop libres. Je leur trouvais même un excès de froideur et d'insignifiance qui semblait plus que de la bonne éducation, une ruse destinée à dépister les soupçons. À telle jeune fille, elle avait une façon rapide, glacée et décente, de répondre à très haute voix : « Oui, j'irai vers cinq heures au tennis. Je prendrai mon bain demain matin vers huit heures », et de quitter immédiatement la personne à qui elle venait de dire cela, qui avait un terrible air de vouloir donner le change, et soit de donner un rendez-vous, soit plutôt, après l'avoir donné bas, de dire fort cette phrase, en effet insignifiante, pour ne pas « se faire remarquer ». Et quand ensuite je la voyais prendre sa bicyclette et filer à toute vitesse, je ne pouvais m'empêcher de penser qu'elle allait rejoindre celle à qui elle avait à peine parlé.

Tout au plus lorsque quelque belle jeune femme descendait d'automobile au coin de la plage, Albertine ne pouvait-elle s'empêcher de se retourner. Et elle expliquait aussitôt : « Je regardais le nouveau drapeau qu'ils ont mis devant les bains. Ils auraient pu faire plus de frais. L'autre était assez miteux. Mais je crois vraiment que celui-ci est encore plus moche. »

Une fois Albertine ne se contenta pas de la froideur et je n'en fus que plus malheureux. Elle me savait ennuyé qu'elle pût quelquefois rencontrer une amie de sa tante, qui avait « mauvais genre » et venait quelquefois passer deux ou trois jours chez Mme Bontemps. Gentiment[a] Albertine m'avait dit qu'elle ne la saluerait plus. Et quand cette femme venait à Incarville, Albertine disait : « À propos vous savez qu'elle est ici. Est-ce qu'on vous l'a dit ? » comme pour me montrer qu'elle ne la voyait pas en cachette. Un jour qu'elle me disait cela elle ajouta : « Oui, je l'ai rencontrée sur la plage et exprès, par grossièreté, je l'ai presque frôlée en passant, je l'ai bousculée. » Quand Albertine me dit cela il me revint à la mémoire une phrase de Mme Bontemps à laquelle je n'avais jamais repensé, celle où elle avait dit devant moi à Mme Swann combien sa nièce Albertine était effrontée, comme si c'était une qualité, et comment elle avait dit à je ne sais plus quelle femme de fonctionnaire que le père de celle-ci avait été marmiton. Mais une parole de celle que nous aimons ne se conserve pas longtemps dans sa pureté ; elle se gâte, elle se pourrit. Un ou deux soirs après je repensai à la phrase d'Albertine et ce ne fut plus la mauvaise éducation dont elle s'enorgueillissait — et qui ne pouvait que me faire sourire — qu'elle me sembla signifier, c'était autre chose, et qu'Albertine, même peut-être sans but précis, pour irriter les sens de cette dame ou lui rappeler méchamment d'anciennes propositions, peut-être acceptées autrefois, l'avait frôlée rapidement, pensait que je l'avais appris peut-être comme c'était en public, et avait voulu d'avance prévenir une interprétation défavorable.

Au reste, ma jalousie causée par les femmes qu'aimait peut-être Albertine allait brusquement cesser.

*

Nous étions, Albertine et moi, devant la station Balbec du petit train d'intérêt local. Nous nous étions fait conduire par l'omnibus de l'hôtel, à cause du mauvais temps. Non loin de nous était M. Nissim Bernard, lequel avait un œil poché. Il trompait depuis peu l'enfant des chœurs d'*Athalie* avec le garçon d'une ferme assez achalandée du voisinage, *Aux Cerisiers*. Ce garçon rouge, aux traits abrupts, avait absolument l'air d'avoir comme tête une tomate[1]. Une tomate exactement semblable servait de tête à son frère jumeau. Pour le contemplateur désintéressé, il y a cela d'assez beau, dans ces ressemblances parfaites de deux jumeaux, que la nature, comme si elle s'était momentanément industrialisée, semble débiter des produits pareils. Malheureusement, le point de vue de M. Nissim Bernard était autre et cette ressemblance n'était qu'extérieure. La tomate n° 2 se plaisait avec frénésie à faire exclusivement les délices des dames, la tomate n° 1 ne détestait pas condescendre aux goûts de certains messieurs. Or chaque fois que secoué ainsi que par un réflexe, par le souvenir des bonnes heures passées avec la tomate n° 1, M. Bernard se présentait *Aux Cerisiers*, myope (et du reste la myopie n'était pas nécessaire pour les confondre), le vieil Israélite, jouant sans le savoir Amphitryon[2], s'adressait au frère jumeau et lui disait : « Veux-tu me donner rendez-vous pour ce soir ? » Il recevait aussitôt une solide « tournée ». Elle vint même à se renouveler au cours d'un même repas, où il continuait avec l'autre les propos commencés avec le premier. À la longue elle le dégoûta tellement, par association d'idées, des tomates, même de celles comestibles, que chaque fois qu'il entendait un voyageur en commander à côté de lui au Grand-Hôtel, il lui chuchotait : « Excusez-moi, monsieur, de m'adresser à vous sans vous connaître. Mais j'ai entendu que vous commandiez des tomates. Elles sont pourries aujourd'hui. Je vous le dis dans votre intérêt car pour moi cela m'est égal, je n'en prends jamais. » L'étranger remerciait avec effusion ce voisin philanthrope et désintéressé, rappelait le garçon, feignait de se raviser : « Non, décidément, pas de tomates. » Aimé, qui connaissait la scène, en riait tout seul et pensait : « C'est un vieux malin que M. Bernard, il a encore trouvé le moyen de faire changer la commande. » M. Bernard, en attendant le tram en retard, ne tenait pas à nous dire bonjour à Albertine et à moi, à cause de son œil poché. Nous tenions encore moins à lui parler. C'eût été pourtant presque inévitable si à ce moment-là, une bicyclette n'avait fondu à toute vitesse sur nous ; le lift en sauta, hors d'haleine. Mme Verdurin avait téléphoné un peu après notre départ pour que je vinsse dîner, le surlendemain ; on verra bientôt pourquoi. Puis après m'avoir donné les détails du téléphonage, le lift nous quitta et comme ces « employés » démocrates qui affectent l'indépendance à l'égard des bourgeois, et entre eux rétablissent le principe d'autorité, voulant dire que le concierge et le voiturier pourraient être mécontents s'il était en retard, il ajouta : « Je me sauve à cause de mes chefs. »

Les amies d'Albertine étaient parties pour quelque temps. Je voulais la distraire. À supposer qu'elle eût éprouvé du bonheur à passer les après-midi rien qu'avec moi, à Balbec, je savais qu'il ne se laisse jamais posséder[a] complètement et qu'Albertine, encore à l'âge (que certains ne dépassent pas) où on n'a pas découvert que cette imperfection tient à celui qui éprouve le bonheur, non à celui qui le donne, eût[b] pu être tentée de faire remonter à moi la cause de sa déception. J'aimais mieux qu'elle l'imputât aux circonstances qui, par moi combinées, ne nous laisseraient pas la facilité d'être seuls ensemble, tout en l'empêchant de rester au casino et sur la digue sans moi. Aussi je lui avais demandé ce jour-là de m'accompagner à Doncières où j'irais voir Saint-Loup. Dans ce même but de l'occuper je lui conseillais la peinture, qu'elle avait apprise autrefois. En travaillant elle ne se demanderait pas si elle était heureuse ou malheureuse. Je l'eusse volontiers emmenée aussi dîner de temps en temps chez les Verdurin et chez les Cambremer qui, certainement, les uns et les autres, eussent volontiers reçu une amie présentée par moi, mais il fallait d'abord que je fusse certain que Mme Putbus n'était pas encore à La Raspelière. Ce n'était guère que sur place que je pouvais m'en rendre compte, et comme je savais d'avance que le surlendemain Albertine était obligée d'aller aux environs avec sa tante, j'en avais profité pour envoyer une dépêche à Mme Verdurin lui demandant si elle pourrait me recevoir le mercredi. Si Mme Putbus était là, je m'arrangerais pour voir sa femme de chambre, m'assurer s'il y avait un risque qu'elle vînt à Balbec, en ce cas savoir quand, pour emmener Albertine au loin ce jour-là. Le petit chemin de fer[a] d'intérêt local, faisant une boucle qui n'existait pas quand je l'avais pris avec ma grand-mère, passait maintenant à Doncières-la-Goupil, grande station d'où partaient des trains importants et notamment l'express par lequel j'étais venu voir Saint-Loup, de Paris, et y étais rentré[1]. Et à cause du mauvais temps, l'omnibus du Grand-Hôtel nous conduisit, Albertine et moi, à la station du petit tram, Balbec-plage.

Le petit chemin de fer n'était pas encore là, mais on voyait, oisif et lent, le panache de fumée qu'il avait laissé en route, et qui maintenant réduit à ses seuls moyens de nuage peu mobile, gravissait lentement les pentes vertes de la falaise de Criquetot. Enfin le petit tram, qu'il avait précédé pour prendre une direction verticale, arriva à son tour, lentement[b]. Les voyageurs qui allaient le prendre s'écartèrent pour lui faire place, mais sans se presser, sachant qu'ils avaient affaire à un marcheur débonnaire, presque humain et qui, guidé comme la bicyclette d'un débutant, par les signaux complaisants du chef de gare, sous la tutelle puissante du mécanicien, ne risquait de renverser personne et se serait arrêté où on aurait voulu[2].

Ma dépêche expliquait le téléphonage des Verdurin et elle tombait d'autant mieux que le mercredi (le surlendemain se trouvait être un mercredi) était jour de grand dîner pour Mme Verdurin, à la Raspelière comme à Paris, ce que j'ignorais. Mme Verdurin ne donnait[c] pas de « dîners », mais elle avait des « mercredis ». Les mercredis étaient des œuvres d'art. Tout en sachant qu'ils n'avaient leurs pareils nulle part, Mme Verdurin introduisait entre eux des nuances. « Ce dernier mercredi ne valait pas le précédent, disait-elle. Mais je crois que le prochain sera un des plus réussis que j'aie jamais donnés. » Elle allait parfois jusqu'à avouer : « Ce mercredi-ci n'était pas digne des autres. En revanche, je vous réserve une grosse surprise pour le suivant. » Dans les dernières semaines de la saison de Paris, avant de partir pour la campagne, la patronne annonçait la fin des mercredis. C'était une occasion de stimuler les fidèles : « Il n'y a plus que trois mercredis, il n'y en a plus que deux, disait-elle du même ton que si le monde était sur le point de finir. Vous n'allez pas lâcher mercredi prochain pour la clôture. » Mais cette clôture était factice, car elle avertissait : « Maintenant, officiellement il n'y a plus de mercredis. C'était le dernier pour cette année. Mais je serai tout de même là le mercredi. Nous ferons mercredi entre nous ; qui sait ? ces petits mercredis intimes, ce seront peut-être les plus agréables. » À la Raspelière les mercredis étaient forcément restreints, et comme, selon qu'on avait rencontré un ami de passage, on l'avait invité tel ou tel soir, c'était presque tous les jours mercredi. « Je ne me rappelle pas bien le nom des invités, mais je sais qu'il y a Mme la marquise de Camembert », m'avait dit le lift ; le souvenir de nos explications relatives aux Cambremer n'était pas arrivé à supplanter définitivement celui du mot ancien, dont les syllabes familières et pleines de sens venaient au secours du jeune employé quand il était embarrassé pour ce nom difficile, et étaient immédiatement préférées et réadoptées par lui, non pas paresseusement et comme un vieil usage indéracinable, mais à cause du besoin de logique et de clarté qu'elles satisfaisaient.

Nous nous hâtâmes pour gagner un wagon vide où je pusse embrasser Albertine tout le long du trajet. N'ayant rien trouvé nous montâmes dans un compartiment où était déjà installée une dame à figure énorme, laide et vieille, à l'expression masculine, très endimanchée, et qui lisait *La Revue des Deux-Mondes*[1]. Malgré[a] sa vulgarité, elle était prétentieuse dans ses gestes, et[b] je m'amusai à me demander à quelle catégorie sociale elle pouvait appartenir ; je conclus immédiatement que ce devait être quelque tenancière de grande maison de filles, une maquerelle en voyage. Sa figure, ses manières le criaient. J'avais ignoré seulement jusque-là que ces dames lussent *La Revue des Deux-Mondes.* Albertine me la montra non sans cligner de l'œil en me souriant. La dame avait l'air extrêmement digne ; et comme de mon côté je portais en moi la conscience que j'étais invité pour le lendemain[2] au point terminus de la ligne du petit chemin de fer chez la célèbre Mme

Verdurin, qu'à une station intermédiaire j'étais attendu par Robert de Saint-Loup, et qu'un peu plus loin j'aurais fait grand plaisir à Mme de Cambremer en venant habiter Féterne, mes yeux pétillaient d'ironie en considérant cette dame importante qui semblait croire qu'à cause de sa mise recherchée, des plumes de son chapeau, de sa *Revue des Deux-Mondes,* elle était un personnage plus considérable que moi[a]. J'espérais que la dame ne resterait pas beaucoup plus que M. Nissim Bernard et qu'elle descendrait au moins à Toutainville, mais non[b]. Le train s'arrêta à Épreville[1], elle resta[c] assise. De même à Montmartin-sur-Mer, à Parville-la-Bingard, à Incarville, de sorte que de désespoir, quand le train eut quitté Saint-Frichoux qui était la dernière station avant Doncières[2], je commençai à enlacer Albertine sans m'occuper de la dame. À Doncières, Saint-Loup était venu m'attendre à la gare, avec les plus grandes difficultés, me dit-il, car habitant chez sa tante, mon télégramme ne lui était parvenu qu'à l'instant et il ne pourrait, n'ayant pu arranger son temps d'avance, me consacrer qu'une heure. Cette heure me parut, hélas ! bien trop longue car à peine descendus du wagon, Albertine ne fit plus attention qu'à Saint-Loup. Elle ne causait pas avec moi, me répondait à peine si je lui adressais la parole, me repoussa quand je m'approchai d'elle. En revanche, avec Robert, elle riait de son rire tentateur, elle lui parlait avec volubilité, jouait avec le chien qu'il avait, et tout en agaçant la bête, frôlait exprès son maître. Je me rappelai que le jour où Albertine s'était laissé embrasser par moi pour la première fois, j'avais eu un sourire de gratitude pour le séducteur inconnu qui avait amené en elle une modification si profonde et m'avait tellement simplifié la tâche. Je pensais à lui maintenant avec horreur. Robert avait dû se rendre compte qu'Albertine ne m'était pas indifférente, car il ne répondit pas à ses agaceries, ce qui la mit de mauvaise humeur contre moi ; puis il me parla comme si j'étais seul, ce qui, quand elle l'eut remarqué, me fit remonter dans son estime. Robert me demanda si je ne voulais pas essayer de trouver parmi les amis avec lesquels il me faisait dîner chaque soir à Doncières quand j'y avais séjourné, ceux qui y étaient encore. Et comme il donnait lui-même dans le genre de prétention agaçante qu'il réprouvait : « À quoi ça te sert-il d'avoir *fait du charme* pour eux avec tant de persévérance si tu ne veux pas les revoir ? » Je déclinai sa proposition car je ne voulais pas risquer de m'éloigner d'Albertine, mais aussi parce que maintenant j'étais détaché d'eux. D'eux, c'est-à-dire de moi. Nous désirons passionnément qu'il y ait une autre vie où nous serions pareils à ce que nous sommes ici-bas. Mais nous ne réfléchissons pas que, même sans attendre cette autre vie, dans celle-ci, au bout de quelques années nous sommes infidèles à ce que nous avons été, à ce que nous voulions rester immortellement. Même sans supposer que la mort nous modifiât plus que ces changements qui se produisent au cours de la vie, si dans cette autre vie nous rencontrions le moi que nous avons été, nous nous détournerions de nous comme de ces personnes avec qui on a été lié mais qu'on n'a pas vues depuis longtemps — par exemple les amis de Saint-Loup qu'il me plaisait tant chaque soir de retrouver au Faisan Doré et dont la conversation ne serait plus maintenant pour moi qu'importunité et que gêne. À cet égard, et parce que je préférai ne pas aller y retrouver ce qui m'y avait plu, une promenade dans Doncières aurait pu me paraître préfigurer l'arrivée au paradis. On rêve beaucoup du paradis, ou plutôt de nombreux paradis successifs, mais ce sont tous, bien avant qu'on ne meure, des paradis perdus, et où l'on se sentirait perdu.

Il nous laissa[a] à la gare. « Mais tu peux avoir près d'une heure à attendre, me dit-il. Si tu la passes ici tu verras sans doute mon oncle Charlus qui reprend tantôt le train pour Paris, dix minutes avant le tien. Je lui ai déjà fait mes adieux parce que[b] je suis obligé d'être rentré avant l'heure de son train. Je n'ai pu lui parler de toi puisque je n'avais pas encore eu ton télégramme. » Aux reproches que je fis à Albertine quand Saint-Loup nous eut quittés, elle me répondit qu'elle avait voulu par sa froideur avec moi, effacer à tout hasard l'idée qu'il avait pu se faire si, au moment de l'arrêt du train, il m'avait vu penché contre elle et mon bras passé autour de sa taille. Il avait en effet remarqué cette pose (je ne l'avais pas aperçu, sans cela je me fusse placé plus correctement à côté d'Albertine) et avait eu le temps de me dire à l'oreille : « C'est cela, ces jeunes filles si pimbêches dont tu m'as parlé et qui ne voulaient pas fréquenter Mlle de Stermaria[c] parce qu'elles lui trouvaient mauvaise façon ? » J'avais dit en effet à Robert, et très sincèrement, quand j'étais allé de

Paris le voir à Doncières et comme nous reparlions de Balbec, qu'il n'y avait rien à faire avec Albertine, qu'elle était la vertu même. Et maintenant que depuis longtemps, j'avais, par moi-même, appris que c'était faux, je désirais encore plus que Robert crût que c'était vrai. Il m'eût[a] suffi de dire à Robert que j'aimais Albertine. Il était de ces êtres qui savent se refuser un plaisir pour épargner à leur ami des souffrances qu'ils ressentiraient comme[b] si elles étaient les leurs. « Oui, elle est très enfant. Mais tu ne sais rien sur elle ? ajoutai-je avec inquiétude. — Rien, sinon que je vous ai vus posés comme deux amoureux. »

« Votre attitude n'effaçait rien du tout », dis-je à Albertine quand Saint-Loup nous eut quittés. « C'est vrai, me dit-elle, j'ai été maladroite, je vous ai fait de la peine, j'en suis bien plus malheureuse que vous. Vous verrez que jamais je ne serai plus comme cela ; pardonnez-moi », me dit-elle en me tendant la main d'un air triste. À ce moment, du fond de la salle d'attente où nous étions assis, je vis passer lentement, suivi à quelque distance d'un employé qui portait ses valises, M. de Charlus.

À Paris où je ne le rencontrais qu'en soirée, immobile, sanglé dans un habit noir, maintenu dans le sens de la verticale par son fier redressement, son élan pour plaire, la fusée de sa conversation, je ne me rendais[c] pas compte à quel point il avait vieilli. Maintenant, dans un complet de voyage clair qui le faisait paraître plus gros, en marche et se dandinant, balançant un ventre qui bedonnait et un derrière presque symbolique, la cruauté du grand jour décomposait, sur les lèvres, en fard, en poudre de riz fixée par le cold cream sur le bout du nez, en noir sur les moustaches teintes dont la couleur d'ébène contrastait avec les cheveux grisonnants, tout ce qui aux lumières eût semblé l'animation du teint chez un être encore jeune[d].

Tout en causant avec lui, mais brièvement, à cause de son train, je regardais le wagon d'Albertine pour lui faire signe que je venais. Quand je détournai la tête vers M. de Charlus, il me demanda de vouloir bien appeler un militaire, parent à lui, qui était de l'autre côté de la voie exactement comme s'il allait monter dans notre train, mais en sens inverse, dans la direction qui s'éloignait de Balbec[1]. « Il est dans la musique du régiment, me dit M. de Charlus. Comme vous avez la chance d'être assez jeune, moi, l'ennui d'être assez vieux pour que vous puissiez m'éviter de traverser et d'aller jusque-là... » Je me fis un devoir d'aller vers le militaire désigné et je vis, en effet, au lyres brodées sur son col qu'il était de la musique. Mais au moment où j'allais m'acquitter de ma commission, quelle ne fut pas ma surprise et je peux dire mon plaisir en reconnaissant Morel[a], le fils du valet de chambre de mon oncle et qui me rappelait tant de choses ! J'en oubliai de faire la commission de M. de Charlus. « Comment, vous êtes à Doncières ? — Oui et on m'a incorporé dans la musique, au service des batteries. » Mais il me répondit cela d'un ton sec et hautain. Il était devenu très « poseur » et évidemment ma vue, en lui rappelant la profession de son père, ne lui était pas agréable. Tout d'un coup je vis M. de Charlus fondre sur nous. Mon retard l'avait évidemment impatienté. « Je désirerais entendre ce soir un peu de musique, dit-il à Morel sans aucune entrée en matière, je donne 500 francs pour la soirée, cela pourrait peut-être avoir quelque intérêt pour un de vos amis, si vous en avez dans la musique. » J'avais beau connaître l'insolence de M. de Charlus, je fus stupéfait qu'il ne dît même pas bonjour à son jeune ami. Le baron ne me laissa pas du reste le temps de la réflexion. Me tendant affectueusement la main : « Au revoir, mon cher » me dit-il pour me signifier que je n'avais qu'à m'en aller. Je n'avais du reste laissé que trop longtemps seule ma chère Albertine. « Voyez-vous, lui dis-je en remontant dans le wagon, la vie de bains de mer et la vie de voyage me font comprendre que le théâtre du monde dispose de moins de décors que d'acteurs et de moins d'acteurs que de "situations". — À quel propos me dites-vous cela ? — Parce que M. de Charlus vient de me demander de lui envoyer un de ses amis, que juste à l'instant, sur le quai de cette gare, je viens de reconnaître pour l'un des miens. » Mais tout en disant cela, je cherchais comment le baron pouvait connaître Morel. La disproportion sociale à quoi je n'avais pas pensé d'abord était trop immense. L'idée[b] me vint d'abord que c'était par Jupien dont la fille, on s'en souvient, avait semblé s'éprendre du violoniste. Ce qui me stupéfiait pourtant c'est que, devant partir pour[c] Paris dans cinq minutes, le baron demandât à entendre de la musique à Doncières. Mais revoyant la fille de Jupien dans mon souvenir, je commençais à trouver que les « reconnaissances », pauvre expédient des œuvres factices, exprimeraient au contraire une part importante de la vie, si on savait aller jusqu'au romanesque vrai, quant tout d'un coup j'eus un éclair et compris que j'avais été bien naïf. M. de Charlus ne connaissait pas le moins du monde Morel, ni Morel M. de Charlus, lequel, ébloui mais aussi intimidé par un militaire qui ne portait pourtant que des lyres, m'avait requis, dans son émotion, pour lui amener celui qu'il ne soupçonnait pas que je connusse. En tout cas l'offre des cinq cents francs avait dû remplacer pour Morel l'absence de relations antérieures, car je les vis qui continuaient à causer sans penser qu'ils étaient à côté du notre tram. Et me rappelant la façon dont M. de Charlus était venu vers Morel et moi, je saisissais sa ressemblance avec certains de ses parents quand ils levaient une femme dans la rue. Seulement l'objet visé avait changé de sexe. À partir d'un certain âge, et même si des évolutions différentes s'accomplissent en nous, plus on devient soi, plus les traits familiaux s'accentuent. Car la nature, tout en continuant harmonieusement[a] le dessin de sa tapisserie, interrompt la monotonie de la composition grâce à la variété des figures intercalées. Au reste[b] la hauteur avec laquelle M. de Charlus avait toisé le violoniste est relative selon le point de vue auquel on se place. Elle eût été reconnue par les trois quarts des gens du monde, qui s'inclinaient, non pas par le préfet de police qui, quelques années plus tard, le faisait surveiller.

« Le train de Paris est signalé[c], Monsieur », dit l'employé qui portait les valises. « Mais je ne prends pas de train, mettez tout cela en consigne, que diable ! » dit M. de Charlus en donnant vingt francs à l'employé stupéfait du revirement et charmé du pourboire. Cette générosité attira aussitôt une marchande de fleurs. « Prenez ces œillets, tenez, cette belle rose, mon bon Monsieur, cela vous portera bonheur[1]. » M. de Charlus, impatienté, lui tendit quarante sous en échange de quoi la femme offrit ses bénédictions et derechef ses fleurs. « Mon Dieu, si elle pouvait nous laisser tranquilles », dit M. de Charlus en s'adressant d'un ton ironique et gémissant, et comme un homme énervé, à Morel à qui[d] il trouvait quelque douceur de demander son appui. « Ce que nous avons à dire est déjà assez compliqué. » Peut-être, l'employé de chemin de fer n'étant pas encore très loin, M. de Charlus ne tenait-il pas à avoir une nombreuse audience, peut-être ces phrases incidentes permettaient-elles à sa timidité hautaine de ne pas aborder trop directement la demande de rendez-vous. Le musicien, se tournant d'un air franc, impératif et décidé vers la marchande de fleurs, leva vers elle une paume qui la repoussait et lui signifiait qu'on ne voulait pas de ses fleurs et qu'elle eût à fiche le camp au plus vite. M. de Charlus vit avec ravissement ce geste autoritaire et viril, manié par la main gracieuse pour qui il aurait dû être encore trop lourd, trop massivement brutal, avec une fermeté et une souplesse précoces qui donnaient à cet adolescent encore imberbe l'air d'un jeune David capable d'assumer un combat contre Goliath. L'admiration du baron était involontairement mêlée de ce sourire que nous éprouvons à voir chez un enfant une expression d'une gravité au-dessus de son âge[1]. « Voilà quelqu'un[a] par qui j'aimerais être accompagné dans mes voyages et aidé dans mes affaires. Comme il simplifierait ma vie ! », se dit M. de Charlus.

Le train[b] de Paris (que le baron ne prit pas) partit. Puis nous montâmes dans le nôtre, Albertine et moi, sans que j'eusse su ce qu'étaient devenus M. de Charlus et Morel. « Il ne faut plus jamais nous fâcher, je vous demande encore pardon, me redit Albertine en faisant allusion à l'incident Saint-Loup. Il faut que nous soyons toujours gentils tous les deux, me dit-elle tendrement. Quant à votre ami Saint-Loup, si vous croyez qu'il m'intéresse en quoi que ce soit, vous vous trompez bien. Ce qui me plaît seulement en lui, c'est qu'il a l'air de tellement vous aimer. — C'est un très bon garçon », dis-je en me gardant de prêter à Robert des qualités supérieures imaginaires comme je n'aurais pas manqué de faire par amitié pour lui si j'avais été avec toute autre personne qu'Albertine. « C'est un être excellent, franc, dévoué, loyal, sur qui on peut compter pour tout. » En disant cela je me bornais, retenu par ma jalousie, à dire au sujet de Saint-Loup la vérité, mais aussi c'était bien la vérité que je disais. Or elle s'exprimait exactement dans les mêmes termes dont s'était servie pour me parler de lui Mme de Villeparisis, quand je ne le connaissais pas encore, l'imaginais si différent, si hautain et me disais : « On le trouve bon parce que c'est un grand seigneur. » De même quand elle m'avait dit : « Il serait[c] si heureux », je me figurai, après l'avoir aperçu devant l'hôtel, prêt à mener, que les paroles de sa tante étaient pure banalité mondaine, destinées à me flatter. Et je m'étais rendu compte ensuite qu'elle l'avait dit sincèrement, en pensant à ce qui m'intéressait, à mes lectures, et parce qu'elle savait que c'était cela qu'aimait Saint-Loup, comme il devait m'arriver de dire sincèrement à quelqu'un faisant une histoire de son ancêtre La Rochefoucauld, l'auteur des *Maximes*[1], et qui eût voulu aller demander des conseils à Robert : « Il sera si heureux. » C'est que j'avais appris à le connaître. Mais en le voyant la première fois je n'avais pas cru qu'une intelligence parente de la mienne pût s'envelopper de tant d'élégance extérieure de vêtements et d'attitude. Sur son plumage je l'avais jugé d'une autre espèce. C'était Albertine maintenant qui, peut-être un peu parce que Saint-Loup, par bonté pour moi, avait été si froid avec elle, me dit ce que j'avais pensé autrefois : « Ah ! il est si dévoué que cela ! Je remarque qu'on trouve toujours toutes les vertus aux gens quand il sont du faubourg Saint-Germain. » Or, que Saint-Loup fût du faubourg Saint-Germain, c'est à quoi je n'avais plus songé une seule fois au cours de ces années où, se dépouillant de son prestige, il m'avait manifesté ses vertus. Changement de perspective pour regarder les êtres, déjà plus frappant dans l'amitié que dans les simples relations sociales, mais combien plus encore dans l'amour, où le désir met à une échelle[a] si vaste, grandit à des proportions telles les moindres signes de froideur, qu'il m'en avait fallu bien moins que celle qu'avait au premier abord Saint-Loup pour que je me crusse tout d'abord dédaigné d'Albertine, que je m'imaginasse ses amies comme des êtres merveilleusement inhumains, et que je n'attachasse qu'à l'indulgence qu'on a pour la beauté et pour une certaine élégance le jugement[b] d'Elstir quand il me disait de la petite bande, tout à fait dans le même sentiment que Mme de Villeparisis de Saint-Loup : « Ce sont de bonnes filles. » Or ce jugement, n'est-ce pas celui que j'eusse volontiers porté quand j'entendais Albertine dire : « En tout cas, dévoué ou non, j'espère bien ne plus le revoir puisqu'il a amené de la brouille entre nous. Il ne faut plus se fâcher tous les deux. Ce n'est pas gentil » ? Je me sentais, puisqu'elle avait paru désirer Saint-Loup, à peu près guéri pour quelque temps de l'idée qu'elle aimait les femmes, ce que je me figurais inconciliable. Et, devant le caoutchouc d'Albertine[2] dans lequel elle semblait devenue une autre personne, l'infatigable errante des jours pluvieux, et qui, collé, malléable et gris en ce moment, semblait moins devoir protéger son vêtement contre l'eau qu'avoir été trempé par elle et s'attacher au corps de mon amie comme afin de prendre l'empreinte de ses formes pour un sculpteur, j'arrachai cette tunique qui épousait[a] jalousement une poitrine désirée, et attirant Albertine à moi :

> *Mais toi, ne veux-tu pas, voyageuse indolente,*
> *Rêver sur mon épaule en y posant ton front*[1] *?*

lui dis-je[b] en prenant sa tête dans mes mains et en lui montrant les grandes prairies inondées et muettes qui s'étendaient dans le soir tombant jusqu'à l'horizon fermé par[c] les chaînes parallèles de vallonnements lointains et bleuâtres[d2].

Le surlendemain[3], le fameux mercredi, dans ce même petit chemin de fer[e] que je venais de prendre à Balbec, pour aller dîner à la Raspelière, je tenais beaucoup à ne pas manquer Cottard à Graincourt-Saint-Vast où[f] un nouveau téléphonage de Mme Verdurin m'avait dit que je le retrouverais. Il devait monter dans mon train et m'indiquerait où il fallait descendre pour trouver les voitures qu'on envoyait de la Raspelière à la gare. Aussi, le petit train ne s'arrêtant qu'un instant à Graincourt, première station après Doncières, d'avance je m'étais mis à la portière tant j'avais peur de ne pas voir Cottard ou de ne pas être vu de lui. Craintes bien vaines ! Je ne m'étais pas rendu compte à quel point le petit clan ayant façonné tous les « habitués » sur le même type, ceux-ci, par surcroît en grande tenue de dîner, attendant sur le quai, se laissaient tout de suite reconnaître à un certain air d'assurance, d'élégance et de familiarité, à des regards qui franchissaient, comme un espace vide où rien n'arrête l'attention, les rangs pressés du vulgaire public, guettaient l'arrivée de quelque habitué qui avait pris le train à une station précédente et pétillaient déjà de la causerie prochaine. Ce signe d'élection, dont l'habitude de dîner ensemble avait marqué les membres du petit groupe, ne les distinguait pas seulement quand, nombreux, en force, ils étaient massés, faisant une tache plus brillante au milieu du troupeau des voyageurs — ce que Brichot appelait le

« pecus » — sur les ternes visages desquels ne pouvait se lire aucune notion relative aux Verdurin, aucun espoir de jamais dîner à la Raspelière. D'ailleurs ces voyageurs vulgaires eussent été moins intéressés que moi si devant eux on eût prononcé — et malgré la notoriété acquise par certains — les noms de ces fidèles que je m'étonnais de voir continuer à dîner en ville, alors que plusieurs le faisaient déjà, d'après les récits que j'avais entendus, avant ma naissance, à une époque à la fois assez distante et assez vague pour que je fusse tenté de m'en exagérer l'éloignement. Le contraste entre la continuation non seulement de leur existence, mais du plein de leurs forces, et l'anéantissement de tant d'amis que j'avais déjà vus ici ou là, disparaître, me donnait ce même sentiment que nous éprouvons quand à la « dernière heure » des journaux nous lisons précisément la nouvelle que nous attendions le moins, par exemple celle d'un décès prématuré et qui nous semble fortuit parce que les causes dont il est l'aboutissant nous sont restées inconnues. Ce sentiment est celui que la mort n'atteint pas uniformément tous les hommes, mais qu'une lame plus avancée de sa montée tragique emporte une existence située au niveau d'autres que longtemps encore les lames suivantes épargneront. Nous verrons du reste, plus tard, la diversité des morts qui circulent invisiblement être la cause de l'inattendu spécial que présentent, dans les journaux, les nécrologies. Puis je voyais qu'avec le temps, non seulement des dons réels, qui peuvent coexister avec la pire vulgarité de conversation, se dévoilent et s'imposent, mais encore que des individus médiocres arrivent à ces hautes places, attachées dans l'imagination de notre enfance à quelques vieillards célèbres, sans songer que le seraient un certain nombre d'années plus tard leurs disciples devenus maîtres et inspirant maintenant le respect et la crainte qu'ils éprouvaient jadis. Mais si les noms des fidèles n'étaient pas connus du « pecus », leur aspect pourtant les désignait à ses yeux. Même dans le train (lorsque le hasard de ce que les uns et les autres d'entre eux avaient eu à faire dans la journée les y réunissait tous ensemble), n'ayant plus à cueillir à une station suivante qu'un isolé, le wagon dans lequel ils se trouvaient assemblés, désigné par le coude du sculpteur Ski, pavoisé par *Le Temps* de Cottard, fleurissait de loin comme une voiture de luxe et ralliait à la gare voulue, le camarade retardataire. Le seul à qui eussent pu échapper, à cause de sa demi-cécité, ces signes de promission, était Brichot[1]. Mais aussi l'un des habitués assurait volontairement à l'égard de l'aveugle les fonctions de guetteur et dès qu'on avait aperçu son chapeau de paille, son parapluie vert et ses lunettes bleues, on le dirigeait avec douceur et hâte vers le compartiment d'élection. De sorte qu'il était sans exemple qu'un des fidèles, à moins d'exciter les plus graves soupçons de bamboche, ou même de ne pas être venu « par le train », n'eût pas retrouvé les autres en cours de route. Quelquefois l'inverse se produisait : un fidèle avait dû aller assez loin dans l'après-midi et en conséquence devait faire une partie du parcours seul avant d'être rejoint par le groupe ; mais même ainsi isolé, seul de son espèce, il ne manquait[a] pas le plus souvent de produire quelque effet. Le Futur vers lequel il se dirigeait le désignait à la personne assise sur la banquette d'en face, laquelle se disait : « Ce doit être quelqu'un », et avec l'obscure perspicacité des voyageurs d'Emmaüs discernait[b], fût-ce autour du chapeau mou de Cottard ou du sculpteur Ski, une vague auréole, et n'était qu'à demi étonnée quand à la station suivante, une foule élégante, si c'était leur point terminus, accueillait le fidèle à la portière et s'en allait avec lui vers l'une des voitures qui attendaient, salués tous très bas par l'employé de Douville, ou bien si c'était à une station intermédiaire, envahissait le compartiment. C'est ce que fit, et avec précipitation, car plusieurs étaient arrivés en retard, juste au moment où le train déjà en gare allait repartir, la troupe que Cottard mena au pas de course vers le wagon à la fenêtre duquel il avait vu mes signaux. Brichot qui se trouvait parmi ces fidèles, l'était devenu davantage au cours de ces années qui pour d'autres avaient diminué leur assiduité. Sa vue baissant progressivement l'avait obligé, même à Paris, à diminuer de plus en plus les travaux du soir. D'ailleurs il avait peu de sympathie pour la Nouvelle Sorbonne où les idées d'exactitude scientifique, à l'allemande, commençaient à l'emporter sur l'humanisme[2]. Il se bornait[c] exclusivement maintenant à son cours et aux jurys d'examen ; aussi avait-il beaucoup plus de temps à donner à la mondanité, c'est-à-dire aux soirées chez les Verdurin, ou à celles qu'offrait parfois aux Verdurin tel ou tel fidèle, tremblant d'émotion. Il est vrai qu'à deux reprises l'amour avait manqué de faire ce que les travaux ne pouvaient plus : détacher Brichot du petit clan. Mais Mme Verdurin qui « veillait au grain » et d'ailleurs, en ayant pris l'habitude dans l'intérêt de son salon, avait fini par trouver un plaisir désintéressé dans ce genre de drames et d'exécutions, l'avait irrémédiablement brouillé avec la personne dangereuse, sachant comme elle le disait « mettre bon ordre à tout » et « porter le fer rouge dans la plaie ». Cela lui avait été d'autant plus aisé pour l'une des personnes dangereuses que c'était simplement la blanchisseuse de Brichot, et Mme Verdurin, ayant ses petites entrées dans le cinquième du professeur, écarlate d'orgueil quand elle daignait monter ses étages, n'avait eu qu'à mettre à la porte cette femme de rien. « Comment, avait dit la Patronne à Brichot, une femme[a] comme moi vous fait l'honneur de venir chez vous, et vous recevez une telle créature ? » Brichot n'avait jamais oublié le service que Mme Verdurin lui avait rendu en empêchant sa vieillesse de sombrer dans la fange, et lui était de plus en plus attaché, alors qu'en contraste avec ce regain d'affection et peut-être à cause de lui, la Patronne commençait à se dégoûter d'un fidèle par trop docile et de l'obéissance de qui elle était sûre d'avance. Mais Brichot tirait de son intimité chez les Verdurin un éclat qui le distinguait entre tous ses collègues de la Sorbonne. Ils étaient éblouis par les récits qu'il leur faisait de dîners auxquels on ne les inviterait jamais, par la mention, dans des revues, ou par le portrait exposé au Salon, qu'avaient fait de lui tel écrivain ou tel peintre réputé dont les titulaires des autres chaires de la Faculté des lettres prisaient le talent mais n'avaient aucune chance d'attirer l'attention, enfin par l'élégance vestimentaire elle-même du philosophe mondain, élégance qu'ils avaient prise d'abord pour du laisser-aller jusqu'à ce que leur collègue leur eût bienveillamment expliqué que le chapeau haute forme se laisse volontiers poser par terre, au cours d'une visite[1], et n'est pas de mise pour les dîners à la campagne, si élégants soient-ils, où il doit être remplacé par le chapeau mou, fort bien porté avec le smoking. Pendant les premières secondes où le petit groupe se fut engouffré dans le wagon je ne pus même pas parler à Cottard, car il était[b] suffoqué, moins d'avoir couru pour ne pas manquer le train, que par l'émerveillement de l'avoir attrapé si juste.

Il en éprouvait plus que la joie d'une réussite, presque l'hilarité d'une joyeuse farce. « Ah ! elle est bien bonne ! dit-il quand il se fut remis. Un peu plus ! nom d'une pipe, c'est ce qui s'appelle arriver à pic ! » ajouta-t-il en clignant de l'œil non pas pour demander si l'expression était juste, car il débordait maintenant d'assurance, mais par satisfaction. Enfin il put me nommer aux autres membres du petit clan. Je fus ennuyé de voir qu'ils étaient presque tous dans la tenue qu'on appelle à Paris smoking. J'avais oublié que les Verdurin commençaient vers le monde une évolution timide, ralentie par l'affaire Dreyfus, accélérée par la musique « nouvelle », évolution d'ailleurs démentie par eux, et qu'ils continueraient de démentir jusqu'à ce qu'elle eût abouti, comme ces objectifs militaires qu'un général n'annonce que lorsqu'il les a atteints, de façon à ne pas avoir l'air battu s'il les manque. Le monde était d'ailleurs, de son côté, tout préparé à aller vers eux. Il en était encore à les considérer comme des gens chez qui n'allait personne de la société mais qui n'en éprouvent aucun regret. Le salon Verdurin passait[a] pour un temple de la musique. C'était là, assurait-on, que Vinteuil avait trouvé inspiration, encouragement. Or si la sonate de Vinteuil restait entièrement incomprise et à peu près inconnue, son nom, prononcé comme celui du plus grand musicien contemporain, exerçait un prestige extraordinaire. Enfin certains jeunes gens du Faubourg s'étant avisés qu'ils devaient être aussi instruits que les bourgeois, il y en avait trois parmi eux qui avaient appris la musique et auprès desquels la sonate[b] de Vinteuil jouissait d'une réputation énorme. Ils en parlaient, rentrés chez eux, à la mère intelligente qui les avait poussés à se cultiver. Et s'intéressant aux études de leurs fils, au concert les mères regardaient avec un certain respect Mme Verdurin dans sa première loge, qui suivait la partition. Jusqu'ici cette mondanité latente des Verdurin ne se traduisait que par deux faits. D'une part, Mme Verdurin disait de la princesse de Caprarola[1] : « Ah ! celle-là est intelligente, c'est une femme agréable. Ce que je ne peux pas supporter, ce sont les imbéciles, les gens qui m'ennuient, ça me rend folle. » Ce qui eût donné à penser à quelqu'un d'un peu fin que la princesse de Caprarola, femme du plus grand monde, avait fait une visite à Mme Verdurin. Elle avait même prononcé son nom[c] au cours d'une visite de condoléances qu'elle avait faite à Mme Swann après la mort du mari de celle-ci, et lui avait demandé si elle les connaissait. « Comment dites-vous ? avait répondu[a] Odette d'un air subitement triste. — Verdurin. — Ah ! alors je sais, avait-elle repris avec désolation, je ne les connais pas, ou plutôt je les connais sans les connaître, ce sont des gens que j'ai vus autrefois chez des amis, il y a longtemps, ils sont agréables. » La princesse de Caprarola partie, Odette aurait bien voulu avoir dit simplement la vérité. Mais le mensonge immédiat était non le produit de ses calculs, mais la révélation de ses craintes, de ses désirs. Elle niait non ce qu'il eût été adroit de nier, mais ce qu'elle aurait voulu qui ne fût pas, même si l'interlocuteur devait apprendre dans une heure que cela était en effet. Peu après elle avait repris son assurance et avait même été au-devant des questions en disant, pour ne pas avoir l'air de les craindre : « Mme Verdurin, mais comment, je l'ai énormément connue », avec une affectation d'humilité comme une grande dame qui raconte qu'elle a pris le tramway. « On parle beaucoup des Verdurin depuis quelque temps », disait Mme de Souvré[1]. Odette, avec un dédain souriant de duchesse, répondait : « Mais oui, il me semble en effet qu'on en parle beaucoup. De temps en temps il y a comme cela des gens nouveaux qui arrivent dans la société », sans penser qu'elle était elle-même une des plus nouvelles. « La princesse de Caprarola y a dîné, reprit Mme de Souvré. — Ah ! répondit Odette en accentuant son sourire, cela ne m'étonne pas. C'est toujours par la princesse de Caprarola que ces choses-là commencent, et puis il en vient une autre, par exemple la comtesse Molé. » Odette, en disant cela, avait l'air d'avoir un profond dédain pour les deux grandes dames qui avaient l'habitude d'essuyer les plâtres dans les salons nouvellement ouverts. On sentait à son ton que cela voulait dire qu'elle, Odette, comme Mme de Souvré, on ne réussirait pas à les embarquer dans ces galères-là.

Après l'aveu qu'avait fait Mme Verdurin de l'intelligence de la princesse de Caprarola, le second signe que les Verdurin avaient conscience du destin futur était que (sans l'avoir formellement demandé, bien entendu) ils souhaitaient vivement qu'on vînt maintenant dîner chez eux en habit du soir ; M. Verdurin eût pu maintenant être salué sans honte par son neveu, celui qui était « dans les choux ».

Parmi ceux[a] qui montèrent dans mon wagon à Graincourt se trouvait Saniette qui jadis avait été chassé de chez les Verdurin par son cousin Forcheville, mais était revenu. Ses défauts, au point de vue de la vie mondaine, étaient autrefois — malgré des qualités supérieures — un peu du même genre que ceux de Cottard, timidité, désir de plaire, efforts infructueux pour y réussir. Mais si la vie, en faisant revêtir à Cottard, sinon chez les Verdurin, où il était, par la suggestion que les minutes anciennes exercent sur nous quand nous nous retrouvons dans un milieu accoutumé, resté quelque peu le même, du moins dans sa clientèle, dans son service d'hôpital, à l'Académie de médecine, des dehors de froideur, de dédain, de gravité qui s'accentuaient pendant qu'il débitait devant ses élèves complaisants ses calembours, avait creusé une véritable coupure entre le Cottard actuel et l'ancien, les mêmes défauts s'étaient au contraire exagérés chez Saniette, au fur et à mesure qu'il cherchait à s'en corriger. Sentant qu'il ennuyait[b] souvent, qu'on ne l'écoutait pas, au lieu de ralentir alors comme l'eût fait Cottard, de forcer l'attention par l'air d'autorité, non seulement il tâchait par un ton badin de se faire pardonner le tour trop sérieux de sa conversation, mais pressait son débit, déblayait, usait d'abréviations pour paraître moins long, plus familier avec les choses dont il parlait, et parvenait seulement, en les rendant inintelligibles, à sembler interminable. Son assurance n'était pas comme celle de Cottard qui glaçait ses malades, lesquels aux gens qui vantaient son aménité dans le monde répondaient : « Ce n'est plus le même homme quand il vous reçoit dans son cabinet, vous dans la lumière, lui à contre-jour et les yeux perçants. » Elle n'imposait pas, on sentait qu'elle cachait trop de timidité, qu'un rien suffirait à la mettre en fuite. Saniette, à qui ses amis avaient toujours dit qu'il se défiait trop de lui-même, et qui en effet voyait des gens qu'il jugeait avec raison fort inférieurs obtenir aisément les succès qui lui étaient refusés, ne commençait plus une histoire sans sourire de la drôlerie de celle-ci, de peur qu'un air sérieux ne fît pas suffisamment valoir sa marchandise. Quelquefois, faisant crédit au comique que lui-même avait l'air de trouver à ce qu'il allait dire, on lui faisait la faveur d'un silence général. Mais le récit tombait à plat. Un convive doué d'un bon cœur glissait parfois à Saniette l'encouragement, privé, presque secret, d'un sourire d'approbation, le lui faisant parvenir furtivement, sans éveiller l'attention, comme on vous glisse un billet. Mais personne n'allait jusqu'à assumer la responsabilité, à risquer l'adhésion publique d'un éclat de rire. Longtemps après l'histoire finie et tombée, Saniette, désolé, restait seul à se sourire à lui-même, comme goûtant en elle et pour soi la délectation qu'il feignait de trouver suffisante et que les autres n'avaient pas éprouvée. Quant au sculpteur, Ski, appelé ainsi à cause de la difficulté qu'on trouvait à prononcer son nom polonais, et parce que lui-même affectait depuis qu'il vivait dans une certaine société de ne pas vouloir être confondu avec des parents fort bien posés, mais un peu ennuyeux et très nombreux, il avait, à quarante-cinq ans et fort laid, une espèce de gaminerie, de fantaisie rêveuse qu'il avait gardée pour avoir été jusqu'à dix ans le plus ravissant enfant prodige du monde, coqueluche de toutes les dames. Mme Verdurin prétendait qu'il était plus artiste qu'Elstir. Il n'avait d'ailleurs avec celui-ci que des ressemblances purement extérieures. Elles suffisaient pour qu'Elstir, qui avait une fois rencontré Ski, eût pour lui la répulsion profonde que nous inspirent, plus encore que les êtres tout à fait opposés à nous, ceux qui nous ressemblent en moins bien, en qui s'étale ce que nous avons de moins bon, les défauts dont nous nous sommes guéris, nous rappelant fâcheusement ce que nous avons pu paraître à certains avant que nous fussions devenus ce que nous sommes. Mais Mme Verdurin croyait que Ski avait plus de tempérament qu'Elstir parce qu'il n'y avait aucun art pour lequel il n'eût de la facilité, et elle était persuadée que cette facilité, il l'eût poussée jusqu'au talent s'il avait eu moins de paresse. Celle-ci paraissait même à la Patronne un don de plus, étant le contraire du travail, qu'elle croyait le lot des êtres sans génie. Ski peignait tout ce qu'on voulait, sur des boutons de manchette ou sur des dessus de porte. Il chantait avec une voix de compositeur, jouait de mémoire en donnant au piano l'impression de l'orchestre, moins par sa virtuosité que par ses fausses basses signifiant l'impuissance des doigts à indiquer qu'ici il y a un piston que du reste il imitait avec la bouche[1]. Cherchant ses mots en parlant pour faire croire à une impression curieuse, de la même façon qu'il retardait un accord plaqué ensuite en disant : « Ping », pour faire sentir les cuivres, il passait pour merveilleusement intelligent, mais ses idées se ramenaient en réalité à deux ou trois, extrêmement courtes. Ennuyé de sa réputation de fantaisiste, il s'était mis en tête de montrer qu'il était un être pratique, positif, d'où chez lui une triomphante affectation de fausse précision, de faux bon sens, aggravés parce qu'il n'avait aucune mémoire et des informations toujours inexactes. Ses mouvements de tête, de cou, de jambes, eussent été gracieux s'il eût eu encore neuf ans, des boucles blondes, un grand col de dentelles et de petites bottes de cuir rouge. Arrivés en avance avec Cottard et Brichot à la gare de Graincourt[a], ils avaient laissé Brichot dans la salle d'attente et étaient allés faire un tour. Quand Cottard avait voulu revenir, Ski avait répondu : « Mais rien ne presse. Aujourd'hui ce n'est pas le train local, c'est le train départemental. » Ravi de voir l'effet que cette nuance dans la précision produisait sur Cottard, il ajouta, parlant de lui-même : « Oui, parce que Ski aime les arts, parce qu'il modèle la glaise, on croit qu'il n'est pas pratique. Personne ne connaît la ligne mieux que moi. » Néanmoins ils étaient revenus vers la gare, quand tout d'un coup, apercevant la fumée du petit train qui arrivait, Cottard, poussant un hurlement, avait crié : « Nous n'avons qu'à prendre nos jambes à notre cou. » Ils étaient en effet arrivés juste, la distinction entre le train local et départemental n'ayant jamais existé que dans l'esprit de Ski. « Mais est-ce que la princesse n'est pas dans le train ? » demanda d'une voix vibrante Brichot dont les lunettes énormes, resplendissantes comme ces réflecteurs que les laryngologues s'attachent au front pour éclairer la gorge de leurs malades, semblaient avoir emprunté leur vie aux yeux du professeur, et peut-être à cause de l'effort qu'il faisait pour accommoder sa vision avec elles, semblaient, même dans les moments les plus insignifiants, regarder elles-mêmes avec[b] une attention soutenue et une fixité extraordinaire. D'ailleurs la maladie, en retirant peu à peu la vue à Brichot, lui avait révélé les beautés de ce sens comme il faut souvent que nous nous décidions à nous séparer d'un objet, à en faire cadeau par exemple, pour le regarder, le regretter, l'admirer. « Non, non, la princesse a été reconduire jusqu'à Maineville des invités de Mme Verdurin qui prenaient le train de Paris. Il ne serait même pas impossible que Mme Verdurin, qui avait à faire à Saint-Mars, fût avec elle ! Comme cela elle voyagerait avec nous et nous ferions route tous ensemble, ce serait charmant. Il s'agira d'ouvrir l'œil à Maineville, et le bon ! Ah ! ça ne fait rien, on peut dire que nous avons bien failli manquer le coche. Quand j'ai vu le train, j'ai été sidéré. C'est ce qui s'appelle arriver au moment psychologique. Voyez-vous ça que nous ayons manqué le train, Mme Verdurin s'apercevant que les voitures revenaient sans nous : tableau ! ajouta le docteur qui n'était pas encore remis de son émoi. Voilà une équipée qui n'est pas banale. Dites donc, Brichot, qu'est-ce que vous dites de notre petite escapade ? demanda le docteur avec une certaine fierté. — Par ma foi, répondit Brichot, en effet, si vous n'aviez plus trouvé le train, c'eût été, comme eût parlé feu Villemain[1], un sale coup[a] pour la fanfare[2] ! » Mais moi, distrait dès les premiers instants par ces gens que je ne connaissais pas, je me rappelai tout d'un coup ce que Cottard m'avait dit dans la salle de danse du petit casino, et comme si un chaînon invisible eût pu relier un organe et les images du souvenir, celle d'Albertine appuyant ses seins contre ceux d'Andrée me faisait un mal terrible au cœur. Ce mal ne dura pas : l'idée de relations possibles entre Albertine et des femmes ne me semblait plus possible depuis l'avant-veille où les avances que mon amie avait faites à Saint-Loup avaient excité en moi une nouvelle jalousie qui m'avait fait oublier la première. J'avais la naïveté des gens qui croient qu'un goût en exclut forcément un autre. À Arembouville, comme le tram[b] était bondé, un fermier en blouse bleue, qui n'avait qu'un billet de troisième, monta dans notre compartiment. Le docteur, trouvant qu'on ne pourrait pas laisser voyager la princesse avec lui, appela un employé, exhiba sa carte de médecin d'une grande compagnie de chemins de fer et força le chef de gare à faire descendre le fermier. Cette scène peina le bon cœur et alarma[c] à un tel point la timidité de Saniette que dès qu'il la vit commencer, craignant déjà à cause de la quantité de paysans qui étaient sur le quai qu'elle ne prît les proportions d'une jacquerie, il feignit d'avoir mal au ventre et pour qu'on ne pût l'accuser d'avoir sa part de responsabilité dans la violence du docteur, il enfila le couloir en feignant de chercher ce que Cottard appelait les « waters ». N'en trouvant pas il regarda le paysage de l'autre extrémité du tortillard. « Si ce sont vos débuts chez Mme Verdurin, monsieur, me dit Brichot, qui tenait à montrer ses talents à un "nouveau", vous verrez qu'il n'y a pas de milieu où l'on sente mieux la "douceur de vivre[1]", comme disait un des inventeurs du dilettantisme, du je m'enfichisme, de beaucoup de mots en "isme" à la mode chez nos snobinettes, je veux dire M. le prince de Talleyrand[2]. » Car, quand il parlait de ces grands seigneurs du passé, il trouvait spirituel et « couleur de l'époque » de faire précéder leur titre de monsieur et disait monsieur le duc de La Rochefoucauld, monsieur le cardinal de Retz, qu'il appelait aussi de temps en temps : « Ce *struggle for lifer* de Gondi[3], ce "boulangiste" de Marcillac[4]. » Et il ne manquait jamais, avec un sourire, d'appeler Montesquieu, quand il parlait de lui : « Monsieur le président Secondat de Montesquieu[5]. » Un homme du monde spirituel eût été agacé de ce pédantisme qui sent l'école[6]. Mais dans les parfaites manières de l'homme du monde en parlant d'un prince, il y a un pédantisme aussi qui trahit une autre caste, celle où l'on fait précéder le nom de Guillaume de « l'empereur[7] » et où l'on parle à la troisième personne à une Altesse. « Ah ! celui-là, reprit Brichot en parlant de "monsieur le prince de Talleyrand", il faut le saluer chapeau bas. C'est un ancêtre. — C'est un milieu charmant, me dit Cottard, vous trouverez un peu de tout, car Mme Verdurin n'est pas exclusive : des savants illustres comme Brichot, de la haute noblesse comme, par exemple, la princesse Sherbatoff, une grande dame russe, amie de la grande-duchesse Eudoxie qui même la voit seule aux heures où personne n'est admis. » En effet la grande-duchesse Eudoxie, ne se souciant pas que la princesse Sherbatoff, qui depuis longtemps n'était plus reçue par personne, vînt chez elle quand elle eût pu y avoir du monde, ne la laissait venir que de très bonne heure, quand l'Altesse n'avait auprès d'elle aucun des amis à qui il eût été aussi désagréable de rencontrer la princesse que cela eût été gênant pour celle-ci. Comme depuis trois ans, aussitôt après avoir quitté, comme une manucure, la grande-duchesse, Mme Sherbatoff partait chez Mme Verdurin qui venait seulement de s'éveiller, et ne la quittait plus, on peut dire que la fidélité de la princesse passait infiniment celle même de Brichot, si assidu pourtant à ces mercredis où il avait le plaisir de se croire, à Paris, une sorte de Chateaubriand à l'Abbaye-aux-Bois[1] et où, à la campagne, il se faisait[a] l'effet de devenir l'équivalent de ce que pouvait être chez Mme du Châtelet[2] celui qu'il nommait toujours (avec une malice et une satisfaction de lettré) : « M. de Voltaire. »

Son absence de relations avait permis à la princesse Sherbatoff de montrer depuis quelques années aux Verdurin une fidélité qui faisait d'elle plus qu'une « fidèle » ordinaire, la fidèle type, l'idéal que Mme Verdurin avait longtemps cru inaccessible et qu'arrivée au retour d'âge, elle trouvait enfin incarné en cette nouvelle recrue féminine[3]. De quelque jalousie qu'en eût été torturée la Patronne, il était sans exemple que les plus assidus de ses fidèles n'eussent « lâché » une fois. Les plus casaniers se laissaient tenter par un voyage ; les plus continents avaient eu une bonne fortune ; les plus robustes pouvaient attraper la grippe, les plus oisifs être pris par leurs vingt-huit jours[4], les plus indifférents aller fermer les yeux à leur mère mourante. Et c'était en vain que Mme Verdurin leur disait alors, comme l'impératrice romaine[5], qu'elle était le seul général à qui dût obéir sa légion, comme le Christ[6] ou le Kaiser[7], que celui qui aimait son père et sa mère autant qu'elle et n'était pas prêt à les quitter pour la suivre n'était pas digne d'elle, qu'au lieu de s'affaiblir au lit ou de se laisser berner par une grue, ils feraient mieux de rester près d'elle, elle, seul remède et seule volupté. Mais la destinée, qui se plaît parfois à embellir la fin des existences qui se prolongent tard, avait fait rencontrer à Mme Verdurin la princesse Sherbatoff. Brouillée avec sa famille, exilée de son pays, ne connaissant plus que la baronne Putbus et la grande-duchesse Eudoxie, chez lesquelles[b], parce qu'elle n'avait pas envie de rencontrer les amies de la première, et parce que la seconde n'avait pas envie que ses amies rencontrassent la princesse, elle n'allait qu'aux heures matinales où Mme Verdurin dormait encore, ne se souvenant pas d'avoir gardé la chambre une seule fois depuis l'âge de douze ans où elle avait eu la rougeole, ayant répondu le 31 décembre à Mme Verdurin qui, inquiète d'être seule, lui avait demandé si elle ne pourrait pas rester coucher à l'improviste, malgré le jour de l'an : « Mais qu'est-ce qui pourrait m'en empêcher n'importe quel jour ? D'ailleurs, ce jour-là, on reste en famille et vous êtes ma famille », vivant dans une pension et en changeant quand les Verdurin[a] déménageaient, les suivant dans leurs villégiatures, la princesse avait si bien réalisé pour Mme Verdurin le vers de Vigny :

Toi seule[b] me parus ce qu'on cherche toujours[1]

que la présidente du petit cercle, désireuse de s'assurer une « fidèle » jusque dans la mort, lui avait demandé que celle des deux qui mourrait la dernière se fît enterrer à côté de l'autre. Vis-à-vis des étrangers — parmi lesquels il faut toujours compter celui à qui nous mentons le plus parce que c'est celui par qui il nous serait le plus pénible d'être méprisé : nous-même — la princesse Sherbatoff avait soin de représenter ses trois seules amitiés — avec la grande-duchesse, avec les Verdurin, avec la baronne Putbus — comme les seules, non que des cataclysmes indépendants de sa volonté eussent laissé émerger au milieu de la destruction de tout le reste, mais qu'un libre choix lui avait fait élire de préférence à tout autre, et auxquelles un certain goût de solitude et de simplicité l'avait fait se borner. « Je ne vois *personne* d'autre », disait-elle en insistant sur le caractère inflexible de ce qui avait plutôt l'air d'une règle qu'on s'impose que d'une nécessité qu'on subit. Elle ajoutait : « Je ne fréquente que trois maisons », comme ces auteurs qui, craignant de[c] ne pouvoir aller jusqu'à la quatrième, annoncent que leur pièce n'aura que trois représentations. Que M. et Mme Verdurin ajoutassent foi ou non à cette fiction, ils avaient aidé la princesse à l'inculquer dans l'esprit des fidèles. Et ceux-ci étaient persuadés à la fois que la princesse, entre des milliers de relations qui s'offraient à elle, avait choisi les seuls Verdurin, et que les Verdurin, sollicités en vain par toute la haute aristocratie, n'avaient consenti à faire qu'une exception, en faveur de la princesse.

À leurs yeux, la princesse, trop supérieure à son milieu d'origine pour ne pas s'y ennuyer, entre tant de gens qu'elle eût pu fréquenter ne trouvait agréables que les seuls Verdurin, et réciproquement ceux-ci, sourds aux avances de toute l'aristocratie qui s'offrait à eux, n'avaient consenti à faire qu'une seule exception, en faveur d'une grande dame plus intelligente que ses pareilles, la princesse Sherbatoff.

La princesse était fort riche ; elle avait à toutes les premières une grande baignoire où, avec l'autorisation de Mme Verdurin, elle emmenait les fidèles et jamais personne d'autre. On se montrait cette personne énigmatique et pâle qui avait vieilli sans blanchir, et plutôt en rougissant comme certains fruits durables et ratatinés des haies. On admirait à la fois sa puissance et son humilité, car ayant toujours avec elle un académicien, Brichot, un célèbre savant, Cottard, le premier pianiste du temps, plus tard M. de Charlus, elle s'efforçait pourtant de retenir exprès[a] la baignoire la plus obscure, restait au fond, ne s'occupait en rien de la salle, vivait exclusivement pour le petit groupe, qui un peu avant la fin de la représentation se retirait en suivant cette souveraine étrange et non dépourvue d'une beauté timide, fascinante et usée. Or, si Mme Sherbatoff ne regardait pas la salle, restait dans l'ombre, c'était pour tâcher d'oublier qu'il existait un monde vivant qu'elle désirait passionnément et ne pouvait pas connaître ; la « coterie » dans une « baignoire » était pour elle ce qu'est pour certains animaux l'immobilité quasi cadavérique en présence du danger. Néanmoins le goût de nouveauté et de curiosité qui travaille les gens du monde faisait qu'ils prêtaient peut-être plus d'attention à cette mystérieuse inconnue qu'aux célébrités des premières loges chez qui chacun venait en visite. On s'imaginait qu'elle était autrement que les personnes qu'on connaissait, qu'une merveilleuse intelligence jointe à une bonté divinatrice retenaient autour d'elle ce petit milieu de gens éminents. La princesse était forcée, si on lui parlait de quelqu'un ou si[b] on lui présentait quelqu'un, de feindre une grande froideur pour maintenir la fiction de son horreur du monde. Néanmoins, avec l'appui de Cottard ou de Mme Verdurin, quelques nouveaux réussissaient à la connaître, et son ivresse d'en connaître un était telle qu'elle en oubliait la fable de l'isolement voulu et se dépensait follement pour le nouveau venu. S'il était fort médiocre, chacun s'étonnait. « Quelle chose singulière que la princesse, qui ne veut connaître personne, aille faire une exception pour cet être si peu caractéristique ! » Mais ces fécondantes connaissances étaient rares, et la princesse vivait étroitement confinée au milieu des fidèles.

Cottard disait beaucoup plus souvent : « Je le verrai mercredi chez les Verdurin », que : « Je le verrai mardi à l'Académie. » Il parlait aussi des mercredis comme d'une occupation aussi importante et aussi inéluctable. D'ailleurs Cottard était de ces gens peu recherchés qui se font un devoir aussi impérieux de se rendre à une invitation que si elle constituait un ordre, comme une convocation militaire ou judiciaire. Il fallait qu'il fût appelé par une visite bien importante pour qu'il « lâchât » les Verdurin le mercredi, l'importance ayant trait d'ailleurs plutôt à la qualité du malade qu'à la gravité de la maladie. Car Cottard, quoique bon homme, renonçait aux douceurs du mercredi non pour un ouvrier frappé d'une attaque, mais pour le coryza d'un ministre. Encore dans ce cas disait-il à sa femme : « Excuse-moi bien auprès de Mme Verdurin. Préviens que j'arriverai en retard. Cette Excellence aurait bien pu choisir un autre jour pour être enrhumée. » Un mercredi, leur vieille cuisinière s'étant coupé la veine du bras, Cottard, déjà en smoking pour aller chez les Verdurin, avait haussé les épaules quand sa femme lui avait timidement demandé s'il ne pourrait pas panser la blessée : « Mais je ne peux pas, Léontine, s'était-il écrié en gémissant ; tu vois bien que j'ai mon gilet blanc. » Pour ne pas impatienter son mari, Mme Cottard avait fait chercher au plus vite le chef de clinique. Celui-ci, pour aller plus vite, avait pris une voiture, de sorte que la sienne entrant dans la cour au moment où celle de Cottard allait sortir pour le mener chez les Verdurin, on avait perdu cinq minutes à avancer, à reculer. Mme Cottard était gênée que le chef de clinique vît son maître en tenue de soirée. Cottard pestait du retard, peut-être par remords, et partit avec une humeur exécrable qu'il fallut tous les plaisirs du mercredi pour arriver à dissiper.

Si un client de Cottard lui demandait : « Rencontrez-vous quelquefois les Guermantes ? » c'est de la meilleure foi du monde que le professeur répondait : « Peut-être pas justement les Guermantes, je ne sais pas. Mais je vois tout ce monde-là chez des amis à moi. Vous avez certainement entendu parler des Verdurin. Ils connaissent tout le monde. Et puis eux du moins ce ne sont pas des gens chic décatis. Il y a du répondant. On évalue généralement que Mme Verdurin est riche à trente-cinq millions. Dame, trente-cinq millions[a], c'est un chiffre. Aussi elle n'y va pas avec le dos de la cuiller. Vous me parliez de la duchesse de Guermantes. Je vais vous dire la différence : Mme Verdurin c'est une grande dame, la duchesse de Guermantes est probablement une purée. Vous saisissez[a] bien la nuance, n'est-ce pas ? En tous cas, que les Guermantes aillent ou non chez Mme Verdurin, elle reçoit, ce qui vaut mieux, les d'Sherbatoff, les d'Forcheville, et *tutti quanti*, des gens de la plus haute volée, toute la noblesse de France et de Navarre à qui vous me verriez parler de pair à compagnon. D'ailleurs ce genre d'individus recherche volontiers les princes de la science », ajoutait-il[b] avec un sourire d'amour-propre béat, amené à ses lèvres par la satisfaction orgueilleuse, non pas tellement que l'expression jadis réservée aux Potain[1], aux Charcot[2], s'appliquât maintenant à lui, mais qu'il sût enfin user comme il convenait de toutes celles que l'usage autorise et, qu'après les avoir longtemps piochées, il possédait à fond. Aussi après m'avoir cité la princesse Sherbatoff parmi les personnes que recevait Mme Verdurin, Cottard ajoutait en[c] clignant de l'œil : « Vous voyez le genre de la maison, vous comprenez ce que je veux dire ? » Il voulait dire ce qu'il y a de plus chic. Or, recevoir une dame russe qui ne connaissait que la grande-duchesse Eudoxie, c'était peu. Mais la princesse Sherbatoff eût même pu ne pas la connaître sans qu'eussent été amoindries l'opinion que Cottard avait relativement à la suprême élégance du salon Verdurin et sa joie d'y être reçu. La splendeur dont nous semblent revêtus les gens que nous fréquentons n'est pas plus intrinsèque que celle de ces personnages de théâtre pour l'habillement desquels il est bien inutile qu'un directeur dépense des centaines de mille francs à acheter des costumes authentiques et des bijoux vrais qui ne feront aucun effet, quand un grand décorateur donnera une impression de luxe mille fois plus somptueuse en dirigeant un rayon factice sur un pourpoint de grosse toile semé de bouchons de verre et sur un manteau en papier. Tel homme a passé sa vie au milieu des grands de la terre qui n'étaient pour lui que d'ennuyeux parents ou de fastidieuses connaissances, parce qu'une habitude contractée dès le berceau les avait dépouillés à ses yeux de tout prestige. Mais en revanche il a suffi que celui-ci vînt par quelque hasard s'ajouter aux personnes les plus obscures, pour que d'innombrables Cottard aient vécu éblouis par des femmes titrées dont ils s'imaginaient que le salon était le centre des élégances aristocratiques, et qui n'étaient même pas ce qu'étaient Mme de Villeparisis et ses amies (des grandes dames déchues que l'aristocratie qui avait été élevée avec elles ne fréquentait plus) ; non, celles dont l'amitié a été l'orgueil de tant de gens, si ceux-ci publiaient leurs Mémoires et y donnaient les noms de ces femmes et de celles qu'elles recevaient, personne, pas plus Mme de Cambremer que Mme de Guermantes, ne pourrait les identifier. Mais qu'importe ! Un Cottard a ainsi sa baronne ou sa marquise, laquelle est pour lui « la baronne » ou « la marquise », comme[a] dans Marivaux, la baronne dont on ne dit jamais le nom et dont on n'a même pas l'idée qu'elle en a jamais eu un[1]. Cottard croit d'autant plus y trouver résumée l'aristocratie — laquelle ignore cette dame — que plus les titres[b] sont douteux, plus les couronnes tiennent de place sur les verres, sur l'argenterie, sur le papier à lettres, sur les malles. De nombreux Cottard, qui ont cru passer leur vie au cœur du faubourg Saint-Germain, ont eu leur imagination peut-être plus enchantée de rêves féodaux que ceux qui avaient effectivement vécu parmi des princes, de même que pour le petit commerçant qui, le dimanche, va parfois visiter des édifices « du vieux temps », c'est quelquefois dans ceux dont toutes les pierres sont du nôtre, et dont les voûtes ont été, par des élèves de Viollet-le-Duc, peintes en bleu et semées d'étoiles d'or, qu'ils ont le plus la sensation du Moyen Âge[2]. « La princesse sera à Maineville. Elle voyagera avec nous. Mais je ne vous présenterai pas tout de suite. Il vaudra mieux que ce soit Mme Verdurin qui fasse cela. À moins que je ne trouve un joint. Comptez alors que je sauterai dessus. — De quoi parliez-vous ? dit Saniette qui fit semblant d'avoir été prendre l'air. Je citais à Monsieur, dit Brichot, un mot que vous connaissez bien, de celui qui est à mon avis le premier des "fins de siècle" (du siècle XVIII s'entend), le prénommé Charles-Maurice, abbé de Périgord[3]. Il avait commencé par promettre d'être un très bon journaliste. Mais il tourna mal, je veux dire qu'il devint ministre ! La vie a de ces disgrâces. Politicien peu scrupuleux au demeurant, qui, avec des dédains de grand seigneur racé, ne se gênait pas de travailler à ses heures pour le roi de Prusse, c'est le cas de le dire, et mourut dans la peau d'un centre gauche[c]. »

À Saint-Pierre-des-Ifs monta une splendide jeune fille[a] qui, malheureusement, ne faisait pas partie du petit groupe. Je ne pouvais détacher mes yeux de sa chair de magnolia, de ses yeux noirs, de la construction admirable et haute de ses formes. Au bout d'une seconde elle voulut ouvrir une glace car il faisait un peu chaud dans le compartiment, et ne voulant pas demander la permission à tout le monde, comme seul je n'avais pas de manteau, elle me dit d'une voix rapide, fraîche et rieuse[b] : « Ça ne vous est pas désagréable, monsieur, l'air ? » J'aurais voulu lui dire : « Venez avec nous chez les Verdurin », ou : « Dites-moi votre nom et votre adresse. » Je répondis : « Non, l'air ne me gêne pas, mademoiselle. » Et après, sans se déranger de sa place : « La fumée, ça ne gêne pas vos amis ? » et elle alluma une cigarette[1]. À la troisième station elle descendit d'un saut. Le lendemain, je demandai à Albertine qui cela pouvait être. Car, stupidement, croyant qu'on ne peut aimer qu'une chose, jaloux de l'attitude d'Albertine à l'égard de Robert, j'étais rassuré quant aux femmes. Albertine me dit, je crois très sincèrement, qu'elle ne savait pas. « Je voudrais tant la retrouver ! m'écriai-je. — Tranquillisez-vous, on se retrouve toujours », répondit Albertine. Dans le cas particulier elle se trompait ; je n'ai jamais retrouvé ni identifié la belle jeune fille à la cigarette. On verra du reste pourquoi pendant longtemps je dus cesser de la chercher. Mais je ne l'ai pas oubliée. Il m'arrive souvent en pensant à elle d'être pris d'une folle envie. Mais ces retours du désir nous forcent à réfléchir que si on voulait retrouver ces jeunes filles-là avec le même plaisir, il faudrait revenir aussi à l'année qui a été suivie depuis de dix autres pendant lesquelles la jeune fille s'est fanée. On peut quelquefois retrouver un être, mais non abolir le temps. Tout cela jusqu'au jour imprévu et triste comme une nuit d'hiver, où on ne cherche plus cette jeune fille-là, ni aucune autre où trouver vous effraierait même. Car on ne se sent plus assez d'attraits pour plaire, ni de force pour aimer. Non pas bien entendu qu'on soit, au sens propre du mot, impuissant. Et quant à aimer, on aimerait plus que jamais. Mais on sent que c'est une trop grande entreprise pour le peu de forces qu'on garde. Le repos éternel a déjà mis des intervalles où l'on ne peut sortir, ni parler. Mettre un pied sur la marche qu'il faut, c'est une réussite comme de ne pas manquer le saut périlleux. Être vu dans cet état par une jeune fille qu'on aime, même si l'on a gardé son visage et tous ses cheveux blonds de jeune homme ! On ne peut plus assumer la fatigue de se mettre au pas de la jeunesse. Tant pis si le désir charnel redouble au lieu de s'amortir ! On fait venir pour lui une femme à qui l'on ne se souciera pas de plaire, qui ne partagera qu'un soir votre couche et qu'on ne reverra jamais.

« On doit être toujours sans nouvelles du violoniste », dit Cottard. L'événement du jour dans le petit clan était en effet le lâchage du violoniste favori de Mme Verdurin. Celui-ci, qui faisait son service militaire près de Doncières, venait trois fois par semaine dîner à La Raspelière car il avait la permission de minuit. Or, l'avant-veille, pour la première fois, les fidèles n'avaient pu arriver à le découvrir dans le tram. On avait supposé qu'il l'avait manqué. Mais Mme Verdurin avait eu beau envoyer au tram suivant, enfin au dernier, la voiture était revenue vide. « Il a été sûrement fourré au bloc[a], il n'y a pas d'autre explication de sa fugue. Ah ! dame, vous savez, dans le métier militaire, avec ces gaillards-là, il suffit d'un adjudant grincheux. — Ce sera d'autant plus mortifiant pour Mme Verdurin, dit Brichot, s'il lâche encore ce soir, que notre aimable hôtesse reçoit justement à dîner pour la première fois les voisins qui lui ont loué La Raspelière, le marquis et la marquise de Cambremer — Ce soir, le marquis et la marquise de Cambremer ! s'écria Cottard. Mais je n'en savais absolument rien. Naturellement je savais comme vous tous qu'ils devaient venir un jour, mais je ne savais pas que ce fût si proche. Sapristi, dit-il en se tournant vers moi, qu'est-ce que je vous ai dit : la princesse Sherbatoff, le marquis et la marquise de Cambremer. » Et après avoir répété ces noms en se berçant de leur mélodie : « Vous voyez que nous nous mettons bien, me dit-il. N'importe, pour vos débuts, vous mettez dans le mille. Cela va être une chambrée exceptionnellement brillante. » Et se tournant vers Brichot, il ajouta : « La Patronne doit être furieuse. Il n'est que temps que nous arrivions lui prêter main-forte. » Depuis que Mme Verdurin était à La Raspelière, elle affectait vis-à-vis des fidèles d'être en effet dans l'obligation et au désespoir d'inviter une fois ses propriétaires. Elle aurait ainsi de meilleures conditions pour l'année suivante, disait-elle, et ne le faisait que par intérêt. Mais elle prétendait avoir une telle terreur, se faire un tel monstre d'un dîner avec des gens qui n'étaient pas du petit groupe, qu'elle le remettait toujours. Il l'effrayait du reste un peu pour les motifs qu'elle proclamait, tout en les exagérant, si par un autre côté il l'enchantait pour des raisons de snobisme qu'elle préférait taire. Elle était donc à demi sincère, elle croyait le petit clan quelque chose de si unique au monde, un de ces ensembles comme il faut des siècles pour en constituer un pareil, qu'elle tremblait à la pensée d'y voir introduits ces gens de province, ignorants de la Tétralogie et des *Maîtres*, qui ne sauraient pas tenir leur partie dans le concert de la conversation générale et étaient capables, en venant chez Mme Verdurin, de détruire un des fameux mercredis, chefs-d'œuvre incomparables et fragiles, pareils à ces verreries de Venise qu'une fausse note suffit à briser. « De plus, ils doivent être tout ce qu'il y a de plus *anti*, et galonnards, avait dit M. Verdurin. — Ah ! çà par exemple, ça m'est égal, voilà assez longtemps qu'on en parle de cette histoire-là », avait répondu Mme Verdurin qui, sincèrement dreyfusarde, eût cependant voulu trouver dans la prépondérance de son salon dreyfusiste une récompense mondaine. Or le dreyfusisme triomphait politiquement mais non pas mondainement. Labori, Reinach, Picquart, Zola[1], restaient pour les gens du monde des espèces de traîtres qui ne pouvaient que les éloigner du petit noyau. Aussi après cette incursion dans la politique, Mme Verdurin tenait-elle à rentrer dans l'art. D'ailleurs d'Indy, Debussy, n'étaient-ils pas « mal » dans l'Affaire[2] ? « Pour ce qui est de l'Affaire, nous n'aurions qu'à les mettre à côté de Brichot, dit-elle (l'universitaire étant le seul des fidèles qui avait pris le parti de l'état-major, ce qui l'avait fait beaucoup baisser dans l'estime de Mme Verdurin). On n'est pas obligé de parler éternellement de l'affaire Dreyfus. Non, la vérité c'est que les Cambremer m'embêtent. » Quant aux fidèles, aussi excités par le désir inavoué qu'ils avaient de connaître les Cambremer, que dupes de l'ennui affecté que Mme Verdurin disait éprouver à les recevoir, ils reprenaient chaque jour en causant avec elle les vils arguments qu'elle donnait elle-même en faveur de cette invitation, tâchaient de les rendre irrésistibles. « Décidez-vous une bonne fois, répétait Cottard, et vous aurez les concessions pour le loyer, ce sont eux qui paieront le jardinier, vous aurez la jouissance du pré. Tout cela vaut bien de s'ennuyer une soirée. Je n'en parle que pour vous », ajoutait-il, bien que le cœur lui eût battu une fois que dans la voiture de Mme Verdurin il avait croisé celle de la vieille Mme de Cambremer sur la route, et surtout qu'il fût humilié pour les employés du chemin de fer, quand, à la gare, il se trouvait près du marquis. De leur côté les Cambremer, vivant bien trop loin du mouvement mondain pour pouvoir même se douter que certaines femmes élégantes parlaient avec quelque considération de Mme Verdurin, s'imaginaient que celle-ci était une personne qui ne pouvait connaître que des bohèmes, n'était même peut-être pas légitimement mariée, et en fait de gens « nés », ne verrait jamais qu'eux. Ils ne s'étaient résignés à y dîner que pour être en bons termes avec une locataire dont ils espéraient le retour pour de nombreuses saisons, surtout depuis qu'ils avaient, le mois précédent, appris qu'elle venait d'hériter de tant de millions. C'est en silence et sans plaisanteries de mauvais goût qu'ils se préparaient au jour fatal. Les fidèles n'espéraient plus qu'il vînt jamais, tant de fois Mme Verdurin en avait déjà fixé devant eux la date toujours changée. Ces fausses résolutions avaient pour but, non seulement de faire ostentation de l'ennui que lui causait ce dîner, mais de tenir en haleine les membres du petit groupe qui habitaient dans le voisinage et étaient parfois[a] enclins à lâcher. Non que la Patronne devinât que le « grand jour » leur était aussi agréable qu'à elle-même, mais parce que, les ayant persuadés que ce dîner était pour elle la plus terrible des corvées, elle pouvait faire appel à leur dévouement. « Vous n'allez pas me laisser seule en tête à tête avec ces Chinois-là ! Il faut au contraire que nous soyons en nombre pour supporter l'ennui. Naturellement nous ne pourrons parler de rien de ce qui nous intéresse. Ce sera un mercredi de raté, que voulez-vous ! »

« En effet, répondit Brichot, en s'adressant à moi, je crois que Mme Verdurin, qui est très intelligente et apporte une grande coquetterie à l'élaboration de ses mercredis, ne tenait guère à recevoir ces hobereaux de grande lignée mais sans esprit. Elle n'a pu se résoudre à inviter la marquise douairière mais s'est résignée au fils et à la belle-fille. — Ah ! nous verrons la marquise de Cambremer ? » dit Cottard avec un sourire où il crut devoir mettre de la paillardise et du marivaudage bien qu'il ignorât si Mme de Cambremer était jolie ou non. Mais le titre de marquise éveillait en lui des images prestigieuses et galantes. « Ah ! je la connais », dit Ski qui l'avait rencontrée une fois qu'il se promenait avec Mme Verdurin. « Vous ne la connaissez pas au sens biblique ? » dit, en coulant un regard louche sous son lorgnon, le docteur, dont c'était une des plaisanteries favorites[a]. « Elle est intelligente, me dit Ski. Naturellement », reprit-il en voyant que je ne disais rien et appuyant en souriant sur chaque mot, « elle est intelligente et elle ne l'est pas, il lui manque l'instruction, elle est frivole, mais elle a l'instinct des jolies choses. Elle se taira mais elle ne dira jamais une bêtise. Et puis elle est d'une jolie coloration. Ce serait un portrait qui serait amusant à peindre », ajouta-t-il en fermant à demi les yeux comme s'il la regardait posant devant lui. Comme je pensais tout le contraire de ce que Ski exprimait avec tant de nuances, je me contentai de dire qu'elle était la sœur d'un ingénieur très distingué, M. Legrandin. « Hé bien ! vous voyez, vous serez présenté à une jolie femme, me dit Brichot, et on ne sait jamais ce qui peut en résulter. Cléopâtre n'était même pas une grande dame, c'était la petite femme, la petite femme inconsciente et terrible de notre Meilhac[1], et voyez les conséquences non seulement pour ce jobard d'Antoine, mais pour le monde antique[2]. — J'ai déjà été présenté à Mme de Cambremer, répondis-je. — Ah ! mais alors vous allez vous trouver en pays de connaissance. — Je serai d'autant plus heureux de la voir, répondis-je, qu'elle m'avait promis un ouvrage de l'ancien curé de Combray sur les noms de lieux de cette région-ci[3], et je vais pouvoir lui rappeler sa promesse. Je m'intéresse à ce prêtre et aussi aux étymologies. — Ne vous fiez pas trop à celles qu'il indique, me répondit Brichot ; l'ouvrage qui est à La Raspelière et que je me suis amusé à feuilleter ne me dit rien qui vaille ; il fourmille d'erreurs. Je vais vous en donner un exemple. Le mot *bricq* entre dans la formation d'une quantité de noms de lieux de nos environs. Le brave ecclésiastique a eu l'idée passablement biscornue qu'il vient de *briga*, hauteur, lieu fortifié. Il le voit déjà dans les peuplades celtiques, Latobriges, Nemetobriges, etc., et le suit jusque dans les noms comme Briand, Brion, etc. Pour en revenir au pays que nous avons le plaisir de traverser en ce moment avec vous, Bricquebosc signifierait le bois de la hauteur, Bricqueville l'habitation de la hauteur, Bricquebec, où nous nous arrêterons dans un instant avant d'arriver à Maineville, la hauteur près du ruisseau[1]. Or ce n'est pas du tout cela, pour la raison que *bricq* est le vieux mot norois qui signifie tout simplement un pont[2]. De même que *fleur*, que le protégé de Mme de Cambremer se donne une peine infinie pour rattacher tantôt aux mots scandinaves *floi, flo,* tantôt aux mots irlandais[a] *ae* et *aer*, est au contraire, à n'en point douter, le *fiord* des Danois et signifie port[b3]. De même l'excellent prêtre[c] croit que la station de Saint-Martin-le-Vêtu, qui avoisine La Raspelière, signifie Saint-Martin-le-Vieux *(vetus)*. Il est certain que le mot de *vieux* a joué un grand rôle dans la toponymie de cette région. *Vieux* vient généralement de *vadum* et signifie un gué, comme au lieu-dit les Vieux. C'est ce que les Anglais appelaient *ford* (Oxford, Hereford[4]). Mais dans le cas particulier, *vieux* vient non pas de *vetus*, mais de *vastatus*, lieu dévasté et nu. Vous avez près d'ici Sottevast, le vast de Setold, Brillevast, le vast de Berold. Je suis d'autant plus certain de l'erreur du curé que Saint-Martin-le-Vieux[5] s'est appelé autrefois Saint-Martin-du-Gast et même Saint-Martin-de-Terregate. Or le *v* et le *g* dans ces mots sont la même lettre. On dit dévaster mais aussi gâcher. Jachères et gâtines (du haut allemand *wastinna*) ont ce même sens. Terregate, c'est donc *terra vasta*[6]. Quant à Saint-Mars, jadis (honni soit qui mal y pense !) Saint-Merd, c'est Saint-Medardus, qui est tantôt Saint-Médard, Saint-Mard, Saint-Marc, Cinq-Mars, et jusqu'à Dammas[7]. Il ne faut du reste pas oublier que tout près d'ici, des lieux portant ce même nom de Mars attestent simplement une origine païenne (le dieu Mars) restée vivace en ce pays, mais que le saint homme se refuse à reconnaître. Les hauteurs dédiées aux dieux sont en particulier fort nombreuses, comme la montagne de Jupiter (Jeumont[8]). Votre curé n'en veut rien voir et en revanche partout où le christianisme a laissé des traces, elles lui échappent. Il a poussé son voyage jusqu'à Loctudy, nom barbare, dit-il, alors que c'est *Locus sancti Tudeni*[9], et n'a pas davantage, dans Sammarcoles, deviné *Sanctus Martialis*[10]. Votre curé, continua Brichot en voyant qu'il m'intéressait, fait venir les mots en *hon, home, holm,* du mot *holl (hullus),* colline, alors qu'il vient du norois *holm,* île, que vous connaissez bien dans Stockholm, et qui dans tout ce pays-ci est si répandu : la Houlme, Engohomme, Tahoume, Robehomme, Néhomme, Quettehou, etc.[1] » Ces noms me firent penser au jour où Albertine avait voulu aller à Amfreville-la-Bigot (du nom de deux de ses seigneurs successifs, me dit Brichot[2]), et où elle m'avait ensuite proposé de dîner ensemble à Robehomme[3]. Quant à Montmartin, nous allions y passer dans un instant. « Est-ce que Néhomme[a], demandai-je, n'est pas près de Carquethuit et de Clitourps ? — Parfaitement, Néhomme c'est le *holm*, l'île ou presqu'île du fameux vicomte Nigel dont le nom est resté aussi dans Néville[4]. Carquethuit et Clitourps dont vous me parlez sont pour le protégé de Mme de Cambremer l'occasion d'autres erreurs. Sans doute il voit bien que *carque*, c'est une église, la *Kirsche* des Allemands. Vous connaissez Querqueville, Carquebut, sans parler de Dunkerque[5]. Car mieux vaudrait alors nous arrêter à ce fameux mot de *dun* qui pour les Celtes signifiait une élévation. Et cela vous le retrouverez dans toute la France. Votre abbé s'hypnotise devant Duneville. Mais dans[b] l'Eure-et-Loir il eût trouvé Châteaudun ; Dun-le-Roi dans le Cher ; Duneau dans la Sarthe ; Dun dans l'Ariège ; Dune-les-Places dans la Nièvre, etc., etc.[6] Ce *dun* lui fait commettre une curieuse erreur en ce qui concerne Douville où nous descendrons et où nous attendent les confortables voitures de Mme Verdurin[7]. Douville, en latin *donvilla,* dit-il. En effet Douville est au pied de grandes hauteurs. Votre curé qui sait tout, sent tout de même[c] qu'il a fait une bévue. Il a lu en effet dans un ancien pouillé *Domvilla*. Alors il se rétracte ; Douville, selon lui, est un fief de l'abbé, *domino abbati,* du mont Saint-Michel. Il s'en réjouit, ce qui est[d] assez bizarre quand on pense à la vie scandaleuse que depuis le capitulaire de Saint-Clair-sur-Epte[8] on menait au mont Saint-Michel, et ce qui ne serait pas plus extraordinaire que de voir le roi de Danemark suzerain de toute cette côte[9] où il faisait célébrer beaucoup plus le culte d'Odin[10] que celui du Christ. D'autre part, la supposition que l'*n* a été changée en *u* ne me choque[e] pas et exige moins d'altération que le très correct Lyon qui, lui aussi, vient de *dun* *(Lugdunum*[11]*)*. Mais enfin l'abbé se trompe. Douville n'a jamais été Donville, mais Doville, *Eudonis Villa,* le village d'Eudes[12]. Douville s'appelait autrefois Escalecliff, l'escalier de la pente. Vers 1233, Eudes le Bouteiller, seigneur d'Escalecliff, partit pour la Terre Sainte ; au moment de partir il fit remise de l'église à l'abbaye de Blanchelande[1]. Échange de bons procédés : le village prit son nom, d'où actuellement Douville. Mais j'ajoute que la toponymie, où je suis d'ailleurs fort ignare, n'est pas une science exacte ; si nous n'avions ce témoignage historique, Douville pourrait fort bien venir d'Ouville, c'est-à-dire : les Eaux[2]. Les formes en *ai* (Aigues-Mortes), de *aqua,* se changent fort souvent en *eu*, en *ou*[3]. Or il y avait tout près de Douville des eaux renommées. Vous pensez[a] que le curé était trop content de trouver là quelque trace chrétienne, encore que ce pays semble avoir été assez difficile à évangéliser puisqu'il a fallu que s'y reprissent successivement saint Ursal[4], saint Gofroi[5], saint Barsanore[6], saint Laurent de Brèvedent[7], lequel passa enfin la main aux moines de Beaubec[8]. Mais pour *tuit* l'auteur se trompe, il y voit une forme de *toft,* masure, comme dans Criquetot, Ectot, Yvetot, alors que c'est le *thveit,* essart, défrichement, comme dans Braquetuit, le Thuit, Regnetuit, etc.[9]. De même, s'il reconnaît dans Clitourps le *thorp* normand, qui veut dire village, il veut que la première partie du nom dérive de *clivus,* pente, alors qu'elle vient de *cliff,* rocher[10]. Mais ses plus grosses bévues viennent moins de son ignorance que de ses préjugés. Si bon Français qu'on soit, faut-il nier l'évidence et prendre Saint-Laurent-en-Bray pour le prêtre romain si connu, alors qu'il s'agit de saint Lawrence o' Toole[b][11], archevêque de Dublin ? Mais plus que le sentiment patriotique, le parti pris religieux de votre ami lui fait commettre des erreurs grossières. Ainsi vous avez non loin de chez nos hôtes de la Raspelière deux Montmartin, Montmartin-sur-Mer et Montmartin-en-Graignes. Pour Graignes, le bon curé n'a pas commis d'erreur, il a bien vu que Graignes, en latin *grania,* en grec *crênê,* signifie étangs, marais ; combien de Cresmays, de Croen, de Grenneville, de Lengronne, ne pourrait-on pas citer[12] ? Mais pour Montmartin votre prétendu linguiste veut absolument qu'il s'agisse de paroisses dédiées à saint Martin. Il s'autorise de ce que le saint est leur patron, mais ne se rend pas compte qu'il n'a été pris pour tel qu'après coup ; ou plutôt il est aveuglé par sa haine du paganisme ; il ne veut pas voir qu'on aurait dit Mont-Saint-Martin comme on dit le mont Saint-Michel, s'il s'était agi de saint Martin, tandis que le nom de Montmartin s'applique de façon beaucoup plus païenne à des temples consacrés au dieu Mars, temples dont nous ne possédons pas, il est vrai, d'autres vestiges, mais que la présence incontestée dans le voisinage de vastes camps romains rendrait des plus vraisemblables même sans le nom de Montmartin qui tranche le doute[1]. Vous voyez que le petit livre que vous allez trouver à La Raspelière n'est pas des mieux faits. » J'objectai qu'à Combray le curé nous avait appris souvent des étymologies intéressantes. « Il était probablement mieux sur son terrain, le voyage en Normandie l'aura dépaysé. — Et ne l'aura pas guéri, ajoutai-je, car il était arrivé neurasthénique et est reparti rhumatisant. — Ah ! c'est la faute à la neurasthénie. Il est tombé de la neurasthénie dans la philologie, comme eût dit mon bon maître Poquelin[2]. Dites donc, Cottard, vous semble-t-il que la neurasthénie puisse avoir une influence fâcheuse sur la philologie, la philologie une influence calmante sur la neurasthénie, et la guérison de la neurasthénie conduire au rhumatisme ? — Parfaitement, le rhumatisme et la neurasthénie sont deux formes vicariantes du neuro-arthritisme. On peut passer de l'une à l'autre par métastase. — L'éminent professeur, dit Brichot, s'exprime, Dieu me pardonne, dans un français aussi mêlé de latin et de grec qu'eût pu le faire M. Purgon[3] lui-même, de moliéresque mémoire ! À moi, mon oncle, je veux dire notre Sarcey national[4]... » Mais il ne put achever sa phrase. Le professeur venait de sursauter et de pousser un hurlement : « Nom de d' là, s'écria-t-il en passant enfin au langage articulé, nous avons passé Maineville (hé ! hé !) et même Renneville. » Il venait de voir que le train s'arrêtait à Saint-Mars-le-Vieux où presque tous les voyageurs descendaient. « Ils n'ont pas dû pourtant brûler l'arrêt. Nous n'aurons pas fait attention en parlant des Cambremer. — Écoutez-moi, Ski, attendez, je vais vous dire "une bonne chose" », dit Cottard qui avait pris en affection cette expression usitée dans certains milieux médicaux. « La princesse doit être dans le train, elle ne nous aura pas vus et sera montée dans un autre compartiment. Allons à sa recherche. Pourvu que tout cela n'aille pas amener de grabuge ! » Et il nous emmena tous à la recherche de la princesse Sherbatoff. Il la trouva dans le coin d'un wagon vide, en train de lire *La Revue des Deux-*

Mondes. Elle avait pris depuis de longues années, par peur des rebuffades, l'habitude de se tenir à sa place, de rester dans son coin, dans la vie comme dans le train, et d'attendre pour donner la main qu'on lui eût dit bonjour. Elle continua à lire quand les fidèles entrèrent dans son wagon. Je la reconnus aussitôt ; cette femme qui pouvait avoir perdu sa situation mais n'en était pas moins d'une grande naissance, qui en tous cas était la perle d'un salon comme celui des Verdurin, c'était la dame que dans le même train, j'avais cru, l'avant-veille, pouvoir être une tenancière de maison publique. Sa personnalité sociale si incertaine me devint claire aussitôt quand je sus son nom, comme quand après avoir peiné sur une devinette, on apprend enfin le mot qui rend clair tout ce qui était resté obscur et qui pour les personnes est le nom. Apprendre le surlendemain quelle était la personne à côté de qui on a voyagé dans le train sans parvenir à trouver son rang social est une surprise beaucoup plus amusante que de lire dans la livraison nouvelle d'une revue le mot de l'énigme proposée dans la précédente livraison. Les grands restaurants, les casinos, les « tortillards » sont le musée des familles de ces énigmes sociales. « Princesse, nous vous aurons manquée à Maineville ! Vous permettez que nous prenions place dans votre compartiment ? — Mais comment donc », fit la princesse qui, en entendant Cottard lui parler, leva seulement alors de sur sa revue des yeux qui, comme ceux de M. de Charlus, quoique plus doux, voyaient très bien les personnes de la présence de qui elle faisait semblant de ne pas s'apercevoir. Cottard, réfléchissant à ce que le fait d'être invité avec les Cambremer était pour moi une recommandation suffisante, prit, au bout d'un moment, la décision de me présenter à la princesse, laquelle s'inclina avec une grande politesse, mais eut l'air d'entendre mon nom pour la première fois. « Cré nom, s'écria le docteur, ma femme a oublié de faire changer les boutons de mon gilet blanc. Ah ! les femmes, ça ne pense à rien. Ne vous mariez jamais, voyez-vous », me dit-il. Et comme c'était une des plaisanteries qu'il jugeait convenables quand on n'avait rien à dire, il regarda du coin de l'œil la princesse et les autres fidèles, qui, parce qu'il était professeur et académicien, sourirent en admirant sa bonne humeur et son absence de morgue. La princesse nous apprit que le jeune violoniste était retrouvé. Il avait gardé le lit la veille à cause d'une migraine, mais viendrait ce soir et amènerait un vieil ami de son père qu'il avait retrouvé à Doncières. Elle l'avait su par Mme Verdurin avec qui elle avait déjeuné le matin », nous dit-elle d'une voix rapide où le roulement des *r* de l'accent russe était doucement marmonné au fond de la gorge, comme si c'étaient non des *r* mais des *l*. « Ah ! vous avez déjeuné ce matin avec elle », dit Cottard à la princesse ; mais en me regardant car ces paroles avaient pour but de me montrer combien la princesse était intime avec la Patronne. « Vous êtes une fidèle, vous ! — Oui, j'aime ce petit celcle intelligent, agléable, pas méchant, tout simple, pas snob et où on a de l'esplit jusqu'au bout des ongles. — Nom d'une pipe, j'ai dû perdre mon billet, je ne le retrouve pas », s'écria Cottard sans s'inquiéter[a] d'ailleurs outre mesure. Il savait qu'à Douville, où deux landaus allaient nous attendre, l'employé le laisserait passer sans billet et ne s'en découvrirait que plus bas afin de donner par ce salut l'explication de son indulgence, à savoir qu'il avait bien reconnu en Cottard un habitué des Verdurin. « On ne me mettra pas à la salle de police pour cela, conclut le docteur. — Vous disiez, monsieur[b], demandai-je à Brichot, qu'il y avait près d'ici des eaux renommées ; comment le sait-on ? — Le nom de la station suivante l'atteste entre bien d'autres témoignages. Elle s'appelle Fervaches. — Je ne complends pas ce qu'il veut dile », grommela la princesse du ton[c] dont elle m'aurait dit par gentillesse : « Il nous embête, n'est-ce pas ? » « Mais, princesse, Fervaches veut dire eaux chaudes, *fervidæ aquæ*[1]... Mais à propos du jeune violoniste, continua Brichot, j'oubliais, Cottard, de vous parler de la grande nouvelle. Saviez-vous que notre pauvre ami Dechambre, l'ancien pianiste favori de Mme Verdurin, vient de mourir ? C'est effrayant. — Il était encore jeune, répondit Cottard, mais il devait faire quelque chose du côté du foie, il devait avoir quelque saleté de ce côté, il avait une fichue tête depuis quelque temps. — Mais il n'était pas si jeune, dit Brichot ; du temps où Elstir et Swann allaient chez Mme Verdurin, Dechambre était déjà une notoriété parisienne, et, chose admirable, sans avoir reçu à l'étranger le baptême du succès. Ah ! il n'était pas un adepte de l'Évangile selon saint Barnum[2], celui-là. — Vous confondez, il ne pouvait aller[d] chez Mme Verdurin à ce moment-là, il était encore en nourrice. — Mais, à moins que ma vieille mémoire ne soit infidèle, il me semblait que Dechambre jouait la sonate de Vinteuil pour Swann quand ce cercleux, en rupture d'aristocratie, ne se doutait guère qu'il serait un jour le prince consort embourgeoisé de notre Odette nationale. — C'est impossible, la sonate de Vinteuil a été jouée chez Mme Verdurin longtemps après que Swann n'y allait plus », dit le docteur qui, comme les gens qui travaillent beaucoup et croient devoir retenir[a] beaucoup de choses qu'ils se figurent être utiles, en oublient beaucoup d'autres, ce qui leur permet de s'extasier devant la mémoire de gens qui n'ont rien à faire. « Vous faites tort à vos connaissances, vous n'êtes pourtant pas ramolli », dit en souriant le docteur. Brichot convint de son erreur. Le train s'arrêta. C'était la Sogne. Ce nom m'intriguait. « Comme j'aimerais savoir ce que veulent dire tous ces noms, dis-je à Cottard. — Mais demandez à M. Brichot, il le sait peut-être. — Mais la Sogne, c'est la Cicogne, *Siconia*[1] », répondit Brichot que je brûlais d'interroger sur bien d'autres noms.

Oubliant qu'elle tenait à son « coin », Mme Sherbatoff m'offrit aimablement de changer de place avec moi pour que je pusse mieux causer avec Brichot à qui je voulais demander d'autres étymologies qui m'intéressaient, et elle assura qu'il lui était indifférent de voyager en avant, en arrière, debout, etc. Elle restait sur la défensive tant qu'elle ignorait les intentions des nouveaux venus, mais quand elle avait reconnu que celles-ci étaient aimables, elle cherchait de toutes manières à faire plaisir à chacun. Enfin le train s'arrêta à la station de Douville-Féterne[2], laquelle étant située à peu près à égale distance du village de Féterne et de celui de Douville, portait à cause de cette particularité leurs deux noms. « Saperlipopette », s'écria le docteur Cottard, quand nous fûmes devant la barrière où on prenait les billets et feignant seulement de s'en apercevoir, « je ne peux pas retrouver mon ticket, j'ai dû le perdre. » Mais l'employé, ôtant sa casquette, assura que cela ne faisait rien et sourit respectueusement. La princesse (donnant des explications au cocher, comme eût fait une espèce de dame d'honneur de Mme Verdurin, laquelle, à cause des Cambremer, n'avait pu venir à la gare, ce qu'elle faisait du reste rarement) me prit, ainsi que Brichot, avec elle dans une des voitures. Dans l'autre montèrent le docteur, Saniette et Ski.

Le cocher, bien que tout jeune, était le premier cocher des Verdurin, le seul qui fût vraiment cocher en titre ; il leur faisait faire, dans le jour, toutes leurs promenades, car il connaissait tous les chemins, et le soir allait chercher et reconduire ensuite les fidèles. Il était accompagné d'extras (qu'il choisissait) en cas de nécessité. C'était un excellent garçon, sobre et adroit, mais avec une de ces figures mélancoliques où le regard trop fixe signifie qu'on se fait pour un rien de la bile, même des idées noires. Mais il était en ce moment fort heureux car il avait réussi à placer son frère, autre excellente pâte d'homme, chez les Verdurin. Nous traversâmes d'abord Douville. Des mamelons herbus y descendaient jusqu'à la mer en amples pâtis[a], auxquels la saturation de l'humidité et du sel donnait[b] une épaisseur, un moelleux, une vivacité de tons extrêmes. Les îlots et les découpures de Rivebelle, beaucoup plus rapprochés ici qu'à Balbec, donnaient à cette partie de la mer l'aspect nouveau pour moi d'un plan en relief. Nous passâmes devant de petits chalets loués presque tous par des peintres ; nous prîmes un sentier où des vaches en liberté, aussi effrayées que nos chevaux, nous barrèrent dix minutes le passage, et nous nous engageâmes dans la route de la corniche. « Mais par les dieux immortels, demanda tout à coup Brichot, revenons à ce pauvre Dechambre ; croyez-vous que Mme Verdurin *sache ?* lui a-t-on *dit*[1] ? » Mme Verdurin, comme presque tous les gens du monde, justement parce qu'elle avait besoin de la société des autres, ne pensait plus un seul jour à eux après qu'étant morts, ils ne pouvaient plus venir aux mercredis, ni aux samedis, ni dîner en robe de chambre. Et on ne pouvait pas dire du petit clan, image en cela de tous les salons, qu'il se composait de plus de morts que de vivants, vu que dès qu'on était mort c'était comme si on n'avait jamais existé. Mais pour éviter l'ennui d'avoir à parler des défunts, voire de suspendre les dîners, chose impossible à la Patronne, à cause d'un deuil, M. Verdurin feignait que la mort des fidèles affectât tellement sa femme que dans l'intérêt de sa santé, il ne fallait pas en parler. D'ailleurs, et peut-être justement parce que la mort des autres lui semblait un accident si définitif et si vulgaire, la pensée de la sienne propre lui faisait horreur et il fuyait toute réflexion pouvant s'y rapporter. Quant à Brichot, comme il était très brave homme et parfaitement dupe de ce que M. Verdurin disait de sa femme, il redoutait pour son amie les émotions d'un pareil chagrin. « Oui, elle *sait tout* depuis ce matin, dit la princesse, on n'a *pas pu lui cacher*. — Ah ! mille tonnerres de Zeus, s'écria Brichot, ah ! ça a dû être un coup terrible, un ami de vingt-cinq ans ! En voilà un qui était des nôtres ! — Évidemment, évidemment, que voulez-vous, dit Cottard[1]. Ce sont des circonstances toujours pénibles ; mais Mme Verdurin est une femme forte, c'est une cérébrale encore plus qu'une émotive. — Je ne suis pas tout à fait de l'avis du docteur », dit la princesse, à qui décidément son parler rapide, son accent murmuré, donnait l'air à la fois boudeur et mutin. « Mme Verdurin, sous une apparence froide, cache des trésors de sensibilité. M. Verdurin m'a dit qu'il avait eu beaucoup de peine à l'empêcher d'aller à Paris pour la cérémonie ; il a été obligé de lui faire croire que tout se ferait à la campagne. — Ah ! diable, elle voulait aller à Paris. Mais je sais bien que c'est une femme de cœur, peut-être de trop de cœur même. Pauvre Dechambre ! Comme le disait Mme Verdurin il n'y a pas deux mois : "À côté de lui Planté[2], Paderewski[3], Risler[4] même, rien ne tient". Ah ! il a pu dire plus justement que ce m'as-tu vu de Néron qui a trouvé le moyen de rouler la science allemande elle-même : *Qualis artifex pereo*[5] *!* Mais lui du moins, Dechambre, a dû mourir dans l'accomplissement du sacerdoce, en odeur de dévotion beethovénienne ; et bravement, je n'en doute pas ; en bonne justice, cet officiant de la musique allemande aurait mérité de trépasser en célébrant la *Messe en ré*[6]. Mais il était au demeurant homme à accueillir la camarde avec un trille, car cet exécutant de génie retrouvait parfois dans son ascendance de Champenois parisianisé des crâneries et des élégances de garde-française. »

De la hauteur où nous étions déjà, la mer n'apparaissait plus, ainsi que de Balbec, pareille aux ondulations de montagnes soulevées, mais au contraire, comme apparaît d'un pic, ou d'une route qui contourne la montagne, un glacier bleuâtre, ou une plaine éblouissante, situés à une moindre altitude. Le déchiquetage des remous y semblait immobilisé et avoir dessiné pour toujours leurs cercles concentriques ; l'émail même de la mer, qui changeait insensiblement de couleur, prenait vers le fond de la baie, où se creusait un estuaire, la blancheur bleue d'un lait où de petits bacs noirs qui n'avançaient pas semblaient empêtrés comme des mouches. Il ne me semblait pas qu'on pût découvrir de nulle part un tableau plus vaste. Mais à chaque tournant une partie nouvelle s'y ajoutait et quand nous arrivâmes à l'octroi de Douville, l'éperon de falaise qui nous avait caché jusque-là une moitié de la baie, rentra, et je vis tout à coup à ma gauche un golfe aussi profond que celui que j'avais eu jusque-là devant moi, mais dont il changeait les proportions et doublait la beauté. L'air à ce point si élevé devenait d'une vivacité et d'une pureté qui m'enivraient. J'aimais les Verdurin ; qu'ils nous eussent envoyé une voiture me semblait d'une bonté attendrissante. J'aurais voulu embrasser la princesse. Je lui dis que je n'avais jamais rien vu d'aussi beau. Elle fit profession d'aimer aussi ce pays plus que tout autre. Mais je sentais bien que pour elle comme pour les Verdurin la grande affaire était non de le contempler en touristes, mais d'y faire de bons repas, d'y recevoir une société qui leur plaisait, d'y écrire des lettres, d'y lire, bref d'y vivre, laissant passivement sa beauté les baigner plutôt qu'ils n'en faisaient l'objet de leur préoccupation.

De l'octroi, la voiture s'étant arrêtée pour un instant à une telle hauteur au-dessus de la mer que, comme d'un sommet, la vue du gouffre bleuâtre donnait presque le vertige, j'ouvris le carreau ; le bruit distinctement perçu de chaque flot qui se brisait avait dans sa douceur et dans sa netteté quelque chose de sublime. N'était-il pas comme un indice de mensuration qui, renversant nos impressions habituelles, nous montre que les distances verticales peuvent être assimilées aux distances horizontales, au contraire de la représentation que notre esprit s'en fait d'habitude ; et que, rapprochant ainsi de nous le ciel, elles ne sont pas grandes ; qu'elles sont même moins grandes pour un bruit qui les franchit, comme faisait celui de ces petits flots, car le milieu qu'il a à traverser est plus pur ? Et en effet, si on reculait seulement de deux mètres en arrière de l'octroi, on ne distinguait plus ce bruit de vagues auquel deux cents mètres de falaise n'avaient pas enlevé sa délicate, minutieuse et douce précision. Je me disais que ma grand-mère aurait eu pour lui cette admiration que lui inspiraient toutes les manifestations de la nature ou de l'art dans la simplicité desquelles on lit la grandeur. Mon exaltation était à son comble et soulevait tout ce qui m'entourait. J'étais attendri que les Verdurin nous eussent envoyé chercher à la gare. Je le dis à la princesse qui parut trouver que j'exagerais beaucoup une si simple politesse. Je sais qu'elle avoua plus tard à Cottard qu'elle me trouvait bien enthousiaste ; il lui répondit que j'étais trop émotif et que j'aurais eu besoin de calmants et de faire du tricot. Je faisais remarquer à la princesse chaque arbre, chaque petite maison croulant sous ses roses, je lui faisais tout admirer, j'aurais voulu la serrer elle-même contre mon cœur. Elle me dit qu'elle voyait que j'étais doué pour la peinture, que je devrais dessiner, qu'elle était surprise qu'on ne me l'eût pas encore dit. Et elle confessa qu'en effet ce pays était pittoresque. Nous traversâmes, perché sur la hauteur, le petit village d'Englesqueville (*Engleberti Villa*, nous dit Brichot[1]). « Mais êtes-vous bien sûr que le dîner de ce soir a lieu, malgré la mort de Dechambre, princesse ? ajouta-t-il sans réfléchir que la venue à la gare des voitures dans lesquelles nous étions était déjà une réponse — Oui, dit la princesse, M. Veldulin a tenu à ce qu'il ne soit pas remis, justement pour empêcher sa femme de "penser". Et puis après tant d'années qu'elle n'a jamais manqué de recevoir un mercredi, ce changement dans ses habitudes aurait pu l'impressionner. Elle est tlès nerveuse ces temps-ci. M. Verdurin était particulièrement heureux que vous veniez dîner ce soir parce qu'il savait que ce serait une grande distraction pour Mme Verdurin », dit la princesse, oubliant sa feinte de ne pas avoir entendu parler de moi. « Je crois que vous ferez bien de ne parler de *rien devant* Mme Verdurin, ajouta la princesse. — Ah ! vous faites bien de me le dire, répondit naïvement Brichot. Je transmettrai la recommandation à Cottard. » La voiture s'arrêta un instant. Elle repartit, mais le bruit que faisaient les roues dans le village avait cessé. Nous étions entrés dans l'allée d'honneur de La Raspelière où M. Verdurin nous attendait au perron. « J'ai bien fait de mettre un smoking, dit-il, en constatant avec plaisir que les fidèles avaient le leur, puisque j'ai des hommes si chic. » Et comme je m'excusais de mon veston : « Mais, voyons, c'est parfait. Ici ce sont des dîners de camarades. Je vous offrirais bien de vous prêter un de mes smokings mais il ne vous irait pas. » Le *shake-hand* plein d'émotion que, en pénétrant dans le vestibule de La Raspelière, et en manière de condoléances pour la mort du pianiste,

Brichot donna au Patron, ne provoqua de la part de celui-ci aucun commentaire. Je lui dis mon admiration pour ce pays. « Ah ! tant mieux, et vous n'avez rien vu, nous vous le montrerons. Pourquoi ne viendriez-vous pas habiter quelques semaines ici ? l'air est excellent. » Brichot craignait que sa poignée de main n'eût pas été comprise. « Hé, bien ! ce pauvre Dechambre ! » dit-il, mais à mi-voix, dans la crainte que Mme Verdurin ne fût pas loin. « C'est affreux, répondit allégrement M. Verdurin. — Si jeune », reprit Brichot. Agacé de s'attarder à ces inutilités, M. Verdurin répliqua d'un ton pressé et avec un gémissement suraigu, non de chagrin, mais d'impatience irritée : « Hé bien oui, mais qu'est-ce que vous voulez, nous n'y pouvons rien, ce ne sont pas nos paroles qui le ressusciteront, n'est-ce pas ? » Et la douceur lui revenant avec la jovialité : « Allons, mon brave Brichot, posez vite vos affaires. Nous avons une bouillabaisse qui n'attend pas. Surtout, au nom du ciel, n'allez pas parler de Dechambre à Mme Verdurin ! Vous savez qu'elle cache beaucoup ce qu'elle ressent, mais elle a une véritable maladie de la sensibilité. Non, mais je vous jure, quand elle a appris que Dechambre était mort, elle a presque pleuré », dit M. Verdurin d'un ton profondément ironique. À l'entendre on aurait dit qu'il fallait une espèce de démence pour regretter un ami de trente ans, et d'autre part on devinait que l'union perpétuelle de M. Verdurin avec sa femme n'allait pas, de la part de celui-ci, sans qu'il la jugeât toujours et qu'elle l'agaçât souvent. « Si vous lui en parlez elle va encore se rendre malade. C'est déplorable, trois semaines après sa bronchite. Dans ces cas-là c'est moi qui suis le garde-malade. Vous comprenez que je sors d'en prendre. Affligez-vous sur le sort de Dechambre dans votre cœur tant que vous voudrez. Pensez-y, mais n'en parlez pas. J'aimais bien Dechambre, mais vous ne pouvez pas m'en vouloir d'aimer encore plus ma femme. Tenez, voilà Cottard, vous allez pouvoir lui demander. » Et en effet, il savait qu'un médecin de la famille sait rendre bien des petits services, comme de prescrire par exemple qu'il ne faut pas avoir de chagrin.

Cottard, docile, avait dit à la Patronne : « Bouleversez-vous comme ça et vous *me* ferez demain 39 de fièvre », comme il aurait dit à la cuisinière : « Vous me ferez demain du ris de veau. » La médecine, faute de guérir, s'occupe à changer le sens des verbes et des pronoms.

M. Verdurin fut heureux de constater que Saniette, malgré les rebuffades que celui-ci avait essuyées l'avant-veille, n'avait pas déserté le petit noyau. En effet Mme Verdurin et son mari avaient contracté dans l'oisiveté des instincts cruels à qui les grandes circonstances, trop rares, ne suffisaient plus. On avait bien pu brouiller Odette avec Swann, Brichot avec sa maîtresse. On recommencerait avec d'autres, c'était entendu. Mais l'occasion ne s'en présentait pas tous les jours. Tandis que grâce à sa sensibilité frémissante, à sa timidité craintive et vite affolée, Saniette leur offrait un souffre-douleur quotidien. Aussi, de peur qu'il lâchât, avait-on soin de l'inviter avec des paroles aimables et persuasives comme en ont au lycée les vétérans, au régiment les anciens pour un bleu qu'on veut amadouer afin de pouvoir s'en saisir, à seules fins alors de le chatouiller et de lui faire des brimades quand il ne pourra plus s'échapper. « Surtout, rappela à Brichot Cottard qui n'avait pas[a] entendu M. Verdurin, *motus* devant Mme Verdurin. — Soyez sans crainte, ô Cottard, vous avez affaire à un sage, comme dit Théocrite[1]. D'ailleurs M. Verdurin a raison, à quoi servent nos plaintes ? » ajouta-t-il, car, capable d'assimiler des formes verbales et les idées qu'elles amenaient en lui, mais n'ayant pas de finesse, il avait admiré dans les paroles de M. Verdurin le plus courageux stoïcisme. « N'importe, c'est un grand talent qui disparaît. — Comment, vous parlez encore de Dechambre ? » dit M. Verdurin qui nous avait précédés et qui, voyant que nous ne le suivions pas, était revenu en arrière. « Écoutez, dit-il à Brichot, il ne faut d'exagération en rien. Ce n'est pas une raison parce qu'il est mort pour en faire un génie qu'il n'était pas. Il jouait bien, c'est entendu, il était surtout bien encadré ici ; transplanté, il n'existait plus. Ma femme s'en était engouée et avait fait sa réputation. Vous savez comme elle est. Je dirai plus, dans l'intérêt même de sa réputation il est mort au bon moment, à point, comme les demoiselles de Caen, grillées selon les recettes incomparables de Pampille[2], vont l'être, j'espère (à moins que vous ne vous éternisiez par vos jérémiades dans cette casbah ouverte à tous les vents[3]). Vous ne voulez tout de même pas nous faire crever tous parce que Dechambre est mort et quand depuis un an il était obligé de faire des gammes avant de donner un concert, pour retrouver momentanément, bien momentanément, sa souplesse. Du reste vous allez entendre ce soir, ou du moins rencontrer, car ce mâtin-là délaisse trop souvent après dîner l'art pour les cartes, quelqu'un qui est un autre artiste que Dechambre, un petit que ma femme a découvert (comme elle avait découvert Dechambre, et Paderewski et le reste) : Morel. Il n'est pas encore arrivé, ce bougre-là. Je vais être obligé d'envoyer une voiture au dernier train. Il vient avec un vieil ami de sa famille qu'il a retrouvé et qui l'embête à crever, mais avec qui il aurait été obligé, pour ne pas avoir de plaintes de son père, de rester sans cela à Doncières, à lui[a] tenir compagnie : le baron de Charlus. » Les fidèles entrèrent. M. Verdurin, resté en arrière avec moi pendant que j'ôtais mes affaires, me prit le bras en plaisantant, comme fait à un dîner un maître de maison qui n'a pas d'invitée à vous donner à conduire. « Vous avez fait bon voyage ? — Oui, M. Brichot m'a appris des choses qui m'ont beaucoup intéressé », dis-je en pensant aux étymologies et parce que j'avais entendu dire que les Verdurin admiraient beaucoup Brichot. « Cela m'aurait étonné qu'il ne vous eût rien appris, me dit M. Verdurin, c'est un homme si effacé, qui parle si peu des choses qu'il sait. » Ce compliment ne me parut pas très juste. « Il a l'air charmant, dis-je. — Exquis, délicieux, pas pion pour un sou, fantaisiste, léger, ma femme l'adore, moi aussi ! » répondit M. Verdurin sur un ton d'exagération et de réciter une leçon. Alors seulement je compris que ce qu'il m'avait dit de Brichot était ironique. Et je me demandai si M. Verdurin, depuis le temps lointain dont j'avais entendu parler, n'avait pas secoué la tutelle de sa femme.

Le sculpteur[b] fut très étonné d'apprendre que les Verdurin consentaient à recevoir M. de Charlus[1]. Alors que dans le faubourg Saint-Germain où M. de Charlus était si connu, on ne parlait jamais de ses mœurs (ignorées du plus grand nombre, objet de doute pour d'autres qui croyaient plutôt à des amitiés exaltées, mais platoniques, à des imprudences, et enfin soigneusement[c] dissimulées par les seuls renseignés, qui haussaient les épaules quand quelque malveillante Gallardon risquait une insinuation[2]), ces mœurs, connues à peine de quelques intimes, étaient au contraire journellement décriées loin du milieu où il vivait, comme certains coups de canon qu'on n'entend qu'après l'interférence d'une zone silencieuse. D'ailleurs dans ces milieux bourgeois et artistes où il passait pour l'incarnation même de l'inversion, sa grande situation mondaine, sa haute origine étaient entièrement ignorées, par un phénomène analogue à celui qui, dans le peuple roumain, fait que le nom de Ronsard est connu comme celui d'un grand seigneur, tandis que son œuvre poétique y est inconnue. Bien plus, la noblesse de Ronsard repose en Roumanie sur une erreur[1]. De même, si dans le monde des peintres, des comédiens, M. de Charlus avait si mauvaise réputation, cela tenait à ce qu'on le confondait avec un comte Leblois de Charlus[a] qui n'avait même pas la moindre parenté avec lui, ou extrêmement lointaine, et qui avait été arrêté, peut-être par erreur, dans une descente de police restée fameuse. En somme, toutes les histoires qu'on racontait sur M. de Charlus s'appliquaient au faux. Beaucoup de professionnels juraient avoir eu des relations avec M. de Charlus et étaient de bonne foi, croyant que le faux Charlus était le vrai, et le faux peut-être favorisant, moitié par ostentation de noblesse, moitié par dissimulation de vice, une confusion qui, pour le vrai (le baron que nous connaissons), fut longtemps préjudiciable et ensuite, quand il eût glissé sur sa pente, devint commode, car à lui aussi elle permit de dire[b] : « Ce n'est pas moi. » Actuellement en effet, ce n'était pas de lui qu'on parlait. Enfin, ce qui ajoutait à la fausseté des commentaires d'un fait vrai (les goûts du baron), il avait été l'ami intime[c] et parfaitement pur d'un auteur qui, dans le monde des théâtres, avait, on ne sait pourquoi, cette réputation et ne la méritait nullement. Quand on les apercevait à une première ensemble, on disait : « Vous savez », de même qu'on croyait que la duchesse de Guermantes avait des relations immorales avec la princesse de Parme ; légende indestructible, car elle ne se serait évanouie qu'à une proximité de ces deux grandes dames où les gens qui la répétaient n'atteindraient vraisemblablement jamais qu'en les lorgnant au théâtre et en les calomniant auprès du titulaire du fauteuil voisin. Des mœurs de M. de Charlus le sculpteur concluait avec d'autant moins d'hésitation que la situation mondaine du baron devait être aussi mauvaise, qu'il ne possédait sur la famille à laquelle appartenait M. de Charlus, sur son titre, sur son nom, aucune espèce de renseignement. De même que Cottard croyait que tout le monde sait que le titre de docteur en médecine n'est rien, celui d'interne des hôpitaux quelque chose, les gens du monde se trompent en se figurant que tout le monde possède sur l'importance sociale de leur nom les mêmes notions qu'eux-mêmes et les personnes de leur milieu.

Le prince d'Agrigente[a] passait pour un « rasta » aux yeux d'un chasseur de cercle à qui il devait vingt-cinq louis, et ne reprenait son importance que dans le faubourg Saint-Germain où il avait trois sœurs duchesses, car ce ne sont pas sur les gens modestes aux yeux de qui il compte peu, mais sur les gens brillants, au courant de ce qu'il est, que fait quelque effet le grand seigneur. M. de Charlus allait du reste pouvoir se rendre compte dès le soir même que le Patron avait sur les plus illustres familles ducales des notions peu approfondies. Persuadé que les Verdurin allaient faire un pas de clerc en laissant s'introduire dans leur salon si « select » un individu taré, le sculpteur crut devoir prendre à part la Patronne. « Vous faites entièrement erreur, d'ailleurs je ne crois jamais ces choses-là, et puis quand ce serait vrai, je vous dirai que ce ne serait pas très compromettant pour moi ! » lui répondit Mme Verdurin, furieuse, car Morel étant le principal élément des mercredis, elle tenait avant tout à ne pas le mécontenter. Quant à Cottard il ne put donner d'avis car il avait demandé à monter un instant « faire une petite commission » dans le *buen retiro*[1] et à écrire ensuite dans la chambre de M. Verdurin une lettre très pressée pour un malade[b].

Un grand éditeur de Paris venu en visite et qui avait pensé qu'on le retiendrait, s'en alla brutalement, avec rapidité, comprenant qu'il n'était pas assez élégant pour le petit clan. C'était un homme grand et fort, très brun, studieux, avec quelque chose de tranchant. Il avait l'air d'un couteau à papier en ébène[2].

Mme Verdurin qui, pour nous recevoir dans son immense salon, où des trophées de graminées, de coquelicots, de fleurs des champs, cueillis le jour même, alternaient avec le même motif peint en camaïeu, deux siècles auparavant, par un artiste d'un goût exquis, s'était levée[c] un instant d'une partie qu'elle faisait avec un vieil ami, nous demanda la permission de la finir en deux minutes et tout en causant avec nous. D'ailleurs ce que je lui dis de mes impressions ne lui fut qu'à demi agréable.

D'abord j'étais scandalisé de voir qu'elle et son mari rentraient tous les jours longtemps avant l'heure de ces couchers de soleil qui passaient pour si beaux vus de cette falaise, plus encore de la terrasse de La Raspelière, et pour lesquels j'aurais fait des lieues. « Oui, c'est incomparable, dit légèrement Mme Verdurin en jetant un coup d'œil sur les immenses croisées qui faisaient porte vitrée. Nous avons beau voir cela tout le temps, nous ne nous en lassons pas », et elle ramena ses regards vers ses cartes. Or, mon enthousiasme même me rendait exigeant. Je me plaignais de ne pas voir du salon les rochers de Darnetal qu'Elstir[a] m'avait dits adorables à ce moment où ils réfractaient tant de couleurs. « Ah ! vous ne pouvez pas les voir d'ici, il faudrait aller au bout du parc, à la " Vue de la baie ". Du banc qui est là-bas vous embrassez tout le panorama. Mais vous ne pouvez pas y aller tout seul, vous vous perdriez. Je vais vous y conduire, si vous voulez, ajouta-t-elle mollement. — Mais non, voyons, tu n'as pas assez des douleurs que tu as prises l'autre jour, tu veux en prendre de nouvelles ? Il reviendra, il verra la vue de la baie une autre fois. » Je n'insistai pas, et je compris qu'il suffisait aux Verdurin de savoir que ce soleil couchant était, jusque dans leur salon ou dans leur salle à manger, comme une magnifique peinture, comme un précieux émail japonais, justifiant le prix élevé auquel ils louaient La Raspelière toute meublée, mais vers lequel ils levaient rarement les yeux ; leur grande affaire ici était de vivre[b] agréablement, de se promener, de bien manger, de causer, de recevoir d'agréables amis à qui ils faisaient faire d'amusantes parties de billard, de bons repas, de joyeux goûters. Je vis cependant plus tard[c] avec quelle intelligence ils avaient appris à connaître ce pays, faisant faire à leurs hôtes des promenades aussi « inédites » que la musique qu'ils leur faisaient écouter. Le rôle que les fleurs de La Raspelière, les chemins le long de la mer, les vieilles maisons, les églises inconnues, jouaient dans la vie de M. Verdurin était si grand que ceux qui ne le voyaient qu'à Paris et qui, eux, remplaçaient la vie au bord de la mer et à la campagne par des luxes citadins, pouvaient à peine comprendre l'idée que lui-même se faisait de sa propre vie, et l'importance que ses joies lui donnaient à ses propres yeux. Cette importance était encore accrue du fait que les Verdurin étaient persuadés que La Raspelière, qu'ils comptaient acheter, était une propriété unique au monde. Cette supériorité[a] que leur amour-propre leur faisait attribuer à La Raspelière justifia à leurs yeux mon enthousiasme qui, sans cela, les eût agacés un peu, à cause des déceptions qu'il comportait (comme celles que l'audition de la Berma m'avait jadis causées) et dont je leur faisais l'aveu sincère.

« J'entends la voiture[b] qui revient. Espérons qu'elle les a trouvés », murmura[c] tout à coup la Patronne. Disons en un mot que Mme Verdurin, en dehors même des changements inévitables de l'âge, ne ressemblait plus à ce qu'elle était[d] au temps où Swann et Odette écoutaient chez elle la petite phrase. Même quand on la jouait, elle n'était plus obligée à l'air exténué d'admiration qu'elle prenait autrefois, car celui-ci était devenu sa figure. Sous l'action des innombrables névralgies que la musique de Bach, de Wagner, de Vinteuil, de Debussy lui avait occasionnées, le front de Mme Verdurin avait pris des proportions énormes, comme les membres qu'un rhumatisme finit par déformer. Ses tempes, pareilles à deux belles sphères brûlantes, endolories et laiteuses, où roule immortellement l'Harmonie, rejetaient, de chaque côté, des mèches argentées, et proclamaient, pour le compte de la Patronne, sans que celle-ci eût besoin de parler : « Je sais ce qui m'attend ce soir. » Ses traits ne prenaient plus la peine de formuler successivement des impressions esthétiques trop fortes, car ils étaient eux-mêmes comme leur expression permanente dans un visage ravagé et superbe. Cette attitude de résignation aux souffrances toujours prochaines infligées par le Beau, et du courage qu'il y avait eu à mettre une robe quand on relevait à peine de la dernière sonate, faisait que Mme Verdurin, même pour écouter la plus cruelle musique, gardait un visage dédaigneusement impassible et se cachait même pour avaler les deux cuillerées d'aspirine.

« Ah ! oui, les voici », s'écria M. Verdurin avec soulagement en voyant la porte s'ouvrir sur Morel suivi de M. de Charlus. Celui-ci, pour qui dîner chez les Verdurin n'était nullement aller dans le monde, mais dans un mauvais lieu, était intimidé comme un collégien qui entre pour la première fois dans une maison publique et a mille respects pour la patronne. Aussi le désir habituel qu'avait M. de Charlus de paraître viril et froid fut-il dominé (quand il apparut dans la porte ouverte) par ces idées de politesse traditionnelles qui[a] se réveillent dès que la timidité détruit une attitude factice et fait appel aux ressources de l'inconscient. Quand c'est dans un Charlus, qu'il soit d'ailleurs noble ou bourgeois, qu'agit un tel sentiment de politesse instinctive et atavique envers des inconnus, c'est toujours l'âme d'une parente du sexe féminin, auxiliatrice comme une déesse ou incarnée comme un double qui se charge[b] de l'introduire[c] dans un salon nouveau et de modeler son attitude jusqu'à ce qu'il soit arrivé devant la maîtresse de maison[1]. Tel jeune peintre, élevé par une sainte cousine protestante, entrera la tête oblique et chevrotante, les yeux au ciel, les mains cramponnées à un manchon invisible, dont la forme évoquée et la présence réelle et tutélaire aideront l'artiste intimidé à franchir sans agoraphobie l'espace creusé d'abîmes qui va de l'antichambre au petit salon. Ainsi la pieuse parente dont le souvenir le guide aujourd'hui entrait il y a bien des années, et d'un air si gémissant qu'on se demandait quel malheur elle venait annoncer, quand à ses premières paroles on comprenait, comme maintenant pour le peintre, qu'elle venait faire une visite de digestion. En vertu de cette même loi qui veut que la vie, dans l'intérêt de l'acte encore inaccompli, fasse servir, utilise, dénature, dans une perpétuelle prostitution, les legs les plus respectables, parfois les plus saints, quelquefois seulement les plus innocents du passé, et bien qu'elle engendrât alors un aspect différent, celui des neveux de Mme Cottard qui affligeait sa famille par ses manières efféminées et ses fréquentations, faisait toujours une entrée joyeuse comme s'il venait vous faire une surprise ou vous annoncer un héritage, illuminé d'un bonheur dont il eût été vain de lui demander la cause qui tenait à son hérédité inconsciente et à son sexe déplacé. Il marchait sur les pointes, était sans doute lui-même étonné de ne pas tenir à la main un carnet de cartes de visite, tendait la main en ouvrant la bouche en cœur comme il avait vu sa tante le faire, et son seul regard inquiet était pour la glace où il semblait vouloir vérifier, bien qu'il fût nu-tête, si son chapeau, comme avait un jour demandé Mme Cottard à Swann, n'était pas de travers. Quant à M. de Charlus à qui la société où il avait vécu fournissait, à cette minute critique, des exemples différents, d'autres arabesques d'amabilité, et enfin la maxime qu'on doit savoir dans certains cas, pour de simples petits bourgeois, mettre au jour et faire servir ses grâces les plus rares et habituellement gardées en réserve, c'est en se trémoussant, avec mièvrerie et la même ampleur dont un enjuponnement eût élargi et gêné ses dandinements, qu'il se dirigea vers Mme Verdurin avec un air si flatté et si honoré qu'on eût dit qu'être présenté chez elle était pour lui une suprême faveur. Son visage à demi incliné, où la satisfaction le disputait au comme il faut, se plissait de petites rides d'affabilité. On aurait cru voir s'avancer Mme de Marsantes, tant ressortait à ce moment la femme qu'une erreur de la nature avait mise dans le corps de M. de Charlus. Certes cette erreur, le baron avait durement peiné pour la dissimuler et prendre une apparence masculine. Mais à peine y était-il parvenu que, ayant pendant le même temps gardé les mêmes goûts, cette habitude[a] de sentir en femme lui donnait une nouvelle apparence féminine, née celle-là non de l'hérédité mais de la vie individuelle. Et comme il arrivait peu à peu à penser, même les choses sociales, au féminin, et cela sans s'en apercevoir, car ce n'est pas qu'à force de mentir aux autres, mais aussi de se mentir à soi-même, qu'on cesse de s'apercevoir qu'on ment, bien qu'il eût demandé à son corps de rendre manifeste (au moment où il entrait chez les Verdurin) toute la courtoisie d'un grand seigneur, ce corps qui avait bien compris ce que M. de Charlus avait cessé d'entendre, déploya, au point que le baron eût mérité l'épithète de *lady-like,* toutes les séductions d'une grande dame[b]. Au reste[c] peut-on séparer entièrement l'aspect de M. de Charlus du fait que, les fils n'ayant pas toujours la ressemblance paternelle, même sans être invertis et en recherchant des femmes, ils consomment dans leur visage la profanation de leur mère ? Mais laissons ici ce qui mériterait un chapitre à part : les mères profanées[1].

Bien que d'autres raisons présidassent à cette transformation de M. de Charlus et que des ferments purement physiques fissent « travailler » chez lui la matière, et passer peu à peu son corps dans la catégorie des corps de femme, pourtant le changement que nous marquons ici était d'origine spirituelle. À force de se croire malade, on le devient, on maigrit, on n'a plus la force de se lever, on a des entérites nerveuses. À force de penser tendrement aux hommes on devient femme, et une robe postiche entrave vos pas. L'idée fixe peut modifier (aussi bien que dans d'autres cas la santé) dans ceux-là le sexe. Morel, qui le suivait, vint me dire bonjour. Dès ce moment-là, à cause d'un double changement qui se produisit en lui, il me donna (hélas ! je ne sus pas assez tôt en tenir compte) une mauvaise impression[1]. Voici pourquoi. J'ai dit que Morel, échappé de la servitude de son père, se complaisait en général à une familiarité fort dédaigneuse. Il m'avait parlé, le jour où il m'avait apporté les photographies, sans même me dire une seule fois Monsieur, me traitant de haut en bas[2]. Quelle fut ma surprise chez Mme Verdurin de le voir s'incliner très bas devant moi, et devant moi seul, et d'entendre, avant même qu'il eût prononcé d'autre parole, les mots de respect, de très respectueux — ces mots que je croyais impossibles à amener sous sa plume ou sur ses lèvres — à moi adressés ! J'eus aussitôt l'impression qu'il avait quelque chose à me demander. Me prenant à part au bout d'une minute : « Monsieur me rendrait bien grand service, me dit-il, allant cette fois jusqu'à me parler à la troisième personne, en cachant entièrement à Mme Verdurin et à ses invités le genre de profession que mon père a exercé chez son oncle. Il vaudrait mieux dire qu'il était, dans votre famille, l'intendant de domaines si vastes, que cela le faisait presque l'égal de vos parents. » La demande de Morel me contrariait infiniment, non pas en ce qu'elle me forçait à grandir la situation de son père, ce qui m'était tout à fait égal, mais la fortune au moins apparente du mien, ce que je trouvais ridicule. Mais son air était si malheureux, si urgent, que je ne refusai pas. « Non, avant dîner, dit-il d'un ton suppliant, Monsieur a mille prétextes pour prendre à part Mme Verdurin. » C'est ce que je fis en effet, en tâchant de rehausser de mon mieux l'éclat du père de Morel, sans trop exagérer le « train » ni les « biens au soleil » de mes parents. Cela passa comme une lettre à la poste, malgré l'étonnement de Mme Verdurin qui avait connu vaguement mon grand-père. Et comme elle n'avait pas de tact, haïssait les familles (ce dissolvant du petit noyau), après m'avoir dit[a] qu'elle avait autrefois aperçu mon arrière-grand-père et en avoir parlé comme de quelqu'un d'à peu près idiot qui n'eût rien compris au petit groupe et qui, selon son expression, « n'en était pas[b3] », elle me dit : « C'est du reste si ennuyeux les familles, on n'aspire qu'à en sortir » ;

et aussitôt elle me raconta sur le père de mon grand-père ce trait que j'ignorais, bien qu'à la maison j'eusse soupçonné (je ne l'avais pas connu, mais on parlait beaucoup de lui) sa rare avarice (opposée à la générosité un peu trop fastueuse de mon grand-oncle, l'ami de la dame en rose et le patron du père de Morel) : « Du moment que vos grands-parents avaient un intendant si chic, cela prouve qu'il y a des gens de toutes les couleurs dans les familles. Le père de votre grand-père était si avare que, presque gâteux à la fin de sa vie — entre nous il n'a jamais été bien fort, vous les rachetez tous — , il ne se résignait pas à dépenser trois sous pour son omnibus. De sorte qu'on avait été obligé de le faire suivre, de payer séparément le conducteur, et de faire croire au vieux grigou que son ami, M. de Persigny[1], ministre d'État, avait obtenu qu'il circulât pour rien dans les omnibus. Du reste, je suis très contente que le père de *notre* Morel ait été si bien. J'avais compris qu'il était professeur de lycée, ça ne fait rien, j'avais mal compris. Mais c'est de peu d'importance, car je vous dirai qu'ici nous n'apprécions que la valeur propre, la contribution personnelle, ce que j'appelle la participation. Pourvu qu'on soit d'art, pourvu en un mot qu'on soit de la confrérie, le reste importe peu. » La façon dont Morel en était — autant que j'ai pu l'apprendre — était qu'il aimait assez les femmes et les hommes pour faire plaisir à chaque sexe à l'aide de ce qu'il avait expérimenté sur l'autre ; c'est ce qu'on verra plus tard. Mais ce qui est essentiel à dire ici, c'est que dès que je lui eus donné ma parole d'intervenir auprès de Mme Verdurin, dès que je l'eus fait surtout, et sans retour possible en arrière, le « respect » de Morel à mon égard s'envola comme par enchantement, les formules respectueuses disparurent, et même pendant quelque temps il m'évita, s'arrangeant pour avoir l'air de me dédaigner, de sorte que si Mme Verdurin voulait que je lui disse quelque chose, lui demandasse tel morceau de musique, il continuait à parler avec un fidèle, puis passait à un autre, changeait de place si j'allais à lui. On était obligé de lui dire jusqu'à trois ou quatre fois que je lui avais adressé la parole, après quoi il me répondait, l'air contraint, brièvement, à moins que nous ne fussions seuls. Dans ce cas-là il était expansif, amical, car il avait des parties de caractère charmantes. Je n'en conclus pas moins de cette première soirée que sa nature devait être vile, qu'il ne reculait quand il le fallait devant aucune platitude, ignorait la reconnaissance. En quoi il ressemblait au commun des hommes. Mais comme j'avais en moi un peu de ma grand-mère et me plaisais à la diversité des hommes sans rien attendre d'eux ou leur en vouloir, je négligeai sa bassesse, je me plus à sa gaieté quand cela se présenta, même à ce que je crois avoir été une sincère amitié de sa part quand, ayant fait tout le tour de ses fausses connaissances de la nature humaine, il s'aperçut (par à-coups, car il avait d'étranges retours à sa sauvagerie primitive et aveugle) que ma douceur avec lui était désintéressée, que mon indulgence ne venait pas d'un manque de clairvoyance, mais de ce qu'il appela bonté, et surtout je m'enchantai à son art, qui n'était guère qu'une virtuosité admirable mais me faisait[a] (sans qu'il fût au sens intellectuel du mot un vrai musicien) réentendre ou connaître tant de belle musique. D'ailleurs un manager, M. de Charlus chez qui j'ignorais ces talents (bien que Mme de Guermantes, qui l'avait connu fort différent dans leur jeunesse, prétendît qu'il lui avait fait une sonate, peint un éventail, etc.), modeste en ce qui concernait ses vraies supériorités, mais de premier ordre[b], sut mettre cette virtuosité au service d'un sens artistique multiple et qui la décupla. Qu'on imagine quelque artiste purement adroit des Ballets russes, stylé, instruit, développé en tous sens par M. de Diaghilev[1].

Je venais de transmettre à Mme Verdurin le message dont m'avait chargé Morel, et je parlais de Saint-Loup avec M. de Charlus, quand Cottard entra au salon[c] en annonçant comme s'il y avait le feu, que les Cambremer arrivaient. Mme Verdurin, pour ne pas avoir l'air vis-à-vis de nouveaux comme M. de Charlus (que Cottard n'avait pas vu) et comme moi, d'attacher tant d'importance à l'arrivée des Cambremer, ne bougea pas, ne répondit pas à l'annonce de cette nouvelle et se contenta de dire au docteur, en s'éventant avec grâce et du même ton factice qu'une marquise du Théâtre-Français : « Le baron nous disait justement... » C'en était trop pour Cottard ! Moins vivement qu'il n'eût fait autrefois, car l'étude et les hautes situations avaient ralenti son débit, mais avec cette émotion tout de même qu'il retrouvait chez les Verdurin : « Un baron ! Où çà, un baron ? Où çà, un baron[2] ? » s'écria-t-il en le cherchant des yeux avec un étonnement qui frisait l'incrédulité. Mme Verdurin, avec l'indifférence[a] affectée d'une maîtresse de maison à qui un domestique vient devant les invités de casser un verre de prix, et avec l'intonation artificielle et surélevée d'un premier prix du Conservatoire jouant du Dumas fils, répondit en désignant avec son éventail le protecteur de Morel : « Mais, le baron de Charlus, à qui je vais vous nommer... monsieur le professeur Cottard. » Il ne déplaisait d'ailleurs pas à Mme Verdurin d'avoir l'occasion de jouer à la dame. M. de Charlus tendit deux doigts que le professeur serra avec le sourire bénévole d'un « prince de la science ». Mais il s'arrêta[b] net en voyant entrer les Cambremer, tandis que M. de Charlus m'entraînait dans un coin pour me dire un mot, non sans palper mes muscles, ce qui est une manière allemande[1]. M. de Cambremer ne ressemblait guère à la vieille marquise. Il était[c], comme elle le disait avec tendresse, « tout à fait du côté de son papa ». Pour qui n'avait entendu que parler de lui, ou même de lettres de lui, vives et convenablement tournées, son physique étonnait. Sans doute devait-on s'y habituer. Mais son nez avait choisi pour venir se placer de travers au-dessus de sa bouche, peut-être la seule ligne oblique, entre tant d'autres, qu'on n'eût eu l'idée de tracer sur ce visage, et qui signifiait une bêtise vulgaire, aggravée encore par le voisinage d'un teint normand à la rougeur de pommes. Il est possible que les yeux de M. de Cambremer gardassent dans leurs paupières un peu de ce ciel du Cotentin, si doux par les beaux jours ensoleillés où le promeneur s'amuse à voir, arrêtées au bord de la route, et à compter par centaines les ombres des peupliers, mais ces paupières lourdes, chassieuses et mal rabattues eussent empêché l'intelligence elle-même de passer. Aussi, décontenancé par la minceur de ce regard bleu, se reportait-on au grand nez de travers. Par une transposition de sens, M. de Cambremer vous regardait avec son nez[2]. Ce nez de M. de Cambremer n'était pas laid, plutôt un peu trop beau, trop fort, trop fier de son importance. Busqué, astiqué, luisant, flambant neuf, il était tout disposé à compenser l'insuffisance spirituelle du regard ; malheureusement, si les yeux sont quelquefois l'organe où se révèle l'intelligence, le nez (quelle que soit d'ailleurs l'intime solidarité et la répercussion insoupçonnée des traits les uns sur les autres), le nez est généralement l'organe où s'étale le plus aisément la bêtise.

La convenance de vêtements sombres que portait toujours, même le matin, M. de Cambremer, avait beau rassurer ceux qu'éblouissait et exaspérait l'insolent éclat des costumes de plage des gens qu'ils ne connaissaient pas, on ne pouvait comprendre que la femme du premier président déclarât d'un air de flair et d'autorité, en personne qui a plus que vous l'expérience de la haute société d'Alençon, que devant M. de Cambremer on se sentait tout de suite, même avant de savoir qui il était, en présence d'un homme de haute distinction, d'un homme parfaitement bien élevé, qui changeait du genre de Balbec, un homme enfin auprès de qui on pouvait respirer. Il était pour elle, asphyxiée par tant de touristes de Balbec, qui ne connaissaient pas son monde, comme un flacon de sels. Il me sembla au contraire qu'il était des gens que ma grand-mère eût trouvés tout de suite « très mal » et comme elle ne comprenait pas le snobisme, elle eût sans doute été stupéfaite qu'il eût réussi à être épousé par Mlle Legrandin qui devait être difficile en fait de distinction, elle dont le frère était « si bien ». Tout au plus pouvait-on dire de la laideur vulgaire de M. de Cambremer qu'elle était un peu du pays et avait quelque chose de très anciennement local ; on pensait, devant ses traits fautifs et qu'on eût voulu rectifier, à ces noms de petites villes normandes sur l'étymologie desquels mon curé se trompait parce que les paysans, articulant mal ou ayant compris de travers le mot normand ou latin qui les désigne, ont fini[a] par fixer dans un barbarisme qu'on trouve déjà dans les cartulaires, comme eût dit Brichot, un contresens et un vice de prononciation. La vie dans ces vieilles petites villes peut d'ailleurs se passer agréablement, et M. de Cambremer devait avoir des qualités, car s'il était d'une mère que la vieille marquise préférât son fils à sa belle-fille, en revanche, elle qui avait plusieurs enfants dont deux au moins n'étaient pas sans mérites, déclarait souvent que le marquis était à son avis le meilleur de la famille. Pendant le peu de temps qu'il avait passé dans l'armée, ses camarades, trouvant trop long de dire Cambremer, lui avaient donné le surnom de Cancan qu'il n'avait d'ailleurs mérité en rien. Il savait orner un dîner où on l'invitait en disant au moment du poisson (le poisson fût-il pourri) ou à l'entrée : « Mais dites donc, il me semble que voilà une belle bête[1]. » Et sa femme, ayant adopté en entrant dans la famille tout ce qu'elle avait cru faire partie du genre de ce monde-là, se mettait à la hauteur des amis de son mari et peut-être cherchait à lui plaire comme une maîtresse et comme si elle avait jadis été mêlée à sa vie de garçon, en disant d'un air dégagé quand elle parlait de lui à des officiers : « Vous allez voir Cancan. Cancan est allé à Balbec, mais il reviendra ce soir. » Elle était furieuse de se compromettre ce soir chez les Verdurin et ne le faisait qu'à la prière de sa belle-mère et de son mari, dans l'intérêt de la location. Mais, moins bien élevée qu'eux, elle ne se cachait pas du motif et depuis quinze jours faisait avec ses amies des gorges chaudes de ce dîner. « Vous savez que nous dînons chez nos locataires. Cela vaudra bien une augmentation. Au fond, je suis assez curieuse de savoir ce qu'ils ont pu faire de notre pauvre vieille Raspelière (comme si elle y fût née, et y retrouvât tous les souvenirs des siens). Notre vieux garde m'a encore dit hier qu'on ne reconnaissait plus rien. Je n'ose pas penser à tout ce qui doit se passer là-dedans. Je crois que nous ferons bien de faire désinfecter tout avant de nous réinstaller. » Elle arriva hautaine et morose, de l'air d'une grande dame dont le château, du fait d'une guerre, est occupé par les ennemis, mais qui se sent tout de même chez elle et tient à montrer aux vainqueurs qu'ils sont des intrus. Mme de Cambremer ne put me voir d'abord car j'étais dans une baie latérale avec M. de Charlus, lequel me disait avoir appris par Morel que son père avait été « intendant » dans ma famille, et qu'il comptait suffisamment, lui Charlus, sur mon intelligence et ma magnanimité (terme commun à lui et à Swann) pour me refuser l'ignoble et mesquin plaisir que de vulgaires petits imbéciles (j'étais prévenu) ne manqueraient pas à ma place de prendre en révélant à nos hôtes des détails que ceux-ci pourraient croire amoindrissants. « Le seul fait que je m'intéresse à lui et étende sur lui ma protection a quelque chose de suréminent et abolit le passé », conclut le baron. Tout en l'écoutant et en lui promettant le silence que j'aurais gardé même sans l'espoir de passer en échange pour intelligent et magnanime, je regardais Mme de Cambremer. Et j'eus peine à reconnaître la chose fondante et savoureuse que j'avais eue l'autre jour auprès de moi à l'heure du goûter, sur la terrasse de Balbec, dans la galette normande que je voyais, dure comme un galet, où les fidèles eussent en vain essayé de mettre la dent. Irritée d'avance du côté bonasse que son mari tenait de sa mère et qui lui ferait prendre un air honoré quand on lui présenterait les fidèles[a], désireuse pourtant de remplir ses fonctions de femme du monde, quand on lui eut nommé Brichot elle voulut lui faire faire la connaissance de son mari parce qu'elle avait vu ses amies plus élégantes faire ainsi, mais la rage ou l'orgueil l'emportant sur l'ostentation du savoir-vivre, elle dit, non comme elle aurait dû : « Permettez-moi de vous présenter mon mari », mais : « Je vous présente mon mari », tenant haut ainsi le drapeau des Cambremer, en dépit d'eux-mêmes, car le marquis s'inclina devant Brichot aussi bas qu'elle avait prévu. Mais toute cette humeur de Mme de Cambremer changea soudain quand elle aperçut M. de Charlus qu'elle connaissait de vue. Jamais elle n'avait réussi à se le faire présenter même au temps de la liaison qu'elle avait eue avec Swann[1]. Car M. de Charlus prenant toujours le parti des femmes, de sa belle-sœur contre les maîtresses de M. de Guermantes, d'Odette, pas encore mariée alors, mais vieille liaison de Swann, contre les nouvelles, avait, sévère défenseur de la morale et protecteur fidèle des ménages, donné à Odette — et tenu — la promesse de ne pas se laisser nommer à Mme de Cambremer. Celle-ci ne s'était certes pas doutée que c'était chez les Verdurin qu'elle connaîtrait enfin cet homme inapprochable. M. de Cambremer savait que c'était une si grande joie pour elle qu'il en était lui-même attendri, et qu'il regarda sa femme d'un air qui signifiait : « Vous êtes contente de vous être décidée à venir, n'est-ce pas ? » Il parlait du reste fort peu, sachant qu'il avait épousé une femme supérieure. « Moi, indigne », disait-il à tout moment, et citait volontiers une fable de La Fontaine et une de Florian qui lui paraissaient[b] s'appliquer à son ignorance[2], et, d'autre part, lui permettre, sous les formes d'une dédaigneuse flatterie, de montrer aux hommes de science qui n'étaient pas du Jockey qu'on pouvait chasser et avoir lu des fables. Le malheur est qu'il n'en connaissait guère que deux. Aussi revenaient-elles souvent. Mme de Cambremer n'était pas bête mais elle avait diverses habitudes fort agaçantes. Chez elle la déformation des noms n'avait absolument rien du dédain aristocratique. Ce n'est pas elle qui, comme la duchesse de Guermantes (laquelle par sa naissance eût dû être, plus que Mme de Cambremer, à l'abri de ce ridicule), eût dit pour ne pas avoir l'air de savoir le nom peu élégant (alors qu'il est maintenant celui d'une des femmes les plus difficiles à approcher) de Julien de Monchâteau : « une petite madame... Pic de la Mirandole[1] ». Non, quand Mme de Cambremer citait à faux un nom c'était par bienveillance, pour ne pas avoir l'air de savoir quelque chose, et quand par sincérité pourtant elle l'avouait, croyant le cacher en le démarquant. Si par exemple elle défendait une femme, elle cherchait à dissimuler, tout en voulant ne pas mentir à qui la suppliait de dire la vérité, que madame une telle était actuellement la maîtresse de M. Sylvain Lévy[a], et elle disait : « Non... je ne sais absolument rien sur elle, je crois qu'on lui a reproché d'avoir inspiré une passion à un monsieur dont je ne sais pas le nom, quelque chose comme Cahn, Kohn, Kuhn ; du reste, je crois que ce monsieur est mort depuis fort longtemps et qu'il n'y a jamais rien eu entre eux. » C'est le procédé semblable à celui des menteurs — et inverse du leur — qui en altérant[b] ce qu'ils ont fait quand ils le racontent à une maîtresse ou simplement à un ami, se figurent que l'une ou l'autre ne verra pas immédiatement que la phrase dite (de même que Cahn, Kohn, Kuhn) est interpolée, est d'une autre espèce que celles qui composent la conversation, est à double fond.

Mme Verdurin demanda à l'oreille de son mari : « Est-ce que je donne le bras au baron de Charlus ? Comme tu auras à ta droite Mme de Cambremer, on aurait pu croiser les politesses. — Non, dit M. Verdurin, puisque l'autre est plus élevé en grade (voulant dire que M. de Cambremer était marquis), M. de Charlus est en somme son inférieur. — Hé bien ! je le mettrai à côté de la princesse. » Et Mme Verdurin présenta à M. de Charlus Mme Sherbatoff[c] ; ils s'inclinèrent en silence tous deux, de l'air d'en savoir long l'un sur l'autre et de se promettre un mutuel secret. M. Verdurin me présenta à M. de Cambremer. Avant même qu'il n'eût parlé de sa voix forte et légèrement bégayante, sa haute taille et sa figure colorée manifestaient dans leur oscillation l'hésitation martiale d'un chef qui cherche à vous rassurer et vous dit : « On m'a parlé, nous arrangerons cela ; je vous ferai lever votre punition ; nous ne sommes pas des buveurs de sang ; tout ira bien. » Puis me serrant la main : « Je crois que vous connaissez ma mère », me dit-il. Le verbe « croire » lui semblait d'ailleurs convenir à la discrétion d'une première présentation mais nullement exprimer un doute, car il ajouta : « J'ai du reste une lettre d'elle pour vous. » M. de Cambremer était naïvement heureux de revoir des lieux où il avait vécu si longtemps. « Je me retrouve », dit-il à Mme Verdurin tandis que son regard s'émerveillait de reconnaître les peintures de fleurs en trumeaux au-dessus des portes, et les bustes en marbre sur leurs hauts socles. Il pouvait pourtant se trouver dépaysé, car Mme Verdurin avait apporté quantité de vieilles belles choses qu'elle possédait. À ce point de vue[a], Mme Verdurin, tout en passant aux yeux des Cambremer pour tout bouleverser, était non pas révolutionnaire mais intelligemment conservatrice, dans un sens qu'ils ne comprenaient pas. Ils l'accusaient aussi à tort de détester la vieille demeure et de la déshonorer par de simples toiles au lieu de leur riche peluche, comme un curé ignorant reprochant à un architecte diocésain de remettre en place de vieux bois sculptés laissés au rancart et auxquels l'ecclésiastique avait cru bon de substituer des ornements achetés place Saint-Sulpice. Enfin, un jardin de curé commençait à remplacer devant le château les plates-bandes qui faisaient l'orgueil non seulement des Cambremer mais de leur jardinier. Celui-ci, qui considérait les Cambremer comme ses seuls maîtres et gémissait sous le joug des Verdurin comme si la terre eût été momentanément occupée par un envahisseur et une troupe de soudards, allait en secret porter ses doléances à la propriétaire dépossédée, s'indignait du mépris où étaient tenus ses araucarias, ses bégonias, ses joubarbes, ses dahlias doubles, et qu'on osât dans une aussi riche demeure faire pousser des fleurs aussi communes que des anthémis et des cheveux de Vénus. Mme Verdurin sentait cette sourde opposition et était décidée, si elle faisait un long bail ou même achetait La Raspelière, à mettre comme condition le renvoi du jardinier auquel la vieille propriétaire au contraire tenait extrêmement. Il l'avait servie pour rien dans des temps difficiles, l'adorait ; mais par ce morcellement bizarre de l'opinion des gens du peuple, où le mépris moral le plus profond s'enclave dans l'estime la plus passionnée, laquelle chevauche à son tour de vieilles rancunes inabolies, il disait souvent de Mme de Cambremer qui, en 70, dans un château qu'elle avait dans l'Est, surprise par l'invasion, avait dû souffrir pendant un mois le contact des Allemands : « Ce qu'on a beaucoup reproché à Madame la marquise, c'est, pendant la guerre, d'avoir pris le parti des Prussiens et de les avoir même logés chez elle. À un autre moment, j'aurais compris ; mais en temps de guerre, elle n'aurait pas dû. C'est pas bien. » De sorte qu'il lui était fidèle jusqu'à la mort, la vénérait pour sa bonté et accréditait qu'elle se fût rendue coupable de trahison. Mme Verdurin fut piquée que M. de Cambremer prétendît reconnaître si bien La Raspelière. « Vous devez pourtant trouver quelques changements, répondit-elle. Il y a d'abord de grands diables de bronze de Barbedienne[1] et de petits coquins de sièges en peluche que je me suis empressée d'expédier au grenier, qui est encore trop bon pour eux. » Après cette acerbe riposte adressée à M. de Cambremer, elle lui offrit le bras pour aller à table. Il hésita un instant, se disant : « Je ne peux tout de même pas passer avant M. de Charlus. » Mais pensant que celui-ci était un vieil ami de la maison du moment qu'il n'avait pas la place d'honneur, il se décida à prendre le bras qui lui était offert et dit à Mme Verdurin combien il était fier d'être admis dans le cénacle (c'est ainsi qu'il appela le petit noyau, non sans rire un peu de la satisfaction de connaître ce terme). Cottard[a], qui était assis à côté de M. de Charlus, le regardait sous son lorgnon pour faire connaissance et rompre la glace, avec des clignements beaucoup[b] plus insistants qu'ils n'eussent été jadis, et non coupés de timidités. Et ses regards engageants, accrus par leur sourire, n'étaient plus contenus par le verre du lorgnon et le débordaient de tous côtés. Le baron, qui voyait facilement partout des pareils à lui, ne douta pas que Cottard n'en fût un et ne lui fît de l'œil. Aussitôt il témoigna au professeur la dureté des invertis, aussi méprisants pour ceux à qui ils plaisent qu'ardemment empressés auprès de ceux qui leur plaisent. Sans doute, bien que chacun parle mensongèrement de la douceur, toujours refusée par le destin, d'être aimé, c'est une loi générale et dont l'empire est bien loin de s'étendre sur les seuls Charlus, que l'être que nous n'aimons pas et qui nous aime nous paraisse insupportable. À cet être, à telle femme dont nous ne dirons pas qu'elle nous aime mais qu'elle nous cramponne, nous préférons la société de n'importe quelle autre qui n'aura ni son charme, ni son agrément, ni son esprit. Elle ne les recouvrera pour nous que quand elle aura cessé de nous aimer. En ce sens, on pourrait ne voir que la transposition, sous une forme cocasse, de cette règle universelle, dans l'irritation causée chez un inverti par un homme[a] qui lui déplaît et le recherche. Mais elle est chez lui bien plus forte. Aussi, tandis que le commun des hommes cherche à la dissimuler tout en l'éprouvant, l'inverti la fait implacablement sentir à celui qui la provoque, comme il ne la ferait[b] certainement pas sentir à une femme, M. de Charlus par exemple, à la princesse de Guermantes dont la passion l'ennuyait, mais le flattait. Mais quand ils voient un autre homme témoigner envers eux d'un goût particulier, alors, soit incompréhension que ce soit le même que le leur, soit fâcheux rappel que ce goût, embelli par eux tant que c'est eux-mêmes qui l'éprouvent, est considéré comme un vice, soit désir de se réhabiliter par un éclat dans une circonstance où cela ne leur coûte pas, soit par une crainte d'être devinés qu'ils retrouvent soudain quand le désir ne les mène plus, les yeux bandés, d'imprudence en imprudence, soit par la fureur de subir du fait de l'attitude équivoque d'un autre le dommage que par la leur, si cet autre leur plaisait, ils ne craindraient pas de lui causer, ceux que cela n'embarrasse pas de suivre un jeune homme pendant des lieues, de ne pas le quitter des yeux au théâtre même s'il est avec des amis, risquant par cela de le brouiller avec eux, on peut les entendre, pour peu qu'un autre qui ne leur plaît pas les regarde, dire : « Monsieur, pour qui me prenez-vous ? (simplement parce qu'on les prend pour ce qu'ils sont) je ne vous comprends pas, inutile d'insister, vous faites erreur », aller au besoin jusqu'aux gifles, et devant quelqu'un qui connaît l'imprudent, s'indigner : « Comment, vous connaissez cette horreur ? Elle a une façon de vous regarder !... En voila des manières ! » M. de Charlus n'alla pas aussi loin, mais il prit l'air offensé et glacial qu'ont, lorsqu'on a l'air de les croire légères, les femmes qui ne le sont pas, et encore plus celles[c] qui le sont. D'ailleurs, l'inverti mis en présence d'un inverti voit non pas seulement une image déplaisante de lui-même, qui ne pourrait, purement inanimée, que faire souffrir son amour-propre, mais un autre lui-même, vivant, agissant dans le même sens, capable donc de le faire souffrir dans ses amours. Aussi est-ce dans un sens d'instinct de conservation qu'il dira du mal du concurrent possible, soit avec les gens qui peuvent nuire à celui-ci (et sans que l'inverti n° 1 s'inquiète de passer pour menteur quand il accable ainsi l'inverti n° 2 aux yeux de personnes qui peuvent être renseignées sur son propre cas), soit avec le jeune homme qu'il a « levé », qui va peut-être lui être enlevé et auquel il s'agit de persuader que les mêmes choses qu'il a tout avantage à faire avec lui causeraient le malheur de sa vie s'il se laissait aller à les faire avec l'autre. Pour M. de Charlus, qui pensait peut-être aux dangers (bien imaginaires) que la présence de ce Cottard dont il comprenait à faux le sourire, ferait courir à Morel, un inverti qui ne lui plaisait pas n'était pas seulement une caricature de lui-même, c'était aussi[a] un rival désigné. Un commerçant, et tenant un commerce rare, en débarquant dans la ville de province où il vient s'installer pour la vie, s'il voit que, sur la même place, juste en face, le même commerce est tenu par un concurrent, n'est pas[b] plus déconfit qu'un Charlus allant cacher ses amours dans une région tranquille et qui, le jour de l'arrivée, aperçoit le gentilhomme du lieu, ou le coiffeur, desquels l'aspect et les manières ne lui laissent aucun doute. Le commerçant prend souvent son concurrent en haine ; cette haine dégénère parfois en mélancolie, et pour peu qu'il y ait hérédité assez chargée, on a vu dans des petites villes le commerçant montrer des commencements de folie qu'on ne guérit qu'en le décidant à vendre son « fonds » et à s'expatrier. La rage de l'inverti est plus lancinante encore. Il a compris que dès la première seconde le gentilhomme et le coiffeur ont désiré son jeune compagnon. Il a beau répéter cent fois par jour à celui-ci que le coiffeur et le gentilhomme sont des bandits dont l'approche le déshonorerait, il est obligé, comme Harpagon[1], de veiller sur son trésor et se relève la nuit pour voir si on ne le lui prend pas. Et c'est ce qui fait sans doute, plus encore que le désir ou la commodité d'habitudes communes, et pesque autant que cette expérience de soi-même qui est la seule vraie, que l'inverti dépiste l'inverti avec une rapidité et une sûreté presque infaillibles. Il peut se tromper un moment mais une divination rapide le remet dans la vérité. Aussi l'erreur de M. de Charlus fut-elle courte. Le discernement divin lui montra au bout d'un instant que Cottard n'était pas de sa sorte et qu'il n'avait à craindre ses avances ni pour lui-même, ce qui n'eût fait que l'exaspérer, ni pour Morel, ce qui lui eût paru plus grave. Il reprit son calme et comme il était encore sous l'influence du passage de Vénus androgyne, par moments il souriait faiblement aux Verdurin sans prendre la peine d'ouvrir la bouche, en déplissant seulement un coin de lèvres, et pour une seconde allumait câlinement ses yeux, lui si féru de virilité, exactement comme eût fait sa belle-sœur la duchesse de Guermantes. « Vous chassez beaucoup, monsieur ? dit Mme Verdurin avec mépris à M. de Cambremer. — Est-ce que Ski vous a raconté qu'il nous en est arrivé une excellente ? demanda Cottard à la Patronne. — Je chasse surtout dans la forêt de Chantepie, répondit M. de Cambremer. — Non, je n'ai rien raconté, dit Ski. — Mérite-t-elle son nom ? » demanda Brichot à M. de Cambremer, après m'avoir regardé du coin de l'œil car il m'avait promis de parler étymologies, tout en me demandant de dissimuler aux Cambremer le mépris que lui inspiraient celles du curé de Combray. « C'est sans doute que je ne suis pas capable de comprendre, mais je ne saisis pas votre question, dit M. de Cambremer. — Je veux dire : Est-ce qu'il y chante beaucoup de pies ? » répondit Brichot. Cottard cependant souffrait que Mme Verdurin ignorât qu'ils avaient failli manquer le train. « Allons, voyons, dit Mme Cottard à son mari pour l'encourager, raconte ton odyssée. — En effet elle sort de l'ordinaire, dit le docteur qui recommença son récit. Quand j'ai vu que le train était en gare, je suis resté médusé. Tout cela par la faute de Ski. Vous êtes plutôt bizarroïde dans vos renseignements, mon cher ! Et Brichot qui nous attendait à la gare ! — Je croyais », dit l'universitaire en jetant autour de lui ce qui lui restait de regard et en souriant de ses lèvres minces, « que si vous vous étiez attardé à Graincourt, c'est que vous aviez rencontré quelque péripatéticienne. — Voulez-vous vous taire ? si ma femme[a] vous entendait ! dit le professeur. La femme à moâ, il est jalouse. — Ah ! ce Brichot », s'écria Ski, en qui l'égrillarde plaisanterie de Brichot éveillait la gaieté de tradition, « il est toujours le même », bien qu'il ne sût pas à vrai dire si l'universitaire avait jamais été polisson. Et pour ajouter à ces paroles consacrées le geste rituel, il fit mine de ne pouvoir résister au désir de lui pincer la jambe. « Il ne change pas, ce gaillard-là », continua Ski, et sans penser à ce que la quasi-cécité de l'universitaire donnait de triste et de comique à ces mots, il ajouta : « Toujours un petit œil pour les femmes. — Voyez-vous, dit M. de Cambremer, ce que c'est que de rencontrer un savant. Voilà quinze ans que je chasse dans la forêt de Chantepie et jamais je n'avais réfléchi à ce que son nom voulait dire. » Mme de Cambremer jeta un regard sévère à son mari ; elle n'aurait pas voulu qu'il s'humiliât ainsi devant Brichot. Elle fut plus mécontente encore quand à chaque expression « toute faite » qu'employait Cancan, Cottard, qui en connaissait le fort et le faible parce qu'il les avait laborieusement apprises, démontrait au marquis, lequel confessait sa bêtise, qu'elles ne voulaient rien dire : « Pourquoi : bête comme chou ? Croyez-vous que les choux soient plus bêtes qu'autre chose ? Vous dites : répéter trente-six fois la même chose. Pourquoi particulièrement trente-six ? Pourquoi : dormir comme un pieu ? Pourquoi : tonnerre de Brest ? Pourquoi : faire les quatre cents coups[1] ? » Mais alors la défense de M. de Cambremer était prise par Brichot qui expliquait l'origine de chaque locution. Mais Mme de Cambremer était surtout occupée à examiner les changements que les Verdurin avaient apportés à La Raspelière, afin de pouvoir en critiquer certains, en importer à Féterne d'autres, ou peut-être les mêmes. « Je me demande ce que c'est que ce lustre qui s'en va tout de traviole. J'ai peine à reconnaître ma vieille Raspelière », ajouta-t-elle d'un air familièrement aristocratique, comme elle eût parlé d'un serviteur dont elle eût prétendu moins désigner l'âge que dire qu'il l'avait vue naître. Et comme elle était un peu livresque dans son langage : « Tout de même, ajouta-t-elle à mi-voix, il me semble que, si j'habitais chez les autres, j'aurais quelque vergogne à tout changer ainsi. — C'est malheureux que vous ne soyez pas venus avec eux », dit Mme Verdurin à M. de Charlus et à Morel, espérant que M. de Charlus était « de revue » et se plierait à la règle d'arriver tous par le même train. « Vous êtes sûr que Chantepie veut dire la pie qui chante, Chochotte[2] ? » ajouta-t-elle pour montrer qu'en grande maîtresse de maison elle prenait part à toutes les conversations à la fois. « Parlez-moi donc un peu de ce violoniste, me dit Mme de Cambremer, il m'intéresse ; j'adore la musique, et il me semble que j'ai entendu parler de lui, faites mon instruction. » Elle avait appris que Morel était venu avec M. de Charlus et voulait, en faisant venir le premier, tâcher de se lier avec le second. Elle ajouta pourtant, pour que je ne pusse deviner cette raison : « M. Brichot aussi m'intéresse. » Car si elle était fort cultivée, de même que certaines personnes prédisposées à l'obésité mangent à peine et marchent toute la journée sans cesser d'engraisser à vue d'œil, de même Mme de Cambremer avait beau approfondir, et surtout à Féterne, une philosophie de plus en plus ésotérique, une musique de plus en plus savante, elle ne sortait de ces études que pour machiner des intrigues qui lui permissent de « couper » les amitiés bourgeoises de sa jeunesse et de nouer des relations qu'elle avait cru d'abord faire partie de la société de sa belle-famille et qu'elle s'était aperçue ensuite être situées beaucoup plus haut et beaucoup plus loin. Un philosophe qui n'était pas assez moderne pour elle, Leibniz, a dit que le trajet est long de l'intelligence au cœur[1]. Ce trajet Mme de Cambremer n'avait pas été plus que son frère de force à le parcourir. Ne quittant la lecture de Stuart Mill[2] que pour celle de Lachelier[3], au fur et à mesure qu'elle croyait moins à la réalité du monde extérieur, elle mettait plus d'acharnement à chercher à s'y faire, avant de mourir, une bonne position. Éprise d'art réaliste, aucun objet ne lui paraissait assez humble pour servir de modèle au peintre ou à l'écrivain. Un tableau ou un roman mondain lui eussent donné la nausée ; un moujik de Tolstoï, un paysan de Millet étaient l'extrême limite sociale qu'elle ne permettait pas à l'artiste de dépasser. Mais franchir celle qui bornait ses propres relations, s'élever jusqu'à la fréquentation de duchesses, était le but de tous ses efforts, tant le traitement spirituel auquel elle se soumettait par le moyen de l'étude des chefs-d'œuvre, restait inefficace contre le snobisme congénital et morbide qui se développait chez elle. Celui-ci avait même fini par guérir certains penchants à l'avarice et à l'adultère auxquels étant jeune elle était encline, pareil en cela à ces états pathologiques singuliers et permanents qui semblent immuniser ceux qui en sont atteints contre les autres maladies. Je ne pouvais du reste m'empêcher en l'entendant parler de rendre justice, sans y prendre aucun plaisir, au raffinement de ses expressions. C'étaient celles qu'ont, à une époque donnée, toutes les personnes d'une même envergure intellectuelle, de sorte que l'expression raffinée fournit aussitôt comme l'arc de cercle, le moyen de décrire et de limiter toute la circonférence. Aussi ces expressions font-elles que les personnes qui les emploient m'ennuient immédiatement comme déjà connues, mais aussi passent pour supérieures, et me furent souvent offertes comme voisines délicieuses et inappréciées. « Vous n'ignorez pas, madame, que beaucoup de régions forestières tirent leur nom des animaux qui les peuplent. À côté de la forêt de Chantepie, vous avez le bois de Chantereine[1]. — Je ne sais pas de quelle reine il s'agit, mais vous n'êtes pas galant pour elle, dit M. de Cambremer. — Attrapez[2], Chochotte, dit Mme Verdurin. Et à part cela, le voyage s'est bien passé ? — Nous n'avons rencontré que de vagues humanités qui remplissaient le train. Mais je réponds à la question de M. de Cambremer ; reine n'est pas ici la femme d'un roi, mais la grenouille. C'est le nom qu'elle a gardé longtemps dans ce pays, comme en témoigne la station de Renneville, qui devrait s'écrire Reineville[a3]. — Il me semble que vous avez là une belle bête[4] », dit M. de Cambremer à Mme Verdurin, en montrant un poisson. C'était là un de ces compliments à l'aide desquels il croyait payer son écot à un dîner, et déjà rendre sa politesse. (« Les inviter est inutile, disait-il souvent en parlant de tels de leurs amis à sa femme. Ils ont été enchantés de nous avoir. C'étaient eux qui me remerciaient. ») « D'ailleurs je dois vous dire que je vais presque chaque jour à Renneville depuis bien des années, et je n'y ai vu pas plus de grenouilles qu'ailleurs. Mme de Cambremer avait fait venir ici le curé d'une paroisse où elle a de grands biens et qui a la même tournure d'esprit que vous, à ce qu'il semble. Il a écrit un ouvrage. — Je crois bien, je l'ai lu avec infiniment d'intérêt », répondit hypocritement Brichot. La satisfaction que son orgueil recevait indirectement de cette réponse fit rire longuement M. de Cambremer. « Ah ! eh bien, l'auteur, comment dirais-je, de cette géographie, de ce glossaire, épilogue longuement sur le nom d'une petite localité dont nous étions autrefois, si je puis dire, les seigneurs, et qui se nomme Pont-à-Couleuvre. Or je ne suis évidemment qu'un vulgaire ignorant à côté de ce puits de science, mais je suis bien allé mille fois à Pont-à-Couleuvre pour lui une, et du diable si j'y ai jamais vu un seul de ces vilains serpents, je dis vilains, malgré l'éloge qu'en fait le bon La Fontaine (« L'Homme et la Couleuvre » était une des deux fables[1]). — Vous n'en avez pas vu, et c'est vous qui avez vu juste, répondit Brichot. Certes, l'écrivain dont vous parlez connaît à fond son sujet, il a écrit un livre remarquable. — Voire ! s'exclama Mme de Cambremer, ce livre, c'est bien le cas de le dire, est un véritable travail de bénédictin. — Sans doute il a consulté quelques pouillés (on entend par là les listes des bénéfices et des cures de chaque diocèse), ce qui a pu lui fournir le nom des patrons laïcs et des collateurs ecclésiastiques. Mais il est d'autres sources. Un de mes plus savants amis y a puisé. Il a trouvé que le même lieu était dénommé Pont-à-Quileuvre. Ce nom bizarre l'incita à remonter plus haut encore, à un texte latin où le pont que votre ami croit infesté de couleuvres est désigné : *Pons cui aperit*. Pont fermé qui ne s'ouvrait que moyennant une honnête rétribution[2]. — Vous parlez de grenouilles. Moi, en me trouvant au milieu de personnes si savantes, je me fais l'effet de la grenouille devant l'aréopage[3] » (c'était la seconde fable), dit Cancan qui faisait souvent en riant beaucoup, cette plaisanterie grâce à laquelle il croyait à la fois par humilité et avec à-propos, faire profession d'ignorance et étalage de savoir[4]. Quant à Cottard, bloqué par le silence de M. de Charlus et essayant de se donner de l'air des autres côtés, il se tourna vers moi et me fit une de ces questions qui frappaient ses malades s'il était tombé juste et montraient ainsi qu'il était pour ainsi dire dans leur corps ; si au contraire il tombait à faux, lui permettaient de rectifier certaines théories, d'élargir les points de vue anciens. « Quand vous arrivez à ces sites relativement élevés comme celui où nous nous trouvons en ce moment, remarquez-vous que cela augmente votre tendance aux étouffements ? » me demanda-t-il, certain ou de faire admirer, ou de compléter son instruction. M. de Cambremer entendit la question et sourit. « Je ne peux pas vous dire comme ça m'amuse d'apprendre que vous avez des étouffements », me jeta-t-il à travers la table. Il ne voulait pas dire par cela que cela l'égayait, bien que ce fût vrai aussi. Car cet homme excellent ne pouvait cependant pas entendre parler du malheur d'autrui sans un sentiment de bien-être et un spasme d'hilarité qui faisaient vite place à la pitié d'un bon cœur. Mais sa phrase avait un autre sens, que précisa celle qui la suivit : « Ça m'amuse, me dit-il, parce que justement ma sœur en a aussi. » En somme cela l'amusait comme s'il m'avait entendu citer comme un de mes amis quelqu'un qui eût fréquenté beaucoup chez eux. « Comme le monde est petit », fut la réflexion qu'il formula mentalement et que je vis écrite sur son visage souriant quand Cottard me parla de mes étouffements. Et ceux-ci devinrent à dater de ce dîner comme une sorte de relation commune et dont M. de Cambremer ne manquait jamais de me demander des nouvelles, ne fût-ce que pour en donner à sa sœur.

Tout en répondant aux questions que sa femme me posait sur Morel, je pensais à une conversation que j'avais eue avec ma mère dans l'après-midi[a]. Comme tout en ne me déconseillant pas d'aller chez les Verdurin si cela pouvait me distraire, elle me rappelait que c'était un milieu qui n'aurait pas plu à mon grand-père et lui eût fait crier : « À la garde[1] ! », ma mère avait ajouté : « Écoute, le président Toureuil[2] et sa femme m'ont dit qu'ils avaient déjeuné avec Mme Bontemps. On ne m'a rien demandé. Mais j'ai cru comprendre qu'un mariage entre Albertine et toi serait le rêve de sa tante. Je crois que la vraie raison est que tu leur es à tous très sympathique. Tout de même, le luxe qu'ils croient que tu pourrais lui donner, les relations qu'on sait plus ou moins que nous avons, je crois que tout cela n'y est pas étranger, quoique secondaire. Je ne t'en aurais pas parlé, parce que je n'y tiens pas, mais comme je me figure qu'on t'en parlera, j'ai mieux aimé prendre les devants. — Mais toi, comment la trouves-tu ? avais-je demandé à ma mère. — Mais moi, ce n'est pas moi qui l'épouserai. Tu peux certainement faire mille fois mieux comme mariage. Mais je crois que ta grand-mère n'aurait pas aimé qu'on t'influence. Actuellement je ne peux pas te dire comment je trouve Albertine, je ne la trouve pas. Je te dirai comme Mme de Sévigné : "Elle a de bonnes qualités, du moins je le crois. Mais dans ce commencement, je ne sais la louer que par des négatives. Elle n'est point ceci, elle n'a point l'accent de Rennes. Avec le temps, je dirai peut-être : elle est cela[3]." Et je la trouverai toujours bien si elle doit te rendre heureux. » Mais par ces mots mêmes, qui remettaient entre mes mains[a] de décider de mon bonheur, ma mère m'avait mis dans cet état de doute où j'avais déjà été quand, mon père m'ayant permis d'aller à *Phèdre* et surtout d'être homme de lettres, je m'étais senti tout à coup une responsabilité trop grande, la peur de le peiner, et cette mélancolie qu'il y a quand on cesse d'obéir à des ordres qui, au jour le jour, vous cachent l'avenir, de se rendre compte qu'on a enfin commencé de vivre pour de bon, comme une grande personne, la vie, la seule vie qui soit à la disposition de chacun de nous.

Peut-être le mieux serait-il d'attendre un peu, de commencer par voir Albertine comme par le passé pour tâcher d'apprendre si je l'aimais vraiment. Je pourrais l'amener chez les Verdurin pour la distraire, et ceci me rappela que je n'y étais venu moi-même ce soir que pour savoir si Mme Putbus y habitait ou allait y venir. En tout cas, elle ne dînait pas. « À propos de votre ami Saint-Loup », me dit Mme de Cambremer, usant ainsi d'une expression qui marquait plus de suite dans les idées que ses phrases ne l'eussent laissé croire, car si elle me parlait de musique elle pensait aux Guermantes, « vous savez que tout le monde parle de son mariage avec la nièce de la princesse de Guermantes. Je vous dirai que pour ma part, de tous ces potins mondains je ne me préoccupe *mie.* » Je fus pris de la crainte d'avoir parlé sans sympathie devant Robert de cette jeune fille faussement originale, et dont l'esprit était aussi médiocre que le caractère était violent. Il n'y a presque[b] pas une nouvelle que nous apprenions qui ne nous fasse regretter un de nos propos. Je répondis à Mme de Cambremer, ce qui du reste était vrai, que je n'en savais rien, et que d'ailleurs la fiancée me paraissait encore bien jeune. « C'est peut-être pour cela que ce n'est pas encore officiel ; en tout cas on le dit beaucoup. — J'aime mieux vous prévenir », dit sèchement Mme Verdurin à Mme de Cambremer, ayant entendu que celle-ci m'avait parlé de Morel, et quand elle avait baissé la voix pour me parler des fiançailles de Saint-Loup ayant cru qu'elle m'en parlait encore. « Ce n'est pas de la musiquette qu'on fait ici. En art vous savez, les fidèles de mes mercredis, mes enfants comme je les appelle, c'est effrayant ce qu'ils sont avancés », ajouta-t-elle avec un air d'orgueilleuse terreur. Je leur dis quelquefois : « Mes petites bonnes gens, vous marchez plus vite que votre patronne à qui les audaces ne passent pas pourtant pour avoir jamais fait peur. » Tous les ans ça va un peu plus loin ; je vois bientôt le jour où ils ne marcheront plus pour Wagner et pour d'Indy. — Mais c'est très bien[a] d'être avancé, on ne l'est jamais assez », dit Mme de Cambremer, tout en inspectant chaque coin de la salle à manger, en cherchant à reconnaître les choses qu'avait laissées sa belle-mère, celles qu'avait apportées Mme Verdurin, et à prendre celle-ci en flagrant délit de faute de goût. Cependant, elle cherchait à me parler du sujet qui l'intéressait le plus, M. de Charlus. Elle trouvait touchant qu'il protégeât un violoniste. « Il a l'air intelligent. — Même d'une verve extrême pour un homme déjà un peu âgé, dis-je. — Âgé ? Mais il n'a pas l'air âgé, regardez, le cheveu est resté jeune. » (Car depuis trois ou quatre ans le mot « cheveu » avait été employé au singulier par un de ces inconnus qui sont les lanceurs des modes littéraires, et toutes les personnes ayant la longueur de rayon de Mme de Cambremer disaient « le cheveu », non sans un sourire affecté. À l'heure actuelle on dit encore « le cheveu », mais de l'excès du singulier renaîtra le pluriel[1].) « Ce qui m'intéresse surtout chez M. de Charlus, ajouta-t-elle, c'est qu'on sent chez lui le don. Je vous dirai que je fais bon marché du savoir. Ce qui s'apprend ne m'intéresse pas. » Ces paroles ne sont pas en contradiction avec la valeur particulière de Mme de Cambremer, qui était précisément imitée et acquise. Mais justement une des choses qu'on devait savoir à ce moment-là, c'est que le savoir n'est rien et ne pèse pas un fétu à côté de l'originalité. Mme de Cambremer avait appris, comme le reste, qu'il ne faut rien apprendre. « C'est pour cela, me dit-elle, que Brichot qui a son côté curieux, car je ne fais pas fi d'une certaine érudition savoureuse, m'intéresse pourtant beaucoup moins. » Mais Brichot, à ce moment-là, n'était occupé que d'une chose : entendant qu'on parlait musique, il tremblait que le sujet ne rappelât à Mme Verdurin la mort de Dechambre. Il voulait dire quelque chose pour écarter ce souvenir funeste. M. de Cambremer lui en fournit l'occasion par cette question : « Alors, les lieux boisés portent toujours des noms d'animaux ? — Que non pas », répondit

Brichot, heureux de déployer son savoir devant tant de nouveaux, parmi lesquels je lui avais dit qu'il était sûr d'en intéresser au moins un. « Il suffit de voir combien, dans les noms de personnes elles-mêmes, un arbre est conservé, comme une fougère dans de la houille. Un de nos pères conscrits[1] s'appelle M. de Saulces de Freycinet[2], ce qui signifie, sauf erreur, lieu planté de saules et de frênes, *salix et fraxinetum*[3] ; son neveu M. de Selves[4] réunit plus d'arbres encore, puisqu'il se nomme de Selves, *sylva*[5]. » Saniette voyait avec joie la conversation prendre un tour si animé. Il pouvait, puisque Brichot parlait tout le temps, garder un silence qui lui éviterait d'être l'objet des brocards de M. et Mme Verdurin. Et devenu plus sensible encore dans sa joie d'être délivré, il avait été attendri d'entendre M. Verdurin, malgré la solennité d'un tel dîner, dire au maître d'hôtel de mettre une carafe d'eau près de M. Saniette qui ne buvait pas autre chose. (Les généraux qui font tuer le plus de soldats tiennent à ce qu'ils soient bien nourris.) Enfin Mme Verdurin avait une fois souri à Saniette. Décidément, c'étaient de bonnes gens. Il ne serait plus torturé. À ce moment le repas fut interrompu par un convive que j'ai oublié de citer[6], un illustre philosophe norvégien qui parlait le français très bien mais très lentement, pour la double raison, d'abord que l'ayant appris depuis peu et ne voulant pas faire de fautes (il en faisait pourtant quelques-unes), il se reportait pour chaque mot à une sorte de dictionnaire intérieur ; ensuite parce qu'en tant que métaphysicien, il pensait toujours ce qu'il voulait dire pendant qu'il le disait, ce qui, même chez un Français, est une cause de lenteur. C'était du reste un être délicieux, quoique pareil en apparence à beaucoup d'autres, sauf sur un point. Cet homme au parler si lent (il y avait un silence entre chaque mot) devenait d'une rapidité vertigineuse pour s'échapper dès qu'il avait dit adieu. Sa précipitation faisait croire la première fois qu'il avait la colique ou encore un besoin plus pressant.

« Mon cher — collègue », dit-il à Brichot, après avoir délibéré dans son esprit si « collègue » était le terme qui convenait, « j'ai une sorte de — désir pour savoir s'il y a d'autres arbres dans la — nomenclature de votre belle langue — française — latine — normande. Madame (il voulait dire Mme Verdurin quoiqu'il n'osât la regarder) m'a dit que vous saviez toutes choses. N'est-ce pas précisément le moment ? — Non, c'est le moment de manger », interrompit Mme Verdurin qui voyait que le dîner n'en finissait pas. « Ah ! bien », répondit le Scandinave baissant la tête dans son assiette, avec un sourire triste et résigné. « Mais je dois faire observer à madame que si je me suis permis ce questionnaire — pardon, ce questation — c'est que je dois retourner demain à Paris pour dîner chez la Tour d'Argent[1] ou chez l'hôtel Meurice[2]. Mon confrère — français — M. Boutroux[3], doit nous y parler des séances de spiritisme — pardon, des évocations spiritueuses — qu'il a contrôlées. — Ce n'est pas si bon qu'on dit, la Tour d'Argent, dit Mme Verdurin agacée. J'y ai même fait des dîners détestables. — Mais est-ce que je me trompe, est-ce que la nourriture qu'on mange chez Madame n'est pas de la plus fine cuisine française ? — Mon Dieu, ce n'est pas positivement mauvais, répondit Mme Verdurin radoucie. Et si vous venez mercredi prochain ce sera meilleur. — Mais je pars lundi pour Alger, et de là je vais à Cap. Et quand je serai à Cap de Bonne-Espérance, je ne pourrai plus rencontrer mon illustre collègue — pardon, je ne pourrai plus rencontrer mon confrère. » Et il se mit par obéissance, après avoir fourni ces excuses rétrospectives, à manger avec une rapidité vertigineuse. Mais Brichot était trop heureux de pouvoir donner d'autres étymologies végétales et il répondit, intéressant tellement le Norvégien que celui-ci cessa de nouveau de manger, mais en faisant signe qu'on pouvait ôter son assiette pleine et passer au plat suivant : « Un des Quarante, dit Brichot, a nom Houssaye, ou lieu planté de houx[4] ; dans celui d'un fin diplomate, d'Ormesson, vous retrouvez l'orme, l'*ulmus* cher à Virgile et qui a donné son nom à la ville d'Ulm[5] ; dans celui de ses collègues, M. de La Boulaye, le bouleau[6] ; M. d'Aunay, l'aulne[7] ; M. de Bussière, le buis[8] ; M. Albaret, l'aubier[9] (je me promis de le dire à Céleste) ; M. de Cholet, le chou[10] ; et le pommier dans le nom de M. de La Pommeraye[11] que nous entendîmes conférencer, Saniette[a], vous en souvient-il, du temps que le bon Porel[12] avait été envoyé aux confins du monde, comme proconsul[b] en Odéonie[13] ? » Au nom de Saniette prononcé par Brichot, M. Verdurin lança à sa femme et à Cottard un regard ironique qui démonta le timide[c]. « Vous disiez que Cholet vient de chou, dis-je à Brichot. Est-ce qu'une station où j'ai passé avant d'arriver à Doncières, Saint-Frichoux, vient aussi de chou ? — Non, Saint-Frichoux, c'est *Sanctus Fructuosus*, comme *Sanctus Ferreolus* donna Saint-Fargeau, mais ce n'est pas normand du tout[1]. — Il sait tlop de choses, il nous ennuie, gloussa doucement la princesse. — Il y a tant d'autres noms qui m'intéressent, mais je ne peux pas tout vous demander en une fois. » Et me tournant vers Cottard : « Est-ce que Mme Putbus est ici ? lui demandai-je. — Non, Dieu merci, répondit Mme Verdurin qui avait entendu ma question. J'ai tâché de dériver ses villégiatures vers Venise, nous en sommes débarrassés pour cette année. — Je vais avoir moi-même droit à deux arbres, dit M. de Charlus, car j'ai à peu près retenu une petite maison entre Saint-Martin-du-Chêne et Saint-Pierre-des-Ifs. — Mais c'est très près d'ici, j'espère que vous viendrez souvent en compagnie de Charlie Morel. Vous n'aurez qu'à vous entendre avec notre petit groupe pour les trains, vous êtes à deux pas de Doncières », dit Mme Verdurin qui détestait qu'on ne vînt pas par le même train et aux heures où elle envoyait des voitures. Elle savait combien la montée à La Raspelière, même en faisant le tour par des lacis, derrière Féterne, ce qui retardait d'une demi-heure, était dure, elle craignait que ceux qui feraient bande à part ne trouvassent pas de voitures pour les conduire, ou même étant en réalité restés chez eux, pussent prendre le prétexte de n'en avoir pas trouvé à Douville-Féterne et de ne pas s'être senti la force de faire une telle ascension à pied. À cette invitation M. de Charlus se contenta de répondre par une muette inclinaison. « Il ne doit pas être commode tous les jours, il a un air[a] pincé », chuchota à Ski le docteur qui étant resté très simple malgré une couche superficielle d'orgueil, ne cherchait pas à cacher que Charlus le snobait. « Il ignore sans doute que dans toutes les villes d'eaux et même à Paris dans les cliniques, les médecins, pour qui je suis naturellement le "grand chef", tiennent à honneur de me présenter à tous les nobles[b] qui sont là et qui n'en mènent pas large. Cela rend même assez agréable pour moi le séjour des stations balnéaires, ajouta-t-il d'un air léger. Même à Doncières le major du régiment, qui est le médecin traitant du colonel, m'a invité à déjeuner avec lui en me disant que j'étais en situation de dîner avec le général. Et ce général est un monsieur *de* quelque chose.

Je ne sais pas si ses parchemins sont plus ou moins anciens que ceux de ce baron. — Ne vous montez pas le bourrichon, c'est une bien pauvre couronne », répondit Ski à mi-voix, et il ajouta quelque chose de confus avec un verbe, où je distinguai seulement les dernières syllabes « arder[1] », occupé que j'étais d'écouter ce que Brichot disait à M. de Charlus. « Non probablement, j'ai le regret de vous le dire, vous n'avez qu'un seul arbre, car si Saint-Martin-du-Chêne est évidemment *Sanctus Martinus juxta quercum*[2], en revanche le mot *if* peut être simplement la racine, *ave, eve*, qui veut dire humide comme dans Aveyron, Lodève, Yvette, et que vous voyez subsister dans nos *éviers* de cuisine[3]. C'est l'"eau", qui en breton se dit *Ster, Stermaria, Sterlaer, Sterbouest, Ster-en-Dreuchen*[4]. » Je n'entendis pas la fin, car quelque plaisir que j'eusse eu à réentendre le nom de *Stermaria*, malgré moi j'entendais Cottard près duquel j'étais, qui disait tout bas à Ski : « Ah ! mais je ne savais pas. Alors c'est un monsieur qui sait se retourner dans la vie. Comment ! il est de la confrérie ! Pourtant il n'a pas les yeux bordés de jambon. Il faudra que je fasse attention à mes pieds sous la table, il n'aurait qu'à en pincer pour moi. Du reste, cela ne m'étonne qu'à moitié. Je vois plusieurs nobles à la douche, dans le costume d'Adam, ce sont plus ou moins des dégénérés. Je ne leur parle pas parce qu'en somme je suis fonctionnaire et que cela pourrait me faire du tort. Mais ils savent parfaitement qui je suis. » Saniette, que l'interpellation de Brichot avait effrayé, commençait à respirer, comme quelqu'un qui a peur de l'orage et qui voit que l'éclair n'a été suivi d'aucun bruit de tonnerre, quand il entendit M. Verdurin le questionner tout en attachant sur lui un regard qui ne lâchait pas le malheureux tant qu'il parlait, de façon à le décontenancer tout de suite et à ne pas lui permettre de reprendre ses esprits. « Mais vous nous aviez toujours caché que vous fréquentiez les matinées de l'Odéon, Saniette ? » Tremblant comme une recrue devant un sergent tourmenteur, Saniette répondit, en donnant à sa phrase les plus petites dimensions qu'il put afin qu'elle eût plus de chance d'échapper aux coups : « Une fois, à *La Chercheuse*[5]. — Qu'est-ce qu'il dit ? » hurla M. Verdurin, d'un air à la fois écœuré et furieux, en fronçant les sourcils comme s'il n'avait pas assez de toute son attention pour comprendre quelque chose d'inintelligible. « D'abord on ne comprend pas ce que vous dites, qu'est-ce que vous avez dans la bouche ? » demanda M. Verdurin de plus en plus violent, et faisant allusion au défaut de prononciation de Saniette. « Pauvre Saniette, je ne veux pas que vous le rendiez malheureux », dit Mme Verdurin sur un ton de fausse pitié et pour ne laisser un doute à personne sur l'intention insolente de son mari. « J'étais à la Ch... — Che, che che, tâchez[a] de parler clairement, dit M. Verdurin, je ne vous entends même pas. » Presque aucun des fidèles ne se retenait de s'esclaffer et ils avaient l'air d'une bande d'anthropophages chez qui une blessure faite à un blanc a réveillé le goût du sang. Car l'instinct d'imitation et l'absence de courage gouvernent les sociétés comme les foules[1]. Et tout le monde rit de quelqu'un dont on voit se moquer, quitte à le vénérer dix ans plus tard dans un cercle où il est admiré. C'est de la même façon que le peuple chasse ou acclame les rois. « Voyons, ce n'est pas sa faute, dit Mme Verdurin. — Ce n'est pas la mienne non plus, on ne dîne pas en ville quand on ne peut plus articuler. — J'étais à *La Chercheuse d'esprit* de Favart. — Quoi ? c'est *La Chercheuse d'esprit* que vous appelez *La Chercheuse ?* Ah ! c'est magnifique, j'aurais pu chercher cent ans sans trouver », s'écria M. Verdurin qui pourtant aurait jugé du premier coup que quelqu'un n'était pas lettré, artiste, « n'en était pas », s'il l'avait entendu dire le titre complet de certaines œuvres. Par exemple il fallait dire *Le Malade, Le Bourgeois ;* et ceux qui auraient ajouté « imaginaire » ou « gentilhomme » eussent témoigné qu'ils n'étaient pas de la « boutique », de même que dans un salon, quelqu'un prouve qu'il n'est pas du monde en disant : M. de Montesquiou-Fezensac pour M. de Montesquiou. « Mais ce n'est pas si extraordinaire », dit Saniette essoufflé par l'émotion mais souriant, quoiqu'il n'en ait pas envie. Mme Verdurin éclata : « Oh ! si, s'écria-t-elle en ricanant. Soyez convaincu que personne au monde n'aurait pu deviner qu'il s'agissait de *La Chercheuse d'esprit.* » M. Verdurin reprit d'une voix[b] douce et s'adressant à la fois à Saniette et à Brichot : « C'est une jolie pièce d'ailleurs *La Chercheuse d'esprit.* » Prononcée sur un ton sérieux cette simple phrase, où on ne pouvait trouver trace de méchanceté, fit à Saniette autant de bien et excita chez lui autant de gratitude qu'une amabilité. Il ne put proférer une seule parole et garda un silence heureux. Brichot fut plus loquace. « Il est vrai, répondit-il à M. Verdurin, et si on la faisait passer pour l'œuvre de quelque auteur sarmate ou scandinave, on pourrait poser la candidature de *La Chercheuse d'esprit* à la situation vacante de chef-d'œuvre. Mais soit dit sans manquer de respect aux mânes du gentil Favart, il n'était pas de tempérament ibsénien. (Aussitôt il rougit jusqu'aux oreilles en pensant au philosophe norvégien, lequel avait un air malheureux parce qu'il cherchait en vain à identifier quel végétal pouvait être le buis que Brichot avait cité tout à l'heure à propos de Bussière[a].) D'ailleurs[b], la satrapie de Porel étant maintenant occupée par un fonctionnaire qui est un tolstoïsant de rigoureuse observance[1], il se pourrait que nous vissions *Anna Karénine* ou *Résurrection*[2] sous l'architrave odéonienne. — Je sais le portrait de Favart[3] dont vous voulez parler, dit M. de Charlus. J'en ai vu une très belle épreuve chez la comtesse Molé. » Le nom de la comtesse Molé produisit une forte impression sur Mme Verdurin. « Ah ! vous allez chez Mme de Molé », s'écria-t-elle. Elle pensait qu'on disait « la comtesse Molé », « madame Molé », simplement par abréviation, comme elle entendait dire les Rohan, ou par dédain, comme elle-même disait : madame La Trémoïlle. Elle n'avait[c] aucun doute que la comtesse Molé, connaissant la reine de Grèce et la princesse de Caprarola, eût autant que personne droit à la particule, et pour une fois elle était décidée à la donner à une personne si brillante et qui s'était montrée fort aimable pour elle. Aussi, pour bien montrer qu'elle avait parlé ainsi à dessein et ne marchandait pas ce « de » à la comtesse, elle reprit : « Mais je ne savais pas du tout que vous connaissiez madame de Molé ! » comme ci ç'avait été doublement extraordinaire et que M. de Charlus connût cette dame et que Mme Verdurin ne sût pas qu'il la connaissait. Or le monde, ou du moins ce que M. de Charlus appelait ainsi, forme un tout relativement homogène et clos. Autant il est compréhensible que dans l'immensité disparate de la bourgeoisie un avocat dise à quelqu'un qui connaît un de ses camarades de collège : « Mais comment diable connaissez-vous un tel ? » en revanche s'étonner qu'un Français connût le sens du mot « temple » ou « forêt » ne serait guère plus extraordinaire que d'admirer les hasards qui avaient pu conjoindre M. de Charlus et la comtesse Molé. De plus, même si une telle connaissance n'eût pas tout naturellement découlé des lois mondaines, si elle eût été forfuite, comment eût-il été bizarre[a] que Mme Verdurin l'ignorât puisqu'elle voyait M. de Charlus pour la première fois, et que ses relations avec Mme Molé étaient loin d'être la seule chose qu'elle ne sût pas relativement à lui, de qui, à vrai dire, elle ne savait rien ? « Qu'est-ce qui jouait cette *Chercheuse d'esprit*, mon petit Saniette ? » demanda M. Verdurin. Bien que sentant l'orage passé, l'ancien archiviste hésitait à répondre : « Mais aussi, dit Mme Verdurin, tu l'intimides, tu te moques de tout ce qu'il dit, et puis tu veux qu'il réponde. Voyons, dites qui jouait ça, on vous donnera de la galantine à emporter », dit Mme Verdurin, faisant une méchante allusion à la ruine où Saniette s'était précipité lui-même en voulant en tirer un ménage de ses amis. « Je me rappelle seulement que c'était Mme Samary[1] qui faisait la Zerbine[2], dit Saniette. — La Zerbine ? Qu'est-ce[b] que c'est que ça ? cria M. Verdurin comme s'il y avait le feu. — C'est un emploi de vieux répertoire, voir *Le Capitaine Fracasse*, comme qui dirait le Tranche-Montagne, le Pédant[3]. — Ah ! le pédant, c'est vous. La Zerbine ! Non, mais il est toqué », s'écria M. Verdurin. Mme Verdurin regarda ses convives en riant comme pour excuser Saniette. « La Zerbine, il s'imagine que tout le monde sait aussitôt ce que cela veut dire. Vous êtes comme M. de Longepierre, l'homme le plus bête que je connaisse, qui nous disait familièrement l'autre jour "le Banat". Personne n'a su de quoi il voulait parler. Finalement on a appris que c'était une province de Serbie. » Pour mettre fin au supplice de Saniette, qui me faisait plus de mal qu'à lui, je demandai à Brichot s'il savait ce que signifiait Balbec. « Balbec est probablement une corruption de Dalbec[4], me dit-il. Il faudrait pouvoir consulter les chartes des rois d'Angleterre, suzerains de la Normandie, car Balbec dépendait de la baronnie de Douvres, à cause de quoi on disait souvent Balbec d'Outre-Mer, Balbec-en-Terre. Mais la baronnie de Douvres elle-même relevait de l'évêché de Bayeux et malgré des droits qu'eurent momentanément les templiers sur l'abbaye[5] à partir de Louis d'Harcourt, patriarche de Jérusalem et évêque de Bayeux[6], ce furent les évêques de ce diocèse qui furent collateurs aux biens de Balbec. C'est ce que m'a expliqué le doyen de Doville, homme chauve, éloquent, chimérique et gourmet, qui vit dans l'obédience de Brillat-Savarin[1], et m'a exposé[a] avec des termes un tantinet sibyllins d'incertaines pédagogies tout en me faisant manger d'admirables pommes de terre frites. » Tandis que Brichot souriait, pour montrer ce qu'il y avait de spirituel à unir des choses aussi disparates et à employer pour des choses communes un langage ironiquement élevé, Saniette cherchait à placer quelque trait d'esprit qui pût le relever de son effondrement de tout à l'heure. Le trait d'esprit était ce qu'on appelait un « à-peu-près », mais qui avait changé de forme car il y a une évolution pour les calembours comme pour les genres littéraires, les épidémies, qui disparaissent remplacées par d'autres, etc. Jadis la forme de l'« à-peu-près » était le « comble ». Mais elle était surannée, personne ne l'employait plus, il n'y avait plus que Cottard pour dire encore parfois au milieu d'une partie de « piquet » : « Savez-vous quel est le comble de la distraction ? c'est de prendre l'édit de Nantes pour une Anglaise. » Les combles avaient été remplacés par les surnoms. Au fond, c'était toujours le vieil « à-peu-près », mais comme le surnom était à la mode on ne s'en apercevait pas. Malheureusement pour Saniette, quand ces « à-peu-près » n'étaient pas de lui et d'habitude inconnus au petit noyau, il les débitait si timidement que malgré le rire dont il les faisait suivre pour signaler leur caractère humoristique, personne ne les comprenait. Et si au contraire le mot était de lui, comme il l'avait généralement trouvé en causant avec un des fidèles, celui-ci l'avait répété en se l'appropriant, le mot était[b] alors connu, mais non comme étant de Saniette. Aussi quand il glissait un de ceux-là on le reconnaissait, mais, parce qu'il en était l'auteur, on l'accusait de plagiat. « Or donc, continua Brichot, *bec* en normand est ruisseau[2] ; il y a l'abbaye du Bec[3] ; Mobec, le ruisseau du marais (*mor* ou *mer* voulait dire marais, comme dans Morville, ou dans Bricquemar, Alvimare, Cambremer[4]) ; Bricquebec, le ruisseau de la hauteur, venant de *briga,* lieu fortifié, comme dans Bricqueville, Bricquebosc, le Bric, Briand[5], ou bien de *brice*[c], pont, qui est le même que *Bruck* en allemand (Innsbruck) et qu'en anglais *bridge* qui termine tant de noms de lieux (Cambridge, etc.[6]). Vous avez encore en Normandie bien d'autres *bec :* Caudebec, Bolbec, le Robec, le Bec-Hellouin, Becquerel. C'est la forme normande du germain *Bach,* Offenbach, Anspach[1]. Varaguebec, du vieux mot *varaigne,* équivalent de garenne, bois, étangs réservés[a2]. Quant à *dal,* reprit Brichot, c'est une forme de *Thal*, vallée : Darnetal, Rosendal, et même jusque près de Louviers, Becdal[3]. La rivière qui a donné son nom à Dalbec est d'ailleurs charmante. Vue d'une falaise (*Fels* en allemand, vous avez même non loin d'ici, sur une hauteur la jolie ville de Falaise[4]), elle voisine les flèches de l'église, située en réalité à une grande distance, et a l'air de les refléter. — Je crois bien[b], dis-je, c'est un effet qu'Elstir aime beaucoup. J'en ai vu plusieurs esquisses chez lui. — Elstir ! Vous connaissez Tiche[5] ? s'écria[c] Mme Verdurin. Mais vous savez que je l'ai connu dans la dernière intimité. Grâce au ciel je ne le vois plus. Non, mais demandez à Cottard, à Brichot, il avait son couvert mis chez moi, il venait tous les jours. En voilà un dont on peut dire que ça ne lui a pas réussi de quitter notre petit noyau. Je vous montrerai tout à l'heure des fleurs qu'il a peintes pour moi ; vous verrez quelle différence avec ce qu'il fait aujourd'hui et que je n'aime pas du tout, mais pas du tout ! Mais comment ! je lui avais fait faire un portrait de Cottard, sans compter tout ce qu'il a fait d'après moi. — Et il avait fait au professeur des cheveux mauves », dit Mme Cottard oubliant qu'alors son mari n'était même pas agrégé. « Je ne sais, monsieur, si vous trouvez que mon mari a des cheveux mauves. — Ça ne fait rien », dit Mme Verdurin en levant le menton d'un air de dédain pour Mme Cottard et d'admiration pour celui dont elle parlait, « c'était d'un fier coloriste, d'un beau peintre. Tandis que, ajouta-t-elle en s'adressant de nouveau à moi, je ne sais pas si vous appelez cela de la peinture, toutes ces grandes diablesses de compositions, ces grandes machines qu'il expose depuis qu'il ne vient plus chez moi. Moi, j'appelle cela du barbouillé[d], c'est d'un poncif, et puis ça manque de relief, de personnalité. Il y a de tout le monde là-dedans. — Il restitue[e] la grâce du XVIII[e], mais moderne, dit précipitamment Saniette, tonifié et remis en selle par mon amabilité. Mais j'aime mieux Helleu. — Il n'y a aucun rapport avec Helleu, dit Mme Verdurin. — Si, c'est du XVIIIe siècle fébrile. C'est un Watteau à vapeur[6], et il se mit à rire. — Oh ! connu, archiconnu, il y a des années qu'on me le ressert, dit M. Verdurin à qui en effet Ski l'avait raconté autrefois, mais comme fait par lui-même. Ce n'est pas de chance que pour une fois que vous prononcez intelligiblement quelque chose d'assez drôle, ce ne soit pas[a] de vous. — Ça me fait de la peine, reprit Mme Verdurin, parce que c'était quelqu'un de doué, il a gâché un joli tempérament de peintre. Ah ! s'il était resté ici ! Mais il serait devenu le premier paysagiste de notre temps. Et c'est une femme qui l'a conduit si bas ! Ça ne m'étonne pas d'ailleurs, car l'homme était agréable, mais vulgaire. Au fond c'était un médiocre. Je vous dirai que je l'ai senti tout de suite. Dans le fond, il ne m'a jamais intéressée. Je l'aimais bien, c'était tout. D'abord, il était d'un sale ! Vous aimez beaucoup ça, vous, les gens qui ne se lavent jamais ? — Qu'est-ce que c'est que cette chose si jolie de ton que nous mangeons ? demanda Ski. — Cela s'appelle de la mousse à la fraise, dit Mme Verdurin. — Mais c'est ra-vis-sant. Il faudrait faire déboucher des bouteilles de château-margaux, de château-lafite, de porto. — Je ne peux pas vous dire comme il m'amuse, il ne boit que de l'eau », dit Mme Verdurin pour dissimuler sous l'agrément qu'elle trouvait à cette fantaisie l'effroi que lui causait cette prodigalité. « Mais ce n'est pas pour boire, reprit Ski, vous en remplirez tous nos verres, on apportera de merveilleuses pêches, d'énormes brugnons, là en face du soleil couché ; ça sera luxuriant comme un beau Véronèse. — Ça coûtera presque aussi cher, murmura M. Verdurin. — Mais enlevez ces fromages si vilains de ton », dit-il en essayant de retirer l'assiette du Patron, qui défendit son gruyère de toutes ses forces. « Vous comprenez que je ne regrette pas Elstir, me dit Mme Verdurin, celui-ci est autrement doué. Elstir c'est le travail, l'homme qui ne sait pas lâcher sa peinture quand il en a envie. C'est le bon élève, la bête à concours. Ski, lui, ne connaît que sa fantaisie. Vous le verrez allumer sa cigarette au milieu du dîner. — Au fait, je ne sais pas[b] pourquoi vous n'avez pas voulu recevoir sa femme, dit Cottard, il serait ici comme autrefois. — Dites donc, voulez-vous être poli, vous ? Je ne reçois pas de gourgandines, monsieur le professeur », dit Mme Verdurin, qui avait au contraire fait tout ce qu'elle avait pu pour faire revenir Elstir, même avec sa femme. Mais avant qu'ils fussent mariés elle avait cherché à les brouiller, elle avait dit à Elstir que la femme qu'il aimait était bête, sale, légère, avait volé. Pour une fois elle n'avait pas réussi la rupture. C'est avec le salon Verdurin qu'Elstir avait rompu ; et il s'en félicitait comme les convertis bénissent la maladie ou le revers qui les a jetés dans la retraite et leur a fait connaître la voie du salut. « Il est magnifique, le professeur, dit-elle. Déclarez plutôt que mon salon est une maison de rendez-vous. Mais on dirait que vous ne savez pas ce que c'est que Mme Elstir. J'aimerais mieux recevoir la dernière des filles ! Ah ! non, je ne mange pas de ce pain-là. D'ailleurs je vous dirai que j'aurais été d'autant plus bête de passer sur la femme que le mari ne m'intéresse plus, c'est démodé, ce n'est même plus dessiné. — C'est extraordinaire pour un homme d'une pareille intelligence, dit Cottard. — Oh ! non, répondit Mme Verdurin, même à l'époque où il avait du talent, car il en a eu, le gredin, et à revendre, ce qui agaçait chez lui c'est qu'il n'était aucunement intelligent. » Mme Verdurin, pour porter ce jugement sur Elstir, n'avait pas attendu leur brouille et qu'elle n'aimât plus sa peinture. C'est que, même au temps où il faisait partie du petit groupe, il arrivait qu'Elstir passait des journées entières avec telle femme qu'à tort ou à raison Mme Verdurin trouvait « bécasse », ce qui à son avis n'était pas le fait d'un homme intelligent. « Non, dit-elle d'un ait d'équité, je crois que sa femme et lui sont très bien faits pour aller ensemble. Dieu sait que je ne connais pas de créature plus ennuyeuse sur la terre et que je deviendrais enragée s'il me fallait passer deux heures avec elle. Mais on dit qu'il la trouve très intelligente. C'est qu'il faut bien l'avouer, notre *Tiche* était surtout *excessivement bête !* Je l'ai vu épaté par des personnes que vous n'imaginez pas, par de braves idiotes dont on n'aurait jamais voulu dans notre petit clan. Hé bien ! il leur écrivait, il discutait avec elles, lui, Elstir ! Ça n'empêche pas des côtés charmants, ah ! charmants, charmants et délicieusement absurdes, naturellement. » Car Mme Verdurin était persuadée que les hommes vraiment remarquables font mille folies. Idée fausse où il y a pourtant quelque vérité. Certes les « folies » des gens sont insupportables. Mais un déséquilibre qu'on ne découvre qu'à la longue est la conséquence de l'entrée dans un cerveau humain de délicatesses pour lesquelles il n'est pas habituellement fait. En sorte que les étrangetés des gens charmants exaspèrent, mais il n'y a guère de gens charmants qui ne soient, par ailleurs, étranges. « Tenez, je vais pouvoir vous montrer tout de suite ses fleurs », me dit-elle en voyant que son mari lui faisait signe qu'on pouvait se lever de table. Et elle reprit le bras de M. de Cambremer. M. Verdurin voulut s'en excuser auprès de M. de Charlus, dès qu'il eut quitté Mme de Cambremer, et lui donner ses raisons, surtout pour le plaisir de causer de ces nuances mondaines avec un homme titré, momentanément l'inférieur de ceux qui lui assignaient la place à laquelle ils jugeaient qu'il avait droit. Mais d'abord il tint à montrer à M. de Charlus qu'intellectuellement il l'estimait trop pour penser qu'il pût faire attention à ces bagatelles : « Excusez-moi de vous parler de ces riens, commença-t-il, car je suppose bien le peu de cas que vous en faites. Les esprits bourgeois y font attention, mais les autres, les artistes, les gens qui en sont vraiment, s'en fichent. Or dès les premiers mots que nous avons échangés, j'ai compris que vous en étiez ! » M. de Charlus qui donnait à cette locution un sens fort différent, eut un haut-le-corps. Après les œillades du docteur, l'injurieuse franchise du Patron le suffoquait. « Ne protestez pas, cher monsieur, vous en êtes, c'est clair comme le jour, reprit M. Verdurin. Remarquez que je ne sais pas si vous exercez un art quelconque, mais ce n'est pas nécessaire et ce n'est pas[a] toujours suffisant. Dechambre[b], qui vient de mourir, jouait parfaitement avec le plus robuste mécanisme, mais n'en était pas, on sentait tout de suite qu'il n'en était pas. Brichot n'en est pas. Morel en est, ma femme en est, je sens que vous en êtes... — Qu'alliez-vous me dire ? » interrompit M. de Charlus qui commençait à être rassuré sur ce que voulait signifier M. Verdurin, mais qui préférait qu'il criât moins haut ces paroles à double sens. « Nous vous avons mis seulement à gauche », répondit M. Verdurin. M. de Charlus, avec un sourire compréhensif, bonhomme et insolent, répondit : « Mais voyons ! Cela n'a aucune importance, *ici*[1] ! » Et il eut un petit rire qui lui était spécial — un rire qui lui venait probablement de quelque grand-mère bavaroise ou lorraine, qui le tenait elle-même, tout identique, d'une aïeule, de sorte qu'il sonnait ainsi, inchangé, depuis pas mal de siècles dans de vieilles petites cours de l'Europe, et qu'on goûtait sa qualité précieuse comme celle de certains instruments anciens devenus rarissimes. Il y a des moments où pour peindre complètement quelqu'un il faudrait que l'imitation phonétique se joignît à la description, et celle du personnage que faisait M. de Charlus risque d'être incomplète par le manque de ce petit rire si fin, si léger, comme certaines suites de Bach ne sont jamais rendues exactement parce que les orchestres manquent de ces « petites trompettes » au son si particulier, pour lesquelles l'auteur a écrit telle ou telle partie. « Mais, expliqua M. Verdurin blessé, c'est à dessein. Je n'attache aucune importance aux titres de noblesse », ajouta-t-il avec ce sourire dédaigneux que j'ai vu tant[a] de personnes que j'ai connues, à l'encontre de ma grand-mère et de ma mère, avoir pour toutes les choses qu'ils ne possèdent pas, devant ceux qui ainsi, pensent-ils, ne pourront pas se faire à l'aide d'elles une supériorité sur eux. « Mais enfin puisqu'il y avait justement M. de Cambremer et qu'il est marquis, comme vous n'êtes que baron... — Permettez, répondit M. de Charlus avec un air de hauteur, à M. Verdurin étonné, je suis aussi duc de Brabant, damoiseau de Montargis, prince d'Oléron, de Carency, de Viareggio et des Dunes[1]. D'ailleurs[b] cela ne fait absolument rien. Ne vous tourmentez pas », ajouta-t-il en reprenant son fin sourire, qui s'épanouit sur ces derniers mots : « J'ai tout de suite vu que vous n'aviez pas l'habitude. »

Mme Verdurin vint à moi pour me montrer les fleurs d'Elstir. Si cet acte devenu depuis longtemps si indifférent pour moi, aller dîner en ville, m'avait[c] au contraire, sous la forme qui le renouvelait entièrement, d'un voyage le long de la côte, suivi d'une montée en voiture jusqu'à deux cents mètres au-dessus de la mer, procuré une sorte d'ivresse, celle-ci ne s'était pas dissipée à La Raspelière. « Tenez[d], regardez-moi ça, me dit la Patronne, en me montrant de grosses et magnifiques roses d'Elstir, mais dont l'onctueux écarlate et la blancheur fouettée s'enlevaient avec un relief un peu trop crémeux sur la jardinière où elles étaient posées. Croyez-vous qu'il aurait encore assez de patte pour attraper ça ? Est-ce assez fort ! Et puis, c'est beau comme matière, ça serait amusant à tripoter. Je ne peux pas vous dire comme c'était amusant de les lui voir peindre. On sentait que ça l'intéressait de chercher cet effet-là[e]. » Et le regard de la Patronne s'arrêta rêveusement sur ce présent de l'artiste où se trouvaient résumés, non seulement son grand talent, mais leur longue amitié qui ne survivait plus qu'en ces souvenirs qu'il lui en avait laissés ; derrière les fleurs autrefois cueillies par lui pour elle-même[a], elle croyait revoir la belle main qui les avait peintes, en une matinée, dans leur fraîcheur, si bien que, les unes sur la table, l'autre adossé à un fauteuil de la salle à manger, avaient pu figurer en tête à tête, pour le déjeuner de la Patronne, les roses encore vivantes et leur portrait à demi ressemblant. À demi seulement, Elstir ne pouvant regarder une fleur qu'en la transplantant d'abord dans ce jardin intérieur où nous sommes forcés de rester toujours. Il avait montré dans cette aquarelle l'apparition des roses qu'il avait vues et que sans lui on n'eût connues jamais ; de sorte qu'on peut dire que c'était une variété nouvelle dont ce peintre, comme un ingénieux horticulteur, avait enrichi la famille des roses. « Du jour où il a quitté le petit noyau, ça a été un homme fini. Il paraît que mes dîners lui faisaient perdre du temps, que je nuisais au développement de son *génie*, dit-elle sur un ton d'ironie. Comme si la fréquentation d'une femme comme moi pouvait ne pas être salutaire à un artiste ! » s'écria-t-elle dans un mouvement d'orgueil. Tout près de nous, M. de Cambremer qui était déjà assis, esquissa, en voyant M. de Charlus debout, le mouvement de se lever et de lui donner sa chaise. Cette offre ne correspondait peut-être dans la pensée du marquis qu'à une intention de vague politesse. M. de Charlus préféra y attacher la signification d'un devoir que le simple gentilhomme savait qu'il avait à rendre à un prince, et ne crut pas pouvoir mieux établir son droit à cette préséance qu'en la déclinant. Aussi s'écria-t-il : « Mais comment donc ! Je vous prie ! Par exemple ! » Le ton astucieusement véhément de cette protestation avait déjà quelque chose de fort « Guermantes », qui s'accusa davantage dans le geste impératif, inutile et familier avec lequel M. de Charlus pesa de ses deux mains et comme pour le forcer à se rasseoir, sur les épaules de M. de Cambremer, qui ne s'était pas levé : « Ah ! voyons, mon cher, insista le baron, il ne manquerait plus que ça ! Il n'y a pas de raison ! De notre temps on réserve ça aux princes du sang. » Je ne touchai pas plus les Cambremer que Mme Verdurin par mon enthousiasme pour leur maison. Car j'étais froid[b] devant des beautés qu'ils me signalaient et m'exaltais de réminiscences confuses ; quelquefois même je leur avouais ma déception, ne trouvant pas quelque chose conforme à ce que son nom m'avait fait imaginer. J'indignai Mme de Cambremer en lui disant que j'avais cru que c'était plus campagne. En revanche je m'arrêtai avec extase à renifler l'odeur d'un vent coulis qui passait par la porte. « Je vois que vous aimez les courants d'air », me dirent-ils. Mon éloge du morceau de lustrine verte bouchant un carreau cassé[1] n'eut pas plus de succès : « Mais quelle horreur ! » s'écria la marquise. Le comble fut[a] quand je dis : « Ma plus grande joie a été quand je suis arrivé. Quand j'ai entendu résonner mes pas dans la galerie, je ne sais pas dans quel bureau[b] de mairie de village, où il y a la carte du canton, je me crus entré. » Cette fois Mme de Cambremer me tourna résolument le dos. « Vous n'avez pas trouvé tout cela trop mal arrangé ? lui demanda son mari avec la même sollicitude apitoyée que s'il se fût informé comment sa femme avait supporté une triste cérémonie. Il y a de belles choses. » Mais comme la malveillance, quand les règles fixes d'un goût sûr ne lui imposent pas de bornes inévitables, trouve tout à critiquer, de leur personne ou de leur maison, chez les gens qui vous ont supplantés : « Oui, mais elles ne sont pas à leur place. Et voire, sont-elles si belles que ça ? — Vous avez remarqué », dit M. de Cambremer avec une tristesse que contenait quelque fermeté, « il y a des toiles de Jouy qui montrent la corde, des choses tout usées dans ce salon ! — Et cette pièce d'étoffe avec ses grosses roses comme un couvre-pied de paysanne », dit Mme de Cambremer, dont la culture toute postiche s'appliquait exclusivement à la philosophie idéaliste, à la peinture impressionniste et à la musique de Debussy. Et pour ne pas requérir uniquement au nom du luxe mais aussi du goût : « Et ils ont mis des brise-bise ! Quelle faute de style ! Que voulez-vous, ces gens, ils ne savent pas, où auraient-ils appris ? Ça doit être de gros commerçants retirés. C'est déjà pas mal pour eux. — Les chandeliers m'ont paru beaux », dit le marquis, sans qu'on sût pourquoi il exceptait les chandeliers, de même qu'invévitablement, chaque fois qu'on parlait d'une église, que ce fût la cathédrale de Chartres, de Reims, d'Amiens, ou l'église de Balbec, ce qu'il s'empressait toujours de citer comme admirable c'était : « le buffet d'orgue, la chaire et les œuvres de miséricorde ». « Quant au jardin, n'en parlons pas, dit Mme de Cambremer. C'est un massacre. Ces allées qui s'en vont tout de guingois ! »

Je profitai de ce que Mme Verdurin servait le café pour aller jeter un coup d'œil sur la lettre que M. de Cambremer m'avait remise, et où sa mère m'invitait à dîner. Avec ce rien d'encre, l'écriture traduisait une individualité désormais pour moi reconnaissable entre toutes, sans qu'il y eût plus besoin de recourir à l'hypothèse de plumes spéciales que des couleurs rares et mystérieusement fabriquées ne sont nécessaires au peintre pour exprimer sa vision originale. Même un paralysé atteint d'agraphie après une attaque et réduit à regarder les caractères comme un dessin sans savoir les lire, aurait compris que Mme de Cambremer appartenait à une vieille famille où la culture enthousiaste des lettres et des arts avait donné un peu d'air aux traditions aristocratiques. Il aurait deviné aussi vers quelles années la marquise avait appris simultanément à écrire et à jouer Chopin. C'était l'époque où les gens bien élevés observaient la règle d'être aimables et celle dite des trois adjectifs. Mme de Cambremer les combinait toutes les deux. Un adjectif louangeur ne lui suffisait pas, elle le faisait suivre (après un petit tiret) d'un second, puis (après un deuxième tiret) d'un troisième. Mais ce qui lui était particulier, c'est que, contrairement au but social et littéraire qu'elle se proposait, la succession des trois épithètes revêtait dans les billets de Mme de Cambremer l'aspect non d'une progression, mais d'un *diminuendo*[1]. Mme de Cambremer me dit dans cette première lettre qu'elle avait vu Saint-Loup et avait encore plus apprécié que jamais ses qualités « uniques — rares — réelles », et qu'il devait revenir avec un de ses amis (précisément celui qui aimait la belle-fille), et que si je voulais venir avec ou sans eux dîner à Féterne, elle en serait « ravie — heureuse — contente ». Peut-être était-ce parce que le désir d'amabilité n'était pas égalé chez elle par la fertilité de l'imagination et la richesse du vocabulaire que cette dame, tenant à pousser[a] trois exclamations, n'avait la force de donner dans la deuxième et la troisième qu'un écho affaibli de la première. Qu'il y eût eu seulement un quatrième adjectif et de l'amabilité initiale, il ne serait rien resté. Enfin, par une certaine simplicité raffinée qui n'avait pas dû être sans produire une impression considérable dans la famille et même le cercle des relations, Mme de Cambremer avait pris l'habitude de substituer au mot, qui pouvait finir par avoir l'air mensonger, de « sincère », celui de « vrai ». Et pour bien montrer qu'il s'agissait en effet de quelque chose de sincère, elle rompait l'alliance conventionnelle qui eût mis « vrai » avant le substantif, et le plantait bravement après. Ses lettres finissaient par : « Croyez à mon amitié vraie. » « Croyez à ma symphatie vraie. » Malheureusement c'était tellement devenu une formule que cette affectation de franchise donnait plus l'impression de la politesse menteuse que les antiques formules au sens desquelles on ne songe plus. J'étais d'ailleurs gêné pour lire par le bruit confus des conversations que dominait la voix plus haute de M. de Charlus n'ayant pas lâché son sujet et disant à M. de Cambremer : « Vous me faisiez penser en voulant que je prisse votre place, à un monsieur qui m'a envoyé ce matin une lettre en l'adressant "À Son Altesse[a] le baron de Charlus", et qui la commençait par : "Monseigneur". — En effet, votre correspondant exagérait un peu », répondit M. de Cambremer en se livrant à une discrète hilarité. M. de Charlus l'avait provoquée ; il ne la partagea pas. « Mais dans le fond, mon cher, dit-il, remarquez que héraldiquement parlant, c'est lui qui est dans le vrai ; je n'en fais pas une question de personne, vous pensez bien. J'en parle comme s'il s'agissait d'un autre. Mais que voulez-vous, l'histoire est l'histoire, nous n'y pouvons rien et il ne dépend pas de nous de la refaire. Je ne vous citerai pas l'empereur Guillaume[1] qui à Kiel n'a jamais cessé de me donner du monseigneur[2]. J'ai ouï dire qu'il appelait ainsi tous les ducs français, ce qui est abusif, et ce qui est peut-être simplement une délicate attention qui, par-dessus notre tête, vise la France. — Délicate et plus ou moins sincère, dit M. de Cambremer. — Ah ! je ne suis pas de votre avis. Remarquez que personnellement un seigneur de dernier ordre comme ce Hohenzollern[3], de plus protestant, et qui a dépossédé mon cousin le roi de Hanovre[4], n'est pas pour me plaire », ajouta M. de Charlus auquel le Hanovre semblait tenir plus à cœur que l'Alsace-Lorraine. « Mais je crois le penchant qui porte l'empereur vers nous, profondément sincère[5]. Les imbéciles vous diront que c'est un empereur de théâtre[6]. Il est au contraire merveilleusement intelligent. Il ne s'y connaît pas en peinture et il a forcé M. Tschudi[7] de retirer les Elstir des musées nationaux. Mais Louis XIV n'aimait pas les maîtres hollandais[1], avait aussi le goût de l'apparat, et a été somme toute un grand souverain. Encore Guillaume II a-t-il armé son pays au point de vue militaire et naval, comme Louis XIV n'avait pas fait, et j'espère que son règne ne connaîtra jamais les revers qui ont assombri sur la fin le règne de celui qu'on appelle banalement le Roi-Soleil. La République a commis une grande faute à mon avis en repoussant les amabilités du Hohenzollern ou en ne les lui rendant qu'au compte-gouttes. Il s'en rend lui-même très bien compte et dit, avec ce don d'expression qu'il a : "Ce que je veux, c'est une poignée de main[a], ce n'est pas un coup de chapeau[2]." Comme homme, il est vil ; il a abandonné, livré, renié ses meilleurs amis dans des circonstances où son silence a été aussi misérable que le leur a été grand », continua M. de Charlus qui, emporté toujours sur sa pente, glissait vers l'affaire Eulenbourg[3] et se rappelait le mot que lui avait dit l'un des inculpés les plus haut placés : "Faut-il que l'empereur ait confiance en notre délicatesse pour avoir osé permettre un pareil procès ! Mais d'ailleurs il ne s'est pas trompé en ayant eu foi dans notre discrétion. Jusque sur l'échafaud nous aurions fermé la bouche". Du reste tout cela n'a rien à voir avec ce que je voulais dire, à savoir qu'en Allemagne, princes médiatisés nous sommes Durchlaucht[4], et qu'en France notre rang d'Altesse était publiquement reconnu[5]. Saint-Simon prétend que nous l'avions pris par abus[6], ce en quoi il se trompe parfaitement. La raison qu'il en donne, à savoir que Louis XIV nous fit faire défense de l'appeler le Roi très Chrétien, et nous ordonna de l'appeler le Roi tout court[7], prouve simplement que nous relevions de lui et nullement que nous n'avions pas la qualité de prince[8]. Sans quoi, il aurait fallu la dénier[b] au duc de Lorraine et à combien d'autres[9] ! D'ailleurs, plusieurs de nos titres viennent de la maison de Lorraine par Thérèse d'Espinoy, ma bisaïeule, qui était la fille du damoiseau de Commercy[10]. » S'étant aperçu que Morel l'écoutait, M. de Charlus développa plus amplement les raisons de sa prétention. « J'ai fait observer à mon frère que ce n'est pas dans la troisième partie du Gotha, mais dans la deuxième, pour ne pas dire dans la première[11], que la notice sur notre famille devrait se trouver », dit-il sans se rendre compte que Morel ne savait pas ce qu'était le

Gotha. « Mais c'est lui que ça regarde, il est mon chef d'armes et du moment qu'il le trouve bon ainsi et qu'il laisse passer la chose, je n'ai qu'à fermer les yeux. — M. Brichot m'a beaucoup intéressé », dis-je à Mme Verdurin qui venait à moi, et tout en mettant la lettre de Mme de Cambremer dans ma poche. « C'est un esprit cultivé et un brave homme, me répondit-elle froidement. Il manque évidemment d'originalité et de goût, il a une terrible mémoire. On disait des "aïeux" des gens que nous avons ce soir, les émigrés, qu'ils n'avaient rien oublié. Mais ils avaient du moins l'excuse, dit-elle en prenant à son compte un mot de Swann, qu'ils n'avaient rien appris[1]. Tandis que Brichot sait tout et nous jette à la tête pendant le dîner des piles de dictionnaires. Je crois que vous n'ignorez plus rien de ce que veut dire le nom de telle ville, de tel village. » Pendant que Mme Verdurin parlait, je pensais que je m'étais promis de lui demander quelque chose, mais je ne pouvais me rappeler ce que c'était. « Je suis sûr que vous parlez de Brichot, dit Ski. Hein[a], Chantepie, et Freycinet, il ne vous a fait grâce de rien. Je vous ai regardée, ma petite Patronne. — Je vous ai bien vu, j'ai failli éclater. » Je ne saurais dire aujourd'hui comment Mme Verdurin était habillée ce soir-là. Peut-être au moment même ne le savais-je pas davantage[b], car je n'ai pas l'esprit d'observation. Mais sentant que sa toilette n'était pas sans prétention, je lui dis quelque chose d'aimable et même d'admiratif. Elle était comme presque toutes les femmes, lesquelles s'imaginent qu'un compliment qu'on leur fait est la stricte expression de la vérité et que c'est un jugement qu'on porte impartialement, irrésistiblement, comme s'il s'agissait d'un objet d'art ne se rattachant pas à une personne. Aussi fut-ce avec un sérieux qui me fit rougir de mon hypocrisie qu'elle me posa cette orgueilleuse et naïve question, habituelle en pareilles circonstances : « Cela vous plaît ? — Vous parlez de Chantepie, je suis sûr », dit M. Verdurin s'approchant de nous. J'avais été seul, pensant à ma lustrine verte[2] et à une odeur de bois, à ne pas remarquer qu'en énumérant ces étymologies, Brichot avait fait rire de lui. Et comme les impressions[c] qui donnaient pour moi leur valeur aux choses étaient de celles que les autres personnes ou n'éprouvent pas, ou refoulent sans y penser comme insignifiantes, et que par conséquent si j'avais pu les communiquer elles fussent restées incomprises ou auraient été dédaignées, elles étaient entièrement inutilisables pour moi et avaient de plus l'inconvénient de me faire passer pour stupide aux yeux de Mme Verdurin, qui voyait que j'avais « gobé » Brichot, comme je l'avais déjà paru[a] à Mme de Guermantes parce que je me plaisais chez Mme d'Arpajon. Pour Brichot pourtant il y avait une autre raison. Je n'étais pas du petit clan. Et dans tout clan, qu'il soit mondain, politique, littéraire, on contracte une facilité perverse à découvrir dans une conversation, dans un discours officiel, dans une nouvelle, dans un sonnet, tout ce que l'honnête lecteur n'aurait jamais songé à y voir. Que de fois il m'est arrivé, lisant avec une certaine émotion un conte habilement filé par un académicien disert et un peu vieillot, d'être sur le point de dire à Bloch ou à Mme de Guermantes : « Comme c'est joli ! » quand, avant que j'eusse ouvert la bouche, ils s'écriaient chacun dans un langage différent : « Si vous voulez passer un bon moment, lisez un conte de un tel. La stupidité humaine n'a jamais été aussi loin. » Le mépris de Bloch provenait surtout de ce que certains effets de style, agréables du reste, étaient un peu fanés ; celui de Mme de Guermantes, de ce que le conte semblait prouver justement le contraire de ce que voulait dire l'auteur, pour des raisons de fait[b] qu'elle avait l'ingéniosité de déduire mais auxquelles je n'eusse jamais pensé. Je fus aussi surpris de voir l'ironie que cachait l'amabilité apparente des Verdurin pour Brichot que d'entendre, quelques jours plus tard à Féterne, les Cambremer me dire, devant l'éloge enthousiaste que je faisais de La Raspelière : « Ce n'est pas possible que vous soyez sincère, après ce qu'ils en ont fait. » Il est vrai qu'ils avouèrent que la vaisselle était belle. Pas plus que les choquants brise-bise, je ne l'avais vue. « Enfin[c], maintenant, quand vous retournerez à Balbec, vous saurez ce que Balbec signifie », dit ironiquement M. Verdurin. C'était justement les choses que m'apprenait Brichot qui m'intéressaient. Quant à ce qu'on appelait son esprit, il était exactement le même qui avait été si goûté autrefois dans le petit clan. Il parlait avec la même irritante facilité, mais ses paroles ne portaient plus, avaient à vaincre un silence hostile ou de désagréables échos ; ce qui avait changé était, non ce qu'il débitait, mais l'acoustique du salon et les dispositions du public. « Gare ! » dit à mi-voix

Mme Verdurin en montrant Brichot. Celui-ci ayant gardé l'ouïe plus perçante que la vue, jeta sur la Patronne un regard vite détourné de myope et de philosophe. Si ses yeux étaient moins bons, ceux de son esprit jetaient en revanche sur les choses un plus large regard. Il voyait le peu qu'on pouvait attendre des affections humaines, il s'y était résigné[a]. Certes, il en souffrait. Il arrive que même celui qui un seul soir, dans un milieu où il a l'habitude de plaire, devine qu'on l'a trouvé ou trop frivole, ou trop pédant, ou trop gauche, ou trop cavalier, etc., rentre chez lui malheureux. Souvent c'est à cause d'une question d'opinions, de système, qu'il a paru à d'autres absurde ou vieux jeu. Souvent il sait à merveille que ces autres ne le valent pas. Il pourrait aisément disséquer les sophismes à l'aide desquels on l'a condamné tacitement, il veut aller faire une visite, écrire une lettre : plus sage il ne fait rien, attend l'invitation de la semaine suivante. Parfois aussi ces disgrâces au lieu de finir en une soirée, durent des mois. Dues à l'instabilité des jugements mondains, elles l'augmentent encore. Car celui qui sait que Mme X... le méprise, sentant qu'on l'estime chez Mme Y..., la déclare bien supérieure et émigre dans son salon. Au reste ce n'est pas le lieu de peindre ici ces hommes supérieurs à la vie mondaine mais n'ayant pas su se réaliser en dehors d'elle, heureux d'être reçus, aigris d'être méconnus, découvrant chaque année les tares de la maîtresse de maison qu'ils encensaient, et le génie de celle qu'ils n'avaient pas appréciée à sa valeur, quitte à revenir à leurs premières amours quand ils auront souffert des inconvénients qu'avaient aussi les secondes, et que ceux des premières seront un peu oubliés. On peut juger par ces courtes disgrâces du chagrin que causait à Brichot celle qu'il savait définitive. Il n'ignorait pas que Mme Verdurin riait[b] parfois publiquement de lui, même de ses infirmités, et sachant le peu qu'il faut attendre des affections humaines, s'y étant soumis, il ne considérait pas moins la Patronne comme sa meilleure amie. Mais à la rougeur qui couvrit le visage de l'universitaire, Mme Verdurin comprit qu'il l'avait entendue et se promit d'être aimable pour lui pendant la soirée. Je ne pus m'empêcher de lui dire qu'elle l'était bien peu pour Saniette. « Comment, pas gentille ! Mais il nous adore, vous ne savez pas ce que nous sommes pour lui ! Mon mari est quelquefois un peu agacé de sa stupidité, et il faut avouer qu'il y a de quoi, mais dans ces moments-là, pourquoi ne se rebiffe-t-il pas davantage, au lieu de prendre ces airs de chien couchant ? Ce n'est pas franc. Je n'aime pas cela. Ça n'empêche pas que je tâche toujours de calmer mon mari parce que s'il allait trop loin, Saniette n'aurait qu'à ne pas revenir ; et cela je ne le voudrais pas parce que je vous dirai qu'il n'a plus un sou, il a besoin de ses dîners. Et puis, après tout, s'il se froisse, qu'il ne revienne pas, moi ce n'est pas mon affaire, quand on a besoin des autres on tâche de ne pas être aussi idiot. — Le duché d'Aumale[a1] a été longtemps dans notre famille avant d'entrer dans la maison de France, expliquait M. de Charlus à M. de Cambremer, devant Morel ébahi et auquel à vrai dire toute cette dissertation était sinon adressée du moins destinée. Nous avions le pas sur tous les princes étrangers[2] ; je pourrais vous en donner cent exemples. La princesse de Croy[3] ayant voulu à l'enterrement de Monsieur se mettre à genoux après ma trisaïeule, celle-ci lui fit vertement remarquer qu'elle n'avait pas droit au carreau, le fit retirer par l'officier de service et porta la chose au roi, qui ordonna à Mme de Croy d'aller faire des excuses à Mme de Guermantes chez elle[4]. Le duc de Bourgogne[5] étant venu chez nous avec les huissiers, la baguette[6] levée, nous obtînmes du roi de la faire abaisser. Je sais qu'il y a mauvaise grâce à parler des vertus des siens. Mais il est bien connu que les nôtres ont toujours été de l'avant à l'heure du danger. Notre cri d'armes quand nous avons quitté celui des ducs de Brabant[7], a été « Passavant[8] ». De sorte qu'il est en somme assez légitime que ce droit d'être partout les premiers que nous avions revendiqué pendant tant de siècles à la guerre, nous l'ayons obtenu ensuite à la cour. Et dame, il nous y a toujours été reconnu. Je vous citerai encore comme preuve la princesse de Baden[9]. Comme elle s'était oubliée jusqu'à vouloir disputer son rang à cette même duchesse de Guermantes de laquelle je vous parlais tout à l'heure, et avait voulu entrer la première chez le roi en profitant d'un mouvement d'hésitation qu'avait peut-être eu ma parente (bien qu'il n'y en eût pas à avoir), le roi cria vivement : « Entrez, entrez, ma cousine, madame de Baden sait trop ce qu'elle vous doit[10]. » Et c'est comme duchesse de Guermantes qu'elle avait ce rang, bien que par elle-même elle fût d'assez grande naissance puisqu'elle était par sa mère nièce de la reine de Pologne, de la reine d'Hongrie, de l'Électeur palatin, du prince de Savoie-Carignan et du prince d'Hanovre, ensuite roi d'Angleterre[1]. — *Mæcenas atavis edite regibus*[2] ! dit Brichot en s'adressant à M. de Charlus qui répondit par une légère inclinaison de tête à cette politesse. — Qu'est-ce que vous dites ? demanda Mme Verdurin à Brichot envers qui elle aurait voulu tâcher de réparer ses paroles de tout à l'heure. — Je parlais, Dieu m'en pardonne, d'un dandy qui était la fleur du gratin (Mme Verdurin fronça les sourcils), environ le siècle d'Auguste (Mme Verdurin rassurée par l'éloignement de ce gratin prit une expression plus sereine), d'un ami de Virgile et d'Horace qui poussaient la flagornerie jusqu'à lui envoyer en pleine figure ses ascendances plus qu'aristocratiques, royales, en un mot je parlais de Mécène, d'un rat de bibliothèque qui était ami d'Horace, de Virgile, d'Auguste. Je suis sûr que M. de Charlus sait très bien à tous égards qui était Mécène. » Regardant gracieusement Mme Verdurin du coin de l'œil parce qu'il l'avait entendue donner rendez-vous à Morel pour le surlendemain et qu'il craignait de ne pas être invité : « Je crois, dit M. de Charlus, que Mécène, c'était quelque chose comme le Verdurin de l'Antiquité. » Mme Verdurin ne put réprimer qu'à moitié un sourire de satisfaction. Elle alla vers Morel. « Il est agréable l'ami de vos parents, lui dit-elle. On voit que c'est un homme instruit, bien élevé. Il fera bien dans notre petit noyau. Où donc demeure-t-il à Paris ? » Morel garda un silence[a] hautain et demanda seulement à faire une partie de cartes. Mme Verdurin exigea d'abord un peu de violon. À l'étonnement général, M. de Charlus, qui ne parlait jamais des grands dons qu'il avait, accompagna, avec le style le plus pur, le dernier morceau (inquiet, tourmenté, schumannesque, mais enfin antérieur à la sonate de Franck) de la sonate pour piano et violon de Fauré[3]. Je sentis qu'il donnerait à Morel, merveilleusement doué pour le son et la virtuosité, précisément ce qui lui manquait, la culture et le style. Mais je songeai avec curiosité à ce qui unit chez un même homme une tare physique et un don spirituel. M. de Charlus n'était pas très différent de son frère, le duc de Guermantes. Même, tout à l'heure (et cela était rare), il avait parlé un aussi mauvais français que lui. Me reprochant (sans doute pour que je parlasse en termes chaleureux de

Morel à Mme Verdurin) de n'aller jamais le voir, et moi invoquant la discrétion, il m'avait répondu : « Mais puisque c'est moi qui vous le demande, il n'y a que moi qui *pourrais m'en formaliser.* » Cela aurait pu être dit par le duc de Guermantes. M. de Charlus n'était en somme qu'un Guermantes. Mais il avait suffi que la nature déséquilibrât suffisamment en lui le système nerveux pour qu'au lieu d'une femme, comme eût fait son frère le duc, il préférât un berger de Virgile ou un élève de Platon, et aussitôt des qualités inconnues au duc de Guermantes et souvent liées à ce déséquilibre, avaient fait de M. de Charlus un pianiste délicieux, un peintre amateur qui n'était pas sans goût, un éloquent discoureur[1]. Le style rapide, anxieux, charmant avec lequel M. de Charlus jouait le morceau schumannesque de la sonate de Fauré[2], qui aurait pu discerner que ce style avait son correspondant — on n'ose dire sa cause — dans des parties toutes physiques, dans les défectuosités nerveuses de M. de Charlus ? Nous expliquerons plus tard ce mot de « défectuosités nerveuses » et pour quelles raisons un Grec du temps de Socrate, un Romain du temps d'Auguste, pouvaient être ce qu'on sait tout en restant des hommes absolument normaux, et non des hommes-femmes comme on en voit aujourd'hui. De même que de réelles dispositions artistiques, non venues à terme, M. de Charlus avait, bien plus que le duc, aimé leur mère, aimé sa femme[a], et même des années après, quand on lui en parlait il avait des larmes, mais superficielles, comme la transpiration d'un homme trop gros, dont le front pour un rien s'humecte de sueur. Avec la différence qu'à ceux-ci on dit : « Comme vous avez chaud ! » tandis qu'on fait semblant de ne pas voir les pleurs des autres. On, c'est-à-dire le monde ; car le peuple s'inquiète de voir pleurer comme si un sanglot était plus grave qu'une hémorragie. La tristesse qui suivit la mort de sa femme, grâce à l'habitude de mentir, n'excluait pas chez M. de Charlus une vie qui n'y était pas conforme. Plus tard même, il eut l'ignominie de laisser entendre que pendant la cérémonie funèbre, il avait trouvé le moyen de demander son nom et son adresse à l'enfant de chœur. Et c'était peut-être vrai.

Le morceau fini, je me permis de réclamer du Franck, ce qui eut l'air de faire tellement souffrir Mme de Cambremer que je n'insistai pas. « Vous ne pouvez pas aimer cela », me dit-elle. Elle demanda à la place *Fêtes* de Debussy[1], ce qui fit crier : « Ah ! c'est sublime ! » dès la première note. Mais Morel s'aperçut qu'il ne savait que les premières mesures et par gaminerie, sans aucune intention de mystifier, il commença une marche de Meyerbeer. Malheureusement comme il laissa peu de transitions et ne fit pas d'annonce, tout le monde crut que c'était encore du Debussy, et on continua à crier : « Sublime ! » Morel, en révélant que l'auteur n'était pas celui de *Pelléas* mais de *Robert le Diable*[2], jeta un certain froid. Mme de Cambremer n'eut guère le temps de le ressentir pour elle-même, car elle venait de découvrir un cahier de Scarlatti[3] et elle s'était jetée dessus avec une impulsion d'hystérique. « Oh ! jouez ça, tenez, ça, c'est divin », criait-elle. Et pourtant de cet auteur longtemps dédaigné, promu depuis peu aux plus grands honneurs, ce qu'elle élisait dans son impatience fébrile, c'était un de ces morceaux maudits qui vous ont si souvent empêché de dormir et qu'une élève sans pitié recommence indéfiniment à l'étage contigu au vôtre. Mais Morel avait assez de musique, et comme il tenait à jouer aux cartes, M. de Charlus pour participer à la partie aurait voulu un whist. « Il a dit tout à l'heure au Patron qu'il était prince, dit Ski à Mme Verdurin, mais ce n'est pas vrai, il est d'une simple famille bourgeoise de petits architectes[a]. — Je veux savoir ce que vous disiez de Mécène. Ça m'amuse, moi, na ! » redit Mme Verdurin à Brichot, par une amabilité qui grisa celui-ci. Aussi pour briller aux yeux de la Patronne et peut-être aux miens : « Mais à vrai dire, madame, Mécène m'intéresse surtout parce qu'il est le premier apôtre de marque de ce Dieu chinois qui compte aujourd'hui en France plus de sectateurs que Brahma, que le Christ lui-même, le très puissant Dieu Je-Men-Fou. » Mme Verdurin ne se contentait plus dans ces cas-là de plonger sa tête dans sa main. Elle s'abattait avec la brusquerie des insectes appelés éphémères sur la princesse Sherbatoff ; si celle-ci était à peu de distance la Patronne s'accrochait à l'aisselle de la princesse, y enfonçait ses ongles, et cachait pendant quelques instants sa tête comme un enfant qui joue à cache-cache. Dissimulée par cet écran protecteur, elle était censée rire aux larmes et pouvait aussi bien ne penser à rien du tout que les gens qui, pendant qu'ils font une prière un peu longue, ont la sage précaution d'ensevelir leur visage dans leurs mains. Mme Verdurin les imitait en écoutant les quatuors de Beethoven[1] à la fois pour montrer qu'elle[a] les considérait comme une prière et pour ne pas laisser voir qu'elle dormait. « Je parle fort sérieusement, madame, dit Brichot. Je crois que trop grand est aujourd'hui le nombre des gens qui passent leur temps à considérer leur nombril comme s'il était le centre du monde. En bonne doctrine, je n'ai rien à objecter à je ne sais quel nirvana qui tend à nous dissoudre dans le grand Tout (lequel, comme Munich et Oxford, est beaucoup plus près de Paris qu'Asnières ou Bois-Colombes), mais il n'est ni d'un bon Français, ni même d'un bon Européen, quand les Japonais sont peut-être aux portes de notre Byzance, que des antimilitaristes socialisés discutent[b] gravement sur les vertus cardinales du vers libre. » Mme Verdurin crut pouvoir lâcher l'épaule meurtrie de la princesse et elle laissa réapparaître sa figure, non sans feindre de s'essuyer les yeux et sans reprendre deux ou trois fois haleine. Mais Brichot voulait que j'eusse ma part de festin et ayant retenu des soutenances de thèses qu'il présidait comme personne, qu'on ne flatte jamais tant la jeunesse qu'en la morigénant, en lui donnant de l'importance, en se faisant traiter par elle de réactionnaire : « Je ne voudrais pas blasphémer les Dieux de la Jeunesse, dit-il en jetant sur moi ce regard furtif qu'un orateur accorde à la dérobée à quelqu'un présent dans l'assistance et dont il cite le nom. Je ne voudrais pas être damné comme hérétique et relaps dans la chapelle mallarméenne[2], où notre nouvel ami, comme tous ceux de son âge, a dû servir la messe ésotérique, au moins comme enfant de chœur, et se montrer déliquescent ou Rose-Croix[3]. Mais vraiment[c] nous en avons trop vu de ces intellectuels adorant l'Art avec un grand A et qui, quand il ne leur suffit plus de s'alcooliser avec du Zola, se font des piqûres de Verlaine. Devenus éthéromanes par dévotion baudelairienne, ils ne seraient plus capables de l'effort viril que la patrie peut un jour ou l'autre leur demander[4], anesthésiés qu'ils sont par la grande névrose littéraire dans l'atmosphère chaude, énervante, lourde de relents malsains, d'un symbolisme de fumerie d'opium. » Incapable de feindre l'ombre d'admiration pour le couplet inepte et bigarré de Brichot, je me détournai vers Ski et lui assurai qu'il se trompait absolument sur la famille à laquelle appartenait M. de

Charlus ; il me répondit qu'il était sûr de son fait et ajouta que je lui avais même dit que son vrai nom était Gandin, Le Gandin. « Je[a] vous ai dit, lui répondis-je, que Mme de Cambremer était la sœur d'un ingénieur, M. Legrandin. Je ne vous ai jamais parlé de M. de Charlus. Il y a autant de rapport de naissance entre lui et Mme de Cambremer qu'entre le Grand Condé[1] et Racine. — Ah ! je croyais », dit Ski légèrement sans plus s'excuser de son erreur que quelques heures avant de celle qui avait failli nous[2] faire manquer le train[3]. « Est-ce que vous comptez[b] rester longtemps sur la côte ? » demanda Mme Verdurin à M. de Charlus, en qui elle pressentait un fidèle et qu'elle tremblait de voir rentrer trop tôt à Paris. « Mon Dieu, on ne sait jamais, répondit d'un ton nasillard et traînant M. de Charlus. J'aimerais rester jusqu'à la fin de septembre. — Vous avez raison, dit Mme Verdurin ; c'est le moment des belles tempêtes. — À bien vrai dire ce n'est pas ce qui me déterminerait. J'ai trop négligé depuis quelque temps l'archange saint Michel, mon patron, et je voudrais le dédommager en restant jusqu'à sa fête, le 29 septembre, à l'abbaye du Mont. — Ça vous intéresse beaucoup, ces affaires-là ? » demanda Mme Verdurin, qui eût peut-être réussi à faire taire son anticléricalisme blessé si elle n'avait craint qu'une excursion aussi longue ne fît « lâcher » pendant quarante-huit heures le violoniste et le baron. « Vous êtes peut-être affligée de surdité intermittente, répondit insolemment M. de Charlus. Je vous ai dit que saint Michel était un de mes glorieux patrons. » Puis, souriant avec une bienveillante extase, les yeux fixés au loin, la voix accrue par une exaltation qui me sembla plus qu'esthétique, mais religieuse : « C'est si beau à l'offertoire quand Michel se tient debout près de l'autel, en robe blanche, balançant un encensoir d'or et avec un tel amas de parfums que l'odeur en monte jusqu'à Dieu ! — On pourrait y aller en bande, suggéra Mme Verdurin malgré son horreur de la calotte. — À ce moment-là, dès l'offertoire », reprit M. de Charlus qui pour d'autres raisons mais de la même manière que les bons orateurs à la Chambre, ne répondait jamais à une interruption et feignait de ne pas l'avoir entendue, « ce serait ravissant de voir notre jeune ami palestrinisant et exécutant même une aria de Bach. Il serait fou de joie, le bon abbé aussi, et c'est le plus grand hommage, du moins le plus grand hommage public, que je puisse rendre à mon saint patron. Quelle édification pour les fidèles ! Nous en parlerons tout à l'heure au jeune Angelico musical, militaire comme saint Michel. »

Saniette appelé pour faire le mort, déclara qu'il ne savait pas jouer au whist. Et Cottard voyant qu'il n'y avait plus grand temps avant l'heure du train, se mit tout de suite à faire une partie d'écarté avec Morel. M. Verdurin, furieux, marcha d'un air terrible sur Saniette : « Vous ne savez donc jouer à rien ! » cria-t-il, furieux d'avoir perdu l'occasion de faire un whist, et ravi d'en avoir trouvé une d'injurier l'ancien archiviste. Celui-ci, terrorisé, prit un air spirituel : « Si, je sais jouer du piano », dit-il. Cottard et Morel s'étaient assis face à face. « À vous l'honneur, dit Cottard. — Si nous nous approchions un peu de la table de jeu, dit à M. de Cambremer M. de Charlus, inquiet de voir le violoniste avec Cottard. C'est aussi intéressant que ces questions d'étiquette qui, à notre époque, ne signifient plus grand-chose. Les seuls rois qui nous restent, en France du moins, sont les rois des jeux de cartes, et il me semble qu'ils viennent à foison dans la main du jeune virtuose », ajouta-t-il bientôt, par une admiration pour Morel qui s'étendait jusqu'à sa manière de jouer, pour le flatter aussi, et enfin pour expliquer le mouvement qu'il faisait de se pencher sur l'épaule du violoniste. « Ié coupe », dit, en contrefaisant l'accent rastaquouère, Cottard, dont les enfants s'esclaffèrent[1] comme faisaient ses élèves et le chef de clinique, quand le Maître, même au lit d'un malade gravement atteint, lançait, avec un masque impassible d'épileptique une de ses coutumières facéties. « Je ne sais trop ce que je dois jouer, dit Morel en consultant M. de Cambremer. — Comme vous voudrez, vous serez battu de toutes façons, ceci ou ça, c'est égal. — Egal... Galli-Marié[2] ? dit le docteur[a] en coulant vers M. de Cambremer un regard insinuant et bénévole. C'était ce que nous appelons la véritable diva, c'était le rêve, une Carmen comme on n'en reverra pas. C'était la femme du rôle. J'aimais aussi y entendre Ingalli[3]-Marié ». Le marquis[b] se leva avec cette vulgarité méprisante des gens bien nés qui ne comprennent pas qu'ils insultent le maître de maison en ayant l'air de ne pas être certains qu'on puisse fréquenter ses invités et qui s'excusent sur l'habitude anglaise pour employer une expression dédaigneuse :

« Quel eſt ce monsieur qui joue aux cartes ? qu'eſt-ce qu'il fait dans la vie ? qu'eſt-ce qu'il *vend ?* J'aime assez savoir avec qui je me trouve, pour ne pas me lier avec n'importe qui. Or je n'ai pas entendu son nom quand vous m'avez fait l'honneur de me présenter à lui. » Si M. Verdurin s'autorisant de ces derniers mots, avait en effet présenté à ses convives[a] M. de Cambremer, celui-ci l'eût trouvé fort mauvais. Mais sachant que c'était le contraire qui avait eu lieu[b], il trouvait gracieux d'avoir l'air bon enfant et modeſte sans péril. La fierté qu'avait M. Verdurin de son intimité avec Cottard n'avait fait que grandir depuis que le doc̄teur était devenu un professeur illuſtre. Mais elle ne s'exprimait plus sous la forme naïve d'autrefois. Alors, quand Cottard était à peine connu, si on parlait à M. Verdurin des névralgies faciales de sa femme : « Il n'y a rien à faire », disait-il avec l'amour-propre naïf des gens qui croient que ce qu'ils connaissent eſt illuſtre et que tout le monde connaît le nom du professeur de chant de leur fille. « Si[c] elle avait un médecin de second ordre on pourrait chercher un autre traitement, mais quand ce médecin s'appelle Cottard (nom qu'il prononçait comme si c'eût été Bouchard[1] ou Charcot[2]) il n'y a qu'à tirer l'échelle. » Usant d'un procédé inverse, sachant que M. de Cambremer avait certainement entendu parler du fameux professeur Cottard, M. Verdurin prit un air simplet. « C'eſt notre médecin de famille, un brave cœur que nous adorons et qui se ferait couper en quatre pour nous ; ce n'eſt pas un médecin, c'eſt un ami ; je ne pense pas que vous le connaissiez ni que son nom vous dirait quelque chose ; en tout cas, pour nous c'eſt le nom d'un bien bon homme, d'un bien cher ami, Cottard. » Ce nom, murmuré d'un air modeſte, trompa M. de Cambremer qui crut qu'il s'agissait d'un autre. « Cottard ? vous ne parlez pas du professeur Cottard ? » On entendait précisément la voix dudit professeur qui, embarrassé par un coup, disait en tenant ses cartes : « C'eſt ici que les Athéniens s'atteignirent. — Ah ! si, juſtement, il eſt professeur, dit M. Verdurin. — Quoi ! le professeur Cottard ! Vous ne vous trompez pas ! Vous êtes bien sûr que c'eſt le même ! celui qui demeure rue de Bac ! — Oui, il demeure rue du Bac, 43. Vous le connaissez ? — Mais tout le monde connaît le professeur Cottard. C'eſt une sommité ! C'eſt comme si vous me demandiez si je connais Bouffe de

Saint-Blaise[1] ou Courtois-Suffit[2]. J'avais bien vu en l'écoutant parler que ce n'était pas un homme ordinaire, c'est pourquoi je me suis permis de vous demander. — Voyons, qu'est-ce qu'il faut ajouter ? atout ? » demandait Cottard. Puis brusquement, avec une vulgarité qui eût été agaçante même dans une circonstance héroïque, où un soldat veut prêter une expression familière au mépris de la mort, mais qui devenait doublement stupide dans le passe-temps sans danger des cartes, Cottard se décidant à jouer atout, prit un air sombre, « cerveau brûlé », et par allusion à ceux qui risquent leur peau, joua sa carte comme si c'eût été sa vie, en s'écriant : « Après tout, je m'en fiche ! » Ce n'était pas ce qu'il fallait jouer[a], mais il eut une consolation. Au milieu du salon, dans un large fauteuil, Mme Cottard, cédant à l'effet, irrésistible chez elle, de l'après-dîner, s'était soumise après de vains efforts, au sommeil vaste et léger qui s'emparait d'elle. Elle avait beau se redresser à des instants, pour sourire, soit par moquerie de soi-même, soit par peur de laisser sans réponse quelque parole aimable qu'on lui eût adressée, elle retombait malgré elle, en proie au mal implacable et délicieux. Plutôt que le bruit, ce qui l'éveillait ainsi pour une seconde seulement, c'était le regard (que par tendresse elle voyait même les yeux fermés, et prévoyait, car la même scène se produisait tous les soirs et hantait son sommeil comme l'heure où on aura à se lever), le regard par lequel le professeur signalait le sommeil de son épouse aux personnes présentes. Il se contentait pour commencer de la regarder et de sourire, car si comme médecin il blâmait ce sommeil d'après le dîner (du moins donnait-il cette raison scientifique pour se fâcher vers la fin, mais il n'est pas sûr qu'elle fût déterminante tant il avait là-dessus de vues variées), comme mari tout-puissant et taquin, il était enchanté de se moquer de sa femme, de ne l'éveiller d'abord qu'à moitié, afin qu'elle se rendormît et qu'il eût le plaisir de la réveiller de nouveau.

Maintenant Mme Cottard dormait tout à fait. « Hé bien ! Léontine, tu pionces[b], lui cria le professeur. — J'écoute ce que dit Mme Swann, mon ami, répondit faiblement Mme Cottard, qui retomba dans sa léthargie. — C'est insensé, s'écria Cottard, tout à l'heure elle nous affirmera qu'elle n'a pas dormi. C'est comme les patients qui se rendent à une consultation et qui prétendent qu'ils ne dorment jamais. — Ils se le figurent peut-être », dit en riant M. de Cambremer. Mais le docteur aimait autant à contredire qu'à taquiner, et surtout n'admettait pas qu'un profane osât lui parler médecine. « On ne se figure pas qu'on ne dort pas, promulgua-t-il d'un ton dogmatique. — Ah ! répondit en s'inclinant respectueusement le marquis, comme eût fait Cottard jadis. — On voit bien, reprit Cottard, que vous n'avez pas comme moi administré jusqu'à deux grammes de trional sans arriver à provoquer la somnescence. — En effet, en effet, répondit le marquis en riant d'un air avantageux, je n'ai jamais pris de trional, ni aucune de ces drogues qui bientôt ne font plus d'effet mais vous détraquent l'estomac. Quand on a chassé toute la nuit comme moi dans la forêt de Chantepie, je vous assure qu'on n'a pas besoin de trional pour dormir. — Ce sont les ignorants qui disent cela, répondit le professeur. Le trional relève parfois d'une façon remarquable le tonus nerveux. Vous parlez de trional, savez-vous seulement ce que c'est ? — Mais... j'ai entendu dire que c'était un médicament pour dormir. — Vous ne répondez pas à ma question », reprit doctoralement le professeur qui, trois fois par semaine, à la Faculté, était « d'examen ». « Je ne vous demande pas si ça fait dormir ou non, mais ce que c'est. Pouvez-vous me dire ce qu'il contient de parties d'amyle et d'éthyle[1] ? — Non, répondit M. de Cambremer embarrassé. Je préfère un bon verre de fine ou même de porto 345[2]. — Qui sont dix fois plus toxiques, interrompit le professeur. — Pour le trional, hasarda M. de Cambremer, ma femme est abonnée à tout cela, vous feriez mieux d'en parler avec elle. — Qui doit en savoir à peu près autant que vous. En tous cas, si votre femme prend du trional pour dormir, vous voyez que ma femme n'en a pas besoin. Voyons, Léontine, bouge-toi, tu t'ankyloses, est-ce que je dors après dîner, moi ? qu'est-ce que tu feras à soixante ans si tu dors maintenant comme une vieille ? Tu vas prendre de l'embonpoint, tu t'arrêtes la circulation... Elle ne m'entend même plus. — C'est mauvais pour la santé, ces petits sommes après dîner, n'est-ce pas, docteur ? dit M. de Cambremer pour se réhabiliter auprès de Cottard. Après avoir bien mangé il faudrait faire de l'exercice. — Des histoires ! répondit le docteur. On a prélevé une même quantité de nourriture dans l'estomac d'un chien qui était resté tranquille, et dans l'estomac d'un chien qui avait couru, et c'est chez le premier que la digestion était la plus avancée. — Alors c'est le sommeil qui coupe la digestion ? — Cela dépend s'il s'agit de la digestion œsophagique, stomacale, intestinale ; inutile de vous donner des explications que vous ne comprendriez pas puisque vous n'avez pas fait vos études de médecine. Allons, Léontine, en avant... harche ! il est temps de partir. » Ce n'était pas vrai car le docteur allait seulement continuer sa partie de cartes, mais il espérait contrarier ainsi de façon plus brusque le sommeil de la muette à laquelle il adressait sans plus recevoir de réponse les plus savantes exhortations. Soit qu'une volonté de résistance à dormir persistât chez Mme Cottard, même dans l'état de sommeil, soit que le fauteuil ne prêtât pas d'appui à sa tête, cette dernière fut rejetée mécaniquement de gauche à droite et de bas en haut, dans le vide, comme un objet inerte, et Mme Cottard, balancée quant au chef, avait tantôt l'air d'écouter de la musique, tantôt d'être entrée dans la dernière phase de l'agonie. Là où les admonestations de plus en plus véhémentes de son mari échouaient, le sentiment de sa propre sottise réussit : « Mon bain est bien comme chaleur, murmura-t-elle, mais les plumes du dictionnaire... s'écria-t-elle en se redressant. Oh ! mon Dieu, que je suis sotte ! Qu'est-ce que je dis ? je pensais à mon chapeau, j'ai dû dire une bêtise, un peu plus j'allais m'assoupir, c'est ce maudit feu. » Tout le monde se mit à rire car il n'y avait pas de feu[a].

« Vous vous moquez de moi, dit en riant elle-même Mme Cottard, qui effaça de la main sur son front avec une légèreté de magnétiseur et une adresse de femme qui se recoiffe, les dernières traces du sommeil, je veux présenter mes humbles excuses à chère madame Verdurin et savoir d'elle la vérité. » Mais son sourire devint vite triste, car le professeur, qui savait que sa femme cherchait à lui plaire et tremblait de n'y pas réussir, venait de lui crier : « Regarde-toi dans la glace, tu es rouge comme si tu avais une éruption d'acné, tu as l'air d'une vieille paysanne. — Vous savez il est charmant, dit Mme Verdurin, il a un joli côté de bonhomie narquoise. Et puis il a ramené mon mari des portes du tombeau quand toute la Faculté l'avait condammé. Il a passé trois nuits près de lui, sans se coucher. Aussi Cottard pour moi, vous savez, ajouta-t-elle d'un ton grave et presque menaçant en levant la main vers les deux sphères aux mèches blanches de ses tempes musicales et comme si nous avions voulu toucher au docteur, c'est sacré ! Il pourrait demander tout ce qu'il voudrait. Du reste, je ne l'appelle pas le docteur Cottard, je l'appelle le docteur Dieu ! Et encore en disant cela je le calomnie, car ce Dieu répare dans la mesure du possible une partie des malheurs dont l'autre est responsable. — Jouez atout, dit à Morel M. de Charlus d'un air heureux. — Atout, pour voir, dit le violoniste. — Il fallait annoncer d'abord votre roi, dit M. de Charlus, vous êtes distrait, mais comme vous jouez bien ! — J'ai le roi, dit Morel. — C'est un bel homme, répondit le professeur. — Qu'est-ce que c'est que cette affaire-là avec ces piquets ? demanda Mme Verdurin en montrant à M. de Cambremer un superbe écusson sculpté au-dessus de la cheminée. Ce sont vos *armes ?* ajouta-t-elle avec un dédain ironique. — Non, ce ne sont pas les nôtres, répondit M. de Cambremer. Nous portons d'or à trois fasces bretèchées et contre-bretèchées de gueules à cinq pièces chacune chargée d'un trèfle d'or. Non, celles-là ce sont celles des d'Arrachepel[1] qui n'étaient pas de notre estoc, mais de qui nous avons hérité la maison, et jamais ceux de notre lignage n'ont rien voulu y changer. Les Arrachepel (jadis Pelvilain, dit-on) portaient d'or à cinq pieux épointés de gueules. Quand ils s'allièrent aux Féterne leur écu changea mais resta cantonné de vingt croisettes recroisettées au pieu péri fiché d'or avec à droite un vol d'hermine[2]. — Attrape[3], dit[a] tout bas Mme de Cambremer. — Mon arrière-grand-mère était une d'Arrachepel ou de Rachepel, comme vous voudrez, car on trouve les deux noms dans les vieilles chartes, continua M. de Cambremer, qui rougit vivement, car il eut seulement alors l'idée dont sa femme lui avait fait horreur[b] et il craignit que Mme Verdurin ne se fût appliqué des paroles qui ne la visaient nullement. L'histoire veut qu'au XIe siècle, le premier Arrachepel, Macé, dit Pelvilain, ait montré une habileté particulière dans les sièges pour arracher les pieux[4]. D'où le surnom d'Arrachepel sous lequel il fut anobli, et les pieux que vous voyez à travers les siècles persister dans leurs armes. Il s'agit des pieux que, pour rendre plus inabordables les fortifications, on plantait, on fichait, passez-moi l'expression, en terre devant elles, et qu'on reliait entre eux. Ce sont eux que vous appeliez très bien des piquets et qui n'avaient rien des bâtons flottants du bon La Fontaine[1]. Car ils passaient pour rendre une place inexpugnable. Evidemment, cela fait sourire avec l'artillerie moderne. Mais il faut se rappeler qu'il s'agit du XIe siècle. — Cela manque d'actualité, dit Mme Verdurin, mais le petit campanile a du caractère. — Vous avez, dit Cottard, une veine de... turlututu, mot qu'il répétait volontiers pour esquiver celui de Molière[2]. Savez-vous pourquoi le roi de carreau est réformé ? — Je voudrais bien être à sa place, dit Morel que son service militaire ennuyait. — Ah ! le mauvais patriote, s'écria M. de Charlus, qui ne put se retenir de pincer l'oreille au violoniste. — Non, vous ne savez pas pourquoi le roi de carreau est réformé ? reprit Cottard, qui tenait à ses plaisanteries, c'est parce qu'il n'a qu'un œil. — Vous avez affaire à forte partie, docteur, dit M. de Cambremer pour montrer à Cottard qu'il savait qui il était. — Ce jeune homme est étonnant, interrompit naïvement M. de Charlus, en montrant Morel. Il joue comme un dieu. » Cette réflexion ne plut pas beaucoup au docteur qui répondit : « Qui vivra verra. À roublard, roublard et demi[3]. — La dame, l'as », annonça triomphalement Morel, que le sort favorisait. Le docteur courba la tête comme ne pouvant nier cette fortune et avoua, fasciné : « C'est beau. — Nous avons été très contents de dîner avec M. de Charlus, dit Mme de Cambremer à Mme Verdurin. — Vous ne le connaissiez pas ? Il est assez agréable, il est particulier, il est *d'une époque* » (elle eût été bien embarrassée de dire laquelle), répondit Mme Verdurin avec le sourire satisfait d'une dilettante[a], d'un juge et d'une maîtresse de maison. Mme de Cambremer me demanda si je viendrais à Féterne avec Saint-Loup. Je ne pus retenir un cri d'admiration en voyant la lune suspendue comme un lampion orangé à la voûte de chênes qui partait du château. « Ce n'est encore rien ; tout à l'heure quand la lune sera plus haute et que la vallée sera éclairée, ce sera mille fois plus beau. Voilà ce que vous n'avez pas à Féterne ! dit-elle d'un ton dédaigneux à Mme de Cambremer, laquelle ne savait que répondre, ne voulant pas déprécier sa propriété, surtout devant les locataires. — Vous restez encore quelque temps dans la région, madame ? demanda M. de Cambremer à Mme Cottard, ce qui pouvait passer pour une vague intention de l'inviter et ce qui dispensait actuellement de rendez-vous plus précis. — Oh ! certainement, monsieur, je tiens beaucoup pour les enfants à cet exode annuel. On a beau dire, il leur faut le grand air. Je suis peut-être en cela bien primitive mais je trouve qu'aucune cure ne vaut pour les enfants le bon air, quand bien même on me prouverait le contraire par A plus B. Leurs petites frimousses sont déjà toutes changées. La Faculté[a] voulait m'envoyer à Vichy ; mais c'est trop étouffé et je m'occuperai de mon estomac quand ces grands garçons-là auront encore un peu poussé. Et puis le professeur, avec les examens qu'il fait passer, a toujours un fort coup de collier à donner et les chaleurs le fatiguent beaucoup. Je trouve qu'on a besoin d'une franche détente quand on a été comme lui toute l'année sur la brèche. De toutes façons nous resterons encore un bon mois. — Ah ! alors nous sommes gens de revue. — D'ailleurs je suis d'autant plus obligée de rester que mon mari doit aller faire un tour en Savoie et ce n'est que dans une quinzaine qu'il sera ici en poste fixe. — J'aime encore mieux le côté de la vallée que celui de la mer, reprit Mme Verdurin. Vous allez avoir un temps splendide pour revenir. — Il faudrait même voir si les voitures sont attelées, dans le cas où vous tiendriez absolument à rentrer ce soir à Balbec, me dit M. Verdurin, car moi je n'en vois pas la nécessité. On vous ferait ramener demain matin en voiture. Il fera sûrement beau. Les routes sont admirables. » Je dis que c'était impossible. « Mais en tout cas il n'est pas l'heure, objecta la Patronne. Laisse-les tranquilles, ils ont bien le temps. Ça les avancera bien d'arriver une heure d'avance à la gare. Ils sont mieux ici. Et vous, mon petit Mozart, dit-elle à Morel, n'osant pas s'adresser directement à M. de Charlus, vous ne voulez pas rester ? Nous avons de belles chambres sur la mer. — Mais il ne peut pas, répondit M. de Charlus pour le joueur attentif qui n'avait pas entendu. Il n'a que la permission de minuit. Il faut qu'il rentre se coucher, comme un enfant bien obéissant, bien sage », ajouta-t-il d'une voix complaisante, maniérée, insistante, comme s'il trouvait quelque sadique volupté à employer cette chaste comparaison et aussi à appuyer au passage sa voix sur ce qui concernait Morel, à le toucher, à défaut de la main avec des paroles qui semblaient le palper[b].

Du sermon que m'avait adressé Brichot, M. de Cambremer avait conclu que j'étais dreyfusard. Comme il était aussi antidreyfusard que possible, par courtoisie pour un ennemi il se mit à me faire l'éloge d'un colonel juif qui avait toujours été très juste pour un cousin des Chevregny[a1] et lui avait fait donner l'avancement qu'il méritait. « Et mon cousin était dans des idées absolument opposées », dit M. de Cambremer, glissant sur ce qu'étaient ces idées, mais que je sentis aussi anciennes et mal formées que son visage, des idées que quelques familles de certaines petites villes devaient avoir depuis bien longtemps. « Eh bien ! vous savez, je trouve ça très beau ! » conclut M. de Cambremer. Il est vrai qu'il n'employait guère le mot « beau » dans le sens esthétique où il eût désigné pour sa mère ou sa femme, des œuvres différentes, mais des œuvres d'art. M. de Cambremer se servait plutôt de ce qualificatif en félicitant par exemple une personne délicate qui avait un peu engraissé. « Comment, vous avez repris trois kilos en deux mois ? Savez-vous que c'est très beau ! » Des rafraîchissements étaient servis sur une table. Mme Verdurin invita les messieurs à aller eux-mêmes choisir la boisson qui leur convenait. M. de Charlus alla boire son verre et vite revint s'asseoir près de la table de jeu et ne bougea plus. Mme Verdurin lui demanda : « Avez-vous pris de mon orangeade ? » Alors M. de Charlus, avec un sourire gracieux, sur un ton cristallin qu'il avait rarement et avec mille moues de la bouche et déhanchements de la taille, répondit : « Non, j'ai préféré la voisine, c'est de la fraisette, je crois, c'est délicieux. » Il est singulier qu'un certain ordre d'actes secrets ait pour conséquence extérieure une manière de parler ou de gesticuler qui les révèle. Si un monsieur croit ou non à l'Immaculée Conception, ou à l'innocence de Dreyfus, ou à la pluralité des mondes, et veuille s'en taire, on ne trouvera dans sa voix ni dans sa démarche, rien qui laisse apercevoir sa pensée. Mais en entendant M. de Charlus dire de cette voix aiguë[2] et avec ce sourire et ces gestes de bras : « Non, j'ai préféré sa voisine, la fraisette », on pouvait dire : « Tiens, il aime le sexe fort », avec la même certitude que celle qui permet de condamner, pour un juge un criminel[b] qui n'a pas avoué, pour un médecin un paralytique général qui ne sait peut-être pas lui-même son mal mais qui a fait telles fautes de prononciation d'où on peut déduire qu'il sera mort dans trois ans. Peut-être les gens qui concluent de la manière de dire : « Non, j'ai préféré sa voisine, la fraisette » à un amour dit antiphysique, n'ont-ils pas besoin de tant de science. Mais c'est qu'ici il y a rapport plus direct entre le signe révélateur et le secret. Sans se le dire précisément on sent que c'est une douce et souriante dame qui vous répond et qui paraît maniérée parce qu'elle se donne pour un homme et qu'on n'est pas habitué à voir les hommes faire tant de manières. Et il est peut-être plus gracieux de penser que depuis longtemps un certain nombre de femmes angéliques ont été comprises par erreur dans le sexe masculin où, exilées, tout en battant vainement des ailes vers les hommes à qui elles inspirent une répulsion physique, elles savent arranger[a] un salon, composent des « intérieurs ». M. de Charlus ne s'inquiétait pas[b] que Mme Verdurin fût debout et restait installé dans son fauteuil pour être plus près de Morel. « Croyez-vous, dit Mme Verdurin au baron, que ce n'est pas un crime que cet être-là qui pourrait nous enchanter avec son violon, soit là à une table d'écarté. Quand on joue du violon comme lui ! — Il joue bien aux cartes, il fait tout bien, il est si intelligent », dit M. de Charlus, tout en regardant les jeux, afin de conseiller Morel. Ce n'était pas du reste sa seule raison de ne pas se soulever de son fauteuil devant Mme Verdurin. Avec le singulier amalgame qu'il avait fait de ses conceptions sociales, à la fois de grand seigneur et d'amateur d'art, au lieu d'être poli de la même manière qu'un homme de son monde l'eût été, il se faisait d'après Saint-Simon des espèces de tableaux vivants ; et en ce moment s'amusait à figurer le maréchal d'Huxelles[c], lequel l'intéressait par d'autres côtés encore et dont il est dit qu'il était glorieux jusqu'à ne pas se lever de son siège, par un air de paresse, devant ce qu'il y avait de plus distingué à la cour[1]. « Dites donc, Charlus, dit Mme Verdurin, qui commençait à se familiariser, vous n'auriez pas dans votre faubourg quelque vieux noble ruiné qui pourrait me servir de concierge ? — Mais si... mais si..., répondit M. de Charlus en souriant d'un air bonhomme, mais je ne vous le conseille pas. — Pourquoi ? — Je craindrais pour vous que les visiteurs élégants n'allassent pas plus loin que la loge[2]. » Ce fut entre eux la première escarmouche. Mme Verdurin y prit à peine garde. Il devait malheureusement y en avoir d'autres à Paris. M. de Charlus continua à ne pas quitter sa chaise. Il ne pouvait d'ailleurs s'empêcher de sourire imperceptiblement en voyant combien confirmait ses maximes favorites sur le prestige de l'aristocratie et la lâcheté des bourgeois, la soumission si aisément obtenue de Mme Verdurin. La Patronne n'avait l'air nullement étonnée par la posture du baron et si elle le quitta, ce fut seulement parce qu'elle avait été inquiète de me voir relancé par M. de Cambremer. Mais avant cela elle voulait éclaircir la question des relations de M. de Charlus avec la comtesse Molé. « Vous m'avez dit que vous connaissiez Mme de Molé. Est-ce que vous allez chez elle ? » demanda-t-elle en donnant aux mots : « aller chez elle » le sens d'être reçu chez elle, d'avoir reçu d'elle l'autorisation d'aller la voir. M. de Charlus répondit avec une inflexion de dédain, une affectation de précision et un ton de psalmodie : « Mais quelquefois. » Ce « quelquefois » donna des doutes à Mme Verdurin qui demanda : « Est-ce que vous y avez rencontré le duc de Guermantes ? — Ah ! je ne me rappelle pas. — Ah ! dit Mme Verdurin, vous ne connaissez pas le duc de Guermantes ? — Mais comment est-ce que je ne le connaîtrais pas ? » répondit M. de Charlus, dont un sourire fit onduler la bouche. Ce sourire était ironique ; mais comme le baron craignait de laisser voir une dent en or, il le brisa sous un reflux de ses lèvres, de sorte que la sinuosité qui en résulta fut celle d'un sourire de bienveillance : « Pourquoi dites-vous : Comment est-ce que je ne le connaîtrais pas ? — Mais puisque c'est mon frère », dit négligemment M. de Charlus en laissant Mme Verdurin plongée dans la stupéfaction et l'incertitude de savoir si son invité se moquait d'elle, était un enfant naturel ou le fils d'un autre lit. L'idée que le frère du duc de Guermantes s'appelât le baron de Charlus ne lui vint pas à l'esprit[1]. Elle se dirigea vers moi : « J'ai entendu tout à l'heure que M. de Cambremer vous invitait à dîner. Moi, vous comprenez, cela m'est égal. Mais dans votre intérêt j'espère bien que vous n'irez pas. D'abord c'est infesté d'ennuyeux. Ah ! si vous aimez à dîner[a] avec des comtes et des marquis de province que personne ne connaît, vous serez servi à souhait. — Je crois que je serai obligé d'y aller une fois ou deux. Je ne suis du reste pas très libre car j'ai une jeune cousine que je ne peux pas laisser seule (je trouvais que cette prétendue parenté simplifiait les choses pour sortir avec Albertine). Mais pour les Cambremer, comme je la leur ai déjà présentée... — Vous ferez ce que vous voudrez. Ce que je peux vous dire : c'est excessivement malsain[a] ; quand vous aurez pincé une fluxion de poitrine, ou les bons petits rhumatismes des familles, vous serez bien avancé ? — Mais est-ce que l'endroit n'est pas très joli ? — Mmmmouiii... Si on veut. Moi j'avoue franchement que j'aime cent fois mieux la vue d'ici sur cette vallée. D'abord, on[b] nous aurait payés que je n'aurais pas pris l'autre maison parce que l'air de la mer est fatal à M. Verdurin. Pour peu que votre cousine soit nerveuse... Mais du reste vous êtes nerveux, je crois... vous avez des étouffements. Hé bien ! vous verrez. Allez-y une fois, vous ne dormirez pas de huit jours. Non ce n'est pas votre affaire. » Et sans penser[c] à ce que sa nouvelle phrase allait avoir de contradictoire avec les précédentes : « Si cela vous amuse de voir la maison qui n'est pas mal, jolie est trop dire, mais enfin amusante, avec le vieux fossé, le vieux pont-levis, comme il faudra que je m'exécute et que j'y dîne une fois, hé bien ! venez-y ce jour là, je tâcherai d'amener tout mon petit cercle, alors ce sera gentil. Après-demain nous irons à Arembouville en voiture. La route est magnifique, il y a du cidre[d] délicieux. Venez donc. Vous, Brichot, vous viendrez aussi. Et vous aussi, Ski. Ça fera une partie que du reste mon mari a dû arranger d'avance. Je ne sais trop qui il a invité. Monsieur de Charlus, est-ce que vous en êtes[1] ? » Le baron, qui n'entendit que cette[e] phrase et ne savait pas qu'on parlait d'une excursion à Arembouville, sursauta : « Étrange question », murmura-t-il d'un ton narquois par lequel Mme Verdurin se sentit piquée. « D'ailleurs, me dit-elle, en attendant le dîner Cambremer, pourquoi ne l'amèneriez-vous pas ici, votre cousine ? Aime-t-elle la conversation, les gens intelligents ? Est-elle agréable ? Oui, eh bien alors, très bien ! Venez avec elle. Il n'y a pas que les Cambremer au monde. Je comprends qu'ils soient heureux de l'inviter, ils ne peuvent arriver à avoir personne. Ici elle aura un bon air, toujours des hommes intelligents. En tous cas je compte que vous ne me lâchez pas pour mercredi prochain. J'ai entendu que vous aviez un goûter à Rivebelle avec votre cousine, M. de Charlus, je ne sais plus encore qui. Vous devriez arranger de transporter tout ça ici, ça serait gentil un petit arrivage en masse. Les communications sont on ne peut plus faciles,

les chemins sont ravissants ; au besoin je vous ferai chercher. Je ne sais pas du reste ce qui peut vous attirer à Rivebelle, c'est infesté de moustiques. Vous croyez[a] peut-être à la réputation de la galette. Mon cuisinier les fait autrement bien. Je vous en ferai manger, moi, de la galette normande, de la vraie et des sablés, je ne vous dis que ça. Ah ! si vous tenez à la cochonnerie qu'on sert à Rivebelle, ça je ne veux pas, je n'assassine pas mes invités, monsieur, et même si je voulais, mon cuisinier ne voudrait pas faire cette chose innommable et changerait de maison. Ces galettes de là-bas, on ne sait pas avec quoi c'est fait. Je connais une pauvre fille à qui cela a donné une péritonite qui l'a enlevée en trois jours. Elle n'avait que dix-sept ans. C'est triste pour sa pauvre mère, ajouta Mme Verdurin, d'un air mélancolique sous les sphères de ses tempes chargées d'expérience et de douleur. Mais enfin, allez goûter à Rivebelle si cela vous amuse d'être écorché et de jeter l'argent par les fenêtres. Seulement, je vous en prie, c'est une mission de confiance que je vous donne : sur le coup de six heures, amenez-moi tout votre monde ici, n'allez pas laisser les gens rentrer chacun chez soi, à la débandade. Vous pouvez amener qui vous voulez. Je ne dirai pas cela à tout le monde. Mais je suis sûre que vos amis sont gentils, je vois tout de suite que nous nous comprenons. En dehors du petit noyau, il vient justement des gens très agréables mercredi. Vous ne connaissez pas la petite Mme de Longpont ? Elle est[b] ravissante et pleine d'esprit, pas snob du tout, vous verrez qu'elle vous plaira beaucoup. Et elle aussi doit amener toute une bande d'amis, ajouta Mme Verdurin, pour me montrer que c'était bon genre et m'encourager par l'exemple. On verra qu'est-ce qui aura le plus d'influence et qui amènera le plus de monde, de Barbe de Longpont ou de vous[c]. Et puis je crois qu'on doit aussi amener Bergotte, ajouta-t-elle d'un air vague, ce concours d'une célébrité étant rendu trop improbable par une note parue le matin dans[d] les journaux et qui annonçait que la santé du grand écrivain inspirait les plus vives inquiétudes[1]. Enfin[e] vous verrez que ce sera un de mes mercredis les plus réussis, je ne veux pas avoir de femmes embêtantes. Du reste, ne jugez pas par celui de ce soir, il était tout à fait raté. Ne protestez pas, vous n'avez pas pu vous ennuyer plus que moi, moi-même je trouvais que c'était assommant. Ce ne sera pas toujours comme ce soir, vous savez ! Du reste je ne parle pas des Cambremer qui sont impossibles, mais j'ai connu des gens du monde qui passaient pour être agréables, hé bien ! à côté de mon petit noyau, cela n'existait pas. Je vous ai entendu dire que vous trouviez Swann intelligent. D'abord, mon avis est que c'était très exagéré, mais sans même parler du caractère de l'homme, que j'ai toujours trouvé foncièrement antipathique, sournois, en dessous, je l'ai eu souvent à dîner le mercredi. Hé bien ! vous pouvez demander aux autres, même à côté de Brichot qui est loin d'être un aigle, qui est un bon professeur de seconde que j'ai fait entrer à l'Institut, tout de même, Swann n'était plus rien. Il était d'un terne ! » Et comme j'émettais un avis contraire : « C'est ainsi. Je ne veux rien vous dire contre lui, puisque c'était votre ami ; du reste il vous aimait beaucoup, il m'a parlé de vous d'une façon délicieuse, mais demandez à ceux-ci s'il a jamais dit quelque chose d'intéressant à nos dîners. C'est tout de même la pierre de touche. Hé bien ! je ne sais pas pourquoi, mais Swann chez moi, ça ne donnait pas, ça ne rendait rien. Et encore le peu qu'il valait il l'a pris ici. » J'assurai qu'il était très intelligent. « Non, vous croyiez seulement cela parce que vous le connaissiez depuis moins longtemps que moi. Au fond on en avait très vite fait le tour. Moi, il m'assommait. (Traduction : il allait chez les La Trémoïlle et les Guermantes et savait que je n'y allais pas.) Et je peux tout supporter, excepté l'ennui. Ah ! ça non ! » L'horreur de l'ennui était maintenant chez Mme Verdurin la raison qui était chargée d'expliquer la composition du petit milieu. Elle ne recevait pas encore de duchesses parce qu'elle était incapable de s'ennuyer, comme de faire une croisière à cause du mal de mer. Je me disais[a] que ce que Mme Verdurin disait n'était pas absolument faux, et alors que les Guermantes eussent déclaré Brichot l'homme le plus bête qu'ils eussent jamais rencontré, je restais incertain s'il n'était pas au fond supérieur sinon à Swann même, au moins aux gens ayant l'esprit des Guermantes et qui eussent eu le bon goût d'éviter et la pudeur de rougir de ses pédantesques facéties, je me le demandais[b] comme si la nature de l'intelligence pouvait être en quelque mesure éclaircie par la réponse que je me ferais et avec le sérieux d'un chrétien influencé par Port-Royal qui se pose le problème de la grâce. « Vous verrez, continua Mme Verdurin, quand on a des gens du monde avec des gens vraiment intelligents, des gens de notre milieu, c'est là qu'il faut les voir, l'homme du monde le plus spirituel dans le royaume des aveugles n'est plus qu'un borgne ici. De plus il gèle les autres qui ne[a] se sentent plus en confiance. C'est au point que je me demande si au lieu d'essayer des fusions qui gâtent tout, je n'aurai pas des séries rien que pour les ennuyeux de façon à bien jouir de mon petit noyau. Concluons : vous viendrez avec votre cousine. C'est convenu. Bien. Au moins, ici, vous aurez tous les deux à manger. À Féterne c'est la faim et la soif. Ah ! par exemple, si vous aimez les rats, allez-y tout de suite, vous serez servi à souhait. Et on vous gardera tant que vous voudrez. Par exemple, vous mourrez de faim. Du reste, quand j'irai, je dînerai avant de partir. Et pour que ce soit plus gai, vous devriez venir me chercher. Nous goûterions ferme et nous souperions en rentrant. Aimez-vous les tartes aux pommes ? Oui, eh bien[b] ! notre chef les fait comme personne. Vous voyez que j'avais raison de dire que vous étiez fait pour vivre ici. Venez donc y habiter[c]. Vous savez qu'il y a beaucoup plus de place chez moi que ça n'en a l'air. Je ne le dis pas pour ne pas attirer d'ennuyeux. Vous pourriez amener à demeure votre cousine. Elle aurait un autre air qu'à Balbec. Avec l'air d'ici, je prétends que je guéris les incurables. Ma parole, j'en ai guéri, et pas d'aujourd'hui. Car j'ai habité autrefois tout près d'ici, quelque chose que j'avais déniché, que j'avais eu pour un morceau de pain et qui avait autrement de caractère que leur Raspelière. Je vous montrerai cela si nous nous promenons. Mais je reconnais que même ici, l'air est vraiment vivifiant. Encore je ne veux pas trop en parler, les Parisiens n'auraient qu'à se mettre à aimer mon petit coin. Ça a toujours été ma chance. Enfin, dites-le à votre cousine. On vous donnera deux jolies chambres sur la vallée, vous verrez ça le matin, le soleil dans la brume ! Et qu'est-ce que c'est que ce Robert de Saint-Loup dont vous parliez ? dit-elle d'un air inquiet parce qu'elle avait entendu que je devais aller le voir à Doncières et qu'elle craignit qu'il ne me fît lâcher. Vous pourriez plutôt l'amener ici si ce n'est pas un ennuyeux. J'ai entendu parler de lui par Morel ; il me semble que c'est un de ses grands amis[1] », dit Mme Verdurin mentant complètement, car Saint-Loup et Morel ne connaissaient même pas l'existence l'un de l'autre. Mais ayant entendu que Saint-Loup connaissait M. de Charlus, elle pensait que c'était par le violoniste et voulait avoir l'air au courant. « Il ne fait pas de médecine, par hasard, ou de littérature ? Vous savez que, si vous avez besoin de recommandations pour des examens, Cottard peut tout, et je fais de lui ce que je veux. Quant à l'Académie, pour plus tard, car je pense qu'il n'a pas l'âge, je dispose de plusieurs voix. Votre ami serait ici en pays de connaissance et ça l'amuserait peut-être de voir la maison. Ce n'est pas folichon Doncières. Enfin, vous ferez comme vous voudrez, comme cela vous arrangera le mieux », conclut-elle sans insister pour ne pas avoir l'air de chercher à connaître de la noblesse, et parce que sa prétention était que le régime sous lequel elle faisait vivre les fidèles, la tyrannie, fût appelé liberté. « Voyons, qu'est-ce que tu as ? », dit-elle, en voyant M. Verdurin qui, en faisant des gestes d'impatience, gagnait la terrasse en planches qui s'étendait d'un côté du salon au-dessus de la vallée, comme un homme[a] qui étouffe de rage et a besoin de prendre l'air. « C'est encore Saniette qui t'a agacé ? Mais puisque tu sais qu'il est idiot, prends-en ton parti, ne te mets pas dans des états comme cela... Je n'aime pas cela, me dit-elle, parce que c'est mauvais pour lui, cela le congestionne. Mais aussi je dois dire qu'il faut parfois une patience d'ange pour supporter Saniette et surtout se rappeler que c'est une charité de le recueillir. Pour ma part j'avoue que la splendeur de sa bêtise fait plutôt ma joie. Je pense que vous avez entendu après le dîner son mot : "Je ne sais pas jouer au whist, mais je sais jouer du piano". Est-ce assez beau ! C'est grand comme le monde, et d'ailleurs un mensonge, car il ne sait pas plus l'un que l'autre. Mais mon mari, sous ses apparences rudes, est très sensible, très bon, et cette espèce d'égoïsme de Saniette, toujours préoccupé de l'effet qu'il va faire[b], le met hors de lui... Voyons, mon petit, calme-toi, tu sais bien que Cottard t'a dit que c'était mauvais pour ton foie. Et c'est sur moi que tout va retomber, dit Mme Verdurin. Demain Saniette va venir avoir sa petite crise de nerfs et de larmes. Pauvre homme ! il est très malade. Mais enfin ce n'est pas une raison pour qu'il tue les autres. Et puis, même dans les moments où il souffre trop, où on voudrait le plaindre, sa bêtise arrête net l'attendrissement. Il est par trop stupide. Tu n'as qu'à lui dire très gentiment que ces scènes vous rendent malades tous deux, qu'il ne revienne pas ; comme c'est ce qu'il redoute le plus, cela aura un effet calmant sur ses nerfs », souffla Mme Verdurin à son mari.

On distinguait à peine la mer par les fenêtres de droite. Mais celles de l'autre côté montraient la vallée sur qui était maintenant tombée la neige du clair de lune. On entendait de temps à autre la voix de Morel et celle de Cottard. « Vous avez de l'atout ? — Yes. — Ah ! vous en avez de bonnes, vous », dit à Morel, en réponse à sa question, M. de Cambremer, car il avait vu que le jeu du docteur était plein d'atout. « Voici la femme de carreau, dit le docteur. Ça est de l'atout, savez-vous ? Ié coupe, ié prends... Mais il n'y a plus de Sorbonne, dit le docteur à M. de Cambremer ; il n'y a plus que l'université de Paris[1]. » M. de Cambremer confessa qu'il ignorait pourquoi le docteur lui faisait cette observation. « Je croyais que vous parliez de la Sorbonne, reprit le docteur. J'avais entendu que vous disiez : tu nous la *sors bonne,* ajouta-t-il en clignant de l'œil, pour montrer que c'était un mot. Attendez, dit-il en montrant son adversaire, je lui prépare un coup de Trafalgar[2]. » Et le coup devait être excellent pour le docteur, car dans sa joie il se mit en riant à remuer voluptueusement les deux épaules, ce qui était dans la famille, dans le « genre » Cottard, un trait presque zoologique de la satisfaction. Dans la génération précédente, le mouvement de se frotter les mains comme si on se savonnait, accompagnait le mouvement. Cottard lui-même avait d'abord usé simultanément de la double mimique, mais un beau jour, sans qu'on sût à quelle intervention, conjugale, magistrale peut-être, cela était dû, le frottement des mains avait disparu. Le docteur, même aux dominos, quand il forçait son partenaire à « piocher » et à prendre le double-six[3], ce qui était pour lui le plus vif des plaisirs, se contentait du mouvement des épaules. Et quand — le plus rarement possible — il allait dans son pays natal pour quelques jours, en retrouvant son cousin germain qui, lui, en était encore au frottement des mains, il disait au retour à Mme Cottard : « J'ai trouvé ce pauvre René bien commun. » « Avez-vous de la petite chaôse ? dit-il en se tournant vers Morel. Non ? Alors je joue ce vieux David[4]. — Mais alors vous en avez cinq[a], vous avez gagné ! — Voilà une belle victoire[a], docteur, dit le marquis. — Une victoire à la Pyrrhus[1] », dit Cottard en se tournant vers le marquis et en regardant par-dessus son lorgnon pour juger de l'effet de son mot. « Si nous avons encore le temps, dit-il à Morel, je vous donne votre revanche. C'est à moi de faire... Ah! non, voici les voitures, ce sera pour vendredi, et je vous montrerai un tour qui n'est pas dans une musette. » M. et Mme Verdurin nous conduisirent dehors. La Patronne fut particulièrement câline avec Saniette afin d'être certaine qu'il reviendrait le lendemain. « Mais vous ne m'avez pas l'air couvert, mon petit, me dit M. Verdurin, chez qui son grand âge autorisait cette appellation paternelle. On dirait que le temps a changé. » Ces mots me remplirent de joie, comme si la vie profonde, le surgissement de combinaisons différentes qu'ils impliquaient dans la nature, devait annoncer d'autres changements, ceux-là se produisant dans ma vie, et y créer des possibilités nouvelles. Rien qu'en ouvrant la porte sur le parc avant de partir, on sentait qu'un autre « temps » occupait depuis un instant la scène ; des souffles frais, volupté estivale, s'élevaient dans la sapinière (où jadis Mme de Cambremer rêvait de Chopin) et presque imperceptiblement, en méandres caressants, en remous capricieux, commençaient leurs légers nocturnes. Je refusai la couverture que les soirs suivants je devais accepter quand Albertine serait là, plutôt pour le secret du plaisir que contre le danger du froid. On chercha en vain le philosophe norvégien. Une colique l'avait-elle saisi ? Avait-il eu peur de manquer le train ? Un aéroplane était-il venu le chercher ? Avait-il été emporté dans une assomption ? Toujours est-il qu'il avait disparu sans qu'on eût eu le temps de s'en apercevoir, comme un dieu. « Vous avez tort, me dit M. de Cambremer, il fait un froid de canard. — Pourquoi de canard ? demanda le docteur. — Gare aux étouffements, reprit le marquis. Ma sœur ne sort jamais le soir. Du reste elle est assez mal hypothéquée en ce moment. Ne restez pas en tout cas ainsi tête nue, mettez vite votre couvre-chef. — Ce ne sont pas des étouffements *a frigore*, dit sentencieusement Cottard. — Ah ! alors, dit M. de Cambremer[b] en s'inclinant, du moment que c'est votre avis... — Avis au lecteur ! » dit le docteur en glissant ses regards hors de son lorgnon pour sourire. M. de Cambremer rit, mais persuadé qu'il avait raison, il insista. « Cependant, dit-il, chaque fois que ma sœur sort le soir, elle a une crise. — Il est inutile d'ergoter, répondit le docteur, sans se rendre compte de son impolitesse. Du reste je ne fais pas de médecine au bord de la mer, sauf si je suis appelé en consultation. Je suis ici en vacances. » Il y était du reste plus encore peut-être qu'il n'eût voulu. M. de Cambremer lui ayant dit en montant avec lui en voiture : « Nous avons la chance d'avoir aussi près de nous (pas de votre côté de la baie, de l'autre, mais elle est si resserrée à cet endroit-là) une autre célébrité médicale, le docteur du Boulbon », Cottard qui d'habitude, par *déontologie,* s'abstenait de critiquer ses confrères, ne put s'empêcher de s'écrier, comme il avait fait devant moi le jour funeste où nous étions allés dans le petit casino : « Mais ce n'est pas un médecin. Il fait de la médecine littéraire, c'est de la thérapeutique fantaisiste, du charlatanisme. D'ailleurs nous sommes en bons termes. Je prendrais le bateau pour aller le voir une fois si je n'étais obligé de m'absenter. » Mais à l'air que prit Cottard pour parler de du Boulbon à M. de Cambremer, je sentis que le bateau avec lequel il fût allé volontiers le trouver eût beaucoup ressemblé à ce navire que pour aller ruiner les eaux découvertes[a] par un autre médecin littéraire, Virgile (lequel leur enlevait aussi toute leur clientèle), avaient frété les docteurs de Salerne, mais qui sombra avec eux pendant la traversée[1]. « Adieu, mon petit Saniette, ne manquez pas de venir demain, vous savez que mon mari vous aime beaucoup. Il aime votre esprit, votre intelligence ; mais si, vous le savez bien, il aime prendre des airs brusques, mais il ne peut pas se passer de vous voir. C'est toujours la première question qu'il me pose : “Est-ce que Saniette vient ? j'aime tant le voir !” — Je n'ai jamais dit ça », dit M. Verdurin à Saniette avec une franchise simulée qui semblait concilier parfaitement ce que disait la Patronne avec la façon dont il traitait Saniette. Puis regardant sa montre, sans doute pour ne pas prolonger les adieux dans l'humidité du soir, il recommanda aux cochers de ne pas traîner, mais d'être prudents à la descente, et assura que nous arriverions avant le train. Celui-ci devait déposer les fidèles l'un à une gare, l'autre à une autre, en finissant par moi, aucun autre n'allant aussi loin que Balbec, et en commençant par les Cambremer. Ceux-ci, pour ne pas faire monter leurs chevaux dans la nuit jusqu'à La Raspelière, prirent le train avec nous à Douville-Féterne[a]. La station la plus rapprochée de chez eux n'était pas en effet celle-ci, qui déjà un peu distante du village, l'est encore plus du château, mais La Sogne. En arrivant à la gare de Douville-Féterne, M. de Cambremer tint à donner « la pièce », comme disait Françoise, au cocher des Verdurin (justement le gentil cocher sensible, à idées mélancoliques), car M. de Cambremer était généreux, et en cela était plutôt « du côté de sa maman ». Mais, soit que « le côté de son papa » intervînt ici, tout en donnant il éprouvait le scrupule d'une erreur commise — soit par lui qui, voyant mal, donnerait par exemple un sou pour un franc, soit par le destinataire qui ne s'apercevrait pas de l'importance du don qu'il lui faisait. Aussi fit-il remarquer celle-ci[b] : « C'est bien un franc que je vous donne, n'est-ce pas ? » dit-il au cocher en faisant miroiter la pièce dans la lumière, et pour que les fidèles pussent le répéter à Mme Verdurin. « N'est-ce pas ? c'est bien vingt sous, comme ce n'est qu'une petite course. » Lui et Mme de Cambremer[c] nous quittèrent à La Sogne. « Je dirai à ma sœur, me répéta-t-il, que vous avez des étouffements, je suis sûr de l'intéresser. » Je compris qu'il entendait : de lui faire plaisir. Quant à sa femme, elle employa en prenant congé de moi deux de ces abréviations qui, même écrites, me choquaient alors dans une lettre, bien qu'on s'y soit habitué depuis, mais qui parlées, me semblent encore, même ajourd'hui, avoir dans leur négligé voulu, dans leur familiarité apprise, quelque chose d'insupportablement pédant : « Contente d'avoir passé la soirée avec vous, me dit-elle ; amitiés à Saint-Loup, si vous le voyez. » En me disant cette phrase, Mme de Cambremer prononça Saint-Loupe. Je n'ai jamais appris qui avait prononcé ainsi devant elle, ou ce qui lui avait donné à croire qu'il fallait prononcer ainsi. Toujours est-il que pendant quelques semaines, elle prononça Saint-Loupe, et qu'un homme qui avait une grande admiration pour elle et ne faisait qu'un avec elle, fit de même[1]. Si d'autres personnes disaient Saint-Lou, ils insistaient, disaient avec force Saint-Loupe, soit pour donner indirectement une leçon aux autres, soit pour se distinguer d'eux. Mais sans doute, des femmes plus brillantes que Mme de Cambremer lui dirent, ou lui firent indirectement comprendre qu'il ne fallait pas prononcer ainsi, et que ce qu'elle prenait pour de l'originalité était une erreur qui la ferait croire peu au courant des choses du monde, car peu de temps après Mme de Cambremer redisait Saint-Lou, et son admirateur cessait également toute résistance, soit qu'elle l'eût chapitré, soit qu'il eût remarqué qu'elle ne faisait plus sonner la finale, et se fût dit que, pour qu'une femme de cette valeur, de cette énergie et de cette ambition eût cédé, il fallait que ce fût à bon escient. Le pire de ses admirateurs était son mari. Mme de Cambremer aimait à faire aux autres des taquineries souvent fort impertinentes. Sitôt qu'elle s'attaquait de la sorte, soit à moi, soit à un autre, M. de Cambremer se mettait à regarder la victime en riant. Comme le marquis était louche — ce qui donne une intention d'esprit à la gaieté même des imbéciles — l'effet de ce rire était de ramener un peu de pupille sur le blanc sans cela complet de l'œil. Ainsi une éclaircie met un peu de bleu dans un ciel ouaté de nuages. Le monocle protégeait du reste comme un verre sur un tableau précieux, cette opération délicate. Quant à l'intention même du rire, on ne sait trop si elle était aimable : « Ah ! gredin ! vous pouvez dire que vous êtes à envier. Vous êtes dans les faveurs d'une femme d'un rude esprit » ; ou rosse : « Hé bien ! Monsieur, j'espère qu'on vous arrange, vous en avalez des couleuvres » ; ou serviable : « Vous savez, je suis là, je prends la chose en riant parce que c'est pure plaisanterie, mais je ne vous laisserais pas malmener » ; ou cruellement complice : « Je n'ai pas à mettre mon petit grain de sel, mais vous voyez, je me tords de toutes les avanies qu'elle vous prodigue. Je rigole comme un bossu, donc j'approuve, moi le mari. Aussi, s'il vous prenait fantaisie de vous rebiffer, vous trouveriez à qui parler, mon petit monsieur. Je vous administrerais d'abord une paire de claques, et soignées, puis nous irions croiser le fer dans la fôtet de Chantepie. »

Quoi qu'il en fût de ces diverses interprétations de la gaieté du mari, les foucades de la femme prenaient vite fin. Alors M. de Cambremer cessait de rire, la prunelle momentanée disparaissait, et comme on avait perdu depuis quelques minutes l'habitude de l'œil tout blanc, il donnait à ce rouge Normand quelque chose à la fois d'exsangue et d'extatique, comme si le marquis venait d'être opéré ou s'il implorait du ciel, sous son monocle, les palmes du martyre[a].

CHAPITRE III

Tristesses de M. de Charlus. — Son duel fictif. — Les stations du « Transatlantique ». — Fatigué d'Albertine, je veux rompre avec elle.

Je tombais de sommeil[1]. Je fus monté en ascenseur jusqu'à mon étage non par le liftier, mais par le chasseur louche qui engagea la conversation pour me raconter que sa sœur était toujours avec le monsieur si riche, et qu'une fois, comme elle avait envie de retourner chez elle au lieu de rester sérieuse, son monsieur avait été trouver la mère du chasseur louche et des autres enfants plus fortunés, laquelle avait ramené au plus vite l'insensée chez son ami. « Vous savez, Monsieur, c'est une grande dame que ma sœur[2]. Elle touche du piano, cause l'espagnol. Et vous ne le croiriez pas, pour la sœur du simple employé qui vous fait monter l'ascenseur, elle ne se refuse rien ; Madame a sa femme de chambre à elle, je ne serais pas épaté qu'elle ait un jour sa voiture. Elle est très jolie, si vous la voyiez, un peu trop fière, mais dame ! ça se comprend. Elle a beaucoup d'esprit. Elle ne quitte jamais un hôtel sans se soulager dans une armoire, une commode, pour laisser un petit souvenir à la femme de chambre qui aura à nettoyer. Quelquefois même, dans une voiture elle fait ça, et après avoir payé sa course, se cache dans un coin, histoire de rire en voyant rouspéter le cocher qui a à relaver sa voiture. Mon père était bien tombé aussi en trouvant pour mon jeune frère ce prince indien qu'il avait connu autrefois. Naturellement c'est un autre genre. Mais la position est superbe. S'il n'y avait pas les voyages ce serait le rêve. Il n'y a que moi jusqu'ici qui suis resté sur le carreau. Mais on ne peut pas savoir. La chance est dans ma famille ; qui sait si je ne serai pas un jour président de la République ? Mais je vous fais babiller (je n'avais pas dit une seule parole et je commençais à m'endormir en écoutant les siennes). Bonsoir, Monsieur. Oh ! merci, Monsieur. Si tout le monde avait aussi bon cœur que vous, il n'y aurait plus de malheureux. Mais comme dit ma sœur, il faudra toujours qu'il y en ait pour que maintenant que je suis riche, je puisse un peu les emmerder. Passez-moi l'expression. Bonne nuit, Monsieur. »

Peut-être chaque soir acceptons-nous le risque de vivre, en dormant, des souffrances que nous considérons comme nulles et non avenues parce qu'elles seront ressenties au cours d'un sommeil que nous croyons sans conscience[1]. En effet, ces soirs où je rentrais tard de La Raspelière, j'avais très sommeil. Mais dès que les froids vinrent, je ne pouvais m'endormir tout de suite car le feu éclairait comme si on eût allumé une lampe. Seulement ce n'était qu'une flambée, et — comme une lampe aussi, comme le jour quand le soir tombe — sa trop vive lumière ne tardait pas à baisser ; et j'entrais dans le sommeil, lequel est comme un second appartement que nous aurions et où, délaissant le nôtre, nous serions allé dormir. Il a des sonneries à lui, et nous y sommes quelquefois violemment réveillés par un bruit de timbre, parfaitement entendu de nos oreilles, quand pourtant personne n'a sonné[2]. Il a ses domestiques, ses visiteurs particuliers qui viennent nous chercher pour sortir, de sorte que nous sommes prêts à nous lever quand force nous est de constater, par notre presque immédiate transmigration dans l'autre appartement, celui de la veille, que la chambre est vide, que personne n'est venu. La race qui l'habite, comme celle des premiers humains, est androgyne. Un homme y apparaît au bout d'un instant sous l'aspect d'une femme. Les choses y ont une aptitude à devenir des hommes, les hommes des amis et des ennemis. Le temps qui s'écoule pour le dormeur, durant ces sommeils-là, est absolument différent du temps dans lequel s'accomplit la vie de l'homme réveillé[3]. Tantôt son cours est beaucoup plus rapide, un quart d'heure semble une journée ; quelquefois beaucoup plus long, on croit n'avoir fait qu'un léger somme, on a dormi tout le jour. Alors, sur le char du sommeil, on descend dans des profondeurs où le souvenir ne peut plus le rejoindre et en deçà desquelles l'esprit a été obligé de rebrousser chemin. L'attelage du sommeil[4], semblable à celui du soleil, va d'un pas si égal, dans une atmosphère où ne peut plus l'arrêter aucune résistance, qu'il faut quelque petit caillou aérolithique étranger à nous (dardé de l'azur par quel Inconnu ?) pour atteindre le sommeil régulier (qui sans cela n'aurait aucune raison de s'arrêter et durerait d'un mouvement pareil jusque dans les siècles des siècles) et le faire, d'une brusque courbe, revenir vers le réel, brûler les étapes, traverser les régions voisines de la vie — où bientôt le dormeur entendra, de celle-ci, les rumeurs presque vagues encore, mais déjà perceptibles, bien que déformées — et atterrir brusquement au réveil. Alors de ces sommeils profonds on s'éveille dans une aurore, ne sachant qui on est, n'étant personne, neuf, prêt à tout, le cerveau se trouvant vidé de ce passé qui était la vie jusque-là. Et peut-être est-ce plus beau encore quand l'atterrissage du réveil se fait brutalement et que nos pensées du sommeil, dérobées par une chape d'oubli, n'ont pas le temps de revenir progressivement avant que le sommeil ne cesse. Alors du noir orage qu'il nous semble avoir traversé (mais nous ne disons même pas *nous*) nous sortons gisants, sans pensées : un « nous » qui serait sans contenu. Quel coup de marteau l'être ou la chose qui est là a-t-elle reçu pour tout ignorer, stupéfaite jusqu'au moment où la mémoire accourue lui rend la conscience ou la personnalité ? Encore pour ces deux genres de réveil, faut-il ne pas s'endormir, même profondément, sous la loi de l'habitude. Car tout ce que l'habitude enserre dans ses filets, elle le surveille ; il faut lui échapper, prendre le sommeil au moment où on croyait faire tout autre chose que dormir, prendre en un mot un sommeil qui ne demeure pas sous la tutelle de la prévoyance, avec la compagnie, même cachée, de la réflexion. Du moins dans ces réveils tels que je viens de les décrire, et qui étaient la plupart du temps les miens quand j'avais dîné la veille à La Raspelière, tout se passait comme s'il en était ainsi, et je peux en témoigner, moi l'étrange humain qui, en attendant que la mort le délivre, vit les volets clos, ne sait rien du monde, reste immobile comme un hibou et comme celui-ci, ne voit un peu clair que dans les ténèbres. Tout se passe comme s'il en était ainsi, mais peut-être seule une couche d'étoupe a-t-elle empêché le dormeur de percevoir le dialogue intérieur des souvenirs et le verbiage incessant du sommeil. Car (ce qui peut du reste s'expliquer aussi bien dans le premier système, plus vaste, plus mystérieux, plus astral) au moment où le réveil se produit, le dormeur entend une voix intérieure qui lui dit : « Viendrez-vous à ce dîner ce soir, cher ami ? comme ce serait agréable ! » et pense : « Oui, comme ce sera agréable, j'irai » ; puis le réveil s'accentuant, il se rappelle soudain : « Ma grand-mère n'a plus que quelques semaines à vivre, assure le docteur. » Il sonne, il pleure à l'idée que ce ne sera pas comme autrefois sa grand-mère, sa grand-mère mourante, mais un indifférent valet de chambre qui va venir lui répondre. Du reste, quand le sommeil l'emmenait si loin hors du monde habité par le souvenir et la pensée, à travers un éther où il était seul, plus que seul, n'ayant même pas ce compagnon où l'on s'aperçoit soi-même, il était hors du temps et de ses mesures. Déjà le valet de chambre entre, et il n'ose lui demander l'heure, car il ignore s'il a dormi, combien d'heures il a dormi (il se demande si ce n'est pas combien de jours tant il revient le corps rompu et l'esprit reposé, le cœur nostalgique, comme d'un voyage trop lointain pour n'avoir pas duré longtemps). Certes on peut prétendre[a] qu'il n'y a qu'un temps, pour la futile raison que c'est en regardant la pendule qu'on a constaté n'être qu'un quart d'heure ce qu'on avait cru une journée. Mais au moment où on le constate on est justement un homme éveillé, plongé dans le temps des hommes éveillés, on a déserté l'autre temps. Peut-être même plus qu'un autre temps : une autre vie. Les plaisirs qu'on a dans le sommeil, on ne les fait pas figurer dans le compte des plaisirs éprouvés au cours de l'existence. Pour ne faire allusion qu'au plus vulgairement sensuel de tous, qui de nous, au réveil, n'a ressenti quelque agacement d'avoir éprouvé en dormant, un plaisir que si l'on ne veut pas trop se fatiguer, on ne peut plus, une fois éveillé, renouveler indéfiniment ce jour-là ? C'est comme du bien perdu. On a eu du plaisir dans une autre vie qui n'est pas la nôtre. Souffrances et plaisirs du rêve (qui généralement s'évanouissent bien vite au réveil), si nous les faisions figurer dans un budget, ce n'est pas dans celui de la vie courante.

J'ai dit deux temps ; peut-être n'y en a-t-il qu'un seul, non que celui de l'homme éveillé soit valable pour le dormeur, mais peut-être parce que l'autre vie, celle où on dort, n'est pas — dans sa partie profonde — soumise à la catégorie du temps. Je me le figurais quand aux lendemains des dîners à La Raspelière je m'endormais si complètement. Voici pourquoi. Je commençais à me désespérer au réveil en voyant qu'après que j'avais sonné dix fois, le valet de chambre n'était pas venu. À la onzième il entrait. Ce n'était que la première. Les dix autres n'étaient que des ébauches dans mon sommeil qui durait encore, du coup de sonnette que je voulais. Mes mains gourdes n'avaient seulement pas bougé. Or ces matins-là (et c'est ce qui me fait dire que le sommeil ignore peut-être la loi du temps), mon effort pour m'éveiller consistait surtout en un effort pour faire entrer le bloc obscur, non défini, du sommeil que je venais de vivre, aux cadres du temps. Ce n'est pas tâche facile ; le sommeil qui ne sait si nous avons dormi deux heures ou deux jours, ne peut nous fournir aucun point de repère. Et si nous n'en trouvons pas au dehors, ne parvenant pas à rentrer dans le temps, nous nous rendormons, pour cinq minutes qui nous semblent trois heures.

J'ai toujours dit — et expérimenté — que le plus puissant des hypnotiques est le sommeil. Après avoir dormi profondément deux heures, s'être battu avec tant de géants, et avoir noué pour toujours tant d'amitiés, il est bien plus difficile de s'éveiller qu'après avoir pris plusieurs grammes de véronal. Aussi raisonnant de l'un à l'autre, je fus surpris d'apprendre par le philosophe norvégien[1] qui le tenait de M. Boutroux[2], « son éminent collègue — pardon, son confrère », ce que M. Bergson pensait des altérations particulières de la mémoire dues aux hypnotiques. « Bien entendu », aurait dit M. Bergson à M. Boutroux, à en croire le philosophe norvégien, « les hypnotiques pris de temps en temps à doses modérées, n'ont pas d'influence sur cette solide mémoire de notre vie de tous les jours, si bien installée en nous. Mais il est d'autres mémoires, plus hautes, plus instables aussi. Un de mes collègues fait un cours d'histoire ancienne. Il m'a dit que si la veille il avait pris un cachet pour dormir, il avait de la peine, pendant son cours, à retrouver les citations grecques dont il avait besoin[3]. Le docteur qui lui avait recommandé ces cachets lui assura qu'ils étaient sans influence sur la mémoire. "C'est peut-être que vous n'avez pas à faire de citations grecques", lui avait répondu l'historien non sans un orgueil moqueur. »

Je ne sais si cette conversation entre M. Bergson et M. Boutroux est exacte. Le philosophe norvégien, pourtant si profond et si clair, si passionnément attentif, a pu mal comprendre. Personnellement mon expérience m'a donné des résultats opposés. Les moments d'oubli qui suivent, le lendemain, l'ingestion de certains narcotiques ont une ressemblance partielle seulement, mais troublante, avec l'oubli qui règne au cours d'une nuit de sommeil naturel et profond. Or, ce que j'oublie dans l'un et l'autre cas, ce n'est pas tel vers de Baudelaire qui me fatigue plutôt, « ainsi qu'un tympanon[1] », ce n'est pas tel concept d'un des philosophes cités, c'est la réalité elle-même des choses vulgaires qui m'entourent — si je dors — et dont la non-perception fait de moi un fou ; c'est — si je suis éveillé et sors à la suite d'un sommeil artificiel — non pas le système de Porphyre ou de Plotin[2] dont je puis discuter aussi bien qu'un autre jour, mais la réponse que j'ai promis de donner à une invitation, au souvenir de laquelle s'est substitué un pur blanc. L'idée élevée est restée à sa place ; ce que l'hypnotique a mis hors d'usage, c'est le pouvoir d'agir dans les petites choses, dans tout ce qui demande de l'activité pour ressaisir juste à temps, pour empoigner tel souvenir de la vie de tous les jours. Malgré tout ce qu'on peut dire de la survie après la destruction du cerveau, je remarque qu'à chaque altération du cerveau correspond un fragment de mort. Nous possédons tous nos souvenirs[3], sinon la faculté de nous les rappeler, dit d'après M. Bergson, le grand philosophe norvégien dont je n'ai pas essayé, pour ne pas ralentir encore, d'imiter le langage. Sinon la faculté de se les rappeler. Mais qu'est-ce qu'un souvenir qu'on ne se rappelle pas ? Ou bien allons plus loin. Nous ne nous rappelons pas nos souvenirs des trente dernières années ; mais ils nous baignent tout entiers ; pourquoi alors s'arrêter à trente années, pourquoi ne pas prolonger jusqu'au-delà de la naissance cette vie antérieure ? Du moment que je ne connais pas toute une partie des souvenirs qui sont derrière moi, du moment qu'ils me sont invisibles, que je n'ai pas la faculté de les appeler à moi, qui me dit que dans cette masse inconnue de moi, il n'y en a pas qui remontent à bien au-delà de ma vie humaine ? Si je puis avoir en moi et autour de moi tant de souvenirs dont je ne me souviens pas, cet oubli (du moins oubli de fait puisque je n'ai pas la faculté de rien voir) peut porter sur une vie que j'ai vécue dans le corps d'un autre homme, même sur une autre planète. Un même oubli efface tout. Mais alors que signifie cette immortalité de l'âme dont le philosophe norvégien affirmait la réalité ? L'être que je serai après la mort n'a pas plus de raisons de se souvenir de l'homme que je suis depuis ma naissance que ce dernier ne se souvient de ce que j'ai été avant elle[4].

Le valet de chambre entrait. Je ne lui disais pas que j'avais sonné plusieurs fois, car je me rendais compte que je n'avais fait jusque-là que le rêve que je sonnais. J'étais effrayé pourtant de penser que ce rêve avait eu la netteté de la connaissance. La connaissance aurait-elle, réciproquement, l'irréalité du rêve ?

En revanche je lui demandais qui avait tant sonné cette nuit. Il me disait « personne », et pouvait l'affirmer, car le « tableau » des sonneries eût marqué. Pourtant j'entendais les coups répétés, presque furieux, qui vibraient encore dans mon oreille et devaient me rester perceptibles pendant plusieurs jours. Il est pourtant rare que le sommeil jette ainsi dans la vie éveillée des souvenirs qui ne meurent pas avec lui. On peut compter ces aérolithes. Si c'est une idée que le sommeil a forgée, elle se dissocie très vite en fragments ténus, irretrouvables. Mais là le sommeil avait fabriqué des sons. Plus matériels et plus simples, ils duraient davantage[1]. J'étais étonné de l'heure relativement matinale que me disait le valet de chambre. Je n'en étais pas moins reposé. Ce sont les sommeils légers qui ont une longue durée, parce qu'intermédiaires entre la veille et le sommeil, gardant de la première une notion un peu effacée mais permanente, il leur faut infiniment plus de temps pour nous reposer qu'un sommeil profond, lequel peut être court. Je me sentais bien à mon aise pour une autre raison. S'il suffit de se rappeler qu'on s'est fatigué pour sentir péniblement sa fatigue, se dire : « Je me suis reposé » suffit à créer le repos. Or j'avais rêvé que M. de Charlus avait cent dix ans et venait de donner une paire de claques à sa propre mère, Mme Verdurin, parce qu'elle avait acheté cinq milliards un bouquet de violettes ; j'étais[a] donc assuré d'avoir dormi profondément, rêvé à rebours de mes notions de la veille et de toutes[b] les possibilités de la vie courante ; cela suffisait pour que je me sentisse tout reposé[c].

J'aurais bien étonné ma mère[d] qui ne pouvait comprendre l'assiduité de M. de Charlus chez les Verdurin, si je lui avais raconté (précisément le jour où avait été commandée la toque d'Albertine, sans rien lui en dire et pour qu'elle en eût la surprise[2]) avec qui M. de Charlus était venu dîner dans un salon au Grand-Hôtel de Balbec. L'invité n'était autre que le valet de pied d'une cousine

des Cambremer. Ce valet de pied était habillé avec une grande élégance, et quand il traversa le hall avec le baron, il « fit homme du monde » aux yeux des touristes, comme aurait dit Saint-Loup. Même les jeunes chasseurs, les « lévites » qui descendaient en foule les degrés du temple à ce moment, parce que c'était celui de la relève, ne firent pas attention aux deux arrivants, dont l'un, M. de Charlus, tenait en baissant les yeux à montrer qu'il leur en accordait très peu. Il avait l'air de se frayer un passage au milieu d'eux. « Prospérez, cher espoir d'une nation sainte[1] », dit-il en se rappelant des vers de Racine, cités dans un tout autre sens. « Plaît-il ? » demanda le valet de pied peu au courant des classiques. M. de Charlus ne lui répondit pas, car il mettait un certain orgueil à ne pas tenir compte des questions et à marcher droit devant lui comme s'il n'y avait pas eu d'autres clients de l'hôtel et s'il n'existait au monde que lui, baron de Charlus. Mais ayant continué les vers de Josabeth : « Venez, venez, mes filles[2] », il se sentit dégoûté et n'ajouta pas comme elle : « il faut les appeler », car ces jeunes enfants n'avaient pas encore atteint l'âge où le sexe est entièrement formé et qui plaisait à M. de Charlus. D'ailleurs, s'il avait écrit au valet de pied de Mme de Chevregny, parce qu'il ne doutait pas de sa docilité, il l'avait espéré plus viril. Il le trouvait, à le voir, plus efféminé qu'il n'eût voulu[a]. Il lui dit qu'il aurait cru avoir affaire à quelqu'un d'autre car il connaissait de vue un autre valet de pied de Mme de Chevregny, qu'en effet il avait remarqué sur la voiture. C'était une espèce de paysan fort rustaud, tout l'opposé de celui-ci, qui estimant au contraire ses mièvreries autant de supériorités et ne doutant pas que ce fussent ces qualités[b] d'homme du monde qui eussent séduit M. de Charlus, ne comprit même pas de qui le baron voulait parler. « Mais je n'ai aucun camarade qu'un que vous ne pouvez pas avoir reluqué, il est affreux, il a l'air d'un gros paysan. » Et à l'idée que c'était peut-être ce rustre que le baron avait vu, il éprouva une piqûre d'amour-propre. Le baron la devina et élargissant son enquête : « Mais je n'ai pas fait un vœu spécial de ne connaître que des gens de Mme de Chevregny, dit-il. Est-ce que, ici, ou à Paris puisque vous partez bientôt, vous ne pourriez pas me présenter beaucoup de vos camarades, d'une maison ou d'une autre ?
— Oh ! non ! répondit le valet de pied, je ne fréquente

personne de ma classe. Je ne leur parle que pour le service. Mais il y a quelqu'un de très bien que je pourrai vous faire connaître. — Qui ? demanda le baron. — Le prince de Guermantes. » M. de Charlus fut dépité qu'on ne lui offrît qu'un homme de cet âge, et pour lequel du reste il n'avait pas besoin de la recommandation d'un valet de pied. Aussi déclina-t-il l'offre d'un ton sec et, ne se laissant pas décourager par les prétentions mondaines du larbin, recommença à lui expliquer ce qu'il voudrait, le genre, le type, soit un jockey, etc. Craignant que le notaire qui passait à ce moment-là ne l'eût entendu, il crut fin de montrer qu'il parlait de tout autre chose que de ce qu'on aurait pu croire et dit avec insistance et à la cantonade, mais comme s'il ne faisait que continuer sa conversation : « Oui, malgré mon âge j'ai gardé le goût de bibeloter, le goût des jolis bibelots, je fais des folies pour un vieux bronze, pour un lustre ancien. J'adore le Beau[1]. » Mais pour faire comprendre au valet de pied le changement de sujet qu'il avait exécuté si rapidement, M. de Charlus pesait tellement sur chaque mot, et de plus pour être entendu du notaire, il les criait tous si fort, que tout ce jeu de scène eût suffi à déceler ce qu'il cachait pour des oreilles plus averties que celles de l'officier ministériel. Celui-ci ne se douta de rien non plus qu'aucun autre client de l'hôtel, qui virent tous un élégant étranger dans le valet de pied si bien mis. En revanche, si les hommes du monde s'y trompèrent et le prirent pour un Américain très chic, à peine parut-il devant les domestiques qu'il fut deviné par eux, comme un forçat reconnaît un forçat, même plus vite, flairé à distance comme un animal par certains animaux. Les chefs de rang levèrent l'œil. Aimé jeta un regard soupçonneux. Le sommelier, haussant les épaules, dit derrière sa main, parce qu'il crut cela de la politesse, une phrase[a] désobligeante que tout le monde entendit. Et même notre vieille Françoise dont la vue baissait et qui passait à ce moment-là au pied de l'escalier pour aller dîner « aux courriers », leva la tête, reconnut un domestique là où des convives de l'hôtel ne le soupçonnaient pas — comme la vieille nourrice Euryclée reconnaît Ulysse bien avant les prétendants assis au festin[2] — et voyant marcher familièrement avec lui M. de Charlus, eut une expression accablée, comme si tout d'un coup des méchancetés qu'elle avait entendu dire et n'avait pas crues, eussent acquis à ses yeux une navrante vraisemblance. Elle ne me parla jamais, ni à personne, de cet incident, mais il dut faire faire à son cerveau un travail considérable, car plus tard, chaque fois qu'à Paris elle eut l'occasion de voir « Julien », qu'elle avait jusque-là tant aimé, elle eut toujours avec lui de la politesse, mais qui avait refroidi et était toujours additionnée[a] d'une forte dose de réserve. Ce même incident amena au contraire quelqu'un d'autre à me faire une confidence ; ce fut Aimé. Quand j'avais croisé M. de Charlus, celui-ci, qui n'avait pas cru me rencontrer, me cria en levant la main : « Bonsoir », avec l'indifférence, apparente du moins, d'un grand seigneur qui se croit tout permis et qui trouve plus habile d'avoir l'air de ne pas se cacher. Or Aimé qui à ce moment, l'observait d'un œil méfiant et qui vit que je saluais le compagnon de celui en qui il était certain de voir un domestique, me demanda le soir même qui c'était. Car depuis quelque temps Aimé aimait à causer ou plutôt comme il disait, sans doute pour marquer le caractère selon lui philosophique de ces causeries, à « discuter » avec moi. Et comme je lui disais souvent que j'étais gêné qu'il restât debout près de moi pendant que je dînais au lieu qu'il pût s'asseoir et partager mon repas, il déclarait qu'il n'avait jamais vu un client ayant « le raisonnement aussi juste ». Il causait en ce moment avec deux garçons. Ils m'avaient salué, je ne savais pas pourquoi ; leurs visages m'étaient inconnus, bien que dans leur conversation résonnât une rumeur qui ne me semblait pas nouvelle. Aimé les morigénait tous deux à cause de leurs fiançailles qu'il désapprouvait. Il me prit à témoin, je dis que je ne pouvais avoir d'opinion, ne les connaissant pas. Ils me rappelèrent leur nom, qu'ils m'avaient souvent servi à Rivebelle. Mais l'un avait laissé pousser sa moustache, l'autre l'avait rasée et s'était fait tondre ; et à cause de cela, bien que ce fût leur tête d'autrefois qui était posée sur leurs épaules (et non une autre, comme dans les restaurations fautives de Notre-Dame[1]), elle m'était restée aussi invisible que ces objets qui échappent aux perquisitions les plus minutieuses, et qui traînent simplement[b] aux yeux de tous, lesquels ne les remarquent pas, sur une cheminée[2]. Dès que je sus leur nom, je reconnus exactement la musique incertaine de leur voix parce que je revis leur ancien visage qui la déterminait. « Ils veulent se marier et ils ne savent seulement pas l'anglais ! » me dit Aimé, qui ne songeait pas que j'étais peu au courant de la profession hôtelière et comprenais mal que si on ne sait pas les langues étrangères, on ne peut pas compter sur une situation. Moi qui croyais qu'il saurait aisément que le nouveau dîneur était M. de Charlus, et me figurais même qu'il devait se le rappeler, l'ayant servi dans la salle à manger quand le baron était venu pendant mon premier séjour à Balbec voir Mme de Villeparisis, je lui dis son nom. Or non seulement Aimé ne se rappelait pas le baron de Charlus, mais ce nom parut lui produire une impression profonde. Il me dit qu'il chercherait le lendemain dans ses affaires une lettre que je pourrais peut-être lui expliquer. Je fus d'autant plus étonné que M. de Charlus, quand il avait voulu me donner un livre de Bergotte, à Balbec, la première année, avait fait spécialement demander Aimé[1], qu'il avait dû retrouver ensuite dans ce restaurant de Paris où j'avais déjeuné avec Saint-Loup et sa maîtresse et où M. de Charlus était venu nous espionner[2]. Il est vrai qu'Aimé n'avait pu accomplir en personne ces missions, étant, une fois, couché, et la seconde fois[a], en train de servir. J'avais pourtant de grands doutes sur sa sincérité quand il prétendait ne pas connaître M. de Charlus. D'une part, il avait dû convenir au baron. Comme tous les chefs d'étage de l'hôtel de Balbec, comme plusieurs valets de chambre du prince de Guermantes, Aimé appartenait à une race plus ancienne que celle du prince, donc plus noble. Quand on demandait[b] un salon, on se croyait d'abord seul. Mais bientôt dans l'office on apercevait un sculptural maître d'hôtel, de ce genre étrusque roux dont Aimé était le type, un peu vieilli par les excès de champagne et voyant venir l'heure nécessaire de l'eau de Contrexéville. Tous les clients ne leur demandaient pas que de les servir. Les commis qui étaient jeunes, scrupuleux, pressés, attendus par une maîtresse en ville, se dérobaient. Aussi Aimé leur reprochait-il de n'être pas sérieux. Il en avait le droit. Sérieux, lui l'était. Il avait une femme et des enfants, de l'ambition pour eux. Aussi les avances qu'une étrangère ou un étranger lui faisaient, il ne les repoussait pas, fallût-il rester toute la nuit[3]. Car le travail doit passer avant tout. Il avait tellement le genre qui pouvait plaire à M. de Charlus que je le soupçonnai de mensonge quand il me dit ne pas le connaître. Je me trompais. C'est en toute vérité que le groom avait dit au baron qu'Aimé (qui lui avait passé un savon le lendemain) était couché (ou sorti), et l'autre fois en train de servir. Mais l'imagination suppose au-delà de la réalité. Et l'embarras du groom avait probablement excité chez M. de Charlus, quant à la sincérité de ses excuses[a], des doutes qui avaient blessé chez lui des sentiments qu'Aimé ne soupçonnait pas. On a vu aussi que Saint-Loup avait empêché Aimé d'aller à la voiture où M. de Charlus qui, je ne sais comment, s'était procuré la nouvelle adresse du maître d'hôtel, avait éprouvé une nouvelle déception. Aimé qui ne l'avait pas remarqué, éprouva un étonnement qu'on peut concevoir quand le soir même du jour où j'avais déjeuné avec Saint-Loup et sa maîtresse, il reçut une lettre fermée par un cachet aux armes de Guermantes et dont je citerai ici quelques passages comme exemple de folie unilatérale chez un homme intelligent s'adressant à un imbécile sensé[1]. « Monsieur, je n'ai pu réussir, malgré des efforts qui étonneraient bien des gens cherchant inutilement à être reçus et salués par moi, à obtenir que vous écoutiez les quelques explications que vous ne me demandiez pas mais que je croyais de ma dignité et de la vôtre de vous offrir. Je vais donc écrire ici ce qu'il eût été plus aisé de vous dire de vive voix. Je ne vous cacherai pas que la première fois que je vous ai vu à Balbec votre figure m'a été franchement antipathique. » Suivaient alors des réflexions sur la ressemblance — remarquée le second jour seulement — avec un ami défunt pour qui M. de Charlus avait eu une grande affection. « J'ai eu alors un moment l'idée que vous pourriez, sans[b] gêner en rien votre profession, venir, en faisant avec moi les parties de cartes avec lesquelles sa gaieté savait dissiper ma tristesse, me donner l'illusion qu'il n'était pas mort. Quelle que soit la nature des suppositions plus ou moins sottes que vous avez probablement faites et plus à la portée d'un serviteur (qui ne mérite même pas ce nom puisqu'il n'a pas voulu servir) que la compréhension d'un sentiment si élevé, vous avez probablement cru vous donner de l'importance, ignorant qui j'étais et ce que j'étais, en me faisant répondre, quand je vous faisais demander un livre, que vous étiez couché ; or c'est une erreur de croire qu'un mauvais procédé ajoute jamais à la grâce, dont vous êtes d'ailleurs entièrement dépourvu. J'aurais brisé là si par hasard le lendemain matin je ne vous avais pu parler[a]. Votre ressemblance avec mon pauvre ami s'accentua tellement, faisant disparaître jusqu'à la forme insupportable de votre menton proéminent, que je compris que c'était le défunt qui à ce moment vous prêtait de son expression si bonne afin de vous permettre de me ressaisir, et de vous empêcher de manquer la chance unique qui s'offrait à vous. En effet, quoique je ne veuille pas, puisque tout cela n'a plus d'objet et que je n'aurai plus l'occasion de vous rencontrer en cette vie, mêler à tout cela de brutales questions d'intérêt, j'aurais été trop heureux d'obéir à la prière du mort (car je crois à la communion des saints et à leur velléité d'intervention dans le destin des vivants), d'agir avec vous comme avec lui, qui avait sa voiture, ses domestiques, et à qui il était bien naturel que je consacrasse la plus grande partie de mes revenus puisque je l'aimais comme un fils. Vous en avez décidé autrement. À ma demande que vous me rapportiez un livre, vous avez fait répondre que vous aviez à sortir. Et ce matin quand je vous ai fait demander de venir à ma voiture, vous m'avez, si je peux parler ainsi sans sacrilège, renié pour la troisième fois. Vous m'excuserez de ne pas mettre dans cette enveloppe les pourboires élevés que je comptais vous donner à Balbec et auxquels il me serait trop pénible de m'en tenir à l'égard de quelqu'un avec qui j'avais cru un moment tout partager. Tout au plus pourriez-vous m'éviter de faire auprès de vous, dans votre restaurant, une quatrième tentative inutile et jusqu'à laquelle ma patience n'ira pas. (Et ici M. de Charlus donnait son adresse, l'indication des heures où on le trouverait, etc.) Adieu, Monsieur. Comme je crois que ressemblant tant à l'ami que j'ai perdu, vous ne pouvez être entièrement stupide, sans quoi la physiognomonie serait une science fausse, je suis persuadé qu'un jour si vous repensez à cet incident, ce ne sera pas sans éprouver quelque regret et quelque remords. Pour ma part, croyez que bien sincèrement je n'en garde aucune amertume. J'aurais mieux aimé que nous nous quittions sur un moins mauvais souvenir que cette troisième démarche inutile. Elle sera vite oubliée. Nous sommes comme ces vaisseaux que vous avez dû apercevoir parfois de Balbec, qui se sont croisés un moment ; il eût pu y avoir avantage pour chacun d'eux à stopper ; mais l'un a jugé différemment ; bientôt ils ne s'apercevront même plus à l'horizon, et la rencontre est effacée ; mais avant cette séparation définitive, chacun salue l'autre, et c'est ce que fait ici, Monsieur, en vous souhaitant bonne chance, le baron de Charlus. »

Aimé n'avait pas même lu cette lettre jusqu'au bout, n'y comprenant rien et se méfiant d'une mystification. Quand je lui eus expliqué qui était le baron, il parut quelque peu rêveur et éprouva ce regret que M. de Charlus lui avait prédit. Je ne jurerais même pas qu'il n'eût alors écrit pour s'excuser à un homme qui donnait des voitures à ses amis. Mais dans l'intervalle M. de Charlus avait fait la connaissance de Morel. Tout au plus, les relations avec celui-ci étant peut-être platoniques, M. de Charlus recherchait-il parfois pour un soir une compagnie comme celle dans laquelle je venais de le rencontrer dans le hall. Mais il ne pouvait plus détourner de Morel le sentiment violent qui, libre quelques années plus tôt, n'avait demandé qu'à se fixer sur Aimé et qui avait dicté la lettre dont j'étais gêné pour M. de Charlus et que m'avait montrée le maître d'hôtel. Elle était, à cause de l'amour antisocial qui était[a] celui de M. de Charlus, un exemple plus frappant de la force insensible et puissante qu'ont ces courants de la passion et par lesquels l'amoureux, comme un nageur entraîné sans s'en apercevoir, bien vite perd de vue la terre. Sans doute l'amour d'un homme normal peut aussi, quand l'amoureux par l'invention successive de ses désirs, de ses regrets, de ses déceptions, de ses projets, construit tout un roman sur une femme qu'il ne connaît pas, permettre de mesurer un assez notable écartement de deux branches de compas. Tout de même un tel écartement était singulièrement élargi par le caractère d'une passion qui n'est pas généralement partagée et par la différence des conditions de M. de Charlus et d'Aimé[b].

Tous les jours, je sortais avec Albertine. Elle s'était décidée à se remettre à la peinture et avait d'abord choisi, pour travailler, l'église de Saint-Jean-de-la-Haise[1] qui n'est plus fréquentée par personne et est connue de très peu, difficile à se faire indiquer, impossible à découvrir sans être guidé, longue à atteindre dans son isolement, à plus d'une demi-heure de la station d'Épreville, les[c] dernières maisons du village de Quetteholme depuis longtemps passées. Pour le nom d'Épreville je ne trouvai pas d'accord le livre du curé et les renseignements de Brichot. D'après l'un Épreville était l'ancienne *Sprevilla* ; l'autre indiquait comme étymologie *Aprivilla*[1]. La première fois[a] nous prîmes le petit[b] chemin de fer dans la direction opposée à Féterne, c'est-à-dire vers Grattevast[2]. Mais c'était la canicule et ç'avait déjà été terrible de[c] partir tout de suite après le déjeuner. J'eusse mieux aimé ne pas sortir si tôt ; l'air lumineux et brûlant éveillait des idées d'indolence et de rafraîchissement. Il remplissait nos chambres, à ma mère et à moi, selon leur exposition, à des températures inégales, comme des chambres de balnéation. Le cabinet de toilette de maman, festonné par le soleil, d'une blancheur éclatante et mauresque, avait l'air plongé au fond d'un puits, à cause des quatre murs en plâtras sur lesquels il donnait, tandis que tout en haut, dans le carré laissé vide, le ciel dont on voyait glisser, les uns par-dessus les autres, les flots moelleux et superposés, semblait (à cause du désir qu'on avait), située sur une terrasse (ou vue à l'envers dans quelque glace accrochée à la fenêtre), une piscine[d] pleine d'une eau bleue, réservée aux ablutions[3]. Malgré cette brûlante température, nous avions été prendre le train d'une heure. Mais Albertine avait eu très chaud dans le wagon, plus encore dans le long trajet à pied, et j'avais peur qu'elle ne prît froid en restant ensuite immobile dans ce creux humide que le soleil n'atteint pas. D'autre part, et dès nos premières visites à Elstir, m'étant rendu compte qu'elle eût apprécié non seulement le luxe, mais même un certain confort dont son manque d'argent la privait, je m'étais entendu avec un loueur de Balbec afin que tous les jours une voiture vînt nous chercher. Pour avoir moins chaud nous prenions par la forêt de Chantepie[4]. L'invisibilité des innombrables oiseaux, quelques-uns à demi marins, qui s'y répondaient à côté de nous dans les arbres, donnait la même impression de repos qu'on a les yeux fermés. À côté d'Albertine, enchaîné par ses bras au fond de la voiture, j'écoutais ces Océanides[5]. Et quand par hasard j'apercevais l'un de ces musiciens qui passait d'une feuille sous une autre, il y avait si peu de lien apparent entre lui et ses chants que je ne croyais pas voir la cause de ceux-ci dans le petit corps sautillant, humble, étonné et sans regard. La voiture ne pouvait pas nous conduire jusqu'à l'église. Je la faisais arrêter au sortir de Quetteholme et je disais au revoir à Albertine. Car elle m'avait effrayé en me disant de cette église comme d'autres monuments, de certains tableaux : « Quel plaisir ce serait de voir cela avec vous ! » Ce plaisir-là je ne me sentais pas capable de le donner. Je n'en ressentais devant les belles choses que si j'étais seul, ou feignais de l'être et me taisais. Mais puisqu'elle avait cru pouvoir éprouver grâce à moi des sensations d'art qui ne se communiquent pas ainsi, je trouvais plus prudent de lui dire[a] que je la quittais, viendrais la rechercher à la fin de la journée, mais que d'ici là il fallait que je retournasse avec la voiture faire une visite à Mme Verdurin ou aux Cambremer[b], ou même passer une heure avec maman à Balbec, mais jamais plus loin. Du moins, les premiers temps. Car Albertine m'ayant une fois dit par caprice : « C'est ennuyeux que la nature ait si mal fait les choses et qu'elle ait mis Saint-Jean-de-la-Haise d'un côté, La Raspelière d'un autre, qu'on soit pour toute la journée emprisonnée dans l'endroit qu'on a choisi », dès que j'eus reçu la toque et le voile[1], je commandai, pour mon malheur, une automobile à Saint-Fargeau (*Sanctus Ferreolus* selon le livre du curé[2]). Albertine, laissée[c] par moi dans l'ignorance, et qui était venue me chercher, fut surprise en entendant devant l'hôtel le ronflement du moteur, ravie quand elle sut que cette auto était pour nous. Je la fis monter un instant dans ma chambre. Elle sautait de joie. « Nous allons faire une visite aux Verdurin ? — Oui mais il vaut mieux que vous n'y alliez pas dans cette tenue puisque vous allez avoir votre auto. Tenez, vous serez mieux ainsi. » Et je sortis la toque et le voile que j'avais cachés. « C'est à moi ? Oh ! ce que vous êtes gentil ! » s'écria-t-elle en me sautant au cou. Aimé nous rencontrant dans l'escalier, fier de l'élégance d'Albertine et de notre moyen de transport, car ces voitures étaient assez rares à Balbec, se donna le plaisir de descendre derrière nous. Albertine désirant être vue un peu dans sa nouvelle toilette, me demanda de faire relever la capote qu'on baisserait ensuite pour que nous soyons plus librement ensemble. « Allons », dit Aimé au mécanicien qu'il ne connaissait d'ailleurs pas et qui n'avait pas bougé, « tu n'entends pas qu'on te dit de relever ta capote ? » Car Aimé, dessalé par la vie d'hôtel où il avait conquis du reste un rang éminent, n'était pas aussi timide que le cocher de fiacre pour qui Françoise était une « dame » ; malgré le manque de présentation préalable, les plébéiens qu'il n'avait jamais vus, il les tutoyait sans qu'on sût trop si c'était de sa part dédain aristocratique ou fraternité populaire. « Je ne suis pas libre, répondit le chauffeur qui ne me connaissait pas. Je suis commandé pour Mademoiselle Simonet. Je ne peux[a] pas conduire Monsieur. » Aimé s'esclaffa : « Mais voyons, grand gourdiflot, répondit-il au mécanicien, qu'il convainquit aussitôt, c'est justement Mademoiselle Simonet et Monsieur[b], qui te commande de lever ta capote, est justement ton patron. » Et comme Aimé, quoique n'ayant pas personnellement de sympathie pour Albertine, était à cause de moi fier de la toilette qu'elle portait, il glissa au chauffeur : « T'en conduirais bien tous les jours, hein ! si tu pouvais, des princesses comme ça ! » Cette première fois ce ne fut pas moi seul qui pus aller à La Raspelière, comme je fis d'autres jours pendant qu'Albertine peignait ; elle voulut y venir avec moi. Elle pensait bien que nous pourrions nous arrêter çà et là sur la route, mais croyait impossible de commencer par aller à Saint-Jean-de-la-Haise, c'est-à-dire dans une autre direction, et de faire une promenade qui semblait vouée à un jour différent. Elle apprit au contraire du mécanicien que rien n'était plus facile que d'aller à Saint-Jean où il serait en vingt minutes, et que nous y pourrions rester, si nous le voulions, plusieurs heures, ou pousser beaucoup plus loin, car de Quetteholme à La Raspelière il ne mettrait pas plus de trente-cinq minutes. Nous le comprîmes dès que la voiture, s'élançant, franchit d'un seul bond vingt pas d'un excellent cheval[1]. Les distances ne sont que le rapport de l'espace au temps et varient avec lui. Nous exprimons la difficulté que nous avons à nous rendre à un endroit, dans un système de lieues, de kilomètres, qui devient faux dès que cette difficulté diminue. L'art en est aussi modifié, puisqu'un village qui semblait dans un autre monde que tel autre, devient son voisin dans un paysage dont les dimensions sont changées. En tous cas, apprendre qu'il existe peut-être un univers où 2 et 2 font 5 et où la ligne droite n'est pas le chemin le plus court d'un point à un autre, eût beaucoup moins étonné Albertine que d'entendre le mécanicien lui dire qu'il était facile d'aller dans une même après-midi à Saint-Jean et à La Raspelière. Douville et Quetteholme, Saint-Mars-le-Vieux et Saint-Mars-le-Vêtu, Gourville et Balbec-le-Vieux, Tourville et Féterne[2], prisonniers aussi hermétiquement enfermés jusque-là dans la cellule de jours distincts que jadis Méséglise et Guermantes[1], et sur lesquels les mêmes yeux ne pouvaient se poser dans un seul après-midi, délivrés maintenant par le géant aux bottes de sept lieues, vinrent assembler autour de l'heure de notre goûter leurs clochers et leurs tours, leurs vieux jardins que le bois avoisinant s'empressait de découvrir.

Arrivée au bas de la route de la corniche, l'auto monta d'un seul trait, avec un bruit continu comme un couteau qu'on repasse, tandis que la mer abaissée s'élargissait au-dessous de nous. Les maisons anciennes et rustiques de Montsurvent[2] accoururent en tenant serrés contre elles leur vigne ou leur rosier[3] ; les sapins de La Raspelière, plus agités que quand s'élevait le vent du soir, coururent dans tous les sens pour nous éviter, et un domestique nouveau que je n'avais encore jamais vu vint nous ouvrir au perron, pendant que le fils du jardinier, trahissant des dispositions précoces, dévorait des yeux la place du moteur. Comme ce n'était pas un lundi, nous ne savions pas si nous trouverions Mme Verdurin, car sauf ce jour-là où elle recevait, il était imprudent d'aller la voir à l'improviste. Sans doute elle restait chez elle « en principe », mais cette expression, que Mme Swann employait au temps où elle cherchait elle aussi à se faire son petit clan et à attirer les clients en ne bougeant pas dût-elle souvent ne pas faire ses frais, et qu'elle traduisait avec contresens[a] en « par principe », signifiait seulement « en règle générale », c'est-à-dire avec de nombreuses exceptions. Car non seulement Mme Verdurin aimait à sortir, mais elle poussait fort loin les devoirs de l'hôtesse, et quand elle avait eu du monde à déjeuner, aussitôt après le café, les liqueurs et les cigarettes (malgré le premier engourdissement de la chaleur et de la digestion où on eût mieux aimé, à travers les feuillages de la terrasse, regarder le paquebot de Jersey passer sur la mer d'émail), le programme comprenait une suite de promenades au cours desquelles les convives, installés de force en voiture, étaient emmenés malgré eux vers l'un ou l'autre des points de vue qui foisonnent autour de Douville. Cette deuxième partie de la fête n'était pas du reste (l'effort de se lever et de monter en voiture accompli) celle qui plaisait le moins aux invités, déjà préparés par les mets succulents, les vins fins ou le cidre mousseux, à se laisser facilement griser par la pureté de la brise et la magnificence des sites. Mme Verdurin faisait visiter ceux-ci aux étrangers un peu comme des annexes (plus ou moins lointaines) de sa propriété, et qu'on ne pouvait pas ne pas aller voir du moment qu'on venait déjeuner chez elle et réciproquement, qu'on n'aurait pas connus si on n'avait pas été reçu chez la Patronne. Cette prétention de s'arroger un droit unique sur les promenades comme[a] sur le jeu de Morel et jadis de Dechambre, et de contraindre les paysages à faire partie du petit clan, n'était pas du reste aussi absurde qu'elle semble au premier abord. Mme Verdurin se moquait du manque de goût que, selon elle, les Cambremer montraient non seulement dans l'ameublement de La Raspelière et l'arrangement du jardin, mais encore dans les promenades[b] qu'ils faisaient ou faisaient faire aux environs. De même que selon elle, La Raspelière ne commençait à devenir ce qu'elle aurait dû être que depuis qu'elle était l'asile du petit clan, de même elle affirmait que les Cambremer, refaisant perpétuellement dans leur calèche, le long du chemin de fer, au bord de la mer, la seule vilaine route qu'il y eût dans les environs, habitaient le pays de tout temps mais ne le connaissaient pas. Il y avait du vrai dans cette assertion. Par routine, défaut d'imagination, incuriosité d'une région qui semble rebattue parce qu'elle est si voisine, les Cambremer ne sortaient de chez eux que pour aller toujours aux mêmes endroits et par les mêmes chemins. Certes ils riaient beaucoup de la prétention des Verdurin de leur apprendre leur propre pays. Mais mis au pied du mur, eux et même leur cocher, eussent été incapables de nous conduire aux splendides endroits, un peu secrets, où nous menait M. Verdurin, levant ici la barrière d'une propriété privée mais abandonnée, où d'autres n'eussent pas cru pouvoir s'aventurer ; là descendant de voiture pour suivre un chemin qui n'était pas carrossable, mais tout cela avec la récompense certaine d'un paysage merveilleux. Disons du reste que le jardin de La Raspelière était en quelque sorte un abrégé de toutes les promenades qu'on pouvait faire à bien des kilomètres alentour. D'abord à cause de sa position dominante, regardant d'un côté la vallée, de l'autre la mer, et puis parce que, même d'un seul côté, de celui de la mer par exemple, des percées avaient été faites au milieu des arbres de telle façon que d'ici on embrassait tel horizon, de là tel autre. Il y avait à chacun de ses points de vue un banc ; on venait s'asseoir tour à tour sur celui d'où on découvrait Balbec, ou Parville, ou Douville. Même dans une seule direction, avait été placé un banc plus ou moins à pic sur la falaise, plus ou moins en retrait. De ces derniers, on avait un premier plan de verdure et un horizon qui semblait déjà le plus vaste possible, mais qui s'agrandissait infiniment si, continuant par un petit sentier, on allait jusqu'à un banc suivant d'où l'on embrassait tout le cirque de la mer. Là on percevait exactement le bruit des vagues qui ne parvenait pas au contraire dans les parties plus enfoncées du jardin, là où le flot se laissait voir encore, mais non plus entendre. Ces lieux de repos portaient à La Raspelière, pour les maîtres de maison, le nom de « vues ». Et en effet ils réunissaient autour du château les plus belles « vues » des pays avoisinants, des plages ou des forêts, aperçus fort diminués par l'éloignement, comme Hadrien avait assemblé dans sa villa des réductions des monuments les plus célèbres des diverses contrées[1]. Le nom qui suivait le mot « vue » n'était pas forcément celui d'un lieu de la côte, mais souvent de la rive opposée de la baie et qu'on découvrait, gardant un certain relief malgré l'étendue du panorama. De même qu'on prenait un ouvrage dans la bibliothèque de M. Verdurin pour aller lire une heure à la « vue de Balbec », de même, si le temps était clair, on allait prendre des liqueurs à la « vue de Rivebelle », à condition pourtant qu'il ne fît pas trop de vent, car, malgré les arbres plantés de chaque côté, là l'air était vif. Pour en revenir aux promenades en voiture que Mme Verdurin organisait pour l'après-midi, la Patronne, si au retour elle trouvait les cartes de quelque mondain « de passage sur la côte », feignait d'être ravie mais était désolée d'avoir manqué sa visite, et (bien qu'on ne vînt encore que pour voir « la maison » ou connaître pour un jour une femme dont le salon artistique était célèbre, mais infréquentable à Paris) le faisait vite inviter par M. Verdurin à venir dîner au prochain mercredi. Comme souvent le touriste était obligé de repartir avant, ou craignait les retours tardifs, Mme Verdurin avait convenu que le samedi[2], on la trouverait toujours à l'heure du goûter. Ces goûters n'étaient pas extrêmement nombreux et j'en avais connu à Paris de plus brillants chez la princesse de Guermantes, chez Mme de Galliffet ou Mme d'Arpajon. Mais justement ici ce n'était plus Paris et le charme du cadre ne réagissait pas pour moi que sur l'agrément de la réunion, mais sur la qualité des visiteurs. La rencontre de tel mondain, laquelle à Paris ne me faisait aucun plaisir, mais qui à La Raspelière, où il était venu de loin par Féterne ou la forêt de Chantepie, changeait de caractère, d'importance, devenait un agréable incident. Quelquefois c'était quelqu'un que je connaissais parfaitement bien et que je n'eusse pas fait un pas pour retrouver chez les Swann. Mais son nom sonnait autrement sur cette falaise, comme celui d'un acteur qu'on entend souvent dans un théâtre, imprimé sur l'affiche, en une autre couleur, d'une représentation extraordinaire et de gala où sa notoriété se multiplie tout à coup de l'imprévu du contexte. Comme à la campagne on ne se gêne pas, le mondain prenait souvent sur lui d'amener les amis chez qui il habitait, faisant valoir tout bas comme excuse à Mme Verdurin qu'il ne pouvait les lâcher, demeurant chez eux ; à ces hôtes, en revanche, il feignait d'offrir comme une sorte de politesse de leur faire connaître ce divertissement, dans une vie de plage monotone, d'aller dans un centre spirituel, de visiter une magnifique demeure et de faire un excellent goûter. Cela composait tout de suite une réunion de plusieurs personnes de demi-valeur ; et si un petit bout de jardin avec quelques arbres, qui paraîtrait mesquin à la campagne, prend un charme extraordinaire avenue Gabriel ou bien rue de Monceau, où des multimillionnaires seuls peuvent se l'offrir, inversement des seigneurs qui sont de second plan dans une soirée parisienne, prenaient toute leur valeur, le lundi après-midi, à La Raspelière. À peine assis autour de la table couverte d'une nappe brodée de rouge où sous les trumeaux[a] en camaïeu on leur servait des galettes, des feuilletés normands, des tartes en bateaux, remplies de cerises comme des perles de corail, des « diplomates[1] » et aussitôt ces invités subissaient, de l'approche de la profonde coupe d'azur sur laquelle s'ouvraient les fenêtres et qu'on ne pouvait pas ne pas voir en même temps qu'eux, une altération, une transmutation profonde qui les changeait en quelque chose de plus précieux. Bien plus, même avant de les avoir vus, quand on venait le lundi chez Mme Verdurin, les gens qui à Paris n'avaient plus que des regards fatigués par l'habitude pour les élégants attelages qui stationnaient devant un hôtel somptueux, sentaient leur cœur battre à la vue des deux ou trois mauvaises tapissières arrêtées devant la Raspelière, sous les grands sapins. Sans doute c'était que le cadre agreste était différent et que les impressions mondaines, grâce à cette transposition, redevenaient fraîches. C'était aussi parce que la mauvaise voiture prise pour aller voir Mme Verdurin évoquait une belle promenade et un coûteux « forfait » conclu avec un cocher qui avait demandé « tant » pour la journée. Mais la curiosité légèrement émue, à l'égard des arrivants, encore impossibles à distinguer, venait aussi[a] de ce que chacun se demandait : « Qui est-ce que cela va être ? » question à laquelle il était difficile de répondre, ne sachant pas qui avait pu venir passer huit jours chez les Cambremer ou ailleurs, et qu'on aime toujours à se poser dans les vies agrestes, solitaires, où la rencontre d'un être humain qu'on n'a pas vu depuis longtemps, ou la présentation à quelqu'un qu'on ne connaît pas, cesse d'être cette chose fastidieuse qu'elle est dans la vie de Paris, et interrompt délicieusement l'espace vide des vies trop isolées, où l'heure même du courrier devient agréable. Et le jour où nous vînmes en automobile à La Raspelière, comme ce n'était pas lundi, M. et Mme Verdurin devaient être en proie à ce besoin de voir du monde qui trouble les hommes et les femmes et donne envie de se jeter par la fenêtre au malade qu'on a enfermé loin des siens, pour une cure d'isolement. Car le nouveau domestique aux pieds plus rapides, et déjà familiarisé avec ces expressions, nous ayant répondu que « si Madame n'était pas sortie elle devait être à la "vue de Douville", qu'il allait aller voir », il revint aussitôt nous dire que celle-ci allait nous recevoir. Nous la trouvâmes un peu décoiffée, car elle arrivait du jardin, de la basse-cour et du potager, où elle était allée donner à manger à ses paons et à ses poules, chercher des œufs, cueillir des fruits et des fleurs pour « faire son chemin de table », chemin qui rappelait en petit celui du parc ; mais sur la table il donnait[b] cette distinction de ne pas lui faire supporter que des choses utiles et bonnes à manger ; car autour de ces autres présents du jardin qu'étaient les poires, les œufs battus à la neige, montaient de hautes tiges de vipérines, d'œillets, de roses et de coréopsis entre lesquels on voyait, comme entre des pieux indicateurs et fleuris, se déplacer, par le vitrage de la fenêtre, les bateaux du large[1]. À l'étonnement que M. et Mme Verdurin, s'interrompant de disposer les fleurs pour recevoir les visiteurs annoncés, montrèrent en voyant que ces visiteurs n'étaient autres qu'Albertine et moi, je vis bien que le nouveau domestique, plein de zèle mais à qui mon nom n'était pas encore familier, l'avait mal répété et que Mme Verdurin, entendant le nom d'hôtes inconnus, avait tout de même dit de faire entrer, ayant besoin de voir n'importe qui. Et le nouveau domestique contemplait ce spectacle de la porte afin de comprendre le rôle que nous jouions dans la maison. Puis il s'éloigna en courant, à grandes enjambées, car il n'était engagé que de la veille. Quand Albertine eut bien montré sa toque et son voile aux Verdurin, elle me jeta un regard pour me rappeler que nous n'avions pas trop de temps devant nous pour ce que nous désirions faire. Mme Verdurin voulait que nous attendissions le goûter, mais nous refusâmes, quand tout à coup se dévoila un projet qui eût mis à néant tous les plaisirs que je me promettais de ma promenade avec Albertine : la Patronne, ne pouvant se décider à nous quitter, ou peut-être à laisser échapper une distraction nouvelle, voulait revenir avec nous. Habituée dès longtemps à ce que de sa part les offres de ce genre ne fissent pas plaisir, et n'étant probablement pas certaine que celle-ci nous en causerait un, elle dissimula sous un excès d'assurance la timidité qu'elle éprouvait en nous l'adressant, et n'ayant même pas l'air de supposer qu'il pût y avoir doute sur notre réponse, elle ne nous posa pas de question, mais dit à son mari, en parlant d'Albertine et de moi, comme si elle nous faisait une faveur : « Je les ramènerai, moi ! » En même temps s'appliqua sur sa bouche un sourire qui ne lui appartenait pas en propre, un sourire que j'avais déjà vu à certaines gens quand ils disaient à Bergotte d'un air fin : « J'ai acheté votre livre, c'est comme cela », un de ces sourires collectifs, universaux, que quand ils en ont besoin — comme on se sert du chemin de fer et des voitures[a] de déménagement — empruntent les individus, sauf quelques-uns très raffinés, comme Swann ou comme M. de Charlus, aux lèvres de qui ne j'ai jamais vu se poser ce sourire-là. Dès lors ma visite était empoisonnée. Je fis semblant de ne pas avoir compris. Au bout d'un instant il devint évident que M. Verdurin serait de la fête. « Mais ce sera bien long pour M. Verdurin, dis-je. — Mais non », me répondit Mme Verdurin d'un air condescendant et égayé, « il dit que ça l'amusera beaucoup de refaire avec cette jeunesse cette route qu'il a tant suivie autrefois ; au besoin il montera à côté du wattman[1], cela ne l'effraye pas, et nous reviendrons tous les deux bien sagement par le train comme de bons époux. Regardez, il a l'air enchanté. » Elle semblait parler d'un vieux grand peintre plein de bonhomie qui, plus jeune que les jeunes, met sa joie à barbouiller des images pour faire rire ses petits-enfants. Ce qui ajoutait à ma tristesse est qu'Albertine semblait ne pas la partager et trouver amusant de circuler ainsi par tout le pays avec les Verdurin. Quant à moi, le plaisir que je m'étais promis de prendre avec elle était si impérieux que je ne voulus pas permettre à la Patronne de le gâcher ; j'inventai des mensonges que les irritantes menaces de Mme Verdurin rendaient excusables, mais qu'Albertine, hélas ! contredisait. « Mais nous avons une visite à faire, dis-je. — Quelle visite ? demanda Albertine. — Je vous expliquerai, c'est indispensable. — Hé bien ! nous vous attendrons », dit Mme Verdurin résignée à tout. À la dernière minute, l'angoisse de me sentir ravir un bonheur si désiré me donna le courage d'être impoli. Je refusai nettement, alléguant à l'oreille de Mme Verdurin qu'à cause d'un chagrin qu'avait eu Albertine et sur lequel elle désirait me consulter, il fallait absolument que je fusse seul avec elle. La Patronne prit un air courroucé : « C'est bon, nous ne viendrons pas », me dit-elle d'une voix tremblante de colère. Je la sentis si fâchée que pour avoir l'air de céder un peu : « Mais on aurait peut-être pu... — Non, reprit-elle plus furieuse encore, quand j'ai dit non, c'est non. » Je me croyais brouillé avec elle, mais elle nous rappela à la porte pour nous recommander de ne pas « lâcher » le lendemain mercredi, et de ne pas venir avec cette affaire-là qui était dangereuse la nuit, mais par le train avec tout le petit groupe, et elle fit arrêter l'auto déjà en marche sur l'allée en pente du parc parce que le domestique nouveau avait oublié[a] de mettre dans la capote le carré de tarte et les sablés qu'elle avait fait envelopper pour nous. Nous repartîmes escortés un moment par les petites maisons accourues avec leurs fleurs. La figure du pays nous semblait toute changée tant dans l'image topographique que nous nous faisons de chacun d'eux, la notion d'espace est loin d'être celle qui joue le plus grand rôle. Nous avons dit que celle du temps les écarte davantage. Elle n'est pas non plus la seule. Certains lieux que nous voyons toujours isolés nous semblent sans commune mesure avec le reste, presque hors du monde, comme ces gens que nous avons connus dans des périodes à part de notre vie, au régiment, dans notre enfance, et que nous ne relions à rien. La première année[a] de mon séjour à Balbec, il y avait une hauteur où Mme de Villeparisis aimait à nous conduire parce que de là on ne voyait que l'eau et les bois, et qui s'appelait Beaumont[b1]. Comme le chemin qu'elle faisait prendre pour y aller et qu'elle trouvait le plus joli à cause de ses vieux arbres, montait tout le temps, sa voiture était obligée d'aller au pas et mettait très longtemps. Une fois arrivés en haut nous descendions, nous nous promenions un peu, remontions en voiture, revenions par le même chemin, sans avoir rencontré aucun village, aucun château. Je savais que Beaumont était quelque chose de très curieux, de très loin, de très haut, je n'avais aucune idée de la direction où cela se trouvait n'ayant jamais pris le chemin de Beaumont pour aller ailleurs ; on mettait du reste beaucoup de temps en voiture pour y arriver. Cela faisait évidemment partie du même département (ou de la même province) que Balbec, mais était situé pour moi dans un autre plan, jouissait d'un privilège spécial d'exterritorialité. Mais l'automobile qui ne respecte aucun mystère, après avoir dépassé Incarville, dont j'avais encore les maisons dans les yeux, comme nous descendions la côte de traverse qui aboutit à Parville *(Paterni villa*[2]*)*, apercevant la mer d'un terre-plein où nous étions, je demandai comment s'appelait cet endroit et avant même que le chauffeur m'eût répondu, je reconnus Beaumont à côté duquel je passais ainsi sans le savoir chaque fois que je prenais le petit chemin de fer, car il était à deux minutes de Parville. Comme un officier de mon régiment qui m'eût semblé un être spécial, trop bienveillant et simple pour être de grande famille, trop lointain déjà et mystérieux pour être simplement d'une grande famille, et dont j'aurais appris qu'il était beau-frère, cousin de telles ou telles[c] personnes avec qui je dînais en ville, ainsi Beaumont, relié tout d'un coup à des endroits dont je le croyais si distinct, perdit son mystère et prit sa place dans la région, me faisant penser avec terreur que Mme Bovary et la Sanseverina m'eussent peut-être semblé des êtres pareils aux autres si je les eusse rencontrées ailleurs que dans l'atmosphère close d'un roman. Il peut sembler[a] que mon amour pour les féeriques voyages en chemin de fer aurait dû m'empêcher de partager l'émerveillement d'Albertine devant l'automobile qui mène, même un malade, là où il veut, et empêche — comme je l'avais fait jusqu'ici — de considérer l'emplacement comme la marque individuelle, l'essence sans succédané des beautés inamovibles. Et sans doute cet emplacement, l'automobile n'en faisait pas, comme jadis le chemin de fer, quand j'étais venu de Paris à Balbec, un but soustrait aux contingences de la vie ordinaire, presque idéal au départ et qui le restant à l'arrivée, à l'arrivée dans cette grande demeure où n'habite personne et qui porte seulement le nom de la ville, la gare, a l'air d'en promettre enfin l'accessibilité comme elle en serait la matérialisation. Non, l'automobile ne nous menait pas ainsi féeriquement dans une ville que nous voyions d'abord dans l'ensemble que résume son nom, et avec les illusions du spectateur dans la salle. Il[1] nous faisait entrer dans la coulisse des rues, s'arrêtait à demander un renseignement à un habitant. Mais comme compensation d'une progression si familière, on a les tâtonnements mêmes du chauffeur incertain de sa route et revenant sur ses pas, les chassés-croisés de la perspective faisant jouer un château aux quatre coins avec une colline, une église et la mer, pendant qu'on se rapproche de lui, bien qu'il se blottisse vainement sous sa feuillée séculaire ; ces cercles[b] de plus en plus rapprochés que décrit l'automobile autour d'une ville fascinée qui fuyait dans tous les sens pour lui échapper[c] et sur laquelle finalement il fonce tout droit, à pic, au fond de la vallée, où elle reste gisante à terre ; de sorte que cet emplacement, point unique que l'automobile semble avoir dépouillé du mystère des trains express, il donne par contre l'impression de le découvrir, de le déterminer nous-même comme avec un compas, de nous aider à sentir d'une main plus amoureusement exploratrice, avec une plus fine précision, la véritable géométrie, la belle « mesure de la terre[2] ».

Ce que malheureusement[d] j'ignorais à ce moment-là et

que je n'appris que plus de deux ans après, c'est qu'un des clients du chauffeur était M. de Charlus, et que Morel, chargé de le payer et gardant une partie de l'argent pour lui (en faisant tripler et quintupler par le chauffeur le nombre des kilomètres), s'était beaucoup lié avec lui (tout en ayant l'air de ne pas le connaître devant le monde) et usait de[a] sa voiture pour des courses lointaines. Si j'avais su cela alors, et que la confiance qu'eurent bientôt les Verdurin en ce chauffeur venait de là à leur insu, peut-être bien des chagrins de ma vie à Paris, l'année suivante, bien des malheurs relatifs à Albertine, eussent été évités ; mais je ne m'en doutais nullement[1]. En elles-mêmes, les promenades de M. de Charlus en auto avec Morel n'étaient pas d'un intérêt direct pour moi. Elles se bornaient d'ailleurs plus souvent à un déjeuner ou à un dîner dans un restaurant de la côte, où M. de Charlus passait pour un vieux domestique ruiné et Morel qui avait mission de payer les notes, pour un gentilhomme trop bon. Je raconte un de ces repas qui peut donner une idée des autres. C'était dans un restaurant de forme oblongue à Saint-Mars-le-Vêtu. « Est-ce qu'on ne pourrait pas enlever ceci ? » demanda M. de Charlus à Morel comme à un intermédiaire et pour ne pas s'adresser directement aux garçons. Il désignait par « ceci » trois roses fanées dont un maître d'hôtel bien intentionné avait cru devoir décorer la table. « Si..., dit Morel embarrassé. Vous n'aimez pas les roses ? — Je prouverais au contraire par la requête en question que je les aime, puisqu'il n'y a pas de roses ici (Morel parut surpris), mais en réalité je ne les aime pas beaucoup. Je suis assez sensible aux noms ; et dès qu'une rose est un peu belle, on apprend qu'elle s'appelle la *Baronne de Rothschild*[2] ou la *Maréchale Niel*[3], ce qui jette un froid. Aimez-vous les noms ? Avez-vous trouvé de jolis titres pour vos petits morceaux de concert[4] ? — Il y en a un qui s'appelle *Poème triste*. — C'est affreux, répondit M. de Charlus d'une voix aiguë et claquante, comme un soufflet. Mais j'avais demandé du champagne ? » dit-il au maître d'hôtel qui avait cru en apporter en mettant près des deux clients deux coupes remplies de vin mousseux. « Mais, Monsieur... — Ôtez cette horreur qui n'a aucun rapport avec le plus mauvais champagne. C'est le vomitif appelé *cup* où on fait généralement traîner trois fraises pourries dans un mélange de vinaigre et d'eau de Seltz... Oui, continua-t-il en se retournant vers Morel, vous semblez ignorer ce que c'est qu'un titre. Et même dans l'interprétation de ce que vous jouez le mieux, vous semblez ne pas apercevoir le côté médiumnimique de la chose. — Vous dites ? » demanda Morel qui, n'ayant absolument rien compris à ce qu'avait dit le baron, craignait d'être privé d'une information utile, comme, par exemple, une invitation à déjeuner. M. de Charlus ayant négligé de considérer « Vous dites ? » comme une question, Morel, n'ayant en conséquence pas reçu de réponse, crut devoir changer la conversation et lui donner un tour sensuel : « Tenez, la petite blonde qui vend ces fleurs que vous n'aimez pas ; encore une qui a sûrement une petite amie. Et la vieille qui dîne à la table du fond, aussi. — Mais comment[a] sais-tu tout cela ? » demanda M. de Charlus émerveillé de la prescience de Morel. « Oh ! en une seconde je les devine. Si nous nous promenions tous les deux dans une foule, vous verriez que je ne me trompe pas deux fois. » Et qui eût regardé en ce moment Morel avec son air de fille au milieu de sa mâle beauté, eût compris l'obscure divination qui ne le désignait pas moins à certaines femmes qu'elles à lui. Il[b] avait envie de supplanter Jupien, vaguement désireux d'ajouter à son « fixe » les revenus que, croyait-il, le giletier tirait du baron. « Et pour les gigolos, je m'y connais mieux encore, je vous éviterais toutes les erreurs. Ce sera bientôt la foire de Balbec, nous trouverions bien des choses. Et à Paris alors ! vous verriez que vous vous amuseriez. » Mais une prudence héréditaire de domestique[c] lui fit donner un autre tour à la phrase que déjà il commençait. De sorte que M. de Charlus crut qu'il s'agissait toujours de jeunes filles. « Voyez-vous, dit Morel, désireux d'exalter d'une façon qu'il jugeait moins compromettante pour lui-même (bien qu'elle fût en réalité plus immorale) les sens du baron, mon rêve, ce serait de trouver une jeune fille bien pure, de m'en faire aimer et de lui prendre sa virginité. » M. de Charlus[d] ne put se retenir de pincer tendrement l'oreille de Morel, mais ajouta naïvement : « À quoi cela te servirait-il ? Si tu prenais son pucelage, tu serais bien obligé de l'épouser. — L'épouser ? » s'écria Morel qui sentait le baron grisé ou bien qui ne songeait pas à l'homme, en somme plus scrupuleux qu'il ne croyait, avec lequel il parlait. « L'épouser ? Des nèfles ! Je le promettrais, mais dès la petite opération menée à bien, je la plaquerais le soir même[1]. » M. de Charlus avait l'habitude quand une fiction pouvait lui causer un plaisir sensuel momentané, d'y donner son adhésion, quitte à la retirer tout entière quelques instants après quand le plaisir serait épuisé. « Vraiment, tu ferais cela ? » dit-il à Morel en riant et en le serrant de plus près. « Et comment ! » dit Morel, voyant qu'il ne déplaisait pas au baron en continuant à lui expliquer sincèrement ce qui était en effet un de ses désirs. « C'est dangereux, dit M. de Charlus. — Je ferais mes malles d'avance et je ficherais le camp sans laisser d'adresse. — Et moi ? demanda M. de Charlus. — Je vous emmènerais avec moi, bien entendu », s'empressa de dire Morel qui n'avait pas songé à ce que deviendrait le baron, lequel était le cadet de ses soucis. « Tenez, il y a une petite qui me plairait beaucoup pour ça, c'est une petite couturière qui a sa boutique dans l'hôtel de M. le duc. — La fille de Jupien ! s'écria le baron pendant que le sommelier entrait[a]. Oh ! jamais », ajouta-t-il, soit que la présence d'un tiers l'eût refroidi, soit que même dans ces espèces de messes noires où il se complaisait à souiller les choses les plus saintes, il ne pût se résoudre à faire entrer des personnes pour qui il avait de l'amitié. « Jupien est un brave homme, la petite est charmante, il serait affreux[b] de leur causer du chagrin. » Morel sentit qu'il était allé trop loin et se tut, mais son regard continuait, dans le vide, à se fixer sur la jeune fille devant laquelle il avait voulu un jour que je l'appelasse « cher grand artiste » et à qui il avait commandé un gilet. Très travailleuse, la petite n'avait pas pris de vacances, mais j'ai su depuis que tandis que le violoniste était[c] dans les environs de Balbec, elle ne cessait de penser à son beau visage, ennobli de ce qu'ayant vu Morel avec moi, elle l'avait pris pour un « monsieur ».

« Je n'ai jamais entendu[d] jouer Chopin, dit le baron, et pourtant j'aurais pu, je prenais des leçons avec Stamati[2], mais il me défendit d'aller entendre, chez ma tante Chimay, le maître des *Nocturnes*. — Quelle bêtise il a faite là ! s'écria Morel. — Au contraire, répliqua vivement, d'une voix aiguë, M. de Charlus. Il prouvait son intelligence. Il avait compris que j'étais une "nature" et que je subirais l'influence de Chopin. Ça ne fait rien puisque j'ai abandonné tout jeune la musique, comme tout, du reste. Et puis on se figure un peu, ajouta-t-il d'une voix nasillarde, ralentie et traînante, il y a toujours des gens qui ont entendu, qui vous donnent une idée. Mais enfin Chopin n'était qu'un prétexte pour revenir au côté médiumnimique que vous négligez. »

On remarquera qu'après une interpolation du langage vulgaire, celui de M. de Charlus était brusquement redevenu aussi précieux et hautain qu'il était d'habitude. C'est que l'idée que Morel « plaquerait » sans remords une jeune fille violée lui avait fait brusquement goûter un plaisir complet. Dès lors ses sens étaient apaisés pour quelque temps et le sadique[1] (lui, vraiment médiumnimique) qui s'était substitué pendant quelques instants à M. de Charlus avait fui et rendu la parole au vrai M. de Charlus, plein de raffinement artistique, de sensibilité, de bonté. « Vous avez joué l'autre jour la transcription au piano du *XVe quatuor*, ce qui est déjà absurde parce que rien n'est moins pianistique[2]. Elle est faite pour les gens à qui les cordes trop tendues du glorieux Sourd font mal aux oreilles. Or c'est justement ce mysticisme presque aigre qui est divin. En tous cas vous l'avez très mal joué, en changeant tous les mouvements. Il faut jouer ça comme si vous le composiez : le jeune Morel, affligé d'une surdité momentanée et d'un génie inexistant, reste un instant immobile ; puis pris du délire sacré, il joue, il compose les premières mesures ; alors épuisé par un pareil effort d'entrance, il s'affaisse, laissant tomber la jolie mèche pour plaire à Mme Verdurin, et de plus, il prend ainsi le temps de refaire la prodigieuse quantité de substance grise qu'il a prélevée pour l'objectivation pythique ; alors, ayant retrouvé ses forces, saisi d'une inspiration nouvelle et suréminente, il s'élance vers la sublime phrase intarissable que le virtuose berlinois (nous croyons que M. de Charlus désignait ainsi Mendelssohn[3]) devait infatigablement imiter. C'est de cette façon, seule vraiment transcendante et animatrice, que je vous ferai jouer à Paris. » Quand M. de Charlus lui donnait des avis de ce genre, Morel était beaucoup plus effrayé que de voir le maître d'hôtel remporter ses roses et son « cup » dédaignés, car il se demandait avec anxiété quel effet cela produirait à la « classe ». Mais il ne pouvait s'attarder à ces réflexions car M. de Charlus lui disait impérieusement : « Demandez au maître d'hôtel s'il a du bon chrétien. — Du bon chrétien ? je ne comprends pas. — Vous voyez bien que nous sommes au fruit, c'est une poire. Soyez sûr que Mme de Cambremer en a chez elle, car la comtesse d'Escarbagnas, qu'elle est, en avait. M. Thibaudier la lui envoie et elle dit : "Voilà du bon chrétien qui est fort beau[1]." — Non, je ne savais pas. — Je vois du reste que vous ne savez rien. Si vous n'avez même pas lu Molière... Hé bien, puisque vous ne devez pas savoir commander, plus que le reste, demandez tout simplement une poire qu'on recueille justement près d'ici[2], la louise-bonne d'avranches. — La... ? — Attendez, puisque vous êtes si gauche, je vais moi-même en demander d'autres, que j'aime mieux : Maître d'hôtel, avez-vous de la doyenné des comices ? Charlie, vous devriez lire la page ravissante qu'a écrite sur cette poire la duchesse Émilie de Clermont-Tonnerre[3]. — Non, monsieur, je n'en ai pas. — Avez-vous du triomphe de jodoigne ? — Non, monsieur. — De la virginie-dallet[4] ? de la passe-colmar ? Non ? eh bien, puisque vous n'avez rien nous allons partir. La duchesse-d'angoulême n'est pas encore mûre ; allons, Charlie, partons. » Malheureusement pour M. de Charlus[a], son manque de bon sens, peut-être la chasteté des rapports qu'il avait probablement avec Morel, le firent s'ingénier dès cette époque à combler le violoniste d'étranges bontés que celui-ci ne pouvait comprendre et auxquelles sa nature[b], folle dans son genre, mais ingrate et mesquine, ne pouvait répondre que par une sécheresse ou une violence toujours croissantes, et qui plongeaient M. de Charlus — jadis si fier, maintenant tout timide — dans des accès de vrai désespoir. On verra comment dans les plus petites choses, Morel qui se croyait devenu un M. de Charlus mille fois plus important, avait compris de travers en les prenant à la lettre, les orgueilleux enseignements du baron quant à l'aristocratie. Disons simplement pour l'instant, tandis qu'Albertine m'attend à Saint-Jean-de-la-Haise[c], que s'il y avait une chose que Morel mît au-dessus de la noblesse (et cela était en son principe assez noble, surtout de quelqu'un dont le plaisir était d'aller chercher des petites filles — « ni vu ni connu » — avec le chauffeur), c'était sa réputation artistique et ce qu'on pouvait penser à la classe de violon. Sans doute il était laid que, parce qu'il sentait M. de Charlus tout à lui, il eût l'air de le renier, de se moquer de lui, de la même façon que, dès que j'eus promis le secret sur les fonctions de son père chez mon grand-oncle, il me traita de haut en bas. Mais d'autre part, son nom d'artiste diplômé, Morel, lui paraissait supérieur à un « nom ». Et quand M. de Charlus, dans ses rêves de tendresse platonique, voulait lui faire prendre un titre de sa famille, Morel s'y refusait énergiquement.

Quand Albertine[a] trouvait plus sage de rester à Saint-Jean-de-la-Haise[b] pour peindre, je prenais l'auto, et ce n'était pas seulement à Gourville et à Féterne, mais à Saint-Mars-le-Vieux et jusqu'à Criquetot que je pouvais aller[c] avant de revenir la chercher. Tout en feignant d'être occupé d'autre chose que d'elle, et d'être obligé de la délaisser pour d'autres plaisirs, je ne pensais qu'à elle. Bien souvent je n'allais pas plus loin que la grande plaine qui domine Gourville et comme elle ressemble un peu à celle qui commence au-dessus de Combray, dans la direction de Méséglise, même à une assez grande distance d'Albertine j'avais la joie de penser que si mes regards ne pouvaient pas aller jusqu'à elle, portant plus loin qu'eux, cette puissante et douce brise marine qui passait à côté de moi devait dévaler, sans être arrêtée par rien jusqu'à Quetteholme, venir agiter les branches des arbres qui ensevelissent Saint-Jean-de-la-Haise sous leur feuillage, en caressant la figure de mon amie, et jeter ainsi un double lien d'elle à moi dans cette retraite indéfiniment agrandie, mais sans risques, comme dans ces jeux où deux enfants se trouvent par moments hors de la portée de la voix et de la vue l'un de l'autre, et où tout en étant éloignés ils restent réunis. Je revenais par ces chemins d'où l'on aperçoit la mer, et où autrefois, avant qu'elle apparût entre les branches, je fermais les yeux pour bien penser que ce que j'allais voir, c'était bien la plaintive aïeule de la terre, poursuivant comme au temps qu'il n'existait pas encore d'êtres vivants, sa démente et immémoriale agitation. Maintenant, ils n'étaient plus pour moi que le moyen d'aller rejoindre Albertine ; quand je les reconnaissais tout pareils, sachant jusqu'où ils allaient filer droit, où ils tourneraient, je me rappelais que je les avais suivis en pensant à Mlle de Stermaria[d], et aussi que la même hâte de retrouver Albertine, je l'avais eue à Paris en descendant les rues par où passait Mme de Guermantes ; ils prenaient pour moi la monotonie profonde, la signification morale d'une sorte de ligne que suivait mon caractère. C'était naturel, et ce n'était pourtant pas indifférent ; ils me rappelaient que mon sort était de ne poursuivre que des fantômes, des êtres dont la réalité pour une bonne part était dans mon imagination ; il y a des êtres en effet — et ç'avait été dès la jeunesse mon cas — pour qui tout ce qui a une valeur fixe, constatable par d'autres, la fortune, le succès, les hautes situations, ne comptent pas ; ce qu'il leur faut, ce sont des fantômes. Ils y sacrifient tout le reste, mettent tout en œuvre, font tout servir à rencontrer tel fantôme. Mais celui-ci ne tarde pas à s'évanouir ; alors on court après tel autre, quitte à revenir ensuite au premier. Ce n'était pas la première fois que je recherchais Albertine, la jeune fille vue la première année devant la mer. D'autres femmes, il est vrai, avaient été intercalées entre Albertine aimée la première fois et celle que je ne quittais guère en ce moment ; d'autres femmes, notamment la duchesse de Guermantes. Mais, dira-t-on, pourquoi se donner tant de soucis au sujet de Gilberte, prendre tant de peine pour Mme de Guermantes, si, devenu l'ami de celle-ci, c'est à seule fin de n'y plus penser, mais seulement à Albertine ? Swann, avant sa mort, aurait pu répondre, lui qui avait été amateur de fantômes. De fantômes poursuivis, oubliés, recherchés à nouveau, quelquefois pour une seule entrevue et afin de toucher à une vie irréelle laquelle aussitôt s'enfuyait, ces chemins de Balbec en étaient pleins. En pensant que leurs arbres, poiriers, pommiers, tamaris, me survivraient, il me semblait recevoir d'eux le conseil de me mettre enfin au travail pendant que n'avait pas encore sonné l'heure du repos éternel.

Je descendais[a] de voiture à Quetteholme, courais dans la raide cavée, passais le ruisseau sur une planche et trouvais Albertine qui peignait devant l'église toute en clochetons, épineuse et rouge, fleurissant comme un rosier. Le tympan seul était uni ; et à la surface riante de la pierre affleuraient des anges qui continuaient, devant notre couple du XXe siècle, à célébrer, cierges en main, les cérémonies du XIIIe. C'était eux dont Albertine cherchait à faire le portrait sur sa toile préparée, et imitant Elstir, elle donnait de grands coups de pinceau, tâchant d'obéir au noble rythme qui faisait, lui avait dit le grand maître, ces anges-là si différents de tous ceux qu'il connaissait. Puis elle reprenait ses affaires. Appuyés l'un sur l'autre nous remontions la cavée, laissant la petite église aussi tranquille que si elle ne nous avait pas vus, écouter le bruit perpétuel du ruisseau. Bientôt l'auto filait, nous faisait prendre pour le retour un autre chemin qu'à l'aller. Nous passions devant Marcouville-l'Orgueilleuse[1]. Sur son église, moitié neuve, moitié restaurée, le soleil déclinant étendait sa patine aussi belle que celle des siècles[a]. À travers elle les grands bas-reliefs semblaient n'être vus que sous une couche fluide, moitié liquide, moitié lumineuse ; la Sainte Vierge, sainte Élisabeth, saint Joachim, nageaient encore dans l'impalpable remous, presque à sec, à fleur d'eau ou fleur de soleil. Surgissant dans une chaude poussière, les nombreuses statues modernes se dressaient sur des colonnes jusqu'à mi-hauteur des voiles dorés du couchant[b]. Devant l'église un grand cyprès semblait dans une sorte d'enclos consacré. Nous descendions un instant pour le regarder et faisions quelques pas. Tout autant que de ses membres, Albertine avait une conscience directe de sa toque de paille d'Italie et de l'écharpe de soie (qui n'étaient pas pour elle le siège de moindres sensations de bien-être), et recevait d'elles, tout en faisant le tour de l'église, un autre genre d'impulsion, traduite par un contentement inerte mais auquel je trouvais de la grâce[c] ; écharpe et toque qui n'étaient qu'une partie récente, adventice, de mon amie, mais qui m'était déjà chère et dont je suivais des yeux le sillage, le long du cyprès, dans l'air du soir. Elle-même ne pouvait le voir, mais se doutait que ces élégances faisaient bien, car elle me souriait tout en harmonisant le port de sa tête avec la coiffure qui la complétait : « Elle ne me plaît pas, elle est restaurée », me dit-elle en me montrant l'église et se souvenant de ce qu'Elstir lui avait dit sur la précieuse, sur l'inimitable beauté des vieilles pierres[2]. Albertine savait reconnaître tout de suite une restauration. On ne pouvait que s'étonner de la sûreté de goût qu'elle avait déjà en architecture, au lieu du déplorable qu'elle gardait en musique. Pas plus qu'Elstir, je n'aimais cette église, c'est sans me faire plaisir que sa façade ensoleillée était venue se poser devant mes yeux, et je n'étais descendu la regarder que pour être agréable à Albertine. Et pourtant je trouvais que le grand impressionniste était en contradiction avec lui-même ; pourquoi ce fétichisme attaché à la valeur architecturale objective, sans tenir compte de la transfiguration de l'église dans le couchant ? « Non décidément, me dit Albertine, je ne l'aime pas ; j'aime son nom d'Orgueilleuse. Mais ce qu'il faudra penser à demander à Brichot, c'est pourquoi Saint-Mars s'appelle le Vêtu. On ira[a] la prochaine fois, n'est-ce pas ? » me disait-elle en me regardant de ses yeux noirs sur[b] lesquels sa toque était abaissée comme autrefois son petit polo. Son voile flottait. Je remontais en auto avec elle, heureux que nous dussions le lendemain aller ensemble à Saint-Mars, dont[c] par ces temps ardents où on ne pensait qu'au bain, les deux antiques clochers d'un rose saumon, aux tuiles en losange, légèrement infléchis et comme palpitants, avaient l'air de vieux poissons aigus, imbriqués d'écailles, moussus et roux, qui sans avoir l'air de bouger s'élevaient dans une eau transparente et bleue. En quittant Marcouville, pour[d] raccourcir, nous bifurquions à une croisée de chemins où il y a une ferme. Quelquefois Albertine y faisait arrêter et me demandait d'aller seul chercher, pour qu'elle pût le boire dans la voiture, du calvados ou du cidre, qu'on assurait n'être pas mousseux et par lequel nous étions tout arrosés[1]. Nous étions pressés l'un contre l'autre. Les gens de la ferme apercevaient à peine Albertine dans la voiture fermée, je leur rendais les bouteilles ; nous repartions, comme afin de continuer cette vie à nous deux, cette vie d'amants qu'ils pouvaient supposer que nous avions, et dont cet arrêt pour boire n'eût été qu'un moment insignifiant ; supposition qui eût paru d'autant moins invraisemblable si on nous avait vus après qu'Albertine avait bu sa bouteille de cidre ; elle semblait alors en effet ne plus pouvoir supporter entre elle et moi un intervalle qui d'habitude ne la gênait pas ; sous sa jupe de toile ses jambes se serraient contre mes jambes, elle approchait de mes joues ses joues qui étaient devenues blêmes, chaudes et rouges aux pommettes, avec quelque chose d'ardent et de fané comme en ont les filles des faubourgs. À ces moments-là, presque aussi vite que de personnalité elle changeait de voix, perdait la sienne pour en prendre une autre, enrouée[e], hardie, presque crapuleuse. Le soir tombait. Quel plaisir de la sentir contre moi, avec son écharpe et sa toque, me rappelant que c'est ainsi toujours, côte à côte, qu'on rencontre ceux qui s'aiment ! J'avais peut-être[f] de l'amour pour Albertine, mais n'osais pas le lui laisser apercevoir, si bien que s'il existait en moi, ce ne pouvait être que comme une vérité sans valeur jusqu'à ce qu'on ait pu la contrôler par l'expérience ; or il me semblait irréalisable[a] et hors du plan de la vie. Quant à ma jalousie, elle me poussait à quitter le moins possible Albertine, bien que je susse qu'elle ne guérirait tout à fait qu'en me séparant d'elle à jamais. Je pouvais même l'éprouver auprès d'elle, mais alors m'arrangeais pour ne pas laisser se renouveler la circonstance qui l'avait éveillée en moi. C'est ainsi qu'un jour de beau temps nous allâmes déjeuner à Rivebelle. Les grandes portes vitrées de la salle à manger, de ce hall en forme de couloir qui servait pour les thés, étaient ouvertes de plain-pied avec les pelouses dorées par le soleil et desquelles le vaste restaurant lumineux semblait faire partie. Le garçon à la figure rose[1], aux cheveux noirs tordus comme une flamme, s'élançait dans toute cette vaste étendue moins vite qu'autrefois, car il n'était plus commis mais chef de rang ; néanmoins à cause de son activité naturelle, parfois au loin, dans la salle à manger, parfois plus près, mais au dehors, servant des clients qui avaient préféré déjeuner dans le jardin, on l'apercevait tantôt ici, tantôt là, comme des statues successives d'un jeune dieu courant, les unes à l'intérieur, d'ailleurs bien éclairé, d'une demeure qui se prolongeait en gazons verts, les autres sous les feuillages[b], dans la clarté de la vie en plein air. Il fut un moment à côté de nous. Albertine répondit distraitement à ce que je lui disais. Elle le regardait avec des yeux agrandis. Pendant quelques minutes je sentis qu'on peut être près de la personne qu'on aime et cependant ne pas l'avoir avec soi. Ils avaient l'air d'être dans un tête-à-tête mystérieux, rendu muet par ma présence, et suite peut-être de rendez-vous anciens que je ne connaissais pas, ou seulement d'un regard qu'il lui avait jeté — et dont j'étais le tiers gênant et de qui on se cache. Même quand, rappelé avec violence par son patron, il se fut éloigné, Albertine tout en continuant à déjeuner n'avait plus l'air de considérer le restaurant et les jardins que comme une piste illuminée, où apparaissait çà et là, dans des décors variés, le dieu coureur aux cheveux noirs. Un instant je m'étais demandé si pour le suivre, elle n'allait pas me laisser seul à ma table. Mais dès les jours suivants je commençai à oublier pour toujours cette impression pénible car j'avais décidé de ne jamais retourner à Rivebelle, j'avais fait promettre à Albertine, qui m'assura y être venue pour la première fois, qu'elle n'y retournerait jamais. Et je niai que le garçon aux pieds agiles n'eût eu d'yeux que pour elle, afin qu'elle ne crût pas que ma compagnie l'avait privée d'un plaisir. Il m'arriva parfois de retourner à Rivebelle, mais seul, de trop boire, comme j'y avais déjà fait. Tout en vidant une dernière coupe je regardais une rosace peinte sur le mur blanc, je reportais sur elle le plaisir que j'éprouvais. Elle seule au monde existait pour moi ; je la poursuivais, la touchais et la perdais tour à tour de mon regard fuyant, et j'étais indifférent à l'avenir, me contentant de ma rosace comme un papillon qui tourne autour d'un papillon posé, avec lequel il va finir sa vie dans un acte de volupté suprême[a]. Or je trouvais dangereux de laisser s'installer en moi, même sous une forme légère, un mal qui ressemble à ces états pathologiques habituels auxquels on ne prend pas garde, mais qui, si survient le moindre accident, imprévisible et inévitable, qui lui arriverait, suffisent à lui donner aussitôt une extrême gravité. Le moment était peut-être particulièrement bien choisi pour renoncer à une femme à qui aucune souffrance bien récente et bien vive ne m'obligeait à demander ce baume contre un mal, que possèdent celles qui l'ont causé. J'étais calmé par ces promenades mêmes qui bien que je ne les considérasse au moment, que comme une attente d'un lendemain qui lui-même, malgré le désir qu'il m'inspirait, ne devait pas être différent de la veille, avaient le charme d'être arrachées aux lieux où s'était trouvée jusque-là Albertine et où je n'étais pas avec elle, chez sa tante, chez ses amies. Charme non d'une joie positive, mais seulement de l'apaisement d'une inquiétude, et bien fort pourtant. Car à quelques jours de distance, quand je repensais à la ferme devant laquelle nous avions bu du cidre, ou simplement aux quelques pas que nous avions faits devant Saint-Mars-le-Vêtu, me rappelant qu'Albertine marchait à côté de moi sous sa toque, le sentiment de sa présence ajoutait[b] tout d'un coup une telle vertu à l'image indifférente de l'église neuve, qu'au moment où la façade ensoleillée venait se poser ainsi d'elle-même dans mon souvenir, c'était comme une grande compresse calmante qu'on eût appliquée à mon cœur. Je déposais Albertine à Parville, mais pour la retrouver le soir et aller m'étendre à côté d'elle, dans l'obscurité, sur la grève. Sans doute je ne la voyais pas tous les jours, mais pourtant je pouvais me dire : « Si elle racontait l'emploi de son temps, de sa vie, c'est encore moi qui y tiendrais le plus de place » ; et nous passions ensemble de longues heures de suite qui mettaient dans mes journées un enivrement si doux que même quand à Parville, elle sautait de l'auto que j'allais lui renvoyer une heure après, je ne me sentais pas plus seul dans la voiture que si, avant de la quitter, elle y eût laissé des fleurs. J'aurais pu me passer de la voir tous les jours ; j'allais la quitter heureux, je sentais que l'effet calmant de ce bonheur pouvait se prolonger plusieurs jours. Mais alors j'entendais Albertine, en me quittant, dire à sa tante ou à une amie : « Alors, demain à huit heures et demie. Il ne faut pas être en retard, ils seront prêts dès huit heures un quart. » La conversation d'une femme qu'on aime ressemble à un sol qui recouvre une eau souterraine et dangereuse ; on sent à tout moment derrière les mots la présence, le froid pénétrant d'une nappe invisible ; on aperçoit çà et là son suintement perfide, mais elle-même reste cachée. Aussitôt la phrase d'Albertine entendue, mon calme était détruit. Je voulais lui demander de la voir le lendemain matin, afin de l'empêcher d'aller à ce mystérieux rendez-vous de huit heures et demie dont on n'avait parlé devant moi qu'à mots couverts. Elle m'eût sans doute obéi les premières fois, regrettant pourtant de renoncer à ses projets ; puis elle eût découvert mon besoin permanent de les déranger ; j'eusse été celui pour qui l'on se cache de tout. Et d'ailleurs, il est probable que ces fêtes dont j'étais exclu consistaient en fort peu de chose, et que c'était peut-être par peur que je trouvasse telle invitée vulgaire ou ennuyeuse qu'on ne me conviait pas. Malheureusement cette vie si mêlée à celle d'Albertine n'exerçait pas d'action que sur moi ; elle me donnait du calme ; elle causait à ma mère des inquiétudes dont la confession le détruisit. Comme je rentrais content, décidé à terminer d'un jour à l'autre une existence dont je croyais que la fin dépendait de ma seule volonté, ma mère me dit, entendant que je faisais dire au chauffeur d'aller chercher Albertine après dîner : « Comme tu dépenses[a] de l'argent ! (Françoise, dans son langage simple et expressif, disait avec plus de force : « L'argent file. ») Tâche, continua maman, de ne pas devenir comme Charles de Sévigné, dont sa mère disait : "Sa main est un creuset où l'argent se fond[1]." Et puis je crois que tu es vraiment assez sorti avec Albertine. Je t'assure que c'est exagéré, que même pour elle cela peut sembler ridicule. J'ai été enchantée que cela te distraie, je ne te demande pas de ne plus la voir, mais enfin qu'il ne soit pas impossible de vous rencontrer l'un sans l'autre. » Ma vie avec Albertine, vie dénuée de grands plaisirs — au moins de grands plaisirs perçus — cette vie que je comptais changer d'un jour à l'autre, en choisissant une heure de calme, me redevint tout d'un coup pour un temps nécessaire, quand par ces paroles de maman elle se trouva menacée. Je dis à ma mère que ses paroles venaient de retarder de deux mois peut-être la décision qu'elles demandaient et qui sans elles eût été prise avant la fin de la semaine. Maman se mit à rire (pour ne pas m'attrister) de l'effet qu'avaient produit instantanément ses conseils, et me promit de ne pas m'en reparler pour ne pas empêcher que renaquît ma bonne intention. Mais depuis la mort de ma grand-mère, chaque fois que maman se laissait aller à rire, le rire commencé s'arrêtait net et s'achevait sur une expression presque sanglotante de souffrance, soit par le remords d'avoir pu un instant oublier, soit par la recrudescence dont cet oubli si bref avait ravivé encore sa cruelle préoccupation. Mais à celle que lui causait le souvenir de ma grand-mère, installé en ma mère comme une idée fixe, je sentis que cette fois s'en ajoutait une autre, qui avait trait à moi, à ce que ma mère redoutait des suites de mon intimité avec Albertine ; intimité qu'elle n'osa pourtant pas entraver à cause de ce que je venais de lui dire. Mais elle ne parut pas persuadée que je ne me trompais pas. Elle se rappelait pendant combien d'années ma grand-mère et elle ne m'avaient plus parlé de mon travail et d'une règle de vie plus hygiénique que, disais-je, l'agitation où me mettaient leurs exhortations m'empêchait seule de commencer, et que malgré leur silence obéissant, je n'avais pas poursuivie.

Après le dîner l'auto ramenait Albertine ; il faisait encore un peu jour ; l'air était moins chaud, mais après une brûlante journée nous rêvions tous deux de fraîcheurs inconnues ; alors à nos yeux enfiévrés la lune tout étroite parut d'abord (telle le soir où j'étais allé chez la princesse de Guermantes et où Albertine m'avait téléphoné) comme la légère et mince pelure, puis comme le frais quartier d'un fruit qu'un invisible couteau commençait à écorcer dans le ciel[1]. Quelquefois aussi, c'était moi qui allais chercher mon amie, un peu plus tard alors ; elle devait m'attendre devant les arcades du marché, à Maineville. Aux premiers moments je ne la distinguais pas ; je m'inquiétais déjà qu'elle ne dût pas venir, qu'elle eût mal compris. Alors je la voyais dans sa blouse blanche à pois bleus, sauter à côté de moi dans la voiture avec le bond léger plus d'un jeune animal que d'une jeune fille. Et c'est comme une chienne encore qu'elle commençait aussitôt à me caresser sans fin. Quand la nuit était tout à fait venue et que, comme me disait le directeur de l'hôtel, le ciel était tout parcheminé d'étoiles, si nous n'allions pas nous promener en forêt avec une bouteille de champagne, sans nous inquiéter des promeneurs déambulant encore sur la digue faiblement éclairée, mais qui n'auraient rien distingué à deux pas sur le sable noir, nous nous étendions en contrebas des dunes ; ce même corps dans la souplesse duquel vivait toute la grâce féminine, marine et sportive, des jeunes filles que j'avais vues passer la première fois devant l'horizon du flot, je le tenais serré contre le mien, sous une même couverture, tout au bord de la mer immobile divisée par un rayon tremblant ; et nous l'écoutions sans nous lasser et avec le même plaisir, soit quand elle retenait sa respiration, assez longtemps suspendue pour qu'on crût le reflux arrêté, soit quand elle exhalait enfin à nos pieds le murmure attendu et retardé. Je finissais par ramener Albertine à Parville. Arrivé devant chez elle, il fallait interrompre nos baisers de peur qu'on ne nous vît ; n'ayant pas envie de se coucher, elle revenait avec moi jusqu'à Balbec, d'où je la ramenais une dernière fois à Parville ; les chauffeurs de ces premiers temps de l'automobile étaient des gens qui se couchaient à n'importe quelle heure. Et de fait je ne rentrais à Balbec qu'avec la première humidité matinale, seul cette fois, mais encore tout entouré de la présence de mon amie, gorgé d'une provision de baisers longue à épuiser. Sur ma table je trouvais un télégramme ou une carte postale. C'était d'Albertine encore ! Elle les avait écrits à Quetteholme pendant que j'étais parti seul en auto et pour me dire qu'elle pensait à moi. Je me mettais au lit en les relisant. Alors j'apercevais au-dessus des rideaux la raie du grand jour et je me disais que nous devions nous aimer tout de même pour avoir passé la nuit à nous embrasser. Quand le lendemain matin je voyais Albertine sur la digue, j'avais si peur qu'elle me répondît qu'elle n'était pas libre ce jour-là et ne pouvait acquiescer à ma demande de nous promener ensemble, que cette demande je retardais le plus que je pouvais de la lui adresser. J'étais d'autant plus inquiet qu'elle avait l'air froid, préoccupé ; des gens de sa connaissance passaient ; sans doute avait-elle formé pour l'après-midi des projets dont j'étais[a] exclu. Je la regardais, je regardais ce corps charmant, cette tête rose d'Albertine, dressant en face de moi l'énigme de ses intentions, la décision inconnue qui devait faire le bonheur ou le malheur de mon après-midi. C'était tout un état d'âme, tout un avenir d'existence qui avait pris devant moi la forme allégorique et fatale d'une jeune fille. Et quand enfin je me décidais, quand de l'air le plus indifférent que je pouvais, je demandais : « Est-ce que nous nous promenons ensemble tantôt et ce soir ? » et qu'elle me répondait : « Très volontiers », alors tout le brusque remplacement, dans la figure rose, de ma longue inquiétude par une quiétude[b] délicieuse, me rendait encore plus précieuses ces formes auxquelles je devais perpétuellement le bien-être, l'apaisement qu'on éprouve après qu'un orage a éclaté. Je me répétais : « Comme elle est gentille, quel être adorable ! » dans une exaltation moins féconde que celle due à l'ivresse, à peine plus profonde que celle de l'amitié, mais très supérieure à celle de la vie mondaine. Nous ne décommandions l'automobile que les jours où il y avait un dîner chez les Verdurin, et ceux où Albertine n'étant pas libre de sortir avec moi, j'en eusse profité pour prévenir les gens qui désiraient me voir que je resterais à Balbec. Je donnais à Saint-Loup autorisation de venir ces jours-là[c], mais ces jours-là seulement. Car une fois qu'il était arrivé à l'improviste, j'avais préféré me priver de voir Albertine plutôt que de risquer qu'il la rencontrât, que fût compromis l'état de calme heureux où je me trouvais depuis quelque temps et que fût ma jalousie renouvelée. Et je n'avais été tranquille qu'une fois Saint-Loup reparti. Aussi s'astreignait-il avec regret, mais scrupule, à ne jamais venir à Balbec sans appel de ma part. Jadis songeant avec envie aux heures que Mme de Guermantes passait avec lui, j'attachais un tel prix à le voir ! Les êtres ne cessent pas de changer de place par rapport à nous. Dans la marche insensible mais éternelle du monde, nous les considérons comme immobiles dans un instant de vision, trop court[d] pour que le mouvement qui les entraîne soit perçu. Mais nous n'avons qu'à choisir dans notre mémoire deux images prises d'eux à des moments différents, assez rapprochés cependant pour qu'ils n'aient pas changé en eux-mêmes, du moins sensiblement, et la différence des deux images mesure le déplacement qu'ils ont opéré par rapport à nous. Il m'inquiéta affreusement en me parlant des Verdurin, j'avais peur qu'il ne me demandât à y être reçu, ce qui eût suffi, à cause de la jalousie que je n'eusse cessé de ressentir, à gâter tout le plaisir que j'y trouvais avec Albertine. Mais heureusement Robert m'avoua tout au contraire qu'il désirait par-dessus tout ne pas les connaître. « Non, me dit-il, je trouve ce genre de milieux cléricaux exaspérants. » Je ne compris pas d'abord l'adjectif « clérical » appliqué aux Verdurin, mais la fin de la phrase de Saint-Loup m'éclaira sa pensée, ses concessions à des modes de langage qu'on est souvent étonné de voir adopter par des hommes intelligents. « Ce sont des milieux[a], me dit-il, où on fait tribu, où on fait congrégation et chapelle. Tu ne me diras pas que ce n'est pas une petite secte ; on est tout miel pour les gens qui en sont, on n'a pas assez de dédain pour les gens qui n'en sont pas. La question n'est pas comme pour Hamlet d'être ou de ne pas être[1], mais d'en être ou de ne pas en être. Tu en es, mon oncle Charlus en est. Que veux-tu ? moi je n'ai jamais aimé ça, ce n'est pas ma faute. »

Bien entendu la règle que j'avais imposée à Saint-Loup de ne me venir voir que sur un appel de moi, je l'édictai aussi stricte pour n'importe laquelle des personnes avec qui je m'étais peu à peu lié à La Raspelière, à Féterne, à Montsurvent et ailleurs ; et quand j'apercevais de l'hôtel la fumée du train de trois heures qui dans l'anfractuosité des falaises de Parville, laissait son panache stable qui restait longtemps accroché au flanc des pentes vertes, je n'avais aucune hésitation sur le visiteur qui allait venir goûter avec moi et m'était encore, à la façon d'un dieu, dérobé sous ce petit nuage. Je suis obligé d'avouer que ce visiteur, préalablement autorisé par moi à venir, ne fut presque jamais Saniette, et je me le suis bien souvent reproché. Mais la conscience que Saniette avait d'ennuyer (naturellement encore bien plus en venant faire une visite qu'en racontant une histoire) faisait que bien qu'il fût plus instruit, plus intelligent et meilleur que bien d'autres, il semblait impossible d'éprouver auprès de lui[a], non seulement aucun plaisir, mais autre chose qu'un spleen presque intolérable et qui vous gâtait votre après-midi. Probablement si Saniette avait avoué franchement cet ennui qu'il craignait de causer, on n'eût pas redouté ses visites. L'ennui est un des maux les moins graves qu'on ait à supporter, le sien n'existait peut-être que dans l'imagination des autres, ou lui avait été inoculé grâce à une sorte de suggestion par eux, laquelle avait trouvé prise sur son agréable modestie. Mais il tenait tant à ne pas laisser voir qu'il n'était pas recherché, qu'il n'osait pas s'offrir. Certes il avait raison de ne pas faire comme les gens qui sont si contents de donner des coups de chapeau dans un lieu public, que ne vous ayant pas vu depuis longtemps et vous apercevant dans une loge avec des personnes brillantes qu'ils ne connaissent pas, ils vous jettent un bonjour[b] furtif et retentissant en s'excusant sur le plaisir, sur l'émotion qu'ils ont eus à vous apercevoir, à constater que vous renouez avec les plaisirs, que vous avez bonne mine, etc. Mais Saniette, au contraire, manquait par trop d'audace. Il aurait pu, chez Mme Verdurin ou dans le petit tram, me dire qu'il aurait grand plaisir à venir me voir à Balbec s'il ne craignait pas de me déranger. Une telle proposition ne m'eût pas effrayé. Au contraire il n'offrait rien, mais avec un visage torturé et un regard aussi indestructible qu'un émail cuit, mais dans la composition duquel entrait, avec un désir pantelant de vous voir — à moins qu'il ne trouvât quelqu'un d'autre de plus amusant — la volonté de ne pas laisser voir ce désir, il me disait d'un air détaché : « Vous ne savez pas ce que vous faites ces jours-ci ? Parce que j'irai sans doute près de Balbec. Mais non, cela ne fait rien, je vous le demandais par hasard. » Cet air ne trompait pas, et les signes inverses à l'aide desquels nous exprimons nos sentiments par leur contraire sont d'une lecture si claire qu'on se demande comment il y a encore des gens qui disent par exemple : « J'ai tant d'invitations que je ne sais où donner de la tête » pour dissimuler qu'ils ne sont pas invités. Mais de plus cet air détaché, à cause probablement de ce qui entrait dans sa composition trouble, vous causait ce que n'eût jamais pu faire la crainte de l'ennui ou le franc aveu du désir de vous voir, c'est-à-dire cette espèce de malaise, de répulsion qui, dans l'ordre des relations de simple politesse sociale, est l'équivalent de ce qu'est dans l'amour, l'offre déguisée que fait à une dame l'amoureux qu'elle n'aime pas, de la voir le lendemain, tout en protestant qu'il n'y tient pas, ou même pas cette offre, mais une attitude de fausse froideur. Aussitôt émanait de la personne de Saniette je ne sais quoi qui faisait qu'on lui répondait de l'air le plus tendre du monde : « Non, malheureusement, cette semaine, je vous expliquerai... » Et je laissais venir à la place des gens qui étaient loin de le valoir mais qui n'avaient pas son regard chargé de la mélancolie, et sa bouche plissée de toute l'amertume de toutes les visites qu'il avait envie, en la leur taisant, de faire aux uns et aux autres. Malheureusement il était bien rare que Saniette ne rencontrât pas dans le tortillard l'invité qui venait me voir, si même celui-ci ne m'avait pas dit, chez les Verdurin : « N'oubliez pas que je vais vous voir jeudi », jour où j'avais précisément dit à Saniette ne pas être libre. De sorte qu'il finissait par imaginer la vie comme remplie de divertissements organisés à son insu, sinon même contre lui. D'autre part, comme on n'est jamais tout un, ce trop discret était maladivement indiscret. La seule fois où par hasard il vint me voir malgré moi, une lettre, je ne sais de qui, traînait sur la table. Au bout d'un instant je vis qu'il n'écoutait que distraitement ce que je lui disais. La lettre, dont il ignorait complètement la provenance, le fascinait et je croyais à tout moment que ses prunelles émaillées allaient se détacher de leur orbite pour rejoindre la lettre quelconque mais que sa curiosité aimantait. On aurait dit un oiseau qui va se jeter fatalement sur un serpent. Finalement il n'y put tenir, la changea de place d'abord comme pour mettre de l'ordre dans ma chambre. Cela ne lui suffisant plus, il la prit, la tourna, la retourna, comme machinalement. Une autre forme de son indiscrétion, c'était que rivé à vous il ne pouvait partir. Comme j'étais souffrant ce jour-là, je lui demandai de reprendre le train suivant et de partir dans une demi-heure. Il ne doutait pas que je souffrisse, mais me répondit : « Je resterai un heure un quart et après je partirai. » Depuis, j'ai souffert de ne pas lui avoir dit, chaque fois où je le pouvais, de venir. Qui sait ? Peut-être eussé-je conjuré son mauvais sort, d'autres l'eussent invité pour qui il m'eût immédiatement lâché, de sorte que mes invitations auraient eu le double avantage de lui rendre la joie et de me débarrasser de lui.

Les jours qui suivaient ceux où j'avais reçu, je n'attendais naturellement pas de visites et l'automobile revenait nous chercher, Albertine et moi. Et quand nous rentrions, Aimé, sur le premier degré de l'hôtel, ne pouvait s'empêcher, avec des yeux passionnés, curieux et gourmands, de regarder quel pourboire je donnais au chauffeur. J'avais beau enfermer ma pièce ou mon billet dans ma main close, les regards d'Aimé écartaient mes doigts. Il détournait la tête au bout d'une seconde car il était discret, bien élevé et même se contentait lui-même de bénéfices relativement petits. Mais l'argent qu'un autre recevait excitait en lui une curiosité incompressible et lui faisait venir l'eau à la bouche. Pendant ces courts instants il avait l'air attentif et fiévreux d'un enfant qui lit un roman de Jules Verne, ou d'un dîneur assis non loin de vous, dans un restaurant, et qui voyant qu'on vous découpe un faisan que lui-même ne peut pas ou ne veut pas s'offrir, délaisse un instant ses pensées sérieuses pour attacher sur la volaille un regard que font sourire l'amour et l'envie.

Ainsi se succédaient quotidiennement ces promenades en automobile. Mais une fois, au moment où je remontais par l'ascenseur, le lift me dit : « Ce monsieur est venu, il m'a laissé une commission pour vous. » Le lift me dit ces mots d'une voix absolument cassée et en me toussant et crachant à la figure. « Quel rhume que je tiens ! » ajouta-t-il, comme si je n'étais pas capable de m'en apercevoir tout seul. « Le docteur dit que c'est la coqueluche », et il recommença à tousser et à cracher sur moi. « Ne vous fatiguez pas à parler », lui dis-je d'un air de bonté, lequel était feint. Je craignais de prendre la coqueluche qui, avec ma disposition aux étouffements, m'eût été fort pénible. Mais il mit sa gloire, comme un virtuose qui ne veut pas se faire porter malade, à parler et à cracher tout le temps. « Non, ça ne fait rien, dit-il (pour vous peut-être, pensai-je, mais pas pour moi). Du reste je vais bientôt rentrer à Paris (tant mieux, pourvu qu'il ne me la passe pas avant). Il paraît, reprit-il, que Paris c'est très superbe. Cela doit être encore plus superbe qu'ici et qu'à Monte-Carlo, quoique des chasseurs, même des clients, et jusqu'à des maîtres d'hôtel qui allaient à Monte-Carlo pour la saison, m'aient souvent dit que Paris était moins superbe que Monte-Carlo. Ils se gouraient peut-être, et pourtant pour être maître d'hôtel, il ne faut pas être un imbécile ; pour prendre toutes les commandes, retenir les tables, il en faut une tête ! On m'a dit que c'était encore plus terrible que d'écrire des pièces et des livres. » Nous étions presque arrivés à mon étage quand le lift me fit redescendre jusqu'en bas parce qu'il trouvait que le bouton fonctionnait mal, et en un clin d'œil il l'arrangea. Je lui dis que je préférais remonter à pied, ce qui voulait dire et cacher que je préférais ne pas prendre la coqueluche. Mais d'un accès de toux cordial et contagieux, le lift me rejeta dans l'ascenseur. « Ça ne risque plus rien, maintenant, j'ai arrangé le bouton. » Voyant qu'il ne cessait pas de parler, préférant connaître le nom du visiteur et la commission qu'il avait laissée, au parallèle entre les beautés de Balbec, Paris et Monte-Carlo, je lui dis (comme à un ténor qui vous excède avec Benjamin Godard[1] : Chantez-moi de préférence du Debussy) : « Mais qui est-ce qui est venu pour me voir ? — C'est le monsieur avec qui vous êtes sorti hier. Je vais aller chercher sa carte qui est chez mon concierge. » Comme la veille j'avais déposé Robert de Saint-Loup à la station de Doncières avant[a] d'aller chercher Albertine, je crus que le lift voulait parler de Saint-Loup, mais c'était le chauffeur. Et en le désignant par ces mots : « le monsieur avec qui vous êtes sorti », il m'apprenait par la même occasion qu'un ouvrier est tout aussi bien un monsieur que ne l'est un homme du monde. Leçon de mots seulement. Car pour la chose, je n'avais jamais fait de distinction entre les classes. Et si j'avais, à entendre appeler un chauffeur un monsieur, le même étonnement que le comte X... qui ne l'était que depuis huit jours et à qui, ayant dit : « la comtesse à l'air fatiguée », je fis tourner la tête derrière lui pour voir de qui je voulais parler, c'était simplement par manque d'habitude du vocabulaire ; je n'avais jamais fait de différence entre les ouvriers, les bourgeois et les grands seigneurs, et j'aurais pris indifféremment les uns et les autres pour amis, avec une certaine préférence pour les ouvriers, et après cela pour les grands seigneurs, non par goût, mais sachant qu'on peut exiger d'eux plus de politesse envers les ouvriers qu'on ne l'obtient de la part des bourgeois, soit que les grands seigneurs ne dédaignent pas les ouvriers comme font les bourgeois, ou bien parce qu'ils sont volontiers polis envers n'importe qui, comme les jolies femmes heureuses de donner un sourire qu'elles savent accueilli avec tant de joie. Je ne peux du reste pas dire que cette façon que j'avais de mettre les gens du peuple sur le pied d'égalité avec les gens du monde, si elle fut très bien admise de ceux-ci[a], satisfît en revanche toujours pleinement ma mère. Non qu'humainement elle fît une différence quelconque entre les êtres, et si jamais Françoise avait du chagrin ou était souffrante, elle était toujours consolée et soignée par maman avec la même amitié, avec le même dévouement que sa meilleure amie. Mais ma mère était trop la fille de mon grand-père pour ne pas faire socialement acception des castes. Les gens de Combray avaient beau avoir du cœur, de la sensibilité, acquérir les plus belles théories sur l'égalité humaine, ma mère, quand un valet de chambre s'émancipait, disait une fois « vous » et glissait insensiblement à ne plus me parler à la troisième personne, avait de ces usurpations[b] le même mécontentement qui éclate dans les *Mémoires* de Saint-Simon chaque fois qu'un seigneur qui n'y a pas droit saisit un prétexte de prendre la qualité d'« Altesse » dans un acte authentique, ou de ne pas rendre aux ducs ce qu'il leur devait et ce dont peu à peu il se dispense[1]. Il y avait un « esprit de Combray » si réfractaire qu'il faudra des siècles de bonté (celle de ma mère était infinie), de théories égalitaires, pour arriver à le dissoudre. Je ne peux pas dire que chez ma mère certaines parcelles de cet esprit ne fussent pas restées insolubles. Elle eût donné aussi difficilement la main à un valet de chambre qu'elle lui donnait aisément dix francs (lesquels lui faisaient du reste beaucoup plus de plaisir). Pour elle, qu'elle l'avouât ou non, les maîtres étaient les maîtres et les domestiques étaient les gens qui mangeaient à la cuisine. Quand elle voyait un chauffeur d'automobile dîner avec moi dans la salle à manger, elle n'était pas absolument contente et me disait : « Il me semble que tu pourrais avoir mieux comme ami qu'un mécanicien », comme elle aurait dit, s'il se fût agi de mariage : « Tu pourrais trouver mieux comme parti. » Le chauffeur (heureusement je ne songeai jamais à inviter celui-là) était venu me dire que la Compagnie d'autos qui l'avait envoyé à Balbec pour la saison lui faisait rejoindre Paris dès le lendemain. Cette raison, d'autant plus que le chauffeur était charmant et s'exprimait si simplement qu'on eût toujours dit paroles d'Évangile, nous sembla devoir être conforme à la vérité. Elle ne l'était qu'à demi. Il n'y avait en effet plus rien à faire à Balbec. Et en tous cas la Compagnie n'ayant qu'à demi confiance dans la véracité du jeune évangéliste, appuyé sur sa roue de consécration, désirait qu'il revînt au plus vite à Paris. Et en effet si le jeune apôtre accomplissait miraculeusement la multiplication des kilomètres quand il les comptait à M. de Charlus, en revanche dès qu'il s'agissait de rendre compte à sa Compagnie, il divisait par six ce qu'il avait gagné. En conclusion de quoi la Compagnie, pensant, ou bien que personne ne faisait plus de promenades à Balbec, ce que la saison rendait vraisemblable, soit qu'elle était volée, trouvait dans l'une et l'autre hypothèse que le mieux était de le rappeler à Paris où on ne faisait d'ailleurs pas grand-chose. Le désir du chauffeur était d'éviter si possible la morte saison. J'ai dit — ce que j'ignorais alors et ce dont la connaissance m'eût évité bien des chagrins — qu'il était très lié (sans qu'ils eussent jamais l'air de se connaître devant les autres) avec Morel. À partir du jour où il fut rappelé, sans savoir encore qu'il avait un moyen de ne pas partir, nous dûmes[a] nous contenter pour nos promenades de louer une voiture, ou quelquefois, pour distraire Albertine et comme elle aimait l'équitation, des chevaux de selle. Les voitures étaient mauvaises. « Quel tacot ! » disait Albertine. J'aurais d'ailleurs souvent aimé d'y être seul. Sans vouloir me fixer une date je souhaitais que prît fin cette vie à laquelle je reprochais de me faire renoncer, non pas même tant au travail qu'au plaisir. Pourtant il arrivait aussi[b] que les habitudes qui me retenaient fussent soudain abolies, le plus souvent quand quelque ancien moi, plein du désir de vivre avec allégresse, remplaçait pour un instant le moi actuel. J'éprouvai notamment ce désir d'évasion un jour[c] qu'ayant laissé Albertine chez sa tante, j'étais allé à cheval voir les Verdurin et que j'avais pris dans les bois une route sauvage dont ils m'avaient vanté la beauté[1]. Épousant les formes[d] de la falaise, tour à tour elle montait, puis resserrée entre des bouquets d'arbres épais, elle s'enfonçait en gorges sauvages. Un instant, les rochers dénudés dont j'étais entouré, la mer qu'on apercevait par leurs déchirures, flottèrent devant mes yeux comme des fragments d'un autre univers : j'avais reconnu le paysage montagneux et marin qu'Elstir a donné pour cadre[e] à ces deux admirables aquarelles, « Poète rencontrant une Muse », « Jeune homme rencontrant un

Centaure », que j'avais vues chez la duchesse de Guermantes[1]. Leur souvenir replaçait les lieux où je me trouvais tellement en dehors du monde actuel que je n'aurais[a] pas été étonné si, comme le jeune homme de l'âge antéhistorique que peint Elstir, j'avais au cours de ma promenade croisé un personnage mythologique. Tout à coup mon cheval se cabra ; il avait entendu un bruit singulier, j'eus peine à le maîtriser et à ne pas être jeté à terre, puis je levai vers le point d'où semblait venir ce bruit mes yeux pleins de larmes, et je vis[b] à une cinquantaine de mètres au-dessus de moi, dans le soleil, entre deux grandes ailes d'acier étincelant qui l'emportaient, un être dont la figure peu distincte me parut ressembler à celle d'un homme. Je fus aussi ému que pouvait l'être un Grec qui voyait pour la première fois un demi-dieu. Je pleurais aussi, car j'étais prêt à pleurer du moment que j'avais reconnu que le bruit venait d'au-dessus de ma tête — les aéroplanes étaient encore rares à cette époque — à la pensée que ce que j'allais voir pour la première fois c'était un aéroplane. Alors, comme quand on sent venir dans un journal une parole émouvante, je n'attendais que d'avoir aperçu l'avion pour fondre en larmes. Cependant l'aviateur[c] sembla hésiter sur sa voie ; je sentais ouvertes devant lui — devant moi si l'habitude ne m'avait pas fait prisonnier — toutes les routes de l'espace, de la vie ; il poussa plus loin, plana quelques instants au-dessus de la mer, puis prenant brusquement son parti, semblant céder à quelque attraction inverse de celle de la pesanteur, comme retournant[d] dans sa patrie, d'un léger mouvement de ses ailes d'or il piqua droit vers le ciel.

Pour revenir au mécanicien[e], il demanda non seulement à Morel que les Verdurin remplaçassent leur break par une auto (ce qui, étant donné la générosité des Verdurin à l'égard des fidèles, était relativement facile), mais chose plus malaisée, leur principal cocher, le jeune homme sensible et porté aux idées noires, par lui, le chauffeur. Cela fut exécuté en quelques jours de la façon suivante. Morel avait commencé par faire voler au cocher tout ce qui lui était nécessaire pour atteler. Un jour il ne trouvait pas le mors, un jour la gourmette. D'autres fois c'était son coussin de siège qui avait disparu, jusqu'à son fouet, sa couverture, le martinet, l'éponge, la peau de chamois. Mais il s'arrangea toujours avec des voisins ; seulement il arrivait en retard, ce qui agaçait contre lui M. Verdurin et le plongeait dans un état[a] de tristesse et d'idées noires. Le chauffeur, pressé d'entrer, déclara à Morel qu'il allait revenir à Paris. Il fallait frapper un grand coup. Morel persuada aux domestiques de M. Verdurin[b] que le jeune cocher avait déclaré qu'il les ferait tous tomber dans un guet-apens et se faisait fort d'avoir raison d'eux six, et il leur dit qu'ils ne pouvaient pas laisser passer cela. Pour sa part il ne pouvait pas s'en mêler, mais les prévenait afin qu'ils prissent les devants. Il fut convenu que pendant que M. et Mme Verdurin et leurs amis seraient en promenade, ils tomberaient tous à l'écurie sur le jeune homme. Je rapporterai, bien que ce ne fût que l'occasion de ce qui allait avoir lieu, mais parce que les personnages m'ont intéressé plus tard, qu'il y avait ce jour-là un ami des Verdurin en villégiature chez eux et à qui on voulait faire faire une promenade à pied avant son départ, fixé au soir même.

Ce qui me surprit[c] beaucoup quand on partit en promenade, c'est que ce jour-là Morel qui venait avec nous en promenade à pied, où il devait jouer du violon dans les arbres, me dit : « Écoutez, j'ai mal au bras, je ne veux pas le dire à Mme Verdurin, mais priez-la d'emmener un de ses valets, par exemple Howsler[d] ; il portera mes instruments. — Je crois qu'un autre serait mieux choisi, répondis-je. On a besoin de lui pour le dîner. » Une expression de colère passa sur le visage de Morel. « Mais non, je ne veux pas confier mon violon à n'importe qui. » Je compris plus tard la raison de cette préférence. Howsler[e] était le frère très aimé du jeune cocher et s'il était resté à la maison, aurait pu lui porter secours. Pendant la promenade, assez bas pour que Howsler aîné ne pût nous entendre : « Voilà un bon garçon, dit Morel. Du reste son frère l'est aussi. S'il n'avait pas cette funeste habitude de boire... — Comment, boire ? dit Mme Verdurin, pâlissant à l'idée d'avoir un cocher qui buvait. — Vous ne vous en apercevez pas. Je me dis toujours que c'est un miracle qu'il ne lui soit pas arrivé d'accident pendant qu'il vous conduisait. — Mais il conduit donc d'autres personnes ? — Vous n'avez qu'à voir combien de fois il a versé, il a aujourd'hui la figure pleine d'ecchymoses. Je ne sais pas comment il ne s'est pas tué, il a cassé ses brancards. — Je ne l'ai pas vu aujourd'hui », dit Mme Verdurin tremblante à la pensée de ce qui aurait pu lui arriver à elle, « vous me désolez. » Elle voulut abréger la promenade pour rentrer, Morel choisit un air de Bach avec des variations infinies pour la faire durer. Dès le retour elle alla à la remise, vit le brancard neuf et Howsler[a] en sang. Elle allait lui dire, sans lui faire aucune observation, qu'elle n'avait plus besoin de cocher et lui remettre de l'argent, mais de lui-même, ne voulant pas accuser ses camarades à l'animosité de qui il attribuait rétrospectivement le vol quotidien de toutes les selles, etc., et voyant que sa patience ne conduisait qu'à se faire laisser pour mort sur le carreau, il demanda[b] à s'en aller, ce qui arrangea tout. Le chauffeur entra le lendemain et, plus tard, Mme Verdurin (qui avait été obligée d'en prendre un autre) fut si satisfaite de lui qu'elle me le recommanda chaleureusement comme homme d'absolue confiance. Moi qui ignorais tout, je le pris à la journée à Paris ; mais je n'ai que trop anticipé, tout cela se retrouvera dans l'histoire[c] d'Albertine[1]. En ce moment nous sommes à La Raspelière où je viens dîner pour la première fois avec mon amie, et M. de Charlus avec Morel, fils supposé d'un « intendant » qui gagnait trente mille francs par an de fixe, avait une voiture et nombre de majordomes subalternes, de jardiniers, de régisseurs et de fermiers sous ses ordres. Mais puisque j'ai tellement anticipé, je ne veux cependant pas laisser le lecteur sous l'impression d'une méchanceté absolue qu'aurait eue Morel. Il était plutôt plein de contradictions, capable à certains jours d'une gentillesse[d] véritable.

Je fus naturellement bien étonné d'apprendre que le cocher avait été mis à la porte, et bien plus de reconnaître dans son remplaçant le chauffeur qui nous avait promenés, Albertine et moi. Mais il me débita une histoire compliquée, selon laquelle il était censé être rentré à Paris d'où on l'avait demandé pour les Verdurin, et je n'eus pas une seconde de doute. Le renvoi du cocher fut cause que Morel causa un peu avec moi, afin de m'exprimer sa tristesse relativement au départ de ce brave garçon. Du reste, même en dehors des moments où j'étais seul et où il bondissait littéralement vers moi avec une expansion de joie, Morel, voyant que tout le monde me faisait fête à La Raspelière et sentant qu'il s'excluait volontairement de la familiarité de quelqu'un qui était sans danger pour lui, puisqu'il m'avait fait couper les ponts et ôté toute possibilité d'avoir envers lui des airs protecteurs (que je n'avais d'ailleurs nullement songé à prendre), cessa de se tenir éloigné de moi. J'attribuai son changement d'attitude à l'influence de M. de Charlus, laquelle en effet le rendait sur certains points moins borné, plus artiste, mais sur d'autres où il appliquait à la lettre les formules éloquentes, mensongères, et d'ailleurs momentanées, du maître, le bêtifiait encore davantage. Ce qu'avait pu lui dire M. de Charlus, ce fut en effet la seule chose que je supposai. Comment aurais-je pu deviner alors ce qu'on me dit ensuite (et dont je n'ai jamais été certain, les affirmations d'Andrée sur tout ce qui touchait Albertine, surtout plus tard, m'ayant toujours semblé fort sujettes à caution car, comme nous l'avons vu autrefois, elle n'aimait pas sincèrement mon amie et était jalouse d'elle), ce qui en tous cas, si c'était vrai, me fut remarquablement caché par tous les deux : qu'Albertine connaissait beaucoup Morel ? La nouvelle attitude que vers ce moment du renvoi du cocher, Morel adopta à mon égard, me permit de changer d'avis sur son compte. Je gardai de son caractère la vilaine idée que m'en avait fait concevoir la bassesse que ce jeune homme m'avait montrée quand il avait eu besoin de moi, suivie, tout aussitôt le service rendu, d'un dédain jusqu'à sembler ne pas me voir. À cela il fallait ajouter l'évidence[a] de ses rapports de vénalité avec M. de Charlus, et aussi des instincts de bestialité sans suite dont la non-satisfaction (quand cela arrivait), ou les complications qu'ils entraînaient, causaient ses tristesses ; mais ce caractère n'était pas si uniformément laid et était plein[b] de contradictions. Il ressemblait à un vieux livre du Moyen Âge, plein d'erreurs, de traditions absurdes, d'obscénités, il était extraordinairement composite. J'avais cru d'abord que son art, où il était vraiment passé maître, lui avait donné des supériorités qui dépassaient la virtuosité de l'exécutant. Une fois que je disais mon désir de me mettre au travail : « Travaillez, devenez illustre, me dit-il. — De qui est cela ? lui demandai-je. — De Fontanes à Chateaubriand[1]. » Il connaissait aussi une correspondance amoureuse de Napoléon[2]. Bien, pensai-je, il est lettré. Mais cette phrase qu'il avait lue je ne sais pas où, était sans doute la seule qu'il connût de toute la littérature ancienne et moderne, car il me la répétait chaque soir. Une autre qu'il répétait davantage pour m'empêcher de rien dire de lui à personne, c'était celle-ci, qu'il croyait également littéraire, qui est à peine française ou du moins n'offre aucune espèce de sens, sauf peut-être pour un domestique cachottier : « Méfions-nous des méfiants. » Au fond, en allant de cette stupide maxime jusqu'à la phrase de Fontanes à Chateaubriand, on eût parcouru toute une partie, variée mais moins contradictoire qu'il ne semble, du caractère de Morel. Ce garçon qui, pour peu qu'il y trouvât de l'argent, eût fait n'importe quoi, et sans remords — peut-être pas sans une contrariété bizarre, allant jusqu'à la surexcitation nerveuse, mais à laquelle le nom de remords irait fort mal — qui eût, s'il y trouvait son intérêt, plongé dans la peine, voire dans le deuil, des familles entières, ce garçon qui mettait l'argent au-dessus de tout et, sans parler de bonté, au-dessus des sentiments de simple humanité les plus naturels, ce même garçon mettait pourtant au-dessus de l'argent son diplôme de premier prix du Conservatoire et qu'on ne pût tenir aucun propos désobligeant sur lui à la classe de flûte ou de contrepoint. Aussi ses plus grandes colères, ses plus sombres et plus injustifiables accès de mauvaise humeur venaient-ils de ce qu'il appelait (en généralisant sans doute quelques cas particuliers où il avait rencontré des malveillants) la fourberie universelle. Il se flattait d'y échapper en ne parlant jamais de personne, en cachant son jeu, en se méfiant de tout le monde. (Pour mon malheur, à cause de ce qui devait en résulter après mon retour à Paris, sa méfiance n'avait pas « joué » à l'égard du chauffeur de Balbec, en qui il avait sans doute reconnu un pareil, c'est-à-dire contrairement à sa maxime, un méfiant dans la bonne acception du mot, un méfiant qui se tait obstinément devant les honnêtes gens et a tout de suite partie liée avec une crapule.) Il lui semblait — et ce n'était pas absolument faux — que cette méfiance lui permettrait de tirer toujours son épingle du jeu, de glisser, insaisissable, à travers les plus dangereuses aventures, et sans qu'on pût rien, non pas même prouver, mais avancer contre lui, dans l'établissement de la rue Bergère[1]. Il travaillerait, deviendrait illustre, serait peut-être un jour, avec une respectabilité intacte, maître du jury de violon aux concours de ce prestigieux Conservatoire.

Mais c'est peut-être encore mettre trop[a] de logique

dans la cervelle de Morel que d'y faire sortir les unes des autres les contradictions. En réalité sa nature était vraiment comme un papier sur lequel on a fait tant de plis dans tous les sens qu'il est impossible de s'y retrouver. Il semblait avoir des principes assez élevés, et avec une magnifique écriture, déparée par les plus grossières fautes d'orthographe, passait des heures à écrire à son frère qu'il avait mal agi avec ses sœurs, qu'il était leur aîné, leur appui ; à ses sœurs qu'elles avaient commis une inconvenance vis-à-vis de lui-même[a].

Bientôt même[b], l'été finissant, quand on descendait du train à Douville, le soleil amorti par la brume n'était déjà plus, dans le ciel uniformément mauve, qu'un bloc rouge. À la grande paix qui descend le soir sur ces prés drus et salins et qui avait conseillé à beaucoup de Parisiens, peintres pour la plupart, d'aller villégiaturer à Douville, s'ajoutait une humidité qui les faisait rentrer de bonne heure dans les petits chalets[c]. Dans plusieurs de ceux-ci la lampe était déjà allumée. Seules quelques vaches restaient dehors à regarder la mer en meuglant, tandis que d'autres s'intéressant plus à l'humanité tournaient leur attention vers nos voitures. Seul un peintre qui avait dressé son chevalet sur une mince éminence travaillait à essayer de rendre ce grand calme, cette lumière apaisée. Peut-être les vaches allaient-elles lui servir inconsciemment et bénévolement de modèles, car leur air contemplatif et leur présence solitaire quand les humains sont rentrés, contribuaient à leur manière à la puissante impression de repos que dégage le soir. Et quelques semaines plus tard la transposition ne fut pas moins agréable quand, l'automne s'avançant, les jours devinrent tout à fait courts et qu'il fallut faire ce voyage dans la nuit. Si j'avais été faire un tour dans l'après-midi, il fallait rentrer au plus tard s'habiller à cinq heures, où maintenant le soleil rond et rouge était déjà descendu au milieu de la glace oblique, jadis détestée, et comme quelque feu grégeois, incendiait la mer dans les vitres de toutes mes bibliothèques[1]. Quelque geste incantateur ayant suscité, pendant que je passais mon smoking, le moi alerte et frivole qui était le mien quand j'allais avec Saint-Loup dîner à Rivebelle et le soir où j'avais cru emmener Mlle de Stermaria[d] dîner dans l'île du Bois, je fredonnais inconsciemment le même air qu'alors ; et c'est seulement en m'en apercevant qu'à la chanson je reconnaissais le chanteur intermittent, lequel en effet ne savait que celle-là. La première fois que je l'avais chantée, je commençais d'aimer Albertine, mais je croyais que je ne la connaîtrais jamais. Plus tard à Paris, c'était quand j'avais cessé de l'aimer et quelques jours après l'avoir possédée pour la première fois[1]. Maintenant, c'était en l'aimant de nouveau et au moment d'aller dîner avec elle, au grand regret du directeur qui croyait que je finirais par habiter La Raspelière et lâcher son hôtel, et qui assurait avoir entendu dire qu'il régnait par là des fièvres dues aux marais du Bec[a] et à leurs eaux « accroupies ». J'étais heureux de cette multiplicité que je voyais ainsi à ma vie déployée sur trois plans ; et puis, quand on redevient pour un instant un homme ancien, c'est-à-dire différent de celui qu'on est depuis longtemps, la sensibilité n'étant plus amortie par l'habitude reçoit des moindres chocs des impressions si vives qui font pâlir tout ce qui les a précédées et auxquelles, à cause de leur intensité, nous nous attachons avec l'exaltation passagère d'un ivrogne. Il faisait déjà nuit quand nous montions dans l'omnibus ou la voiture qui allait nous mener à la gare prendre le petit chemin de fer. Et dans le hall le premier président nous disait : « Ah ! vous allez à La Raspelière ! Sapristi, elle a du toupet, Mme Verdurin, de vous faire faire une heure de chemin de fer dans la nuit, pour dîner seulement. Et puis recommencer le trajet à dix heures du soir dans un vent de tous les diables. On voit bien qu'il faut que vous n'ayez rien à faire », ajoutait-il en se frottant les mains. Sans doute parlait-il ainsi par mécontentement de ne pas être invité, et aussi à cause de la satisfaction qu'ont les hommes « occupés » — fût-ce par le travail le plus sot — de « ne pas avoir le temps » de faire ce que vous faites.

Certes il est légitime[b] que l'homme qui rédige des rapports, aligne des chiffres, répond à des lettres d'affaires, suit les cours de la Bourse, éprouve quand il vous dit en ricanant : « C'est bon pour vous qui n'avez rien à faire », un agréable sentiment de sa supériorité. Mais celle-ci s'affirmait tout aussi dédaigneuse, davantage même (car dîner en ville, l'homme occupé le fait aussi), si votre divertissement était d'écrire *Hamlet* ou seulement de le lire. En quoi les hommes occupés[c] manquent de réflexion. Car la culture désintéressée, qui leur paraît comique passe-temps[a] d'oisifs quand ils la surprennent au moment qu'on la pratique, ils devraient songer que c'est la même qui dans leur propre métier met hors de pair des hommes qui ne sont peut-être pas meilleurs magistrats ou administrateurs qu'eux, mais devant l'avancement rapide desquels ils s'inclinent en disant : « Il paraît que c'est un grand lettré, un individu tout à fait distingué. » Mais[b] surtout le premier président ne se rendait pas compte que ce qui me plaisait dans ces dîners à La Raspelière, c'est que comme il le disait avec raison, quoique par critique, ils « représentaient un vrai voyage », un voyage dont le charme me paraissait d'autant plus vif qu'il n'était pas son but à lui-même, qu'on n'y cherchait nullement le plaisir, celui-ci étant affecté à la réunion vers laquelle on se rendait et qui ne laissait pas d'être fort modifiée[c] par toute l'atmosphère qui l'entourait. Il faisait déjà nuit maintenant quand j'échangeais la chaleur de l'hôtel — de l'hôtel devenu mon foyer — pour le wagon où nous montions avec Albertine et où le reflet de la lanterne sur la vitre apprenait, à certains arrêts du petit train poussif, qu'on était arrivé à une gare. Pour ne pas risquer que Cottard ne nous aperçût pas, et n'ayant pas entendu crier la station, j'ouvrais la portière, mais ce qui se précipitait dans le wagon ce n'était pas les fidèles, mais le vent, la pluie, le froid. Dans l'obscurité je distinguais les champs, j'entendais la mer, nous étions en rase campagne. Albertine, avant que nous rejoignions le petit noyau, se regardait dans un petit miroir extrait d'un nécessaire en or qu'elle emportait avec elle. En effet les premières fois, Mme Verdurin l'ayant fait monter dans son cabinet de toilette pour qu'elle s'arrangeât avant le dîner, j'avais au sein du calme profond où je vivais depuis quelque temps, éprouvé un petit mouvement d'inquiétude et de jalousie à être obligé de laisser Albertine au pied de l'escalier, et je m'étais senti si anxieux pendant que j'étais seul au salon au milieu du petit clan et me demandais ce que mon amie faisait en haut, que j'avais le lendemain, par dépêche, après avoir demandé des indications à M. de Charlus sur ce qui se faisait de plus élégant, commandé chez Cartier un nécessaire qui était la joie d'Albertine et aussi la mienne[1]. Il était pour moi un gage de calme et aussi de la sollicitude de mon amie. Car elle avait certainement deviné que je n'aimais pas qu'elle restât sans moi chez Mme Verdurin et s'arrangeait à faire en wagon toute la toilette préalable au dîner.

Au nombre des habitués de Mme Verdurin, et le plus fidèle de tous, comptait maintenant depuis plusieurs mois M. de Charlus. Régulièrement, trois fois par semaine, les voyageurs qui stationnaient dans les salles d'attente ou sur le quai de Doncières-Ouest[1] voyaient passer ce gros homme[a] aux cheveux gris, aux moustaches noires, les lèvres rougies d'un fard qui se remarque moins à la fin de la saison que l'été où le grand jour le rendait plus cru et la chaleur à demi liquide. Tout en se dirigeant vers le petit chemin de fer, il ne pouvait s'empêcher (seulement par habitude de connaisseur, puisque maintenant il avait un sentiment qui le rendait chaste ou du moins, la plupart du temps, fidèle) de jeter sur les hommes[b] de peine, les militaires, les jeunes gens en costume de tennis, un regard furtif, à la fois inquisitorial et timoré, après lequel il baissait aussitôt ses paupières sur ses yeux presque clos avec l'onction d'un ecclésiastique en train de dire son chapelet, avec la réserve d'une épouse vouée à son unique amour ou d'une jeune fille bien élevée. Les fidèles étaient d'autant plus persuadés qu'il ne les avait pas vus, qu'il montait dans un compartiment autre que le leur (comme faisait souvent aussi la princesse Sherbatoff), en homme qui ne sait point si l'on sera content ou non d'être vu avec lui et qui vous laisse la faculté de venir le trouver si vous en avez l'envie. Celle-ci n'avait pas été éprouvée les toutes premières fois par le docteur qui avait voulu que nous le laissions seul dans son compartiment. Portant beau son caractère hésitant depuis qu'il avait une grande situation médicale, c'est en souriant, en se renversant en arrière, en regardant Ski par-dessus le lorgnon, qu'il dit par malice ou pour surprendre de biais l'opinion des camarades : « Vous comprenez, si j'étais seul, garçon[c]... mais à cause de ma femme, je me demande si je peux le laisser voyager avec nous après ce que vous m'avez dit, chuchota le docteur. — Qu'est-ce que tu dis ? demanda Mme Cottard. — Rien, cela ne te regarde pas, ce n'est pas pour les femmes », répondit en clignant de l'œil le docteur, avec une majestueuse satisfaction de lui-même qui tenait le milieu entre l'air pince-sans-rire qu'il gardait devant ses élèves et ses malades et l'inquiétude qui accompagnait jadis ses traits d'esprit chez les Verdurin, et il continua à parler tout bas. Mme Cottard ne distingua que les mots « de la confrérie » et

« tapette », et comme dans le langage du docteur le premier désignait la race juive et le second les langues bien pendues, Mme Cottard conclut que M. de Charlus devait être un Israélite bavard. Elle ne comprit pas qu'on tînt le baron à l'écart à cause de cela, trouva de son devoir de doyenne du clan d'exiger qu'on ne le laissât pas seul et nous nous acheminâmes tous vers le compartiment de M. de Charlus, guidés par Cottard toujours perplexe. Du coin où il lisait un volume de Balzac, M. de Charlus perçut cette hésitation ; il n'avait pourtant pas levé les yeux. Mais comme les sourds-muets reconnaissent à un courant d'air insensible pour les autres, que quelqu'un arrive derrière eux, il avait pour être averti de la froideur qu'on avait à son égard, une véritable hyperacuité sensorielle. Celle-ci, comme elle a coutume de faire dans tous les domaines, avait engendré chez M. de Charlus des souffrances imaginaires. Comme ces névropathes qui sentant une légère fraîcheur, induisent qu'il doit y avoir une fenêtre ouverte à l'étage au-dessus, entrent en fureur et commencent à éternuer, M. de Charlus, si une personne avait devant lui montré un air préoccupé, concluait qu'on avait répété à cette personne un propos qu'il avait tenu sur elle. Mais il n'y avait[a] même pas besoin qu'on eût l'air distrait, ou l'air sombre, ou l'air rieur, il les inventait. En revanche la cordialité lui masquait aisément les médisances qu'il ne connaissait pas. Ayant deviné la première fois l'hésitation de Cottard, si, au grand étonnement des fidèles qui ne se croyaient pas aperçus encore par le liseur aux yeux baissés, il leur tendit la main quand ils furent à distance convenable, il se contenta d'une inclinaison de tout le corps aussitôt vivement redressé, pour Cottard, sans prendre avec sa main gantée de suède la main que le docteur lui avait tendue. « Nous avons tenu absolument à faire route avec vous, monsieur, et à ne pas vous laisser comme cela seul dans votre petit coin. C'est un grand plaisir pour nous, dit avec bonté Mme Cottard au baron. — Je suis très honoré, récita le baron en s'inclinant d'un air froid. — J'ai été très heureuse d'apprendre que vous aviez définitivement choisi ce pays pour y fixer vos tabern... » Elle allait dire tabernacles, mais ce mot lui sembla hébraïque et désobligeant pour un Juif qui pourrait y voir une allusion. Aussi se reprit-elle pour choisir une autre des expressions qui lui étaient familières, c'est-à-dire une expression solennelle : « pour y fixer[a], je voulais dire “vos pénates” (il est vrai que ces divinités n'appartiennent pas à la religion chrétienne non plus, mais à une qui est morte depuis si longtemps qu'elle n'a plus d'adeptes qu'on puisse craindre de froisser). Nous, malheureusement, avec la rentrée des classes, le service d'hôpital du docteur, nous ne pouvons jamais bien longtemps élire domicile dans un même endroit. » Et lui montrant un carton : « Voyez d'ailleurs comme nous autres femmes nous sommes moins heureuses que le sexe fort ; pour aller aussi près que chez nos amis Verdurin nous sommes obligées d'emporter avec nous toute une gamme d'impedimenta. » Moi je regardais pendant ce temps-là le volume de Balzac du baron. Ce n'était pas un exemplaire broché, acheté au hasard comme le volume de Bergotte qu'il m'avait prêté la première année. C'était un livre de sa bibliothèque et comme tel portant la devise[1] : « Je suis au baron de Charlus », à laquelle faisaient place parfois, pour montrer le goût studieux des Guermantes : « *In prœliis non semper*[2] », et une autre encore : « *Non sine labore*[3] ». Mais nous les verrons bientôt remplacées par d'autres, pour tâcher de plaire à Morel. Mme Cottard, au bout d'un instant, prit un sujet qu'elle trouvait plus personnel au baron. « Je ne sais pas si vous êtes de mon avis, monsieur, lui dit-elle au bout d'un instant, mais je suis très large d'idées et selon moi, pourvu qu'on les pratique sincèrement, toutes les religions sont bonnes. Je ne suis pas comme les gens que la vue d'un... protestant rend hydrophobes. — On m'a appris que la mienne était la vraie », répondit M. de Charlus. « C'est un fanatique, pensa Mme Cottard ; Swann, sauf sur la fin, était plus tolérant, il est vrai qu'il était converti[4]. » Or tout au contraire, le baron était non seulement chrétien comme on le sait, mais pieux à la façon du Moyen Âge. Pour lui, comme pour les sculpteurs du XIIIe siècle, l'Église chrétienne était, au sens vivant du mot, peuplée d'une foule d'êtres, crus parfaitement réels : prophètes, apôtres, anges, saints personnages de toute sorte, entourant le Verbe incarné, sa mère et son époux, le Père éternel, tous les martyrs et docteurs, tels que leur peuple en plein relief se presse[b] au porche ou remplit le vaisseau des cathédrales. Entre eux tous M. de Charlus avait choisi comme patrons intercesseurs les archanges Michel, Gabriel et Raphaël, avec lesquels il avait de fréquents entretiens pour qu'ils communiquassent ses prières au Père éternel, devant le trône de qui ils se tiennent. Aussi l'erreur de Mme Cottard m'amusa-t-elle beaucoup.

Pour quitter le terrain religieux, disons que le docteur[a], venu à Paris avec le maigre bagage de conseils d'une mère paysanne, puis absorbé par les études presque purement matérielles auxquelles ceux qui veulent pousser loin leur carrière médicale sont obligés de se consacrer pendant un grand nombre d'années, ne s'était[b] jamais cultivé ; il avait acquis plus d'autorité, mais non pas d'expérience ; il prit à la lettre ce mot d'« honoré », en fut à la fois satisfait parce qu'il était vaniteux et affligé parce qu'il était bon garçon. « Ce pauvre de Charlus, dit-il le soir à sa femme, il m'a fait de la peine quand il m'a dit qu'il était honoré de voyager avec nous. On sent, le pauvre diable, qu'il n'a pas de relations, qu'il s'humilie[c]. »

Mais bientôt, sans avoir besoin d'être guidés par la charitable Mme Cottard, les fidèles avaient réussi à dominer la gêne qu'ils avaient tous plus ou moins éprouvée au début, à se trouver à côté de M. de Charlus. Sans doute en sa présence ils gardaient sans cesse à l'esprit le souvenir des révélations de Ski et l'idée de l'étrangeté sexuelle qui était incluse en leur compagnon de voyage. Mais cette étrangeté même exerçait sur eux une espèce d'attrait. Elle donnait pour eux à la conversation du baron, d'ailleurs remarquable mais en des parties qu'ils ne pouvaient guère apprécier, une saveur qui faisait paraître à côté la conversation des plus intéressants, de Brichot lui-même, comme un peu fade. Dès le début d'ailleurs, on s'était plu à reconnaître qu'il était intelligent. « Le génie peut être voisin de la folie[1] », énonçait le docteur, et si la princesse, avide de s'instruire, insistait, il n'en disait pas plus, cet axiome étant tout ce qu'il savait sur le génie et ne lui paraissant pas d'ailleurs aussi démontré que tout ce qui a trait à la fièvre typhoïde et à l'arthritisme. Et comme il était devenu superbe et resté mal élevé : « Pas de questions, princesse, ne m'interrogez pas, je suis au bord de la mer pour me reposer. D'ailleurs vous ne me comprendriez pas, vous ne savez pas la médecine. » Et la princesse se taisait en s'excusant, trouvant Cottard un homme charmant et comprenant que les célébrités ne sont pas toujours abordables. À cette première période on avait donc fini par trouver M. de Charlus intelligent malgré son vice (ou ce que l'on nomme généralement ainsi). Maintenant c'était sans s'en rendre compte à cause de ce vice qu'on le trouvait plus intelligent que les autres. Les maximes les plus simples que, adroitement provoqué par l'universitaire ou le sculpteur, M. de Charlus énonçait sur l'amour, la jalousie, la beauté, à cause de l'expérience singulière, secrète, raffinée et monstrueuse où il les avait puisées, prenaient pour les fidèles ce charme du dépaysement qu'une psychologie, analogue à celle que nous a offerte de tout temps notre littérature dramatique, revêt dans une pièce russe ou japonaise, jouée par des artistes de là-bas. On risquait encore, quand il n'entendait pas, une mauvaise plaisanterie : « Oh ! chuchotait le sculpteur en voyant un jeune employé aux longs cils de bayadère[1] et que M. de Charlus n'avait[a] pu s'empêcher de dévisager, si le baron se met à faire de l'œil au contrôleur, nous ne sommes pas près d'arriver, le train va aller à reculons. Regardez-moi la manière dont il le regarde, ce n'est plus un petit chemin de fer où nous sommes, c'est un funiculeur. » Mais au fond, si M. de Charlus ne venait pas, on était presque déçu de voyager seulement entre gens comme tout le monde et de n'avoir pas auprès de soi ce personnage peinturluré, pansu et clos, semblable à quelque boîte de provenance exotique et suspecte qui laisse échapper la curieuse odeur de fruits auxquels l'idée de goûter seulement vous soulèverait le cœur. À ce point de vue, les fidèles de sexe masculin avaient des satisfactions plus vives, dans la courte partie du trajet qu'on faisait entre Saint-Martin-du-Chêne, où montait M. de Charlus, et Doncières, station où on était rejoint par Morel. Car tant que le violoniste n'était pas là (et si les dames et Albertine, faisant bande à part pour ne pas gêner la conversation, se tenaient éloignées), M. de Charlus ne se gênait pas pour ne pas avoir l'air de fuir certains sujets et parler de « ce qu'on est convenu d'appeler les mauvaises mœurs ». Albertine ne pouvait le gêner, car elle était toujours avec les dames par grâce de jeune fille qui ne veut pas que sa présence restreigne la liberté de la conversation. Or je supportais aisément de ne pas l'avoir à côté de moi, à condition toutefois qu'elle restât dans le même wagon. Car moi qui n'éprouvais plus de jalousie ni guère d'amour pour elle, ne pensais pas à ce qu'elle faisait les jours où je ne la voyais pas, en revanche, quand j'étais là, une simple cloison qui eût pu à la rigueur dissimuler une trahison m'était insupportable et si elle allait avec les dames dans le compartiment voisin, au bout d'un instant ne pouvant plus tenir en place, au risque de froisser celui qui parlait, Brichot, Cottard ou Charlus, et à qui je ne pouvais expliquer la raison de ma fuite, je me levais, les plantais là et, pour voir s'il ne s'y faisait rien d'anormal, passais à côté. Et jusqu'à Doncières, M. de Charlus, ne craignant pas de choquer, parlait parfois fort crûment de mœurs qu'il déclarait ne trouver pour son compte ni bonnes ni mauvaises. Il le faisait par habileté, pour montrer sa largeur d'esprit, persuadé qu'il était que les siennes n'éveillaient guère de soupçon dans l'esprit des fidèles. Il pensait bien qu'il y avait dans l'univers quelques personnes qui étaient, selon une expression qui lui devint plus tard familière, « fixées sur son compte ». Mais il se figurait que ces personnes n'étaient pas plus de trois ou quatre et qu'il n'y en avait aucune sur la côte normande. Cette illusion peut étonner de la part de quelqu'un d'aussi fin, d'aussi inquiet. Même pour ceux[a1] qu'il croyait plus ou moins renseignés, il se flattait que ce ne fût que dans le vague, et avait la prétention, selon qu'il leur dirait telle ou telle chose, de mettre telle personne en dehors des suppositions d'un interlocuteur qui par politesse faisait semblant d'accepter ses dires[b]. Même se doutant de ce que je pouvais savoir ou supposer sur lui, il se figurait que cette opinion, qu'il croyait beaucoup plus ancienne de ma part qu'elle ne l'était en réalité, était toute générale, et qu'il lui suffisait de nier tel ou tel détail pour être cru, alors qu'au contraire, si la connaissance de l'ensemble précède toujours celle des détails, elle facilite infiniment l'investigation de ceux-ci et ayant détruit le pouvoir d'invisibilité ne permet plus au dissimulateur de cacher ce qu'il lui plaît. Certes quand M. de Charlus, invité à un dîner par tel fidèle ou tel ami des fidèles, prenait les détours les plus compliqués pour amener au milieu des noms de dix personnes qu'il citait, le nom de Morel, il ne se doutait guère qu'aux raisons toujours différentes qu'il donnait du plaisir ou de la commodité qu'il pourrait trouver ce soir-là à être invité avec lui, ses hôtes, en ayant l'air de le croire parfaitement, en substituaient une seule, toujours la même et qu'il croyait ignorée d'eux, à savoir qu'il l'aimait. De même Mme Verdurin semblant toujours avoir l'air d'admettre[a] entièrement les motifs mi-artistiques, mi-humanitaires que M. de Charlus lui donnait de l'intérêt qu'il portait à Morel, ne cessait de remercier avec émotion le baron des bontés touchantes, disait-elle, qu'il avait pour le violoniste. Or, quel étonnement aurait eu M. de Charlus si, un jour que Morel et lui étaient en retard et n'étaient pas venus par le chemin de fer, il avait entendu la Patronne dire : « Nous n'attendons plus que ces demoiselles » ! Le baron eût été d'autant plus stupéfait que ne bougeant guère de La Raspelière, il y faisait figure de chapelain, d'abbé du répertoire, et quelquefois (quand Morel avait quarante-huit heures de permission) y couchait deux nuits de suite. Mme Verdurin leur donnait alors deux chambres communicantes et pour les mettre à l'aise disait : « Si vous avez envie de faire de la musique, ne vous gênez pas, les murs sont comme ceux d'une forteresse, vous n'avez personne à votre étage, et mon mari a un sommeil de plomb. » Ces jours-là M. de Charlus relayait la princesse en allant chercher les nouveaux à la gare, excusait Mme Verdurin de ne pas être venue à cause d'un état de santé qu'il décrivait si bien que les invités entraient avec une figure de circonstance et poussaient un cri d'étonnement en trouvant la Patronne alerte et debout, en robe à demi décolletée.

Car M. de Charlus était momentanément[b] devenu pour Mme Verdurin, le fidèle des fidèles, une seconde princesse Sherbatoff. De sa situation mondaine elle était beaucoup moins sûre que de celle de la princesse, se figurant que si celle-ci ne voulait voir que le petit noyau, c'était par mépris des autres et prédilection pour lui. Comme cette feinte était justement le propre des Verdurin, lesquels traitaient d'ennuyeux tous ceux qu'ils ne pouvaient fréquenter, il est incroyable que la Patronne pût croire la princesse une âme d'acier, détestant le chic. Mais elle n'en démordait pas et était persuadée que pour la grande dame aussi, c'était sincèrement et par goût d'intellectualité qu'elle ne fréquentait pas les ennuyeux. Le nombre de ceux-ci diminuait du reste à l'égard des Verdurin. La vie de bains de mer ôtait à une présentation les conséquences pour l'avenir qu'on eût pu redouter à Paris. Des hommes brillants venus à Balbec sans leur femme, ce qui facilitait tout, à La Raspelière faisaient des avances et d'ennuyeux devenaient exquis. Ce fut le cas pour le prince de Guermantes que l'absence de la princesse n'aurait pourtant pas décidé à aller « en garçon » chez les Verdurin, si l'aimant du dreyfusisme n'eût été si puissant qu'il lui fit monter d'un seul trait les pentes qui mènent à La Raspelière, malheureusement un jour où la Patronne était sortie. Mme Verdurin du reste n'était pas certaine que lui et M. de Charlus fussent du même monde. Le baron avait bien dit que le duc de Guermantes était son frère, mais c'était peut-être le mensonge d'un aventurier. Si élégant se fût-il montré, si aimable, si « fidèle » envers les Verdurin, la Patronne hésitait presque à l'inviter avec le prince de Guermantes. Elle consulta Ski et Brichot : « Le baron et le prince de Guermantes, est-ce que ça marche[1] ? — Mon Dieu, madame, pour l'un des deux je crois pouvoir dire... — Mais l'un des deux, qu'est-ce que ça peut me faire ? avait repris Mme Verdurin irritée. Je vous demande s'ils marchent ensemble ? — Ah ! Madame, voilà des choses qui sont bien difficiles à savoir. » Mme Verdurin n'y mettait aucune malice. Elle était certaine des mœurs du baron, mais quand elle s'exprimait ainsi elle n'y pensait nullement, mais seulement à savoir si on pouvait inviter ensemble le prince et M. de Charlus, si cela corderait[2]. Elle ne mettait aucune intention malveillante dans l'emploi de ces expressions toutes faites et que les « petits clans » artistiques favorisent. Pour se parer de M. de Guermantes, elle voulait l'emmener, l'après-midi qui suivrait le déjeuner, à une fête de charité et où des marins de la côte figureraient un appareillage. Mais n'ayant pas le temps de s'occuper de tout, elle délégua ses fonctions au fidèle des fidèles, au baron. « Vous comprenez, il ne faut pas qu'ils restent immobiles comme des moules, il faut qu'ils aillent, qu'ils viennent, qu'on voie le branle-bas, je ne sais pas le nom de tout ça. Mais vous qui allez souvent au port de Balbec-Plage, vous pourriez bien faire faire une répétition sans vous fatiguer. Vous devez vous y entendre mieux que moi, M. de Charlus, à faire marcher des petits marins[3]. Mais après tout nous nous donnons bien du mal pour M. de Guermantes. C'est peut-être un imbécile du Jockey. Oh ! mon Dieu, je dis du mal du Jockey, et il me semble me rappeler que vous en êtes. Hé ! baron, vous ne me répondez pas, est-ce que vous en êtes[4] ? Vous ne voulez pas sortir avec nous ? Tenez, voici un livre que j'ai reçu, je pense qu'il vous intéressera. C'est du Roujon. Le titre est joli : *Parmi les hommes*[1] ».

Pour ma part, j'étais d'autant plus heureux que M. de Charlus fût assez souvent substitué à la princesse Sherbatoff, que j'étais très mal avec celle-ci, pour une raison à la fois insignifiante et profonde. Un jour que j'étais dans le petit train, comblant de mes prévenances, comme toujours, la princesse Sherbatoff, j'y vis monter Mme de Villeparisis. Elle était en effet venue passer quelques semaines chez la princesse de Luxembourg, mais enchaîné à ce besoin quotidien de voir Albertine, je n'avais jamais répondu aux invitations multipliées de la marquise et de son hôtesse royale. J'eus du remords en voyant l'amie de ma grand-mère et par pur devoir (sans quitter la princesse Sherbatoff) je causai assez longtemps avec elle. J'ignorais du reste absolument que Mme de Villeparisis savait très bien qui était ma voisine mais ne voulait pas la connaître. À la station suivante, Mme de Villeparisis quitta le wagon, je me reprochai même de ne pas l'avoir aidée à descendre ; j'allai me rasseoir à côté de la princesse. Mais on eût dit — cataclysme fréquent chez les personnes dont la situation est peu solide et qui craignent qu'on n'ait entendu parler d'elles en mal, qu'on les méprise — qu'un changement à vue s'était opéré. Plongée dans sa *Revue des Deux Mondes*, Mme Sherbatoff[a] répondit à peine du bout des lèvres à mes questions et finit par me dire que je lui donnais la migraine. Je ne comprenais rien à mon crime. Quand je dis au revoir à la princesse, le sourire habituel n'éclaira pas son visage, un salut sec abaissa son menton, elle ne me tendit même pas la main et ne m'a jamais reparlé depuis. Mais elle dut parler — mais je ne sais pas pour dire quoi — aux Verdurin, car dès que je demandais à ceux-ci si je ne ferais pas bien de faire une politesse à la princesse Sherbatoff, tous en chœur se précipitaient : « Non ! Non ! Non ! Surtout pas ! Elle n'aime pas les amabilités ! » On ne le faisait pas pour me brouiller avec elle, mais elle avait réussi à faire croire qu'elle était insensible aux prévenances, une âme inaccessible aux vanités de ce monde. Il faut avoir vu l'homme politique qui passe pour le plus entier, le plus intransigeant, le plus inapprochable depuis qu'il est au pouvoir ; il faut l'avoir vu au temps de sa disgrâce, mendier timidement, avec un sourire brillant d'amoureux, le salut hautain d'un journaliste quelconque[a] ; il faut avoir vu le redressement de Cottard (que ses nouveaux malades prenaient pour une barre de fer), et savoir de quels dépits amoureux, de quels échecs de snobisme étaient faits l'apparente hauteur, l'antisnobisme universellement admis de la princesse Sherbatoff, pour comprendre que dans l'humanité la règle — qui comporte des exceptions naturellement — est que les durs sont des faibles dont on n'a pas voulu, et que les forts, se souciant peu qu'on veuille ou non d'eux, ont seuls cette douceur que le vulgaire prend pour de la faiblesse.

Au reste je ne dois pas[b] juger sévèrement la princesse Sherbatoff. Son cas est si fréquent ! Un jour, à l'enterrement d'un Guermantes, un homme remarquable placé à côté de moi me montra un monsieur élancé et pourvu d'une jolie figure. « De tous les Guermantes, me dit mon voisin, celui-là est le plus inouï, le plus singulier. C'est le frère du duc. » Je lui répondis imprudemment qu'il se trompait, que ce monsieur, sans parenté aucune avec les Guermantes, s'appelait Fournier-Sarlovèze[c1]. L'homme remarquable me tourna le dos et ne m'a plus jamais salué depuis.

Un grand musicien[2], membre de l'Institut, haut dignitaire officiel et qui connaissait Ski, passa par Arembouville où il avait une nièce et vint à un mercredi des Verdurin. M. de Charlus fut particulièrement aimable avec lui (à la demande de Morel) et surtout pour qu'au retour à Paris l'académicien lui permît d'assister à différentes séances privées, répétitions, etc., où jouait le violoniste. L'académicien flatté et d'ailleurs homme charmant, promit et tint sa promesse. Le baron fut très touché de toutes les amabilités que ce personnage (d'ailleurs, en ce qui le concernait, aimant uniquement et profondément les femmes) eut pour lui, de toutes les facilités qu'il lui procura pour voir Morel dans les lieux officiels où les profanes n'entrent pas, de toutes les occasions données par le célèbre artiste au jeune virtuose de se produire, de se faire connaître, en le désignant, de préférence à d'autres, à talent égal, pour des auditions qui devaient avoir un retentissement particulier. Mais M. de Charlus ne se doutait pas qu'il en devait au maître d'autant plus de reconnaissance que celui-ci, doublement méritant, ou si l'on aime mieux, deux fois coupable, n'ignorait rien des relations du violoniste et de son noble protecteur. Il les favorisa, certes sans sympathie pour elles, ne pouvant comprendre d'autre amour que celui de la femme, qui avait inspiré toute sa musique, mais par indifférence morale, complaisance et serviabilité professionnelles, amabilité mondaine, snobisme. Quant à des doutes sur le caractère de ces relations, il en avait si peu que dès le premier dîner à La Raspelière, il avait demandé à Ski en parlant de M. de Charlus et de Morel comme il eût fait d'un homme et de sa maîtresse : « Est-ce qu'il y a longtemps qu'ils sont ensemble ? » Mais trop homme du monde pour en laisser rien voir aux intéressés, prêt, si parmi les camarades de Morel il s'était produit quelques commérages, à les réprimer et à rassurer Morel en lui disant paternellement : « On dit cela de tout le monde aujourd'hui », il ne cessa de combler le baron de gentillesses que celui-ci trouva charmantes, mais naturelles, incapable de supposer chez l'illustre maître tant de vice ou tant de vertu. Car les mots qu'on disait en l'absence de M. de Charlus, les « à peu près » sur Morel, personne n'avait l'âme assez basse pour les lui répéter. Et pourtant cette simple situation suffit à montrer que même cette chose universellement décriée, qui ne trouverait nulle part un défenseur : « le potin », lui aussi, soit qu'il ait pour objet nous-même et nous devienne ainsi particulièrement désagréable, soit qu'il nous apprenne sur un tiers quelque chose que nous ignorions, a sa valeur psychologique. Il empêche l'esprit de s'endormir sur la vue factice qu'il a de ce qu'il croit les choses et qui n'est que leur apparence. Il retourne celle-ci avec la dextérité magique d'un philosophe idéaliste et nous présente rapidement un coin insoupçonné du revers de l'étoffe. M. de Charlus eût-il pu imaginer ces mots dits par certaine tendre parente : « Comment veux-tu[a] que Mémé soit amoureux de moi ? tu oublies donc que je suis une femme ! » Et pourtant elle avait un attachement véritable, profond, pour M. de Charlus. Comment alors s'étonner que pour les Verdurin, sur l'affection et la bonté desquels il n'avait aucun droit de compter, les propos qu'ils disaient loin de lui (et ce ne furent pas seulement, on le verra, des propos) fussent si différents de ce qu'il les imaginait être, c'est-à-dire du simple reflet de ceux qu'il entendait quand il était là ? Ceux-là seuls ornaient d'inscriptions affectueuses le petit pavillon idéal où M. de Charlus venait parfois rêver seul, quand il introduisait un instant son imagination dans l'idée que les Verdurin avaient de lui. L'atmosphère y était si sympathique, si cordiale, le repos si réconfortant, que quand M. de Charlus, avant de s'endormir, était venu s'y délasser un instant de ses soucis, il n'en sortait jamais sans un sourire. Mais, pour chacun de nous, ce genre de pavillon est double : en face de celui que nous croyons être l'unique, il y a l'autre qui nous est habituellement invisible, le vrai, symétrique avec celui que nous connaissons, mais bien différent et dont l'ornementation, où nous ne reconnaîtrions rien de ce que nous nous attendions à voir, nous épouvanterait comme faite avec les symboles odieux d'une hostilité insoupçonnée. Quelle stupeur pour M. de Charlus, s'il avait pénétré dans un de ces pavillons adverses, grâce à quelque potin comme par un de ces escaliers de service où des graffiti obscènes sont charbonnés à la porte des appartements par des fournisseurs mécontents ou des domestiques renvoyés ! Mais, tout autant que nous sommes privés de ce sens de l'orientation dont sont doués certains oiseaux, nous manquons du sens de la visibilité comme nous manquons de celui des distances, nous imaginant toute proche l'attention intéressée de gens[a] qui au contraire ne pensent jamais à nous et ne soupçonnant pas que nous sommes pendant ce temps-là pour d'autres leur seul souci. Ainsi M. de Charlus vivait dupé comme le poisson qui croit que l'eau où il nage s'étend au-delà du verre de son aquarium qui lui en présente le reflet, tandis qu'il ne voit pas à côté de lui, dans l'ombre, le promeneur amusé qui suit ses ébats ou le pisciculteur tout-puissant[b] qui, au moment imprévu et fatal, différé en ce moment à l'égard du baron (pour qui le pisciculteur, à Paris[c], sera Mme Verdurin), le tirera sans pitié du milieu où il aimait vivre pour le rejeter dans un autre. Au surplus les peuples, en tant qu'ils ne sont que des collections d'individus, peuvent offrir des exemples plus vastes, mais identiques en chacune de leurs parties, de cette cécité profonde, obstinée et déconcertante. Jusqu'ici, si elle était cause que M. de Charlus tenait dans le petit clan des propos d'une habileté inutile ou d'une audace qui faisait sourire en cachette, elle n'avait pas encore eu pour lui ni ne devait avoir à Balbec de graves inconvénients. Un peu d'albumine, de sucre, d'arythmie cardiaque, n'empêche pas la vie de continuer normale pour celui[a] qui ne s'en aperçoit même pas, alors que seul le médecin y voit la prophétie de catastrophes. Actuellement le goût — platonique ou non — de M. de Charlus pour Morel poussait seulement le baron à dire[b] volontiers en l'absence de Morel qu'il le trouvait très beau, pensant que cela serait entendu en toute innocence, et agissant en cela comme un homme fin qui, appelé à déposer devant un tribunal, ne craindra pas d'entrer dans des détails qui semblent en apparence désavantageux pour lui, mais qui à cause de cela même, ont plus de naturel et moins de vulgarité que les protestations conventionnelles d'un accusé de théâtre. Avec la même liberté, toujours entre Doncières-Ouest et Saint-Martin-du-Chêne — ou le contraire au retour — M. de Charlus parlait volontiers de gens qui ont, paraît-il, des mœurs très étranges, et ajoutait même : « Après tout je dis étranges, je ne sais pas pourquoi, car cela n'a rien de si étrange », pour se montrer à soi-même combien il était à l'aise avec son public. Et il l'était en effet, à condition que ce fût lui qui eût l'initiative des opérations et qu'il sût la galerie muette et souriante, désarmée par la crédulité ou la bonne éducation.

Quand M. de Charlus[c] ne parlait pas de son admiration pour la beauté de Morel comme si elle n'eût eu aucun rapport avec un goût appelé vice, il traitait de ce vice, mais comme s'il n'avait été nullement le sien. Parfois même il n'hésitait pas à l'appeler par son nom. Comme après avoir regardé la belle reliure de son Balzac, je lui demandais[d] ce qu'il préférait dans *La Comédie humaine*, il me répondit, dirigeant sa pensée vers une idée fixe : « Tout l'un ou tout l'autre, les petites miniatures comme *Le Curé de Tours* et *La Femme abandonnée,* ou les grandes fresques comme la série des *Illusions perdues*[1]. Comment ! vous ne connaissez pas *Les Illusions perdues* ? C'est si beau[e], le moment où Carlos Herrera demande le nom du château devant lequel passe sa calèche : c'est Rastignac, la demeure du jeune homme qu'il a aimé autrefois. Et l'abbé alors de tomber dans une rêverie que Swann appelait, ce qui était bien spirituel, la *Tristesse d'Olympio* de la pédérastie[2]. Et la mort de Lucien ! je ne me rappelle plus quel homme de goût avait eu cette réponse, à qui lui demandait quel événement l'avait le plus affligé dans sa vie : “La mort de Lucien de Rubempré dans *Splendeurs et misères*[1]” — Je sais que Balzac se porte beaucoup cette année, comme l'an passé le pessimisme, interrompit Brichot. Mais au risque de contrister les âmes en mal de déférence balzacienne, sans prétendre, Dieu me damne ! au rôle de gendarme de lettres et dresser procès-verbal pour fautes de grammaire, j'avoue que le copieux improvisateur dont vous me semblez surfaire singulièrement les élucubrations effarantes, m'a toujours paru un scribe insuffisamment méticuleux. J'ai lu ces *Illusions perdues* dont vous nous parlez, baron, en me torturant pour atteindre à une ferveur d'initié, et je confesse en toute simplicité d'âme que ces romans-feuilletons rédigés en pathos, en galimatias double et triple (« Esther heureuse », « Où mènent les mauvais chemins », « À combien l'amour revient aux vieillards[2] »), m'ont toujours fait l'effet des mystères de Rocambole[3], promu par inexplicable faveur à la situation précaire de chef-d'œuvre. — Vous dites cela parce que vous ne connaissez pas la vie », dit le baron doublement agacé, car il sentait que Brichot ne comprendrait ni ses raisons d'artiste ni les autres. « J'entends bien, répondit Brichot, que, pour parler[a] comme maître François Rabelais, vous voulez dire que je suis moult sorbonagre, sorbonicole et sorboniforme. Pourtant tout autant que les camarades, j'aime qu'un livre donne l'impression de la sincérité et de la vie, je ne suis pas de ces clercs... — Le quart d'heure de Rabelais, interrompit le docteur Cottard[4] avec un air non plus de doute, mais de spirituelle assurance. — ...qui font vœu de littérature en suivant la règle de l'Abbaye-aux-Bois[5] dans l'obédience de M. le vicomte de Chateaubriand, grand maître du chiqué, selon la règle stricte des humanistes. M. le vicomte de Chateaubriand... — Chateaubriand aux pommes[6] ? interrompit le docteur Cottard. — C'est lui le patron de la confrérie », continua Brichot sans relever la plaisanterie du docteur, lequel en revanche, alarmé par la phrase de l'universitaire, regarda M. de Charlus avec inquiétude. Brichot avait semblé manquer de tact à Cottard, duquel le calembour avait amené un fin sourire sur les lèvres de la princesse Sherbatoff. « Avec le professeur, l'ironie mordante du parfait sceptique ne perd jamais ses droits », dit-elle par amabilité et pour montrer que le « mot » du médecin n'avait pas passé inaperçu pour elle. « Le sage est forcément sceptique, répondit le docteur. Que sais-je[1] ? "γνῶθι σεαυτόν", disait Socrate[2]. C'est très juste, l'excès en tout est un défaut. Mais je reste bleu quand je pense que cela a suffi à faire durer le nom de Socrate jusqu'à nos jours. Qu'est-ce qu'il y a dans cette philosophie ? peu de chose en somme. Quand on pense que Charcot et d'autres on fait des travaux[a] mille fois plus remarquables et qui s'appuient, au moins, sur quelque chose, sur la suppression du réflexe pupillaire comme syndrome de la paralysie générale, et qu'ils sont presque oubliés ! En somme Socrate, ce n'est pas extraordinaire. Ce sont des gens qui n'avaient rien à faire, qui passaient toute leur journée à se promener, à discutailler. C'est comme Jésus-Christ : Aimez-vous les uns les autres[3], c'est très joli. — Mon ami..., pria Mme Cottard. — Naturellement, ma femme proteste, ce sont toutes des névrosées. — Mais, mon petit docteur, je ne suis pas névrosée, murmura Mme Cottard. — Comment, elle n'est pas névrosée ? quand son fils est malade, elle présente des phénomènes d'insomnie. Mais enfin je reconnais que Socrate et le reste, c'est nécessaire pour une culture supérieure, pour avoir des talents d'exposition. Je cite toujours le γνῶθι σεαυτόν à mes élèves pour le premier cours. Le père Bouchard[4] qui l'a su m'en a félicité. — Je ne suis pas des tenants de la forme pour la forme, pas plus que je ne thésauriserais en poésie la rime millionnaire, reprit Brichot. Mais tout de même *La Comédie humaine* — bien peu humaine — est par trop le contraire de ces œuvres où l'art excède le fond, comme dit cette bonne rosse d'Ovide[5]. Et il est permis de préférer un sentier à mi-côte, qui mène à la cure de Meudon[6] ou à l'ermitage de Ferney[7], à égale distance de la Vallée-aux-Loups où René remplissait superbement les devoirs d'un pontificat sans mansuétude[8], et des Jardies[b] où Honoré de Balzac harcelé par les recors, ne s'arrêtait pas de cacographier pour une Polonaise[9], en apôtre zélé du charabia. — Chateaubriand[c] est beaucoup plus vivant que vous ne dites, et Balzac est tout de même un grand écrivain, répondit M. de Charlus, encore trop imprégné du goût de Swann pour ne pas être irrité par Brichot[d], et Balzac a connu jusqu'à ces passions que tout le monde ignore ou n'étudie que pour les flétrir. Sans reparler des immortelles *Illusions perdues, Sarrazine, La Fille aux yeux d'or, Une passion dans le désert,* même l'assez énigmatique

Fausse Maîtresse[a], viennent à l'appui de mon dire. Quand je parlais de ce côté "hors nature" de Balzac à Swann, il me disait[b] : "Vous êtes du même avis que Taine[1]". Je n'avais pas l'honneur de connaître Taine, ajouta M. de Charlus (avec cette irritante habitude du « monsieur » inutile qu'ont les gens du monde[2], comme s'ils croyaient en taxant de monsieur un grand écrivain, lui décerner un honneur, peut-être garder les distances, et bien faire savoir qu'ils ne le connaissent pas), je ne connaissais pas M. Taine, mais je me tenais pour fort honoré d'être du même avis que lui. » D'ailleurs, malgré ces habitudes mondaines ridicules, M. de Charlus était très intelligent, et il est probable que si quelque mariage ancien avait noué une parenté entre sa famille et celle de Balzac, il eût ressenti (non moins que Balzac d'ailleurs) une satisfaction dont il n'eût pu cependant s'empêcher de se targuer comme d'une marque de condescendance admirable.

Parfois[c] à la station qui suivait Saint-Martin-du-Chêne, des jeunes gens montaient dans le train. M. de Charlus ne pouvait pas s'empêcher de les regarder, mais comme il abrégeait et dissimulait l'attention qu'il leur prêtait, elle prenait l'air de cacher un secret, plus particulier même que le véritable ; on aurait dit qu'il les connaissait, le laissait malgré lui paraître après avoir accepté son sacrifice, avant de se retourner vers nous, comme font ces enfants à qui, à la suite d'une brouille entre parents, on a défendu de dire bonjour à des camarades, mais qui lorsqu'ils les rencontrent ne peuvent se priver de lever la tête avant de retomber sous la férule de leur précepteur.

Au mot tiré du grec dont M. de Charlus, parlant de Balzac, avait fait suivre[d] l'allusion à la *Tristesse d'Olympio* dans *Splendeurs et misères*[3], Ski, Brichot et Cottard s'étaient regardés avec un sourire peut-être moins ironique qu'empreint de la satisfaction qu'auraient des dîneurs qui réussiraient à faire parler Dreyfus de sa propre affaire, ou l'impératrice[4] de son règne. On comptait bien le pousser un peu sur ce sujet, mais c'était déjà Doncières, où Morel nous *rejoignait*. Devant lui, M. de Charlus surveillait soigneusement sa conversation, et quand Ski voulut le ramener à l'amour de Carlos Herrera pour Lucien de Rubempré, le baron prit l'air contrarié, mystérieux, et finalement (voyant qu'on ne l'écoutait pas) sévère et justicier d'un père qui entendrait dire des indécences devant sa fille. Ski ayant mis quelque entêtement à poursuivre, M. de Charlus les yeux hors de la tête, élevant la voix, dit d'un ton significatif en montrant Albertine qui pourtant ne pouvait nous entendre, occupée à causer avec Mme Cottard et la princesse Sherbatoff, et sur le ton à double sens de quelqu'un qui veut donner une leçon à des gens mal élevés : « Je crois qu'il serait temps de parler de choses qui puissent intéresser cette jeune fille. » Mais je compris bien que pour lui, la jeune fille était non pas Albertine, mais Morel ; il témoigna du reste plus tard de l'exactitude de mon interprétation par les expressions dont il se servit quand il demanda qu'on n'eût plus de ces conversations devant Morel. « Vous savez, me dit-il, en parlant du violoniste, qu'il n'est pas du tout ce que vous pourriez croire, c'est un petit très honnête qui est toujours resté sage, très sérieux. » Et on sentait à ces mots que M. de Charlus considérait l'inversion sexuelle comme un danger aussi menaçant pour les jeunes gens que la prostitution pour les femmes, et que s'il se servait pour Morel de l'épithète de « sérieux », c'était dans le sens qu'elle prend appliquée à une petite ouvrière[1]. Alors Brichot pour changer la conversation me demanda si je comptais rester encore longtemps à Incarville. J'avais eu beau lui faire observer plusieurs fois que j'habitais non pas Incarville mais Balbec, il retombait toujours dans sa faute car c'est sous le nom d'Incarville ou de Balbec-Incarville qu'il désignait cette partie du littoral[2]. Il y a ainsi des gens qui parlent des mêmes choses que nous en les appelant d'un nom un peu différent. Une certaine dame du faubourg Saint-Germain me demandait toujours, quand elle voulait parler de la duchesse de Guermantes, s'il y avait longtemps que je n'avais vu Zénaïde, ou Oriane-Zénaïde, ce qui fait[a] qu'au premier moment je ne comprenais pas. Probablement il y avait eu un temps où une parente de Mme de Guermantes s'appelant Oriane, on l'appelait, elle, pour éviter les confusions, Oriane-Zénaïde. Peut-être aussi y avait-il eu d'abord une gare seulement à Incarville, et allait-on de là en voiture à Balbec. « De quoi parliez-vous[b] donc ? » dit Albertine étonnée du ton solennel de père de famille que venait d'usurper M. de Charlus. « De Balzac, se hâta de répondre le baron, et vous avez justement ce soir la toilette de la princesse de Cadignan, pas la première, celle du dîner, mais la seconde[1]. » Cette rencontre tenait à ce que, pour choisir des toilettes à Albertine, je m'inspirais du goût qu'elle s'était formé grâce à Elstir, lequel appréciait beaucoup une sobriété qu'on eût pu appeler britannique s'il ne s'y était allié plus de douceur, de mollesse française. Le plus souvent les robes qu'il préférait offraient aux regards une harmonieuse combinaison de couleurs grises, comme celle de Diane de Cadignan. Il n'y avait guère que M. de Charlus pour savoir apprécier à leur véritable valeur les toilettes d'Albertine ; tout de suite ses yeux découvraient ce qui en faisait la rareté, le prix ; il n'aurait jamais dit le nom d'une étoffe pour une autre et reconnaissait le faiseur. Seulement il aimait mieux — pour les femmes — un peu plus d'éclat et de couleur que n'en tolérait Elstir. Aussi ce soir-là me lança-t-elle un regard moitié souriant, moitié inquiet, en courbant son petit nez rose de chatte. En effet, croisant sur sa jupe de crêpe de chine gris, sa jaquette de cheviotte grise laissait croire qu'Albertine était tout en gris. Mais me faisant signe de l'aider parce que ses manches bouffantes avaient besoin d'être aplaties ou relevées pour entrer ou retirer sa jaquette, elle ôta celle-ci, et comme ces manches étaient d'un écossais très doux, rose, bleu pâle, verdâtre, gorge-de-pigeon, ce fut comme si dans un ciel gris s'était formé un arc-en-ciel. Et elle se demandait si cela allait plaire à M. de Charlus. « Ah ! s'écria celui-ci ravi, voilà un rayon, un prisme de couleur. Je vous fais tous mes compliments. — Mais Monsieur seul en a mérité, répondit gentiment Albertine en me désignant, car elle aimait montrer ce qui lui venait de moi. — Il n'y a que les femmes qui ne savent pas s'habiller qui craignent la couleur, reprit M. de Charlus. On peut être éclatante sans vulgarité et douce sans fadeur. D'ailleurs vous n'avez pas les mêmes raisons que Mme de Cadignan de vouloir paraître détachée de la vie, car c'était l'idée qu'elle voulait inculquer à d'Arthez par cette toilette grise. » Albertine qu'intéressait ce muet langage des robes, questionna M. de Charlus sur la princesse de Cadignan. « Oh ! c'est une nouvelle exquise, dit le baron d'un ton rêveur. Je connais le petit jardin où Diane de Cadignan se promena avec Mme d'Espard[a2]. C'est celui d'une de mes cousines. — Toutes ces questions du jardin de sa cousine, murmura Brichot à Cottard, peuvent, de même que sa généalogie, avoir du prix pour cet excellent baron. Mais quel intérêt cela a-t-il pour nous qui n'avons pas le privilège de nous y promener, ne connaissons pas cette dame et ne possédons pas de titres de noblesse ? » Car Brichot ne soupçonnait pas qu'on pût s'intéresser à une robe et à un jardin comme à une œuvre d'art, et que c'est comme dans Balzac que M. de Charlus revoyait les petites allées de Mme de Cadignan. Le baron poursuivit : « Mais vous la connaissez, me dit-il, en parlant de cette cousine et pour me flatter en s'adressant à moi comme à quelqu'un qui, exilé dans le petit clan, pour M. de Charlus sinon était de son monde, du moins allait dans son monde. En tous cas vous avez dû la voir chez Mme de Villeparisis. — La marquise de Villeparisis à qui appartient le château de Baucreux ? demanda Brichot d'un air captivé. — Oui, vous la connaissez ? demanda sèchement M. de Charlus. — Nullement, répondit Brichot, mais notre collègue Norpois passe tous les ans une partie de ses vacances à Baucreux. J'ai eu l'occasion de lui écrire là. » Je dis à Morel, pensant l'intéresser, que M. de Norpois était ami de mon père. Mais pas un mouvement de son visage ne témoigna qu'il eût entendu, tant il tenait mes parents pour gens de peu et n'approchant pas de bien loin de ce qu'avait été mon grand-oncle chez qui son père avait été valet de chambre et qui du reste, contrairement au reste de la famille, aimant assez « faire des embarras », avait laissé un souvenir ébloui à ses domestiques. « Il paraît que Mme de Villeparisis est une femme supérieure ; mais je n'ai jamais été admis à en juger par moi-même, non plus du reste que mes collègues. Car Norpois, qui est d'ailleurs plein de courtoisie et d'affabilité à l'Institut, n'a présenté aucun de nous à la marquise. Je ne sais de reçu par elle que notre ami Thureau-Dangin[1], qui avait avec elle d'anciennes relations de famille, et aussi Gaston Boissier[2], qu'elle a désiré connaître à la suite d'une étude qui l'intéressait tout particulièrement. Il y a dîné une fois et est revenu sous le charme. Encore Mme Boissier n'a-t-elle pas été invitée[a]. » À ces noms, Morel sourit d'attendrissement : « Ah ! Thureau-Dangin, me dit-il d'un air aussi intéressé que celui qu'il avait montré en entendant parler du marquis de Norpois et de mon père était resté indifférent. Thureau-Dangin, c'était une paire d'amis avec votre oncle. Quand une dame voulait une place de centre pour une réception à l'Académie, votre oncle disait :

“J’écrirai à Thureau-Dangin.” Et naturellement la place était aussitôt envoyée, car vous comprenez bien que M. Thureau-Dangin ne se serait pas risqué de rien refuser à votre oncle qui l’aurait repincé au tournant. Cela m’amuse aussi d’entendre le nom de Boissier[1], car c’était là que votre grand-oncle faisait faire toutes ses emplettes pour les dames au moment du jour de l’an. Je le sais, car je connais la personne qui était chargée de la commission. » Il faisait plus que la connaître, c’était son père[a]. Certaines de ces allusions affectueuses de Morel à la mémoire de mon oncle touchaient à ce que nous ne comptions pas rester toujours dans l’hôtel de Guermantes, où nous n’étions venus loger qu’à cause de ma grand-mère. On parlait quelquefois d’un déménagement possible. Or pour comprendre les conseils que me donnait à cet égard Charles Morel, il faut savoir qu’autrefois mon grand-oncle demeurait 40 *bis,* boulevard Malesherbes[2]. Il en était résulté que dans la famille, comme nous allions beaucoup chez mon oncle Adolphe jusqu’au jour fatal où je brouillai mes parents avec lui en racontant l’histoire de la dame en rose, au lieu de dire « chez votre oncle », on disait « au 40 *bis* ». Des cousines de maman lui disaient le plus naturellement du monde : « Ah ! dimanche on ne peut pas vous avoir, vous dînez au 40 *bis.* » Si j’allais voir une parente, on me recommandait d’aller d’abord « au 40 *bis* », afin que mon oncle ne pût être froissé qu’on n’eût commencé par lui. Il était propriétaire de la maison et se montrait, à vrai dire, très difficile sur le choix des locataires qui étaient tous des amis, ou le devenaient. Le colonel baron de Vatry venait tous les jours fumer un cigare avec lui pour obtenir plus facilement des réparations. La porte cochère était toujours fermée. Si à une fenêtre mon oncle apercevait un linge, un tapis, il entrait en fureur et les faisait retirer plus rapidement qu’aujourd’hui les agents de police. Mais enfin il n’en louait pas moins une partie de la maison, n’ayant pour lui que deux étages et les écuries. Malgré cela, sachant lui faire plaisir en vantant le *bon entretien* de la maison, on célébrait le confort du « petit hôtel » comme si mon oncle en avait été le seul occupant, et il laissait dire, sans opposer le démenti formel qu’il aurait dû. Le « petit hôtel » était assurément confortable (mon oncle y introduisant toutes les inventions de l’époque). Mais il n’avait rien d’extraordinaire. Seul

quelque chose, qu'on ne vaut que par son talent, et que la noblesse ou l'argent sont simplement le zéro qui multiplie une valeur, soit qu'il eût peur qu'oisif et toujours auprès de lui le violoniste s'ennuyât. Enfin il ne voulait pas se priver du plaisir qu'il avait lors de certains grands concerts, à se dire : « Celui qu'on acclame en ce moment sera chez moi cette nuit. » Les gens élégants, quand ils sont amoureux et de quelque façon qu'ils le soient, mettent leur vanité à ce qui peut détruire les avantages antérieurs où leur vanité eût trouvé satisfaction.

Morel me sentant[a] sans méchanceté pour lui, sincèrement attaché à M. de Charlus, et d'autre part d'une indifférence physique absolue à l'égard de tous les deux, finit par manifester à mon endroit les mêmes sentiments de chaleureuse sympathie qu'une cocotte qui sait qu'on ne la désire pas et que son amant a en vous un ami sincère qui ne cherchera pas à le brouiller avec elle. Non seulement il me parlait exactement comme autrefois Rachel, la maîtresse de Saint-Loup, mais encore, d'après ce que me répétait M. de Charlus, lui disait de moi en mon absence les mêmes choses que Rachel disait de moi à Robert. Enfin M. de Charlus me disait : « Il vous aime beaucoup », comme Robert : « Elle t'aime beaucoup. » Et comme le neveu de la part de sa maîtresse, c'est de la part de Morel que l'oncle me demandait souvent de venir dîner avec eux. Il n'y avait d'ailleurs pas moins d'orages entre eux qu'entre Robert et Rachel. Certes quand Charlie (Morel) était parti, M. de Charlus ne tarissait pas d'éloges sur lui, répétant, ce dont il était flatté, que le violoniste était si bon pour lui. Mais il était pourtant visible que souvent Charlie, même devant tous les fidèles, avait l'air irrité au lieu de paraître toujours heureux et soumis comme eût souhaité le baron. Cette irritation alla même plus tard, par suite de la faiblesse qui poussait M. de Charlus à pardonner ses inconvenances d'attitude à Morel, jusqu'au point que le violoniste ne cherchait pas à la cacher, ou même l'affectait. J'ai vu M. de Charlus entrant dans un wagon où Charlie était avec des militaires de ses amis, accueilli par des haussements d'épaules du musicien, accompagnés d'un clignement d'yeux à ses camarades. Ou bien il faisait semblant de dormir comme quelqu'un que cette arrivée excède d'ennui. Ou il se mettait à tousser, les autres riaient, affectaient pour se moquer le parler mièvre des hommes pareils à M. de Charlus, attiraient dans un coin Charlie qui finissait par revenir, comme forcé, auprès de M. de Charlus dont le cœur était percé par tous ces traits. Il est inconcevable qu'il les ait supportés; et ces formes chaque fois différentes de souffrance posaient à nouveau pour M. de Charlus le problème du bonheur, le forçaient non seulement à demander davantage, mais à désirer autre chose, la précédente combinaison se trouvant viciée par un affreux souvenir. Et pourtant si pénibles que furent ensuite ces scènes, il faut reconnaître que les premiers temps le génie de l'homme du peuple de France dessinait pour Morel, lui faisait revêtir des formes charmantes de simplicité, de franchise apparente, même d'une indépendante fierté qui semblait inspirée par le désintéressement. Cela était faux, mais l'avantage de l'attitude était d'autant plus en faveur de Morel que, tandis que[a] celui qui aime est toujours forcé de revenir à la charge, d'enchérir, il est au contraire aisé pour celui qui n'aime pas de suivre une ligne droite, inflexible et gracieuse. Elle existait de par le privilège de la race dans le visage si ouvert de ce Morel au cœur si fermé, ce visage paré de la grâce néo-hellénique qui fleurit aux basiliques champenoises[1]. Malgré sa fierté factice, souvent[b], apercevant M. de Charlus au moment où il ne s'y attendait pas, il était gêné pour le petit clan, rougissait, baissait les yeux, au ravissement du baron qui voyait là tout un roman. C'était simplement un signe d'irritation et de honte. La première s'exprimait parfois; car si calme et énergiquement décente que fût habituellement l'attitude de Morel, elle n'allait pas sans se démentir souvent. Parfois même[c] à quelque mot que lui disait le baron, éclatait de la part de Morel, sur un ton dur, une réplique insolente dont tout le monde était choqué. M. de Charlus baissait la tête d'un air triste, ne répondait rien, et avec la faculté de croire que rien n'a été remarqué de la froideur, de la dureté de leurs enfants qu'ont les pères idolâtres, n'en continuait[d] pas moins à chanter les louanges du violoniste. M. de Charlus n'était d'ailleurs pas toujours aussi soumis, mais ses rébellions n'atteignaient généralement pas leur but, surtout parce qu'ayant vécu avec des gens du monde, dans le calcul des réactions qu'il pouvait éveiller, il tenait compte de la bassesse, sinon originelle, du moins acquise par l'éducation. Or, à la place, il rencontrait chez[e] Morel quelque velléité plébéienne d'indifférence momentanée. Malheureusement pour M. de Charlus, il ne comprenait pas que pour Morel tout cédait devant les questions où le Conservatoire et la bonne réputation au Conservatoire (mais ceci qui devait être plus grave, ne se posait pas pour le moment) entraient en jeu. Ainsi par exemple les bourgeois changent aisément de nom par vanité, les grands seigneurs par avantage. Pour le jeune violoniste, au contraire, le nom de Morel était indissolublement lié à son premier prix de violon, donc impossible à modifier. M. de Charlus aurait voulu que Morel tînt tout de lui, même son nom. S'étant avisé que le prénom de Morel était Charles, qui ressemblait à Charlus, et que la propriété où ils se voyaient s'appelait les Charmes, il voulut persuader à Morel qu'un joli nom agréable à dire étant la moitié d'une réputation artistique, le virtuose devait sans hésiter prendre le nom de « Charmel[1] », allusion discrète au lieu de leurs rendez-vous. Morel haussa les épaules. En dernier argument M. de Charlus eut la malheureuse idée d'ajouter qu'il avait un valet de chambre qui s'appelait ainsi. Il ne fit qu'exciter la furieuse indignation du jeune homme. « Il y eut un temps où mes ancêtres étaient fiers du titre de valet de chambre, de maître d'hôtel du roi. — Il y en eut un autre, répondit fièrement Morel, où mes ancêtres firent couper le cou aux vôtres. » M. de Charlus eût été bien étonné s'il eût pu supposer que, à défaut de « Charmel », résigné à adopter Morel et à lui donner un des titres de la famille de Guermantes desquels il disposait, mais que les circonstances, comme on le verra, ne lui permirent pas d'offrir au violoniste, celui-ci eût refusé en pensant à la réputation artistique attachée à son nom de Morel et aux commentaires qu'on eût faits à « la classe ». Tant au-dessus du faubourg Saint-Germain il plaçait la rue Bergère ! Force fut à M. de Charlus de se contenter pour l'instant de faire faire à Morel des bagues symboliques portant l'antique inscription[a] : PLVS VLTRA CAROL'S[2]. Certes devant un adversaire d'une sorte qu'il ne connaissait pas, M. de Charlus aurait dû changer de tactique. Mais qui en est capable ? Du reste si M. de Charlus avait des maladresses, il n'en manquait pas non plus à Morel. Bien plus que la circonstance même qui amena la rupture, ce qui devait, au moins provisoirement (mais ce provisoire se trouva être définitif), le perdre auprès de M. de Charlus, c'est qu'il n'y avait pas en lui que la bassesse qui le faisait être plat devant la dureté et répondre par l'insolence à la douceur. Parallèlement à cette bassesse de nature, il y avait une neurasthénie compliquée de mauvaise éducation, qui s'éveillant dans toute circonstance où il était en faute ou devenait à charge, faisait qu'au moment même où il aurait eu besoin de toute sa gentillesse, de toute sa douceur, de toute sa gaieté pour désarmer le baron, il devenait sombre, hargneux, cherchait à entamer des discussions où il savait qu'on n'était pas d'accord avec lui, soutenait son point de vue hostile avec une faiblesse de raisons et une violence tranchante qui augmentait cette faiblesse même. Car bien vite à court d'arguments, il en inventait quand même, dans lesquels se déployait toute l'étendue de son ignorance et de sa bêtise. Elles perçaient à peine quand il était aimable et ne cherchait qu'à plaire. Au contraire on ne voyait plus qu'elles dans ses accès d'humeur sombre où d'inoffensives elles devenaient haïssables. Alors M. de Charlus se sentait excédé, ne mettait son espoir que dans un lendemain meilleur, tandis que Morel oubliant que le baron le faisait vivre fastueusement, avait un sourire ironique de pitié supérieure, et disait : « Je n'ai jamais rien accepté de personne. Comme cela je n'ai personne à qui je doive un seul merci. »

En attendant, et comme s'il eût eu affaire à un homme du monde, M. de Charlus continuait[a] à exercer ses colères, vraies ou feintes, mais devenues inutiles. Elles ne l'étaient pas toujours cependant[1]. Ainsi, un jour (qui se place d'ailleurs après cette première période) où le baron revenait avec Charlie et moi d'un déjeuner chez les Verdurin, croyant passer la fin de l'après-midi et la soirée avec le violoniste à Doncières, l'adieu de celui-ci, dès au sortir du train, qui répondit : « Non, j'ai à faire », causa à M. de Charlus une déception si forte que, bien qu'il eût essayé de faire contre mauvaise fortune bon cœur, je vis des larmes faire fondre le fard de ses cils, tandis qu'il restait hébété devant le train. Cette douleur fut telle que[b], comme nous comptions elle et moi finir la journée à Doncières, je dis à Albertine, à l'oreille, que je voudrais bien que nous ne laissions pas seul M. de Charlus qui me semblait, je ne savais pourquoi, chagriné. La chère petite accepta de grand cœur. Je demandai alors à M. de Charlus s'il ne voulait pas que je l'accompagnasse un peu. Lui aussi accepta, mais refusa de déranger pour cela ma cousine. Je trouvai[a] une certaine douceur (et sans doute pour une dernière fois, puisque j'étais résolu de rompre avec elle) à lui ordonner doucement, comme si elle avait été ma femme : « Rentre de ton côté, je te retrouverai ce soir », et à l'entendre, comme une épouse aurait fait, me donner la permission de faire comme je voudrais, et m'approuver, si M. de Charlus qu'elle aimait bien avait besoin de moi, de me mettre à sa disposition. Nous allâmes, le baron et moi, lui dandinant son gros corps, ses yeux de jésuite baissés, moi le suivant, jusqu'à un café où on nous apporta de la bière. Je sentis les yeux de M. de Charlus attachés par l'inquiétude à quelque projet. Tout à coup il demanda du papier et de l'encre et se mit à écrire avec une vitesse singulière. Pendant qu'il couvrait feuille après feuille, ses yeux étincelaient d'une rêverie rageuse. Quand il eut écrit huit pages : « Puis-je vous demander un grand service ? me dit-il. Excusez-moi de fermer ce mot. Mais il le faut. Vous allez prendre une voiture, une auto si vous pouvez, pour aller plus vite. Vous trouverez certainement encore Morel dans sa chambre où il eſt allé se changer. Pauvre garçon, il a voulu faire le fendant au moment de nous quitter, mais soyez sûr qu'il a le cœur plus gros que moi. Vous allez lui donner ce mot et, s'il vous demande où vous m'avez vu, vous lui direz que vous vous étiez arrêté à Doncières (ce qui eſt du reſte la vérité) pour voir Robert (ce qui ne l'eſt peut-être pas), mais que vous m'avez rencontré avec quelqu'un que vous ne connaissez pas, que j'avais l'air très en colère, que vous avez cru surprendre les mots d'envoi de témoins (je me bats demain, en effet). Surtout ne lui dites pas que je le demande, ne cherchez pas à le ramener, mais s'il veut venir avec vous, ne l'empêchez pas de le faire. Allez, mon enfant, c'eſt pour son bien, vous pouvez éviter un gros drame. Pendant que vous serez parti, je vais écrire à mes témoins. Je vous ai empêché de vous promener avec votre cousine. J'espère qu'elle ne m'en aura pas voulu et même je le crois. Car c'eſt une âme noble et je sais qu'elle eſt de celles qui savent ne pas refuser la grandeur des circonſtances. Il faudra que vous la remerciiez pour moi. Je lui suis personnellement redevable et il me plaît que ce soit ainsi. » J'avais grand-pitié de M. de Charlus ; il me semblait que Charlie aurait pu empêcher ce duel dont il était peut-être la cause, et j'étais révolté si cela était ainsi, qu'il fût parti avec cette indifférence au lieu d'assister son protecteur. Mon indignation fut plus grande quand, en arrivant à la maison où logeait Morel, je reconnus la voix du violoniste, lequel, par le besoin qu'il avait d'épandre de la gaieté, chantait de tout cœur[a] : « Le samedi soir, après le turbin[1] ! » Si le pauvre M. de Charlus l'avait entendu, lui qui voulait qu'on crût et croyait sans doute que Morel avait en ce moment le cœur gros ! Charlie se mit à danser de plaisir en m'apercevant. « Oh ! mon vieux (pardonnez-moi de vous appeler ainsi, avec cette sacrée vie militaire on prend de sales habitudes), quelle veine de vous voir ! Je n'ai rien à faire de ma soirée. Je vous en prie, passons-là ensemble. On restera ici si ça vous plaît, on ira en canot si vous aimez mieux, on fera de la musique, je n'ai aucune préférence. » Je lui dis que j'étais obligé de dîner à Balbec, il avait bonne envie que je l'y invitasse, mais je ne le voulais pas. « Mais si vous êtes si pressé, pourquoi êtes-vous venu ? — Je vous apporte un mot de M. de Charlus. » À ce nom toute[b] sa gaieté disparut ; sa figure se contracta. « Comment ! il faut qu'il vienne me relancer jusqu'ici ! Alors je suis un esclave ! Mon vieux, soyez gentil. Je n'ouvre pas la lettre. Vous lui direz que vous ne m'avez pas trouvé. — Ne feriez-vous pas mieux d'ouvrir ? je me figure qu'il y a quelque chose de grave. — Cent fois non, vous ne connaissez pas les mensonges, les ruses infernales de ce vieux forban. C'est un truc pour que j'aille le voir. Hé bien ! je n'irai pas, je veux la paix ce soir. — Mais est-ce qu'il n'y a pas un duel demain ? demandai-je à Morel, que je supposais aussi au courant. — Un duel ? me dit-il d'un air stupéfait. Je ne sais pas un mot de ça. Après tout, je m'en fous, ce vieux dégoûtant peut bien se faire zigouiller si ça lui plaît[c]. Mais tenez, vous m'intriguez, je vais tout de même voir sa lettre. Vous lui direz que vous l'avez laissée à tout hasard pour le cas où je rentrerais. » Tandis que Morel me parlait, je regardais avec stupéfaction les admirables livres que lui avait donnés M. de Charlus et qui encombraient la chambre[2]. Le violoniste ayant refusé ceux qui portaient : « Je suis au baron, etc. », devise qui lui semblait insultante pour lui-même comme un signe d'appartenance, le baron, avec l'ingéniosité sentimentale où se complaît l'amour malheureux, en avait varié d'autres, provenant d'ancêtres, mais commandées au relieur selon les circonstances d'une mélancolique amitié. Quelquefois elles étaient brèves et confiantes, comme « *Spes mea*[1] », ou comme « *Exspectata non eludet*[2] » ; quelquefois seulement résignées, comme « J'attendrai[3] » ; certaines galantes : « Mesmes plaisir du mestre[4] », ou conseillant la chasteté, comme celle empruntée aux Simiane, semée de tours d'azur et de fleurs de lis et détournée de son sens : « *Sustentant lilia turres*[5] » ; d'autres enfin, désespérées et donnant rendez-vous au ciel à celui qui n'avait pas voulu de lui sur la terre : « *Manet ultima cælo*[6] » ; et, trouvant trop verte la grappe qu'il ne pouvait atteindre, feignant de n'avoir pas recherché ce qu'il n'avait pas obtenu, M. de Charlus disait dans l'une : « *Non mortale quod opto*[7] ». Mais je n'eus pas le temps de les voir toutes.

Si M. de Charlus en jetant sur le papier cette lettre avait paru en proie au démon de l'inspiration qui faisait courir sa plume, dès que Morel eut ouvert le cachet : *Atavis et armis*[8], chargé d'un léopard accompagné de deux roses de gueules, il se mit[a] à lire avec une fièvre aussi grande qu'avait eue M. de Charlus en écrivant, et sur ces pages noircies à la diable ses regards ne couraient pas moins vite que la plume du baron. « Ah ! mon Dieu ! s'écria-t-il, il ne manquait plus que cela ! mais où le trouver ? Dieu sait où il est maintenant. » J'insinuai qu'en se pressant on le trouverait peut-être encore à une brasserie où il avait demandé de la bière pour se remettre. « Je ne sais pas si je reviendrai », dit-il à sa femme de ménage, et il ajouta *in petto* : « Cela dépendra de la tournure que prendront les choses. » Quelques minutes après nous arrivions au café. Je remarquai l'air de M. de Charlus au moment où il m'aperçut. En voyant que je ne revenais pas seul, je sentis que la respiration, que la vie lui étaient rendues. Étant d'humeur ce soir-là à ne pouvoir se passer de Morel, il avait inventé qu'on lui avait rapporté que deux officiers du régiment avaient mal parlé de lui à propos du violoniste et qu'il allait leur envoyer des témoins. Morel avait vu le scandale, sa vie au régiment impossible, il était accouru. En quoi il n'avait pas absolument eu tort. Car pour rendre son mensonge plus vraisemblable, M. de Charlus avait déjà écrit à deux amis (l'un était Cottard) pour[b] leur demander d'être ses témoins. Et si le violoniste n'était pas venu, il est certain que fou comme était M. de Charlus (et pour changer sa tristesse en fureur), il les eût envoyés au hasard à un officier quelconque, avec lequel ce lui eût été un soulagement de se battre. Pendant ce temps, M. de Charlus se rappelant qu'il était de race plus pure que la Maison de France, se disait[a] qu'il était bien bon de se faire tant de mauvais sang pour le fils d'un maître d'hôtel, dont il n'eût pas daigné fréquenter le maître[b]. D'autre part, s'il ne se plaisait plus guère que dans la fréquentation de la crapule, la profonde habitude qu'a celle-ci de ne pas répondre à une lettre, de manquer à un rendez-vous sans prévenir, sans s'excuser après, lui donnait, comme il s'agissait souvent d'amours, tant d'émotions, et le reste du temps lui causait tant d'agacement, de gêne et de rage, qu'il en arrivait parfois à regretter la multiplicité de lettres pour un rien, l'exactitude scrupuleuse des ambassadeurs et des princes, lesquels s'ils lui étaient malheureusement indifférents, lui donnaient malgré tout une espèce de repos. Habitué aux façons de Morel et sachant combien il avait peu de prise sur lui et était incapable de s'insinuer dans une vie où des camaraderies vulgaires mais consacrées par l'habitude prenaient trop de place et de temps pour qu'on gardât une heure au grand seigneur évincé, orgueilleux et vainement implorant, M. de Charlus était tellement persuadé que le musicien ne viendrait pas, il avait tellement peur de s'être à jamais brouillé avec lui en allant trop loin, qu'il eut peine à retenir un cri en le voyant. Mais se sentant vainqueur, il tint à dicter les conditions de la paix et à en tirer lui-même les avantages qu'il pouvait. « Que venez-vous faire ici ? lui dit-il. Et vous ? ajouta-t-il en me regardant, je vous avais recommandé surtout de ne pas me le ramener. — Il ne voulait pas me ramener », dit Morel en roulant vers M. de Charlus, dans la naïveté de sa coquetterie, des regards conventionnellement tristes et langoureusement démodés, avec un air, jugé sans doute irrésistible, de vouloir embrasser le baron et d'avoir envie de pleurer. « C'est moi qui suis venu malgré lui. Je viens au nom de notre amitié pour vous supplier à deux genoux de ne pas faire cette folie. » M. de Charlus délirait de joie. La réaction était bien forte pour ses nerfs ; malgré cela il en resta le maître. « L'amitié, que vous invoquez assez inopportunément, répondit-il d'un ton sec, devrait au contraire me faire approuver de vous quand je ne crois pas devoir laisser passer les impertinences d'un sot. D'ailleurs si je voulais obéir aux prières d'une affection que j'ai connue mieux inspirée, je n'en aurais plus le pouvoir, mes lettres pour mes témoins sont parties et je ne doute pas de leur acceptation. Vous avez toujours agi avec moi comme un petit imbécile et, au lieu de vous enorgueillir comme vous en aviez le droit de la prédilection que je vous avais marquée, au lieu de faire comprendre à la tourbe d'adjudants ou de domestiques au milieu desquels la loi militaire vous force de vivre quel motif d'incomparable fierté était pour vous une amitié comme la mienne, vous avez cherché à vous excuser, presque à vous faire un mérite stupide de ne pas être assez reconnaissant. Je sais qu'en cela, ajouta-t-il pour ne pas laisser voir combien certaines scènes l'avaient humilié, vous n'êtes coupable que de vous être laissé mener par la jalousie des autres. Mais comment à votre âge êtes-vous assez enfant (et enfant assez mal élevé) pour n'avoir pas deviné tout de suite que votre élection par moi et tous les avantages qui devaient en résulter pour vous allaient exciter des jalousies ? que tous vos camarades pendant qu'ils vous excitaient à vous brouiller avec moi, allaient travailler à prendre votre place ? Je n'ai pas cru devoir vous avertir des lettres que j'ai reçues à cet égard de tous ceux à qui vous vous fiez le plus. Je dédaigne autant les avances de ces larbins que leurs inopérantes moqueries. La seule personne dont je me soucie, c'est vous parce que je vous aime bien, mais l'affection a des bornes et vous auriez dû vous en douter. » Si dur que le mot de « larbin » pût être aux oreilles de Morel dont le père l'avait été, mais justement parce que son père l'avait été, l'explication de toutes les mésaventures sociales par la « jalousie », explication simpliste et absurde, mais inusable et qui dans une certaine classe « prend » toujours d'une façon aussi infaillible que les vieux trucs auprès du public des théâtres, ou la menace du péril clérical dans les assemblées, trouvait chez lui une créance presque aussi forte que chez Françoise ou les domestiques de Mme de Guermantes, pour qui c'était la seule cause des malheurs de l'humanité. Il ne douta pas que ses camarades n'eussent essayé de lui chiper sa place et ne fut que plus malheureux de ce duel calamiteux et d'ailleurs imaginaire. « Oh ! quel désespoir, s'écria Charlie. Je n'y survivrai pas. Mais ils ne doivent pas vous voir avant d'aller trouver cet officier ? — Je ne sais pas, je pense que si. J'ai fait dire à l'un d'eux que je resterais ici ce soir et je lui donnerai mes instructions. — J'espère d'ici sa venue vous faire entendre raison ; permettez-moi seulement de rester auprès de vous », lui demanda tendrement Morel. C'était tout ce que voulait M. de Charlus. Il ne céda pas du premier coup[a]. « Vous auriez tort d'appliquer ici le " qui aime bien châtie bien " du proverbe, car c'est vous que j'aimais bien et j'entends châtier même après notre brouille ceux qui ont lâchement essayé de vous faire du tort. Jusqu'ici à leurs insinuations questionneuses, osant me demander comment un homme comme moi pouvait frayer avec un gigolo de votre espèce et sorti de rien, je n'ai répondu que par la devise de mes cousins La Rochefoucauld : " C'est mon plaisir[1]. " Je vous ai même marqué plusieurs fois que ce plaisir était susceptible de devenir mon plus grand plaisir, sans qu'il résultât de votre arbitraire élévation un abaissement pour moi. » Et dans un mouvement d'orgueil presque fou, il s'écria en levant les bras : « *Tantus ab uno splendor*[2] ! Condescendre n'est pas descendre, ajouta-t-il avec plus de calme, après ce délire de fierté et de joie. J'espère au moins que mes deux adversaires, malgré leur rang inégal, sont d'un sang que je peux faire couler sans honte. J'ai pris à cet égard quelques renseignements discrets qui m'ont rassuré. Si vous gardiez pour moi quelque gratitude, vous devriez être fier au contraire de voir qu'à cause de vous je reprends l'humeur belliqueuse de mes ancêtres, disant comme eux, au cas d'une issue fatale, maintenant que j'ai compris le petit drôle que vous êtes : "Mort m'est vie[3]." » Et M. de Charlus le disait sincèrement, non seulement par amour pour Morel, mais parce qu'un goût batailleur qu'il croyait naïvement tenir de ses aïeux, lui donnait tant d'allégresse à la pensée de se battre que ce duel machiné d'abord seulement pour faire venir Morel, il eût éprouvé maintenant du regret à y renoncer. Il n'avait jamais eu d'affaire sans se croire aussitôt valeureux et identifié à l'illustre connétable de Guermantes, alors que pour tout autre ce même acte d'aller sur le terrain lui paraissait de la dernière insignifiance. « Je crois que ce sera bien beau, nous dit-il sincèrement, en psalmodiant chaque terme. Voir Sarah Bernhardt dans *L'Aiglon*[b4], qu'est-ce que c'est ? du caca. Mounet-Sully dans *Œdipe*[5] ? caca. Tout au plus prend-il une certaine pâleur de transfiguration quand cela se passe dans les Arènes de Nîmes. Mais qu'est-ce que c'est à côté de cette chose inouïe, voir batailler le propre descendant du Connétable ? » Et à cette seule pensée, M. de Charlus ne se tenant pas de joie, se mit à faire des contre-de-quarte qui rappelaient Molière[1], nous firent rapprocher prudemment de nous nos bocks, et craindre que les premiers croisements de fer blessassent les adversaires[a], le médecin et les témoins. « Quel spectacle tentant ce serait pour un peintre ! Vous qui connaissez M. Elstir, me dit-il, vous devriez l'amener. » Je répondis qu'il n'était pas sur la côte. M. de Charlus m'insinua qu'on pourrait lui télégraphier. « Oh ! je dis cela pour lui, ajouta-t-il devant mon silence. C'est toujours intéressant pour un maître — à mon avis il en est un — de fixer un exemple de pareille reviviscence ethnique. Et il n'y en a peut-être pas un par siècle. »

Mais si M. de Charlus s'enchantait à la pensée d'un combat qu'il avait cru d'abord tout fictif, Morel pensait avec terreur aux potins qui, de la « musique » du régiment, pouvaient être colportés, grâce au bruit que ferait ce duel, jusqu'au temple de la rue Bergère. Voyant dèjà la « classe » informée de tout, il devenait de plus en plus pressant auprès de M. de Charlus, lequel continuait à gesticuler devant l'enivrante idée de se battre. Il supplia le baron de lui permettre de ne pas le quitter jusqu'au surlendemain, jour supposé du duel, pour le garder à vue et tâcher de lui faire entendre la voix de la raison. Une si tendre proposition triompha des dernières hésitations de M. de Charlus. Il dit qu'il allait essayer de trouver une échappatoire[b], qu'il ferait remettre au surlendemain une résolution définitive. De cette façon, en n'arrangeant pas l'affaire tout d'un coup, M. de Charlus savait garder Charlie au moins deux jours et en profiter pour obtenir de lui des engagements pour l'avenir en échange de sa renonciation au duel, exercice, disait-il, qui par soi-même l'enchantait, et dont il ne se priverait pas sans regret. Et en cela d'ailleurs il était sincère, car il avait toujours pris plaisir à aller sur le terrain quand il s'agissait de croiser le fer ou d'échanger des balles avec un adversaire. Cottard arriva enfin quoique mis très en retard, car ravi de servir de témoin mais plus ému encore, il avait été obligé de s'arrêter à tous les cafés ou fermes de la route, en demandant qu'on voulût bien lui indiquer « le n° 100 » ou « le petit endroit ». Aussitôt qu'il fut là, le baron l'emmena dans une pièce isolée, car il trouvait plus réglementaire que Charlie et moi n'assistions pas à l'entrevue, et il excellait à donner à une chambre quelconque l'affectation provisoire de salle du trône ou des délibérations. Une fois seul avec Cottard, il le remercia chaleureusement, mais lui déclara qu'il semblait probable que le propos répété n'avait en réalité pas été tenu, et que dans ces conditions le docteur voulût bien avertir le second témoin que, sauf complications possibles, l'incident était considéré comme clos. Le danger s'éloignant, Cottard fut désappointé. Il voulut même un instant manifester de la colère, mais il se rappela qu'un de ses maîtres, qui avait fait la plus belle carrière médicale de son temps, ayant échoué la première fois à l'Académie pour deux voix seulement, avait fait contre mauvaise fortune bon cœur et était allé serrer la main du concurrent élu. Aussi le docteur se dispensa-t-il d'une expression de dépit qui n'eût plus rien changé, et après avoir murmuré, lui, le plus peureux des hommes, qu'il y a certaines choses qu'on ne peut laisser passer, il ajouta que c'était mieux ainsi, que cette solution le réjouissait. M. de Charlus désireux de témoigner sa reconnaissance au docteur, de la même façon que M. le duc son frère eût arrangé le col du paletot de mon père, comme une duchesse surtout eût tenu la taille à une plébéienne, approcha sa chaise tout près de celle du docteur, malgré le dégoût que celui-ci lui inspirait. Et non seulement sans plaisir physique, mais surmontant une répulsion physique, en Guermantes, non en inverti, pour dire adieu au docteur il lui prit la main et la lui caressa un moment avec une bonté de maître flattant le museau de son cheval et lui donnant du sucre. Mais Cottard qui n'avait jamais laissé voir au baron qu'il eût même entendu courir de vagues mauvais bruits sur ses mœurs, et ne l'en considérait pas moins dans son for intérieur, comme faisant partie de la classe des « anormaux » (même[a], avec son habituelle impropriété de termes et sur le ton le plus sérieux, il disait d'un valet de chambre de M. Verdurin : « Est-ce que ce n'est pas la maîtresse du baron ? »), personnages dont il avait peu l'expérience, se figura[b] que cette caresse de la main était le prélude immédiat d'un viol pour l'accomplissement duquel il avait été, le duel n'ayant servi que de prétexte, attiré dans un guet-apens et conduit par le baron dans ce salon solitaire où il allait être pris de force. N'osant quitter sa chaise où la peur le tenait cloué, il roulait des yeux d'épouvante, comme tombé aux mains d'un sauvage dont il n'était pas bien assuré qu'il ne se nourrît pas de chair humaine. Enfin M. de Charlus lui lâchant la main et voulant être aimable jusqu'au bout : « Vous allez prendre quelque chose avec nous, comme on dit, ce qu'on appelait autrefois un mazagran ou un gloria, boissons qu'on ne trouve plus comme curiosités archéologiques, que dans les pièces de Labiche et les cafés de Doncières[1]. Un " gloria " serait assez convenable au lieu, n'est-ce pas ? et aux circonstances, qu'en dites-vous ? — Je suis président de la ligue antialcoolique, répondit Cottard. Il suffirait que quelque médicastre de province passât, pour qu'on dise que je ne prêche pas d'exemple. *Os homini sublime dedit cælumque tueri*[2] », ajouta-t-il bien que cela n'eût aucun rapport, mais parce que son stock de citations latines était assez pauvre, suffisant d'ailleurs pour émerveiller ses élèves. M. de Charlus haussa les épaules et ramena Cottard auprès de nous, après lui avoir demandé un secret qui lui importait d'autant plus que, le motif du duel avorté étant purement imaginaire, il fallait[a] empêcher qu'il parvînt aux oreilles de l'officier arbitrairement mis en cause. Tandis que nous buvions tous quatre, Mme Cottard, qui attendait son mari dehors devant la porte et que M. de Charlus avait très bien vue, mais qu'il ne se souciait pas d'attirer, entra et dit bonjour au baron, qui lui tendit la main comme une chambrière, sans bouger de sa chaise, partie en roi qui reçoit des hommages, partie en snob qui ne veut pas qu'une femme peu élégante s'asseye à sa table, partie en égoïste qui a du plaisir à être seul avec ses amis et ne veut pas être embêté. Mme Cottard resta donc debout à parler à M. de Charlus et à son mari. Mais peut-être parce que la politesse, ce qu'on a « à faire », n'est pas le privilège exclusif des Guermantes, et peut tout d'un coup illuminer et guider les cerveaux les plus incertains, ou parce que, trompant beaucoup sa femme, Cottard avait par moments, par une espèce de revanche, le besoin de la protéger contre qui lui manquait, brusquement le docteur fronça le sourcil, ce que je ne lui avais jamais vu faire, et sans consulter M. de Charlus, en maître : « Voyons, Léontine, ne reste donc pas debout, assieds-toi. — Mais est-ce que je ne vous dérange pas ? »

demanda timidement Mme Cottard à M. de Charlus, lequel surpris du ton du docteur n'avait rien répondu. Et sans lui en donner cette seconde fois le temps, Cottard reprit avec autorité : « Je t'ai dit de t'asseoir. »

Au bout d'un instant[a] on se dispersa et alors M. de Charlus dit à Morel : « Je conclus de toute cette histoire, mieux terminée que vous ne méritiez, que vous ne savez pas vous conduire et qu'à la fin de votre service militaire je vous ramène moi-même à votre père, comme fit l'archange Raphaël envoyé par Dieu au jeune Tobie[1]. » Et le baron se mit à sourire avec un air de grandeur et une joie que Morel, à qui la perspective d'être ainsi ramené ne plaisait guère, ne semblait pas partager. Dans l'ivresse de se comparer à l'archange, et Morel au fils de Tobie, M. de Charlus ne pensait plus au but de sa phrase qui était de tâter le terrain pour savoir si, comme il le désirait, Morel consentirait à venir avec lui à Paris. Grisé par son amour ou par son amour-propre le baron ne vit pas ou feignit de ne pas voir la moue que fit le violoniste car ayant laissé celui-ci seul dans le café, il me dit avec un orgueilleux sourire : « Avez-vous remarqué, quand je l'ai comparé au fils de Tobie, comme il délirait de joie ? C'est parce que, comme il est très intelligent, il a tout de suite compris que le Père auprès duquel il allait désormais vivre, n'était pas son père selon la chair, qui doit être un affreux valet de chambre à moustaches, mais son père spirituel, c'est-à-dire Moi. Quel orgueil pour lui ! Comme il redressait fièrement la tête ! Quelle joie il ressentait d'avoir compris ! Je suis sûr qu'il va redire tous les jours : “ Ô Dieu qui avez donné le bienheureux archange Raphaël pour *guide* à votre serviteur Tobie dans un long voyage, accordez-nous à nous, vos serviteurs, d'être toujours protégés par lui et munis de son secours. ” Je n'ai même pas eu besoin, ajouta le baron, fort persuadé qu'il siégerait un jour devant le trône de Dieu, de lui dire que j'étais l'envoyé céleste, il l'a compris de lui-même et en était muet de bonheur ! » Et M. de Charlus (à qui au contraire le bonheur n'enlevait pas la parole), peu soucieux des quelques passants qui se retournèrent, croyant avoir affaire à un fou, s'écria tout seul et de toute sa force, en levant les mains : « Alleluia ! ».

Cette réconciliation ne mit fin que pour un temps aux tourments de M. de Charlus ; souvent Morel, parti en manœuvres trop loin pour que M. de Charlus pût aller le voir et m'envoyer lui parler, écrivait au baron des lettres désespérées et tendres, où il lui assurait qu'il lui en fallait finir avec la vie parce qu'il avait, pour une chose affreuse, besoin de vingt-cinq mille francs[a]. Il ne disait pas quelle était la chose affreuse, l'eût-il dit qu'elle eût sans doute été inventée. Pour l'argent même, M. de Charlus l'eût envoyé volontiers s'il n'eût senti que cela donnait à Charlie les moyens de se passer de lui et aussi d'avoir les faveurs de quelque autre. Aussi refusait-il, et ses télégrammes avaient le ton sec et tranchant de sa voix. Quand il était certain de leur effet, il souhaitait que Morel fût à jamais brouillé avec lui, car persuadé que ce serait le contraire qui se réaliserait, il se rendait compte de tous les inconvénients qui allaient renaître de cette liaison inévitable. Mais si aucune réponse de Morel ne venait, il ne dormait plus, il n'avait plus un moment de calme, tant le nombre est grand, en effet, des choses que nous vivons sans les connaître, et des réalités intérieures et profondes qui nous restent cachées. Il formait alors toutes les suppositions sur cette énormité qui faisait que Morel avait besoin de vingt-cinq mille francs, il lui donnait toutes les formes, y attachait tour à tour bien des noms propres. Je crois que dans ces moments-là M. de Charlus (et bien qu'à cette époque son snobisme, diminuant, eût été déjà au moins rejoint sinon dépassé par la curiosité grandissante que le baron avait du peuple) devait se rappeler avec quelque nostalgie les gracieux tourbillons multicolores des réunions mondaines où les femmes et les hommes les plus charmants ne le recherchaient que pour le plaisir désintéressé qu'il leur donnait, où personne n'eût songé à « lui monter le coup », à inventer une « chose affreuse » pour laquelle on est prêt à se donner la mort si on ne reçoit pas tout de suite vingt-cinq mille francs. Je crois qu'alors, et peut-être parce qu'il était resté tout de même plus de Combray que moi et avait enté la fierté féodale sur l'orgueil allemand, il devait trouver qu'on n'est pas impunément l'amant de cœur d'un domestique, que le peuple n'est pas tout à fait le monde et « ne faisait[b] pas confiance » au peuple comme je lui ai toujours fait[c].

La station suivante[d] du petit train, Maineville, me rappelle justement un incident relatif à Morel et à M. de Charlus.

Avant d'en parler, je dois dire que l'arrêt à Mainville (quand on conduisait à Balbec un arrivant élégant qui, pour ne pas gêner, préférait ne pas habiter La Raspelière) était l'occasion de scènes moins pénibles que celle que je vais raconter dans un instant. L'arrivant, ayant ses menus bagages dans le train, trouvait généralement le Grand-Hôtel un peu éloigné, mais comme il n'y avait avant Balbec que de petites plages aux villas inconfortables, était, par goût de luxe et de bien-être, résigné au long trajet, quand, au moment où le train stationnait à Maineville, il voyait brusquement se dresser le Palace dont il ne pouvait pas se douter que c'était une maison de prostitution. « Mais, n'allons pas plus loin, disait-il infailliblement à Mme Cottard, femme connue comme étant d'esprit pratique et de bon conseil. Voilà tout à fait ce qu'il me faut. À quoi bon continuer jusqu'à Balbec où ce ne sera certainement pas mieux ? Rien qu'à l'aspect, je juge qu'il y a tout le confort ; je pourrai parfaitement faire venir là Mme Verdurin, car je compte, en échange de ses politesses, donner quelques petites réunions en son honneur. Elle n'aura pas tant de chemin à faire que si j'habite Balbec. Cela me semble tout à fait bien pour elle, et pour votre femme, mon cher professeur. Il doit y avoir des salons, nous y ferons venir ces dames. Entre nous je ne comprends pas pourquoi au lieu de louer La Raspelière, Mme Verdurin n'est pas venue habiter ici. C'est beaucoup plus sain que de vieilles maisons comme La Raspelière, qui est forcément humide, sans être propre d'ailleurs ; ils n'ont pas l'eau chaude, on ne peut pas se laver comme on veut. Maineville me paraît bien plus agréable. Mme Verdurin y eût joué parfaitement son rôle de patronne. En tous cas chacun ses goûts, moi je vais me fixer ici. Madame Cottard, ne voulez-vous pas descendre avec moi ? en nous dépêchant, car le train ne va pas tarder à repartir. Vous me piloteriez dans cette maison qui sera la vôtre et que vous devez avoir fréquentée souvent. C'est tout à fait un cadre fait pour vous. » On avait toutes les peines du monde à faire taire, et surtout à empêcher de descendre, l'infortuné arrivant, lequel, avec l'obstination qui émane souvent des gaffes, insistait, prenait ses valises et ne voulait rien entendre jusqu'à ce qu'on lui eût assuré que jamais Mme Verdurin ni Mme Cottard ne viendrait le voir là. « En tous cas je vais y élire domicile. Mme Verdurin n'aura qu'à m'y écrire. »

Le souvenir relatif à Morel se rapporte à un incident d'un ordre plus particulier. Il y en eut d'autres, mais je me contente ici, au fur et à mesure que le tortillard s'arrête et que l'employé crie Doncières, Grattevast[a], Maineville[1], etc., de noter ce que la petite plage ou la garnisson m'évoquent. J'ai déjà parlé de Maineville (*media villa*[2]) et de l'importance qu'elle prenait à cause de cette somptueuse maison de femmes qui y avait été récemment construite, non sans éveiller les protestations inutiles des mères de famille. Mais avant de dire en quoi Maineville a quelque rapport dans ma mémoire avec Morel et M. de Charlus, il me faut noter la disproportion (que j'aurai plus tard à approfondir) entre l'importance que Morel attachait à garder libres certaines heures et l'insignifiance des occupations auxquelles il prétendait les employer, cette même disproportion se retrouvant au milieu des explications d'un autre genre qu'il donnait à M. de Charlus. Lui qui jouait au désintéressé avec le baron (et pouvait y jouer sans risques, vu la générosité de son protecteur), quand il désirait passer la soirée de son côté pour donner une leçon, etc., il ne manquait pas d'ajouter à son prétexte ces mots dits avec un sourire d'avidité : « Et puis cela peut me faire gagner quarante francs. Ce n'est pas rien. Permettez-moi d'y aller, car vous voyez, c'est mon intérêt. Dame, je n'ai pas de rentes comme vous, j'ai ma situation à faire, c'est le moment de gagner des sous. » Morel n'était pas, en désirant donner sa leçon, tout à fait insincère. D'une part, que l'argent n'ait pas de couleur est faux. Une manière nouvelle de le gagner rend du neuf aux pièces que l'usage a ternies. S'il était vraiment sorti pour une leçon, il est possible que deux louis remis au départ par une élève eussent produit sur lui un effet[b] autre que deux louis tombés de la main de M. de Charlus. Puis l'homme le plus riche ferait pour deux louis des kilomètres qui deviennent des lieues si l'on est fils d'un valet de chambre. Mais souvent M. de Charlus avait sur la réalité de la leçon de violon des doutes d'autant plus grands que souvent le musicien invoquait des prétextes d'un autre genre, d'un ordre entièrement désintéressé au point de vue matériel, et d'ailleurs absurdes. Morel ne pouvait ainsi s'empêcher de présenter une image de sa vie, mais volontairement, et involontairement aussi, tellement enténébrée que certaines parties seules se laissaient distinguer.

Pendant un mois il se mit à la disposition de M. de Charlus à condition de garder ses soirées libres, car il désirait suivre avec continuité des cours d'algèbre. Venir voir après M. de Charlus ? Ah ! c'était impossible, les cours duraient parfois fort tard. « Même après deux heures du matin ? demandait le baron. — Des fois. — Mais l'algèbre s'apprend aussi facilement dans un livre. — Même plus facilement, car je ne comprends pas grand-chose aux cours. — Alors ? D'ailleurs l'algèbre ne peut te servir à rien. — J'aime bien cela. Ça dissipe ma neurasthénie. » « Cela ne peut pas être l'algèbre qui lui fait demander des permissions de nuit, se disait M. de Charlus. Serait-il attaché à la police ? » En tous cas Morel, quelque objection qu'on fît, réservait certaines heures tardives, que ce fût à cause de l'algèbre ou du violon. Une fois ce ne fut ni l'un ni l'autre, mais le prince de Guermantes qui, venu passer quelques jours sur cette côte pour rendre visite à la duchesse de Luxembourg, rencontra le musicien, sans savoir qui il était, sans être davantage connu de lui, et lui offrit cinquante francs pour passer la nuit ensemble dans la maison de femmes de Maineville ; double plaisir, pour Morel, du gain reçu de M. de Guermantes et de la volupté d'être entouré de femmes dont les seins bruns se montraient à découvert. Je ne sais comment M. de Charlus eut l'idée de ce qui s'était passé et de l'endroit, mais non du séducteur. Fou de jalousie et pour connaître celui-ci, il télégraphia à Jupien qui arriva deux jours après, et quand au commencement de la semaine suivante, Morel annonça qu'il serait encore absent, le baron demanda à Jupien s'il se chargerait d'acheter la patronne de l'établissement et d'obtenir qu'on les cachât, lui et Jupien, pour assister à la scène. « C'est entendu. Je vais m'en occuper, ma petite gueule[1] », répondit Jupien au baron. On ne peut comprendre à quel point cette inquiétude agitait, et par là même avait momentanément enrichi, l'esprit de M. de Charlus. L'amour cause ainsi de véritables soulèvements géologiques de la pensée. Dans celle de M. de Charlus qui[a], il y a quelques jours, ressemblait à une plaine si uniforme qu'au plus loin il n'aurait pu apercevoir une idée au ras du sol, s'étaient brusquement dressées, dures comme la pierre, un massif de montagnes[2], mais de montagnes aussi sculptées que si quelque statuaire au lieu d'emporter le marbre l'avait ciselé sur place et où se tordaient, en groupes géants et titaniques, la Fureur, la Jalousie, la Curiosité, l'Envie, la Haine, la Souffrance, l'Orgueil, l'Épouvante et l'Amour.

Cependant le soir où Morel devait être absent était arrivé. La mission de Jupien avait réussi. Lui et le baron devaient venir vers onze heures du soir et on les cacherait. Trois rues avant d'arriver à cette magnifique maison de prostitution (où on venait de tous les environs élégants), M. de Charlus marchait sur la pointe des pieds, dissimulait sa voix, suppliait Jupien de parler moins fort, de peur que, de l'intérieur, Morel les entendît. Or, dès qu'il fut entré à pas de loup dans le vestibule, M. de Charlus, qui avait peu l'habitude de ce genre de lieux, à sa terreur et à sa stupéfaction se trouva dans un endroit plus bruyant que la Bourse ou l'Hôtel des Ventes. C'est en vain qu'il recommandait de parler plus bas à des soubrettes qui se pressaient autour de lui ; d'ailleurs leur voix même était couverte par le bruit de criées et d'adjudications que faisait une vieille « sous-maîtresse » à la perruque fort brune, au visage où craquelait la gravité d'un notaire ou d'un prêtre espagnol, et qui lançait à toutes minutes avec un bruit de tonnerre, en laissant alternativement ouvrir et refermer les portes, comme on règle la circulation des voitures : « Mettez monsieur au vingt-huit, dans la chambre espagnole. » « On ne passe plus. » « Rouvrez la porte, ces messieurs demandent Mlle Noémie[a]. Elle les attend dans le salon persan. » M. de Charlus était effrayé comme un provincial qui a à traverser les boulevards ; et pour prendre une comparaison infiniment moins sacrilège que le sujet représenté dans les chapiteaux du porche de la vieille église de Couliville[b], les voix des jeunes bonnes répétaient en plus bas, sans se lasser, l'ordre de la sous-maîtresse, comme ces cathéchismes qu'on entend les élèves psalmodier dans la sonorité d'une église de campagne. Si peur qu'il eût, M. de Charlus qui, dans la rue, tremblait d'être entendu, se persuadant que Morel était à la fenêtre, ne fut peut-être pas tout de même aussi effrayé dans le rugissement de ces escaliers immenses où on comprenait que des chambres rien ne pouvait être aperçu. Enfin au terme de son calvaire, il trouva Mlle Noémie qui devait le cacher[c] avec Jupien, mais commença par l'enfermer dans un salon persan fort somptueux d'où il ne voyait rien. Elle lui dit que Morel avait demandé à prendre une orangeade et que dès qu'on la lui aurait servie, on conduirait les deux voyageurs dans un salon transparent. En attendant, comme on la réclamait, elle leur promit, comme dans un conte, que pour leur faire passer le temps elle allait leur envoyer « une petite dame intelligente ». Car elle, on l'appelait. La petite dame intelligente avait un peignoir persan qu'elle voulait ôter. M. de Charlus lui demanda de n'en rien faire, et elle se fit monter du champagne qui coûtait quarante francs la bouteille. Morel, en réalité, pendant ce temps, était avec le prince de Guermantes ; il avait, pour la forme, fait semblant de se tromper de chambre, était entré dans une où il y avait deux femmes, lesquelles s'étaient empressées de laisser seuls les deux messieurs. M. de Charlus ignorait tout cela, mais pestait, voulait ouvrir les portes, fit redemander Mlle Noémie, laquelle[a] ayant entendu la petite dame intelligente donner à M. de Charlus des détails sur Morel non concordants avec ceux qu'elle-même avait donnés à Jupien, la fit déguerpir et envoya bientôt, pour remplacer la petite dame intelligente, « une petite dame gentille », qui ne leur montra rien de plus, mais leur dit combien la maison était sérieuse et demanda, elle aussi, du champagne. Le baron, écumant, fit revenir Mlle Noémie, qui leur dit : « Oui, c'est un peu long, ces dames prennent des poses, il n'a pas l'air d'avoir envie de rien faire. » Enfin, devant les promesses du baron, ses menaces, Mlle Noémie s'en alla d'un air contrarié en les assurant qu'ils n'attendraient pas plus de cinq minutes. Ces cinq minutes durèrent une heure, après quoi Noémie conduisit à pas de loup M. de Charlus ivre de fureur et Jupien désolé vers une porte entrebâillée en leur disant : « Vous allez très bien voir. Du reste en ce moment ce n'est pas très intéressant, il est avec trois dames, il leur raconte sa vie de régiment. » Enfin le baron put voir par l'ouverture de la porte et aussi dans les glaces. Mais une terreur mortelle le força de s'appuyer au mur. C'était bien Morel qu'il avait devant lui, mais comme si les mystères païens et les enchantements existaient encore, c'était plutôt l'ombre de Morel, Morel embaumé, pas même Morel ressuscité comme Lazare[1], une apparition de Morel, un fantôme de Morel, Morel revenant ou évoqué dans cette chambre (où partout les murs et les divans répétaient des emblèmes de sorcellerie), qui était à quelques mètres de lui, de profil.

Morel avait, comme après la mort, perdu toute couleur ; entre ces femmes avec lesquelles il semblait qu'il eût dû s'ébattre joyeusement, livide, il restait figé dans une immobilité artificielle ; pour boire la coupe de champagne qui était devant lui, son bras sans force essayait lentement de se tendre et retombait. On avait l'impression de cette équivoque qui fait qu'une religion parle d'immortalité, mais entend par là quelque chose qui n'exclut pas le néant. Les femmes le pressaient de questions : « Vous voyez, dit tout bas Mlle Noémie au baron, elles lui parlent de sa vie de régiment, c'est amusant, n'est-ce pas ? — et elle rit — vous êtes content ? Il est calme, n'est-ce pas ? » ajouta-t-elle, comme elle aurait dit d'un mourant. Les questions des femmes se pressaient mais Morel, inanimé, n'avait pas la force de leur répondre. Le miracle même d'une parole murmurée ne se produisait pas. M. de Charlus n'eut qu'un instant d'hésitation, il comprit la vérité et que, soit maladresse de Jupien quand il était allé s'entendre, soit puissance expansive des secrets confiés qui fait qu'on ne les garde jamais, soit caractère indiscret de ces femmes, soit crainte de la police, on avait prévenu Morel que deux messieurs avaient payé fort cher pour le voir, on avait fait sortir le prince de Guermantes métamorphosé en trois femmes, et placé le pauvre Morel tremblant, paralysé par la stupeur, de telle façon que, si M. de Charlus le voyait mal, lui, terrorisé, sans paroles, n'osant pas prendre son verre de peur de le laisser tomber, voyait en plein le baron[a].

L'histoire au reste ne finit pas mieux pour le prince de Guermantes. Quand on l'avait fait sortir pour que M. de Charlus ne le vît pas, furieux de sa déconvenue sans soupçonner qui en était l'auteur, il avait supplié Morel, sans toujours vouloir lui faire connaître qui il était, de lui donner rendez-vous pour la nuit suivante dans la toute petite villa qu'il avait louée et que malgré le peu de temps qu'il devait y rester, il avait, suivant la même maniaque habitude que nous avons autrefois remarquée chez Mme de Villeparisis, décorée de quantité de souvenirs de famille, pour se sentir plus chez soi. Donc le lendemain, Morel, retournant la tête à toute minute, tremblant d'être suivi et épié par M. de Charlus, avait fini n'ayant remarqué aucun passant suspect, par entrer dans la villa. Un valet le fit entrer au salon en lui disant qu'il allait prévenir Monsieur (son maître lui avait recommandé de ne pas prononcer le nom de prince de peur d'éveiller les soupçons). Mais quand Morel se trouva seul et voulut regarder, dans la glace si sa mèche n'était pas dérangée, ce fut comme une hallucination. Sur la cheminée, les photographies, reconnaissables pour le violoniste, car il les avait vues chez M. de Charlus, de la princesse de Guermantes, de la duchesse de Luxembourg, de Mme de Villeparisis, le pétrifièrent d'abord d'effroi. Au même moment il aperçut celle de M. de Charlus, laquelle était un peu en retrait. Le baron semblait immobiliser sur Morel un regard étrange et fixe. Fou de terreur, Morel, revenant de sa stupeur première, ne doutant pas que ce ne fût un guet-apens où M. de Charlus l'avait fait tomber pour éprouver s'il était fidèle, dégringola quatre à quatre les quelques marches de la villa, se mit à courir à toutes jambes sur la route et quand le prince de Guermantes (après avoir cru faire faire à une connaissance de passage le stage nécessaire, non sans s'être demandé si c'était bien prudent et si l'individu n'était pas dangereux) entra dans son salon, il n'y trouva plus personne. Il eut beau avec son valet, par crainte de cambriolage, et revolver au poing, explorer toute la maison, qui n'était pas grande, les recoins du jardinet, le sous-sol, le compagnon dont il avait cru la présence certaine avait disparu. Il le rencontra plusieurs fois au cours de la semaine suivante. Mais chaque fois c'était Morel, l'individu dangereux, qui se sauvait comme si le prince l'avait été plus encore. Buté dans ses soupçons, Morel ne les dissipa jamais, et même à Paris la vue du prince de Guermantes suffisait à le mettre en fuite. Par où M. de Charlus fut protégé d'une infidélité qui le désespérait, et vengé sans l'avoir jamais imaginé, ni surtout comment[a].

Mais déjà les souvenirs de ce qu'on m'avait raconté à ce sujet sont remplacés par d'autres, car le *T.S.N.*[b], reprenant sa marche de « tacot », continue de déposer ou de prendre les voyageurs aux stations suivantes[1].

À Grattevast[2], où[c] habitait sa sœur avec laquelle il était allé passer l'après-midi, montait quelquefois M. Pierre de Verjus, comte de Crécy[3] (qu'on appelait seulement le comte de Crécy), gentilhomme pauvre mais d'une extrême distinction, que j'avais connu par les Cambremer, avec qui il était d'ailleurs peu lié. Réduit à une vie extrêmement modeste, presque misérable, je sentais qu'un cigare, une « consommation » étaient choses si agréables pour lui que je pris l'habitude, les jours où je ne pouvais voir Albertine, de l'inviter à Balbec. Très fin et s'exprimant à merveille, tout blanc, avec de charmants yeux bleus, il parlait surtout, du bout des lèvres, très délicatement, des conforts de la vie seigneuriale, qu'il avait évidemment connus, et aussi de généalogies. Comme je lui demandais ce qui était gravé sur sa bague, il me dit avec un sourire modeste : « C'est une branche de verjus. » Et il ajouta avec un plaisir de dégustateur : « Nos armes sont une branche de verjus — symbolique puisque je m'appelle Verjus — tigellée et feuillée de sinople[1]. » Mais je crois qu'il aurait eu une déception si à Balbec je ne lui avais offert à boire que du verjus. Il aimait les vins les plus coûteux, sans doute par privation, par connaissance approfondie de ce dont il était privé, par goût, peut-être aussi par penchant exagéré. Aussi quand je l'invitais à dîner à Balbec, il commandait le repas avec une science raffinée, mais mangeait un peu trop, et surtout buvait, faisant chambrer les vins qui doivent l'être, frapper ceux qui exigent d'être dans de la glace. Avant le dîner et après, il indiquait la date ou le numéro qu'il voulait pour un porto ou une fine, comme il eût fait pour l'érection généralement ignorée d'un marquisat, mais qu'il connaissait aussi bien.

Comme j'étais pour Aimé un client préféré, il était ravi que je donnasse de ces dîners extras et criait aux garçons : « Vite, dressez la table 25 » ; il ne disait même pas « dressez » mais « dressez-moi », comme si ç'avait été pour lui. Et comme le langage des maîtres d'hôtel n'est pas tout à fait le même que celui des chefs de rang, demi-chefs, commis, etc., au moment où je demandais l'addition, il disait au garçon qui nous avait servis, avec un geste répété et apaisant du revers de la main, comme s'il voulait calmer un cheval prêt à prendre le mors aux dents : « N'allez pas trop fort (pour l'addition), allez doucement, très doucement. » Puis comme le garçon partait muni de cet aide-mémoire, Aimé, craignant que ses recommandations ne fussent pas exactement suivies, le rappelait : « Attendez, je vais chiffrer moi-même. » Et comme je lui disais que cela ne faisait rien : « J'ai pour principe que, comme on dit vulgairement, on ne doit pas estamper le client. » Quant au directeur, voyant les vêtements simples[a], toujours les mêmes, et assez usés de mon invité (et pourtant personne n'eût si bien pratiqué l'art de s'habiller fastueusement, comme un élégant de Balzac, s'il en avait eu les moyens), il se contentait, à cause de moi, d'inspecter de loin si tout allait bien, et d'un regard de faire mettre une cale sous un pied de la table qui n'était pas d'aplomb. Ce n'est pas qu'il n'eût su, bien qu'il cachât ses débuts comme plongeur, mettre la main à la pâte comme un autre. Il fallut pourtant une circonstance exceptionnelle pour qu'un jour il découpât lui-même les dindonneaux. J'étais sorti mais j'ai su qu'il l'avait fait avec une majesté sacerdotale, entouré, à distance respectueuse du dressoir, d'un cercle de garçons qui cherchaient par là moins à apprendre qu'à se faire bien voir, et avaient un air béat d'admiration. Vus d'ailleurs par le directeur (plongeant d'un geste lent dans le flanc des victimes et n'en détachant pas plus ses yeux pénétrés de sa haute fonction que s'il avait dû y lire quelque augure), ils ne le furent nullement. Le sacrificateur ne s'aperçut même pas de mon absence. Quand il l'apprit, elle le désola. « Comment, vous ne m'avez pas vu découper moi-même les dindonneaux ? » Je lui répondis que n'ayant pu voir jusqu'ici Rome, Venise, Sienne, le Prado, le musée de Dresde, les Indes, Sarah dans *Phèdre*, je connaissais la résignation et que j'ajouterais son découpage des dindonneaux à ma liste. La comparaison avec l'art dramatique (Sarah dans *Phèdre*) fut la seule qu'il parut comprendre, car il savait par moi que, les jours de grandes représentations, Coquelin aîné[1] avait accepté des rôles de débutant, celui même d'un personnage qui ne dit qu'un mot ou ne dit rien. « C'est égal, je suis désolé pour vous. Quand est-ce que je découperai de nouveau ? Il faudrait un événement, il faudrait une guerre. » (Il fallut en effet l'armistice.) Depuis ce jour-là le calendrier fut changé, on compta ainsi : « C'est le lendemain du jour où j'ai découpé moi-même les dindonneaux. » « C'est juste huit jours après que le directeur a découpé lui-même les dindonneaux. » Ainsi cette prosectomie donna-t-elle, comme la naissance du Christ ou l'Hégire, le point de départ d'un calendrier différent des autres, mais qui ne prit pas leur extension et n'égala pas leur durée.

La tristesse de la vie[b] de M. de Crécy venait, tout autant que de ne plus avoir de chevaux et une table succulente, de ne voisiner qu'avec des gens qui pouvaient croire que Cambremer et Guermantes étaient tout un. Quand il vit que je savais que Legrandin, lequel se faisait maintenant appeler Legrand de Méséglise, n'y avait aucune espèce de droit, allumé d'ailleurs[a] par le vin qu'il buvait, il eut une espèce de transport de joie. Sa sœur me disait d'un air entendu : « Mon frère n'est jamais si heureux que quand il peut causer avec vous. » Il se sentait en effet exister depuis qu'il avait découvert quelqu'un qui savait la médiocrité des Cambremer et la grandeur des Guermantes, quelqu'un pour qui l'univers social existait. Tel, après l'incendie de toutes les bibliothèques du globe et l'ascension d'une race entièrement ignorante, un vieux latiniste reprendrait pied et confiance dans la vie en entendant quelqu'un lui citer un vers d'Horace. Aussi, s'il ne quittait jamais le wagon sans me dire : « À quand notre petite réunion ? » c'était, autant que par avidité[b] de parasite, par gourmandise d'érudit, et parce qu'il considérait les agapes de Balbec comme une occasion de causer, en même temps, des sujets qui lui étaient chers et dont il ne pouvait parler avec personne, et analogues en cela à ces dîners où se réunit à dates fixes, devant la table particulièrement succulente du Cercle de l'union[1], la Société des bibliophiles[2]. Très modeste en ce qui concernait sa propre famille, ce ne fut pas par M. de Crécy que j'appris qu'elle était très grande et un authentique rameau détaché en France de la famille anglaise qui porte le titre de Crécy. Quand je sus qu'il était un vrai Crécy, je lui racontai qu'une nièce de Mme de Guermantes avait épousé un Américain du nom de Charles Crécy et lui dis que je pensais qu'il n'avait aucun rapport avec lui. « Aucun, me dit-il. Pas plus — bien, du reste, que ma famille n'ait pas autant d'illustration — que beaucoup d'Américains qui s'appellent Montgommery, Berry, Chandos ou Capel, n'ont de rapport avec les familles de Pembroke, de Buckingham, d'Essex[3], ou avec le duc de Berry[4]. » Je pensai plusieurs fois à lui dire, pour l'amuser, que je connaissais Mme Swann qui comme cocotte, était connue autrefois sous le nom d'Odette de Crécy ; mais, bien que le duc d'Alençon n'eût pu se froisser qu'on parlât avec lui d'Émilienne d'Alençon[5], je ne me sentis pas assez lié avec M. de Crécy pour conduire avec lui la plaisanterie jusque-là. « Il est[c] d'une très grande famille, me dit un jour M. de Montsurvent. Son patronyme est Saylor[a]. » Et il ajouta que sur son vieux castel au-dessus d'Incarville, d'ailleurs devenu presque inhabitable et que, bien que né fort riche, il était aujourd'hui trop ruiné pour réparer, se lisait encore l'antique devise de la famille. Je trouvai cette devise très belle, qu'on l'appliquât soit à l'impatience d'une race de proie nichée dans cette aire d'où elle devait jadis prendre son vol, soit, aujourd'hui, à la contemplation du déclin, à l'attente de la mort prochaine dans cette retraite dominante et sauvage. C'est en ce double sens en effet que joue avec le nom de Saylor cette devise qui est : « Ne sçais l'heure[b1]. »

À Hermonville[c] montait quelquefois M. de Chevregny, dont le nom, nous dit Brichot, signifiait comme celui de Mgr de Cabrières, « lieu où s'assemblent les chèvres ». Il était parent des Cambremer, et à cause de cela, et par une fausse appréciation de l'élégance, ceux-ci l'invitaient souvent à Féterne, mais seulement quand ils n'avaient pas d'invités à éblouir. Vivant toute l'année à Beausoleil, M. de Chevregny était resté plus provincial qu'eux. Aussi quand il allait passer quelques semaines à Paris, il n'y avait pas un seul jour de perdu pour tout ce qu'« il y avait à voir » ; c'était au point que parfois, un peu étourdi par le nombre de spectacles trop rapidement digérés, quand on lui demandait s'il avait vu une certaine pièce, il lui arrivait de n'en être plus bien sûr. Mais ce vague[d] était rare, car il connaissait les choses de Paris avec ce détail particulier aux gens qui y viennent rarement. Il me conseillait les « nouveautés » à aller voir (« Cela en vaut la peine »), ne les considérant du reste qu'au point de vue de la bonne soirée qu'elles font passer, et ignorant du point de vue esthétique jusqu'à ne pas se douter qu'elles pouvaient en effet constituer parfois une « nouveauté » dans l'histoire de l'art. C'est ainsi que parlant de tout sur le même plan il nous disait : « Nous sommes allés une fois à l'Opéra-Comique, mais le spectacle n'est pas fameux. Cela s'appelle *Pelléas et Mélisande.* C'est insignifiant. Périer[2] joue toujours bien, mais il vaut mieux le voir dans autre chose. En revanche, au Gymnase[3] on donne *La Châtelaine*[4]. Nous y sommes retournés deux fois ; ne manquez pas d'y aller, cela mérite d'être vu ; et puis c'est joué à ravir ; vous avez Frévalles[5], Marie Magnier[6], Baron fils[7] » ; il me citait[e] même des noms d'acteurs que je n'avais jamais entendu prononcer, et sans les faire précéder de monsieur, madame ou mademoiselle, comme eût fait le duc de Guermantes, lequel parlait du même ton[a] cérémonieusement méprisant des « chansons de mademoiselle Yvette Guilbert[1] » et des « expériences de monsieur Charcot[2] ». M. de Chevregny n'en usait pas ainsi, il disait Cornaglia[3] et Dehelly[4], comme il eût dit Voltaire et Montesquieu. Car chez lui à l'égard des acteurs comme de tout ce qui était parisien, le désir de se montrer dédaigneux qu'avait l'aristocrate était vaincu par celui de paraître familier qu'avait le provincial.

Dès après le premier dîner[b] que j'avais fait à La Raspelière avec ce qu'on appelait encore à Féterne « le jeune ménage », bien que[c] M. et Mme de Cambremer ne fussent plus, tant s'en fallait, de la première jeunesse, la vieille marquise m'avait écrit une de ces lettres dont on eût reconnu l'écriture[d] entre des milliers. Elle me disait : « Amenez votre cousine délicieuse — charmante — agréable. Ce sera un enchantement, un plaisir », manquant toujours[e] avec une telle infaillibilité la progression attendue par celui qui recevait sa lettre que je finis par changer d'avis sur la nature de ces *diminuendo,* par les croire voulus, et y trouver la même dépravation du goût — transposée dans l'ordre mondain — qui poussait Sainte-Beuve à briser toutes les alliances de mots, à altérer toute expression un peu habituelle[5]. Deux méthodes enseignées sans doute par des maîtres différents se contrariaient dans ce style épistolaire, la deuxième faisant racheter à Mme de Cambremer la banalité des adjectifs multiples en les employant en gamme descendante, en évitant de finir sur l'accord parfait. En revanche, je penchais à voir dans ces gradations inverses, non plus du raffinement comme quand elles étaient l'œuvre de la marquise douairière, mais de la maladresse toutes les fois qu'elles étaient employées par le marquis son fils ou par ses cousines. Car dans toute la famille, jusqu'à un degré assez éloigné et par une imitation admirative de tante Zélia, la règle des trois adjectifs était très en honneur de même qu'une certaine manière enthousiaste de reprendre sa respiration en parlant. Imitation passée dans le sang d'ailleurs ; et quand dans la famille une petite fille, dès son enfance, s'arrêtait en parlant pour avaler sa salive, on disait : « Elle tient de tante Zélia », on sentait que plus tard ses lèvres tendraient assez vite à s'ombrager d'une légère moustache et on se promettait de cultiver chez elle les dispositions qu'elle aurait pour la musique. Les relations des Cambremer ne tardèrent pas à être moins parfaites avec Mme Verdurin qu'avec moi, pour différentes raisons. Ils voulaient inviter celle-ci. La « jeune » marquise me disait dédaigneusement : « Je ne vois pas pourquoi nous ne l'inviterions pas, cette femme ; à la campagne on voit n'importe qui, ça ne tire pas à conséquence. » Mais au fond assez impressionnés ils ne cessaient de me consulter sur la façon dont ils devaient réaliser leur désir de politesse. Comme ils[a] nous avaient invités à dîner, Albertine et moi, avec des amis de Saint-Loup, gens élégants de la région, propriétaires du château de Gourville et qui représentaient un peu plus que le gratin normand, dont Mme Verdurin, sans avoir l'air d'y toucher, était friande, je conseillai aux Cambremer d'inviter avec eux la Patronne. Mais les châtelains de Féterne, par crainte (tant ils étaient timides) de mécontenter leurs nobles amis, ou (tant ils étaient naïfs) que M. et Mme Verdurin s'ennuyassent avec des gens qui n'étaient pas des intellectuels, ou encore (comme ils étaient imprégnés d'un esprit de routine que l'expérience n'avait pas fécondé) de mêler les genres et de commettre un « impair », déclarèrent que cela ne corderait[1] pas ensemble, que cela ne « bicherait » pas et qu'il valait mieux réserver Mme Verdurin (qu'on inviterait avec tout son petit groupe) pour un autre dîner. Pour le prochain — l'élégant, avec les amis de Saint-Loup — ils ne convièrent du petit noyau que Morel, afin que M. de Charlus fût indirectement informé des gens brillants qu'ils recevaient, et aussi que le musicien fût un élément de distraction pour les invités, car on lui demanderait d'apporter son violon. On lui adjoignit Cottard, parce que M. de Cambremer déclara qu'il avait de l'entrain et « faisait bien » dans un dîner ; puis que cela pourrait être commode d'être en bons termes avec un médecin si on avait jamais quelqu'un de malade. Mais on l'invita seul, pour ne « rien commencer avec la femme ». Mme Verdurin fut outrée quand elle apprit que deux membres du petit groupe étaient invités sans elle à dîner à Féterne « en petit comité ». Elle dicta au docteur, dont le premier mouvement avait été d'accepter, une fière réponse où il disait : « *Nous* dînons ce soir-là chez Mme Verdurin », pluriel qui devait être une leçon pour les Cambremer et leur montrer qu'il n'était pas séparable de Mme Cottard. Quant à Morel, Mme Verdurin n'eut pas besoin de lui tracer une conduite impolie, qu'il tint spontanément, voici pourquoi. S'il avait, à l'égard de M. de Charlus, en ce qui concernait ses plaisirs, une indépendance qui affligeait le baron, nous avons vu que l'influence de ce dernier se faisait sentir davantage dans d'autres domaines et qu'il avait par exemple élargi les connaissances musicales et rendu plus pur le style du virtuose. Mais ce n'était encore, au moins à ce point de notre récit, qu'une influence. En revanche, il y avait un terrain sur lequel ce que disait M. de Charlus était aveuglément cru et exécuté par Morel. Aveuglément et follement, car non seulement les enseignements de M. de Charlus étaient faux, mais encore, eussent-ils été valables pour un grand seigneur, appliqués à la lettre par Morel ils devenaient burlesques. Le terrain où Morel devenait si crédule et était si docile à son maître, c'était le terrain mondain. Le violoniste qui avant de connaître M. de Charlus, n'avait aucune notion du monde, avait pris à la lettre l'esquisse hautaine et sommaire que lui en avait tracée le baron : « Il y a un certain nombre de familles prépondérantes, lui avait dit M. de Charlus, avant tout les Guermantes, qui comptent quatorze alliances avec la Maison de France, ce qui est d'ailleurs surtout flatteur pour la Maison de France, car c'était à Aldonce de Guermantes et non à Louis le Gros, son frère consanguin mais puîné, qu'aurait dû revenir le trône de France[1]. Sous Louis XIV, nous[a] drapâmes à la mort de Monsieur[2], comme ayant la même grand-mère que le roi[3]. Fort au-dessous des Guermantes, on peut cependant citer les La Trémoïlle, descendants des rois de Naples et des comtes de Poitiers[4] ; les d'Uzès, peu anciens comme famille mais qui sont les plus anciens pairs[5] ; les Luynes, tout à fait récents, mais avec l'éclat de grandes alliances[6] ; les Choiseul[7], les Harcourt[8], les La Rochefoucauld[9]. Ajoutez[b] encore les Noailles, malgré le comte de Toulouse[10], les Montesquiou[11], les Castellane[12], et sauf oubli, c'est tout[13]. Quant à tous les petits messieurs qui s'appellent marquis de Cambremerde ou de Fatefairefiche[14], il n'y a aucune différence entre eux et le dernier pioupiou de votre régiment. Que vous alliez faire pipi chez la comtesse Caca[15], ou caca chez la baronne Pipi, c'est la même chose, vous aurez compromis votre réputation et pris un torchon breneux comme papier hygiénique. Ce qui est malpropre. » Morel avait recueilli pieusement cette leçon d'histoire, peut-être un peu sommaire ; il jugeait les choses comme s'il était lui-même un Guermantes et souhaitait une occasion de se trouver avec les faux La Tour d'Auvergne[1] pour leur faire sentir par une poignée de main dédaigneuse, qu'il ne les prenait guère au sérieux. Quant aux Cambremer, justement voici qu'il pouvait leur témoigner qu'ils n'étaient pas « plus que le dernier pioupiou de son régiment ». Il ne répondit pas à leur invitation, et le soir du dîner s'excusa à la dernière heure par un télégramme, ravi comme s'il venait d'agir en prince du sang. Il faut du reste ajouter qu'on ne peut imaginer combien, d'une façon plus générale, M. de Charlus pouvait être insupportable, tatillon, et même, lui si fin, bête, dans toutes les occasions où entraient en jeu les défauts de son caractère. On peut dire en effet que ceux-ci sont comme une maladie intermittente de l'esprit. Qui n'a remarqué le fait sur des femmes, et même des hommes, doués d'intelligence remarquable, mais affligés de nervosité ? Quand ils sont heureux, calmes, satisfaits de leur entourage, ils font admirer leurs dons précieux ; c'est à la lettre la vérité qui parle par leur bouche. Une migraine, une petite pique d'amour-propre suffit à tout changer. La lumineuse intelligence, brusque, convulsive et rétrécie, ne reflète plus qu'un moi irrité, soupçonneux, coquet, faisant tout ce qu'il faut pour déplaire. La colère des Cambremer fut vive ; et dans l'intervalle d'autres incidents amenèrent une certaine tension dans leurs rapports avec le petit clan. Comme nous revenions, les Cottard[a], Charlus, Brichot, Morel et moi, d'un dîner à La Raspelière et que les Cambremer qui avaient déjeuné chez des amis à Arembouville, avaient fait à l'aller une partie du trajet avec nous : « Vous qui aimez tant Balzac et savez le reconnaître dans la société contemporaine, avais-je dit à M. de Charlus, vous devez trouver que ces Cambremer sont échappés des *Scènes de la vie de province*[2]. » Mais M. de Charlus, absolument comme s'il avait été leur ami et si je l'eusse froissé par ma remarque, me coupa brusquement la parole : « Vous dites cela parce que la femme est supérieure au mari, me dit-il d'un ton sec. — Oh ! je ne voulais pas dire que c'était la Muse du département[1], ni Madame de Bargeton[2], bien que... » M. de Charlus m'interrompit encore : « Dites plutôt Madame de Mortsauf[3]. » Le train s'arrêta[a] et Brichot descendit. « Nous avions beau vous faire des signes, vous êtes terrible. — Comment cela ? — Voyons, ne vous êtes-vous pas aperçu que Brichot est amoureux fou de Mme de Cambremer ? » Je vis par l'attitude des Cottard et de Charlie que cela ne faisait pas l'ombre d'un doute dans le petit noyau. Je crus qu'il y avait de la malveillance de leur part. « Voyons, vous n'avez pas remarqué comme il a été troublé quand vous avez parlé d'elle », reprit M. de Charlus, qui aimait montrer qu'il avait l'expérience des femmes et parlait du sentiment qu'elles inspirent d'un air naturel et comme si ce sentiment était celui qu'il éprouvait lui-même habituellement. Mais un certain ton d'équivoque paternité avec tous les jeunes gens — malgré son amour exclusif pour Morel — démentit par le ton les vues d'homme à femmes qu'il émettait : « Oh ! ces enfants, dit-il, d'une voix aiguë, mièvre et cadencée, il faut tout leur apprendre, ils sont innocents comme l'enfant qui vient de naître, ils ne savent pas reconnaître quand un homme est amoureux d'une femme. À votre âge j'étais plus dessalé que cela », ajouta-t-il, car il aimait employer les expressions du monde apache, peut-être par goût, peut-être pour ne pas avoir l'air, en les évitant, d'avouer qu'il fréquentait ceux dont c'était le vocabulaire courant. Quelques jours plus tard, il fallut bien me rendre à l'évidence et reconnaître que Brichot était épris de la marquise. Malheureusement il accepta plusieurs déjeuners chez elle. Mme Verdurin estima qu'il était temps de mettre le holà. En dehors de l'utilité qu'elle voyait à une intervention pour la politique du petit noyau, elle prenait à ces sortes d'explications et aux drames qui en sortaient un goût[b] de plus en plus vif et que l'oisiveté fait naître, aussi bien que dans le monde aristocratique, dans la bourgeoisie. Ce fut un jour de grande émotion à La Raspelière quand on vit Mme Verdurin disparaître pendant une heure avec Brichot, à qui on sut qu'elle avait dit que Mme de Cambremer se moquait de lui, qu'il était la fable de son salon, qu'il allait déshonorer sa vieillesse, compromettre sa situation dans l'enseignement. Elle alla jusqu'à lui parler en termes touchants de la blanchisseuse avec qui il vivait à Paris, et de leur petite fille. Elle l'emporta, Brichot cessa d'aller à Féterne[a], mais son chagrin fut tel que pendant deux jours on crut qu'il allait perdre complètement la vue, et sa maladie en tous cas avait fait un bond en avant qui resta acquis. Cependant les Cambremer, dont la colère contre Morel était grande, invitèrent une fois, et tout exprès, M. de Charlus, mais sans lui. Ne recevant pas de réponse du baron, ils craignirent d'avoir fait une gaffe, et trouvant que la rancune est mauvaise conseillère, écrivirent un peu tardivement à Morel, platitude qui fit sourire M. de Charlus en lui montrant son pouvoir. « Vous répondrez pour[b] nous deux que j'accepte », dit le baron à Morel. Le jour du dîner venu, on attendait dans le grand salon de Féterne. Les Cambremer donnaient en réalité le dîner pour la fleur de chic qu'étaient M. et Mme Féré[c]. Mais ils craignaient tellement de déplaire à M. de Charlus que, bien qu'ayant connu les Féré par M. de Chevregny, Mme de Cambremer se sentit la fièvre quand le jour du dîner elle vit celui-ci venir leur faire une visite à Féterne. On inventa tous les prétextes pour le renvoyer à Beausoleil au plus vite, pas assez pourtant pour qu'il ne croisât pas dans la cour les Féré, qui furent aussi choqués de le voir chassé que lui honteux. Mais coûte que coûte les Cambremer voulaient épargner à M. de Charlus la vue de M. de Chevregny, jugeant celui-ci provincial à cause de nuances qu'on néglige en famille, mais dont on ne tient compte que vis-à-vis des étrangers, qui sont précisément les seuls qui ne s'en apercevraient pas. Mais on n'aime pas leur montrer les parents qui sont restés ce que l'on s'est efforcé de cesser d'être. Quant à M. et Mme Féré, ils étaient au plus haut degré de ce qu'on appelle des gens « très bien ». Aux yeux de ceux qui les qualifiaient ainsi, sans doute les Guermantes, les Rohan et bien d'autres étaient aussi des gens très bien, mais leur nom dispensait de le dire. Comme tout le monde ne savait pas la grande naissance de la mère de M. Féré, ni de la mère de Mme Féré, et le cercle[d] extraordinairement fermé qu'elle et son mari fréquentaient, quand on venait de les nommer, pour expliquer on ajoutait toujours que c'était des gens « tout ce qu'il y a de mieux ». Leur nom obscur leur dictait-il une sorte de hautaine réserve ? Toujours est-il que les Féré ne voyaient pas des gens que des La Trémoïlle auraient fréquentés. Il avait fallu la situation de reine du bord de la mer, que la vieille marquise de Cambremer avait dans la Manche[1], pour que les Féré vinssent à une de ses matinées chaque année. On les avait invités[a] à dîner et on comptait beaucoup sur l'effet qu'allait produire sur eux M. de Charlus. On annonça discrètement qu'il était au nombre des convives. Par hasard Mme Féré ne le connaissait pas. Mme de Cambremer en ressentit une vive satisfaction, et le sourire du chimiste qui va mettre en rapport pour la première fois deux corps particulièrement importants erra sur son visage. La porte s'ouvrit et Mme de Cambremer faillit se trouver mal en voyant Morel entrer seul. Comme un secrétaire des commandements chargé d'excuser son ministre, comme une épouse morganatique qui exprime le regret qu'a le prince d'être souffrant (ainsi en usait Mme de Clinchamp à l'égard du duc d'Aumale[2]), Morel dit du ton le plus léger : « Le baron ne pourra pas venir. Il est un peu indisposé, du moins je crois que c'est pour cela ; je ne l'ai pas rencontré cette semaine », ajouta-t-il, désespérant jusque par ces dernières paroles Mme de Cambremer qui avait dit à M. et Mme Féré que Morel voyait M. de Charlus à toutes les heures du jour. Les Cambremer feignirent[b] que l'absence du baron était un agrément de plus à la réunion et sans se laisser entendre de Morel, disaient à leurs invités : « Nous nous passerons de lui, n'est-ce pas ? ce ne sera que plus agréable. » Mais ils étaient furieux, soupçonnèrent une cabale montée par Mme Verdurin, et du tac au tac, quand celle-ci les réinvita à La Raspelière, M. de Cambremer, ne pouvant résister au plaisir de revoir sa maison et de se retrouver dans le petit groupe, vint, mais seul, en disant que la marquise était désolée, mais que son médecin lui avait ordonné de garder la chambre. Les Cambremer crurent par cette demi-présence à la fois donner une leçon à M. de Charlus et montrer aux Verdurin qu'ils n'étaient tenus envers eux qu'à une politesse limitée, comme les princesses du sang autrefois reconduisaient les duchesses, mais seulement jusqu'à la moitié de la seconde chambre. Au bout de quelques semaines ils étaient à peu près brouillés. M. de Cambremer m'en donnait ces explications : « Je vous dirai qu'avec M. de Charlus c'était difficile. Il est extrêmement dreyfusard... — Mais non ! — Si..., en tous cas son cousin le prince de Guermantes l'est, on leur jette assez la pierre pour ça. J'ai des parents très à l'œil là-dessus. Je ne peux pas fréquenter ces gens-là, je me brouillerais avec toute ma famille. — Puisque le prince de Guermantes est dreyfusard, cela ira d'autant mieux, dit Mme de Cambremer, que Saint-Loup qui, dit-on, épouse sa nièce, l'est aussi[a]. C'est même peut-être la raison du mariage. — Voyons, ma chère, ne dites pas que Saint-Loup que nous aimons beaucoup est dreyfusard. On ne doit pas répandre ces allégations à la légère, dit M. de Cambremer. Vous le feriez bien voir dans l'armée ! — Il l'a été, mais il ne l'est plus, dis-je à M. de Cambremer. Quant à son mariage avec Mlle de Guermantes-Brassac, est-ce vrai ? — On ne parle que de ça, mais vous êtes bien placé pour le savoir. — Mais je vous répète qu'il me l'a dit à moi-même qu'il était dreyfusard, dit Mme de Cambremer. C'est du reste très excusable, les Guermantes sont à moitié allemands. — Pour les Guermantes de la rue de Varenne, vous pouvez dire tout à fait, dit Cancan. Mais Saint-Loup, c'est une autre paire de manches ; il a beau avoir toute une parenté allemande, son père revendiquait avant tout son titre de grand seigneur français, il a repris du service en 1871 et a été tué pendant la guerre de la plus belle façon. J'ai beau être très à cheval là-dessus, il ne faut pas faire d'exagération ni dans un sens ni dans l'autre. *In medio... virtus*[1], ah ! je ne peux pas me rappeler. C'est quelque chose que dit le docteur Cottard. En voilà un qui a toujours le mot. Vous devriez avoir ici un Petit Larousse. » Pour éviter de se prononcer sur la citation latine et abandonner le sujet de Saint-Loup, où son mari semblait trouver qu'elle manquait de tact, Mme de Cambremer se rabattit sur la Patronne dont la brouille avec eux était encore plus nécessaire à expliquer. « Nous avons loué volontiers La Raspelière à Mme Verdurin, dit la marquise. Seulement elle a eu l'air de croire qu'avec la maison et tout ce qu'elle a trouvé le moyen de se faire attribuer, la jouissance du pré, les vieilles tentures, toutes choses qui n'étaient nullement dans le bail, elle aurait en plus le droit d'être liée avec nous. Ce sont des choses absolument distinctes. Notre tort est de n'avoir pas fait faire les choses simplement par un gérant ou par une agence. À Féterne ça n'a pas d'importance, mais je vois d'ici la tête que ferait ma tante de Ch'nouville si elle voyait[b] s'amener, à mon jour, la mère Verdurin avec ses cheveux en l'air. Pour M. de Charlus, naturellement, il connaît des gens très bien, mais il en connaît aussi de très mal. » Je demandai qui.

Pressée[a] de questions, Mme de Cambremer finit par dire[b] : « On prétend que c'est lui qui faisait vivre un monsieur Moreau, Morille, Morue, je ne sais plus. Aucun rapport, bien entendu, avec Morel, le violoniste, ajouta-t-elle en rougissant. Quand j'ai senti que Mme Verdurin s'imaginait que parce qu'elle était notre locataire dans la Manche, elle aurait le droit de me faire des visites à Paris, j'ai compris qu'il fallait couper le câble. »

Malgré cette brouille avec la Patronne, les Cambremer n'étaient pas mal avec les fidèles, et montaient volontiers dans notre wagon quand ils étaient sur la ligne. Quand on était sur le point d'arriver à Douville[c], Albertine, tirant une dernière fois son miroir, trouvait quelquefois utile de changer ses gants ou d'ôter un instant son chapeau et avec le peigne d'écaille que je lui avais donné et qu'elle avait dans les cheveux, elle en lissait les coques, en relevait le bouffant, et s'il était nécessaire, au-dessus des ondulations qui descendaient en vallées régulières jusqu'à la nuque, remontait son chignon. Une fois dans les voitures qui nous attendaient, on ne savait plus du tout où on se trouvait ; les routes n'étaient pas éclairées ; on reconnaissait au bruit plus fort des roues qu'on traversait un village, on se croyait arrivé, on se retrouvait en pleins champs, on entendait des cloches lointaines, on oubliait qu'on était en smoking, et on s'était presque assoupi quand au bout de cette longue marge d'obscurité qui à cause de la distance parcourue et des incidents caractéristiques de tout trajet en chemin de fer, semblait nous avoir portés jusqu'à une heure avancée de la nuit et presque à moitié chemin d'un retour vers Paris[1], tout à coup, après que le glissement de la voiture sur un sable plus fin avait décelé qu'on venait d'entrer dans le parc, explosaient, nous réintroduisant dans la vie mondaine, les éclatantes lumières du salon, puis de la salle à manger où nous éprouvions un vif mouvement de recul en entendant sonner ces huit heures que nous croyions passées depuis longtemps, tandis que les services nombreux et les vins fins allaient se succéder autour des hommes en frac et des femmes à demi décolletées, en un dîner rutilant de clarté comme un véritable dîner en ville et qu'entourait seulement, changeant par là son caractère, la double écharpe sombre et singulière qu'avaient tissée, détournées par cette utilisation mondaine de leur solennité première, les heures nocturnes, champêtres et marines de l'aller et du retour. Celui-ci nous forçait en effet à quitter la splendeur rayonnante et vite oubliée du salon lumineux, pour les voitures où je m'arrangeais à être avec Albertine afin que mon amie ne pût être avec d'autres sans moi, et souvent pour une autre cause encore, qui eſt que nous pouvions tous deux faire bien des choses dans une voiture noire où les heurts de la descente nous excusaient d'ailleurs, au cas où un brusque rayon filtrerait, d'être cramponnés l'un à l'autre. Quand M. de Cambremer n'était pas encore brouillé avec les Verdurin, il me demandait : « Vous ne croyez pas, avec ce brouillard-là, que vous allez avoir vos étouffements ? Ma sœur en a eu de terribles ce matin. Ah ! vous en avez eu aussi[a], disait-il avec satisfaction. Je le lui dirai ce soir. Je sais qu'en rentrant elle s'informera tout de suite s'il y a longtemps que vous ne les avez pas eus. » Il ne me parlait d'ailleurs des miens que pour arriver à ceux de sa sœur, et ne me faisait décrire les particularités des premiers que[b] pour mieux marquer les différences qu'il y avait entre les deux. Mais malgré celles-ci, comme les étouffements de sa sœur lui paraissaient devoir faire autorité, il ne pouvait croire que ce qui « réussissait » aux siens ne fût pas indiqué pour les miens et il s'irritait que je n'en essayasse pas, car il y a une chose plus difficile encore que de s'aſtreindre à un régime, c'eſt de ne pas l'imposer aux autres. « D'ailleurs, que dis-je, moi profane, quand vous êtes ici devant l'aréopage[1], à la source. Qu'en pense le professeur Cottard ? »

Je revis[c] du reſte sa femme une autre fois parce qu'elle avait dit que ma « cousine » avait un drôle de genre et que je voulus savoir ce qu'elle entendait par là. Elle nia l'avoir dit, mais finit par avouer qu'elle avait parlé d'une personne qu'elle avait cru rencontrer avec ma cousine. Elle ne savait pas son nom et dit finalement que si elle ne se trompait pas, c'était la femme d'un banquier, laquelle s'appelait Lina, Linette, Lisette, Lia, enfin quelque chose de ce genre. Je pensais que « femme d'un banquier » n'était mis que pour plus de démarquage. Je voulus demander à Albertine si c'était vrai. Mais j'aimais mieux avoir l'air de celui qui sait que de celui qui queſtionne. D'ailleurs Albertine ne m'eût rien répondu, ou un « non » dont le « n » eût été trop hésitant et le « on » trop éclatant. Albertine ne racontait jamais de faits pouvant lui faire du tort, mais d'autres qui ne pouvaient s'expliquer que par les premiers, la vérité étant plutôt un courant qui part de ce qu'on nous dit et qu'on capte, tout invisible qu'il soit, que la chose même qu'on nous a dite. Ainsi quand je lui assurai qu'une femme qu'elle avait connue à Vichy avait mauvais genre, elle me jura que cette femme n'était nullement ce que je croyais et n'avait jamais essayé de lui faire faire le mal. Mais elle ajouta un autre jour, comme je parlais de ma curiosité de ce genre de personnes, que la dame de Vichy avait une amie ainsi qu'Albertine[a] ne connaissait pas, mais que la dame lui avait « *promis* de lui faire connaître ». Pour qu'elle le lui eût promis, c'était donc qu'Albertine le désirait, ou que la dame avait, en le lui offrant, su lui faire plaisir. Mais si je l'avais objecté à Albertine, j'aurais eu l'air de ne tenir mes révélations que d'elle, je les aurais arrêtées aussitôt, je n'eusse plus rien su, j'eusse cessé de me faire craindre. D'ailleurs nous étions à Balbec, la dame de Vichy et son amie habitaient Menton ; l'éloignement, l'impossibilité du danger eut tôt fait de détruire mes soupçons.

Souvent[b] quand M. de Cambremer m'interpellait de la gare, je venais avec Albertine de profiter des ténèbres, et avec d'autant plus de peine que celle-ci s'était un peu débattue, craignant qu'elles ne fussent pas assez complètes. « Vous savez que je suis sûre que Cottard nous a vus ; du reste même sans voir il a bien entendu votre voix[c] étouffée, juste au moment où on parlait de vos étouffements d'un autre genre », me disait Albertine en arrivant à la gare de Douville[d] où nous reprenions le petit chemin de fer pour le retour. Mais ce retour, de même que l'aller, si, en me donnant quelque impression de poésie, il réveillait en moi le désir de faire des voyages, de mener une vie nouvelle, et me faisait par là souhaiter d'abandonner tout projet de mariage avec Albertine, et même de rompre définitivement nos relations, me rendait aussi, et à cause même de leur nature contradictoire, cette rupture plus facile. Car au retour aussi bien qu'à l'aller, à chaque station montaient avec nous ou nous disaient bonjour du quai des gens de connaissance ; sur les plaisirs furtifs de l'imagination dominaient ceux, continuels, de la sociabilité, qui sont si apaisants, si endormeurs. Déjà, avant les stations elles-mêmes, leurs noms (qui m'avaient tant fait rêver depuis le jour où je les avais entendus, le premier soir où j'avais voyagé avec ma grand-mère) s'étaient humanisés, avaient perdu leur singularité depuis le soir où Brichot, à la prière d'Albertine[1], nous en avait plus complètement expliqué les étymologies. J'avais trouvé charmant la fleur qui terminait certains noms, comme Fiquefleur, Honfleur, Flers, Barfleur, Harfleur, etc., et amusant le bœuf qu'il y a à la fin de Bricquebœuf. Mais la fleur disparut et aussi le bœuf, quand Brichot (et cela, il me l'avait dit le premier jour dans le train) nous apprit que « fleur » veut dire « port » (comme *fiord*) et que « bœuf », en normand *budh,* signifie « cabane[2] ». Comme il citait plusieurs exemples, ce qui m'avait paru particulier se généralisait : Bricquebœuf allait rejoindre Elbeuf, et même dans un nom au premier abord aussi individuel que le lieu, comme le nom de Pennedepie, où les étrangetés les plus impossibles à élucider par la raison me semblaient amalgamées depuis un temps immémorial en un vocable vilain, savoureux et durci comme certain fromage normand je fus désolé de retrouver le *pen* gaulois qui signifie « montagne » et se retrouve aussi bien dans Penmarch[a] que dans les Apennins[3]. Comme à chaque arrêt du train je sentais que nous aurions des mains amies à serrer, sinon des visites à recevoir, je disais à Albertine : « Dépêchez-vous de demander à Brichot les noms que vous voulez savoir. Vous m'aviez parlé de Marcouville-l'Orgueilleuse[b]. — Oui, j'aime beaucoup cet orgueil, c'est un village fier, dit Albertine. — Vous le trouveriez, répondit Brichot, plus fier encore si au lieu de sa forme française, ou même de basse latinité telle qu'on la trouve dans le cartulaire de l'évêque de Bayeux, *Marcovilla superba*[c], vous preniez la forme plus ancienne, plus voisine du normand, *Marculphivilla superba,* le village, le domaine de Merculph[4]. Dans presque tous ces noms qui se terminent en *ville*, vous pourriez voir[d] encore dressé sur cette côte, le fantôme des rudes envahisseurs normands[5]. À Hermonville[e], vous n'avez eu, debout à la portière du wagon, que notre excellent docteur qui, évidemment, n'a rien d'un chef norois. Mais en fermant les yeux vous pourriez voir l'illustre[f] Herimund (*Herimundivilla*[6]). Bien que, je ne sais pourquoi, on[g] aille sur ces routes-ci, comprises entre Loigny et Balbec-Plage, plutôt que sur celles, fort pittoresques, qui conduisent de Loigny au vieux Balbec, Mme Verdurin vous a peut-être promenés de ce côté-là en voiture. Alors vous avez vu Incarville ou village de Wiscar, et Tourville[a], avant d'arriver chez Mme Verdurin, c'est le village de Turold[1]. D'ailleurs il n'y eut pas que des Normands. Il semble que des Allemands soient venus jusqu'ici (Aumenancourt, *Alemanicurtis*[2]) ; ne le disons pas à ce jeune officier que j'aperçois ; il serait capable de ne plus vouloir aller chez ses cousins. Il y eut aussi des Saxons comme en témoigne la fontaine de Sissonne (un des buts de promenade favoris de Mme Verdurin et à juste titre), aussi bien qu'en Angleterre le Middlesex, le Wessex[3]. Chose inexplicable, il semble que des Goths, des "gueux" comme on disait, soient venus jusqu'ici, et même les Maures, car Mortagne vient de *Mauretania*[4]. La trace en est restée à Gourville (*Gothorumvilla*[5]). Quelque vestige des Latins subsiste d'ailleurs aussi, Lagny (*Latiniacum*[6]). — Moi je demande l'explication de Thorpehomme, dit M. de Charlus. Je comprends "homme", ajouta-t-il, tandis que le sculpteur et Cottard échangeaient un regard d'intelligence. Mais Thorp[b] ? — "Homme" ne signifie nullement ce que vous êtes naturellement porté à croire, baron, répondit Brichot, en regardant malicieusement Cottard et le sculpteur. "Homme" n'a rien à voir ici avec le sexe auquel je ne dois pas ma mère. "Homme[c]" c'est *Holm,* qui signifie "îlot", etc[d]. Quant à *Thorp,* ou "village", on le retrouve dans cent mots dont j'ai déjà ennuyé notre jeune ami[7]. Ainsi dans Thorpehomme[e] il n'y a pas de nom de chef normand, mais des mots de la langue normande. Vous voyez comme tout ce pays a été germanisé. — Je crois qu'il exagère, dit M. de Charlus. J'ai été hier à Orgeville... — Cette fois-ci je vous rends l'homme que je vous avais ôté dans Thorpehomme, baron. Soit dit sans pédantisme, une charte de Robert Ier nous donne pour Orgeville *Otgerivilla*[f], le domaine d'Otger[8]. Tous ces noms sont ceux d'anciens seigneurs. Octeville-la-Venelle est pour l'Avenel. Les Avenel étaient une famille connue au Moyen Âge. Bourguenolles, où Mme Verdurin nous a emmenés l'autre jour, s'écrivait "Bourg de Môles", car ce village appartint au XIe siècle à Baudoin de Môles, ainsi que La Chaise-Baudoin[9] ; mais nous voici[g] à Doncières. — Mon Dieu, que de lieutenants vont essayer de monter ! dit M. de Charlus, avec un effroi simulé. Je le dis pour vous, car moi cela ne me gêne pas, puisque je descends. — Vous entendez, docteur ? dit Brichot. Le baron a peur que des officiers ne lui passent sur le corps. Et pourtant ils sont dans leur rôle en se trouvant massés ici, car Doncières, c'est exactement Saint-Cyr, *Dominus Cyriacus*. Il y a beaucoup de noms de villes où *sanctus* et *sancta* sont remplacés par *dominus* et par *domina*[1]. Du reste cette ville calme et militaire a parfois de faux airs[a] de Saint-Cyr, de Versailles, et même de Fontainebleau[b]. »

Pendant ces retours (comme à l'aller), je disais[c] à Albertine de se vêtir, car je savais bien qu'à Amnancourt[2], à Doncières, à Épreville, à Saint-Vast, nous aurions[d] de courtes visites à recevoir. Elles ne m'étaient d'ailleurs pas désagréables, que ce fût à Hermonville[e] (le domaine d'Herimund) celle de M. de Chevregny[f], profitant de ce qu'il était venu chercher des invités pour me demander de venir le lendemain déjeuner à Montsurvent, ou à Doncières, la brusque invasion d'un des charmants amis de Saint-Loup envoyé par lui (s'il n'était pas libre) pour me transmettre une invitation du capitaine de Borodino, du mess des officiers au Coq Hardi, ou des sous-officiers au Faisan Doré. Saint-Loup venait souvent lui-même, et pendant[g] tout le temps qu'il était là, sans qu'on pût s'en apercevoir je tenais Albertine prisonnière sous mon regard, d'ailleurs inutilement vigilant. Une fois pourtant j'interrompis ma garde. Comme il y avait un long arrêt, Bloch, nous ayant salués, se sauva presque aussitôt pour rejoindre son père, lequel venait d'hériter de son oncle et ayant loué un château qui s'appelait « La Commanderie », trouvait grand seigneur de ne circuler qu'en une chaise de poste, avec des postillons en livrée. Bloch me pria de l'accompagner jusqu'à la voiture. « Mais hâte-toi, car ces quadrupèdes sont impatients ; viens, homme cher aux dieux, tu feras plaisir à mon père. » Mais je souffrais trop de laisser Albertine dans le train avec Saint-Loup, ils auraient pu, pendant que j'avais le dos tourné, se parler, aller dans un autre wagon, se sourire, se toucher ; mon regard adhérant à Albertine ne pouvait se détacher d'elle tant que Saint-Loup serait là. Or je vis très bien que Bloch, qui m'avait demandé comme un service d'aller dire bonjour à son père, d'abord trouva peu gentil que je le lui refusasse quand rien ne m'en empêchait, les employés ayant prévenu que le train resterait encore au moins un quart d'heure en gare, et que presque tous les voyageurs, sans lesquels il ne repartirait pas, étaient descendus ; et ensuite ne douta pas que ce fût parce que décidément — ma conduite en cette occasion lui était une réponse[a] décisive — j'étais snob. Car il n'ignorait pas le nom des personnes avec qui je me trouvais. En effet M. de Charlus m'avait dit, quelque temps auparavant et sans se souvenir ou se soucier que cela eût jadis été fait, pour se rapprocher de lui : « Mais présentez-moi donc votre ami, ce que vous faites est un manque de respect pour moi », et il avait causé avec Bloch, qui avait paru lui plaire extrêmement au point qu'il l'avait gratifié d'un « j'espère vous revoir ». « Alors c'est irrévocable, tu ne veux pas faire ces cent mètres pour dire bonjour à mon père à qui ça ferait tant de plaisir ? » me dit Bloch. J'étais malheureux d'avoir l'air de manquer à la bonne camaraderie, plus encore de la cause pour laquelle Bloch croyait que j'y manquais, et de sentir qu'il s'imaginait que je n'étais pas le même avec mes amis bourgeois quand il y avait des gens « nés ». De ce jour il cessa de me témoigner la même amitié et, ce qui m'était plus pénible, n'eut plus pour mon caractère la même estime. Mais pour le détromper sur le motif qui m'avait fait rester dans le wagon, il m'eût fallu lui dire quelque chose — à savoir que j'étais jaloux d'Albertine — qui m'eût été encore plus douloureux que de le laisser croire que j'étais stupidement mondain. C'est ainsi que théoriquement on trouve qu'on devrait toujours s'expliquer franchement, éviter les malentendus. Mais bien souvent la vie les combine de telle manière que pour les dissiper, dans les rares circonstances ou ce serait possible, il faudrait révéler ou bien — ce qui n'est pas le cas ici — quelque chose qui froisserait encore plus notre ami que le tort imaginaire qu'il nous impute, ou un secret dont la divulgation — et c'était ce qui venait de m'arriver — nous paraît pire encore que le malentendu. Et d'ailleurs même sans expliquer à Bloch, puisque je ne le pouvais pas, la raison pour laquelle je ne l'avais pas accompagné, si je l'avais prié de ne pas être froissé je n'aurais fait que redoubler ce froissement en montrant que je m'en étais aperçu. Il n'y avait rien à faire qu'à s'incliner devant ce *fatum* qui avait voulu que la présence d'Albertine m'empêchât de[b] le reconduire et qu'il pût croire que c'était au contraire celle de gens brillants, laquelle, l'eussent-ils été cent fois plus, n'aurait eu pour effet que de me faire occuper[c] exclusivement de Bloch et réserver pour lui toute ma politesse. Il suffit de la sorte qu'accidentellement, absurdement, un incident (ici la mise en présence d'Albertine et de Saint-Loup) s'interpose entre deux destinées[a] dont les lignes convergeaient l'une vers l'autre pour qu'elles soient déviées, s'écartent de plus en plus et ne se rapprochent jamais. Et il y a des amitiés plus belles que celle de Bloch pour moi, qui se sont trouvées détruites, sans que l'auteur involontaire de la brouille ait jamais pu expliquer au brouillé ce qui sans doute eût guéri son amour-propre et ramené sa sympathie fuyante[b].

Amitiés plus belles que celle de Bloch ne serait pas, du reste, beaucoup dire. Il avait tous les défauts qui me déplaisaient le plus. Ma tendresse pour Albertine se trouvait, par accident, les rendre tout à fait insupportables. Ainsi dans ce simple moment où je causai avec lui tout en surveillant Robert de l'œil, Bloch me dit qu'il avait déjeuné chez Mme Bontemps et que chacun avait parlé de moi avec les plus grands éloges jusqu'au « déclin d'Hélios ». « Bon, pensai-je, comme Mme Bontemps croit Bloch un génie, le suffrage enthousiaste qu'il m'aura accordé fera plus que ce que tous les autres ont pu dire, cela reviendra à Albertine. D'un jour à l'autre elle ne peut manquer d'apprendre, et cela m'étonne que sa tante ne lui ait pas déjà redit, que je suis un homme "supérieur" ». « Oui, ajouta Bloch, tout le monde a fait ton éloge[1]. Moi seul j'ai gardé un silence aussi profond que si j'eusse absorbé au lieu du repas d'ailleurs médiocre qu'on nous servait, des pavots, chers au bien-heureux frère de Tanathos et de Léthé, le divin Hypnos, qui enveloppe de doux liens le corps et la langue[2]. Ce n'est pas que je t'admire moins que la bande de chiens avides[3] avec lesquels on m'avait invité. Mais moi je t'admire parce que je te comprends, et eux t'admirent sans te comprendre. Pour bien dire, je t'admire trop pour parler de toi ainsi en public, cela m'eût semblé une profanation de louer à haute voix ce que je porte au plus profond de mon cœur. On eut beau me questionner à ton sujet, une Pudeur sacrée, fille du Kroniôn[4], me fit rester muet. » Je n'eus pas le mauvais goût de paraître mécontent, mais cette Pudeur-là me sembla apparentée — beaucoup plus qu'au Kroniôn — à la pudeur qui empêche un critique qui vous admire de parler de vous parce que le temple secret où vous trônez serait envahi par la tourbe des lecteurs ignares et des journalistes ; à la pudeur de l'homme d'État qui ne vous décore pas pour que vous ne soyez pas confondu au milieu de gens qui ne vous valent pas ; à la pudeur de l'académicien qui ne vote pas pour vous, afin de vous épargner la honte d'être le collègue de X... qui n'a pas de talent ; à la pudeur enfin, plus respectable et plus criminelle pourtant, des fils qui vous prient[a] de ne pas écrire sur leur père défunt qui fut plein de mérites, afin d'assurer le silence et le repos, d'empêcher qu'on entretienne la vie et qu'on crée de la gloire autour du pauvre mort, qui préférerait son nom prononcé par les bouches des hommes aux couronnes, fort pieusement portées d'ailleurs, sur son tombeau.

Si Bloch, tout en me désolant en ne pouvant comprendre la raison qui m'empêchait d'aller saluer son père, m'avait exaspéré en m'avouant qu'il m'avait déconsidéré chez Mme Bontemps (je comprenais maintenant pourquoi Albertine ne m'avait jamais fait allusion à ce déjeuner et restait silencieuse quand je lui parlais de l'affection de Bloch pour moi), le jeune Israélite avait produit sur M. de Charlus une impression tout autre que l'agacement[b]. Certes Bloch croyait maintenant que non seulement je ne pouvais rester une seconde loin de gens élégants, mais que jaloux des avances qu'ils avaient pu lui faire (comme M. de Charlus), je tâchais de mettre des bâtons dans les roues et de l'empêcher de se lier avec eux ; mais de son côté le baron regrettait de n'avoir pas vu davantage mon camarade. Selon son habitude il se garda de le montrer. Il commença par me poser, sans en avoir l'air, quelques questions sur Bloch, mais d'un ton si nonchalant, avec un intérêt qui semblait tellement simulé, qu'on n'aurait pas cru qu'il entendait les réponses[1]. D'un air de détachement, sur une mélopée qui exprimait plus que l'indifférence, la distraction, et comme par simple politesse pour moi : « Il a l'air intelligent[c], il a dit qu'il écrivait, a-t-il du talent ? » Je dis à M. de Charlus qu'il avait été bien aimable de lui dire qu'il espérait le revoir. Pas un mouvement ne révéla chez le baron qu'il eût entendu ma phrase, et comme je la répétai quatre fois sans avoir de réponse, je finis par douter si je n'avais pas été le jouet d'un mirage acoustique quand j'avais cru entendre ce que M. de Charlus avait dit. « Il habite Balbec ? » chantonna le baron, d'un air si peu questionneur qu'il est fâcheux que la langue française ne possède pas un signe autre que le point d'interrogation pour terminer ces phrases apparemment si peu interrogatives. Il est vrai que ce signe servirait guère que pour[a] M. de Charlus. « Non, ils ont loué près d'ici[b] La Commanderie. » Ayant appris ce qu'il désirait, M. de Charlus feignit de mépriser Bloch. « Quelle horreur ! s'écria-t-il, en rendant à sa voix toute sa vigueur claironnante. Toutes les localités ou propriétés appelées "La Commanderie" ont été bâties ou possédées par les chevaliers de l'ordre de Malte (dont je suis), comme les lieux dits "Le Temple" ou "La Cavalerie" par les Templiers[1]. J'habiterais La Commanderie que rien ne serait plus naturel. Mais un juif ! Du reste cela ne m'étonne pas ; cela tient à un curieux goût du sacrilège, particulier à cette race. Dès qu'un juif a assez d'argent pour acheter un château, il en choisit toujours un qui s'appelle le Prieuré, l'Abbaye, le Monastère, la Maison-Dieu. J'ai eu affaire à un fonctionnaire juif, devinez où il résidait ? à Pont-l'Évêque. Mis en disgrâce, il se fit envoyer en Bretagne, à Pont-l'Abbé[2]. Quand on donne dans la Semaine sainte ces indécents spectacles qu'on appelle *La Passion*, la moitié de la salle est remplie de juifs, exultant à la pensée qu'ils vont mettre une seconde fois le Christ sur la Croix, au moins en effigie. Au concert Lamoureux[3], j'avais pour voisin un jour un riche banquier juif. On joua *L'Enfance du Christ*, de Berlioz[4] ; il était consterné. Mais il retrouva bientôt l'expression de béatitude qui lui est habituelle en entendant "L'Enchantement du Vendredi saint[5]". Votre ami habite La Commanderie, le malheureux ! Quel sadisme ! Vous m'indiquerez le chemin, ajouta-t-il en reprenant l'air d'indifférence, pour que j'aille un jour voir comment nos antiques domaines supportent une pareille profanation. C'est malheureux, car il est poli, il semble fin. Il ne lui manquerait plus que de demeurer à Paris, rue du Temple[6] ! » M. de Charlus avait l'air, par ces mots, de vouloir seulement trouver à l'appui de sa théorie un nouvel exemple ; mais il me posait en réalité une question à deux fins, dont la principale était de savoir l'adresse de Bloch. « En effet, fit remarquer Brichot, la rue du Temple s'appelait rue de la Chevalerie-du-Temple. Et à ce propos, me permettez-vous une remarque, baron ? dit l'universitaire. — Quoi ? Qu'est-ce que c'est ? dit sèchement M. de Charlus, que cette observation empêchait d'avoir son renseignement. — Non, rien, répondit Brichot intimidé. C'était à propos de l'étymologie de Balbec qu'on m'avait demandée. La rue du Temple s'appelait autrefois la rue Barre-du-Bec, parce que l'Abbaye du Bec, en Normandie[a], avait là à Paris sa barre de justice[1]. » M. de Charlus ne répondit rien et fit semblant de ne pas avoir entendu, ce qui était chez lui une des formes de l'insolence. « Où votre ami demeure-t-il à Paris ? Comme les trois quarts des rues tirent leur nom d'une église ou d'une abbaye, il y a chance pour que le sacrilège continue. On ne peut pas empêcher des juifs de demeurer boulevard de la Madeleine, faubourg Saint-Honoré ou place Saint-Augustin. Tant qu'ils ne raffinent pas par perfidie en élisant[b] domicile place du Parvis-Notre-Dame, quai de l'Archevêché, rue Chanoinesse, ou rue de l'Ave-Maria[2], il faut leur tenir compte des difficultés. » Nous ne pûmes renseigner M. de Charlus, l'adresse actuelle de Bloch nous étant inconnue. Mais je savais que les bureaux de son père étaient rue des Blancs-Manteaux. « Oh ! quel comble de perversité, s'écria M. de Charlus, en paraissant trouver, dans son propre cri d'ironique indignation, une satisfaction profonde. Rue des Blancs-Manteaux, répéta-t-il en pressurant chaque syllabe et en riant. Quel sacrilège ! Pensez que ces Blancs-Manteaux pollués par M. Bloch étaient ceux des frères mendiants, dits serfs de la Sainte-Vierge, que saint Louis établit là[3]. Et la rue a toujours été à des ordres religieux. La profanation est d'autant[c] plus diabolique qu'à deux pas de la rue des Blancs-Manteaux, il y a une rue dont le nom m'échappe et qui est tout entière concédée aux juifs ; il y a des caractères hébreux sur les boutiques, des fabriques de pains azymes, des boucheries juives, c'est tout à fait la *Judengasse* de Paris. M. de Rochegude appelle cette rue le ghetto parisien[4]. C'est là[d] que M. Bloch aurait dû demeurer. Naturellement », reprit-il sur un ton assez emphatique et fier et, pour tenir des propos esthétiques, donnant, par une réponse que lui adressait malgré lui son hérédité, un air de vieux mousquetaire Louis XIII à son visage redressé en arrière, « je ne m'occupe de tout cela qu'au point de vue de l'art. La politique n'est pas de mon ressort et je ne peux pas condamner en bloc, puisque Bloch il y a, une nation qui compte Spinoza[5] parmi ses enfants illustres. Et j'admire trop Rembrandt pour ne pas savoir la beauté qu'on peut tirer de la fréquentation de la synagogue[1]. Mais enfin un ghetto est d'autant plus beau qu'il est plus homogène et plus complet. Soyez sûr[a] du reste, tant l'instinct pratique et la cupidité se mêlent chez ce peuple au sadisme, que la proximité[b] de la rue hébraïque dont je vous parle, la commodité d'avoir sous la main les boucheries d'Israël a fait choisir à votre ami la rue des Blancs-Manteaux. Comme c'est curieux ! C'est du reste par là que demeurait un étrange juif qui avait fait bouillir des hosties[2], après quoi je pense qu'on le fit bouillir lui-même, ce qui est plus étrange encore puisque cela a l'air de signifier que le corps d'un juif peut valoir autant que le corps du bon Dieu. Peut-être pourrait-on arranger quelque chose avec votre ami pour qu'il nous mène voir l'église des Blancs-Manteaux. Pensez que c'est là qu'on déposa le corps de Louis d'Orléans après son assassinat par Jean sans Peur, lequel malheureusement ne nous a pas délivrés des Orléans[3]. Je suis d'ailleurs personnellement très bien avec mon cousin le duc de Chartres[4], mais enfin c'est une race d'usurpateurs, qui a fait assassiner Louis XVI, dépouiller Charles X et Henri V. Ils ont du reste de qui tenir, ayant pour ancêtres Monsieur, qu'on appelait sans doute ainsi parce que c'était la plus étonnante des vieilles dames, et le Régent et le reste. Quelle famille[c] ! » Ce discours antijuif ou prohébreu — selon qu'on s'attachera à l'extérieur des phrases ou aux intentions qu'elles recelaient — avait été comiquement coupé pour moi par une phrase que Morel me chuchota et qui eût désespéré[d] M. de Charlus. Morel qui n'avait pas été sans s'apercevoir de l'impression que Bloch avait produite, me remerciait à l'oreille de l'avoir « expédié », ajoutant cyniquement : « Il aurait voulu rester, tout ça c'est la jalousie, il voudrait me prendre ma place. C'est bien d'un youpin ! — On aurait pu profiter de cet arrêt qui se prolonge pour demander quelques explications rituelles à votre ami. Est-ce que vous ne pourriez pas le rattraper ? me demanda M. de Charlus, avec l'anxiété du doute. — Non, c'est impossible, il est parti en voiture et d'ailleurs fâché avec moi. — Merci, merci, me souffla Morel. — La raison est absurde, on peut toujours rejoindre une voiture, rien ne vous empêcherait de prendre une auto », répondit M. de Charlus, en homme habitué à ce que tout pliât devant lui. Mais remarquant mon silence : « Quelle est cette voiture plus ou moins imaginaire ? me dit-il avec insolence et un dernier espoir.

— C'est une chaise de poste ouverte et qui doit être déjà arrivée à La Commanderie. » Devant l'impossible, M. de Charlus se résigna et affecta de plaisanter. « Je comprends qu'ils aient reculé devant le coupé superfétatoire. Ç'aurait été un recoupé. » Enfin on fut avisé que le train repartait et Saint-Loup nous quitta. Mais ce jour fut le seul où en montant dans notre wagon, il me fit à son insu souffrir, par la pensée que j'eus un instant de le laisser avec Albertine pour accompagner Bloch. Les autres fois sa présence ne me tortura pas. Car d'elle-même Albertine, pour m'éviter toute inquiétude, se plaçait sous un prétexte quelconque, de telle façon qu'elle n'aurait pas, même involontairement, frôlé Robert, presque trop loin pour avoir même à lui tendre la main ; détournant de lui les yeux elle se mettait, dès qu'il était là, à causer ostensiblement et presque avec affectation avec l'un quelconque des autres voyageurs, continuant ce jeu jusqu'à ce que Saint-Loup fût parti. De la sorte les visites qu'il nous faisait à Doncières ne me causant aucune souffrance, même aucune gêne, ne mettaient pas une exception parmi les autres qui toutes m'étaient agréables en m'apportant en quelque sorte l'hommage et l'invitation de cette terre[1]. Déjà dès la fin de l'été, dans notre trajet de Balbec à Douville, quand j'apercevais au loin cette station de Saint-Pierre-des-Ifs où, le soir pendant un instant, la crête des falaises scintillait toute rose comme au soleil couchant la neige d'une montagne, elle ne me faisait plus penser (je ne dis pas même à la tristesse que la vue de son étrange relèvement soudain m'avait causée le premier soir en me donnant si grande envie de reprendre le train pour Paris au lieu de continuer jusqu'à Balbec) au spectacle que le matin on pouvait avoir de là, m'avait dit Elstir, à l'heure qui précède le soleil levé, où toutes les couleurs de l'arc-en-ciel se réfractent sur les rochers, et où tant de fois il avait réveillé le petit garçon qui, une année, lui avait servi de modèle pour le peindre tout nu, sur le sable. Le nom de Saint-Pierre-des-Ifs m'annonçait seulement qu'allait apparaître un quinquagénaire étrange, spirituel et fardé, avec qui je pourrais parler de Chateaubriand et de Balzac. Et maintenant dans les brumes du soir, derrière cette falaise d'Incarville qui m'avait tant fait rêver autrefois, ce que je voyais comme si son grès antique était devenu transparent, c'était la belle maison d'un oncle de

M. de Cambremer et dans laquelle je savais[a] qu'on serait toujours content de me recueillir si je ne voulais pas dîner à La Raspelière ou rentrer à Balbec. Ainsi ce n'était pas seulement les noms des lieux de ce pays qui avaient perdu leur mystère du début, mais ces lieux eux-mêmes. Les noms déjà vidés à demi d'un mystère que l'étymologie avait remplacé par le raisonnement, étaient encore descendus d'un degré. Dans nos retours à Hermonville, à Saint-Vast[b], à Arembouville, au moment où le train s'arrêtait, nous apercevions des ombres que nous ne reconnaissions pas d'abord et que Brichot, qui n'y voyait goutte, aurait peut-être pu prendre dans la nuit pour les fantômes d'Herimund, de Wiscar, et d'Herimbald. Mais elles approchaient du wagon. C'était simplement M. de Cambremer, tout à fait brouillé avec les Verdurin, qui reconduisait des invités et qui, de la part de sa mère et de sa femme, venait me demander si je ne voulais pas qu'il « m'enlevât » pour me garder quelques jours à Féterne où allaient se succéder une excellente musicienne qui me chanterait tout Gluck et un joueur d'échecs réputé avec qui je ferais d'excellentes parties qui ne feraient pas tort à celles de pêche et de yachting dans la baie, ni même aux dîners Verdurin pour lesquels le marquis s'engageait sur l'honneur à me « prêter », en me faisant conduire et rechercher pour plus de facilité, et de sûreté aussi. « Mais je ne peux pas croire que ce soit bon pour vous d'aller si haut. Je sais que ma sœur ne pourrait pas le supporter. Elle reviendrait dans un état ! Elle n'est du reste pas très bien fichue en ce moment... Vraiment, vous avez eu une crise si forte ! Demain vous ne pourrez pas vous tenir debout ! » Et il se tordait, non par méchanceté, mais pour la même raison qu'il ne pouvait sans rire voir dans la rue un boiteux qui s'étalait, ou causer avec un sourd. « Et avant ? Comment, vous n'en avez pas eu depuis quinze jours ? Savez-vous que c'est très beau ! Vraiment vous devriez venir vous installer à Féterne, vous causeriez de vos étouffements avec ma sœur. » À Incarville c'était le marquis de Montpeyroux qui, n'ayant pas pu aller à Féterne, car il s'était absenté pour la chasse, était venu « au train » en bottes et le chapeau orné d'une plume de faisan, serrer la main des parents et à moi par la même occasion, en m'annonçant pour le jour de la semaine qui ne me gênerait pas, la visite de son fils, qu'il me remerciait de recevoir et qu'il serait très heureux que je fisse un peu lire ; ou bien M. de Crécy, venu faire sa digestion, disait-il, fumant sa pipe, acceptant un ou même plusieurs cigares, et qui me disait : « Hé bien ! vous ne me dites pas de jour pour notre prochaine réunion à la Lucullus ? Nous n'avons rien à nous dire ? permettez-moi de vous rappeler que nous avons laissé en train[a] la question des deux familles de Montgommery. Il faut que nous finissions cela. Je compte sur vous. » D'autres étaient venus seulement acheter leurs journaux. Et aussi beaucoup faisaient la causette avec nous, que j'ai toujours soupçonnés ne s'être trouvés sur le quai, à la station la plus proche de leur petit château, que parce qu'ils n'avaient rien d'autre à faire que de retrouver un moment des gens de connaissance. Un cadre de vie mondaine comme un autre, en somme, que ces arrêts du petit chemin de fer. Lui-même semblait avoir conscience de ce rôle qui lui était dévolu, avait contracté quelque amabilité humaine : patient, d'un caractère docile, il attendait aussi longtemps qu'on voulait les retardataires, et même une fois parti s'arrêtait pour recueillir ceux qui lui faisaient signe ; ils couraient alors après lui en soufflant, en quoi ils lui ressemblaient, mais différaient de lui en ce qu'ils le rattrapaient à toute vitesse, alors que lui n'usait que d'une sage lenteur. Ainsi Hermonville, Arembouville, Incarville, ne m'évoquaient même plus les farouches grandeurs de la conquête normande, non contents de s'être entièrement dépouillés de la tristesse inexplicable où je les avais vus baigner jadis dans l'humidité du soir. Doncières ! Pour moi, même après l'avoir connu et m'être éveillé de mon rêve, combien il était resté longtemps dans ce nom des rues agréablement glaciales, des vitrines éclairées, des succulentes volailles ! Doncières ! Maintenant ce n'était plus que la station où montait Morel ; Égleville[b] (*Aquilævilla*[1]), celle où nous attendait généralement la princesse Sherbatoff ; Maineville[2], la station où descendait Albertine les soirs de beau temps, quand, n'étant pas trop fatiguée, elle avait envie de prolonger encore un moment avec moi, n'ayant, par un raidillon, guère plus à marcher que si elle était descendue à Parville (*Paterni villa*[3]). Non seulement je n'éprouvais plus la crainte anxieuse d'isolement qui m'avait étreint le premier soir, mais je n'avais plus à craindre qu'elle se réveillât[c], ni de me sentir dépaysé ou de me trouver seul sur cette terre productive non seulement de châtaigniers et de tamaris, mais d'amitiés qui tout le long du parcours formaient une longue chaîne, interrompue comme celle des collines bleuâtres, cachées parfois dans l'anfractuosité du roc ou derrière les tilleuls de l'avenue, mais déléguant à chaque relais un aimable gentilhomme qui venait, d'une poignée de main cordiale, interrompre ma route, m'empêcher d'en sentir la longueur, m'offrir au besoin de la continuer avec moi. Un autre serait à la gare suivante, si bien que le sifflet du petit tram ne nous faisait quitter un ami que pour nous permettre d'en retrouver d'autres. Entre les châteaux les moins rapprochés et le chemin de fer qui les côtoyait presque au pas d'une personne qui marche vite, la distance était si faible qu'au moment où, sur le quai, devant la salle d'attente, nous interpellaient leurs propriétaires, nous aurions presque pu croire qu'ils le faisaient du seuil de leur porte, de la fenêtre de leur chambre, comme si la petite voie départementale n'avait été qu'une rue de province et la gentilhommière isolée qu'un hôtel citadin ; et même aux rares stations où je n'entendais le « bonsoir » de personne, le silence avait une plénitude nourricière et calmante, parce que je le savais formé du sommeil d'amis couchés tôt dans le manoir proche où mon arrivée eût été saluée avec joie si j'avais eu à les réveiller pour leur demander quelque service d'hospitalité. Outre que l'habitude remplit tellement notre temps qu'il ne nous reste plus au bout de quelques mois un instant de libre dans une ville où à l'arrivée la journée nous offrait la disponibilité de ses douze heures, si une par hasard était devenue vacante, je n'aurais plus eu l'idée de l'employer à voir quelque église pour laquelle j'étais jadis venu à Balbec, ni même à confronter un site peint par Elstir avec l'esquisse que j'en avais vue chez lui, mais à aller faire une partie d'échecs de plus chez M. Féré. C'était en effet la dégradante influence, comme le charme aussi qu'avait eu ce pays de Balbec, de devenir pour moi[a] un vrai pays de connaissances ; si leur répartition territoriale, leur ensemencement extensif[b] tout le long de la côte, en cultures diverses, donnaient[c] forcément aux visites que je faisais à ces différents amis la forme du voyage, ils restreignaient aussi[d] le voyage à n'avoir plus que l'agrément social d'une suite de visites. Les mêmes noms de lieux, si troublants pour moi jadis que le simple *Annuaire des châteaux*[1], feuilleté au chapitre du département de la Manche, me causait autant d'émotion que l'Indicateur des chemins de fer, m'étaient devenus si familiers que cet indicateur même, j'aurais pu le consulter, à la page Balbec-Douville[a] par Doncières, avec la même heureuse tranquillité qu'un dictionnaire d'adresses. Dans cette vallée trop sociale aux flancs de laquelle je sentais accrochée, visible ou non, une compagnie d'amis nombreux, le poétique cri du soir n'était plus celui de la chouette ou de la grenouille, mais le « Comment va[2] ? » de M. de Criquetot ou le « Khairé[3] ! » de Brichot. L'atmosphère n'y éveillait plus d'angoisses et, chargée d'effluves purement humains, y était aisément respirable, trop calmante même. Le bénéfice que j'en tirais, au moins était de ne plus voir les choses qu'au point de vue pratique. Le mariage avec Albertine m'apparaissait comme une folie.

CHAPITRE IV[4]

Brusque revirement vers Albertine. — Désolation au lever du soleil. — Je pars immédiatement avec Albertine pour Paris.

Je n'attendais qu'une occasion pour la rupture définitive. Et, un soir, comme maman partait le lendemain pour Combray[b], où elle allait assister dans sa dernière maladie une sœur de sa mère, me laissant pour que je profitasse, comme grand-mère aurait voulu, de l'air de la mer, je lui avais annoncé qu'irrévocablement j'étais décidé à ne pas épouser Albertine et allais cesser prochainement de la voir. J'étais content d'avoir pu, par ces mots, donner satisfaction à ma mère la veille de son départ. Elle ne m'avait pas caché que c'en avait été en effet une très vive pour elle. Il fallait aussi m'en expliquer avec Albertine. Comme je revenais avec elle de La Raspelière, les fidèles étant descendus, tels à Saint-Mars-le-Vêtu, tels à Saint-Pierre-des-Ifs, d'autres à Doncières, me sentant particulièrement heureux et détaché d'elle, je m'étais décidé, maintenant qu'il n'y avait plus que nous deux dans le wagon, à aborder enfin cet entretien. La vérité d'ailleurs est que celle des jeunes filles de Balbec que j'aimais, bien qu'absente en ce moment ainsi que ses amies, mais qui allait revenir (je me plaisais avec toutes, parce que chacune avait pour moi, comme le premier jour, quelque chose de l'essence des autres, était comme d'une race à part), c'était Andrée. Puisqu'elle allait arriver de nouveau, dans quelques jours, à Balbec, certes aussitôt elle viendrait me voir, et alors, pour rester libre, ne pas l'épouser si je ne voulais pas, pour pouvoir aller à Venise, mais pourtant l'avoir d'ici là toute à moi, le moyen que je prendrais ce serait de ne pas trop avoir l'air de venir à elle et dès son arrivée, quand nous causerions ensemble, je lui dirais : « Quel dommage que je ne vous aie pas vue quelques semaines plus tôt ! Je vous aurais aimée ; maintenant mon cœur est pris. Mais cela ne fait rien, nous nous verrons souvent, car je suis triste de mon autre amour et vous m'aiderez à me consoler. » Je souriais intérieurement en pensant à cette conversation car de cette façon je donnerais à Andrée l'illusion que je ne l'aimais pas vraiment ; ainsi elle ne serait pas fatiguée de moi et je profiterais joyeusement et doucement de sa tendresse. Mais tout cela ne faisait que rendre plus nécessaire de parler enfin sérieusement à Albertine afin de ne pas agir indélicatement, et puisque j'étais décidé à me consacrer à son amie, il fallait qu'elle sût bien, elle, Albertine, que je ne l'aimais pas. Il fallait le lui dire tout de suite, Andrée pouvant venir d'un jour à l'autre. Mais comme nous approchions de Parville, je sentis que nous n'aurions pas le temps ce soir-là et qu'il valait mieux remettre au lendemain ce qui maintenant était irrévocablement résolu. Je me contentai donc de parler avec elle du dîner que nous avions fait chez les Verdurin. Au moment où elle remettait son manteau, le train venant de quitter Incarville, dernière station avant Parville[1], elle me dit : « Alors demain, re-Verdurin, vous n'oubliez pas que c'est vous qui venez me prendre. » Je ne pus m'empêcher de répondre assez sèchement : « Oui, à moins que je ne "lâche", car je commence à trouver cette vie vraiment stupide. En tous cas si nous y allons, pour que mon temps à La Raspelière ne soit pas du temps absolument perdu, il faudra que je pense à demander à Mme Verdurin quelque chose qui pourra m'intéresser beaucoup, être un objet d'études, et me donner du plaisir, car j'en ai vraiment bien peu cette année à Balbec. — Ce n'est pas aimable pour moi, mais je ne vous en veux pas, parce que je sens que vous êtes nerveux. Quel est ce plaisir ? — Que Mme Verdurin me fasse jouer des choses d'un musicien dont elle connaît très bien les œuvres. Moi aussi j'en connais une, mais il paraît qu'il y en a d'autres et j'aurais besoin de savoir si c'est édité, si cela diffère des premières. — Quel musicien ? — Ma petite chérie, quand[a] je t'aurai dit qu'il s'appelle Vinteuil, en seras-tu beaucoup plus avancée[1] ? » Nous pouvons avoir roulé toutes les idées possibles, la vérité n'y est jamais entrée, et c'est du dehors, quand on s'y attend le moins, qu'elle nous fait son affreuse piqûre et nous blesse pour toujours. « Vous ne savez pas comme vous m'amusez, me répondit Albertine en se levant, car le train allait s'arrêter. Non seulement cela me dit beaucoup plus que vous ne croyez, mais même sans Mme Verdurin je pourrai vous avoir tous les renseignements que vous voudrez. Vous vous rappelez que je vous ai parlé d'une amie plus âgée que moi qui m'a servi de mère, de sœur, avec qui j'ai passé à Trieste[2] mes meilleures années et que d'ailleurs je dois dans quelques semaines retrouver à Cherbourg, d'où nous voyagerons ensemble (c'est un peu baroque, mais vous savez comme j'aime la mer), hé bien[b] ! cette amie (oh ! pas du tout le genre de femmes que vous pourriez croire !), regardez comme c'est extraordinaire, est justement la meilleure amie de la fille de ce Vinteuil, et je connais presque autant la fille de Vinteuil. Je ne les appelle jamais que mes deux grandes sœurs. Je ne suis pas fâchée de vous montrer que votre petite Albertine pourra vous être utile pour ces choses de musique, où vous dites, du reste avec raison, que je n'entends rien. » À ces mots[c] prononcés comme nous entrions en gare de Parville, si loin de Combray et de Montjouvain, si longtemps après la mort de Vinteuil, une image s'agitait dans mon cœur, une image tenue en réserve pendant tant d'années que, même si j'avais pu deviner en l'emmagasinant jadis qu'elle avait un pouvoir nocif, j'eusse cru qu'à la longue elle l'avait entièrement perdu ; conservée vivante au fond de moi — comme Oreste dont les dieux avaient empêché la mort pour qu'au jour désigné il revînt dans son pays punir le meurtre d'Agamemnon[3] — pour mon supplice, pour mon châtiment peut-être, qui sait ? d'avoir laissé mourir ma grand-mère ; surgissant[d] tout à coup du fond de la nuit où elle semblait à jamais ensevelie et frappant comme un Vengeur, afin d'inaugurer pour moi une vie terrible, méritée et nouvelle, peut-être aussi pour faire éclater à mes yeux les funestes conséquences que les actes mauvais engendrent indéfiniment, non pas seulement pour ceux qui les ont commis, mais pour ceux qui n'ont fait, qui n'ont cru, que contempler un spectacle curieux et divertissant, comme moi, hélas ! en cette fin de journée lointaine à Montjouvain, caché derrière un buisson, où (comme quand j'avais complaisamment écouté le récit des amours de Swann) j'avais dangereusement laissé s'élargir en moi la voie funeste et destinée à être douloureuse du Savoir[1]. Et dans ce même temps, de ma plus grande douleur j'eus un sentiment presque orgueilleux, presque joyeux, celui d'un homme[a] à qui le choc qu'il aurait reçu aurait fait faire un bond tel qu'il serait parvenu à un point où nul effort n'aurait pu le hisser. Albertine amie de Mlle Vinteuil et de son amie, pratiquante professionnelle du saphisme, c'était auprès de ce que j'avais imaginé dans les plus grands doutes, ce qu'est au petit acoustique de l'Exposition de 1889[2] dont on espérait à peine qu'il pourrait aller du bout d'une maison à une autre, le téléphone planant[b] sur les rues, les villes, les champs, les mers, reliant les pays. C'était une *terra incognita* terrible où je venais d'atterrir, une phase nouvelle de souffrances insoupçonnées qui s'ouvrait. Et pourtant ce déluge de la réalité qui nous submerge, s'il est énorme auprès de nos timides et infimes suppositions, il était pressenti par elles. C'est sans doute quelque chose comme ce que je venais d'apprendre, c'était quelque chose comme l'amitié d'Albertine et Mlle Vinteuil, quelque chose que mon esprit n'aurait su inventer, mais que j'appréhendais obscurément quand je m'inquiétais tant en[c] voyant Albertine auprès d'Andrée. C'est souvent seulement par manque d'esprit créateur qu'on ne va pas assez loin dans la souffrance. Et la réalité la plus terrible donne en même temps que la souffrance la joie d'une belle découverte, parce qu'elle ne fait que donner une forme neuve et claire à ce que nous remâchions depuis longtemps sans nous en douter. Le train s'était arrêté à Parville et comme nous étions les seuls voyageurs qu'il y eût dedans, c'était d'une voix amollie par le sentiment de l'inutilité de la tâche, par la même habitude qui la lui faisait pourtant remplir et lui inspirait à la fois l'exactitude et l'indolence, et plus encore par l'envie de dormir, que l'employé cria : « Parville ! » Albertine, placée en face de moi et voyant qu'elle était arrivée à destination, fit quelques pas du fond du wagon où nous étions et ouvrit la portière. Mais ce mouvement qu'elle accomplissait ainsi pour[a] descendre me déchirait intolérablement le cœur comme si, contrairement à la position indépendante de mon corps que à deux pas de lui semblait occuper celui d'Albertine, cette séparation spatiale, qu'un dessinateur véridique eût été obligé de figurer entre nous, n'était qu'une apparence et comme si, pour qui eût voulu, selon la réalité véritable, redessiner les choses, il eût fallu placer maintenant Albertine, non pas à quelque distance de moi, mais en moi. Elle me faisait si mal en s'éloignant que, la rattrapant, je la tirai désespérément par le bras. « Est-ce qu'il serait matériellement impossible, lui demandai-je, que vous veniez coucher ce soir à Balbec ? — Matériellement, non. Mais je tombe de sommeil. — Vous me rendriez un service immense... — Alors soit, quoique je ne comprenne pas ; pourquoi ne l'avez-vous pas dit plus tôt ? Enfin je reste. » Ma mère dormait quand, après avoir fait donner à Albertine une chambre située à un autre étage, je rentrai dans la mienne. Je m'assis près de la fenêtre, réprimant mes sanglots pour que ma mère, qui n'était séparée de moi que par une mince cloison, ne m'entendît pas. Je n'avais même pas pensé à fermer les volets, car à un moment, levant les yeux, je vis, en face de moi, dans le ciel, cette même petite lueur d'un rouge éteint qu'on voyait au restaurant de Rivebelle dans une étude[b] qu'Elstir avait faite d'un soleil couché[1]. Je me rappelai l'exaltation que m'avait donnée, quand je l'avais aperçue du chemin de fer le premier jour de mon arrivée à Balbec[2], cette même image d'un soir qui ne précédait pas la nuit, mais une nouvelle journée. Mais nulle journée maintenant ne serait plus pour moi nouvelle, n'éveillerait plus en moi le désir d'un bonheur inconnu, et prolongerait seulement mes souffrances, jusqu'à ce que je n'eusse plus la force de les supporter. La vérité de ce que Cottard m'avait dit au casino de Parville ne faisait plus doute pour moi[3]. Ce que j'avais redouté, vaguement soupçonné depuis longtemps d'Albertine, ce que mon instinct dégageait de tout son être, et ce que mes raisonnements dirigés par mon désir m'avaient peu à peu fait nier, c'était vrai ! Derrière Albertine je ne voyais plus les montagnes bleues de la mer, mais la chambre de Montjouvain où elle tombait dans les bras de Mlle Vinteuil avec ce rire où elle faisait entendre comme le son inconnu de sa jouissance. Car, jolie comme était Albertine, comment Mlle Vinteuil, avec les goûts qu'elle avait, ne lui eût-elle pas demandé de les satisfaire ? Et la preuve qu'Albertine n'en avait pas été choquée et avait consenti, c'est qu'elles ne s'étaient pas brouillées, mais que leur intimité n'avait pas cessé de grandir. Et ce mouvement gracieux d'Albertine posant son menton sur l'épaule de Rosemonde, la regardant[a] en souriant et lui posant un baiser dans le cou, ce mouvement qui m'avait rappelé Mlle Vinteuil et pour l'interprétation duquel j'avais hésité pourtant à admettre qu'une même ligne tracée par un geste résultât forcément d'un même penchant, qui sait si Albertine ne l'avait pas tout simplement appris de Mlle Vinteuil[b1] ? Peu à peu le ciel éteint s'allumait. Moi qui ne m'étais jusqu'ici jamais éveillé sans sourire aux choses les plus humbles, au bol de café au lait, au bruit de la pluie, au tonnerre du vent, je sentis que le jour qui allait se lever dans un instant, et tous les jours qui viendraient ensuite ne m'apporteraient plus jamais l'espérance d'un bonheur inconnu, mais le prolongement de mon martyre. Je tenais encore à la vie ; je savais que je n'avais plus rien que de cruel à en attendre[c]. Je courus à l'ascenseur, malgré l'heure indue, sonner le lift qui faisait fonction de veilleur de nuit et je lui demandai d'aller à la chambre d'Albertine, lui dire que j'avais quelque chose d'important à lui communiquer, si elle pourrait me recevoir. « Mademoiselle aime mieux que ce soit elle qui vienne, vint-il me répondre. Elle sera ici dans un instant[d]. » Et bientôt en effet, Albertine entra en robe de chambre. « Albertine », lui dis-je très bas et en lui recommandant de ne pas élever la voix pour ne pas éveiller ma mère, de qui nous n'étions séparés que par cette cloison dont la minceur aujourd'hui importune et qui forçait à chuchoter, ressemblait jadis, quand s'y peignaient si bien[e] les intentions de ma grand-mère, à une sorte de diaphanéité musicale, « je suis honteux de vous déranger. Voici. Pour que vous compreniez, il faut que je vous dise une chose que vous ne savez pas. Quand je suis venu ici, j'ai quitté une femme que j'ai dû épouser, qui était prête à tout abandonner pour moi. Elle devait partir en voyage ce matin et depuis une semaine, tous les jours je me demandais si j'aurais le courage de ne pas lui télégraphier que je revenais. J'ai eu ce courage, mais j'étais si malheureux que j'ai cru que je me tuerais. C'est pour cela que je vous ai demandé hier soir si vous ne pourriez pas venir coucher à Balbec. Si j'avais dû mourir, j'aurais aimé vous dire adieu. » Et je donnai libre cours aux larmes que ma fiction rendait naturelles. « Mon pauvre petit, si j'avais su, j'aurais passé la nuit auprès de vous », s'écria Albertine, à l'esprit de qui l'idée que j'épouserais peut-être cette femme et que l'occasion de faire, elle, un « beau mariage » s'évanouissait, ne vint même pas, tant elle était sincèrement émue d'un chagrin dont je pouvais lui cacher la cause, mais non la réalité et la force. « Du reste, me dit-elle, hier pendant tout le trajet depuis La Raspelière, j'avais bien senti que vous étiez nerveux et triste, je craignais quelque chose. » En réalité, mon chagrin n'avait commencé qu'à Parville, et la nervosité bien différente mais qu'heureusement Albertine confondait avec lui, venait de l'ennui de vivre encore quelques jours avec elle. Elle ajouta : « Je ne vous quitte plus, je vais rester tout le temps ici. » Elle m'offrait justement — et elle seule pouvait me l'offrir — l'unique remède contre le poison qui me brûlait, homogène à lui d'ailleurs ; l'un doux, l'autre cruel, tous deux étaient également dérivés d'Albertine. En ce moment Albertine — mon mal — se relâchant de me causer des souffrances, me laissait — elle, Albertine remède — attendri comme un convalescent. Mais je pensais qu'elle allait bientôt partir de Balbec pour Cherbourg et de là pour Trieste. Ses habitudes d'autrefois allaient renaître. Ce que je voulais avant tout, c'était empêcher Albertine de prendre le bateau, tâcher de l'emmener à Paris. Certes de Paris, plus facilement encore que de Balbec, elle pourrait, si elle le voulait, aller à Trieste, mais à Paris nous verrions ; peut-être je pourrais demander à Mme de Guermantes d'agir indirectement sur l'amie de Mlle Vinteuil pour qu'elle ne restât pas à Trieste, pour lui faire accepter une situation ailleurs, peut-être chez le prince de *** que j'avais rencontré chez Mme de Villeparisis et chez Mme de Guermantes même. Et celui-ci, même si Albertine voulait aller chez lui voir son amie, pourrait, prévenu par Mme de Guermantes, les empêcher de se joindre. Certes j'aurais pu me dire qu'à Paris, si Albertine avait ces goûts, elle trouverait bien d'autres personnes avec qui les assouvir. Mais chaque mouvement de jalousie est particulier et porte la marque de la créature — pour cette fois-ci l'amie de Mlle Vinteuil — qui l'a suscité. C'était l'amie de Mlle Vinteuil qui restait ma grande préoccupation. La passion mystérieuse avec laquelle j'avais pensé autrefois à l'Autriche[1] parce que c'était le pays d'où venait Albertine (son oncle y avait été conseiller d'ambassade), que sa singularité géographique, la race qui l'habitait, ses monuments, ses paysages, je pouvais les considérer comme dans un atlas, comme dans un recueil[a] de vues, dans le sourire, dans les manières d'Albertine, cette passion mystérieuse, je l'éprouvais encore mais par une interversion de signes, dans le domaine de l'horreur. Oui, c'était de là qu'Albertine venait. C'était là que dans chaque maison, elle était sûre de retrouver, soit l'amie de Mlle Vinteuil, soit d'autres. Les habitudes d'enfance allaient renaître, on se réunirait dans trois mois pour la Noël, puis le 1er janvier, dates qui m'étaient déjà tristes en elles-mêmes, de par le souvenir inconscient du chagrin que j'y avais ressenti quand, autrefois, elles me séparaient, tout le temps des vacances du jour de l'an, de Gilberte[2]. Après les longs dîners, après les réveillons, quand tout le monde serait joyeux, animé, Albertine allait avoir, avec ses amies de là-bas, ces mêmes poses que je lui avais vu prendre avec Andrée, alors que l'amitié d'Albertine pour elle était innocente, qui sait ? peut-être celles qui avaient rapproché devant moi Mlle Vinteuil poursuivie par son amie, à Montjouvain. À Mlle Vinteuil maintenant, tandis que son amie la chatouillait avant de s'abattre sur elle, je donnais le visage enflammé d'Albertine, d'Albertine que j'entendis lancer en s'enfuyant, puis en s'abandonnant, son rire étrange et profond. Qu'était à côté de la souffrance que je ressentais, la jalousie que j'avais pu éprouver le jour où Saint-Loup avait rencontré Albertine avec moi à Doncières et où elle lui avait fait des agaceries[3] ? celle aussi que j'avais éprouvée en repensant à l'initiateur inconnu auquel j'avais pu devoir les premiers baisers qu'elle m'avait donnés à Paris, le jour où j'attendais la lettre de Mlle de Stermaria[4] ? Cette autre jalousie, provoquée par Saint-Loup, par un jeune homme quelconque, n'était rien. J'aurais pu dans ce cas craindre tout au plus un rival sur lequel j'eusse essayé de l'emporter. Mais ici le rival n'était pas semblable à moi, ses armes étaient différentes, je ne pouvais pas lutter sur le même terrain, donner à Albertine les mêmes plaisirs, ni même les concevoir exactement. Dans bien des moments de notre vie nous troquerions tout l'avenir contre un pouvoir en soi-même insignifiant. J'aurais jadis renoncé à tous les avantages de la vie pour connaître Mme Blatin, parce qu'elle était une amie de Mme Swann[1]. Aujourd'hui, pour qu'Albertine n'allât pas à Trieste, j'aurais[a] supporté toutes les souffrances et si c'eût été insuffisant, je lui en aurais infligé, je l'aurais isolée, enfermée, je lui eusse pris le peu d'argent qu'elle avait pour que le dénuement l'empêchât matériellement de faire le voyage. Comme jadis, quand je voulais aller à Balbec, ce qui me poussait à partir c'était le désir d'une église persane, d'une tempête à l'aube, ce qui maintenant me déchirait le cœur en pensant qu'Albertine irait peut-être à Trieste, c'était qu'elle y passerait la nuit de Noël avec l'amie de Mlle Vinteuil : car l'imagination[b], quand elle change de nature et se mue en sensibilité[c], ne dispose pas pour cela d'un nombre plus grand d'images simultanées. On m'aurait dit qu'elle ne se trouvait pas en ce moment à Cherbourg ou à Trieste, qu'elle ne pourrait pas voir[d] Albertine, comme j'aurais pleuré de douceur et de joie ! Comme ma vie et son avenir eussent changé ! Et pourtant je savais bien que cette localisation de ma jalousie était arbitraire, que si Albertine avait ces goûts elle pouvait les assouvir avec d'autres. D'ailleurs peut-être même ces mêmes jeunes filles, si elles avaient pu la voir ailleurs, n'auraient pas tant torturé mon cœur. C'était de Trieste, de ce monde[e] inconnu où je sentais que se plaisait Albertine, où étaient ses souvenirs, ses amitiés, ses amours d'enfance, que s'exhalait cette atmosphère hostile, inexplicable, comme celle qui montait jadis jusqu'à ma chambre de Combray, de la salle à manger où j'entendais causer et rire avec les étrangers, dans le bruit des fourchettes, maman qui ne viendrait pas me dire bonsoir ; comme celle qui avait rempli pour Swann les maisons où Odette allait chercher en soirée d'inconcevables joies. Ce n'était plus comme vers un pays délicieux où la race est pensive, les couchants dorés[f], les carillons tristes, que je pensais maintenant à Trieste, mais[g] comme à une cité maudite que j'aurais voulu faire brûler sur-le-champ et supprimer du monde réel. Cette ville était enfoncée dans mon cœur comme une pointe permanente. Laisser partir bientôt Albertine pour Cherbourg et Trieste[h] me faisait horreur ; et même rester à Balbec. Car maintenant que la révélation de l'intimité de mon amie avec Mlle Vinteuil me donnait une quasi-certitude[a], il me semblait que dans tous les moments où Albertine n'était pas avec moi (et il y avait des jours entiers où à cause de sa tante je ne pouvais pas la voir), elle était livrée aux cousines de Bloch, peut-être à d'autres. L'idée que ce soir même elle pourrait voir les cousines de Bloch me rendait fou. Aussi, après qu'elle m'eut dit que pendant quelques jours elle ne me quitterait pas, je lui répondis : « Mais c'est que je voudrais partir pour Paris. Ne partiriez-vous pas avec moi ? Et ne voudriez-vous pas venir habiter un peu avec nous à Paris[1] ? » À tout prix il fallait l'empêcher d'être seule, au moins quelques jours, la garder près de moi pour être sûr qu'elle ne pût voir l'amie de Mlle Vinteuil. Ce serait en réalité habiter seule avec moi, car ma mère profitant d'un voyage d'inspection qu'allait faire mon père, s'était prescrit comme un devoir d'obéir à une volonté de ma grand-mère qui désirait qu'elle allât quelques jours à Combray auprès d'une de ses sœurs. Maman n'aimait pas sa tante parce qu'elle n'avait pas été pour grand-mère, si tendre pour elle, la sœur qu'elle aurait dû. Ainsi, devenus grands, les enfants se rappellent avec rancune ceux qui ont été mauvais pour eux. Mais maman devenue comme ma grand-mère, elle incapable de rancune, la vie de sa mère était pour elle comme une pure et innocente enfance[b] où elle allait puiser ces souvenirs dont la douceur ou l'amertume réglait ses actions avec les uns et les autres. Ma tante aurait pu fournir à maman certains détails inestimables, mais maintenant elle les aurait difficilement, sa tante était tombée très malade (on disait d'un cancer), et elle se reprochait de ne pas être allée plus tôt, pour tenir compagnie à mon père, n'y trouvait qu'une raison de plus de faire[c] ce que sa mère aurait fait ; et comme elle allait à l'anniversaire du père de ma grand-mère, lequel avait été si mauvais père, porter sur sa tombe des fleurs que ma grand-mère avait l'habitude d'y porter, ainsi, auprès de la tombe qui allait s'entrouvrir, ma mère voulait-elle apporter les doux entretiens que ma tante n'était pas venue offrir à ma grand-mère. Pendant qu'elle serait à Combray, ma mère s'occuperait de certains travaux que ma grand-mère avait toujours désirés, mais seulement s'ils étaient[d] exécutés sous la surveillance de sa fille.

Aussi n'avaient-ils pas encore été commencés, maman ne voulant pas, en quittant Paris avant mon père, lui faire trop sentir le poids d'un deuil auquel il s'associait, mais qui ne pouvait pas l'affliger autant qu'elle. « Ah ! ça ne serait[a] pas possible en ce moment, me répondit Albertine. D'ailleurs quel besoin avez-vous de rentrer si vite à Paris, puisque cette dame est partie ? — Parce que je serai plus calme dans un endroit où je l'ai connue, plutôt qu'à Balbec qu'elle n'a jamais vu et que j'ai pris en horreur. » Albertine a-t-elle compris plus tard que cette autre femme n'existait pas, et que si cette nuit-là j'avais vraiment voulu mourir[b], c'est parce qu'elle m'avait étourdiment révélé qu'elle était liée avec l'amie de Mlle Vinteuil ? C'est possible. Il y a des moments où cela me paraît probable. En tous cas, ce matin-là, elle crut à l'existence de cette femme. « Mais vous devriez épouser cette dame, me dit-elle, mon petit, vous seriez heureux, et elle sûrement aussi serait heureuse. » Je lui répondis que l'idée que je pourrais rendre cette femme heureuse avait en effet failli me décider ; dernièrement, quand j'avais fait un gros héritage qui me permettrait de donner beaucoup de luxe, de plaisirs à ma femme, j'avais été sur le point d'accepter le sacrifice de celle que j'aimais. Grisé par la reconnaissance que m'inspirait la gentillesse d'Albertine si près de la souffrance atroce qu'elle m'avait causée, de même qu'on promettrait volontiers une fortune au garçon de café qui vous verse un sixième verre d'eau-de-vie, je lui dis que ma femme aurait une auto, un yacht ; qu'à ce point de vue, puisque Albertine aimait tant[c] faire de l'auto et du yachting, il était malheureux qu'elle ne fût pas celle que j'aimasse[1] ; que j'eusse été le mari parfait pour elle, mais qu'on verrait, qu'on pourrait peut-être se voir agréablement. Malgré tout, comme dans l'ivresse même on se retient d'interpeller les passants par peur des coups, je me retins de l'imprudence que j'eusse commise du temps[d] de Gilberte, en lui disant que c'était elle, Albertine, que j'aimais[2]. « Vous voyez, j'ai failli l'épouser. Mais je n'ai pas osé le faire pourtant, je n'aurais pas voulu faire vivre une jeune femme auprès de quelqu'un de si souffrant et de si ennuyeux. — Mais vous êtes fou, tout le monde voudrait vivre auprès de vous, regardez comme tout le monde vous recherche. On ne parle que de vous chez Mme Verdurin, et dans le plus grand monde aussi, on me l'a dit. Elle n'a donc pas été gentille avec vous, cette dame, pour vous donner cette impression de doute sur vous-même ? Je vois ce que c'est, c'est une méchante, je la déteste, ah ! si j'avais été à sa place... — Mais non, elle est très gentille, trop gentille. Quant aux Verdurin et au reste, je m'en moque bien. En dehors de celle que j'aime et à laquelle du reste j'ai renoncé, je ne tiens qu'à ma petite Albertine, il n'y a qu'elle, en me voyant beaucoup — du moins les premiers jours, ajoutais-je pour ne pas l'effrayer et pouvoir demander beaucoup ces jours-là — qui pourra un peu me consoler. » Je ne fis que vaguement allusion à une possibilité de mariage, tout en disant que c'était irréalisable parce que nos caractères ne concorderaient pas. Malgré moi, toujours poursuivi dans ma jalousie par le souvenir des relations de Saint-Loup avec « Rachel quand du Seigneur » et de Swann avec Odette, j'étais trop porté à croire que du moment que j'aimais, je ne pouvais pas être aimé et que l'intérêt seul pouvait attacher à moi une femme[1]. Sans doute c'était une folie de juger Albertine d'après Odette et Rachel. Mais ce n'était pas elle, c'était moi ; c'étaient les sentiments que je pouvais inspirer que ma jalousie me faisait trop sous-estimer. Et de ce jugement, peut-être erroné, naquirent sans doute bien des malheurs qui allaient fondre sur nous. « Alors, vous refusez mon invitation pour Paris ? — Ma tante ne voudrait pas que je parte en ce moment. D'ailleurs, même si plus tard je peux, est-ce que cela n'aurait pas l'air drôle que je descende ainsi chez vous ? À Paris on saura bien que je ne suis pas votre cousine. — Hé bien ! nous dirons que nous sommes un peu fiancés. Qu'est-ce que cela fait, puisque vous savez que cela n'est pas vrai ? » Le cou d'Albertine, qui sortait tout entier de sa chemise, était puissant, doré, à gros grains. Je l'embrassai aussi purement que si j'avais embrassé ma mère pour calmer un chagrin d'enfant que je croyais alors ne pouvoir jamais arracher de mon cœur. Albertine me quitta pour aller s'habiller. D'ailleurs son dévouement fléchissait déjà ; tout à l'heure, elle m'avait dit qu'elle ne me quitterait pas d'une seconde. (Et je sentais bien que sa résolution ne durerait pas puisque je craignais, si nous restions à Balbec, qu'elle vît ce soir même, sans moi, les cousines de Bloch.) Or elle venait maintenant de me dire qu'elle voulait passer à Maineville et qu'elle reviendrait me voir dans l'après-midi. Elle n'était pas rentrée la veille au soir, il pouvait y avoir des lettres pour elle, de plus sa tante pouvait être inquiète. J'avais répondu : « Si ce n'est que pour cela, on peut envoyer le lift dire à votre tante que vous êtes ici et chercher vos lettres. » Et désireuse de se montrer gentille mais contrariée d'être asservie, elle avait plissé le front puis, tout de suite, très gentiment, dit : « C'est cela », et elle avait envoyé le lift. Albertine ne m'avait pas quitté depuis un moment que le lift vint frapper légèrement. Je ne m'attendais pas à ce que pendant que je causais avec Albertine, il eût eu le temps d'aller à Maineville et d'en revenir. Il venait me dire qu'Albertine avait écrit un mot à sa tante et qu'elle pouvait, si je voulais, venir à Paris le jour même. Elle avait du reste eu tort de lui donner la commission de vive voix, car déjà, malgré l'heure matinale, le directeur était au courant et, affolé, venait me demander si j'étais mécontent de quelque chose, si vraiment je partais, si je ne pourrais pas attendre au moins quelques jours, le vent étant aujourd'hui assez craintif (à craindre). Je ne voulais pas[a] lui expliquer que je voulais à tout prix qu'Albertine ne fût plus à Balbec à l'heure où les cousines de Bloch faisaient leur promenade, surtout Andrée, qui seule eût pu la protéger, n'étant pas là, et que Balbec était comme ces endroits où un malade qui n'y respire plus est décidé, dût-il mourir en route, à ne pas passer la nuit suivante. Du reste, j'allais avoir à lutter contre des prières du même genre[b] dans l'hôtel d'abord, où Marie Gineste et Céleste Albaret avaient les yeux rouges[1]. (Marie, du reste, faisait entendre[c] le sanglot pressé d'un torrent ; Céleste, plus molle, lui recommandait le calme ; mais Marie ayant murmuré les seuls vers qu'elle connût : *Ici-bas tous les lilas meurent*[2], Céleste ne put se retenir et une nappe de larmes s'épandit sur sa figure couleur de lilas ; je pense du reste qu'elles m'oublièrent dès le soir même.) Ensuite, dans le petit chemin de fer d'intérêt local, malgré toutes mes précautions pour ne pas être vu, je rencontrai M. de Cambremer qui, à la vue de mes malles, blêmit, car il comptait sur moi pour le surlendemain ; il m'exaspéra en voulant me persuader que mes étouffements tenaient au changement de temps et qu'octobre serait excellent pour eux, et il me demanda si, en tous cas, je ne pourrais pas « remettre mon départ à huitaine », expression dont la bêtise ne me mit peut-être en fureur que parce que ce qu'il me proposait me faisait mal. Et tandis qu'il me parlait dans le wagon, à chaque station je craignais de voir apparaître, plus terrible qu'Herimbald[a] ou Guiscard[1], M. de Crécy implorant d'être invité, ou plus redoutable encore, Mme Verdurin tenant à m'inviter. Mais cela ne devait arriver que dans quelques heures. Je n'en étais pas encore là. Je n'avais à faire face qu'aux plaintes désespérées du directeur. Je l'éconduisis, car je craignais que tout en chuchotant il ne finît par éveiller maman. Je restai seul dans la chambre, cette même chambre trop haute de plafond où j'avais été si malheureux à la première arrivée, où j'avais pensé avec tant de tendresse à Mlle de Stermaria, guetté[b] le passage d'Albertine et de ses amies comme d'oiseaux migrateurs arrêtés sur la plage, où je l'avais possédée avec tant d'indifférence quand je l'avais fait chercher par le lift, où j'avais connu la bonté de ma grand-mère, puis appris qu'elle était morte ; ces volets au pied desquels tombait la lumière du matin, je les avais ouverts la première fois pour apercevoir les premiers contreforts de la mer (ces volets qu'Albertine me faisait fermer pour qu'on ne nous vît pas nous embrasser). Je prenais mieux conscience[c] de mes propres transformations en les confrontant à l'identité des choses. On s'habitue pourtant à elles comme aux personnes et quand, tout d'un coup, on se rappelle la signification différente qu'elles comportèrent, puis quand elles eurent perdu toute signification, les événements bien différents de ceux d'aujourd'hui qu'elles encadrèrent, la diversité des actes joués sous le même plafond, entre les mêmes bibliothèques vitrées, le changement dans le cœur et dans la vie que cette diversité implique, semble encore accru par la permanence immuable du décor, renforcé par l'unité du lieu[d].

Deux ou trois fois, pendant un instant, j'eus l'idée que le monde où étaient cette chambre et ces bibliothèques, et dans lequel Albertine était si peu de chose, était peut-être un monde intellectuel, qui était la seule réalité, et mon chagrin, quelque chose comme celui que donne la lecture d'un roman et dont un fou seul pourrait faire un chagrin durable et permanent et se prolongeant dans sa vie ; qu'il suffirait peut-être d'un petit mouvement de ma volonté pour atteindre ce monde réel, y rentrer en dépassant ma douleur comme un cerceau de papier qu'on crève, et ne plus me soucier davantage de ce qu'avait fait Albertine que nous ne nous soucions des actions de l'héroïne imaginaire d'un roman après que nous en avons fini la lecture. Au reste, les maîtresses que j'ai le plus aimées n'ont coïncidé jamais avec mon amour pour elles. Cet amour était vrai, puisque je subordonnais toutes choses à les voir, à les garder pour moi seul, puisque je sanglotais si, un soir, je les avais attendues. Mais[a] elles avaient plutôt la propriété d'éveiller cet amour, de le porter à son paroxysme, qu'elles n'en étaient l'image. Quand je les voyais, quand je les entendais, je ne trouvais rien en elles qui ressemblât à mon amour et pût l'expliquer. Pourtant ma seule joie était de les voir, ma seule anxiété de les attendre. On aurait dit qu'une vertu n'ayant aucun rapport avec elles leur avait été accessoirement adjointe par la nature, et que cette vertu, ce pouvoir simili-électrique avait pour effet sur moi d'exciter mon amour, c'est-à-dire de diriger toutes mes actions et de causer toutes mes souffrances. Mais de cela la beauté, ou l'intelligence, ou la bonté de ces femmes étaient entièrement distinctes. Comme par un courant[b] électrique qui vous meut, j'ai été secoué par mes amours, je les ai vécus, je les ai sentis : jamais je n'ai pu arriver à les voir ou à les penser. J'incline même à croire que dans ces amours (je mets de côté le plaisir physique qui les accompagne d'ailleurs habituellement, mais ne suffit pas à les constituer), sous l'apparence de la femme, c'est à ces forces invisibles dont elle est accessoirement accompagnée que nous nous adressons comme à d'obscures divinités. C'est elles dont la bienveillance nous est nécessaire, dont nous recherchons le contact sans y trouver de plaisir positif. Avec ces déesses, la femme durant le rendez-vous nous met en rapport et ne fait guère plus. Nous avons, comme des offrandes, promis des bijoux, des voyages, prononcé des formules qui signifient que nous adorons, et des formules contraires qui signifient que nous sommes indifférents. Nous avons disposé de tout notre pouvoir pour obtenir un nouveau rendez-vous, mais qui soit accordé sans ennui. Or, est-ce pour la femme elle-même, si elle n'était pas complétée de ces forces occultes, que nous prendrions tant de peine, alors que quand elle est partie nous ne saurions dire comment elle était habillée et que nous nous apercevons que nous ne l'avons même pas regardée ?

Comme la vue[a] est un sens trompeur ! Un corps humain, même aimé comme était celui d'Albertine, nous semble, à quelques mètres, à quelques centimètres, distant de nous. Et l'âme qui est à lui de même. Seulement, que quelque chose change violemment la place de cette âme par rapport à nous, nous montre qu'elle aime d'autres êtres et pas nous, alors aux battements de notre cœur disloqué, nous sentons que c'est, non pas à quelques pas de nous, mais en nous, qu'était la créature chérie. En nous, dans des régions plus ou moins superficielles. Mais les mots : « Cette amie, c'est Mlle Vinteuil » avaient été le Sésame, que j'eusse été incapable de trouver moi-même, qui avait fait entrer Albertine dans la profondeur de mon cœur déchiré. Et la porte qui s'était refermée sur elle, j'aurais pu chercher pendant cent ans sans savoir comment on pourrait la rouvrir.

Ces mots, j'avais cessé de les entendre un instant pendant qu'Albertine était auprès de moi tout à l'heure. En l'embrassant comme j'embrassais ma mère à Combray pour calmer mon angoisse, je croyais presque à l'innocence d'Albertine ou du moins je ne pensais pas avec continuité à la découverte que j'avais faite de son vice. Mais maintenant que j'étais seul, les mots retentissaient à nouveau comme ces bruits intérieurs de l'oreille qu'on entend dès que quelqu'un cesse de vous parler. Son vice maintenant ne faisait pas de doute pour moi. La lumière du soleil qui allait se lever, en modifiant les choses autour de moi me fit prendre à nouveau, comme en me déplaçant un instant par rapport à elle, conscience plus cruelle encore de ma souffrance. Je n'avais jamais vu commencer une matinée si belle ni si douloureuse. En pensant[b] à tous les paysages indifférents qui allaient s'illuminer et qui la veille encore ne m'eussent rempli que du désir de les visiter, je ne pus retenir un sanglot quand, dans un geste d'offertoire mécaniquement accompli et qui me parut symboliser le sanglant sacrifice que j'allais avoir à faire de toute joie, chaque matin, jusqu'à la fin de ma vie, renouvellement solennellement célébré à chaque aurore de mon chagrin quotidien et du sang de ma plaie, l'œuf d'or du soleil, comme propulsé par la rupture d'équilibre qu'amènerait au moment de la coagulation un changement de densité, barbelé de flammes comme dans les tableaux, creva d'un bond le rideau derrière lequel on le sentait depuis un moment frémissant et prêt à entrer en scène et à s'élancer, et dont il effaça sous des flots de lumière la pourpre mystérieuse et figée[1]. Je m'entendis moi-même pleurer. Mais à ce moment, contre toute attente la porte s'ouvrit, et le cœur battant, il me sembla voir ma grand-mère[2] devant moi, comme en une de ces apparitions que j'avais déjà eues, mais seulement en dormant. Tout cela n'était-il donc qu'un rêve ? Hélas ! j'étais bien éveillé. « Tu trouves que je ressemble à ta pauvre grand-mère », me dit maman — car c'était elle — avec douceur, comme pour calmer mon effroi, avouant du reste cette ressemblance, avec un beau sourire de fierté modeste qui n'avait jamais connu la coquetterie. Ses cheveux en désordre où les mèches grises n'étaient point cachées et serpentaient autour de ses yeux inquiets, de ses joues vieillies, la robe de chambre même de ma grand-mère qu'elle portait, tout m'avait pendant une seconde empêché de la reconnaître et fait hésiter si je dormais ou si ma grand-mère était ressuscitée. Depuis longtemps déjà ma mère ressemblait à ma grand-mère bien plus qu'à la jeune et rieuse maman qu'avait connue mon enfance. Mais je n'y avais plus songé. Ainsi[a] quand on est resté longtemps à lire, distrait, on ne s'est pas aperçu que passait l'heure et tout d'un coup, on voit autour de soi le soleil inévitablement entraîné à passer par les mêmes phases, rappeler à s'y méprendre le soleil qu'il y avait la veille à la même heure, et éveiller[b] autour de lui les mêmes harmonies, les mêmes correspondances qui préparent le couchant. Ce fut en souriant que ma mère me signala à moi-même mon erreur, car il lui était doux d'avoir avec sa mère une telle ressemblance. « Je suis venue[c], me dit ma mère, parce qu'en dormant il me semblait entendre quelqu'un qui pleurait. Cela m'a réveillée. Mais comment se fait-il que tu ne sois pas couché ? Et tu as les yeux pleins de larmes. Qu'y a-t-il ? » Je pris sa tête dans mes bras : « Maman, voilà, j'ai peur que tu me croies bien changeant. Mais d'abord, hier je ne t'ai pas parlé très gentiment d'Albertine ; ce que je t'ai dit était injuste. — Mais qu'est-ce que cela peut faire ? » me dit ma mère, et apercevant le soleil levant, elle sourit tristement en pensant à sa mère, et pour que je ne perdisse pas le fruit d'un spectacle que ma grand-mère regrettait que je ne contemplasse jamais, elle me montra la fenêtre. Mais derrière la plage de Balbec, la mer, le lever du soleil, que maman me montrait, je voyais, avec des mouvements de désespoir qui ne lui échappaient pas, la chambre de Montjouvain où Albertine, rose, pelotonnée comme une grosse chatte, le nez mutin, avait pris la place de l'amie de Mlle Vinteuil et disait avec des éclats de son rire voluptueux : « Hé bien ! si on nous voit, ce n'en sera que meilleur. Moi ! je n'oserais pas cracher sur ce vieux singe ? » C'est cette scène que je voyais derrière celle qui s'étendait dans la fenêtre et qui n'était sur l'autre qu'un voile morne, superposé comme un reflet. Elle semblait elle-même en effet presque irréelle, comme une vue peinte. En face de nous, à la saillie de la falaise de Parville, le petit bois où nous avions joué au furet inclinait en pente jusqu'à la mer, sous le vernis encore tout doré de l'eau, le tableau de ses feuillages, comme à l'heure où souvent à la fin du jour, quand j'étais allé y faire une sieste avec Albertine, nous nous étions levés en voyant le soleil descendre. Dans le désordre des brouillards de la nuit qui traînaient encore en loques roses et bleues sur les eaux encombrées des débris de nacre de l'aurore, des bateaux passaient en souriant à la lumière oblique qui jaunissait leur voile[a] et la pointe de leur beaupré comme quand ils rentrent le soir : scène imaginaire, grelottante et déserte, pure évocation du couchant, qui ne reposait pas, comme le soir, sur la suite des heures du jour que j'avais l'habitude de voir le précéder, déliée, interpolée, plus inconsistante encore que l'image horrible de Montjouvain qu'elle ne parvenait pas à annuler, à couvrir, à cacher — poétique et vaine image du souvenir et du songe. « Mais voyons, me dit ma mère, tu ne m'as dit aucun mal d'elle, tu m'as dit qu'elle t'ennuyait un peu, que tu étais content d'avoir renoncé à l'idée de l'épouser. Ce n'est pas une raison pour pleurer comme cela. Pense que ta maman part aujourd'hui et va être désolée de laisser son grand loup dans cet état-là. D'autant plus, pauvre petit, que je n'ai guère le temps de te consoler. Car mes affaires ont beau être prêtes, on n'a pas trop de temps un jour de départ. — Ce n'est pas cela. » Et alors, calculant l'avenir, pesant bien ma volonté, comprenant qu'une telle tendresse d'Albertine pour l'amie de Mlle Vinteuil et pendant si longtemps, n'avait pu être innocente, qu'Albertine avait été initiée, et autant que tous ses gestes me le montraient, était d'ailleurs née avec la prédisposition du vice que mes inquiétudes n'avaient que trop de fois pressenti, auquel elle n'avait jamais dû cesser de se livrer (auquel elle se livrait peut-être en ce moment, profitant d'un instant où je n'étais pas là), je dis à ma mère, sachant la peine que je lui faisais, qu'elle ne me montra pas et qui se trahit seulement chez elle par cet air de sérieuse préoccupation qu'elle avait quand elle comparait la gravité de me faire du chagrin ou de me faire du mal, cet air qu'elle avait eu à Combray pour la première fois quand elle s'était résignée à passer la nuit auprès de moi, cet air qui en ce moment ressemblait extraordinairement à celui de ma grand-mère me permettant de boire du cognac, je dis à ma mère : « Je sais la peine que je vais te faire. D'abord au lieu de rester ici comme tu le voulais, je vais partir en même temps que toi. Mais cela n'est encore rien. Je me porte mal ici, j'aime mieux rentrer. Mais écoute-moi, n'aie pas trop de chagrin. Voici. Je me suis trompé, je t'ai trompée de bonne foi hier, j'ai réfléchi toute la nuit. Il faut absolument, et décidons-le tout de suite, parce que je me rends bien compte maintenant, parce que je ne changerai plus, et que je ne pourrais pas vivre sans cela, il faut absolument que j'épouse Albertine[a]. »

LA PRISONNIÈRE[a]

Dès le matin, la tête encore tournée contre le mur et avant d'avoir vu, au-dessus des grands rideaux de la fenêtre, de quelle nuance était la raie du jour, je savais déjà le temps qu'il faisait. Les premiers bruits de la rue me l'avaient appris, selon qu'ils me parvenaient amortis et déviés par l'humidité ou vibrants comme des flèches dans l'aire résonnante et vide d'un matin spacieux, glacial et pur ; dès le roulement du premier tramway, j'avais entendu s'il était morfondu dans la pluie ou en partance pour l'azur. Et peut-être ces bruits avaient-ils été devancés eux-mêmes par quelque émanation plus rapide et plus pénétrante qui, glissée au travers de mon sommeil, y répandait une tristesse annonciatrice de la neige, ou y faisait entonner, à certain petit personnage intermittent, de si nombreux cantiques à la gloire du soleil que ceux-ci finissaient par amener pour moi, qui encore endormi commençais à sourire et dont les paupières closes se préparaient à être éblouies, un étourdissant réveil en musique[1]. Ce fut du reste surtout de ma chambre que je perçus la vie extérieure pendant cette période. Je sais que Bloch raconta que, quand il venait me voir le soir, il entendait un bruit d'une conversation[a] ; comme ma mère était à Combray et qu'il ne trouvait jamais personne dans ma chambre, il conclut que je parlais tout seul. Quand, beaucoup plus tard, il apprit qu'Albertine habitait alors avec moi, comprenant que je l'avais cachée à tout le monde, il déclara qu'il voyait enfin la raison pour laquelle, à cette époque de ma vie, je ne voulais jamais sortir. Il se trompa. Il était d'ailleurs fort excusable car la réalité, même si elle est nécessaire, n'est pas complètement prévisible, ceux qui apprennent sur la vie d'un autre quelque détail exact en tirent aussitôt des conséquences qui ne le sont pas et voient dans le fait nouvellement découvert l'explication de choses qui précisément n'ont aucun rapport avec lui.

Quand je pense maintenant que mon amie était venue à notre retour de Balbec habiter à Paris sous le même toit que moi, qu'elle avait renoncé à l'idée d'aller faire une croisière, qu'elle avait[a] sa chambre à vingt pas de la mienne, au bout du couloir, dans le cabinet à tapisseries de mon père, et que chaque soir, fort tard, avant de me quitter, elle glissait dans ma bouche sa langue, comme un pain quotidien, comme un aliment nourrissant et ayant le caractère presque sacré de toute chair à qui les souffrances que nous avons endurées à cause d'elle ont fini par conférer une sorte de douceur morale, ce que j'évoque aussitôt par comparaison, ce n'est pas la nuit que le capitaine de Borodino[1] me permit de passer au quartier, par une faveur qui ne guérissait en somme qu'un malaise éphémère, mais celle où mon père envoya maman dormir dans le petit lit à côté du mien. Tant la vie, si elle doit une fois de plus nous délivrer contre une souffrance qui paraissait inévitable, le fait dans des conditions différentes, opposées parfois jusqu'au point qu'il y a presque sacrilège apparent à constater l'identité de la grâce octroyée !

Quand[b] Albertine savait par Françoise que, dans la nuit de ma chambre aux rideaux encore fermés, je ne dormais pas, elle ne se gênait pas pour faire un peu de bruit en se baignant, dans son cabinet de toilette. Alors, souvent, au lieu d'attendre une heure plus tardive, j'allais dans une salle de bains contiguë à la sienne et qui était agréable. Jadis un directeur de théâtre dépensait des centaines de mille francs pour consteller de vraies émeraudes le trône où la diva jouait un rôle d'impératrice. Les Ballets russes[2] nous ont appris que de simples jeux de lumières prodiguent, dirigés là où il faut, des joyaux aussi somptueux et plus variés. Cette décoration déjà plus immatérielle n'est pas si gracieuse pourtant que celle par quoi à huit heures du matin le soleil remplace celle que nous avions l'habitude d'y voir quand nous ne nous levions qu'à midi. Les fenêtres de nos deux salles de bains, pour qu'on ne pût nous voir du dehors, n'étaient pas lisses, mais toutes froncées d'un givre artificiel et démodé. Le soleil tout à coup jaunissait cette mousseline de verre, la dorait et, découvrant doucement en moi un jeune homme plus ancien qu'avait caché longtemps l'habitude, me grisait de souvenirs, comme si j'eusse été en pleine nature devant des feuillages dorés où ne manquait même pas la présence d'un oiseau. Car j'entendais Albertine siffler sans trêve :

Les douleurs sont des folles,
Et qui les écoute est encore plus fou[1].

Je l'aimais trop pour ne pas joyeusement sourire de son mauvais goût musical. Cette chanson, du reste, avait ravi l'été passé Mme Bontemps, laquelle entendit dire bientôt que c'était une ineptie, de sorte qu'au lieu de demander à Albertine de la chanter quand elle avait du monde, elle y substitua :

Une chanson d'adieu sort des sources troublées[2],

qui devint à son tour « une vieille rengaine de Massenet dont la petite nous rabat les oreilles ».

Une nuée passait, elle éclipsait le soleil, je voyais s'éteindre et rentrer dans une grisaille le pudique et feuillu rideau de verre.

Les cloisons qui séparaient nos deux cabinets de toilette (celui d'Albertine, tout pareil, était une salle de bains que maman, en ayant une autre dans la partie opposée de l'appartement, n'avait jamais utilisée pour ne pas me faire de bruit) étaient si minces que nous pouvions parler tout en nous lavant chacun dans le nôtre, poursuivant une causerie qu'interrompait seulement le bruit de l'eau, dans cette intimité que permet souvent à l'hôtel l'exiguïté du logement et le rapprochement des pièces, mais qui, à Paris, est si rare.

D'autres fois, je restais couché, rêvant aussi longtemps que je le voulais, car on avait ordre de ne jamais entrer dans ma chambre avant que j'eusse sonné, ce qui, à cause de la façon incommode dont avait été posée la poire électrique au-dessus de mon lit, demandait si longtemps que souvent, las de chercher à l'atteindre et content d'être seul, je restais quelques instants presque rendormi. Ce n'est pas que je fusse absolument indifférent au séjour d'Albertine chez nous. Sa séparation d'avec ses amies réussissait à épargner à mon cœur de nouvelles souffrances. Elle le maintenait dans un repos, dans une quasi-immobilité qui l'aideraient à guérir. Mais enfin ce calme que me procurait mon amie était apaisement de la souffrance plutôt que joie. Non pas qu'il ne me permît d'en goûter de nombreuses auxquelles la douleur trop vive m'avait fermé, mais ces joies, loin de les devoir à Albertine que d'ailleurs je ne trouvais plus guère jolie et avec laquelle je m'ennuyais, que j'avais la sensation nette de ne pas aimer, je les goûtais au contraire pendant qu'Albertine n'était pas auprès de moi. Aussi, pour commencer la matinée, je ne la faisais pas tout de suite appeler, surtout s'il faisait beau. Pendant quelques instants, et sachant qu'il me rendait plus heureux qu'elle, je restais en tête à tête avec le petit personnage intérieur, salueur chantant du soleil et dont j'ai déjà parlé[1]. De ceux qui composent notre individu, ce ne sont pas les plus apparents qui nous sont le plus essentiels. En moi, quand la maladie aura fini de les jeter l'un après l'autre par terre, il en restera encore deux ou trois qui auront la vie plus dure que les autres, notamment un certain philosophe qui n'est heureux que quand il a découvert, entre deux œuvres, entre deux sensations, une partie commune. Mais le dernier de tous, je me suis quelquefois demandé si ce ne serait pas le petit bonhomme fort semblable à un autre que l'opticien de Combray avait placé derrière sa vitrine pour indiquer le temps qu'il faisait et qui, ôtant son capuchon dès qu'il y avait du soleil, le remettait s'il allait pleuvoir. Ce petit bonhomme-là, je connais son égoïsme ; je peux souffrir d'une crise d'étouffements que la venue seule de la pluie calmerait, lui ne s'en soucie pas et aux premières gouttes si impatiemment attendues, perdant sa gaieté, il rabat son capuchon avec mauvaise humeur. En revanche, je crois bien qu'à mon agonie, quand tous mes autres « moi » seront morts, s'il vient à briller un rayon de soleil, tandis que je pousserai mes derniers soupirs, le petit personnage barométrique se sentira bien aise, et ôtera son capuchon pour chanter : « Ah ! enfin, il fait beau. »

Je sonnais Françoise. J'ouvrais *Le Figaro*. J'y cherchais et constatais que ne s'y trouvait pas un article[1], ou prétendu tel, que j'avais envoyé à ce journal et qui n'était, un peu arrangée, que la page récemment retrouvée, écrite autrefois dans la voiture du docteur Percepied, en regardant les clochers de Martinville. Puis je lisais la lettre de maman. Elle trouvait bizarre, choquant, qu'une jeune fille habitât seule avec moi. Le premier jour, au moment de quitter Balbec, quand elle m'avait vu si malheureux et s'était inquiétée de me laisser seul, peut-être ma mère avait-elle été heureuse en apprenant qu'Albertine partait avec nous et en voyant que côte à côte avec nos propres malles (les malles auprès de qui j'avais passé la nuit à l'hôtel de Balbec en pleurant) on avait chargé sur le tortillard celles d'Albertine, étroites et noires, qui m'avaient paru avoir la forme de cercueils et dont j'ignorais si elles allaient apporter à la maison la vie ou la mort. Mais je ne me l'étais même pas demandé, étant tout à la joie, dans le matin rayonnant, après l'effroi de rester à Balbec, d'emmener Albertine. Mais à ce projet, si au début ma mère n'avait pas été hostile (parlant gentiment à mon amie comme une maman dont le fils vient d'être gravement blessé, et qui est reconnaissante à la jeune maîtresse qui le soigne avec dévouement[2]), elle l'était devenue depuis qu'il s'était trop complètement réalisé et que le séjour de la jeune fille se prolongeait chez nous, et chez nous en l'absence de mes parents. Cette hostilité, je ne peux pourtant pas dire que ma mère me la manifestât jamais. Comme autrefois, quand elle avait cessé d'oser me reprocher ma nervosité, ma paresse, maintenant elle se faisait un scrupule — que je n'ai peut-être pas tout à fait deviné au moment, ou pas voulu deviner — de risquer, en faisant quelques réserves sur la jeune fille avec laquelle je lui avais dit que j'allais me fiancer, d'assombrir ma vie, de me rendre plus tard moins dévoué pour ma femme, de semer peut-être pour quand elle-même ne serait plus, le remords de l'avoir peinée en épousant Albertine. Maman préférait paraître approuver un choix sur lequel elle avait le sentiment qu'elle ne pourrait pas me faire revenir. Mais tous ceux qui l'ont vue à cette époque m'ont dit qu'à sa douleur d'avoir perdu sa mère, s'ajoutait un air de perpétuelle préoccupation. Cette contention d'esprit, cette discussion intérieure, donnaient à maman une grande chaleur aux tempes et elle ouvrait constamment les fenêtres, pour se rafraîchir. Mais de décision, elle n'arrivait pas à en prendre de peur de m'« influencer » dans un mauvais sens et de gâter ce qu'elle croyait mon bonheur. Elle ne pouvait même pas se résoudre à m'empêcher de garder provisoirement Albertine à la maison. Elle ne voulait pas se montrer plus sévère que Mme Bontemps que cela regardait avant tout et qui ne trouvait pas cela inconvenant, ce qui surprenait beaucoup ma mère. En tous cas elle regrettait d'avoir été obligée de nous laisser tous les deux seuls, en partant juste à ce moment pour Combray où elle pouvait avoir à rester (et en fait resta) de longs mois pendant lesquels ma grand-tante eut sans cesse besoin d'elle jour et nuit. Tout, là-bas, lui fut rendu facile grâce à la bonté, au dévouement de Legrandin qui, ne reculant devant aucune peine, ajourna de semaine en semaine son retour à Paris, sans connaître beaucoup ma tante, simplement d'abord parce qu'elle avait été une amie de sa mère, puis parce qu'il sentit que la malade condamnée aimait ses soins et ne pouvait se passer de lui. Le snobisme est une maladie grave de l'âme, mais localisée et qui ne la gâte pas tout entière. Moi, cependant, au contraire de maman, j'étais fort heureux de son déplacement à Combray, sans lequel j'eusse craint (ne pouvant pas dire à Albertine de la cacher) qu'elle ne découvrît son amitié pour Mlle Vinteuil. C'eût été pour ma mère un obstacle absolu non seulement à un mariage dont elle m'avait d'ailleurs demandé de ne pas parler encore définitivement à mon amie mais dont l'idée m'était de plus en plus intolérable, mais même à ce que celle-ci passât quelque temps à la maison. Sauf une raison si grave et qu'elle ne connaissait pas, maman, par le double effet de l'imitation édifiante et libératrice de ma grand-mère, admiratrice de George Sand et qui faisait consister la vertu dans la noblesse du cœur, et d'autre part de ma propre influence corruptrice, était maintenant indulgente à des femmes pour la conduite de qui elle se fût montrée sévère autrefois, ou même aujourd'hui si elles avaient été de ses amies bourgeoises de Paris ou de Combray, mais dont je lui vantais la grande âme et auxquelles elle pardonnait beaucoup parce qu'elles m'aimaient bien. Malgré tout et même en dehors de la question convenance, je crois qu'Albertine eût insupporté maman qui avait gardé de Combray, de ma tante Léonie, de toutes ses parentes, des habitudes d'ordre dont mon amie n'avait pas la première notion. Elle n'aurait pas fermé une porte et, en revanche, ne se serait pas plus gênée d'entrer quand une porte était ouverte que ne fait un chien ou un chat. Son charme un peu incommode était ainsi d'être à la maison moins comme une jeune fille que comme une bête domestique qui entre dans une pièce, qui en sort, qui se trouve partout où on ne s'y attend pas et qui venait — c'était pour moi un repos profond — se jeter sur mon lit à côté de moi, s'y faire une place d'où elle ne bougeait plus, sans gêner comme l'eût fait une personne. Pourtant elle finit par se plier à mes heures de sommeil, à ne pas essayer non seulement d'entrer dans ma chambre, mais à ne plus faire de bruit avant que j'eusse sonné. C'est Françoise qui lui imposa ces règles. Elle était de ces domestiques de Combray sachant la valeur de leur maître et que le moins qu'elles peuvent est de lui faire rendre entièrement ce qu'elles jugent qui lui est dû. Quand un visiteur étranger donnait un pourboire à Françoise à partager avec la fille de cuisine, le donateur n'avait pas le temps d'avoir remis sa pièce que Françoise, avec une rapidité, une discrétion et une énergie égales, avait passé la leçon à la fille de cuisine qui venait remercier non pas à demi-mot, mais franchement, hautement[a], comme Françoise lui avait dit qu'il fallait le faire. Le curé de Combray n'était pas un génie, mais lui aussi savait ce qui se devait. Sous sa direction, la fille de cousins protestants de Mme Sazerat s'était convertie au catholicisme et la famille avait été parfaite pour lui. Il fut question d'un mariage avec un noble de Méséglise. Les parents du jeune homme écrivirent pour prendre des informations une lettre assez dédaigneuse et où l'origine protestante était méprisée. Le curé de Combray répondit d'un tel ton que le noble de Méséglise, courbé et prosterné, écrivit une lettre[b] bien différente, où il sollicitait comme la plus précieuse faveur de s'unir à la jeune fille.

Françoise n'eut pas de mérite à faire respecter mon sommeil par Albertine. Elle était imbue de la tradition. À un silence qu'elle garda, ou à la réponse péremptoire qu'elle fit à une proposition d'entrer chez moi ou de me faire demander quelque chose, qu'avait dû innocemment formuler Albertine, celle-ci comprit avec stupeur qu'elle se trouvait dans un monde étrange, aux coutumes inconnues, réglé par des lois de vivre qu'on ne pouvait songer à enfreindre. Elle avait déjà eu un premier pressentiment de cela à Balbec, mais, à Paris, n'essaya même pas de résister et attendit patiemment chaque matin mon coup de sonnette pour oser faire du bruit.

L'éducation que lui donna Françoise fut salutaire d'ailleurs à notre vieille servante elle-même, en calmant peu à peu les gémissements que depuis le retour de Balbec elle ne cessait de pousser. Car, au moment de monter dans le tram, elle s'était aperçue qu'elle avait oublié de dire adieu à la « gouvernante » de l'hôtel, personne moustachue qui surveillait les étages, connaissait à peine Françoise mais avait été relativement polie pour elle. Françoise voulait absolument faire retour en arrière, descendre du tram, revenir à l'hôtel, faire ses adieux à la gouvernante et ne partir que le lendemain. La sagesse et surtout mon horreur subite de Balbec m'empêchèrent de lui accorder cette grâce, mais elle en avait contracté une mauvaise humeur maladive et fiévreuse que le changement d'air n'avait pas suffi à faire disparaître et qui se prolongeait à Paris. Car, selon le code de Françoise tel qu'il est illustré dans les bas-reliefs de Saint-André-des-Champs, souhaiter la mort d'un ennemi, la lui donner même n'est pas défendu, mais il est horrible de ne pas faire ce qui se doit, de ne pas rendre une politesse, de ne pas faire ses adieux avant de partir, comme une vraie malotrue, à une gouvernante d'étage. Pendant tout le voyage, le souvenir à chaque moment renouvelé qu'elle n'avait pas pris congé de cette femme, avait fait monter aux joues de Françoise un vermillon qui pouvait effrayer. Et si elle refusa de boire et de manger jusqu'à Paris, c'est peut-être parce que ce souvenir lui mettait un « poids » réel « sur l'estomac » (chaque classe sociale a sa pathologie) plus encore que pour nous punir.

Parmi les causes qui faisaient que maman m'envoyait tous les jours une lettre, et une lettre d'où n'était jamais absente quelque citation de Mme de Sévigné, il y avait le souvenir de ma grand-mère. Maman m'écrivait : « Mme Sazerat nous a donné un de ces petits déjeuners dont elle a le secret et qui, comme eût dit ta pauvre grand-mère, citant Mme de Sévigné, nous enlèvent à la solitude sans nous apporter la société. » Dans mes premières réponses, j'eus la bêtise d'écrire à maman : « À ces citations, ta mère te reconnaîtrait tout de suite. » Ce qui me valut, trois jours après, ce mot : « Mon pauvre fils, si c'était pour me parler de *ma mère*, tu invoques bien mal à propos Mme de Sévigné. Elle t'aurait répondu comme elle fit à Mme de Grignan : "Elle ne vous était donc rien ? Je vous croyais parents[1]." »

Cependant, j'entendais les pas de mon amie qui sortait de sa chambre ou y rentrait[a]. Je sonnais car c'était l'heure où Andrée allait venir avec le chauffeur, ami de Morel et prêté par les Verdurin, chercher Albertine. J'avais parlé à celle-ci de la possibilité lointaine de nous marier ; mais je ne l'avais jamais fait formellement ; elle-même, par discrétion, quand j'avais dit : « je ne sais pas, mais ce serait peut-être possible », avait secoué la tête avec un mélancolique sourire disant : « mais non, ce ne le serait pas », ce qui signifiait : « je suis trop pauvre ». Et alors, tout en disant : « rien n'est moins sûr » quand il s'agissait de projets d'avenir, présentement je faisais tout pour la distraire, lui rendre la vie agréable, cherchant peut-être aussi, inconsciemment, à lui faire par là désirer de m'épouser. Elle riait elle-même de tout ce luxe. « C'est la mère d'Andrée qui en ferait une tête de me voir devenue une dame riche comme elle, ce qu'elle appelle une dame qui a "chevaux, voitures, tableaux". Comment ? Je ne vous avais jamais raconté qu'elle disait cela ? Oh ! c'est un type ! Ce qui m'étonne, c'est qu'elle élève les tableaux à la dignité des chevaux et des voitures. »

Car on verra plus tard que, malgré des habitudes de parler stupides qui lui étaient restées, Albertine s'était étonnamment développée, ce qui m'était entièrement égal, les supériorités d'esprit d'une femme m'ayant toujours si peu intéressé que si je les ai fait remarquer à l'une ou à l'autre, cela a été par pure politesse. Seul le curieux génie de Céleste m'eût peut-être plu[2]. Malgré moi, je souriais pendant quelques instants, quand, par exemple, ayant profité de ce qu'elle avait appris qu'Albertine n'était pas là, elle m'abordait par ces mots : « Divinité du ciel déposée sur un lit ! » Je disais : « Mais, voyons, Céleste, pourquoi "divinité du ciel" ? — Oh, si vous croyez que vous avez quelque chose de ceux qui voyagent sur notre vile terre, vous vous trompez bien ! — Mais pourquoi "déposé" sur un lit ? vous voyez bien que je suis couché. — Vous n'êtes jamais couché. A-t-on jamais vu personne couché ainsi ?

Vous êtes venu vous poser là. Votre pyjama en ce moment tout blanc, avec vos mouvements de cou, vous donne l'air d'une colombe. »

Albertine, même dans l'ordre des choses bêtes, s'exprimait tout autrement que la petite fille qu'elle était il y avait seulement quelques années, à Balbec. Elle allait jusqu'à déclarer, à propos d'un événement politique qu'elle blâmait : « Je trouve ça formidable », et je ne sais si ce ne fut vers ce temps-là qu'elle apprit à dire, pour signifier qu'elle trouvait un livre mal écrit : « C'est intéressant, mais, par exemple, c'est écrit *comme par un cochon.* »

La défense d'entrer chez moi, avant que j'eusse sonné, l'amusait beaucoup. Comme elle avait pris notre habitude familiale des citations et utilisait pour elle celles des pièces qu'elle avait jouées au couvent et que je lui avais dit aimer, elle me comparait toujours à Assuérus :

Et la mort est le prix de tout audacieux
Qui sans être appelé se présente à ses yeux.

Rien ne met à l'abri de cet ordre fatal,
Ni le rang, ni le sexe, et le crime est égal.

Moi-même...
Je suis à cette loi comme une autre soumise,
Et sans le prévenir il faut pour lui parler
Qu'il me cherche ou du moins qu'il me fasse appeler[1].

Physiquement, elle avait changé aussi. Ses longs yeux bleus — plus allongés — n'avaient pas gardé la même forme ; ils avaient la même couleur, mais semblaient être passés à l'état liquide. Si bien que, quand elle les fermait, c'était comme quand avec des rideaux on empêche de voir la mer. C'est sans doute de cette partie d'elle-même que je me souvenais surtout, chaque nuit en la quittant. Car par exemple, tout au contraire, chaque matin, le crespelage de ses cheveux me causa longtemps la même surprise comme une chose nouvelle, que je n'aurais jamais vue. Et pourtant, au-dessus du regard souriant d'une jeune fille, qu'y a-t-il de plus beau que cette couronne bouclée de violettes noires ? Le sourire propose plus d'amitié ; mais les petits crochets vernis des cheveux en fleurs, plus parents de la chair dont ils semblent la transposition en vaguelettes, attrapent davantage le désir.

À peine entrée dans ma chambre, elle sautait sur le lit et quelquefois définissait mon genre d'intelligence, jurait dans un transport sincère qu'elle aimerait mieux mourir que me quitter : c'était les jours où je m'étais rasé avant de la faire venir. Elle était de ces femmes qui ne savent pas démêler la raison de ce qu'elles ressentent. Le plaisir que leur cause un teint frais, elles l'expliquent par les qualités morales de celui qui leur semble pour leur avenir présenter un bonheur, capable du reste de décroître et de devenir moins nécessaire au fur et à mesure qu'on laisse pousser sa barbe.

Je lui demandais où elle comptait aller. « Je crois qu'Andrée veut me mener aux Buttes-Chaumont que je ne connais pas. » Certes il m'était impossible de deviner entre tant d'autres paroles si sous celle-là un mensonge était caché. D'ailleurs j'avais confiance en Andrée pour me dire tous les endroits où elle allait avec Albertine. À Balbec, quand je m'étais senti trop las d'Albertine, j'avais compté dire mensongèrement à Andrée : « Ma petite Andrée, si seulement je vous avais revue plus tôt ! C'était vous que j'aurais aimée. Mais maintenant mon cœur est fixé ailleurs. Tout de même nous pouvons nous voir beaucoup, car mon amour pour une autre me cause de grands chagrins et vous m'aiderez à me consoler. » Or, ces mêmes paroles de mensonge étaient devenues vérité à trois semaines de distance. Peut-être Andrée avait-elle cru à Paris que c'était en effet un mensonge et que je l'aimais, comme elle l'aurait sans doute cru à Balbec. Car la vérité change tellement pour nous que les autres ont peine à s'y reconnaître. Et comme je savais qu'elle me raconterait tout ce qu'elles auraient fait, Albertine et elle, je lui avais demandé et elle avait accepté de venir la chercher presque chaque jour. Ainsi, je pourrais, sans souci, rester chez moi. Et ce prestige d'Andrée d'être une des filles de la petite bande me donnait confiance qu'elle obtiendrait tout ce que je voudrais d'Albertine. Vraiment, j'aurais pu lui dire maintenant en toute vérité qu'elle serait capable de me tranquilliser.

D'autre part, mon choix d'Andrée (laquelle se trouvait être à Paris, ayant renoncé à son projet de revenir à Balbec) comme guide de mon amie avait tenu à ce qu'Albertine me raconta de l'affection que son amie avait eue pour moi à Balbec, à un moment au contraire où je craignais de l'ennuyer, et si je l'avais su alors c'est peut-être Andrée que j'eusse aimée. « Comment, vous ne le saviez pas ? me dit Albertine, nous en plaisantions pourtant entre nous. Du reste, vous n'avez pas remarqué qu'elle s'était mise à prendre vos manières de parler, de raisonner ? Surtout quand elle venait de vous quitter, c'était frappant. Elle n'avait pas besoin de nous dire si elle vous avait vu. Quand elle arrivait, si elle venait d'auprès de vous, cela se voyait à la première seconde. Nous nous regardions entre nous et nous riions. Elle était comme un charbonnier qui voudrait faire croire qu'il n'est pas charbonnier, il est tout noir. Un meunier n'a pas besoin de dire qu'il est meunier, on voit bien toute la farine qu'il a sur lui, il y a encore la place des sacs qu'il a portés. Andrée, c'était la même chose, elle tournait ses sourcils comme vous, et puis son grand cou, enfin je ne peux pas vous dire. Quand je prends un livre qui a été dans votre chambre, je peux le lire dehors, on sait tout de même qu'il vient de chez vous parce qu'il garde quelque chose de vos sales fumigations. C'est un rien, je ne peux vous dire, mais c'est un rien, au fond, qui est assez gentil. Chaque fois que quelqu'un avait parlé de vous gentiment, avait eu l'air de faire grand cas de vous, Andrée était dans le ravissement. »

Malgré tout, pour éviter qu'il y eût quelque chose de préparé à mon insu, je conseillais d'abandonner pour ce jour-là les Buttes-Chaumont et d'aller plutôt à Saint-Cloud, ou ailleurs.

Ce n'est pas certes, je le savais que j'aimasse Albertine le moins du monde. L'amour n'est peut-être que la propagation de ces remous qui, à la suite d'une émotion, émeuvent l'âme. Certains avaient remué mon âme tout entière quand Albertine m'avait parlé à Balbec de Mlle Vinteuil, mais ils étaient maintenant arrêtés. Je n'aimais plus Albertine, car il ne me restait plus rien de la souffrance, guérie maintenant, que j'avais eue dans le tram, à Balbec, en apprenant quelle avait été l'adolescence d'Albertine, avec des visites peut-être à Montjouvain. Tout cela, j'y avais trop longtemps pensé, c'était guéri. Mais par instants certaines manières de parler d'Albertine me faisaient supposer — je ne sais pourquoi — qu'elle avait dû recevoir dans sa vie encore si courte beaucoup de compliments, de déclarations, et les recevoir avec plaisir, autant dire avec sensualité. Ainsi elle disait à propos de n'importe quoi : « C'est vrai ? c'est bien vrai ? » Certes, si elle avait dit comme une Odette : « C'est bien vrai ce gros mensonge-là ? » je ne m'en fusse pas inquiété, car le ridicule même de la formule se fût expliqué par une stupide banalité d'esprit de femme. Mais son air interrogateur : « C'est vrai ? » donnait, d'une part, l'étrange impression d'une créature qui ne peut se rendre compte des choses par elle-même, qui en appelle à votre témoignage, comme si elle ne possédait pas les mêmes facultés que vous (on lui disait : « Voilà une heure que nous sommes partis », ou « Il pleut », elle demandait : « C'est vrai ? »). Malheureusement, d'autre part, ce manque de facilité à se rendre compte par soi-même des phénomènes extérieurs ne devait pas être la véritable origine de « C'est vrai ? c'est bien vrai ? » Il semblait plutôt que ces mots eussent été, dès sa nubilité précoce, des réponses à des : « Vous savez que je n'ai jamais trouvé personne si joli que vous », « vous savez que j'ai un grand amour pour vous, que je suis dans un état d'excitation terrible », affirmations auxquelles répondaient, avec une modestie coquettement consentante, ces « C'est vrai ? c'est bien vrai ? », lesquels ne servaient plus à Albertine avec moi qu'à répondre par une question à une affirmation telle que : « Vous avez sommeillé plus d'une heure. — C'est vrai ? »

Sans me sentir le moins du monde amoureux d'Albertine, sans faire figurer au nombre des plaisirs les moments que nous passions ensemble, j'étais resté préoccupé de l'emploi de son temps ; certes, j'avais fui Balbec pour être certain qu'elle ne pourrait plus voir telle ou telle personne avec laquelle j'avais tellement peur qu'elle ne fît le mal en riant, peut-être en riant de moi, que j'avais adroitement tenté de rompre d'un seul coup, par mon départ, toutes ses mauvaises relations. Et Albertine avait une telle force de passivité, une si grande faculté d'oublier et de se soumettre que ces relations avaient été brisées en effet et la phobie qui me hantait, guérie. Mais elle peut revêtir autant de formes que le mal incertain qui est son objet. Tant que ma jalousie ne s'était pas réincarnée en des êtres nouveaux, j'avais eu après mes souffrances passées un intervalle de calme. Mais à une maladie chronique, le moindre prétexte sert pour renaître, comme d'ailleurs au vice de l'être qui est cause de cette jalousie, la moindre occasion peut servir pour s'exercer à nouveau (après une trêve de chasteté) avec des êtres différents. J'avais pu séparer Albertine de ses complices et par là exorciser mes hallucinations ; si on pouvait lui faire oublier les personnes, rendre brefs ses attachements, son goût du plaisir était, lui aussi, chronique et n'attendait peut-être qu'une occasion pour se donner cours. Or, Paris en fournit autant que Balbec.

Dans quelque ville que ce fût, elle n'avait pas besoin de chercher, car le mal n'était pas en Albertine seule, mais en d'autres pour qui toute occasion de plaisir est bonne. Un regard de l'une, aussitôt compris de l'autre, rapproche les deux affamées. Et il est facile à une femme adroite d'avoir l'air de ne pas voir, puis cinq minutes après d'aller vers la personne qui a compris et l'a attendue dans une rue de traverse, et en deux mots de donner un rendez-vous. Qui saura jamais ? Et il était si simple à Albertine de me dire, afin que cela continuât, qu'elle désirait revoir tel environ de Paris qui lui avait plu. Aussi suffisait-il qu'elle rentrât trop tard, que sa promenade eût duré un temps inexplicable, quoique peut-être très facile à expliquer sans faire intervenir aucune raison sensuelle, pour que mon mal renaquît, attaché cette fois à des représentations qui n'étaient pas de Balbec, et que je m'efforcerais, ainsi que les précédentes, de détruire, comme si la destruction d'une cause éphémère pouvait entraîner celle d'un mal congénital. Je ne me rendais pas compte que, dans ces destructions où j'avais pour complice, en Albertine, sa faculté de changer, son pouvoir d'oublier, presque de haïr, l'objet récent de son amour, je causais quelquefois une douleur profonde à tel ou tel de ces êtres inconnus avec qui elle avait pris successivement du plaisir, et que cette douleur, je la causais vainement, car ils seraient délaissés, mais remplacés, et parallèlement au chemin jalonné par tant d'abandons qu'elle commettrait à la légère, s'en poursuivrait pour moi un autre impitoyable, à peine interrompu de bien courts répits ; de sorte que ma souffrance ne pouvait, si j'avais réfléchi, finir qu'avec Albertine ou qu'avec moi. Même les premiers temps de notre arrivée à Paris, insatisfait des renseignements qu'Andrée et le chauffeur m'avaient donnés sur les promenades qu'ils faisaient avec mon amie, j'avais senti les environs de Paris aussi cruels que ceux de Balbec et j'étais parti quelques jours en voyage avec Albertine. Mais partout l'incertitude de ce qu'elle faisait était la même, les possibilités que ce fût le mal aussi nombreuses, la surveillance encore plus difficile, si bien que j'étais revenu avec elle à Paris. En réalité, en quittant Balbec, j'avais cru quitter Gomorrhe, en arracher Albertine ; hélas ! Gomorrhe était dispersée aux quatre coins du monde. Et, moitié par ma jalousie, moitié par ignorance de ces joies (cas qui est fort rare), j'avais réglé à mon insu cette partie de cache-cache où Albertine m'échapperait toujours.

Je l'interrogeais à brûle-pourpoint : « Ah ! à propos, Albertine, est-ce que je rêve, est-ce que vous ne m'aviez pas dit que vous connaissiez Gilberte Swann ? — Oui, c'est-à-dire qu'elle m'a parlé au cours, parce qu'elle avait les cahiers d'Histoire de France, elle a même été très gentille, elle me les a prêtés et je les lui ai rendus aussitôt que je l'ai vue. — Est-ce qu'elle est du genre de femmes que je n'aime pas ? — Oh ! pas du tout, tout le contraire. »

Mais, plutôt que de me livrer à ce genre de causeries investigatrices, je consacrais souvent à imaginer la promenade d'Albertine les forces que je n'employais pas à la faire, et parlais à mon amie avec cette ardeur que gardent intacte les projets inexécutés. J'exprimais une telle envie d'aller revoir tel vitrail de la Sainte-Chapelle, un tel regret de ne pas pouvoir le faire avec elle seule, que tendrement elle me disait : « Mais, mon petit, puisque cela a l'air de vous plaire tant, faites un petit effort, venez avec nous. Nous attendrons aussi tard que vous voudrez, jusqu'à ce que vous soyez prêt. D'ailleurs, si cela vous amuse plus d'être seul avec moi, je n'ai qu'à réexpédier Andrée chez elle, elle viendra une autre fois. » Mais ces prières mêmes de sortir ajoutaient au calme qui me permettait de rester à la maison.

Je ne songeais pas que l'apathie qu'il y avait à se décharger ainsi sur Andrée ou sur le chauffeur du soin de calmer mon agitation en leur laissant le soin de surveiller Albertine, ankylosait en moi, rendait inertes tous ces mouvements imaginatifs de l'intelligence, toutes ces inspirations de la volonté qui aident à deviner, à empêcher ce que va faire une personne. C'était d'autant plus dangereux que par nature le monde des possibles m'a toujours été plus ouvert que celui de la contingence réelle. Cela aide à connaître l'âme, mais on se laisse tromper par les individus. Ma jalousie naissait par des images, pour une souffrance, non d'après une probabilité. Or, il peut y avoir dans la vie des hommes et dans celle des peuples (et il devait y avoir un jour dans la mienne) un moment où on a besoin d'avoir en soi un préfet de police, un diplomate à claires vues, un chef de la Sûreté, qui au lieu de rêver aux possibles que recèle l'étendue jusqu'aux quatre points cardinaux, raisonne juste, se dit : « Si l'Allemagne déclare ceci, c'est qu'elle veut faire telle autre chose, non pas une autre chose dans le vague, mais bien précisément ceci ou cela qui est même peut-être déjà commencé. — Si telle personne s'est enfuie, ce n'est pas vers les buts *a, b, d,* mais vers le but *c,* et l'endroit où il faut opérer nos recherches est *etc.* » Hélas, cette faculté qui n'était pas très développée chez moi, je la laissais s'engourdir, perdre ses forces, disparaître en m'habituant à être calme du moment que d'autres s'occupaient de surveiller pour moi. Quant à la raison de ce désir, cela m'eût été désagréable de la dire à Albertine. Je lui disais que le médecin m'ordonnait de rester couché. Ce n'était pas vrai. Et cela l'eût-il été que ses prescriptions n'eussent pu m'empêcher d'accompagner mon amie. Je lui demandais la permission de ne pas venir avec elle et Andrée. Je ne dirai qu'une des raisons, qui était une raison de sagesse. Dès que je sortais avec Albertine, pour peu qu'un instant elle fût sans moi, j'étais inquiet, je me figurais que peut-être elle avait parlé à quelqu'un ou seulement regardé quelqu'un. Si elle n'était pas d'excellente humeur, je pensais que je lui faisais manquer ou remettre un projet. La réalité n'est jamais qu'une amorce à un inconnu sur la voie duquel nous ne pouvons aller bien loin. Il vaut mieux ne pas savoir, penser le moins possible, ne pas fournir à la jalousie le moindre détail concret. Malheureusement, à défaut de la vie extérieure, des incidents aussi sont amenés par la vie intérieure ; à défaut des promenades d'Albertine, les hasards rencontrés dans les réflexions que je faisais seul me fournissaient parfois de ces petits fragments de réel qui attirent à eux, à la façon d'un aimant, un peu d'inconnu qui, dès lors, devient douloureux. On a beau vivre sous l'équivalent d'une cloche pneumatique, les associations d'idées, les souvenirs continuent à jouer.

Mais ces heurts internes ne se produisaient pas tout de suite ; à peine Albertine était-elle partie pour sa promenade que j'étais vivifié, fût-ce pour quelques instants, par les exaltantes vertus de la solitude. Je prenais ma part des plaisirs de la journée commençante ; le désir arbitraire — la velléité capricieuse et purement mienne — de les goûter n'eût pas suffi à les mettre à portée de moi si le temps spécial qu'il faisait ne m'en avait non pas seulement évoqué les images passées, mais affirmé la réalité actuelle, immédiatement accessible à tous les hommes qu'une circonstance contingente et par conséquent négligeable ne forçait pas à rester chez eux. Certains beaux jours, il faisait si froid, on était en si large communication avec la rue qu'il semblait qu'on eût disjoint les murs de la maison, et chaque fois que passait le tramway, son timbre résonnait comme eût fait un couteau d'argent frappant une maison de verre. Mais c'était surtout en moi que j'entendais avec ivresse un son nouveau rendu par le violon intérieur. Ses cordes sont serrées ou détendues par de simples différences de la température, de la lumière extérieures. En notre être, instrument que l'uniformité de l'habitude a rendu silencieux, le chant naît de ces écarts, de ces variations, source de toute musique : le temps qu'il fait certains jours nous fait aussitôt passer d'une note à une autre. Nous retrouvons l'air oublié dont nous aurions pu deviner la nécessité mathématique et que pendant les premiers instants nous chantons sans le connaître. Seules ces modifications internes, bien que venues du dehors, renouvelaient pour moi le monde extérieur. Des portes de communication depuis longtemps condamnées se rouvraient dans mon cerveau. La vie de certaines villes, la gaieté de certaines promenades reprenaient en moi leur place. Frémissant tout entier autour de la corde vibrante, j'aurais sacrifié ma terne vie d'autrefois et ma vie à venir, passées à la gomme à effacer de l'habitude, pour cet état si particulier.

Si je n'étais pas allé accompagner Albertine dans sa longue course, mon esprit n'en vagabonderait que davantage et pour avoir refusé de goûter avec mes sens cette matinée-là, je jouissais en imagination de toutes les matinées pareilles, passées ou possibles, plus exactement d'un certain type de matinées dont toutes celles du même genre n'étaient que l'intermittente apparition et que j'avais vite reconnu ; car l'air vif tournait de lui-même les pages qu'il fallait, et je trouvais tout indiqué devant moi, pour que je pusse le suivre de mon lit, l'évangile du jour. Cette matinée idéale comblait mon esprit de réalité permanente, identique à toutes les matinées semblables, et me communiquait une allégresse que mon état de débilité ne diminuait pas : le bien-être résultant pour nous beaucoup moins de notre bonne santé que de l'excédent inemployé de nos forces, nous pouvons y atteindre, tout aussi bien qu'en augmentant celles-ci, en restreignant notre activité. Celle dont je débordais et que je maintenais en puissance dans mon lit, me faisait tressauter, intérieurement bondir, comme une machine qui, empêchée de changer de place, tourne sur elle-même.

Françoise venait allumer le feu et pour le faire prendre y jetait quelques brindilles[1] dont l'odeur, oubliée pendant tout l'été, décrivait autour de la cheminée un cercle magique dans lequel, m'apercevant moi-même en train de lire tantôt à Combray, tantôt à Doncières, j'étais aussi joyeux, restant dans ma chambre à Paris, que si j'avais été sur le point de partir en promenade du côté de Méséglise ou de retrouver Saint-Loup et ses amis faisant du service en campagne. Il arrive souvent que le plaisir qu'ont tous les hommes à revoir les souvenirs que leur mémoire a collectionnés est plus vif par exemple chez ceux que la tyrannie du mal physique et l'espoir quotidien de sa guérison privent, d'une part, d'aller chercher dans la nature des tableaux qui ressemblent à ces souvenirs et, d'autre part, laissent assez confiants qu'ils le pourront bientôt faire, pour rester vis-à-vis d'eux en état de désir, d'appétit et ne pas les considérer seulement comme des souvenirs, comme des tableaux. Mais eussent-ils pu jamais n'être que cela pour moi et eussé-je pu en me les rappelant les revoir seulement, que soudain ils refaisaient en moi, de moi tout entier, par la vertu d'une sensation identique, l'enfant, l'adolescent qui les avait vus. Il n'y avait pas eu seulement changement de temps dehors, ou dans la chambre modification d'odeurs, mais en moi différence d'âge, substitution de personne. L'odeur dans l'air glacé des brindilles de bois, c'était comme un morceau du passé, une banquise invisible détachée d'un hiver ancien qui s'avançait dans ma chambre, souvent striée d'ailleurs par tel parfum, telle lueur, comme par des années différentes où je me retrouvais replongé, envahi avant même que je les eusse identifiées par l'allégresse d'espoirs abandonnés depuis longtemps. Le soleil venait jusqu'à mon lit et traversait la cloison transparente de mon corps aminci, me chauffait, me rendait brûlant comme du cristal. Alors, convalescent affamé qui se repaît déjà de tous les mets qu'on lui refuse encore, je me demandais si me marier avec Albertine ne gâcherait pas ma vie, tant en me faisant assumer la tâche trop lourde pour moi de me consacrer à un autre être, qu'en me forçant à vivre absent de moi-même à cause de sa présence continuelle et en me privant à jamais des joies de la solitude. Et pas de celles-là seulement[1]. Même en ne demandant à la journée que des désirs, il en est certains — ceux que provoquent non plus les choses, mais les êtres — dont le caractère est d'être individuels. Aussi[a], si sortant de mon lit, j'allais écarter un instant le rideau de ma fenêtre, ce n'était pas seulement comme un musicien ouvre un instant son piano et pour vérifier si sur le balcon et dans la rue la lumière du soleil était exactement au même diapason que dans mon souvenir, c'était aussi pour apercevoir quelque blanchisseuse portant son panier à linge, une boulangère à tablier bleu, une laitière en bavette et manches de toile blanche tenant le crochet où sont suspendues les carafes de lait, quelque fière jeune fille blonde suivant son institutrice, une image enfin que les différences de lignes peut-être quantitativement insignifiantes suffisaient à faire aussi différente de toute autre que pour une phrase musicale la différence de deux notes, et sans la vision de laquelle j'aurais appauvri la journée des buts qu'elle pouvait proposer à mes désirs de bonheur. Mais si le surcroît de joie, apporté par la vue des femmes impossibles à imaginer *a priori*, me rendait plus désirables, plus dignes d'être explorés, la rue, la ville, le monde, il me donnait par là même la soif de guérir, de sortir et, sans Albertine, d'être libre. Que de fois, au moment où la femme inconnue dont j'allais rêver passait devant la maison, tantôt à pied, tantôt avec toute la vitesse de son automobile, je souffris que mon corps ne pût suivre mon regard qui la rattrapait et, tombant sur elle comme tiré de l'embrasure de ma fenêtre par une arquebuse, arrêter la fuite du visage dans lequel m'attendait l'offre d'un bonheur qu'ainsi cloîtré je ne goûterais jamais !

D'Albertine, en revanche, je n'avais plus rien à apprendre. Chaque jour, elle me semblait moins jolie. Seul le désir qu'elle excitait chez les autres, quand l'apprenant je commençais à souffrir et voulais la leur disputer, la hissait à mes yeux sur un haut pavois. Elle était capable de me causer de la souffrance, nullement de la joie. Par la souffrance seule, subsistait mon ennuyeux attachement. Dès qu'elle disparaissait, et avec elle le besoin de l'apaiser, requérant toute mon attention comme une distraction atroce, je sentais le néant qu'elle était pour moi, que je devais être pour elle. J'étais malheureux que cet état durât et, par moments, je souhaitais d'apprendre quelque chose d'épouvantable qu'elle aurait fait, et qui eût été capable, jusqu'à ce que je fusse guéri, de nous brouiller, ce qui nous permettrait de nous réconcilier, de refaire différente et plus souple la chaîne qui nous liait. En attendant, je chargeais mille circonstances, mille plaisirs, de lui procurer auprès de moi l'illusion de ce bonheur que je ne me sentais pas capable de lui donner. J'aurais voulu dès ma guérison partir pour Venise ; mais comment le faire si j'épousais Albertine, moi si jaloux d'elle que, même à Paris, dès que je me décidais à bouger, c'était pour sortir avec elle ? Même quand je restais à la maison tout l'après-midi, ma pensée la suivait dans sa promenade, décrivait un horizon lointain, bleuâtre, engendrait autour du centre que j'étais une zone mobile d'incertitude et de vague. « Combien Albertine, me disais-je, m'épargnerait les angoisses de la séparation si, au cours d'une de ces promenades, voyant que je ne lui parlais plus de mariage, elle se décidait à ne pas revenir, et partait chez sa tante sans que j'eusse à lui dire adieu ! » Mon cœur, depuis que sa plaie se cicatrisait, commençait à ne plus adhérer à celui de mon amie ; je pouvais par l'imagination la déplacer, l'éloigner de moi, sans souffrir. Sans doute, à défaut de moi-même quelque autre serait son époux, et libre, elle aurait peut-être de ces aventures qui me faisaient horreur. Mais il faisait si beau, j'étais si certain qu'elle rentrerait le soir, que même si cette idée de fautes possibles me venait à l'esprit, je pouvais par un acte libre l'emprisonner dans une partie de mon cerveau, où elle n'avait pas plus d'importance que n'en auraient eu pour ma vie réelle les vices d'une personne imaginaire ; faisant jouer les gonds assouplis de ma pensée, j'avais, avec une énergie que je sentais, dans ma tête, à la fois physique et mentale comme un mouvement musculaire et une initiative spirituelle, dépassé l'état de préoccupation habituelle où j'avais été confiné jusqu'ici et commençais à me mouvoir à l'air libre, d'où tout sacrifier pour empêcher le mariage d'Albertine avec un autre et faire obstacle à son goût pour les femmes paraissait aussi déraisonnable à mes propres yeux qu'à ceux de quelqu'un qui ne l'eût pas connue. D'ailleurs la jalousie est de ces maladies intermittentes, dont la cause est capricieuse, impérative, toujours identique chez le même malade, parfois entièrement différente chez un autre. Il y a des asthmatiques qui ne calment leur crise qu'en ouvrant les fenêtres, en respirant le grand vent, un air pur sur les hauteurs, d'autres en se réfugiant au centre de la ville, dans une chambre enfumée. Il n'est guère de jaloux dont la jalousie n'admette certaines dérogations. Tel consent à être trompé pourvu qu'on le lui dise, tel autre pourvu qu'on le lui cache, en quoi l'un n'est guère moins absurde que l'autre, puisque si le second est plus véritablement trompé en ce qu'on lui dissimule la vérité, le premier réclame en cette vérité, l'aliment, l'extension, le renouvellement de ses souffrances.

Bien plus, ces deux manies inverses de la jalousie vont souvent au-delà des paroles, qu'elles implorent ou refusent les confidences. On voit des jaloux qui ne le sont que des hommes avec qui leur maîtresse a des relations loin d'eux, mais qui permettent qu'elle se donne à un autre homme qu'eux, si c'est avec leur autorisation, près d'eux, et, sinon même à leur vue, du moins sous leur toit. Ce cas est assez fréquent chez les hommes âgés amoureux d'une jeune femme. Ils sentent la difficulté de lui plaire, parfois l'impuissance de la contenter, et, plutôt que d'être trompés, préfèrent laisser venir chez eux, dans une chambre voisine, quelqu'un qu'ils jugent incapable de lui donner de mauvais conseils, mais non du plaisir. Pour d'autres c'est tout le contraire : ne laissant pas leur maîtresse sortir seule une minute dans une ville qu'ils connaissent, la tenant dans un véritable esclavage, ils lui accordent de partir un mois dans un pays qu'ils ne connaissent pas, où ils ne peuvent se représenter ce qu'elle fera. J'avais à l'égard d'Albertine ces deux sortes de manie calmante. Je n'aurais pas été jaloux si elle avait eu des plaisirs près de moi, encouragés par moi, que j'aurais tenus tout entiers sous ma surveillance, m'épargnant par là la crainte du mensonge ; je ne l'aurais peut-être pas été non plus si elle était partie dans un pays assez inconnu de moi et éloigné pour que je ne puisse imaginer, ni avoir la possibilité et la tentation de connaître son genre de vie. Dans les deux cas le doute eût été supprimé par une connaissance ou une ignorance également complètes.

La décroissance du jour me replongeant par le souvenir dans une atmosphère ancienne et fraîche, je la respirais[a] avec les mêmes délices qu'Orphée l'air subtil, inconnu sur cette terre, des Champs-Élysées[1]. Mais déjà la journée finissait et j'étais envahi par la désolation du soir. Regardant machinalement à la pendule combien d'heures se passeraient avant qu'Albertine rentrât, je voyais que j'avais encore le temps de m'habiller et de descendre demander à ma propriétaire, Mme de Guermantes[b], des indications pour certaines jolies choses de toilette que je voulais donner à mon amie[2]. Quelquefois je rencontrais la duchesse dans la cour, sortant pour des courses à pied, même s'il faisait mauvais temps, avec un chapeau plat et une fourrure. Je savais très bien que pour nombre de gens intelligents elle n'était pas autre chose qu'une dame quelconque, le nom de duchesse de Guermantes ne signifiant rien maintenant qu'il n'y a plus de duchés ni de principautés, mais j'avais adopté un autre point de vue dans ma façon de jouir des êtres et des pays. Tous les châteaux des terres dont elle était duchesse, princesse, vicomtesse, cette dame en fourrure bravant le mauvais temps me semblait les porter avec elle, comme les personnages sculptés au linteau d'un portail tiennent dans leur main la cathédrale qu'ils ont construite, ou la cité qu'ils ont défendue. Mais ces châteaux, ces forêts, les yeux de mon esprit seul pouvaient les voir dans la main gantée de la dame en fourrure, cousine du roi. Ceux de mon corps n'y distinguaient, les jours où le temps menaçait, qu'un parapluie dont la duchesse ne craignait pas de s'armer. « On ne peut jamais savoir, c'est plus prudent, si je me trouve très loin et qu'une voiture me demande des prix trop *chers* pour moi. » Les mots « trop chers », « dépasser mes moyens » revenaient tout le temps dans la conversation de la duchesse, ainsi que ceux : « je suis trop pauvre », sans qu'on pût bien démêler si elle parlait ainsi parce qu'elle trouvait amusant de dire qu'elle était pauvre, étant si riche, ou parce qu'elle trouvait élégant, étant si aristocratique, c'est-à-dire affectant d'être une paysanne, de ne pas attacher à la richesse l'importance des gens qui ne sont que riches et qui méprisent les pauvres. Peut-être était-ce plutôt une habitude contractée d'une époque de sa vie où, déjà riche, mais insuffisamment pourtant eu égard à ce que coûtait l'entretien de tant de propriétés, elle éprouvait une certaine gêne d'argent qu'elle ne voulait pas avoir l'air de dissimuler. Les choses dont on parle le plus souvent en plaisantant, sont généralement au contraire celles qui ennuient, mais dont on ne veut pas avoir l'air d'être ennuyé, avec peut-être l'espoir inavoué de cet avantage supplémentaire que justement la personne avec qui on cause, vous entendant plaisanter de cela, croira que cela n'est pas vrai.

Mais le plus souvent à cette heure-là, je savais trouver la duchesse chez elle, et j'en étais heureux car c'était plus commode pour lui demander longuement les renseignements désirés par Albertine. Et j'y descendais sans presque penser combien il était extraordinaire que, chez cette mystérieuse Mme de Guermantes de mon enfance, j'allasse uniquement afin d'user d'elle pour une simple commodité pratique, comme on fait du téléphone, instrument surnaturel devant les miracles duquel on s'émerveillait jadis, et dont on se sert maintenant sans même y penser, pour faire venir son tailleur ou commander une glace[1].

Les brimborions de la parure causaient à Albertine de grands plaisirs. Je ne savais pas me refuser de lui en faire chaque jour un nouveau. Et chaque fois qu'elle m'avait parlé avec ravissement d'une écharpe, d'une étole, d'une ombrelle, que par la fenêtre, ou en passant dans la cour, de ses yeux qui distinguaient si vite tout ce qui se rapportait à l'élégance, elle avait vues au cou, sur les épaules, à la main de Mme de Guermantes, sachant que le goût naturellement difficile de la jeune fille (encore affiné par les leçons d'élégance que lui avait été la conversation d'Elstir) ne serait nullement satisfait par quelque simple à-peu-près, même d'une jolie chose, qui la remplace aux yeux du vulgaire, mais en diffère entièrement, j'allais en secret me faire expliquer par la duchesse où, comment, sur quel modèle, avait été confectionné ce qui avait plu à Albertine, comment je devais procéder pour obtenir exactement cela, en quoi consistait le secret du faiseur, le charme (ce qu'Albertine appelait « le chic », « le genre ») de sa manière, le nom précis — la beauté de la matière ayant son importance — et la qualité des étoffes dont je devais demander qu'on se servît.

Quand j'avais dit à Albertine, à notre arrivée de Balbec[a], que la duchesse de Guermantes habitait en face de nous, dans le même hôtel, elle avait pris, en entendant le grand titre et le grand nom, cet air plus qu'indifférent, hostile, méprisant, qui est le signe du désir impuissant chez les natures fières et passionnées. Celle d'Albertine avait beau être magnifique, les qualités qu'elle recelait ne pouvaient se développer qu'au milieu de ces entraves que sont nos goûts, ou ce deuil de ceux de nos goûts auxquels nous avons été obligés de renoncer — comme pour Albertine le snobisme : c'est ce qu'on appelle des haines. Celle d'Albertine pour les gens du monde tenait, du reste, très peu de place en elle et me plaisait par un côté esprit de révolution — c'est-à-dire amour malheureux de la noblesse — inscrit sur la face opposée du caractère français où est le genre aristocratique de Mme de Guermantes. Ce genre aristocratique, Albertine, par impossibilité de l'atteindre, ne s'en serait peut-être pas souciée, mais s'étant rappelé qu'Elstir lui avait parlé de la duchesse comme de la femme de Paris qui s'habillait le mieux, le dédain républicain à l'égard d'une duchesse fit place chez mon amie à un vif intérêt pour une élégante. Elle me demandait souvent des renseignements sur Mme de Guermantes et aimait que j'allasse chercher chez la duchesse des conseils de toilette pour elle-même. Sans doute j'aurais pu les demander à Mme Swann, et même je lui écrivis une fois dans ce but. Mais Mme de Guermantes me semblait pousser plus loin encore l'art de s'habiller. Si, descendant[b] un moment chez elle, après m'être assuré qu'elle n'était pas sortie et ayant prié qu'on m'avertît dès qu'Albertine serait rentrée, je trouvais la duchesse ennuagée dans la brume d'une robe en crêpe de Chine gris, j'acceptais cet aspect que je sentais dû à des causes complexes et qui n'eût pu être changé, je me laissais envahir par l'atmosphère qu'il dégageait, comme la fin de certaines après-midi ouatée en gris perle par un brouillard vaporeux ; si, au contraire, cette robe de chambre était chinoise avec des flammes jaunes et rouges, je la regardais comme un couchant qui s'allume ; ces toilettes n'étaient pas un décor quelconque, remplaçable à volonté, mais une réalité donnée et poétique comme est celle du temps qu'il fait, comme est la lumière spéciale à une certaine heure.

De toutes les robes[a] ou robes de chambre que portait Mme de Guermantes, celles qui semblaient le plus répondre à une intention déterminée, être pourvues d'une signification spéciale, c'étaient ces robes que Fortuny[1] a faites d'après d'antiques dessins de Venise. Est-ce leur caractère historique, est-ce plutôt le fait que chacune est unique qui lui donne un caractère si particulier que la pose de la femme qui les porte en vous attendant, en causant avec vous, prend une importance exceptionnelle, comme si ce costume avait été le fruit d'une longue délibération et comme si cette conversation se détachait de la vie courante comme une scène de roman ? Dans ceux de Balzac on voit des héroïnes revêtir à dessein telle ou telle toilette, le jour où elles doivent recevoir tel visiteur[2]. Les toilettes d'aujourd'hui n'ont pas tant de caractère, exception faite pour les robes de Fortuny. Aucun vague ne peut subsister dans la description du romancier puisque cette robe existe réellement, que les moindres dessins en sont aussi naturellement fixés que ceux d'une œuvre d'art. Avant de revêtir celle-ci ou celle-là, la femme a eu à faire un choix entre deux robes non pas à peu près pareilles, mais profondément individuelles chacune, et qu'on pourrait nommer.

Mais la robe ne m'empêchait pas de penser à la femme. Mme de Guermantes même me sembla à cette époque plus agréable qu'au temps où je l'aimais encore. Attendant moins d'elle (que je n'allais plus voir pour elle-même), c'est presque avec le tranquille sans-gêne qu'on a, quand on est tout seul, les pieds sur les chenets, que je l'écoutais comme j'aurais lu un livre écrit en langage d'autrefois. J'avais assez de liberté d'esprit pour goûter dans ce qu'elle disait cette grâce française si pure qu'on ne trouve plus, ni dans le parler, ni dans les écrits du temps présent. J'écoutais sa conversation comme une chanson populaire délicieusement française, je comprenais que je l'eusse entendue se moquer de Maeterlinck (qu'elle admirait d'ailleurs maintenant par faiblesse d'esprit de femme, sensible à ces modes littéraires dont les rayons viennent tardivement), comme je comprenais que Mérimée se moquât de Baudelaire, Stendhal de Balzac, Paul-Louis Courier de Victor Hugo, Meilhac de Mallarmé[3]. Je comprenais bien que le moqueur avait une pensée bien restreinte auprès de celui dont il se moquait, mais aussi un vocabulaire plus pur. Celui de Mme de Guermantes, presque autant que celui de la mère de Saint-Loup, l'était à un point qui enchantait. Ce n'est pas dans les froids pastiches des écrivains d'aujourd'hui qui disent *au fait* (pour *en réalité*), *singulièrement* (pour *en particulier*), *étonné* (pour *frappé de stupeur*), etc., etc., qu'on retrouve le vieux langage et la vraie prononciation des mots, mais en causant avec une Mme de Guermantes ou une Françoise. J'avais appris de la deuxième, dès l'âge de cinq ans, qu'on ne dit pas le Tarn, mais le Tar, pas le Béarn, mais le Béar. Ce qui fit qu'à vingt ans, quand j'allai dans le monde, je n'eus pas à y apprendre qu'il ne fallait pas dire, comme faisait Mme Bontemps : Madame de Béar*n*[1].

Je mentirais en disant que ce côté terrien et quasi paysan qui restait en elle, la duchesse n'en avait pas conscience et ne mettait pas une certaine affectation à le montrer. Mais de sa part, c'était moins fausse simplicité de grande dame qui joue la campagnarde et orgueil de duchesse qui fait la nique aux dames riches méprisantes des paysans qu'elles ne connaissent pas, que goût quasi artistique d'une femme qui sait le charme de ce qu'elle possède et ne va pas le gâter d'un badigeon moderne. C'est de la même façon que tout le monde a connu à Dives un restaurateur normand, propriétaire de *Guillaume-le-Conquérant*[2], qui s'était bien gardé — chose très rare — de donner à son hôtellerie le luxe moderne d'un hôtel et qui, lui-même millionnaire, gardait le parler, la blouse d'un paysan normand et vous laissait venir le voir faire lui-même dans la cuisine, comme à la campagne, un dîner qui n'en était pas moins infiniment meilleur et encore plus cher que dans les plus grands palaces.

Toute la sève locale qu'il y a dans les vieilles familles aristocratiques ne suffit pas, il faut qu'il y naisse un être assez intelligent pour ne pas la dédaigner, pour ne pas l'effacer sous le vernis mondain. Mme de Guermantes, malheureusement spirituelle et Parisienne et qui, quand je la connus, ne gardait plus de son terroir que l'accent, avait du moins, quand elle voulait peindre sa vie de jeune fille, trouvé pour son langage (entre ce qui eût semblé trop involontairement provincial, ou au contraire artificiellement lettré) un de ces compromis qui font l'agrément de *La Petite Fadette* de George Sand ou de certaines légendes rapportées par Chateaubriand dans les *Mémoires d'outre-tombe*[1]. Mon plaisir était surtout de lui entendre conter quelque histoire qui mettait en scène des paysans avec elle. Les noms anciens, les vieilles coutumes, donnaient à ces rapprochements entre le château et le village quelque chose d'assez savoureux. Demeurée en contact avec les terres où elle était souveraine, une certaine aristocratie reste régionale, de sorte que le propos le plus simple fait se dérouler devant nos yeux toute une carte historique et géographique de l'histoire de France.

S'il n'y avait aucune affectation, aucune volonté de fabriquer un langage à soi, alors cette façon de prononcer était un vrai musée d'histoire de France par la conversation. « Mon grand-oncle Fitt-jam » n'avait rien qui étonnait, car on sait que les Fitz-James proclament volontiers qu'ils sont de grands seigneurs français et ne veulent pas qu'on prononce leur nom à l'anglaise. Il faut, du reste, admirer la touchante docilité des gens qui avaient cru jusque-là devoir s'appliquer à prononcer grammaticalement certains noms et qui, brusquement[a], après avoir entendu la duchesse de Guermantes les dire autrement, s'appliquaient à la prononciation qu'ils n'avaient pu supposer. Ainsi, la duchesse ayant eu un arrière-grand-père auprès du comte de Chambord, pour taquiner son mari d'être devenu orléaniste, aimait à proclamer : « Nous les vieux de Frochedorf. » Le visiteur qui avait cru bien faire en disant jusque-là « Frohsdorf » tournait casaque au plus court et disait sans cesse « Frochedorf ».

Une fois que je demandais à Mme de Guermantes qui était un jeune homme exquis qu'elle m'avait présenté comme son neveu et dont j'avais mal entendu le nom, ce nom, je ne le distinguai pas davantage quand, du fond de sa gorge, la duchesse émit très fort, mais sans articuler : « C'est l'... i Éon, frère à Robert. Il prétend qu'il a la forme du crâne des anciens Gallois. » Alors je compris qu'elle avait dit : c'est le petit Léon (le prince de Léon, beau-frère, en effet, de Robert de Saint-Loup). « En tout cas, je ne sais pas s'il en a le crâne, ajouta-t-elle, mais sa façon de s'habiller, qui a du reste beaucoup de chic, n'est guère de là-bas. Un jour que, de Josselin où j'étais chez les Rohan, nous étions allés à un pèlerinage, il était venu des paysans d'un peu toutes les parties de la Bretagne. Un grand diable de villageois du Léon regardait avec ébahissement les culottes beiges du beau-frère de Robert. “Qu'est-ce que tu as à me regarder ? je parie que tu ne sais pas qui je suis”, lui dit Léon. Et comme le paysan disait que non : “Hé bien, je suis ton prince. — Ah !” répondit le paysan en se découvrant et en s'excusant, “je vous avais pris pour un englische.” Et si, profitant de ce point de départ, je poussais Mme de Guermantes sur les Rohan (avec qui sa famille s'était souvent alliée), sa conversation s'imprégnait un peu du charme mélancolique des pardons et, comme dirait ce vrai poète qu'est Pampille, “de l'âpre saveur des crêpes de blé noir cuites sur un feu d'ajoncs[1]”. »

Du marquis du Lau (dont on sait la triste fin, quand, sourd, il se faisait porter chez Mme H***, aveugle), elle contait[a] les années moins tragiques quand, après la chasse, à Guermantes, il se mettait en chaussons pour prendre le thé avec le roi d'Angleterre, auquel il ne se trouvait pas inférieur, et avec lequel, on le voit, il ne se gênait pas[2]. Elle faisait remarquer cela avec tant de pittoresque qu'elle lui ajoutait le panache à la mousquetaire des gentilshommes un peu glorieux du Périgord.

D'ailleurs[b], même dans la simple qualification des gens, avoir soin de différencier les provinces était pour Mme de Guermantes, restée elle-même, un grand charme que n'aurait jamais su avoir une Parisienne d'origine, et ces simples noms d'Anjou, de Poitou, du Périgord, refaisaient dans sa conversation des paysages.

Pour en revenir à la prononciation et au vocabulaire de Mme de Guermantes, c'est par ce côté que la noblesse se montre vraiment conservatrice, avec tout ce que ce mot a à la fois d'un peu puéril, d'un peu dangereux, de réfractaire à l'évolution, mais aussi d'amusant pour l'artiste. Je voulais savoir comment on écrivait autrefois le mot Jean. Je l'appris en recevant une lettre du neveu de Mme de Villeparisis, qui signe — comme il a été baptisé, comme il figure dans le Gotha — Jehan de Villeparisis, avec la même belle *h* inutile, héraldique, telle qu'on l'admire, enluminée de vermillon ou d'outre-mer, dans un livre d'heures ou dans un vitrail.

Malheureusement, je n'avais pas le temps de prolonger indéfiniment ces visites car je voulais, autant que possible, ne pas rentrer après mon amie. Or, ce n'était jamais qu'au compte-gouttes que je pouvais obtenir de Mme de Guermantes les renseignements sur ses toilettes, lesquels m'étaient utiles pour faire faire des toilettes du même genre, dans la mesure où une jeune fille peut les porter, pour Albertine.

« Par exemple, madame, le jour où vous deviez dîner chez Mme de Saint-Euverte avant d'aller chez la princesse de Guermantes, vous aviez une robe toute rouge, avec des souliers rouges, vous étiez inouïe, vous aviez l'air d'une espèce de grande fleur de sang, d'un rubis en flammes, comment cela s'appelait-il ? Est-ce qu'une jeune fille peut mettre ça ? »

La duchesse rendant à son visage fatigué la radieuse expression qu'avait la princesse des Laumes quand Swann lui faisait jadis des compliments, regarda en riant aux larmes, d'un air moqueur, interrogatif et ravi, M. de Bréauté, toujours là à cette heure, et qui faisait tiédir sous son monocle un sourire indulgent pour cet amphigouri de l'intellectuel à cause de l'exaltation physique de jeune homme qu'il lui semblait cacher. La duchesse avait l'air de dire : « Qu'est-ce qu'il a ? il est fou. » Puis, se tournant vers moi d'un air câlin : « Je ne savais pas que j'avais l'air[a] d'un rubis en flammes ou d'une fleur de sang, mais je me rappelle en effet que j'ai eu une robe rouge : c'était du satin rouge comme on en faisait à ce moment-là. Oui, une jeune fille peut porter ça à la rigueur, mais vous m'avez dit que la vôtre ne sortait pas le soir. C'est une robe de grande soirée, cela ne peut pas se mettre pour faire des visites. »

Ce qui est extraordinaire[b], c'est que de cette soirée, en somme pas si ancienne, Mme de Guermantes ne se rappelât que sa toilette et eût oublié une certaine chose qui cependant, on va le voir, aurait dû lui tenir à cœur. Il semble que chez les êtres d'action et les gens du monde sont des êtres d'action (minuscules, microscopiques, mais enfin des êtres d'action), l'esprit surmené par l'attention à ce qui se passera dans une heure, ne confie que très peu de chose à la mémoire. Bien souvent, par exemple, ce n'était pas pour donner le change et paraître ne pas s'être trompé que M. de Norpois, quand on lui parlait de pronostics qu'il avait émis au sujet d'une alliance allemande qui n'avait même pas abouti, disait : « Vous devez vous tromper, je ne me rappelle pas du tout, cela ne me ressemble pas, car dans ces sortes de conversations je suis toujours très laconique et je n'aurais jamais prédit le succès d'un de ces coups d'éclat qui ne sont souvent que des coups de tête et dégénèrent habituellement en coups de force. Il est indéniable que, dans un avenir lointain, un rapprochement franco-allemand pourrait s'effectuer qui serait très profitable[a] aux deux pays et dont la France ne serait pas le mauvais marchand, je le pense, mais je n'en ai jamais parlé, parce que la poire n'est pas mûre encore et, si vous voulez mon avis, en demandant à nos anciens ennemis de convoler avec nous en justes noces, je crois que nous irions au-devant d'un gros échec et ne recevrions que de mauvais coups. » En disant cela, M. de Norpois ne mentait pas, il avait simplement oublié. On oublie du reste vite ce qu'on n'a pas pensé avec profondeur, ce qui vous a été dicté par l'imitation, par les passions environnantes. Elles changent et avec elles se modifie notre souvenir. Encore plus que les diplomates les hommes politiques ne se souviennent pas du point de vue auquel ils se sont placés à un certain moment, et quelques-unes de leurs palinodies tiennent moins à un excès d'ambition qu'à un manque de mémoire. Quant aux gens du monde, ils se souviennent de peu de chose.

Mme de Guermantes me soutint qu'à la soirée où elle était en robe rouge, elle ne se rappelait pas qu'il y eût Mme de Chaussepière, que je me trompais certainement. Or, Dieu sait pourtant si, depuis, les Chaussepierre avaient occupé l'esprit du duc et même de la duchesse ! Voici pour quelle raison. M. de Guermantes était le plus ancien vice-président du Jockey quand le président mourut. Certains membres du cercle qui n'ont pas de relations et dont le seul plaisir est de donner des boules noires aux gens qui ne les invitent pas, firent campagne contre le duc de Guermantes qui, sûr d'être élu, et assez négligent quant à cette présidence qui était peu de chose relativement à sa situation mondaine, ne s'occupa de rien. On fit valoir que la duchesse était dreyfusarde (l'affaire Dreyfus était pourtant terminée depuis longtemps, mais vingt ans après on en parlait encore, et elle ne l'était que depuis deux ans[1]), recevait les Rothschild, qu'on favorisait trop depuis quelque temps de grands potentats internationaux comme était le duc de Guermantes, à moitié Allemand. La campagne trouva un terrain très favorable, les clubs jalousent toujours beaucoup les gens très en vue et détestent les grandes fortunes. Celle de Chaussepierre n'était pas mince, mais personne ne pouvait s'en offusquer, il ne dépensait pas un sou, l'appartement du couple était modeste, la femme allait vêtue de laine noire. Folle de musique, elle donnait bien de petites matinées où étaient invitées beaucoup plus de chanteuses que chez les Guermantes. Mais personne n'en parlait, tout cela se passait sans rafraîchissements, le mari même absent, dans l'obscurité de la rue de la Chaise. À l'Opéra, Mme de Chaussepierre passait inaperçue, toujours avec des gens dont le nom évoquait le milieu le plus « ultra » de l'intimité de Charles X, mais des gens effacés, peu mondains. Le jour de l'élection, à la surprise générale, l'obscurité triompha de l'éblouissement, Chaussepierre, deuxième vice-président, fut nommé président du Jockey, et le duc de Guermantes resta sur le carreau, c'est-à-dire premier vice-président[1]. Certes, être président du Jockey ne représente pas grand-chose à des princes de premier rang comme étaient les Guermantes. Mais ne pas l'être quand c'est votre tour, se voir préférer un Chaussepierre à la femme de qui Oriane, non seulement ne rendait pas son salut deux ans auparavant, mais allait jusqu'à se montrer offensée d'être saluée par cette chauve-souris inconnue, c'était dur pour le duc. Il prétendait être au-dessus de cet échec, assurant d'ailleurs que c'était à sa vieille amitié pour Swann qu'il le devait. En réalité, il ne décolérait pas. Chose assez particulière, on n'avait jamais entendu le duc de Guermantes se servir de l'expression assez banale : « bel et bien », mais depuis l'élection du Jockey, dès qu'on parlait de l'affaire Dreyfus, « bel et bien » surgissait : « Affaire Dreyfus, affaire Dreyfus, c'est bientôt dit et le terme est impropre ; ce n'est pas une affaire de religion, mais *bel et bien* une affaire politique. » Cinq ans pouvaient passer sans qu'on entendît « bel et bien » si pendant ce temps on ne parlait pas de l'affaire Dreyfus, mais si les cinq ans passés le nom de Dreyfus revenait, aussitôt « bel et bien » arrivait automatiquement. Le duc ne pouvait plus du reste souffrir qu'on parlât de cette affaire « qui a causé, disait-il, tant de malheurs », bien qu'il ne fût en réalité sensible qu'à un seul, son échec à la présidence du Jockey.

Aussi, l'après-midi dont je parle et où je rappelai à

Mme de Guermantes la robe rouge qu'elle portait à la soirée de sa cousine, M. de Bréauté fut assez mal reçu quand, voulant dire quelque chose, par une association d'idées restée obscure et qu'il ne dévoila pas, il commença en faisant manœuvrer sa langue dans la pointe de sa bouche en cul de poule : « À propos de l'affaire Dreyfus... » (pourquoi de l'affaire Dreyfus ? il s'agissait seulement d'une robe rouge et certes le pauvre Bréauté, qui ne pensait jamais qu'à faire plaisir, n'y mettait aucune malice). Mais le seul nom de Dreyfus fit se froncer les sourcils jupitériens du duc de Guermantes. « On m'a raconté, dit Bréauté, un assez joli mot, ma foi très fin, de notre ami Cartier (prévenons le lecteur[1] que ce Cartier, frère de Mme de Villefranche, n'avait pas l'ombre de rapport avec le bijoutier du même nom !), ce qui du reste ne m'étonne pas, car il a de l'esprit à revendre. — Ah ! interrompit Oriane, ce n'est pas moi qui l'achèterai. Je ne peux pas vous dire ce que votre Cartier m'a toujours *embêtée*[a], et je n'ai jamais pu comprendre le charme infini que Charles de la Trémoïlle et sa femme trouvent à ce raseur que je rencontre chez eux chaque fois que j'y vais. — Ma ière duiesse, répondit Bréauté qui prononçait difficilement les *c*, je vous trouve bien sévère pour Cartier. Il est vrai qu'il a peut-être pris un pied un peu excessif chez les La Trémoïlle, mais enfin c'est pour Iarles une espèce, comment dirai-je, une espèce de fidèle Achate[2], ce qui est devenu un oiseau assez rare par le temps qui court. En tout cas, voilà le mot qu'on m'a rapporté. Cartier aurait dit que si M. Zola avait cherché à avoir un procès et à se faire condamner, c'était pour éprouver une sensation qu'il ne connaissait pas encore, celle d'être en prison[3]. — Aussi a-t-il pris la fuite avant d'être arrêté, interrompit Oriane. Cela ne tient pas debout. D'ailleurs, même si c'était vraisemblable, je trouve le mot carrément idiot. Si c'est ça que vous trouvez spirituel ! — Mon Dieu, ma ière Oriane », répondit Bréauté qui se voyant contredit commençait à lâcher pied, « le mot n'est pas de moi, je vous le répète tel qu'on me l'a dit, prenez-le pour ce qu'il vaut. En tout cas, il a été cause que M. Cartier a été tancé d'importance par cet excellent La Trémoïlle qui avec beaucoup de raison ne veut jamais qu'on parle dans son salon de ce que j'appellerai, comment dire ? les affaires en cours, et qui était d'autant plus contrarié qu'il y avait là Mme Alphonse Rothschild. Cartier a eu à subir de la part de La Trémoïlle une véritable mercuriale. — Bien entendu, dit le duc de fort mauvaise humeur, les Alphonse Rothschild, bien qu'ayant le tact de ne jamais parler de cette abominable affaire, sont dreyfusards dans l'âme, comme tous les Juifs. C'est même là un argument *ad hominem* (le duc employait un peu à tort et à travers l'expression *ad hominem*) qu'on ne fait pas assez valoir pour montrer la mauvaise foi des Juifs. Si un Français vole, assassine, je ne me crois pas tenu parce qu'il est français comme moi de le trouver innocent. Mais les Juifs n'admettront jamais qu'un de leurs concitoyens soit traître, bien qu'ils le sachent parfaitement, et se soucient fort peu des effroyables répercussions (le duc pensait naturellement à l'élection maudite de Chaussepierre) que le crime d'un des leurs peut amener jusque... Voyons, Oriane, vous n'allez pas prétendre que ce n'est pas accablant pour les Juifs ce fait qu'ils soutiennent tous un traître. Vous n'allez pas me dire que ce n'est pas parce qu'ils sont juifs. — Mon Dieu si, répondit Oriane (éprouvant avec un peu d'agacement un certain désir de résister au Jupiter tonnant et aussi de mettre « l'intelligence » au-dessus de l'affaire Dreyfus). Mais c'est peut-être justement parce qu'étant juifs et se connaissant eux-mêmes, ils savent qu'on peut être juif et ne pas être forcément traître et anti-français, comme le prétend, paraît-il, M. Drumont[1]. Certainement s'il avait été chrétien, les Juifs ne se seraient pas intéressés à lui mais ils l'ont fait parce qu'ils sentent bien que s'il n'était pas juif, on ne l'aurait pas cru si facilement traître *"a priori"*, comme dirait mon neveu Robert. — Les femmes n'entendent rien à la politique, s'écria le duc en fixant des yeux la duchesse. Car ce crime affreux n'est pas simplement une cause juive, mais *bel et bien* une immense affaire nationale qui peut amener les plus effroyables conséquences pour la France d'où on devrait expulser tous les Juifs, bien que je reconnaisse que les sanctions prises jusqu'ici l'aient été (d'une façon ignoble qui devrait être révisée) non contre eux, mais contre leurs adversaires les plus éminents, contre des hommes de premier ordre, laissés à l'écart pour le malheur de notre pauvre pays. »

Je sentais que cela allait se gâter et je me remis précipitamment à parler robes[a].

« Vous rappelez-vous, madame, dis-je, la première fois

que vous avez été aimable avec moi ? — La première fois que j'ai été aimable avec lui », reprit-elle en regardant en riant M. de Bréauté, dont le bout du nez s'amenuisait, dont le sourire s'attendrissait par politesse pour Mme de Guermantes et dont la voix de couteau qu'on est en train de repasser fit entendre quelques sons vagues et rouillés. « Vous aviez une robe jaune avec de grandes fleurs noires. — Mais, mon petit, c'est la même chose, ce sont des robes de soirée. — Et votre chapeau de bleuets que j'ai tant aimé ! Mais enfin tout cela c'est du rétrospectif. Je voudrais faire faire à la jeune fille en question un manteau de fourrure comme celui que vous aviez hier matin. Est-ce que ce serait impossible que je le visse ? — Non, Hannibal est obligé de s'en aller dans un instant. Vous viendrez chez moi et ma femme de chambre vous montrera tout ça. Seulement, mon petit, je veux bien vous prêter tout ce que vous voudrez, mais si vous faites faire des toilettes de Callot, de Doucet, de Paquin[1] par de petites couturières, cela ne sera jamais la même chose. — Mais je ne veux pas du tout aller chez une petite couturière, je sais très bien que ce sera autre chose, mais cela m'intéresserait de comprendre pourquoi ce sera autre chose. — Mais vous savez bien que je ne sais rien expliquer, moi, je suis *eun* bête, je parle comme une paysanne. C'est une question de tour de main, de façon ; pour les fourrures je peux au moins vous donner un mot pour mon fourreur qui de cette façon ne vous volera pas. Mais vous savez que ça vous coûtera encore huit ou neuf mille francs. — Et cette robe de chambre qui sent si mauvais, que vous aviez l'autre soir et qui est sombre, duveteuse, tachetée, striée d'or comme une aile de papillon ? — Ah ! ça, c'est une robe de Fortuny. Votre jeune fille peut très bien mettre cela chez elle. J'en ai beaucoup, je vais vous en montrer, je peux même vous en donner si cela vous fait plaisir. Mais je voudrais surtout que vous vissiez celle de ma cousine Talleyrand. Il faut que je lui écrive de me la prêter. — Mais vous aviez aussi des souliers si jolis, était-ce encore de Fortuny ? — Non, je sais ce que vous voulez dire, c'est du chevreau doré que nous avions trouvé à Londres, en faisant des courses avec Consuelo de Manchester[2]. C'était extraordinaire. Je n'ai jamais pu comprendre comme c'était doré, on dirait une peau d'or. Il n'y a que cela avec un petit diamant au milieu. La pauvre duchesse de Manchester est morte, mais si ça vous fait plaisir, j'écrirai à Mme de Warwick ou à Mme Marlborough pour tâcher d'en retrouver de pareils. Je me demande même si je n'ai pas encore de cette peau. On pourrait peut-être en faire faire ici. Je regarderai ce soir, je vous le ferai dire. »

Comme[a] je tâchais autant que possible de quitter la duchesse avant qu'Albertine fût revenue, l'heure faisait souvent que je rencontrais dans la cour, en sortant de chez Mme de Guermantes, M. de Charlus et Morel qui allaient prendre le thé chez... Jupien, suprême faveur pour le baron ! Je ne les croisais pas tous les jours mais ils y allaient tous les jours. Il est du reste à remarquer que la constance d'une habitude est d'ordinaire en rapport avec son absurdité. Les choses éclatantes on ne les fait généralement que par à-coups. Mais des vies insensées, où le maniaque se prive lui-même de tous les plaisirs et s'inflige les plus grands maux, ces vies sont ce qui change le moins. Tous les dix ans, si l'on en avait eu la curiosité, on retrouverait le malheureux dormant aux heures où il pourrait vivre, sortant aux heures où il n'y a guère rien d'autre à faire qu'à se laisser assassiner dans les rues, buvant glacé quand il a chaud, toujours en train de soigner un rhume. Il suffirait d'un petit mouvement d'énergie, un seul jour, pour changer cela une fois pour toutes. Mais justement ces vies sont habituellement l'apanage d'êtres incapables d'énergie. Les vices sont un autre aspect de ces existences monotones que la volonté suffirait à rendre moins atroces. Les deux aspects pouvaient être également considérés quand M. de Charlus allait tous les jours avec Morel prendre le thé chez Jupien. Un seul orage avait marqué cette coutume quotidienne. La nièce du giletier ayant dit un jour à Morel : « C'est cela, venez demain, je vous paierai le thé », le baron avait avec raison trouvé cette expression bien vulgaire pour une personne dont il comptait faire presque sa belle-fille, mais comme il aimait à froisser et se grisait de sa propre colère, au lieu de dire simplement à Morel qu'il le priait de lui donner à cet égard une leçon de distinction, tout le retour s'était passé en scènes violentes. Sur le ton le plus insolent, le plus orgueilleux : « Le "toucher", qui, je le vois, n'est pas forcément allié au "tact", a donc empêché chez vous le développement normal de l'odorat, puisque vous avez toléré que cette expression fétide de payer le thé, à quinze centimes je suppose, fît monter son odeur de vidanges jusqu'à mes royales narines ? Quand vous avez fini un solo de violon, avez-vous jamais vu chez moi qu'on vous récompensât d'un pet, au lieu d'un applaudissement frénétique ou d'un silence plus éloquent encore parce qu'il est fait de la peur de ne pouvoir[a] retenir non ce que votre fiancée nous prodigue mais le sanglot que vous avez amené au bord des lèvres ? »

Quand un fonctionnaire s'est vu infliger de tels reproches par son chef, il est invariablement dégommé le lendemain. Rien au contraire n'eût été plus cruel à M. de Charlus que de congédier Morel et, craignant même d'avoir été un peu trop loin, il se mit à faire de la jeune fille des éloges minutieux, pleins de goût, involontairement semés d'impertinences. « Elle est charmante. Comme vous êtes musicien, je pense qu'elle vous a séduit par la voix qu'elle a très belle dans les notes hautes où elle semble attendre l'accompagnement de votre *si* dièse. Son registre grave me plaît moins et cela doit être en rapport avec le triple recommencement de son cou étrange et mince qui semble finir, s'élève encore ; en elle, plutôt que des détails médiocres, c'est sa silhouette qui m'agrée. Et comme elle est couturière et doit savoir jouer des ciseaux, il faut qu'elle me donne une jolie découpure d'elle-même en papier. »

Charlie avait d'autant moins écouté ces éloges que les agréments qu'ils célébraient chez sa fiancée lui avaient toujours échappé. Mais il répondit[b] à M. de Charlus : « C'est entendu, mon petit, je lui passerai un savon pour qu'elle ne parle plus comme ça ! » Si Morel disait ainsi « mon petit » à M. de Charlus, ce n'est pas que le beau violoniste ignorât qu'il eût à peine le tiers de l'âge du baron. Il ne le disait pas non plus comme eût fait Jupien, mais avec cette simplicité qui dans certaines relations postule que la suppression de la différence d'âge a tacitement précédé la tendresse. La tendresse feinte chez Morel, chez d'autres la tendresse sincère. Ainsi, vers cette époque, M. de Charlus reçut une lettre ainsi conçue : « Mon cher Palamède, quand te verrai-je ? Je m'ennuie beaucoup après toi et pense bien souvent à toi, *etc.* Tout à toi, PIERRE. » M. de Charlus se cassa la tête pour savoir quel était celui de ses parents qui se permettait de lui écrire avec une telle familiarité, qui devait par conséquent beaucoup le connaître, et dont malgré cela il ne reconnaissait pas l'écriture. Tous les princes auxquels l'Almanach de Gotha accorde quelques lignes défilèrent pendant quelques jours dans la cervelle de M. de Charlus. Enfin, brusquement, une adresse écrite au dos l'éclaira : l'auteur de la lettre était le chasseur d'un cercle de jeu où allait quelquefois M. de Charlus. Ce chasseur n'avait pas cru être impoli en écrivant sur ce ton à M. de Charlus qui avait au contraire un grand prestige à ses yeux. Mais il pensait que ce ne serait pas gentil de ne pas tutoyer quelqu'un qui vous avait plusieurs fois embrassé, et vous avait par là — s'imaginait-il dans sa naïveté — donné son affection. M. de Charlus fut au fond ravi de cette familiarité. Il reconduisit même d'une matinée M. de Vaugoubert afin de pouvoir lui montrer la lettre. Et pourtant Dieu sait que M. de Charlus n'aimait pas à sortir avec M. de Vaugoubert. Car celui-ci, le monocle à l'œil, regardait de tous les côtés les jeunes gens qui passaient. Bien plus, s'émancipant quand il était avec M. de Charlus, il employait un langage que détestait le baron. Il mettait tous les noms d'hommes au féminin et, comme il était très bête, il s'imaginait cette plaisanterie très spirituelle et ne cessait de rire aux éclats. Comme avec cela il tenait énormément à son poste diplomatique, les déplorables et ricanantes façons qu'il avait dans la rue étaient perpétuellement interrompues par la frousse que lui causait au même moment le passage de gens du monde, mais surtout de fonctionnaires. « Cette petite télégraphiste, disait-il en touchant du coude le baron renfrogné, je l'ai connue, mais elle s'est rangée, la vilaine ! Oh ! ce livreur des *Galeries Lafayette*, quelle merveille ! Mon Dieu, voilà le directeur des Affaires commerciales qui passe. Pourvu qu'il n'ait pas remarqué mon geste ! Il serait capable d'en parler au ministre qui me mettrait en non-activité, d'autant plus qu'il paraît que c'en est une. » M. de Charlus ne se tenait pas de rage. Enfin, pour abréger cette promenade qui l'exaspérait, il se décida à sortir sa lettre et à la faire lire à l'ambassadeur, mais il lui recommanda la discrétion, car il feignait que Charlie fût jaloux afin de pouvoir faire croire qu'il était aimant. « Or, ajouta-t-il d'un air de bonté impayable, il faut toujours tâcher de causer le moins de peine qu'on peut. »

Avant de revenir à la boutique de Jupien, l'auteur tient à dire combien il serait contristé que le lecteur s'offusquât de peintures si étranges. D'une part (et ceci est le petit côté de la chose), on trouve que l'aristocratie semble proportionnellement, dans ce livre, plus accusée de dégénérescence que les autres classes sociales. Cela serait-il, qu'il n'y aurait pas lieu de s'en étonner. Les plus vieilles familles finissent par avouer, dans un nez rouge et bossu, dans un menton déformé, des signes spécifiques où chacun admire la « race ». Mais parmi ces traits persistants et sans cesse aggravés, il y en a qui ne sont pas visibles, ce sont les tendances et les goûts.

Ce serait une objection plus grave, si elle était fondée, de dire que tout cela nous est étranger et qu'il faut tirer la poésie de la vérité toute proche. L'art extrait du réel le plus familier existe en effet et son domaine est peut-être le plus grand. Mais il n'en est pas moins vrai qu'un grand intérêt, parfois de la beauté, peut naître d'actions découlant d'une forme d'esprit si éloignée de tout ce que nous sentons, de tout ce que nous croyons, que nous ne pouvons même arriver à les comprendre, qu'elles s'étalent devant nous comme un spectacle sans cause. Qu'y a-t-il de plus poétique que Xerxès, fils de Darius, faisant fouetter de verges la mer qui avait englouti ses vaisseaux[1] ?

Il est certain que Morel, usant du pouvoir que ses charmes lui donnaient sur la jeune fille, transmit à celle-ci en la prenant à son compte, la remarque du baron, car l'expression « payer le thé » disparut aussi complètement de la boutique du giletier que disparaît à jamais d'un salon telle personne intime, qu'on recevait tous les jours et avec qui pour une raison ou pour une autre on s'est brouillé ou qu'on tient à cacher et qu'on ne fréquente qu'au dehors. M. de Charlus fut satisfait de la disparition de « payer le thé », il y vit une preuve de son ascendant sur Morel et l'effacement de la seule petite tache à la perfection de la jeune fille. Enfin, comme tous ceux de son espèce, tout en étant sincèrement l'ami de Morel et de sa presque fiancée, l'ardent partisan de leur union, il était assez friand du pouvoir de créer à son gré de plus ou moins inoffensives piques, en dehors et au-dessus desquelles il demeurait aussi olympien qu'eût été son frère.

Morel avait dit à M. de Charlus qu'il aimait la nièce de Jupien, voulait l'épouser, et il était doux au baron d'accompagner son jeune ami dans des visites où il jouait le rôle de futur beau-père indulgent et discret. Rien ne lui plaisait mieux.

Mon opinion personnelle est que « payer le thé » venait de Morel lui-même, et que par aveuglement d'amour, la jeune couturière avait adopté une expression de l'être adoré, laquelle jurait par sa laideur au milieu du joli parler de la jeune fille. Ce parler, ces charmantes manières qui s'y accordaient, la protection de M. de Charlus, faisaient que beaucoup de clientes pour qui elle avait travaillé, la recevaient en amie, l'invitaient à dîner, la mêlaient à leurs relations, la petite n'acceptant du reste qu'avec la permission du baron et les soirs où cela lui convenait. « Une jeune couturière dans le monde ? dira-t-on, quelle invraisemblance ! » Si l'on y songe, il n'était pas moins invraisemblable qu'autrefois Albertine vînt me voir à minuit, et maintenant vécût avec moi. Et c'eût peut-être été invraisemblable d'une autre, mais nullement d'Albertine, sans père ni mère, menant une vie si libre qu'au début je l'avais prise à Balbec pour la maîtresse d'un coureur, ayant pour parente la plus rapprochée Mme Bontemps qui déjà chez Mme Swann n'admirait chez sa nièce que ses mauvaises manières et maintenant fermait les yeux sur tout si cela pouvait la débarrasser d'elle en lui faisant faire un riche mariage où un peu de l'argent irait à la tante (dans le plus grand monde des mères très nobles et très pauvres, ayant réussi à faire faire à leur fils un riche mariage, se laissent entretenir par les jeunes époux, acceptent des fourrures, une automobile, de l'argent d'une belle-fille qu'elles n'aiment pas et qu'elles font recevoir).

Il viendra peut-être un jour où les couturières, ce que je ne trouverais nullement choquant, iront dans le monde. La nièce de Jupien étant une exception ne peut encore le laisser prévoir, une hirondelle ne fait pas le printemps. En tout cas, si la toute petite situation de la nièce de Jupien scandalisa quelques personnes, ce ne fut pas Morel, car sur certains points sa bêtise était si grande que non seulement il trouvait « plutôt bête » cette jeune fille mille fois plus intelligente que lui, peut-être seulement parce qu'elle l'aimait, mais encore il supposait être des aventurières, des sous-couturières déguisées faisant les dames, les personnes fort bien posées qui la recevaient et dont elle ne tirait pas vanité. Naturellement ce n'était pas des Guermantes, ni même des gens qui les connaissaient, mais des bourgeoises riches, élégantes, d'esprit assez libre pour trouver qu'on ne se déshonore pas en recevant une couturière, d'esprit assez esclave pour avoir quelque contentement de protéger une jeune fille que Son Altesse le baron de Charlus allait, en tout bien tout honneur, voir tous les jours.

Rien ne plaisait mieux que l'idée de ce mariage au baron, lequel pensait qu'ainsi Morel ne lui serait pas enlevé. Il paraît que la nièce de Jupien avait fait, presque enfant, une « faute ». Et M. de Charlus, tout en faisant son éloge à Morel, n'aurait pas été fâché de le confier à son ami qui eût été furieux et de mettre ainsi la zizanie. Car M. de Charlus, quoique terriblement méchant, ressemblait à un grand nombre de personnes bonnes qui font les éloges d'un tel ou d'une telle pour prouver leur propre bonté, mais se garderaient comme du feu des paroles bienfaisantes, si rarement prononcées, qui seraient capables de faire régner la paix. Malgré cela, le baron se gardait d'aucune insinuation, et pour deux causes. « Si je lui raconte, se disait-il, que sa fiancée n'est pas sans tache, son amour-propre sera froissé, il m'en voudra. Et puis, qui me dit qu'il n'est pas amoureux d'elle ? Si je ne dis rien, ce feu de paille s'éteindra vite, je gouvernerai leurs rapports à ma guise, il ne l'aimera que dans la mesure où je le souhaiterai. Si je lui raconte la faute passée de sa promise, qui me dit que mon Charlie n'est pas encore assez amoureux pour devenir jaloux ? Alors, je transformerai par ma propre faute un flirt sans conséquence[a] et qu'on mène comme on veut, en un grand amour, chose difficile à gouverner. » Pour ces deux raisons, M. de Charlus gardait un silence qui n'avait que les apparences de la discrétion, mais qui par un autre côté était méritoire, car se taire est presque impossible aux gens de sa sorte.

D'ailleurs, la jeune fille était délicieuse, et M. de Charlus, en qui elle satisfaisait tout le goût esthétique qu'il pouvait avoir pour les femmes, aurait voulu avoir d'elle des centaines de photographies. Lui, moins bête que Morel, apprenait avec plaisir les dames comme il faut qui la recevaient et que son flair social situait bien. Mais il se gardait bien (voulant garder l'empire) de le dire à Charlie, lequel, vraie brute en cela, continuait à croire qu'en dehors de la « classe de violon » et des Verdurin, seuls existaient les Guermantes, les quelques familles presque royales énumérées par le baron, tout le reste n'étant qu'une « lie », une « tourbe ». Charlie prenait ces expressions de M. de Charlus à la lettre.

Comment, M.[a] de Charlus vainement attendu tous les jours de l'année par tant d'ambassadeurs et de duchesses, ne dînant pas avec le prince de Croy parce qu'on donne le pas à celui-ci, M. de Charlus, tout le temps qu'il dérobe à ces grandes dames, à ces grands seigneurs, le passait chez la nièce d'un giletier ? D'abord, raison suprême, Morel était là[b]. N'y eût-il pas été, je ne vois aucune invraisemblance, ou bien alors vous jugez comme eût fait un commis d'Aimé. Il n'y a guère que les garçons de restaurant pour croire qu'un homme excessivement riche a toujours des vêtements nouveaux et éclatants, et qu'un monsieur tout ce qu'il y a de plus chic donne des dîners de soixante couverts et ne va qu'en auto. Ils se trompent. Bien souvent un homme excessivement riche a toujours un même veston râpé. Un monsieur tout ce qu'il y a de plus chic, c'est un monsieur qui ne fraye dans le restaurant qu'avec les employés et, rentré chez lui, joue aux cartes avec ses valets. Cela n'empêche pas son refus de passer après le prince Murat[1].

Parmi les raisons qui rendaient M. de Charlus heureux du mariage des jeunes gens il y avait celle-ci que la nièce de Jupien serait en quelque sorte une extension de la personnalité de Morel et par là du pouvoir à la fois et de la connaissance que le baron avait de lui. « Tromper » dans le sens conjugal la future femme du violoniste, M. de Charlus n'eût même pas songé une seconde à en éprouver du scrupule. Mais avoir un « jeune ménage » à guider, se sentir le protecteur redouté et tout-puissant de la femme de Morel, laquelle considérant le baron comme un dieu prouverait par là que le cher Morel lui avait inculqué cette idée, et contiendrait ainsi quelque chose de Morel, firent varier le genre de domination de M. de Charlus et naître en sa « chose » Morel un être de plus, l'époux, c'est-à-dire lui donnèrent quelque chose de plus, de nouveau, de curieux à aimer en lui. Peut-être même cette domination serait-elle plus grande maintenant qu'elle n'avait jamais été. Car là où Morel seul, nu pour ainsi dire, résistait souvent au baron, qu'il se sentait sûr de reconquérir, une fois marié, pour son ménage, son appartement, son avenir, il aurait peur plus vite, offrirait aux volontés de M. de

Charlus plus de surface et de prise. Tout cela et même au besoin, les soirs où il s'ennuierait, de mettre la guerre entre les époux (le baron n'avait jamais détesté les tableaux de bataille) plaisait à M. de Charlus. Moins pourtant que de penser à la dépendance de lui où vivrait le jeune ménage. L'amour de M. de Charlus pour Morel reprenait une nouveauté délicieuse quand il se disait : sa femme aussi sera à moi tant il est à moi, ils n'agiront que de la façon qui ne peut me fâcher, ils obéiront à mes caprices et ainsi elle sera un signe (jusqu'ici inconnu de moi) de ce que j'avais presque oublié et qui est si sensible à mon cœur que pour tout le monde, pour ceux qui me verront les protéger, les loger, pour moi-même, Morel est mien. De cette évidence aux yeux des autres et aux siens, M. de Charlus était plus heureux que de tout le reste. Car la possession de ce qu'on aime est une joie plus grande encore que l'amour. Bien souvent ceux qui cachent à tous cette possession, ne le font que par la peur que l'objet chéri ne leur soit enlevé. Et leur bonheur, par cette prudence de se taire, en est diminué.

On se souvient peut-être que Morel avait jadis dit au baron que son désir c'était de séduire une jeune fille, en particulier celle-là, et que pour y réussir il lui promettrait le mariage, mais le viol accompli, il « ficherait le camp au loin[1] ». Mais cela, devant les aveux d'amour pour la nièce de Jupien que Morel était venu lui faire, M. de Charlus l'avait oublié. Bien plus, il en était peut-être de même pour Morel. Il y avait peut-être intervalle véritable entre la nature de Morel, telle qu'il l'avait cyniquement avouée — peut-être même habilement exagérée — et le moment où elle reprendrait le dessus. En se liant davantage avec la jeune fille, elle lui avait plu, il l'aimait. Il se connaissait si peu qu'il se figurait sans doute l'aimer, même peut-être l'aimer pour toujours. Certes, son premier désir initial, son projet criminel subsistaient, mais recouverts par tant de sentiments superposés que rien ne dit que le violoniste n'eût pas été sincère en disant que ce vicieux désir n'était pas le mobile véritable de son acte. Il y eut du reste une période de courte durée où, sans qu'il se l'avouât exactement, ce mariage lui parut nécessaire. Morel avait à ce moment-là d'assez fortes crampes à la main et se voyait obligé d'envisager l'éventualité d'avoir à cesser le violon. Comme, en dehors de son art, il était d'une incompréhensible paresse, la nécessité de se faire entretenir s'imposait et il aimait mieux que ce fût par la nièce de Jupien que par M. de Charlus, cette combinaison lui offrant plus de liberté, et aussi un grand choix de femmes différentes, tant par les apprenties toujours nouvelles qu'il chargerait la nièce de Jupien de lui débaucher que par les belles dames riches auxquelles il la prostituerait. Que sa future femme pût refuser de condescendre à ces complaisances et fût perverse à ce point n'entrait pas un instant dans les calculs de Morel. D'ailleurs ils passèrent au second plan, y laissèrent la place à l'amour pur, les crampes ayant cessé. Le violon suffirait avec les appointements de M. de Charlus, duquel les exigences se relâcheraient certainement, une fois que lui, Morel, serait marié à la jeune fille. Le mariage était la chose pressée, à cause de son amour, et dans l'intérêt de sa liberté. Il fit demander la main de la nièce de Jupien, lequel la consulta. Aussi bien n'était-ce pas nécessaire. La passion de la jeune fille pour le violoniste ruisselait autour d'elle, comme ses cheveux quand ils étaient dénoués, comme la joie de ses regards répandus. Chez Morel, presque toute chose qui lui était agréable ou profitable éveillait des émotions morales et des paroles de même ordre, parfois même des larmes. C'est donc sincèrement — si un pareil mot peut s'appliquer à lui — qu'il tenait à la nièce de Jupien des discours aussi sentimentaux (sentimentaux sont aussi ceux que tant de jeunes nobles ayant envie de ne rien faire dans la vie, tiennent à quelque ravissante fille de richissimes bourgeois) qu'étaient d'une bassesse sans fard les théories qu'il avait exposées à M. de Charlus au sujet de la séduction, du dépucelage. Seulement[a] l'enthousiasme vertueux à l'égard d'une personne qui lui causait un plaisir et les engagements solennels qu'il prenait avec elle, avaient une contrepartie chez Morel. Dès que la personne ne lui causait plus de plaisir, ou même, par exemple, si l'obligation de faire face aux promesses faites lui causait du déplaisir, elle devenait aussitôt de la part de Morel l'objet d'une antipathie qu'il justifiait à ses propres yeux, et qui, après quelques troubles neurasthéniques, lui permettait de se prouver à soi-même, une fois l'euphorie reconquise de son système nerveux, qu'il était, en considérant même les choses d'un point de vue purement vertueux, dégagé de toute obligation.

Ainsi, à la fin de son séjour à Balbec, il avait perdu je ne sais à quoi tout son argent et, n'ayant pas osé le dire à M. de Charlus, cherchait quelqu'un à qui en demander. Il avait appris de son père (qui malgré cela lui avait défendu de devenir jamais « tapeur ») qu'en pareil cas il est convenable d'écrire à la personne à qui on veut s'adresser « qu'on a à lui parler pour affaires », qu'on lui « demande un rendez-vous pour affaires ». Cette formule magique enchantait tellement Morel qu'il eût, je pense, souhaité perdre de l'argent rien que pour le plaisir de demander un rendez-vous « pour affaires ». Dans la suite de la vie, il avait vu que la formule n'avait pas toute la vertu qu'il pensait. Il avait constaté que des gens auxquels lui-même n'eût jamais écrit sans cela, ne lui avaient pas répondu cinq minutes après avoir reçu la lettre « pour parler affaires ». Si l'après-midi s'écoulait sans que Morel eût de réponse, l'idée ne lui venait pas que, même à tout mettre au mieux, le monsieur sollicité n'était peut-être pas rentré, avait pu avoir d'autres lettres à écrire, si même il n'était pas parti en voyage, ou tombé malade, etc. Si Morel recevait par une fortune extraordinaire un rendez-vous pour le lendemain matin, il abordait le sollicité par[a] ces mots : « Justement j'étais surpris de ne pas avoir de réponse, je me demandais s'il y avait quelque chose, alors comme ça la santé va toujours bien, etc. » Donc, à Balbec, et sans me dire qu'il avait à lui parler d'une « affaire », il m'avait demandé de le présenter à ce même Bloch avec lequel il avait été si désagréable une semaine auparavant dans le tram. Bloch n'avait pas hésité à lui prêter — ou plutôt à lui faire prêter par M. Nissim Bernard[1] — cinq mille francs. De ce jour, Morel avait adoré Bloch. Il se demandait les larmes aux yeux comment il pourrait rendre service à quelqu'un qui lui avait sauvé la vie. Enfin, je me chargeai de demander pour Morel mille francs par mois à M. de Charlus, argent que celui-ci remettrait aussitôt à Bloch qui se trouverait ainsi remboursé assez vite. Le premier mois, Morel, encore sous l'impression de la bonté de Bloch, lui envoya immédiatement les mille francs, mais après cela il trouva sans doute qu'un emploi différent des quatre mille francs qui restaient pourrait être plus agréable, car il commença à dire beaucoup de mal de Bloch. La vue de celui-ci suffisait à lui donner des idées noires, et Bloch ayant oublié lui-même exactement ce qu'il avait prêté à

Morel, et lui ayant réclamé trois mille cinq cents francs au lieu de quatre mille, ce qui eût fait gagner cinq cents francs au violoniste, ce dernier voulut répondre que devant un pareil faux, non seulement il ne paierait plus un centime, mais que son prêteur devait s'estimer bien heureux qu'il ne déposât pas une plainte contre lui. En disant cela ses yeux flambaient. Il ne se contenta pas, du reste, de dire que Bloch et M. Nissim Bernard n'avaient pas à lui en vouloir, mais bientôt qu'ils devaient se déclarer heureux qu'il ne leur en voulût pas. Enfin, M. Nissim Bernard ayant, paraît-il, déclaré que Thibaud[1] jouait aussi bien que Morel, celui-ci trouva qu'il devait l'attaquer devant les tribunaux, un tel propos lui nuisant dans sa profession, puis, comme il n'y a plus de justice en France, surtout contre les Juifs (l'antisémitisme ayant été chez Morel l'effet naturel du prêt de cinq mille francs par un Israélite), ne sortit plus qu'avec un revolver chargé. Un tel état nerveux suivant une vive tendresse, devait bientôt se produire chez Morel relativement à la nièce du giletier. Il est vrai que M. de Charlus fut peut-être sans s'en douter pour quelque chose dans ce changement, car souvent il déclarait, sans en penser un seul mot, et pour les taquiner, qu'une fois mariés, il ne les reverrait plus et les laisserait voler de leurs propres ailes. Cette idée était en elle-même absolument insuffisante pour détacher Morel de la jeune fille, et restant dans l'esprit de Morel, elle était prête le jour venu à se combiner avec d'autres idées ayant de l'affinité pour elle et capables, une fois le mélange réalisé, de devenir un puissant agent de rupture.

Ce n'était pas d'ailleurs très souvent qu'il m'arrivait de rencontrer M. de Charlus et Morel. Souvent ils étaient déjà entrés dans la boutique de Jupien quand je quittais la duchesse, car le plaisir que j'avais auprès d'elle était tel que j'en venais à oublier non seulement l'attente anxieuse qui précédait le retour d'Albertine, mais même l'heure de ce retour. Je mettrai à part, parmi ces jours où je m'attardai chez Mme de Guermantes, un qui fut marqué par un petit incident dont la cruelle signification m'échappa entièrement et ne fut comprise par moi que longtemps après. Cette fin d'après-midi-là, Mme de Guermantes m'avait donné, parce qu'elle savait que je les aimais, des seringas venus du Midi. Quand, ayant quitté la duchesse, je remontai[a] chez moi, Albertine était rentrée, je croisai dans l'escalier Andrée que l'odeur si violente des fleurs que je rapportais sembla incommoder.

« Comment, vous êtes déjà rentrées ? lui dis-je. — Il n'y a qu'un instant, mais Albertine avait à écrire, elle m'a renvoyée. — Vous ne pensez pas qu'elle ait quelque projet blâmable ? — Nullement, elle écrit à sa tante, je crois. Mais elle qui n'aime pas les odeurs fortes ne sera pas enchantée de vos seringas. — Alors, j'ai eu une mauvaise idée ! Je vais dire à Françoise de les mettre sur le carré de l'escalier de service. — Si vous vous imaginez qu'Albertine ne sentira pas après vous l'odeur de seringa. Avec l'odeur de la tubéreuse, c'est peut-être la plus entêtante. D'ailleurs je crois que Françoise est allée faire une course. — Mais alors, moi qui n'ai pas aujourd'hui ma clef, comment pourrai-je rentrer ? — Oh ! vous n'aurez qu'à sonner, Albertine vous ouvrira. Et puis Françoise sera peut-être remontée dans l'intervalle. »

Je dis adieu à Andrée. Dès mon premier coup Albertine vint m'ouvrir, ce qui fut assez compliqué, car Françoise étant descendue, Albertine ne savait pas où allumer. Enfin elle put me faire entrer, mais les fleurs de seringa la mirent en fuite. Je les posai dans la cuisine, de sorte qu'interrompant sa lettre (je ne compris pas pourquoi), mon amie eut le temps d'aller dans ma chambre, d'où elle m'appela, et de s'étendre sur mon lit. Encore une fois, au moment même, je ne trouvai à tout cela rien que de très naturel, tout au plus d'un peu confus, en tout cas insignifiant. Elle avait failli être surprise avec Andrée, et s'était donné un peu de temps en éteignant tout, en allant chez moi pour ne pas laisser voir son lit en désordre et avait fait semblant d'être en train d'écrire. Mais on verra tout cela plus tard, tout cela dont je n'ai jamais su si c'était vrai.

Sauf cet incident unique, tout se passait normalement quand je remontais[a] de chez la duchesse. Albertine ignorant si je ne désirerais pas sortir avec elle avant le dîner, je trouvais d'habitude dans l'antichambre son chapeau, son manteau, son ombrelle qu'elle y avait laissés à tout hasard. Dès qu'en entrant je les apercevais, l'atmosphère de la maison devenait respirable. Je sentais qu'au lieu d'un air raréfié, le bonheur la remplissait. J'étais sauvé de ma tristesse, la vue de ces riens me faisait posséder Albertine, je courais vers elle.

Les jours où je ne descendais pas chez Mme de

Guermantes, pour que le temps me semblât moins long, durant cette heure qui précédait le retour de mon amie, je feuilletais un album d'Elstir, un livre de Bergotte.

Alors[a] — comme les œuvres mêmes qui semblent s'adresser seulement à la vue et à l'ouïe exigent que pour les goûter notre intelligence éveillée collabore étroitement avec ces deux sens — je faisais sans m'en douter sortir de moi les rêves qu'Albertine y avait jadis suscités quand je ne la connaissais pas encore et qu'avait éteints la vie quotidienne. Je les jetais dans la phrase du musicien ou l'image du peintre comme dans un creuset, j'en nourrissais l'œuvre que je lisais. Et sans doute celle-ci m'en paraissait plus vivante. Mais Albertine ne gagnait pas moins à être ainsi transportée de l'un des deux mondes où nous avons accès et où nous pouvons situer tour à tour un même objet, à échapper ainsi à l'écrasante pression de la matière pour se jouer dans les fluides espaces de la pensée. Je me trouvais tout d'un coup, et pour un instant, pouvoir éprouver pour la fastidieuse jeune fille, des sentiments ardents. Elle avait à ce moment-là l'apparence d'une œuvre d'Elstir ou de Bergotte, j'éprouvais une exaltation momentanée pour elle, la voyant dans le recul de l'imagination et de l'art.

Bientôt on me prévenait qu'elle venait de rentrer[1]; encore avait-on ordre de ne pas dire son nom si je n'étais pas seul, si j'avais par exemple avec moi Bloch que[b] je forçais à rester un instant de plus, de façon à ne pas risquer qu'il rencontrât mon amie. Car je cachais qu'elle habitât la maison, et même que je la visse jamais chez moi, tant j'avais peur qu'un de mes amis s'amourachât d'elle, ne l'attendît dehors, ou que, dans l'instant d'une rencontre dans le couloir ou l'antichambre, elle pût faire un signe et donner un rendez-vous. Puis j'entendais le bruissement de la jupe d'Albertine se dirigeant vers sa chambre, car par discrétion et sans doute aussi par ces égards où autrefois dans nos dîners à La Raspelière, elle s'était ingéniée pour que je ne fusse pas jaloux, elle ne venait pas vers la mienne sachant que je n'étais pas seul. Mais ce n'était pas seulement pour cela, je le comprenais tout à coup. Je me souvenais, j'avais connu une première Albertine, puis brusquement elle avait été changée en une autre, l'actuelle. Et le changement, je n'en pouvais rendre responsable que moi-même. Tout ce qu'elle m'eût avoué facilement, puis volontiers, quand nous étions de bons camarades, avait cessé de s'épandre dès qu'elle avait cru que je l'aimais, ou, sans peut-être se dire le nom de l'Amour, avait deviné un sentiment inquisitorial qui veut savoir, souffre pourtant de savoir, et cherche à apprendre davantage. Depuis ce jour-là elle m'avait tout caché. Elle se détournait de ma chambre si elle pensait que j'étais, non pas même, souvent, avec une amie, mais avec un ami, elle dont les yeux s'intéressaient jadis si vivement quand je parlais d'une jeune fille : « Il faut tâcher de la faire venir, ça m'amuserait de la connaître. — Mais elle a ce que vous appelez mauvais genre. — Justement, ce sera bien plus drôle. » À ce moment-là, j'aurais peut-être pu tout savoir. Et même quand dans le petit casino elle avait détaché ses seins de ceux d'Andrée, je ne crois pas que ce fût à cause de ma présence, mais de celle de Cottard, lequel lui aurait fait, pensait-elle sans doute, une mauvaise réputation[1]. Et pourtant alors elle avait déjà commencé de se figer, les paroles confiantes n'étaient plus sorties de ses lèvres, ses gestes étaient réservés. Puis elle avait écarté d'elle tout ce qui aurait pu m'émouvoir. Aux parties de sa vie que je ne connaissais pas elle donnait un caractère dont mon ignorance se faisait complice pour accentuer ce qu'il avait d'inoffensif. Et maintenant, la transformation était accomplie, elle allait droit à sa chambre si je n'étais pas seul, non pas seulement pour ne pas déranger, mais pour me montrer qu'elle était insoucieuse des autres. Il y avait une seule chose qu'elle ne ferait jamais plus pour moi, qu'elle n'aurait faite qu'au temps où cela m'eût été indifférent, qu'elle aurait faite aisément à cause de cela même, c'était précisément avouer. J'en serais réduit pour toujours, comme un juge, à tirer des conclusions incertaines d'imprudences de langage qui n'étaient peut-être pas inexplicables sans avoir recours à la culpabilité. Et toujours elle me sentirait jaloux et juge.

Nos fiançailles prenaient une allure de procès et lui donnaient la timidité d'une coupable. Maintenant elle changeait la conversation quand il s'agissait de personnes, hommes ou femmes, qui ne fussent pas de vieilles gens. C'est quand elle ne soupçonnait pas encore que j'étais jaloux d'elle que j'aurais dû lui demander ce que je voulais savoir. Il faut profiter de ce temps-là. C'est alors que notre amie nous dit ses plaisirs et même les moyens à l'aide desquels elle les dissimule aux autres. Elle ne m'eût plus avoué maintenant, comme elle avait fait à Balbec, moitié parce que c'était vrai, moitié pour s'excuser de ne pas laisser voir davantage sa tendresse pour moi, car je la fatiguais déjà alors et elle avait vu par ma gentillesse pour elle qu'elle n'avait pas besoin de m'en montrer autant qu'aux autres pour en obtenir plus que d'eux, elle ne m'aurait plus avoué maintenant comme alors : « Je trouve ça stupide de laisser voir qui on aime, moi c'est le contraire : dès qu'une personne me plaît, j'ai l'air de ne pas y faire attention. Comme ça personne ne sait rien. » Comment ! c'était la même Albertine d'aujourd'hui avec ses prétentions à la franchise et d'être indifférente à tous qui m'avait dit cela ! Elle ne m'eût plus énoncé cette règle maintenant ! Elle se contentait quand elle causait avec moi de l'appliquer en me disant de telle ou telle personne qui pouvait m'inquiéter : « Ah ! je ne sais pas, je ne l'ai pas regardée, elle est trop insignifiante. » Et de temps en temps, pour aller au-devant de choses que je pourrais apprendre, elle faisait de ces aveux que leur accent, avant que l'on connaisse la réalité qu'ils sont chargés de dénaturer, d'innocenter, dénonce déjà comme étant des mensonges.

Tout en écoutant les pas d'Albertine avec le plaisir confortable de penser qu'elle ne ressortirait plus ce soir, j'admirais que pour cette jeune fille dont j'avais cru autrefois ne pouvoir jamais faire la connaissance, rentrer chaque jour chez elle, ce fût précisément rentrer chez moi. Le plaisir fait de mystère et de sensualité que j'avais éprouvé, fugitif et fragmentaire, à Balbec le soir où elle était venue coucher à l'hôtel, s'était complété, stabilisé, remplissait ma demeure jadis vide d'une permanente provision de douceur domestique, presque familiale, rayonnant jusque dans les couloirs, et dans laquelle tous mes sens, tantôt effectivement, tantôt, dans les moments où j'étais seul, en imagination et par l'attente du retour, se nourrissaient paisiblement. Quand j'avais entendu se refermer la porte de la chambre d'Albertine, si j'avais un ami avec moi je me hâtais de le faire sortir, ne le lâchant[a] que quand j'étais bien sûr qu'il était dans l'escalier, dont je descendais au besoin quelques marches.

Dans le couloir[b] au-devant de moi venait Albertine. « Tenez, pendant que j'ôte mes affaires, je vous envoie

Andrée, elle est montée une seconde pour vous dire bonsoir. » Et ayant encore autour d'elle le grand voile gris, qui descendait de la toque de chinchilla et que je lui avais donné à Balbec, elle se retirait et rentrait dans sa chambre, comme si elle eût deviné qu'Andrée, chargée par moi de veiller sur elle, allait, en me donnant maint détail, en me faisant mention de la rencontre par elles deux d'une personne de connaissance, apporter quelque détermination aux régions vagues où s'était déroulée la promenade qu'elles avaient faite toute la journée et que je n'avais pu imaginer.

Les défauts d'Andrée s'étaient accusés, elle n'était plus aussi agréable que quand je l'avais connue. Il y avait maintenant chez elle, à fleur de peau, une sorte d'aigre inquiétude, prête à s'amasser comme à la mer un « grain », si seulement je venais à parler de quelque chose qui était agréable pour Albertine et pour moi. Cela n'empêchait pas qu'Andrée pût être meilleure à mon égard, m'aimer plus — et j'en ai eu souvent la preuve — que des gens plus aimables. Mais le moindre air de bonheur qu'on avait, s'il n'était pas causé par elle, lui produisait une impression nerveuse, désagréable comme le bruit d'une porte qu'on ferme trop fort. Elle admettait les souffrances où elle n'avait point de part, non les plaisirs ; si elle me voyait malade, elle s'affligeait, me plaignait, m'aurait soigné. Mais si j'avais une satisfaction aussi insignifiante que de m'étirer d'un air de béatitude en fermant un livre et en disant : « Ah ! je viens de passer deux heures charmantes à lire tel livre amusant », ces mots, qui eussent fait plaisir à ma mère, à Albertine, à Saint-Loup, excitaient chez Andrée une espèce de réprobation, peut-être simplement de malaise nerveux. Mes satisfactions lui causaient un agacement qu'elle ne pouvait cacher. Ces défauts étaient complétés par de plus graves ; un jour que je parlais de ce jeune homme si savant en choses de courses, de jeux, de golf, si inculte dans tout le reste[1], que j'avais rencontré avec la petite bande à Balbec, Andrée se mit à ricaner : « Vous savez que son père a volé, il a failli y avoir une instruction ouverte contre lui. Ils veulent crâner d'autant plus, mais je m'amuse à le dire à tout le monde. Je voudrais qu'ils m'attaquent en dénonciation calomnieuse. Quelle belle déposition je ferais ! » Ses yeux étincelaient. Or, j'appris que le père n'avait rien commis d'indélicat, qu'Andrée le savait aussi bien que quiconque. Mais elle s'était crue méprisée par le fils, avait cherché quelque chose qui pourrait l'embarrasser, lui faire honte, avait inventé tout un roman de dépositions qu'elle était imaginairement appelée à faire et, à force de s'en répéter les détails, ignorait peut-être elle-même s'ils n'étaient pas vrais.

Ainsi, telle qu'elle était devenue (et même sans ses haines courtes et folles), je n'aurais pas désiré la voir, ne fût-ce qu'à cause de cette malveillante susceptibilité qui entourait d'une ceinture aigre et glaciale sa vraie nature plus chaleureuse et meilleure. Mais les renseignements qu'elle seule pouvait me donner sur mon amie m'intéressaient trop pour que je négligeasse une occasion si rare de les apprendre. Andrée entrait, fermait la porte derrière elle ; elles avaient rencontré une amie, et Albertine ne m'avait jamais parlé d'elle. « Qu'ont-elles dit ? — Je ne sais pas, car j'ai profité de ce qu'Albertine n'était pas seule pour aller acheter de la laine. — Acheter de la laine ? — Oui, c'est Albertine qui me l'avait demandé. — Raison de plus pour ne pas y aller, c'était peut-être pour vous éloigner. — Mais elle me l'avait demandé avant de rencontrer son amie. — Ah ! » répondais-je en retrouvant la respiration. Aussitôt mon soupçon me reprenait : « Mais qui sait si elle n'avait pas donné d'avance un rendez-vous à son amie et n'avait pas combiné un prétexte pour être seule quand elle le voudrait ? » D'ailleurs, étais-je bien certain que ce n'était pas la vieille hypothèse (celle où Andrée ne me disait pas que la vérité) qui était la bonne ? Andrée était peut-être d'accord avec Albertine. De l'amour, me disais-je à Balbec, on en a pour une personne dont notre jalousie semble plutôt avoir pour objet les actions ; on sent que si elles vous les disait toutes, on guérirait peut-être facilement d'aimer. La jalousie a beau être habilement dissimulée par celui qui l'éprouve, elle est assez vite découverte par celle qui l'inspire, et qui use à son tour d'habileté. Elle cherche à nous donner le change sur ce qui pourrait nous rendre malheureux, et elle nous le donne, car à celui qui n'est pas averti, pourquoi une phrase insignifiante révélerait-elle les mensonges qu'elle cache[1] ? nous ne la distinguons pas des autres ; dite avec frayeur, elle est écoutée sans attention. Plus tard, quand nous serons seuls, nous reviendrons sur cette phrase, elle ne nous semblera pas tout à fait adéquate à la réalité. Mais cette phrase, nous la rappelons-nous bien ? Il semble que naisse spontanément en nous, à son égard et quant à l'exactitude de notre souvenir, un doute du genre de ceux qui font qu'au cours de certains états nerveux on ne peut jamais se rappeler si on a tiré le verrou, et pas plus à la cinquantième fois qu'à la première ; on dirait qu'on peut recommencer indéfiniment l'acte sans qu'il s'accompagne jamais d'un souvenir précis et libérateur. Au moins pouvons-nous refermer une cinquante et unième fois la porte. Tandis que la phrase inquiétante est au passé dans une audition incertaine qu'il ne dépend pas de nous de renouveler. Alors nous exerçons notre attention sur d'autres qui ne cachent rien et le seul remède dont nous ne voulons pas, serait de tout ignorer pour n'avoir pas le désir de mieux savoir. Dès que la jalousie est découverte, elle est considérée par celle qui en est l'objet comme une défiance qui autorise la tromperie. D'ailleurs, pour tâcher d'apprendre quelque chose, c'est nous qui avons pris l'initiative de mentir, de tromper. Andrée, Aimé nous promettent bien de ne rien dire, mais le feront-ils ? Bloch n'a rien pu promettre puisqu'il ne savait pas et, pour peu qu'elle cause avec chacun des trois, Albertine, à l'aide de ce que Saint-Loup eût appelé des « recoupements », saura que nous lui mentons quand nous nous prétendons indifférents à ses actes et moralement incapables de la faire surveiller. Ainsi succédant — relativement à ce que faisait Albertine — à mon infini doute habituel, trop indéterminé pour ne pas rester indolore, et qui était à la jalousie ce que sont au chagrin ces commencements de l'oubli où l'apaisement naît du vague, le petit fragment de réponse que venait de m'apporter Andrée posait aussitôt de nouvelles questions ; je n'avais réussi, en explorant une parcelle de la grande zone qui s'étendait autour de moi, qu'à y reculer cet inconnaissable qu'est pour nous, quand nous cherchons effectivement à nous la représenter, la vie réelle d'une autre personne. Je continuais à interroger Andrée tandis qu'Albertine, par discrétion et pour me laisser (devinait-elle cela ?) tout le loisir de la questionner, prolongeait son déshabillage dans sa chambre.

« Je crois que l'oncle et la tante d'Albertine m'aiment bien », disais-je étourdiment à Andrée, sans penser à son caractère. Aussitôt je voyais son visage gluant se gâter, comme un sirop qui tourne, il semblait à jamais brouillé. Sa bouche devenait amère. Il ne restait plus rien à Andrée de cette juvénile gaieté que, comme toute la petite bande et malgré sa nature souffreteuse, elle déployait l'année de mon premier séjour à Balbec et qui maintenant (il est vrai qu'Andrée avait pris quelques années depuis lors) s'éclipsait si vite chez elle. Mais j'allais la faire involontairement renaître avant qu'Andrée m'eût quitté pour aller dîner chez elle. « Il y a quelqu'un qui m'a fait aujourd'hui un immense éloge de vous », lui disais-je. Aussitôt un rayon de joie illuminait son regard, elle avait l'air de vraiment m'aimer. Elle évitait de me regarder, mais riait dans le vague avec deux yeux devenus soudain tout ronds. « Qui ça ? » demandait-elle avec un intérêt naïf et gourmand. Je le lui disais et, qui que ce fût, elle était heureuse.

Puis arrivait l'heure de partir, elle me quittait. Albertine revenait auprès de moi ; elle s'était déshabillée, elle portait quelqu'un des jolis peignoirs en crêpe de Chine, ou des robes japonaises dont j'avais demandé la description à Mme de Guermantes, et pour plusieurs desquelles certaines précisions supplémentaires m'avaient été fournies par Mme Swann, dans une lettre commençant par ces mots : « Après votre longue éclipse, j'ai cru en lisant votre lettre relative à mes *tea gown*, recevoir des nouvelles d'un revenant. » Albertine avait aux pieds des souliers noirs ornés de brillants, que Françoise appelait rageusement des socques, pareils à ceux que par la fenêtre du salon elle avait aperçu que Mme de Guermantes portait chez elle le soir, de même qu'un peu plus tard Albertine eut des mules, certaines en chevreau doré, d'autres en chinchilla, et dont la vue m'était douce parce qu'elles étaient les unes et les autres comme les signes (que d'autres souliers n'eussent pas été) qu'elle habitait chez moi. Elle avait aussi des choses qui ne venaient pas de moi, comme une belle bague d'or. J'y admirai les ailes éployées d'un aigle. « C'est ma tante qui me l'a donnée, me dit-elle. Malgré tout elle est quelquefois gentille. Cela me vieillit, parce qu'elle me l'a donnée pour mes vingt ans. »

Albertine avait pour toutes ces jolies choses un goût bien plus vif que la duchesse, parce que, comme tout obstacle apporté à une possession (telle pour moi la maladie qui me rendait les voyages si difficiles et si désirables), la pauvreté, plus généreuse que l'opulence, donne aux femmes bien plus que la toilette qu'elles ne peuvent pas acheter, le désir de cette toilette, et qui en est la connaissance véritable, détaillée, approfondie. Elle, parce qu'elle n'avait pu s'offrir ces choses, moi, parce qu'en les faisant faire je cherchais à lui faire plaisir, nous étions comme ces étudiants connaissant tout d'avance des tableaux qu'ils sont avides d'aller voir à Dresde ou à Vienne. Tandis que les femmes[a] riches, au milieu de la multitude de leurs chapeaux et de leurs robes, sont comme ces visiteurs à qui la promenade dans un musée n'étant précédée d'aucun désir donne seulement une sensation d'étourdissement, de fatigue et d'ennui. Telle toque[b], tel manteau de zibeline, tel peignoir de Doucet aux manches doublées de rose, prenaient pour Albertine qui les avait aperçus, convoités et, grâce à l'exclusivisme et à la minutie qui caractérisent le désir, les avait à la fois isolés du reste dans un vide sur lequel se détachait à merveille la doublure ou l'écharpe, et connus dans[c] toutes leurs parties — et pour moi qui étais allé chez Mme de Guermantes tâcher de me faire expliquer en quoi consistait la particularité, la supériorité, le chic de la chose, et l'inimitable façon du grand faiseur — une importance, un charme qu'ils n'avaient certes pas pour la duchesse, rassasiée avant même d'être en état d'appétit, ou même pour moi si je les avais vus quelques années auparavant en accompagnant telle ou telle femme élégante en une de ses ennuyeuses tournées chez les couturières. Certes, une femme élégante, Albertine peu à peu en devenait une. Car si chaque chose que je lui faisais faire ainsi était en son genre la plus jolie, avec tous les raffinements qu'y eussent apportés Mme de Guermantes ou Mme Swann, de ces choses elle commençait à avoir beaucoup. Mais peu importait du moment qu'elle les avait aimées d'abord et isolément. Quand on a été épris d'un peintre, puis d'un autre, on peut à la fin avoir pour tout le musée une admiration qui n'est pas glaciale, car elle est faite d'amours successives, chacune exclusive en son temps, et qui à la fin se sont mises bout à bout et conciliées.

Elle n'était pas frivole, du reste, lisait beaucoup[d] quand elle était seule et me faisait la lecture quand elle était avec moi. Elle était devenue extrêmement intelligente. Elle disait, en se trompant d'ailleurs : « Je suis épouvantée[e] en pensant que sans vous je serais restée[f] stupide. Ne le niez pas, vous m'avez ouvert un monde d'idées que je ne soupçonnais pas, et le peu que je suis devenue, je ne le dois qu'à vous. »

On sait qu'elle avait parlé semblablement de mon influence sur Andrée. L'une ou l'autre avait-elle un sentiment pour moi ? Et, en elles-mêmes, qu'étaient Albertine et Andrée ? Pour le savoir il faudrait vous immobiliser, ne plus vivre dans cette attente perpétuelle de vous où vous passez toujours autres, il faudrait ne plus vous aimer, pour vous fixer ne plus connaître votre interminable et toujours déconcertante arrivée, ô jeunes filles, ô rayon successif dans le tourbillon où nous palpitons de vous voir reparaître en ne vous reconnaissant qu'à peine, dans la vitesse vertigineuse de la lumière. Cette vitesse, nous l'ignorerions peut-être et tout nous semblerait immobile, si un attrait sexuel ne nous faisait courir vers vous, gouttes d'or toujours dissemblables et qui dépassent toujours notre attente. À chaque fois, une jeune fille ressemble si peu à ce qu'elle était à la fois précédente (mettant en pièces dès que nous l'apercevons le souvenir que nous avions gardé et le désir que nous nous proposions) que la stabilité de nature que nous lui prêtons n'est que fictive et pour la commodité du langage. On nous a dit qu'une belle jeune fille est tendre, aimante, pleine de sentiments les plus délicats. Notre imagination le croit sur parole, et quand nous apparaît pour la première fois, sous la ceinture crespelée de ses cheveux blonds, le disque de sa figure rose, nous craignons presque que cette trop vertueuse sœur nous refroidisse par sa vertu même, ne puisse jamais être pour nous l'amante que nous avons souhaitée. Du moins, que de confidences nous lui faisons dès la première heure, sur la foi de cette noblesse de cœur, que de projets convenus ensemble ! Mais quelques jours après, nous regrettons de nous être tant confiés, car la rose jeune fille rencontrée nous tient la seconde fois les propos d'une lubrique Furie. Dans les faces successives qu'après une pulsation de quelques jours nous présente la rose lumière interceptée, il n'est même pas certain qu'un *movimentum* extérieur à ces jeunes filles n'ait pas modifié leur aspect, et cela avait pu arriver pour mes jeunes filles de Balbec. On nous vante la douceur, la pureté d'une vierge. Mais après cela on sent que quelque chose de plus pimenté nous plairait mieux et on lui conseille de se montrer plus hardie[a]. En soi-même était-elle plutôt l'une ou l'autre ? Peut-être pas, mais capable d'accéder à tant de possibilités diverses dans le courant vertigineux de la vie. Pour une autre dont tout l'attrait résidait dans quelque chose d'implacable (que nous comptions fléchir à notre manière), comme, par exemple, pour la terrible sauteuse de Balbec qui effleurait dans ses bonds les crânes des vieux messieurs épouvantés, quelle déception quand, dans la nouvelle face offerte par cette figure, au moment où nous lui disions des tendresses exaltées par le souvenir de tant de dureté envers les autres, nous l'entendions comme entrée de jeu nous dire qu'elle était timide, qu'elle ne savait jamais rien dire de sensé à quelqu'un la première fois, tant elle avait peur, et que ce n'est qu'au bout d'une quinzaine de jours qu'elle pourrait causer tranquillement avec nous ! L'acier était devenu coton, nous n'aurions plus rien à essayer de briser puisque d'elle-même elle perdait toute consistance. D'elle-même, mais par notre faute peut-être, car les tendres paroles que nous avions adressées à la Dureté lui avaient peut-être, même sans qu'elle eût fait de calcul intéressé, suggéré d'être tendre. (Ce qui nous désolait mais n'était qu'à demi maladroit, car la reconnaissance pour tant de douceur allait peut-être nous obliger à plus que le ravissement devant la cruauté fléchie.) Je ne dis pas qu'un jour ne viendra pas où, même à ces lumineuses jeunes filles, nous n'assignerons pas des caractères très tranchés, mais c'est qu'elles auront cessé de nous intéresser, que leur entrée ne sera plus pour notre cœur l'apparition qu'il attendait autre et qui le laisse bouleversé chaque fois d'incarnations nouvelles. Leur immobilité viendra de notre indifférence qui les livrera au jugement de l'esprit. Celui-ci ne conclura pas, du reste, d'une façon beaucoup plus catégorique, car après avoir jugé que tel défaut, prédominant chez l'une, était heureusement absent de l'autre, il verra que ce défaut avait pour contrepartie une qualité précieuse. De sorte que du faux jugement de l'intelligence, laquelle n'entre en jeu que quand on cesse de s'intéresser, sortiront définis des caractères stables de jeunes filles, lesquels ne nous apprendront pas plus que les surprenants visages apparus chaque jour quand, dans la vitesse étourdissante de notre attente, nos amies se présentaient tous les jours, toutes les semaines, trop différentes pour nous permettre, la course ne s'arrêtant pas, de classer, de donner des rangs. Pour nos sentiments, nous en avons parlé trop souvent pour le redire, bien souvent un amour n'est que l'association d'une image de jeune fille (qui sans cela nous eût été vite insupportable) avec les battements de cœur inséparables d'une attente interminable, vaine, et d'un « lapin » que la demoiselle nous a posé. Tout cela n'est pas vrai que pour les jeunes gens imaginatifs devant les jeunes filles changeantes. Dès le temps où notre récit est arrivé, il paraît, je l'ai su depuis[1], que la nièce de Jupien avait changé d'opinion sur Morel et sur M. de Charlus. Mon mécanicien, venant au renfort de l'amour qu'elle avait pour Morel, lui avait vanté, comme existant chez le violoniste, des délicatesses infinies auxquelles elle n'était que trop portée à croire. Et d'autre part, Morel ne cessait de lui dire le rôle de bourreau que M. de Charlus exerçait envers lui et qu'elle attribuait à la méchanceté, ne devinant pas l'amour. Elle était, du reste, bien forcée de constater que M. de Charlus assistait tyranniquement à toutes leurs entrevues. Et venant corroborer cela, elle entendait des femmes du monde parler de l'atroce méchanceté du baron. Or, depuis peu, son jugement avait été entièrement renversé. Elle avait découvert chez Morel (sans cesser de l'aimer pour cela) des profondeurs de méchanceté et de perfidie, d'ailleurs compensées par une douceur fréquente et une sensibilité réelle, et chez M. de Charlus une insoupçonnable et immense bonté, mêlée de duretés qu'elle ne connaissait pas. Ainsi n'avait-elle pas su porter un jugement plus défini sur ce qu'étaient, chacun en soi, le violoniste et son protecteur, que moi sur Andrée que je voyais pourtant tous les jours, et sur Albertine qui vivait avec moi.

Les soirs où cette dernière ne me lisait pas à haute voix, elle me faisait de la musique ou entamait avec moi des parties de dames, ou des causeries que j'interrompais les unes et les autres pour l'embrasser. Nos rapports étaient d'une simplicité qui les rendait reposants. Le vide[a] même de sa vie donnait à Albertine une espèce d'empressement et d'obéissance pour les seules choses que je réclamais d'elle. Derrière[b] cette jeune fille, comme derrière la lumière pourprée qui tombait aux pieds de mes rideaux à Balbec pendant qu'éclatait le concert des musiciens, se nacraient les ondulations bleuâtres de la mer. N'était-elle pas en effet (elle au fond de qui résidait de façon habituelle une idée de moi si familière qu'après sa tante j'étais peut-être la personne qu'elle distinguait le moins de soi-même) la jeune fille que j'avais vue la première fois à Balbec, sous son polo plat, avec ses yeux insistants et rieurs, inconnue encore, mince comme une silhouette profilée sur le flot ? Ces effigies gardées intactes dans la mémoire, quand on les retrouve, on s'étonne de leur dissemblance d'avec l'être qu'on connaît ; on comprend quel travail de modelage accomplit quotidiennement l'habitude. Dans le charme qu'avait Albertine à Paris, au coin de mon feu, vivait encore le désir que m'avait inspiré le cortège insolent et fleuri qui se déroulait le long de la plage et, comme Rachel gardait pour Saint-Loup, même quand il le lui eut fait quitter, le prestige de la vie de théâtre, en cette Albertine cloîtrée dans ma maison, loin de Balbec, d'où je l'avais précipitamment emmenée, subsistaient l'émoi, le désarroi social, la vanité inquiète, les désirs errants de la vie de bains de mer. Elle était si bien encagée que certains soirs même, je ne faisais pas demander qu'elle quittât sa chambre pour la mienne, elle que jadis tout le monde suivait, que j'avais tant de peine à rattraper filant sur sa bicyclette et que le liftier même ne pouvait pas me ramener[1], ne me laissant guère d'espoir qu'elle vînt, et que j'attendais pourtant toute la nuit. Albertine[a] n'avait-elle pas été devant l'hôtel comme une grande actrice de la plage en feu excitant les jalousies quand elle s'avançait dans ce théâtre de nature, ne parlant à personne, bousculant les habitués, dominant ses amies, et cette actrice si convoitée n'était-ce pas elle qui, retirée par moi de la scène, enfermée chez moi, était à l'abri des désirs de tous qui désormais pouvaient la chercher vainement, tantôt dans ma chambre, tantôt dans la sienne où elle s'occupait à quelque travail de dessin et de ciselure ?

Sans doute[b], dans les premiers jours de Balbec, Albertine semblait dans un plan parallèle à celui où je vivais, mais qui s'en était rapproché (quand j'avais été chez Elstir), puis l'avait rejoint, au fur et à mesure de mes relations avec elle, à Balbec, à Paris, puis à Balbec encore. D'ailleurs, entre les deux tableaux de Balbec, au premier séjour et au second, composés des mêmes villas d'où sortaient les mêmes jeunes filles devant la même mer, quelle différence ! Dans les amies d'Albertine du second séjour, si bien connues de moi, aux qualités et aux défauts si nettement gravés dans leur visage, pouvais-je retrouver ces fraîches et mystérieuses inconnues qui jadis ne pouvaient sans que battît mon cœur faire crier sur le sable la porte de leur chalet et en froisser au passage les tamaris frémissants ? Leurs grands yeux s'étaient résorbés depuis, sans doute parce qu'elles avaient cessé d'être des enfants, mais aussi parce que ces ravissantes inconnues, actrices de la romanesque première année, et sur lesquelles je ne cessais de quêter des renseignements, n'avaient plus pour moi de mystère. Elles étaient devenues pour moi, obéissantes à mes caprices, de simples jeunes filles en fleurs, desquelles je n'étais pas médiocrement fier d'avoir cueilli, dérobé à tous, la plus belle rose.

Entre les deux décors si différents l'un de l'autre de Balbec, il y avait l'intervalle de plusieurs années à Paris sur le long parcours desquelles se plaçaient tant de visites d'Albertine. Je la voyais aux différentes années de ma vie occupant par rapport à moi des positions différentes qui me faisaient sentir la beauté des espaces interférés, ce long temps révolu, où j'étais resté sans la voir, et sur la diaphane profondeur desquels la rose personne que j'avais devant moi se modelait avec de mystérieuses ombres et un puissant relief. Il était dû, d'ailleurs, à la superposition non seulement des images successives qu'Albertine avait été pour moi, mais encore des grandes qualités d'intelligence et de cœur, des défauts de caractère, les uns et les autres insoupçonnés de moi, qu'Albertine, en une germination, une multiplication d'elle-même, une efflorescence charnue aux sombres couleurs, avait ajoutés à une nature jadis à peu près nulle, maintenant difficile à approfondir. Car les êtres, même ceux auxquels nous avons tant rêvé qu'ils ne nous semblaient qu'une image, une figure de Benozzo Gozzoli se détachant sur un fond verdâtre, et dont nous étions disposés à croire que les seules variations tenaient au point où nous étions placés pour les regarder, à la distance qui nous en éloignait, à l'éclairage, ces êtres-là, tandis qu'ils changent par rapport à nous, changent aussi en eux-mêmes ; et il y avait eu enrichissement, solidification et accroissement de volume dans la figure jadis simplement profilée sur la mer. Au reste, ce n'était pas seulement la mer à la fin de la journée qui vivait pour moi en Albertine, mais parfois l'assoupissement de la mer sur la grève par les nuits de clair de lune. Quelquefois, en effet, quand je me levais pour aller chercher un livre dans le cabinet de mon père, mon amie m'ayant demandé la permission de s'étendre pendant ce temps-là, était si fatiguée par la longue randonnée du matin et de l'après-midi, au grand air, que même si je n'étais resté qu'un instant hors de ma chambre, en y rentrant, je trouvais Albertine endormie et ne la réveillais pas. Étendue de la tête aux pieds sur mon lit, dans une attitude d'un naturel qu'on n'aurait pu inventer, je lui trouvais l'air d'une longue tige en fleur qu'on aurait disposée là ; et c'était ainsi en effet : le pouvoir de rêver que je n'avais qu'en son absence, je le retrouvais à ces instants auprès d'elle, comme si en dormant elle était devenue une plante. Par là son sommeil réalisait dans un certaine mesure, la possibilité de l'amour ; seul, je pouvais penser à elle, mais elle me manquait, je ne la possédais pas. Présente, je lui parlais, mais étais trop absent de moi-même pour pouvoir penser. Quand elle dormait, je n'avais plus à parler, je savais que je n'étais plus regardé par elle, je n'avais plus besoin de vivre à la surface de moi-même. En fermant les yeux, en perdant la conscience, Albertine avait dépouillé, l'un après l'autre, ses différents caractères d'humanité qui m'avaient déçu depuis le jour où j'avais fait sa connaissance. Elle n'était plus animée que de la vie inconsciente des végétaux, des arbres, vie plus différente de la mienne, plus étrange et qui cependant m'appartenait davantage. Son moi ne s'échappait pas à tous moments, comme quand nous causions, par les issues de la pensée inavouée et du regard. Elle avait rappelé à soi tout ce qui d'elle était en dehors, elle s'était réfugiée, enclose, résumée, dans son corps. En la tenant sous mon regard, dans mes mains, j'avais cette impression de la posséder tout entière que je n'avais pas quand elle était réveillée. Sa vie m'était soumise, exhalait vers moi son léger souffle. J'écoutais cette murmurante émanation[a] mystérieuse, douce comme un zéphir marin, féerique comme ce clair de lune, qu'était son sommeil. Tant qu'il persistait je pouvais rêver à elle et pourtant la regarder, et quand ce sommeil devenait plus profond, la toucher, l'embrasser. Ce que j'éprouvais alors c'était un amour devant quelque chose d'aussi pur, d'aussi immatériel, d'aussi mystérieux que si j'avais été devant les créatures inanimées que sont les beautés de la nature. Et en effet, dès qu'elle dormait un peu profondément, elle cessait d'être seulement la plante qu'elle avait été, son sommeil, au bord duquel je rêvais avec une fraîche volupté dont je ne me fusse jamais lassé et que j'eusse pu goûter indéfiniment, c'était pour moi tout un paysage. Son sommeil mettait à mes côtés quelque chose d'aussi calme, d'aussi sensuellement délicieux que ces nuits de pleine lune, dans la baie de Balbec devenue douce comme un lac, où les branches bougent à peine ; où étendu sur le sable, l'on écouterait sans fin se briser le reflux.

En entrant dans la chambre j'étais resté debout sur le seuil n'osant pas faire de bruit et je n'en entendais pas d'autre que celui de son haleine venant expirer sur ses lèvres, à intervalles intermittents et réguliers, comme un reflux, mais plus assoupi et plus doux. Et au moment où mon oreille recueillait ce bruit divin, il me semblait que c'était, condensée en lui, toute la personne, toute la vie de la charmante captive, étendue là sous mes yeux. Des voitures passaient bruyamment dans la rue, son front restait aussi immobile, aussi pur, son souffle aussi léger, réduit à la simple expiration de l'air nécessaire. Puis, voyant que son sommeil ne serait pas troublé, je m'avançais prudemment, je m'asseyais sur la chaise qui était à côté du lit, puis sur le lit même. J'ai passé de charmants soirs à causer, à jouer avec Albertine, mais jamais d'aussi doux que quand je la regardais dormir. Elle avait beau avoir, en bavardant, en jouant aux cartes, ce naturel qu'une actrice n'eût pu imiter, c'était un naturel plus profond, un naturel au deuxième degré que m'offrait son sommeil. Sa chevelure descendue le long de son visage rose était posée à côté d'elle sur le lit et parfois une mèche isolée et droite donnait le même effet de perspective que ces arbres lunaires grêles et pâles qu'on aperçoit tout droits au fond des tableaux raphaëlesques d'Elstir[1]. Si les lèvres d'Albertine étaient closes, en revanche de la façon dont j'étais placé ses paupières paraissaient si peu jointes que j'aurais presque pu me demander si elle dormait vraiment. Tout de même, ces paupières abaissées mettaient dans son visage cette continuité parfaite que les yeux n'interrompent pas. Il y a des êtres dont la face prend une beauté et une majesté inaccoutumées pour peu qu'ils n'aient plus de regard. Je mesurais des yeux Albertine étendue à mes pieds. Par instants elle était parcourue d'une agitation légère et inexplicable comme les feuillages qu'une brise inattendue convulse pendant quelques instants. Elle touchait à sa chevelure, puis ne l'ayant pas fait comme elle le voulait, elle y portait la main encore par des mouvements si suivis, si volontaires, que j'étais convaincu qu'elle allait s'éveiller. Nullement, elle redevenait calme dans le sommeil qu'elle n'avait pas quitté. Elle restait désormais immobile. Elle avait posé sa main sur sa poitrine en un abandon du bras si naïvement puéril que j'étais obligé en la regardant d'étouffer le sourire que par leur sérieux, leur innocence et leur grâce nous donnent les petits enfants. Moi qui connaissais plusieurs Albertine en une seule, il me semblait en voir bien d'autres encore reposer auprès de moi. Ses sourcils arqués comme je ne les avais jamais vus entouraient les globes de ses paupières comme un doux nid d'alcyon. Des races, des atavismes, des vices reposaient sur son visage. Chaque fois qu'elle déplaçait sa tête elle créait une femme nouvelle, souvent insoupçonnée de moi. Il me semblait posséder non pas une, mais d'innombrables jeunes filles. Sa respiration peu à peu plus profonde maintenant soulevait régulièrement sa poitrine et, par-dessus elle, ses mains croisées, ses perles, déplacées d'une manière différente par le même mouvement, comme ces barques, ces chaînes d'amarre que fait osciller le mouvement du flot. Alors, sentant que son sommeil était dans son plein, et que je ne me heurterais pas à des écueils de conscience recouverts maintenant par la pleine mer du sommeil profond, délibérément je sautais sans bruit sur le lit, je me couchais au long d'elle, je prenais sa taille d'un de mes bras, je posais mes lèvres sur sa joue et sur son cœur, puis sur toutes les parties de son corps posais ma seule main restée libre, et qui était soulevée aussi comme les perles, par la respiration d'Albertine ; moi-même, j'étais déplacé légèrement par son mouvement régulier. Je m'étais embarqué sur le sommeil d'Albertine.

Parfois, il me faisait goûter un plaisir moins pur. Je n'avais besoin pour cela de nul mouvement, je faisais pendre ma jambe contre la sienne, comme une rame qu'on laisse traîner et à laquelle on imprime de temps à autre une oscillation légère pareille au battement intermittent de l'aile qu'ont les oiseaux qui dorment en l'air. Je choisissais pour la regarder cette face de son visage qu'on ne voyait jamais et qui était si belle. On comprend, à la rigueur, que les lettres que vous écrit quelqu'un soient à peu près semblables entre elles et dessinent une image assez différente de la personne qu'on connaît pour qu'elles constituent une deuxième personnalité. Mais combien il est plus étrange qu'une femme soit accolée, comme Rosita à Doodica[1], à une autre femme dont la beauté différente fait induire un autre caractère, et que pour voir l'une il faille se placer de profil, pour l'autre de face. Le bruit de sa respiration devenant plus fort pouvait donner l'illusion de l'essoufflement du plaisir[a] et quand le mien était à son terme, je pouvais l'embrasser sans avoir interrompu son sommeil. Il me semblait à ces moments-là que je venais de la posséder plus complètement, comme une chose inconsciente et sans résistance de la muette nature. Je ne m'inquiétais pas des mots qu'elle laissait parfois échapper en dormant, leur signification m'échappait, et, d'ailleurs, quelque personne inconnue qu'ils eussent désignée, c'était sur ma main, sur ma joue, que sa main, parfois animée d'un léger frisson, se crispait un instant. Je goûtais son sommeil d'un amour désintéressé et apaisant, comme je restais des heures à écouter le déferlement du flot. Peut-être faut-il que les êtres soient capables de vous faire beaucoup souffrir pour que dans les heures de rémission ils vous procurent ce même calme apaisant que la nature. Je n'avais pas à lui répondre comme quand nous causions, et même eussé-je pu me taire, comme je faisais aussi, quand elle parlait, qu'en l'entendant parler je ne descendais pas tout de même aussi avant en elle. Continuant à entendre, à recueillir d'instant en instant, le murmure apaisant comme une imperceptible brise, de sa pure haleine, c'était toute une existence physiologique qui était devant moi, à moi ; aussi longtemps que je restais jadis couché sur la plage, au clair de lune[b], je serais resté là à la regarder, à l'écouter. Quelquefois on eût dit que la mer devenait grosse, que la tempête se faisait sentir jusque dans la baie, et je me mettais comme elle à écouter le grondement de son souffle qui ronflait.

Quelquefois quand elle avait trop chaud, elle ôtait dormant déjà presque, son kimono qu'elle jetait sur un fauteuil. Pendant qu'elle dormait, je me disais que toutes ses lettres étaient dans la poche intérieure de ce kimono où elle les mettait toujours. Une signature, un rendez-vous donné eût suffi pour prouver un mensonge ou dissiper un soupçon. Quand je sentais le sommeil d'Albertine bien profond, quittant le pied de son lit où je la contemplais depuis longtemps sans faire un mouvement, je hasardais un pas, pris d'une curiosité ardente, sentant le secret de cette vie offert, floche et sans défense dans ce fauteuil. Peut-être faisais-je ce pas aussi parce que regarder dormir sans bouger finit par devenir fatigant. Et ainsi à pas de loup, me retournant sans cesse pour voir si Albertine ne s'éveillait pas, j'allais jusqu'au fauteuil. Là je m'arrêtais, je restais longtemps à regarder le kimono comme j'étais resté longtemps à regarder Albertine. Mais (et peut-être j'ai eu tort) jamais je n'ai touché au kimono, mis ma main dans la poche, regardé les lettres. À la fin, voyant que je ne me déciderais pas, je repartais à pas de loup, revenais près du lit d'Albertine et me remettais à la regarder dormir, elle qui ne me disait rien alors que je voyais sur un bras du fauteuil ce kimono qui peut-être m'eût dit bien des choses. Et de même que des gens louent cent francs par jour une chambre à l'hôtel de Balbec pour respirer l'air de la mer, je trouvais tout naturel de dépenser plus que cela pour elle, puisque j'avais son souffle près de ma joue, dans sa bouche que j'entrouvrais sur la mienne, où contre ma langue passait sa vie.

Mais ce plaisir de la voir dormir, et qui était aussi doux que la sentir vivre, un autre y mettait fin, et qui était celui de la voir s'éveiller. Il était, à un degré plus profond et plus mystérieux, le plaisir même qu'elle habitât chez moi. Sans doute il m'était doux l'après-midi, quand elle descendait de voiture, que ce fût dans mon appartement qu'elle rentrât. Il me l'était plus encore que, quand du fond du sommeil elle remontait les derniers degrés de l'escalier des songes, ce fût dans ma chambre qu'elle renaquît à la conscience et à la vie, qu'elle se demandât un instant « où suis-je ? », et voyant les objets dont elle était entourée, la lampe dont la lumière lui faisait à peine cligner les yeux, pût se répondre qu'elle était chez elle en constatant qu'elle s'éveillait chez moi. Dans ce premier moment délicieux d'incertitude, il me semblait que je prenais à nouveau plus complètement possession d'elle, puisque au lieu qu'après être sortie elle entrât dans sa chambre, c'était ma chambre, dès qu'elle serait reconnue par Albertine, qui allait l'enserrer, la contenir, sans que les yeux de mon amie manifestassent aucun trouble, restant aussi calmes que si elle n'avait pas dormi. L'hésitation du réveil, révélée par son silence, ne l'était pas par son regard.

Elle[a] retrouvait la parole, elle disait : « Mon » ou « Mon chéri », suivis l'un ou l'autre de mon nom de baptême, ce qui, en donnant au narrateur le même prénom qu'à l'auteur de ce livre, eût fait : « Mon Marcel », « Mon chéri Marcel[1] ». Je ne permettais plus dès lors qu'en famille mes parents, en m'appelant aussi « chéri », ôtassent leur prix d'être uniques aux mots délicieux que me disait Albertine. Tout en me les disant elle faisait une petite moue qu'elle changeait d'elle-même en baiser. Aussi vite qu'elle s'était tout à l'heure endormie, aussi vite elle s'était réveillée.

Pas plus que mon déplacement dans le temps, pas plus que le fait de regarder une jeune fille assise auprès de moi sous la lampe qui l'éclaire autrement que le soleil quand debout elle s'avançait le long de la mer, cet enrichissement réel, ce progrès autonome d'Albertine, n'étaient la cause importante de la différence[b] qu'il y avait entre ma façon de la voir maintenant et ma façon de la voir au début à Balbec. Des années plus nombreuses auraient pu séparer les deux images sans amener un changement aussi complet ; il s'était produit, essentiel et soudain, quand j'avais appris que mon amie avait été presque élevée par l'amie de Mlle Vinteuil. Si jadis je m'étais exalté en croyant voir du mystère dans les yeux d'Albertine, maintenant je n'étais heureux que dans les moments où de ces yeux, de ces joues mêmes, réfléchissantes comme des yeux, tantôt si douces mais vite bourrues, je parvenais à expulser tout mystère. L'image que je cherchais, où je me reposais, contre laquelle j'aurais voulu mourir, ce n'était plus l'Albertine ayant une vie inconnue, c'était une Albertine aussi connue de moi qu'il était possible (et c'est pour cela que cet amour ne pouvait être durable à moins de rester malheureux, car par définition il ne contentait pas le besoin de mystère), c'était une Albertine ne reflétant pas un monde lointain, mais ne désirant rien d'autre — il y avait des instants où, en effet, cela semblait être ainsi — qu'être avec moi, toute pareille à moi, une Albertine image de ce qui précisément était mien et non de l'inconnu. Quand c'est ainsi d'une heure angoissée relative à un être, quand c'est de l'incertitude si on pourra le retenir ou s'il s'échappera, qu'est né un amour, cet amour porte la marque de cette révolution qui l'a créé, il rappelle bien peu ce que nous avions vu jusque-là quand nous pensions à ce même être. Et mes premières impressions devant Albertine, au bord des flots, pouvaient pour une petite part subsister dans mon amour pour elle : en réalité, ces impressions antérieures ne tiennent qu'une petite place dans un amour de ce genre, dans sa force, dans sa souffrance, dans son besoin de douceur et son refuge vers un souvenir paisible, apaisant, où l'on voudrait se tenir et ne plus rien apprendre de celle qu'on aime, même s'il y avait quelque chose d'odieux à savoir — bien plus même à ne consulter que ces impressions[a] antérieures, un tel amour est fait de bien autre chose ! Quelquefois j'éteignais la lumière avant qu'elle entrât. C'était dans l'obscurité, à peine guidée par la lumière d'un tison, qu'elle se couchait à mon côté. Mes mains, mes joues seules la reconnaissaient sans que mes yeux la vissent, mes yeux qui souvent avaient peur de la trouver changée. De sorte qu'à la faveur de cet amour aveugle, elle se sentait peut-être baignée de plus de tendresse que d'habitude.

Je me déshabillais[b], je me couchais, et Albertine assise sur un coin du lit, nous reprenions notre partie ou notre conversation interrompue de baisers[1] ; et dans le désir qui seul nous fait trouver de l'intérêt dans l'existence et le caractère d'une personne, nous restons si fidèles à notre nature, si en revanche nous abandonnons successivement les différents êtres aimés tour à tour par nous, qu'une fois, m'apercevant dans la glace au moment où j'embrassais Albertine en l'appelant « ma petite fille », l'expression triste et passionnée de mon propre visage[2], pareil à ce qu'il eût été autrefois auprès de Gilberte dont je ne me souvenais plus, à ce qu'il serait peut-être un jour auprès d'une autre si jamais je devais oublier Albertine, me fit penser qu'au-dessus des considérations de personne (l'instinct voulant que nous considérions l'actuelle comme seule véritable) je remplissais les devoirs d'une dévotion ardente et douloureuse dédiée comme une offrande à la jeunesse et à la beauté de la femme. Et pourtant, à ce désir honorant d'un « ex-voto » la jeunesse, aux souvenirs aussi de Balbec, se mêlait dans le besoin que j'avais de garder ainsi tous les soirs Albertine auprès de moi, quelque chose qui avait été étranger jusqu'ici à ma vie, au moins amoureuse, s'il n'était pas entièrement nouveau dans ma vie. C'était un pouvoir d'apaisement tel que je n'en avais pas éprouvé de pareil depuis les soirs lointains de Combray où ma mère penchée sur mon lit venait m'apporter le repos dans un baiser. Certes, j'eusse été bien étonné dans ce temps-là si l'on m'avait dit que je n'étais pas entièrement bon et surtout que je chercherais jamais à priver quelqu'un d'un plaisir. Je me connaissais sans doute bien mal alors, car mon plaisir d'avoir Albertine à demeure chez moi était beaucoup moins un plaisir positif que celui d'avoir retiré du monde où chacun pouvait la goûter à son tour, la jeune fille en fleurs qui, si du moins elle ne me donnait pas de grande joie, en privait les autres. L'ambition, la gloire m'eussent laissé indifférent. Encore plus étais-je incapable d'éprouver la haine. Et cependant, chez moi aimer charnellement, c'était tout de même pour moi jouir d'un triomphe sur tant de concurrents. Je ne le redirai jamais assez, c'était un apaisement plus que tout.

J'avais beau, avant qu'Albertine fût rentrée, avoir douté d'elle, l'avoir imaginée dans la chambre de Montjouvain, une fois qu'en peignoir elle s'était assise en face de mon fauteuil, ou si comme c'était le plus fréquent j'étais resté couché au pied de mon lit, je déposais mes doutes en elle, je les lui remettais pour qu'elle m'en déchargeât, dans l'abdication d'un croyant qui fait sa prière. Toute la soirée elle avait pu, pelotonnée espièglement en boule sur mon lit, jouer avec moi comme une grosse chatte ; son petit nez rose, qu'elle diminuait encore au bout avec un regard coquet qui lui donnait la finesse privilégiée de certaines personnes un peu grosses, avait pu lui donner une mine mutine et enflammée, elle avait pu laisser tomber une mèche de ses longs cheveux noirs sur sa joue de cire rosée et, fermant à demi les yeux, décroisant les bras, avoir eu l'air de me dire : « Fais de moi ce que tu veux ». Quand au moment de me quitter elle s'approchait pour me dire bonsoir, c'était leur douceur devenue quasi familiale que je baisais des deux côtés de son cou puissant[1] qu'alors je ne trouvais jamais assez brun ni à assez gros grains, comme si ces solides qualités eussent été en rapport avec quelque bonté loyale chez Albertine.

« Viendrez-vous avec nous demain, grand méchant ? me demandait-elle avant de me quitter. — Où irez-vous ? — Cela dépendra du temps et de vous. Avez-vous seulement écrit quelque chose tantôt, mon petit chéri ?

Non ? Alors, c'était bien la peine de ne pas venir vous promener. Dites, à propos, tantôt quand je suis rentrée, vous avez reconnu mon pas, vous avez deviné que c'était moi ? — Naturellement. Est-ce qu'on pourrait se tromper ? est-ce qu'on ne reconnaîtrait pas entre mille les pas de sa petite bécasse ? Qu'elle me permette de la déchausser avant qu'elle aille se coucher, cela me fera bien plaisir. Vous êtes si gentille et si rose dans toute cette blancheur de dentelles[a]. »

Telle était ma réponse ; au milieu des expressions charnelles, on en reconnaîtra d'autres qui étaient propres à ma mère et à ma grand-mère. Car, peu à peu, je ressemblais à tous mes parents, à mon père qui — de tout autre façon que moi sans doute, car si les choses se répètent, c'est avec de grandes variations — s'intéressait si fort au temps qu'il faisait ; et pas seulement à mon père, mais de plus en plus à ma tante Léonie. Sans cela, Albertine n'eût pu être pour moi qu'une raison de sortir, pour ne pas la laisser seule, sans mon contrôle. Ma tante Léonie, toute confite en dévotion et avec qui j'aurais bien juré que je n'avais pas un seul point commun, moi si passionné de plaisirs, tout différent en apparence de cette maniaque, qui n'en avait jamais connu aucun et disait son chapelet toute la journée, moi qui souffrais de ne pouvoir réaliser une existence littéraire, alors qu'elle avait été la seule personne de la famille qui n'eût pu encore comprendre que lire c'était autre chose que de passer le temps et « s'amuser », ce qui rendait, même au temps pascal, la lecture permise le dimanche, où toute occupation sérieuse est défendue, afin qu'il soit uniquement sanctifié par la prière. Or, bien que chaque jour j'en trouvasse la cause dans un malaise particulier, ce qui me faisait si souvent rester couché, c'était un être, non pas Albertine, non pas un être que j'aimais, mais un être plus puissant sur moi qu'un être aimé, c'était, transmigrée en moi, despotique au point de faire taire parfois mes soupçons jaloux, ou du moins d'aller vérifier s'ils étaient fondés ou non, c'était ma tante Léonie. C'était assez que je ressemblasse avec exagération à mon père jusqu'à ne pas me contenter de consulter comme lui le baromètre, mais à devenir moi-même un baromètre vivant, c'était assez que je me laissasse commander par ma tante Léonie pour rester à observer le temps, mais de ma chambre ou même de mon lit ? Voici de même que je parlais maintenant à Albertine, tantôt comme l'enfant que j'avais été à Combray parlant à ma mère, tantôt comme ma grand-mère me parlait. Quand nous avons dépassé un certain âge, l'âme de l'enfant que nous fûmes et l'âme des morts dont nous sommes sortis viennent nous jeter à poignée leurs richesses et leurs mauvais sorts, demandant à coopérer aux nouveaux sentiments que nous éprouvons et dans lesquels, effaçant leur ancienne effigie, nous les refondons en une création originale. Tel, tout mon passé depuis mes années les plus anciennes, et par delà celles-ci le passé de mes parents mêlaient à mon impur amour pour Albertine la douceur d'une tendresse à la fois filiale et maternelle. Nous devons recevoir, dès une certaine heure, tous nos parents arrivés de si loin et assemblés autour de nous.

Avant qu'Albertine m'eût obéi et eût enlevé ses souliers, j'entrouvrais sa chemise. Les deux petits seins haut remontés étaient si ronds qu'ils avaient moins l'air de faire partie intégrante de son corps[a] que d'y avoir mûri comme deux fruits ; et son ventre (dissimulant la place qui chez l'homme s'enlaidit comme[b] du crampon resté fiché dans une statue descellée) se refermait, à la jonction des cuisses, par deux valves[1] d'une courbe aussi assoupie, aussi reposante, aussi claustrale que celle de l'horizon quand le soleil a disparu. Elle ôtait ses souliers, se couchait près de moi.

Ô grandes attitudes de l'Homme et de la Femme où cherche à se joindre, dans l'innocence des premiers jours et avec l'humilité de l'argile, ce que la Création a séparé, où Ève est étonnée et soumise devant l'Homme au côté de qui elle s'éveille, comme lui-même, encore seul, devant Dieu qui l'a formé. Albertine nouait ses bras derrière ses cheveux noirs, la hanche renflée, la jambe tombante en une inflexion de col de cygne qui s'allonge et se recourbe pour revenir sur lui-même. Il n'y avait que, quand elle était tout à fait sur le côté, un certain aspect de sa figure (si bonne et si belle de face) que je ne pouvais souffrir, crochu comme en certaines caricatures de Léonard[2], semblant révéler la méchanceté, l'âpreté au gain, la fourberie d'une espionne, dont la présence chez moi m'eût fait horreur et qui semblait démasquée par ces profils-là. Aussitôt je prenais la figure d'Albertine dans mes mains et je la replaçais de face.

« Soyez gentil, promettez-moi que, si vous ne venez pas demain, vous travaillerez, disait mon amie en remettant sa chemise. — Oui, mais ne mettez pas encore votre peignoir. » Quelquefois je finissais par m'endormir à côté d'elle. La chambre s'était refroidie, il fallait du bois. J'essayais de trouver la sonnette dans mon dos ; je n'y arrivais pas, tâtant tous les barreaux de cuivre qui n'étaient pas ceux entre lesquels elle pendait et, à Albertine qui avait sauté du lit pour que Françoise ne nous vît pas l'un à côté de l'autre, je disais : « Non, remontez une seconde, je ne peux pas trouver la sonnette. »

Instants doux, gais, innocents en apparence et où s'accumule pourtant la possibilité du désastre[a] : ce qui fait de la vie amoureuse la plus contrastée de toutes, celle[b] où la pluie imprévisible de soufre et de poix tombe après les moments les plus riants, et où ensuite, sans avoir le courage de tirer la leçon du malheur, nous rebâtissons immédiatement sur les flancs du cratère d'où ne pourra sortir que la catastrophe. J'avais l'insouciance de ceux qui croient leur bonheur durable. C'est justement parce que cette douceur a été nécessaire pour enfanter la douleur — et reviendra du reste la calmer par intermittences — que les hommes peuvent être sincères avec autrui, et même avec eux-mêmes, quand ils se glorifient de la bonté d'une femme envers eux, quoique, à tout prendre, au sein de leur liaison circule constamment d'une façon secrète, inavouée aux autres, ou révélée involontairement par des questions, des enquêtes, une inquiétude douloureuse. Mais celle-ci n'aurait pas pu naître sans la douceur préalable ; même ensuite, la douceur intermittente est nécessaire pour rendre la souffrance supportable et éviter les ruptures ; et la dissimulation de l'enfer secret qu'est la vie commune avec cette femme, jusqu'à l'ostentation d'une intimité qu'on prétend douce, exprime un point de vue vrai, un lien général de l'effet à la cause, un des modes selon lesquels la production de la douleur est rendue possible.

Je ne m'étonnais plus[c] qu'Albertine fût là et dût ne sortir le lendemain qu'avec moi ou sous la protection d'Andrée. Ces habitudes de vie en commun, ces grandes lignes qui délimitaient mon existence et à l'intérieur desquelles ne pouvait pénétrer personne excepté Albertine, et aussi (dans le plan futur, encore inconnu de moi, de ma vie ultérieure, comme celui qui est tracé par un architecte pour des monuments qui ne s'élèveront que bien plus tard) les lignes lointaines, parallèles à celles-ci et plus vastes, par lesquelles s'esquissait en moi, comme un ermitage isolé, la formule un peu rigide et monotone de mes amours futures, avaient été en réalité tracées cette nuit à Balbec où, après qu'Albertine m'avait révélé, dans le petit tram, qui l'avait élevée, j'avais voulu à tout prix la soustraire à certaines influences et l'empêcher d'être hors de ma présence pendant quelques jours. Les jours avaient succédé aux jours, ces habitudes étaient devenues machinales, mais comme ces rites dont l'Histoire essaye de retrouver la signification, j'aurais pu dire (et ne l'aurais pas voulu) à qui m'eût demandé ce que signifiait cette vie de retraite où je me séquestrais jusqu'à ne plus aller au théâtre, qu'elle avait pour origine l'anxiété d'un soir, et le besoin de me prouver à moi-même les jours qui la suivraient, que celle dont j'avais appris la fâcheuse enfance n'aurait pas la possibilité, si elle l'avait voulu, de s'exposer aux mêmes tentations. Je ne songeais plus qu'assez rarement à ces possibilités, mais elles devaient pourtant rester vaguement présentes à ma conscience. Le fait de les détruire — ou d'y tâcher — jour par jour était sans doute la cause pourquoi il m'était si doux d'embrasser ces joues qui n'étaient pas plus belles que bien d'autres ; sous toute douceur charnelle un peu profonde, il y a la permanence d'un danger.

J'avais promis à Albertine que, si je ne sortais pas avec elle, je me mettrais au travail. Mais le lendemain[1], comme si, profitant de nos sommeils, la maison avait miraculeusement voyagé, je m'éveillais par un temps différent, sous un autre climat. On ne travaille pas au moment où on débarque dans un pays nouveau, aux conditions duquel il faut s'adapter. Or chaque jour était pour moi un pays différent. Ma paresse elle-même, sous les formes nouvelles qu'elle revêtait, comment l'eussé-je reconnue ? Tantôt, par des jours irrémédiablement mauvais, disait-on, rien que la résidence dans la maison située au milieu d'une pluie égale et continue avait la glissante douceur, le silence calmant, l'intérêt[a] d'une navigation ; une autre fois, par un jour clair, en restant immobile dans mon lit, c'était laisser tourner les ombres autour de moi[a] comme d'un tronc d'arbre. D'autres fois encore, aux premières cloches d'un couvent voisin, rares comme les dévotes matinales, blanchissant à peine le ciel sombre de leurs giboulées incertaines que fondait et dispersait le vent tiède, j'avais discerné une de ces journées tempétueuses, désordonnées et douces, où les toits, mouillés d'une ondée intermittente que sèche un souffle ou un rayon, laissent glisser en roucoulant une goutte de pluie et, en attendant que le vent recommence à tourner, lissent au soleil momentané qui les irise, leurs ardoises gorge-de-pigeon[1] ; une de ces journées remplies par tant de changements de temps, d'incidents aériens, d'orages, que le paresseux ne croit pas les avoir perdues parce qu'il s'est intéressé à l'activité qu'à défaut de lui l'atmosphère, agissant en quelque sorte à sa place, a déployée ; journées pareilles à ces temps d'émeute ou de guerre qui ne semblent pas vides à l'écolier délaissant sa classe, parce qu'aux alentours du Palais de Justice ou en lisant les journaux, il a l'illusion de trouver dans les événements qui se sont produits[2], à défaut de la besogne qu'il n'a pas accomplie, un profit pour son intelligence et une excuse pour son oisiveté ; journées enfin auxquelles on peut comparer celles où se passe dans notre vie quelque crise exceptionnelle et de laquelle celui qui n'a jamais rien fait croit qu'il va tirer, si elle se dénoue heureusement, des habitudes laborieuses : par exemple, c'est le matin où il sort pour un duel qui va se dérouler dans des conditions particulièrement dangereuses[3] ; alors, lui apparaît tout d'un coup au moment où elle va peut-être lui être enlevée le prix d'une vie de laquelle il aurait pu profiter pour commencer une œuvre ou seulement goûter des plaisirs, et dont il n'a su jouir en rien. « Si je pouvais ne pas être tué, se dit-il, comme je me mettrais au travail à la minute même, et aussi comme je m'amuserais ! » La vie a pris en effet soudain à ses yeux une valeur plus grande, parce qu'il met dans la vie tout ce qu'il semble qu'elle peut donner, et non pas le peu qu'il lui fait donner habituellement. Il la voit selon son désir, non telle que son expérience lui a appris qu'il savait la rendre, c'est-à-dire si médiocre. Elle s'est à l'instant remplie des labeurs, des voyages, des courses de montagnes, de toutes les belles choses qu'il se dit que la funeste issue de ce duel pourra rendre impossibles, sans songer qu'elles l'étaient déjà avant[a] qu'il fût question de duel, à cause de mauvaises habitudes qui, même sans duel, auraient continué. Il revient chez lui sans avoir été même blessé. Mais il retrouve les mêmes obstacles aux plaisirs, aux excursions, aux voyages, à tout ce dont il avait craint un instant d'être à jamais dépouillé par la mort ; il suffit pour cela de la vie. Quant au travail — les circonstances exceptionnelles ayant pour effet d'exalter ce qui existait préalablement dans l'homme, chez le laborieux le labeur et chez l'oisif la paresse, — il se donne congé.

Je faisais comme lui, et comme j'avais toujours fait depuis ma vieille résolution de me mettre à écrire, que j'avais prise jadis, mais[b] qui me semblait dater d'hier, parce que j'avais considéré chaque jour l'un après l'autre comme non avenu. J'en usais de même pour celui-ci, laissant passer sans rien faire ses averses et ses éclaircies et me promettant de commencer à travailler le lendemain. Mais je n'y étais plus le même sous un ciel sans nuages ; le son doré des cloches ne contenait pas seulement, comme le miel, de la lumière, mais la sensation de la lumière (et aussi la saveur fade des confitures, parce qu'à Combray il s'était souvent attardé comme une guêpe sur notre table desservie). Par ce jour de soleil éclatant, rester tout le jour les yeux clos, c'était chose permise, usitée, salubre, plaisante, saisonnière, comme tenir ses persiennes fermées contre la chaleur. C'était par de tels temps qu'au début de mon second séjour à Balbec j'entendais les violons de l'orchestre entre les coulées bleuâtres de la marée montante. Combien je possédais plus Albertine aujourd'hui ! Il y avait des jours où le bruit d'une cloche qui sonnait l'heure portait sur la sphère de sa sonorité une plaque si fraîche, si puissamment étalée de mouillé ou de lumière, que c'était comme une traduction pour aveugles, ou si l'on veut, comme une traduction musicale du charme de la pluie, ou du charme du soleil. Si bien qu'à ce moment-là, les yeux fermés, dans mon lit, je me disais que tout peut se transposer et qu'un univers seulement audible pourrait être aussi varié que l'autre. Remontant paresseusement de jour en jour comme sur une barque, et voyant apparaître devant moi toujours de nouveaux souvenirs enchantés, que je ne choisissais pas, qui l'instant d'avant m'étaient invisibles et que ma mémoire me présentait l'un après l'autre sans que je pusse les choisir, je poursuivais paresseusement sur ces espaces unis ma promenade au soleil.

Ces concerts matinaux de Balbec n'étaient pas anciens. Et pourtant, à ce moment relativement rapproché, je me souciais peu d'Albertine. Même les tout premiers jours de l'arrivée, je n'avais pas[a] connu sa présence à Balbec. Par qui donc l'avais-je apprise ? Ah ! oui, par Aimé. Il faisait un beau soleil comme celui-ci. Brave Aimé ! Il était content de me revoir. Mais il n'aime pas Albertine. Tout le monde ne peut pas l'aimer. Oui, c'est lui qui m'a annoncé qu'elle était à Balbec. Comment le savait-il donc ? Ah ! il l'avait rencontrée, il lui avait trouvé mauvais genre. À ce moment, abordant le récit d'Aimé par une face autre que celle qu'il m'avait présentée au moment où il me l'avait fait, ma pensée, qui jusqu'ici avait navigué en souriant sur ces eaux bienheureuses éclatait soudain, comme si elle eût heurté une mine invisible et dangereuse, insidieusement posée à ce point de ma mémoire. Il m'avait dit qu'il l'avait rencontrée, qu'il lui avait trouvé mauvais genre. Qu'avait-il voulu dire par mauvais genre ? J'avais compris genre vulgaire, parce que pour le contredire d'avance j'avais déclaré qu'elle avait de la distinction. Mais non, peut-être avait-il voulu dire genre gomorrhéen. Elle était avec une amie, peut-être qu'elles se tenaient par la taille, qu'elles regardaient d'autres femmes, qu'elles avaient en effet un « genre » que je n'avais jamais vu à Albertine en ma présence. Qui était l'amie ? où Aimé l'avait-il rencontrée, cette odieuse Albertine ? Je tâchais de me rappeler exactement ce qu'Aimé m'avait dit, pour voir si cela pouvait se rapporter à ce que j'imaginais, ou s'il avait voulu parler seulement de manières communes. Mais j'avais beau me le demander, la personne qui se posait la question et la personne qui pouvait offrir le souvenir n'étaient, hélas, qu'une seule et même personne, moi, qui se dédoublait momentanément, mais sans rien s'ajouter. J'avais beau questionner, c'était moi qui répondais, je n'apprenais rien de plus. Je ne songeais plus à Mlle Vinteuil. Né d'un soupçon nouveau, l'accès de jalousie dont je souffrais était nouveau aussi, ou plutôt il n'était que le prolongement, l'extension de ce soupçon ; il avait le même théâtre, qui n'était plus Montjouvain, mais la route où Aimé avait rencontré Albertine ; pour objets, les quelques amies dont l'une ou l'autre pouvait être celle qui était avec Albertine ce jour-là. C'était peut-être une certaine Élisabeth, ou bien peut-être ces deux jeunes filles qu'Albertine avait regardées dans la glace au casino, quand elle n'avait pas l'air de les voir. Elle avait sans doute des relations avec elles, et d'ailleurs aussi avec Esther, la cousine de Bloch. De telles relations, si elles m'avaient été révélées par un tiers, eussent suffi pour me tuer à demi, mais comme c'était moi qui les imaginais, j'avais soin d'y ajouter assez d'incertitude pour amortir la douleur. On arrive, sous la forme de soupçons, à absorber journellement à doses énormes cette même idée qu'on est trompé, de laquelle une quantité très faible pourrait être mortelle, inoculée par la piqûre d'une parole déchirante. Et c'est sans doute pour cela, et par un dérivé de l'instinct de conservation, que le même jaloux n'hésite pas à former des soupçons atroces à propos de faits innocents, à condition, devant la première preuve qu'on lui apporte, de se refuser à l'évidence. D'ailleurs, l'amour est un mal inguérissable, comme ces diathèses où le rhumatisme ne laisse quelque répit que pour faire place à des migraines épileptiformes. Le soupçon jaloux était-il calmé, j'en voulais à Albertine de n'avoir pas été tendre, peut-être de s'être moquée de moi avec Andrée. Je pensais avec effroi à l'idée qu'elle avait dû se faire si Andrée lui avait répété toutes nos conversations, l'avenir m'apparaissait atroce. Ces tristesses ne me quittaient que si un nouveau soupçon jaloux me jetait dans d'autres recherches ou si, au contraire, les manifestations de tendresse d'Albertine me rendaient mon bonheur insignifiant. Quelle pouvait être cette jeune fille ? il faudrait que j'écrive à Aimé, que je tâche de le voir, et ensuite je contrôlerais ses dires en causant avec Albertine, en la confessant. En attendant, croyant bien que ce devait être la cousine de Bloch, je demandai à celui-ci, qui ne comprit nullement dans quel but, de me montrer seulement une photographie d'elle ou, bien plus, de me faire au besoin rencontrer avec elle.

Combien de personnes, de villes, de chemins, la jalousie nous rend ainsi avides de connaître ! Elle est une soif de savoir grâce à laquelle, sur des points isolés les uns des autres, nous finissons par avoir successivement toutes les notions possibles sauf celle que nous voudrions. On ne sait jamais si un soupçon ne naîtra pas, car tout à coup on se rappelle une phrase qui n'était pas claire, un alibi qui n'avait pas été donné sans intention. Pourtant on n'a pas revu la personne, mais il y a une jalousie après coup, qui ne naît qu'après l'avoir quittée, une jalousie de l'escalier. Peut-être l'habitude que j'avais prise de garder au fond de moi certains désirs, désir d'une jeune fille du monde comme celles que je voyais passer de ma fenêtre suivies de leur institutrice, et plus particulièrement de celle dont m'avait parlé Saint-Loup, qui allait dans les maisons de passe, désir de belles femmes de chambre, et particulièrement celle de Mme Putbus[1], désir d'aller à la campagne au début du printemps revoir des aubépines, des pommiers en fleur, des tempêtes, désir de Venise, désir de me mettre au travail, désir de mener la vie de tout le monde, peut-être l'habitude de conserver en moi, sans assouvissement, tous ces désirs, en me contentant de la promesse faite à moi-même de ne pas oublier de les satisfaire un jour, peut-être cette habitude vieille de tant d'années, de l'ajournement perpétuel, de ce que M. de Charlus flétrissait sous le nom de procrastination, était-elle devenue si générale en moi qu'elle s'emparait aussi de mes soupçons jaloux et, tout en me faisant prendre mentalement note que je ne manquerais pas un jour d'avoir une explication avec Albertine au sujet de la jeune fille (peut-être des jeunes filles, cette partie du récit était confuse, effacée, autant dire indéchiffrable, dans ma mémoire) avec laquelle — ou lesquelles — Aimé l'avait rencontrée, me faisait retarder cette explication. En tout cas, je n'en parlerais pas ce soir à mon amie pour ne pas risquer de lui paraître jaloux et de la fâcher. Pourtant, quand le lendemain Bloch m'eût envoyé la photographie de sa cousine Esther, je m'empressai de la faire parvenir à Aimé. Et à la même minute, je me souvins qu'Albertine m'avait refusé le matin un plaisir qui aurait pu la fatiguer en effet. Était-ce donc pour le réserver à quelque autre, cet après-midi peut-être ? À qui ? C'est ainsi qu'est interminable la jalousie, car même si l'être aimé, étant mort par exemple, ne peut plus la provoquer par ses actes, il arrive que des souvenirs, postérieurement à tout événement, se comportent tout à coup dans notre mémoire comme des événements eux aussi, souvenirs que nous n'avions pas éclairés jusque-là, qui nous avaient paru insignifiants et auxquels il suffit de notre propre réflexion sur eux, sans aucun fait extérieur, pour donner un sens nouveau et terrible. On n'a pas besoin d'être deux, il suffit d'être seul dans sa chambre à penser pour que de nouvelles trahisons de votre maîtresse se produisent, fût-elle morte. Aussi il ne faut pas ne redouter dans l'amour, comme dans la vie habituelle, que l'avenir, mais même le passé qui ne se réalise pour nous souvent qu'après l'avenir, et nous ne parlons pas seulement du passé que nous apprenons après coup, mais de celui que nous avons conservé depuis longtemps en nous et que tout d'un coup nous apprenons à lire.

N'importe, j'étais bien heureux, l'après-midi finissant, que ne tardât pas l'heure où j'allais pouvoir demander à la présence d'Albertine l'apaisement dont j'avais besoin. Malheureusement, la soirée qui vint fut une de celles où cet apaisement ne m'était pas apporté, où le baiser qu'Albertine me donnerait en me quittant, bien différent du baiser habituel, ne me calmerait pas plus qu'autrefois celui de ma mère quand elle était fâchée, et où je n'osais pas la rappeler, mais où je sentais que je ne pourrais pas m'endormir. Ces soirées-là, c'étaient maintenant celles où Albertine avait formé pour le lendemain quelque projet qu'elle ne voulait pas que je connusse. Si elle me l'avait confié, j'aurais mis à assurer sa réalisation une ardeur que personne autant qu'Albertine n'eût pu m'inspirer. Mais elle ne me disait rien et n'avait, d'ailleurs, besoin de ne rien dire : dès qu'elle était rentrée, sur la porte même de ma chambre, comme elle avait encore son chapeau ou sa toque sur la tête, j'avais déjà vu le désir inconnu, rétif, acharné, indomptable. Or c'était souvent les soirs où j'avais attendu son retour avec les plus tendres pensées, où je comptais lui sauter au cou avec le plus de tendresse. Hélas, ces mésententes comme j'en avais eu souvent avec mes parents que je trouvais froids ou irrités au moment où j'accourais près d'eux débordant de tendresse, elles ne sont rien auprès de celles qui se produisent entre deux amants. La souffrance ici est bien moins superficielle, est bien plus difficile à supporter, elle a pour siège une couche plus profonde du cœur. Ce soir-là[1], le projet qu'Albertine avait formé, elle fut pourtant obligée de m'en dire un mot ; je compris tout de suite qu'elle voulait aller le lendemain faire à Mme Verdurin une visite qui, en elle-même, ne m'eût en rien contrarié. Mais certainement, c'était pour y faire quelque rencontre, pour y préparer quelque plaisir. Sans cela elle n'eût pas tellement tenu à cette visite. Je veux dire, elle ne m'eût pas répété qu'elle n'y tenait pas. J'avais suivi dans mon existence une marche inverse de celle des peuples qui ne se servent de l'écriture phonétique qu'après n'avoir considéré les caractères que comme une suite de symboles ; moi qui pendant tant d'années n'avais cherché la vie et la pensée réelles des gens que dans l'énoncé direct qu'ils m'en fournissaient volontairement, par leur faute j'en étais arrivé à ne plus attacher, au contraire, d'importance qu'aux témoignages qui ne sont pas une expression rationnelle et analytique de la vérité ; les paroles elles-mêmes ne me renseignaient qu'à la condition d'être interprétées à la façon d'un afflux de sang à la figure d'une personne qui se trouble, à la façon encore d'un silence subit. Tel adverbe (par exemple employé par M. de Cambremer quand il croyait que j'étais « écrivain » et que, ne m'ayant pas encore parlé, racontant une visite qu'il avait faite aux Verdurin, il s'était tourné vers moi en me disant : « Il y avait *justement* de Borrelli[1] ») jailli dans une conflagration par le rapprochement involontaire, parfois périlleux, de deux idées que l'interlocuteur n'exprimait pas, et duquel par telles méthodes d'analyse ou d'électrolyse appropriées, je pouvais les extraire, m'en disait plus qu'un discours. Albertine laissait parfois traîner dans ses propos tel ou tel de ces précieux amalgames que je me hâtais de « traiter » pour les transformer en idées claires.

C'est du reste une des choses les plus terribles pour l'amoureux que, si les faits particuliers — que seuls l'expérience, l'espionnage, entre tant de réalisations possibles, feraient connaître — sont si difficiles à trouver, la vérité, en revanche, est si facile à percer ou seulement à pressentir. Souvent je l'avais vue à Balbec[a], attacher sur des jeunes filles qui passaient un regard brusque et prolongé, pareil à un attouchement, et après lequel, si je les connaissais, elle me disait : « Si on les faisait venir ? J'aimerais leur dire des injures. » Et depuis quelque temps, depuis qu'elle m'avait pénétré sans doute, aucune demande d'inviter personne, aucune parole, même un détournement des regards, devenus sans objet et silencieux, et avec la mine distraite et vacante dont ils étaient accompagnés, aussi révélateur qu'autrefois leur aimantation. Or il m'était impossible de lui faire des reproches ou de lui poser des questions à propos de choses qu'elle eût déclarées si minimes, si insignifiantes, retenues par moi pour le plaisir de « chercher la petite bête ». Il est déjà difficile de dire « pourquoi avez-vous regardé telle passante ? » mais bien plus « pourquoi ne l'avez-vous pas regardée ? » Et pourtant je savais bien, ou du moins j'aurais su, si je n'avais pas voulu croire plutôt ces affirmations d'Albertine que tous les riens inclus dans un regard, prouvés par lui, et telle ou telle contradiction dans les paroles, contradiction dont je ne m'apercevais souvent que longtemps après l'avoir quittée, qui me faisait souffrir toute la nuit, dont je n'osais plus reparler, mais qui n'en honorait pas moins de temps en temps ma mémoire de ses visites périodiques. Souvent pour ces simples regards furtifs ou détournés sur la plage de Balbec ou dans les rues de Paris, je pouvais me demander si la personne qui les provoquait n'était pas seulement un objet de désirs au moment où elle passait, mais une ancienne connaissance, ou bien une jeune fille dont on n'avait fait que lui parler et dont, quand je l'apprenais, j'étais stupéfait qu'on lui eût parlé, tant c'était en dehors des connaissances possibles, au juger, d'Albertine. Mais la Gomorrhe moderne est un puzzle fait des morceaux qui viennent de là où on s'attendait[a] le moins[1]. C'est ainsi que je vis une fois à Rivebelle un grand dîner dont je connaissais par hasard, au moins de nom, les dix invitées, aussi dissemblables que possible, parfaitement rejointes cependant, si bien que je ne vis jamais dîner si homogène, bien que si composite.

Pour en revenir aux jeunes passantes, jamais Albertine n'eût regardé une dame âgée ou un vieillard avec tant de fixité ou au contraire de réserve et comme si elle ne voyait pas. Les maris trompés qui ne savent[b] rien, savent tout tout de même. Mais il faut un dossier plus matériellement documenté pour établir une scène de jalousie. D'ailleurs, si la jalousie nous aide à découvrir un certain penchant à mentir chez la femme que nous aimons, elle centuple ce penchant quand la femme[c] a découvert que nous sommes jaloux. Elle ment (dans des proportions où elle ne nous a jamais menti auparavant), soit qu'elle ait pitié, ou peur, ou se dérobe instinctivement par une fuite symétrique à nos investigations. Certes il y a des amours où dès le début une femme légère s'est posée comme une vertu aux yeux de l'homme qui l'aime. Mais combien d'autres comprennent deux périodes parfaitement contrastées ! Dans la première la femme parle presque facilement, avec de simples atténuations, de son goût pour le plaisir, de la vie galante qu'il lui a fait mener, toutes choses qu'elle niera ensuite avec la dernière énergie au même homme mais qu'elle a senti jaloux d'elle et l'épiant. Il en arrive à regretter le temps de ces premières confidences dont le souvenir le torture cependant. Si la femme lui en faisait encore de pareilles, elle lui fournirait presque elle-même le secret des fautes qu'il poursuit inutilement chaque jour. Et puis quel abandon cela prouvait, quelle confiance, quelle amitié ! Si elle ne peut vivre sans le tromper, du moins le tromperait-elle en amie, en lui racontant ses plaisirs, en l'y associant. Et il regrette une telle vie que les débuts de leur amour semblaient esquisser, que sa suite a rendue impossible, faisant de cet amour quelque chose d'atrocement douloureux, qui rendra une séparation, selon les cas, ou inévitable, ou impossible.

Parfois l'écriture où je déchiffrais les mensonges d'Albertine, sans être idéographique, avait simplement besoin d'être lue à rebours ; c'est ainsi que ce soir elle m'avait lancé d'un air négligent ce message destiné à passer presque inaperçu : « Il serait possible que j'aille demain chez les Verdurin, je ne sais pas du tout si j'irai, je n'en ai guère envie[1]. » Anagramme enfantin de cet aveu : « J'irai demain chez les Verdurin, c'est absolument certain, car j'y attache une extrême importance. » Cette hésitation apparente signifiait une volonté arrêtée et avait pour but de diminuer l'importance de la visite tout en me l'annonçant. Albertine employait toujours le ton dubitatif pour les résolutions irrévocables. La mienne ne l'était pas moins : je m'arrangerais pour que la visite à Mme Verdurin n'eût pas lieu. La jalousie n'est souvent qu'un inquiet besoin de tyrannie appliqué aux choses de l'amour. J'avais sans doute hérité de mon père ce brusque désir arbitraire de menacer les êtres que j'aimais le plus dans les espérances dont ils se berçaient avec une sécurité que je voulais leur montrer trompeuse ; quand je voyais qu'Albertine avait combiné à mon insu, en se cachant de moi, le plan d'une sortie que j'eusse fait tout au monde pour lui rendre plus facile et plus agréable si elle m'en avait fait le confident, je disais négligemment, pour la faire trembler, que je comptais sortir ce jour-là.

Je me mis à suggérer à Albertine d'autres buts de promenade qui eussent rendu la visite Verdurin impossible, en des paroles empreintes d'une feinte indifférence sous laquelle je tâchais de déguiser mon énervement. Mais elle l'avait dépisté. Il rencontrait chez elle la force électrique d'une volonté contraire qui le repoussait[a] vivement ; dans les yeux d'Albertine j'en voyais jaillir les étincelles. Au[b] reste, à quoi bon m'attacher à ce que disaient les prunelles en ce moment ? Comment n'avais-je pas depuis longtemps remarqué que les yeux d'Albertine appartenaient à la famille de ceux qui (même chez un être médiocre) semblent faits de plusieurs morceaux à cause de tous les lieux où l'être veut se trouver — et cacher qu'il veut se trouver — ce jour-là ? Des yeux — par mensonge toujours immobiles et passifs — mais dynamiques, mesurables par les mètres ou kilomètres à franchir pour se trouver au rendez-vous voulu, implacablement voulu, des yeux qui sourient moins encore au plaisir qui les tente, qu'ils ne s'auréolent de la tristesse et du découragement qu'il y aura peut-être une difficulté pour aller au rendez-vous. Entre vos mains mêmes, ces êtres-là sont des êtres de fuite. Pour comprendre les émotions qu'ils donnent et que d'autres êtres, même plus beaux, ne donnent pas, il faut calculer qu'ils sont non pas immobiles, mais en mouvement, et ajouter à leur personne un signe correspondant à ce qu'en physique est le signe qui signifie vitesse.

Si vous dérangez leur journée, ils vous avouent le plaisir qu'ils vous avaient caché : « Je voulais tant aller goûter à cinq heures avec telle personne que j'aime ! » Hé bien, si six mois après vous arrivez à connaître la personne en question, vous apprendrez que jamais la jeune fille dont vous aviez dérangé les projets, qui prise au piège, pour que vous la laissiez libre vous avait avoué le goûter qu'elle faisait ainsi avec une personne aimée tous les jours à l'heure où vous ne la voyiez pas, vous apprendrez que cette personne ne l'a jamais reçue, qu'elles n'ont jamais goûté ensemble, la jeune fille disant être très prise, par vous précisément.

Ainsi, la personne avec qui elle avait confessé qu'elle allait goûter, avec qui elle vous avait supplié de la laisser aller goûter, cette personne, raison avouée par nécessité, ce n'était pas elle, c'était une autre, c'était encore autre chose ! Autre chose, quoi ? Une autre, qui ? Hélas, les yeux fragmentés, portant au loin et tristes, permettraient peut-être de mesurer les distances, mais n'indiquent pas les directions. Le champ infini des possibles s'étend, et si par hasard le réel se présentait devant nous, il serait tellement en dehors des possibles que, dans un brusque étourdissement, allant taper contre ce mur surgi, nous tomberions à la renverse. Le mouvement et la fuite constatés ne sont même pas indispensables, il suffit que nous les induisions. Elle nous avait promis une lettre, nous étions calme, nous n'aimions plus. La lettre n'est pas venue, aucun courrier n'en apporte, « que se passe-t-il ? » l'anxiété renaît et l'amour. Ce sont surtout de tels êtres qui nous inspirent l'amour, pour notre désolation. Car chaque anxiété nouvelle que nous éprouvons par eux enlève à nos yeux de leur personnalité. Nous étions résigné à la souffrance, croyant aimer en dehors de nous, et nous nous apercevons que notre amour est fonction de notre tristesse, que notre amour c'est peut-être notre tristesse, et que l'objet n'en est que pour une faible part la jeune fille à la noire chevelure. Mais enfin, ce sont surtout de tels êtres qui inspirent l'amour. Le plus souvent l'amour n'a pour objet[a] un corps que si une émotion, la peur de le perdre, l'incertitude de le retrouver se fondent en lui. Or ce genre d'anxiété a une grande affinité pour les corps. Il leur ajoute une qualité qui passe la beauté même, ce qui est une des raisons pour quoi l'on voit des hommes, indifférents aux femmes les plus belles, en aimer passionnément certaines qui nous semblent laides. À ces êtres-là, à ces êtres de fuite, leur nature, notre inquiétude attachent des ailes. Et même auprès de nous, leur regard semble nous dire qu'ils vont s'envoler. La preuve de cette beauté, surpassant la beauté, qu'ajoutent les ailes, est que bien souvent pour nous un même être est successivement sans ailes et ailé. Que nous craignions de le perdre, nous oublions tous les autres. Sûrs de le garder, nous le comparons à ces autres qu'aussitôt nous lui préférons. Et comme ces émotions et ces certitudes peuvent alterner d'une semaine à l'autre, un être peut une semaine se voir sacrifier tout ce qui plaisait, la semaine suivante être sacrifié, et ainsi de suite pendant très longtemps. Ce qui serait incompréhensible si nous ne savions par l'expérience que tout homme a d'avoir dans sa vie, au moins une fois, cessé d'aimer, oublié une femme, le peu de chose qu'est en soi-même un être quand il n'est plus, ou qu'il n'est pas encore, perméable à nos émotions. Et bien entendu si nous disons : êtres de fuite, c'est également vrai des êtres en prison, des femmes captives qu'on croit qu'on ne pourra jamais avoir. Aussi les hommes détestent les entremetteuses, car elles facilitent la fuite, font briller la tentation, mais s'ils aiment au contraire une femme cloîtrée, recherchent volontiers les entremetteuses pour les faire sortir de leur prison et nous les amener. Dans la mesure où les unions avec les femmes qu'on enlève sont moins durables que d'autres, la cause en est que la peur de ne pas arriver à les obtenir ou l'inquiétude de les voir fuir est tout notre amour et qu'une fois enlevées à leur mari, arrachées à leur théâtre, guéries de la tentation de nous quitter, dissociées en un mot de notre émotion quelle qu'elle soit, elles sont seulement elles-mêmes c'est-à-dire presque rien et, si longtemps convoitées, sont quittées bientôt par celui-là même qui avait si peur d'être quitté par elles.

J'ai dit : « Comment n'avais-je pas deviné ? » Mais ne l'avais-je pas deviné dès le premier jour à Balbec ? N'avais-je pas deviné en Albertine une de ces filles sous l'enveloppe charnelle desquelles palpitent plus d'êtres cachés, je ne dis pas que dans un jeu de cartes encore dans sa boîte, que dans une cathédrale fermée ou un théâtre avant qu'on n'y entre, mais que dans la foule immense et renouvelée ? Non pas seulement tant d'êtres, mais le désir, le souvenir voluptueux, l'inquiète recherche de tant d'êtres. À Balbec je n'avais pas été troublé parce que je n'avais même pas supposé qu'un jour je serais sur des pistes mêmes fausses. N'importe, cela avait donné pour moi à Albertine la plénitude d'un être empli jusqu'au bord par la superposition de tant d'êtres, de tant de désirs et de souvenirs voluptueux d'êtres. Et maintenant qu'elle m'avait dit un jour : « Mlle Vinteuil », j'aurais voulu non pas arracher sa robe pour voir son corps, mais à travers son corps voir tout ce bloc-notes de ses souvenirs et de ses prochains et ardents rendez-vous[a].

Comme les choses probablement les plus insignifiantes prennent soudain une valeur extraordinaire quand un être que nous aimons (ou à qui il ne manquait que cette duplicité pour que nous l'aimions) nous les cache ! En elle-même la souffrance ne nous donne pas forcément des sentiments d'amour ou de haine pour la personne qui la cause : un chirurgien qui nous fait mal nous reste indifférent. Mais une femme qui nous a dit pendant quelque temps que nous étions tout pour elle, sans qu'elle fût elle-même tout pour nous, une femme que nous avons plaisir à voir, à embrasser, à tenir sur nos genoux, nous nous étonnons si seulement nous éprouvons à une brusque résistance que nous ne disposons pas d'elle. La déception réveille alors parfois en nous le souvenir oublié d'une angoisse ancienne, que nous savons pourtant ne pas avoir été provoquée par cette femme, mais par d'autres dont les trahisons s'échelonnent sur notre passé. Et, au reste, comment a-t-on le courage de souhaiter vivre, comment peut-on faire un mouvement pour se préserver de la mort, dans un monde où l'amour n'est provoqué que par le mensonge et consiste seulement dans notre besoin de voir nos souffrances apaisées par l'être qui nous a fait souffrir ? Pour sortir de l'accablement qu'on éprouve quand on découvre ce mensonge et cette résistance, il y a le triste remède de chercher à agir malgré elle, à l'aide des êtres qu'on sent plus mêlés à sa vie que nous-même, sur celle qui nous résiste et qui nous ment, à ruser nous-même, à nous faire détester. Mais la souffrance d'un tel amour est de celles qui font invinciblement que le malade cherche dans un changement de position un bien-être illusoire. Ces moyens d'action ne nous manquent pas, hélas ! Et l'horreur de ces amours que l'inquiétude seule a enfantées vient de ce que nous tournons et retournons sans cesse dans notre cage des propos insignifiants ; sans compter que rarement les êtres pour qui nous les éprouvons nous plaisent physiquement d'une manière complète, puisque ce n'est pas notre goût délibéré, mais le hasard d'une minute d'angoisse, minute indéfiniment prolongée par notre faiblesse de caractère, laquelle refait chaque soir des expériences et s'abaisse à des calmants, qui a choisi pour nous. Sans doute mon amour pour Albertine n'était pas le plus dénué de ceux jusqu'où par manque de volonté on peut déchoir, car il n'était pas entièrement platonique ; elle me donnait des satisfactions charnelles, et puis elle était intelligente. Mais tout cela était une superfétation. Ce qui m'occupait l'esprit n'était pas ce qu'elle avait pu dire d'intelligent, mais tel mot qui éveillait chez moi un doute sur ses actes. J'essayais de me rappeler si elle avait dit ceci ou cela, de quel air, à quel moment, en réponse de quelles paroles, de reconstituer toute la scène de son dialogue avec moi, à quel moment elle avait voulu aller chez les Verdurin, quel mot de moi avait donné à son visage l'air fâché. Il se fût agi de l'événement le plus important que je ne me fusse pas donné tant de peine pour en rétablir la vérité, en restituer l'atmosphère et la couleur juste. Sans doute ces inquiétudes, après avoir atteint un degré où elles nous sont insupportables, on arrive parfois à les calmer entièrement pour un soir. La fête où l'amie qu'on aime doit se rendre, et sur la vraie nature de laquelle notre esprit travaillait depuis des jours, nous y sommes conviés aussi, notre amie n'y a d'égards et de paroles[a] que pour nous, nous la ramenons, et nous connaissons alors, nos inquiétudes dissipées, un repos aussi complet, aussi réparateur, que celui qu'on goûte parfois dans ce sommeil profond qui suit les longues marches. Mais le plus souvent nous ne faisons que changer d'inquiétude. Un des mots de la phrase qui devait nous calmer met nos soupçons sur une autre piste. Et, sans doute, un tel repos vaut que nous le payions à un prix élevé. Mais n'aurait-il pas été plus simple de ne pas acheter nous-même, volontairement, l'anxiété, et plus cher encore ? D'ailleurs, nous savons bien que si profondes que puissent être ces détentes momentanées, l'inquiétude sera tout de même la plus forte. Souvent même, elle est renouvelée par la phrase dont le but était de nous apporter le repos. Les exigences de notre jalousie et l'aveuglement de notre crédulité sont plus grands que ne pouvait supposer la femme que nous aimons. Quand spontanément elle nous jure que tel homme n'est pour elle qu'un ami, elle nous bouleverse en nous apprenant — ce que nous ne soupçonnions pas — qu'il était pour elle un ami. Tandis qu'elle nous raconte, pour nous montrer sa sincérité, comment ils ont pris le thé ensemble, cet après-midi même, à chaque mot qu'elle dit, l'invisible, l'insoupçonné prend forme devant nous. Elle avoue qu'il lui a demandé d'être sa maîtresse et nous souffrons le martyre qu'elle ait pu écouter ses propositions. Elle les a refusées, dit-elle. Mais tout à l'heure, en nous rappelant son récit, nous nous demanderons si le refus est bien véridique, car il y a, entre les différentes choses qu'elle nous a dites, cette absence de lien logique et nécessaire qui, plus que les faits qu'on raconte, est le signe de la vérité. Et puis elle a eu cette terrible intonation dédaigneuse : « Je lui ai dit[a] non, catégoriquement », qui se retrouve dans toutes les classes de la société quand une femme ment. Il faut pourtant la remercier d'avoir refusé, l'encourager par notre bonté à nous faire de nouveau à l'avenir des confidences si cruelles. Tout au plus faisons-nous la remarque : « Mais s'il vous avait déjà fait des propositions, pourquoi avez-vous consenti à prendre le thé avec lui ? — Pour qu'il ne pût pas m'en vouloir et dire que je n'ai pas été gentille. » Et nous n'osons pas lui répondre qu'en refusant elle eût peut-être été plus gentille pour nous.

D'ailleurs, Albertine m'effrayait en me disant que j'avais raison, pour ne pas lui faire de tort, de dire que je n'étais pas son amant, puisque aussi bien, ajoutait-elle, « c'est la vérité que vous ne l'êtes pas ». Je ne l'étais peut-être pas complètement en effet, mais alors fallait-il penser que toutes les choses que nous faisions ensemble, elle les faisait aussi avec tous les hommes dont elle me jurait qu'elle n'avait pas été la maîtresse ? Vouloir connaître à tout prix ce qu'Albertine pensait, qui elle voyait, qui elle aimait — comme il était étrange que je sacrifiasse tout à ce besoin, puisque j'avais éprouvé le même besoin de savoir au sujet de Gilberte des noms propres, des faits, qui m'étaient maintenant si indifférents ! Je me rendais bien compte qu'en elles-mêmes les actions d'Albertine n'avaient pas plus d'intérêt. Il est curieux qu'un premier amour, si, par la fragilité qu'il laisse à notre cœur, il fraye la voie aux amours suivantes, ne nous donne pas du moins par l'identité même des symptômes et des souffrances le moyen de les guérir. D'ailleurs, y a-t-il besoin de savoir un fait ? Ne sait-on pas d'abord d'une façon générale le mensonge et la discrétion même de ces femmes qui ont quelque chose à cacher ? Y a-t-il là possibilité d'erreur ? Elles se font une vertu de se taire alors que nous voudrions tant les faire parler. Et nous sentons qu'à leur complice elles ont affirmé : « Je ne dis jamais rien. Ce n'est pas par moi qu'on saura quelque chose, je ne dis jamais rien. »

On donne sa fortune, sa vie pour un être, et pourtant cet être, on sait bien qu'à dix ans d'intervalle, plus tôt ou plus tard, on lui refuserait cette fortune, on préférerait garder sa vie. Car alors l'être serait détaché de nous, seul, c'est-à-dire nul. Ce qui nous attache aux êtres, ce sont ces mille racines, ces fils innombrables que sont les souvenirs de la soirée de la veille, les espérances de la matinée du lendemain ; c'est cette trame continue d'habitudes dont nous ne pouvons pas nous dégager. De même qu'il y a des avares qui entassent par générosité, nous sommes des prodigues qui dépensent par avarice, et c'est moins à un être que nous sacrifions notre vie, qu'à tout ce qu'il a pu attacher autour de lui de nos heures, de nos jours, de ce à côté de quoi la vie non encore vécue, la vie relativement future, nous semble une vie plus lointaine, plus détachée, moins intime, moins nôtre. Ce qu'il faudrait, c'est se dégager de ces liens qui ont tellement plus d'importance que lui, mais ils ont pour effet de créer en nous des devoirs momentanés à son égard, devoirs qui font que nous n'osons pas le quitter de peur d'être mal jugé de lui, alors que plus tard nous oserions, car dégagé de nous il ne serait plus nous, et que nous ne nous créons en réalité de devoirs (dussent-ils, par une contradiction apparente, aboutir au suicide) qu'envers nous-mêmes.

Si je n'aimais pas Albertine (ce dont je n'étais pas sûr), cette place qu'elle tenait auprès de moi n'avait rien d'extraordinaire : nous ne vivons qu'avec ce que nous n'aimons pas, que nous n'avons fait vivre avec nous que pour tuer l'insupportable amour, qu'il s'agisse d'une femme, d'un pays, ou encore d'une femme enfermant un pays. Même nous aurions bien peur de recommencer à aimer si l'absence se produisait de nouveau. Je n'en étais pas arrivé à ce point pour Albertine. Ses mensonges, ses aveux, me laissaient à achever la tâche d'éclaircir la vérité. Ses mensonges si nombreux, parce qu'elle ne se contentait pas de mentir comme tout être qui se croit aimé, mais parce que par nature elle était, en dehors de cela, menteuse, et si changeante d'ailleurs que même en me disant chaque fois la vérité sur ce que, par exemple, elle pensait des gens, elle eût dit chaque fois des choses différentes ; ses aveux, parce que si rares, arrêtés si court, ils laissaient entre eux, en tant qu'ils concernaient le passé, de grands intervalles tout en blanc et sur toute la longueur desquels il me fallait retracer, et pour cela d'abord apprendre, sa vie. Quant au présent, pour autant que je pouvais interpréter les paroles sibyllines de Françoise, ce n'était pas que sur des points particuliers, c'était sur tout un ensemble qu'Albertine me mentait, et je verrais « tout par un beau jour[1] » ce que Françoise faisait semblant de savoir, ce qu'elle ne voulait pas me dire, ce que je n'osais pas lui demander. D'ailleurs, c'était sans doute par la même jalousie qu'elle avait eue jadis envers Eulalie que Françoise parlait des choses les plus invraisemblables, tellement vagues qu'on pouvait tout au plus y supposer l'insinuation bien invraisemblable que la pauvre captive (qui aimait les femmes) préférait un mariage avec quelqu'un qui ne semblait pas tout à fait être moi. Si cela avait été, malgré ses radiotélépathies, comment Françoise l'aurait-elle su ? Certes, les récits d'Albertine ne pouvaient nullement me fixer là-dessus, car ils étaient chaque jour aussi opposés que les couleurs d'une toupie presque arrêtée. D'ailleurs, il semblait bien que c'était surtout la haine qui faisait parler Françoise. Il n'y avait pas de jour qu'elle ne me dît et que je ne supportasse en l'absence de ma mère des paroles telles que : « Certes, vous êtes gentil et je n'oublierai jamais la reconnaissance que je vous dois (ceci probablement pour que je me crée des titres à sa reconnaissance). Mais la maison est empestée depuis que la gentillesse a installé ici la fourberie, que l'intelligence protège la plus bête qu'on ait jamais vue, que la finesse, les manières, l'esprit, la dignité en toutes choses, l'air et la réalité d'un prince se laissent faire la loi et monter le coup et me faire humilier, moi qui suis depuis quarante ans dans la famille, par le vice, par ce qu'il y a de plus vulgaire et de plus bas. »

Françoise en voulait surtout à Albertine d'être commandée par autre que nous, et d'un surcroît de travail de ménage, d'une fatigue qui altérant la santé[a] de notre vieille servante (laquelle ne voulait pas malgré cela être aidée dans son travail, n'étant pas une « propre à rien ») eût suffi à expliquer cet énervement, ces colères haineuses. Certes, elle eût voulu qu'Albertine-Esther fût bannie. C'était le vœu de Françoise. Et en la consolant cela eût déjà reposé notre vieille servante. Mais, à mon avis, ce n'était pas seulement cela. Une telle haine n'avait pu naître que dans un corps surmené. Et plus encore que d'égards Françoise avait besoin de sommeil.

Pendant qu'Albertine allait ôter[b] ses affaires, et pour aviser au plus vite, je me saisis du récepteur du téléphone, j'invoquai les Divinités implacables, mais ne fis qu'exciter leur fureur qui se traduisit par ces mots : « Pas libre. » Andrée était en train en effet de causer avec quelqu'un. En attendant qu'elle eût achevé sa communication, je me demandais comment, puisque tant de peintres cherchent à renouveler les portraits féminins du XVIIIe siècle où l'ingénieuse mise en scène est un prétexte aux expressions de l'attente, de la bouderie, de l'intérêt, de la rêverie, comment aucun de nos modernes Boucher ou Fragonard, ne peignit, au lieu de[a] *La Lettre,* du *Clavecin,* etc., cette scène qui pourrait s'appeler : *Devant le téléphone*[1], et où naîtrait spontanément sur les lèvres de l'écouteuse un sourire d'autant plus vrai qu'il sait n'être pas vu. Enfin, Andrée m'entendit : « Vous venez prendre Albertine demain ? » et en prononçant ce nom d'Albertine, je pensais à l'envie que m'avait inspirée Swann quand il m'avait dit le jour de la fête chez la princesse de Guermantes : « Venez voir Odette », et que j'avais pensé à ce que malgré tout il y avait de fort dans un prénom qui aux yeux de tout le monde et d'Odette elle-même n'avait que dans la bouche de Swann ce sens absolument possessif. Qu'une telle mainmise — résumée en un vocable — sur toute une existence m'avait paru, chaque fois que j'étais amoureux, devoir être si douce ! Mais en réalité, quand on peut le dire, ou bien cela est devenu indifférent, ou bien l'habitude n'a pas émoussé la tendresse, mais elle en a changé les douceurs en douleurs. Le mensonge[b] est bien peu de chose, nous vivons au milieu de lui sans faire qu'en sourire, nous le pratiquons sans croire faire mal à personne, mais la jalousie en souffre et voit plus qu'il ne cache (souvent notre amie refuse de passer la soirée avec nous et va au théâtre tout simplement pour que nous ne voyions pas qu'elle a mauvaise mine), comme bien souvent elle reste aveugle à ce que cache la vérité. Mais elle ne peut rien obtenir, car celles qui jurent ne pas mentir refuseraient sous le couteau de confesser leur caractère. Je savais que moi seul pouvais dire de cette façon-là « Albertine » à Andrée. Et pourtant, pour Albertine, pour Andrée, et pour moi-même, je sentais que je n'étais rien. Et je comprenais l'impossibilité où se heurte l'amour. Nous nous imaginons qu'il a pour objet un être qui peut être couché devant nous, enfermé dans un corps. Hélas ! Il est l'extension de cet être à tous les points de l'espace et du temps que cet être a occupés et occupera. Si nous ne possédons pas son contact avec tel lieu, avec telle heure, nous ne le possédons pas. Or nous ne pouvons toucher tous ces points. Si encore ils nous étaient désignés, peut-être pourrions-nous nous étendre jusqu'à eux. Mais nous tâtonnons sans les trouver. De là la défiance, la jalousie, les persécutions. Nous perdons un temps précieux sur une piste absurde et nous passons sans le soupçonner à côté du vrai.

Mais déjà une des Divinités irascibles, aux servantes vertigineusement agiles, s'irritait non plus que je parlasse, mais que je ne dise rien. « Mais voyons, c'est libre ! Depuis le temps que vous êtes en communication, je vais vous couper. » Mais elle n'en fit rien, et tout en suscitant la présence d'Andrée, l'enveloppa, en grand poète qu'est toujours une demoiselle du téléphone, de l'atmosphère particulière à la demeure, au quartier, à la vie même de l'amie d'Albertine. « C'est vous ? » me dit Andrée dont la voix était projetée jusqu'à moi avec une vitesse instantanée par la déesse qui a le privilège de rendre les sons plus rapides que l'éclair. « Écoutez, répondis-je, allez où vous voudrez, n'importe où, excepté chez Mme Verdurin. Il faut à tout prix en éloigner demain Albertine. — C'est que justement elle doit y aller demain. — Ah ! »

Mais j'étais obligé d'interrompre un instant et de faire des gestes menaçants, car si Françoise continuait — comme si c'eût été quelque chose d'aussi désagréable que la vaccine ou d'aussi périlleux que l'aéroplane — à ne pas vouloir apprendre à téléphoner, ce qui nous eût déchargés des communications qu'elle pouvait connaître sans inconvénient, en revanche elle entrait immédiatement chez moi dès que j'étais en train d'en faire d'assez secrètes pour que je tinsse particulièrement à les lui cacher. Quand elle fut enfin sortie de la chambre non sans s'être attardée à emporter divers objets qui y étaient depuis la veille et eussent pu y rester sans gêner le moins du monde une heure de plus, et pour remettre dans le feu une bûche rendue bien inutile par la chaleur brûlante que me donnaient la présence de l'intruse et la peur de me voir « couper » par la demoiselle, « Pardonnez-moi, dis-je à Andrée, j'ai été dérangé. C'est absolument sûr qu'elle doit aller demain chez les Verdurin ? — Absolument, mais je peux lui dire que cela vous ennuie. — Non, au contraire, ce qui est possible, c'est que je vienne avec vous. — Ah ! » fit Andrée d'une voix ennuyée et comme effrayée de mon audace, qui ne fit du reste que s'en affermir. « Alors, je vous quitte et pardon de vous avoir dérangée pour rien. — Mais non », dit Andrée et (comme maintenant l'usage du téléphone était devenu courant, autour de lui s'était développé l'enjolivement de phrases spéciales, comme jadis autour des « thés ») elle ajouta : « Cela m'a fait grand plaisir d'entendre votre voix. »

J'aurais pu en dire autant, et plus véridiquement qu'Andrée, car je venais d'être infiniment sensible à sa voix, n'ayant jamais remarqué jusque-là qu'elle était si différente des autres. Alors, je me rappelai d'autres voix encore, des voix de femmes surtout, les unes ralenties par la précision d'une question et l'attention de l'esprit, d'autres essoufflées, même interrompues, par le flot lyrique de ce qu'elles racontent, je me rappelai une à une la voix de chacune des jeunes filles que j'avais connues à Balbec, puis de Gilberte, puis de ma grand-mère, puis de Mme de Guermantes, je les trouvai toutes dissemblables, moulées sur un langage particulier à chacune, jouant toutes sur un instrument différent, et je me dis quel maigre concert doivent donner au Paradis les trois ou quatre anges musiciens des vieux peintres, quand je voyais s'élever vers Dieu, par dizaines, par centaines, par milliers, l'harmonieuse et multisonore salutation de toutes les Voix. Je ne quittai pas le téléphone sans remercier en quelques mots propitiatoires Celle qui règne sur la vitesse des sons, d'avoir bien voulu user en faveur de mes humbles paroles d'un pouvoir qui les rendait cent fois plus rapides que le tonnerre. Mais mes actions de grâce restèrent sans autre réponse que d'être coupées.

Quand Albertine revint dans ma chambre, elle avait une robe de satin noir qui contribuait à la rendre plus pâle, à faire d'elle la Parisienne blême, ardente, étiolée par le manque d'air, l'atmosphère des foules et peut-être l'habitude du vice, et dont les yeux semblaient plus inquiets parce que ne les égayait pas la rougeur des joues. « Devinez, lui dis-je, à qui je viens de téléphoner : à Andrée. — À Andrée ? » s'écria Albertine sur un ton bruyant, étonné, ému, qu'une nouvelle aussi simple ne comportait pas. « J'espère qu'elle a pensé à vous dire que nous avions rencontré Mme Verdurin l'autre jour. — Mme Verdurin ? je ne me rappelle pas », répondis-je en ayant l'air de penser à autre chose, à la fois pour sembler indifférent à cette rencontre et pour ne pas trahir Andrée qui m'avait dit où Albertine irait le lendemain. Mais qui sait si elle-même, Andrée, ne me trahissait pas, si demain elle ne raconterait pas à Albertine que je lui avais demandé de l'empêcher coûte que coûte d'aller chez les Verdurin, et si elle ne lui avait pas déjà révélé que je lui avais fait plusieurs fois des recommandations analogues ? Elle m'avait affirmé ne les avoir jamais répétées, mais la valeur de cette affirmation était balancée dans mon esprit par l'impression que depuis quelque temps s'était retirée du visage d'Albertine la confiance qu'elle avait eue si longtemps en moi.

La souffrance dans l'amour cesse par instants, mais pour reprendre d'une façon différente. Nous pleurons de voir celle que nous aimons ne plus avoir avec nous ces élans de sympathie, ces avances amoureuses du début, nous souffrons plus encore que, les ayant perdus pour nous, elle les retrouve pour d'autres ; puis de cette souffrance-là nous sommes distraits par un mal nouveau plus atroce, le soupçon qu'elle nous a menti sur sa soirée de la veille, où elle nous a trompés sans doute ; ce soupçon-là aussi se dissipe, la gentillesse que nous montre notre amie nous apaise ; mais alors un mot oublié nous revient à l'esprit, on nous a dit qu'elle était ardente au plaisir, or nous ne l'avons connue que calme ; nous essayons de nous représenter ce que furent ses frénésies avec d'autres, nous sentons le peu que nous sommes pour elle, nous remarquons un air d'ennui, de nostalgie, de tristesse pendant que nous parlons, nous remarquons comme un ciel noir les robes négligées qu'elle met quand elle est avec nous, gardant pour les autres celles avec lesquelles, au commencement, elle cherchait à nous éblouir. Si au contraire elle est tendre, quelle joie un instant ! mais en voyant cette petite langue tirée comme pour un appel des yeux, nous[a] pensons à celles à qui il était si souvent adressé que, même peut-être auprès de moi, sans qu'Albertine pensât à elles, il était demeuré, à cause d'une trop longue habitude, un signe machinal. Puis[b] le sentiment que nous l'ennuyons revient. Mais brusquement cette souffrance tombe à peu de chose en pensant à l'inconnu malfaisant de sa vie, aux lieux impossibles à connaître où elle a été, est peut-être encore dans les heures où nous ne sommes pas près d'elle, si même elle ne projette pas d'y vivre définitivement, ces lieux où elle est loin de nous, pas à nous, plus heureuse qu'avec nous. Tels sont les feux tournants de la jalousie.

La jalousie est aussi un démon qui ne peut être exorcisé, et reparaît toujours, incarné sous une[a] nouvelle forme. Fussions-nous arrivés à les exterminer toutes, à garder perpétuellement celle que nous aimons, l'Esprit du Mal prendrait alors une autre forme, plus pathétique encore, le désespoir de n'avoir obtenu la fidélité que par force, le désespoir de n'être pas aimé.

Entre Albertine et moi il y avait souvent l'obstacle d'un silence fait sans doute des griefs qu'elle taisait parce qu'elle les jugeait irréparables. Si douce qu'Albertine fût certains soirs, elle n'avait plus de ces mouvements spontanés que je lui avais connus à Balbec quand elle me disait : « Ce que vous êtes gentil tout de même ! » et que le fond de son cœur semblait venir à moi sans la réserve d'aucun des griefs qu'elle avait maintenant et qu'elle taisait, parce qu'elle les jugeait sans doute irréparables, impossibles à oublier, inavoués, mais qui n'en mettaient pas moins entre elle et moi la prudence significative de ses paroles ou l'intervalle d'un infranchissable silence.

« Et peut-on savoir pourquoi vous avez téléphoné à Andrée ? — Pour lui demander si cela ne la contrarierait pas que je me joigne à vous demain et que j'aille ainsi faire aux Verdurin la visite que je leur promets depuis La Raspelière. — Comme vous voudrez. Mais je vous préviens qu'il y a un brouillard atroce ce soir et qu'il y en aura sûrement encore demain. Je vous dis cela parce que je ne voudrais pas que cela vous fasse mal. Vous pensez bien que, pour moi, je préfère que vous veniez avec nous. Du reste, ajouta-t-elle d'un air préoccupé, je ne sais pas du tout si j'irai chez les Verdurin. Ils m'ont fait tant de gentillesses qu'au fond je devrais. Après vous, c'est encore les gens qui ont été les meilleurs pour moi, mais il y a des riens qui me déplaisent chez eux. Il faut absolument que j'aille au *Bon Marché* ou aux *Trois Quartiers* acheter une guimpe blanche, car cette robe est trop noire. »

Laisser Albertine aller seule dans un grand magasin parcouru par tant de gens qu'on frôle, pourvu de tant d'issues qu'on peut dire qu'à la sortie on n'a pas réussi à trouver sa voiture qui attendait plus loin, j'étais bien décidé à n'y pas consentir, mais j'étais surtout malheureux. Et pourtant, je ne me rendais pas compte qu'il y avait longtemps que j'aurais dû cesser de voir Albertine, car elle était entrée pour moi dans cette période lamentable où un être, disséminé dans l'espace et dans le temps, n'est plus pour nous une femme, mais une suite d'événements sur lesquels nous ne pouvons faire la lumière, une suite de problèmes insolubles, une mer que nous essayons ridiculement, comme Xerxès[1], de battre pour la punir de ce qu'elle a englouti. Une fois cette période commencée, on est forcément vaincu. Heureux ceux qui le comprennent assez tôt pour ne pas trop prolonger une lutte inutile, épuisante, enserrée de toutes parts par les limites de l'imagination, et où la jalousie se débat si honteusement que le même homme qui jadis, si seulement les regards de celle qui était toujours à côté de lui se portaient un instant sur un autre, imaginait une intrigue, éprouvait combien de tourments, se résigne plus tard à la laisser sortir seule, quelquefois avec celui qu'il sait son amant, préférant à l'inconnaissable cette torture du moins connue ! C'est une question de rythme à adopter et qu'on suit après par habitude. Des nerveux ne pourraient pas manquer un dîner, qui font ensuite des cures de repos jamais assez longues ; des femmes récemment encore légères, vivent dans la pénitence. Des jaloux qui, pour épier celle qu'ils aimaient, retranchaient sur leur sommeil, sur leur repos, sentant[a] que ses désirs à elle, le monde si vaste et si secret, le temps sont plus forts qu'eux, la laissent sortir sans eux, puis voyager, puis se séparent. La jalousie finit ainsi faute d'aliments et n'a tant duré qu'à cause d'en avoir réclamé sans cesse. J'étais bien loin de cet état.

Sans doute le temps d'Albertine m'appartenait en quantités plus grandes qu'à Balbec. J'étais maintenant libre de faire aussi souvent que je voulais, des promenades avec elle. Comme il n'avait pas tardé à s'établir autour de Paris des hangars d'aviation, qui sont pour les aéroplanes ce que les ports sont pour les vaisseaux, et que depuis le jour où près de La Raspelière la rencontre quasi mythologique d'un aviateur[2], dont le vol avait fait se cabrer mon cheval, avait été pour moi comme une image de la liberté, j'aimais souvent qu'à la fin de la journée le but de nos sorties

— agréable d'ailleurs à Albertine, passionnée pour tous les sports — fût un de ces aérodromes. Nous nous y rendions, elle et moi, attirés par cette vie incessante des départs et des arrivées qui donnent tant de charme aux promenades sur les jetées ou seulement sur la grève pour ceux qui aiment la mer, et aux flâneries autour d'un centre d'aviation pour ceux qui aiment le ciel. À tout moment, parmi le repos des appareils inertes et comme à l'ancre, nous en voyions un péniblement tiré par plusieurs mécaniciens comme est traînée sur le sable une barque demandée par un touriste qui veut aller faire une randonnée en mer. Puis le moteur était mis en marche, l'appareil courait, prenait son élan, enfin tout à coup, à angle droit, il s'élevait, lentement, dans l'extase raidie, comme immobilisée, d'une vitesse horizontale soudain transformée en majestueuse et verticale ascension. Albertine ne pouvait contenir sa joie et elle demandait des explications aux mécaniciens qui, maintenant que l'appareil était à flot, rentraient. Le passager cependant ne tardait pas à franchir des kilomètres, le grand esquif sur lequel nous ne cessions pas de fixer les yeux n'était plus dans l'azur qu'un point presque indistinct, lequel d'ailleurs reprendrait peu à peu sa matérialité, sa grandeur, son volume, quand, la durée de la promenade approchant de sa fin, le moment serait venu de rentrer au port. Et nous regardions avec envie, Albertine et moi, au moment où il sautait à terre, le promeneur qui était allé ainsi goûter au large, dans ces horizons solitaires, le calme et la limpidité du soir. Puis, soit de l'aérodrome, soit de quelque musée, de quelque église que nous étions allés visiter, nous revenions ensemble pour l'heure du dîner. Et pourtant, je ne rentrais pas calmé comme je l'étais à Balbec par de plus rares promenades que je m'enorgueillissais de voir durer tout un après-midi et que je contemplais ensuite, se détachant en[a] beaux massifs de fleurs, sur le reste de la vie d'Albertine comme sur un ciel vide devant lequel on rêve doucement, sans pensée. Le temps d'Albertine ne m'appartenait pas alors en quantités aussi grandes qu'aujourd'hui. Pourtant, il me semblait alors bien plus à moi, parce que je tenais compte seulement — mon amour s'en réjouissant comme d'une faveur — des heures qu'elle passait avec moi ; maintenant — ma jalousie y cherchant avec inquiétude la possibilité d'une trahison —, rien que des heures qu'elle passait sans moi. Or demain, elle désirerait qu'il y en eût de telles. Il faudrait choisir ou de cesser de souffrir ou de cesser d'aimer. Car, ainsi qu'au début il est formé par le désir, l'amour n'est entretenu plus tard que par l'anxiété douloureuse. Je sentais qu'une partie de la vie d'Albertine m'échappait. L'amour, dans l'anxiété douloureuse comme dans le désir heureux, est l'exigence d'un tout. Il ne naît, il ne subsiste que si une partie reste à conquérir. On n'aime que ce qu'on ne possède pas tout entier. Albertine mentait en me disant qu'elle n'irait sans doute pas voir les Verdurin, comme je mentais en disant que je voulais aller chez eux. Elle cherchait seulement à m'empêcher de sortir avec elle, et moi, par l'annonce brusque de ce projet que je ne comptais nullement mettre à exécution, à[a] toucher en elle le point que je devinais le plus sensible, à traquer le désir qu'elle cachait et à la forcer à avouer que ma présence auprès d'elle demain l'empêchait de le satisfaire. Elle l'avait fait, en somme, en cessant brusquement de vouloir aller chez les Verdurin.

« Si vous ne voulez pas venir chez les Verdurin, lui dis-je, il y a au Trocadéro une superbe représentation à bénéfice. » Elle écouta mon conseil d'y aller, d'un air dolent. Je recommençai à être dur avec elle comme à Balbec, au temps de ma première jalousie. Son visage reflétait une déception et j'employais à blâmer mon amie les mêmes raisons qui m'avaient été si souvent opposées par mes parents quand j'étais petit, et qui avaient paru inintelligentes et cruelles à mon enfance incomprise. « Non, malgré votre air triste, disais-je à Albertine, je ne peux pas vous plaindre, je vous plaindrais si vous étiez malade, s'il vous était arrivé un malheur, si vous aviez perdu un parent ; ce qui ne vous ferait peut-être aucune peine étant donné le gaspillage de fausse sensibilité que vous faites pour rien. D'ailleurs, je n'apprécie pas la sensibilité des gens qui prétendent tant nous aimer sans être capables de nous rendre le plus léger service et que leur pensée tournée vers nous laisse si distraits qu'ils oublient d'emporter la lettre que nous leur avons confiée et d'où notre avenir dépend. »

Ces paroles, car une grande partie de ce que nous disons n'étant qu'une récitation, je les avais toutes entendu prononcer à ma mère, laquelle[b] (m'expliquant volontiers qu'il ne fallait pas confondre la véritable sensibilité, ce que, disait-elle, les Allemands, dont elle admirait beaucoup la langue, malgré l'horreur de mon père pour cette nation, appelaient *Empfindung,* et la sensiblerie *Empfindelei*[1]) était allée, une fois que je pleurais, jusqu'à me dire que Néron était peut-être nerveux et n'était pas meilleur pour cela. Au vrai, comme ces plantes qui se dédoublent en poussant, en regard de l'enfant sensitif que j'avais uniquement été, lui faisait face maintenant un homme opposé, plein de bon sens, de sévérité pour la sensibilité maladive des autres, un homme ressemblant à ce que mes parents avaient été pour moi. Sans doute, chacun devant faire continuer en lui la vie des siens, l'homme pondéré et railleur qui n'existait pas en moi au début avait rejoint le sensible, et il était naturel que je fusse à mon tour tel que mes parents avaient été. De plus, au moment où ce nouveau moi se formait, il trouvait son langage tout prêt dans le souvenir de celui, ironique et grondeur, qu'on m'avait tenu, que j'avais maintenant à tenir aux autres, et qui sortait tout naturellement de ma bouche, soit que je l'évoquasse par mimétisme et association de souvenirs, soit aussi que les délicates et mystérieuses incrustations[a] du pouvoir génésique eussent en moi, à mon insu, dessiné comme sur la feuille d'une plante, les mêmes intonations, les mêmes gestes, les mêmes attitudes qu'avaient eus ceux dont j'étais sorti. Car quelquefois, en train de faire l'homme sage quand je parlais à Albertine, il me semblait entendre ma grand-mère. Du reste, n'était-il pas arrivé à ma mère (tant d'obscurs courants inconscients infléchissaient en moi jusqu'aux plus petits mouvements de mes doigts eux-mêmes à être entraînés dans les mêmes cycles que mes parents) de croire que c'était mon père qui entrait, tant j'avais la même manière de frapper que lui. D'autre part, l'accouplement des éléments contraires est la loi de la vie, le principe de la fécondation et, comme on verra, la cause de bien des malheurs. Habituellement, on déteste ce qui nous est semblable, et nos propres défauts vus du dehors nous exaspèrent. Combien plus encore quand quelqu'un qui a passé l'âge où on les exprime naïvement et qui, par exemple, s'est fait dans les moments les plus brûlants un visage de glace, exècre-t-il les mêmes défauts, si c'est un autre, plus jeune, ou plus naïf, ou plus sot, qui les exprime ! Il y a des sensibles pour qui la vue dans les yeux des autres des larmes qu'eux-mêmes retiennent est exaspérante. C'est la trop grande ressemblance qui fait que, malgré l'affection, et parfois plus l'affection est grande, la division règne dans les familles. Peut-être chez moi, et chez beaucoup, le second homme que j'étais devenu était-il simplement une face du premier, exalté et sensible du côté de soi-même, sage Mentor[1] pour les autres. Peut-être en était-il ainsi chez mes parents selon qu'on les considérait par rapport à moi ou en eux-mêmes. Et pour ma grand-mère et ma mère, il était trop visible que leur sévérité pour moi était voulue par elles et même leur coûtait, mais peut-être chez mon père lui-même la froideur n'était-elle qu'un aspect extérieur de sa sensibilité ? Car c'est peut-être la vérité humaine de ce double aspect, aspect du côté de la vie intérieure, aspect du côté des rapports sociaux, qu'on exprimait dans ces mots qui me paraissaient autrefois aussi faux dans leur contenu que pleins de banalité dans leur forme, quand on disait en parlant de mon père : « Sous sa froideur glaciale, il cache une sensibilité extraordinaire ; ce qu'il a surtout, c'est la pudeur de sa sensibilité. » Ne cachait-il pas, au fond, d'incessants et secrets orages, ce calme au besoin semé de réflexions sentencieuses, d'ironie pour les manifestations maladroites de la sensibilité, et qui était le sien, mais que moi aussi maintenant j'affectais vis-à-vis de tout le monde, et dont surtout je ne me départais pas, dans certaines circonstances, vis-à-vis d'Albertine ?

Je crois que vraiment ce jour-là, j'allais décider notre séparation et partir pour Venise. Ce qui me réenchaîna à ma liaison tint à la Normandie, non qu'elle manifestât quelque intention d'aller dans ce pays où j'avais été jaloux d'elle (car j'avais cette chance que jamais ses projets ne touchaient aux points douloureux de mon souvenir), mais parce qu'ayant dit : « C'est comme si je vous parlais de l'amie de votre tante qui habitait Infreville », elle répondit avec colère, heureuse comme toute personne qui discute et qui veut avoir pour soi le plus d'arguments possible, de me montrer que j'étais dans le faux et elle dans le vrai : « Mais jamais ma tante n'a connu personne à Infreville, et moi-même je n'y suis allée. » Elle avait oublié le mensonge qu'elle m'avait fait un soir sur la dame susceptible chez qui c'était de toute nécessité d'aller prendre le thé, dût-elle en allant voir cette dame perdre mon amitié et se donner la mort[2]. Je ne lui rappelai pas son mensonge. Mais il m'accabla. Et je remis encore à une autre fois la rupture. Il n'y a pas besoin de sincérité ni même d'adresse dans le mensonge, pour être aimé. J'appelle ici amour une torture réciproque. Je ne trouvais nullement répréhensible, ce soir, de lui parler comme ma grand-mère, si parfaite, l'avait fait avec moi, ni, pour lui avoir dit que je l'accompagnerais chez les Verdurin, d'avoir adopté la façon brusque de mon père qui ne nous signifiait jamais une décision que de la façon qui pouvait nous causer le maximum d'une agitation en disproportion, à ce degré, avec cette décision elle-même. De sorte qu'il avait beau jeu à nous trouver absurdes de montrer pour si peu de chose une telle désolation, qui en effet répondait à la commotion qu'il nous avait donnée. Et si — comme la sagesse inflexible[a] de ma grand-mère — ces velléités arbitraires de mon père étaient venues chez moi compléter la nature sensible à laquelle elles étaient restées si longtemps extérieures, et que pendant toute mon enfance, elles avaient fait tant souffrir, cette nature sensible les renseignait fort exactement sur les points qu'elles devaient viser efficacement : il n'y a pas de meilleur indicateur qu'un ancien voleur, ou qu'un sujet de la nation qu'on combat. Dans certaines familles menteuses, un frère venu voir son frère sans raison apparente et lui demandant dans une incidente, sur le pas de la porte, en s'en allant, un renseignement qu'il n'a même pas l'air d'écouter, signifie par cela même à son frère que ce renseignement était le but de sa visite, car le frère connaît bien ces airs détachés, ces mots dits comme entre parenthèses à la dernière seconde, car il les a souvent employés lui-même. Or il y a aussi des familles pathologiques, des sensibilités apparentées, des tempéraments fraternels, initiés à cette tacite langue qui fait qu'en famille on se comprend sans se parler. Aussi, qui donc peut, plus qu'un nerveux, être énervant ? Et puis, il y avait peut-être à ma conduite dans ces cas-là, une cause plus générale, plus profonde. C'est que, dans ces moments brefs mais inévitables, où l'on déteste quelqu'un qu'on aime — ces moments qui durent parfois toute la vie avec les gens qu'on n'aime pas — on ne veut pas paraître bon, pour ne pas être plaint, mais à la fois le plus méchant et le plus heureux possible pour que notre bonheur soit vraiment haïssable et ulcère l'âme de l'ennemi occasionnel ou durable. Devant combien de gens ne me suis-je pas mensongèrement calomnié, rien que pour que mes « succès » leur parussent immoraux et les fissent plus enrager ! Ce qu'il faudrait, c'est suivre la voie inverse, c'est montrer sans fierté qu'on a de bons sentiments, au lieu de s'en cacher si fort. Et ce serait facile si on savait ne jamais haïr, aimer toujours. Car alors, on serait si heureux de ne dire que les choses qui peuvent rendre heureux les autres, les attendrir, vous en faire aimer !

Certes, j'avais quelques remords d'être aussi irritant à l'égard d'Albertine et je me disais : « Si je ne l'aimais pas, elle m'aurait plus de gratitude, car je ne serais pas méchant avec elle ; mais non, cela se compenserait car je serais aussi moins gentil. » Et j'aurais pu, pour me justifier, lui dire que je l'aimais. Mais l'aveu de cet amour, outre qu'il n'eût rien appris à Albertine, l'eût peut-être plus refroidie à mon égard que les duretés et les fourberies dont l'amour était justement la seule excuse. Être dur et fourbe envers ce qu'on aime est si naturel ! Si l'intérêt que nous témoignons aux autres ne nous empêche pas d'être doux avec eux et complaisants à ce qu'ils désirent, c'est que cet intérêt est mensonger. Autrui nous est indifférent et l'indifférence n'invite pas à la méchanceté.

La soirée passait ; avant qu'Albertine allât se coucher, il n'y avait pas grand temps à perdre si nous voulions faire la paix, recommencer à nous embrasser. Aucun de nous deux n'en avait encore pris l'initiative.

Sentant qu'elle était de toute façon fâchée, j'en profitai pour lui parler d'Esther Lévy. « Bloch m'a dit (ce qui n'était pas vrai) que vous aviez très bien connu sa cousine Esther. — Je ne la reconnaîtrais même pas », dit Albertine d'un air vague. « J'ai vu sa photographie », ajoutai-je en colère. Je ne regardais pas Albertine en disant cela, de sorte que je ne vis pas son expression, qui eût été sa seule réponse, car elle ne dit rien.

Ce n'était plus l'apaisement du baiser de ma mère à Combray, que j'éprouvais auprès d'Albertine, ces soirs-là, mais au contraire, l'angoisse de ceux où ma mère me disait à peine bonsoir, ou même ne montait pas dans ma chambre, soit qu'elle fût fâchée contre moi ou retenue par des invités. Cette angoisse, non pas sa transposition dans l'amour, non, cette angoisse elle-même, qui s'était un temps spécialisée dans l'amour, quand le partage, la division des passions s'était opérée, avait été affectée à lui seul, maintenant semblait de nouveau s'étendre à toutes, redevenue indivise, de même que dans mon enfance, comme si tous mes sentiments, qui tremblaient de ne pouvoir garder Albertine auprès de mon lit à la fois comme une maîtresse, comme une sœur, comme une fille, comme une mère aussi du bonsoir quotidien de laquelle je recommençais à éprouver le puéril besoin, avaient commencé de se rassembler, de s'unifier dans le soir prématuré de ma vie, qui semblait devoir être aussi brève qu'un jour d'hiver. Mais si j'éprouvais l'angoisse de mon enfance, le changement de l'être qui me la faisait éprouver, la différence de sentiment qu'il m'inspirait, la transformation même de mon caractère me rendaient impossible d'en réclamer l'apaisement à Albertine comme autrefois à ma mère. Je ne savais plus dire : « Je suis triste. » Je me bornais, la mort dans l'âme, à parler de choses indifférentes qui ne me faisaient faire aucun progrès vers une solution heureuse. Je piétinais sur place dans de douloureuses banalités. Et avec cet égoïsme intellectuel qui, pour peu qu'une vérité insignifiante se rapporte à notre amour, nous en fait faire un grand honneur à celui qui l'a trouvée, peut-être aussi fortuitement que la tireuse de cartes qui nous a annoncé un fait banal mais qui s'est depuis réalisé, je n'étais pas loin de croire Françoise supérieure à Bergotte et à Elstir parce qu'elle m'avait dit, à Balbec : « Cette fille-là ne vous causera que du chagrin. »

Chaque minute me rapprochait du bonsoir d'Albertine, qu'elle me disait enfin[1]. Mais ce soir son baiser, d'où elle-même était absente, et qui ne me rencontrait pas, me laissait si anxieux que, le cœur palpitant, je la regardais aller jusqu'à la porte en pensant : « Si je veux trouver un prétexte pour la rappeler, la retenir, faire la paix, il faut se hâter, elle n'a plus que quelques pas à faire pour être sortie de la chambre, plus que deux, plus qu'un, elle tourne le bouton, elle ouvre, c'est trop tard, elle a refermé la porte ! » Peut-être pas trop tard, tout de même. Comme jadis à Combray, quand ma mère m'avait quitté sans m'avoir calmé par son baiser, je voulais m'élancer sur les pas d'Albertine, je sentais qu'il n'y aurait plus de paix pour moi avant que je l'eusse revue, que ce revoir allait devenir quelque chose d'immense qu'il n'avait pas encore été jusqu'ici et que, si je ne réussissais pas tout seul à me débarrasser de cette tristesse, je prendrais peut-être la honteuse habitude d'aller mendier auprès d'Albertine ; je sautais hors du lit quand elle était déjà dans sa chambre, je passais et repassais dans le couloir, espérant qu'elle sortirait et m'appellerait ; je restais immobile devant sa porte pour ne pas risquer de ne pas entendre un faible appel, je rentrais un instant dans ma chambre regarder si mon amie n'aurait pas par bonheur oublié un mouchoir, un sac, quelque chose dont j'aurais pu paraître avoir peur que cela lui manquât et qui m'eût donné le prétexte d'aller chez elle. Non, rien. Je revenais me poster devant sa porte. Mais dans la fente de celle-ci il n'y avait plus de lumière, Albertine avait éteint, elle était couchée, je restais là immobile, espérant je ne sais quelle chance qui ne venait pas ; et longtemps après, glacé, je revenais me mettre sous mes couvertures et pleurais tout le reste de la nuit.

Aussi parfois, de tels soirs, j'eus recours à une ruse qui me donnait le baiser d'Albertine. Sachant combien, dès qu'elle était étendue, son ensommeillement était rapide (elle le savait aussi, car instinctivement dès qu'elle s'étendait, elle ôtait les mules que je lui avais données et sa bague qu'elle posait à côté d'elle comme elle faisait dans sa chambre avant de se coucher), sachant combien son sommeil était profond, son réveil tendre, je prenais un prétexte pour aller chercher quelque chose, je la faisais étendre sur mon lit. Quand je revenais elle était endormie et je voyais devant moi cette autre femme qu'elle devenait dès qu'elle était entièrement de face. Mais elle changeait bien vite de personnalité car je m'allongeais à côté d'elle et la retrouvais de profil. Je pouvais mettre ma main dans sa main, sur son épaule, sur sa joue, Albertine continuait de dormir. Je pouvais prendre sa tête, la renverser, la poser contre mes lèvres, entourer mon cou de ses bras, elle continuait à dormir comme une montre qui ne s'arrête pas, comme une bête qui continue de vivre quelque position qu'on lui donne, comme une plante grimpante, un volubilis qui continue de pousser ses branches quelque appui qu'on lui donne. Seul son souffle était modifié par chacun de mes attouchements, comme si elle eût été un instrument dont j'eusse joué et à qui je faisais exécuter des modulations en tirant de l'une, puis de l'autre de ses cordes, des notes différentes. Ma jalousie s'apaisait, car je sentais Albertine devenue un être qui respire, qui n'est pas autre chose, comme le signifiait le souffle régulier par où s'exprime cette pure fonction physiologique qui, tout fluide, n'a l'épaisseur ni de la parole ni du silence et, dans son ignorance de tout mal, haleine tirée plutôt d'un roseau creusé que d'un être humain, vraiment paradisiaque pour moi qui dans ces moments-là sentais Albertine soustraite à tout, non pas seulement matériellement mais moralement, était le pur chant des Anges. Et dans ce souffle pourtant, je me disais tout à coup que peut-être bien des noms humains apportés par la mémoire devaient se jouer.

Parfois même à cette musique, la voix humaine s'ajoutait. Albertine prononçait quelques mots. Comme j'aurais voulu en saisir le sens ! Il arrivait que le nom d'une personne dont nous avions parlé et qui excitait ma jalousie, vînt à ses lèvres, mais sans me rendre malheureux car le souvenir qui l'y amenait semblait n'être que celui des conversations qu'elle avait eues à ce sujet avec moi. Pourtant, un soir où les yeux fermés elle s'éveillait à demi, elle dit tendrement en s'adressant à moi : « Andrée. » Je dissimulai mon émotion. « Tu rêves, je ne suis pas Andrée », lui dis-je en riant. Elle sourit aussi : « Mais non, je voulais te demander ce que t'avait dit tantôt Andrée. — J'aurais cru plutôt que tu avais été couchée comme cela près d'elle. — Mais non, jamais », me dit-elle. Seulement, avant de me répondre cela, elle avait un instant caché sa figure dans ses mains. Ses silences n'étaient donc que des voiles, ses tendresses de surface ne faisaient[a] que retenir au fond mille souvenirs qui m'eussent déchiré — sa vie était donc pleine de ces faits dont le récit moqueur, la rieuse chronique constituent nos bavardages quotidiens au sujet des autres, des indifférents, mais qui, tant qu'un être reste fourvoyé dans notre cœur, nous semblent un éclaircissement si précieux de sa vie que pour connaître ce monde sous-jacent nous donnerions volontiers la nôtre. Alors son sommeil m'apparaissait comme un monde merveilleux et magique où par instants s'élève, du fond de l'élément à peine translucide, l'aveu d'un secret qu'on ne comprendra pas. Mais d'ordinaire[b], quand Albertine dormait, elle semblait avoir retrouvé son innocence. Dans l'attitude que je lui avais donnée, mais que dans son sommeil elle avait vite faite sienne, elle avait l'air de se confier à moi. Sa figure avait perdu toute expression de ruse ou de vulgarité, et entre elle et moi vers qui elle levait son bras, sur qui elle reposait sa main, il semblait y avoir un abandon entier, un indissoluble attachement. Son sommeil, d'ailleurs, ne la séparait pas de moi et laissait subsister en elle la notion de notre tendresse ; il avait plutôt pour effet d'abolir le reste ; je l'embrassais, je lui disais que j'allais faire quelques pas dehors, elle entrouvrait les yeux, me disait, d'un air étonné — et en effet, c'était déjà la nuit — : « Mais où tu vas comme cela, mon chéri ? » et en me donnant mon prénom, et aussitôt se rendormait. Son sommeil n'était qu'une sorte d'effacement du reste de la vie, qu'un silence uni sur lequel prenaient de temps à autre leur vol des paroles familières de tendresse. En les rapprochant les unes des autres, on eût composé la conversation sans alliage, l'intimité secrète d'un pur amour. Ce sommeil si calme me ravissait comme ravit une mère, qui lui en fait une qualité, le bon sommeil de son enfant. Et son sommeil était d'un enfant, en effet. Son réveil aussi, et si naturel, si tendre, avant même qu'elle eût su où elle était, que je me demandais parfois avec épouvante si elle avait eu l'habitude, avant de vivre chez moi, de ne pas dormir seule et de trouver en ouvrant les yeux quelqu'un à ses côtés. Mais sa grâce enfantine était plus forte. Comme une mère encore, je m'émerveillais qu'elle s'éveillât toujours de si bonne humeur. Au bout de quelques instants, elle reprenait conscience, avait des mots charmants, non rattachés les uns aux autres, de simples pépiements. Par une sorte de chassé-croisé, son cou habituellement peu remarqué, maintenant presque trop beau, avait pris l'immense importance que ses yeux clos par le sommeil avaient perdue, ses yeux, mes interlocuteurs habituels et à qui je ne pouvais plus m'adresser depuis la retombée des paupières. De même que les yeux clos donnent une beauté innocente et grave au visage en supprimant tout ce que n'expriment que trop les regards, il y avait dans les paroles non sans signification, mais entrecoupées de silence, qu'Albertine avait au réveil, une pure beauté qui n'est pas à tout moment souillée, comme est la conversation, d'habitudes verbales, de rengaines, de traces de défauts. Du reste, quand je m'étais décidé à éveiller Albertine, j'avais pu le faire sans crainte, je savais que son réveil ne serait nullement[a] en rapport avec la soirée que nous venions de passer, mais sortirait de son sommeil comme de la nuit sort le matin. Dès qu'elle avait entrouvert les yeux en souriant, elle m'avait tendu sa bouche, et avant qu'elle eût encore rien dit, j'en avais goûté la fraîcheur, apaisante comme celle d'un jardin encore silencieux avant le lever du jour.

Le lendemain de cette soirée[1] où Albertine m'avait dit qu'elle irait peut-être, puis qu'elle n'irait pas chez les Verdurin, je m'éveillai de bonne heure, et, encore à demi endormi, ma joie m'apprit qu'il y avait, interpolé dans l'hiver, un jour de printemps. Dehors, des thèmes populaires finement écrits pour des instruments variés, depuis la corne du raccommodeur de porcelaine, ou la trompette du rempailleur de chaises, jusqu'à la flûte du chevrier qui paraissait dans un beau jour être un pâtre de Sicile, orchestraient légèrement l'air matinal, en une « Ouverture pour un jour de fête ». L'ouïe, ce sens délicieux, nous apporte la compagnie de la rue dont elle nous retrace toutes les lignes, dessine toutes les formes qui y passent, nous en montrant la couleur. Les rideaux de fer du boulanger, du crémier, lesquels s'étaient hier soir abaissés sur toutes les possibilités de bonheur féminin, se levaient maintenant comme les légères poulies d'un navire qui appareille et va filer, traversant la mer transparente, sur un rêve de jeunes employées. Ce bruit du rideau de fer qu'on lève eût peut-être été mon seul plaisir dans un quartier différent. Dans celui-ci cent autres faisaient ma joie, desquels je n'aurais pas voulu perdre un seul en restant trop tard endormi. C'est l'enchantement des vieux quartiers aristocratiques d'être, à côté de cela, populaires. Comme parfois les cathédrales en eurent non loin de leur portail (à qui il arriva même d'en garder le nom, comme celui de la cathédrale de Rouen, appelé des « Libraires », parce que contre lui ceux-ci exposaient en plein vent leur marchandise), divers petits métiers, mais ambulants, passaient devant le noble hôtel de Guermantes, et faisaient penser par moments à la France ecclésiastique d'autrefois. Car l'appel qu'ils lançaient aux petites maisons voisines n'avait, à de rares exceptions près, rien d'une chanson. Il en différait autant que la déclamation — à peine colorée par des variations insensibles — de *Boris Godounov*[2] et de *Pelléas*[3] ; mais d'autre part il rappelait la psalmodie d'un prêtre au cours d'offices dont ces scènes de la rue ne sont que la contrepartie bon enfant, foraine, pourtant à demi liturgique. Jamais je n'y avais pris tant de plaisir que depuis qu'Albertine habitait avec moi ; elles me semblaient comme un signal joyeux de son éveil et en m'intéressant à la vie du dehors me faisaient mieux sentir l'apaisante vertu d'une chère présence, aussi constante que je le souhaitais. Certaines des nourritures criées dans la rue, et que personnellement je détestais, étaient fort au goût d'Albertine, si bien que Françoise en envoyait acheter par son jeune valet, peut-être un peu humilié d'être confondu dans la foule plébéienne. Bien distincts dans ce quartier si tranquille (où les bruits n'étaient plus un motif de tristesse pour Françoise et en étaient devenus un de douceur pour moi) m'arrivaient, chacun avec sa modulation différente, des récitatifs déclamés par ces gens du peuple, comme ils le seraient dans la musique, si populaire, de *Boris,* où une intonation initiale est à peine altérée par l'inflexion d'une note qui se penche sur une autre, musique de la foule qui est plutôt un langage qu'une musique. C'était : « Ah ! le bigorneau, deux sous le bigorneau », qui faisait se précipiter vers les cornets où on vendait ces affreux petits coquillages, qui, s'il n'y avait pas eu Albertine, m'eussent répugné, non moins d'ailleurs que les escargots que j'entendais vendre à la même heure. Ici, c'était bien encore à la déclamation à peine lyrique de Moussorgsky que faisait penser le marchand, mais pas à elle seulement. Car après avoir presque « parlé » : « Les escargots, ils sont frais, ils sont beaux », c'était avec la tristesse et le vague de Maeterlinck, musicalement transposés par Debussy, que le marchand d'escargots, dans un de ces douloureux finales par où l'auteur de *Pelléas* s'apparente à Rameau (« Si je dois être vaincue, est-ce à toi d'être mon vainqueur[1] ? »), ajoutait avec une chantante mélancolie : « On les vend six sous la douzaine... »

Il m'a toujours été difficile de comprendre pourquoi ces mots fort clairs étaient soupirés sur un ton si peu approprié, mystérieux, comme le secret qui fait que tout le monde a l'air triste dans le vieux palais où Mélisande n'a pas réussi à apporter la joie, et profond comme une pensée du vieillard Arkel qui cherche à proférer dans des mots très simples toute la sagesse et la destinée[2]. Les notes mêmes sur lesquelles s'élève avec une douceur grandissante la voix du vieux roi d'Allemonde ou de Golaud, pour dire : « On ne sait pas ce qu'il y a ici. Cela peut paraître étrange. Il n'y a peut-être pas d'événements inutiles », ou bien : « Il ne faut pas t'effrayer... C'était un pauvre petit être mystérieux, comme tout le monde », étaient celles qui servaient au marchand d'escargots pour reprendre, en une cantilène indéfinie : « On les vend six sous la douzaine... » Mais cette lamentation métaphysique n'avait pas le temps d'expirer au bord de l'infini, elle était interrompue par une vive trompette. Cette fois il ne s'agissait pas de mangeailles, les paroles du libretto étaient : « Tond les chiens, coupe les chats, les queues et les oreilles. »

Certes, la fantaisie, l'esprit de chaque marchand ou marchande, introduisaient souvent des variantes dans les paroles de toutes ces musiques que j'entendais de mon lit. Pourtant un arrêt rituel mettant un silence au milieu d'un mot, surtout quand il était répété deux fois, évoquait constamment le souvenir des vieilles églises. Dans sa petite voiture conduite par une ânesse qu'il arrêtait devant chaque maison pour entrer dans les cours, le marchand d'habits, portant un fouet, psalmodiait : « Habits, marchand d'habits, ha... bits » avec la même pause entre les deux dernières syllabes d'habits que s'il eût entonné en plain-chant : « *Per omnia saecula saeculo... rum* » ou : « *Requiescat in pa... ce* », bien qu'il ne dût pas croire à l'éternité de ses habits et ne les offrît pas non plus comme linceuls pour le suprême repos dans la paix. Et de même, comme les motifs commençaient à s'entrecroiser dès cette heure matinale, une marchande des quatre-saisons, poussant sa voiturette, usait pour sa litanie de la division grégorienne :

À la tendresse, à la verduresse
Artichauts tendres et beaux
Arti-chauts

bien qu'elle fût vraisemblablement ignorante de l'antiphonaire et des sept tons qui symbolisent, quatre les sciences du quadrivium et trois celles du trivium.

Tirant d'un flûtiau, d'une cornemuse, des airs de son pays méridional, dont la lumière s'accordait bien avec les beaux jours, un homme en blouse, tenant à la main un nerf de bœuf, et coiffé d'un béret basque, s'arrêtait devant les maisons. C'était le chevrier avec deux chiens et devant lui son troupeau de chèvres. Comme il venait de loin il passait assez tard dans notre quartier ; et les femmes accouraient avec un bol pour recueillir le lait qui devait donner la force à leurs petits. Mais aux airs pyrénéens de ce bienfaisant pasteur se mêlait déjà la cloche du repasseur, lequel criait : « Couteaux, ciseaux, rasoirs. » Avec lui ne pouvait lutter le repasseur de scies, car dépourvu d'instrument il se contentait d'appeler : « Avez-vous des scies à repasser, v'là le repasseur », tandis que, plus gai, le rétameur, après avoir énuméré les chaudrons, les casseroles, tout ce qu'il rétamait, entonnait le refrain :

Tam, tam, tam,
C'est moi qui rétame,
Même le macadam,
C'est moi qui mets des fonds partout,
Qui bouche tous les trous,
Trou, trou, trou ;

et de petits Italiens, portant de grandes boîtes de fer peintes en rouge où les numéros — perdants et gagnants — étaient marqués, et jouant d'une crécelle, proposaient : « Amusez-vous, Mesdames, v'là le plaisir. »

Françoise m'apporta *Le Figaro*[a1]. Un seul coup d'œil me permit de me rendre compte que mon article n'avait toujours pas passé. Elle me dit qu'Albertine demandait si elle ne pouvait pas entrer chez moi et me faisait dire qu'en tout cas elle avait renoncé à faire sa visite chez les Verdurin et comptait aller, comme je lui avais conseillé, à la matinée « extraordinaire » du Trocadéro (en bien moins important toutefois, ce qu'on appellerait aujourd'hui une matinée de gala) après une petite promenade à cheval qu'elle devait faire avec Andrée. Maintenant que je savais qu'elle avait renoncé à son désir peut-être mauvais d'aller voir Mme Verdurin, je dis en riant : « Qu'elle vienne ! » et je me dis qu'elle pouvait aller où elle voulait et que cela m'était bien égal. Je savais qu'à la fin de l'après-midi, quand viendrait le crépuscule, je serais sans doute un autre homme, triste, attachant aux moindres allées et venues d'Albertine une importance qu'elles n'avaient pas à cette heure matinale et quand il faisait si beau temps. Car mon insouciance était suivie par la claire notion de sa cause, mais n'en était pas altérée. « Françoise m'a assuré que vous étiez éveillé et que je ne vous dérangerais pas », me dit Albertine en entrant. Et, comme avec celle de me faire froid en ouvrant sa fenêtre à un moment mal choisi, la plus grande peur d'Albertine était d'entrer chez moi quand je sommeillais : « J'espère que je n'ai pas eu tort, ajouta-t-elle. Je craignais que vous ne me disiez :

Quel mortel insolent vient chercher le trépas ?

Et elle rit de ce rire qui me troublait tant. Je lui répondis sur le même ton de plaisanterie :

Est-ce pour vous qu'est fait cet ordre si sévère ?

Et de peur qu'elle l'enfreignît jamais j'ajoutai : « Quoique je serais furieux que vous me réveilliez. — Je sais, je sais, n'ayez pas peur », me dit Albertine. Et pour adoucir j'ajoutai, en continuant à jouer avec elle la scène d'*Esther,* tandis que dans la rue continuaient les cris rendus tout à fait confus par notre conversation :

Je ne trouve qu'en vous je ne sais quelle grâce
Qui me charme toujours et jamais ne me lasse[1]

(et à part moi je pensais : « Si, elle me lasse bien souvent »). Et me rappelant ce qu'elle avait dit la veille, tout en la remerciant avec exagération d'avoir renoncé aux Verdurin, afin qu'une autre fois elle m'obéît de même pour telle ou telle chose, je lui dis : « Albertine, vous vous méfiez de moi qui vous aime et vous avez confiance en des gens qui ne vous aiment pas » (comme s'il n'était pas naturel de se méfier des gens qui vous aiment et qui seuls ont intérêt à vous mentir pour savoir, pour empêcher), et j'ajoutai ces paroles mensongères : « Vous ne croyez pas au fond que je vous aime, c'est drôle. En effet, je ne vous *adore* pas. » Elle mentit à son tour en disant qu'elle ne se fiait qu'à moi, et fut sincère ensuite en assurant qu'elle savait bien que je l'aimais. Mais cette affirmation ne semblait pas impliquer qu'elle ne me crût pas menteur et l'épiant. Et elle semblait me pardonner, comme si elle eût vu là la conséquence insupportable d'un grand amour ou comme si elle-même se fût trouvée moins bonne.

« Je vous en prie, ma petite chérie, pas de haute voltige comme vous avez fait l'autre jour. Pensez, Albertine, s'il vous arrivait un accident[2] ! » Je ne lui souhaitais naturellement aucun mal. Mais quel plaisir si avec ses chevaux elle avait eu la bonne idée de partir je ne sais où, où elle se serait plu, et de ne plus jamais revenir à la maison ! Comme cela eût tout simplifié qu'elle allât vivre heureuse ailleurs, je ne tenais même pas à savoir où ! « Oh ! je sais bien que vous ne me survivriez pas quarante-huit heures, que vous vous tueriez. »

Ainsi[a] échangeâmes-nous des paroles menteuses. Mais une vérité plus profonde que celle que nous proférerions si nous étions sincères peut quelquefois être exprimée et prédite par une autre voie que celle de la sincérité.

« Cela ne vous gêne pas, tous ces bruits du dehors ? me demanda-t-elle, moi je les adore. Mais vous qui avez déjà le sommeil si léger[1] ? » Je l'avais au contraire parfois très profond (comme je l'ai déjà dit, mais comme l'événement qui va suivre me force à le rappeler) et surtout quand je m'endormais seulement le matin. Comme un tel sommeil a été — en moyenne — quatre fois plus reposant, il paraît, à celui qui vient de dormir, avoir été quatre fois plus long, alors qu'il fut quatre fois plus court. Magnifique erreur d'une multiplication par seize qui donne tant de beauté au réveil et introduit dans la vie une véritable novation, pareille à ces grands changements de rythme qui en musique font que, dans un andante, une croche contient autant de durée qu'une blanche dans un prestissimo, et qui sont inconnus à l'état de veille. La vie y est presque toujours la même, d'où les déceptions du voyage. Il semble bien que le rêve soit fait pourtant avec la matière parfois la plus grossière de la vie, mais cette matière y est traitée, malaxée de telle sorte, avec un étirement dû à ce qu'aucune des limites horaires de l'état de veille ne l'empêche de s'effiler jusqu'à des hauteurs énormes, qu'on ne la reconnaît pas. Les matins où cette fortune m'était advenue, où le coup d'éponge du sommeil avait effacé de mon cerveau les signes des occupations quotidiennes qui y sont tracés comme sur un tableau noir, il me fallait faire revivre ma mémoire ; à force de volonté on peut rapprendre ce que l'amnésie du sommeil ou d'une attaque a fait oublier et qui renaît peu à peu, au fur et à mesure que les yeux s'ouvrent ou que la paralysie disparaît. J'avais vécu tant d'heures en quelques minutes que, voulant tenir à Françoise, que j'appelais, un langage conforme à la réalité et réglé sur l'heure, j'étais obligé d'user de tout mon pouvoir interne de compression pour ne pas dire : « Eh bien, Françoise, nous voici à cinq heures du soir et je ne vous ai pas vue depuis hier après-midi » et pour refouler mes rêves. En contradiction avec eux et en me mentant à moi-même, je disais effrontément, et en me réduisant de toutes mes forces au silence, des paroles contraires : « Françoise, il est bien dix heures ! » Je ne disais même pas dix heures du matin, mais simplement dix heures, pour que ces dix heures si incroyables eussent l'air prononcés d'un ton plus naturel. Pourtant dire ces paroles, au lieu de celles que continuait à penser le dormeur à peine éveillé que j'étais encore, me demandait le même effort d'équilibre qu'à quelqu'un qui sautant d'un train en marche et courant un instant le long de la voie, réussit pourtant à ne pas tomber. Il court un instant parce que le milieu qu'il quitte était un milieu animé d'une grande vitesse, et très dissemblable du sol inerte auquel ses pieds ont quelque difficulté à se faire. De ce que le monde du rêve n'est pas le monde de la veille, il ne s'ensuit pas que le monde de la veille soit moins vrai, au contraire. Dans le monde du sommeil nos perceptions sont tellement surchargées, chacune épaissie par une superposée qui la double, l'aveugle inutilement, que nous ne savons même pas distinguer ce qui se passe dans l'étourdissement du réveil ; était-ce Françoise qui était venue, ou moi qui, las de l'appeler, allais vers elle ? Le silence à ce moment-là était le seul moyen de ne rien révéler, comme au moment où l'on est arrêté par un juge instruit de circonstances vous concernant mais dans la confidence desquelles on n'a pas été mis. Était-ce Françoise qui était venue, était-ce moi qui avais appelé ? N'était-ce même pas Françoise qui dormait et moi qui venais de l'éveiller ? bien plus, Françoise n'était-elle pas enfermée dans ma poitrine, la distinction des personnes et de leur interaction existant à peine dans cette brune obscurité où la réalité est aussi peu translucide que dans le corps d'un porc-épic et où la perception quasi nulle peut peut-être donner l'idée de celle de certains animaux ? Au reste, même dans la limpide folie qui précède ces sommeils plus lourds, si des fragments de sagesse flottent lumineusement, si les noms de Taine, de George Eliot[1] n'y sont pas ignorés, il n'en reste pas moins au monde de la veille cette supériorité d'être chaque matin possible à continuer, et non chaque soir le rêve. Mais il est peut-être d'autres mondes plus réels que celui de la veille. Encore avons-nous vu que même celui-là, chaque révolution dans les arts le transforme, bien plus, dans le même temps, le degré d'aptitude ou de culture qui différencie un artiste d'un sot ignorant.

Et souvent une heure de sommeil de trop est une attaque de paralysie après laquelle il faut retrouver l'usage de ses membres, rapprendre à parler. La volonté n'y réussirait pas. On a trop dormi, on n'est plus. Le réveil est à peine senti mécaniquement, et sans conscience, comme peut l'être dans un tuyau, la fermeture d'un robinet. Une vie plus inanimée que celle de la méduse succède, où l'on croirait aussi bien qu'on est tiré du fond des mers ou revenu du bagne, si seulement l'on pouvait penser quelque chose. Mais alors du haut du ciel la déesse Mnémotechnie[1] se penche et nous tend sous la forme « habitude de demander son café au lait » l'espoir de la résurrection. Encore le don subit de la mémoire n'est-il pas toujours aussi simple. On a souvent près de soi, dans ces premières minutes où l'on se laisse glisser au réveil, une variété de réalités diverses où l'on croit pouvoir choisir comme dans un jeu de cartes. C'est vendredi matin et on rentre de promenade, ou bien c'est l'heure du thé au bord de la mer. L'idée du sommeil et qu'on est couché en chemise de nuit, est souvent la dernière qui se présente à vous. La résurrection ne vient pas tout de suite, on croit avoir sonné, on ne l'a pas fait, on agite des propos déments. Le mouvement seul rend la pensée, et quand on a effectivement pressé la poire électrique, on peut dire avec lenteur mais nettement : « Il est bien dix heures. Françoise, donnez-moi mon café au lait. »

Ô miracle ! Françoise n'avait pu soupçonner la mer d'irréel qui me baignait encore tout entier et à travers laquelle j'avais eu l'énergie de faire passer mon étrange question. Elle me répondait en effet : « Il est dix heures dix », ce qui me donnait une apparence raisonnable et me permettait de ne pas laisser apercevoir les conversations bizarres qui m'avaient interminablement bercé (les jours où ce n'était pas une montagne de néant qui m'avait retiré la vie). À force de volonté, je m'étais réintégré dans le réel. Je jouissais encore des débris du sommeil, c'est-à-dire de la seule invention, du seul renouvellement qui existe dans la manière de conter, toutes les narrations à l'état de veille, fussent-elles embellies par la littérature, ne comportant pas ces mystérieuses différences d'où dérive la beauté. Il est aisé de parler de celle que crée l'opium. Mais pour un homme habitué à ne dormir qu'avec des drogues, une heure inattendue de sommeil naturel découvrira l'immensité matinale d'un paysage aussi mystérieux et plus frais. En faisant varier l'heure, l'endroit où on s'endort, en provoquant le sommeil d'une manière artificielle, ou au contraire en revenant pour un jour au sommeil naturel — le plus étrange de tous pour quiconque a l'habitude de dormir avec des soporifiques — on arrive à obtenir des variétés de sommeil mille fois plus nombreuses que, jardinier, on n'obtiendrait de variétés d'œillets ou de roses. Les jardiniers obtiennent des fleurs qui sont des rêves délicieux, d'autres aussi qui ressemblent à des cauchemars. Quand je m'endormais d'une certaine façon, je me réveillais grelottant, croyant que j'avais la rougeole ou, chose bien plus douloureuse, que ma grand-mère (à qui je ne pensais plus jamais) souffrait parce que je m'étais moqué d'elle le jour où à Balbec, croyant mourir, elle avait voulu que j'eusse une photographie d'elle[1]. Vite, bien que réveillé, je voulais aller lui expliquer qu'elle ne m'avait pas compris. Mais déjà je me réchauffais. Le pronostic de rougeole était écarté et ma grand-mère si éloignée de moi qu'elle ne faisait plus souffrir mon cœur.

Parfois sur ces sommeils différents s'abattait une obscurité subite. J'avais peur en prolongeant ma promenade dans une avenue entièrement noire où j'entendais passer des rôdeurs. Tout à coup une discussion s'élevait entre un agent et une de ces femmes qui exerçaient souvent le métier de conduire et qu'on prend de loin pour de jeunes cochers. Sur son siège entouré de ténèbres je ne la voyais pas, mais elle parlait, et dans sa voix je lisais les perfections de son visage et la jeunesse de son corps. Je marchais vers elle, dans l'obscurité, pour monter dans son coupé avant qu'elle ne repartît. C'était loin. Heureusement, la discussion avec l'agent se prolongeait. Je rattrapais la voiture encore arrêtée. Cette partie de l'avenue s'éclairait de réverbères. La conductrice devenait visible. C'était bien une femme, mais vieille, grande et forte, avec des cheveux blancs s'échappant de sa casquette, et une lèpre rouge sur la figure. Je m'éloignais en pensant : « En est-il ainsi de la jeunesse des femmes ? Celles que nous avons rencontrées, si brusquement nous désirons les revoir, sont-elles devenues vieilles ? La jeune femme qu'on désire est-elle comme un emploi de théâtre où par la défaillance des créatrices du rôle on est obligé de le confier à de nouvelles étoiles ? Mais alors ce n'est plus la même. »

Puis une tristesse m'envahissait. Nous avons ainsi dans notre sommeil de nombreuses Pitiés, comme les « Pietà » de la Renaissance, mais non point comme elles exécutées dans le marbre, inconsistantes au contraire. Elles ont leur utilité cependant, qui est de nous faire souvenir d'une certaine vue plus attendrie, plus humaine des choses, qu'on est trop tenté d'oublier dans le bon sens, glacé, parfois plein d'hostilité, de la veille. Ainsi m'était rappelée la promesse que je m'étais faite à Balbec, de garder toujours la pitié de Françoise. Et pour toute cette matinée au moins je saurais m'efforcer de ne pas être irrité des querelles de Françoise et du maître d'hôtel, d'être doux avec Françoise, à qui les autres donnaient si peu de bonté. Cette matinée seulement ; et il faudrait tâcher de me faire un code un peu plus stable ; car, de même que les peuples ne sont pas longtemps gouvernés par une politique de pur sentiment, les hommes ne le sont pas par le souvenir de leurs rêves. Déjà celui-ci commençait à s'envoler. En cherchant à le rappeler pour le peindre je le faisais fuir plus vite. Mes paupières n'étaient plus aussi fortement scellées sur mes yeux. Si j'essayais de reconstituer mon rêve, elles s'ouvriraient tout à fait. À tout moment il faut choisir entre la santé, la sagesse d'une part, et de l'autre les plaisirs spirituels. J'ai toujours eu la lâcheté de choisir la première part. Au reste, le périlleux pouvoir auquel je renonçais l'était plus encore qu'on ne le croit. Les pitiés, les rêves ne s'envolent pas seuls. À varier ainsi les conditions dans lesquelles on s'endort, ce ne sont pas les rêves seuls qui s'évanouissent, mais pour de longs jours, pour des années quelquefois, la faculté non seulement de rêver mais de s'endormir. Le sommeil est divin mais peu stable, le plus léger choc le rend volatil. Ami des habitudes, elles le retiennent chaque soir, plus fixes que lui, à son lieu consacré, elles le préservent de tout heurt. Mais si on les déplace, s'il n'est plus assujetti, il s'évanouit comme une vapeur. Il ressemble à la jeunesse et aux amours, on ne le retrouve plus.

Dans ces divers sommeils, comme en musique encore, c'était l'augmentation ou la diminution de l'intervalle qui créait la beauté. Je jouissais d'elle, mais en revanche, j'avais perdu dans ce sommeil, quoique bref, une bonne partie des cris où nous est rendue sensible la vie circulante des métiers, des nourritures de Paris. Aussi, d'habitude (sans prévoir, hélas ! le drame que de tels réveils tardifs et mes lois draconiennes et persanes d'Assuérus racinien[1] devaient bientôt amener pour moi) je m'efforçais de m'éveiller de bonne heure pour ne rien perdre de ces cris. En plus du plaisir de savoir le goût qu'Albertine avait pour eux et de sortir moi-même tout en restant couché, j'entendais en eux comme le symbole de l'atmosphère du dehors, de la dangereuse vie remuante au sein de laquelle je ne la laissais circuler que sous ma tutelle, dans un prolongement extérieur de la séquestration, et d'où je la retirais à l'heure que je voulais pour la faire rentrer auprès de moi.

Aussi[a] fut-ce le plus sincèrement du monde que je pus répondre à Albertine : « Au contraire, ils me plaisent parce que je sais que vous les aimez. "À la barque, les huîtres, à la barque." — Oh ! des huîtres, j'en avais si envie ! » Heureusement, Albertine, moitié inconstance, moitié docilité, oubliait vite ce qu'elle avait désiré, et avant que j'eusse eu le temps de lui dire qu'elle les aurait meilleures chez Prunier[2], elle voulait successivement tout ce qu'elle entendait crier par la marchande de poisson : « À la crevette, à la bonne crevette, j'ai de la raie toute en vie, toute en vie. — Merlans à frire, à frire. — Il arrive le maquereau, maquereau frais, maquereau nouveau. Voilà le maquereau, Mesdames, il est beau le maquereau. — À la moule fraîche et bonne, à la moule ! » Malgré moi, l'avertissement : « Il arrive le maquereau » me faisait frémir. Mais comme cet avertissement ne pouvait s'appliquer, me semblait-il, à notre chauffeur, je ne songeais qu'au poisson que je détestais, mon inquiétude ne durait pas. « Ah ! des moules, dit Albertine, j'aimerais tant manger des moules. — Mon chéri ! c'était pour Balbec, ici ça ne vaut rien d'ailleurs, je vous en prie, rappelez-vous ce que vous a dit Cottard au sujet des moules. » Mais mon observation était d'autant plus malencontreuse que la marchande des quatre-saisons suivante annonçait quelque chose que Cottard défendait bien plus encore :

À la romaine, à la romaine !
On ne la vend pas, on la promène.

Pourtant Albertine me consentait le sacrifice de la romaine pourvu que je lui promisse de faire acheter dans quelques jours à la marchande qui crie : « J'ai de la belle asperge d'Argenteuil, j'ai de la belle asperge. » Une voix mystérieuse, et de qui l'on eût attendu des propositions plus étranges, insinuait : « Tonneaux, tonneaux ! » On était obligé de rester sur la déception qu'il ne fût question que de tonneaux, car ce mot était presque entièrement couvert par l'appel : « Vitri, vitri-er, carreaux cassés, voilà le vitrier, vitri-er », division grégorienne qui me rappela moins cependant la liturgie que ne fit l'appel du marchand de chiffons reproduisant, sans le savoir une de ces brusques interruptions de sonorités, au milieu d'une prière, qui sont assez fréquentes dans le rituel de l'Église : « *Praeceptis salutaribus moniti et divina institutione formati audemus dicere*[1] », dit le prêtre en terminant vivement sur « *dicere* ». Sans irrévérence, comme le peuple pieux du Moyen Âge, sur le parvis même de l'église jouait les farces et les soties, c'est à ce « *dicere* » que fait penser le marchand de chiffons, quand, après avoir traîné sur les mots, il dit la dernière syllabe avec une brusquerie digne de l'accentuation réglée par le grand pape du VIIe siècle[2] : « Chiffons, ferrailles à vendre (tout cela psalmodié avec lenteur ainsi que les deux syllabes qui suivent, alors que la dernière finit plus vivement que « *dicere* »), peaux d' la — pins ». « La Valence, la belle Valence, la fraîche orange », les modestes poireaux eux-mêmes : « Voilà d'beaux poireaux », les oignons : « Huit sous mon oignon », déferlaient pour moi comme un écho des vagues où, libre, Albertine eût pu se perdre, et prenaient ainsi la douceur d'un *Suave mari magno*[3].

Voilà des carottes
À deux ronds la botte.

« Oh ! s'écria Albertine, des choux, des carottes, des oranges. Voilà rien que des choses que j'ai envie de manger. Faites-en acheter par Françoise. Elle fera les carottes à la crème. Et puis ce sera gentil de manger tout ça ensemble. Ce sera tous ces bruits que nous entendons, transformés en un bon repas. Oh ! je vous en prie, demandez à Françoise de faire plutôt une raie au beurre noir. C'est si bon ! — Ma petite chérie, c'est convenu. Ne restez pas ; sans cela c'est tout ce que poussent les marchandes des quatre-saisons que vous demanderez. — C'est dit, je pars, mais je ne veux plus jamais pour nos dîners que des choses dont nous aurons entendu le cri. C'est trop amusant. Et dire qu'il faut attendre encore deux mois pour que nous entendions : "Haricots verts et tendres haricots, v'là l'haricot vert." Comme c'est bien dit : Tendres haricots ! vous savez que je les veux tout fins, tout fins, ruisselants de vinaigrette, on ne dirait pas qu'on les mange, c'est frais comme une rosée. Hélas ! c'est comme pour les petits cœurs à la crème, c'est encore bien loin : "Bon fromage à la cré, fromage à la cré, bon fromage !" Et le chasselas de Fontainebleau : "J'ai du beau chasselas." » Et je pensais avec effroi à tout ce temps que j'aurais à rester avec elle jusqu'au temps du chasselas. « Ecoutez, je dis que je ne veux plus que les choses que nous aurons entendu crier, mais je fais naturellement des exceptions. Aussi il n'y aurait rien d'impossible à ce que je passe chez Rebattet[1] commander une glace pour nous deux. Vous me direz que ce n'est pas encore la saison, mais j'en ai une envie ! » Je fus agité par le projet de Rebattet, rendu plus certain et suspect pour moi à cause des mots : « Il n'y aurait rien d'impossible ». C'était le jour où les Verdurin recevaient, et depuis que Swann leur avait appris que c'était la meilleure maison, c'était chez Rebattet qu'ils commandaient glaces et petits fours. « Je ne fais aucune objection à une glace, mon Albertine chérie, mais laissez-moi vous la commander, je ne sais pas moi-même si ce sera chez Poiré-Blanche, chez Rebattet, au Ritz[2], enfin je verrai. — Vous sortez donc ? » me dit-elle d'un air méfiant. Elle prétendait toujours qu'elle serait enchantée que je sortisse davantage, mais si un mot de moi pouvait laisser supposer que je ne resterais pas à la maison, son air inquiet donnait à penser que la joie qu'elle aurait à me voir sortir sans cesse, n'était peut-être pas très sincère. « Je sortirai peut-être, peut-être pas, vous savez bien que je ne fais jamais de projets d'avance. En tout cas, les glaces ne sont pas une chose qu'on crie, qu'on pousse dans les rues, pourquoi en voulez-vous ? » Et alors elle me répondit par ces paroles qui me montrèrent en effet combien d'intelligence et de goût latent s'étaient brusquement développés en elle depuis Balbec, par ces paroles du genre de celles qu'elle prétendait dues uniquement à mon influence, à la constante cohabitation avec moi, ces paroles que pourtant je n'aurais jamais dites, comme si quelque défense m'était faite par quelqu'un d'inconnu de jamais user dans la conversation de formes littéraires. Peut-être l'avenir ne devait-il pas être le même pour Albertine et pour moi. J'en eus presque le pressentiment en la voyant se hâter d'employer en parlant des images si écrites et qui me semblaient réservées pour un autre usage plus sacré et que j'ignorais encore. Elle me dit (et je fus malgré tout profondément attendri car je pensai : « Certes je ne parlerais pas comme elle, mais tout de même, sans moi elle ne parlerait pas ainsi, elle a subi profondément mon influence, elle ne peut donc pas ne pas m'aimer, elle est mon œuvre ») : « Ce que j'aime dans ces nourritures criées, c'est qu'une chose entendue, comme une rhapsodie, change de nature à table et s'adresse à mon palais. Pour les glaces (car j'espère bien que vous ne m'en commanderez que prises dans ces moules démodés qui ont toutes les formes d'architecture possible), toutes les fois que j'en prends, temples, églises, obélisques, rochers, c'est comme une géographie pittoresque que je regarde d'abord et dont je convertis ensuite les monuments de framboise ou de vanille en fraîcheur dans mon gosier. » Je trouvais que c'était un peu trop bien dit, mais elle sentit que je trouvais que c'était bien dit et elle continua en s'arrêtant un instant quand sa comparaison était réussie pour rire de son beau rire qui m'était si cruel parce qu'il était si voluptueux : « Mon Dieu, à l'hôtel Ritz je crains bien que vous ne trouviez des colonnes Vendôme de glace, de glace au chocolat, ou à la framboise, et alors il en faut plusieurs pour que cela ait l'air de colonnes votives ou de pylônes élevés dans une allée à la gloire de la Fraîcheur. Ils font aussi des obélisques de framboise qui se dresseront de place en place dans le désert brûlant de ma soif et dont je ferai fondre le granit rose au fond de ma gorge qu'ils désaltéreront mieux que des oasis (et ici le rire profond éclata, soit de satisfaction de si bien parler, soit par moquerie d'elle-même de s'exprimer par images si suivies, soit, hélas ! par volupté physique de sentir en elle quelque chose de si bon, de si frais, qui lui causait l'équivalent d'une jouissance). Ces pics de glace du Ritz ont quelquefois l'air du mont Rose, et même si la glace est au citron je ne déteste pas qu'elle n'ait pas de forme monumentale, qu'elle soit irrégulière, abrupte, comme une montagne d'Elstir. Il ne faut pas qu'elle soit trop blanche alors, mais un peu jaunâtre, avec cet air de neige sale et blafarde qu'ont les montagnes d'Elstir. La glace a beau ne pas être grande, qu'une demi-glace si vous voulez, ces glaces au citron-là sont tout de même des montagnes réduites, à une échelle toute petite, mais l'imagination rétablit les proportions comme pour ces petits arbres japonais nains qu'on sent très bien être tout de même des cèdres, des chênes, des mancenilliers[1], si bien qu'en en plaçant quelques-uns le long d'une petite rigole, dans ma chambre, j'aurais une immense forêt descendant vers un fleuve et où les petits enfants se perdraient. De même, au pied de ma demi-glace jaunâtre au citron, je vois très bien des postillons, des voyageurs, des chaises de poste sur lesquels ma langue se charge de faire rouler de glaciales avalanches qui les engloutiront (la volupté cruelle avec laquelle elle dit cela excita ma jalousie) ; de même, ajouta-t-elle, que je me charge avec mes lèvres de détruire, pilier par pilier, ces églises vénitiennes d'un porphyre qui est de la fraise et de faire tomber sur les fidèles ce que j'aurai épargné. Oui, tous ces monuments passeront de leur place de pierre dans ma poitrine où leur fraîcheur fondante palpite déjà. Mais tenez, même sans glaces, rien n'est excitant et ne donne soif comme les annonces des sources thermales. À Montjouvain, chez Mlle Vinteuil, il n'y avait pas de bon glacier dans le voisinage, mais nous faisions dans le jardin notre tour de France en buvant chaque jour une autre eau minérale gazeuse, comme l'eau de Vichy, qui dès qu'on la verse soulève des profondeurs du verre un nuage blanc qui vient s'assoupir et se dissiper si on ne boit pas assez vite. » Mais entendre parler de Montjouvain m'était trop pénible. Je l'interrompais. « Je vous ennuie, adieu, mon chéri. » Quel changement depuis Balbec où je défie Elstir lui-même d'avoir pu deviner en Albertine ces richesses de poésie. D'une poésie moins étrange, moins personnelle que celle de Céleste Albaret[2], par exemple, laquelle la veille encore était venue me voir et m'ayant trouvé couché m'avait dit : « Ô majesté du ciel déposée sur un lit ! — Pourquoi du ciel, Céleste ? — Oh ! parce que vous ne ressemblez à personne, vous vous trompez bien si vous croyez que vous avez quelque chose de ceux qui voyagent sur notre vile terre. — En tout cas, pourquoi "déposé" ? — Parce que vous n'avez rien d'un homme couché, vous n'êtes pas dans le lit, vous ne remuez pas, des anges ont l'air d'être descendus vous déposer là[a]. » Jamais Albertine n'aurait trouvé cela, mais l'amour, même quand il semble sur le point de finir est partial. Je préférais la « géographie pittoresque » des sorbets, dont la grâce assez facile me semblait une raison d'aimer Albertine et une preuve que j'avais du pouvoir sur elle, qu'elle m'aimait.

Une fois[b] Albertine sortie, je sentis quelle fatigue était pour moi cette présence perpétuelle, insatiable de mouvement et de vie, qui troublait mon sommeil par ses mouvements, me faisait vivre dans un refroidissement perpétuel par les portes qu'elle laissait ouvertes, me forçait — pour trouver des prétextes qui justifiassent de ne pas l'accompagner, sans pourtant paraître trop malade, et d'autre part pour la faire accompagner — à déployer chaque jour plus d'ingéniosité que Shéhérazade[1]. Malheureusement, si par une même ingéniosité la conteuse persane retardait sa mort, je hâtais la mienne. Il y a[c] ainsi dans la vie certaines situations, qui ne sont pas toutes créées comme celle-là par la jalousie amoureuse, et une santé précaire qui ne permet pas de partager la vie d'un être actif et jeune, mais où tout de même le problème de continuer la vie en commun ou de revenir à la vie séparée d'autrefois se pose d'une façon presque médicale : auquel des deux sortes de repos faut-il se sacrifier (en continuant le surmenage quotidien, ou en revenant aux angoisses de l'absence) — celui du cerveau ou celui du cœur ?

J'étais en tout cas bien content qu'Andrée accompagnât Albertine au Trocadéro, car de récents et d'ailleurs minuscules incidents faisaient qu'ayant, bien entendu, la même confiance dans l'honnêteté du chauffeur, sa vigilance, ou du moins la perspicacité de sa vigilance, ne me semblait plus tout à fait aussi grande qu'autrefois. C'est ainsi que, tout dernièrement, ayant envoyé Albertine seule avec lui à Versailles, Albertine m'avait dit avoir déjeuné aux Réservoirs. Comme le chauffeur m'avait parlé du restaurant Vatel[2] le jour où je relevai cette contradiction, je pris un prétexte pour descendre parler au mécanicien (toujours le même, celui que nous avons vu à Balbec) pendant qu'Albertine s'habillait. « Vous m'avez dit que vous aviez déjeuné au Vatel, Mlle Albertine me parle des

Réservoirs. Qu'est-ce que cela veut dire ? » Le mécanicien me répondit : « Ah ! j'ai dit que j'avais déjeuné au Vatel, mais je ne peux pas savoir où Mademoiselle a déjeuné. Elle m'a quitté en arrivant à Versailles pour prendre un fiacre à cheval, ce qu'elle préfère quand ce n'est pas pour faire de la route. » Déjà j'enrageais en pensant qu'elle avait été seule ; enfin ce n'était que le temps de déjeuner. « Vous auriez pu, dis-je d'un air de gentillesse (car je ne voulais pas paraître faire positivement surveiller Albertine, ce qui eût été humiliant pour moi, et doublement, puisque cela eût signifié qu'elle me cachait ses actions), déjeuner, je ne dis pas avec elle, mais au même restaurant ? — Mais elle m'avait demandé d'être seulement à six heures du soir à la Place d'Armes. Je ne devais pas aller la chercher à la sortie de son déjeuner. — Ah ! » fis-je en tâchant de dissimuler mon accablement. Et je remontai. Ainsi c'était plus de sept heures de suite qu'Albertine avait été seule, livrée à elle-même. Je savais bien, il est vrai, que le fiacre n'avait pas été un simple expédient pour se débarrasser de la surveillance du chauffeur. En ville, Albertine aimait mieux flâner en fiacre, elle disait qu'on voyait bien, que l'air était plus doux. Malgré cela elle avait passé sept heures sur lesquelles je ne saurais jamais rien. Et je n'osais pas penser à la façon dont elle avait dû les employer. Je trouvai que le mécanicien avait été bien maladroit, mais ma confiance en lui fut désormais complète. Car s'il eût été le moins du monde de mèche avec Albertine, il ne m'eût jamais avoué qu'il l'avait laissée libre de onze heures du matin à six heures du soir. Il n'y aurait eu qu'une autre explication, mais absurde, de cet aveu du chauffeur. C'est qu'une brouille entre lui et Albertine lui eût donné le désir, en me faisant une petite révélation, de montrer à mon amie qu'il était homme à parler et que si, après le premier avertissement tout bénin, elle ne marchait pas droit selon ce qu'il voulait, il mangerait carrément le morceau. Mais cette explication était absurde ; il fallait d'abord supposer une brouille inexistante entre Albertine et lui, et ensuite donner une nature de maître-chanteur à ce beau mécanicien qui s'était toujours montré si affable et si bon garçon. Dès le surlendemain, du reste, je vis que, plus que je ne l'avais cru un instant, dans ma soupçonneuse folie, il savait exercer sur Albertine une surveillance discrète et perspicace. Car ayant pu le prendre à part et lui parler de ce qu'il m'avait dit de Versailles, je lui disais d'un air amical et dégagé : « Cette promenade à Versailles dont vous me parliez avant-hier, c'était parfait comme cela, vous avez été parfait comme toujours. Mais à titre de petite indication, sans importance du reste, j'ai une telle responsabilité depuis que Mme Bontemps a mis sa nièce sous ma garde, j'ai tellement peur des accidents, je me reproche tant de ne pas l'accompagner, que j'aime mieux que ce soit vous, vous tellement sûr, si merveilleusement adroit, à qui il ne peut pas arriver d'accident, qui conduisiez partout Mlle Albertine. Comme cela je ne crains rien. » Le charmant mécanicien apostolique sourit finement, la main posée sur sa roue en forme de croix de consécration[1]. Puis il me dit ces paroles qui (chassant les inquiétudes de mon cœur où elles furent aussitôt remplacées par la joie) me donnèrent envie de lui sauter au cou : « N'ayez crainte, me dit-il. Il ne peut rien lui arriver, car quand mon volant ne la promène pas, mon œil la suit partout. À Versailles sans avoir l'air de rien j'ai visité la ville pour ainsi dire avec elle. Des Réservoirs elle est allée au Château, du Château aux Trianons, toujours moi la suivant sans avoir l'air de la voir, et le plus fort c'est qu'elle ne m'a pas vu. Oh ! elle m'aurait vu, ç'aurait été un petit malheur. C'était si naturel qu'ayant toute la journée devant moi à rien faire je visite aussi le Château. D'autant plus que Mademoiselle n'a certainement pas été sans remarquer que j'ai de la lecture et que je m'intéresse à toutes les vieilles curiosités (c'était vrai, j'aurais même été surpris si j'avais su qu'il était ami de Morel, tant il dépassait le violoniste en finesse et en goût). Mais enfin elle ne m'a pas vu. — Elle a dû rencontrer, du reste, des amies, car elle en a plusieurs à Versailles. — Non, elle était toujours seule. — On doit la regarder alors, une jeune fille éclatante et toute seule ! — Sûr qu'on la regarde, mais elle n'en sait quasiment rien, elle est tout le temps les yeux dans son guide, puis levés sur les tableaux. » Le récit du chauffeur me sembla d'autant plus exact que c'était, en effet, une « carte » représentant le Château et une autre représentant les Trianons qu'Albertine m'avait envoyées le jour de sa promenade. L'attention avec laquelle le gentil chauffeur en avait suivi chaque pas me toucha beaucoup. Comment aurais-je supposé que cette rectification — sous forme d'ample complément à son dire de l'avant-veille — venait de ce qu'entre ces deux jours Albertine, alarmée que le chauffeur m'eût parlé, s'était soumise, avait fait la paix avec lui ? Ce soupçon ne me vint même pas.

Il est certain que ce récit du mécanicien, en m'ôtant toute crainte qu'Albertine m'eût trompé, me refroidit tout naturellement à l'égard de mon amie et me rendit moins intéressante la journée qu'elle avait passée à Versailles. Je crois pourtant que les explications du chauffeur, qui en innocentant Albertine me la rendaient encore plus ennuyeuse, n'auraient peut-être pas suffi à me calmer si vite. Deux petits boutons que pendant quelques jours mon amie eut au front réussirent peut-être mieux encore à modifier les sentiments de mon cœur. Enfin ceux-ci se détournèrent d'elle, au point de ne me rappeler son existence que quand je la voyais, par la confidence singulière que me fit la femme de chambre de Gilberte, rencontrée par hasard. J'appris que quand j'allais tous les jours chez Gilberte elle aimait un jeune homme qu'elle voyait beaucoup plus que moi. J'en avais eu un instant le soupçon à cette époque, et même j'avais alors interrogé cette même femme de chambre. Mais comme elle savait que j'étais épris de Gilberte, elle avait nié, juré que jamais Mlle Swann n'avait vu ce jeune homme. Mais maintenant, sachant que mon amour était mort depuis si longtemps, que depuis des années j'avais laissé toutes ses lettres sans réponse — et peut-être aussi parce qu'elle n'était plus au service de la jeune fille — d'elle-même elle me raconta tout au long l'épisode amoureux que je n'avais pas su. Cela lui semblait tout naturel. Je crus, me rappelant ses serments d'alors, qu'elle n'avait pas été au courant. Pas du tout, c'est elle-même sur l'ordre de Mme Swann qui allait prévenir le jeune homme dès que celle que j'aimais était seule. Que j'aimais alors... Mais je me demandai si mon amour d'autrefois était aussi mort que je le croyais car ce récit me fut pénible. Comme je ne crois pas que la jalousie puisse réveiller un amour mort, je supposai que ma triste impression était due, en partie du moins, à mon amour-propre blessé, car plusieurs personnes que je n'aimais pas et qui à cette époque et même un peu plus tard — cela a bien changé depuis — affectaient à mon endroit une attitude méprisante, savaient parfaitement, pendant que j'étais si amoureux de Gilberte, que j'étais dupe. Et cela me fit même me demander rétrospectivement si dans mon amour pour Gilberte, il n'y avait pas eu une part d'amour-propre, puisque je souffrais tant maintenant de voir que toutes les heures de tendresse qui m'avaient rendu si heureux, étaient connues pour une véritable tromperie de mon amie à mes dépens, par des gens que je n'aimais pas. En tout cas, amour ou amour-propre, Gilberte était presque morte en moi, mais pas entièrement, et cet ennui acheva de m'empêcher de me soucier outre mesure d'Albertine, qui tenait une si étroite partie dans mon cœur. Néanmoins, pour en revenir à elle (après une si longue parenthèse) et à sa promenade à Versailles, les cartes postales de Versailles (peut-on donc avoir ainsi simultanément le cœur pris en écharpe par deux jalousies entrecroisées se rapportant chacune à une personne différente ?) me donnaient une impression un peu désagréable, chaque fois qu'en rangeant des papiers mes yeux tombaient sur elles. Et je songeais que si le mécanicien n'avait pas été un si brave homme, la concordance de son deuxième récit avec les « cartes » d'Albertine n'eût pas signifié grand-chose, car qu'est-ce qu'on vous envoie d'abord de Versailles sinon le Château et les Trianons, à moins que la carte ne soit choisie par quelque raffiné, amoureux d'une certaine statue, ou par quelque imbécile élisant comme vue la station du tramway à chevaux ou la gare des Chantiers ?

Encore ai-je tort de dire un imbécile, de telles cartes postales n'ayant pas toujours été achetées par l'un d'eux, au hasard, pour l'intérêt de venir de Versailles. Pendant deux ans les hommes intelligents, les artistes trouvèrent Sienne, Venise, Grenade, une scie, et disaient du moindre omnibus, de tous les wagons : « Voilà qui est beau. » Puis ce goût passa comme les autres. Je ne sais même pas si on n'en revint pas au « sacrilège qu'il y a de détruire les nobles choses du passé ». En tout cas, un wagon de première classe cessa d'être considéré *a priori* comme plus beau que Saint-Marc de Venise. On disait pourtant : « C'est là qu'est la vie, le retour en arrière est une chose factice », mais sans tirer de conclusion nette[1]. À tout hasard, et tout en faisant pleine confiance au chauffeur, et pour qu'Albertine ne pût pas le plaquer sans qu'il osât refuser par crainte de passer pour espion, je ne la laissai plus sortir qu'avec le renfort d'Andrée, alors que pendant un temps le chauffeur m'avait suffi. Je l'avais même laissée alors (ce que je n'aurais plus osé faire depuis) s'absenter pendant trois jours, seule avec le chauffeur, et aller jusqu'auprès de Balbec, tant elle avait envie de faire de la route sur simple châssis, en grande vitesse. Trois jours où j'avais été bien tranquille, bien que la pluie de cartes qu'elle m'avait envoyée ne me fût parvenue, à cause du détestable fonctionnement de ces postes bretonnes (bonnes l'été, mais sans doute désorganisées l'hiver), que huit jours après le retour d'Albertine et du chauffeur, si vaillants que le matin même de leur retour ils reprirent, comme si de rien n'était, leur promenade quotidienne. Mais depuis l'incident de Versailles j'avais changé. J'étais ravi qu'Albertine allât aujourd'hui au Trocadéro à cette matinée « extraordinaire » mais surtout rassuré qu'elle y eût une compagne, Andrée.

Laissant[a] ces pensées, maintenant qu'Albertine était sortie, j'allai me mettre un instant à la fenêtre. Il y eut d'abord un silence où le sifflet du marchand de tripes et la corne du tramway firent résonner l'air à des octaves différentes, comme un accordeur de piano aveugle. Puis peu à peu devinrent distincts les motifs entrecroisés auxquels de nouveaux s'ajoutaient. Il y avait aussi un autre sifflet, appel d'un marchand dont je n'ai jamais su ce qu'il vendait, sifflet qui, lui, était exactement pareil à celui d'un tramway, et comme il n'était pas emporté par la vitesse on croyait à un seul tramway, non doué de mouvement, ou en panne, immobilisé, criant à petits intervalles comme un animal qui meurt.

Et il me semblait que, si jamais je devais quitter ce quartier aristocratique — à moins que ce ne fût pour un tout à fait populaire — les rues et les boulevards du centre (où la fruiterie, la poissonnerie, etc. stabilisées dans de grandes maisons d'alimentation, rendaient inutiles les cris des marchands qui n'eussent pas, du reste, réussi à se faire entendre) me sembleraient bien mornes, bien inhabitables, dépouillés, décantés de toutes ces litanies des petits métiers et des ambulantes mangeailles, privés de l'orchestre qui venait me charmer dès le matin. Sur le trottoir une femme peu élégante (ou obéissant à une mode laide) passait, trop claire dans un paletot sac en poil de chèvre ; mais non, ce n'était pas une femme, c'était un chauffeur qui, enveloppé dans sa peau de bique, gagnait à pied son garage. Échappés des grands hôtels, les chasseurs ailés, aux teintes changeantes, filaient vers les gares, au ras de leur bicyclette, pour rejoindre les voyageurs au train du matin. Le ronflement d'un violon était dû parfois au passage d'une automobile, parfois à ce que je n'avais pas mis assez d'eau dans ma bouillotte électrique. Au milieu de la symphonie détonnait un « air » démodé : remplaçant la vendeuse de bonbons qui accompagnait d'habitude son air avec une crécelle, le marchand de jouets, au mirliton duquel était attaché un pantin qu'il faisait mouvoir en tous sens, promenait d'autres pantins, et sans souci de la déclamation rituelle de Grégoire le Grand, de la déclamation réformée de Palestrina et de la déclamation lyrique des modernes[1], entonnait à pleine voix, partisan attardé de la pure mélodie :

Allons les papas, allons les mamans,
Contentez vos petits enfants ;
C'est moi qui les fais, c'est moi qui les vends,
Et c'est moi qui boulotte l'argent.
Tra la la la. Tra la la la laire,
Tra la la la la la la.
Allons les petits !

De petits Italiens, coiffés d'un béret, n'essayaient pas de lutter avec cet *aria vivace,* et c'est sans rien dire qu'ils offraient de petites statuettes. Cependant qu'un petit fifre réduisait le marchand de jouets à s'éloigner et à chanter plus confusément, quoique presto : « Allons les papas, allons les mamans. » Le petit fifre était-il un de ces dragons que j'entendais le matin à Doncières ? Non, car ce qui suivait c'étaient ces mots : « Voilà le réparateur de faïence et de por—celaine. Je répare le verre, le marbre, le cristal, l'os, l'ivoire et objets d'antiquité. Voilà le réparateur. » Dans une boucherie, où à gauche était une auréole de soleil et à droite un bœuf entier pendu, un garçon boucher très grand et très mince, aux cheveux blonds, son cou sortant d'un col bleu ciel, mettait une rapidité vertigineuse et une religieuse conscience à mettre d'un côté les filets de bœuf exquis, de l'autre de la culotte de dernier ordre, les plaçait dans d'éblouissantes balances surmontées d'une croix, d'où retombaient de belles chaînettes, et — bien qu'il ne fît ensuite que disposer pour l'étalage, des rognons, des tournedos, des entrecôtes — donnait en réalité beaucoup plus l'impression d'un bel ange qui au jour du Jugement dernier préparera pour Dieu, selon leurs qualités, la séparation des Bons et des Méchants et la pesée des âmes. Et de nouveau le fifre grêle et fin montait dans l'air, annonciateur non plus des destructions que redoutait Françoise chaque fois que défilait un régiment de cavalerie, mais de « réparations » promises par un « antiquaire » naïf ou gouailleur, et qui en tout cas fort éclectique, loin de se spécialiser, avait pour objet de son art les matières les plus diverses. Les petites porteuses de pain se hâtaient d'empiler dans leur panier les flûtes destinées au « grand déjeuner » et, à leur crochet, les laitières attachaient vivement les bouteilles de lait[1]. La vue nostalgique que j'avais de ces petites filles, pouvais-je[a] la croire bien exacte ? N'eût-elle pas été autre si j'avais pu garder immobile quelques instants auprès de moi une de celles que, de la hauteur de ma fenêtre, je ne voyais que dans la boutique ou en fuite ? Pour évaluer la perte que me faisait éprouver ma réclusion, c'est-à-dire la richesse que m'offrait la journée, il eût fallu intercepter dans le long déroulement de la frise animée quelque fillette portant son linge ou son lait, la faire passer un moment, comme la silhouette d'un décor mobile, entre les portants, dans le cadre de ma porte, et la retenir sous mes yeux, non sans obtenir sur elle quelque renseignement qui me permît de la retrouver un jour, pareil à cette fiche[b] signalétique que les ornithologues ou les ichtyologues attachent, avant de leur rendre la liberté, sous le ventre des oiseaux ou des poissons dont ils veulent pouvoir identifier les migrations.

Aussi dis-je à Françoise que, pour une course que j'avais à faire faire, elle voulût m'envoyer, s'il lui en venait quelqu'une, telle ou telle de ces petites qui venaient sans cesse chercher et rapportaient le linge, le pain, ou les carafes de lait, et par lesquelles souvent elle faisait faire des commissions. J'étais pareil en cela à Elstir qui, obligé de rester enfermé dans son atelier, certains jours de printemps où savoir que les bois étaient pleins de violettes lui donnait une fringale d'en regarder, envoyait sa concierge lui en acheter un bouquet ; alors attendri, halluciné, ce n'est pas la table sur laquelle il avait posé le petit modèle végétal, mais tout le tapis des sous-bois où il avait vu autrefois, par milliers, les tiges serpentines, fléchissant sous leur bec bleu, qu'Elstir croyait avoir sous les yeux comme une zone imaginaire qu'enclavait dans son atelier la limpide odeur de la fleur évocatrice.

De blanchisseuse, un dimanche, il ne fallait pas penser qu'il en vînt. Quant à la porteuse de pain, par une mauvaise chance, elle avait sonné pendant que Françoise n'était pas là, avait laissé ses flûtes dans la corbeille, sur le palier, et s'était sauvée. La fruitière ne viendrait que bien plus tard. Une fois, j'étais entré commander un fromage chez le crémier, et au milieu des petites employées j'en avais remarqué une, vraie extravagance blonde, haute de taille bien que puérile, et qui au milieu des autres porteuses, semblait rêver, dans une attitude assez fière. Je ne l'avais vue que de loin, et en passant si vite que je n'aurais pu dire comment elle était, sinon qu'elle avait dû pousser trop vite et que sa tête portait une toison donnant l'impression bien moins des particularités capillaires que d'une stylisation sculpturale des méandres isolés de névés parallèles. C'est tout ce que j'avais distingué, ainsi qu'un nez très dessiné (chose rare chez une enfant) dans une figure maigre, et qui rappelait le bec des petits des vautours. D'ailleurs, le groupement autour d'elle de ses camarades n'avait pas été seul à m'empêcher de la bien voir, mais aussi l'incertitude des sentiments que je pouvais, à première vue et ensuite, lui inspirer, qu'ils fussent de fierté farouche, ou d'ironie, ou d'un dédain exprimé plus tard à ses amies. Ces suppositions alternatives que j'avais faites, en une seconde, à son sujet, avaient épaissi autour d'elle l'atmosphère trouble où elle se dérobait, comme une déesse dans la nue que fait trembler la foudre. Car l'incertitude morale est une cause plus grande de difficulté à une exacte perception visuelle que ne serait un défaut matériel de l'œil. En cette trop maigre jeune personne, qui frappait aussi trop l'attention, l'excès de ce qu'un autre eût peut-être appelé des charmes, était justement ce qui était pour me déplaire, mais avait tout de même eu pour résultat de m'empêcher même d'apercevoir rien, à plus forte raison de me rien rappeler des autres petites crémières, que le nez arqué de celle-ci, son regard, chose si peu agréable, pensif, personnel, ayant l'air de juger, avaient plongées dans la nuit à la façon d'un éclair blond qui enténèbre le paysage environnant. Et ainsi de ma visite pour commander un fromage, chez le crémier, je ne m'étais rappelé (si on peut dire « se rappeler » à propos d'un visage si mal regardé qu'on adapte dix fois au néant du visage un nez différent), je ne m'étais rappelé que la petite qui m'avait déplu. Cela suffit à faire commencer un amour. Pourtant j'eusse oublié l'extravagance blonde et n'aurais jamais souhaité de la revoir, si Françoise ne m'avait dit que, quoique bien gamine, cette petite était délurée et allait quitter sa patronne parce que trop coquette, elle devait de l'argent dans le quartier. On a dit que la beauté est une promesse de bonheur. Inversement la possibilité du plaisir peut être un commencement de beauté.

Je me mis à lire la lettre de maman. À travers ses citations de Mme de Sévigné (« Si mes pensées ne sont pas tout à fait noires à Combray, elles sont au moins d'un gris brun, je pense à toi à tout moment je te souhaite, ta santé, tes affaires, ton éloignement, que penses-tu que tout cela puisse faire entre chien et loup[1] ? ») je sentais que ma mère était ennuyée de voir que le séjour d'Albertine à la maison se prolongeait, et s'affermir, quoique non encore déclarées à la fiancée, mes intentions de mariage. Elle ne me le disait pas plus directement parce qu'elle craignait que je laissasse traîner ses lettres. Encore, si voilées qu'elles fussent, me reprochait-elle de ne pas l'avertir immédiatement après chacune que je l'avais reçue : « Tu sais bien que Mme de Sévigné disait : "Quand on est loin on ne se moque plus des lettres qui commencent par : j'ai reçu la vôtre[2]." » Sans parler de ce qui l'inquiétait le plus, elle se disait fâchée de mes grandes dépenses : « À quoi peut passer tout ton argent ? Je suis déjà assez tourmentée de ce que, comme Charles de Sévigné, tu ne saches pas ce que tu veuilles et que tu sois "deux ou trois hommes à la fois", mais tâche au moins de ne pas être comme lui pour la dépense et que je ne puisse pas dire de toi : "Il a trouvé le moyen de dépenser sans paraître, de perdre sans jouer et de payer sans s'acquitter[3]." » Je venais de finir le mot de maman quand Françoise revint me dire qu'elle avait justement là la petite laitière un peu trop hardie dont elle m'avait parlé. « Elle pourra très bien porter la lettre de Monsieur et faire les courses si ce n'est pas trop loin. Monsieur va voir, elle a l'air d'un Petit Chaperon Rouge. » Françoise alla la chercher et je l'entendis qui la guidait en lui disant : « Hé bien, voyons, tu as peur parce qu'il y a un couloir, bougre de truffe, je te croyais moins empruntée. Faut-il que je te mène par la main ? » Et Françoise, en bonne et honnête servante qui entend faire respecter son maître comme elle le respecte elle-même, s'était drapée de cette majesté qui ennoblit les entremetteuses dans ces tableaux des vieux maîtres, où à côté d'elles s'effacent presque dans l'insignificance la maîtresse et l'amant.

Elstir, quand il les regardait, n'avait pas à se préoccuper de ce que faisaient les violettes. L'entrée de la petite laitière m'ôta aussitôt mon calme de contemplateur, je ne songeai plus qu'à rendre vraisemblable la fable de la lettre à lui faire porter et je me mis à écrire rapidement sans oser la regarder qu'à peine, pour ne pas paraître l'avoir fait entrer pour cela. Elle était parée pour moi de ce charme de l'inconnu qui ne se serait pas ajouté pour moi à une jolie fille trouvée dans ces maisons où elles vous attendent. Elle n'était ni nue, ni déguisée, mais une vraie crémière, une de celles qu'on s'imagine si jolies quand on n'a pas le temps de s'approcher d'elles, elle était un peu de ce qui fait l'éternel désir, l'éternel regret de la vie, dont le double courant est enfin détourné, amené auprès de nous. Double car s'il s'agit d'inconnu, d'un être deviné devoir être divin d'après sa stature, ses proportions, son indifférent regard, son calme hautain, d'autre part on veut cette femme bien spécialisée dans sa profession, nous permettant de nous évader dans ce monde qu'un costume particulier nous fait romanesquement croire différent. Au reste, si l'on cherche à faire tenir dans une formule la loi de nos curiosités amoureuses, il faudrait la chercher dans le maximum d'écart entre une femme aperçue et une femme approchée, caressée. Si les femmes de ce qu'on appelait autrefois les maisons closes, si les cocottes elles-mêmes (à condition que nous sachions qu'elles sont des cocottes) nous attirent si peu, ce n'est pas qu'elles soient moins belles que d'autres, c'est qu'elles sont toutes prêtes, que ce qu'on cherche précisément à atteindre, elles nous l'offrent déjà, c'est qu'elles ne sont pas des conquêtes. L'écart, là, est à son minimum. Une grue nous sourit déjà dans la rue comme elle le fera près de nous. Nous sommes des sculpteurs. Nous voulons obtenir d'une femme une statue entièrement différente de celle qu'elle nous a présentée. Nous avons vu une jeune fille indifférente, insolente au bord de la mer, nous avons vu une vendeuse sérieuse et active à son comptoir qui nous répondra sèchement ne fût-ce que pour ne pas être l'objet des moqueries de ses copines, une marchande de fruits qui nous répond à peine. Hé bien ! nous n'avons de cesse que nous puissions expérimenter si la fière jeune fille au bord de la mer, si la vendeuse à cheval sur le qu'en-dira-t-on, si la distraite marchande de fruits ne sont pas susceptibles, à la suite de manèges adroits de notre part, de laisser fléchir leur attitude rectiligne, d'entourer notre cou de ces bras qui portaient les fruits, d'incliner sur notre bouche, avec un sourire consentant, des yeux jusque-là glacés ou distraits — ô beauté des yeux sévères aux heures du travail où l'ouvrière craignait tant la médisance de ses compagnes, des yeux qui fuyaient nos obsédants regards et qui maintenant que nous l'avons vue seule à seul, font plier leurs prunelles sous le poids ensoleillé du rire quand nous parlons de faire l'amour ! Entre la vendeuse, la blanchisseuse attentive à repasser, la marchande de fruits, la crémière — et cette même fillette qui va devenir notre maîtresse, le maximum d'écart est atteint, tendu encore à ses extrêmes limites, et varié, par ces gestes habituels de la profession qui font des bras, pendant la durée du labeur, quelque chose d'aussi différent que possible comme arabesque de ces souples liens qui déjà chaque soir s'enlacent à notre cou tandis que la bouche s'apprête pour le baiser. Aussi passons-nous toute notre vie en inquiètes démarches sans cesse renouvelées auprès des filles sérieuses et que leur métier semble éloigner de nous. Une fois dans nos bras, elles ne sont plus ce qu'elles étaient, cette distance que nous rêvions de franchir est supprimée. Mais on recommence avec d'autres femmes, on donne à ces entreprises tout son temps, tout son argent, toutes ses forces, on crève de rage contre le cocher trop lent qui va peut-être nous faire manquer le premier rendez-vous, on a la fièvre. Ce premier rendez-vous, on sait pourtant qu'il accomplira l'évanouissement d'une illusion. Il n'importe, tant que l'illusion dure on veut voir si on peut la changer en réalité, et alors on pense à la blanchisseuse dont on a remarqué la froideur. La curiosité amoureuse est comme celle qu'excitent en nous les noms de pays, toujours déçue, elle renaît et reste toujours insatiable.

Hélas ! une fois auprès de moi, la blonde crémière aux mèches striées, dépouillée de tant d'imagination et de désirs éveillés en moi, se trouva réduite à elle-même. Le nuage frémissant de mes suppositions ne l'enveloppait plus d'un vertige. Elle prenait un air tout penaud de n'avoir plus (au lieu des dix, des vingt, que je me rappelais tour à tour sans pouvoir fixer mon souvenir) qu'un seul nez, plus rond que je ne l'avais cru, qui donnait une idée de bêtise et avait en tout cas perdu le pouvoir de se multiplier. Ce vol capturé, inerte, anéanti, incapable de rien ajouter à sa pauvre évidence, n'avait plus mon imagination pour collaborer avec lui. Tombé dans le réel immobile, je tâchai de rebondir ; les joues, non aperçues dans la boutique, me parurent si jolies que j'en fus intimidé et, pour me donner une contenance, je dis à la petite crémière : « Seriez-vous[a] assez bonne pour me passer *Le Figaro* qui est là, il faut que je regarde le nom de l'endroit où je veux vous envoyer. » Aussitôt, en prenant le journal, elle découvrit jusqu'au coude la manche rouge de sa jaquette et me tendit la feuille conservatrice d'un geste adroit et gentil qui me plut par sa rapidité familière, son apparence moelleuse et sa couleur écarlate. Pendant que j'ouvrais *Le Figaro,* pour dire quelque chose et sans lever les yeux, je demandai à la petite : « Comment s'appelle ce que vous portez là en tricot rouge ? c'est très joli. » Elle me répondit : « C'est mon golf[1]. » Car par une déchéance habituelle à toutes les modes, les vêtements et les mots qui, il y a quelques années, semblaient appartenir au monde relativement élégant des amies d'Albertine, étaient maintenant le lot des ouvrières. « Ça ne vous gênerait vraiment pas trop, dis-je en faisant semblant de chercher dans *Le Figaro,* que je vous envoie même un peu loin ? » Dès que j'eus ainsi l'air de trouver pénible le service qu'elle me rendrait en faisant une course, aussitôt elle commença à trouver que c'était gênant pour elle. « C'est que je dois aller tantôt me promener en vélo. Dame, nous n'avons que le dimanche. — Mais vous n'avez pas froid, nu-tête comme cela ? — Ah ! je serai pas nu-tête, j'aurai mon polo[2], et je pourrais m'en passer avec tous mes cheveux. » Je levai les yeux sur les mèches flavescentes et frisées et je sentis que leur tourbillon m'emportait, le cœur battant, dans la lumière et les rafales d'un ouragan de beauté. Je continuais à regarder le journal, mais bien que ce ne fût que pour me donner une contenance et me faire gagner du temps, tout en ne faisant que semblant de lire, je comprenais tout de même le sens des mots qui étaient sous mes yeux, et ceux-ci me frappaient : « Au programme de la matinée que nous avons annoncée et qui sera donnée cet après-midi dans la salle des fêtes du Trocadéro, il faut ajouter le nom de Mlle Léa qui a accepté d'y paraître dans *Les Fourberies de Nérine*[1]. Elle tiendra, bien entendu, le rôle de Nérine où elle est étourdissante de verve et d'ensorceleuse gaieté. » Ce fut comme si on avait brutalement arraché de mon cœur le pansement sous lequel il avait commencé depuis mon retour de Balbec à se cicatriser. Le flux de mes angoisses s'échappa à torrents. Léa, c'était la comédienne amie des deux jeunes filles qu'Albertine, sans avoir l'air de les voir, avait un après-midi, au casino, regardées dans la glace[2]. Il est vrai qu'à Balbec, Albertine, au nom de Léa, avait pris un ton de componction particulier pour me dire, presque choquée qu'on pût soupçonner une telle vertu : « Oh ! non, ce n'est pas du tout une femme comme ça, c'est une femme très bien. » Malheureusement pour moi, quand Albertine émettait une affirmation de ce genre, ce n'était jamais que le premier stade d'affirmations différentes. Peu après la première, venait cette deuxième : « Je ne la connais pas. » Tertio, quand Albertine m'avait parlé d'une telle personne « insoupçonnable » et que (secundo) « elle ne connaissait pas », elle oubliait peu à peu, d'abord avoir dit qu'elle ne la connaissait pas, et dans une phrase où elle se « coupait » sans le savoir, racontait qu'elle la connaissait. Ce premier oubli consommé et la nouvelle affirmation ayant été émise, un deuxième oubli commençait, celui que la personne était insoupçonnable. « Est-ce qu'une telle, demandais-je, n'a pas telles mœurs ? — Mais voyons, naturellement, c'est connu comme tout ! » Aussitôt le ton de componction reprenait pour une affirmation qui était un vague écho fort amoindri de la toute première : « Je dois dire qu'avec moi elle a toujours été d'une convenance parfaite. Naturellement, elle savait que je l'aurais remisée et de la belle manière. Mais enfin cela ne fait rien. Je suis obligée de lui être reconnaissante du vrai respect qu'elle m'a toujours témoigné. On voit qu'elle savait à qui elle avait affaire. » On se rappelle la vérité parce qu'elle a un nom, des racines anciennes, mais un mensonge improvisé s'oublie vite. Albertine oubliait ce dernier mensonge-là, le quatrième, et un jour où elle voulait gagner ma confiance par des confidences, elle se laissait aller à me dire de la même personne, au début si comme il faut et qu'elle ne connaissait pas : « Elle a eu le béguin pour moi. Trois, quatre fois elle m'a demandé de l'accompagner jusque chez elle et de monter la voir. L'accompagner, je n'y voyais pas de mal, devant tout le monde, en plein jour, en plein air. Mais arrivée à sa porte, je trouvais toujours un prétexte et je ne suis jamais montée. » Quelque temps après Albertine faisait allusion à la beauté des objets qu'on voyait chez la même dame. D'approximation en approximation on fût sans doute arrivé à lui faire dire la vérité, une vérité qui était peut-être moins grave que je n'étais porté à le croire, car peut-être facile avec les femmes, préférait-elle un amant, et maintenant que j'étais le sien n'eût-elle pas songé à Léa. Déjà, en tout cas pour bien des femmes, il m'eût suffi de rassembler devant mon amie, en une synthèse, ses affirmations contradictoires pour la convaincre de ses fautes (fautes qui sont bien plus aisées, comme les lois astronomiques, à dégager par le raisonnement, qu'à observer, qu'à surprendre dans la réalité). Mais elle aurait encore mieux aimé dire qu'elle avait menti quand elle avait émis une de ces affirmations, dont ainsi le retrait ferait écrouler tout mon système, plutôt que de reconnaître que tout ce qu'elle avait raconté dès le début n'était qu'un tissu de contes mensongers. Il en est de semblables dans *Les Mille et Une Nuits,* et qui nous y charment. Ils nous font souffrir dans une personne que nous aimons, et à cause de cela nous permettent d'entrer un peu plus avant dans la connaissance de la nature humaine au lieu de nous contenter de nous jouer à sa surface. Le chagrin pénètre en nous et nous force par la curiosité douloureuse à pénétrer. D'où des vérités que nous ne nous sentons pas le droit de cacher, si bien qu'un athée moribond qui les a découvertes, assuré du néant, insoucieux de la gloire, use pourtant ses dernières heures à tâcher de les faire connaître.

Sans doute je n'en étais qu'à la première de ces affirmations pour Léa. J'ignorais même si Albertine la connaissait ou non. N'importe, cela revenait au même. Il fallait à tout prix empêcher qu'au Trocadéro elle pût retrouver[a] cette connaissance, ou faire la connaissance de cette inconnue. Je dis que je ne savais si elle connaissait

Léa ou non ; j'avais dû pourtant l'apprendre à Balbec, d'Albertine elle-même. Car l'oubli anéantissait aussi bien chez moi que chez Albertine une grande part des choses qu'elle m'avait affirmées. Car la mémoire, au lieu d'un exemplaire en double toujours présent à nos yeux, des divers faits de notre vie, est plutôt un néant d'où par instants une similitude actuelle nous permet de tirer, ressuscités, des souvenirs morts ; mais encore il y a mille petits faits qui ne sont pas tombés dans cette virtualité de la mémoire, et qui resteront à jamais incontrôlables pour nous. Tout ce que nous ignorons se rapporter à la vie réelle de la personne que nous aimons, nous n'y faisons aucune attention, nous oublions aussitôt ce qu'elle nous a dit à propos de tel fait ou de telles gens que nous ne connaissons pas, et l'air[a] qu'elle avait en nous le disant. Aussi, quand ensuite notre jalousie est excitée par ces mêmes gens, pour savoir si elle ne se trompe pas, si c'est bien à eux qu'elle doit rapporter telle hâte que notre maîtresse a de sortir, tel mécontentement que nous l'en ayons privée en rentrant trop tôt, notre jalousie fouillant le passé pour en tirer des inductions n'y trouve rien ; toujours rétrospective, elle est comme un historien qui aurait à faire une histoire pour laquelle il n'est aucun document ; toujours en retard, elle se précipite comme un taureau furieux là où ne se trouve pas l'être fier et brillant qui l'irrite de ses piqûres et dont la foule cruelle admire la magnificence et la ruse. La jalousie se débat dans le vide, incertaine, comme nous le sommes dans ces rêves où nous souffrons de ne pas trouver dans sa maison vide une personne que nous avons bien connue dans la vie, mais qui peut-être en est ici une autre et a seulement emprunté les traits d'un autre personnage ; incertaine comme nous le sommes plus encore après le réveil quand nous cherchons à identifier tel ou tel détail de notre rêve. Quel air avait notre amie en nous disant cela ? N'avait-elle pas l'air heureux, ne sifflait-elle même pas, ce qu'elle ne fait que quand elle a quelque pensée amoureuse et que notre présence l'importune et l'irrite ? Ne nous a-t-elle pas dit une chose qui se trouve en contradiction avec ce qu'elle nous affirme maintenant, qu'elle connaît ou ne connaît pas telle personne ? Nous ne le savons pas, nous ne le saurons jamais, nous nous acharnons à chercher les débris inconsistants d'un rêve, et pendant ce temps notre vie avec notre maîtresse continue, notre vie distraite devant ce que nous ignorons être important pour nous, attentive à ce qui ne l'est peut-être pas, encauchemardée par des êtres qui sont sans rapports réels avec nous, notre vie pleine d'oublis, de lacunes, d'anxiétés vaines, notre vie pareille à un songe.

Je m'aperçus que la petite laitière était toujours là. Je lui dis que décidément ce serait bien loin, que je n'avais pas besoin d'elle. Aussitôt elle trouva aussi que ce serait trop gênant : « Il y a un beau match tantôt, je voudrais pas le manquer. » Je sentis qu'elle devait déjà dire : aimer les sports, et que dans quelques années elle dirait : vivre sa vie. Je lui dis que décidément je n'avais pas besoin d'elle et je lui donnai cinq francs. Aussitôt, s'y attendant si peu, et se disant que si elle avait cinq francs pour ne rien faire, elle aurait beaucoup pour ma course, elle commença à trouver que son match n'avait pas d'importance. « J'aurais bien fait votre course. On peut toujours s'arranger. » Mais je la poussai vers la porte, j'avais besoin d'être seul ; il fallait à tout prix empêcher qu'Albertine pût retrouver au Trocadéro les amies de Léa. Il le fallait, il fallait y réussir ; à vrai dire, je ne savais pas encore comment et pendant ces premiers instants j'ouvrais mes mains, les regardais, faisais craquer les jointures de mes doigts, soit que l'esprit qui ne peut trouver ce qu'il cherche, pris de paresse, s'accorde de faire halte pendant un instant où les choses les plus indifférentes lui apparaissent distinctement, comme ces pointes d'herbe des talus qu'on voit du wagon trembler au vent, quand le train s'arrête en rase campagne — immobilité qui n'est pas toujours plus féconde que celle de la bête capturée qui, paralysée par la peur ou fascinée, regarde sans bouger —, soit que je tinsse tout préparé mon corps — avec mon intelligence au-dedans et en celle-ci les moyens d'action sur telle ou telle personne — comme n'étant plus qu'une arme d'où partirait le coup qui séparerait Albertine de Léa et de ses deux amies. Certes, le matin quand Françoise était venue me dire qu'Albertine irait au Trocadéro, je m'étais dit : « Albertine peut bien faire ce qu'elle veut », et j'avais cru que jusqu'au soir, par ce temps radieux, ses actions resteraient pour moi sans importance perceptible. Mais ce n'était pas seulement le soleil matinal, comme je l'avais pensé, qui m'avait rendu si insouciant ; c'était parce qu'ayant obligé Albertine à renoncer aux projets qu'elle pouvait peut-être amorcer ou même réaliser chez les Verdurin et l'ayant réduite à aller à une matinée que j'avais choisie moi-même et en vue de laquelle elle n'avait pu rien préparer, je savais que ce qu'elle ferait serait forcément innocent. De même, si Albertine avait dit quelques instants plus tard : « Si je me tue, cela m'est bien égal », c'était parce qu'elle était persuadée qu'elle ne se tuerait pas. Devant moi, devant Albertine, il y avait eu ce matin (bien plus que l'ensoleillement du jour) ce milieu que nous ne voyons pas, mais par l'intermédiaire translucide et changeant duquel nous voyions, moi ses actions, elle l'importance de sa propre vie, c'est-à-dire ces croyances que nous ne percevons pas mais qui ne sont pas plus assimilables à un pur vide que n'est l'air qui nous entoure ; composant autour de nous une atmosphère variable, parfois excellente, souvent[a] irrespirable, elles mériteraient d'être relevées et notées avec autant de soin que la température, la pression barométrique, la saison, car nos jours ont leur originalité physique et morale[b]. La croyance, non remarquée ce matin par moi et dont pourtant j'avais été joyeusement enveloppé jusqu'au moment où j'avais rouvert *Le Figaro,* qu'Albertine ne ferait rien que d'inoffensif, cette croyance venait de disparaître. Je ne vivais plus dans la belle journée, mais dans une journée créée au sein de la première par l'inquiétude qu'Albertine renouât avec Léa et plus facilement encore avec les deux jeunes filles, si elles étaient comme cela me semblait probable allées applaudir l'actrice au Trocadéro où il ne leur serait pas difficile, dans un entracte, de retrouver Albertine. Je ne songeais plus à Mlle Vinteuil, le nom de Léa m'avait fait revoir, pour en être jaloux, l'image d'Albertine au casino près des deux jeunes filles. Car je ne possédais dans ma mémoire que des séries d'Albertine séparées les unes des autres, incomplètes, des profils, des instantanés ; aussi ma jalousie se confinait-elle à une expression discontinue, à la fois fugitive et fixée, et aux êtres qui l'avaient amenée sur la figure d'Albertine. Je me rappelais celle-ci quand à Balbec elle était trop regardée par les deux jeunes filles ou par des femmes de ce genre ; je me rappelais la souffrance que j'éprouvais à voir parcouru par des regards actifs comme ceux d'un peintre qui veut prendre un croquis, ce visage entièrement recouvert par eux et qui, à cause de ma présence sans doute, subissait ce contact sans avoir l'air de s'en apercevoir, avec une passivité peut-être clandestinement voluptueuse. Et avant qu'elle se ressaisît et me parlât, il y avait une seconde pendant laquelle Albertine ne bougeait pas, souriait dans le vide, avec le même air de naturel feint et de plaisir dissimulé que si on avait été en train de faire sa photographie ; ou même pour choisir devant l'objectif une pose plus piquante — celle[a] même qu'elle avait prise à Doncières quand nous nous promenions avec Saint-Loup : riant et passant sa langue sur ses lèvres, elle faisait semblant d'agacer un chien. Certes, à ces moments elle n'était nullement la même que quand c'était elle qui était intéressée par des fillettes qui passaient. Dans ce dernier cas au contraire son regard étroit et velouté se fixait, se collait sur la passante, si adhérent, si corrosif qu'il semblait qu'en se retirant il aurait dû emporter la peau. Mais en ce moment ce regard-là, qui du moins lui donnait quelque chose de sérieux jusqu'à la faire paraître souffrante, m'aurait semblé doux, auprès du regard atone et heureux qu'elle avait près des deux jeunes filles, et j'aurais préféré la sombre expression du désir qu'elle ressentait peut-être quelquefois, à la riante expression causée par le désir qu'elle inspirait. Elle avait beau essayer de voiler la conscience qu'elle en avait, celle-ci la baignait, l'enveloppait, vaporeuse, voluptueuse, faisait paraître sa figure toute rose. Mais tout ce qu'Albertine tenait à ces moments-là en suspens en elle, qui irradiait autour d'elle et me faisait tant souffrir, qui sait si hors de ma présence elle continuerait à le taire, si aux avances des deux jeunes filles, maintenant que je n'étais pas là, elle ne répondrait pas audacieusement ? Certes, ces souvenirs me causaient une grande douleur. Ils étaient comme un aveu total des goûts d'Albertine, une confession générale de son infidélité, contre quoi ne pouvaient prévaloir les serments particuliers d'Albertine auxquels je voulais croire, les résultats négatifs de mes incomplètes enquêtes, les assurances, peut-être faites de connivence avec Albertine, d'Andrée. Albertine pouvait me nier ses trahisons particulières, par des mots qui lui échappaient, plus forts que les déclarations contraires, par ces regards seuls, elle avait fait l'aveu de ce qu'elle eût voulu cacher, bien plus que des faits particuliers : ce qu'elle se fût fait tuer plutôt que de reconnaître, son penchant. Car aucun être ne veut livrer son âme. Malgré la douleur que ces souvenirs me causaient, aurais-je pu nier que c'était le programme de la matinée du Trocadéro qui avait réveillé mon besoin d'Albertine ? Elle était de ces femmes à qui leurs fautes pourraient au besoin tenir lieu de charmes, et autant que leurs fautes, leur bonté qui y succède et ramène en nous cette douceur qu'avec elles, comme un malade qui n'est jamais bien portant deux jours de suite, nous sommes sans cesse obligés de reconquérir. D'ailleurs, plus même que leurs fautes pendant que nous les aimons, il y a leurs fautes avant que nous les connaissions, et la première de toutes : leur nature. Ce qui rend douloureuses de telles amours, en effet, c'est qu'il leur préexiste une espèce de péché originel de la femme, un péché qui nous les fait aimer, de sorte que quand nous l'oublions, nous avons moins besoin d'elle et que pour recommencer à aimer, il faut recommencer à souffrir. En ce moment, qu'elle ne retrouvât pas les deux jeunes filles, et savoir si elle connaissait Léa ou non, était ce qui me préoccupait le plus, bien qu'on ne devrait pas s'intéresser aux faits particuliers autrement qu'à cause de leur signification générale, et malgré la puérilité qu'il y a, aussi grande que celle du voyage ou du désir de connaître des femmes, à fragmenter sa curiosité sur ce qui, du torrent invisible des réalités cruelles qui nous resteront toujours inconnues, a fortuitement cristallisé dans notre esprit. D'ailleurs, arriverions-nous à le détruire qu'il serait remplacé par un autre aussitôt. Hier je craignais qu'Albertine n'allât chez Mme Verdurin. Maintenant je n'étais plus préoccupé que de Léa. La jalousie qui a un bandeau sur les yeux n'est pas seulement impuissante à rien découvrir dans les ténèbres qui l'enveloppent, elle est encore un de ces supplices où la tâche est à recommencer sans cesse, comme celle des Danaïdes[1], comme celle d'Ixion[2]. Même si les deux jeunes filles n'étaient[a] pas là, quelle impression pouvait faire sur elle Léa embellie par le travestissement, glorifiée par le succès, quelles rêveries laisserait-elle à Albertine, quels désirs qui, même refrénés chez moi, lui donneraient le dégoût d'une vie où elle ne pouvait les assouvir ? D'ailleurs, qui sait si elle ne connaissait pas Léa et n'irait pas la voir dans sa loge, et même si Léa ne la connaissait pas, qui m'assurait que l'ayant en tous cas aperçue à Balbec, elle ne la reconnaîtrait pas et ne lui ferait pas de la scène un signe qui autoriserait Albertine à se faire ouvrir la porte des coulisses ? Un danger semble très évitable quand il est conjuré. Celui-ci ne l'était pas encore, j'avais peur qu'il ne pût pas l'être, et il me semblait d'autant plus terrible. Et pourtant cet amour pour Albertine, que je sentais presque s'évanouir quand j'essayais de le réaliser, la violence de ma douleur en ce moment semblait en quelque sorte m'en donner la preuve. Je n'avais plus souci de rien d'autre, je ne pensais qu'aux moyens de l'empêcher de rester au Trocadéro, j'aurais offert n'importe quelle somme à Léa pour qu'elle n'y allât pas. Si donc on prouve sa préférence par l'action qu'on accomplit plus que par l'idée qu'on forme, j'aurais aimé Albertine. Mais cette reprise de ma souffrance ne donnait pas plus de consistance en moi à l'image d'Albertine. Elle causait mes maux comme une divinité qui reste invisible. Faisant mille conjectures, je cherchais à parer à ma souffrance sans réaliser pour cela mon amour.

D'abord[a] il fallait être certain que Léa allât vraiment au Trocadéro. Après avoir congédié la laitière en lui donnant deux francs[1], je téléphonai à Bloch, lié lui aussi avec Léa, pour le lui demander. Il n'en savait rien et parut étonné que cela pût m'intéresser. Je pensai qu'il me fallait aller vite, que Françoise était tout habillée et moi pas, je demandai à ma mère de me la laisser toute la journée[2] et pendant que moi-même je me levais, je lui fis prendre une automobile ; elle devait aller au Trocadéro, prendre un billet, chercher Albertine partout dans la salle et lui remettre un mot de moi. Dans ce mot, je lui disais que j'étais bouleversé par une lettre reçue à l'instant de la même dame à cause de qui elle savait que j'avais été si malheureux une nuit à Balbec. Je lui rappelais que le lendemain elle m'avait reproché de ne pas l'avoir fait appeler. Aussi je me permettais, lui disais-je, de lui demander de me sacrifier sa matinée et de venir me chercher pour aller prendre un peu l'air ensemble afin de tâcher de me remettre. Mais comme j'en avais pour assez longtemps avant d'être habillé et prêt, elle me ferait plaisir de profiter de la présence de Françoise pour aller acheter aux *Trois Quartiers* (ce magasin, étant plus petit, m'inquiétait moins que le *Bon Marché*) la guimpe de tulle blanc dont elle avait besoin[b].

Mon mot n'était probablement pas inutile. À vrai dire, je ne savais rien qu'eût fait Albertine, depuis que je la connaissais, ni même avant. Mais dans sa conversation (Albertine aurait pu, si je lui en eusse parlé, dire que j'avais mal entendu), il y avait certaines contradictions, certaines retouches qui me semblaient aussi décisives qu'un flagrant délit, mais moins utilisables contre Albertine qui souvent, prise en fraude comme un enfant, grâce à ce brusque redressement stratégique, avait chaque fois rendu vaines mes cruelles attaques et rétabli la situation. Cruelles pour moi. Elle usait, non par raffinement de style, mais pour réparer ses imprudences, de ces brusques sautes de syntaxe ressemblant un peu à ce que les grammairiens appellent anacoluthe ou je ne sais comment. S'étant laissée aller, en parlant femmes, à dire : « Je me rappelle que dernièrement je », brusquement, après un « quart de soupir », « je » devenait « elle », c'était une chose qu'elle avait aperçue en promeneuse innocente, et nullement accomplie. Ce n'était pas elle qui était le sujet de l'action. J'aurais voulu me rappeler exactement le commencement de la phrase pour conclure moi-même, puisqu'elle lâchait pied, à ce qu'en eût été la fin. Mais comme j'avais attendu cette fin, je me rappelais mal le commencement, que peut-être mon air d'intérêt lui avait fait dévier, et je restais anxieux de sa pensée vraie, de son souvenir véridique. Il en est malheureusement des commencements d'un mensonge de notre maîtresse, comme des commencements de notre propre amour, ou d'une vocation. Ils se forment, se conglomèrent, ils passent, inaperçus de notre propre attention. Quand on veut se rappeler de quelle façon on a commencé d'aimer une femme, on aime déjà ; les rêveries d'avant, on ne se disait pas : c'est le prélude d'un amour, faisons attention ; et elles avançaient par surprise, à peine remarquées de nous. De même, sauf des cas relativement assez rares, ce n'est guère que pour la commodité du récit que j'ai souvent opposé ici un dire mensonger d'Albertine avec (sur le même sujet) son assertion première. Cette assertion première, souvent, ne lisant pas dans l'avenir et ne devinant pas quelle affirmation contradictoire lui ferait pendant, elle s'était glissée inaperçue, entendue certes de mes oreilles, mais sans que je l'isolasse de la continuité des paroles d'Albertine. Plus tard, devant le mensonge patent, ou pris d'un doute anxieux, j'aurais voulu me rappeler ; c'était en vain ; ma mémoire n'avait pas été prévenue à temps ; elle avait cru inutile de garder copie.

Je recommandai à Françoise, quand elle aurait fait sortir Albertine de la salle, de m'en avertir par téléphone et de la ramener, contente ou non. « Il ne manquerait plus que cela qu'elle ne soit pas contente de venir voir Monsieur, répondit Françoise. — Mais je ne sais pas si elle aime tant que cela me voir. — Il faudrait qu'elle soit bien ingrate », reprit Françoise, en qui Albertine renouvelait après tant d'années le même supplice d'envie que lui avait causé jadis Eulalie auprès de ma tante. Ignorant que la situation d'Albertine auprès de moi n'avait pas été cherchée par elle mais voulue par moi (ce que par amour-propre et pour faire enrager Françoise j'aimais autant lui cacher), elle admirait et exécrait son habileté, l'appelait quand elle parlait d'elle aux autres domestiques une « comédienne », une « enjôleuse » qui faisait de moi ce qu'elle voulait. Elle n'osait pas encore entrer en guerre contre elle, lui faisait bon visage, et se faisait mérite auprès de moi des services qu'elle me rendait dans ses relations avec moi, pensant qu'il[a] était inutile de me rien dire et qu'elle n'arriverait à rien, mais à l'affût d'une occasion ; et si jamais elle découvrait dans la situation d'Albertine une fissure, se promettait bien de l'élargir et de nous séparer complètement. « Bien ingrate ? Mais non, Françoise, c'est moi qui me trouve ingrat, vous ne savez pas comme elle est bonne pour moi. (Il m'était si doux d'avoir l'air d'être aimé !) Partez vite. — Je vais me cavaler, et presto. »

L'influence de sa fille commençait à altérer un peu le vocabulaire de Françoise. Ainsi perdent leur pureté toutes les langues par l'adjonction de termes nouveaux. Cette décadence du parler de Françoise, que j'avais connu à ses belles époques, j'en étais, du reste, indirectement responsable. La fille de Françoise n'aurait pas fait dégénérer jusqu'au plus bas jargon le langage classique de sa mère, si elle s'était contentée de parler patois[1] avec elle. Elle ne s'en était jamais privée, et quand elles étaient toutes deux auprès de moi, si elles avaient des choses secrètes à se dire, au lieu d'aller s'enfermer dans la cuisine elles se faisaient en plein milieu de ma chambre une protection plus infranchissable que la porte la mieux fermée, en parlant patois. Je supposais seulement que la mère et la fille ne vivaient pas toujours en très bonne intelligence, si j'en jugeais par la fréquence avec laquelle revenait le seul mot que je pusse distinguer : *m'esasperate* (à moins que l'objet de cette exaspération ne fût moi). Malheureusement la langue la plus inconnue finit par s'apprendre quand on l'entend toujours parler. Je regrettai que ce fût le patois, car j'arrivai à le savoir et n'aurais pas moins bien appris si Françoise avait eu l'habitude de s'exprimer en persan. Françoise, quand elle s'aperçut de mes progrès, eut beau accélérer son débit et sa fille pareillement, rien n'y fit. La mère fut désolée que je comprisse le patois, puis contente de me l'entendre parler. À vrai dire, ce contentement c'était de la moquerie, car bien que j'eusse fini par le prononcer à peu près comme elle, elle trouvait entre nos deux prononciations des abîmes qui la ravissaient, et se mit à regretter de ne plus voir des gens de son pays auxquels elle n'avait jamais pensé depuis bien des années et qui, paraît-il, se seraient tordus d'un rire qu'elle eût voulu entendre, en m'écoutant parler si mal le patois. Cette seule idée la remplissait de gaieté et de regret et elle énumérait tel ou tel paysan qui en aurait eu des larmes de rire. En tout cas, aucune joie ne mélangea la tristesse que, même le prononçant mal, je le comprisse bien. Les clefs deviennent inutiles quand celui qu'on veut empêcher d'entrer peut se servir d'un passe-partout ou d'une pince-monseigneur. Le patois devenant une défense sans valeur, elle se mit à parler avec sa fille un français qui devint bien vite celui des plus basses époques.

J'étais prêt[a]. Françoise n'avait pas encore téléphoné ; fallait-il partir sans attendre ? Mais qui sait si elle trouverait Albertine ? si celle-ci ne serait pas dans les coulisses ? si même, rencontrée par Françoise, elle se laisserait ramener ? Une demi-heure plus tard le tintement du téléphone retentit et dans mon cœur battaient tumultueusement l'espérance et la crainte. C'étaient, sur l'ordre d'un employé de téléphone[1], un escadron volant de sons qui avec une vitesse instantanée m'apportaient les paroles du téléphoniste, non celles de Françoise qu'une timidité et une mélancolie ancestrales, appliquées à un objet inconnu de ses pères, empêchaient de s'approcher d'un récepteur, quitte à visiter des contagieux. Elle avait trouvé au promenoir Albertine seule, qui, étant seulement allée prévenir Andrée qu'elle ne restait pas, avait rejoint aussitôt Françoise. « Elle n'était pas fâchée ? Ah ! pardon ! Demandez à cette dame si cette demoiselle n'était pas fâchée. — Cette dame me dit de vous dire que non, pas[b] du tout, que c'était tout le contraire ; en tout cas, si elle n'était pas contente, ça ne se connaissait pas. Elles vont aller maintenant aux *Trois Quartiers* et seront rentrées à deux heures. » Je compris que deux heures signifiait trois heures, car il était plus de deux heures. Mais c'était chez Françoise un de ces défauts particuliers, permanents, inguérissables, que nous appelons maladifs, de ne pouvoir jamais regarder ni dire l'heure exactement. Je n'ai jamais pu comprendre ce qui se passait dans sa tête quand Françoise ayant ainsi regardé sa montre, s'il était deux heures, disait : il est une heure, ou il est trois heures, je n'ai jamais pu comprendre si le phénomène qui avait lieu alors avait pour siège la vue de Françoise, ou sa pensée, ou son langage ; ce qui est certain, c'est que ce phénomène avait toujours lieu. L'humanité est très vieille. L'hérédité, les croisements ont donné une force insurmontable à de mauvaises habitudes, à des réflexes vicieux. Une personne éternue et râle parce qu'elle passe près d'un rosier, une autre a une éruption à l'odeur de la peinture fraîche, beaucoup, des coliques s'il faut partir en voyage, et des petits-fils de voleurs qui sont millionnaires et généreux ne peuvent résister à nous voler cinquante francs. Quant à savoir en quoi consistait l'impossibilité où était Françoise de dire l'heure exactement, ce n'est pas elle qui m'a jamais fourni aucune lumière à cet égard. Car malgré la colère où ces réponses inexactes me mettaient d'habitude, Françoise ne cherchait ni à s'excuser de son erreur, ni à l'expliquer. Elle restait muette, avait l'air de ne pas m'entendre, ce qui achevait de m'exaspérer. J'aurais voulu entendre une parole de justification, ne fût-ce que pour la battre en brèche mais rien, un silence indifférent. En tout cas, pour ce qui était d'aujourd'hui il n'y avait pas de doute, Albertine allait rentrer avec Françoise à trois heures, Albertine ne verrait ni Léa ni ses amies. Alors ce danger qu'elle renouât des relations avec elles étant conjuré, il perdit aussitôt à mes yeux de son importance et je m'étonnai, en voyant avec quelle facilité il l'avait été, d'avoir cru que je ne réussirais pas à ce qu'il le fût. J'éprouvai un vif mouvement de reconnaissance pour Albertine qui, je le voyais, n'était pas allée au Trocadéro pour les amies de Léa, et qui me montrait, en quittant la matinée et en rentrant sur un signe de moi, qu'elle m'appartenait même pour l'avenir[a] plus que je ne me le figurais. Il fut plus grand encore quand un cycliste me porta un mot d'elle pour que je prisse patience et où il y avait de ces gentilles expressions qui lui étaient familières : « Mon chéri et cher Marcel, j'arrive moins vite que ce cycliste dont je voudrais bien prendre la bécane pour être plus tôt près de vous. Comment pouvez-vous croire que je puisse être fâchée et que quelque chose puisse m'amuser autant que d'être avec vous ? Ce sera gentil de sortir tous les deux, ce serait encore plus gentil de ne jamais sortir que tous les deux. Quelles idées vous faites-vous donc ? Quel Marcel ! Quel Marcel ! Toute à vous, ton Albertine[1]. »

Les robes même que je lui achetais, le yacht dont je lui avais parlé, les peignoirs de Fortuny, tout cela ayant dans cette obéissance d'Albertine, non pas sa compensation, mais son complément, m'apparaissait comme autant de privilèges que j'exerçais ; car les devoirs et les charges d'un maître font partie de sa domination et la définissent, la prouvent, tout autant que ses droits. Et ces droits qu'elle me reconnaissait donnaient précisément à mes charges leur véritable caractère : j'avais une femme à moi qui, au premier mot que je lui envoyais à l'improviste, me faisait téléphoner avec déférence qu'elle revenait, qu'elle se laissait ramener, aussitôt. J'étais plus maître que je n'avais cru. Plus maître, c'est-à-dire plus esclave. Je n'avais plus aucune impatience de voir Albertine. La certitude qu'elle était en train de faire une course avec Françoise, qu'elle reviendrait avec celle-ci à un moment prochain et que j'eusse volontiers prorogé, éclairait comme un astre radieux et paisible un temps que j'eusse[a] eu maintenant bien plus de plaisir à passer seul. Mon amour pour Albertine m'avait fait lever et me préparer pour sortir, mais il m'empêcherait de jouir de ma sortie. Je pensais que par ce dimanche-là, des petites ouvrières, des midinettes, des cocottes, devaient se promener au Bois. Et avec ces mots de midinettes, de petites ouvrières (comme cela m'était souvent arrivé avec un nom propre, un nom de jeune fille lu dans le compte rendu d'un bal), avec l'image d'un corsage blanc, d'une jupe courte, parce que derrière cela je mettais une personne inconnue et qui pourrait m'aimer, je fabriquais tout seul des femmes désirables, et je me disais : « Comme elles doivent être bien ! » Mais à quoi me servirait-il qu'elles le fussent, puisque je ne sortirais pas seul ?

Profitant de ce que j'étais encore seul, et fermant à demi les rideaux pour que le soleil ne m'empêchât pas de lire les notes, je m'assis au piano et ouvris au hasard la Sonate de Vinteuil qui y était posée, et je me mis à jouer parce que, l'arrivée d'Albertine étant encore un peu éloignée mais en revanche tout à fait certaine, j'avais à la fois du temps et de la tranquillité d'esprit. Baigné dans l'attente pleine de sécurité de son retour avec Françoise et la confiance en sa docilité comme dans la béatitude d'une lumière intérieure aussi réchauffante que celle du dehors, je pouvais disposer de ma pensée, la détacher un moment d'Albertine, l'appliquer à la Sonate. Même en celle-ci, je ne m'attachai pas à remarquer combien la combinaison du motif voluptueux et du motif anxieux répondait davantage maintenant à mon amour pour Albertine, duquel la jalousie avait été si longtemps absente que j'avais pu confesser à Swann mon ignorance de ce sentiment. Non, prenant la Sonate à un autre point de vue, la regardant en soi-même comme l'œuvre d'un grand artiste, j'étais ramené par le flot sonore vers les jours de Combray — je ne veux pas dire de Montjouvain et du côté de Méséglise, mais des promenades du côté de Guermantes — où j'avais moi-même désiré d'être un artiste. En abandonnant en fait cette ambition, avais-je renoncé à quelque chose de réel ? La vie pouvait-elle me consoler de l'art, y avait-il dans l'art une réalité plus profonde où notre personnalité véritable trouve une expression que ne lui donnent pas les actions de la vie ? Chaque grand artiste semble en effet si différent des autres, et nous donne tant cette sensation de l'individualité, que nous cherchons en vain dans l'existence quotidienne ! Au moment où je pensais cela, une mesure de la Sonate me frappa, mesure que je connaissais bien pourtant, mais parfois l'attention éclaire différemment des choses connues pourtant depuis longtemps et où nous remarquons ce que nous n'y avions jamais vu. En jouant cette mesure, et bien que Vinteuil fût là en train d'exprimer un rêve qui fût resté tout à fait étranger à Wagner, je ne pus m'empêcher de murmurer : « *Tristan* ! » avec le sourire qu'a l'ami d'une famille retrouvant quelque chose de l'aïeul dans une intonation, un geste du petit-fils qui ne l'a pas connu. Et comme on regarde alors une photographie qui permet de préciser la ressemblance, par-dessus la Sonate de Vinteuil, j'installai sur le pupitre la partition de *Tristan*, dont on donnait justement cet après-midi-là des fragments au Concert Lamoureux[1]. Je n'avais à admirer le maître de Bayreuth aucun des scrupules de ceux à qui, comme à Nietzsche, le devoir dicte de fuir dans l'art comme dans la vie la beauté qui les tente, qui s'arrachent[a] à *Tristan* comme ils renient *Parsifal*[2] et, par ascétisme spirituel, de mortification en mortification parviennent, en suivant le plus sanglant des chemins de croix, à s'élever jusqu'à la pure connaissance et à l'adoration parfaite du *Postillon de Longjumeau*[3]. Je me rendais compte de tout ce qu'a de réel l'œuvre de Wagner, en revoyant ces thèmes insistants et fugaces qui visitent un acte, ne s'éloignent que pour revenir, et parfois lointains, assoupis, presque détachés, sont à d'autres moments, tout en restant vagues, si pressants et si proches, si internes, si organiques, si viscéraux qu'on dirait la reprise moins d'un motif que d'une névralgie[4].

La musique bien différente en cela de la société d'Albertine, m'aidait à descendre en moi-même, à y découvrir du nouveau : la variété que j'avais en vain cherchée dans la vie, dans le voyage, dont pourtant la nostalgie m'était donnée par ce flot sonore qui faisait mourir à côté de moi ses vagues ensoleillées. Diversité double. Comme le spectre extériorise pour nous la composition de la lumière, l'harmonie d'un Wagner, la couleur d'un Elstir nous permettent de connaître cette essence qualitative des sensations d'un autre où l'amour pour un autre être ne nous fait pas pénétrer. Puis, diversité au sein de l'œuvre même, par le seul moyen qu'il y a d'être effectivement divers : réunir diverses individualités. Là où un petit musicien prétendrait qu'il peint un écuyer, un chevalier, alors qu'il leur ferait chanter la même musique, au contraire, sous chaque dénomination, Wagner met une réalité différente, et chaque fois que paraît son écuyer, c'est une figure particulière, à la fois compliquée et simpliste, qui, avec un entrechoc de lignes joyeux et féodal, s'inscrit dans l'immensité sonore[5]. D'où la plénitude d'une musique que remplissent en effet tant de musiques dont chacune est un être. Un être ou l'impression que donne un aspect momentané de la nature. Même ce qui est le plus indépendant du sentiment qu'elle nous fait éprouver, garde sa réalité extérieure et entièrement définie, le chant d'un oiseau, la sonnerie de cor d'un chasseur, l'air que joue un pâtre sur son chalumeau, découpent à l'horizon leur silhouette sonore[1]. Certes, Wagner allait la rapprocher, s'en saisir, la faire entrer dans un orchestre, l'asservir aux plus hautes idées musicales, mais en respectant toutefois son originalité première comme un huchier les fibres, l'essence particulière du bois qu'il sculpte.

Mais malgré la richesse de ces œuvres où la contemplation de la nature a sa place à côté de l'action, à côté d'individus qui ne sont pas que des noms de personnages, je songeais combien tout de même ces œuvres participent à ce caractère d'être — bien que merveilleusement — toujours incomplètes, qui est le caractère de toutes les grandes œuvres du XIXe siècle ; du XIXe siècle dont les plus grands écrivains ont marqué leurs livres, mais, se regardant travailler comme s'ils étaient à la fois l'ouvrier et le juge, ont tiré de cette auto-contemplation une beauté nouvelle, extérieure et supérieure à l'œuvre, lui imposant rétroactivement une unité, une grandeur qu'elle n'a pas. Sans s'arrêter à celui qui a vu après coup dans ses romans une *Comédie humaine,* ni à ceux qui appelèrent des poèmes ou des essais disparates *La Légende des siècles* et *La Bible de l'humanité,* ne peut-on pas dire pourtant de ce dernier qu'il incarne si bien le XIXe siècle, que les plus grandes beautés de Michelet, il ne faut pas tant les chercher dans son œuvre même que dans les attitudes qu'il prend en face de son œuvre, non pas dans son *Histoire de France* ou dans son *Histoire de la Révolution,* mais dans ses préfaces à ces deux livres[2] ? Préfaces, c'est-à-dire pages écrites après eux, où il les considère, et auxquelles il faut joindre çà et là quelques phrases, commençant d'habitude par un « Le dirai-je[3] ? » qui n'est pas une précaution de savant, mais une cadence de musicien. L'autre musicien, celui qui me ravissait en ce moment, Wagner, tirant de ses tiroirs un morceau délicieux pour le faire entrer comme thème rétrospectivement nécessaire dans une œuvre à laquelle il ne songeait pas au moment où il l'avait composé, puis ayant composé un premier opéra mythologique, puis un second, puis d'autres encore, et s'apercevant tout à coup qu'il venait de faire une Tétralogie, dut éprouver un peu de la même ivresse que Balzac quand celui-ci, jetant sur ses ouvrages le regard à la fois d'un étranger et d'un père, trouvant à celui-ci la pureté de Raphaël[4], à cet autre la simplicité de l'Évangile, s'avisa brusquement en projetant sur eux une illumination rétrospective qu'ils seraient plus beaux réunis en un cycle où les mêmes personnages reviendraient et ajouta à son œuvre, en ce raccord, un coup de pinceau, le dernier et le plus sublime. Unité ultérieure, non factice. Sinon elle fût tombée en poussière comme tant de systématisations d'écrivains médiocres qui à grand renfort de titres et de sous-titres se donnent l'apparence d'avoir poursuivi un seul et transcendant dessein. Non factice, peut-être même plus réelle d'être ultérieure, d'être née d'un moment d'enthousiasme où elle est découverte entre des morceaux qui n'ont plus qu'à se rejoindre, unité qui s'ignorait, donc vitale et non logique, qui n'a pas proscrit la variété, refroidi l'exécution. Elle est (mais s'appliquant cette fois à l'ensemble) comme tel morceau composé à part, né d'une inspiration, non exigé par le développement artificiel d'une thèse, et qui vient s'intégrer au reste. Avant le grand mouvement d'orchestre qui précède le retour d'Yseult[1], c'est l'œuvre elle-même qui a attiré à soi l'air de chalumeau à demi oublié, d'un pâtre. Et sans doute, autant la progression de l'orchestre à l'approche de la nef, quand il s'empare de ces notes du chalumeau, les transforme, les associe à son ivresse, brise leur rythme, éclaire leur tonalité, accélère leur mouvement, multiplie leur instrumentation, autant sans doute Wagner lui-même a eu de joie quand il découvrit dans sa mémoire l'air du pâtre, l'agrégea à son œuvre, lui donna toute sa signification. Cette joie, du reste, ne l'abandonne jamais. Chez lui, quelle que soit la tristesse du poète, elle est consolée, surpassée — c'est-à-dire malheureusement un peu détruite — par l'allégresse du fabricateur. Mais alors, autant que par l'identité que j'avais remarquée tout à l'heure entre la phrase de Vinteuil et celle de Wagner, j'étais troublé par cette habileté vulcanienne. Serait-ce elle qui donnerait chez les grands artistes l'illusion d'une originalité foncière, irréductible, en apparence reflet d'une réalité plus qu'humaine, en fait produit d'un labeur industrieux ? Si l'art n'est que cela, il n'est pas plus réel que la vie, et je n'avais pas tant de regrets à avoir. Je continuais à jouer *Tristan*. Séparé de Wagner par la cloison sonore, je l'entendais exulter, m'inviter à partager sa joie, j'entendais redoubler le rire immortellement jeune et les coups de marteau de Siegfried[2], en qui du reste, plus merveilleusement frappées étaient ces phrases, l'habileté technique de l'ouvrier ne servait qu'à leur faire plus librement quitter la terre, oiseaux pareils non au cygne de Lohengrin mais à cet aéroplane que j'avais vu à Balbec changer son énergie en élévation, planer au-dessus des flots, et se perdre dans le ciel. Peut-être, comme les oiseaux qui montent le plus haut, qui volent le plus vite, ont une aile plus puissante, fallait-il de ces appareils vraiment matériels pour explorer l'infini, de ces cent vingt chevaux marque Mystère, où pourtant, si haut qu'on plane, on est un peu empêché de goûter le silence des espaces par le puissant ronflement du moteur[1] !

Je[a] ne sais pourquoi le cours de mes rêveries, qui avait suivi jusque-là des souvenirs de musique, se détourna sur ceux qui en ont été à notre époque les meilleurs exécutants et parmi lesquels, le surfaisant un peu, je faisais figurer Morel. Aussitôt ma pensée fit un brusque crochet, et c'est au caractère de Morel, à certaines des singularités de ce caractère, que je me mis à songer. Au reste — et cela pouvait se conjoindre, mais non se confondre avec la neurasthénie qui le rongeait — Morel avait l'habitude de parler de sa vie, mais en présentant une image si enténébrée qu'il était très difficile de rien distinguer. Il se mettait par exemple à la complète disposition de M. de Charlus à condition de garder ses soirées libres, car il désirait pouvoir après le dîner aller suivre un cours d'algèbre. M. de Charlus autorisait, mais demandait à le voir après. « Impossible, c'est une vieille peinture italienne » (cette plaisanterie n'a aucun sens transcrite ainsi ; mais M. de Charlus ayant fait lire à Morel *L'Éducation sentimentale*, à l'avant-dernier chapitre duquel Frédéric Moreau dit cette phrase[2], par plaisanterie Morel ne prononçait jamais le mot « impossible » sans le faire suivre de ceux-ci : « c'est une vieille peinture italienne »), « le cours dure souvent fort tard et c'est déjà un grand dérangement pour le professeur qui naturellement serait froissé... — Mais il n'y a même pas besoin de cours, l'algèbre ce n'est pas la natation ni même l'anglais, cela s'apprend aussi bien dans un livre », répliquait M. de Charlus, ayant deviné[b] aussitôt dans le cours d'algèbre une de ces images où on ne pouvait rien débrouiller du tout. C'était peut-être une coucherie avec une femme, ou, si Morel cherchait à gagner de l'argent par des moyens louches et s'était affilié à la police secrète, une expédition avec des agents de la sûreté, et qui sait ? pis encore, l'attente d'un gigolo dont on pourra avoir besoin dans une maison de prostitution. « Bien plus facilement même dans un livre, répondait Morel à M. de Charlus, car on ne comprend rien à un cours d'algèbre. — Alors pourquoi ne l'étudies-tu pas plutôt chez moi où tu es tellement plus confortablement ? » aurait pu répondre M. de Charlus, mais il s'en gardait bien, sachant qu'aussitôt[a], gardant seulement le même caractère nécessaire de réserver les heures du soir, le cours[b] d'algèbre imaginé se fût changé immédiatement en une obligatoire leçon de danse ou de dessin. En quoi M. de Charlus put s'apercevoir qu'il se trompait, en partie du moins : Morel s'occupait souvent chez le baron à résoudre des équations. M. de Charlus objecta bien que l'algèbre ne pouvait guère servir à un violoniste. Morel riposta qu'elle était une distraction pour passer le temps et combattre la neurasthénie. Sans doute M. de Charlus eût pu chercher à se renseigner, à apprendre ce qu'étaient, au vrai, ces mystérieux et inéluctables cours d'algèbre qui ne se donnaient que la nuit. Mais pour s'occuper de dévider l'écheveau des occupations de Morel, M. de Charlus était trop engagé dans celles du monde. Les visites reçues ou faites, le temps passé au cercle, les dîners en ville, les soirées au théâtre l'empêchaient d'y penser, ainsi qu'à cette méchanceté à la fois violente et sournoise que Morel avait à la fois, disait-on, laissé éclater et dissimulée dans les milieux successifs, les différentes villes par où il avait passé, et où on ne parlait de lui qu'avec un frisson, en baissant la voix, et sans oser rien raconter. Ce fut malheureusement un des éclats de cette nervosité méchante qu'il me fut donné ce jour-là d'entendre, comme, ayant quitté le piano, j'étais descendu dans la cour pour aller au-devant d'Albertine qui n'arrivait pas. En passant devant la boutique de Jupien, où Morel et celle que je croyais devoir être bientôt sa femme étaient seuls, Morel criait à tue-tête, ce qui faisait sortir de lui un accent que je ne lui connaissais pas, paysan, refoulé d'habitude, et extrêmement étrange. Les paroles ne l'étaient pas moins, fautives au point de vue du français, mais il connaissait tout imparfaitement. « Voulez-vous sortir, grand pied-de-grue, grand pied-de-grue, grand pied-de-grue », répétait-il à la pauvre petite qui certainement au début n'avait pas compris ce qu'il voulait dire, puis qui, tremblante et fière, restait immobile devant lui. « Je vous ai dit de sortir, grand pied-de-grue, grand pied-de-grue, allez chercher votre oncle pour que je lui dise ce que vous êtes, putain. » Juste à ce moment la voix de Jupien qui rentrait en causant avec un de ses amis se fit entendre dans la cour, et comme je savais que Morel était extrêmement poltron, je trouvai inutile de joindre mes forces à celles de Jupien et de son ami, lesquels dans un instant seraient dans la boutique, et je remontai pour éviter Morel qui, bien que (probablement pour effrayer et dominer la petite par un chantage ne reposant peut-être sur rien) il avait tant désiré[a] qu'on fît venir Jupien, se hâta de sortir dès qu'il l'entendit dans la cour. Les paroles rapportées ne sont rien, elles n'expliqueraient pas le battement de cœur avec lequel je remontai. Ces scènes auxquelles nous assistons dans la vie trouvent un élément de force incalculable dans ce que les militaires appellent, en matière d'offensive, le bénéfice de la surprise, et j'avais beau éprouver tant de calme douceur à savoir qu'Albertine, au lieu de rester au Trocadéro, allait rentrer auprès de moi, je n'en avais pas moins dans l'oreille l'accent de ces mots dix fois répétés : « grand pied-de-grue, grand pied-de-grue », qui m'avaient bouleversé[b].

Peu à peu mon agitation se calma. Albertine allait rentrer. Je l'entendrais sonner à la porte dans un instant. Je sentais que ma vie n'était plus même comme elle aurait pu être ; et qu'avoir ainsi une femme avec qui tout naturellement, quand elle allait être de retour, je devrais sortir, vers l'embellissement de qui allaient être de plus en plus détournées les forces et l'activité de mon être, faisait de moi comme une tige accrue, mais alourdie par le fruit opulent en qui passent toutes ses réserves. Contrastant avec l'anxiété que j'avais encore il y a une heure, le calme que me causait le retour d'Albertine était plus vaste que celui que j'avais ressenti le matin avant son départ. Anticipant sur l'avenir, dont la docilité de mon amie me rendait à peu près maître, plus résistant, comme rempli et stabilisé par la présence imminente, importune, inévitable et douce, c'était le calme (nous dispensant de chercher le bonheur en nous-mêmes) qui naît d'un sentiment familial et d'un bonheur domestique. Familial et domestique : tel fut encore, non moins que le sentiment qui avait amené tant de paix en moi tandis que j'attendais Albertine, celui que j'éprouvai ensuite en me promenant avec elle. Elle ôta un instant son gant, soit pour toucher ma main, soit pour m'éblouir en me laissant voir à son petit doigt à côté de celle donnée par Mme Bontemps, une bague où s'étendait[a] la large et liquide nappe d'une claire feuille de rubis : « Encore une nouvelle bague, Albertine. Votre tante est d'une générosité ! — Non, celle-là ce n'est pas ma tante, dit-elle en riant. C'est moi qui l'ai achetée, comme, grâce à vous, je peux faire de grandes économies. Je ne sais même pas à qui elle a appartenu. Un voyageur qui n'avait pas d'argent la laissa au propriétaire d'un hôtel où j'étais descendue au Mans. Il ne savait qu'en faire et l'aurait vendue bien au-dessous de sa valeur. Mais elle était encore bien trop chère pour moi. Maintenant que, grâce à vous, je deviens une dame chic[b], je lui ai fait demander s'il l'avait encore. Et la voici. — Cela fait bien des bagues, Albertine. Où mettrez-vous celle que je vais vous donner ? En tout cas, celle-ci est très jolie ; je ne peux pas distinguer les ciselures autour du rubis, on dirait une tête d'homme grimaçante. Mais je n'ai pas une assez bonne vue. — Vous l'auriez meilleure que cela ne vous avancerait pas beaucoup. Je ne distingue pas non plus. »

Jadis il m'était souvent arrivé en lisant des Mémoires, un roman, où un homme sort toujours avec une femme, goûte avec elle, de désirer pouvoir faire ainsi. J'avais cru parfois y réussir, par exemple en emmenant avec moi la maîtresse de Saint-Loup, en allant dîner avec elle. Mais j'avais beau appeler à mon secours l'idée que je jouais bien à ce moment-là le personnage que j'avais envié dans le roman, cette idée me persuadait que je devais avoir du plaisir auprès de Rachel et ne m'en donnait pas. C'est que chaque fois que nous voulons imiter quelque chose qui fut vraiment réel, nous oublions que ce quelque chose fut produit non par la volonté d'imiter, mais par une force inconsciente, et réelle, elle aussi. Mais cette impression particulière que n'avait pu me donner tout mon désir d'éprouver un plaisir délicat à me promener avec Rachel, voici maintenant que je l'éprouvais sans l'avoir cherchée le moins du monde, mais pour des raisons tout autres, sincères, profondes — pour citer un exemple — pour cette raison que ma jalousie m'empêchait d'être loin d'Albertine, et du moment que je pouvais sortir, de la laisser aller se promener sans moi. Je ne l'éprouvais que maintenant parce que la connaissance est non des choses extérieures qu'on veut observer, mais des sensations involontaires ; parce qu'autrefois une femme avait eu beau être dans la même voiture que moi, elle n'était pas *en réalité* à côté de moi, tant que ne l'y recréait pas à tout instant un besoin d'elle comme j'en avais un d'Albertine, tant que la caresse constante de mon regard ne lui rendait pas sans cesse ces teintes qui demandent à être perpétuellement rafraîchies, tant que les sens, même apaisés mais qui se souviennent, ne mettaient pas sous ces couleurs la saveur et la consistance, tant qu'unie aux sens et à l'imagination qui les exalte, la jalousie ne maintenait pas cette femme en équilibre auprès de nous par une attraction compensée aussi puissante que la loi de la gravitation.

Notre voiture descendait vite les boulevards, les avenues, dont les hôtels en rangée, rose congélation de soleil et de froid, me rappelaient mes visites chez Mme Swann doucement éclairées par les chrysanthèmes en attendant l'heure des lampes. J'avais à peine le temps d'apercevoir, aussi séparé d'elles derrière la vitre de l'auto que je l'aurais été derrière la fenêtre de ma chambre, une jeune fruitière, une crémière, debout devant sa porte, illuminée par le beau temps, comme une héroïne que mon désir suffisait à engager dans des péripéties délicieuses, au seuil d'un roman que je ne connaîtrais pas. Car je ne pouvais demander à Albertine de m'arrêter, et déjà n'étaient plus visibles les jeunes femmes dont mes yeux avaient à peine distingué les traits et caressé la fraîcheur dans la blonde vapeur où elles étaient baignées. L'émotion dont je me sentais saisi[a] en apercevant la fille d'un marchand de vins à sa caisse ou une blanchisseuse causant dans la rue était l'émotion qu'on a à reconnaître des Déesses. Depuis que l'Olympe n'existe plus, ses habitants vivent sur la terre. Et quand faisant un tableau mythologique, les peintres ont fait poser pour Vénus ou Cérès des filles du peuple exerçant les plus vulgaires métiers, bien loin de commettre un sacrilège, ils n'ont fait que leur ajouter, que leur rendre la qualité, les attributs divins dont elles étaient dépouillées. « Comment vous a semblé le Trocadéro, petite folle ? — Je suis rudement contente de l'avoir quitté pour venir avec vous. C'est de Davioud[1], je crois. — Mais comme ma petite Albertine s'instruit ! En effet, c'est de Davioud, mais je l'avais oublié.

— Pendant que vous dormez je lis vos livres, grand paresseux. Comme monument c'est assez moche, n'est-ce pas ? — Petite, voilà, vous changez tellement vite et vous devenez tellement intelligente (c'était vrai, mais de plus je n'étais pas fâché qu'elle eût la satisfaction, à défaut d'autres, de se dire que du moins le temps qu'elle passait chez moi n'était pas entièrement perdu pour elle) que je vous dirais au besoin des choses qui seraient généralement considérées comme fausses et qui correspondent à une vérité que je cherche. Vous savez ce que c'est que l'impressionnisme ? — Très bien. — Hé ! bien, voyez ce que je veux dire : vous vous rappelez l'église de Marcouville-l'Orgueilleuse[a] qu'il[1] n'aimait pas parce qu'elle était neuve ? Est-ce qu'il n'est pas un peu en contradiction avec son propre impressionnisme quand il retire ainsi ces monuments de l'impression globale où ils sont compris, les amène hors de la lumière où ils sont dissous et examine en archéologue leur valeur intrinsèque ? Quand il peint, est-ce qu'un hôpital, une école, une affiche sur un mur ne sont pas de la même valeur qu'une cathédrale inestimable qui est à côté, dans une image indivisible ? Rappelez-vous comme la façade était cuite par le soleil, comme le relief de ces saints de Marcouville surnageait dans la lumière. Qu'importe qu'un monument soit neuf s'il paraît vieux ; et même s'il ne le paraît pas ! Ce que les vieux quartiers contiennent de poésie a été extrait jusqu'à la dernière goutte, mais certaines maisons nouvellement bâties pour de petits bourgeois cossus, dans des quartiers neufs, où la pierre trop blanche est fraîchement sciée, ne déchirent-elles pas l'air torride de midi en juillet, à l'heure où les commerçants reviennent déjeuner dans la banlieue, d'un cri aussi acide que l'odeur des cerises attendant que le déjeuner soit servi dans la salle à manger obscure, où les prismes de verre pour poser les couteaux projettent des feux multicolores et aussi beaux que les verrières de Chartres[2] ? — Que vous êtes gentil ! Si je deviens jamais intelligente, ce sera grâce à vous. — Pourquoi dans une belle journée détacher ses yeux du Trocadéro dont les tours en cou de girafe font penser à la chartreuse de Pavie ? — Il m'a rappelé aussi, dominant comme cela sur son tertre, une reproduction de Mantegna que vous avez, je crois que c'est *Saint Sébastien,* où il y a au fond une ville en amphithéâtre et où on jurerait qu'il y a le Trocadéro[3].

— Vous voyez bien ! Mais comment avez-vous vu la reproduction de Mantegna ? Vous êtes renversante. »

Nous étions arrivés dans des quartiers plus populaires et l'érection d'une Vénus ancillaire derrière chaque comptoir faisait de lui comme un autel suburbain au pied duquel j'aurais voulu passer ma vie. Comme on fait à la veille d'une mort prématurée, je dressais le compte des plaisirs dont me privait le point final qu'Albertine mettait à ma liberté. À Passy ce fut sur la chaussée même, à cause de l'encombrement, que des jeunes filles se tenant par la taille m'émerveillèrent de leur sourire. Je n'eus pas le temps de le bien distinguer, mais il était peu probable que je le surfisse ; dans toute foule, en effet, dans toute foule jeune, il n'est pas rare que l'on rencontre l'effigie d'un noble profil. De sorte que ces cohues populaires des jours de fête sont pour le voluptueux aussi précieuses que pour l'archéologue le désordre d'une terre où une fouille fait apparaître des médailles antiques. Nous arrivâmes au Bois. Je pensais que si Albertine n'était pas sortie avec moi, je pourrais en ce moment, au Cirque des Champs-Élysées[1], entendre la tempête wagnérienne faire gémir tous les cordages de l'orchestre, attirer à elle comme une écume légère l'air de chalumeau que j'avais joué tout à l'heure, le faire voler, le pétrir, le déformer, le diviser, l'entraîner dans un tourbillon grandissant. Du moins je voulus que notre promenade fût courte et que nous rentrions de bonne heure car sans en parler à Albertine, j'avais décidé d'aller le soir chez les Verdurin. Ils m'avaient envoyé dernièrement une invitation que j'avais jetée au panier avec toutes les autres. Mais je me ravisais pour ce soir, car je voulais tâcher d'apprendre quelles personnes Albertine avait pu espérer rencontrer l'après-midi chez eux. À vrai dire, j'en étais arrivé avec Albertine à ce moment où (si tout continue de même, si les choses se passent normalement) une femme ne sert plus pour nous que de transition avec une autre femme. Elle tient à notre cœur encore, mais bien peu ; nous avons hâte d'aller chaque soir trouver des inconnues, et surtout des inconnues connues d'elle, lesquelles pourront nous raconter sa vie. Elle, en effet, nous avons possédé, épuisé tout ce qu'elle a consenti à nous livrer d'elle-même. Sa vie, c'est elle-même encore, mais justement la partie que nous ne connaissons pas, les choses sur quoi nous l'avons vainement interrogée et que nous pourrons recueillir sur des lèvres neuves.

Si ma vie avec Albertine devait m'empêcher d'aller à Venise, de voyager, du moins j'aurais pu tantôt, si j'avais été seul, connaître les jeunes midinettes éparses dans l'ensoleillement de ce beau dimanche et dans la beauté de qui je faisais entrer pour une grande part la vie inconnue qui les animait. Les yeux qu'on voit ne sont-ils pas tout pénétrés par un regard dont on ne sait pas les images, les souvenirs, les attentes, les dédains qu'il porte et dont on ne peut pas les séparer ? Cette existence, qui est celle de l'être qui passe, ne donnera-t-elle pas, selon ce qu'elle est, une valeur variable au froncement de ces sourcils, à la dilatation de ces narines ? La présence d'Albertine me privait d'aller à elles et peut-être ainsi de cesser de les désirer. Celui qui veut entretenir en soi le désir de continuer à vivre et la croyance en quelque chose de plus délicieux que les choses habituelles, doit se promener ; car les rues, les avenues, sont pleines de Déesses. Mais les Déesses ne se laissent pas approcher. Çà et là, entre les arbres, à l'entrée de quelque café, une servante veillait comme une nymphe à l'orée d'un bois sacré, tandis qu'au fond trois jeunes filles étaient assises[a] à côté de l'arc immense de leurs bicyclettes posées à côté d'elles, comme trois immortelles accoudées au nuage ou au coursier fabuleux sur lesquels elles accomplissaient leurs voyages mythologiques. Je remarquais que chaque fois Albertine regardait un instant toutes ces filles avec une attention profonde et se retournait aussitôt vers moi. Mais je n'étais trop tourmenté ni par l'intensité de cette contemplation, ni par sa brièveté que l'intensité compensait ; en effet pour cette dernière, il arrivait souvent qu'Albertine, soit fatigue, soit manière de regarder particulière à un être attentif, considérait ainsi dans une sorte de méditation, fût-ce mon père ou Françoise ; et quant à sa vitesse à se retourner vers moi, elle pouvait être motivée par le fait qu'Albertine, connaissant mes soupçons, pouvait vouloir, même s'ils n'étaient pas justifiés, éviter de leur donner prise. Cette attention, d'ailleurs, qui m'eût semblé criminelle de la part d'Albertine (et tout autant si elle avait eu pour objet des jeunes gens), je l'attachais, sans me croire un instant coupable — et en trouvant presque qu'Albertine l'était en m'empêchant par sa présence de m'arrêter et de descendre — sur toutes les midinettes. On trouve innocent de désirer et atroce que l'autre désire. Et ce contraste entre ce qui concerne ou bien nous, ou bien celle que nous aimons, n'a pas trait au désir seulement, mais aussi au mensonge. Quelle chose plus usuelle que lui, qu'il s'agisse de masquer par exemple les faiblesses quotidiennes d'une santé qu'on veut faire croire forte, de dissimuler un vice, ou d'aller, sans froisser autrui, à la chose que l'on préfère ? Il est l'instrument de conservation le plus nécessaire et le plus employé. Or c'est lui que nous avons la prétention de bannir de la vie de celle que nous aimons, c'est lui que nous épions, que nous flairons, que nous détestons partout. Il nous bouleverse, il suffit à amener une rupture, il nous semble cacher les plus grandes fautes, à moins qu'il ne les cache si bien que nous ne les soupçonnions pas. Étrange état que celui où nous sommes à ce point sensibles à un agent pathogène que son pullulement universel rend inoffensif aux autres et si grave pour le malheureux qui se trouve ne plus avoir d'immunité contre lui ! La vie de ces jolies filles, comme — à cause de mes longues périodes de réclusion — j'en rencontrais si rarement, me paraissait, ainsi qu'à tous ceux chez qui la facilité des réalisations n'a pas amorti la puissance de concevoir, quelque chose d'aussi différent de ce que je connaissais, d'aussi désirable, que les villes les plus merveilleuses[a] que promet le voyage.

La déception éprouvée auprès des femmes que j'avais connues ou dans les villes où j'étais allé, ne m'empêchait pas de me laisser prendre à l'attrait des nouvelles et de croire à leur réalité. Aussi, de même que voir Venise — Venise dont ce temps printanier me donnait aussi la nostalgie et que le mariage avec Albertine m'empêcherait de connaître — voir Venise dans un panorama que Ski eût peut-être déclaré plus joli de tons que la ville réelle, ne m'eût en rien remplacé le voyage à Venise, dont la longueur déterminée sans que j'y fusse pour rien me semblait indispensable à franchir, de même, si jolie fût-elle, la midinette qu'une entremetteuse m'eût artificiellement procurée n'eût nullement pu se substituer pour moi à celle qui, la taille dégingandée, passait en ce moment sous les arbres en riant avec une amie. Celle que j'eusse trouvée dans une maison de passe eût-elle été plus jolie que cela n'eût pas été la même chose, parce que nous ne regardons pas les yeux d'une fille que nous ne connaissons pas comme nous ferions d'une petite plaque d'opale ou d'agate. Nous savons que le petit rayon qui les irise ou les grains de brillant qui les font étinceler sont tout ce que nous pouvons voir d'une pensée, d'une volonté, d'une mémoire où résident la maison familiale que nous ne connaissons pas, les amis chers que nous envions. Arriver à nous emparer de tout cela, qui est si difficile, si rétif, c'est ce qui donne sa valeur au regard bien plus que sa seule beauté matérielle (par quoi peut être expliqué qu'un même jeune homme éveille tout un roman dans l'imagination d'une femme qui a entendu dire qu'il était le prince de Galles, et ne fait plus attention à lui quand elle apprend qu'elle s'est trompée) ; trouver la midinette dans la maison de passe, c'est la trouver vidée de cette vie inconnue qui la pénètre et que nous aspirons à posséder avec elle, c'est nous approcher des yeux devenus en effet de simples pierres précieuses, d'un nez dont le froncement est aussi dénué de signification que celui d'une fleur. Non, cette midinette inconnue qui passait là et dont il me semblait aussi indispensable, si je voulais continuer à croire à sa réalité, que de faire un long trajet en chemin de fer si je voulais croire à celle du Pise que je verrais et qui ne serait pas qu'un spectacle d'exposition universelle, d'essuyer les résistances en y adaptant mes directions, en allant au-devant d'un affront, en revenant à la charge, en obtenant un rendez-vous, en l'attendant à la sortie des ateliers, en connaissant épisode par épisode ce qui composait la vie de cette petite, en traversant ce dont s'enveloppait pour elle le plaisir que je cherchais et la distance que ses habitudes différentes et sa vie spéciale mettaient entre moi et l'attention, la faveur que je voulais atteindre et capter. Mais ces similitudes mêmes du désir et du voyage firent que je me promis de serrer un jour d'un peu plus près la nature de cette force invisible mais aussi puissante que les croyances, ou dans le monde physique que la pression atmosphérique, qui portait si haut les cités, les femmes, tant que je ne les connaissais pas, et qui se dérobait sous elles dès que je les avais approchées, les faisait tomber aussitôt à plat sur le terre à terre de la plus triviale réalité. Plus loin une autre fillette était agenouillée près de sa bicyclette qu'elle arrangeait. Une fois la réparation faite, la jeune coureuse monta sur sa bicyclette, mais sans l'enfourcher comme eût fait un homme. Pendant un instant la bicyclette tangua, et le jeune corps semblait s'être accru d'une voile, d'une aile immense et bientôt nous vîmes s'éloigner à toute vitesse la jeune créature mi-humaine, mi-ailée, ange ou péri[1], poursuivant son voyage.

Voilà ce dont la présence d'Albertine, voilà ce dont ma vie avec Albertine me privait justement. Dont elle me privait ? N'aurais-je pas dû penser : dont elle me gratifiait au contraire ? Si Albertine n'avait pas vécu avec moi, avait été libre, j'eusse imaginé, et avec raison, toutes ces femmes comme des objets possibles, probables, de son désir, de son plaisir. Elles me fussent apparues comme ces danseuses qui dans un ballet diabolique, représentant les Tentations pour un être, lancent leurs flèches au cœur d'un autre être. Les midinettes, les jeunes filles, les comédiennes, comme je les aurais haïes ! Objet d'horreur, elles eussent été exceptées pour moi de la beauté de l'univers. Le servage d'Albertine, en me permettant de ne plus souffrir par elles, les restituait à la beauté du monde. Inoffensives, ayant perdu l'aiguillon qui met au cœur la jalousie, il m'était loisible de les admirer, de les caresser du regard, un autre jour plus intimement peut-être. En enfermant Albertine, j'avais du même coup rendu à l'univers toutes ces ailes chatoyantes qui bruissent dans les promenades, dans les bals, dans les théâtres, et qui redevenaient tentatrices pour moi parce qu'elle ne pouvait plus succomber à leur tentation. Elles faisaient la beauté du monde. Elles avaient fait jadis celle d'Albertine. C'est parce que je l'avais vue comme un oiseau mystérieux, puis comme une grande actrice de la plage, désirée, obtenue peut-être, que je l'avais trouvée merveilleuse. Une fois captif chez moi l'oiseau que j'avais vu un soir marcher à pas comptés sur la digue, entouré de la congrégation des autres jeunes filles pareilles à des mouettes venues on ne sait d'où, Albertine avait perdu toutes ses couleurs, avec toutes les chances qu'avaient les autres de l'avoir à eux. Elle avait peu à peu perdu sa beauté. Il fallait des promenades comme celles-là, où je l'imaginais sans moi accostée par telle femme ou tel jeune homme, pour que je la revisse dans la splendeur de la plage, bien que ma jalousie fût sur un autre plan que le déclin des plaisirs de mon imagination. Mais, malgré ces brusques sursauts où, désirée par d'autres, elle me redevenait belle, je pouvais très bien diviser son séjour chez moi en deux périodes : la première où elle était encore, quoique moins chaque jour, la chatoyante actrice de la plage, la seconde où, devenue la grise prisonnière, réduite à son terne elle-même, il lui fallait ces éclairs où je me ressouvenais du passé pour lui rendre des couleurs.

Parfois[a], dans les heures où elle m'était le plus indifférente, me revenait le souvenir d'un moment lointain où sur la plage, quand je ne la connaissais pas encore, non loin de telle dame avec qui j'étais fort mal et avec qui j'étais presque certain maintenant qu'elle avait eu des relations, elle éclatait de rire en me regardant d'une façon insolente. La mer polie et bleue bruissait tout autour. Dans le soleil de la plage, Albertine, au milieu de ses amies, était la plus belle. C'était une fille magnifique, qui, dans ce cadre habituel d'eaux immenses, m'avait, elle, précieuse à la dame qui l'admirait, infligé cet affront. Il était définitif, car la dame retournait peut-être à Balbec, constatait peut-être, sur la plage lumineuse et bruissante, l'absence d'Albertine. Mais elle ignorait que la jeune fille vécût chez moi, rien qu'à moi. Les eaux immenses et bleues, l'oubli des préférences qu'elle avait pour cette jeune fille et qui allaient à d'autres, étaient retombés sur l'avanie que m'avait faite Albertine, l'enfermant dans un éblouissant et infrangible écrin. Alors la haine pour cette femme mordait mon cœur ; pour Albertine aussi, mais une haine mêlée d'admiration pour la belle jeune fille adulée, à la chevelure merveilleuse, et dont l'éclat de rire sur la plage était un affront. La honte, la jalousie, le ressouvenir des désirs premiers et du cadre éclatant avaient redonné à Albertine sa beauté, sa valeur d'autrefois. Et ainsi alternait, avec l'ennui un peu lourd que j'avais auprès d'elle, un désir frémissant, plein d'images magnifiques et de regrets, selon qu'elle était à côté de moi dans ma chambre ou que je lui rendais sa liberté dans ma mémoire, sur la digue, dans ses gais costumes de plage, au jeu des instruments de musique de la mer, Albertine, tantôt sortie de ce milieu, possédée et sans grande valeur, tantôt replongée en lui, m'échappant dans un passé que je ne pourrais connaître, m'offensant auprès de la dame, de son amie, autant que l'éclaboussure de la vague ou l'étourdissement du soleil, Albertine remise sur la plage ou rentrée dans ma chambre, en une sorte d'amour amphibie.

Ailleurs une bande nombreuse jouait au ballon. Toutes ces fillettes avaient voulu profiter du soleil, car ces journées de février, même quand elles sont si brillantes, ne durent pas tard et la splendeur de leur lumière ne retarde pas la venue de son déclin. Avant qu'il fût encore proche nous eûmes quelque temps de pénombre, parce qu'après avoir poussé jusqu'à la Seine, où Albertine admira, et par sa présence m'empêcha d'admirer, les reflets de voiles rouges sur l'eau hivernale et bleue, une maison de tuiles blottie au loin comme un seul coquelicot dans l'horizon clair dont Saint-Cloud semblait plus loin la pétrification fragmentaire, friable et côtelée, nous descendîmes de voiture et marchâmes longtemps. Même pendant quelques instants je lui donnai le bras, et il me semblait que cet anneau que le sien faisait sous le mien unissait en un seul être nos deux personnes et attachait l'une à l'autre nos deux destinées. À nos pieds, nos ombres parallèles puis rapprochées et jointes, faisaient un dessin ravissant. Sans doute il me semblait déjà merveilleux à la maison qu'Albertine habitât avec moi, que ce fût elle qui s'étendît sur mon lit. Mais c'en était comme[a] l'exportation au dehors, en pleine nature, que devant ce lac du Bois que j'aimais tant, au pied des arbres, ce fût justement son ombre, l'ombre pure et simplifiée de sa jambe, de son buste, que le soleil eût à peindre au lavis à côté de la mienne sur le sable de l'allée. Et je trouvais un charme plus immatériel sans doute mais non pas moins intime qu'au rapprochement, à la fusion de nos corps, à celle de nos ombres. Puis nous remontâmes dans la voiture. Et elle s'engagea pour le retour dans de petites[b] allées sinueuses où les arbres d'hiver, habillés de lierre et de ronces, comme des ruines, semblaient conduire à la demeure d'un magicien. À peine sortis de leur couvert assombri, nous retrouvâmes, pour sortir du Bois, le plein jour, si clair encore que je croyais avoir le temps de faire tout ce que je voudrais avant le dîner, quand, quelques instants seulement après, au moment où notre voiture approchait de l'Arc de Triomphe, ce fut avec un brusque mouvement de surprise et d'effroi que j'aperçus au-dessus de Paris la lune pleine et prématurée comme le cadran d'une horloge arrêtée qui nous fait croire qu'on s'est mis en retard. Nous avions dit au cocher de rentrer. Pour elle, c'était aussi revenir chez moi. La présence des femmes, si aimées soient-elles, qui doivent nous quitter pour rentrer, ne donne pas cette paix que je goûtais dans la présence d'Albertine assise au fond de la voiture à côté de moi, présence qui nous acheminait non au vide des heures où l'on est séparé, mais à la réunion plus stable encore et mieux enclose dans mon chez-moi qui était aussi son chez-elle, symbole matériel de la possession que j'avais d'elle. Certes, pour posséder il faut avoir désiré. Nous ne possédons une ligne, une surface, un volume que si notre amour l'occupe. Mais Albertine n'avait pas été pour moi pendant notre promenade, comme avait été jadis Rachel, une vaine poussière de chair et d'étoffe. L'imagination de mes yeux, de mes lèvres, de mes mains, avait à Balbec si solidement construit, si tendrement poli son corps, que maintenant dans cette voiture, pour toucher ce corps, pour le contenir, je n'avais pas besoin de me serrer contre Albertine, ni même de la voir, il me suffisait de l'entendre, et si elle se taisait, de la savoir auprès de moi ; mes sens tressés ensemble l'enveloppaient tout entière, et quand arrivée devant la maison tout naturellement elle descendit, je m'arrêtai un instant pour dire au chauffeur[1] de revenir me prendre, mais mes regards l'enveloppaient encore tandis qu'elle s'enfonçait devant moi sous la voûte, et c'était toujours ce même calme inerte et domestique que je goûtais à la voir ainsi lourde, empourprée, opulente et captive, rentrer tout naturellement avec moi, comme une femme que j'avais à moi, et protégée par les murs, disparaître dans notre maison.

Malheureusement elle semblait s'y trouver en prison, et être de l'avis de cette Mme de La Rochefoucauld qui, comme on lui demandait si elle n'était pas contente d'être dans une aussi belle demeure que Liancourt, répondit qu'« il n'est pas de belle prison[2] », si j'en jugeais par l'air triste et las qu'elle eut ce soir-là pendant notre dîner en tête à tête dans sa chambre. Je ne le remarquai pas d'abord ; et c'était moi qui me désolais de penser que s'il n'y avait pas eu Albertine (car avec elle, j'eusse trop souffert de la jalousie dans un hôtel où elle eût toute la journée subi le contact de tant d'êtres), je pourrais en ce moment dîner à Venise dans une de ces petites salles à manger surbaissées comme une cale de navire, et où on voit le Grand Canal par de petites fenêtres cintrées qu'entourent des moulures mauresques.

Je dois ajouter qu'Albertine y[3] admirait beaucoup un

grand bronze de Barbedienne[1], qu'avec beaucoup de raison Bloch trouvait fort laid. Il en avait peut-être moins de s'étonner que je l'eusse gardé. Je n'avais jamais cherché comme lui à faire des ameublements artistiques, à composer des pièces, j'étais trop paresseux pour cela, trop indifférent à ce que j'avais l'habitude d'avoir sous les yeux. Puisque mon goût ne s'en souciait pas, j'avais le droit de ne pas nuancer des intérieurs. J'aurais peut-être pu malgré cela ôter le bronze. Mais les choses laides et cossues sont fort utiles, car elles ont auprès des personnes qui ne nous comprennent pas, qui n'ont pas notre goût, et dont nous pouvons être amoureux, un prestige que n'aurait pas une fière chose qui ne révèle pas sa beauté. Or les êtres qui ne nous comprennent pas sont justement les seuls à l'égard desquels il puisse nous être utile d'user d'un prestige que notre intelligence suffit à nous assurer auprès d'êtres supérieurs. Albertine avait beau commencer à avoir du goût, elle avait encore un certain respect pour ce bronze, et ce respect rejaillissait sur moi en une considération qui, venant d'Albertine, m'importait (infiniment plus que de garder un bronze un peu déshonorant), puisque j'aimais Albertine.

Mais la pensée de mon esclavage cessait tout d'un coup de me peser, et je souhaitais de le prolonger encore parce qu'il me semblait apercevoir qu'Albertine sentait cruellement le sien. Sans doute, chaque fois que je lui avais demandé si elle ne se déplaisait pas chez moi, elle m'avait toujours répondu qu'elle ne savait pas où elle pourrait être plus heureuse. Mais souvent ces paroles étaient démenties par un air de nostalgie, d'énervement. Certes, si elle avait les goûts que je lui avais crus, cet empêchement de jamais les satisfaire devait être aussi irritant pour elle qu'il était calmant pour moi ; calmant au point que l'hypothèse[a] que je l'avais accusée injustement m'eût semblé la plus vraisemblable si dans celle-ci je n'eusse eu beaucoup de peine à expliquer cette application extraordinaire que mettait Albertine à ne jamais être seule, à ne jamais être libre, à ne pas s'arrêter un instant devant la porte quand elle rentrait, à se faire accompagner ostensiblement, chaque fois qu'elle allait téléphoner, par quelqu'un qui pût me répéter ses paroles, par Françoise, par Andrée, à me laisser toujours seul, sans avoir l'air que ce fût exprès, avec cette dernière, quand elles étaient sorties ensemble, pour que je pusse me faire faire un rapport détaillé de leur sortie. Avec cette merveilleuse docilité contrastaient certains mouvements, vite réprimés, d'impatience, qui me firent me demander si Albertine n'aurait pas formé le projet de secouer sa chaîne.

Des faits accessoires étayaient ma supposition. Ainsi, un jour où j'étais sorti seul, ayant rencontré près de Passy, Gisèle, nous causâmes de choses et d'autres. Bientôt, assez heureux de pouvoir le lui apprendre, je lui dis que je voyais constamment Albertine. Gisèle me demanda où elle pourrait la trouver car elle avait *justement* quelque chose à lui dire. « Quoi donc ? — Des choses qui se rapportent à de petites camarades à elle. — Quelles camarades ? Je pourrai peut-être vous renseigner, ce qui ne vous empêchera pas de la voir. — Oh ! des camarades d'autrefois, je ne me rappelle pas les noms », répondit Gisèle d'un air vague, en battant en retraite. Elle me quitta, croyant avoir parlé avec une prudence telle que rien ne pouvait me paraître que très clair. Mais le mensonge est si peu exigeant, a besoin de si peu de chose pour se manifester ! S'il s'était agi de camarades d'autrefois, dont elle ne savait même pas les noms, pourquoi aurait-elle eu *justement* besoin d'en parler à Albertine ? Cet adverbe, assez parent d'une expression chère à Mme Cottard : « cela tombe à pic », ne pouvait s'appliquer qu'à une chose particulière, opportune, peut-être urgente, se rapportant à des êtres déterminés. D'ailleurs, rien que la façon d'ouvrir la bouche, comme quand on va bâiller, d'un air vague en me disant (en reculant presque avec son corps, comme elle faisait machine en arrière à partir de ce moment dans notre conversation) : « Ah ! je ne sais pas, je ne me rappelle pas les noms », faisait aussi bien de sa figure, et s'accordant avec elle, de sa voix, une figure de mensonge, que l'air tout autre, serré, animé, à l'avant, de « j'ai justement » signifiait une vérité. Je ne questionnai pas Gisèle. À quoi cela m'eût-il servi ? Certes, elle ne mentait pas de la même manière qu'Albertine. Et certes les mensonges d'Albertine m'étaient plus douloureux. Mais d'abord il y avait entre eux un point commun, le fait même du mensonge qui, dans certains cas, est une évidence. Non pas de la réalité qui se cache sous ce mensonge. On sait que bien que chaque assassin en particulier s'imagine avoir tout si bien combiné qu'il ne sera pas pris, en somme les assassins sont presque toujours pris. Au contraire, les menteurs sont rarement pris, et parmi les menteurs, plus particulièrement les femmes qu'on aime. On ignore où elle est allée, ce qu'elle y a fait, mais au moment même où elle parle, où elle parle d'une autre chose sous laquelle il y a cela, qu'elle ne dit pas, le mensonge est perçu instantanément. Et la jalousie redoublée puisqu'on sent le mensonge, et qu'on n'arrive pas à savoir la vérité. Chez Albertine, la sensation du mensonge était donnée par bien des particularités qu'on a déjà vues au cours de ce récit, mais principalement par ceci que, quand elle mentait, son récit péchait soit par insuffisance, omission, invraisemblance, soit par excès, au contraire, de petits faits destinés à le rendre vraisemblable. Le vraisemblable, malgré l'idée que se fait le menteur, n'est pas du tout le vrai. Dès qu'écoutant quelque chose de vrai, on entend quelque chose qui est seulement vraisemblable, qui l'est peut-être plus que le vrai, qui l'est peut-être trop, l'oreille un peu musicienne sent que ce n'est pas cela, comme pour un vers faux, ou un mot lu à haute voix pour un autre. L'oreille le sent et, si l'on aime, le cœur s'alarme. Que ne songe-t-on alors, quand on change toute sa vie parce qu'on ne sait pas si une femme est passée rue de Berri[a] ou rue Washington, que ne songe-t-on que ces quelques mètres de différence, et la femme elle-même, seront réduits au cent millionième (c'est-à-dire à une grandeur que nous ne pouvons percevoir) si seulement nous avons la sagesse de rester quelques années sans voir cette femme, et que ce qui était Gulliver en bien plus grand deviendra une lilliputienne qu'aucun microscope — au moins du cœur, car celui de la mémoire indifférente est plus puissant et moins fragile — ne pourra plus percevoir ! Quoi qu'il en soit, s'il y avait un point commun — le mensonge même — entre ceux d'Albertine et de Gisèle, pourtant Gisèle ne mentait pas de la même manière qu'Albertine, ni non plus de la même manière qu'Andrée, mais leurs mensonges respectifs s'emboîtaient si bien les uns dans les autres, tout en présentant une grande variété, que la petite bande avait la solidité impénétrable de certaines maisons de commerce, de librairie ou de presse par exemple, où le malheureux auteur n'arrivera jamais, malgré la diversité des personnalités composantes, à savoir s'il est ou non floué. Le directeur du journal ou de la revue ment avec une attitude de sincérité d'autant plus solennelle, qu'il a besoin de dissimuler en mainte occasion qu'il fait exactement la même chose et se livre aux mêmes pratiques mercantiles que celles qu'il a flétries chez les autres directeurs de journaux ou de théâtres, chez les autres éditeurs, quand il a pris pour bannière, levé contre eux l'étendard de la Sincérité[1]. Avoir proclamé (comme chef d'un parti politique, comme n'importe quoi) qu'il est atroce de mentir, oblige le plus souvent à mentir plus que les autres, sans quitter pour cela le masque solennel, sans déposer la tiare auguste de la sincérité. L'associé de l'« homme sincère » ment autrement et de façon plus ingénue. Il trompe son auteur comme il trompe sa femme, avec des trucs de vaudeville. Le secrétaire de la rédaction, homme honnête et grossier, ment tout simplement, comme un architecte qui vous promet que votre maison sera prête, à une époque où elle ne sera pas commencée. Le rédacteur en chef, âme angélique, voltige au milieu des trois autres, et sans savoir de quoi il s'agit, leur porte, par scrupule fraternel et tendre solidarité, le secours précieux d'une parole insoupçonnable. Ces quatre personnes vivent dans de perpétuelles dissensions, que l'arrivée de l'auteur fait cesser. Par-dessus les querelles particulières, chacun se rappelle le grand devoir militaire de venir en aide au « corps » menacé. Sans m'en rendre compte, j'avais depuis longtemps joué le rôle de cet auteur vis-à-vis de la « petite bande ». Si Gisèle avait pensé, quand elle avait dit « justement », à telle camarade d'Albertine disposée à voyager avec elle dès que mon amie, sous un prétexte ou un autre, m'aurait quitté, et à prévenir Albertine que l'heure était venue ou sonnerait bientôt, Gisèle se serait fait couper en morceaux plutôt que de me le dire. Il était donc bien inutile de lui poser des questions.

Des rencontres comme celles de Gisèle n'étaient pas seules à accentuer mes doutes. Par exemple, j'admirais les peintures d'Albertine. Et les peintures d'Albertine, touchantes distractions de la captive, m'émurent tant que je la félicitai. « Non, c'est très mauvais, mais je n'ai jamais pris une seule leçon de dessin. — Mais un soir vous m'aviez fait dire à Balbec que vous étiez restée à prendre une leçon de dessin. » Je lui rappelai le jour et lui dis que j'avais bien compris tout de suite qu'on ne prenait pas de leçons de dessin à cette heure-là. Albertine rougit. « C'est vrai, dit-elle, je ne prenais pas de leçons de dessin, je vous ai beaucoup menti au début, cela je le reconnais. Mais je ne vous mens plus jamais. » J'aurais tant voulu savoir quels étaient les nombreux mensonges du début ! Mais je savais d'avance que ses aveux seraient de nouveaux mensonges. Aussi je me contentai de l'embrasser. Je lui demandai seulement un de ces mensonges. Elle répondit : « Hé bien, si ! par exemple que l'air de la mer me faisait mal. » Je cessai d'insister devant ce mauvais vouloir.

Tout être aimé, même dans une certaine mesure tout être, est pour nous comme Janus, nous présentant le front qui nous plaît, si cet être nous quitte, le front morne, si nous le savons à notre perpétuelle disposition. Pour Albertine, la société durable avec elle avait quelque chose de pénible d'une autre façon que je ne peux dire en ce récit. C'est terrible d'avoir la vie d'une autre personne attachée à la sienne comme une bombe qu'on tiendrait sans qu'on puisse la lâcher sans crime. Mais qu'on prenne comme comparaison les hauts et les bas, les dangers, l'inquiétude, la crainte de voir crues plus tard des choses fausses et vraisemblables qu'on ne pourra plus expliquer, sentiments éprouvés si on a dans son intimité un fou. Par exemple, je plaignais M. de Charlus de vivre avec Morel (aussitôt le souvenir de la scène de l'après-midi me fit sentir le côté gauche de ma poitrine bien plus gros que l'autre) ; en laissant de côté les relations qu'ils avaient ou non ensemble, M. de Charlus avait dû ignorer au début que Morel était fou. La beauté de Morel, sa platitude, sa fierté, avaient dû détourner le baron de chercher si loin, jusqu'aux jours des mélancolies où Morel accusait M. de Charlus de sa tristesse, sans pouvoir fournir d'explications, l'insultait de sa méfiance à l'aide de raisonnements faux mais extrêmement subtils, le menaçait de résolutions désespérées au milieu desquelles persistait le souci le plus retors de l'intérêt le plus immédiat. Tout ceci n'est que comparaison. Albertine n'était pas folle.

Pour lui faire paraître sa chaîne plus légère, le plus habile me parut de lui faire croire que j'allais moi-même la rompre. En tout cas[a], ce projet mensonger je ne pouvais le lui confier en ce moment, elle était revenue avec trop de gentillesse du Trocadéro tout à l'heure ; ce que je pouvais faire, bien loin de l'affliger d'une menace de rupture, c'était tout au plus de taire les rêves de perpétuelle vie commune que formait mon cœur reconnaissant. En la regardant, j'avais de la peine à me retenir de les épancher en elle, et peut-être s'en apercevait-elle. Malheureusement leur expression n'est pas contagieuse. Le cas d'une vieille femme maniérée comme M. de Charlus qui, à force de ne voir dans son imagination qu'un fier jeune homme, croit devenir lui-même fier jeune homme, et d'autant plus qu'il devient plus maniéré et plus risible, ce cas est plus général, et c'est l'infortune d'un amant épris de ne pas se rendre compte que, tandis qu'il voit une figure belle devant lui, sa maîtresse voit sa figure à lui qui n'est pas rendue plus belle, au contraire, quand la déforme le plaisir qu'y fait naître la vue de la beauté. Et l'amour n'épuise même pas toute la généralité de ce cas ; nous ne voyons pas notre corps, que les autres voient, et nous « suivons » notre pensée, l'objet invisible aux autres, qui est devant nous. Cet objet-là, parfois l'artiste le fait voir dans son œuvre. De là vient que les admirateurs de celle-ci sont désillusionnés par l'auteur, dans le visage de qui cette beauté intérieure s'est imparfaitement reflétée.

Ne retenant plus de mon rêve de Venise que ce qui pouvait se rapporter à Albertine et lui adoucir le temps qu'elle passait dans ma demeure, je lui parlai d'une robe de Fortuny qu'il fallait que nous allassions commander ces jours-ci. Je cherchais par quels plaisirs nouveaux j'aurais pu la distraire. J'aurais voulu pouvoir lui faire la surprise de lui donner si ç'avait été possible d'en trouver des pièces de vieille argenterie française. En effet quand nous avions fait le projet d'avoir un yacht, projet jugé irréalisable par Albertine — et par moi-même chaque fois que je la croyais vertueuse et que la vie avec elle commençait aussitôt à me paraître aussi ruineuse que le mariage avec elle, impossible —, nous avions, toutefois sans qu'elle crût que j'en achèterais un, demandé des conseils à Elstir.

J'appris[a1] que ce jour-là avait eu lieu une mort qui me fit beaucoup de peine, celle de Bergotte. On sait que sa maladie durait depuis longtemps. Non pas celle évidemment qu'il avait eue d'abord et qui était naturelle. La nature ne semble guère capable de donner que des maladies assez courtes. Mais la médecine s'est annexé l'art de les prolonger. Les remèdes, la rémission qu'ils procurent, le malaise que leur interruption fait renaître, composent un simulacre de maladie que l'habitude du patient finit par stabiliser, par styliser, de même que les enfants toussent régulièrement par quintes longtemps après qu'ils sont guéris de la coqueluche. Puis les remèdes agissent moins, on les augmente, ils ne font plus aucun bien, mais ils ont commencé à faire du mal grâce à cette indisposition durable. La nature ne leur aurait pas offert une durée si longue. C'est une grande merveille que la médecine égalant presque la nature puisse forcer à garder le lit, à continuer sous peine de mort l'usage d'un médicament. Dès lors, la maladie artificiellement greffée a pris racine, est devenue une maladie secondaire mais vraie, avec cette seule différence que les maladies naturelles guérissent, mais jamais celles que crée la médecine, car elle ignore le secret de la guérison.

Il y avait des années que Bergotte ne sortait plus de chez lui. D'ailleurs, il n'avait jamais aimé le monde, ou l'avait aimé un seul jour, pour le mépriser comme tout le reste et de la même façon qui était la sienne, à savoir non de mépriser parce qu'on ne peut obtenir, mais aussitôt qu'on a obtenu. Il vivait si simplement qu'on ne soupçonnait pas à quel point il était riche, et l'eût-on su qu'on se fût trompé encore, l'ayant cru alors avare alors que personne ne fut jamais si généreux. Il l'était surtout avec des femmes, des fillettes pour mieux dire, et qui étaient honteuses de recevoir tant pour si peu de chose. Il s'excusait à ses propres yeux parce qu'il savait ne pouvoir jamais si bien produire que dans l'atmosphère de se sentir amoureux. L'amour, c'est trop dire, le plaisir un peu enfoncé dans la chair, aide au travail des lettres parce qu'il anéantit les autres plaisirs, par exemple les plaisirs de la société, ceux qui sont les mêmes pour tout le monde. Et même si cet amour amène des désillusions, du moins agite-t-il de cette façon-là aussi la surface de l'âme, qui sans cela risquerait de devenir stagnante. Le désir n'est donc pas inutile à l'écrivain pour l'éloigner des autres hommes d'abord et de se conformer à eux, pour rendre ensuite quelque mouvement à une machine spirituelle qui, passé un certain âge, a tendance à s'immobiliser. On n'arrive pas à être heureux mais on fait des remarques sur les raisons qui empêchent de l'être et qui nous fussent restées invisibles sans ces brusques percées de la déception. Et les rêves bien entendu ne sont pas réalisables, nous le savons ; nous n'en formerions peut-être pas sans le désir, et il est utile d'en former pour les voir échouer et que leur échec instruise. Aussi Bergotte se disait-il : « Je dépense plus que des multimillionnaires pour des fillettes, mais les plaisirs ou les déceptions qu'elles me donnent me font écrire un livre qui me rapporte de l'argent. » Économiquement ce raisonnement était absurde, mais sans doute trouvait-il quelque agrément à transmuter ainsi l'or en caresse et les caresses en or. Et puis nous avons vu, au moment de la mort de ma grand-mère, que sa vieillesse fatiguée aimait le repos. Or dans le monde il n'y a que la conversation. Elle y est stupide, mais a le pouvoir de supprimer les femmes, qui ne sont plus que questions et réponses. Hors du monde les femmes redeviennent ce qui est si reposant pour le vieillard fatigué, un objet de contemplation.

En tout cas, maintenant, il n'était plus question de rien de tout cela. J'ai dit que Bergotte ne sortait plus de chez lui, et quand il se levait une heure dans sa chambre, c'était tout enveloppé de châles, de plaids, de tout ce dont on se couvre au moment de s'exposer à un grand froid et de monter en chemin de fer. Il s'en excusait auprès des rares amis qu'il laissait pénétrer auprès de lui, et montrant ses tartans, ses couvertures, il disait gaiement : « Que voulez-vous, mon cher, Anaxagore l'a dit, la vie est un voyage[1]. » Il allait ainsi se refroidissant progressivement, petite planète qui offrait une image anticipée des derniers jours de la grande quand, peu à peu, la chaleur se retirera de la Terre, puis la vie. Alors la résurrection aura pris fin, car si avant dans les générations futures que brillent les œuvres des hommes, encore faut-il qu'il y ait des hommes. Si certaines espèces animales résistent plus longtemps au froid envahisseur, quand il n'y aura plus d'hommes, et à supposer que la gloire de Bergotte ait duré jusque-là, brusquement elle s'éteindra à tout jamais. Ce ne sont pas les derniers animaux qui le liront, car il est peu probable que, comme les apôtres à la Pentecôte, ils puissent comprendre le langage des divers peuples humains sans l'avoir appris[a].

Dans les mois qui précédèrent sa mort, Bergotte souffrait d'insomnies, et ce qui est pire, dès qu'il s'endormait, de cauchemars qui, s'il s'éveillait, faisaient qu'il évitait de se rendormir. Longtemps il avait aimé les rêves, mêmes les mauvais rêves, parce que grâce à eux, grâce à la contradiction qu'ils présentent avec la réalité qu'on a devant soi à l'état de veille, ils nous donnent, au plus tard dès le réveil, la sensation profonde que nous avons dormi. Mais les cauchemars de Bergotte n'étaient[a] pas cela. Quand il parlait de cauchemars, autrefois il entendait des choses désagréables qui se passaient dans son cerveau. Maintenant, c'est comme venus du dehors de lui qu'il percevait une main munie d'un torchon mouillé qui, passée sur sa figure par une femme méchante, s'efforçait de le réveiller, d'intolérables chatouillements sur les hanches, la rage — parce que Bergotte avait murmuré en dormant qu'il conduisait mal — d'un cocher fou furieux qui se jetait sur l'écrivain et lui mordait les doigts, les lui sciait. Enfin, dès que dans son sommeil l'obscurité était suffisante, la nature faisait une espèce de répétition sans costumes de l'attaque d'apoplexie qui l'emporterait : Bergotte entrait en voiture sous le porche du nouvel hôtel des Swann, voulait descendre. Un vertige foudroyant le clouait sur sa banquette, le concierge essayait de l'aider à descendre, il restait assis, ne pouvant se soulever, dresser ses jambes. Il essayait de s'accrocher au pilier de pierre qui était devant lui, mais n'y trouvait pas un suffisant appui pour se mettre debout. Il consulta les médecins qui, flattés d'être appelés par lui, virent dans ses vertus de grand travailleur (il y avait vingt ans qu'il n'avait rien fait), dans son surmenage, la cause de ses malaises. Ils lui conseillèrent de ne pas lire de contes terrifiants (il ne lisait rien), de profiter davantage du soleil « indispensable à la vie » (il n'avait dû quelques années de mieux relatif qu'à sa claustration chez lui), de s'alimenter davantage (ce qui le fit maigrir et alimenta surtout ses cauchemars). Un de ses médecins étant doué de l'esprit de contradiction et de taquinerie, dès que Bergotte, le voyant en l'absence des autres et pour ne pas le froisser, lui soumettait comme des idées de lui ce que les autres lui avaient conseillé, le médecin contredisant, croyant que Bergotte cherchait à se faire ordonner quelque chose qui lui plaisait, le lui défendait aussitôt, et souvent avec des raisons fabriquées si vite pour les besoins de la cause que devant l'évidence des objections matérielles que faisait Bergotte, le docteur contredisant était obligé dans la même phrase de se contredire lui-même, mais pour des raisons nouvelles, renforçait la même prohibition. Bergotte revenait à un des premiers médecins, homme qui se piquait d'esprit, surtout devant un des maîtres de la plume et qui, si Bergotte insinuait : « Il me semble pourtant que le docteur X m'avait dit — autrefois bien entendu — que cela pouvait me congestionner le rein et le cerveau... », souriait malicieusement, levait le doigt et prononçait : « J'ai dit user, je n'ai pas dit abuser. Bien entendu, tout remède, si on exagère, devient une arme à double tranchant. » Il y a dans notre corps un certain instinct de ce qui nous est salutaire, comme dans le cœur de ce qui est le devoir moral, et qu'aucune autorisation du docteur en médecine ou en théologie ne peut suppléer. Nous savons que les bains froids nous font mal, nous les aimons, nous trouverons toujours un médecin pour nous les conseiller, non pour empêcher qu'ils ne nous fassent mal. À chacun de ces médecins Bergotte prit ce que, par sagesse, il s'était défendu depuis des années. Au bout de quelques semaines, les accidents d'autrefois avaient reparu, les récents s'étaient aggravés. Affolé par une souffrance de toutes les minutes, à laquelle s'ajoutait l'insomnie coupée de brefs cauchemars, Bergotte ne fit plus venir de médecin et essaya avec succès, mais avec excès, de différents narcotiques[1], lisant avec confiance le prospectus accompagnant chacun d'eux, prospectus qui proclamait la nécessité du sommeil mais insinuait que tous les produits qui l'amènent (sauf celui contenu dans le flacon qu'il enveloppait et qui ne produisait jamais d'intoxication) étaient toxiques et par là rendaient le remède pire que le mal. Bergotte les essaya tous. Certains sont d'une autre[a] famille que ceux auxquels nous sommes habitués, dérivés, par exemple, de l'amyle et de l'éthyle. On n'absorbe le produit nouveau, d'une composition toute différente, qu'avec la délicieuse attente de l'inconnu. Le cœur bat comme à un premier rendez-vous. Vers quels genres ignorés de sommeil, de rêves, le nouveau venu va-t-il nous conduire ? Il est maintenant dans nous, il a la direction de notre pensée. De quelle façon allons-nous nous endormir ? Et une fois que nous le serons, par quels chemins étranges, sur quelles cimes, dans quels gouffres inexplorés le maître tout-puissant nous conduira-t-il ? Quel groupement nouveau de sensations allons-nous connaître dans ce voyage ? Nous mènera-t-il au malaise ? À la béatitude ? À la mort ? Celle de Bergotte survint la veille de ce jour-là[1], et où il s'était ainsi confié à un de ces amis (ami ? ennemi ?) trop puissant.

Il mourut dans les circonstances suivantes : une crise d'urémie assez légère était cause qu'on lui avait prescrit le repos. Mais un critique ayant écrit que dans la *Vue de Delft* de Ver Meer (prêté par le musée de La Haye pour une exposition hollandaise), tableau qu'il adorait et croyait connaître très bien[2], un petit pan de mur jaune (qu'il ne se rappelait pas) était si bien peint qu'il était, si on le regardait seul, comme une précieuse œuvre d'art chinoise, d'une beauté qui se suffirait à elle-même, Bergotte mangea quelques pommes de terre, sortit et entra à l'exposition. Dès les premières marches qu'il eut à gravir, il fut pris d'étourdissements. Il passa devant plusieurs tableaux et eut l'impression de la sécheresse et de l'inutilité d'un art si factice, et qui ne valait pas les courants d'air et de soleil d'un palazzo de Venise, ou d'une simple maison au bord de la mer. Enfin il fut devant le Ver Meer qu'il se rappelait plus éclatant, plus différent de tout ce qu'il connaissait, mais où, grâce à l'article du critique, il remarqua pour la première fois des petits personnages en bleu, que le sable était rose, et enfin la précieuse matière du tout petit pan de mur jaune. Ses étourdissements augmentaient ; il attachait son regard, comme un enfant à un papillon jaune qu'il veut saisir, au précieux petit pan de mur. « C'est ainsi que j'aurais dû écrire, disait-il. Mes derniers livres sont trop secs, il aurait fallu passer plusieurs couches de couleur, rendre ma phrase en elle-même précieuse, comme ce petit pan de mur jaune. » Cependant la gravité de ses étourdissements ne lui échappait pas. Dans une céleste balance lui apparaissait, chargeant l'un des plateaux, sa propre vie, tandis que l'autre contenait le petit pan de mur si bien peint en jaune. Il sentait qu'il avait imprudemment donné la première pour le second. « Je ne voudrais pourtant pas, se dit-il, être pour les journaux du soir le fait divers de cette exposition. » Il se répétait : « Petit pan de mur jaune avec un auvent[3], petit pan de mur jaune. » Cependant il s'abattit sur un canapé circulaire ; aussi brusquement il cessa de penser que sa vie était en jeu et, revenant à l'optimisme, se dit : « C'est une simple indigestion que m'ont donnée ces pommes de terre pas assez cuites, ce n'est rien. » Un nouveau coup l'abattit, il roula du canapé par terre où accoururent tous les visiteurs et gardiens. Il était mort. Mort à jamais ? Qui peut le dire ? Certes, les expériences spirites pas plus que les dogmes religieux n'apportent de preuve que l'âme subsiste. Ce qu'on peut dire, c'est que tout se passe dans notre vie comme si nous y entrions avec le faix d'obligations contractées dans une vie antérieure ; il n'y a aucune raison dans nos conditions de vie sur cette terre pour que nous nous croyions obligés à faire le bien, à être délicats, même à être polis, ni pour l'artiste athée à ce qu'il se croie obligé de recommencer vingt fois un morceau dont l'admiration qu'il excitera importera peu à son corps mangé par les vers, comme le pan de mur jaune que peignit avec tant de science et de raffinement un artiste à jamais inconnu, à peine identifié sous le nom de Ver Meer. Toutes ces obligations qui n'ont pas leur sanction dans la vie présente semblent appartenir à un monde différent, fondé sur la bonté, le scrupule, le sacrifice, un monde entièrement différent de celui-ci, et dont nous sortons pour naître à cette terre, avant peut-être d'y retourner, revivre sous l'empire de ces lois inconnues auxquelles nous avons obéi parce que nous en portions l'enseignement en nous, sans savoir qui les y avait tracées, ces lois dont tout travail profond de l'intelligence nous rapproche et qui sont invisibles seulement — et encore ! — pour les sots. De sorte que l'idée que Bergotte n'était pas mort à jamais est sans invraisemblance[a].

On l'enterra, mais toute la nuit funèbre, aux vitrines éclairées, ses livres, disposés trois par trois, veillaient comme des anges aux ailes éployées et semblaient pour celui qui n'était plus, le symbole de sa résurrection.

J'appris[b], ai-je dit, que ce jour-là Bergotte était mort. Et j'admirai l'inexactitude des journaux qui — reproduisant les uns et les autres une même note — disaient qu'il était mort la veille. Or la veille, Albertine l'avait rencontré, me raconta-t-elle le soir même, et cela l'avait même un peu retardée, car il avait causé assez longtemps avec elle. C'est sans doute avec elle qu'il avait eu son dernier entretien. Elle le connaissait par moi qui ne le voyais plus depuis longtemps, mais comme elle avait eu la curiosité de lui être présentée, j'avais, un an auparavant, écrit au vieux maître pour la lui amener. Il m'avait accordé ce que j'avais demandé, tout en souffrant un peu, je crois, que je ne le revisse que pour faire plaisir à une autre personne, ce qui confirmait mon indifférence pour lui. Ces cas sont fréquents ; parfois, celui ou celle qu'on implore non pour le plaisir de causer de nouveau avec lui, mais pour une tierce personne, refuse si obstinément, que notre protégée croit que nous nous sommes targués d'un faux pouvoir ; plus souvent, le génie ou la beauté célèbre consentent, mais humiliés dans leur gloire, blessés dans leur affection, ne nous gardent plus qu'un sentiment amoindri, douloureux, un peu méprisant. Je devinai longtemps après que j'avais faussement accusé les journaux d'inexactitude, car ce jour-là Albertine n'avait nullement rencontré Bergotte. Mais je n'en avais point eu un seul instant le soupçon tant elle me l'avait conté avec naturel, et je n'appris que bien plus tard l'art charmant qu'elle avait de mentir avec simplicité. Ce qu'elle disait, ce qu'elle avouait avait tellement les mêmes caractères que les formes de l'évidence — ce que nous voyons, ce que nous apprenons d'une manière irréfutable — qu'elle semait ainsi dans les intervalles de la vie les épisodes d'une autre vie dont je ne soupçonnais pas alors la fausseté. Il y aurait du reste beaucoup à discuter ce mot de fausseté. L'univers est vrai pour nous tous et dissemblable pour chacun. Le témoignage de mes sens, si j'avais été dehors à ce moment, m'aurait peut-être appris que la dame n'avait pas fait quelques pas avec Albertine. Mais si j'avais su le contraire, c'était par une de ces chaînes de raisonnement (où les paroles de ceux en qui nous avons confiance insèrent de fortes mailles) et non par le témoignage des sens. Pour invoquer ce témoignage des sens il eût fallu que j'eusse été précisément dehors, ce qui n'avait pas eu lieu. On peut imaginer pourtant qu'une telle hypothèse n'est pas invraisemblable. Et j'aurais su alors qu'Albertine avait menti. Est-ce bien sûr encore ? Le témoignage des sens est lui aussi une opération de l'esprit où la conviction crée l'évidence. Nous avons vu bien des fois le sens de l'ouïe apporter à Françoise non le mot qu'on avait prononcé, mais celui qu'elle croyait le vrai, ce qui suffisait pour qu'elle n'entendît pas la rectification implicite d'une prononciation meilleure. Notre maître d'hôtel n'était pas constitué autrement. M. de Charlus portait à ce moment-là — car il changeait beaucoup — des pantalons fort clairs et reconnaissables entre mille. Or notre maître d'hôtel, qui croyait que le mot « pissotière » (le mot désignant ce que M. de Rambuteau[1] avait été si fâché d'entendre le duc de Guermantes appeler un édicule Rambuteau) était[a] « pistière », n'entendit jamais dans toute sa vie une seule personne dire « pissotière », bien que très souvent on prononçât ainsi devant lui. Mais l'erreur est plus entêtée que la foi et n'examine pas ses croyances. Constamment le maître d'hôtel disait : « Certainement M. le baron de Charlus a pris une maladie pour rester si longtemps dans une pistière. Voilà ce que c'est que d'être un vieux coureur de femmes. Il en a les pantalons[2]. Ce matin, Madame m'a envoyé faire une course à Neuilly. À la pistière de la rue de Bourgogne[3], j'ai vu entrer M. le baron de Charlus. En revenant de Neuilly, bien une heure après, j'ai vu ses pantalons jaunes dans la même pistière, à la même place, au milieu, où il se met toujours pour qu'on ne le voie pas. » Je ne connaissais rien de plus beau, de plus noble et plus jeune qu'une nièce de Mme de Guermantes. Mais j'entendis le concierge d'un restaurant où j'allais quelquefois dire sur son passage : « Regardez-moi cette vieille rombière, quelle touche ! et ça a au moins quatre-vingts ans. » Pour l'âge il me paraît difficile qu'il le crût. Mais les chasseurs groupés autour de lui, qui ricanèrent chaque fois qu'elle passait devant l'hôtel pour aller voir non loin de là ses deux charmantes grand-tantes, Mmes de Fezensac[4] et de Balleroy, virent sur le visage de cette jeune beauté les quatre-vingts ans que, par plaisanterie ou non, avait donnés le concierge à la « vieille rombière ». On les aurait fait tordre en leur disant qu'elle était plus distinguée que l'une des deux caissières de l'hôtel, et qui, rongée d'eczéma, ridicule de grosseur, leur semblait belle femme. Seul peut-être le désir sexuel eût été capable d'empêcher leur erreur de se former, s'il avait joué sur le passage de la prétendue vieille rombière, et si les chasseurs avaient brusquement convoité la jeune déesse. Mais pour des raisons inconnues et qui devaient être probablement de nature sociale, ce désir n'avait pas joué.

Mais enfin j'aurais pu être sorti et passer dans la rue à l'heure où Albertine m'aurait dit, ce soir (ne m'ayant pas vu), qu'elle avait fait quelques pas avec la dame. Une obscurité sacrée se fût emparée de mon esprit, j'aurais mis en doute que je l'avais vue seule, à peine aurais-je cherché à comprendre par quelle illusion d'optique je n'avais pas aperçu la dame, et je n'aurais pas été autrement étonné de m'être trompé, car le monde des astres est moins difficile à connaître que les actions réelles des êtres, surtout des êtres que nous aimons, fortifiés qu'ils sont contre notre doute par des fables destinées à les protéger. Pendant combien d'années peuvent-ils laisser notre amour apathique croire que la femme aimée a à l'étranger une sœur, un frère, une belle-sœur qui n'ont jamais existé ! Du reste, si nous n'étions pas pour l'ordre du récit obligé de nous borner à des raisons frivoles, combien de plus sérieuses nous permettraient de montrer la minceur menteuse du début de ce volume où, de mon lit, j'entends le monde s'éveiller, tantôt par un temps, tantôt par un autre ! Oui, j'ai été forcé d'amincir la chose et d'être mensonger, mais ce n'est pas un univers, c'est des millions, presque autant qu'il existe de prunelles et d'intelligences humaines, qui s'éveillent tous les matins.

Pour revenir à Albertine, je n'ai jamais connu de femmes douées plus qu'elle d'heureuses aptitudes au mensonge animé, coloré des teintes mêmes de la vie, si ce n'est une de ses amies — une de mes jeunes filles en fleurs aussi, rose comme Albertine, mais dont le profil irrégulier, creusé, puis proéminent, puis creusé à nouveau, ressemblait tout à fait à certaines grappes de fleurs roses dont j'ai oublié le nom et qui ont ainsi de longs et sinueux rentrants. Cette jeune fille était, au point de vue de la fable, supérieure à Albertine, car elle n'y mêlait aucun des moments douloureux, des sous-entendus rageurs qui étaient fréquents chez mon amie. J'ai dit pourtant qu'elle était charmante quand elle inventait un récit qui ne laissait pas de place au doute, car on voyait alors devant soi la chose — pourtant imaginée — qu'elle disait, en se servant comme vue de sa parole. C'était ma vraie perception.

J'ai ajouté : « quand elle avouait », voici pourquoi. Quelquefois des rapprochements singuliers me donnaient à son sujet des soupçons jaloux où à côté d'elle figurait dans le passé, hélas dans l'avenir, une autre personne. Pour avoir l'air d'être sûr de mon fait je disais le nom, et Albertine me disait : « Oui je l'ai rencontrée il y a huit jours à quelques pas de la maison. Par politesse j'ai répondu à son bonjour. J'ai fait deux pas avec elle. Mais il n'y a jamais rien eu entre nous, il n'y aura jamais rien. » Or Albertine n'avait même pas rencontré cette personne pour la bonne raison que celle-ci n'était pas venue à Paris depuis dix mois. Mais mon amie trouvait que nier complètement était peu vraisemblable. D'où cette courte rencontre fictive, dite si simplement que je voyais la dame s'arrêter, lui dire bonjour, faire quelques pas avec elle. La vraisemblance seule avait inspiré Albertine, nullement le désir de me donner de la jalousie. Car Albertine, sans être intéressée peut-être, aimait qu'on lui fît des gentillesses. Or si au cours de cet ouvrage, j'ai eu et j'aurai bien des occasions de montrer comment la jalousie redouble l'amour, c'est au point de vue de l'amant que je me suis placé[1]. Mais pour peu que celui-ci ait un peu de fierté, et dût-il mourir d'une séparation, il ne répondra pas à une trahison supposée par une gentillesse, il s'écartera, ou sans s'éloigner s'ordonnera de feindre la froideur. Aussi est-ce pure perte pour elle que sa maîtresse le fait tant souffrir. Dissipe-t-elle, au contraire, d'un mot adroit, de tendres caresses, les soupçons qui le torturaient bien qu'il s'y prétendît indifférent, sans doute l'amant n'éprouve pas cet accroissement désespéré de l'amour où le hausse la jalousie, mais cessant brusquement de souffrir, heureux, attendri, détendu comme on l'est après un orage quand la pluie est tombée et qu'à peine sent-on encore sous les grands marronniers s'égoutter à longs intervalles les gouttes suspendues que déjà le soleil reparu colore, il ne sait comment exprimer sa reconnaissance à celle qui l'a guéri. Albertine savait que j'aimais à la récompenser de ses gentillesses, et cela expliquait peut-être qu'elle inventât pour s'innocenter des aveux naturels, comme ses récits dont je ne doutais pas et dont l'un avait été la rencontre de Bergotte alors qu'il était déjà mort. Je n'avais su jusque-là de mensonges d'Albertine que ceux que, par exemple, à Balbec m'avait rapportés Françoise et que j'ai omis de dire bien qu'ils m'eussent fait si mal : « Comme elle ne voulait pas venir elle m'a dit : "Est-ce que vous ne pourriez pas dire à Monsieur que vous ne m'avez pas trouvée, que j'étais sortie ?" Mais les « inférieurs » qui nous aiment, comme Françoise m'aimait, ont du plaisir à nous froisser dans notre amour-propre.

Après le dîner, je dis à Albertine que j'avais envie de

profiter de ce que j'étais levé pour aller voir des amis, Mme de Villeparisis, Mme de Guermantes, les Cambremer, je ne savais trop, ceux que je trouverais chez eux. Je tus seulement le nom de ceux chez qui je comptais aller, les Verdurin. Je demandai à Albertine si elle ne[a] voulait pas venir avec moi. Elle allégua qu'elle n'avait pas de robe. « Et puis, je suis si mal coiffée. Est-ce que vous tenez à ce que je continue à garder cette coiffure ? » Et pour me dire adieu elle me tendit la main de cette façon brusque, le bras allongé, les épaules se redressant, qu'elle avait jadis sur la plage de Balbec, et qu'elle n'avait plus jamais eue depuis. Ce mouvement oublié refit du corps qu'il anima, celui de cette Albertine qui me connaissait encore à peine. Il rendit à Albertine, cérémonieuse sous un air de brusquerie, sa nouveauté première, son inconnu, et jusqu'à son cadre. Je vis la mer derrière cette jeune fille que je n'avais jamais vue me saluer ainsi depuis que je n'étais plus au bord de la mer. « Ma tante trouve que cela me vieillit », ajouta-t-elle d'un air maussade. « Puisse sa tante dire vrai ! pensai-je. Qu'Albertine en ayant l'air d'une enfant fasse paraître Mme Bontemps plus jeune, c'est tout ce que celle-ci demande, et qu'Albertine aussi ne lui coûte rien, en attendant le jour, où en m'épousant, elle lui rapporterait. » Mais qu'Albertine parût moins jeune, moins jolie, fît moins retourner les têtes dans la rue, voilà ce que moi, au contraire, je souhaitais. Car la vieillesse d'une duègne ne rassure pas tant un amant jaloux que la vieillesse du visage de celle qu'il aime. Je souffrais seulement que la coiffure que je lui avais demandé d'adopter pût paraître à Albertine une claustration de plus. Et ce fut encore ce même sentiment domestique nouveau qui ne cessa, même loin d'Albertine, de m'attacher à elle.

Je dis à Albertine[b], peu en train, m'avait-elle dit, pour m'accompagner chez les Guermantes ou les Cambremer, que je ne savais trop où j'irais, je partis chez les Verdurin. Au moment où je partais pour aller chez les Verdurin, et où la pensée du concert que j'y entendrais me rappela la scène de l'après-midi : « grand pied-de-grue, grand pied-de-grue », scène d'amour déçu, d'amour jaloux, peut-être, mais alors aussi bestiale que celle que, à la parole près, peut faire à une femme un ourang-outang qui en est, si l'on peut dire, épris, au moment où dans la rue j'allais appeler un fiacre, j'entendis des sanglots qu'un homme qui était assis sur une borne cherchait à réprimer. Je m'approchai, l'homme qui avait la tête dans ses mains avait l'air d'un jeune homme, et je fus surpris qu'élégamment habillé, il semblât, à la blancheur qui sortait du manteau, qu'il fût en habit et en cravate blanche. En m'entendant il découvrit son visage inondé de pleurs, mais aussitôt, m'ayant reconnu, le détourna. C'était Morel. Il comprit que je l'avais reconnu et, tâchant d'arrêter ses larmes, il me dit qu'il s'était arrêté un instant, tant il souffrait. « J'ai grossièrement insulté aujourd'hui même, me dit-il, une personne pour qui j'ai eu de très grands sentiments. C'est d'un lâche, car elle m'aime. — Avec le temps elle oubliera peut-être », répondis-je, sans penser qu'en parlant ainsi j'avais l'air d'avoir entendu la scène de l'après-midi. Mais il était si absorbé dans son chagrin qu'il n'eut même pas l'idée que je pusse savoir quelque chose. « Elle oubliera peut-être, me dit-il. Mais moi je ne pourrai pas oublier. J'ai le sentiment de ma honte, j'ai un dégoût de moi ! Mais enfin c'est dit, rien ne peut faire que ce n'ait pas été dit. Quand on me met en colère, je ne sais plus ce que je fais. Et c'est si malsain pour moi, j'ai les nerfs tout entrecroisés les uns dans les autres », car comme tous les neurasthéniques il avait un grand souci de sa santé. Si dans l'après-midi j'avais vu la colère amoureuse d'un animal furieux, ce soir en quelques heures des siècles avaient passé, et un sentiment nouveau, un sentiment de honte, de regret, de chagrin, montrait qu'une grande étape avait été franchie dans l'évolution de la bête destinée à se transformer en créature humaine. Malgré tout j'entendais toujours « grand pied-de-grue » et je craignais une prochaine récurrence à l'état sauvage. Je comprenais d'ailleurs très mal ce qui s'était passé, et c'est d'autant plus naturel que M. de Charlus lui-même ignorait entièrement que depuis quelques jours, et particulièrement ce jour-là, même avant le honteux épisode qui ne se rapportait pas directement à l'état du violoniste, Morel était repris de neurasthénie. En effet, il avait le mois précédent poussé aussi vite qu'il avait pu, beaucoup plus lentement qu'il eût voulu, la séduction de la nièce de Jupien avec laquelle il pouvait, en tant que fiancé, sortir à son gré. Mais dès qu'il avait été un peu loin dans ses entreprises vers le viol, et surtout quand il avait parlé à sa fiancée de se lier avec d'autres jeunes filles qu'elle lui procurerait, il avait rencontré des résistances qui l'avaient exaspéré. Du coup (soit qu'elle eût été trop chaste, ou au contraire se fût donnée) son désir était tombé. Il avait résolu de rompre, mais sentant le baron bien plus moral quoique vicieux, il avait peur que, dès sa rupture, M. de Charlus ne le mît à la porte. Aussi avait-il décidé, il y avait une quinzaine de jours, de ne plus revoir la jeune fille, de laisser M. de Charlus et Jupien se débrouiller (il employait un verbe plus cambronnesque) entre eux, et avant d'annoncer la rupture, de « fout' le camp » pour une destination inconnue. Amour[a] dont le dénouement le laissait un peu triste ; de sorte que, bien que la conduite qu'il avait eue avec la nièce de Jupien fût exactement superposable, dans les moindres détails, avec celle dont il avait fait la théorie devant le baron pendant qu'ils dînaient à Saint-Mars-le-Vêtu[b], il est probable qu'elles étaient fort différentes, et que des sentiments moins atroces, et qu'il n'avait pas prévus dans sa conduite théorique, avaient embelli, rendu sentimentale sa conduite réelle. Le seul point où, au contraire, la réalité était pire que le projet, est que dans le projet il ne lui paraissait pas possible de rester à Paris après une telle trahison. Maintenant, « fiche le camp » lui paraissait beaucoup pour une chose si simple. C'était quitter le baron, qui sans doute serait furieux, et briser sa situation. Il perdrait tout l'argent que lui donnait le baron. La pensée que c'était inévitable lui donnait des crises de nerfs. Il restait des heures à larmoyer, prenait pour ne pas y penser de la morphine, avec prudence. Puis tout d'un coup s'était trouvée dans son esprit une idée qui sans doute y prenait peu à peu vie et forme depuis quelque temps, et cette idée était que l'alternative, le choix entre la rupture et la brouille complète avec M. de Charlus, n'était peut-être pas forcé. Perdre tout l'argent du baron, c'était beaucoup. Morel, incertain, fut pendant quelques jours plongé dans des idées noires, comme celles que lui donnait la vue de Bloch. Puis il décida que Jupien et sa nièce avaient essayé de le faire tomber dans un piège, qu'ils devaient s'estimer heureux d'en être quittes à si bon marché. Il trouvait qu'en somme la jeune fille était dans son tort, ayant été si maladroite de n'avoir pas su le garder par les sens. Non seulement le sacrifice de sa situation chez M. de Charlus lui semblait absurde, mais il regrettait jusqu'aux dîners dispendieux qu'il avait offerts à la jeune fille depuis qu'ils étaient fiancés, et desquels il eût pu dire le coût, en fils d'un valet de chambre qui venait tous les mois apporter son « livre » à mon oncle. Car livre, au singulier, qui signifie ouvrage imprimé pour le commun des mortels, perd ce sens pour les Altesses et pour les valets de chambre. Pour les seconds il signifie le livre de comptes, pour les premières le registre où on s'inscrit. (À Balbec, un jour où la princesse de Luxembourg m'avait dit qu'elle n'avait pas emporté de livre, j'allais lui prêter *Pêcheur d'Islande* et *Tartarin de Tarascon*, quand je compris ce qu'elle avait voulu dire : non qu'elle passerait le temps moins agréablement, mais que je pourrais plus difficilement mettre mon nom chez elle.) Malgré le changement de point de vue de Morel quant aux conséquences de sa conduite, bien que celle-ci lui eût semblé abominable il y a deux mois quand il aimait passionnément la nièce de Jupien, et que depuis quinze jours il ne cessât de se répéter que cette même conduite était naturelle, louable, elle ne laissait pas d'augmenter chez lui l'état de nervosité dans lequel tantôt il avait signifié la rupture. Et il était tout prêt à « passer sa colère », sinon (sauf dans un accès momentané) sur la jeune fille envers qui il gardait ce reste de crainte, dernière trace de l'amour, du moins sur le baron. Il se garda cependant de lui rien dire avant le dîner, car mettant au-dessus de tout sa propre virtuosité professionnelle, au moment où il avait des morceaux difficiles à jouer (comme ce soir chez les Verdurin), il évitait (autant que possible, et c'était déjà bien trop que la scène de l'après-midi) tout ce qui pouvait donner à ses mouvements quelque chose de saccadé. Tel un chirurgien passionné d'automobilisme cesse de conduire quand il a à opérer. C'est ce qui m'expliqua que, tout en me parlant, il faisait remuer doucement ses doigts l'un après l'autre afin de voir s'ils avaient repris leur souplesse. Un froncement de sourcils s'ébaucha qui semblait signifier qu'il y avait encore un peu de raideur nerveuse. Mais pour ne pas l'accroître, il déplissait son visage, comme on s'empêche de s'énerver de ne pas dormir ou de ne pas posséder aisément une femme, de peur que la phobie elle-même retarde encore l'instant du sommeil ou du plaisir. Aussi, désireux de reprendre sa sérénité afin d'être comme d'habitude tout à ce qu'il jouerait chez les Verdurin pendant qu'il jouerait, et désireux, tant que je le verrais, de me permettre de constater sa douleur, le plus simple lui parut de me supplier de partir immédiatement. La supplication était inutile et le départ m'était un soulagement. J'avais tremblé qu'allant dans la même maison, à quelques minutes d'intervalle, il ne me demandât de le conduire, et je me rappelais trop la scène de l'après-midi pour ne pas éprouver quelque dégoût à avoir Morel auprès de moi pendant le trajet. Il est très possible que l'amour, puis l'indifférence ou la haine de Morel à l'égard de la nièce de Jupien eussent été sincères. Malheureusement ce n'était pas la première fois (ce ne serait pas la dernière) qu'il agissait ainsi, qu'il « plaquait » brusquement une jeune fille à laquelle il avait juré de l'aimer toujours, allant jusqu'à lui montrer un revolver chargé en lui disant qu'il se ferait sauter la cervelle s'il était assez lâche pour l'abandonner. Il ne l'abandonnait pas moins ensuite et éprouvait, au lieu de remords, une sorte de rancune. Ce n'était pas la première fois qu'il agissait ainsi, ce ne devait pas être la dernière, de sorte que bien des têtes de jeunes filles — de jeunes filles moins oublieuses de lui qu'il n'était d'elles — souffrirent — comme souffrit longtemps encore la nièce de Jupien, continuant à aimer Morel tout en le méprisant — souffrirent, prêtes à éclater sous l'élancement d'une douleur interne — parce qu'en chacune d'elles, comme le fragment d'une sculpture grecque, un aspect du visage de Morel, dur comme le marbre et beau comme l'antique, était enclos dans leur cervelle, avec ses cheveux en fleurs, ses yeux fins, son nez droit, formant protubérance pour un crâne non destiné à le recevoir, et qu'on ne pouvait pas opérer. Mais à la longue ces fragments si durs finissent par glisser jusqu'à une place où ils ne causent pas trop de déchirements, n'en bougent plus, on ne sent plus leur présence ; c'est l'oubli, ou le souvenir indifférent.

J'avais en moi deux produits de ma journée. C'était[a], d'une part, grâce au calme apporté par la docilité d'Albertine, la possibilité, et en conséquence, la résolution de rompre avec elle. D'autre part, fruit de mes réflexions pendant le temps que je l'avais attendue, assis devant mon piano, l'idée que l'Art, auquel je tâcherais de consacrer ma liberté reconquise, n'était pas quelque chose qui valût la peine d'un sacrifice, quelque chose d'en dehors de la vie, ne participant pas à sa vanité et son néant, l'apparence d'individualité réelle obtenue dans les œuvres n'étant due qu'au trompe-l'œil de l'habileté technique. Si mon après-midi avait laissé en moi d'autres résidus, plus profonds, peut-être, ils ne devaient venir à ma connaissance que bien plus tard. Quant aux deux que je soupesais clairement, ils n'allaient pas être durables ; car dès cette soirée même, mes idées sur l'art allaient se relever de la diminution qu'elles avaient éprouvée l'après-midi, tandis qu'en revanche le calme, et par conséquent la liberté qui me permettrait de me consacrer à lui, allait m'être de nouveau retiré.

Comme ma voiture, longeant le quai, approchait de chez les Verdurin, je la fis arrêter. Je[a] venais en effet de voir Brichot descendre de tramway au coin de la rue Bonaparte, essuyer ses souliers avec un vieux journal, et passer des gants gris perle. J'allai à lui. Depuis quelque temps, son affection de la vue ayant empiré, il avait été doté — aussi richement qu'un laboratoire — de lunettes nouvelles qui, puissantes et compliquées comme des instruments astronomiques, semblaient vissées à ses yeux. Il braqua sur moi leurs feux excessifs et me reconnut. Elles étaient en merveilleux état. Mais derrière elles j'aperçus, minuscule, pâle, convulsif, expirant, un regard lointain placé sous ce puissant appareil, comme dans les laboratoires trop richement subventionnés pour les besognes qu'on y fait, on place une insignifiante bestiole agonisante sous les appareils les plus perfectionnés. J'offris mon bras au demi-aveugle pour assurer sa marche. « Ce n'est plus cette fois près du grand Cherbourg que nous nous rencontrons, me dit-il, mais à côté du petit Dunkerque[1] », phrase qui me parut fort ennuyeuse car je ne compris pas ce qu'elle voulait dire ; et cependant je n'osai pas le demander à Brichot, par crainte moins encore de son mépris que de ses explications. Je lui répondis que j'étais assez curieux de voir le salon où Swann rencontrait jadis tous les soirs Odette. « Comment, vous connaissez ces vieilles histoires ? » me dit-il.

La[b] mort de Swann m'avait, à l'époque, bouleversé. La mort de Swann ! Swann ne joue pas dans cette phrase le rôle d'un simple génitif. J'entends par là la mort particulière, la mort envoyée par le destin au service de Swann. Car nous disons la mort pour simplifier, mais il y en a presque autant que de personnes. Nous ne possédons pas de sens qui nous permette de voir, courant à toute vitesse, dans toutes les directions, les morts, les morts actives dirigées par le destin vers tel ou tel. Souvent ce sont des morts qui ne seront entièrement libérées de leur tâche que deux, trois ans après. Elles courent vite poser un cancer au flanc d'un Swann, puis repartent pour d'autres besognes, ne revenant que quand l'opération des chirurgiens ayant eu lieu il faut poser le cancer à nouveau. Puis vient le moment où on lit dans *Le Gaulois* que la santé de Swann a inspiré des inquiétudes, mais que son indisposition est en parfaite voie de guérison. Alors, quelques minutes avant le dernier souffle, la mort, comme une religieuse qui vous aurait soigné au lieu de vous détruire, vient assister à vos derniers instants, couronne d'une auréole suprême l'être à jamais glacé dont le cœur a cessé de battre. Et c'est cette diversité des morts, le mystère de leurs circuits, la couleur de leur fatale écharpe qui donnent quelque chose de si impressionnant aux lignes des journaux : « Nous apprenons avec un vif regret que M. Charles Swann a succombé hier à Paris, dans son hôtel, des suites d'une douloureuse maladie. Parisien dont l'esprit était apprécié de tous, comme la sûreté de ses relations choisies mais fidèles, il sera unanimement regretté, aussi bien dans les milieux artistiques et littéraires, où la finesse avisée de son goût le faisait se plaire et être recherché de tous, qu'au Jockey-Club dont il était l'un des membres les plus anciens et les plus écoutés. Il appartenait aussi au Cercle de l'union et au Cercle agricole. Il avait donné depuis peu sa démission de membre du Cercle de la rue Royale. Sa physionomie spirituelle, comme sa notoriété marquante ne laissaient pas d'exciter la curiosité du public dans tout *great event* de la musique et de la peinture, et notamment aux "vernissages" dont il avait été l'habitué fidèle jusqu'à ces dernières années, où il n'était plus sorti que rarement de sa demeure. Les obsèques auront lieu, etc. »

À ce point de vue[a], si l'on n'est pas « quelqu'un », l'absence de titre connu rend plus rapide encore la décomposition de la mort. Sans doute c'est d'une façon anonyme, sans distinction d'individualité, qu'on demeure le duc d'Uzès. Mais la couronne ducale en tient quelque temps ensemble les éléments comme ceux de ces glaces aux formes bien dessinées qu'appréciait Albertine. Tandis que les noms de bourgeois ultra-mondains, aussitôt qu'ils sont morts, se désagrègent et fondent, « démoulés[1] ». Nous avons vu Mme de Guermantes parler de Cartier comme du meilleur ami du duc de La Trémoïlle, comme d'un homme très recherché dans les milieux aristocratiques. Pour la génération suivante, Cartier est devenu quelque chose de si informe qu'on le grandirait presque en l'apparentant au bijoutier Cartier, avec lequel il eût souri que des ignorants pussent le confondre ! Swann était, au contraire, une remarquable personnalité intellectuelle et artistique ; et bien qu'il n'eût rien « produit » il eut la chance de durer un peu plus. Et pourtant, cher Charles Swann, que j'ai si peu connu quand j'étais encore si jeune et vous près du tombeau, c'est déjà parce que celui que vous deviez considérer comme un petit imbécile a fait de vous le héros d'un de ses romans, qu'on recommence à parler de vous et que peut-être vous vivrez. Si dans le tableau de Tissot[2] représentant le balcon du Cercle de la rue Royale, où vous êtes entre Galliffet, Edmond de Polignac et Saint-Maurice, on parle tant de vous, c'est parce qu'on voit qu'il y a quelques traits de vous dans le personnage de Swann.

Pour revenir à des réalités plus générales, c'est de cette mort prédite et pourtant imprévue de Swann que je l'avais entendu parler lui-même chez la duchesse de Guermantes, le soir où avait eu lieu la fête chez la cousine de celle-ci[3]. C'est la même mort dont j'avais retrouvé l'étrangeté spécifique et saisissante, un soir où j'avais parcouru le journal et où son annonce m'avait arrêté net, comme tracée en mystérieuses lignes inopportunément interpolées. Elles avaient suffi à faire d'un vivant quelqu'un qui ne peut plus répondre à ce qu'on lui dit, un nom, un nom écrit, passé tout à coup du monde réel dans le royaume du silence. C'est elles qui me donnaient encore maintenant le désir de mieux connaître la demeure où avaient autrefois résidé les Verdurin et où Swann, qui alors n'était pas seulement quelques lettres tracées dans un journal, avait si souvent dîné avec Odette. Il faut ajouter aussi (et cela me rendit longtemps la mort de Swann plus douloureuse qu'une autre, bien que ces motifs n'eussent pas trait à l'étrangeté individuelle de *sa* mort) que je n'étais pas allé voir Gilberte comme je le lui avais promis chez la princesse de Guermantes ; qu'il ne m'avait pas appris cette « autre raison » à laquelle il avait fait allusion ce soir-là, pour laquelle il m'avait choisi comme confident de son entretien avec le prince, que mille questions me revenaient (comme des bulles montant du fond de l'eau), que je voulais lui poser sur les sujets les plus disparates : sur Ver Meer, sur M. de Mouchy, sur lui-même, sur une tapisserie de Boucher, sur Combray, questions sans doute peu pressantes puisque je les avais remises de jour en jour, mais qui me semblaient capitales depuis que, ses lèvres s'étant scellées, la réponse ne viendrait plus. La mort des autres est comme un voyage que l'on ferait soi-même et où on se rappelle, déjà à cent kilomètres de Paris, qu'on a oublié deux douzaines de mouchoirs, de laisser une clef à la cuisinière, de dire adieu à son oncle, de demander le nom de la ville où est la fontaine ancienne qu'on désire voir. Cependant que tous ces oublis qui vous assaillent et qu'on dit à haute voix, par pure forme, à l'ami qui voyage avec vous, ont pour seule réplique la fin de non-recevoir de la banquette, le nom de la station crié par l'employé et qui ne fait que nous éloigner davantage des réalisations désormais impossibles, si bien que renonçant à penser aux choses irrémédiablement omises, on défait le paquet de victuailles et on échange les journaux et les magazines.

« Mais non, reprit Brichot, ce[a] n'était pas ici que Swann rencontrait sa future femme ou du moins ce ne fut ici que dans les tout à fait derniers temps après le sinistre qui détruisit partiellement la première habitation de Mme Verdurin[1]. »

Malheureusement, dans la crainte d'étaler aux yeux de Brichot un luxe qui me semblait déplacé puisque l'universitaire n'en prenait pas sa part, j'étais descendu trop précipitamment de la voiture et le cocher n'avait pas compris ce que je lui avais jeté à toute vitesse pour avoir le temps de m'éloigner de lui avant que Brichot m'aperçût. La conséquence fut que le cocher vint nous accoster et me demanda s'il devait venir me reprendre ; je lui dis en hâte que oui et redoublai d'autant plus de respects à l'égard de l'universitaire venu en omnibus. « Ah ! vous étiez en voiture, me dit-il d'un air grave. — Mon Dieu, par le plus grand des hasards ; cela ne m'arrive jamais. Je suis toujours en omnibus ou à pied. Mais cela me vaudra peut-être le grand honneur de vous reconduire ce soir si vous consentez pour moi à entrer dans cette guimbarde ; nous serons un peu serrés. Mais vous êtes si bienveillant pour moi. » Hélas, en lui proposant cela, je ne me prive de rien, pensai-je, puisque je serai toujours obligé de rentrer à cause d'Albertine. Sa présence chez moi, à une heure où personne ne pouvait venir la voir, me laissait disposer aussi librement de mon temps que l'après-midi quand je savais[a] qu'elle allait revenir du Trocadéro et que je n'étais pas pressé de la revoir. Mais enfin, comme l'après-midi aussi, je sentais que j'avais une femme et en rentrant je ne connaîtrais pas l'exaltation fortifiante de la solitude. « J'accepte de grand cœur, me répondit Brichot. À l'époque à laquelle vous faites allusion nos amis habitaient, rue Montalivet, un magnifique rez-de-chaussée avec entresol donnant sur un jardin, moins somptueux évidemment, et que pourtant je préfère à l'hôtel des Ambassadeurs de Venise[1]. » Brichot m'apprit qu'il y avait ce soir au « Quai Conti » (c'est ainsi que les fidèles disaient en parlant du salon Verdurin depuis qu'il s'était transporté là), grand « tralala » musical, organisé par M. de Charlus. Il ajouta qu'au temps ancien dont je parlais, le petit noyau était autre et le ton différent, pas seulement parce que les fidèles étaient plus jeunes. Il me raconta des farces d'Elstir (ce qu'il appelait de « pures pantalonnades »), comme un jour où celui-ci, ayant feint de lâcher au dernier moment, était venu déguisé en maître d'hôtel extra et[b], tout en passant les plats, avait dit des gaillardises à l'oreille de la très prude baronne Putbus, rouge d'effroi et de colère ; puis, disparaissant avant la fin du dîner, avait fait apporter dans le salon une baignoire pleine d'eau, d'où, quand on était sorti de table, il était sorti tout nu en poussant des jurons ; et aussi des soupers où on venait dans des costumes en papier, dessinés, coupés, peints par Elstir, qui étaient des chefs-d'œuvre, Brichot ayant porté une fois celui d'un grand seigneur de la cour de Charles VII, avec des souliers à la poulaine, et une autre fois celui de Napoléon Ier, où Elstir avait fait le grand cordon de la Légion d'honneur avec de la cire à cacheter. Bref Brichot, revoyant dans sa pensée le salon d'alors, avec ses grandes fenêtres, ses canapés bas mangés par le soleil de midi et qu'il avait fallu remplacer, déclarait pourtant qu'il le préférait à celui d'aujourd'hui. Certes, je comprenais bien que par « salon » Brichot entendait — comme le mot église ne signifie pas seulement l'édifice religieux mais la communauté des fidèles — non pas seulement l'entresol, mais les gens qui le fréquentaient, les plaisirs particuliers qu'ils venaient chercher là, et auxquels dans sa mémoire avaient donné leur forme ces canapés sur lesquels, quand on venait voir Mme Verdurin l'après-midi, on attendait qu'elle fût prête, cependant que les fleurs roses des marronniers, dehors, et sur la cheminée des œillets dans des vases, semblaient, dans une pensée de gracieuse sympathie pour le visiteur que traduisait la souriante bienvenue de leurs couleurs roses, épier fixement la venue tardive de la maîtresse de la maison. Mais si ce « salon » lui semblait supérieur à l'actuel, c'était peut-être parce que notre esprit est le vieux Protée, ne peut rester esclave d'aucune forme et, même dans le domaine mondain, se dégage soudain d'un salon arrivé lentement et difficilement à son point de perfection pour préférer un salon moins brillant, comme les photographies « retouchées » qu'Odette avait fait faire chez Otto[1], où elle était en grande robe princesse et ondulée par Lenthéric[2], ne plaisaient pas tant à Swann qu'une petite « carte album » faite à Nice où, en capeline de drap, les cheveux mal arrangés dépassant d'un chapeau de paille brodé de pensées avec un nœud de velours noir (les femmes ayant généralement l'air d'autant plus vieux que les photographies sont plus anciennes), élégante de vingt ans plus jeune, elle avait l'air d'une petite bonne qui aurait eu vingt ans de plus. Peut-être aussi avait-il plaisir à me vanter ce que je ne connaîtrais pas, à me montrer qu'il avait goûté des plaisirs que je ne pourrais pas avoir. Il y réussissait, du reste, car rien qu'en citant les noms de deux ou trois personnes qui n'existaient plus et au charme desquelles il donnait quelque chose de mystérieux par sa manière d'en parler et de ces intimités délicieuses, je me demandais ce qu'il avait pu être, je sentais que tout ce qu'on m'avait raconté des Verdurin était beaucoup trop grossier ; et même Swann, que j'avais connu, je me reprochais de ne pas avoir fait assez attention à lui, de n'y avoir pas fait attention avec assez de désintéressement, de ne pas l'avoir bien écouté quand il me recevait en attendant que sa femme rentrât déjeuner et qu'il me montrait de belles choses, maintenant que je savais qu'il était comparable à l'un des plus beaux causeurs d'autrefois.

Au moment d'arriver chez Mme Verdurin, j'aperçus

M. de Charlus naviguant vers nous de tout son corps énorme, traînant sans le vouloir à sa suite un de ces apaches ou mendigots, que son passage faisait maintenant infailliblement surgir même des coins en apparence les plus déserts, et dont ce monstre puissant était bien malgré lui toujours escorté, quoique à quelque distance, comme le requin par son pilote, enfin contrastant tellement avec l'étranger hautain de la première année de Balbec, à l'aspect sévère, à l'affectation de virilité, qu'il me sembla découvrir, accompagné de son satellite, un astre à une tout autre période de sa révolution et qu'on commence à voir dans son plein, ou un malade envahi maintenant par le mal qui n'était il y a quelques années qu'un léger bouton qu'il dissimulait aisément et dont on ne soupçonnait pas la gravité. Bien qu'une opération qu'avait subie Brichot lui eût rendu un tout petit peu de cette vue qu'il avait cru perdue pour jamais, je ne sais s'il avait aperçu le voyou attaché aux pas du baron. Il importait peu, du reste, car depuis La Raspelière, et malgré l'amitié que l'universitaire avait pour lui, la présence de M. de Charlus lui causait un certain malaise. Sans doute pour chaque homme la vie de tout autre prolonge dans l'obscurité des sentiers qu'on ne soupçonne pas. Le mensonge, pourtant si souvent trompeur, et dont toutes les conversations sont faites, cache moins parfaitement un sentiment d'inimitié, ou d'intérêt, ou une visite qu'on veut avoir l'air de ne pas avoir faite, ou une escapade avec une maîtresse d'un jour et qu'on veut cacher à sa femme — qu'une bonne réputation ne recouvre, à ne pas les laisser deviner, des mœurs mauvaises. Elles peuvent être ignorées toute la vie, le hasard d'une rencontre sur une jetée, le soir, les révèle, encore est-il souvent mal compris et il faut qu'un tiers averti vous fournisse l'introuvable mot que chacun ignore. Mais, sues, elles effrayent parce qu'on y sent affluer la folie, bien plus que par moralité. Mme de Surgis le Duc n'avait pas un sentiment moral le moins du monde développé, et elle eût admis de ses fils n'importe quoi qu'eût avili et expliqué l'intérêt, qui est compréhensible à tous les hommes. Mais elle leur défendit de continuer à fréquenter M. de Charlus quand elle apprit que, par une sorte d'horlogerie à répétition, il était comme fatalement amené, à chaque visite, à leur pincer le menton et à se le faire pincer, l'un l'autre. Elle éprouva ce sentiment inquiet du mystère physique qui fait se demander si le voisin avec qui on avait de bons rapports n'est pas atteint d'anthropophagie, et aux questions répétées du baron : « Est-ce que je ne verrai pas bientôt les jeunes gens ? » elle répondit, sachant les foudres qu'elle accumulait contre elle, qu'ils étaient très pris par leurs cours, les préparatifs d'un voyage, etc. L'irresponsabilité aggrave les fautes et même les crimes, quoi qu'on en dise. Landru[1] (à supposer qu'il ait réellement tué des femmes), s'il l'a fait par intérêt, à quoi l'on peut résister, peut être gracié, mais non si ce fut par un sadisme irrésistible[2]. Les grosses plaisanteries de Brichot, au début de son amitié avec le baron, avaient fait place chez lui, dès qu'il s'était agi non plus de débiter des lieux communs mais de comprendre, à un sentiment pénible que voilait la gaieté. Il se rassurait en récitant des pages de Platon, des vers de Virgile, parce qu'aveugle d'esprit aussi, il ne comprenait pas qu'alors aimer un jeune homme était comme aujourd'hui (les plaisanteries de Socrate le révèlent mieux que les théories de Platon) entretenir une danseuse, puis se fiancer. M. de Charlus lui-même ne l'eut pas compris, lui qui confondait sa manie avec l'amitié, qui ne lui ressemble en rien, et les athlètes de Praxitèle avec de dociles boxeurs. Il ne voulait pas voir que depuis dix-neuf cents ans (« un courtisan dévot sous un prince dévot eût été athée sous un prince athée », a dit La Bruyère[3]), toute l'homosexualité de coutume — celle des jeunes gens de Platon comme des bergers de Virgile — a disparu, que seule surnage et multiplie l'involontaire, la nerveuse, celle qu'on cache aux autres et qu'on travestit à soi-même. Et M. de Charlus aurait eu tort de ne pas renier franchement la généalogie païenne. En échange d'un peu de beauté plastique, que de supériorité morale ! Le berger de Théocrite qui soupire pour un jeune garçon, plus tard n'aura aucune raison d'être moins dur de cœur et d'esprit plus fin que l'autre berger dont la flûte résonne pour Amaryllis[4]. Car le premier n'est pas atteint d'un mal, il obéit aux modes du temps. C'est l'homosexualité survivante malgré les obstacles, honteuse, flétrie, qui est la seule vraie, la seule à laquelle puisse correspondre chez le même être un affinement des qualités morales. On tremble au rapport que le physique peut avoir avec celles-ci quand on songe au petit déplacement de goût purement physique, à la tare légère d'un sens, qui expliquent que l'univers des poètes et des musiciens, si fermé au duc de Guermantes, s'entrouvre pour M. de Charlus. Que ce dernier ait du goût dans son intérieur, qui est d'une ménagère bibeloteuse, cela ne surprend pas ; mais l'étroite brèche qui donne jour sur Beethoven et sur Véronèse ! Mais cela ne dispense pas les gens sains d'avoir peur quand un fou qui a composé un sublime poème, leur ayant expliqué par les raisons les plus justes qu'il est enfermé par erreur, par la méchanceté de sa femme, les suppliant d'intervenir auprès du directeur de l'asile, gémissant sur les promiscuités qu'on lui impose, conclut ainsi : « Tenez, celui qui va venir me parler dans le préau, dont je suis obligé de subir le contact, croit qu'il est Jésus-Christ. Or cela seul suffit à me prouver avec quels aliénés on m'enferme, il ne peut pas être Jésus-Christ, puisque Jésus-Christ c'est moi[1] ! » Un instant auparavant on était prêt à aller dénoncer l'erreur au médecin aliéniste. Sur ces derniers mots, et même si on pense à l'admirable poème auquel travaille chaque jour le même homme, on s'éloigne, comme les fils de Mme de Surgis s'éloignaient de M. de Charlus, non qu'il leur eût fait aucun mal, mais à cause du luxe d'invitations dont le terme était de leur pincer le menton. Le poète est à plaindre, et qui n'est guidé par aucun Virgile, d'avoir à traverser les cercles d'un enfer de soufre et de poix, de se jeter dans le feu qui tombe du ciel pour en ramener quelques habitants de Sodome[2]. Aucun charme dans son œuvre ; la même sévérité dans sa vie qu'aux défroqués qui suivent la règle du célibat le plus chaste pour qu'on ne puisse pas attribuer à autre chose qu'à la perte d'une croyance d'avoir quitté la soutane. Encore n'en est-il pas toujours de même pour ces écrivains. Quel est le médecin de fous qui n'aura pas à force de les fréquenter eu sa crise de folie ? Heureux encore s'il peut affirmer que ce n'est pas une folie antérieure et latente qui l'avait voué à s'occuper d'eux. L'objet de ses études, pour un psychiatre, réagit souvent sur lui. Mais avant cela, cet objet, quelle obscure inclination, quel fascinateur effroi le lui avait fait choisir ?

Faisant semblant de ne pas voir le louche individu qui lui avait emboîté le pas (quand le baron se hasardait sur les boulevards ou traversait la salle des pas perdus de la gare Saint-Lazare, ces suiveurs se comptaient par douzaines qui, dans l'espoir d'avoir une thune[3], ne le lâchaient pas) et de peur que l'autre ne s'enhardît à lui parler, le baron baissait dévotement ses cils noircis qui, contrastant avec ses joues poudrederizées, le faisaient ressembler à un grand inquisiteur peint par le Greco. Mais ce prêtre faisait peur et avait l'air d'un prêtre interdit, les diverses compromissions auxquelles l'avait obligé la nécessité[a] d'exercer son goût et d'en protéger le secret, ayant eu pour effet d'amener à la surface du visage précisément ce que le baron cherchait à cacher, une vie crapuleuse racontée par la déchéance morale. Celle-ci en effet, quelle qu'en soit la cause, se lit aisément car elle ne tarde pas à se matérialiser et prolifère sur un visage, particulièrement dans les joues et autour des yeux, aussi physiquement que s'y accumulent les jaunes ocreux dans une maladie de foie ou les répugnantes rougeurs dans une maladie de peau. Ce n'était pas d'ailleurs seulement dans les joues, ou mieux les bajoues de ce visage fardé, dans la poitrine tétonnière, la croupe rebondie de ce corps livré au laisser-aller et envahi par l'embonpoint, que surnageait maintenant, étalé comme de l'huile, le vice jadis si intimement renfoncé par M. de Charlus au plus secret de lui-même. Il débordait maintenant dans ses propos.

« C'est comme ça, Brichot, que vous vous promenez la nuit avec un beau jeune homme ? dit-il en nous abordant, cependant que le voyou désappointé s'éloignait. C'est du beau ! On le dira à vos petits élèves de la Sorbonne, que vous n'êtes pas plus sérieux que cela. Du reste la compagnie de la jeunesse vous réussit, monsieur le professeur, vous êtes frais comme une petite rose. Et vous, mon cher, comment allez-vous ? me dit-il en quittant son ton plaisant. On ne vous voit pas souvent quai Conti[1], belle jeunesse. Eh bien, et votre cousine, comment va-t-elle ? Elle n'est pas venue avec vous. Nous le regrettons, car elle est charmante. Verrons-nous votre cousine[2] ce soir ? Oh ! elle est bien jolie. Et elle le serait plus encore si elle cultivait davantage l'art si rare, qu'elle possède naturellement, de se bien vêtir. » Ici je dois dire que M. de Charlus « possédait », ce qui faisait de lui l'exact contraire, l'antipode de moi, le don d'observer minutieusement, de distinguer les détails aussi bien d'une toilette que d'une « toile ». Pour les robes et chapeaux certaines mauvaises langues ou certains théoriciens trop absolus diront que chez un homme le penchant vers les attraits masculins a pour compensation le goût inné, l'étude, la science de la toilette féminine. Et en effet cela arrive quelquefois, comme si les hommes ayant accaparé tout le désir physique, toute la tendresse profonde d'un Charlus, l'autre sexe se trouvait en revanche gratifié de tout ce qui est goût « platonique » (adjectif fort impropre), ou, tout court, de tout ce qui est goût, avec les plus savants et les plus sûrs raffinements. À cet égard M. de Charlus eût mérité le surnom qu'on lui donna plus tard, « la Couturière ». Mais son goût, son esprit d'observation s'étendait à bien d'autres choses. On a vu, le soir où j'allai le voir après un dîner chez la duchesse de Guermantes[1], que je ne m'étais aperçu des chefs-d'œuvre qu'il avait dans sa demeure qu'au fur et à mesure qu'il me les avait montrés. Il reconnaissait immédiatement ce à quoi personne n'eût jamais fait attention, et cela aussi bien dans les œuvres d'art que dans les mets d'un dîner (et de la peinture à la cuisine tout l'entre-deux était compris). J'ai toujours regretté que M. de Charlus, au lieu de borner ses dons artistiques à la peinture d'un éventail comme présent à sa belle-sœur (nous avons vu la duchesse de Guermantes le tenir à la main et le déployer moins pour s'en éventer que pour s'en vanter, en faisant ostentation de l'amitié de Palamède) et au perfectionnement de son jeu pianistique afin d'accompagner sans faire de fautes les traits de violon de Morel, j'ai toujours regretté, dis-je, et je regrette encore, que M. de Charlus n'ait jamais rien écrit. Sans doute je ne peux pas tirer de l'éloquence de sa conversation et même de sa correspondance la conclusion qu'il eût été un écrivain de talent. Ces mérites-là ne sont pas dans le même plan. Nous avons vu d'ennuyeux diseurs de banalités écrire des chefs-d'œuvre, et des rois de la causerie être inférieurs au plus médiocre dès qu'ils s'essayaient à écrire. Malgré tout je crois que si M. de Charlus eût tâté de la prose, et pour commencer sur ces sujets artistiques qu'il connaissait bien, le feu eût jailli, l'éclair eût brillé, et que l'homme du monde fût devenu maître écrivain. Je le lui dis souvent, il ne voulut jamais s'y essayer, peut-être simplement par paresse, ou temps accaparé par des fêtes brillantes et des divertissements sordides, ou besoin Guermantes de prolonger indéfiniment des bavardages. Je le regrette d'autant plus que dans sa plus éclatante conversation, l'esprit n'était jamais séparé du caractère, les trouvailles de l'un des insolences de l'autre. S'il eût fait des livres, au lieu de le détester tout en l'admirant comme on faisait dans un salon où dans ses moments les plus curieux d'intelligence, tout en même temps il piétinait les faibles, se vengeait de qui ne l'avait pas insulté, cherchait bassement à brouiller des amis — s'il eût fait des livres on aurait eu sa valeur spirituelle isolée, décantée du mal, rien n'eût gêné l'admiration et bien des traits eussent fait éclore l'amitié.

En tout cas, même si je me trompe sur ce qu'il eût pu réaliser dans la moindre page, il eût rendu un rare service en écrivant, car s'il distinguait tout, tout ce qu'il distinguait il en savait le nom. Certes en causant avec lui, si je n'ai pas appris à voir (la tendance de mon esprit et de mon sentiment était ailleurs), du moins j'ai vu des choses qui sans lui me seraient restées inaperçues, mais leur nom, qui m'eût aidé à retrouver leur dessin, leur couleur, ce nom je l'ai toujours assez vite oublié. S'il avait fait des livres, même mauvais, ce que je ne crois pas qu'ils eussent été, quel dictionnaire délicieux, quel répertoire inépuisable ! Après tout, qui sait ? Au lieu de mettre en œuvre son savoir et son goût, peut-être par ce démon qui contrarie souvent nos destins, eût-il écrit de fades romans feuilletons, d'inutiles récits de voyages et d'aventures.

« Oui, elle sait se vêtir ou plus exactement s'habiller, reprit M. de Charlus au sujet d'Albertine. Mon seul doute est si elle s'habille en conformité avec sa beauté particulière, et j'en suis peut-être du reste un peu responsable, par des conseils pas assez réfléchis. Ce que je lui ai dit souvent en allant à La Raspelière et qui était peut-être dicté plutôt — je m'en repens — par le caractère du pays, par la proximité des plages, que par le caractère individuel du type de votre cousine, l'a fait donner un peu trop dans le genre léger. Je lui ai vu, je le reconnais, de bien jolies tarlatanes, de charmantes écharpes de gaze, certain toquet rose qu'une petite plume rose ne déparait pas. Mais je crois que sa beauté qui est réelle et massive, exige plus que de gentils chiffons. La toque convient-elle bien à cette énorme chevelure qu'un kakochnyk[1] ne ferait que mettre en valeur ? Il y a peu de femmes à qui conviennent les robes anciennes qui donnent un air costume et théâtre. Mais la beauté de cette jeune fille déjà femme fait exception et mériterait quelque robe ancienne en velours de Gênes (je pensai aussitôt à Elstir et aux robes de Fortuny) que je ne craindrais pas d'alourdir encore avec des inscrustations ou des pendeloques de merveilleuses pierres démodées (c'est le plus bel éloge qu'on peut en faire) comme le péridot, la marcassite et l'incomparable labrador. D'ailleurs elle-même semble avoir l'instinct du contrepoids que réclame une un peu lourde beauté. Rappelez-vous, pour aller dîner à La Raspelière, tout cet accompagnement de jolies boîtes, de sacs pesants et où quand elle sera mariée elle pourra mettre plus que la blancheur de la poudre ou le carmin du fard, mais — dans un coffret de lapis-lazuli pas trop indigo — ceux des perles et des rubis, non reconstitués, je pense, car elle peut faire un riche mariage. »

« Hé bien ! Baron », interrompit Brichot, craignant que j'eusse du chagrin de ces derniers mots, car il avait quelques doutes sur la pureté de mes relations et l'authenticité de mon cousinage avec Albertine, « voilà comme vous vous occupez des demoiselles !

— Voulez-vous bien vous taire devant cet enfant, mauvaise gale », ricana M. de Charlus en abaissant, dans un geste d'imposer le silence à Brichot, une main qu'il ne manqua pas de poser sur mon épaule[a].

« Je vous ai dérangés, vous aviez l'air de vous amuser comme deux petites folles, et vous n'aviez pas besoin d'une vieille grand-maman rabat-joie comme moi. Je n'irai pas à confesse pour cela, puisque vous étiez presque arrivés. » Le baron était d'humeur d'autant plus gaie qu'il ignorait entièrement la scène de l'après-midi, Jupien ayant jugé plus utile de protéger sa nièce[b] contre un retour offensif que d'aller prévenir M. de Charlus. Aussi celui-ci croyait-il toujours au mariage et s'en réjouissait. On dirait que c'est une consolation pour ces grands solitaires que de donner à leur célibat tragique l'adoucissement d'une paternité fictive. « Mais ma parole, Brichot, ajouta-t-il en se tournant en riant vers nous, j'ai du scrupule en vous voyant en si galante compagnie. Vous aviez l'air de deux amoureux. Bras dessus, bras dessous, dites donc, Brichot, vous en prenez des libertés ! » Fallait-il attribuer pour cause à de telles paroles le vieillissement d'une pensée moins maîtresse que jadis de ses réflexes et qui dans des instants d'automatisme laisse échapper un secret si soigneusement enfoui pendant quarante ans ? Ou bien ce dédain pour l'opinion des roturiers qu'avaient au fond tous les Guermantes et dont le frère de M. de Charlus, le duc, présentait une autre forme quand, fort insoucieux que ma mère pût le voir, il se faisait la barbe, la chemise de nuit ouverte, à sa fenêtre ? M. de Charlus avait-il contracté, durant les trajets brûlants de Doncières à Douville, la dangereuse habitude de se mettre à l'aise et, comme il y rejetait en arrière son chapeau de paille pour rafraîchir son énorme front, de desserrer, au début pour quelques instants seulement, le masque depuis trop longtemps rigoureusement attaché à son vrai visage ? Les manières conjugales de M. de Charlus avec Morel auraient à bon droit étonné qui aurait su qu'il ne l'aimait plus. Mais il était arrivé à M. de Charlus que la monotonie des plaisirs qu'offre son vice l'avait lassé. Il avait instinctivement cherché de nouvelles performances, et après s'être fatigué des inconnus qu'il rencontrait, était passé[a] au pôle opposé, à ce qu'il avait cru qu'il détesterait toujours, à l'imitation d'un « ménage » ou d'une « paternité ». Parfois cela ne lui suffisait même plus, il lui fallait du nouveau, il allait passer la nuit avec une femme, de la même façon qu'un homme normal peut une fois dans sa vie avoir voulu coucher avec un garçon, par une curiosité semblable, inverse, et dans les deux cas également malsaine. L'existence de « fidèle » du baron, ne vivant, à cause de Charlie[1], que dans le petit clan, avait eu, pour briser les efforts qu'il avait faits longtemps pour garder des apparences menteuses, la même influence qu'un voyage d'exploration ou un séjour aux colonies chez certains Européens qui y perdent les principes directeurs qui les guidaient en France. Et pourtant la révolution interne d'un esprit, ignorant au début de l'anomalie qu'il portait en soi, puis épouvanté devant elle quand il l'avait reconnue, et enfin s'étant familiarisé avec elle jusqu'à ne plus s'apercevoir qu'on ne pouvait sans danger avouer aux autres ce qu'on avait fini par s'avouer sans honte à soi-même, avait été plus efficace encore pour détacher M. de Charlus des dernières contraintes sociales, que le temps passé chez les Verdurin. Il n'est pas, en effet, d'exil au pôle Sud, ou au sommet du mont Blanc, qui nous éloigne autant des autres qu'un séjour prolongé au sein d'un vice intérieur, c'est-à-dire d'une pensée différente de la leur. Vice (ainsi M. de Charlus le qualifiait-il autrefois) auquel le baron prêtait maintenant la figure débonnaire d'un simple défaut, fort répandu, plutôt sympathique et presque amusant, comme la paresse, la distraction ou la gourmandise. Sentant les curiosités que la particularité de son personnage excitait, M. de Charlus éprouvait un certain plaisir à les satisfaire, à les piquer, à les entretenir. De même que tel publiciste juif se fait chaque jour le champion du catholicisme, non pas probablement avec l'espoir d'être pris au sérieux, mais pour ne pas décevoir l'attente des rieurs bienveillants, M. de Charlus flétrissait plaisamment les mauvaises mœurs, dans le petit clan, comme il eût contrefait l'anglais ou imité Mounet-Sully[1], sans attendre qu'on l'en prie, et pour payer son écot avec bonne grâce, en exerçant en société un talent d'amateur ; de sorte que M. de Charlus menaçait Brichot de dénoncer à la Sorbonne qu'il se promenait maintenant avec des jeunes gens, de la même façon que le chroniqueur circoncis parle à tout propos de la « fille aînée de l'Église » et du « sacré cœur de Jésus », c'est-à-dire sans ombre de tartuferie, mais avec une pointe de cabotinage. Encore n'est-ce pas seulement du changement des paroles elles-mêmes, si différentes de celles qu'il se permettait autrefois, qu'il serait curieux de chercher l'explication, mais encore de celui survenu dans les intonations, les gestes, qui les unes et les autres ressemblaient singulièrement maintenant à ce que M. de Charlus flétrissait le plus âprement autrefois ; il poussait maintenant involontairement presque les petits cris — chez lui involontaires — d'autant plus profonds — que jettent, volontairement eux, les invertis qui s'interpellent en s'appelant « ma chère » ; comme si ce « chichi » voulu, dont M. de charlus avait pris si longtemps le contre-pied, n'était en effet qu'une géniale et fidèle imitation des manières qu'arrivent à prendre, quoi qu'ils en aient, les Charlus, quand ils sont arrivés à une certaine phase de leur mal, comme un paralytique général ou un ataxique finissent fatalement par présenter certains symptômes. En réalité — et c'est ce que ce chichi tout intérieur révélait — il n'y avait entre le sévère Charlus tout de noir habillé, aux cheveux en brosse, que j'avais connu, et les jeunes gens fardés, chargés de bijoux, que cette différence purement apparente qu'il y a entre une personne agitée qui parle vite, remue tout le temps, et un névropathe qui parle lentement, conserve un flegme perpétuel, mais est atteint de la même neurasthénie aux yeux du clinicien qui sait que celui-ci comme l'autre est dévoré des mêmes angoisses et frappé des mêmes tares. Du reste, on voyait que M. de Charlus avait vieilli à des signes tout différents, comme l'extension extraordinaire qu'avaient prise dans sa conversation certaines expressions qui avaient proliféré et revenaient maintenant à tout moment (par exemple : « l'enchaînement des circonstances ») et auxquelles la parole du baron s'appuyait de phrase en phrase comme à un tuteur nécessaire. « Est-ce que Charlie est déjà arrivé ? » demanda Brichot à M. de Charlus comme nous allions sonner à la porte de l'hôtel. « Ah ! je ne sais pas », dit le baron en levant les mains en l'air et en fermant à demi les yeux de l'air d'une personne qui ne veut pas qu'on l'accuse d'indiscrétion, d'autant plus qu'il avait eu probablement des reproches de Morel[a] pour des choses (que celui-ci, froussard autant que vaniteux, et reniant M. de Charlus aussi volontiers qu'il se parait de lui, avait crues graves — quoique insignifiantes) que le baron avait dites. « Vous savez que je ne sais rien de ce qu'il fait. Je ne sais pas avec qui il me trompe, mais je ne le vois presque pas. » Si[b] les conversations de deux personnes qui ont entre elles une liaison sont pleines de mensonges, ceux-ci ne naissent pas moins naturellement dans les conversations qu'un tiers a avec un amant au sujet de la personne que ce dernier aime, quel que soit d'ailleurs le sexe de cette personne.

« Il y a longtemps que vous l'avez vu ? » demandai-je à M. Charlus, pour avoir l'air à la fois de ne pas craindre de lui parler de Morel et de ne pas croire qu'il vivait complètement avec lui. « Il est venu par hasard cinq minutes ce matin pendant que j'étais encore à demi endormi, s'asseoir sur le coin de mon lit, comme s'il voulait me violer. » J'eus aussitôt l'idée que M. de Charlus avait vu Charlie il y a une heure, car quand on demande à une maîtresse quand elle a vu l'homme qu'on sait — et qu'elle suppose peut-être qu'on croit — être son amant, si elle a goûté avec lui, elle répond : « Je l'ai vu un instant avant déjeuner. » Entre ces deux faits la seule différence est que l'un est mensonger et l'autre vrai, mais l'un est aussi innocent, ou si l'on préfère, aussi coupable. Aussi ne comprendrait-on pas pourquoi la maîtresse (et ici M. de Charlus) choisit toujours le fait mensonger, si l'on ne savait pas que ces réponses sont déterminées à l'insu de la personne qui les fait par un nombre de facteurs qui semble en disproportion telle avec la minceur du fait qu'on s'excuse d'en faire état. Mais pour un physicien la place qu'occupe la plus petite balle de sureau s'explique par l'action, le conflit ou l'équilibre, de lois d'attraction et de répulsion qui gouvernent des mondes bien plus grands[1]. Ne mentionnons ici que pour mémoire le désir de paraître naturel et hardi, le geste instinctif de cacher un rendez-vous secret, un mélange de pudeur et d'ostentation, le besoin de confesser ce qui vous est si agréable et de montrer qu'on est aimé, une pénétration de ce que sait ou suppose — et ne dit pas — l'interlocuteur, pénétration qui, allant au-delà ou en deçà de la sienne, le fait tantôt sur- et sous-estimer, le désir involontaire de jouer avec le feu et la volonté de faire la part du feu. Tout autant de lois différentes, agissant en sens contraire, dictent les réponses plus générales touchant l'innocence, le « platonisme », ou au contraire la réalité charnelle, des relations qu'on a avec la personne qu'on dit avoir vue le matin quand on l'a vue le soir. Toutefois, d'une façon générale, disons que M. de Charlus, malgré l'aggravation de son mal, et qui le poussait perpétuellement à révéler, à insinuer, parfois tout simplement à inventer des détails compromettants, cherchait pendant cette période de sa vie à affirmer que Charlie n'était pas de la même sorte d'homme que lui, Charlus, et qu'il n'existait entre eux que de l'amitié. Cela n'empêchait pas (et bien que ce fût peut-être vrai) que parfois il se contredît (comme pour l'heure où il l'avait vu en dernier), soit qu'il dît alors en s'oubliant la vérité, ou proférât un mensonge, pour se vanter, ou par sentimentalisme, ou trouvant spirituel d'égarer l'interlocuteur. « Vous savez qu'il est pour moi, continua le baron, un bon petit camarade, pour qui j'ai la plus grande affection, comme je suis sûr (en doutait-il donc, qu'il éprouvât le besoin de dire qu'il en était sûr ?) qu'il a pour moi, mais il n'y a entre nous rien d'autre, pas ça, vous entendez bien, pas ça, dit le baron aussi naturellement que s'il avait parlé d'une dame. Oui, il est venu ce matin me tirer par les pieds. Il sait pourtant que je déteste qu'on me voie couché. Pas vous ? Oh ! c'est une horreur, ça dérange, on est laid à faire peur, je sais bien que je n'ai plus vingt-cinq ans et je ne pose pas pour la rosière, mais on garde sa petite coquetterie tout de même. »

Il est possible que le baron fût sincère quand il parlait

de Morel comme d'un bon petit camarade, et qu'il dît la vérité peut-être en croyant mentir quand il disait : « Je ne sais pas ce qu'il fait, je ne connais pas sa vie. » En effet, disons (pour anticiper de quelques semaines sur le récit que nous reprendrons aussitôt après cette parenthèse que nous ouvrons pendant que M. de Charlus, Brichot et moi nous dirigeons vers la demeure de Mme Verdurin[1]), disons que, peu de temps après cette soirée, le baron fut plongé dans la douleur et dans la stupéfaction par une lettre qu'il ouvrit par mégarde et qui était adressée à Morel. Cette lettre, laquelle devait par contrecoup me causer de cruels chagrins, était écrite par l'actrice Léa, célèbre pour le goût exclusif qu'elle avait pour les femmes. Or sa lettre à Morel (que M. de Charlus ne soupçonnait même pas la connaître) était écrite sur le ton le plus passionné. Sa grossièreté empêche qu'elle soit reproduite ici, mais on peut mentionner que Léa ne lui parlait qu'au féminin en lui disant : « Grande sale ! va ! », « Ma belle chérie, toi tu en es au moins, etc. » Et dans cette lettre il était question de plusieurs autres femmes qui ne semblaient pas être moins amies de Morel que de Léa. D'autre part, la moquerie de Morel à l'égard de M. de Charlus, et de Léa à l'égard d'un officier qui l'entretenait et dont elle disait : « Il me supplie dans ses lettres d'être sage ! Tu parles ! mon petit chat blanc », ne révélait pas à M. de Charlus une réalité moins insoupçonnée de lui que n'étaient les rapports si particuliers de Morel avec Léa. Le baron était surtout troublé par ces mots « en être[a] ». Après l'avoir d'abord ignoré, il avait[b] enfin, depuis un temps bien long déjà, appris que lui-même « en était ». Or voici que cette notion qu'il avait acquise se trouvait remise en question. Quand il avait découvert qu'il « en était », il avait cru par là apprendre que son goût, comme dit Saint-Simon, n'était pas celui des femmes[2]. Or voici que pour Morel cette expression « en être » prenait une extension que M. de Charlus n'avait pas connue, tant et si bien que Morel prouvait, d'après cette lettre, qu'il « en était » en ayant le même goût que des femmes pour des femmes mêmes. Dès lors la jalousie de M. de Charlus n'avait plus de raison de se borner aux hommes que Morel connaissait, mais allait s'étendre aux femmes elles-mêmes. Ainsi les êtres qui « en étaient » n'étaient pas seulement ceux qu'il avait crus, mais toute une immense partie de la planète, composée aussi bien de femmes que d'hommes, d'hommes aimant non seulement les hommes mais les femmes, et le baron, devant la signification nouvelle d'un mot qui lui était si familier, se sentait torturé par une inquiétude de l'intelligence autant que du cœur, devant ce double mystère où il y avait à la fois de l'agrandissement de sa jalousie et de l'insuffisance soudaine d'une définition.

M. de Charlus n'avait jamais été dans la vie qu'un amateur. C'est dire que des incidents de ce genre ne pouvaient lui être d'aucune utilité. Il faisait dériver l'impression pénible qu'il en pouvait ressentir, en scènes violentes où il savait être éloquent, ou en intrigues sournoises. Mais pour un être de la valeur de Bergotte, par exemple, ils eussent pu être précieux. C'est même peut-être ce qui explique en partie (puisque nous agissons à l'aveuglette, mais en choisissant comme les bêtes la plante qui nous est favorable) que des êtres comme Bergotte vivent généralement dans la compagnie de personnes médiocres, fausses et méchantes. La beauté de celles-ci suffit à l'imagination de l'écrivain, exalte sa bonté, mais ne transforme en rien la nature de sa compagne, dont par éclairs la vie située des milliers de mètres au-dessous, les relations invraisemblables, les mensonges poussés au-delà et surtout dans une autre direction que ce qu'on aurait pu croire, apparaissent de temps à autre. Le mensonge, le mensonge parfait, sur les gens que nous connaissons, les relations que nous avons eues avec eux, notre mobile dans telle action formulé par nous d'une façon toute différente, le mensonge sur ce que nous sommes, sur ce que nous aimons, sur ce que nous éprouvons à l'égard de l'être qui nous aime et qui croit nous avoir façonnés semblables à lui parce qu'il nous embrasse toute la journée, ce mensonge-là est une des seules choses au monde qui puisse nous ouvrir des perspectives sur du nouveau, sur de l'inconnu, puisse ouvrir en nous des sens endormis pour la contemplation d'univers que nous n'aurions jamais connus. Il faut dire pour ce qui concerne M. de Charlus, que s'il fut stupéfait d'apprendre relativement à Morel un certain nombre de choses qu'il lui avait soigneusement cachées, il eut tort d'en conclure que c'est une erreur de se lier avec des gens du peuple et que des révélations aussi pénibles[1] (celle qui le lui avait été le plus avait été celle d'un voyage que Morel avait fait avec Léa alors qu'il avait assuré à M. de Charlus qu'il était à ce moment-là à étudier la musique en Allemagne. Il s'était servi pour échafauder son mensonge de personnes bénévoles, à qui il avait envoyé les lettres en Allemagne d'où on les réexpédiait à M. de Charlus[1], qui, d'ailleurs, était tellement convaincu que Morel y était qu'il n'avait même pas regardé le timbre de la poste). On verra, en effet, dans le dernier volume de cet ouvrage, M. de Charlus en train de faire des choses qui eussent encore plus stupéfié les personnes de sa famille et ses amis, que n'avait pu faire pour lui la vie révélée par Léa[2].

Mais il est temps de rattraper le baron qui s'avance, avec Brichot et moi, vers la porte des Verdurin. « Et qu'est devenu, ajouta-t-il en se tournant vers moi, votre jeune ami hébreu que nous voyions à Douville[3] ? J'avais pensé que si cela vous faisait plaisir on pourrait peut-être l'inviter un soir. » En effet M. de Charlus, se contentant de faire espionner sans vergogne les faits et les gestes de Morel par une agence policière, absolument comme un mari ou un amant, ne laissait pas de faire attention aux autres jeunes gens. La surveillance qu'il chargeait un vieux domestique de faire exercer par une agence sur Morel était si peu discrète, que les valets de pied se croyaient filés et qu'une femme de chambre ne vivait plus, n'osait plus sortir dans la rue, croyant toujours avoir un policier à ses trousses. Et le vieux serviteur : « Elle peut bien faire ce qu'elle veut ! On irait perdre son temps et son argent à la pister ! Comme si sa conduite nous intéressait en quelque chose ! » s'écriait-il ironiquement, car il était si passionnément attaché à son maître que, bien que ne partageant nullement les goûts du baron, il finissait, tant il mettait de chaleureuse ardeur à les servir, par en parler comme s'ils avaient été siens. « C'est la crème des braves gens », disait de ce vieux serviteur M. de Charlus, car on n'apprécie jamais personne autant que ceux qui joignent à de grandes vertus, celle de les mettre sans compter à la disposition de nos vices. C'était, d'ailleurs, des hommes seulement que M. de Charlus était capable d'éprouver de la jalousie en ce qui concernait Morel. Les femmes ne lui en inspiraient aucune. C'est d'ailleurs la règle presque générale pour les Charlus. L'amour de l'homme qu'ils aiment pour une femme est quelque chose d'autre, qui se passe dans une autre espèce animale (le lion laisse les tigres tranquilles), ne les gêne pas et les rassure plutôt. Quelquefois il est vrai, chez ceux qui font de l'inversion un sacerdoce, cet amour les dégoûte. Ils en veulent alors à leur ami de s'y être livré, non comme d'une trahison, mais comme d'une déchéance. Un Charlus, autre que n'était le baron, eût été indigné de voir Morel avoir des relations avec une femme, comme il l'eût été de lire sur une affiche que lui, l'interprète de Bach et de Haendel, allait jouer du Puccini. C'est d'ailleurs pour cela que les jeunes gens qui par intérêt condescendent à l'amour des Charlus, leur affirment que les « cartons[1] » ne leur inspirent que du dégoût, comme ils diraient au médecin qu'ils ne prennent jamais d'alcool et n'aiment que l'eau de source. Mais M. de charlus sur ce point s'écartait un peu de la règle habituelle. Admirant tout chez Morel, ses succès féminins, ne lui portant pas ombrage, lui causaient une même joie que ses succès au concert ou à l'écarté. « Mais mon cher, vous savez, il fait des femmes », disait-il d'un air de révélation, de scandale, peut-être d'envie, surtout d'admiration. « Il est extraordinaire, ajoutait-il. Partout les putains les plus en vue n'ont d'yeux que pour lui. On le remarque partout, aussi bien dans le métro qu'au théâtre. C'en est embêtant ! Je ne peux pas aller avec lui au restaurant sans que le garçon lui apporte les billets doux d'au moins trois femmes. Et toujours des jolies encore. Du reste, ça n'est pas extraordinaire. Je le regardais hier, je les comprends, il est devenu d'une beauté, il a l'air d'une espèce de Bronzino[2], il est vraiment admirable. » Mais M. de Charlus aimait à montrer qu'il aimait Morel, à persuader les autres, peut-être à se persuader lui-même, qu'il en était aimé. Il mettait à l'avoir tout le temps auprès de lui, et malgré le tort que ce petit jeune homme pouvait faire à la situation mondaine du baron, une sorte d'amour-propre. Car (et le cas est fréquent des hommes bien posés et snobs, qui par vanité brisent toutes leurs relations pour être vus partout avec une maîtresse, demi-mondaine ou dame tarée, qu'on ne reçoit pas, et avec laquelle pourtant il leur semble flatteur d'être lié) il était arrivé à ce point où l'amour-propre met toute sa persévérance à détruire les buts qu'il a atteints, soit que sous l'influence de l'amour on trouve un prestige qu'on est seul à percevoir à des relations ostentatoires avec ce qu'on aime, soit que par le fléchissement des ambitions mondaines atteintes, et la marée montante des curiosités ancillaires d'autant plus absorbantes qu'elles étaient plus platoniques, celles-ci n'eussent pas seulement atteint mais dépassé le niveau où avaient peine à se maintenir les autres.

Quant aux autres jeunes gens, M. de Charlus trouvait qu'à son goût pour eux l'existence de Morel n'était pas un obstacle, et que même sa réputation éclatante de violoniste ou sa notoriété naissante de compositeur et de journaliste pourrait dans certains cas leur être un appât. Présentait-on au baron un jeune compositeur de tournure agréable, c'était dans les talents de Morel qu'il cherchait l'occasion de faire une politesse au nouveau venu. « Vous devriez, lui disait-il, m'apporter de vos compositions pour que Morel les joue au concert ou en tournée. Il y a si peu de musique agréable écrite pour le violon ! C'est une aubaine que d'en trouver de nouvelle. Et les étrangers apprécient beaucoup cela. Même en province il y a des petits cercles musicaux où on aime la musique avec une ferveur et une intelligence admirables. » Sans plus de sincérité (car tout cela ne servait que d'amorce et il était rare que Morel se prêtât à des réalisations), comme Bloch avait dit qu'il était un peu poète, « à ses heures », avait-il ajouté avec le rire sarcastique dont il accompagnait une banalité quand il ne pouvait pas trouver une parole originale, M. de Charlus me dit : « Dites donc à ce jeune Israélite, puisqu'il fait des vers, qu'il devrait bien m'en apporter pour Morel. Pour un compositeur c'est toujours l'écueil, trouver quelque chose de joli à mettre en musique. On pourrait même penser à un livret. Cela ne serait pas inintéressant et prendrait une certaine valeur à cause du mérite du poète, de ma protection, de tout un enchaînement de circonstances auxiliatrices, parmi lesquelles le talent de Morel tient la première place. Car il compose beaucoup maintenant et il écrit aussi et très joliment, je vais vous en parler. Quant à son talent d'exécutant (là vous savez qu'il est tout à fait un maître déjà), vous allez voir ce soir comme ce gosse joue bien la musique de Vinteuil. Il me renverse, à son âge, avoir une compréhension pareille tout en restant si gamin, si potache ! Oh ! ce n'est ce soir qu'une petite répétition. La grande machine doit avoir lieu dans quelques jours. Mais ce sera bien plus élégant aujourd'hui. Aussi nous sommes ravis que vous soyez venu, dit-il, en employant ce *nous*, sans doute parce que le roi dit : nous voulons.

prendre plaisir à donner une leçon. Quant au vice de M. de Charlus, il ne le partageait à aucun degré, mais y trouvait plutôt un élément de couleur dans le personnage, le *fas et nefas*[1], pour un artiste, consistant non dans des exemples moraux, mais dans des souvenirs de Platon ou du Sodoma[2].

M. de Charlus négligeait de dire que depuis quelque temps il faisait faire à Morel, comme[a] ces grands seigneurs du XVIIe siècle qui dédaignaient de signer et même d'écrire leurs libelles, des petits entrefilets bassement calomniateurs et dirigés contre la comtesse Molé[3]. Semblant déjà insolents à ceux qui les lisaient, combien étaient-ils plus cruels pour la jeune femme, qui retrouvait, si adroitement glissés que personne qu'elle n'y voyait goutte, des passages de lettres d'elle, textuellement cités mais pris dans un sens où ils pouvaient l'affoler comme la plus cruelle vengeance. La jeune femme en mourut. Mais il se fait tous les jours à Paris, dirait Balzac, une sorte de journal parlé, plus terrible que l'autre. On verra plus tard que cette presse verbale réduisit à néant la puissance d'un Charlus devenu démodé, et bien au-dessus de lui érigea un Morel qui ne valait pas la millionième partie de son ancien protecteur. Du moins cette mode intellectuelle est-elle naïve et croit-elle de bonne foi au néant d'un génial Charlus, à l'incontestable autorité d'un stupide Morel. Le baron était moins innocent dans ses vengeances implacables. De là sans doute ce venin amer dans la bouche, dont l'envahissement semblait donner aux joues la jaunisse quand il était en colère.

« J'aurais beaucoup voulu qu'il vînt ce soir, car il aurait entendu Charlie dans les choses qu'il joue vraiment le mieux. Mais il ne sort pas, je crois, il ne veut pas qu'on l'ennuie, il a bien raison. Mais vous, belle jeunesse, on ne vous voit guère quai Conti. Vous n'en abusez pas ! » Je dis que je sortais surtout avec ma cousine. « Voyez-vous ça ! ça sort avec sa cousine, comme c'est pur ! » dit M. de Charlus à Brichot. Et s'adressant à nouveau à moi : « Mais nous ne vous demandons pas de comptes sur ce que vous faites, mon *enfffant*. Vous êtes libre de faire tout ce qui vous amuse. Nous regrettons seulement de ne pas y avoir de part. Du reste, vous avez très bon goût, elle est charmante votre cousine, demandez à Brichot, il en avait la tête farcie à Douville. On la regrettera ce soir. Mais vous avez peut-être aussi bien fait de ne pas l'amener. C'est admirable, la musique de Vinteuil. Mais j'ai appris ce matin par Charlie qu'il devait y[a] avoir la fille de l'auteur et son amie, qui sont deux personnes d'une terrible réputation. C'est toujours embêtant pour une jeune fille. Même cela me gêne un peu pour mes invités. Mais comme ils ont presque tous l'âge canonique, cela ne tire pas à conséquence pour eux. Elles[b] seront là, à moins que ces deux demoiselles n'aient pas pu venir, car elles devaient sans faute être toute l'après-midi à une répétition d'études que Mme Verdurin donnait tantôt et où elle n'avait convié que les raseurs, la famille, les gens qu'il ne fallait pas avoir ce soir. Or tout à l'heure avant le dîner Charlie m'a dit que ce que nous appelons les deux demoiselles Vinteuil, absolument attendues, n'étaient pas venues. » Malgré l'affreuse douleur que j'avais à rapprocher subitement (comme de l'effet, seul connu d'abord, sa cause enfin découverte) de l'envie d'Albertine de venir tantôt, la présence annoncée (mais que j'avais ignorée) de Mlle Vinteuil et de son amie, je gardai la liberté d'esprit de noter que M. de Charlus qui nous avait dit, il y a quelques minutes, n'avoir pas vu Charlie depuis le matin, confessait étourdiment l'avoir vu avant dîner. Mais ma souffrance devenait visible. « Mais qu'est-ce que vous avez ? me dit le baron, vous êtes vert ; allons, entrons, vous prenez froid, vous avez mauvaise mine. » Ce n'était pas mon premier doute relatif à la vertu d'Albertine que les paroles de M. de Charlus venaient d'éveiller en moi. Beaucoup d'autres y avaient déjà pénétré ; à chaque nouveau on croit que la mesure est comble, qu'on ne pourra pas le supporter, puis on lui trouve tout de même de la place, et une fois qu'il est introduit dans notre milieu vital, il y entre en concurrence avec tant de désirs de croire, avec tant de raisons d'oublier, qu'assez vite on s'accommode, on finit par ne plus s'occuper de lui. Il reste seulement comme une douleur à demi guérie, une simple menace de souffrir et qui, envers du désir, de même ordre que lui, et devenue comme lui centre de nos pensées, irradie en elles, à des distances infinies, de subtiles tristesses, comme lui des plaisirs d'une origine méconnaissable, partout où quelque chose peut s'associer à l'idée de celle que nous aimons. Mais la douleur se réveille quand un doute nouveau, entier, entre en nous ; on a beau se dire presque tout de suite : « Je m'arrangerai, il y aura un système pour ne pas souffrir, ça ne doit pas être vrai », pourtant il y a eu un premier instant où on a souffert comme si on croyait. Si nous n'avions que des membres, comme les jambes et les bras, la vie serait supportable. Malheureusement nous portons en nous ce petit organe que nous appelons cœur, lequel est sujet à certaines maladies au cours desquelles il est infiniment impressionnable pour tout[a] ce qui concerne la vie d'une certaine personne et où un mensonge — cette chose si inoffensive et au milieu de laquelle nous vivons si allégrement, qu'il soit fait par nous-même ou par les autres — venu de cette personne, donne à ce petit cœur, qu'on devrait pouvoir nous retirer chirurgicalement, des crises intolérables. Ne parlons pas du cerveau, car notre pensée a beau raisonner sans fin au cours de ces crises, elle ne les modifie pas plus que notre attention une rage de dents. Il est vrai que cette personne est coupable de nous avoir menti, car elle nous avait juré de nous dire toujours la vérité. Mais nous savons pour nous-même, pour les autres, ce que valent ces serments. Et nous avons voulu y ajouter foi quand ils venaient d'elle qui avait justement tout intérêt à nous mentir et n'a pas été choisie par nous, d'autre part, pour ses vertus. Il est vrai que plus tard elle n'aurait presque plus besoin de nous mentir — justement quand le cœur sera devenu indifférent au mensonge — parce que nous ne nous intéresserons plus à sa vie. Nous le savons, et malgré cela nous sacrifions volontiers la nôtre, soit que nous nous tuions pour cette personne, soit que nous nous fassions condamner à mort en l'assassinant, soit simplement que nous dépensions en quelques années pour elle toute notre fortune, ce qui nous oblige à nous tuer ensuite parce que nous n'avons plus rien. D'ailleurs, si tranquille qu'on se croie quand on aime, on a toujours l'amour dans son cœur en état d'équilibre instable. Un rien suffit pour le mettre dans la position du bonheur, on rayonne, on couvre de tendresses non point celle qu'on aime, mais ceux qui nous ont fait valoir à ses yeux, qui l'ont gardée contre toute tentation mauvaise ; on se croit tranquille, et il suffit d'un mot : « Gilberte ne viendra pas », « Mlle Vinteuil est invitée », pour que tout le bonheur préparé vers lequel on s'élançait s'écroule, pour que le soleil se cache, pour que tourne la rose des vents et que se déchaîne la tempête intérieure à laquelle un jour on ne sera plus capable de résister. Ce jour-là, le jour où le cœur est devenu si fragile, des amis qui nous admirent souffrent que de tels néants, que certains êtres puissent nous faire du mal, nous faire mourir. Mais qu'y peuvent-ils ? Si un poète est mourant d'une pneumonie infectieuse, se figure-t-on ses amis expliquant au pneumocoque que ce poète a du talent et qu'il devrait le laisser guérir ? Le doute en tant qu'il avait trait à Mlle Vinteuil n'était pas absolument nouveau. Mais même dans cette mesure, ma jalousie de l'après-midi, excitée par Léa et ses amis, l'avait aboli. Une fois ce danger du Trocadéro écarté, j'avais éprouvé, j'avais cru avoir reconquis à jamais une paix complète. Mais ce qui était surtout nouveau pour moi, c'était une certaine promenade où Andrée m'avait dit : « Nous sommes allées ici et là, nous n'avons rencontré personne », et où au contraire Mlle Vinteuil avait évidemment donné rendez-vous à Albertine chez Mme Verdurin. Maintenant j'eusse laissé volontiers Albertine sortir seule, aller partout où elle voudrait, pourvu que j'eusse pu chambrer quelque part Mlle Vinteuil et son amie et être certain qu'Albertine ne les vît pas. C'est que la jalousie est généralement partielle, à localisations intermittentes, soit parce qu'elle est le prolongement douloureux d'une anxiété qui est provoquée tantôt par une personne, tantôt par une autre, que notre amie pourrait aimer, soit par l'exiguïté de notre pensée, qui ne peut réaliser que ce qu'elle se représente et laisse le reste dans un vague dont on ne peut relativement souffrir.

Au moment où nous allions entrer dans la cour de l'hôtel, nous fûmes rattrapés par Saniette qui ne nous avait pas reconnus tout de suite. « Je vous envisageais pourtant depuis un moment, nous dit-il d'une voix essoufflée. Est-ce pas curieux que j'aie hésité ? » « N'est-il pas curieux » lui eût semblé une faute et il devenait avec les formes anciennes du langage d'une exaspérante familiarité. « Vous êtes pourtant gens qu'on peut avouer pour ses amis. » Sa mine grisâtre semblait éclairée par le reflet plombé d'un orage. Son essoufflement qui ne se produisait, cet été encore, que quand M. Verdurin l'« engueulait », était maintenant constant. « Je sais qu'une œuvre inédite de Vinteuil va être exécutée par d'excellents artistes, et singulièrement par Morel. — Pourquoi singulièrement ? » demanda le baron, qui vit dans cet adverbe une critique.

« Notre ami Saniette, se hâta d'expliquer Brichot qui joua le rôle d'interprète, parle volontiers, en excellent lettré qu'il est, le langage d'un temps où "singulièrement" équivaut à notre "tout particulièrement". »

Comme nous[a] entrions dans l'antichambre de celle-ci[1], M. de Charlus me demanda si je travaillais, et comme je lui disais que non, mais que je m'intéressais beaucoup en ce moment aux vieux services d'argenterie et de porcelaine, il me dit que je ne pourrais pas en voir de plus beaux que chez les Verdurin, que, d'ailleurs, j'avais pu les voir à La Raspelière, puisque, sous prétexte que les objets sont aussi des amis, ils faisaient la folie de tout emporter avec eux, que ce serait moins commode de tout me sortir un jour de soirée, mais que pourtant il demanderait qu'on me montrât ce que je voudrais. Je le priai de n'en rien faire. M. de Charlus[b] déboutonna son pardessus, ôta son chapeau ; je vis que le sommet de sa tête s'argentait maintenant par places. Mais tel un arbuste précieux que non seulement l'automne colore, mais dont on protège certaines feuilles par des enveloppements d'ouate ou des applications de plâtre, M. de Charlus ne recevait de ces quelques cheveux blancs, placés à sa cime, qu'un bariolage de plus, venant s'ajouter à ceux[c] du visage. Et pourtant, même sous les couches d'expressions différentes, de fards et d'hypocrisie qui le maquillaient si mal, le visage de M. de Charlus continuait à taire à presque tout le monde le secret qu'il me paraissait crier. J'étais presque gêné par ses yeux où j'avais peur qu'il ne me surprît à le lire à livre ouvert, par sa voix qui me paraissait le répéter sur tous les tons, avec une inlassable indécence. Mais les secrets sont bien gardés par les êtres, car tous ceux qui les approchent sont sourds et aveugles. Les personnes qui apprenaient la vérité par l'un ou l'autre, par les Verdurin par exemple, la croyaient, mais cependant seulement tant qu'elles ne connaissaient pas M. de Charlus. Son visage, loin de répandre, dissipait les mauvais bruits. Car nous nous faisons de certaines entités une idée si grande que nous ne pourrions l'identifier avec les traits familiers d'une personne de connaissance. Et nous croirons difficilement aux vices, comme nous ne croirons jamais au génie d'une personne avec qui nous sommes encore allés la veille à l'Opéra.

M. de Charlus était en train de donner son pardessus

avec des recommandations d'habitué. Mais le valet de pied auquel il le tendait était un nouveau, tout jeune. Or M. de Charlus perdait souvent maintenant ce qu'on appelle le nord et ne se rendait plus compte de ce qui se fait et ne se fait pas. Le louable désir qu'il avait à Balbec de montrer que certains sujets ne l'effrayaient pas, de ne pas avoir peur de déclarer à propos de quelqu'un : « Il est joli garçon », de dire, en un mot, les mêmes choses qu'aurait pu dire quelqu'un qui n'aurait pas été comme lui, il lui arrivait maintenant de traduire ce désir en disant au contraire des choses que n'aurait jamais pu dire quelqu'un qui n'aurait pas été comme lui, choses devant lesquelles son esprit était si constamment fixé qu'il en oubliait qu'elles ne font pas partie de la préoccupation habituelle de tout le monde. Aussi, regardant le nouveau valet de pied, il leva l'index en l'air d'un ton menaçant, et croyant faire une excellente plaisanterie : « Vous, je vous défends de me faire de l'œil comme ça », dit le baron, et se tournant vers Brichot : « Il a une figure drôlette ce petit-là, il a un nez amusant » ; et complétant sa facétie, ou cédant à un désir, il rabattit son index horizontalement, hésita un instant, puis, ne pouvant plus se contenir, le poussa irrésistiblement droit au valet de pied et lui toucha le bout du nez en disant : « Pif ! » puis, suivi de Brichot, de moi, et de Saniette qui nous apprit que la princesse Sherbatoff était morte à six heures, entra au salon. « Quelle drôle de boîte ! », se dit le valet de pied, qui demanda à ses camarades si la baron était farce ou marteau. « Ce sont des manières qu'il a comme ça, lui répondit le maître d'hôtel (qui le croyait un peu « piqué », un peu « dingo »), mais c'est un des amis de Madame que j'ai toujours le mieux estimé, c'est un bon cœur. »

À ce moment[a], M. Verdurin vint à notre rencontre ; seul Saniette, non sans craindre d'avoir froid, car la porte extérieure s'ouvrait constamment, attendait avec résignation qu'on lui prît ses affaires. « Qu'est-ce que vous faites là, dans cette pose de chien couchant ? lui demanda M. Verdurin. — J'attends qu'une des personnes qui surveillent aux vêtements puisse prendre mon pardessus et me donner un numéro. — Qu'est-ce que vous dites ? demanda d'un air sévère M. Verdurin : "qui surveillent aux vêtements". Est-ce que vous devenez gâteux ? on dit : "surveiller les vêtements". S'il faut vous rapprendre le français comme aux gens qui ont eu une attaque ! — Surveiller à quelque chose est la vraie forme, murmura Saniette d'une voix entrecoupée ; l'abbé Le Batteux[1]... — Vous m'agacez, vous, cria M. Verdurin d'une voix terrible. Comme vous soufflez ! Est-ce que vous venez de monter six étages ? » La grossièreté de M. Verdurin eut pour effet que les hommes du vestiaire firent passer d'autres personnes avant Saniette et quand il voulut tendre ses affaires lui répondirent : « Chacun son tour, monsieur, ne soyez pas si pressé. » « Voilà des hommes d'ordre, voilà les compétences, très bien[a], mes braves », dit, avec un sourire de sympathie, M. Verdurin, afin de les encourager dans leurs dispositions à faire passer Saniette après tout le monde. « Venez, nous dit-il, cet animal-là veut nous faire prendre la mort dans son cher courant d'air. Nous allons nous chauffer un peu au salon. Surveiller aux vêtements ! reprit-il quand nous fûmes au salon, quel imbécile ! — Il donne dans la préciosité, ce n'est pas un mauvais garçon, dit Brichot. — Je n'ai pas dit que c'était un mauvais garçon, j'ai dit que c'était un imbécile », riposta avec aigreur M. Verdurin.

« Est-ce que vous retournerez cette année à Incarville ? me demanda Brichot. Je crois que notre Patronne a reloué La Raspelière, bien qu'elle ait eu maille à partir avec ses propriétaires. Mais tout cela n'est rien, ce sont nuages qui se dissipent », ajouta-t-il du même ton optimiste que les journaux qui disent : « Il y a eu des fautes de commises, c'est entendu, mais qui ne commet des fautes ? » Or je me rappelais dans quel état de souffrance j'avais quitté Balbec et je ne désirais nullement y retourner. Je remettais toujours au lendemain mes projets avec Albertine. « Mais bien sûr qu'il y reviendra, nous le voulons, il nous est indispensable », déclara M. de Charlus avec l'égoïsme autoritaire et incompréhensif de l'amabilité.

M. Verdurin, à qui nous fîmes nos condoléances pour la princesse Sherbatoff, nous dit : « Oui, je sais qu'elle est très mal. — Mais non, elle est morte à six heures, s'écria Saniette. — Vous, vous exagérez toujours », dit brutalement à Saniette M. Verdurin, qui, la soirée n'étant pas décommandée, préférait l'hypothèse de la maladie. Cependant Mme Verdurin était en grande conférence avec Cottard et Ski. Morel venait de refuser, parce que M. de Charlus ne pouvait s'y rendre, une invitation chez des amis auxquels elle avait pourtant promis le concours du violoniste. La raison du refus de Morel de jouer à la soirée des amis des Verdurin, raison à laquelle nous allons tout à l'heure en voir s'ajouter de bien plus graves, avait pu prendre sa force grâce à une habitude propre en général aux milieux oisifs, mais tout particulièrement au petit noyau. Certes, si Mme Verdurin surprenait entre un nouveau et un fidèle un mot dit à mi-voix et pouvant faire supposer qu'ils se connaissaient, ou avaient envie de se lier (« Alors, à vendredi chez les Un Tel » ou : « Venez à l'atelier le jour que vous voudrez, j'y suis toujours jusqu'à cinq heures, vous me ferez vraiment plaisir »), agitée, supposant au nouveau une « situation » qui pouvait faire de lui une recrue brillante pour le petit clan, la Patronne, tout en faisant semblant de n'avoir rien entendu et en conservant à son beau regard, cerné par l'habitude de Debussy plus que n'aurait fait celle de la cocaïne, l'air exténué que lui donnaient les seules ivresses de la musique, n'en roulait pas moins sous son beau front bombé par tant de quatuors et les migraines consécutives, des pensées qui n'étaient pas exclusivement polyphoniques ; et n'y tenant plus, ne pouvant plus attendre une seconde sa piqûre, elle se jetait sur les deux causeurs, les entraînait à part, et disait au nouveau en désignant le fidèle : « Vous ne voulez pas venir dîner avec *lui,* samedi par exemple, ou bien le jour que vous voudrez, avec des gens gentils ? N'en parlez pas trop fort parce que je ne convoquerai pas toute cette tourbe » (terme désignant pour cinq minutes le petit noyau, dédaigné momentanément pour le nouveau[a] en qui on mettait tant d'espérances).

Mais ce besoin de s'engouer, de faire aussi des rapprochements, avait sa contrepartie. L'assiduité aux mercredis faisait naître chez les Verdurin une disposition opposée. C'était le désir de brouiller, d'éloigner. Il avait été fortifié, rendu presque furieux par les mois passés à La Raspelière, où l'on se voyait du matin au soir. M. Verdurin s'y ingéniait à prendre quelqu'un en faute, à tendre des toiles où il pût passer à l'araignée sa compagne quelque mouche innocente. Faute de griefs on inventait des ridicules. Dès qu'un fidèle était sorti une demi-heure, on se moquait de lui devant les autres, on feignait d'être surpris qu'ils n'eussent pas remarqué combien il avait toujours les dents sales, ou au contraire les brossât, par manie, vingt fois par jour. Si l'un se permettait d'ouvrir la fenêtre, ce manque d'éducation faisait que le Patron et la Patronne échangeaient un regard révolté. Au bout d'un instant Mme Verdurin demandait un châle, ce qui donnait le prétexte à M. Verdurin de dire d'un air furieux : « Mais non, je vais fermer la fenêtre, je me demande qu'est-ce qui s'est permis de l'ouvrir », devant le coupable qui rougissait jusqu'aux oreilles. On vous reprochait indirectement la quantité de vin qu'on avait bue. « Ça ne vous fait pas mal ? C'est bon pour un ouvrier. » Les promenades ensemble de deux fidèles qui n'avaient pas préalablement demandé son autorisation à la Patronne, avaient pour conséquence des commentaires infinis, si innocentes que fussent ces promenades. Celles de M. de Charlus avec Morel ne l'étaient pas. Seul le fait que le baron n'habitait pas La Raspelière (à cause de la vie de garnison de Morel) retarda le moment de la satiété, des dégoûts, des vomissements. Il était pourtant prêt à venir.

Elle[a1] était furieuse et décidée à « éclairer » Morel sur le rôle ridicule et odieux que lui faisait jouer M. de Charlus. « J'ajoute, continua Mme Verdurin (qui d'ailleurs même quand elle se sentait devoir à quelqu'un une reconnaissance qui allait lui peser, et ne pouvait le tuer, pour la peine, lui cherchait un défaut grave qui dispensait honnêtement de la lui témoigner), j'ajoute qu'il se donne des airs chez moi qui ne me plaisent pas. » C'est qu'en effet Mme Verdurin avait encore une raison plus grave que le lâchage de Morel à la soirée de ses amis d'en vouloir à M. de Charlus. Celui-ci, pénétré de l'honneur qu'il faisait à la Patronne en amenant quai Conti des gens qui, en effet, n'y seraient pas venus pour elle, avait, dès les premiers noms que Mme Verdurin avait proposés comme ceux de personnes qu'on pourrait inviter, prononcé la plus catégorique exclusive, sur un ton péremptoire où se mêlait à l'orgueil rancunier du grand seigneur quinteux, le dogmatisme de l'artiste expert en matière de fêtes et qui retirerait sa pièce et refuserait son concours plutôt que de condescendre à des concessions qui, selon lui, compromettent le résultat d'ensemble. M. de Charlus n'avait donné son permis, en l'entourant de réserves, qu'à Saintine[2], à l'égard duquel, pour ne pas s'encombrer de sa femme, Mme de Guermantes avait passé d'une intimité quotidienne à une cessation complète de relations, mais que M. de Charlus, le trouvant intelligent, voyait toujours. Certes, c'est seulement dans un milieu bourgeois mâtiné de petite noblesse, où tout le monde est très riche et apparenté à une aristocratie que la grande aristocratie ne connaît pas, que Saintine, jadis la fleur du milieu Guermantes, était allé chercher fortune et, croyait-il, point d'appui. Mais Mme Verdurin, sachant les prétentions nobiliaires du milieu de la femme, et ne se rendant pas compte de la situation du mari, car c'est ce qui est presque immédiatement au-dessus de nous qui nous donne l'impression de la hauteur et non ce qui nous est presque invisible tant cela se perd dans le ciel, crut devoir justifier une invitation pour Saintine en faisant valoir qu'il connaissait beaucoup de monde, « ayant épousé Mlle *** ». L'ignorance dont cette assertion, exactement contraire à la réalité, témoignait chez Mme Verdurin, fit s'épanouir en un rire d'indulgent mépris et de large compréhension les lèvres peintes du baron. Il dédaigna de répondre directement, mais comme il échafaudait volontiers en matière mondaine des théories où se retrouvaient la fertilité de son intelligence et la hauteur de son orgueil, avec la frivolité héréditaire de ses préoccupations : « Saintine aurait dû me consulter avant de se marier, dit-il, il y a une eugénique sociale comme il y en a une physiologique, et j'en suis peut-être le seul docteur. Le cas de Saintine ne soulevait aucune discussion, il était clair qu'en faisant le mariage qu'il a fait, il s'attachait un poids mort, et mettait sa flamme sous le boisseau. Sa vie sociale était finie. Je le lui aurais expliqué et il m'aurait compris car il est intelligent. Inversement, il y avait telle personne qui avait tout ce qu'il fallait pour avoir une situation élevée, dominante, universelle ; seulement un terrible câble la retenait à terre. Je l'ai aidée, mi par pression, mi par force, à rompre l'amarre, et maintenant elle a conquis, avec une joie triomphante, la liberté, la toute-puissante qu'elle me doit. Il a peut-être fallu un peu de volonté, mais quelle récompense elle a ! On est ainsi soi-même, quand on sait m'écouter, l'accoucheur de son destin. » Il était trop évident que M. de Charlus n'avait pas su agir sur le sien ; agir est autre chose que parler, même avec éloquence, et penser, même avec ingéniosité. « Mais en ce qui me concerne, je suis un philosophe qui assiste avec curiosité aux réactions sociales que j'ai prédites, mais n'y aide pas. Aussi j'ai continué à fréquenter Saintine qui a toujours eu pour moi la déférence chaleureuse qui convenait. J'ai même dîné chez lui dans sa nouvelle demeure où on s'assomme autant au milieu du plus grand luxe qu'on s'amusait jadis quand, tirant le diable par la queue, il assemblait la meilleure compagnie dans un petit grenier. Vous pouvez donc l'inviter, j'autorise. Mais je frappe de mon veto tous les autres noms que vous me proposez. Et vous m'en remercierez, car si je suis expert en fait de mariages, je ne le suis pas moins en matière de fêtes. Je sais les personnalités ascendantes qui soulèvent une réunion, lui donnent de l'essor, de la hauteur ; et je sais aussi le nom qui rejette à terre, qui fait tomber à plat. » Ces exclusions de M. de Charlus n'étaient pas toujours fondées sur des ressentiments de toqué ou des raffinements d'artiste, mais sur des habiletés d'acteur. Quand il tenait sur quelqu'un, sur quelque chose, un couplet tout à fait réussi, il désirait le faire entendre au plus grand nombre de personnes possible, mais en excluant d'admettre[a] dans la seconde fournée des invités de la première qui eussent pu constater que le morceau n'avait pas changé. Il refaisait sa salle à nouveau, justement parce qu'il ne renouvelait pas son affiche, et quand il tenait dans la conversation un succès, eût au besoin organisé des tournées et donné des représentations en province. Quoi qu'il en fût des motifs variés de ces exclusions, celles de M. de Charlus ne froissaient pas seulement Mme Verdurin, qui sentait atteinte son autorité de Patronne, elles lui causaient encore un grand tort mondain, et cela pour deux raisons. La première est que M. de Charlus, plus susceptible encore que Jupien, se brouillait sans qu'on sût même pourquoi avec les personnes le mieux faites pour être de ses amies. Naturellement, une des premières punitions qu'on pouvait leur infliger était de ne pas les laisser inviter à une fête qu'il donnait chez les Verdurin. Or ces parias étaient souvent les gens qui tiennent ce qu'on appelle le haut du pavé, mais, pour M. de Charlus, qui avaient cessé de le tenir du jour qu'il avait été brouillé avec eux. Car son imagination, autant qu'à supposer des torts aux gens pour se brouiller avec eux, était ingénieuse à leur ôter toute importance dès qu'ils n'étaient plus ses amis. Si, par exemple, le coupable était un homme d'une famille extrêmement ancienne, mais dont le duché ne date que du XIXe siècle, les Montesquiou par exemple, du jour au lendemain ce qui comptait pour M. de Charlus c'était l'ancienneté du duché, la famille n'était rien. « Ils ne sont même pas ducs, s'écriait-il. C'est le titre de l'abbé de Montesquiou qui a indûment passé à un parent, il n'y a même pas quatre-vingts ans. Le duc actuel, si duc il y a, est le troisième. Parlez-moi de gens comme les Uzès, les La Trémoïlle, les Luynes, qui sont les 10e, les 14e ducs, comme mon frère qui est 12e duc de Guermantes et 17e prince de Condom. Les Montesquiou descendent d'une ancienne famille, qu'est-ce que ça prouverait, même si c'était prouvé ? Ils descendent tellement qu'ils sont dans le quatorzième dessous. » Était-il brouillé, au contraire, avec[a] un gentilhomme possesseur d'un duché ancien, ayant les plus magnifiques alliances, apparenté aux familles souveraines, mais à qui ce grand éclat est venu très vite sans que la famille remonte très haut, un Luynes par exemple, tout était changé, la famille seule comptait. « Je vous demande un peu, M. Alberti[1] qui ne se décrasse que sous Louis XIII ! Qu'est-ce que ça peut nous fiche que des faveurs de cour leur aient permis d'entasser des duchés auxquels ils n'avaient aucun droit ? » De plus, chez M. de Charlus, la chute suivait de près la faveur à cause de cette disposition propre aux Guermantes d'exiger de la conversation, de l'amitié, ce qu'elle ne peut donner, plus la crainte symptomatique d'être l'objet de médisances. Et la chute était d'autant plus profonde que la faveur avait été plus grande. Or personne n'en avait joui auprès du baron d'une pareille à celle qu'il avait ostensiblement marquée à la comtesse Molé. Par quelle marque d'indifférence montra-t-elle un beau jour qu'elle en avait été indigne ? La comtesse elle-même déclara toujours qu'elle n'avait jamais pu arriver à le découvrir. Toujours est-il que son nom seul excitait chez le baron les plus violentes colères, les philippiques les plus éloquentes mais les plus terribles. Mme Verdurin pour qui Mme Molé avait été très aimable et qui fondait, on va le voir, de grands espoirs sur elle s'étant réjouie à l'avance de l'idée que la comtesse verrait chez elle les gens les plus nobles, comme la Patronne disait, « de France et de Navarre », proposa tout de suite d'inviter « Mme de Molé ». « Ah ! mon Dieu, tous les goûts sont dans la nature, avait répondu M. de Charlus, et si vous avez, madame, du goût pour causer avec

Mme Pipelet[1], Mme Gibout et Mme Joseph Prudhomme[2], je ne demande pas mieux, mais alors que ce soit un soir où je ne serai pas là. Je vois dès les premiers mots que nous ne parlons pas la même langue, puisque je parlais de noms de l'aristocratie et que vous me citez le plus obscur des noms des gens de robe, de petits roturiers retors, cancaniers, malfaisants, de petites dames qui se croient des protectrices des arts parce qu'elles reprennent une octave au-dessous les manières de ma belle-sœur Guermantes, à la façon du geai qui croit imiter le paon. J'ajoute qu'il y aurait une espèce d'indécence à introduire dans une fête que je veux bien donner chez Mme Verdurin une personne que j'ai retranchée à bon escient de ma familiarité, une pécore sans naissance, sans loyauté, sans esprit, qui a la folie de croire qu'elle est capable de jouer les duchesses de Guermantes et les princesses de Guermantes, cumul qui en lui-même est une sottise, puisque la duchesse de Guermantes et la princesse de Guermantes, c'est juste le contraire. C'est comme une personne qui prétendrait être à la fois Reichenberg et Sarah Bernhardt[3]. En tout cas, même si ce n'était pas contradictoire, ce serait profondément ridicule. Que je puisse, moi, sourire quelquefois des exagérations de l'une et m'attrister des limites de l'autre, c'est mon droit. Mais cette petite grenouille bourgeoise voulant s'enfler pour égaler ces deux grandes dames qui en tout cas laissent toujours paraître l'incomparable distinction de la race, c'est, comme on dit, à faire rire les poules. La Molé ! Voilà un nom qu'il ne faut plus prononcer, ou bien je n'ai qu'à me retirer », ajouta-t-il avec un sourire, sur le ton d'un médecin qui, voulant le bien de son malade malgré ce malade lui-même, entend ne pas se laisser imposer la collaboration d'un homéopathe. D'autre part, certaines personnes jugées négligeables par M. de Charlus pouvaient en effet l'être pour lui et non pour Mme Verdurin. M. de Charlus, du haut de sa naissance, pouvait se passer des gens les plus élégants dont l'assemblée eût fait du salon de Mme Verdurin un des premiers de Paris. Or celle-ci commençait à trouver qu'elle avait déjà bien des fois manqué le coche, sans compter l'énorme retard que l'erreur mondaine de l'affaire Dreyfus lui avait infligé. Non sans lui rendre service pourtant. « Je ne sais si je vous ai dit combien la duchesse de Guermantes avait vu avec déplaisir des personnes de son monde qui, subordonnant tout à l'Affaire, excluaient des femmes élégantes et en recevaient qui ne l'étaient pas, pour cause de révisionnisme ou d'antirévisionnisme, critiquée à son tour par ces mêmes dames, comme tiède, mal pensante et subordonnant aux étiquettes mondaines les intérêts de la patrie », pourrais-je demander au lecteur comme à un ami à qui on ne se rappelle plus, après tant d'entretiens, si on a pensé ou trouvé l'occasion de le mettre au courant d'une certaine chose. Que je l'aie fait ou non, l'attitude, à ce moment-là, de la duchesse de Guermantes, peut facilement être imaginée, et même, si on se reporte ensuite à une période ultérieure, sembler, du point de vue mondain, parfaitement juste. M. de Cambremer considérait l'affaire Dreyfus comme une machine étrangère destinée à détruire le Service des renseignements, à briser la discipline, à affaiblir l'armée, à diviser les Français, à préparer l'invasion. La littérature étant, hors quelques fables de La Fontaine, étrangère au marquis, il laissait à sa femme le soin d'établir que la littérature cruellement observatrice, en créant l'irrespect, avait procédé à un chambardement parallèle. « M. Reinach[1] et M. Hervieu[2] sont de mèche », disait-elle. On n'accusera pas l'affaire Dreyfus d'avoir prémédité d'aussi noirs desseins à l'encontre du monde. Mais là certainement elle a brisé les cadres. Les mondains qui ne veulent pas laisser la politique s'introduire dans le monde sont aussi prévoyants que les militaires qui ne veulent pas laisser la politique pénétrer dans l'armée. Il en est du monde comme du goût sexuel, où l'on ne sait pas jusqu'à quelles perversions il peut arriver quand une fois on a laissé des raisons esthétiques dicter ses choix. La raison qu'elles étaient nationalistes donna au faubourg Saint-Germain l'habitude de recevoir des dames d'une autre société, la raison disparut avec le nationalisme, l'habitude subsista. Mme Verdurin, à la faveur du dreyfusisme, avait attiré chez elle des écrivains de valeur qui momentanément ne lui furent d'aucun usage mondain parce qu'ils étaient dreyfusards. Mais les passions politiques sont comme les autres, elles ne durent pas. De nouvelles générations viennent qui ne les comprennent plus ; la génération même qui les a éprouvées change, éprouve des passions politiques qui, n'étant pas exactement calquées sur les précédentes, réhabilitent une partie des exclus, la cause d'exclusivisme ayant changé. Les monarchistes ne se soucièrent plus pendant l'affaire Dreyfus que quelqu'un eût été républicain, voire radical, voire anticlérical, s'il était antisémite et nationaliste. Si jamais il devait survenir une guerre, le patriotisme prendrait une autre forme, et d'un écrivain chauvin, on ne s'occuperait même pas s'il avait été ou non dreyfusard. C'est ainsi que, à chaque crise politique, à chaque rénovation artistique, Mme Verdurin avait arraché petit à petit, comme l'oiseau fait son nid, les bribes successives, provisoirement inutilisables, de ce qui serait un jour son salon. L'affaire Dreyfus avait passé, Anatole France lui restait[1]. La force de Mme Verdurin, c'était l'amour sincère qu'elle avait de l'art, la peine qu'elle se donnait pour les fidèles, les merveilleux dîners qu'elle donnait pour eux seuls, sans qu'il y eût de gens du monde conviés. Chacun d'eux était traité chez elle comme Bergotte l'avait été chez Mme Swann. Quand un familier de cet ordre devient un beau jour un homme illustre et que le monde désire venir le voir, sa présence chez une Mme Verdurin n'a rien de ce côté factice, frelaté, cuisine de banquet officiel ou de Saint-Charlemagne faite par Potel et Chabot[2], mais d'un délicieux ordinaire qu'on eût trouvé aussi parfait un jour où il n'y aurait pas eu de monde. Chez Mme Verdurin la troupe était parfaite, entraînée, le répertoire de premier ordre, il ne manquait que le public. Et depuis que le goût de celui-ci se détournait de l'art raisonnable et français d'un Bergotte et s'éprenait surtout de musiques exotiques, Mme Verdurin, sorte de correspondant attitré à Paris de tous les artistes étrangers, allait bientôt, à côté de la ravissante princesse Yourbeletieff[3], servir de vieille fée Carabosse, mais toute-puissante, aux danseurs russes. Cette charmante invasion, contre les séductions de laquelle ne protestèrent que les critiques dénués de goût, amena à Paris, on le sait, une fièvre de curiosité moins âpre, plus purement esthétique, mais peut-être aussi vive que l'affaire Dreyfus. Là encore Mme Verdurin, mais pour un tout autre résultat mondain, allait être au premier rang. Comme on l'avait vue à côté de Mme Zola, tout aux pieds du tribunal, aux séances de la Cour d'assises, quand l'humanité nouvelle, acclamatrice des ballets russes, se pressa à l'Opéra, ornée d'aigrettes inconnues, toujours on voyait dans une première loge Mme Verdurin à côté de la princesse Yourbeletieff. Et comme après les émotions du

Palais de Justice on avait été le soir chez Mme Verdurin voir de près Picquart ou Labori[1] et surtout apprendre les dernières nouvelles, savoir ce qu'on pouvait espérer de Zurlinden[2], de Loubet[3], du colonel Jouaust[4], du Règlement, de même[a], peu disposé à aller se coucher après l'enthousiasme déchaîné par *Shéhérazade*[5] ou les danses du *Prince Igor*[6], on allait chez Mme Verdurin, où, présidés par la princesse Yourbeletieff et par la Patronne, des soupers exquis réunissaient chaque soir les danseurs qui n'avaient pas dîné pour être plus bondissants, leur directeur, leurs décorateurs, les grands compositeurs Igor Stravinski et Richard Strauss, petit noyau immuable autour duquel, comme aux soupers de M. et Mme Helvétius[7], les plus grandes dames de Paris et des altesses étrangères ne dédaignèrent pas de se mêler. Même ceux des gens du monde qui faisaient profession d'avoir du goût et faisaient entre les ballets russes des distinctions oiseuses, trouvant la mise en scène des *Sylphides*[8] quelque chose de plus « fin » que celle de *Shéhérazade,* qu'ils n'étaient pas loin de faire relever de l'art nègre, étaient enchantés de voir de près ces grands rénovateurs du goût, du théâtre, qui, dans un art peut-être un peu plus factice que la peinture, firent une révolution aussi profonde que l'impressionnisme.

Pour en revenir à M. de Charlus, Mme Verdurin n'eût pas trop souffert s'il n'avait mis à l'index que Mme Bontemps, que Mme Verdurin avait distinguée chez Odette à cause de son amour des arts, et qui, pendant l'affaire Dreyfus, était venue quelquefois dîner avec son mari que Mme Verdurin appelait un tiède parce qu'il n'introduisait pas le procès en révision, mais qui, fort intelligent et heureux de se créer des intelligences dans tous les partis, était enchanté de montrer son indépendance en dînant avec Labori qu'il écoutait sans rien dire de compromettant, mais glissant au bon endroit un hommage à la loyauté, reconnue dans tous les partis, de Jaurès. Mais le baron avait également proscrit quelques dames de l'aristocratie avec lesquelles Mme Verdurin était, à l'occasion de solennités musicales, de collections, de charité, entrée récemment en relations et qui, quoi que M. de Charlus pût penser d'elles, eussent été, beaucoup plus que lui-même, des éléments essentiels pour former chez Mme Verdurin un nouveau noyau, aristocratique celui-là. Mme Verdurin avait justement compté sur cette fête où M. de Charlus lui amènerait des dames du même monde, pour leur adjoindre ses nouvelles amies et avait joui d'avance de la surprise qu'elles auraient à rencontrer quai Conti leurs amies ou parentes invitées par le baron. Elle était déçue et furieuse de son interdiction. Restait à savoir si la soirée, dans ces conditions, se traduirait pour elle par un profit ou par une perte. Celle-ci ne serait pas trop grave si du moins les invitées de M. de Charlus venaient avec des dispositions si chaleureuses pour Mme Verdurin qu'elles deviendraient pour elle les amies d'avenir. Dans ce cas il n'y aurait que demi-mal et, un jour prochain, ces deux moitiés du grand monde que le baron avait voulu tenir isolées, on les réunirait, quitte à ne pas l'avoir, lui, ce soir-là. Mme Verdurin attendait donc les invitées du baron avec une certaine émotion. Elle n'allait pas tarder à savoir l'état d'esprit où elles venaient, et les relations que la Patronne pouvait espérer avoir avec elles. En attendant, Mme Verdurin se consultait avec les fidèles, mais voyant Charlus qui entrait avec Brichot et moi, elle s'arrêta net.

À notre grand étonnement, quand Brichot lui dit sa tristesse de savoir que sa grande amie était si mal, Mme Verdurin répondit : « Écoutez, je suis obligée d'avouer que de tristesse je n'en éprouve aucune. Il est inutile de feindre les sentiments qu'on ne ressent pas... » Sans doute elle parlait ainsi par manque d'énergie, parce qu'elle était fatiguée à l'idée de se faire un visage triste pour toute sa réception, par orgueil, pour ne pas avoir l'air de chercher des excuses à ne pas avoir décommandé celle-ci, par respect humain pourtant et habileté, parce que le manque de chagrin dont elle faisait preuve était plus honorable s'il devait être attribué à une antipathie particulière, soudain révélée, envers la princesse, qu'à une insensibilité universelle, et parce qu'on ne pouvait s'empêcher d'être désarmé par une sincérité qu'il n'était pas question de mettre en doute : si Mme Verdurin n'avait pas été vraiment indifférente à la mort de la princesse, eût-elle été, pour expliquer qu'elle reçût, s'accuser d'une faute bien plus grave ? On oubliait que Mme Verdurin eût avoué, en même temps que son chagrin, qu'elle n'avait pas eu le courage de renoncer à un plaisir ; or la dureté de l'amie était quelque chose de plus choquant, de plus immoral, mais de moins humiliant, par conséquent de plus facile à avouer, que la frivolité de la maîtresse de maison. En matière de crime, là où il y a danger pour le coupable, c'est l'intérêt qui dicte les aveux. Pour les fautes sans sanction, c'est l'amour-propre. D'ailleurs, soit que trouvant sans doute bien usé le prétexte des gens qui, pour ne pas laisser interrompre par les chagrins leur vie de plaisirs, vont répétant qu'il leur semble vain de porter extérieurement un deuil qu'ils ont dans le cœur, Mme Verdurin préférât imiter ces coupables intelligents à qui répugnent les clichés de l'innocence et dont la défense — demi-aveu sans qu'ils s'en doutent — consiste à dire qu'ils n'auraient vu aucun mal à commettre ce qui leur est reproché, que par hasard, du reste, ils n'ont pas eu l'occasion de faire, soit qu'ayant adopté pour expliquer sa conduite la thèse de l'indifférence, elle trouvât, une fois lancée sur la pente de son mauvais sentiment, qu'il y avait quelque originalité à l'éprouver, une perspicacité rare à avoir su le démêler, et un certain « culot » à le proclamer ainsi, Mme Verdurin tint à insister sur son manque de chagrin, non sans une certaine satisfaction orgueilleuse de psychologue paradoxal, et de dramaturge hardi. « Oui, c'est très drôle, dit-elle, ça ne m'a presque rien fait. Mon Dieu, je ne peux pas dire que je n'aurais pas mieux aimé qu'elle vécût, ce n'était pas une mauvaise personne. — Si, interrompit M. Verdurin. — Ah ! lui ne l'aime pas parce qu'il trouvait que cela me faisait du tort de la recevoir, mais il est aveuglé par ça. — Rends-moi cette justice, dit M. Verdurin, que je n'ai jamais approuvé cette fréquentation. Je t'ai toujours dit qu'elle avait mauvaise réputation. — Mais je ne l'ai jamais entendu dire, protesta Saniette. — Mais comment ? s'écria Mme Verdurin, c'était universellement connu, pas mauvaise, mais honteuse, déshonorante. Non, mais, ce n'est pas à cause de cela. Je ne saurais pas moi-même expliquer mon sentiment ; je ne la détestais pas, mais elle m'était tellement indifférente que, quand nous avons appris qu'elle était très mal, mon mari lui-même a été étonné et m'a dit : "On dirait que cela ne te fait rien." Mais tenez, ce soir, il m'avait offert de décommander la répétition, et j'ai tenu au contraire à la donner, parce que j'aurais trouvé une comédie de témoigner un chagrin que je n'éprouve pas. » Elle disait cela parce qu'elle trouvait que c'était curieusement « théâtre libre[1] », et aussi que c'était joliment commode ; car l'insensibilité ou l'immoralité avouée simplifie autant la vie que la morale facile ; elle fait des actions blâmables, et pour lesquelles on n'a plus alors besoin de chercher d'excuses, un devoir de sincérité. Et les fidèles écoutaient les paroles de Mme Verdurin avec ce mélange d'admiration et de malaise que certaines pièces cruellement réalistes et d'une observation pénible causaient autrefois ; et tout en s'émerveillant de voir leur chère Patronne donner une forme nouvelle de sa droiture et de son indépendance, plus d'un, tout en se disant qu'après tout ce ne serait pas la même chose, pensait à sa propre mort et se demandait si, le jour qu'elle surviendrait, on pleurerait ou on donnerait une fête au quai Conti. « Je suis bien content que la soirée n'ait pas été décommandée, à cause de mes invités », dit M. Charlus, qui ne se rendit pas compte qu'en s'exprimant ainsi il froissait Mme Verdurin.

Cependant j'étais frappé, comme chaque personne qui approcha ce soir-là Mme Verdurin, par une odeur assez peu agréable de rhino-goménol. Voici à quoi cela tenait. On sait que Mme Verdurin n'exprimait jamais ses émotions artistiques d'une façon morale, mais physique, pour qu'elles semblassent plus inévitables et plus profondes. Or, si on lui parlait de la musique de Vinteuil, sa préférée, elle restait indifférente, comme si elle n'en attendait aucune émotion. Mais après quelques minutes de regard immobile, presque distrait, elle vous répondait sur un ton précis, pratique, presque peu poli, comme si elle vous avait dit : « Cela me serait égal que vous fumiez mais c'est à cause du tapis, il est très beau, ce qui me serait encore égal, mais il est très inflammable, j'ai très peur du feu et je ne voudrais pas vous faire flamber tous, pour un bout de cigarette mal éteinte que vous auriez laissé tomber par terre. » De même pour Vinteuil. Si on en parlait, elle ne professait aucune admiration, mais au bout d'un instant exprimait d'un air froid son regret qu'on en jouât ce soir-là : « Je n'ai rien contre Vinteuil ; à mon sens, c'est le plus grand musicien du siècle, seulement je ne peux pas écouter ces machines-là sans cesser de pleurer un instant (elle ne disait nullement « pleurer » d'un air pathétique, elle aurait dit d'un air aussi naturel « dormir », certaines méchantes langues prétendaient même que ce dernier verbe eût été plus vrai, personne ne pouvant du reste décider, car elle écoutait cette musique-là la tête dans ses mains, et certains bruits ronfleurs pouvaient après tout être des sanglots). Pleurer ça ne me fait pas mal, tant qu'on voudra, seulement ça me fiche après des rhumes à tout casser. Cela me congestionne la muqueuse, et quarante-huit heures après, j'ai l'air d'une vieille poivrote et, pour que mes cordes vocales fonctionnent, il me faut faire des journées d'inhalation. Enfin un élève de Cottard... — Oh ! mais à ce propos, je ne vous faisais pas mes condoléances, il a été enlevé bien vite, le pauvre professeur ! — Hé bien oui, qu'est-ce que vous voulez, il est mort, comme tout le monde, il avait tué assez de gens pour que ce soit son tour de diriger ses coups contre lui-même[1]. Donc, je vous disais qu'un de ses élèves, un maître délicieux, m'avait soignée pour cela. Il professe un axiome assez original : "Mieux vaut prévenir que guérir." Et il me graisse le nez avant que la musique commence. C'est radical. Je peux pleurer comme je ne sais pas combien de mères qui auraient perdu leurs enfants, pas le moindre rhume. Quelquefois un peu de conjonctivite, mais c'est tout. L'efficacité est absolue. Sans cela je n'aurais pu continuer à écouter du Vinteuil. Je ne faisais plus que tomber d'une bronchite dans une autre. »

Je ne pus[a] plus me retenir de parler de Mlle Vinteuil. « Est-ce que la fille de l'auteur n'est pas là ? demandai-je à Mme Verdurin, ainsi qu'une de ses amies ? — Non, je viens justement de recevoir une dépêche, me dit évasivement Mme Verdurin ; elles ont été obligées de rester à la campagne. » Et j'eus un instant l'espérance qu'il n'avait même peut-être jamais été question qu'elles vinssent, et que Mme Verdurin n'avait annoncé ces représentants de l'auteur que pour impressionner favorablement les interprètes et le public. « Comment, alors elles ne sont même pas venues à la répétition de tantôt ? » dit avec une fausse curiosité le baron qui voulut paraître ne pas avoir vu Charlie. Celui-ci vint me dire bonjour. Je l'interrogeai à l'oreille, relativement à l'excuse de Mlle Vinteuil. Il semblait fort peu au courant. Je lui fis signe de ne pas parler haut et l'avertis que nous en recauserions. Il s'inclina en me promettant qu'il serait trop heureux d'être à ma disposition entière. Je remarquai qu'il était beaucoup plus poli, beaucoup plus respectueux qu'autrefois. Je fis compliment de lui — de lui qui pourrait peut-être m'aider à éclaircir mes soupçons — à M. de Charlus, qui me répondit : « Il ne fait que ce qu'il doit, ce ne serait pas la peine qu'il vécût avec des gens comme il faut pour avoir de mauvaises manières. » Les bonnes, selon M. de Charlus, étaient les vieilles manières françaises, sans ombre de raideur britannique. Ainsi quand Charlie, revenant de faire une tournée en province ou à l'étranger, débarquait en costume de voyage chez le baron, celui-ci, s'il n'y avait pas trop de monde, l'embrassait sans façon sur les deux joues, peut-être un peu pour ôter par tant d'ostentation de sa tendresse toute idée qu'elle pût être coupable, peut-être pour ne pas se refuser un plaisir, mais plus encore sans doute par littérature, pour maintien et illustration des anciennes manières de France, et comme il aurait protesté contre le style munichois ou le modern style en gardant de vieux fauteuils de son arrière-grand-mère, opposant au flegme britannique la tendresse d'un père sensible du XVIIIe siècle qui ne dissimule pas sa joie de revoir un fils. Y avait-il enfin une pointe d'inceste, dans cette affection paternelle ? Il est plus probable que la façon dont M. de Charlus contentait habituellement son vice, et sur laquelle nous recevrons ultérieurement quelques éclaircissements, ne suffisait pas à ses besoins affectifs, restés vacants depuis la mort de sa femme ; toujours est-il qu'après avoir songé plusieurs fois à se remarier, il était travaillé maintenant d'une maniaque envie d'adopter, et que certaines personnes autour de lui craignaient qu'elle ne s'exerçât à l'égard de Charlie. Et ce n'est pas extraordinaire. L'inverti qui n'a pu nourrir sa passion qu'avec une littérature écrite pour les hommes à femmes, qui pensait aux hommes en lisant *Les Nuits* de Musset, éprouve le besoin d'entrer de même dans toutes les fonctions sociales de l'homme qui n'est pas inverti, d'entretenir comme l'amant des danseuses et le vieil habitué de l'Opéra, aussi d'être rangé, d'épouser ou de se coller avec un homme, d'être père.

Il[a1] s'éloigna avec Morel, sous prétexte de se faire expliquer ce qu'on allait jouer, trouvant surtout une grande douceur, tandis que Charlie lui montrait sa musique, à étaler ainsi publiquement leur intimité secrète. Pendant ce temps-là j'étais charmé. Car, bien que le petit clan comportât peu de jeunes filles, on en invitait pas mal par compensation les jours de grandes soirées. Il y en avait plusieurs, et de fort belles, que je connaissais. Elles m'envoyaient de loin un sourire de bienvenue. L'air était ainsi décoré de moment en moment d'un beau sourire de jeune fille. C'est l'ornement multiple et épars des soirées, comme des jours. On se souvient d'une atmosphère parce que des jeunes filles y ont souri.

On eût[a] par ailleurs été bien étonné si l'on avait noté les propos furtifs que M. de Charlus avait échangés avec plusieurs hommes importants de cette soirée. Ces hommes étaient deux ducs, un général éminent, un grand écrivain, un grand médecin, un grand avocat. Or les propos avaient été : « À propos, avez-vous su si le valet de pied, non, je parle du petit qui monte sur la voiture... Et chez votre cousine Guermantes, vous ne connaissez rien ? — Actuellement non. — Dites donc[b], devant la porte d'entrée, aux voitures, il y avait une jeune personne blonde, en culotte courte, qui m'a semblé tout à fait sympathique. Elle[c] m'a appelé très gracieusement ma voiture, j'aurais volontiers prolongé la conversation. — Oui, mais je la crois tout à fait hostile, et puis ça fait des façons, vous qui aimez que les choses réussissent du premier coup, vous seriez dégoûté. Du reste, je sais qu'il n'y a rien à faire, un de mes amis a essayé. — C'est regrettable, j'avais trouvé le profil très fin et les cheveux superbes. — Vraiment, vous trouvez ça si bien que ça ? Je crois que si vous l'aviez vue un peu plus, vous auriez été désillusionné. Non, c'est au buffet qu'il y a encore deux mois vous auriez vu une vraie merveille, un grand gaillard de deux mètres, une peau idéale, et puis aimant ça. Mais c'est parti pour la Pologne. — Ah ! c'est un peu loin. — Qui sait ? ça reviendra peut-être. On se retrouve toujours dans la vie. » Il n'y a pas de grande soirée mondaine, si pour en avoir une coupe on sait la prendre à une profondeur suffisante, qui ne soit pareille à ces soirées où les médecins invitent leurs malades, lesquels tiennent des propos fort sensés, ont de très bonnes manières, et ne montreraient pas qu'ils sont fous s'ils ne vous glissaient à l'oreille en vous montrant un vieux monsieur qui passe : « C'est Jeanne d'Arc[1]. »

« Je trouve que ce serait de notre devoir de l'éclairer, dit Mme Verdurin à Brichot. Ce que je fais n'est pas contre Charlus, au contraire. Il est agréable et quant à sa réputation je vous dirai qu'elle est d'un genre qui ne peut pas me nuire ! Même moi, qui pour notre petit clan, pour nos dîners de conversation, déteste les flirts, les hommes disant des inepties à une femme dans un coin au lieu de traiter des sujets intéressants, avec Charlus je n'avais pas à craindre ce qui m'est arrivé avec Swann, avec Elstir, avec tant d'autres. Avec lui j'étais tranquille, il arrivait là à mes dîners, il pouvait y avoir toutes les femmes du monde, on était sûr que la conversation générale n'était pas troublée par des flirts, des chuchotements. Charlus c'est à part, on est tranquille, c'est comme un prêtre. Seulement il ne faut pas qu'il se permette de régenter les jeunes gens qui viennent ici et de porter le trouble dans notre petit noyau, sans cela ce sera encore pire qu'un homme à femmes. » Et Mme Verdurin était sincère en proclamant ainsi son indulgence pour le Charlisme. Comme tout pouvoir ecclésiastique, elle jugeait les faiblesses humaines moins graves que ce qui pouvait affaiblir le principe d'autorité, nuire à l'orthodoxie, modifier l'antique credo, dans sa petite Église. « Sans cela, moi je montre les dents. Voilà un monsieur qui a empêché Charlie de venir à une répétition parce qu'il n'y était pas convié. Aussi il va avoir un avertissement sérieux, j'espère que cela lui suffira, sans cela il n'aura qu'à prendre la porte. Il le chambre, ma parole. » Et usant exactement des mêmes expressions que presque tout le monde aurait fait, car il en est certaines, peu habituelles, que tel sujet particulier, telle circonstance donnée, font affluer presque nécessairement à la mémoire du causeur qui croit exprimer librement sa pensée, et ne fait que répéter machinalement la leçon universelle, elle ajouta : « On ne peut plus le voir sans qu'il soit affublé de ce grand escogriffe, de cette espèce de garde du corps. » M. Verdurin proposa d'emmener un instant Charlie pour lui parler, sous prétexte de lui demander quelque chose. Mme Verdurin craignit qu'il ne fût ensuite troublé et jouât mal. « Il vaudrait mieux retarder cette exécution jusqu'après celle des morceaux. Et même peut-être à une autre fois. » Car Mme Verdurin avait beau tenir à la délicieuse émotion qu'elle éprouverait quand elle saurait son mari en train d'éclairer Charlie dans une pièce voisine, elle avait peur, si le coup ratait, qu'il ne se fâchât et lâchât le 16.

Ce qui perdit M. de Charlus ce soir-là fut la mauvaise éducation — si fréquente dans ce monde — des personnes qu'il avait invitées et qui commençaient à arriver. Venues à la fois par amitié pour M. de Charlus, et avec la curiosité de pénétrer dans un endroit pareil, chaque duchesse allait droit au baron comme si c'était lui qui avait reçu, me disait, juste à un pas des Verdurin qui entendaient tout : « Montrez-moi où est la mère Verdurin, croyez-vous que ce soit indispensable que je me fasse présenter ? J'espère au moins qu'elle ne fera pas mettre mon nom dans le journal demain, il y aurait de quoi me brouiller avec tous les miens. Comment, c'est cette femme à cheveux blancs ? mais elle n'a pas trop mauvaise façon. » Entendant parler de Mlle Vinteuil, d'ailleurs absente, plus d'une disait : « Ah ! la fille de la Sonate ? Montrez-moi-la » et, retrouvant beaucoup d'amies à elles, faisaient bande à part, épiaient, pétillantes de curiosité ironique, l'entrée des fidèles, trouvaient tout au plus à se montrer du doigt la coiffure un peu singulière d'une personne qui quelques années plus tard devait la mettre à la mode dans le plus grand monde, et, somme toute, regrettaient de ne pas trouver ce salon aussi dissemblable de ceux qu'elles connaissaient, qu'elles avaient espéré, éprouvant le désappointement de gens du monde qui, étant allés dans la boîte à Bruant[1] dans l'espoir d'être engueulés par le chansonnier, se seraient vus, à leur entrée, accueillis par un salut correct, au lieu du refrain attendu : « Ah ! voyez c'te gueule, c'te binette. Ah ! voyez c'te gueule qu'elle a. »

M. de Charlus avait, à Balbec, finement critiqué devant moi Mme de Vaugoubert qui, malgré sa grande intelligence, avait causé, après la fortune inespérée, l'irrémédiable disgrâce de son mari. Les souverains auprès desquels M. de Vaugoubert était accrédité, le roi Théodose et la reine Eudoxie, étant revenus à Paris, mais cette fois pour un séjour de quelque durée, des fêtes quotidiennes avaient été données en leur honneur, au cours desquelles la reine, liée avec Mme de Vaugoubert qu'elle voyait depuis dix ans dans sa capitale, et ne connaissant ni la femme du Président de la République, ni les femmes des ministres, s'était détournée de celles-ci pour faire bande à part avec l'ambassadrice. Celle-ci, croyant sa position hors de toute atteinte, M. de Vaugoubert étant l'auteur de l'alliance entre le roi Théodose et la France, avait conçu, de la préférence que lui marquait la reine, une satisfaction d'orgueil, mais nulle inquiétude du danger qui la menaçait et qui se réalisa quelques mois plus tard en l'événement, jugé à tort impossible par le couple trop confiant, de la brutale mise à la retraite de M. de Vaugoubert. M. de Charlus, commentant dans le « tortillard » la chute de son ami d'enfance, s'étonnait qu'une femme intelligente n'eût pas en pareille circonstance fait servir toute son influence sur les souverains à obtenir d'eux qu'elle parût n'en posséder aucune, et à leur faire reporter sur la femme du Président de la République et des ministres une amabilité dont elles eussent été d'autant plus flattées, c'est-à-dire dont elles eussent été d'autant plus près, dans leur contentement, de savoir gré aux Vaugoubert, qu'elles eussent cru que cette amabilité était spontanée et non pas dictée par eux. Mais qui voit le tort des autres, pour peu que les circonstances le grisent un peu, y succombe souvent lui-même. Et M. de Charlus, pendant que ses invités se frayaient un chemin pour venir le féliciter, le remercier comme s'il avait été le maître de maison, ne songea pas à leur demander de dire quelques mots à Mme Verdurin. Seule, la reine de Naples, en qui vivait le même noble sang qu'en ses sœurs l'impératrice Élisabeth et la duchesse d'Alençon[1], se mit à causer avec Mme Verdurin comme si elle était venue pour le plaisir de voir Mme Verdurin plus que pour la musique et que pour M. de Charlus, fit mille déclarations à la Patronne, ne tarit pas sur l'envie qu'elle avait depuis si longtemps de faire sa connaissance, la complimenta sur sa maison et lui parla des sujets les plus divers comme si elle était en visite. Elle eût tant voulu amener sa nièce Élisabeth, disait-elle (celle qui devait peu après épouser le prince Albert de Belgique), et qui regretterait tant ! Elle se tut en voyant les musiciens s'installer sur l'estrade et se fit montrer Morel. Elle ne devait guère se faire d'illusion sur les motifs qui portaient M. de Charlus à vouloir qu'on entourât le jeune virtuose de tant de gloire. Mais sa vieille sagesse de souveraine en qui coulait un des sangs les plus nobles de l'histoire, les plus riches d'expérience, de scepticisme et d'orgueil, lui faisait seulement considérer les tares inévitables des gens qu'elle aimait le mieux, comme son cousin Charlus (fils comme elle d'une duchesse de Bavière), comme des infortunes qui leur rendaient plus précieux l'appui qu'ils pouvaient trouver en elle et faisaient, en conséquence, qu'elle avait plus de plaisir encore à le leur fournir. Elle savait que M. de Charlus serait doublement touché qu'elle se fût dérangée en pareille circonstance. Seulement, aussi bonne qu'elle s'était jadis montrée brave, cette femme héroïque qui, reine-soldat, avait fait elle-même le coup de feu sur les remparts de Gaète[1], toujours prête à aller chevaleresquement du côté des faibles, voyant Mme Verdurin seule et délaissée, et qui ignorait d'ailleurs qu'elle n'eût pas dû quitter la reine, avait cherché à feindre que pour elle, la reine de Naples, le centre de cette soirée, le point attractif qui l'avait fait venir c'était Mme Verdurin. Elle s'excusa sans fin sur ce qu'elle ne pourrait pas rester jusqu'à la fin, devant, quoiqu'elle ne sortît jamais, aller à une autre soirée, et demandant que surtout, quand elle s'en irait, on ne se dérangeât pas pour elle, tenant ainsi quitte d'honneurs que Mme Verdurin ne savait du reste pas qu'on avait à lui rendre.

Il faut rendre pourtant cette justice à M. de Charlus que, s'il oublia entièrement Mme Verdurin et la laissa oublier, jusqu'au scandale, par les gens « de son monde » à lui qu'il avait invités, il comprit en revanche qu'il ne devait pas laisser ceux-ci garder, en face de la « manifestation musicale » elle-même, les mauvaises façons dont ils usaient à l'égard de la Patronne. Morel était déjà monté sur l'estrade, les artistes se groupaient, que l'on entendait encore des conversations, voire des rires, des « il paraît qu'il faut être initié pour comprendre ». Aussitôt M. de Charlus, redressant sa taille en arrière, comme entré dans un autre corps que celui que j'avais vu tout à l'heure arriver en traînaillant chez Mme Verdurin, prit une expression de prophète et regarda l'assemblée avec un sérieux qui signifiait que ce n'était pas le moment de rire, et dont on vit rougir brusquement le visage de plus d'une invitée, prise en faute comme un élève par son professeur en pleine classe. Pour moi, l'attitude, si noble d'ailleurs, de M. de Charlus avait quelque chose de comique ; car tantôt il foudroyait ses invités de regards enflammés, tantôt, afin de leur indiquer comme en un *vade mecum* le religieux silence qu'il convenait d'observer, le détachement de toute préoccupation mondaine, il présentait lui-même, élevant vers son beau front ses mains gantées de blanc, un modèle (auquel on devait se conformer) de gravité, presque déjà d'extase, sans répondre aux saluts des retardataires, assez indécents pour ne pas comprendre que l'heure était maintenant au grand Art. Tous furent hypnotisés, on n'osa plus proférer un son, bouger une chaise ; le respect pour la musique — de par le prestige de Palamède — avait été subitement inculqué à une foule aussi mal élevée qu'élégante.

En voyant se ranger sur la petite estrade non pas seulement Morel et un pianiste, mais d'autres instrumentistes, je crus qu'on commençait par des œuvres d'autres musiciens que Vinteuil. Car je croyais qu'on ne possédait de lui que sa sonate pour piano et violon[1].

Mme Verdurin s'assit à part, les hémisphères de son front blanc et légèrement rosé magnifiquement bombés, les cheveux écartés, moitié en imitation d'un portrait du XVIIIe siècle, moitié par besoin de fraîcheur d'une fiévreuse qu'une pudeur empêche de dire son état, isolée, divinité qui présidait aux solennités musicales, déesse du wagnérisme et de la migraine, sorte de Norne[2] presque tragique, évoquée par le génie au milieu de ces ennuyeux, devant qui elle allait dédaigner plus encore que de coutume d'exprimer des impressions en entendant une musique qu'elle connaissait mieux qu'eux. Le concert commença, je ne connaissais pas ce qu'on jouait ; je me trouvais en pays inconnu. Où le situer ? Dans l'œuvre de quel auteur étais-je ? J'aurais bien voulu le savoir et, n'ayant près de moi personne à qui le demander, aurais bien voulu être un personnage de ces *Mille et Une Nuits* que je relisais sans cesse et où dans les moments d'incertitude surgit soudain un génie ou une adolescente d'une ravissante beauté, invisible pour les autres, mais non pour le héros embarrassé, à qui elle révèle exactement ce qu'il désire savoir. Or à ce moment, je fus précisément favorisé d'une telle apparition magique. Comme quand, dans un pays qu'on ne croit pas connaître et qu'en effet on a abordé par un côté nouveau, après avoir tourné un chemin, on se trouve tout d'un coup déboucher dans un autre dont les moindres coins vous sont familiers, mais seulement où on n'avait pas l'habitude d'arriver par là, on se dit tout d'un coup : « Mais c'est le petit chemin qui mène à la petite porte du jardin de mes amis *** ; je suis à deux minutes de chez eux » ; et leur fille en effet est là qui est venue vous dire bonjour au passage ; ainsi, tout d'un coup je me reconnus au milieu de cette[a] musique nouvelle pour moi, en pleine sonate de Vinteuil ; et plus merveilleuse qu'une adolescente, la petite phrase, enveloppée, harnachée d'argent, toute ruisselante de sonorités brillantes, légères et douces comme des écharpes, vint à moi, reconnaissable sous ces parures nouvelles[1]. Ma joie de l'avoir retrouvée s'accroissait de l'accent si amicalement connu qu'elle prenait pour s'adresser à moi, si persuasif, si simple, non sans laisser éclater pourtant cette beauté chatoyante dont elle resplendissait. Sa signification, d'ailleurs, n'était cette fois que de me montrer le chemin, et qui n'était pas celui de la sonate, car c'était une œuvre inédite de Vinteuil où il s'était seulement amusé, par une allusion que justifiait à cet endroit un mot du programme qu'on aurait dû avoir en même temps sous les yeux, à y faire apparaître un instant la petite phrase. À peine rappelée ainsi, elle disparut et je me retrouvai dans un monde inconnu mais je savais maintenant, et tout ne cessa plus de me confirmer, que ce monde était un de ceux que je n'avais même pu concevoir que Vinteuil eût créés, car quand, fatigué de la sonate qui était un univers épuisé pour moi, j'essayais d'en imaginer d'autres aussi beaux mais différents, je faisais seulement comme ces poètes qui remplissent leur prétendu Paradis de prairies, de fleurs, de rivières qui font double emploi avec celles de la Terre. Ce qui était devant moi me faisait éprouver autant de joie qu'aurait fait la sonate si je ne l'avais pas connue, par conséquent, en étant aussi beau, était autre. Tandis que la sonate s'ouvrait sur une aube liliale et champêtre, divisant sa candeur légère mais pour se suspendre à l'emmêlement léger et pourtant consistant d'un berceau rustique de chèvrefeuilles sur des géraniums blancs, c'était sur des surfaces unies et planes comme celles de la mer que, par un matin d'orage, commençait au milieu d'un aigre silence, dans un vide infini, l'œuvre nouvelle, et c'est dans un rose d'aurore que, pour se construire progressivement devant moi, cet univers inconnu était tiré du silence et de la nuit. Ce rouge si nouveau, si absent de la tendre, champêtre et candide sonate, teignait tout le ciel, comme l'aurore, d'un espoir mystérieux. Et un chant perçait déjà l'air, chant de sept[a] notes, mais le plus inconnu, le plus différent de tout ce que j'eusse jamais imaginé, à la fois ineffable et criard, non plus roucoulement de colombe comme dans la sonate, mais déchirant l'air, aussi vif que la nuance écarlate dans laquelle le début était noyé, quelque chose comme un mystique chant du coq, un appel ineffable mais suraigu, de l'éternel matin. L'atmosphère froide, lavée de pluie, électrique — d'une qualité si différente, à des pressions tout autres, dans un monde si éloigné de celui, virginal et meublé de végétaux, de la sonate — changeait à tout instant, effaçant la promesse empourprée de l'Aurore. À midi pourtant, dans un ensoleillement brûlant et passager, elle semblait s'accomplir en un bonheur lourd, villageois et presque rustique, où la titubation de cloches retentissantes et déchaînées (pareilles à celles qui incendiaient de chaleur la place de l'église à Combray, et que Vinteuil, qui avait dû souvent les entendre, avait peut-être trouvées à ce moment-là dans sa mémoire, comme une couleur qu'on a à portée de sa main sur une palette) semblait matérialiser la plus épaisse joie. À vrai dire, esthétiquement ce motif de joie ne me plaisait pas ; je le trouvais presque laid, le rythme s'en traînait si péniblement à terre qu'on aurait pu en imiter presque tout l'essentiel, rien qu'avec des bruits, en frappant d'une certaine manière des baguettes sur une table. Il me semblait que Vinteuil avait manqué là d'inspiration, et en conséquence, je manquai aussi là un peu de force d'attention.

Je regardai la Patronne, dont l'immobilité farouche semblait protester contre les battements de mesure exécutés par les têtes ignorantes des dames du Faubourg. Mme Verdurin ne disait pas : « Vous comprenez que je la connais un peu cette musique, et un peu encore ! S'il me fallait exprimer tout ce que je ressens, vous n'en auriez pas fini ! » Elle ne le disait pas. Mais sa taille droite et immobile, ses yeux sans expression, ses mèches fuyantes, le disaient pour elle. Ils disaient aussi son courage, que les musiciens pouvaient y aller, ne pas ménager ses nerfs, qu'elle ne flancherait pas à l'andante, qu'elle ne crierait pas à l'allegro. Je regardai ces musiciens. Le violoncelliste dominait l'instrument qu'il serrait entre ses genoux, inclinant sa tête à laquelle des traits vulgaires donnaient, dans les instants de maniérisme, une expression involontaire de dégoût ; il se penchait sur sa contrebasse, la palpait avec la même patience domestique que s'il eût épluché un chou, tandis que près de lui la harpiste, encore enfant, en jupe courte, dépassée de tous côtés par les rayons horizontaux du quadrilatère d'or, pareil à ceux qui, dans la chambre magique d'une sibylle, figureraient arbitrairement l'éther, selon les formes consacrées, semblait aller[a] y chercher çà et là, au point assigné, un son délicieux, de la même manière que, petite déesse allégorique, dressée devant le treillage d'or de la voûte céleste, elle y aurait cueilli, une à une, des étoiles. Quant à Morel, une mèche jusque-là invisible et confondue dans sa chevelure venait de se détacher et de faire boucle sur son front.

Je tournai imperceptiblement la tête vers le public pour me rendre compte de ce que M. de Charlus avait l'air de penser de cette mèche. Mais mes yeux ne rencontrèrent que le visage, ou plutôt que les mains de Mme Verdurin, car celui-là était entièrement enfoui dans celles-ci. La Patronne voulait-elle par cette attitude recueillie montrer qu'elle se considérait comme à l'église, et ne trouvait pas cette musique différente de la plus sublime des prières ; voulait-elle comme certaines personnes à l'église dérober aux regards indiscrets, soit par pudeur leur ferveur supposée, soit par respect humain leur distraction coupable ou un sommeil invincible ? Cette dernière hypothèse fut celle qu'un bruit régulier qui n'était pas musical me fit croire un instant être la vraie, mais je m'aperçus ensuite qu'il était produit par les ronflements, non de Mme Verdurin, mais de sa chienne[a].

Mais bien vite, le motif triomphant des cloches ayant été chassé[b], dispersé par d'autres, je fus repris par cette musique ; et je me rendais compte que si, au sein de ce septuor, des éléments différents s'exposaient tour à tour pour se combiner à la fin, de même, sa sonate, et comme je le sus plus tard, ses autres œuvres, n'avaient toutes été par rapport à ce septuor que de timides essais, délicieux mais bien frêles, auprès du chef-d'œuvre triomphal et complet qui m'était en ce moment révélé. Et je ne pouvais m'empêcher, par comparaison, de me rappeler que, de même encore, j'avais pensé aux autres mondes qu'avait pu créer Vinteuil comme à des univers clos, comme avait été chacun de mes amours ; mais, en réalité, je devais bien m'avouer que, comme[c] au sein de ce dernier amour — celui pour Albertine — mes premières velléités de l'aimer (à Balbec tout au début, puis après la partie de furet, puis la nuit où elle avait couché à l'hôtel, puis à Paris le dimanche de brume, puis le soir de la fête Guermantes, puis de nouveau à Balbec[1], et enfin à Paris où ma vie était étroitement unie à la sienne), de même, si je considérais maintenant non plus mon amour pour

Albertine, mais toute ma vie, mes autres amours n'y avaient été que de minces et timides essais qui préparaient, des appels qui réclamaient ce plus vaste amour... l'amour pour Albertine[a]. Et je cessai de suivre la musique pour me redemander si Albertine avait vu ou non Mlle Vinteuil ces jours-ci, comme on interroge de nouveau une souffrance interne que la distraction vous a fait un moment oublier. Car c'est en moi que se passaient les actions possibles d'Albertine. De tous les êtres que nous connaissons, nous possédons un double. Mais, habituellement situé à l'horizon de notre imagination, de notre mémoire, il nous reste relativement extérieur, et ce qu'il a fait ou pu faire ne comporte pas plus pour nous d'élément douloureux qu'un objet placé à quelque distance et qui ne nous procure que les sensations indolores de la vue. Ce qui affecte ces êtres-là, nous le percevons d'une façon contemplative, nous pouvons le déplorer en termes appropriés qui donnent aux autres l'idée de notre bon cœur, nous ne le ressentons pas. Mais depuis ma blessure de Balbec, c'était dans mon cœur, à une grande profondeur, difficile à extraire, qu'était le double d'Albertine. Ce que je voyais d'elle me lésait comme un malade dont les sens seraient si fâcheusement transposés que la vue d'une couleur serait intérieurement éprouvée par lui comme une incision en pleine chair. Heureusement que je n'avais pas cédé à la tentation de rompre encore avec Albertine ; cet ennui d'avoir à la retrouver tout à l'heure comme une femme bien aimée, quand je rentrerais, était bien peu de chose auprès de l'anxiété que j'aurais eue si la séparation s'était effectuée à ce moment où j'avais un doute sur elle et avant qu'elle eût eu le temps de me devenir indifférente. Et au moment où je me la représentais ainsi m'attendant à la maison, trouvant le temps long, s'étant peut-être endormie un instant dans sa chambre, je fus caressé au passage par une tendre phrase familiale et domestique du septuor. Peut-être[b] — tant tout s'entrecroise et se superpose dans notre vie intérieure — avait-elle été inspirée à Vinteuil par le sommeil de sa fille — de sa fille, cause aujourd'hui de tous mes troubles — quand il enveloppait de sa douceur, dans les paisibles soirées, le travail du musicien, cette phrase qui me calma tant par le même moelleux arrière-plan de silence qui pacifie certaines rêveries de Schumann, durant lesquelles, même quand « le poète parle », on devine que « l'enfant dort[1] ». Endormie, éveillée, je la retrouverais ce soir, quand il me plairait de rentrer, Albertine, ma petite enfant. Et pourtant, me dis-je, quelque chose de plus mystérieux que l'amour d'Albertine semblait promis au début de cette œuvre, dans ces premiers cris d'aurore. J'essayai de chasser la pensée de mon amie pour ne plus songer qu'au musicien. Aussi bien semblait-il être là. On aurait dit que, réincarné, l'auteur vivait à jamais dans sa musique ; on sentait la joie avec laquelle il choisissait la couleur de tel timbre, l'assortissait aux autres. Car à des dons plus profonds, Vinteuil joignait celui que peu de musiciens, et même peu de peintres ont possédé, d'user de couleurs non seulement si stables mais si personnelles que, pas plus que le temps n'altère leur fraîcheur, les élèves qui imitent celui qui les a trouvées, et les maîtres mêmes qui le dépassent, ne font pâlir leur originalité. La révolution que leur apparition a accomplie ne voit pas ses résultats s'assimiler anonymement aux époques suivantes ; elle se déchaîne, elle éclate à nouveau, et seulement quand on rejoue les œuvres du novateur à perpétuité. Chaque timbre se soulignait d'une couleur que toutes les règles du monde apprises par les musiciens les plus savants ne pourraient pas imiter, en sorte que Vinteuil, quoique venu à son heure et fixé à son rang dans l'évolution musicale, le quitterait toujours pour venir prendre la tête dès qu'on jouerait une de ses productions, qui devrait de paraître éclose après celle de musiciens plus récents, à ce caractère en apparence contradictoire et en effet trompeur, de durable nouveauté. Une page symphonique de Vinteuil, connue déjà au piano et qu'on entendait à l'orchestre, comme un rayon de jour d'été que le prisme de la fenêtre décompose avant son entrée dans une salle à manger obscure, dévoilait comme un trésor insoupçonné et multicolore toutes les pierreries des *Mille et Une Nuits*. Mais comment comparer à cet immobile éblouissement de la lumière ce qui était vie, mouvement perpétuel et heureux ? Ce Vinteuil que j'avais connu si timide et si triste, avait, quand il fallait choisir un timbre, lui en unir un autre, des audaces, et dans tout le sens du mot un bonheur sur lequel l'audition d'une œuvre de lui ne laissait aucun doute. La joie que lui avaient causée telles sonorités, les forces accrues qu'elle lui avait données pour en découvrir d'autres, menaient encore l'auditeur de trouvaille en trouvaille, ou plutôt c'était le créateur qui le conduisait lui-même, puisant dans les couleurs qu'il venait de trouver une joie éperdue qui lui donnait la puissance de découvrir, de se jeter sur celles qu'elles semblaient appeler, ravi, tressaillant comme au choc d'une étincelle quand le sublime naissait[a] de lui-même de la rencontre des cuivres, haletant, grisé, affolé, vertigineux, tandis qu'il peignait sa grande fresque musicale, comme Michel-Ange attaché à son échelle et lançant, la tête en bas, de tumultueux coups de brosse au plafond de la chapelle Sixtine[1]. Vinteuil était mort depuis nombre d'années ; mais au milieu de ces instruments qu'il avait aimés, il lui avait été donné de poursuivre, pour un temps illimité, une part au moins de sa vie. De sa vie d'homme seulement ? Si l'art n'était vraiment qu'un prolongement de la vie, valait-il de lui rien sacrifier, n'était-il pas aussi irréel qu'elle-même ? À mieux écouter ce septuor, je ne le pouvais pas penser. Sans doute le rougeoyant septuor différait singulièrement de la blanche sonate ; la timide interrogation à laquelle répondait la petite phrase, de la supplication haletante pour trouver l'accomplissement de l'étrange promesse, qui avait retenti, si aigre, si surnaturelle, si brève, faisant vibrer la rougeur encore inerte du ciel matinal au-dessus de la mer. Et pourtant, ces phrases si différentes étaient faites des mêmes éléments, car de même qu'il y avait un certain univers, perceptible pour nous en ces parcelles dispersées çà et là, dans telles demeures, dans tels musées, et qui était l'univers d'Elstir, celui qu'il voyait, celui où il vivait, de même la musique de Vinteuil[b] étendait, notes par notes, touches par touches, les colorations inconnues, inestimables, d'un univers insoupçonné, fragmenté par les lacunes que laissaient entre elles les auditions de son œuvre ; ces deux interrogations si dissemblables qui commandaient le mouvement si différent de la sonate et du septuor, l'une brisant en courts appels une ligne continue et pure, l'autre ressoudant en une armature indivisible des fragments épars, l'une[c] si calme et timide, presque détachée et comme philosophique, l'autre si pressante, anxieuse, implorante, c'était pourtant une même prière, jaillie devant différents levers de soleil intérieurs, et seulement réfractée à travers les milieux différents de pensées autres, de recherches d'art en progrès au cours d'années où il avait voulu créer quelque chose de nouveau. Prière, espérance qui était au fond la même, reconnaissable sous ses déguisements dans les diverses œuvres de Vinteuil, et d'autre part qu'on ne trouvait que dans les œuvres de Vinteuil. Ces phrases-là, les musicographes pourraient bien trouver leur apparentement, leur généalogie, dans les œuvres d'autres grands musiciens, mais seulement pour des raisons accessoires, des ressemblances extérieures, des analogies plutôt ingénieusement trouvées par le raisonnement que senties par l'impression directe[1]. Celle que donnaient ces phrases de Vinteuil était différente de toute autre, comme si, en dépit des conclusions qui semblent se dégager de la science, l'individuel existait. Et c'était justement quand il cherchait puissamment à être nouveau, qu'on reconnaissait, sous les différences apparentes, les similitudes profondes et les ressemblances voulues qu'il y avait au sein d'une œuvre, quand Vinteuil reprenait à diverses reprises une même phrase, la diversifiait, s'amusait à changer son rythme, à la faire reparaître sous sa forme première, ces ressemblances-là, voulues, œuvre de l'intelligence, forcément superficielles, n'arrivaient jamais à être aussi frappantes que ces ressemblances dissimulées, involontaires, qui éclataient sous des couleurs différentes, entre les deux chefs-d'œuvre distincts ; car alors Vinteuil, cherchant puissamment à être nouveau, s'interrogeait lui-même, de toute la puissance de son effort créateur atteignait sa propre essence à ces profondeurs où, quelque question qu'on lui pose, c'est du même accent, le sien propre, qu'elle répond. Un accent, cet accent de Vinteuil, séparé de l'accent des autres musiciens, par une différence bien plus grande que celle que nous percevons entre la voix de deux personnes, même entre le beuglement et le cri de deux espèces animales ; une véritable différence, celle qu'il y avait entre la pensée de tel musicien et les éternelles investigations de Vinteuil, la question qu'il se posa sous tant de formes, son habituelle spéculation, mais aussi débarrassée des formes analytiques du raisonnement que si elle s'était exercée dans le monde des anges, de sorte que nous pouvons en[a] mesurer la profondeur, mais pas plus la traduire en langage humain que ne le peuvent les esprits désincarnés quand, évoqués par un médium, celui-ci les interroge sur les secrets de la mort ; un accent, car tout de même et même en tenant compte de cette originalité acquise qui m'avait frappé dans l'après-midi, de cette parenté aussi que les musicographes pourraient trouver entre des musiciens, c'est bien un accent unique auquel s'élèvent, auquel reviennent malgré eux ces grands chanteurs que sont les musiciens originaux, et qui est une preuve de l'existence irréductiblement individuelle de l'âme. Que Vinteuil essayât de faire plus solennel, plus grand, ou de faire du vif et du gai, de faire ce qu'il apercevait se reflétant en beau dans l'esprit du public, Vinteuil, malgré lui submergeait tout cela sous une lame de fond qui rend son chant éternel[a] et aussitôt reconnu. Ce chant, différent de celui des autres, semblable à tous les siens, où Vinteuil l'avait-il appris, entendu ? Chaque artiste semble ainsi comme le citoyen d'une patrie inconnue, oubliée de lui-même, différente de celle d'où viendra, appareillant pour la terre, un autre grand artiste. Tout au plus, de cette patrie, Vinteuil dans ses dernières œuvres semblait s'être rapproché. L'atmosphère n'y était plus la même que dans la sonate, les phrases interrogatives s'y faisaient plus pressantes, plus inquiètes, les réponses plus mystérieuses ; l'air délavé du matin et du soir semblait y influencer jusqu'aux cordes des instruments. Morel avait beau jouer merveilleusement, les sons que rendait son violon me parurent singulièrement perçants, presque criards. Cette âcreté plaisait et, comme dans certaines voix, on y sentait une sorte de qualité morale et de supériorité intellectuelle. Mais cela pouvait choquer. Quand la vision de l'univers se modifie, s'épure, devient plus adéquate au souvenir de la patrie intérieure, il est bien naturel que cela se traduise par une altération générale des sonorités chez le musicien comme de la couleur chez le peintre. Au reste, le public le plus intelligent ne s'y trompe pas puisque l'on déclara plus tard les dernières œuvres de Vinteuil[b] les plus profondes. Or aucun programme, aucun sujet n'apportait un élément intellectuel de jugement. On devinait donc qu'il s'agissait d'une transposition, dans l'ordre sonore, de la profondeur.

Cette patrie perdue, les musiciens ne se la rappellent pas, mais chacun d'eux reste toujours inconsciemment accordé en un certain unisson avec elle ; il délire de joie quand il chante selon sa patrie, la trahit parfois par amour de la gloire, mais alors en cherchant la gloire il la fuit, et ce n'est qu'en la dédaignant qu'il la trouve, et quand le musicien, quel que soit le sujet qu'il traite entonne ce chant singulier dont la monotonie — car quel que soit le sujet traité il reste identique à soi-même — prouve chez le musicien la fixité des éléments composants de son âme. Mais alors, n'est-ce pas que ces éléments, tout ce résidu réel que nous sommes obligés de garder pour nous-mêmes, que la causerie ne peut transmettre même de l'ami à l'ami, du maître au disciple, de l'amant à la maîtresse, cet ineffable qui différencie qualitativement ce que chacun a senti et qu'il est obligé de laisser au seuil des phrases où il ne peut communiquer avec autrui qu'en se limitant à des points extérieurs communs à tous et sans intérêt, l'art, l'art d'un Vinteuil comme celui d'un Elstir, le fait apparaître, extériorisant dans les couleurs du spectre la composition intime de ces mondes que nous appelons les individus, et que sans l'art nous ne connaîtrions jamais ? Des ailes, un autre appareil respiratoire, et qui nous permissent de traverser l'immensité, ne nous serviraient à rien. Car si nous allions dans Mars et dans Vénus en gardant les mêmes sens, ils revêtiraient du même aspect que les choses de la Terre tout ce que nous pourrions voir. Le seul véritable voyage, le seul bain de Jouvence, ce ne serait pas d'aller vers de nouveaux paysages, mais d'avoir d'autres yeux, de voir l'univers avec les yeux d'un autre, de cent autres, de voir les cent univers que chacun d'eux voit, que chacun d'eux est ; et cela nous le pouvons avec un Elstir, avec un Vinteuil, avec leurs pareils, nous volons vraiment d'étoiles en étoiles.

L'andante venait de finir sur une phrase remplie d'une tendresse à laquelle je m'étais donné tout entier ; alors il y eut, avant le mouvement suivant, un instant de repos où les exécutants posèrent leurs instruments et les auditeurs échangèrent quelques impressions. Un duc, pour montrer qu'il s'y connaissait, déclara : « C'est très difficile à bien jouer. » Des personnes plus agréables causèrent un moment avec moi. Mais qu'étaient leurs paroles, qui, comme toute parole humaine extérieure, me laissaient si indifférent, à côté de la céleste phrase musicale avec laquelle je venais de m'entretenir ? J'étais vraiment comme un ange qui, déchu des ivresses du Paradis, tombe dans la plus insignifiante réalité. Et de même que certains êtres sont les derniers témoins d'une forme de vie que la nature a abandonnée, je me demandais si la musique n'était pas l'exemple unique de ce qu'aurait pu être — s'il n'y avait pas eu l'invention du langage, la formation des mots, l'analyse des idées — la communication des âmes. Elle est comme une possibilité qui n'a pas eu de suites, l'humanité s'est engagée dans d'autres voies, celle du langage parlé et écrit. Mais ce retour à l'inanalysé était si enivrant qu'au sortir de ce paradis le contact des êtres plus ou moins intelligents me semblait d'une insignifiance extraordinaire. Les êtres, j'avais pu pendant la musique me souvenir d'eux, les mêler à elle ; ou plutôt à la musique je n'avais guère mêlé le souvenir que d'une seule personne, celui d'Albertine. Et la phrase qui finissait l'andante me semblait si sublime que je me disais qu'il était malheureux qu'Albertine ne sût pas, et si elle avait su — n'eût pas compris — quel honneur c'était pour elle d'être mêlée à quelque chose de si grand qui nous réunissait, et dont elle avait semblé emprunter la voix pathétique. Mais une fois la musique interrompue, les êtres qui étaient là semblaient trop fades. On passa quelques rafraîchissements. M. de Charlus interpellait de temps en temps un domestique : « Comment allez-vous ? Avez-vous reçu mon pneumatique ? Viendrez-vous ? » Sans doute il y avait dans ces interpellations la liberté du grand seigneur qui croit flatter et qui est plus peuple que le bourgeois, mais aussi la rouerie du coupable qui croit que ce dont on fait étalage est par cela même jugé innocent. Et il ajoutait, sur le ton Guermantes de Mme de Villeparisis : « C'est un brave petit, c'est une bonne nature, je l'emploie souvent chez moi. » Mais ses habiletés tournaient contre le baron, car on trouvait extraordinaires ses amabilités si intimes et ses pneumatiques à des valets de pied. Ceux-ci en étaient d'ailleurs moins flattés que gênés pour leurs camarades.

Cependant le septuor qui avait recommencé avançait vers sa fin ; à plusieurs reprises une phrase, telle ou telle de la sonate, revenait, mais chaque fois changée, sur un rythme, un accompagnement différents, la même et pourtant autre, comme reviennent les choses dans la vie ; et c'était une de ces phrases qui, sans qu'on puisse comprendre quelle affinité leur assigne comme demeure unique et nécessaire le passé d'un certain musicien, ne se trouvent que dans son œuvre, et apparaissent constamment dans son œuvre, dont elles sont les fées, les dryades, les divinités familières. J'en avais d'abord distingué dans le septuor deux ou trois qui me rappelaient la sonate.

Bientôt — baignée dans le brouillard violet qui s'élevait surtout de la dernière période[a] de l'œuvre de Vinteuil, si bien que, même quand il introduisait quelque part une danse, elle restait captive dans une opale — j'aperçus une autre phrase de la sonate, restant si lointaine encore que je la reconnaissais à peine ; hésitante, elle s'approcha, disparut comme effarouchée, puis revint, s'enlaça à d'autres, venues, comme je le sus plus tard, d'autres œuvres, en appela d'autres qui devenaient à leur tour attirantes et persuasives aussitôt qu'elles étaient apprivoisées, et entraient dans la ronde, dans la ronde divine mais restée invisible pour la plupart des auditeurs, lesquels n'ayant devant eux qu'un voile confus au travers duquel ils ne voyaient rien, ponctuaient arbitrairement d'exclamations admiratives un ennui continu dont ils pensaient mourir. Puis elles s'éloignèrent, sauf une que je vis repasser jusqu'à cinq et six fois, sans que je pusse apercevoir son visage, mais si caressante, si différente — comme sans doute la petite phrase de la sonate pour Swann — de ce qu'aucune femme n'avait jamais fait désirer, que cette phrase-là qui m'offrait d'une voix si douce un bonheur qu'il eût vraiment valu la peine d'obtenir, c'est peut-être — cette créature invisible dont je ne connaissais pas le langage et que je comprenais si bien — la seule Inconnue qu'il m'ait jamais été donné de rencontrer[b]. Puis cette phrase se défit, se transforma, comme faisait la petite phrase de la sonate, et devint le mystérieux appel du début. Une phrase d'un caractère douloureux s'opposa à lui, mais si profonde, si vague, si interne, presque si organique et viscérale qu'on ne savait pas, à chacune de ses reprises, si c'était celles d'un thème ou d'une névralgie[1]. Bientôt les deux motifs luttèrent ensemble dans un corps à corps où parfois l'un disparaissait entièrement, où ensuite on n'apercevait plus qu'un morceau de l'autre. Corps à corps d'énergies seulement, à vrai dire ; car si ces êtres s'affrontaient, c'était débarrassés de leur corps physique, de leur apparence, de leur nom, et trouvant chez moi un spectateur intérieur — insoucieux lui aussi des noms et du particulier — pour s'intéresser à leur combat immatériel et dynamique et en suivre avec passion les péripéties sonores. Enfin le motif joyeux resta triomphant, ce n'était plus un appel presque inquiet lancé derrière un ciel vide, c'était une joie ineffable qui semblait venir du Paradis ; une joie aussi différente de celle de la sonate que, d'un ange doux et grave de Bellini[1], jouant du théorbe, pourrait être, vêtu d'une robe d'écarlate, quelque archange de Mantegna sonnant dans un buccin[2]. Je savais que cette nuance nouvelle de la joie, cet appel vers une joie supraterrestre, je ne l'oublierais jamais. Mais serait-elle jamais réalisable pour moi ? Cette question me paraissait d'autant plus importante que cette phrase était ce qui aurait pu le mieux caractériser — comme tranchant avec tout le reste de ma vie, avec le monde visible — ces impressions qu'à des intervalles éloignés je retrouvais dans ma vie comme les points de repère, les amorces, pour la construction d'une vie véritable : l'impression éprouvée devant les clochers de Martinville, devant une rangée d'arbres près de Balbec[3]. En tout cas, pour en revenir à l'accent particulier de cette phrase, comme il était singulier que le pressentiment le plus différent de ce qu'assigne la vie terre à terre, l'approximation la plus hardie des allégresses de l'au-delà se fût justement matérialisée dans le triste petit bourgeois bienséant que nous rencontrions au mois de Marie à Combray ! Mais, surtout, comment se faisait-il que cette révélation, la plus étrange que j'eusse encore reçue, d'un type inconnu de joie, j'eusse pu la recevoir de lui, puisque, disait-on, quand il était mort il n'avait laissé que sa Sonate, que le reste demeurait inexistant en d'indéchiffrables notations ? Indéchiffrables, mais qui pourtant avaient fini à force de patience, d'intelligence et de respect, par être déchiffrées par la seule personne qui[a] avait assez vécu auprès de Vinteuil pour bien connaître sa manière de travailler, pour deviner ses indications d'orchestre : l'amie de Mlle Vinteuil. Du vivant même du grand musicien elle avait appris de la fille le culte que celle-ci avait pour son père. C'est à cause de ce culte que dans ces moments où l'on va à l'opposé de ses inclinations véritables, les deux jeunes filles avaient pu trouver un plaisir dément aux profanations qui ont été racontées[4]. L'adoration pour son père était la condition même du sacrilège de sa fille. Et sans doute, la volupté de ce sacrilège, elles eussent dû se la refuser, mais celle-ci ne les exprimait pas tout entières. Et d'ailleurs, elles étaient allées se raréfiant jusqu'à disparaître tout à fait au fur et à mesure que ces relations charnelles et maladives, ce trouble et fumeux embrasement avait fait place à la flamme d'une amitié haute et pure. L'amie de Mlle Vinteuil était quelquefois traversée par l'importune pensée qu'elle avait peut-être précipité la mort de Vinteuil. Du moins, en passant des années à débrouiller le grimoire laissé par Vinteuil, en établissant la lecture certaine de ces hiéroglyphes inconnus, l'amie de Mlle Vinteuil eut la consolation d'assurer au musicien dont elle avait assombri les dernières années, une gloire immortelle et compensatrice. De relations qui ne sont pas consacrées par les lois, découlent des liens de parenté aussi multiples, aussi complexes, plus solides seulement, que ceux qui naissent du mariage. Sans même s'arrêter à des relations d'une nature aussi particulière, ne voyons-nous pas tous les jours que l'adultère, quand il est fondé sur l'amour véritable, n'ébranle pas les sentiments de famille, les devoirs de parenté, mais les revivifie ? L'adultère alors introduit l'esprit dans la lettre que bien souvent le mariage eût laissée morte. Une bonne fille qui portera par simple convenance le deuil du second mari de sa mère n'aura pas assez de larmes pour pleurer l'homme que sa mère avait entre tous choisi comme amant. Du reste, Mlle Vinteuil n'avait agi que par sadisme, ce qui ne l'excusait pas, mais j'eus plus tard une certaine douceur à le penser. Elle devait bien se rendre compte, me disais-je, au moment où elle profanait avec son amie la photographie de son père, que tout cela n'était que maladif, de la folie, et pas la vraie et joyeuse méchanceté qu'elle aurait voulue. Cette idée que c'était une simulation de méchanceté seulement, gâtait son plaisir. Mais si cette idée a pu lui revenir plus tard, comme elle avait gâté son plaisir elle a dû diminuer sa souffrance. « Ce n'était pas moi, dut-elle se dire, j'étais aliénée. Moi, je peux encore prier pour mon père, ne pas désespérer de sa bonté. » Seulement il est possible que cette idée, qui s'était certainement présentée à elle dans le plaisir, ne se soit pas présentée à elle dans la souffrance. J'aurais voulu pouvoir la mettre dans son esprit. Je suis sûr que je lui aurais fait du bien et que j'aurais pu rétablir entre elle et le souvenir de son père une communication assez douce[a].

Comme dans les illisibles carnets où un chimiste de génie, qui ne sait pas la mort si proche, a noté des découvertes qui resteront peut-être à jamais ignorées, elle[1] avait dégagé, de papiers plus illisibles que des papyrus ponctués d'écriture cunéiforme, la formule éternellement vraie, à jamais féconde, de cette joie inconnue, l'espérance mystique de l'ange écarlate du matin. Et moi pour qui, moins pourtant que pour Vinteuil peut-être, elle avait été cause aussi, elle venait d'être ce soir même encore en réveillant à nouveau ma jalousie d'Albertine, elle devait surtout dans l'avenir être cause de tant de souffrances, c'était grâce à elle, par compensation, qu'avait pu venir jusqu'à moi l'étrange appel que je ne cesserais plus jamais d'entendre — comme la promesse qu'il existait autre chose, réalisable par l'art sans doute, que le néant que j'avais trouvé dans tous les plaisirs et dans l'amour même, et que si ma vie me semblait si vaine, du moins n'avait-elle pas tout accompli.

Ce qu'elle avait permis grâce à son labeur, qu'on connût de Vinteuil, c'était à vrai dire toute l'œuvre de Vinteuil. À côté de cette pièce pour dix instruments, certaines phrases de la sonate que seules le public connaissait, apparaissaient comme tellement banales qu'on ne pouvait pas comprendre comment elles avaient pu exciter tant d'admiration. C'est ainsi que nous sommes surpris que pendant des années, des morceaux aussi insignifiants que la « Romance de l'Étoile », la « Prière d'Élisabeth[1] » aient pu soulever au concert des amateurs fanatiques qui s'exténuaient à applaudir et à crier *bis* quand venait de finir ce qui pourtant n'est que fade pauvreté pour nous qui connaissons *Tristan, L'Or du Rhin, Les Maîtres chanteurs*. Il faut supposer que ces mélodies sans caractère contenaient déjà cependant en quantités infinitésimales, et par cela même peut-être plus assimilables, quelque chose de l'originalité des chefs-d'œuvre qui rétrospectivement comptent seuls pour nous, mais que leur perfection même eût peut-être empêchés d'être compris ; elles ont pu leur préparer le chemin dans les cœurs. Toujours est-il que, si elles donnaient un pressentiment confus de beautés futures, elles laissaient celles-ci dans un inconnu complet. Il en était de même pour Vinteuil ; si en mourant il n'avait laissé — en exceptant certaines parties de la sonate — que ce qu'il avait pu terminer, ce qu'on eût connu de lui eût été auprès de sa grandeur véritable aussi peu de chose que pour Victor Hugo, par exemple, s'il était[a] mort après « Le Pas d'Armes du Roi Jean », « La Fiancée du timbalier[2] » et « Sara la baigneuse[3] », sans avoir rien écrit de *La Légende des siècles* et des *Contemplations* : ce qui est pour nous son œuvre véritable fût resté purement virtuel, aussi inconnu que ces univers jusqu'auxquels notre perception n'atteint pas, dont nous n'aurons jamais une idée.

Au reste, ce contraste apparent, cette union profonde entre le génie (le talent aussi, et même la vertu) et la gaine de vices où, comme il était arrivé pour Vinteuil, il est si fréquemment contenu, conservé, étaient lisibles, comme en une vulgaire allégorie, dans la réunion même des invités au milieu desquels je me retrouvai quand la musique fut finie. Cette réunion, bien que limitée cette fois au salon de Mme Verdurin, ressemblait à beaucoup d'autres, dont le gros public ignore les ingrédients qui y entrent, et que les journalistes[a] philosophes — s'ils sont un peu informés — appellent parisiennes, ou panamistes[1], ou dreyfusardes, sans se douter qu'elles peuvent se voir aussi bien à Pétersbourg, à Berlin, à Madrid et dans tous les temps ; si en effet le sous-secrétaire d'État aux Beaux-Arts, homme véritablement artiste, bien élevé, et snob, quelques duchesses et trois ambassadeurs avec leurs femmes étaient ce soir chez Mme Verdurin, le motif proche, immédiat, de cette présence résidait dans les relations qui existaient entre M. de Charlus et Morel, relations qui faisaient désirer au baron de donner le plus de retentissement possible aux succès artistiques de sa jeune idole, et d'obtenir pour lui la croix de la Légion d'honneur ; la cause plus lointaine qui avait rendu cette réunion possible, était qu'une jeune fille entretenant avec Mlle Vinteuil des relations parallèles à celles de Charlie et du baron, avait mis au jour toute une série d'œuvres géniales et qui avaient été une telle révélation qu'une souscription n'allait par tarder à être ouverte, sous le patronage du ministre de l'Instruction publique, en vue de faire élever une statue à Vinteuil. D'ailleurs, à ces œuvres, tout autant que les relations de Mlle Vinteuil avec son amie, avaient été utiles celles du baron avec Charlie, sorte de chemin de traverse, de raccourci, grâce auquel le monde allait rejoindre ces œuvres sans le détour, sinon d'une incompréhension qui persisterait longtemps, du moins d'une ignorance totale qui eût pu durer des années. Chaque fois que se produit un événement accessible à la vulgarité d'esprit du journaliste philosophe, c'est-à-dire généralement un évé-mement politique, les journalistes philosophes sont persuadés qu'il y a quelque chose de changé en France, qu'on ne reverra plus de telles soirées, qu'on admirera plus Ibsen, Renan, Dostoïevsky, Annunzio, Tolstoï, Wagner, Strauss. Car les journalistes philosophes tirent argument des dessous équivoques de ces manifesfations officielles pour trouver quelque chose de décadent à l'art qu'elles glorifient et qui bien souvent est le plus austère de tous. Car il n'est pas de nom, parmi les plus révérés du journaliste philosophe, qui n'ait tout naturellement donné lieu à de telles fêtes étranges, quoique l'étrangeté en fût moins flagrante et mieux cachée. Pour cette fête-ci, les éléments impurs qui s'y conjuguaient me frappaient à un autre point de vue ; certes, j'étais aussi à même que personne de les dissocier, ayant appris à les connaître séparément ; mais surtout les uns, ceux qui se rattachaient à Mlle Vinteuil et son amie, me parlant de Combray, me parlaient aussi d'Albertine, c'est-à-dire de Balbec, puisque c'est parce que j'avais vu jadis Mlle Vinteuil à Montjouvain et que j'avais appris l'intimité de mon amie avec Albertine[a], que j'allais tout à l'heure en rentrant chez moi, trouver au lieu de la solitude, Albertine qui m'attendait[1] ; et ceux qui concernaient Morel et M. de Charlus, en me parlant de Balbec, où j'avais vu sur le quai de Doncières se nouer leurs relations[2], me parlaient de Combray et de ses deux côtés, car M. de Charlus c'était un de ces Guermantes, comtes de Combray, habitant Combray sans y avoir de logis, entre ciel et terre, comme Gilbert le Mauvais[b] dans son vitrail et Morel était le fils de ce vieux valet de chambre qui m'avait fait connaître la dame en rose et permis, tant d'années après, de reconnaître en elle Mme Swann[3].

« C'est bien rendu, hein ? demanda M. Verdurin à Saniette. — Je crains seulement, répondit celui-ci en bégayant, que la virtuosité même de Morel n'offusque un peu le sentiment général de l'œuvre. — Offusquer, qu'est-ce que vous voulez dire ? » hurla M. Verdurin tandis que des invités s'empressaient, prêts, comme des lions, à dévorer l'homme terrassé. « Oh ! je ne vise pas à lui seulement... — Mais il ne sait plus ce qu'il dit. Viser à quoi ? — Il... faudrait... que... j'entende... encore une fois pour porter un jugement à la rigueur. — À la rigueur ! Il est fou ! » dit M. Verdurin se prenant la tête dans ses mains. « On devrait l'emmener. — Cela veut dire : avec exactitude, vous... dites bbbien... avec une exactitude rigoureuse. Je dis que je ne peux pas juger à la rigueur. — Et moi, je vous dis de vous en aller », cria M. Verdurin grisé par sa propre colère, en lui montant la porte du doigt, l'œil flambant. « Je ne permets pas qu'on parle ainsi chez moi ! » Saniette s'en alla en décrivant des cercles comme un homme ivre. Certaines personnes pensèrent qu'il n'avait pas été invité pour qu'on le mît ainsi dehors. Et une dame très amie avec lui jusque-là, à qui il avait la veille prêté un livre précieux, le lui renvoya le lendemain, sans un mot, à peine enveloppé dans un papier sur lequel elle fit mettre tout sec l'adresse de Saniette par son maître d'hôtel ; elle ne voulait « rien devoir » à quelqu'un qui visiblement était loin d'être dans les bonnes grâces du petit noyau. Saniette ignora d'ailleurs toujours cette impertinence. Car cinq minutes ne s'étaient pas écoulées depuis l'algarade de M. Verdurin, qu'un valet de pied vint prévenir le Patron que M. Saniette était tombé d'une attaque dans la cour de l'hôtel. Mais la soirée n'était pas finie. « Faites-le ramener chez lui, ce ne sera rien », dit le Patron dont l'hôtel « particulier », comme eût dit le directeur de l'hôtel de Balbec, fut assimilé ainsi à ces grands hôtels où on s'empresse de cacher les morts subites pour ne pas effrayer la clientèle, et où on cache provisoirement le défunt dans un garde-manger, jusqu'au moment où, eût-il été de son vivant le plus brillant et le plus généreux des hommes, on le fera sortir clandestinement par la porte réservée aux « plongeurs » et aux sauciers. Mort, du reste, Saniette ne l'était pas[1]. Il vécut encore quelques semaines, mais sans reprendre que passagèrement connaissance[a].

M.[b] de Charlus recommença au moment où la musique finie, ses invités prirent congé de lui, la même erreur qu'à leur arrivée. Il ne leur demanda pas d'aller vers la Patronne, de l'associer elle et son mari à la reconnaissance qu'on lui témoignait. Ce fut un long défilé, mais un défilé devant le baron seul, et non même sans qu'il s'en rendît compte, car ainsi qu'il me le dit quelques minutes après : « La forme même de la manifestation artistique a revêtu[c] ensuite un côté "sacristie" assez amusant. » On prolongeait même les remerciements par des propos différents qui permettaient de rester un instant de plus auprès du baron, pendant que ceux qui ne l'avaient pas encore félicité de la réussite de *sa* fête stagnaient, piétinaient. (Plus d'un mari avait envie de s'en aller ; mais sa femme, snob bien que duchesse, protestait : « Non, non, quand nous devrions attendre une heure, il ne faut pas partir sans avoir remercié Palamède qui s'est donné tant de peine. Il n'y a que lui qui puisse à l'heure actuelle donner des fêtes pareilles. » Personne n'eût plus pensé à se faire présenter à Mme Verdurin qu'à l'ouvreuse d'un théâtre où une grande dame a pour un soir amené toute l'aristocratie[a].) « Étiez-vous hier chez Éliane de Montmorency, mon cousin ? demandait Mme de Mortemart, désireuse de prolonger l'entretien. — Hé bien, mon Dieu, non ; j'aime bien Éliane, mais je ne comprends pas le sens de ses invitations. Je suis un peu bouché sans doute », ajoutait-il avec un large sourire épanoui, cependant que Mme de Mortemart sentait qu'elle allait avoir la primeur d'une de « Palamède » comme elle en avait souvent d'« Oriane ». « J'ai bien reçu il y a une quinzaine de jour une carte de l'agréable Éliane. Au-dessus du nom contesté de Montmorency, il y avait cette aimable invitation : *Mon cousin, faites-moi la grâce de penser à moi vendredi prochain à 9 h.½*. Au-dessous étaient écrits ces deux mots moins gracieux : *Quatuor Tchèque*. Ils me semblèrent inintelligibles, sans plus de rapport en tout cas avec la phrase précédente que ces lettres au dos desquelles on voit que l'épistolier en avait commencé une autre par les mots : *Cher Ami*, la suite manquant, et n'a pas pris une autre feuille, soit distraction, soit économie de papier. J'aime bien Éliane : aussi je ne lui en voulus pas, je me contentai de ne pas tenir compte des mots étranges et déplacés de *quatuor tchèque*, et comme je suis un homme d'ordre, je mis au-dessus de ma cheminée l'invitation de penser à Mme de Montmorency le vendredi à neuf heures et demie. Bien que connu pour ma nature obéissante, ponctuelle et douce, comme Buffon dit du chameau[1]— et le rire s'épanouit plus largement autour de M. de Charlus qui savait qu'au contraire on le tenait pour l'homme le plus difficile à vivre —, je fus en retard de quelques minutes (le temps d'ôter mes vêtements de jour), et sans en avoir trop de remords, pensant que neuf heures et demie était mis pour dix heures. Et à dix heures tapant, dans une bonne robe de chambre, les pieds en d'épais chaussons, je me mis au coin de mon feu à penser à Éliane comme elle me l'avait demandé, et avec une intensité qui ne commença à décroître qu'à dix heures et demie. Dites-lui[a] bien, je vous prie, que j'ai strictement obéi à son audacieuse requête. Je pense qu'elle sera contente. »

Mme de Mortemart se pâma de rire, et M. de Charlus tout ensemble. « Et demain, ajouta-t-elle, sans penser qu'elle avait dépassé et de beaucoup le temps qu'on pouvait lui concéder, irez-vous chez nos cousins La Rochefoucauld ? — Oh ! cela, c'est impossible, ils m'ont convié comme vous, je le vois, à la chose la plus impossible à concevoir et à réaliser et qui s'appelle, si j'en crois la carte d'invitation : *Thé dansant*. Je passais pour fort adroit quand j'étais jeune, mais je doute que j'eusse pu sans manquer à la décence prendre mon thé en dansant. Or je n'ai jamais aimé manger ni boire d'une façon malpropre. Vous me direz qu'aujourd'hui je n'ai plus à danser. Mais, même assis confortablement à boire du thé — de la qualité duquel, d'ailleurs, je me méfie puisqu'il s'intitule dansant — je craindrais que des invités plus jeunes que moi, et moins adroits peut-être que je n'étais à leur âge, renversassent sur mon habit leur tasse, ce qui interromprait pour moi le plaisir de vider la mienne. » Et M. de Charlus ne se contentait même pas d'omettre dans la conversation Mme Verdurin et de parler de sujets de toute sorte (qu'il semblait avoir plaisir à développer et à varier, pour le cruel plaisir qui avait toujours été le sien, de faire rester indéfiniment sur leurs jambes à « faire la queue » les amis qui attendaient avec une épuisante patience que leur tour fût venu). Il faisait même des critiques sur toute la partie de la soirée dont Mme Verdurin était responsable : « Mais à propos de tasse, qu'est-ce que c'est que ces étranges demi-bols pareils à ceux où quand j'étais jeune homme on faisait venir des sorbets de chez Poiré-Blanche ? Quelqu'un m'a dit tout à l'heure que c'était pour du "café glacé". Mais en fait de café glacé, je n'ai vu ni café ni glace. Quelles curieuses petites choses à destination mal définie ! » Pour dire cela M. de Charlus avait placé verticalement sur sa bouche ses mains gantées de blanc, et arrondi prudemment son regard désignateur comme s'il craignait d'être entendu et même vu des maîtres de maison. Mais ce n'était qu'une feinte, car dans quelques instants il allait dire les mêmes critiques à la Patronne elle-même, et un peu plus tard lui enjoindre insolemment :

« Et surtout plus de tasses à café glacé ! Donnez-les à celle de vos amies dont vous désirez enlaidir la maison. Mais surtout qu'elle ne les mette pas dans le salon, car on pourrait s'oublier et croire qu'on s'est trompé de pièce puisque ce sont exactement des pots de chambre. »

« Mais, mon cousin, disait l'invitée en baissant elle aussi la voix et en regardant d'un air interrogateur M. de Charlus, non par crainte de fâcher Mme Verdurin, mais de le fâcher lui, peut-être qu'elle ne sait pas encore tout très bien... — On le lui apprendra. — Oh ! riait l'invitée, elle ne peut pas trouver un meilleur professeur ! Elle a de la chance ! Avec vous on est sûr qu'il n'y aura pas de fausse note. — En tout cas, il n'y en a pas eu dans la musique. — Oh ! c'était sublime. Ce sont de ces joies qu'on n'oublie pas. À propos de ce violoniste de génie, continuait-elle, croyant dans sa naïveté que M. de Charlus s'intéressait au violon "en soi", en connaissez-vous un que j'ai entendu l'autre jour jouer merveilleusement une sonate de Fauré, il s'appelle Frank... — Oui, c'est une horreur, répondait M. de Charlus, sans se soucier de la grossièreté d'un démenti qui impliquait que sa cousine n'avait aucun goût. En fait de violoniste je vous conseille de vous en tenir au mien. » Les regards allaient recommencer à s'échanger entre M. de Charlus et sa cousine, à la fois baissés et épieurs, car rougissante et cherchant par son zèle à réparer sa gaffe, Mme de Mortemart allait proposer à M. de Charlus de donner une soirée pour faire entendre Morel. Or pour elle, cette soirée n'avait pas le but de mettre en lumière un talent, but qu'elle allait pourtant prétendre être le sien, et qui était — réellement — celui de M. de Charlus. Elle ne voyait là qu'une occasion de donner une soirée particulièrement élégante, et déjà calculait qui elle inviterait et qui elle laisserait de côté. Ce triage, préoccupation dominante des gens qui donnent des fêtes (ceux-là mêmes que les journaux mondains ont le toupet ou la bêtise d'appeler « l'élite[1] »), altère aussitôt le regard — et l'écriture — plus profondément que ne ferait la suggestion d'un hypnotiseur. Avant même d'avoir pensé à ce que Morel jouerait (préoccupation jugée secondaire et avec raison, car si même tout le monde, à cause de M. de Charlus, avait la convenance de se taire pendant la musique, personne en revanche n'aurait l'idée de l'écouter),

Mme de Mortemart, ayant décidé que Mme de Valcourt ne serait pas des « élues », avait pris par ce fait même l'air de conjuration, de complot qui ravale si bas celles mêmes des femmes du monde qui pourraient le plus aisément se moquer du qu'en-dira-t-on. « Il n'y aurait pas moyen que je donne une soirée pour faire entendre votre ami ? » dit à voix basse Mme de Mortemart, qui tout en s'adressant uniquement à M. de Charlus, ne put s'empêcher, comme fascinée, de jeter un regard sur Mme de Valcourt (l'exclue) afin de s'assurer que celle-ci était à une distance suffisante pour ne pas entendre. « Non, elle ne peut pas distinguer ce que je dis », conclut mentalement Mme de Mortemart, rassurée par son propre regard, lequel avait eu en revanche sur Mme de Valcourt un effet tout différent de celui qu'il avait pour but : « Tiens, se dit Mme de Valcourt en voyant ce regard, Marie-Thérèse arrange avec Palamède quelque chose dont je ne dois pas faire partie. » « Vous voulez dire mon protégé », rectifiait M. de Charlus, qui n'avait pas plus de pitié pour le savoir grammatical que pour les dons musicaux de sa cousine. Puis sans tenir aucun compte des muettes prières de celle-ci, qui s'en excusait elle-même en souriant : « Mais si..., dit-il d'une voix forte et capable d'être entendue de tout le salon, bien qu'il y ait toujours danger à ce genre d'exportation d'une personnalité fascinante, dans un cadre qui lui fait forcément subir une déperdition de son pouvoir transcendantal et qui resterait en tout cas à approprier. » Mme de Mortemart se dit que le mezzo voce, le pianissimo de sa question avaient été peine perdue, après le « gueuloir » par où avait passé la réponse. Elle se trompa. Mme de Valcourt n'entendit rien pour la raison qu'elle ne comprit pas un seul mot. Ses inquiétudes diminuèrent et se fussent rapidement éteintes, si Mme de Mortemart, craignant de se voir déjouée et craignant d'avoir à inviter Mme de Valcourt, avec qui elle était trop liée pour la laisser de côté si l'autre savait « avant », n'eût de nouveau levé les paupières dans la direction d'Édith, comme pour ne pas perdre de vue un danger menaçant, non sans les rabaisser vivement de façon à ne pas trop s'engager. Elle comptait le lendemain de la fête lui écrire une de ces lettres, complément du regard révélateur, lettres qu'on croit habiles et qui sont comme un aveu sans réticences et signé. Par exemple : *Chère Édith, je m'ennuie après vous, je ne vous attendais pas trop hier soir* (comment m'aurait-elle attendue, se serait dit Édith, puisqu'elle ne m'avait pas invitée ?) *car je sais que vous n'aimez pas extrêmement ce genre de réunions qui vous ennuient plutôt. Nous n'en aurions pas moins été*[a] *très honorés de vous avoir* (jamais Mme de Mortemart n'employait ce terme « honoré », excepté dans les lettres où elle cherchait à donner à un mensonge une apparence de vérité). *Vous savez que vous êtes toujours chez vous à la maison. Du reste, vous avez bien fait car cela a été tout à fait raté, comme toutes les choses improvisées en deux heures*, etc. Mais déjà le nouveau regard furtif lancé sur elle avait fait comprendre à Édith tout ce que cachait le langage compliqué de M. de Charlus. Ce regard fut même si fort qu'après avoir frappé Mme de Valcourt, le secret évident et l'intention de cachotterie qu'il contenait rebondirent sur un jeune Péruvien que Mme de Mortemart comptait au contraire inviter. Mais soupçonneux, voyant jusqu'à l'évidence les mystères qu'on faisait sans prendre garde qu'ils n'étaient pas pour lui, il éprouva aussitôt à l'endroit de Mme de Mortemart une haine atroce et se jura de lui faire mille mauvaises farces, comme de faire envoyer cinquante cafés glacés chez elle le jour où elle ne recevrait pas, de faire insérer, celui où elle recevrait, une note dans les journaux disant que la fête était remise, et de publier des comptes rendus mensongers des suivantes, dans lesquels figureraient les noms, connus de tous, de personnes que, pour des raisons variées, on ne tient pas à recevoir, même pas à se laisser présenter.

Mme de Mortemart avait tort de se préoccuper de Mme de Valcourt. M. de Charlus allait se charger de dénaturer, bien davantage que n'eût fait la présence de celle-ci, la fête projetée. « Mais mon cousin », dit-elle en réponse à la phrase du « cadre », dont son état momentané d'hyperesthésie lui avait permis de deviner le sens, « nous vous éviterons toute peine. Je me charge[b] très bien de demander à Gilbert de s'occuper de tout. — Non, surtout pas, d'autant plus qu'il ne sera pas invité. Rien ne se fera que par moi. Il s'agit avant tout d'exclure les personnes qui ont des oreilles pour ne pas entendre. » La cousine de M. de Charlus, qui avait compté sur l'attrait de Morel pour donner une soirée où elle pourrait dire qu'à la différence de tant de parentes « elle avait eu Palamède », reporta brusquement sa pensée de ce prestige de M. de

Charlus sur tant de personnes avec lesquelles il allait la brouiller s'il se mêlait d'exclure et d'inviter. La pensée que le prince de Guermantes (à cause duquel, en partie, elle désirait exclure Mme de Valcourt, qu'il ne recevait pas) ne serait pas convié, l'effrayait. Ses yeux prirent une expression inquiète. « Est-ce que la lumière un peu trop vive vous fait mal ? » demanda M. de Charlus avec un sérieux apparent dont l'ironie foncière ne fut pas comprise. « Non, pas du tout, je songeais à la difficulté, non à cause de moi naturellement, mais des miens, que cela pourrait créer si Gilbert apprend que j'ai eu une soirée sans l'inviter, lui qui n'a jamais quatre chats sans... — Mais justement, on commencera par supprimer les quatre chats qui ne pourraient que miauler, je crois que le bruit des conversations vous a empêchée de comprendre qu'il s'agissait non de faire des politesses grâce à une soirée, mais de procéder aux rites habituels à toute véritable célébration ». Puis, jugeant, non que la personne suivante avait trop attendu, mais qu'il ne seyait pas d'exagérer les faveurs faites à celle qui avait eu en vue beaucoup moins Morel que ses propres « listes » d'invitation, M. de Charlus, comme un médecin qui arrête la consultation quand il juge être resté le temps suffisant, signifia à sa cousine de se retirer, non en lui disant au revoir, mais en se tournant vers la personne qui venait immédiatement après. « Bonsoir, madame de Montesquiou ; c'était merveilleux, n'est-ce pas ? Je n'ai pas vu Hélène, dites-lui que toute abstention générale, même la plus noble, autant dire la sienne, comporte des exceptions, si celles-ci sont éclatantes, comme c'était ce soir le cas. Se montrer rare, c'est bien, mais faire passer avant le rare, qui n'est que négatif, le précieux, c'est mieux encore. Pour votre sœur, dont je prise plus que personne la systématique *absence* là où ce qui l'attend ne la vaut pas, au contraire, à une manifestation mémorable comme celle-ci, sa présence eût été une préséance et eût apporté à votre sœur, déjà si prestigieuse, un prestige supplémentaire. » Puis il passa à une troisième.

Je fus[a] très étonné de voir là, aussi aimable et flagorneur avec M. de Charlus qu'il était sec avec lui autrefois, se faisant présenter Charlie et lui disant qu'il espérait qu'il viendrait le voir, M. d'Argencourt, cet homme si terrible pour l'espèce d'hommes dont était M. de Charlus. Or il en vivait maintenant entouré. Ce n'était pas, certes, qu'il fût devenu des pareils de M. de Charlus. Mais depuis quelque temps il avait à peu près abandonné sa femme pour une jeune femme du monde qu'il adorait. Intelligente, elle lui faisait partager son goût pour les gens intelligents et souhaitait fort d'avoir M. de Charlus chez elle. Mais surtout, M. d'Argencourt, fort jaloux et un peu impuissant, sentant qu'il satisfaisait mal sa conquête et voulant à la fois la préserver et la distraire, ne le pouvait sans danger qu'en l'entourant d'hommes inoffensifs, à qui il faisait ainsi jouer le rôle de gardiens du sérail. Ceux-ci le trouvaient devenu très aimable et le déclaraient beaucoup plus intelligent qu'ils n'avaient cru, dont sa maîtresse et lui étaient ravis[a].

Les invitées de M. de Charlus s'en allèrent assez rapidement. Beaucoup disaient : « Je ne voudrais pas aller à la sacristie (le petit salon où le baron, ayant Charlie à côté de lui, recevait les félicitations), il faudrait pourtant que Palamède me voie pour qu'il sache que je suis restée jusqu'à la fin. » Aucune ne s'occupait de Mme Verdurin. Plusieurs feignirent de ne pas la reconnaître et de dire adieu par erreur à Mme Cottard, en me disant de la femme du docteur : « C'est bien Mme Verdurin, n'est-ce pas ? » Mme d'Arpajon me demanda, à portée des oreilles de la maîtresse de maison : « Est-ce qu'il y a seulement jamais eu un M. Verdurin ? » Les duchesses qui s'attardaient, ne trouvant rien des étrangetés auxquelles elles s'étaient attendues dans ce lieu qu'elles avaient espéré différent de ce qu'elles connaissaient, se rattrapaient, faute de mieux, en étouffant des fous rires devant les tableaux d'Elstir ; pour le reste, qu'elles trouvaient plus conforme qu'elles n'avaient cru à ce qu'elles connaissaient déjà, elles en faisaient honneur à M. de Charlus en disant : « Comme Palamède sait bien arranger les choses ! Il monterait une féerie dans une remise ou dans un cabinet de toilette que ça n'en serait pas moins ravissant. » Les plus nobles étaient celles qui félicitaient avec le plus de ferveur M. de Charlus de la réussite d'une soirée dont certaines n'ignoraient pas le ressort secret, sans en être embarrassées d'ailleurs, cette société — par souvenir peut-être de certaines époques de l'histoire où leur famille était déjà arrivée à une identité pleinement consciente — poussant le mépris des scrupules presque aussi loin que le respect de l'étiquette. Plusieurs d'entre elles engagèrent sur place Charlie pour des soirs où il viendrait jouer le septuor de Vinteuil, mais aucune n'eut même l'idée d'y convier Mme Verdurin. Celle-ci était au comble de la rage, quand M. de Charlus qui, porté sur un nuage, ne pouvait s'en apercevoir, voulut, par décence, inviter la Patronne à partager sa joie. Et ce fut peut-être plutôt en se livrant à son goût de littérature qu'à un débordement d'orgueil, que ce doctrinaire des fêtes artistes dit à Mme Verdurin : « Hé bien, êtes-vous contente ? Je pense qu'on le serait à moins ; vous voyez que quand je me mêle de donner une fête, cela n'est pas réussi à moitié. Je ne sais pas si vos notions héraldiques vous permettent de mesurer exactement l'importance de la manifestation, le poids que j'ai soulevé, le volume d'air que j'ai déplacé pour vous. Vous avez eu la reine de Naples, le frère du roi de Bavière, les trois plus anciens pairs. Si Vinteuil est Mahomet, nous pouvons dire que nous avons déplacé pour lui les moins amovibles des montagnes. Pensez que pour assister à votre fête la reine de Naples est venue de Neuilly, ce qui est beaucoup plus difficile pour elle que de quitter les Deux-Siciles », dit-il avec une intention de rosserie, malgré son admiration pour la reine. « C'est un événement historique. Pensez qu'elle n'était peut-être jamais sortie depuis la prise de Gaète. Il est probable que dans les dictionnaires on mettra comme dates culminantes le jour de la prise de Gaète et celui de la soirée Verdurin. L'éventail qu'elle a posé pour mieux applaudir Vinteuil mérite de rester plus célèbre que celui que Mme de Metternich a brisé parce qu'on sifflait Wagner[1]. — Elle l'a même oublié, son éventail », dit Mme Verdurin, momentanément apaisée par le souvenir de la sympathie que lui avait témoignée la reine, et elle montra à M. de Charlus l'éventail sur un fauteuil. « Oh ! comme c'est émouvant ! s'écria M. de Charlus en s'approchant avec vénération de la relique. Il est d'autant plus touchant qu'il est affreux ; la petite violette est incroyable ! » Et des spasmes d'émotion et d'ironie le parcouraient alternativement. « Mon Dieu, je ne sais pas si vous ressentez ces choses-là comme moi. Swann serait simplement mort de convulsions s'il avait vu cela. Je sais bien que, à quelque prix qu'il doive monter, j'achèterai cet éventail à la vente de la reine. Car elle sera vendue, comme elle n'a pas le sou », ajouta-t-il, la cruelle médisance ne cessant jamais chez le baron de se mêler à la vénération la plus sincère, bien qu'elles partissent de deux natures opposées, mais réunies en lui.

Elles pouvaient même se porter tour à tour sur un même fait. Car M. de Charlus qui du fond de son bien-être d'homme riche raillait la pauvreté de la reine, était le même qui souvent exaltait cette pauvreté et qui, quand on parlait de la princesse Murat, reine des Deux-Siciles[1], répondait : « Je ne sais pas de qui vous voulez parler. Il n'y a qu'une seule reine de Naples, qui est sublime, celle-là, et n'a pas de voiture. Mais de son omnibus, elle anéantit tous les équipages et on se mettrait à genoux dans la poussière en la voyant passer.

« Je le léguerai à un musée. En attendant, il faudra le lui rapporter pour qu'elle n'ait pas à payer un fiacre pour le faire chercher. Le plus intelligent, étant donné l'intérêt historique d'un pareil objet, serait de voler cet éventail. Mais cela la gênerait — parce qu'il est probable qu'elle n'en possède pas d'autre » ajouta-t-il en éclatant de rire. Enfin vous voyez que pour moi elle est venue. Et ce n'est pas le seul miracle que j'aie fait. Je ne crois pas que personne à l'heure qu'il est ait le pouvoir de déplacer les gens que j'ai fait venir. Du reste, il faut faire à chacun sa part, Charlie et les autres musiciens ont joué comme des dieux. Et, ma chère Patronne, ajouta-t-il avec condescendance, vous-même avez eu votre part de rôle dans cette fête. Votre nom n'en sera pas absent. L'histoire a retenu celui du page qui arma Jeanne d'Arc quand elle partit ; en[a] somme, vous avez servi de trait d'union, vous avez permis la fusion entre la musique de Vinteuil et son génial exécutant, vous avez eu l'intelligence de comprendre l'importance capitale de tout l'enchaînement de circonstances qui ferait bénéficier l'exécutant de tout le poids d'une personnalité considérable, s'il ne s'agissait pas de moi je dirais providentielle, à qui vous avez eu le bon esprit de demander d'assurer le prestige de la réunion, et d'amener devant le violon de Morel les oreilles directement attachées aux langues les plus écoutées ; non, non, ce n'est pas rien. Il n'y a pas de rien dans une réalisation aussi complète. Tout y concourt. La Duras était merveilleuse. Enfin, tout ; c'est pour cela, conclut-il, comme il aimait à morigéner, que je me suis opposé à ce que vous invitiez de ces personnes-diviseurs, qui devant les êtres prépondérants que je vous amenais, eussent joué le rôle de virgules dans un chiffre, et les autres réduites à n'être que de simples dixièmes. J'ai le sentiment très juste de ces choses-là. Vous comprenez, il faut éviter les gaffes quand nous donnons une fête qui doit être digne de Vinteuil, de son génial interprète, de vous, et, j'ose le dire, de moi. Vous auriez invité la Molé que tout était raté. C'était la petite goutte contraire, neutralisante, qui rend une potion sans vertu. L'électricité se serait éteinte, les petits fours ne seraient pas arrivés à temps, l'orangeade aurait donné la colique à tout le monde. C'était la personne à ne pas avoir. À son nom seul, comme dans une féerie, aucun son ne serait sorti des cuivres ; la flûte et le hautbois auraient été pris d'une extinction de voix subite. Morel lui-même, même s'il était parvenu à donner quelques sons, n'aurait plus été en mesure, et au lieu du septuor de Vinteuil, vous auriez eu sa parodie par Beckmesser[1], finissant au milieu des huées. Moi qui crois beaucoup à l'influence des personnes, j'ai très bien senti dans l'épanouissement de certain largo qui s'ouvrait jusqu'au fond comme une fleur, dans le surcroît de satisfaction du finale, qui n'était pas seulement allegro mais incomparablement allègre, que l'absence de la Molé inspirait les musiciens et dilatait de joie jusqu'aux instruments de musique eux-mêmes. D'ailleurs, le jour où on reçoit tous les souverains on n'invite pas sa concierge. » En l'appelant la Molé (comme il disait, d'ailleurs très sympathiquement, la Duras), M. de Charlus lui faisait justice. Car toutes ces femmes étaient des actrices du monde, et il est vrai que même considérée à ce point de vue, la comtesse Molé n'était pas égale à l'extraordinaire réputation d'intelligence qu'on lui faisait, et qui donnait à penser à ces acteurs ou à ces romanciers médiocres qui à certaines époques ont une situation de génie, soit à cause de la médiocrité de leurs confrères, parmis lesquels aucun artiste supérieur n'est capable de montrer ce qu'est le vrai talent, ou de la médiocrité du public, qui, existât-il une individualité extraordinaire, serait incapable de la comprendre. Dans le cas de Mme Molé il est préférable, sinon entièrement exact, de s'arrêter à la première explication. Le monde étant le royaume du néant, il n'y a entre les mérites des différentes femmes du monde que des degrés insignifiants, que peuvent seulement follement majorer les rancunes ou l'imagination de M. de Charlus. Et certes, s'il parlait comme il venait de le faire, dans ce langage qui était un ambigu précieux des choses de l'art et du monde, c'est parce que ses colères de vieille femme et sa culture de mondain ne fournissaient à l'éloquence véritable qui était la sienne que des thèmes insignifiants. Le monde des différences n'existant pas à la surface de la terre, parmi tous les pays que notre perception uniformise, à plus forte raison n'existe-t-il pas dans le « monde ». Existe-t-il, d'ailleurs, quelque part ? Le septuor de Vinteuil avait semblé me dire que oui. Mais où ?

Comme M. de Charlus aimait aussi à répéter[a] de l'un à l'autre, brouiller, diviser pour régner, il ajouta : « Vous avez, en ne l'invitant pas, enlevé à Mme Molé l'occasion de dire : "Je ne sais pas pourquoi cette Mme Verdurin m'a invitée. Je ne sais pas ce que c'est que ces gens-là, je ne les connais pas." Elle a déjà dit l'an passé que vous la fatiguiez de vos avances. C'est une sotte, ne l'invitez plus. En somme, elle n'est pas une personne si extraordinaire. Elle peut bien venir chez vous sans faire d'histoires puisque j'y viens bien. En somme, conclut-il, il me semble que vous pouvez me remercier, car, tel que ça a marché, c'était parfait. La duchesse de Guermantes n'est pas venue, mais on ne sait pas, c'était peut-être mieux ainsi. Nous ne lui en voudrons pas et nous penserons tout de même à elle pour une autre fois d'ailleurs on ne peut pas ne pas se souvenir d'elle, ses yeux mêmes nous disent : "ne m'oubliez pas", puisque ce sont deux myosotis. » (Et je pensais à part moi combien il fallait que l'esprit des Guermantes — la décision d'aller ici et pas là — fût fort pour l'avoir emporté chez la duchesse sur la crainte de Palamède). Devant une réussite aussi complète, on est tenté comme Bernardin de Saint-Pierre de voir partout la main de la Providence[1]. La duchesse de Duras était enchantée. Elle m'a même chargé de vous le dire », ajouta M. de Charlus en appuyant sur les mots, comme si Mme Verdurin devait considérer cela comme un honneur suffisant. Suffisant et même à peine croyable, car il trouva nécessaire pour être cru de dire : « Parfaitement », emporté par la démence de ceux que Jupiter veut perdre. « Elle a engagé Morel chez elle où on redonnera le même programme, et je pense même demander une invitation pour M. Verdurin. » Cette politesse au mari seul était, sans que M. de Charlus en eût même l'idée, le plus sanglant outrage pour l'épouse, laquelle, se croyant à l'égard de l'exécutant, en vertu d'une sorte de décret de Moscou[1] en vigueur dans le petit clan, le droit de lui interdire de jouer au dehors sans son autorisation expresse, était bien résolue à interdire sa participation à la soirée de Mme de Duras[a].

Rien qu'en parlant avec cette faconde, M. de Charlus irritait Mme Verdurin qui n'aimait pas qu'on fît bande à part dans le petit clan. Que de fois, et déjà à La Raspelière, entendant le baron parler sans cesse à Charlie au lieu de se contenter de tenir sa partie dans l'ensemble concertant du clan, s'était-elle écriée, en montrant le baron : « Quelle tapette il a ? Quelle tapette ! Ah ! pour une tapette, c'est une fameuse tapette ! » Mais cette fois c'était bien pis. Enivré de ses paroles, M. de Charlus ne comprenait pas qu'en reconnaissant le rôle de Mme Verdurin et en lui fixant d'étroites frontières, il déchaînait ce sentiment haineux qui n'était chez elle qu'une forme particulière, une forme sociale de la jalousie. Mme Verdurin aimait vraiment les habitués, les fidèles du petit clan, elle les voulait tout à leur Patronne. Faisant la part du feu, comme ces jaloux qui permettent qu'on les trompe, mais sous leur toit et même sous leurs yeux, c'est-à-dire qu'on ne les trompe pas, elle concédait aux hommes d'avoir une maîtresse, un amant, à condition que tout cela n'eût aucune conséquence sociale hors de chez elle, se nouât et se perpétuât à l'abri des mercredis. Tout éclat de rire furtif d'Odette auprès de Swann l'avait jadis rongée au cœur, depuis quelque temps tout aparté entre Morel et le baron ; elle trouvait à ses chagrins une seule consolation, qui était de défaire le bonheur des autres. Elle n'eût pu supporter longtemps celui du baron. Voici que cet imprudent précipitait la catastrophe en ayant l'air de restreindre la place de la Patronne dans son propre petit clan. Déjà elle voyait Morel allant dans le monde, sans elle, sous l'égide du baron. Il n'y avait qu'un remède, donner à choisir à Morel entre le baron et elle, et, profitant de l'ascendant qu'elle avait pris sur Morel en faisant preuve à ses yeux d'une clairvoyance extraordinaire grâce à des rapports qu'elle se faisait faire, à des mensonges qu'elle inventait et qu'elle lui servait les uns et les autres comme corroborant ce qu'il était porté à croire lui-même, et ce qu'il allait voir à l'évidence, grâce aux panneaux qu'elle préparait et où les naïfs venaient tomber, profitant de cet ascendant, la faire choisir, elle, de préférence au baron. Quant aux femmes du monde qui étaient là et qui ne s'étaient même pas fait présenter, dès qu'elle avait compris leurs hésitations ou leur sans-gêne, elle avait dit : « Ah ! je vois ce que c'est, c'est un genre de vieilles grues qui ne nous convient pas, elles voient ce salon pour la dernière fois. » Car elle serait morte plutôt que de dire qu'on avait été moins aimable avec elle qu'elle n'avait espéré.

« Ah ! mon cher général », s'écria brusquement M. de Charlus en lâchant Mme Verdurin parce qu'il apercevait le général Deltour, secrétaire de la présidence de la République, lequel pouvait avoir une grande importance pour la croix de Charlie, et, après[a] avoir demandé un conseil à Cottard, s'éclipsait rapidement : « Bonsoir, cher et charmant ami. Hé bien, c'est comme ça que vous vous tirez des pattes sans me dire adieu ? » dit le baron avec un sourire de bonhomie et de suffisance, car il savait bien qu'on était toujours content de lui parler un moment de plus. Et comme dans l'état d'exaltation où il était il faisait à lui tout seul, sur un ton suraigu, les demandes et les réponses : « Hé bien, êtes-vous content ? N'est-ce pas que c'était bien beau ? L'andante, n'est-ce pas ? C'est ce qu'on a jamais écrit de plus touchant. Je défie de l'écouter jusqu'au bout sans avoir les larmes aux yeux. Vous êtes charmant d'être venu. Dites-moi, j'ai reçu ce matin un télégramme parfait de Froberville qui m'annonce que du côté de la Grande Chancellerie les difficultés sont aplanies, comme on dit. » La voix de M. de Charlus continuait à s'élever, aussi perçante, voix aussi différente de sa voix habituelle que celle d'un avocat qui plaide avec emphase, de son débit ordinaire, phénomène d'amplification vocale par surexcitation et euphorie nerveuse analogue à celle qui, dans les dîners qu'elle donnait, montait à un diapason si élevé la voix comme le regard de Mme de Guermantes. « Je comptais vous envoyer demain matin un mot par un garde pour vous dire mon enthousiasme, en attendant que je puisse vous l'exprimer de vive voix, mais vous étiez si entouré ! L'appui de Froberville sera loin d'être à dédaigner, mais de mon côté j'ai la promesse du ministre, dit le général. — Ah ! parfait. Du reste, vous avez vu que c'est bien ce que mérite un talent pareil. Hoyos[1] était[b] enchanté, je n'ai pas pu voir l'Ambassadrice ; était-elle contente ? Qui ne l'aurait pas été, excepté ceux qui ont des oreilles pour ne pas entendre, ce qui ne fait rien du moment qu'ils ont des langues pour parler. »

Profitant de ce que le baron s'était éloigné pour parler au général, Mme Verdurin fit signe à Brichot. Celui-ci, qui ne savait pas ce que Mme Verdurin allait lui dire, voulut l'amuser et, sans se douter combien il me faisait souffrir, dit à la Patronne : « Le baron est enchanté que Mlle Vinteuil et son amie ne soient pas venues. Elles le scandalisent énormément. Il a déclaré que leurs mœurs étaient à faire peur. Vous n'imaginez pas comme le baron est pudibond et sévère sur le chapitre des mœurs. » Contrairement à l'attente de Brichot, Mme Verdurin ne s'égaya pas : « Il est immonde, répondit-elle. Proposez-lui de venir fumer une cigarette avec vous, pour que mon mari puisse emmener sa dulcinée sans que le Charlus s'en aperçoive, et l'éclairer sur l'abîme où il roule. » Brichot semblait avoir quelques hésitations. « Je vous dirai, reprit Mme Verdurin pour lever les derniers scrupules de Brichot, que je ne me sens pas en sûreté avec ça chez moi. Je sais qu'il a eu de sales histoires et que la police l'a à l'œil. » Et comme elle avait un certain don d'improvisation quand la malveillance l'inspirait, Mme Verdurin ne s'arrêta pas là : « Il paraît qu'il a fait de la prison. Oui, oui, ce sont des personnes très renseignées qui me l'ont dit. Je sais, du reste, par quelqu'un qui demeure dans sa rue, qu'on n'a pas idée des bandits qu'il fait venir chez lui. » Et comme Brichot qui allait souvent chez le baron protestait, Mme Verdurin, s'animant, s'écria : « Mais je vous en réponds ! c'est moi qui vous le dis », expression par laquelle elle cherchait d'habitude à étayer une assertion jetée un peu au hasard. « Il mourra assassiné un jour ou l'autre, comme tous ses pareils d'ailleurs. Il n'ira même peut-être pas jusque-là parce qu'il est dans les griffes de ce Jupien[a], qu'il a eu le toupet de m'envoyer et qui est un ancien forçat, je le sais, vous savez, oui, et de façon positive. Il tient Charlus par des lettres qui sont quelque chose d'effrayant, il paraît. Je le tiens de quelqu'un qui les a vues, il m'a dit : "Vous vous trouveriez mal si vous voyiez cela." C'est comme ça que ce Jupien le fait marcher au bâton et lui fait cracher tout l'argent qu'il veut. J'aimerais mille fois mieux la mort que de vivre dans la terreur où vit Charlus. En tout cas, si la famille de Morel se décide à porter plainte contre lui, je n'ai pas envie d'être accusée de complicité. S'il continue, ce sera à ses risques et périls, mais j'aurai fait mon devoir. Qu'est-ce que vous voulez ? Ce n'est pas toujours folichon. » Et déjà agréablement enfiévrée par l'attente de la conversation que son mari allait avoir avec le violoniste, Mme Verdurin me dit : « Demandez à Brichot si je ne suis pas une amie courageuse, et si je ne sais pas me dévouer pour sauver les camarades. » (Elle faisait allusion aux circonstances dans lesquelles elle l'avait juste à temps brouillé, avec sa blanchisseuse d'abord, Mme de Cambremer ensuite, brouilles à la suite desquelles Brichot était devenu presque complètement aveugle et, disait-on, morphinomane.) « Une amie incomparable, perspicace et vaillante », répondit l'universitaire avec une émotion naïve. « Mme Verdurin m'a empêché de commettre une grande sottise, me dit Brichot, quand celle-ci se fut éloignée. Elle n'hésite pas à couper dans le vif. Elle est interventionniste, comme dirait notre ami Cottard. J'avoue pourtant que la pensée que le pauvre baron ignore encore le coup qui va le frapper me fait une grande peine. Il est complètement fou de ce garçon. Si Mme Verdurin réussit, voilà un homme qui sera bien malheureux. Du reste, il n'est pas certain qu'elle n'échoue pas. Je crains qu'elle ne réussisse qu'à semer des mésintelligences entre eux, qui finalement, sans les séparer, n'aboutiront qu'à les brouiller avec elle. » C'était arrivé souvent à Mme Verdurin avec les fidèles. Mais il était visible qu'en elle le besoin de conserver leur amitié était de plus en plus dominé par celui que cette[a] amitié ne fût jamais tenue en échec par celle qu'ils pouvaient avoir les uns pour les autres. L'homosexualité ne lui déplaisait pas, tant qu'elle ne touchait pas à l'orthodoxie, mais, comme l'Église, elle préférait tous les sacrifices à une concession sur l'orthodoxie. Je commençai à craindre que son irritation contre moi ne vînt de ce qu'elle avait su que j'avais empêché Albertine d'y[1] aller dans la journée, et qu'elle n'entreprît auprès d'elle, si elle n'avait déjà commencé, le même travail pour la séparer de moi que son mari allait, à l'égard de Charlus, opérer auprès du violoniste. « Allons[b], allez chercher Charlus, trouvez un prétexte, il est temps, dit Mme Verdurin, et tâchez surtout de ne pas le laisser revenir avant que je vous fasse chercher. Ah ! quelle soirée ! ajouta Mme Verdurin, qui dévoila ainsi la vraie raison de sa rage. Avoir fait jouer ces chefs-d'œuvre devant ces cruches ! Je ne parle pas de la reine de Naples, elle est intelligente, c'est une femme agréable (lisez : elle a été très aimable avec moi). Mais les autres ! Ah ! c'est à vous rendre enragée. Qu'est-ce que vous voulez, moi je n'ai plus vingt ans. Quand j'étais jeune, on me disait qu'il fallait savoir s'ennuyer, je me forçais, mais maintenant, ah ! non, c'est plus fort que moi, j'ai l'âge de faire ce que je veux, la vie est trop courte, m'ennuyer, fréquenter des imbéciles, feindre, avoir l'air de les trouver intelligents, ah ! non, je ne peux pas. Allons, voyons, Brichot, il n'y a pas de temps à perdre. — J'y vais, Madame, j'y vais », finit par dire Brichot comme le général Deltour s'éloignait. Mais d'abord l'universitaire me prit un instant à part : « Le Devoir moral, me dit-il, est moins clairement impératif que ne l'enseignent nos Éthiques. Que les cafés théosophiques et les brasseries kantiennes en prennent leur parti, nous ignorons déplorablement la nature du Bien. Moi-même qui, sans nulle vantardise, ai commenté pour mes élèves, en toute innocence, la philosophie du prénommé Emmanuel Kant, je ne vois aucune indication précise pour le cas de casuistique mondaine devant lequel je suis placé, dans cette *Critique de la Raison pratique* où le grand défroqué du protestantisme platonisa, à la mode de Germanie, pour une Allemagne préhistoriquement sentimentale et aulique, à toutes fins utiles d'un mysticisme poméranien[1]. C'est encore *Le Banquet*, mais donné cette fois à Kœnigsberg, à la façon de là-bas, indigeste et assaini, avec choucroute et sans gigolos[2]. Il est évident, d'une part que je ne puis refuser à notre excellente hôtesse le léger service qu'elle me demande, en conformité pleinement orthodoxe avec la Morale traditionnelle. Il faut éviter avant toute chose, car il n'y en a pas beaucoup qui fassent dire plus de sottises, de se laisser piper avec des mots. Mais enfin, n'hésitons pas à avouer que si les mères de famille avaient part au vote, le baron risquerait d'être lamentablement blackboulé comme professeur de vertu. C'est malheureusement avec le tempérament d'un roué qu'il suit sa vocation de pédagogue ; remarquez que je ne dis pas de mal du baron ; ce doux homme, qui sait découper un rôti comme personne, possède avec le génie de l'anathème des trésors de bonté. Il peut être amusant comme un pitre supérieur, alors qu'avec tel de mes confrères, académicien s'il vous plaît, je m'ennuie, comme dirait Xénophon, à cent drachmes l'heure[1]. Mais je crains qu'il n'en dépense à l'égard de Morel un peu plus que la saine morale ne commande, et, sans savoir dans quelle mesure le jeune pénitent se montre docile ou rebelle aux exercices spéciaux que son catéchiste lui impose en matière de mortification, il n'est pas besoin d'être grand clerc pour être sûr que nous pécherions, comme dit l'autre, par mansuétude[a] à l'égard de ce rose-croix[2] qui semble nous venir de Pétrone[3] après avoir passé par Saint-Simon, si nous lui accordions, les yeux fermés, en bonne et due forme, le permis de sataniser. Et pourtant, en occupant cet homme pendant que Mme Verdurin, pour le bien du pécheur et bien justement tentée par une telle cure, va parler au jeune étourdi sans ambages, lui retirer tout ce qu'il aime, lui porter peut-être un coup fatal, je ne peux pas dire que je n'en ai cure, il me semble que je l'attire comme qui dirait dans un guet-apens, et je recule comme devant une manière de lâcheté. » Ceci dit, il n'hésita pas à la commettre, et me prenant par le bras : « Allons, baron, si nous allions fumer une cigarette, ce jeune homme ne connaît pas encore toutes les merveilles de l'hôtel. » Je m'excusai en disant que j'étais obligé de rentrer. « Attendez encore un instant, dit Brichot. Vous savez que vous devez me ramener et je n'oublie pas votre promesse. — Vous ne voulez vraiment pas que je vous fasse sortir l'argenterie ? rien ne serait plus simple, me dit M. de Charlus. Comme vous me l'avez promis, pas un mot de la question décoration à Morel. Je veux lui faire la surprise de le lui annoncer tout à l'heure, quand on sera un peu parti. Bien qu'il dise que ce n'est pas important pour un artiste, mais que son oncle le désire (je rougis, car par mon grand-père les Verdurin savaient qui était l'oncle de Morel). Alors, vous ne voulez pas que je vous fasse sortir les plus belles pièces ? me dit M. de Charlus. Mais vous les connaissez, vous les avez vues dix fois à La Raspelière. » Je n'osai pas lui dire que ce qui eût pu m'intéresser, ce n'était pas les médiocres couverts d'une[b] argenterie bourgeoise, même la plus riche, mais quelque spécimen, fût-ce seulement sur une belle gravure, de ceux de Mme Du Barry. J'étais beaucoup trop préoccupé et — ne l'eussé-je pas été par cette révélation relative à la venue de Mlle Vinteuil — toujours, dans le monde, j'étais beaucoup trop distrait et agité pour arrêter mon attention sur des objets plus ou moins jolis. Elle n'eût pu être fixée que par l'appel de quelque réalité s'adressant à mon imagination, comme eût pu le faire, ce soir, une vue de cette Venise à laquelle j'avais tant pensé l'après-midi, ou quelque élément général, commun à plusieurs apparences et plus vrai qu'elles, qui de lui-même éveillait toujours en moi un esprit intérieur et habituellement ensommeillé, mais dont la remontée à la surface de ma conscience me donnait une grande joie. Or, comme je sortais du salon appelé salle de théâtre, et traversais avec Brichot et M. de Charlus les autres salons, en retrouvant transposés au milieu d'autres certains meubles vus à La Raspelière et auxquels je n'avais prêté aucune attention, je saisis entre l'arrangement de l'hôtel et celui du château un certain air de famille, une identité permanente, et je compris Brichot quand il me dit en souriant : « Tenez, voyez-vous ce fond de salon, cela du moins peut à la rigueur vous donner l'idée de la rue Montalivet, il y a vingt-cinq ans, *grande mortalis aevi spatium*[a1]. » À son sourire, dédié au salon défunt qu'il revoyait, je compris que ce que Brichot, peut-être sans s'en rendre compte, préférait dans l'ancien salon, plus que les grandes fenêtres, plus que la gaie jeunesse des Patrons et de leurs fidèles, c'était cette partie irréelle (que je dégageais moi-même de quelques similitudes entre La Raspelière et le quai Conti) de laquelle, dans un salon comme en toutes choses, la partie extérieure, actuelle, contrôlable pour tout le monde, n'est que le prolongement, c'était cette partie devenue purement morale, d'une couleur qui n'existait plus que pour mon vieil interlocuteur, qu'il ne pouvait pas me faire voir, cette partie qui s'est détachée du monde extérieur pour se réfugier dans notre âme, à qui elle donne une plus-value, où elle s'est assimilée à sa substance habituelle, s'y muant — maisons détruites, gens d'autrefois, compotiers de fruits des soupers que nous nous rappelons — en cet albâtre translucide de nos souvenirs, duquel nous sommes incapables de montrer la couleur qu'il n'y a que nous qui voyons, ce qui nous permet de dire véridiquement aux autres, au sujet de ces choses passées, qu'ils n'en peuvent avoir une idée, que cela ne ressemble pas à ce qu'ils ont vu, et que nous ne pouvons considérer en nous-même sans une certaine émotion, en songeant que c'est de l'existence de notre pensée que dépend pour quelque temps encore leur survie, le reflet des lampes qui se sont éteintes et l'odeur des charmilles qui ne fleuriront plus. Et sans doute par là le salon de la rue Montalivet faisait, pour Brichot, tort à la demeure actuelle des Verdurin. Mais, d'autre part, il ajoutait à celle-ci, pour les yeux du professeur, une beauté qu'elle ne pouvait avoir pour un nouveau venu[a]. Ceux de ses anciens meubles qui avaient été replacés ici, un même arrangement parfois conservé, et que moi-même je retrouvais de La Raspelière[b], intégraient dans le salon actuel des parties de l'ancien qui par moments l'évoquaient jusqu'à l'hallucination et ensuite semblaient presque irréelles d'évoquer au sein de la réalité ambiante des fragments d'un monde détruit qu'on croyait voir ailleurs. Canapé surgi du rêve entre les fauteuils nouveaux et bien réels, petites chaises revêtues de soie rose, tapis[c] broché de table à jeu élevé à la dignité de personne depuis que comme une personne il avait un passé, une mémoire, gardant dans l'ombre froide du salon du quai Conti[d] le hâle de l'ensoleillement par les fenêtres de la rue Montalivet (dont il connaissait l'heure aussi bien que Mme Verdurin elle-même) et par les portes vitrées de Douville, où[e] on l'avait emmené et où il regardait tout le jour, au-delà du jardin fleuriste, la profonde vallée de la *** en attendant l'heure où Cottard et le violoniste[f] feraient ensemble leur partie, bouquet de violettes et de pensées au pastel, présent d'un grand artiste ami, mort depuis, seul fragment survivant d'une vie disparue sans laisser de traces, résumant un grand talent et une longue amitié, rappelant son regard attentif et doux, sa belle main grasse et triste pendant qu'il peignait ; encombrement joli, désordre des cadeaux de fidèles qui a suivi partout la maîtresse de la maison et a fini par prendre l'empreinte et la fixité d'un trait de caractère, d'une ligne de la destinée ; profusion des bouquets de fleurs, des boîtes de chocolat qui systématisait, ici comme là-bas, son épanouissement suivant un mode de floraison identique : interpolation curieuse des objets singuliers et superflus qui ont encore l'air de sortir de la boîte où ils ont été offerts et qui restent toute la vie ce qu'ils ont été d'abord, des cadeaux du premier Janvier ; tous ces objets enfin qu'on ne saurait isoler des autres, mais qui pour Brichot, vieil habitué des fêtes des

Verdurin, avaient cette patine, ce velouté des choses auxquelles, leur donnant une sorte de profondeur, vient s'ajouter leur double spirituel ; tout cela, éparpillé[a], faisait chanter devant lui comme autant de touches sonores qui éveillaient dans son cœur des ressemblances aimées, des réminiscences confuses et qui, à même le salon tout actuel, qu'elles marquetaient çà et là, découpaient, délimitaient, comme fait par un beau jour un cadre de soleil sectionnant l'atmosphère, les meubles et les tapis, poursuivant d'un coussin à un porte-bouquets, d'un tabouret au relent d'un parfum, d'un mode d'éclairage à une prédominance de couleurs, sculptaient, évoquaient, spiritualisaient, faisaient vivre une forme qui était comme la figure idéale, immanente à leurs logis successifs, du salon des Verdurin.

« Nous[b] allons tâcher, me dit Brichot à l'oreille, de mettre le baron sur son sujet favori. Il y est prodigieux[1] ». D'une part, je désirais pouvoir tâcher d'obtenir de M. de Charlus les renseignements relatifs à la venue de Mlle Vinteuil et de son amie, renseignements pour lesquels je m'étais décidé à quitter Albertine. D'autre part, je ne voulais pas laisser celle-ci seule trop longtemps, non qu'elle pût (incertaine de l'instant de mon retour et d'ailleurs à des heures pareilles où une visite venue pour elle ou bien une sortie d'elle eussent été trop remarquées) faire un mauvais usage de mon absence, mais pour qu'elle ne la trouvât pas trop prolongée. Aussi dis-je à Brichot et à M. de Charlus que je ne les suivais pas pour longtemps. « Venez tout de même », me dit le baron, dont l'excitation mondaine commençait à tomber, mais qui éprouvait ce besoin de prolonger, de faire durer les entretiens, que j'avais déjà remarqué chez la duchesse de Guermantes aussi bien que chez lui, et qui, tout particulier à cette famille, s'étend plus généralement à tous ceux qui, n'offrant à leur intelligence d'autre réalisation que la conversation, c'est-à-dire une réalisation imparfaite, restent inassouvis même après des heures passées ensemble et se suspendent de plus en plus avidement à l'interlocuteur épuisé, dont ils réclament, par erreur, une satiété que les plaisirs sociaux sont impuissants à donner. « Venez, reprit-il, n'est-ce pas, voilà le moment agréable des fêtes, le moment où tous les invités sont partis, l'heure de Doña Sol[2], espérons que celle-ci finira moins tristement. Malheureusement vous êtes pressé, pressé probablement d'aller faire des choses que vous feriez mieux de ne pas faire. Tout le monde eſt toujours pressé, et on part au moment où on devrait arriver. Nous sommes là comme les philosophes de Couture[1], ce serait le moment de récapituler la soirée, de faire ce qu'on appelle en ſtyle militaire la critique des opérations. On demanderait à Mme Verdurin de nous faire apporter un petit souper auquel on aurait soin de ne pas l'inviter, et on prierait Charlie — toujours *Hernani*[2] — de rejouer pour nous seuls le sublime adagio. Eſt-ce assez beau, cet adagio ! Mais où eſt-il le jeune violoniſte ? je voudrais pourtant le féliciter, c'eſt le moment des attendrissements et des embrassades. Avouez, Brichot, qu'ils ont joué comme des dieux, Morel surtout. Avez-vous remarqué le moment où la mèche se détache ? Ah ! bien alors, mon cher, vous n'avez rien vu. On a eu un *fa* dièse qui peut faire mourir de jalousie Enesco, Capet et Thibaud[3] ; j'ai beau être très calme, je vous avoue qu'à une sonorité pareille, j'avais le cœur tellement serré que je retenais mes sanglots. La salle haletait ; Brichot, mon cher », s'écria le baron en secouant violemment l'universitaire par le bras, « c'était sublime. Seul, le jeune Charlie gardait une immobilité de pierre, on ne le voyait même pas respirer, il avait l'air d'être comme ces choses du monde inanimé dont parle Théodore Rousseau[4], qui font penser mais ne pensent pas. Et alors tout d'un coup », s'écria M. de Charlus avec emphase et en mimant comme un coup de théâtre, « alors... la Mèche ! Et pendant ce temps-là, gracieuse petite contredanse de l'allegro vivace. Vous savez, cette mèche a été le signe de la révélation, même pour les plus obtus. La princesse de Taormina, sourde jusque-là, car il n'eſt pires sourdes que celles qui ont des oreilles pour ne pas entendre, la princesse de Taormina, devant l'évidence de la mèche miraculeuse, a compris que c'était de la musique et qu'on ne jouerait pas au poker. Ah[a] ! ça a été un moment bien solennel. — Pardonnez-moi, monsieur, de vous interrompre, dis-je à M. de Charlus pour l'amener au sujet qui m'intéressait, vous me disiez que la fille de l'auteur devait venir. Cela m'aurait beaucoup intéressé. Eſt-ce que vous êtes certain qu'on comptait sur elle ? — Ah ! je ne sais pas. » M. de Charlus obéissait ainsi, peut-être sans le vouloir, à cette consigne universelle qu'on a de ne pas renseigner les jaloux, soit pour se montrer absurdement « bon camarade » par point d'honneur, et la détestât-on, envers celle qui l'excite, soit par méchanceté pour elle en devinant que la jalousie ne ferait que redoubler l'amour ; soit par ce besoin d'être désagréable aux autres qui consiste à dire la vérité à la plupart[a] des hommes mais, aux jaloux, à la leur taire, l'ignorance augmentant leur supplice, du moins à ce qu'ils se figurent ; et pour faire de la peine aux gens, on se guide d'après ce qu'eux-mêmes croient, peut-être à tort, le plus douloureux. « Vous savez, reprit-il, ici c'est un peu la maison des exagérations, ce sont des gens charmants, mais enfin on aime bien annoncer des célébrités d'un genre ou d'un autre. Mais[b] vous n'avez pas l'air bien et vous allez avoir froid dans cette pièce si humide, dit-il en poussant près de moi une chaise. Puisque vous êtes souffrant, il faut faire attention, je vais aller vous chercher votre pelure. Non, n'y allez pas vous-même, vous vous perdrez et vous aurez froid. Voilà comme on fait des imprudences, vous n'avez pourtant pas quatre ans, il vous faudrait une vieille bonne comme moi pour vous soigner. — Ne vous dérangez pas, baron, j'y vais », dit Brichot, qui s'éloigna aussitôt : ne se rendant peut-être pas exactement compte de l'amitié très vraie que M. de Charlus avait pour moi et des rémissions charmantes de simplicité, de dévouement, que comportaient ses crises délirantes de grandeur et de persécution, il avait craint que M. de Charlus, que Mme Verdurin avait confié comme un prisonnier à sa vigilance, eût cherché simplement, sous le prétexte de demander mon pardessus, à rejoindre Morel et fît manquer ainsi le plan de la Patronne.

Cependant Ski s'était assis au piano, où personne ne lui avait demandé de se mettre et, composant avec un froncement souriant des sourcils, un regard lointain et une légère grimace de la bouche — ce qu'il croyait être l'air artiste —, insistait auprès de Morel pour que celui-ci jouât quelque chose de Bizet[1]. « Comment, vous n'aimez pas cela, ce côté gosse de la musique de Bizet ? Mais, mon cher, dit-il, avec un roulement d'*r* qui lui était particulier, c'est ravissant. » Morel, qui n'aimait pas Bizet, le déclara avec exagération, et (comme il passait dans le premier clan pour avoir, ce qui est vraiment incroyable, de l'esprit) Ski, feignant de prendre les diatribes du violoniste pour des paradoxes, se mit à rire. Son rire n'était pas, comme celui de M. Verdurin, l'étouffement d'un fumeur. Ski prenait d'abord un air fin, puis laissait échapper comme malgré lui un seul son de rire, comme un premier appel de cloches, suivi d'un silence où le regard fin semblait examiner à bon escient la drôlerie de ce qu'on disait, puis une seconde cloche de rire s'ébranlait, et c'était bientôt un hilare angélus.

Je dis[a] à M. de Charlus mon regret que M. Brichot se fût dérangé. « Mais non, il est très content, il vous aime beaucoup, tout le monde vous aime beaucoup. On disait l'autre jour : mais on ne le voit plus, il s'isole ! D'ailleurs, c'est un si brave homme que Brichot », continua M. de Charlus qui ne se doutait sans doute pas, en voyant la manière affectueuse et franche dont lui parlait le professeur de morale, qu'en son absence il ne se gênait pas pour dauber sur lui. « C'est un homme d'une grande valeur, qui sait énormément, et cela ne l'a pas racorni, n'a pas fait de lui un rat de bibliothèque comme tant d'autres, qui sentent l'encre. Il a gardé une largeur de vues, une tolérance, rares chez ses pareils. Parfois, en voyant comme il comprend la vie, comme il sait rendre à chacun avec grâce ce qui lui est dû, on se demande où un simple petit professeur de Sorbonne, un ancien régent de collège a pu apprendre tout cela. J'en suis moi-même étonné. » Je l'étais davantage en voyant la conversation de ce Brichot, que le moins raffiné des convives de Mme de Guermantes eût trouvé si bête et si lourd, plaire au plus difficile de tous, M. de Charlus. Mais à ce résultat avaient collaboré, entre autres influences, celles, distinctes d'ailleurs, en vertu desquelles Swann, d'une part s'était plu si longtemps dans le petit clan, quand il était amoureux d'Odette[1], d'autre part, depuis qu'il était marié, trouvait agréable Mme Bontemps, qui feignait d'adorer le ménage Swann, venait tout le temps voir la femme, se délectait aux histoires du mari et parlait d'eux avec dédain. Comme l'écrivain donnant la palme de l'intelligence, non pas à l'homme le plus intelligent, mais au viveur qui faisait une réflexion hardie et tolérante sur la passion d'un homme pour une femme, réflexion qui faisait que la maîtresse bas-bleu de l'écrivain s'accordait avec lui pour trouver que de tous les gens qui venaient chez elle le moins bête était encore ce vieux beau qui avait l'expérience des choses de l'amour, de même M. de Charlus trouvait plus intelligent que ses autres amis, Brichot, qui non seulement était aimable pour Morel, mais cueillait à propos dans les philosophes grecs, les poètes latins, les conteurs orientaux, des textes qui décoraient le goût du baron d'un florilège étrange et charmant. M. de Charlus était arrivé à cet âge où un Victor Hugo aime à s'entourer surtout de Vacqueries et de Meurices[1]. Il préférait à tous, ceux qui admettaient son point de vue sur la vie. « Je le vois beaucoup », ajouta-t-il d'une voix piaillante et cadencée, sans qu'un seul mouvement, sauf des lèvres, fît bouger son masque grave et enfariné sur lequel étaient à demi abaissées ses paupières d'ecclésiastique. « Je vais à ses cours, cette atmosphère de quartier latin me change, il y a une adolescence studieuse, pensante, de jeunes bourgeois plus[a] intelligents, plus instruits que n'étaient, dans un autre milieu, mes camarades. C'est autre chose, que vous connaissez probablement mieux que moi, ce sont de jeunes *bourgeois* », dit-il en détachant le mot qu'il fit précéder de plusieurs *b*, et en le soulignant par une sorte d'habitude d'élocution, correspondant elle-même à un goût des nuances dans la pensée qui lui était propre, mais peut-être aussi pour ne pas résister au plaisir de me témoigner quelque insolence. Celle-ci ne diminua en rien la grande et affectueuse pitié que m'inspirait M. de Charlus (depuis que Mme Verdurin avait dévoilé son dessein devant moi), m'amusa seulement, et, même en une circonstance où je ne me fusse pas senti pour lui tant de sympathie, ne m'eût pas froissé. Je tenais de ma grand-mère d'être dénué d'amour-propre à un degré qui ferait aisément manquer de dignité. Sans doute je ne m'en rendais guère compte et à force d'avoir entendu depuis le collège les plus estimés de mes camarades ne pas souffrir qu'on leur manquât, ne pas pardonner un mauvais procédé, j'avais fini par montrer dans mes paroles et dans mes actions une seconde nature qui était assez fière. Elle passait même pour l'être extrêmement, parce que, n'étant nullement peureux, j'avais facilement des duels[2], dont je diminuais pourtant le prestige moral en m'en moquant moi-même, ce qui persuadait aisément qu'ils étaient ridicules. Mais la nature que nous refoulons n'en habite pas moins en nous. C'est ainsi que parfois, si nous lisons le chef-d'œuvre nouveau d'un homme de génie, nous y retrouvons avec plaisir toutes celles de nos réflexions que nous avions méprisées, des gaietés, des tristesses que nous avions contenues, tout un monde de sentiments dédaigné par nous et dont le livre où nous les reconnaissons nous apprend subitement la valeur. J'avais fini par apprendre de l'expérience de la vie qu'il était mal de sourire affectueusement quand quelqu'un se moquait de moi et de ne pas lui en vouloir. Mais cette absence d'amour-propre et de rancune, si j'avais cessé de l'exprimer jusqu'à en être arrivé à ignorer à peu près complètement qu'elle existât chez moi, n'en était pas moins le milieu vital primitif dans lequel je baignais. La colère, et la méchanceté, ne me venaient que de toute autre manière, par crises furieuses. De plus, le sentiment de la justice, jusqu'à une complète absence de sens moral, m'était inconnu. J'étais au fond de mon cœur tout acquis à celui qui était le plus faible et qui était malheureux. Je n'avais aucune opinion sur la mesure dans laquelle le bien et le mal pouvaient être engagés dans les relations de Morel et de M. de Charlus, mais l'idée des souffrances qu'on préparait à M. de Charlus m'était intolérable. J'aurais voulu le prévenir, ne savais comment le faire. « La vue[a] de tout ce petit monde laborieux est fort plaisante pour un vieux trumeau comme moi. Je ne les connais pas », ajouta-t-il en levant la main d'un air de réserve, pour ne pas avoir l'air de se vanter, pour attester sa pureté et ne pas faire planer de soupçon sur celle des étudiants, « mais ils sont très polis, ils vont souvent jusqu'à me garder une place, comme je suis un très vieux monsieur. Mais si, mon cher, ne protestez pas, j'ai plus de quarante ans, dit le baron, qui avait dépassé la soixantaine. Il fait un peu chaud dans cet amphithéâtre où parle Brichot, mais c'est toujours intéressant. » Quoique le baron aimât mieux être mêlé à la jeunesse des écoles, voire bousculé par elle, quelquefois, pour lui épargner les longues attentes, Brichot le faisait entrer avec lui. Brichot avait beau être chez lui à la Sorbonne, au moment où l'appariteur chargé de chaînes le précédait et où s'avançait le maître admiré de la jeunesse, il ne pouvait retenir une certaine timidité, et tout en désirant profiter de cet instant où il se sentait si considérable pour témoigner de l'amabilité à Charlus, il était tout de même un peu gêné ; pour que l'appariteur le laissât passer, il lui disait, d'une voix factice et d'un air affairé : « Vous me suivez, baron, on vous placera », puis sans plus s'occuper de lui, pour faire son entrée, s'avançait seul allégrement dans le couloir. De chaque côté, une double haie de jeunes professeurs le saluait ; Brichot, désireux de ne pas avoir l'air de poser pour ces jeunes gens aux yeux de qui il se savait un grand pontife, leur envoyait mille clins d'œil, mille hochements de tête de connivence, auxquels son souci de rester martial et bon Français donnait l'air d'une sorte d'encouragement cordial, de *sursum corda*[1] d'un vieux grognard qui dit : « Nom de Dieu, on saura se battre. » Puis les applaudissements des élèves éclataient. Brichot tirait parfois de cette présence de M. de Charlus à ses cours l'occasion de faire un plaisir, presque de rendre des politesses. Il disait à quelque parent, ou à quelqu'un de ses amis bourgeois : « Si cela pouvait amuser votre femme ou votre fille, je vous préviens que le baron de Charlus, prince d'Agrigente, le descendant des Condé, assistera à mon cours. Pour un enfant, c'est un souvenir à garder que d'avoir vu un des derniers descendants de notre aristocratie qui ait du type. Si elles viennent, elles le[a] reconnaîtront à ce qu'il sera placé à côté de ma chaire. D'ailleurs, ce sera le seul, un homme fort, avec des cheveux blancs, la moustache noire, et la médaille militaire. — Ah ! je vous remercie », disait le père. Et, quoique sa femme eût à faire, pour ne pas désobliger Brichot, il la forçait à aller à ce cours, tandis que la jeune fille, incommodée par la chaleur et la foule, dévorait pourtant curieusement des yeux le descendant de Condé, tout en s'étonnant qu'il ne portât pas de fraise et ressemblât aux hommes de nos jours. Lui, cependant, n'avait pas d'yeux pour elle, mais plus d'un étudiant, qui ne savait pas qui il était, s'étonnait de son amabilité, devenait important et sec, et le baron sortait plein de rêves et de mélancolie. « Pardonnez-moi de revenir à mes moutons, dis-je rapidement à M. de Charlus, en entendant le pas de Brichot, mais pourriez-vous me prévenir par un pneumatique si vous appreniez que Mlle Vinteuil ou son amie dussent venir à Paris, en me disant exactement la durée de leur séjour, et sans dire à personne que je vous l'ai demandé ? » Je ne croyais plus guère qu'elle eût dû venir, mais je voulais ainsi me garer pour l'avenir. « Oui, je ferai ça pour vous. D'abord parce que je vous dois une grande reconnaissance. En n'acceptant pas autrefois ce que je vous avais proposé, vous m'avez, à vos dépens, rendu un immense service, vous m'avez laissé ma liberté. Il est vrai que je l'ai abdiquée d'une autre manière, ajouta-t-il d'un ton mélancolique où perçait le désir de faire des confidences ; il y a là ce que je considère toujours comme le fait majeur, toute une réunion de circonstances que vous avez négligé de faire tourner à votre profit, peut-être parce que la destinée vous a averti à cette minute précise de ne pas contrarier ma voie. C'est toujours "l'homme s'agite et Dieu le mène[1]." Qui sait si le jour où nous sommes sortis ensemble de chez Mme de Villeparisis, vous aviez accepté, peut-être bien des choses qui se sont passées depuis n'auraient jamais eu lieu[2]. » Embarrassé, je fis dériver la conversation en m'emparant du nom de Mme de Villeparisis, et en disant la tristesse que m'avait causée sa mort[3]. « Ah ! oui », murmura sèchement M. de Charlus avec l'intonation la plus insolente, prenant acte de mes condoléances sans avoir l'air de croire une seconde à leur sincérité. Voyant qu'en tout cas le sujet de Mme de Villeparisis ne lui était pas douloureux, je voulus savoir de lui, si qualifié à tous égards, pour quelles raisons Mme de Villeparisis avait été tenue aussi à l'écart par le monde aristocratique. Non seulement il ne me donna pas la solution de ce petit problème mondain, mais ne me parut même pas le connaître. Je compris alors que la situation de Mme de Villeparisis, si elle devait plus tard paraître grande à la postérité, et même du vivant de la marquise à l'ignorante roture, n'avait pas paru moins grande tout à fait à l'autre extrémité du monde, à celle qui touchait Mme de Villeparisis, aux Guermantes. C'était leur tante, ils voyaient surtout la naissance, les alliances, l'importance gardée dans leur famille par l'ascendant sur telle ou telle belle-sœur. Ils voyaient cela moins côté monde que côté famille. Or celui-ci était plus brillant pour Mme de Villeparisis que je n'avais cru. J'avais été frappé en apprenant que le nom Villeparisis était faux. Mais il est d'autres exemples de grandes dames ayant fait un mariage inégal et ayant gardé une situation prépondérante. M. de Charlus commença par m'apprendre que Mme de Villeparisis était la nièce de la fameuse duchesse de ***, la personne la plus célèbre de la grande aristocratie pendant la monarchie de Juillet, mais qui n'avait pas voulu fréquenter le Roi Citoyen et sa famille. J'avais tant désiré avoir des récits sur cette Duchesse ! Et Mme de Villeparisis, la bonne Mme de Villeparisis, aux joues qui me représentaient des joues de bourgeoise, Mme de Villeparisis qui m'envoyait tant de cadeaux et que j'aurais si facilement pu voir tous les jours, Mme de Villeparisis était sa nièce, élevée par elle, chez elle, à l'hôtel de ***. « Elle demandait au duc de Doudeauville, me dit M. de Charlus, en parlant des trois sœurs : "Laquelle des trois sœurs préférez-vous ?" Et Doudeauville ayant dit : "Mme de Villeparisis", la duchesse de *** lui répondit : "Cochon !" Car la duchesse était très *spirituelle* », dit M. de Charlus en donnant au mot l'importance et la prononciation d'usage chez les Guermantes. Qu'il trouvât d'ailleurs que le mot fût si « spirituel », je ne m'en étonnai pas, ayant dans bien d'autres occasions remarqué la tendance centrifuge, objective, des hommes qui les pousse à abdiquer quand ils goûtent l'esprit des autres les sévérités qu'ils auraient pour le leur, et à observer, à noter précieusement ce qu'ils dédaigneraient de créer.

« Mais[a] qu'est-ce qu'il a ? c'est mon pardessus qu'il apporte, dit-il en voyant que Brichot avait si longtemps cherché pour un tel résultat. J'aurais mieux fait d'y aller moi-même. Enfin vous allez le mettre sur vos épaules. Savez-vous que c'est très compromettant, mon cher ? c'est comme de boire dans le même verre, je saurai vos pensées. Mais non, pas comme ça, voyons, laissez-moi faire », et tout en me mettant son paletot, il me le collait contre les épaules, me le montait le long du cou, relevait le col, et de sa main frôlait mon menton, en s'excusant. « À son âge, ça ne sait pas mettre une couverture, il faut le bichonner, j'ai manqué ma vocation, Brichot, j'étais né pour être bonne d'enfants. » Je voulais m'en aller, mais M. de Charlus ayant manifesté l'intention d'aller chercher Morel, Brichot nous retint tous les deux. D'ailleurs, la certitude qu'à la maison je retrouverais Albertine, certitude égale à celle que dans l'après-midi, j'avais qu'Albertine rentrât du Trocadéro, me donnait en ce moment aussi peu d'impatience de la voir que j'avais eu le même jour tandis que j'étais assis au piano, après que Françoise m'eut téléphoné. Et c'est ce calme qui me permit, chaque fois qu'au cours de cette conversation je voulus me lever, d'obéir à l'injonction de Brichot qui craignait que mon départ empêchât Charlus de rester jusqu'au moment où Mme Verdurin viendrait nous appeler. « Voyons, dit-il au baron, restez un peu avec nous, vous lui donnerez l'accolade tout à l'heure », ajouta Brichot en fixant sur moi son œil presque mort, auquel les nombreuses opérations qu'il avait subies avaient fait recouvrer un peu de vie, mais qui n'avait plus pourtant la mobilité nécessaire à l'expression oblique de la malignité. « L'accolade, est-il bête ! s'écria le baron d'un ton aigu et ravi. Mon cher, je vous dis qu'il se croit toujours à une distribution de prix, il rêve de ses petits élèves. Je me demande s'il ne couche pas avec. — Vous désirez voir Mlle Vinteuil, me dit Brichot, qui avait entendu la fin de notre conversation. Je vous promets de vous avertir si elle vient, je le saurai par Mme Verdurin », me dit Brichot qui sans doute prévoyait que le baron risquait fort d'être de façon imminente exclu du petit clan. « Hé bien, vous me croyez donc moins bien que vous avec Mme Verdurin, dit M. de Charlus, pour être renseigné sur la venue de ces personnes d'une terrible réputation ? Vous savez que c'est archi-connu. Mme Verdurin a tort de les laisser venir, c'est bon pour les milieux interlopes. Elles sont amies de toute une bande terrible, tout ça doit se réunir dans des endroits affreux. » À chacune de ces paroles, ma souffrance s'accroissait d'une souffrance nouvelle, changeait de forme. Et tout d'un coup me rappelant certains mouvements d'impatience d'Albertine qu'elle réprimait du reste aussitôt, j'eus l'effroi qu'elle eût conçu le projet de me quitter. Ce soupçon me rendait d'autant plus nécessaire de faire durer notre vie commune jusqu'à un temps où j'aurais retrouvé mon calme. Et pour ôter à Albertine, si elle l'avait, l'idée de devancer mon projet de rupture, pour lui faire paraître, jusqu'à ce que je puisse le réaliser sans souffrir, sa chaîne plus légère, le plus habile (peut-être j'étais contagionné par la présence de M. de Charlus, par le souvenir inconscient des comédies qu'il aimait à jouer), le plus habile me parut de faire croire à Albertine que j'avais moi-même l'intention de la quitter, j'allais dès que je serais rentré simuler des adieux, une rupture[1]. « Certes non pas, je ne me crois pas mieux que vous avec Mme Verdurin », proclama Brichot en ponctuant les mots, car il craignait d'avoir éveillé les soupçons du baron. Et comme il voyait que je voulais prendre congé, voulant me retenir par l'appât du divertissement promis : « Il y a une chose à quoi le baron me semble ne pas avoir songé quand il parle de la réputation de ces deux dames, c'est qu'une réputation peut être tout à la fois épouvantable et imméritée. Ainsi par exemple, dans la série plus notoire que j'appellerai parallèle, il est certain que les erreurs judiciaires sont nombreuses et que l'histoire a enregistré des arrêts de condamnation pour sodomie flétrissant des hommes illustres qui en étaient tout à fait innocents. La récente découverte d'un grand amour de Michel Ange pour une femme[1] est un fait nouveau qui mériterait à l'ami de Léon X[2] le bénéfice d'une instance en révision posthume. L'affaire Michel-Ange me semble tout indiquée pour passionner les snobs et mobiliser La Villette[3], quand une autre affaire, où l'anarchie fut bien portée et devint le péché à la mode de nos bons dilettantes, mais dont il n'est point permis de prononcer le nom par crainte de querelles, aura fini son temps[4]. » Depuis que Brichot avait commencé à parler des réputations masculines, M. de Charlus avait trahi dans tout son visage le genre particulier d'impatience qu'on voit à un expert médical ou militaire quand des gens du monde qui n'y connaissent rien se mettent à dire des bêtises sur des points de thérapeutique ou de stratégie. « Vous ne savez pas le premier mot des choses dont vous parlez, finit-il par dire à Brichot. Citez-moi une seule réputation imméritée. Dites des noms. Oui, je connais tout », riposta violemment M. de Charlus à une interruption timide de Brichot, « les gens qui ont fait cela autrefois par curiosité, ou par affection unique pour un ami mort, et celui qui, craignant de s'être trop avancé, si vous lui parlez de la beauté d'un homme vous répond que c'est du chinois pour lui, qu'il ne sait pas plus distinguer un homme beau d'un laid qu'entre deux moteurs d'auto, comme la mécanique n'est pas dans ses cordes. Tout cela c'est des blagues. Mon Dieu, remarquez, je ne veux pas dire qu'une réputation mauvaise (ou ce qu'il est convenu d'appeler ainsi) et injustifiée soit une chose absolument impossible. C'est tellement exceptionnel, tellement rare, que pratiquement cela n'existe pas. Cependant, moi qui suis un curieux, un fureteur, j'en ai connu, et qui n'étaient pas des mythes. Oui, au cours de ma vie j'ai constaté (j'entends scientifiquement constaté, je ne me paie pas de mots) deux réputations injustifiées.

Elles s'établissent d'habitude grâce à une similitude de noms, ou d'après certains signes extérieurs, l'abondance des bagues par exemple, que les gens incompétents s'imaginent absolument être caractéristiques de ce que vous dites, comme ils croient qu'un paysan ne dit pas deux mots sans ajouter *jarniguié*, ou un Anglais *goddam*[1]. C'est de la convention pour théâtre des boulevards.

M. de Charlus m'étonna beaucoup en citant parmi les invertis « l'ami de l'actrice » que j'avais vu à Balbec et qui était le chef de la petite Société des quatre amis. « Mais alors cette actrice ? — Elle lui sert de paravent, et d'ailleurs il a des relations avec elle, plus peut-être qu'avec des hommes, avec qui il n'en a guère. — Il en a avec les trois autres ? — Mais pas du tout ! Ils sont amis pas du tout pour ça ! Deux sont tout à fait pour femmes. Un en est, mais n'est pas sûr pour son ami, et en tout cas ils se cachent l'un de l'autre. Ce qui vous étonnera, c'est que ces réputations injustifiées sont les plus établies aux yeux du public. Vous même, Brichot, qui mettriez votre main au feu de la vertu de tel ou tel homme qui vient ici et que les renseignés connaissent comme le loup blanc, vous devez croire comme tout le monde à ce qu'on dit de tel homme en vue qui incarne ces goûts-là pour la masse, alors qu'il n'en est pas pour deux sous. Je dis pour deux sous, parce que si nous y mettions vingt-cinq louis nous verrions le nombre des petits saints diminuer jusqu'à zéro. Sans cela le taux des saints, si vous voyez de la sainteté là-dedans, se tient en règle générale entre trois et quatre sur dix. » Si Brichot avait transposé dans le sexe masculin la question des mauvaises réputations, à mon tour et inversement c'est au sexe féminin et en pensant à Albertine, que je reportais les paroles de M. de Charlus. J'étais épouvanté par sa statistique, même en tenant compte qu'il devait enfler les chiffres au gré de ce qu'il souhaitait, et aussi d'après les rapports d'êtres cancaniers, peut-être menteurs, en tous cas trompés par leur propre désir qui, s'ajoutant à celui de M. de Charlus, faussait sans doute les calculs du baron[a]. « Trois sur dix ! s'écria Brichot. En renversant la proportion, j'aurais eu encore à multiplier par cent le nombre des coupables. S'il est celui que vous dites, baron, et si vous ne vous trompez pas, confessons alors que vous êtes un de ces rares voyants d'une vérité que personne ne soupçonne autour d'eux. C'est ainsi que Barrès a fait sur la corruption parlementaire des découvertes qui ont été vérifiées après coup[1], comme l'existence de la planète de Leverrier[2]. Mme Verdurin citerait de préférence des hommes que j'aime mieux ne pas nommer et qui ont deviné au Bureau des renseignements, dans l'État-Major, des agissements, inspirés, je le crois, par un zèle patriotique, mais qu'enfin je n'imaginais pas. Sur la franc-maçonnerie, l'espionnage allemand, la morphinomanie, Léon Daudet écrit au jour le jour un prodigieux conte de fées, qui se trouve être la réalité même[3]. Trois sur dix ! » reprit Brichot stupéfait. Et il est vrai de dire que M. de Charlus taxait d'inversion la grande majorité de ses contemporains, en exceptant toutefois les hommes avec qui il avait eu des relations et dont, pour peu qu'elles eussent été mêlées d'un peu de romanesque, le cas lui paraissait plus complexe. C'est ainsi qu'on voit des viveurs, ne croyant pas à l'honneur des femmes, en rendre un peu seulement à telle qui fut leur maîtresse et dont ils protestent sincèrement et d'un air mystérieux : « Mais non, vous vous trompez, ce n'est pas une fille. » Cette estime inattendue leur est dictée, partie par leur amour-propre pour qui il est plus flatteur que de telles faveurs aient été réservées à eux seuls, partie par leur naïveté qui gobe aisément tout ce que leur maîtresse a voulu leur faire croire, partie par ce sentiment de la vie qui fait que dès qu'on s'approche des êtres, des existences, les étiquettes et les compartiments faits d'avance sont trop simples. « Trois sur dix ! mais prenez-y garde, moins heureux que ces historiens que l'avenir ratifiera, baron, si vous vouliez présenter à la postérité le tableau que vous nous dites elle pourrait la trouver mauvaise. Elle ne juge que sur pièces et voudrait prendre connaissance de votre dossier. Or aucun document ne venant authentiquer ce genre de phénomènes collectifs que les seuls renseignés sont trop intéressés à laisser dans l'ombre, on s'indignerait fort dans le camp des belles âmes et vous passeriez tout net pour un calomniateur ou pour un fol. Après avoir, au concours des élégances, obtenu le maximum et le principat, sur cette terre, vous connaîtriez les tristesses d'un blackboulage d'outre-tombe. Ça n'en vaut pas le coup, comme dit, Dieu me pardonne ! notre Bossuet. — Je ne travaille pas pour l'histoire, répondit M. de Charlus, la vie me suffit, elle est bien assez intéressante, comme disait le pauvre Swann.

— Comment ? Vous avez connu Swann, baron, mais je ne savais pas. Est-ce qu'il avait ces goûts-là ? demanda Brichot d'un air inquiet. — Mais est-il grossier ! Vous croyez donc que je ne connais que des gens comme ça ? Mais non, je ne crois pas », dit Charlus les yeux baissés et cherchant à peser le pour et le contre. Et pensant que, puisqu'il s'agissait de Swann dont les tendances si opposées avaient été toujours connues, un demi-aveu ne pouvait être qu'inoffensif pour celui qu'il visait et flatteur pour celui qui le laissait échapper dans une insinuation : « Je ne dis pas qu'autrefois au collège, une fois par hasard », dit le baron comme malgré lui et comme s'il pensait tout haut, puis se reprenant : « Mais il y a deux cents ans, comment voulez-vous que je me rappelle ? vous m'embêtez », conclut-il en riant. « En tout cas il n'était pas joli, joli ! » dit Brichot, lequel, affreux, se croyait bien et trouvait facilement les autres laids. « Taisez-vous, dit le baron, vous ne savez pas ce que vous dites, dans ce temps-là il avait un teint de pêche et, ajouta-t-il, en mettant chaque syllabe sur une autre note, il était joli comme les amours. Du reste il est resté charmant. Il a été follement aimé des femmes. — Mais est-ce que vous avez connu la sienne ? — Mais voyons, c'est par moi qu'il l'a connue. Je l'avais trouvée charmante dans son demi-travesti, un soir qu'elle jouait Miss Sacripant[1] ; j'étais avec des camarades de club, nous avions tous ramené une femme, et bien que je n'eusse envie que de dormir, les mauvaises langues avaient prétendu, car c'est affreux ce que le monde est méchant, que j'avais couché avec Odette[a]. Seulement, elle en avait profité pour venir m'embêter, et j'avais cru m'en débarrasser en la présentant à Swann. De ce jour-là elle ne cessa plus de me cramponner, elle ne savait pas un mot d'orthographe, c'est moi qui faisais les lettres. Et puis c'est moi qui ensuite ai été chargé de la promener. Voilà, mon enfant, ce que c'est que d'avoir une bonne réputation, vous voyez. Du reste je ne la méritais qu'à moitié. Elle me forçait à lui faire faire des parties terribles, à cinq, à six. » Et les amants qu'avait eus successivement Odette (elle avait été avec un tel, puis avec un tel — ces hommes dont pour pas un seul le pauvre Swann n'avait rien su, aveuglé[b] par la jalousie et par l'amour, tour à tour supputant les chances et croyant aux serments, plus affirmatifs qu'une contradiction qui échappe à la coupable, contradiction bien plus insaisissable et pourtant bien plus significative, et dont le jaloux pourrait se prévaloir plus logiquement que de renseignements qu'il prétend faussement avoir eus, pour inquiéter sa maîtresse), ces amants, M. de Charlus se mit à les énumérer avec autant de certitude que s'il avait récité la liste des rois de France. Et en effet le jaloux est, comme les contemporains, trop près, il ne sait rien, et c'est pour les étrangers que la chronique des adultères prend la précision de l'histoire, et s'allonge en listes, d'ailleurs indifférentes, et qui ne deviennent tristes que pour un autre jaloux, comme j'étais, qui ne peut s'empêcher de comparer son cas à celui dont il entend parler et qui se demande si pour la femme dont il doute une liste aussi illustre n'existe pas. Mais il n'en peut rien savoir, c'est comme une conspiration universelle, une brimade à laquelle tous participent cruellement et qui consiste, tandis que son amie va de l'un à l'autre, à lui tenir sur les yeux un bandeau qu'il fait perpétuellement effort pour arracher sans y réussir, car tout le monde le tient aveuglé, le malheureux, les êtres bons par bonté, les êtres méchants par méchanceté, les êtres grossiers par goût des vilaines farces, les êtres bien élevés par politesse et bonne éducation, et tous par une de ces conventions qu'on appelle principe. « Mais est-ce que Swann a jamais su que vous aviez eu ses faveurs ? — Mais voyons, quelle horreur ! Raconter[a] cela à Charles ! C'est à faire dresser les cheveux sur la tête. Mais, mon cher, il m'aurait tué tout simplement, il était jaloux comme un tigre. Pas plus que je n'ai avoué à Odette, à qui ça aurait, du reste, été bien égal, que... allons, ne me faites pas dire de bêtises. Et le plus fort c'est que c'est elle qui lui a tiré des coups de revolver que j'ai failli recevoir. Ah ! j'ai[b] eu de l'agrément avec ce ménage-là ; et naturellement[c] c'est moi qui ai été obligé d'être son témoin contre d'Osmond, qui ne me l'a jamais pardonné. D'Osmond avait enlevé Odette, et Swann pour se consoler, avait pris pour maîtresse, ou fausse maîtresse, la sœur d'Odette. Enfin, vous n'allez pas commencer à me faire raconter l'histoire de Swann, nous en aurions pour dix ans, vous comprenez, je connais ça comme personne. C'était moi qui sortais Odette quand elle ne voulait pas voir Charles. Cela m'embêtait d'autant plus que j'ai un très proche parent qui porte le nom de Crécy, sans y avoir naturellement aucune espèce de droit, mais qu'enfin cela ne charmait pas. Car elle se faisait appeler Odette de Crécy et le pouvait parfaitement, étant seulement séparée d'un Crécy dont elle était la femme, très authentique celui-là, un monsieur très bien qu'elle avait ratissé jusqu'au dernier centime. Mais voyons, c'est pour me faire parler, je vous ai vu avec lui dans le tortillard, vous lui donniez des dîners à Balbec[1]. Il doit en avoir besoin, le pauvre : il vivait d'une toute petite pension que lui faisait Swann, et je me doute bien que depuis la mort de mon ami, cette rente a dû cesser complètement d'être payée. Ce que je ne comprends pas, me dit M. de Charlus, c'est que, puisque vous avez été souvent chez Charles, vous n'ayez pas désiré tout à l'heure que je vous présente à la reine de Naples. En somme, je vois que vous ne vous intéressez pas aux *personnes* en tant que curiosités, et cela m'étonne toujours de quelqu'un qui a connu Swann, chez qui ce genre d'intérêt était si développé, au point qu'on ne peut pas dire si c'est moi qui ai été à cet égard son initiateur ou lui le mien. Cela m'étonne autant que si je voyais quelqu'un avoir connu Whistler[2] et ne pas savoir ce que c'est que le goût. Mon Dieu, c'est surtout pour Morel que c'était important de la connaître. Il le désirait du reste passionnément, car il est tout ce qu'il y a de plus intelligent. C'est ennuyeux qu'elle soit partie. Mais enfin je ferai la conjonction ces jours-ci. C'est immanquable qu'il la connaisse. Le seul obstacle possible serait si elle mourait demain. Or il est à espérer que cela n'arrivera pas. » Tout à coup, comme il était resté sous le coup de la proportion de « trois sur dix » que lui avait révélée M. de Charlus, Brichot, qui n'avait cessé de poursuivre son idée, avec une brusquerie qui rappelait celle d'un juge d'instruction voulant faire avouer un accusé, mais qui en réalité était le résultat du désir qu'avait le professeur de paraître perspicace et du trouble qu'il éprouvait à lancer une accusation si grave : « Est-ce que Ski n'est pas comme cela ? » demanda-t-il à M. de Charlus d'un air sombre. Pour faire admirer ses prétendus dons d'intuition, il avait choisi Ski, se disant que, puisqu'il n'y avait que trois innocents sur dix, il risquait peu de se tromper en nommant Ski qui lui semblait un peu bizarre, avait des insomnies, se parfumait, bref était en dehors de la normale. « Mais *pas du tout,* s'écria le baron avec une ironie amère, dogmatique et exaspérée. Ce que vous dites est d'un faux, d'un absurde, d'un à côté ! Ski est justement cela pour les gens qui n'y connaissent rien. S'il l'était, il n'en aurait pas tellement l'air, ceci soit dit sans aucune intention de critique, car il a du charme et je lui trouve même quelque chose de très attachant. — Mais dites-nous donc quelques noms », reprit Brichot avec insistance. M. de Charlus se redressa d'un air de morgue : « Ah ! mon cher, moi, vous savez, je vis dans l'abstrait, tout cela ne m'intéresse qu'à un point de vue transcendantal », répondit-il, avec la susceptibilité ombrageuse particulière à ses pareils, et l'affectation de grandiloquence qui caractérisait sa conversation. « Moi, vous comprenez, il n'y a que les généralités qui m'intéressent, je vous parle de cela comme de la loi de la pesanteur. » Mais ces moments de réaction agacée où le baron cherchait à cacher sa vraie vie duraient bien peu auprès des heures de progression continue où il la faisait deviner, l'étalait avec une complaisance agaçante, le besoin de la confidence étant chez lui plus fort que la crainte de la divulgation. « Ce que je voulais dire, reprit-il, c'est que pour une mauvaise réputation qui est injustifiée, il y en a des centaines de bonnes qui ne le sont pas moins. Évidemment le nombre de ceux qui ne les méritent pas varie selon que vous vous en rapportez aux dires de leurs pareils ou des autres. Et il est vrai que si la malveillance de ces derniers est limitée par la trop grande difficulté qu'ils auraient à croire un vice aussi horrible pour eux que le vol ou l'assassinat pratiqué par des gens dont ils connaissent la délicatesse et le cœur, la malveillance des premiers est exagérément stimulée par le désir de croire, comment dirais-je, accessibles, des gens qui leur plaisent, par des renseignements que leur ont donnés des gens qu'a trompés un semblable désir, enfin par l'écart même où ils sont généralement tenus. J'ai vu un homme, assez mal vu à cause de ce goût, dire qu'il supposait qu'un certain homme du monde avait le même. Et sa seule raison de le croire est que cet homme du monde avait été aimable avec lui ! Autant de raison d'*optimisme*, dit naïvement le baron, dans la supputation du nombre. Mais la vraie raison de l'écart énorme qu'il y a entre ce nombre calculé par les profanes, et calculé par les initiés, vient du mystère dont ceux-ci entourent leurs agissements, afin de les cacher aux autres, qui, dépourvus d'aucun moyen d'information, seraient littéralement stupéfaits s'ils apprenaient seulement le quart de la vérité[a]. — Alors, à notre époque, c'est comme chez les Grecs, dit Brichot[a]. — Mais comment, comme chez les Grecs ? Vous vous figurez que cela n'a pas continué depuis ? Regardez, sous Louis XIV, Monsieur, le petit Vermandois, Molière, le prince Louis de Baden, Brunswick, Charolais, Boufflers, le Grand Condé, le duc de Brissac[1]. — Je vous arrête, je savais Monsieur, je savais Brissac par Saint-Simon[2], Vendôme[3] naturellement et d'ailleurs bien d'autres mais cette vieille peste de Saint-Simon parle souvent du Grand Condé et du prince Louis de Baden et jamais il ne le dit. — C'est tout de même malheureux que ce soit à moi d'apprendre son histoire à un professeur en Sorbonne. Mais, cher maître, vous êtes ignorant comme une carpe. — Vous êtes dur, baron, mais juste. Et tenez, je vais vous faire plaisir. Je me souviens maintenant d'une chanson de l'époque qu'on fit en latin macaronique sur certain orage qui surprit le Grand Condé comme il descendait le Rhône en compagnie de son ami le marquis de La Moussaye[4]. Condé dit :

Carus Amicus Mussaeus,
Ah ! Deus bonus ! quod tempus !
Landerirette,
Imbre sumus perituri.

Et La Moussaye le rassure en lui disant :

Securae sunt nostrae vitae,
Sumus enim Sodomitae,
Igne tantum perituri,
Landeriri[b][5].

— Je retire ce que j'ai dit, dit Charlus d'une voix aiguë et maniérée, vous êtes un puits de science, vous me l'écrirez, n'est-ce pas, je veux garder cela dans mes archives de famille, puisque ma bisaïeule au troisième degré était la sœur de M. le Prince[c]. — Oui, mais, baron, sur le prince Louis de Baden je ne vois rien. Du reste, je crois qu'en général l'art militaire... — Quelle bêtise ! À cette époque-là, Vendôme, Villars, le prince Eugène, le prince de Conti[6], et si je vous parlais de tous nos héros du Tonkin, du Maroc[7], et je parle des vraiment sublimes, et pieux, et “nouvelle génération”, je vous étonnerais bien. Ah ! j'en aurais à apprendre aux gens qui font des enquêtes sur la nouvelle génération qui a rejeté les vaines complications de ses aînés, dit M. Bourget[1] ! J'ai un petit ami là-bas, dont on parle beaucoup, qui a fait des choses admirables ; mais enfin je ne veux pas être méchant, revenons au XVIIe siècle, vous savez que Saint-Simon dit du maréchal d'Huxelles[2] — entre tant d'autres : “... voluptueux en débauches grecques dont il ne prenait pas la peine de se cacher, et accrochait de jeunes officiers qu'il adomestiquait, outre de jeunes valets très bien faits, et cela sans voile, à l'armée et à Strasbourg.” Vous avez probablement lu les lettres de Madame, les hommes ne l'appelaient que “Putana[3]”. Elle en parle assez clairement. — Et elle était à bonne source pour savoir, avec son mari. — C'est un personnage si intéressant que Madame, dit M. de Charlus. On pourrait faire d'après elle la synthèse lyrique de la[a] “Femme d'une Tante”. D'abord hommasse ; généralement la femme d'une Tante est un homme, c'est ce qui lui rend si facile de lui faire des enfants. Puis Madame ne parle pas des vices de Monsieur, mais elle parle sans cesse de ce même vice chez les autres, en personne renseignée et par ce pli que nous avons d'aimer à trouver dans les familles des autres les mêmes tares dont nous souffrons dans la nôtre, pour nous prouver à nous-même que cela n'a rien d'exceptionnel ni de déshonorant. Je vous disais que cela a été tout le temps comme cela. Cependant le nôtre se distingue tout spécialement à ce point de vue. Et malgré les exemples que j'empruntais au XVIIe siècle, si mon grand aïeul François de[b] La Rochefoucauld vivait de notre temps, il pourrait en dire avec plus de raison encore que du sien, voyons, Brichot, aidez-moi : “Les vices sont de tous les temps ; mais si des personnes que tout le monde connaît avaient paru dans les premiers siècles, parlerait-on présentement des prostitutions d'Héliogabale[4] ?” *Que tout le monde connaît* me plaît beaucoup. Je vois que mon sagace parent connaissait “le boniment” de ses plus célèbres contemporains comme je connais celui des miens. Mais des gens comme cela, il n'y en a pas seulement davantage aujourd'hui. Ils ont aussi quelque chose de particulier. » Je vis que M. de Charlus allait nous dire de quelle façon ce genre de mœurs avait évolué. Et pas un instant pendant qu'il parlait, pendant que Brichot parlait, l'image plus ou moins consciente de mon chez-moi où m'attendait Albertine ne fut, associée au motif caressant et intime de Vinteuil, absente de moi. Je revenais sans cesse à Albertine, de même qu'il faudrait bien revenir effectivement auprès d'elle tout à l'heure comme à une sorte de boulet auquel j'étais, de façon ou d'autre, attaché, qui m'empêchait de quitter Paris et qui en ce moment, pendant que du salon Verdurin j'évoquais mon chez-moi, me le faisait sentir, non comme un espace vide, exaltant pour la personnalité et un peu triste, mais comme rempli — semblable en cela à l'hôtel de Balbec un certain soir — par cette présence qui n'en bougeait pas, qui durait là-bas pour moi, et qu'au moment que je voudrais j'étais sûr de retrouver. L'insistance avec laquelle M. de Charlus revenait toujours sur le sujet — à l'égard duquel, d'ailleurs, son intelligence toujours exercée dans le même sens, possédait une certaine pénétration — avait quelque chose d'assez complexement pénible. Il était raseur comme un savant qui ne voit rien au-delà de sa spécialité, agaçant comme un renseigné qui tire vanité des secrets qu'il détient et brûle de divulguer, antipathique comme ceux qui, dès qu'il s'agit de leurs défauts, s'épanouissent sans s'apercevoir qu'ils déplaisent, assujetti comme un maniaque et irrésistiblement imprudent comme un coupable. Ces caractéristiques, qui dans certains moments devenaient aussi saisissantes que celles qui marquent un fou ou un criminel, m'apportaient d'ailleurs un certain apaisement. Car, leur faisant subir la transposition nécessaire pour pouvoir tirer d'elles des déductions à l'égard d'Albertine et me rappelant l'attitude de celle-ci avec Saint-Loup, avec moi, je me disais, si pénible que fût pour moi l'un de ces souvenirs, et si mélancolique l'autre, je me disais qu'ils semblaient exclure le genre de déformation si accusée, de spécialisation forcément exclusive, semblait-il, qui se dégageait avec tant de force de la conversation comme de la personne de M. de Charlus. Mais celui-ci, malheureusement, se hâta de ruiner ces raisons d'espérer, de la même manière qu'il me les avait fournies, c'est-à-dire sans le savoir. « Oui, dit-il, je n'ai plus vingt-cinq ans et j'ai déjà vu changer bien des choses autour de moi, je ne reconnais plus ni la société où les barrières sont rompues, où une cohue sans élégance et sans décence danse le tango jusque dans ma famille, ni les modes, ni la politique, ni les arts, ni la religion, ni rien. Mais j'avoue que ce qui a encore le plus changé, c'est ce que les Allemands appellent l'homosexualité. Mon Dieu, de mon temps, en mettant de côté les hommes qui détestaient les femmes, et ceux qui n'aimant qu'elles ne faisaient autre chose que par intérêt, les homosexuels étaient de bons pères de famille et n'avaient guère de maîtresses que par couverture. J'aurais eu une fille à marier que c'est parmi eux que j'aurais cherché mon gendre si j'avais voulu être assuré qu'elle ne fût pas malheureuse. Hélas ! tout est changé. Maintenant ils se recrutent aussi parmi les hommes qui sont les plus enragés pour les femmes. Je croyais avoir un certain flair, et quand je m'étais dit : "sûrement non", n'avoir pas pu me tromper. Hé bien, j'en donne ma langue aux chats. Un de mes amis qui est bien connu pour cela avait un cocher que ma belle-sœur Oriane lui avait procuré, un garçon de Combray qui avait fait un peu tous les métiers, mais surtout celui de retrousseur de jupons, et que j'aurais juré aussi hostile que possible à ces choses-là. Il faisait le malheur de sa maîtresse en la trompant avec deux femmes qu'il adorait, sans compter les autres, une actrice et une fille de brasserie. Mon cousin le prince de Guermantes, qui a justement l'intelligence agaçante des gens qui croient tout trop facilement, me dit un jour : "Mais pourquoi est-ce que X ne couche pas avec son cocher ? Qui sait si ça ne lui ferait pas plaisir, à Théodore[1] (c'est le nom du cocher), et s'il n'est même pas très piqué de voir que son patron ne lui fait pas d'avances ?" Je ne pus m'empêcher d'imposer silence à Gilbert ; j'étais[a] énervé à la fois de cette prétendue perspicacité qui quand elle s'exerce indistinctement est un manque de perspicacité, et aussi de la malice cousue de fil blanc de mon cousin qui aurait voulu que notre ami X essayât de se risquer sur la planche, pour, si elle était viable, s'y avancer à son tour. — Le prince de Guermantes a donc ces goûts ? demanda Brichot avec un mélange d'étonnement et de malaise. — Mon Dieu, répondit M. de Charlus ravi, c'est tellement connu que je ne crois pas commettre une indiscrétion en vous disant que oui. Hé bien, l'année suivante j'allai à Balbec et là j'appris par un matelot qui m'emmenait quelquefois à la pêche que mon Théodore, lequel, entre parenthèses, a pour sœur la femme de chambre d'une amie de Mme Verdurin, la baronne Putbus, venait sur le port lever tantôt un matelot, tantôt un autre, avec un toupet d'enfer, pour aller faire un tour en barque et "autre chose itou". » Ce fut à mon tour de demander si le patron, dans lequel[a] j'avais reconnu le monsieur qui jouait aux cartes toute la journée avec sa maîtresse, était comme le prince de Guermantes. « Mais voyons, c'est connu de tout le monde, il ne s'en cache même-pas. — Mais il avait avec lui sa maîtresse. — Hé bien, qu'est-ce que ça fait ? Sont-ils naïfs, ces enfants », me dit-il d'un ton paternel, sans se douter de la souffrance que j'extrayais de ses paroles en pensant à Albertine. « Elle est charmante, sa maîtresse. — Mais alors ses trois amis sont comme lui ? — Mais pas du tout, s'écria-t-il en se bouchant les oreilles comme si en jouant d'un instrument j'avais fait une fausse note. Voilà maintenant qu'il est à l'autre extrémité. Alors on n'a plus le droit d'avoir des amis ? Ah ! la jeunesse, ça confond tout. Il faudra refaire votre éducation, mon enfant. Or, reprit-il, j'avoue que ce cas, et j'en connais bien d'autres, si ouvert que je tâche de garder mon esprit à toutes les hardiesses, m'embarrasse. Je suis bien vieux jeu, mais je ne comprends pas, dit-il du ton d'un vieux gallican parlant de certaines formes d'ultramontanisme, d'un royaliste libéral parlant de l'Action française, ou d'un disciple de Claude Monet des cubistes. Je ne blâme pas ces novateurs, je les envie plutôt, je cherche à les comprendre, mais je n'y arrive pas. S'ils aiment tant la femme, pourquoi, et surtout dans ce monde ouvrier où c'est mal vu, où ils se cachent par amour-propre, ont-ils besoin de ce qu'ils appellent un môme ? C'est que cela leur représente autre chose. Quoi ? » « Qu'est-ce que la femme peut représenter d'autre à Albertine ? » pensais-je, et c'était bien là, en effet, ma souffrance. « Décidément, baron, dit Brichot, si jamais le Conseil des facultés propose d'ouvrir une chaire d'homosexualité, je vous fais proposer en première ligne. Ou plutôt non, un Institut de psychophysiologie spéciale vous conviendrait mieux. Et je vous vois surtout pourvu d'une chaire au Collège de France, vous permettant de vous livrer à des études personnelles dont vous livreriez les résultats, comme fait le professeur de tamoul ou de sanscrit devant le très petit nombre de personnes que cela intéresse. Vous auriez deux auditeurs et l'appariteur, soit dit sans vouloir jeter le plus léger soupçon sur notre corps d'huissiers, que je crois insoupçonnable. — Vous n'en savez rien, répliqua le baron d'un ton dur et tranchant. D'ailleurs vous vous trompez en croyant que cela intéresse si peu de personnes. C'est tout le contraire », et sans se rendre compte de la contradiction qui existait entre la direction que prenait invariablement sa conversation et le reproche qu'il allait adresser aux autres : « C'est au contraire effrayant, dit-il à Brichot d'un air scandalisé et contrit, on ne parle plus que de cela. C'est une honte, mais c'est comme je vous le dis, mon cher ! Il paraît qu'avant-hier, chez la duchesse d'Ayen, on[a] n'a pas parlé d'autre chose pendant deux heures. Vous pensez, si maintenant les femmes se mettent à parler de ça, c'est un véritable scandale ! Ce qu'il y a de plus ignoble, c'est qu'elles sont renseignées, ajouta-t-il avec un feu et une énergie extraordinaires, par des pestes, de vrais salauds, comme le petit Châtellerault, sur qui il y a plus à dire que sur personne, et qui leur racontent les histoires des autres. On m'a dit qu'il disait pis que pendre de moi, mais je n'en ai cure, je pense que la boue et les saletés jetées par un individu qui a failli être renvoyé du Jockey pour avoir truqué un jeu de cartes, ne peut retomber que sur lui. Je sais bien que si j'étais Jane d'Ayen je[b] respecterais assez mon salon pour qu'on n'y traite pas des sujets pareils et qu'on ne traîne pas chez moi mes propres parents dans la fange. Mais il n'y a plus de société, plus de règles, plus de convenances, pas plus pour la conversation que pour la toilette. Ah ! mon cher, c'est la fin du monde. Tout le monde est devenu si méchant. C'est à qui dira le plus de mal des autres. C'est une horreur ! »

Lâche comme je l'étais déjà dans mon enfance à Combray, quand je m'enfuyais pour ne pas voir offrir du cognac à mon grand-père, et les vains efforts de ma grand-mère le suppliant de ne pas le boire[1], je n'avais plus qu'une pensée, partir de chez les Verdurin avant que l'exécution de Charlus eût eu lieu. « Il faut absolument que je parte, dis-je à Brichot. — Je vous suis, me dit-il, mais nous ne pouvons pas partir à l'anglaise. Allons dire au revoir à Mme Verdurin », conclut le professeur qui se dirigea vers le salon de l'air de quelqu'un qui, aux petits jeux, va voir « si on peut revenir ».

Pendant que nous causions, M. Verdurin, sur un signe de sa femme, avait emmené Morel. Mme Verdurin, du reste, eût-elle, toutes réflexions faites, trouvé qu'il était plus sage d'ajourner les révélations à Morel qu'elle ne l'eût plus pu. Il y a certains désirs, parfois circonscrits à la bouche, qui une fois qu'on les a laissés grandir, exigent d'être satisfaits, quelles que doivent être les conséquences ; on ne peut plus résister à embrasser une épaule décolletée qu'on regarde depuis trop longtemps et sur laquelle les lèvres tombent comme l'oiseau sur le serpent, à manger un gâteau d'une dent que la fringale fascine, à se refuser l'étonnement, le trouble, la douleur ou la gaieté qu'on va déchaîner dans une âme par des propos imprévus. Telle, ivre de mélodrame, Mme Verdurin avait enjoint à son mari d'emmener Morel et de parler coûte que coûte au violoniste. Celui-ci avait commencé par déplorer que la reine de Naples fût partie sans qu'il eût pu lui être présenté. M. de Charlus lui avait tant répété qu'elle était la sœur de l'impératrice Élisabeth et de la duchesse d'Alençon, que la souveraine avait pris aux yeux de Morel une importance extraordinaire. Mais le Patron lui avait expliqué que ce n'était pas pour parler de la reine de Naples qu'ils étaient là, et était entré dans le vif du sujet. « Tenez, avait-il conclu au bout de quelque temps, tenez, si vous voulez, nous allons demander conseil à ma femme. Ma parole d'honneur, je ne lui en ai rien dit. Nous allons voir comment elle juge la chose. Mon avis n'est peut-être pas le bon, mais vous savez quel jugement sûr elle a, et puis elle a pour vous une immense amitié, allons lui soumettre la cause. » Et tandis que Mme Verdurin attendait avec impatience les émotions qu'elle allait savourer en parlant au virtuose, puis, quand il serait parti, à se faire rendre un compte exact du dialogue qui avait été échangé entre lui et son mari, et en attendant ne cessait de répéter : « Mais qu'est-ce qu'ils peuvent faire ? J'espère au moins qu'Auguste[1], en le tenant un temps pareil, aura su convenablement le styler », M. Verdurin était redescendu avec Morel, lequel paraissait fort ému. « Il voudrait te demander un conseil », dit M. Verdurin à sa femme, de l'air de quelqu'un qui ne sait pas si sa requête sera exaucée. Au lieu de répondre à M. Verdurin, dans le feu de la passion c'est à Morel que s'adressa Mme Verdurin : « Je suis absolument du même avis que mon mari, je trouve que vous ne pouvez pas tolérer cela plus longtemps ! » s'écria-t-elle avec violence, et oubliant comme fiction futile qu'il avait été convenu entre elle et son mari qu'elle était censée ne rien savoir de ce qu'il avait dit au violoniste. « Comment ? Tolérer quoi ? » balbutia M. Verdurin qui essayait de feindre l'étonnement et cherchait, avec une maladresse qu'expliquait son trouble, à défendre son mensonge. « Je l'ai deviné, ce que tu lui as dit », répondit Mme Verdurin sans s'embarrasser du plus ou moins de vraisemblance de l'explication, et se souciant peu de ce que, quand il se rappellerait cette scène, le violoniste pourrait penser de la véracité de sa Patronne. « Non, reprit Mme Verdurin, je trouve que vous ne devez pas souffrir davantage cette promiscuité honteuse avec un personnage flétri qui n'est reçu nulle part, ajouta-t-elle, n'ayant cure que ce ne fût pas vrai et oubliant qu'elle le recevait presque chaque jour. Vous êtes la fable du Conservatoire, ajouta-t-elle, sentant que c'était l'argument qui porterait le plus ; un mois de plus de cette vie et votre avenir artistique est brisé, alors que sans le Charlus vous devriez gagner plus de cent mille francs par an. — Mais je n'avais jamais rien entendu dire, je suis stupéfait, je vous suis bien reconnaissant », murmura Morel les larmes aux yeux. Mais, obligé à la fois de feindre l'étonnement et de dissimuler la honte, il était plus rouge et suait plus que s'il avait joué toutes les sonates de Beethoven à la file, et dans ses yeux montaient des pleurs que le maître de Bonn ne lui aurait certainement pas arrachés. Le sculpteur[1] intéressé par ces larmes sourit et me montra Charlie du coin de l'œil. « Si vous n'avez rien entendu dire, vous êtes le seul. C'est un monsieur qui a une sale réputation et a eu de vilaines histoires. Je sais que la police l'a à l'œil et c'est du reste ce qui peut lui arriver de plus heureux pour ne pas finir comme tous ses pareils, assassiné par des apaches », ajouta-t-elle, car en pensant à Charlus le souvenir de Mme de Duras, lui[a] revenait et, dans la rage dont elle s'enivrait[2], elle cherchait à aggraver encore les blessures qu'elle faisait au malheureux Charlie et à venger celles qu'elle-même avaient reçues ce soir. « Du reste, même matériellement il ne peut vous servir à rien, il est entièrement ruiné depuis qu'il est la proie de gens qui le font chanter et qui ne pourront même pas tirer de lui les frais de leur musique, vous encore moins les frais de la vôtre, car tout est hypothéqué, hôtel, château, etc. » Morel ajouta d'autant plus aisément foi à ce mensonge que

M. de Charlus aimait à le prendre pour confident de ses relations avec des apaches, race pour qui un fils de valet de chambre, si crapuleux qu'il soit lui-même, professe un sentiment d'horreur égal à son attachement aux idées bonapartistes[1].

Déjà dans son esprit rusé avait germé une combinaison analogue à ce qu'on appela au XVIIIe siècle le renversement des alliances. Décidé à ne jamais reparler à M. de Charlus, il retournerait le lendemain soir auprès de la nièce de Jupien, se chargeant de tout arranger. Malheureusement pour lui, ce projet devait échouer, M. de Charlus ayant le soir même avec Jupien un rendez-vous auquel l'ancien giletier n'osa manquer malgré les événements. D'autres, qu'on va voir, s'étant précipités à l'égard de Morel, quand Jupien en pleurant raconta ses malheurs au baron, celui-ci, non moins malheureux, lui déclara qu'il adoptait la petite abandonnée, qu'elle prendrait un des titres dont il disposait, probablement celui de Mlle d'Oloron, lui[a] ferait donner un complément parfait d'instruction et faire un riche mariage. Promesses qui réjouirent profondément Jupien et laissèrent indifférente sa nièce car elle aimait toujours Morel, lequel par sottise ou cynisme entrait en plaisantant dans la boutique quand Jupien était absent. « Qu'est-ce que vous avez, disait-il en riant, avec vos yeux cernés ? Des chagrins d'amour ? Dame, les années se suivent et ne se ressemblent pas. Après tout, on est bien libre d'essayer une chaussure, à plus forte raison une femme, et si elle n'est pas à votre pied... » Il ne se fâcha qu'une fois parce qu'elle pleura, ce qu'il trouva lâche, un indigne procédé. On ne supporte pas toujours bien les larmes qu'on fait verser.

Mais nous avons trop anticipé, car tout ceci ne se passa qu'après la soirée Verdurin, que nous avons interrompue et qu'il faut reprendre où nous en étions[2]. « Je ne me serais jamais douté, soupira Morel, en réponse à Mme Verdurin. — Naturellement on ne vous le dit pas en face, ça n'empêche pas que vous êtes la fable du Conservatoire, reprit méchamment Mme Verdurin, voulant montrer à Morel qu'il ne s'agissait pas uniquement de M. de Charlus, mais de lui aussi. Je veux bien croire que vous l'ignorez et pourtant on ne se gêne guère. Demandez à Ski ce qu'on disait l'autre jour chez Chevillard[3], à deux pas de nous, quand vous êtes entré dans ma loge. C'est-à-dire qu'on vous montre du doigt. Je vous dirai que pour moi je n'y fais pas autrement attention, ce que je trouve surtout c'est que ça rend un homme prodigieusement ridicule et qu'il est la risée de tous pour toute sa vie. — Je ne sais pas comment vous remercier », dit Charlie du ton dont on le dit à un dentiste qui vient de vous faire affreusement mal sans qu'on ait voulu le laisser voir, ou à un témoin trop sanguinaire qui vous a forcé à un duel pour une parole insignifiante dont il vous a dit : « Vous ne pouvez pas empochez ça. » « Je pense que vous avez du caractère, que vous êtes un homme, répondit Mme Verdurin, et que vous saurez parler haut et clair quoiqu'il dise à tout le monde que vous n'oserez pas, qu'il vous tient. » Charlie, cherchant une dignité d'emprunt pour couvrir la sienne en lambeaux, trouva dans sa mémoire, pour l'avoir lu ou bien entendu dire, et proclama aussitôt : « Je n'ai pas été élevé à manger de ce pain-là. Dès ce soir, je romprai avec M. de Charlus. La reine de Naples est bien partie, n'est-ce pas ? Sans cela, avant de rompre avec lui, je lui aurais demandé... — Ce n'est pas nécessaire de rompre entièrement avec lui, dit Mme Verdurin, désireuse de ne pas désorganiser le petit noyau. Il n'y a pas d'inconvénients à ce que vous le voyiez ici, dans notre petit groupe, où vous êtes apprécié, où on ne dira pas de mal de vous. Mais exigez votre liberté, et puis ne vous laissez pas traîner par lui chez toutes ces pécores qui sont aimables par devant ; j'aurais voulu que vous entendiez ce qu'elles disaient par derrière. D'ailleurs n'en ayez pas de regrets, non seulement vous vous enlevez une tache qui vous resterait toute la vie, mais au point de vue artistique, même s'il n'y avait pas cette honteuse présentation par Charlus, je vous dirais que de vous galvauder ainsi dans ce milieu de faux monde, cela[a] vous donnerait un air pas sérieux, une réputation d'amateur, de petit musicien de salon, qui est terrible à votre âge. Je comprends que pour toutes ces belles dames c'est très commode de rendre des politesses à leurs amies en vous faisant venir à l'œil, mais c'est votre avenir d'artiste qui en ferait les frais. Je ne dis pas chez une ou deux. Vous parliez de la reine de Naples, qui est partie en effet, elle avait une soirée, celle-là, c'est une brave femme et je vous dirai que je crois qu'elle fait peu de cas du Charlus. Je vous dirai que je crois que c'est surtout pour moi qu'elle venait. Oui, oui, je sais qu'elle avait envie de connaître M. Verdurin et moi. Cela, c'est un endroit où vous pourrez jouer. Et puis je vous dirai qu'amené par moi que les artistes connaissent, vous savez, pour qui ils ont toujours été très gentils, qu'ils considèrent un peu comme des leurs, comme leur Patronne, c'est tout différent. Mais gardez-vous surtout comme du feu d'aller chez Mme de Duras[a] ! N'allez pas faire une boulette pareille ! Je connais des artistes qui sont venus me faire leurs confidences sur elle. Vous savez, ils savent qu'ils peuvent se fier à moi, dit-elle du ton doux et simple qu'elle savait prendre subitement, en donnant à ses traits un air de modestie, à ses yeux un charme approprié. Ils viennent comme ça me raconter leurs petites histoires ; ceux qu'on prétend le plus silencieux, ils bavardent quelquefois des heures avec moi et je ne peux pas vous dire ce qu'ils sont intéressants. Le pauvre Chabrier[1] disait toujours : "Il n'y a que Mme Verdurin qui sache les faire parler." Hé bien, vous savez, tous, mais je vous dis sans exception, je les ai vus pleurer d'avoir été jouer chez Mme de Duras. Ce n'est pas seulement les humiliations qu'elle s'amuse à leur faire faire par ses domestiques, mais ils ne pouvaient plus trouver d'engagement nulle part. Les directeurs disaient : "Ah ! oui, c'est celui qui joue chez Mme de Duras." C'était fini. Il n'y a rien pour vous couper un avenir comme ça. Vous savez, les gens du monde ça ne donne pas l'air sérieux, on peut avoir tout le talent qu'on veut, c'est triste à dire, mais il suffit d'une Mme de Duras pour vous donner la réputation d'un amateur. Et pour les artistes, vous savez, moi, vous comprenez que je les connais depuis quarante ans que je les fréquente, que je les lance, que je m'intéresse à eux, eh bien, vous savez, pour eux, quand ils ont dit "un amateur", ils ont tout dit. Et au fond on commençait à le dire de vous. Ce que de fois j'ai été obligée de me gendarmer, d'assurer que vous ne joueriez pas dans tel salon ridicule ! Savez-vous ce qu'on me répondait : "Mais il sera bien forcé, Charlus ne le consultera même pas, il ne lui demande pas son avis." Quelqu'un a cru lui faire plaisir en lui disant : "Nous admirons beaucoup votre ami Morel." Savez-vous ce qu'il a répondu, avec cet air insolent que vous connaissez : "Mais comment voulez-vous qu'il soit mon ami ? nous ne sommes pas de la même classe, dites qu'il est ma créature, mon protégé." À ce moment s'agitait sous le front bombé de la déesse musicienne la seule chose que certaines personnes ne peuvent pas conserver pour elles, un mot qu'il est non seulement abject, mais imprudent de répéter. Mais le besoin de le répéter est plus fort que l'honneur, que la prudence. C'est à ce besoin que, après quelques légers mouvements convulsifs du front sphérique et chagrin, céda la Patronne : « On a même répété à mon mari qu'il avait dit : "mon domestique", mais cela je ne peux pas l'affirmer », ajouta-t-elle. C'est un besoin pareil qui avait contraint M. de Charlus, peu après avoir juré à Morel que personne ne saurait jamais d'où il était sorti, à dire à Mme Verdurin : « C'est le fils d'un valet de chambre. » Un besoin pareil encore, maintenant que le mot était lâché, le ferait circuler de personnes en personnes, qui le confieraient sous le sceau d'un secret qui serait promis et non gardé, comme elles avaient fait elles-mêmes. Ces mots finissaient, comme au jeu du furet, par revenir à Mme Verdurin, la brouillant avec l'intéressé qui avait fini par l'apprendre. Elle le savait, mais ne pouvait retenir le mot qui lui brûlait la langue. « Domestique » ne pouvait d'ailleurs que froisser Morel. Elle dit pourtant « domestique », et si elle ajouta qu'elle ne pouvait l'affirmer, ce fut à la fois pour paraître certaine du reste, grâce à cette nuance, et pour montrer de l'impartialité. Cette impartialité qu'elle montrait la toucha elle-même tellement qu'elle commença à parler tendrement à Charlie : « Car voyez-vous, dit-elle, moi je ne lui fais pas de reproches, il vous entraîne dans son abîme, ce n'est pas sa faute, puisqu'il y roule lui-même, puisqu'il y roule », répéta-t-elle assez fort, ayant été émerveillée de la justesse de l'image qui lui était partie plus vite que son attention qui ne la rattrapait que maintenant, et tâchant de la mettre en valeur. « Non, ce que je lui reproche, dit-elle d'un ton tendre, comme une femme ivre de son succès, c'est de manquer de délicatesse envers vous. Il y a des choses qu'on ne dit pas à tout le monde. Ainsi tout à l'heure il a parié qu'il allait vous faire rougir de plaisir, en vous annonçant (par blague naturellement, car sa recommandation suffirait à vous empêcher de l'avoir) que vous auriez la croix de la Légion d'honneur. Cela passe encore, quoique je n'aie jamais beaucoup aimé, reprit-elle d'un air délicat et digne, qu'on dupe ses amis, mais vous savez, il y a des riens qui nous font de la peine. C'est[a] par exemple quand il nous raconte en se tordant que si vous désirez la croix, c'est pour votre oncle et que votre oncle était larbin. — Il vous a dit cela ! », s'écria Charlie, croyant d'après ces mots habilement rapportés à la vérité de tout ce qu'avait dit Mme Verdurin. Mme Verdurin fut inondée de la joie d'une vieille maîtresse qui, sur le point d'être lâchée par son jeune amant, réussit à rompre son mariage. Et peut-être n'avait-elle pas calculé son mensonge ni même menti sciemment. Une sorte de logique sentimentale, peut-être plus élémentaire encore, une sorte de réflexe nerveux, qui la poussait, pour égayer sa vie et préserver son bonheur, à « brouiller les cartes » dans le petit clan, faisait-elle monter impulsivement à ses lèvres sans qu'elle eût le temps d'en contrôler la vérité, ces assertions diaboliquement utiles, sinon rigoureusement exactes. « Il nous l'aurait dit à nous seuls que cela ne ferait rien, reprit la Patronne, nous savons qu'il faut prendre et laisser de ce qu'il dit, et puis il n'y a pas de sot métier, vous avez votre valeur, vous êtes ce que vous valez ; mais qu'il aille faire tordre avec cela Mme de Portefin (Mme Verdurin la citait exprès, parce qu'elle savait que Charlie aimait Mme de Portefin), c'est ce qui nous rend malheureux. Mon mari me disait en l'entendant : "J'aurais mieux aimé recevoir une gifle." Car il vous aime autant que moi, vous savez, Gustave (on apprit ainsi que M. Verdurin s'appelait Gustave). Au fond c'est un sensible. — Mais je ne t'ai jamais dit que je l'aimais, murmura M. Verdurin faisant le bourru bienfaisant. C'est le Charlus qui l'aime. — Oh ! non, maintenant je comprends la différence, j'étais trahi par un misérable, et vous, vous êtes bon, s'écria avec sincérité Charlie. — Non, non, murmura Mme Verdurin pour garder sa victoire (car elle sentait ses mercredis sauvés) sans en abuser, misérable est trop dire ; il fait du mal, beaucoup de mal, inconsciemment ; vous savez, cette histoire de Légion d'honneur n'a pas duré très longtemps. Et il me serait désagréable de vous répéter tout ce qu'il a dit sur votre famille, dit Mme Verdurin, qui eût été bien embarrassée de le faire. — Oh ! cela a beau n'avoir duré qu'un instant, cela prouve que c'est un traître », s'écria Morel.

C'est à ce moment que nous rentrâmes au salon. « Ah ! » s'écria M. de Charlus en voyant que Morel était là et, marchant vers le musicien avec le genre d'allégresse des hommes qui ont organisé savamment toute leur soirée[a] en vue d'un rendez-vous avec une femme, et qui tout enivrés ne se doutent guère qu'ils ont dressé eux-mêmes le piège où vont les saisir et devant tout le monde les rosser, des hommes apostés par le mari : « Hé bien, enfin, ce n'est pas trop tôt, êtes-vous content, jeune gloire et bientôt jeune chevalier de la Légion d'honneur ? Car bientôt vous pourrez montrer votre croix », dit M. de Charlus à Morel d'un air tendre et triomphant, mais par ces mots mêmes de décoration contresignant les mensonges de Mme Verdurin, qui apparurent une vérité indiscutable à Morel. « Laissez-moi, je vous défends de m'approcher, cria Morel au baron. Vous ne devez pas être à votre coup d'essai, je ne suis pas le premier que vous essayez de pervertir ! » Ma seule consolation était de penser que j'allais voir Morel et les Verdurin pulvérisés par M. de Charlus. Pour mille fois moins que cela j'avais essuyé ses colères de fou[1], personne n'était à l'abri d'elles, un roi ne l'eût pas intimidé. Or il se produisit cette chose extraordinaire. On vit M. de Charlus, muet, stupéfait, mesurant son malheur sans en comprendre la cause, ne trouvant pas un mot, levant les yeux successivement sur toutes les personnes présentes, d'un air interrogateur, indigné, suppliant, et qui semblait leur demander moins encore ce qui s'était passé que ce qu'il devait répondre. Peut-être ce qui le rendait muet était-ce (en voyant que M. et Mme Verdurin détournaient les yeux et que personne ne lui porterait secours) la souffrance présente et l'effroi surtout des souffrances à venir ; ou bien que ne s'étant pas d'avance par l'imagination monté la tête et forgé une colère, n'ayant pas de rage toute prête en mains (car, sensitif, nerveux, hystérique, il était un vrai impulsif, mais un faux brave, même, comme je l'avais toujours cru et ce qui me le rendait assez sympathique, un faux méchant, et n'avait pas les réactions normales de l'homme d'honneur outragé), on l'avait saisi et brusquement frappé au moment où il était sans armes ; ou bien que, dans un milieu qui n'était pas le sien, il se sentait moins à l'aise et moins courageux qu'il n'eût été dans le Faubourg. Toujours est-il que, dans ce salon qu'il dédaignait, ce grand seigneur (à qui n'était pas plus essentiellement inhérente la supériorité sur les roturiers qu'elle ne le fut à tel de ses ancêtres angoissés devant le Tribunal révolutionnaire) ne sut, dans une paralysie de tous les membres et de la langue, que jeter de tous côtés des regards épouvantés, indignés par la violence qu'on lui faisait, aussi suppliants qu'interrogateurs. Pourtant M. de Charlus possédait toutes les ressources non seulement de l'éloquence mais de l'audace, quand, pris d'une rage qui bouillonnait depuis longtemps contre quelqu'un, il le clouait[a] de désespoir par les mots les plus sanglants devant les gens du monde scandalisés et qui n'avaient jamais cru qu'on pût aller si loin. M. de Charlus dans ces cas-là brûlait, se démenait en de véritables attaques nerveuses, dont tout le monde restait tremblant. Mais c'est que dans ces cas-là il avait l'initiative, il attaquait, il disait ce qu'il voulait (comme Bloch savait plaisanter des Juifs et rougissait si on prononçait leur nom devant lui[b]). Ces gens qu'il haïssait, il les haïssait parce qu'il s'en croyait méprisé. Eussent-ils été gentils pour lui, au lieu de se griser de colère contre eux il les eût embrassés. Dans une circonstance si cruellement imprévue, ce grand discoureur ne sut que balbutier : « Qu'est-ce que cela veut dire ? qu'est-ce qu'il y a ? » On ne l'entendait même pas. Et la pantomime éternelle de la terreur panique a si peu changé, que ce vieux monsieur à qui il arrivait une aventure désagréable dans un salon parisien, répétait à son insu les quelques attitudes schématiques dans lesquelles la sculpture grecque des premiers âges stylisait l'épouvante des nymphes poursuivies par le dieu Pan.

L'ambassadeur[c1] disgracié, le chef de bureau mis à la retraite, le mondain à qui on bat froid, l'amoureux éconduit examinent parfois pendant des mois l'événement qui a brisé leurs espérances ; ils le tournent et le retournent comme un projectile tiré on ne sait d'où ni on ne sait par qui, pour un peu un aérolithe[d]. Ils voudraient bien connaître les éléments composants de cet étrange engin qui a fondu sur eux, savoir quelles volontés mauvaises on peut y reconnaître. Les chimistes au moins disposent de l'analyse ; les malades souffrant d'un mal dont ils ne savent pas l'origine peuvent faire venir le médecin. Et les affaires criminelles sont plus ou moins débrouillées par le juge d'instruction. Mais les actions déconcertantes de nos semblables, nous en découvrons rarement les mobiles. Ainsi M. de Charlus, pour anticiper sur les jours qui suivirent cette soirée à laquelle nous allons revenir, ne vit dans l'attitude de Charlie qu'une seule chose claire.

Charlie, qui avait souvent menacé le baron de raconter quelle passion il lui inspirait, avait dû profiter pour le faire de ce qu'il se croyait maintenant suffisamment « arrivé » pour voler de ses propres ailes. Et il avait dû tout raconter, par pure ingratitude, à Mme Verdurin. Mais comment celle-ci s'était-elle laissé tromper (car le baron, décidé à nier, était déjà persuadé lui-même que les sentiments qu'on lui reprocherait étaient imaginaires) ? Des amis de Mme Verdurin, peut-être ayant eux-mêmes une passion pour Charlie, avaient préparé le terrain. En conséquence, M. de Charlus les jours suivants écrivit des lettres terribles à plusieurs « fidèles » entièrement innocents et qui le crurent fou ; puis il alla faire à Mme Verdurin un long récit attendrissant, lequel n'eut d'ailleurs nullement l'effet qu'il souhaitait. Car d'une part, Mme Verdurin répétait au baron : « Vous n'avez qu'à ne plus vous occuper de lui, dédaignez-le, c'est un enfant. » Or le baron ne soupirait qu'après une réconciliation. D'autre part, pour amener celle-ci en supprimant à Charlie tout ce dont il s'était cru assuré, il demandait à Mme Verdurin de ne plus le recevoir, ce à quoi elle opposa un refus qui lui valut des lettres irritées et sarcastiques de M. de Charlus. Allant d'une supposition à l'autre, M. de Charlus ne fit jamais la vraie, à savoir que le coup n'était nullement parti de Morel. Il est vrai qu'il eût pu l'apprendre en demandant à Morel quelques minutes d'entretien. Mais il jugeait cela contraire à sa dignité et aux intérêts de son amour. Il avait été offensé, il attendait des explications. Il y a d'ailleurs presque toujours, attachée à l'idée d'un entretien qui pourrait éclaircir un malentendu, une autre idée qui pour quelque raison que ce soit nous empêche de nous prêter à cet entretien. Celui qui s'est abaissé et a montré sa faiblesse dans vingt circonstances, fera preuve de fierté la vingt et unième fois, la seule où il serait utile de ne pas s'entêter dans une attitude arrogante et de dissiper une erreur qui va s'enracinant chez l'adversaire, faute de démenti. Quant au côté mondain de l'incident, le bruit se répandit que M. de Charlus avait été mis à la porte de chez les Verdurin au moment où il cherchait à violer un jeune musicien. Ce bruit fit qu'on ne s'étonna pas de voir M. de Charlus ne plus reparaître chez les Verdurin, et quand par hasard il rencontrait quelque part un des fidèles qu'il avait soupçonnés et insultés, comme celui-ci gardait rancune au baron qui lui-même ne lui disait pas bonjour, les gens ne s'étonnaient pas, comprenant que personne dans le petit clan ne voulût plus saluer le baron.

Tandis que M. de Charlus, assommé sur le coup par les paroles que venait de prononcer Morel et l'attitude de la Patronne, prenait la pose de la nymphe en proie à la terreur panique, M. et Mme Verdurin s'étaient retirés dans le premier salon, comme en signe de rupture diplomatique, laissant seul M. de Charlus, tandis que sur l'estrade Morel enveloppait son violon. « Tu vas nous raconter comment cela s'est passé, dit avidement Mme Verdurin à son mari. — Je ne sais pas ce que vous lui avez dit, il avait l'air tout ému, dit Ski, il avait des larmes dans les yeux. » Feignant de ne pas avoir compris : « Je crois que ce que j'ai dit lui a été tout à fait indifférent », dit Mme Verdurin par un de ces manèges qui ne trompent pas, du reste, tout le monde, et pour forcer le sculpteur à répéter que Charlie pleurait, pleurs qui enivraient la Patronne de trop d'orgueil pour qu'elle voulût risquer que tel ou tel fidèle, qui pouvait avoir mal entendu, les ignorât. « Mais non, au contraire, je voyais de grosses larmes qui brillaient dans ses yeux », dit le sculpteur sur un ton bas et souriant de confidence malveillante, tout en regardant de côté pour s'assurer que Morel était toujours sur l'estrade et ne pouvait pas écouter la conversation. Mais il y avait une personne qui l'entendait et dont la présence, aussitôt qu'on l'aurait remarquée, allait rendre à Morel une des espérances qu'il avait perdues. C'était la reine de Naples qui, ayant oublié son éventail, avait trouvé plus aimable, en quittant une autre soirée où elle s'était rendue, de venir le rechercher elle-même. Elle était entrée tout doucement, comme confuse, s'apprêtant à s'excuser, et à faire une courte visite maintenant qu'il n'y avait plus personne. Mais on ne l'avait pas entendue entrer dans le feu de l'incident qu'elle avait compris tout de suite et qui l'enflamma d'indignation. « Ski dit qu'il avait des larmes dans les yeux, as-tu remarqué cela ? Je n'ai pas vu de larmes. Ah ! si pourtant, je me rappelle, corrigea-t-elle dans la crainte que sa dénégation ne fût crue. Quant au Charlus, il n'en mène pas large, il devrait prendre une chaise, il tremble sur ses jambes, il va s'étaler », dit-elle avec un ricanement sans pitié. À ce moment Morel accourut vers elle : « Est-ce que cette dame n'est pas la reine de Naples ? demanda Morel (bien qu'il sût que c'était elle) en montrant la souveraine qui se dirigeait vers Charlus. Après ce qui vient de se passer, je ne peux plus, hélas ! demander au baron de me présenter. — Attendez, je vais le faire », dit Mme Verdurin, et suivie de quelques fidèles, mais non de moi et de Brichot qui nous empressâmes d'aller demander nos affaires et de sortir, elle s'avança vers la reine qui causait avec M. de Charlus. Celui-ci avait cru que la réalisation de son grand désir que Morel fût présenté à la reine de Naples ne pouvait être empêchée que par la mort improbable de la souveraine. Mais nous nous représentons l'avenir comme un reflet du présent projeté dans un espace vide, tandis qu'il est le résultat souvent tout prochain de causes qui nous échappent pour la plupart. Il n'y avait pas une heure de cela, et M. de Charlus eût tout donné pour que Morel ne fût pas présenté à la reine. Mme Verdurin fit une révérence à la reine. Voyant que celle-ci n'avait pas l'air de la reconnaître : « Je suis Mme Verdurin. Votre Majesté ne me reconnaît pas. — Très bien », dit la reine en continuant si naturellement à parler à M. de Charlus, et d'un air si parfaitement distrait que Mme Verdurin douta si c'était à elle que s'adressait ce « très bien » prononcé sur une intonation merveilleusement distraite, qui arracha à M. de Charlus, au milieu de sa douleur d'amant, un sourire de reconnaissance expert et friand en matière d'impertinence. Morel, voyant de loin les préparatifs de la présentation, s'était rapproché. La reine tendit son bras à M. de Charlus. Contre lui aussi elle était fâchée, mais seulement parce qu'il ne faisait pas face plus énergiquement à de vils insulteurs. Elle était rouge de honte pour lui que les Verdurin osassent le traiter ainsi. La sympathie pleine de simplicité qu'elle leur avait témoignée il y a quelques heures, et l'insolente fierté avec laquelle elle se dressait devant eux prenaient leur source au même point de son cœur. La reine était une femme pleine de bonté, mais elle concevait la bonté d'abord sous la forme de l'inébranlable attachement aux gens qu'elle aimait, aux siens, à tous les princes de sa famille, parmi lesquels était M. de Charlus, ensuite à tous les gens de la bourgeoisie ou du plus humble peuple qui savaient respecter ceux qu'elle aimait, avoir pour eux de bons sentiments. C'était en tant qu'à une femme douée de ces bons instincts qu'elle avait manifesté de la sympathie à Mme Verdurin. Et sans doute c'est là une conception étroite, un peu tory[1] et de plus en plus surannée de la bonté. Mais cela ne signifie pas que la bonté fût moins sincère et moins ardente chez elle. Les anciens n'aimaient pas moins fortement le groupement humain auquel ils se dévouaient parce que celui-ci n'excédait pas les limites de la cité, ni les hommes d'aujourd'hui la patrie, que ceux qui aimeront les États-Unis de toute la terre. Tout près de moi, j'ai eu l'exemple de ma mère que Mme de Cambremer et Mme de Guermantes n'ont jamais pu décider à faire partie d'aucune « œuvre » philanthropique, d'aucun patriotique ouvroir, à être jamais vendeuse ou patronnesse. Je suis loin de dire qu'elle ait eu raison de n'agir que quand son cœur avait d'abord parlé et de réserver à sa famille, à ses domestiques, aux malheureux que le hasard mit sur son chemin, ses richesses d'amour et de générosité, mais je sais bien que celles-là, comme celles de ma grand-mère, furent inépuisables et dépassèrent de bien loin tout ce que purent et firent jamais Mmes de Guermantes ou de Cambremer. Le cas de la reine de Naples était entièrement différent, mais enfin il faut reconnaître que les êtres sympathiques n'étaient pas du tout conçus par elle comme ils le sont dans ces romans de Dostoïevski[2] qu'Albertine avait pris dans ma bibliothèque et accaparés, c'est-à-dire sous les traits de parasites flagorneurs, voleurs, ivrognes, tantôt plats et tantôt insolents, débauchés, au besoin assassins. D'ailleurs les extrêmes se rejoignent, puisque l'homme noble, le proche, le parent outragé que la reine voulait défendre était M. de Charlus, c'est-à-dire, malgré sa naissance et toutes les parentés qu'il avait avec la reine, quelqu'un dont la vertu s'entourait de beaucoup de vices. « Vous n'avez pas l'air bien, mon cher cousin, dit-elle à M. de Charlus. Appuyez-vous sur mon bras. Soyez sûr qu'il vous soutiendra toujours. Il est assez solide pour cela. » Puis, levant fièrement les yeux devant elle (en face de qui, me raconta Ski, se trouvaient alors Mme Verdurin et Morel) : « Vous savez qu'autrefois à Gaète il a déjà tenu en respect la canaille. Il saura vous servir de rempart[3]. » Et c'est ainsi, emmenant à son bras le baron, et sans s'être laissé présenter Morel, que sortit la glorieuse sœur de l'impératrice Élisabeth[a].

On pourrait croire, avec le caractère terrible de M. de Charlus, les persécutions dont il terrorisait jusqu'à des parents à lui, qu'il allait à la suite de cette soirée déchaîner sa fureur et exercer des représailles contre les Verdurin. Il n'en fut rien et la cause principale en fut certainement que le baron, ayant pris froid à quelques jours de là et contracté une de ces pneumonies infectieuses qui furent très fréquentes alors, longtemps il fut jugé par ses médecins et se jugea lui-même comme à deux doigts de la mort, puis resta plusieurs mois suspendu entre elle et la vie. Y eut-il simplement métastase physique, et le remplacement par un mal différent de la névrose qui l'avait jusque-là fait s'oublier jusque dans des orgies de colère ? Car il est trop simple de croire que, n'ayant jamais pris au sérieux, du point de vue social, les Verdurin, il ne pouvait leur en vouloir comme à ses pairs, trop simple aussi de rappeler que les nerveux, irrités à tout propos contre des ennemis imaginaires et inoffensifs, deviennent au contraire inoffensifs dès que quelqu'un prend contre eux l'offensive, et qu'on les calme mieux en leur jetant de l'eau froide à la figure qu'en tâchant de leur démontrer l'inanité de leurs griefs. Mais ce n'est probablement pas dans une métastase qu'il faut chercher l'explication de cette absence de rancune ; bien plutôt dans la maladie elle-même. Elle causait de si grandes fatigues au baron qu'il lui restait peu de loisir pour penser aux Verdurin. Il était à demi mourant. Nous parlions d'offensive ; même celles qui n'auront que des effets posthumes requièrent, si on les veut « monter[1] » convenablement, le sacrifice d'une partie de ses forces. Il en restait trop peu à M. de Charlus pour l'activité d'une préparation. On[a] parle souvent d'ennemis mortels qui rouvrent les yeux pour se voir réciproquement à l'article de la mort et qui les referment heureux. Ce cas doit être rare, excepté quand la mort nous surprend en pleine vie. C'est au contraire au moment où on n'a plus rien à perdre, qu'on ne s'embarrasse pas de risques que, plein de vie, on eût assumés légèrement. L'esprit de vengeance fait partie de la vie ; le plus souvent[b] — malgré des exceptions qui, au sein d'un même caractère, on le verra, sont d'humaines contradictions — il nous abandonne au seuil de la mort. Après avoir pensé un instant aux Verdurin, M. de Charlus se sentait trop fatigué, se retournait contre le mur et ne pensait plus à rien. Ce n'est pas qu'il eût perdu son éloquence, mais elle lui demandait moins d'efforts. Elle coulait encore de source, mais avait changé. Détachée des violences qu'elle avait ornées si souvent, ce n'était plus qu'une éloquence quasi mystique qu'embellissaient des paroles de douceur, des paraboles de l'Évangile, une apparente résignation à la mort. Il parlait surtout les jours où il se croyait sauvé. Une rechute le faisait taire. Cette chrétienne douceur, où s'était transposée sa magnifique violence (comme en *Esther* le génie, si différent, d'*Andromaque*), faisait l'admiration de ceux qui l'entouraient. Elle eût fait celle des Verdurin eux-mêmes qui n'auraient pu s'empêcher d'adorer un homme que ses défauts leur avaient fait haïr. Certes, des pensées qui n'avaient de chrétien que l'apparence surnageaient. Il implorait l'archange Gabriel de[a] venir lui annoncer comme au prophète dans combien de temps viendrait le Messie[1]. Et s'interrompant d'un doux sourire douloureux, il ajoutait : « Mais il ne faudrait pas que l'archange me demandât comme à Daniel de patienter "sept semaines et soixante-deux semaines", car je serai mort avant[2]. » Celui qu'il attendait ainsi était Morel. Aussi demandait-il à l'archange Raphaël de le lui ramener comme le jeune Tobie. Et, mêlant des moyens plus humains (comme les papes malades qui, tout en faisant dire des messes, ne négligent pas de faire appeler leur médecin), il insinuait à ses visiteurs que si Brichot lui ramenait rapidement son jeune Tobie, peut-être l'archange Raphaël consentirait-il à lui rendre la vue comme au père de Tobie, ou dans la piscine probatique de Bethsaïda[3]. Mais malgré ces retours humains, la pureté morale des propos de M. de Charlus n'en était pas moins devenue délicieuse. Vanité, médisance, folie de méchanceté et d'orgueil, tout cela avait disparu. Moralement M. de Charlus s'était élevé bien au-dessus du niveau où il vivait naguère. Mais ce perfectionnement moral, sur la réalité duquel son art oratoire était, du reste, capable de tromper quelque peu ses auditeurs attendris, ce perfectionnement disparut avec la maladie qui avait travaillé pour lui. M. de Charlus redescendit sa pente avec une vitesse que nous verrons progressivement croissante. Mais l'attitude des Verdurin envers lui n'était déjà plus qu'un souvenir un peu éloigné que des colères plus immédiates empêchèrent de se raviver[b].

Pour revenir en arrière, à la soirée Verdurin, ce soir-là[c] quand les maîtres de maison furent seuls, M. Verdurin dit à sa femme : « Tu sais pourquoi Cottard n'est pas venu[1] ? Il est auprès de Saniette dont le coup de bourse pour se rattraper a échoué. En apprenant qu'il n'avait plus un franc et qu'il avait près d'un million de dettes, Saniette a eu une attaque. — Mais aussi pourquoi a-t-il joué ? C'est idiot, il est l'être le moins fait pour ça. De plus fins que lui y laissent leurs plumes et lui était destiné à se laisser rouler par tout le monde[2]. — Mais bien entendu il y a longtemps que nous savons qu'il est idiot, dit M. Verdurin. Mais enfin le résultat est là. Voilà un homme qui sera mis demain à la porte par son propriétaire, qui va se trouver dans la dernière misère, ses parents ne l'aiment pas, ce n'est pas Forcheville qui fera quelque chose pour lui. Alors j'avais pensé, je ne veux rien faire qui te déplaise, mais nous aurions peut-être pu lui faire une petite rente pour qu'il ne s'aperçoive pas trop de sa ruine, qu'il puisse se soigner chez lui. — Je suis tout à fait de ton avis, c'est très bien de ta part d'y avoir pensé. Mais tu dis "chez lui" ; cet imbécile a gardé un appartement trop cher, ce n'est plus possible, il faudrait lui louer quelque chose avec deux pièces. Je crois qu'actuellement il a encore un appartement de six à sept mille francs. — Six mille cinq cents. Mais il tient beaucoup à son chez-lui. En somme, il a eu une première attaque, il ne pourra guère vivre plus de deux ou trois ans. Mettons que nous dépensions dix mille francs pour lui pendant trois ans. Il me semble que nous pourrions faire cela. Nous pourrions par exemple cette année, au lieu de relouer La Raspelière, prendre quelque chose de plus modeste. Avec nos revenus, il me semble qu'amortir dix mille francs pendant trois ans ce n'est pas impossible. — Soit, seulement l'ennui c'est que ça se saura, ça obligera à le faire pour d'autres. — Tu peux croire que j'y ai pensé. Je ne le ferai qu'à la condition expresse que personne ne le sache. Merci, je n'ai pas envie que nous soyons obligés de devenir les bienfaiteurs du genre humain. Pas de philanthropie ! Ce qu'on pourrait faire, c'est de lui dire que cela lui a été laissé par la princesse Sherbatoff. — Mais le croira-t-il ? Elle a consulté Cottard pour son testament. — À l'extrême rigueur, on peut mettre Cottard dans la confidence, il a l'habitude du secret professionnel, il gagne énormément d'argent, ce ne sera jamais un de ces officieux pour qui on est obligé de casquer. Il voudra même peut-être se charger de dire que c'est lui que la princesse avait pris comme intermédiaire. Comme ça nous ne paraîtrions même pas. Ça éviterait l'embêtement des scènes de remerciements, des manifestations, des phrases. » M. Verdurin ajouta un mot qui signifiait évidemment ce genre de scènes touchantes et de phrases qu'ils désiraient éviter. Mais il n'a pu m'être dit exactement, car ce n'était pas un mot français, mais un de ces termes comme on en a dans les familles pour désigner certaines choses, surtout les choses agaçantes, probablement parce qu'on veut pouvoir les signaler devant les intéressés sans être compris. Ce genre d'expressions est généralement un reliquat contemporain d'un état antérieur de la famille. Dans une famille juive, par exemple, ce sera un terme rituel détourné de son sens et peut-être le seul mot hébreu que la famille, maintenant francisée, connaisse encore. Dans une famille très fortement provinciale, ce sera un terme du patois de la province, bien que la famille ne parle plus et ne comprenne même plus le patois. Dans une famille venue de l'Amérique du Sud et ne parlant plus que le français, ce sera un mot espagnol[1]. Et à la génération suivante, le mot n'existera plus qu'à titre de souvenir d'enfance. On se rappellera bien que les parents à table faisaient allusion aux domestiques qui servaient, sans être compris d'eux, en disant tel mot, mais les enfants ignorent ce que voulait dire au juste ce mot, si c'était de l'espagnol, de l'hébreu, de l'allemand, du patois, si même cela avait jamais appartenu à une langue quelconque et n'était pas un nom propre, ou un mot entièrement forgé. Le doute ne peut être éclairci que si on a un grand-oncle, un vieux cousin encore vivant et qui a dû user du même terme. Comme je n'ai connu aucun parent des Verdurin, je n'ai pu restituer exactement le mot. Toujours est-il qu'il fit certainement sourire Mme Verdurin, car l'emploi de cette langue moins générale, plus personnelle, plus secrète, que la langue habituelle donne à ceux qui en usent encore eux un sentiment égoïste qui ne va jamais sans une certaine satisfaction. Cet instant de gaieté passé : « Mais si Cottard en parle ? objecta Mme Verdurin. — Il n'en parlera pas. » Il en parla, à moi du moins, car c'est par lui que j'appris ce fait quelques années plus tard, à l'enterrement même de Saniette. Je regrettai de ne l'avoir pas su plus tôt. D'abord cela m'eût acheminé plus rapidement à l'idée qu'il ne faut jamais en vouloir aux hommes, jamais les juger d'après tel souvenir d'une méchanceté, car nous ne savons pas tout ce qu'à d'autres moments leur âme a pu vouloir sincèrement et réaliser de bon. Et ainsi, même au simple point de vue de la prévision, on se trompe. Car, sans doute[a], la forme mauvaise qu'on a constatée une fois pour toutes reviendra. Mais l'âme est plus riche que cela, a bien d'autres formes qui reviendront elles aussi chez cet homme, et dont nous refusons la douceur à cause du mauvais procédé qu'il a eu. Mais, à un point de vue plus personnel, cette révélation n'eût pas été sans effet sur moi. Car en changeant mon opinion sur M. Verdurin que je croyais de plus en plus le plus méchant des hommes, cette révélation de Cottard, s'il me l'eût faite plus tôt, eût dissipé les soupçons que j'avais sur le rôle que les Verdurin pouvaient jouer entre Albertine et moi. Les eût dissipés peut-être à tort du reste, car si M. Verdurin avait des vertus, il n'en était pas moins taquin jusqu'à la plus féroce persécution et jaloux de domination dans le petit clan jusqu'à ne pas reculer devant les pires mensonges, devant la fomentation des haines les plus injustifiées, pour rompre entre les fidèles les liens qui n'avaient pas pour but exclusif le renforcement du petit groupe. C'était un homme capable de désintéressement, de générosités sans ostentation, cela ne veut pas dire forcément un homme sensible, ni un homme sympathique, ni scrupuleux, ni véridique, ni toujours bon. Une bonté partielle — où subsistait peut-être un peu de la famille amie de ma grand-tante[1] — existait probablement chez lui avant que je la connusse par ce fait, comme l'Amérique ou le pôle Nord avant Colomb ou Peary[2]. Néanmoins[b], au moment de ma découverte, la nature de M. Verdurin me présenta une face nouvelle insoupçonnée ; et je conclus à la difficulté de présenter une image fixe aussi bien d'un caractère que des sociétés et des passions. Car il ne change pas moins qu'elles, et si on veut clicher ce qu'il a de relativement immuable, on le voit présenter successivement des aspects différents (impliquant qu'il ne sait pas garder l'immobilité, mais bouge) à l'objectif déconcerté.

Voyant[c] l'heure et craignant qu'Albertine s'ennuyât, je demandai à Brichot, en sortant de la soirée Verdurin, qu'il voulût bien d'abord me déposer chez moi[3]. Ma voiture le reconduirait ensuite. Il me félicita de rentrer ainsi directement, ne sachant pas qu'une jeune fille m'attendait à la maison, et de finir aussi tôt et avec tant de sagesse une soirée dont, bien au contraire, je n'avais en réalité fait que retarder le véritable commencement. Puis il me parla de M. de Charlus. Celui-ci eût sans doute été stupéfait en entendant le professeur, si aimable avec lui, le professeur qui lui disait toujours : « Je ne répète jamais rien », parler de lui et de sa vie sans la moindre réticence. Et l'étonnement indigné de Brichot n'eût peut-être pas été moins sincère si M. de Charlus lui avait dit : « On m'a assuré que vous parliez mal de moi. » Brichot avait, en effet, du goût pour M. de Charlus et, s'il avait eu à se reporter à quelque conversation roulant sur lui, il se fût rappelé bien plus les sentiments de sympathie qu'il avait éprouvés à l'égard du baron, pendant qu'il disait de lui les mêmes choses qu'en disait tout le monde, plutôt que ces choses elles-mêmes. Il n'aurait pas cru mentir en disant : « Moi qui parle de vous avec tant d'amitié », puisqu'il ressentait quelque amitié, pendant qu'il parlait de M. de Charlus. Celui-ci avait surtout pour Brichot le charme que l'universitaire demandait avant tout dans la vie mondaine, et qui était de lui offrir des spécimens réels de ce qu'il avait pu croire longtemps une invention des poètes. Brichot, qui avait souvent expliqué la deuxième *Églogue* de Virgile[1] sans trop savoir si cette fiction avait quelque fond de réalité, trouvait sur le tard à causer avec M. de Charlus un peu du plaisir qu'il savait que ses maîtres M. Mérimée et M. Renan, son collègue M. Maspéro[2] avaient éprouvé, voyageant en Espagne, en Palestine, en Égypte, à reconnaître dans les paysages et les populations actuelles de l'Espagne, de la Palestine et de l'Égypte, le cadre et les invariables acteurs des scènes antiques qu'eux-mêmes dans les livres avaient étudiées. « Soit dit sans offenser ce preux de haute race, me déclara Brichot dans la voiture qui nous ramenait, il est tout simplement prodigieux quand il commente son catéchisme satanique avec une verve un tantinet charentonesque et une obstination, j'allais dire une candeur, de blanc d'Espagne et d'émigré. Je vous assure que, si j'ose m'exprimer comme Mgr d'Hulst[3], je ne m'embête pas les jours où je reçois la visite de ce féodal qui, voulant défendre Adonis contre notre âge de mécréants, a suivi les instincts de sa race, et en toute innocence sodomiste, s'est croisé. » J'écoutais

Brichot et je n'étais pas seul avec lui. Ainsi que, du reste, cela n'avait pas cessé depuis que j'avais quitté la maison, je me sentais, si obscurément que ce fût, relié à la jeune fille qui était en ce moment dans sa chambre. Même quand je causais avec l'un ou avec l'autre chez les Verdurin, je la sentais confusément à côté de moi, j'avais d'elle cette notion vague qu'on a de ses propres membres, et s'il m'arrivait de penser à elle, c'était comme on pense, avec l'ennui d'y être lié par un entier esclavage, à son propre corps. « Et quelle potinière, reprit Brichot, à nourrir tous les appendices des *Causeries du lundi*[1], que la conversation de cet apôtre ! Songez que j'ai appris par lui que le traité d'éthique où j'ai toujours révéré la plus fastueuse construction morale de notre époque, avait été inspiré à notre vénérable collègue X par un jeune porteur de dépêches. N'hésitons pas à reconnaître que mon éminent ami a négligé de nous livrer le nom de cet éphèbe au cours de ses démonstrations. Il a témoigné en cela de plus de respect humain, ou si vous aimez mieux de moins de gratitude que Phidias qui inscrivit le nom de l'athlète qu'il aimait sur l'anneau de son Jupiter Olympien. Le baron ignorait cette dernière histoire. Inutile de vous dire qu'elle a charmé son orthodoxie. Vous imaginez aisément que chaque fois que j'argumente avec mon collègue à une thèse de doctorat, je trouve à sa dialectique, d'ailleurs fort subtile, ce surcroît de saveur que de piquantes révélations ajoutèrent pour Sainte-Beuve à l'œuvre insuffisamment confidentielle de Chateaubriand. De notre collègue dont la sagesse est d'or mais qui possédait peu d'argent, le télégraphiste a passé aux mains du baron (“en tout bien tout honneur”, il faut entendre le ton dont il le dit). Et comme ce Satan est le plus serviable des hommes, il a obtenu pour son protégé une place aux Colonies, d'où celui-ci, qui a l'âme reconnaissante, lui envoie de temps à autre d'excellents fruits. Le baron en offre à ses hautes relations ; des ananas du jeune homme figurèrent tout dernièrement sur la table du quai Conti, faisant dire à Mme Verdurin qui n'y mettait pas malice : “Vous avez donc un oncle ou un neveu d'Amérique, M. de Charlus, pour recevoir des ananas pareils !” J'avoue que je les ai mangés avec une certaine gaieté en me récitant *in petto* le début d'une ode d'Horace que Diderot aimait à rappeler[2]. En somme, comme mon collègue Boissier, déambulant du Palatin à Tibur[1], je prends dans la conversation du baron une idée singulièrement plus vivante et plus savoureuse des écrivains du siècle d'Auguste. Ne parlons même pas de ceux de la Décadence, et ne remontons pas jusqu'aux Grecs, bien que j'aie dit une fois à cet excellent M. de Charlus qu'auprès de lui je me faisais l'effet de Platon chez Aspasie[2]. À vrai dire, j'avais singulièrement grandi l'échelle des deux personnages et, comme dit La Fontaine, mon exemple était tiré "d'animaux plus petits[3]". Quoi qu'il en soit, vous ne supposez pas, j'imagine, que le baron ait été froissé. Jamais je ne le vis si ingénument heureux. Une ivresse d'enfant le fit déroger à son flegme aristocratique. "Quels flatteurs que tous ces sorbonnards ! s'écriait-il avec ravissement. Dire qu'il faut que j'aie attendu d'être arrivé à mon âge pour être comparé à Aspasie ! Un vieux tableau comme moi ! Ô ma jeunesse !" J'aurais voulu que vous le vissiez disant cela, outrageusement poudré à son habitude, et, à son âge, musqué comme un petit-maître. Au demeurant, sous ses hantises de généalogie, le meilleur homme du monde. Pour toutes ces raisons je serais désolé que la rupture de ce soir fût définitive. Ce qui m'a étonné, c'est la façon dont le jeune homme s'est rebiffé. Il avait pourtant pris depuis quelque temps en face du baron des manières de séide, des façons de leude qui n'annonçaient guère cette insurrection. J'espère qu'en tout cas, même si (*Dii omen avertant*[4]) le baron ne devait plus retourner quai Conti, ce schisme ne s'étendrait pas jusqu'à moi. Nous avons l'un et l'autre trop de profit à l'échange que nous faisons de mon faible savoir contre son expérience. (On verra en effet que si M. de Charlus ne témoigna pas de violente rancune à Brichot, du moins sa sympathie pour l'universitaire tomba assez complètement pour lui permettre de le juger sans aucune indulgence.) Et je vous jure bien que l'échange est si inégal que, quand le baron me livre ce que lui a enseigné son existence, je ne saurais être d'accord avec Sylvestre Bonnard[5], que c'est encore dans une bibliothèque qu'on fait le mieux le songe de la vie. »

Nous étions arrivés devant ma porte. Je descendis de voiture pour donner au cocher l'adresse de Brichot. Du trottoir je voyais la fenêtre de la chambre d'Albertine, cette fenêtre autrefois toujours noire le soir quand elle n'habitait pas la maison, que la lumière électrique de l'intérieur, segmentée par les pleins des volets, striait de haut en bas de barres d'or parallèles. Ce grimoire magique, autant il était clair pour moi et dessinait devant mon esprit calme des images précises, toutes proches, et en possession desquelles j'allais entrer tout à l'heure, était invisible pour Brichot resté dans la voiture, presque aveugle, et eût, d'ailleurs, été incompréhensible pour lui, puisque tout autant que les amis qui venaient me voir avant le dîner, quand Albertine était rentrée de promenade, le professeur ignorait qu'une jeune fille, toute à moi, m'attendait dans une chambre voisine de la mienne. La voiture partit. Je restai un instant seul sur le trottoir. Certes, ces lumineuses rayures que j'apercevais d'en bas et qui à un autre eussent semblé toutes superficielles, je leur donnais une consistance, une plénitude, une solidité extrêmes, à cause de toute la signification que je mettais derrière elles, en un trésor si l'on veut, un trésor insoupçonné des autres, que j'avais caché là et dont émanaient ces rayons horizontaux, mais un trésor en échange duquel j'avais aliéné ma liberté, la solitude, la pensée. Si Albertine n'avait pas été là-haut, et même si je n'avais voulu qu'avoir du plaisir, j'aurais été le demander à des femmes inconnues, dont j'eusse essayé de pénétrer la vie, à Venise peut-être, à tout le moins dans quelque coin du Paris nocturne. Mais maintenant, ce qu'il me fallait faire quand venait pour moi l'heure des caresses, ce n'était pas partir en voyage, ce n'était même plus sortir, c'était rentrer. Et rentrer non pas pour au moins se trouver seul et, après avoir quitté les autres qui vous fournissaient du dehors l'aliment de votre pensée, se trouver au moins forcé de le chercher en soi-même, mais au contraire moins seul que quand j'étais chez les Verdurin, reçu que j'allais être par la personne en qui j'abdiquais, je remettais le plus complètement la mienne, sans que j'eusse un instant le loisir de penser à moi, et même la peine, puisqu'elle serait auprès de moi, de penser à elle. De sorte qu'en levant une dernière fois mes yeux du dehors vers la fenêtre[a] de la chambre dans laquelle je serais tout à l'heure, il me sembla voir le lumineux grillage qui allait se refermer sur moi et dont j'avais forgé moi-même, pour une servitude éternelle, les inflexibles barreaux d'or.

Albertine[b] ne m'avait jamais dit qu'elle me soupçonnât d'être jaloux d'elle, préoccupé de tout ce qu'elle faisait.

Les seules paroles, assez anciennes il est vrai, que nous avions échangées relativement à la jalousie semblaient prouver le contraire. Je me rappelais que, par un beau soir de clair de lune, au début de nos relations, une des premières fois où je l'avais reconduite et où j'eusse autant aimé ne pas le faire et la quitter pour courir auprès d'autres, je lui avais dit : « Vous savez, si je vous propose de vous ramener, ce n'est pas par jalousie, si vous avez quelque chose à faire, je m'éloigne discrètement », et elle m'avait répondu : « Oh ! je sais bien que vous n'êtes pas jaloux et que cela vous est bien égal, mais je n'ai rien à faire qu'à être avec vous. » Une autre fois, c'était à La Raspelière, où M. de Charlus, tout en jetant à la dérobée un regard sur Morel, avait fait ostentation de galante amabilité à l'égard d'Albertine, je lui avais dit : « Hé bien, il vous a serrée d'assez près, j'espère. » Et comme j'avais ajouté à demi ironiquement : « J'ai souffert toutes les tortures de la jalousie », Albertine, usant du langage propre soit au milieu vulgaire d'où elle était sortie, soit au plus vulgaire encore qu'elle fréquentait : « Quel chineur vous faites ! Je sais bien que vous n'êtes pas jaloux. D'abord vous me l'avez dit, et puis ça se voit, allez ! » Elle ne m'avait jamais dit depuis qu'elle eût changé d'avis ; mais il avait dû pourtant se former en elle, à ce sujet, bien des idées nouvelles, qu'elle me cachait mais qu'un hasard pouvait, malgré elle, trahir, car ce soir-là, quand une fois rentré, après avoir été la chercher dans sa chambre et l'avoir amenée dans la mienne, je lui eus dit (avec une certaine gêne que je ne compris pas moi-même, car j'avais bien annoncé à Albertine que j'irais dans le monde et je lui avais dit que je ne savais pas où, peut-être chez Mme de Villeparisis, peut-être chez Mme de Guermantes, peut-être chez Mme de Cambremer, il est vrai que je n'avais justement pas nommé les Verdurin) : « Devinez d'où je viens ? de chez les Verdurin », j'avais à peine eu le temps de prononcer ces mots qu'Albertine, la figure bouleversée, m'avait répondu par ceux-ci, qui semblèrent exploser d'eux-mêmes avec une force qu'elle ne put contenir : « Je m'en doutais. — Je ne savais pas que cela vous ennuierait que j'aille chez les Verdurin. » (Il est vrai qu'elle ne me disait pas que cela l'ennuyait, mais c'était visible. Il est vrai aussi que je ne m'étais pas dit que cela l'ennuierait. Et pourtant, devant l'explosion de sa colère, comme devant ces événements qu'une sorte de double vue rétrospective nous fait paraître avoir déjà été connus dans le passé, il me sembla que je n'avais jamais pu m'attendre à autre chose.) « M'ennuyer ? Qu'est-ce que vous voulez que ça me fiche[1] ? Voilà qui m'est équilatéral. Est-ce qu'ils ne devaient pas avoir Mlle Vinteuil ? » Hors de moi à ces mots : « Vous ne m'aviez pas dit que vous aviez rencontré Mme Verdurin l'autre jour[a] », lui dis-je pour lui montrer que j'étais plus instruit qu'elle ne le croyait. « Est-ce que je l'ai rencontrée ? » demanda-t-elle d'un air rêveur à la fois à elle-même comme si elle cherchait à rassembler ses souvenirs, et à moi comme si c'est moi qui eût pu le lui apprendre ; et sans doute, en effet, afin que je dise ce que je savais, peut-être aussi pour gagner du temps avant de faire une réponse difficile. Mais j'étais bien moins préoccupé pour Mlle Vinteuil que d'une crainte qui m'avait déjà effleuré[2], mais qui s'emparait de moi avec plus de force. Même en rentrant, je croyais que Mme Verdurin avait purement et simplement inventé par gloriole la venue de Mlle Vinteuil et de son amie, de sorte qu'en rentrant j'étais tranquille. Seule Albertine, en me disant : « Est-ce que Mlle Vinteuil ne devait pas être là ? » m'avait montré que je ne m'étais pas trompé dans mon premier soupçon ; mais enfin j'étais tranquille là-dessus pour l'avenir, puisqu'en renonçant à aller chez les Verdurin, Albertine m'avait sacrifié Mlle Vinteuil[b].

« Du reste[c], lui dis-je avec colère, il y a bien d'autres choses que vous me cachez, même dans les plus insignifiantes, comme par exemple votre voyage de trois jours à Balbec[3], je le dis en passant. » J'avais ajouté ces mots : « je le dis en passant » comme complément de : « même les choses les plus insignifiantes », de façon que si Albertine me disait : « Qu'est-ce qu'il y a eu d'incorrect dans ma randonnée à Balbec ? » je pusse lui répondre : « Mais je ne me rappelle même plus. Ce qu'on me dit se brouille dans ma tête, j'y attache si peu d'importance ! » Et en effet, si je parlais de cette course de trois jours qu'elle avait faite avec le mécanicien jusqu'à Balbec, d'où ses cartes postales m'étaient arrivées avec un tel retard, j'en parlais tout à fait au hasard, et je regrettais d'avoir si mal choisi mon exemple, car vraiment, ayant à peine eu le temps d'aller et de revenir, c'était certainement celle de leurs promenades où il n'y avait pas eu même le temps que se glissât une rencontre un peu prolongée avec qui que ce fût. Mais Albertine crut d'après ce que je venais de dire, que la vérité vraie, je la savais, et lui avais seulement caché que je la savais. Elle était donc restée persuadée depuis peu de temps que, par un moyen ou un autre, la faisant suivre, ou enfin d'une façon quelconque, j'étais, comme elle avait dit la semaine précédente à Andrée, « plus renseigné qu'elle-même » sur sa propre vie. Aussi elle m'interrompit par un aveu bien inutile, car certes je ne soupçonnais rien de ce qu'elle me dit et j'en fus en revanche accablé, tant peut être grand l'écart entre la vérité qu'une menteuse a travestie et l'idée que, d'après ces mensonges, celui qui aime la menteuse s'est faite de cette vérité. À peine j'avais prononcé ces mots : « votre voyage de trois jours à Balbec, je le dis en passant », Albertine, me coupant la parole, me déclara comme une chose toute naturelle : « Vous voulez dire que ce voyage à Balbec n'a jamais eu lieu ? Bien sûr ! Et je me suis toujours demandé pourquoi vous avez fait celui qui y croyait. C'était pourtant bien inoffensif. Le mécanicien avait à faire pour lui pendant trois jours. Il n'osait pas vous le dire. Alors par bonté pour lui (c'est bien moi ! et puis c'est toujours sur moi que ça retombe, ces histoires-là), j'ai inventé un prétendu voyage à Balbec. Il m'a tout simplement déposée à Auteuil, chez mon amie de la rue de l'Assomption, où j'ai passé les trois jours à me raser à cent sous l'heure. Vous voyez que c'est pas grave, il y a rien de cassé. J'ai bien commencé à supposer que vous saviez peut-être tout quand j'ai vu que vous vous mettiez à rire à l'arrivée, avec huit jours de retard, des cartes postales. Je reconnais que c'était ridicule et il aurait mieux valu pas de cartes du tout. Mais ce n'est pas ma faute. Je les avais achetées d'avance, données au mécanicien avant qu'il me dépose à Auteuil, et puis ce veau-là les a oubliées dans ses poches, au lieu de les envoyer sous enveloppe à un ami qu'il a près de Balbec et qui devait vous les réexpédier. Je me figurais toujours qu'elles allaient arriver. Lui s'en est seulement souvenu au bout de cinq jours et au lieu de me le dire le nigaud les a envoyées aussitôt à Balbec. Quand il m'a dit ça je lui en ai cassé sur la figure, allez ! Vous préoccuper inutilement, ce grand imbécile, comme récompense de m'être cloîtrée pendant trois jours pour qu'il puisse aller régler ses petites affaires de famille !

Je n'osais même pas sortir dans Auteuil de peur d'être vue. La seule fois que je suis sortie c'est déguisée en homme, histoire de rigoler plutôt. Et ma chance qui me suit partout a voulu que la première personne dans les pattes de qui je me sois fourrée soit votre youpin d'ami, Bloch. Mais je ne pense pas que ce soit par lui que vous avez su que le voyage à Balbec n'a jamais existé que dans mon imagination, car il a eu l'air de ne pas me reconnaître. »

Je ne savais que dire, ne voulant pas paraître étonné, et écrasé par tant de mensonges. À un sentiment d'horreur, qui ne me faisait pas désirer de chasser Albertine, au contraire, s'ajoutait une extrême envie de pleurer. Celle-ci était causée non pas par le mensonge lui-même et par l'anéantissement de tout ce que j'avais tellement cru vrai — que je me sentais comme dans une ville rasée, où pas une maison ne subsiste, où le sol nu est seulement bossué de décombres — mais par cette mélancolie que, pendant ces trois jours passés à s'ennuyer chez son amie d'Auteuil, Albertine n'ait pas une fois eu le désir, peut-être même pas l'idée, de venir passer en cachette un jour chez moi, ou par un petit bleu de me demander d'aller la voir à Auteuil. Mais je n'avais pas le temps de m'adonner à ces pensées. Je ne voulais surtout pas paraître étonné. Je souris de l'air de quelqu'un qui en sait plus long qu'il ne le dit : « Mais ceci est une chose entre mille. Tenez, pas plus tard que ce soir chez les Verdurin, j'ai appris que ce que vous m'aviez dit sur Mlle Vinteuil... » Albertine me regardait fixement d'un air tourmenté tâchant de lire dans mes yeux ce que je savais. Or ce que je savais et que j'allais lui dire, c'est ce qu'était Mlle Vinteuil. Il est vrai que ce n'était pas chez les Verdurin que je l'avais appris, mais à Montjouvain autrefois. Seulement comme je n'en avais, exprès, jamais parlé à Albertine, je pouvais avoir l'air de le savoir de ce soir seulement. Et j'eus presque de la joie — après en avoir eu dans le petit tram tant de souffrance[1] — de posséder ce souvenir de Montjouvain, que je postdaterais, mais qui n'en serait pas moins la preuve accablante, un coup de massue pour Albertine. Cette fois-ci au moins, je n'avais pas besoin d'« avoir l'air de savoir » et de « faire parler » Albertine : je savais, j'avais *vu* par la fenêtre éclairée de Montjouvain. Albertine avait eu beau me dire que ses relations avec Mlle Vinteuil et son amie avaient été très pures, comment pourrait-elle, quand je lui jurerais (et lui jurerais sans mentir) que je connaissais les mœurs de ces deux femmes, comment pourrait-elle soutenir qu'ayant vécu dans une intimité quotidienne avec elles, les appelant « mes grandes sœurs », elle n'avait pas été de leur part l'objet de propositions qui l'auraient fait rompre avec elles, si au contraire elle ne les avait acceptées ? Mais je n'eus pas le temps de dire la vérité. Albertine croyant comme pour le faux voyage à Balbec, que je la savais, soit par Mlle Vinteuil si elle avait été chez les Verdurin, soit par Mme Verdurin tout simplement qui avait pu parler d'elle à Mlle Vinteuil, Albertine ne me laissa pas prendre la parole et me fit un aveu, exactement contraire de celui que j'avais cru, mais qui, en me démontrant qu'elle n'avait jamais cessé de me mentir, me fit peut-être autant de peine (surtout parce que je n'étais plus, comme j'ai dit tout à l'heure, jaloux de Mlle Vinteuil). Donc, prenant les devants, Albertine parla ainsi : « Vous voulez dire que vous avez appris ce soir que je vous ai menti quand j'ai prétendu avoir été à moitié élevée par l'amie de Mlle Vinteuil. C'est vrai que je vous ai un peu menti. Mais je me sentais si dédaignée par vous, je vous voyais aussi si enflammé pour la musique de ce Vinteuil que, comme une de mes camarades — ça c'est vrai, je vous le jure — avait été amie de l'amie de Mlle Vinteuil, j'ai cru bêtement me rendre intéressante à vos yeux en inventant que j'avais beaucoup connu ces jeunes filles. Je sentais que je vous ennuyais, que vous me trouviez bécasse ; j'ai pensé qu'en vous disant que ces gens-là m'avaient fréquentée, que je pourrais très bien vous donner des détails sur les œuvres de Vinteuil, je prendrais un petit peu de prestige à vos yeux, que cela nous rapprocherait. Quand je vous mens, c'est toujours par amitié pour vous. Et il a fallu cette fatale soirée Verdurin pour que vous appreniez la vérité, qu'on a peut-être exagérée, du reste. Je parie que l'amie de Mlle Vinteuil vous aura dit qu'elle ne me connaissait pas. Elle m'a vue au moins deux fois chez ma camarade. Mais naturellement, je ne suis pas assez chic pour des gens qui sont devenus si célèbres. Ils préfèrent dire qu'ils ne m'ont jamais vue. » Pauvre Albertine, quand elle avait cru que de me dire qu'elle avait été si liée avec l'amie de Mlle Vinteuil retarderait son « plaquage », la rapprocherait de moi, elle avait, comme il arrive si souvent, atteint la vérité par un autre chemin que celui qu'elle avait voulu prendre. Se montrer plus renseignée sur la musique que je ne l'aurais cru ne m'aurait nullement empêché de rompre avec elle ce soir-là, dans le petit tram ; et pourtant c'était bien cette phrase, qu'elle avait dite dans ce but, qui avait immédiatement amené bien plus que l'impossibilité de rompre. Seulement elle faisait une erreur d'interprétation, non sur l'effet que devait avoir cette phrase, mais sur la cause en vertu de laquelle elle devait produire cet effet, cause qui était non pas d'apprendre sa culture musicale, mais ses mauvaises relations. Ce qui m'avait brusquement rapproché d'elle, bien plus, fondu en elle, ce n'était pas l'attente d'un plaisir — et un plaisir est encore trop dire, un léger agrément —, c'était l'étreinte d'une douleur.

Cette fois-ci encore, je n'avais pas le temps de garder un trop long silence qui eût pu lui laisser supposer de l'étonnement. Aussi, touché qu'elle fût si modeste et se crût dédaignée dans le milieu Verdurin, je lui dis tendrement : « Mais, ma chérie, j'y pense, je vous donnerais bien volontiers quelques centaines de francs pour que vous alliez faire où vous voudriez la dame chic et que vous invitiez à un beau dîner M. et Mme Verdurin. » Hélas ! Albertine était plusieurs personnes. La plus mystérieuse, la plus simple, la plus atroce se montra dans la réponse qu'elle me fit d'un air de dégoût, et dont à dire vrai je ne distinguai pas bien les mots (même les mots du commencement puisqu'elle ne termina pas). Je ne les rétablis qu'un peu plus tard quand j'eus deviné sa pensée. On entend rétrospectivement quand on a compris. « Grand merci ! dépenser un sou pour ces vieux-là, j'aime bien mieux que vous me laissiez une fois libre pour que j'aille me faire casser... » Aussitôt dit, sa figure s'empourpra, elle eut l'air navré, elle mit sa main devant sa bouche comme si elle avait pu faire rentrer les mots qu'elle venait de dire et que je n'avais pas du tout compris. « Qu'est-ce que vous dites, Albertine ? — Non rien, je m'endormais à moitié. — Mais pas du tout, vous êtes très réveillée. — Je pensais au dîner Verdurin, c'est très gentil de votre part. — Mais non, je parle de ce que vous avez dit. » Elle me donna mille versions, mais qui ne cadraient nullement, je ne dis même pas avec ses paroles qui, interrompues, me restaient vagues, mais avec cette interruption même et la rougeur subite qui l'avait accompagnée. « Voyons, mon chéri, ce n'est pas cela que vous vouliez dire, sans quoi pourquoi vous seriez-vous arrêtée ? — Parce que je trouvais ma demande indiscrète. — Quelle demande ? — De donner un dîner. — Mais non, ce n'est pas cela, il n'y a pas de discrétion à faire entre nous. — Mais si, au contraire, il faut ne pas abuser des gens qu'on aime. En tout cas je vous jure que c'est cela. » D'une part, il m'était toujours impossible de douter d'un serment d'elle ; d'autre part, ses explications ne satisfaisaient pas ma raison. Je ne cessai pas d'insister. « Enfin, au moins ayez le courage de finir votre phrase, vous en êtes restée à *casser*... — Oh ! non, laissez-moi ! — Mais pourquoi ? — Parce que c'est affreusement vulgaire, j'aurais trop de honte de dire ça devant vous. Je ne sais pas à quoi je pensais, ces mots dont je ne sais même pas le sens et que j'avais entendus un jour dans la rue dits par des gens très orduriers, me sont venus à la bouche, sans rime ni raison. Ça ne se rapporte ni à moi ni à personne, je rêvais tout haut. » Je sentis que je ne tirerais rien de plus d'Albertine. Elle m'avait menti quand elle m'avait juré tout à l'heure que ce qui l'avait arrêtée c'était une crainte mondaine d'indiscrétion, devenue maintenant la honte de tenir devant moi un propos trop vulgaire. Or c'était maintenant un second mensonge. Car quand nous étions ensemble avec Albertine, il n'y avait pas de propos si pervers, de mots si grossiers que nous ne les prononcions tout en nous caressant. En tout cas, il était inutile d'insister en ce moment. Mais ma mémoire restait obsédée par ce mot « casser ». Albertine disait souvent « casser du bois sur quelqu'un, casser du sucre » ou tout court : « ah ! ce que je lui en ai cassé ! » pour dire « ce que je l'ai injurié ! » Mais elle disait cela couramment devant moi, et si c'est cela qu'elle avait voulu dire, pourquoi s'était-elle tue brusquement, pourquoi avait-elle rougi si fort, mis ses mains sur sa bouche, refait tout autrement sa phrase, et quand elle avait vu que j'avais bien entendu « casser », donné une fausse explication ? Mais du moment que je renonçais à poursuivre un interrogatoire où je ne recevrais pas de réponse, le mieux était d'avoir l'air de n'y plus penser, et revenant par la pensée aux reproches qu'Albertine m'avait faits d'être allé chez la Patronne, je lui dis fort gauchement, ce qui était une espèce d'excuse stupide : « J'avais justement voulu vous demander de venir ce soir à la soirée des Verdurin » — phrase doublement maladroite, car si je le voulais, l'ayant vue tout le temps, pourquoi ne le lui aurai-je pas proposé ? Furieuse de mon mensonge et enhardie par ma timidité : « Vous me l'auriez demandé pendant[a] mille ans, me dit-elle, que je n'aurais pas consenti. Ce sont des gens qui ont toujours été contre moi, ils ont tout fait pour me contrarier[1]. Il n'y a pas de gentillesse que je n'aie eue pour Mme Verdurin à Balbec, j'en ai été joliment récompensée. Elle me ferait demander à son lit de mort que je n'irais pas. Il y a des choses qui ne se pardonnent pas. Quant à vous, c'est la première indélicatesse que vous me faites. Quand Françoise m'a dit que vous étiez sorti (elle était contente, allez, de me le dire), j'aurais mieux aimé qu'on me fende la tête par le milieu. J'ai tâché qu'on ne remarque rien, mais dans ma vie je n'ai jamais ressenti un affront pareil. »

Mais pendant qu'elle me parlait, se poursuivait en moi, dans le sommeil fort vivant et créateur de l'inconscient (sommeil où achèvent de se graver les choses qui nous effleurèrent seulement, où les mains endormies se saisissent de la clef qui ouvre, vainement cherchée jusque-là), la recherche de ce qu'elle avait voulu dire par la phrase interrompue dont j'aurais voulu savoir quelle eût été la fin. Et tout d'un coup deux mots atroces, auxquels je n'avais nullement songé, tombèrent sur moi : « le pot ». Je ne peux pas dire qu'ils vinrent d'un seul coup, comme quand, dans une longue soumission passive à un souvenir incomplet, tout en tâchant doucement, prudemment, de l'étendre, on reste plié, collé à lui. Non, contrairement à ma manière habituelle de me souvenir, il y eut, je crois, deux voies parallèles de recherche : l'une tenait compte non pas seulement de la phrase d'Albertine, mais de son regard excédé quand je lui avais proposé un don d'argent pour donner un beau dîner, un regard qui semblait dire : « Merci, dépenser de l'argent pour des choses qui m'embêtent, quand sans argent je pourrais en faire qui m'amusent ! » Et c'est peut-être le souvenir de ce regard qu'elle avait eu qui me fit changer de méthode pour trouver la fin de ce qu'elle avait voulu dire. Jusque-là je m'étais hypnotisé sur le dernier mot : « casser », elle avait voulu dire casser quoi ? Casser du bois ? Non. Du sucre ? Non. Casser, casser, casser. Et tout à coup, le retour au regard avec haussement d'épaules qu'elle avait eu au moment de ma proposition qu'elle donnât un dîner, me fit rétrograder aussi dans les mots de sa phrase. Et ainsi je vis qu'elle n'avait pas dit « casser », mais « me faire casser ». Horreur! c'était cela qu'elle aurait préféré. Double horreur ! car même la dernière des grues, et qui consent à cela, ou le désire, n'emploie pas avec l'homme qui s'y prête cette affreuse expression. Elle se sentirait par trop avilie. Avec une femme seulement, si elle les aime, elle dit cela pour s'excuser de se donner tout à l'heure à un homme. Albertine n'avait pas menti quand elle m'avait dit qu'elle rêvait à moitié. Distraite, impulsive, ne songeant pas qu'elle était avec moi, elle avait eu le haussement d'épaules, elle avait commencé de parler comme elle eût fait avec une de ces femmes, avec, peut-être, une de mes jeunes filles en fleurs. Et brusquement rappelée à la réalité, rouge de honte, renfonçant ce qu'elle allait dire dans sa bouche, désespérée, elle n'avait plus voulu prononcer un seul mot. Je n'avais pas une seconde à perdre si je ne voulais pas qu'elle s'aperçût du désespoir où j'étais. Mais déjà, après le sursaut de la rage, les larmes me venaient aux yeux. Comme à Balbec, la nuit qui avait suivi sa révélation de son amitié avec les Vinteuil, il me fallait inventer immédiatement pour mon chagrin une cause plausible, en même temps capable de produire un effet si profond sur Albertine que cela me donnât un répit de quelques jours avant de prendre une décision. Aussi, au moment où elle me disait qu'elle n'avait jamais éprouvé un affront pareil à celui que je lui avais infligé en sortant, qu'elle aurait mieux aimé mourir que s'entendre dire cela par Françoise, et comme, agacé de sa risible susceptibilité, j'allais[a] lui dire que ce que j'avais fait était bien insignifiant, que cela n'avait rien de froissant pour elle que je fusse sorti, — comme pendant ce temps-là, parallèlement, ma recherche inconsciente de ce qu'elle avait voulu dire après le mot « casser » avait abouti, et que le désespoir où ma découverte me jetait n'était pas possible à cacher complètement, au lieu de me défendre, je m'accusai : « Ma petite Albertine, lui dis-je d'un ton doux que gagnaient mes premières larmes, je pourrais vous dire que vous avez tort, que ce que j'ai fait n'est rien, mais je mentirais ; c'est vous qui avez raison, vous avez compris la vérité, mon pauvre petit, c'est qu'il y a six mois, c'est qu'il y a trois mois, quand j'avais encore tant d'amitié pour vous, jamais je n'eusse fait cela. C'est un rien et c'est énorme à cause de l'immense changement dans mon cœur dont cela est le signe. Et puisque vous avez deviné ce changement que j'espérais vous cacher, cela m'amène à vous dire ceci : Ma[a] petite Albertine, lui dis-je avec une douceur et une tristesse profondes, voyez-vous, la vie que vous menez ici est ennuyeuse pour vous, il vaut mieux nous quitter, et comme les séparations les meilleures sont celles qui s'effectuent le plus rapidement, je vous demande, pour abréger le grand chagrin que je vais avoir, de me dire adieu ce soir et de partir demain matin sans que je vous aie revue, pendant que je dormirai. » Elle parut stupéfaite, encore incrédule et déjà désolée : « Comment demain ? Vous le voulez ? » Et malgré[b] la souffrance que j'éprouvais à parler de notre séparation comme déjà entrée dans le passé — peut-être en partie à cause de cette souffrance même — je me mis à adresser à Albertine les conseils les plus précis pour certaines choses qu'elle aurait à faire après son départ de la maison. Et de recommandations en recommandations, j'en arrivai bientôt à entrer dans de minutieux détails. « Ayez la gentillesse, dis-je avec une infinie tristesse, de me renvoyer le livre de Bergotte qui est chez votre tante. Cela n'a rien de pressé, dans trois jours, dans huit jours, quand vous voudrez, mais pensez-y pour que je n'aie pas à vous le faire demander, cela me ferait trop de mal. Nous avons été heureux, nous sentons maintenant que nous serions malheureux. — Ne dites pas que nous sentons que nous serions malheureux, me dit Albertine en m'interrompant, ne dites pas "nous", c'est vous seul qui trouvez cela ! — Oui, enfin, vous ou moi, comme vous voudrez, pour une raison ou l'autre — mais il est une heure folle, il faut vous coucher — nous avons décidé de nous quitter ce soir. — Pardon, *vous* avez décidé et je vous obéis parce que je ne veux pas vous faire de peine. — Soit, c'est moi qui ai décidé, mais ce n'en est pas moins très douloureux pour moi. Je ne dis pas que ce sera douloureux longtemps, vous savez que je n'ai pas la faculté de me souvenir longtemps[c], mais les premiers jours je m'ennuierai tant après vous ! Aussi je trouve inutile de raviver par des lettres, il faut finir tout d'un coup. — Oui, vous avez raison, me dit-elle d'un air navré, auquel ajoutaient encore ses traits fléchis par la fatigue de l'heure tardive, plutôt que de se faire couper un doigt puis un autre, j'aime mieux donner la tête tout de suite. — Mon Dieu, je suis épouvanté en pensant à l'heure à laquelle je vous fais coucher, c'est de la folie. Enfin, pour le dernier soir ! Vous aurez le temps de dormir tout le reste de la vie. » Et ainsi en lui disant qu'il fallait nous dire bonsoir, je cherchais à retarder le moment où elle me l'eût dit. « Voulez-vous, pour vous distraire les premiers jours, que je dise à Bloch de vous envoyer sa cousine Esther à l'endroit où vous serez ? Il fera cela pour moi. — Je ne sais pas pourquoi vous dites cela (je le disais pour tâcher d'arracher un aveu à Albertine), je ne tiens qu'à une seule personne, c'est à vous », me dit Albertine, dont les paroles me remplirent de douceur. Mais aussitôt quel mal elle me fit : « Je me rappelle très bien que j'ai donné ma photographie à cette Esther parce qu'elle insistait beaucoup et que je voyais que cela lui ferait plaisir, mais quant à avoir eu de l'amitié pour elle ou à avoir envie de la voir, jamais ! » Et pourtant Albertine était de caractère si léger qu'elle ajouta : « Si elle veut me voir, moi ça m'est égal, elle est très gentille, mais je n'y tiens aucunement. » Ainsi, quand je lui avais parlé de la photographie d'Esther que m'avait envoyée Bloch (et que je n'avais même pas encore reçue quand j'en avais parlé à Albertine), mon amie avait compris que Bloch m'avait montré une photographie d'elle, donnée par elle à Esther. Dans mes pires suppositions, je ne m'étais jamais figuré qu'une pareille intimité avait pu exister entre Albertine et Esther. Albertine n'avait rien trouvé à me répondre quand j'avais parlé de photographie[1]. Et maintenant, me croyant, bien à tort, au courant, elle trouvait plus habile d'avouer. J'étais accablé. « Et puis, Albertine, je vous demande en grâce une chose, c'est de ne jamais chercher à me revoir. Si jamais, ce qui peut arriver, dans un an, dans deux ans, dans trois ans, nous nous trouvions dans la même ville, évitez-moi. » Et voyant qu'elle ne répondait pas affirmativement à ma prière : « Mon Albertine, ne faites pas cela, ne me revoyez jamais en cette vie. Cela me ferait trop de peine. Car j'avais vraiment de l'amitié pour vous, vous savez. Je sais bien que, quand je vous ai raconté l'autre jour que je voulais revoir l'amie dont nous avions parlé à Balbec, vous avez cru que c'était arrangé. Mais non, je vous assure que cela m'était bien égal. Vous êtes persuadée que j'avais résolu depuis longtemps de vous quitter, que ma tendresse était une comédie. — Mais non, vous êtes fou, je ne l'ai pas cru, dit-elle tristement. — Vous avez raison, il ne faut pas le croire, je vous aimais vraiment, pas d'amour peut-être, mais de grande, de très grande amitié, plus que vous ne pouvez croire. — Mais si, je le crois. Et si vous vous figurez que moi je ne vous aime pas ! — Cela me fait une grande peine de vous quitter. — Et moi mille fois plus grande[a] », me répondit Albertine. Et déjà depuis un moment je sentais que je ne pouvais plus retenir les larmes qui montaient à mes yeux. Et ces larmes ne venaient pas du tout du même genre de tristesse que j'éprouvais jadis quand je disais à Gilberte : « Il vaut mieux que nous ne nous voyions plus, la vie nous sépare. » Sans doute, quand j'écrivais cela à Gilberte, je me disais que quand j'aimerais non plus elle, mais une autre, l'excès de mon amour diminuerait celui que j'aurais peut-être pu inspirer, comme s'il y avait fatalement entre deux êtres une certaine quantité d'amour disponible, où le trop pris par l'un est retiré à l'autre, et que de l'autre aussi, comme de Gilberte, je serais condamné à le séparer. Mais la situation était tout différente pour bien des raisons, dont la première, qui avait à son tour produit les autres, était que ce défaut de volonté que ma grand-mère et ma mère avaient redouté pour moi, à Combray, devant lequel l'une et l'autre, tant un malade a d'énergie pour imposer sa faiblesse, avaient successivement capitulé, ce défaut de volonté avait été en s'aggravant d'une façon de plus en plus rapide. Quand j'avais senti que ma présence fatiguait Gilberte, j'avais encore assez de forces pour renoncer à elle ; je n'en avais plus, quand j'avais fait la même constatation pour Albertine, et je ne songeais qu'à la retenir de force. De sorte que si j'écrivais à Gilberte que je ne la verrais plus et dans l'intention de ne plus la voir en effet, je ne le disais à Albertine que par pur mensonge et pour amener une réconciliation. Ainsi nous présentions-nous l'un à l'autre une apparence qui était bien différente de la réalité. Et sans doute il en est toujours ainsi quand deux êtres sont face à face, puisque chacun d'eux ignore une partie de ce qui est dans l'autre, même ce qu'il sait il ne peut[b] en partie le comprendre, et que tous deux manifestent ce qui leur est le moins personnel, soit qu'ils ne l'aient pas démêlé eux-mêmes et le jugent négligeable, soit que des avantages insignifiants et qui ne tiennent pas à eux leur semblent plus importants et plus flatteurs, et que d'autre part certaines choses auxquelles ils tiennent pour ne pas être méprisés, comme ils ne les ont pas, ils font semblant de n'y pas tenir, et c'est justement la chose qu'ils ont l'air de dédaigner par-dessus tout et même d'exécrer. Mais dans l'amour ce malentendu est porté au degré suprême parce que, sauf peut-être quand on est enfant, on tâche que l'apparence qu'on prend, plutôt que de refléter exactement notre pensée, soit ce que cette pensée juge de plus propre à nous faire obtenir ce que nous désirons, et qui pour moi, depuis que j'étais rentré, était de pouvoir garder Albertine aussi docile que par le passé, qu'elle ne me demandât pas dans son irritation une liberté plus grande, que je souhaitais lui donner un jour mais qui en ce moment où j'avais peur de ses velléités d'indépendance, m'eût rendu trop jaloux. À partir d'un certain âge, par amour-propre et par sagacité, ce sont les choses qu'on désire le plus auxquelles on a l'air de ne pas tenir. Mais en amour, la simple sagacité — qui, d'ailleurs, n'est probablement pas la vraie sagesse — nous force assez vite à ce génie de duplicité. Tout ce que j'avais, enfant, rêvé de plus doux dans l'amour et qui me semblait de son essence même, c'était, devant celle que j'aimais, d'épancher librement ma tendresse, ma reconnaissance pour une bonté, mon désir d'une perpétuelle vie commune. Mais je m'étais trop bien rendu compte, par ma propre expérience et d'après celle de mes amis, que l'expression de tels sentiments est loin d'être contagieuse. Le cas d'une vieille femme maniérée comme était M. de Charlus, qui, à force de ne voir dans son imagination qu'un beau jeune homme, croit devenir lui-même beau jeune homme, et trahit de plus en plus d'efféminement, dans ses risibles affectations de virilité, ce cas rentre dans une loi qui s'applique bien au-delà des seuls Charlus, une loi d'une généralité telle que l'amour même ne l'épuise pas tout entière ; nous ne voyons pas notre corps que les autres voient, et nous « suivons » notre pensée, l'objet qui est devant[a] nous, invisible aux autres (rendu visible parfois par l'artiste dans une œuvre, d'où chez ses admirateurs, de si fréquentes désillusions quand ils sont admis auprès de l'auteur, dans le visage de qui la beauté intérieure s'est si imparfaitement reflétée). Une fois qu'on a remarqué cela, on ne se « laisse plus aller » ; je m'étais gardé dans l'après-midi de dire à Albertine toute la reconnaissance que je lui avais de ne pas être restée au Trocadéro. Et ce soir, ayant eu peur qu'elle me quittât, j'avais feint de désirer la quitter, feinte qui ne m'était pas seulement dictée, d'ailleurs, on va le voir tout à l'heure, par les enseignements que j'avais cru recueillir de mes amours précédentes et dont j'essayais de faire profiter celui-ci. Cette peur qu'Albertine allait peut-être me dire : « Je veux certaines heures où je sorte seule, pouvoir m'absenter vingt-quatre heures », enfin je ne sais quelle demande de liberté que je ne cherchais pas à définir, mais qui m'épouvantait, cette pensée m'avait un instant effleuré pendant la soirée Verdurin. Mais elle s'était dissipée, contredite d'ailleurs par le souvenir de tout ce qu'Albertine me disait sans cesse de son bonheur à la maison. L'intention[a] de me quitter, si elle existait chez Albertine, ne se manifestait que d'une façon obscure, par certains regards tristes, certaines impatiences, des phrases qui ne voulaient nullement dire cela, mais, si on raisonnait (et on n'avait même pas besoin de raisonner car on comprend immédiatement ce langage de la passion, les gens du peuple eux-mêmes comprennent ces phrases qui ne peuvent s'expliquer que par la vanité, la rancune, la jalousie, d'ailleurs inexprimées, mais que dépiste aussitôt chez l'interlocuteur une faculté intuitive qui, comme ce « bon sens » dont parle Descartes, est « la chose du monde la plus répandue[1] »), ne pouvaient s'expliquer que par la présence en elle d'un sentiment qu'elle cachait et qui pouvait la conduire à faire des plans pour une autre vie sans moi. De même que cette intention ne s'exprimait pas dans ses paroles d'une façon logique, de même le pressentiment de cette intention que j'avais depuis ce soir restait en moi tout aussi vague. Je continuais à vivre sur l'hypothèse qui admettait pour vrai tout ce que me disait Albertine. Mais il se peut qu'en moi pendant ce temps-là une hypothèse toute contraire et à laquelle je ne voulais pas penser ne me quittât pas ; cela est d'autant plus probable que, sans cela, je n'eusse nullement été gêné de dire à Albertine que j'étais allé chez les Verdurin, et que sans cela le peu d'étonnement que me causa sa colère n'eût pas été compréhensible. De sorte que ce qui vivait probablement en moi, c'était l'idée d'une Albertine entièrement contraire à celle que ma raison s'en faisait, à celle aussi que ses paroles à elle dépeignaient, une Albertine pourtant pas absolument inventée, puisqu'elle était comme un miroir intérieur de certains mouvements qui se produisaient chez elle, comme sa mauvaise humeur que je fusse allé chez les Verdurin. D'ailleurs, depuis longtemps mes angoisses fréquentes, ma peur de dire à Albertine que je l'aimais, tout cela correspondait à une autre hypothèse qui expliquait bien plus de choses et avait aussi cela pour elle que, si on adoptait la première, la deuxième devenait plus probable, car en me laissant aller à des effusions de tendresse avec Albertine, je n'obtenais d'elle qu'une irritation (à laquelle, d'ailleurs, elle assignait une autre cause).

Je dois dire que ce qui m'avait paru le plus grave et m'avait le plus frappé comme symptôme qu'elle allait au-devant de mon accusation, c'était qu'elle m'avait dit : « Je crois qu'ils ont Mlle Vinteuil ce soir », et à quoi j'avais répondu le plus cruellement possible : « Vous ne m'aviez pas dit que vous aviez rencontré Mme Verdurin[1]. » Dès que je ne trouvais pas Albertine gentille, au lieu de lui dire que j'étais triste, je devenais méchant. En analysant d'après cela, d'après le système invariable des ripostes dépeignant exactement le contraire de ce que j'éprouvais, je peux être assuré que si ce soir-là je lui dis que j'allais la quitter, c'était — même avant que je m'en fusse rendu compte — parce que j'avais peur qu'elle voulût une liberté (je n'aurais pas trop su dire quelle était cette liberté qui me faisait trembler, mais enfin une liberté telle qu'elle eût pu me tromper, ou du moins que je n'aurais plus pu être certain qu'elle ne me trompât pas) et que je voulais lui montrer par orgueil, par habileté, que j'étais bien loin de craindre cela, comme déjà à Balbec, quand je voulais qu'elle eût une haute idée de moi et, plus tard, quand je voulais qu'elle n'eût pas le temps de s'ennuyer avec moi.

Enfin, pour l'objection qu'on pourrait opposer à cette deuxième hypothèse — l'informulée — que tout ce qu'Albertine me disait toujours signifiait au contraire que sa vie préférée était la vie chez moi, le repos, la lecture, la solitude, la haine des amours saphiques, etc., il serait inutile de s'arrêter à cette objection. Car si de son côté Albertine avait voulu juger de ce que j'éprouvais par ce que je lui disais, elle aurait appris exactement le contraire de la vérité, puisque je ne manifestais jamais le désir de la quitter que quand je ne pouvais pas me passer d'elle, et qu'à Balbec je lui avais deux fois avoué aimer une autre femme, une fois Andrée, une autre fois une personne mystérieuse, les deux fois où la jalousie m'avait rendu de l'amour pour Albertine. Mes paroles ne reflétaient donc nullement mes sentiments. Si le lecteur n'en a que l'impression assez faible, c'est qu'étant narrateur je lui expose mes sentiments en même temps que je lui répète mes paroles. Mais si je lui cachais les premiers et s'il connaissait seulement les secondes, mes actes, si peu en rapport avec elles, lui donneraient si souvent l'impression d'étranges revirements qu'il me croirait à peu près fou. Procédé qui ne serait pas du reste beaucoup plus faux que celui que j'ai adopté, car les images qui me faisaient agir, si opposées à celles qui se peignaient dans mes paroles, étaient à ce moment-là fort obscures : je ne connaissais qu'imparfaitement la nature suivant laquelle j'agissais ; aujourd'hui j'en connais clairement la vérité subjective. Quant à sa vérité objective, c'est-à-dire si les intuitions de cette nature saisissaient plus exactement que mon raisonnement les intentions véritables d'Albertine, si j'ai eu raison de me fier à cette nature et si au contraire elle n'a pas altéré les intentions d'Albertine au lieu de les démêler, c'est ce qu'il m'est difficile de dire[1].

Cette crainte vague éprouvée par moi chez les Verdurin, qu'Albertine me quittât, s'était d'abord dissipée. Quand j'étais rentré, ç'avait été avec le sentiment d'être un prisonnier, nullement de retrouver une prisonnière. Mais la crainte dissipée m'avait ressaisi avec plus de force quand, au moment où j'avais annoncé à Albertine que j'étais allé chez les Verdurin, j'avais vu se superposer à son visage une apparence d'énigmatique irritation, qui n'y affleurait pas du reste pour la première fois. Je savais bien qu'elle n'était que la cristallisation dans la chair de griefs raisonnés, d'idées claires pour l'être qui les forme et qui les tait, synthèse devenue visible mais non plus rationnelle, et que celui qui en recueille le précieux résidu sur le visage de l'être aimé essaye à son tour, pour comprendre ce qui se passe en celui-ci, de ramener par l'analyse à ses éléments intellectuels. L'équation approximative à cette inconnue qu'était pour moi la pensée d'Albertine m'avait à peu près donné : « Je savais ses soupçons, j'étais sûre qu'il cherchérait à les vérifier, et pour que je ne puisse pas le gêner, il a fait tout son petit travail en cachette. » Mais si c'est avec de telles idées, et qu'elle ne m'avait jamais exprimées, que vivait Albertine, ne devait-elle pas prendre en horreur, n'avoir plus la force de mener, ne pouvait-elle pas d'un jour à l'autre décider de cesser une existence où, si elle était[a], au moins de désir, coupable, elle se sentait devinée, traquée, empêchée de se livrer jamais à ses goûts, sans que ma jalousie en fût désarmée ; où, si elle était innocente d'intention et de fait, elle avait le droit depuis quelque temps de se sentir découragée en voyant que, depuis Balbec où elle avait mis tant de persévérance à éviter de jamais rester seule avec Andrée, jusqu'à aujourd'hui où elle avait renoncé à aller chez les Verdurin et à rester au Trocadéro, elle n'avait pas réussi à regagner ma confiance ? D'autant plus que je ne pouvais pas dire que sa tenue ne fût parfaite. Si à Balbec, quand on parlait de jeunes filles qui avaient mauvais genre, elle avait eu souvent des rires, des éploiements de corps, des imitations de leur genre, qui me torturaient à cause de ce que je supposais que cela signifiait pour ses amies, depuis qu'elle savait mon opinion là-dessus, dès qu'on faisait allusion à ce genre de choses, elle cessait de prendre part à la conversation, non seulement avec la parole, mais avec l'expression du visage. Soit pour ne pas contribuer aux malveillances qu'on disait sur telle ou telle, ou pour toute autre raison, la seule chose qui frappait alors, dans ses traits si mobiles, c'est qu'à partir du moment où on avait effleuré ce sujet, ils avaient témoigné de leur distraction en gardant exactement l'expression qu'ils avaient un instant avant. Et cette immobilité d'une expression même légère pesait comme un silence. Il eût été impossible de dire qu'elle blâmât, qu'elle approuvât, qu'elle connût ou non ces choses. Chacun de ses traits n'était plus en rapport qu'avec un autre de ses traits. Son nez, sa bouche, ses yeux formaient une harmonie parfaite, isolée du reste, elle avait l'air d'un pastel et de ne pas plus avoir entendu ce qu'on venait de dire que si on l'avait dit devant un portrait de La Tour.

Mon esclavage, encore perçu par moi quand, en donnant au cocher l'adresse de Brichot, j'avais vu la lumière de la fenêtre, avait cessé de me peser peu après quand j'avais vu qu'Albertine avait l'air de sentir si cruellement le sien.

Et pour qu'il lui parût moins lourd, qu'elle n'eût pas l'idée de le rompre d'elle-même, le plus habile m'avait paru de lui donner l'impression qu'il n'était pas définitif et que je souhaitais moi-même qu'il prît fin. Voyant que ma feinte avait réussi, j'aurais pu me trouver heureux, d'abord parce que ce que j'avais[a] tant redouté, la volonté que je supposais à Albertine de partir se trouvait écartée, et ensuite parce que, en dehors même du résultat visé, en lui-même le succès de ma feinte, en prouvant que je n'étais pas absolument pour Albertine un amant dédaigné, un jaloux bafoué, dont toutes les ruses sont d'avance percées à jour, redonnait à notre amour une espèce de virginité, faisait renaître pour lui le temps où elle pouvait encore, à Balbec, croire si facilement que j'en aimais une autre. Cela, elle ne l'aurait sans doute plus cru, mais elle ajoutait foi à mon intention simulée de nous séparer à tout jamais ce soir.

Elle[b] avait l'air de se méfier que la cause en pût être chez les Verdurin. Je lui dis que j'avais vu un auteur dramatique, Bloch, très ami de Léa, à qui elle avait dit d'étranges choses (je pensais par là lui faire croire que j'en savais plus long que je ne disais sur les cousines de Bloch). Mais par un besoin d'apaiser le trouble où me mettait ma simulation de rupture, je lui dis : « Albertine, pouvez-vous me jurer que vous ne m'avez jamais menti ? » Elle regarda fixement dans le vide, puis me répondit : « Oui, c'est-à-dire non. J'ai eu tort de vous dire qu'Andrée avait été très emballée sur Bloch, nous ne l'avions pas vu. — Mais alors pourquoi ? — Parce que j'avais peur que vous ne croyiez d'autres choses d'elle. — C'est tout ? » Elle regarda encore et dit : « J'ai eu tort de vous cacher un voyage de trois semaines que j'ai fait avec Léa. Mais je vous connaissais si peu. — C'était avant Balbec ? — Avant le second, oui. » Et le matin même, elle m'avait dit qu'elle ne connaissait pas Léa ! Je[c] regardais une flambée brûler d'un seul coup un roman que j'avais mis des millions de minutes à écrire[1]. À quoi bon ? À quoi bon ? Certes, je comprenais bien que ces deux faits, Albertine[d] me les révélait parce qu'elle pensait que je les avais appris indirectement de Léa, et qu'il n'y avait aucune raison pour qu'il n'en existât pas une centaine de pareils. Je comprenais aussi que les paroles d'Albertine quand on l'interrogeait ne contenaient jamais un atome de vérité, que la vérité, elle ne la laissait échapper que malgré elle, comme un brusque mélange qui se faisait en elle, entre les faits qu'elle était jusque-là décidée à cacher et la croyance qu'on en avait eu connaissance. « Mais deux choses, ce n'est rien, dis-je à Albertine, allons jusqu'à quatre pour que vous me laissiez des souvenirs. Qu'est-ce que vous pouvez me révéler d'autre ? » Elle regarda encore dans le vide. À quelles croyances à la vie future adaptait-elle le mensonge, avec quels dieux moins coulants qu'elle n'avait cru essayait-elle de s'arranger ? Ce ne dut pas être commode, car son silence et la fixité de son regard durèrent assez longtemps. « Non, rien d'autre », finit-elle par dire. Et malgré mon insistance, elle se buta, aisément maintenant, à « rien d'autre ». Et quel mensonge, car du moment qu'elle avait ces goûts, jusqu'au jour où elle avait été enfermée chez moi, combien de fois, dans combien de demeures, de promenades elle avait dû les satisfaire ! Les gomorrhéennes sont à la fois assez rares et assez nombreuses pour que, dans quelque foule que ce soit, l'une ne passe pas inaperçue aux yeux de l'autre. Dès lors le ralliement est facile. Je me souvins avec horreur d'un soir qui à l'époque m'avait seulement semblé ridicule[1]. Un de mes amis m'avait invité à dîner au restaurant avec sa maîtresse et un autre de ses amis qui avait aussi amené la sienne. Elles ne furent pas longues à se comprendre, mais si impatientes de se posséder que dès le potage les pieds se cherchaient, trouvant souvent le mien. Bientôt les jambes s'entrelacèrent. Mes deux amis ne voyaient rien ; j'étais au supplice. Une des deux femmes, qui n'y pouvait tenir, se mit sous la table, disant qu'elle avait laissé tomber quelque chose. Puis l'une eut la migraine et demanda à monter au lavabo. L'autre s'aperçut qu'il était l'heure d'aller rejoindre une amie au théâtre. Finalement je restai seul avec mes deux amis, qui ne se doutaient de rien. La migraineuse redescendit, mais demanda à rentrer seule attendre son amant chez lui afin de prendre un peu d'antipyrine. Elles devinrent très amies, se promenaient ensemble, l'une habillée en homme et qui levait des petites filles et les ramenait chez l'autre, les initiait. L'autre avait un petit garçon dont elle faisait semblant d'être mécontente, et le faisait corriger par son amie, qui n'y allait pas de main morte. On peut dire qu'il n'y a pas de lieu, si public qu'il fût, où elles ne fissent ce qui est le plus secret.

« Mais Léa a été, tout le temps de ce voyage,

parfaitement convenable avec moi, me dit Albertine. Elle était même plus réservée que bien des femmes du monde. — Est-ce qu'il y a des femmes du monde qui ont manqué de réserve avec vous, Albertine ? — Jamais. — Alors qu'est-ce que vous voulez dire ? — Hé bien, elle était moins libre dans ses expressions. — Exemple ? — Elle n'aurait pas, comme bien des femmes qu'on reçoit, employé le mot : embêtant, ou le mot : se fiche du monde. » Il me sembla qu'une partie du roman qui n'avait pas brûlé encore, tombait enfin en cendres. Mon découragement aurait duré. Les paroles d'Albertine, quand j'y songeais, y faisaient succéder une colère folle. Elle tomba devant une sorte d'attendrissement. Moi aussi, depuis que j'étais rentré et déclarais vouloir rompre, je mentais aussi. Et cette volonté de séparation que je simulais avec persévérance entraînait peu à peu pour moi quelque chose de la tristesse que j'aurais éprouvée si j'avais vraiment voulu quitter Albertine.

D'ailleurs, même en repensant par à-coups, par élancements, comme on dit pour les autres douleurs physiques, à cette vie orgiaque qu'avait menée Albertine avant de me connaître, j'admirais davantage la docilité de ma captive et je cessais de lui en vouloir. Sans doute[a] jamais, durant notre vie commune, je n'avais cessé de laisser entendre à Albertine que cette vie ne serait vraisemblablement que provisoire, de façon qu'Albertine continuât à y trouver quelque charme. Mais ce soir j'avais été plus loin, ayant craint que de vagues menaces de séparation ne fussent plus suffisantes, contredites qu'elles seraient sans doute dans l'esprit d'Albertine par son idée d'un grand amour jaloux pour elle, qui m'aurait, semblait-elle dire, fait aller enquêter chez les Verdurin. Ce soir-là je pensai que, parmi les autres causes qui avaient pu me décider brusquement, sans même m'en rendre compte qu'au fur et à mesure, à jouer cette comédie de rupture, il y avait surtout que, quand dans une de ces impulsions comme en avait mon père, je menaçais un être dans sa sécurité, comme je n'avais pas comme lui le courage de réaliser une menace, pour ne pas laisser croire qu'elle n'avait été que paroles en l'air, j'allais assez loin dans les apparences de la réalisation et ne me repliais que quand l'adversaire, ayant vraiment l'illusion de ma sincérité, avait tremblé pour tout de bon.

D'ailleurs dans ces mensonges, nous sentons bien qu'il y a de la vérité, que si la vie n'apporte pas de changements à nos amours, c'est nous-mêmes qui voudrons en apporter ou en feindre et parler de séparation, tant nous sentons que tous les amours et toutes choses évoluent rapidement vers l'adieu. On veut pleurer les larmes qu'il apportera bien avant qu'il survienne. Sans doute y avait-il cette fois, dans la scène que j'avais jouée, une raison d'utilité. J'avais soudain tenu à la garder parce que je la sentais éparse en d'autres êtres auxquels je ne pouvais l'empêcher de se joindre. Mais eût-elle à jamais renoncé à tous pour moi, que j'aurais peut-être résolu plus fermement encore de ne la quitter jamais, car la séparation est par la jalousie rendue cruelle, mais par la reconnaissance, impossible. Je sentais en tout cas que je livrais la grande bataille où je devais vaincre ou succomber. J'aurais offert à Albertine en une heure tout ce que je possédais, parce que je me disais : « Tout dépend de cette bataille. » Mais ces batailles ressemblent moins à celles d'autrefois, qui duraient quelques heures, qu'à une bataille contemporaine qui n'est finie ni le lendemain, ni le surlendemain, ni la semaine suivante. On donne toutes ses forces, parce qu'on croit toujours que ce sont les dernières dont on aura besoin. Et plus d'une année se passe sans amener la « décision[1] ».

Peut-être une inconsciente réminiscence de scènes menteuses faites par M. de Charlus, auprès duquel j'étais quand la crainte d'être quitté par Albertine s'était emparée de moi, s'y ajoutait-elle. Mais plus tard j'ai entendu raconter par ma mère ceci, que j'ignorais alors et qui me donne à croire que j'avais trouvé tous les éléments de cette scène en moi-même, dans une de ces réserves obscures de l'hérédité que certaines émotions, agissant en cela comme sur l'épargne de nos forces emmagasinées les médicaments analogues à l'alcool et au café, nous rendent disponibles : quand ma tante Octave apprenait par Eulalie que Françoise, sûre que sa maîtresse ne sortirait jamais plus, avait manigancé en secret quelque sortie que ma tante devait ignorer, celle-ci, la veille, faisait semblant de décider qu'elle essayerait le lendemain d'une promenade. À Françoise d'abord incrédule elle faisait non seulement préparer d'avance ses affaires, faire prendre l'air à celles qui étaient depuis trop longtemps enfermées, mais même commander la voiture, régler à un quart d'heure près tous les détails de la journée. Ce n'était que quand Françoise, convaincue ou du moins ébranlée, avait été forcée d'avouer à ma tante les projets qu'elle-même avait formés, que celle-ci renonçait publiquement aux siens pour ne pas, disait-elle, entraver ceux de Françoise. De même, pour qu'Albertine ne pût pas croire que j'exagérais et pour la faire aller le plus loin possible dans l'idée que nous nous quittions, tirant moi-même les déductions de ce que je venais d'avancer, je m'étais mis à anticiper le temps qui allait commencer le lendemain et qui durerait toujours, le temps où nous serions séparés, adressant à Albertine les mêmes recommandations que si nous n'allions pas nous réconcilier tout à l'heure. Comme les généraux qui jugent que pour qu'une feinte réussisse à tromper l'ennemi, il faut la pousser à fond, j'avais engagé dans celle-ci presque autant de mes forces de sensiblité que si elle avait été véritable. Cette scène de séparation fictive finissait par me faire presque autant de chagrin que si elle avait été réelle, peut-être parce qu'un des deux acteurs, Albertine, en la croyant telle, ajoutait pour l'autre à l'illusion. On vivait un au jour le jour, qui, même pénible, restait supportable, retenu dans le terre à terre par le lest de l'habitude et par cette certitude que le lendemain, dût-il être cruel, contiendrait la présence de l'être auquel on tient. Et puis voici que follement je détruisais toute cette pesante vie. Je ne la détruisais, il est vrai, que d'une façon fictive, mais cela suffisait pour me désoler ; peut-être parce que les paroles tristes que l'on prononce, même mensongèrement, portent en elles leur tristesse et nous l'injectent profondément ; peut-être parce qu'on sait qu'en simulant des adieux on évoque par anticipation une heure qui viendra fatalement plus tard ; puis l'on n'est pas bien assuré qu'on ne vient pas de déclencher le mécanisme qui la fera sonner. Dans tout bluff il y a, si petite qu'elle soit, une part d'incertitude sur ce que va faire celui qu'on trompe. Si cette comédie de séparation allait aboutir à une séparation ! On ne peut en envisager la possibilité, même invraisemblable, sans un serrement de cœur. On est doublement anxieux, car la séparation se produirait alors au moment où elle serait insupportable, où on vient d'avoir de la souffrance par la femme qui vous quitterait avant de vous avoir guéri, au moins apaisé. Enfin, nous n'avons même plus le point d'appui de l'habitude, sur laquelle nous nous reposons, même dans le chagrin. Nous venons volontairement de nous en priver, nous avons donné à la journée présente une importance exceptionnelle, nous l'avons détachée des journées contiguës, elle flotte sans racines comme un jour de départ, notre imagination, cessant d'être paralysée par l'habitude, s'est éveillée, nous avons soudain adjoint à notre amour quotidien des rêveries sentimentales qui le grandissent énormément, nous rendant indispensable une présence sur laquelle, justement, nous ne sommes plus absolument certains de pouvoir compter. Sans doute, c'est justement afin d'assurer pour l'avenir cette présence, que nous nous sommes livrés au jeu de pouvoir nous en passer. Mais ce jeu, nous y avons été pris nous-même, nous avons recommencé à souffrir parce que nous avons fait quelque chose de nouveau, d'inaccoutumé, et qui se trouve ressembler ainsi à ces cures qui doivent guérir plus tard le mal dont on souffre, mais dont les premiers effets sont de l'aggraver.

J'avais les larmes aux yeux comme ceux qui, seuls dans leur chambre, imaginant selon les détours capricieux de leur rêverie la mort d'un être qu'ils aiment, se représentent si minutieusement la douleur qu'ils auraient, qu'ils finissent par l'éprouver. Ainsi, en multipliant les recommandations à Albertine sur la conduite qu'elle aurait à tenir à mon égard quand nous allions être séparés, il me semblait que j'avais presque autant de chagrin que si nous n'avions pas dû nous réconcilier tout à l'heure. Et puis étais-je si sûr de le pouvoir, de faire revenir Albertine à l'idée de la vie commune, et si j'y réussissais pour ce soir, que chez elle l'état d'esprit que cette scène avait dissipé ne renaîtrait pas ? Je me sentais, mais ne me croyais pas, maître de l'avenir, parce que je comprenais que cette sensation venait seulement de ce qu'il n'existait pas encore et qu'ainsi je n'étais pas accablé de sa nécessité. Enfin, tout en mentant, je mettais peut-être dans mes paroles plus de vérité que je ne croyais. Je venais d'en avoir un exemple quand j'avais dit à Albertine que je l'oublierais vite. C'était ce qui m'était en effet arrivé avec Gilberte, que je m'abstenais maintenant d'aller voir pour éviter non pas une souffrance, mais une corvée. Et certes, j'avais souffert en écrivant à Gilberte que je ne la verrais plus. Car je n'allais que de temps en temps chez Gilberte. Toutes les heures d'Albertine m'appartenaient. Et en amour, il est plus facile de renoncer à un sentiment que de perdre une habitude. Mais tant de paroles douloureuses concernant notre séparation, si la force de les prononcer m'était donnée parce que je les savais mensongères, en revanche elles étaient sincères dans la bouche d'Albertine quand je l'entendis s'écrier : « Ah ! c'est promis, je ne vous reverrai jamais. Tout plutôt que de vous voir pleurer comme cela, mon chéri. Je ne veux pas vous faire de chagrin. Puisqu'il le faut, on ne se verra plus. » Elles étaient sincères[a], ce qu'elles n'eussent pu être de ma part, parce que, comme Albertine n'avait pour moi que de l'amitié, d'une part le renoncement qu'elles promettaient lui coûtait moins ; d'autre part, que mes larmes, qui eussent été si peu de chose dans un grand amour, lui paraissaient presque extraordinaires et la bouleversaient, transposées dans le domaine de cette amitié où elle restait, de cette amitié plus grande que la mienne, à ce qu'elle venait de dire, à ce qu'elle venait de dire parce que dans une séparation c'est celui qui n'aime pas d'amour qui dit les choses tendres, l'amour ne s'exprimant pas directement, à ce qu'elle venait de dire et qui n'était peut-être pas tout à fait inexact, car les mille bontés de l'amour peuvent finir par éveiller chez l'être qui l'inspire ne l'éprouvant pas, une affection, une reconnaissance, moins égoïstes que le sentiment qui les a provoquées, et qui, peut-être, après des années de séparation, quand il ne resterait rien de lui chez l'ancien amant, subsisteraient toujours chez l'aimée.

Il n'y eut qu'un moment où j'eus pour elle une espèce de haine qui ne fit qu'aviver mon besoin de la retenir. Comme, uniquement jaloux ce soir de Mlle Vinteuil, je songeais avec la plus grande indifférence au Trocadéro, non seulement en tant que je l'y avais envoyée pour éviter les Verdurin, mais même en y voyant cette Léa à cause de laquelle j'avais fait revenir Albertine et pour qu'elle ne la connût pas, je dis sans y penser le nom de Léa, et elle, méfiante et croyant qu'on m'en avait peut-être dit davantage, prit les devants et dit avec volubilité, non sans cacher un peu son front : « Je la connais très bien, nous sommes allées l'année dernière avec des amies la voir jouer, après la représentation nous sommes montées dans sa loge, elle s'est habillée devant nous. C'était très intéressant. » Alors ma pensée fut forcée de lâcher Mlle Vinteuil et, dans un effort désespéré, dans cette course à l'abîme des impossibles reconstitutions, s'attacha à l'actrice, à cette soirée où Albertine était montée dans sa loge. D'une part, après tous les serments qu'elle m'avait faits et d'un ton si véridique, après le sacrifice si complet de sa liberté, comment croire qu'en tout cela il y eût du mal ? Et pourtant mes soupçons n'étaient-ils pas des antennes dirigées vers la vérité, puisque, si elle m'avait sacrifié les Verdurin pour aller au Trocadéro, tout de même, chez les Verdurin il avait bien dû y avoir Mlle Vinteuil, et puisqu'au Trocadéro, que du reste elle m'avait sacrifié pour se promener avec moi, il y avait eu comme raison de l'en faire revenir cette Léa qui me semblait m'inquiéter à tort et que pourtant, dans une phrase que je ne lui demandais pas, elle déclarait avoir connue sur une plus grande échelle que celle où eussent été mes craintes, dans des circonstances bien louches car qui avait pu l'amener à monter ainsi dans cette loge ? Si je cessais de souffrir par Mlle Vinteuil quand je souffrais par Léa, les deux bourreaux de ma journée, c'est soit par l'infirmité de mon esprit à se représenter à la fois trop de scènes, soit par l'interférence de mes émotions nerveuses dont ma jalousie n'était que l'écho. J'en pouvais induire qu'elle n'avait pas plus été à Léa qu'à Mlle Vinteuil, et que je ne croyais à Léa que parce que j'en souffrais encore. Mais parce que mes jalousies s'éteignaient — pour se réveiller parfois, l'une après l'autre — cela ne signifiait pas non plus qu'elles ne correspondissent pas au contraire chacune à quelque vérité pressentie, que de ces femmes il ne fallait pas que je me dise aucune, mais toutes. Je dis pressentie, car je ne pouvais pas occuper tous les points de l'espace et du temps qu'il eût fallu, et encore quel instinct m'eût donné la concordance des uns et des autres pour me permettre de surprendre Albertine ici à telle heure avec Léa, ou avec les jeunes filles de Balbec, ou avec l'amie de Mme Bontemps qu'elle avait frôlée, ou avec la jeune fille du tennis qui lui avait fait du coude, ou avec Mlle Vinteuil[1] ?

« Ma[a] petite Albertine, vous êtes bien gentille de me le promettre. Du reste, les premières années du moins, j'éviterai les endroits où vous serez. Vous ne savez pas si vous irez cet été à Balbec ? Parce que dans ce cas-là, je m'arrangerais pour ne pas y aller. » Maintenant, si je continuais à progresser ainsi, devançant les temps dans mon invention mensongère, c'était moins[a] pour faire peur à Albertine que pour me faire mal à moi-même. Comme un homme qui n'avait d'abord que des motifs peu importants de se fâcher se grise tout à fait par les éclats de sa propre voix et se laisse emporter par une fureur engendrée non par ses griefs, mais par sa colère elle-même en voie de croissance, ainsi je roulais de plus en plus vite sur la pente de ma tristesse, vers un désespoir de plus en plus profond, et avec l'inertie d'un homme qui sent le froid le saisir, n'essaye pas de lutter et trouve même à frissonner une espèce de plaisir. Et si j'avais enfin tout à l'heure, comme j'y comptais bien, la force de me ressaisir, de réagir et de faire machine en arrière, bien plus que du chagrin qu'Albertine m'avait fait en accueillant si mal mon retour, c'était de celui que j'avais éprouvé à imaginer, pour feindre de les régler, les formalités d'une séparation imaginaire, à en prévoir les suites, que le baiser d'Albertine, au moment de me dire bonsoir, aurait aujourd'hui à me consoler. En tout cas, ce bonsoir, il ne fallait pas que ce fût elle qui me le dît d'elle-même, ce qui m'eût rendu plus difficile le revirement par lequel je lui proposerais de renoncer à notre séparation. Aussi je ne cessais de lui rappeler que l'heure de nous dire ce bonsoir était depuis longtemps venue, ce qui en me laissant l'initiative, me permettait de le retarder encore d'un moment. Et ainsi je semais d'allusion à la nuit déjà si avancée, à notre fatigue, les questions que je posais à Albertine. « Je ne sais pas où j'irai, répondit-elle à la dernière, d'un air préoccupé. Peut-être j'irai en Touraine, chez ma tante. » Et ce premier projet qu'elle ébauchait me glaça, comme s'il commençait à réaliser effectivement notre séparation définitive. Elle regarda la chambre, le pianola, les fauteuils de satin bleu. « Je ne peux pas me faire encore à l'idée que je ne verrai plus tout cela ni demain, ni après-demain, ni jamais. Pauvre petite chambre ! Il me semble que c'est impossible ; cela ne peut pas m'entrer dans la tête. — Il le fallait, vous étiez malheureuse ici. — Mais non, je n'étais pas malheureuse, c'est maintenant que je le serai. — Mais non, je vous assure, c'est mieux pour vous. — Pour vous peut-être ! » Je me mis à regarder fixement dans le vide comme si, en proie à une grande hésitation, je me débattais contre une idée qui me fût venue à l'esprit. Enfin, tout d'un coup : « Écoutez, Albertine, vous dites que vous êtes plus heureuse ici, que vous allez être malheureuse. — Bien sûr. — Cela me bouleverse ; voulez-vous que nous essayions de prolonger de quelques semaines ? Qui sait ? semaine par semaine, on peut peut-être arriver très loin, vous savez qu'il y a des provisoires qui peuvent finir par durer toujours. — Oh ! ce que vous seriez gentil ! — Seulement alors, c'est de la folie de nous être fait mal comme cela pour rien pendant des heures, c'est comme un voyage pour lequel on s'est préparé et puis qu'on ne fait pas. Je suis moulu de chagrin. » Je l'assis sur mes genoux, je pris le manuscrit de Bergotte qu'elle désirait tant, et j'écrivis sur la couverture : « À ma petite Albertine, en souvenir d'un renouvellement de bail. » « Maintenant, lui dis-je, allez dormir jusqu'à demain soir, ma chérie, car vous devez être brisée. — Je suis surtout bien contente. — M'aimez-vous un petit peu ? — Encore cent fois plus qu'avant. »

J'aurais eu tort d'être heureux de la petite comédie, n'eût-elle pas été jusqu'à cette forme de véritable mise en scène où je l'avais poussée. N'eussions-nous fait que parler simplement de séparation que c'eût été déjà grave. Ces conversations que l'on tient ainsi, on croit le faire non seulement sans sincérité, ce qui est en effet, mais librement. Or elles sont généralement, à notre insu, chuchoté malgré nous, le premier murmure d'une tempête que nous ne soupçonnons pas. En réalité, ce que nous exprimons alors c'est le contraire de notre désir (lequel est de vivre toujours avec celle que nous aimons), mais c'est aussi cette impossibilité de vivre ensemble qui fait notre souffrance quotidienne, souffrance préférée par nous à celle de la séparation, mais qui finira malgré nous par nous séparer. D'habitude, pas tout d'un coup cependant. Le plus souvent il arrive — ce ne fut pas, on le verra, mon cas avec Albertine — que, quelque temps après les paroles auxquelles on ne croyait pas, on met en action un essai informe de séparation voulue, non douloureuse, temporaire. On demande à la femme, pour qu'ensuite elle se plaise mieux avec nous, pour que nous échappions d'autre part momentanément à des tristesses et des fatigues continuelles, d'aller faire sans nous, ou de nous laisser faire sans elle, un voyage de quelques jours, les premiers — depuis bien longtemps — passés, ce qui nous eût semblé impossible, sans elle. Très vite elle revient prendre sa place à notre foyer. Seulement cette séparation, courte mais réalisée, n'est pas aussi arbitrairement décidée et aussi certainement la seule que nous nous figurons. Les mêmes tristesses recommencent, la même difficulté de vivre ensemble s'accentue, seule la séparation n'est plus quelque chose d'aussi difficile ; on a commencé par en parler, on l'a ensuite exécutée sous une forme aimable. Mais ce ne sont que des prodromes que nous n'avons pas reconnus. Bientôt à la séparation momentanée et souriante succèdera la séparation atroce et définitive que nous avons préparée sans le savoir.

« Venez dans ma chambre dans cinq minutes pour que je puisse vous voir un peu, mon petit chéri. Vous serez plein de gentillesse. Mais je m'endormirai vite après, car je suis comme une morte. » Ce fut une morte en effet que je vis quand j'entrai ensuite dans sa chambre. Elle s'était endormie aussitôt couchée ; ses draps, roulés comme un suaire autour de son corps, avaient pris, avec leurs beaux plis, une rigidité de pierre. On eût dit, comme dans certains Jugements derniers du Moyen Âge, que la tête seule surgissait hors de la tombe, attendant dans son sommeil la trompette de l'Archange[1]. Cette tête avait été surprise par le sommeil presque renversée, les cheveux hirsutes. Et en voyant ce corps insignifiant couché là, je me demandais quelle table de logarithmes il constituait pour que toutes les actions auxquelles il avait pu être mêlé, depuis un poussement de coude jusqu'à un frôlement de robe, pussent me causer, étendues à l'infini de tous les points qu'il avait occupés dans l'espace et dans le temps, et de temps à autre brusquement revivifiées dans mon souvenir, des angoisses si douloureuses, et que je savais pourtant déterminées par des mouvements, des désirs d'elle qui m'eussent été, chez une autre, chez elle-même, cinq ans avant, cinq ans après, si indifférents. C'était un mensonge, mais pour lequel je n'avais le courage de chercher d'autres solutions que ma mort. Ainsi je restais, dans la pelisse que je n'avais pas encore retirée depuis mon retour de chez les Verdurin, devant ce corps[a] tordu, cette figure allégorique de quoi ? de ma mort ? de mon amour ? Bientôt je commençai à entendre sa respiration égale. J'allai m'asseoir au bord de son lit pour faire cette cure calmante de brise et de contemplation. Puis je me retirai tout doucement pour ne pas la réveiller.

Il était si tard que dès le matin je recommandai à Françoise de marcher bien doucement quand elle aurait à passer devant sa chambre. Aussi Françoise, persuadée que nous avions passé la nuit dans ce qu'elle appelait des orgies, recommanda ironiquement aux autres domestiques de ne pas « éveiller la princesse ». Et c'était une des choses que je craignais, que Françoise un jour ne pût plus se contenir, fût insolente avec Albertine, et que cela m'amenât des complications dans notre vie. Françoise n'était plus alors, comme à l'époque où elle souffrait de voir Eulalie bien traitée par ma tante, d'âge à supporter vaillamment sa jalousie. Celle-ci altérait, paralysait le visage de notre servante à tel point que[a], par moments, je me demandais si, sans que je m'en fusse aperçu, elle n'avait pas eu, à la suite de quelque crise de colère, une petite attaque. Ayant ainsi demandé qu'on préservât le sommeil d'Albertine, je ne pus moi-même en trouver aucun. J'essayais de comprendre quel était le véritable état d'esprit d'Albertine. Par la triste comédie que j'avais jouée, est-ce à un péril réel que j'avais paré, et malgré qu'elle prétendît se sentir si heureuse à la maison, avait-elle eu vraiment par moments l'idée de vouloir sa liberté, ou au contraire, fallait-il croire ses paroles ? Laquelle des deux hypothèses était la vraie ? S'il m'arrivait souvent, s'il devait m'arriver surtout d'étendre un cas de ma vie passée jusqu'aux dimensions de l'histoire quand je voulais essayer de comprendre un événement politique, inversement, ce matin-là je ne cessai d'identifier malgré tant de différences et pour tâcher de la comprendre la portée de notre scène de la veille avec un incident diplomatique qui venait d'avoir lieu.

J'avais[b] peut-être le droit de raisonner ainsi. Car il était bien probable qu'à mon insu l'exemple de M. de Charlus m'eût[c] guidé dans cette scène mensongère que je lui avais si souvent vu jouer, avec tant d'autorité ; et d'autre part, était-elle, de sa part, autre chose qu'une[d] inconsciente importation dans le domaine de la vie privée, de la tendance profonde de sa race allemande, provocatrice par ruse, et par orgueil guerrière s'il le faut ?

Diverses personnes[1], parmi lesquelles le prince de Monaco, ayant suggéré au gouvernement français l'idée que, s'il ne se séparait pas de M. Delcassé, l'Allemagne menaçante ferait effectivement la guerre, le ministre des

Affaires étrangères avait été prié de démissionner[1]. Donc le gouvernement français avait admis l'hypothèse d'une intention de nous faire la guerre si nous ne cédions pas. Mais d'autres personnes pensaient qu'il ne s'était agi que d'un simple « bluff » et que si la France avait tenu bon l'Allemagne n'eût pas tiré l'épée. Sans doute le scénario était non seulement différent mais presque inverse, puisque la menace de rompre avec moi n'avait jamais été proférée par Albertine ; mais un ensemble d'impressions avait amené chez moi la croyance qu'elle y pensait, comme le gouvernement français avait eu cette croyance pour l'Allemagne. D'autre part, si l'Allemagne désirait la paix, avoir provoqué chez le gouvernement français l'idée qu'elle voulait la guerre était une contestable et dangereuse habileté. Certes, ma conduite avait été assez adroite, si c'était la pensée que je ne me déciderais jamais à rompre avec elle qui provoquait[a] chez Albertine de brusques désirs d'indépendance. Et n'était-il pas difficile de croire qu'elle n'en avait pas, de se refuser à voir toute une vie secrète en elle, dirigée vers la satisfaction de son vice, rien qu'à la colère avec laquelle elle avait appris que j'étais allé chez les Verdurin, s'écriant : « J'en étais sûre », et achevant de tout dévoiler en disant : « Ils devaient avoir Mlle Vinteuil chez eux » ? Tout cela corroboré par la rencontre d'Albertine et de Mme Verdurin que m'avait révélée Andrée. Mais peut-être, pourtant, ces brusques désirs d'indépendance, me disais-je quand j'essayais d'aller contre mon instinct, étaient causés — à supposer qu'ils existassent — ou finiraient par l'être, par l'idée contraire, à savoir que je n'avais jamais eu l'idée de l'épouser, que c'était quand je faisais, comme involontairement, allusion à notre séparation prochaine que je disais la vérité, que je la quitterais de toute façon un jour ou l'autre, croyance que ma scène de ce soir n'avait pu alors que fortifier et qui pouvait finir par engendrer chez elle cette résolution : « Si cela doit fatalement arriver un jour ou l'autre, autant en finir tout de suite. » Les préparatifs de guerre, que le plus faux des adages préconise pour faire triompher la volonté de paix, créent au contraire, d'abord la croyance chez chacun des deux adversaires que l'autre veut la rupture, croyance qui amène la rupture, et quand elle a eu lieu, cette autre croyance chez chacun des deux que c'est l'autre qui l'a voulue[2]. Même si la menace n'était pas sincère, son succès engage à la recommencer. Mais le point exact jusqu'où le bluff peut réussir est difficile à déterminer ; si l'un va trop loin, l'autre qui avait jusque-là cédé s'avance à son tour ; le premier, ne sachant plus changer de méthode, habitué à l'idée qu'avoir l'air de ne pas craindre la rupture est la meilleure manière de l'éviter (ce que j'avais fait ce soir avec Albertine), et d'ailleurs à préférer par fierté succomber plutôt que céder, persévère dans sa menace jusqu'au moment où personne ne peut plus reculer. Le bluff peut aussi être mêlé à la sincérité, alterner avec elle, et que ce qui était un jeu hier devienne une réalité demain. Enfin il peut arriver aussi qu'un des adversaires soit réellement résolu à la guerre, qu'Albertine, par exemple, eût l'intention tôt ou tard de ne plus continuer cette vie, ou au contraire que l'idée ne lui en fût jamais venue à l'esprit, et que mon imagination l'eût inventée de toutes pièces. Telles furent les différentes hypothèses que j'envisageai pendant qu'elle dormait, ce matin-là. Pourtant, quant à la dernière, je peux dire que je n'ai jamais dans les temps qui suivirent menacé Albertine de la quitter que pour répondre à une idée de mauvaise liberté d'elle, idée qu'elle ne m'exprimait pas, mais qui me semblait être impliquée par certains mécontentements mystérieux, par certaines paroles, certains gestes, dont cette idée était la seule explication possible et pour lesquels elle se refusait à m'en donner aucune. Encore bien souvent je les constatais sans faire aucune allusion à une séparation possible, espérant qu'ils provenaient d'une mauvaise humeur qui finirait ce jour-là. Mais celle-ci durait parfois sans rémission pendant des semaines entières, où Albertine semblait vouloir provoquer un conflit, comme s'il y avait à ce moment-là, dans une région plus ou moins éloignée, des plaisirs qu'elle savait, dont sa claustration chez moi la privait, et qui l'influençaient jusqu'à ce qu'ils eussent pris fin, comme ces modifications atmosphériques qui, jusqu'au coin de notre feu, agissent sur nos nerfs même si elles se produisent aussi loin que les îles Baléares.

Ce[a] matin-là, pendant qu'Albertine dormait et que j'essayais de deviner ce qui était caché en elle, je reçus une lettre de ma mère où elle m'exprimait son inquiétude de ne rien savoir de mes décisions par cette phrase de Mme de Sévigné : « Pour moi, je suis persuadée qu'il ne se mariera pas ; mais alors pourquoi troubler cette fille qu'il n'épousera jamais ? Pourquoi risquer de lui faire refuser des partis qu'elle ne regardera plus qu'avec mépris ? Pourquoi troubler l'esprit d'une personne qu'il serait si aisé d'éviter[1] ? » Cette lettre de ma mère me ramena sur terre. Que vais-je chercher une âme mystérieuse, interpréter un visage, et me sentir entouré de pressentiments que je n'ose approfondir ? me dis-je. Je rêvais, la chose est toute simple. Je suis un jeune homme indécis et il s'agit d'un de ces mariages dont on est quelque temps à savoir s'ils se feront ou non. Il n'y a rien là de particulier à Albertine. Cette pensée me donna une détente profonde mais courte. Bien vite je me dis : « On peut tout ramener, en effet, si on en considère l'aspect social, au plus courant des faits divers : du dehors, c'est peut-être ainsi que je le verrais. Mais je sais bien que ce qui est vrai, ce qui du moins est vrai aussi, c'est tout ce que j'ai pensé, c'est ce que j'ai lu dans les yeux d'Albertine, ce sont les craintes qui me torturent, c'est le problème que je me pose sans cesse relativement à Albertine. » L'histoire du fiancé hésitant et du mariage rompu peut correspondre à cela, comme un certain compte rendu de théâtre fait par un courriériste de bon sens peut donner le sujet d'une pièce d'Ibsen. Mais il y a autre chose que ces faits qu'on raconte. Il est vrai que cet autre chose existe peut-être si on savait les voir chez tous les fiancés hésitants et dans tous les mariages qui traînent, parce qu'il y a peut-être du mystère dans la vie de tous les jours. Il m'était possible de le négliger concernant la vie des autres, mais celle d'Albertine et la mienne, je la vivais par le dedans.

Albertine ne me dit pas plus, à partir de cette soirée, qu'elle n'avait fait dans le passé : « Je sais que vous n'avez pas confiance en moi, je vais essayer de dissiper vos soupçons. » Mais cette idée, qu'elle n'exprima jamais, eût pu servir d'explication à ses moindres actes. Non seulement elle s'arrangeait à ne jamais être seule un moment, de façon que je ne pusse ignorer ce qu'elle avait fait, si je n'en croyais pas ses propres déclarations, mais même quand elle avait à téléphoner à Andrée, ou au garage, ou au manège, ou ailleurs, elle prétendait que c'était trop ennuyeux de rester seule pour téléphoner avec le temps que les demoiselles mettaient à vous donner la communication, et elle s'arrangeait pour que je fusse auprès d'elle à ce moment-là, ou à mon défaut Françoise, comme si elle eût craint que je pusse imaginer des communications téléphoniques blâmables et servant à donner de mystérieux rendez-vous. Hélas ! tout cela ne me tranquillisait pas. Aimé m'avait renvoyé la photographie d'Esther en me disant que ce n'était pas elle. Alors d'autres encore ? Qui ? Je renvoyai cette photographie à Bloch. Celle que j'aurais voulu voir, c'était celle qu'Albertine avait donnée à Esther. Comment y était-elle ? Peut-être décolletée ; qui sait si elles ne s'étaient pas photographiées ensemble ? Mais je n'osais en parler à Albertine car j'aurais eu l'air de ne pas avoir vu la photographie, ni à Bloch, à l'égard duquel je ne voulais pas avoir l'air de m'intéresser à Albertine. Et cette vie, qu'eût reconnue si cruelle pour moi et pour Albertine quiconque eût connu mes soupçons et son esclavage, du dehors, pour Françoise, passait pour une vie de plaisirs immérités que savait habilement se faire octroyer cette « enjôleuse » et, comme disait Françoise, qui employait beaucoup plus ce féminin que le masculin, étant plus envieuse des femmes, cette « charlatante ». Même, comme Françoise à mon contact avait enrichi son vocabulaire de termes nouveaux, mais en les arrangeant à sa mode, elle disait d'Albertine qu'elle n'avait jamais connu personne d'une telle « perfidité », qui savait me « tirer mes sous » en jouant si bien la comédie (ce que Françoise, qui prenait aussi facilement le particulier pour le général que le général pour le particulier, et qui n'avait que des idées assez vagues sur la distinction des genres dans l'art dramatique, appelait « savoir jouer la pantomime »). Peut-être cette erreur sur notre vraie vie, à Albertine et à moi, en étais-je moi-même un peu responsable par les vagues confirmations que, quand je causais avec Françoise, j'en laissais habilement échapper, par désir soit de la taquiner, soit de paraître sinon aimé, du moins heureux. Et pourtant, ma jalousie, la surveillance que j'exerçais sur Albertine, et desquelles j'eusse tant voulu que Françoise ne se doutât pas, celle-ci ne tarda pas à les deviner, guidée, comme le spirite qui, les yeux bandés, trouve un objet, par cette intuition qu'elle avait des choses qui pouvaient m'être pénibles, et qui ne se laissait pas détourner du but par les mensonges que je pouvais dire pour l'égarer, et aussi par cette haine d'Albertine qui poussait Françoise — plus encore qu'à croire ses ennemies plus heureuses, plus rouées comédiennes qu'elles n'étaient — à découvrir ce qui pouvait les perdre et précipiter leur chute. Françoise n'a certainement jamais fait de scènes à Albertine. Je me demandai si Albertine, se sentant surveillée, ne réaliserait pas elle-même cette séparation dont je l'avais menacée, car la vie en changeant fait des réalités avec nos fables. Chaque fois que j'entendais ouvrir une porte, j'avais ce tressaillement que ma grand-mère avait pendant son agonie chaque fois que je sonnais. Je ne croyais pas qu'elle sortît sans me l'avoir dit, mais c'était mon inconscient qui pensait cela, comme c'était l'inconscient de ma grand-mère qui palpitait aux coups de sonnette alors qu'elle n'avait plus sa connaissance. Un matin même, j'eus tout d'un coup la brusque inquiétude qu'elle fût non pas seulement sortie, mais partie. Je venais d'entendre une porte qui me semblait bien la porte de sa chambre. À pas de loup j'allai jusqu'à cette chambre, j'entrai, je restai sur le seuil. Dans la pénombre les draps étaient gonflés en demi-cercle, ce devait être Albertine qui, le corps incurvé, dormait les pieds et la tête au mur. Seuls dépassant du lit, les cheveux de cette tête, abondants et noirs, me firent comprendre que c'était elle, qu'elle n'avait pas ouvert sa porte, pas bougé, et je sentis ce demi-cercle immobile et vivant, où tenait toute une vie humaine, et qui était la seule chose à laquelle j'attachais du prix ; je sentis qu'il était là, en ma possession dominatrice.

Mais[a] je connaissais l'art de l'insinuation de Françoise, le parti qu'elle savait tirer d'une mise en scène significative, et je ne peux croire qu'elle ait résisté à faire comprendre quotidiennement à Albertine le rôle humilié que celle-ci jouait à la maison, à l'affoler par la peinture, savamment exagérée, de la claustration à laquelle mon amie était soumise. J'ai trouvé une fois Françoise, ayant ajusté de grosses lunettes, qui fouillait dans mes papiers et en replaçait parmi eux un où j'avais noté un récit relatif à Swann et à l'impossibilité où il était de se passer d'Odette[1]. L'avait-elle laissé traîner par mégarde dans la chambre d'Albertine ? D'ailleurs, au-dessus de tous les sous-entendus de Françoise, qui n'en avait été en bas que l'orchestration chuchotante et perfide, il est vraisemblable qu'avait dû s'élever, plus haute, plus nette, plus pressante, la voix accusatrice et calomnieuse des Verdurin, irrités de voir qu'Albertine me retenait involontairement, et moi elle volontairement, loin du petit clan.

Quant[a] à l'argent que je dépensais pour Albertine, il m'était presque impossible de le cacher à Françoise, puisque je ne pouvais lui cacher aucune dépense. Françoise avait peu de défauts, mais ces défauts avaient créé chez elle pour les servir de véritables dons qui souvent lui manquaient hors l'exercice de ces défauts. Le principal était la curiosité appliquée à l'argent dépensé par nous pour d'autres qu'elle. Si j'avais une note à régler, un pourboire à donner, j'avais beau me mettre à l'écart, elle trouvait une assiette à ranger, une serviette à prendre, quelque chose qui lui permît de s'approcher. Et si peu de temps que je lui laissasse, la renvoyant avec fureur, cette femme qui n'y voyait presque plus clair, qui savait à peine compter, dirigée par ce même goût qui fait qu'un tailleur en vous voyant suppute instinctivement l'étoffe de votre habit et même ne peut s'empêcher de la palper, ou qu'un peintre est sensible à un effet de couleurs, Françoise voyait[b] à la dérobée, calculait instantanément ce que je donnais. Si, pour qu'elle ne pût pas dire à Albertine que je corrompais son chauffeur, je prenais les devants et m'excusant du pourboire disais : « J'ai voulu être gentil avec le chauffeur, je lui ai donné dix francs », Françoise, impitoyable et à qui son coup d'œil de vieil aigle presque aveugle avait suffi, me répondait : « Mais non, Monsieur lui a donné quarante-trois francs de pourboire. Il a dit à Monsieur qu'il y avait quarante-cinq francs, Monsieur lui a donné cent francs et il ne lui a rendu que douze francs. » Elle avait eu le temps de voir et de compter le chiffre du pourboire que j'ignorais moi-même.

Si le but d'Albertine était de me rendre du calme, elle y réussit en partie, ma raison, d'ailleurs, ne demandait qu'à me prouver que je m'étais trompé sur les mauvais projets d'Albertine, comme je m'étais peut-être trompé sur ses instincts vicieux. Sans doute je faisais, dans la valeur des arguments que ma raison me fournissait, la part du désir que j'avais de les trouver bons. Mais pour être équitable et avoir chance de voir la vérité, à moins d'admettre qu'elle ne soit jamais connue que par le pressentiment, par une émanation télépathique, ne fallait-il pas me dire que si ma raison, en cherchant à amener ma guérison, se laissait mener par mon désir, en revanche, en ce qui concernait Mlle Vinteuil, les vices d'Albertine, ses intentions d'avoir une autre vie, son projet de séparation, lesquels étaient les corollaires de ses vices, mon instinct avait pu, lui, pour tâcher de me rendre malade, se laisser égarer par ma jalousie ? D'ailleurs sa séquestration, qu'Albertine s'arrangeait elle-même si ingénieusement à rendre absolue, en m'ôtant la souffrance, m'ôta peu à peu le soupçon et je pus recommencer, quand le soir ramenait mes inquiétudes, à trouver dans la présence d'Albertine l'apaisement des premiers jours. Assise à côté de mon lit, elle parlait avec moi d'une de ces toilettes ou de ces objets que je ne cessais de lui donner pour tâcher de rendre sa vie plus douce et sa prison plus belle, tout en craignant parfois qu'elle ne fût de l'avis de cette Mme de La Rochefoucauld, répondant à quelqu'un qui lui demandait si elle n'était pas aise d'être dans une aussi belle demeure que Liancourt, qu'elle ne connaissait pas de belle prison[1].

Ainsi[a], si j'avais interrogé M. de Charlus sur la vieille argenterie française, c'est que quand nous avions fait le projet d'avoir un yacht[2], projet jugé irréalisable par Albertine — et par moi-même chaque fois que, me remettant à croire à sa vertu, ma jalousie diminuant ne comprimait plus d'autres désirs où elle n'avait point de place et qui demandaient aussi de l'argent pour être satisfaits — nous avions à tout hasard, et sans qu'elle crût d'ailleurs que nous en aurions jamais un, demandé des conseils à Elstir. Or, tout autant que pour l'habillement des femmes, le goût du peintre était raffiné et difficile pour l'ameublement des yachts. Il n'y admettait que des meubles anglais et de vieille argenterie. Albertine n'avait d'abord pensé qu'aux toilettes et à l'ameublement. Maintenant l'argenterie l'intéressait, et cela l'avait amenée, depuis que nous étions revenus de Balbec, à lire des ouvrages sur l'art de l'argenterie, sur les poinçons des vieux ciseleurs. Mais la vieille argenterie ayant été fondue par deux fois, au moment des traités d'Utrecht[3], quand le roi lui-même, imité en cela par les grands seigneurs, donna sa vaisselle, et en 1789, est rarissime. D'autre part, les modernes orfèvres ont eu beau reproduire toute cette argenterie d'après les dessins du Pont-aux-Choux[4], Elstir trouvait ce vieux neuf indigne d'entrer dans la demeure d'une femme de goût, fût-ce une demeure flottante. Je savais qu'Albertine avait lu la description des merveilles que Roettiers[1] avait faites pour Mme du Barry. Elle mourait d'envie, s'il en existait encore quelques pièces, de les voir, moi de les lui donner. Elle avait même commencé de jolies collections qu'elle installait avec un goût charmant dans une vitrine et que je ne pouvais regarder sans attendrissement et sans crainte car l'art avec lequel elle les disposait était celui fait de patience, d'ingéniosité, de nostalgie, de besoin d'oublier, auquel se livrent les captifs.

Pour les toilettes, ce qui lui plaisait surtout en ce moment, c'était tout ce que faisait Fortuny[2]. Ces robes de Fortuny, dont j'avais vu l'une sur Mme de Guermantes, c'était celles dont Elstir, quand il nous parlait[a] des vêtements magnifiques des contemporaines de Carpaccio et de Titien, nous avait annoncé la prochaine apparition, renaissant de leurs cendres somptueuses, car tout doit revenir, comme il est écrit aux voûtes de Saint-Marc, et comme le proclament, buvant aux urnes de marbre et de jaspe des chapiteaux byzantins, les oiseaux qui signifient à la fois la mort et la résurrection. Dès que les femmes avaient commencé à en porter, Albertine s'était rappelé les promesses d'Elstir, elle en avait désiré, et nous devions aller en choisir une. Or ces robes, si elles n'étaient pas de ces véritables anciennes dans lesquelles les femmes aujourd'hui ont un peu trop l'air costumées et qu'il est plus joli de garder comme une pièce de collection (j'en cherchais d'ailleurs aussi de telles pour Albertine), n'avaient pas non plus la froideur du pastiche du faux ancien. Elles étaient plutôt à la façon des décors de Sert, de Bakst et de Benois[3], qui en ce moment évoquaient dans les Ballets russes les époques d'art les plus aimées, à l'aide d'œuvres d'art imprégnées de leur esprit et pourtant originales ; ainsi les robes de Fortuny, fidèlement antiques mais puissamment originales, faisaient apparaître comme un décor, avec une plus grande force d'évocation même qu'un décor, puisque le décor restait à imaginer, la Venise tout encombrée d'Orient où elles auraient été portées, dont elles étaient, mieux qu'une relique dans la châsse de Saint-Marc, évocatrices du soleil et des turbans environnants, la couleur fragmentée, mystérieuse et complémentaire. Tout avait péri de ce temps, mais tout renaissait, évoqué, pour les relier entre elles par la splendeur du paysage et le grouillement de la vie, par le surgissement parcellaire et survivant des étoffes des dogaresses.

Je voulus[a] une ou deux fois demander à ce sujet conseil à Mme de Guermantes. Mais la duchesse n'aimait pas les toilettes qui font costume. Elle-même n'était jamais si bien qu'en velours noir avec des diamants. Et pour des robes telles que celles de Fortuny, elle n'était pas d'un très utile conseil. Du reste j'avais scrupule, en lui en demandant, de lui sembler n'aller la voir que lorsque par hasard j'avais besoin d'elle, alors que je refusais d'elle depuis longtemps plusieurs invitations par semaine. Je n'en recevais pas que d'elle, du reste, avec cette profusion. Certes, elle et beaucoup d'autres femmes avaient toujours été très aimables pour moi. Mais ma claustration avait certainement décuplé cette amabilité. Il semble que dans la vie mondaine, reflet insignifiant de ce qui se passe en amour, la meilleure manière qu'on vous recherche, c'est de se refuser. Un homme calcule tout ce qu'il peut citer de traits glorieux pour lui, afin de plaire à une femme ; il varie sans cesse ses habits, veille sur sa mine, elle n'a pas pour lui une seule des attentions qu'il reçoit de cette autre, qu'en la trompant, et malgré qu'il paraisse devant elle malpropre et sans artifice pour plaire, il s'est à jamais attaché. De même, si un homme regrettait de ne pas être assez recherché par le monde, je ne lui dirais pas de faire encore plus de visites, d'avoir encore un plus bel équipage, je lui conseillerais de ne se rendre à aucune invitation, de vivre enfermé dans sa chambre, de n'y laisser entrer personne, et qu'alors on ferait queue devant sa porte. Ou plutôt je ne le lui dirais pas. Car c'est une façon assurée d'être recherché qui ne réussit que comme celle d'être aimé, c'est-à-dire si on ne l'a nullement adoptée pour cela, mais, par exemple, si on garde en effet toujours la chambre parce qu'on est gravement malade, ou qu'on croît l'être, ou qu'on y tient une maîtresse enfermée et qu'on préfère au monde (ou tous les trois à la fois) pour qui ce sera une raison, sans savoir l'existence de cette femme, et simplement parce que vous vous refusez à lui, de vous préférer à tous ceux qui s'offrent, et de s'attacher à vous.

« À propos de chambre il faudra que nous nous occupions bientôt de votre robe de chambre de Fortuny », dis-je à Albertine. Et certes, pour elle qui les avait longtemps désirées, qui les choisirait longuement avec moi, qui en avait d'avance la place réservée non seulement dans ses armoires mais dans son imagination, dont, pour se décider entre tant d'autres, elle aimerait longuement chaque détail, ce serait quelque chose de plus que pour une femme trop riche qui a plus de robes qu'elle n'en désire et ne les regarde même pas. Pourtant, malgré le sourire avec lequel Albertine me remercia en me disant : « Vous êtes trop gentil », je remarquai combien elle avait l'air fatigué et même triste. Quelquefois[a] même, en attendant que fussent achevées celles qu'elle désirait, je m'en faisais prêter quelques-unes, même parfois seulement des étoffes, et j'en habillais Albertine, je les drapais sur elle, elle se promenait dans ma chambre avec la majesté d'une dogaresse et d'un mannequin. Seulement, mon esclavage à Paris m'était rendu plus pesant par la vue de ces robes qui m'évoquaient Venise. Certes, Albertine était bien plus prisonnière que moi. Et c'était une chose curieuse comme, à travers les murs de sa prison, le destin qui transforme les êtres avait pu passer, la changer dans son essence même, et de la jeune fille de Balbec faire une ennuyeuse et docile captive. Oui, les murs de la prison n'avaient pas empêché cette influence de traverser ; peut-être même est-ce eux qui l'avaient produite. Ce n'était plus la même Albertine, parce qu'elle n'était pas, comme à Balbec, sans cesse en fuite sur sa bicyclette, introuvable à cause du nombre de petites plages où elle allait coucher chez des amies et où, d'ailleurs, ses mensonges la rendaient plus difficile à atteindre ; parce qu'enfermée chez moi, docile et seule, elle n'était plus[b] ce qu'à Balbec, même quand j'avais pu la trouver, elle était sur la plage, cet être fuyant, prudent et fourbe, dont la présence se prolongeait de tant de rendez-vous qu'elle était habile à dissimuler, qui la faisaient aimer parce qu'ils faisaient souffrir, que, sous sa froideur avec les autres et ses réponses banales, on sentait le rendez-vous de la veille et celui du lendemain, et pour moi cerné de dédain[c] et de ruse. Parce que le vent de la mer ne gonflait plus ses vêtements, parce que, surtout, je lui avais coupé les ailes, elle avait cessé d'être une Victoire, elle était une pesante esclave dont j'aurais voulu me débarrasser.

Alors, pour changer le cours de mes pensées, plutôt que de commencer avec Albertine une partie de cartes ou de dames, je lui demandais de me faire un peu de musique. Je restais dans mon lit et elle allait s'asseoir au bout de la chambre devant le pianola, entre les portants de la bibliothèque[1]. Elle choisissait des morceaux ou tout nouveaux ou qu'elle ne m'avait encore joués qu'une fois ou deux car[a], commençant à me connaître, elle savait que je n'aimais proposer à mon attention que ce qui m'était encore obscur, et pouvoir, au cours de ces exécutions successives, rejoindre les unes aux autres, grâce à la lumière croissante, mais hélas ! dénaturante et étrangère de mon intelligence, les lignes fragmentaires et interrompues de la construction, d'abord presque ensevelie dans la brume. Elle savait, et je crois comprenait la joie que donnait les premières fois à mon esprit ce travail de modelage d'une nébuleuse encore informe. Et pendant qu'elle jouait, de la multiple chevelure d'Albertine je ne pouvais voir qu'une coque de cheveux noirs en forme de cœur, appliquée au long de l'oreille comme le nœud d'une infante de Velasquez[2]. De même que le volume de cet ange musicien était constitué par les trajets multiples entre les différents points du passé que son souvenir occupait en moi et les différents sièges[3], depuis la vue jusqu'aux sensations les plus intérieures de mon être, qui m'aidaient à descendre jusque dans l'intimité du sien, la musique qu'elle jouait avait aussi un volume, produit par la visibilité inégale des différentes phrases, selon que j'avais plus ou moins réussi à y mettre de la lumière et à rejoindre les unes aux autres les lignes d'une construction qui m'avait d'abord paru presque tout entière noyée dans le brouillard. Albertine savait qu'elle me faisait plaisir en ne proposant à ma pensée que des choses encore obscures et le modelage de ces nébuleuses. Elle devinait qu'à la troisième ou quatrième exécution, mon intelligence en ayant atteint, par conséquent mis à la même distance, toutes les parties, et n'ayant plus d'activité à déployer à leur égard, les avait réciproquement étendues et immobilisées sur un plan uniforme. Elle ne passait pas cependant encore à un nouveau morceau, car sans peut-être bien se rendre compte du travail qui se faisait en moi, elle savait qu'au moment où le travail de mon intelligence était arrivé à dissiper le mystère d'une œuvre, il était bien rare qu'elle[b] n'eût pas, au cours de sa tâche néfaste, attrapé par compensation telle ou telle réflexion profitable. Et le jour où Albertine disait :

« Voilà un rouleau que nous allons donner à Françoise pour qu'elle nous le fasse changer contre un autre[1] », souvent il y avait pour moi sans doute un morceau de musique de moins dans le monde, mais une vérité de plus.

Je m'étais si bien rendu compte qu'il serait absurde d'être jaloux de Mlle Vinteuil et de son amie, comme Albertine ne cherchait nullement à les revoir, et de tous les projets de villégiature que nous avions formés avait écarté d'elle-même Combray si proche de Montjouvain, que souvent[a] ce que je demandais à Albertine de me jouer, et sans que cela me fît souffrir, c'était de la musique de Vinteuil[b]. Une seule fois, cette musique de Vinteuil avait été une cause indirecte de jalousie pour moi. En effet Albertine, qui savait que j'en avais entendu jouer chez Mme Verdurin par Morel, me parla un soir de lui en me manifestant un vif désir d'aller l'entendre, de le connaître. C'était justement deux jours après que j'avais appris la lettre, involontairement interceptée par M. de Charlus, de Léa à Morel. Je me demandai si Léa n'avait pas parlé de lui à Albertine. Les mots de « grande sale », « grande vicieuse » me revinrent à l'esprit avec horreur[2]. Mais, justement parce qu'ainsi la musique de Vinteuil fut liée douloureusement à Léa — non à Mlle Vinteuil et à son amie —, quand la douleur causée par Léa fut apaisée, je pus entendre cette musique sans souffrance ; un mal m'avait guéri de la possibilité des autres. Dans la musique entendue chez Mme Verdurin, des phrases inaperçues, larves[c] obscures alors indistinctes, devenaient d'éblouissantes architectures ; et certaines devenaient des amies, que j'avais à peine distinguées, qui au mieux m'avaient paru laides et dont je n'aurais jamais cru, comme ces gens antipathiques au début, qu'ils étaient tels qu'on les découvre, une fois qu'on les connaît bien. Entre les deux états il y avait une vraie transmutation. D'autre part, des phrases, distinctes la première fois, mais que je n'avais pas alors reconnues là, je les identifiais maintenant avec des phrases des autres œuvres, comme cette phrase de la Variation religieuse pour orgue qui chez Mme Verdurin avait passé inaperçue pour moi dans le septuor, où pourtant, sainte qui avait descendu les degrés du sanctuaire, elle se trouvait mêlée aux fées familières du musicien. D'autre part, la phrase qui m'avait paru trop peu mélodique, trop mécaniquement rythmée de la joie titubante des cloches de midi, maintenant c'était celle que j'aimais le mieux, soit que je me fusse habitué à sa laideur, soit que j'eusse découvert sa beauté[1]. Cette réaction sur la déception que causent d'abord les chefs-d'œuvre, on peut, en effet, l'attribuer à un affaiblissement de l'impression initiale, ou à l'effort nécessaire pour dégager la vérité. Deux hypothèses qui se représentent pour toutes les questions importantes, les questions de la réalité de l'Art, de la Réalité, de l'Éternité de l'âme : c'est un choix qu'il faut faire entre elles ; et pour la musique de Vinteuil, ce choix se représentait à tout moment sous bien des formes. Par exemple, cette musique me semblait quelque chose de plus vrai que tous les livres connus. Par instants je pensais que cela tenait à ce que ce qui est senti par nous dans la vie ne l'étant pas sous forme d'idées, sa traduction littéraire, c'est-à-dire intellectuelle, en rend compte, l'explique, l'analyse, mais ne le recompose pas comme la musique où les sons semblent prendre l'inflexion de l'être, reproduire cette pointe intérieure et extrême des sensations qui est la partie qui nous donne cette ivresse spécifique que nous retrouvons de temps en temps et que, quand nous disons : « Quel beau temps ! quel beau soleil[2] ! » nous ne faisons nullement connaître au prochain, en qui le même soleil et le même temps éveillent des vibrations toutes différentes. Dans la musique de Vinteuil, il y avait ainsi de ces visions qu'il est impossible d'exprimer et presque défendu de contempler, puisque, quand au moment de s'endormir on reçoit la caresse de leur irréel enchantement, à ce moment même, où la raison nous a déjà abandonnés, les yeux se scellent et, avant d'avoir eu le temps de connaître non seulement l'ineffable mais l'invisible, on s'endort. Il me semblait, quand[a] je m'abandonnais à cette hypothèse où l'art serait réel, que c'était même plus que la simple joie nerveuse d'un beau temps ou d'une nuit d'opium que la musique peut rendre, mais une ivresse plus réelle, plus féconde, du moins à ce que je pressentais. Mais il n'est pas possible qu'une sculpture, une musique qui donne une émotion qu'on sent plus élevée, plus pure, plus vraie, ne corresponde pas à une certaine réalité spirituelle, ou la vie n'aurait aucun sens. Ainsi rien ne ressemblait plus qu'une belle phrase de Vinteuil à ce plaisir particulier que j'avais quelquefois éprouvé dans ma vie, par exemple devant les clochers de

Martinville, certains arbres d'une route de Balbec ou plus simplement, au début de cet ouvrage, en buvant une certaine tasse de thé[1]. Comme cette tasse de thé, tant de sensations de lumière, les rumeurs[a] claires, les bruyantes couleurs que Vinteuil nous envoyait du monde où il composait, promenaient devant mon imagination, avec insistance mais trop rapidement pour qu'elle pût l'appréhender, quelque chose que je pourrais comparer à la soierie embaumée d'un géranium. Seulement, tandis que dans le souvenir ce vague peut être sinon approfondi du moins précisé grâce à un repérage de circonstances qui expliquent pourquoi une certaine saveur a pu vous rappeler des sensations lumineuses, les sensations vagues données par Vinteuil, venant non d'un souvenir, mais d'une impression (comme celle des clochers de Martinville), il aurait fallu trouver, de la fragrance de géranium de sa musique non une explication matérielle, mais l'équivalent profond, la fête inconnue et colorée (dont ses œuvres semblaient les fragments disjoints, les éclats aux cassures écarlates), mode selon lequel il « entendait » et projetait hors de lui l'univers. Cette qualité inconnue d'un monde unique et qu'aucun autre musicien ne nous avait jamais fait voir, peut-être était-ce en cela, disais-je à Albertine, qu'est la preuve la plus authentique du génie, bien plus que le contenu de l'œuvre elle-même. « Même en littérature ? me demandait Albertine. — Même en littérature[2]. » Et repensant à la monotonie des œuvres de Vinteuil, j'expliquais à Albertine que les grands littérateurs n'ont jamais fait qu'une seule œuvre, ou plutôt réfracté à travers des milieux divers une même beauté qu'ils apportent au monde. « S'il n'était pas si tard, ma petite, lui disais-je, je vous montrerais cela chez tous les écrivains que vous lisez pendant que je dors, je vous montrerais la même identité que chez Vinteuil. Ces phrases types[3], que vous commencez à reconnaître comme moi, ma petite Albertine, les mêmes dans la sonate, dans le septuor, dans les autres œuvres, ce serait par exemple, si vous voulez, chez Barbey d'Aurevilly[4] une réalité cachée révélée par une trace matérielle, la rougeur physiologique de l'Ensorcelée, d'Aimée de Spens, de la Clotte, la main du *Rideau cramoisi*, les vieux usages, les vieilles coutumes, les vieux mots, les métiers anciens et singuliers derrière lesquels il y a le Passé, l'histoire orale faite par les pâtres au miroir[5], les nobles cités normandes parfumées d'Angleterre et jolies comme un village d'Écosse, des lanceurs de malédictions[a] contre lesquelles on ne peut rien, la Vellini, le berger, une même sensation d'anxiété dans un paysage, que ce soit la femme cherchant son mari dans *Une vieille maîtresse*, ou le mari de *L'Ensorcelée*, parcourant la lande, et l'Ensorcelée elle-même au sortir de la messe. Ce sont encore des phrases-types de Vinteuil que cette géométrie du tailleur de pierre dans les romans de Thomas Hardy[1]. »

Les phrases de Vinteuil me firent penser à la petite phrase et je dis à Albertine qu'elle avait été comme l'hymne national de l'amour de Swann et d'Odette, « les parents de Gilberte, que vous connaissez je crois. Vous m'avez dit qu'elle avait mauvais genre. N'a-t-elle pas essayé d'avoir des relations avec vous ? Elle m'a parlé de vous. — Oui, comme ses parents la faisaient chercher en voiture au cours par les trop mauvais temps, je crois qu'elle me ramena une fois et m'embrassa », dit-elle au bout d'un moment, en riant et comme si c'était une confidence amusante. « Elle me demanda tout d'un coup si j'aimais les femmes. » (Mais si elle ne faisait que croire se rappeler que Gilberte l'avait ramenée, comment pouvait-elle dire avec autant de précision que Gilberte lui avait posé cette question bizarre ?) « Même, je ne sais quelle idée baroque me prit de la mystifier, je lui répondis que oui. » (On aurait dit qu'Albertine craignait que Gilberte m'eût raconté cela et qu'elle ne voulait pas que je constatasse qu'elle me mentait.) « Mais nous ne fîmes rien du tout. » (C'était étrange, si elles avaient échangé ces confidences, qu'elles n'eussent rien fait, surtout qu'avant cela même, elles s'étaient embrassées dans la voiture, au dire d'Albertine.) « Elle m'a ramenée comme cela quatre ou cinq fois, peut-être un peu plus, et c'est tout. » J'eus beaucoup de peine à ne poser aucune question, mais, me dominant pour avoir l'air de n'attacher à tout cela aucun importance, je revins aux tailleurs de pierre de Thomas Hardy. « Vous vous rappelez assez dans *Jude l'obscur*, avez-vous vu dans *La Bien-Aimée*, les blocs de pierres que le père extrait de l'île venant par bateaux s'entasser dans l'atelier du fils où elles deviennent statues[2] ; dans les *Yeux bleus* le parallélisme des tombes, et aussi la ligne parallèle du bateau, et les wagons contigus où sont les deux amoureux et la morte[3], le parallélisme entre *La Bien-Aimée* où l'homme aime trois femmes, les *Yeux bleus* où la femme aime trois hommes[1], etc., et enfin tous ces romans superposables les uns aux autres, comme les maisons verticalement entassées en hauteur sur le sol pierreux de l'île ? Je ne peux pas vous parler comme cela en une minute des plus grands, mais vous verriez dans Stendhal un certain sentiment de l'altitude se liant à la vie spirituelle, le lieu élevé où Julien Sorel est prisonnier, la tour au haut de laquelle est enfermé Fabrice, le clocher où l'abbé Blanès[a] s'occupe d'astrologie et d'où Fabrice jette un si beau coup d'œil[2]. Vous m'avez dit que vous aviez vu certains tableaux de Ver Meer, vous vous rendez bien compte que ce sont les fragments d'un même monde, que c'est toujours, quelque génie avec lequel elle soit recréée, la même table, le même tapis, la même femme, la même nouvelle et unique beauté, énigme à cette époque où rien ne lui ressemble ni ne l'explique, si on ne cherche pas à l'apparenter par les sujets, mais à dégager l'impression particulière que la couleur produit. Hé bien, cette beauté nouvelle, elle reste identique dans toutes les œuvres de Dostoïevski[3] : la femme de Dostoïevski (aussi particulière qu'une femme de Rembrandt), avec son visage mystérieux dont la beauté avenante se change brusquement, comme si elle avait joué la comédie de la bonté, en une insolence terrible (bien qu'au fond il semble qu'elle soit plutôt bonne), n'est-ce pas toujours la même, que ce soit Nastasia Philipovna écrivant des lettres d'amour à Aglaé et lui avouant qu'elle la hait, ou dans une visite entièrement identique à celle-là — à celle aussi où Nastasia Philipovna insulte les parents de Gania — Grouchenka, aussi gentille chez Katherina Ivanovna que celle-ci l'avait crue terrible, puis brusquement dévoilant sa méchanceté, insultant Katherina Ivanovna (et bien que Grouchenka fût au fond bonne) ? Grouchenka, Nastasia, figures aussi originales, aussi mystérieuses, non pas seulement que les courtisanes de Carpaccio mais que la Bethsabée de Rembrandt[4]. Remarquez qu'il n'a pas su certainement que ce visage éclatant, double, à brusques détentes d'orgueil qui font paraître la femme autre qu'elle n'est (« Tu n'es pas telle », dit Muichkine à Nastasia dans la visite aux parents de Gania, et Aliocha pourrait le dire à Grouchenka dans la visite à Katherina Ivanovna). Et en revanche quand il veut avoir des « idées de tableaux », elles sont toujours stupides et donneraient tout au plus les tableaux où Munkacsy[1] voudrait qu'on représente un condamné à mort au moment où etc., la Sainte Vierge au moment où etc. Mais pour revenir à la beauté neuve que Dostoïevski a apportée au monde, comme[a] chez Ver Meer il y création d'une certaine âme, d'une certaine couleur des étoffes et des lieux, il n'y a pas seulement création d'êtres, mais de demeures chez Dostoïevski, et la maison de l'Assassinat dans *Crime et châtiment*, avec son dvornik[2], n'est pas aussi merveilleuse que le chef-d'œuvre de la maison de l'Assassinat dans Dostoïevski, cette sombre, et si longue, et si haute, et si vaste maison de Rogojine où il tue Nastasia Philipovna[3]. Cette beauté nouvelle et terrible d'une maison, cette beauté nouvelle et mixte d'un visage de femme, voilà ce que Dostoïevski a apporté d'unique au monde, et les rapprochements que des critiques littéraires peuvent faire entre lui et Gogol, ou entre lui et Paul de Kock, n'ont aucun intérêt, étant extérieurs à cette beauté secrète[4]. Du reste, si je t'ai dit[5] que c'est de roman à roman la même scène, c'est au sein d'une même roman que les mêmes scènes, les mêmes personnages se reproduisent si le roman est très long. Je pourrais te le montrer bien facilement dans *La Guerre et la Paix,* et certaine scène dans une voiture[6]... — Je n'avais pas voulu vous interrompre, mais puisque je vois que vous quittez Dostoïevski, j'aurais peur d'oublier. Mon petit, qu'est-ce que vous avez voulu dire l'autre jour quand vous m'avez dit : "C'est comme le côté Dostoïevski de Mme de Sévigné." Je vous avoue que je n'ai pas compris. Cela me semble tellement différent. — Venez, petite fille, que je vous embrasse pour vous remercier de vous rappeler si bien ce que je dis, vous retournerez au pianola après. Et j'avoue que ce que j'avais dit là était assez bête. Mais je l'avais dit pour deux raisons. La première est une raison particulière. Il est arrivé que Mme de Sévigné, comme Elstir, comme Dostoïevski, au lieu de présenter les choses dans l'ordre logique, c'est-à-dire en commençant par la cause, nous montre d'abord l'effet, l'illusion qui nous frappe. C'est ainsi que Dostoïevski présente ses personnages. Leurs actions nous apparaissent aussi trompeuses que ces effets d'Elstir où la mer a l'air d'être dans le ciel. Nous sommes tout étonnés après d'apprendre que cet homme sournois est au fond excellent, ou le contraire. — Oui, mais un exemple pour

Mme de Sévigné. — J'avoue, lui répondis-je en riant, que c'est très tiré par les cheveux, mais enfin je pourrais trouver des exemples. Voici une description[a1].

— Mais est-ce qu'il a jamais assassiné quelqu'un, Dostoïevski ? Les romans que je connais de lui pourraient tous s'appeler l'Histoire d'un Crime. C'est une obsession chez lui, ce n'est pas naturel qu'il parle toujours de ça. — Je ne crois pas, ma petite Albertine, je connais mal sa vie. Il est certain que comme tout le monde il a connu le péché, sous une forme ou sous une autre, et probablement sous une forme que les lois interdisent. En ce sens-là il devait être un peu criminel, comme ses héros, qui ne le sont d'ailleurs pas tout à fait, qu'on condamne avec des circonstances atténuantes. Et ce n'était même peut-être pas la peine qu'il fût criminel. Je ne suis pas romancier[2], il est possible que les créateurs soient tentés par certaines formes de vie qu'ils n'ont pas personnellement éprouvées. Si je viens avec vous à Versailles comme nous avons convenu, je vous montrerai le portrait de l'honnête homme par excellence, du meilleur des maris, Choderlos de Laclos, qui a écrit le plus effroyablement pervers des livres[3], et juste en face de celui de Mme de Genlis qui écrivit des contes moraux et ne se contenta pas de tromper la duchesse d'Orléans, mais la supplicia en détournant d'elle ses enfants[4]. Je reconnais tout de même chez Dostoïevski cette préoccupation de l'assassinat a quelque chose d'extraordinaire et qui me le rend très étranger. Je suis déjà stupéfait quand j'entends Baudelaire dire :

> *Si le viol, le poison, le poignard, l'incendie...*
> *C'est que notre âme, hélas ! n'est pas assez hardie*[5].

Mais je peux au moins croire que Baudelaire n'est pas sincère. Tandis que Dostoïevski... Tout cela me semble aussi loin de moi que possible, à moins que j'aie en moi des parties que j'ignore, car on ne se réalise que successivement. Chez Dostoïevski je trouve des puits excessivement profonds, mais sur quelques points isolés de l'âme humaine. Mais c'est un grand créateur. D'abord, le monde qu'il peint a vraiment l'air d'avoir été créé pour lui. Tous ces bouffons qui reviennent sans cesse, tous ces Lebedev, Karamazov, Ivolguine, Segrev, cet incroyable cortège, c'est une humanité plus fantastique que celle qui peuple *La Ronde de nuit* de Rembrandt. Et peut-être pourtant n'est-elle fantastique que de la même manière, par l'éclairage et le costume, et est-elle au fond courante. En tout cas elle est à la fois pleine de vérités, profonde et unique, n'appartenant qu'à Dostoïevski. Cela a presque l'air, ces bouffons, d'un emploi qui n'existe plus, comme certains personnages de la comédie antique, et pourtant comme ils révèlent des aspects vrais de l'âme humaine ! Ce qui m'assomme, c'est la manière solennelle dont on parle et dont on écrit sur Dostoïevski. Avez-vous remarqué le rôle que l'amour-propre et l'orgueil jouent chez ses personnages ? On dirait que pour lui l'amour et la haine la plus éperdue, la bonté et la traîtrise, la timidité et l'insolence, ne sont que deux états d'une même nature, l'amour-propre, l'orgueil empêchant Aglaé, Nastasia, le capitaine dont Mitia[1] tire la barbe, Krassotkine, l'ennemi-ami d'Aliocha, de se montrer "tels" qu'ils sont en réalité. Mais il y a encore bien d'autres grandeurs. Je connais très peu de ses livres. Mais n'est-ce pas un motif sculptural et simple, digne de l'art le plus antique, une frise interrompue et reprise où se dérouleraient la Vengeance et l'Expiation, que le crime du père Karamazov engrossant la pauvre folle, le mouvement mystérieux, animal, inexpliqué, par lequel la mère, étant à son insu l'instrument des vengeances du destin, obéissant aussi obscurément à son instinct de mère, peut-être à un mélange de ressentiment et de reconnaissance physique pour le violateur, va accoucher chez le père Karamazov[2] ? Ceci, c'est le premier épisode, mystérieux, grand, auguste, comme une création de la Femme dans les sculptures d'Orvieto[3]. Et en réplique le second épisode, plus de vingt ans après, le meurtre du père Karamazov, l'infamie sur la famille Karamazov par ce fils de la folle, Smerdiakov, suivi peu après d'un même acte aussi mystérieusement sculptural et inexpliqué, d'une beauté aussi obscure et naturelle que l'accouchement dans le jardin du père Karamazov, Smerdiakov se pendant, son crime accompli[4]. Quant à[a] Dostoïevski, je ne le quittais pas tant que vous croyez en parlant de Tolstoï, qui l'a beaucoup imité. Et chez Dostoïevski il y a, concentré, encore contracté et grognon, beaucoup de ce qui s'épanouira chez Tolstoï. Il y a chez Dostoïevski cette maussaderie anticipée des primitifs que les disciples éclairciront. — Mon petit, comme c'est assommant que vous soyez si paresseux. Regardez comme vous voyez la littérature d'une façon plus intéressante qu'on ne nous la faisait étudier ; les devoirs qu'on nous faisait faire sur *Esther* : "Monsieur", vous vous rappelez », me dit-il en riant, moins pour se moquer de ses maîtres et d'elle-même que pour le plaisir de retrouver dans sa mémoire, dans notre mémoire commune, un souvenir déjà un peu ancien[1].

Mais tandis qu'elle me parlait, et comme je pensais à Vinteuil, à son tour c'était l'autre hypothèse[2], l'hypothèse matérialiste, celle du néant, qui se présentait à moi. Je me remettais à douter, je me disais qu'après tout il se pourrait que si les phrases de Vinteuil semblaient l'expression de certains états de l'âme — analogues à celui que j'avais éprouvé en goûtant la madeleine trempée dans la tasse de thé[3] — rien ne m'assurait que le vague de tels états fût une marque de leur profondeur, mais seulement de ce que nous n'avons pas encore su les analyser, qu'il n'y aurait donc rien de plus réel en eux que dans d'autres. Pourtant ce bonheur, ce sentiment de certitude dans le bonheur, pendant que je buvais la tasse de thé, que je respirais aux Champs-Élysées une odeur de vieux bois[4], ce n'était pas une illusion. En tout cas, me disait l'esprit du doute, même si ces états sont dans la vie plus profonds que d'autres, et sont inanalysables à cause de cela même, parce qu'ils mettent en jeu trop de forces dont nous ne nous sommes pas encore rendu compte, le charme de certaines phrases de Vinteuil fait penser à eux parce qu'il est lui aussi inanalysable, mais cela ne prouve pas qu'il ait la même profondeur. La beauté d'une phrase de musique pure paraît facilement l'image ou du moins la parente d'une impression inintellectuelle que nous avons eue, mais simplement parce qu'elle est inintellectuelle. Et pourquoi, alors, croyons-nous particulièrement profondes ces phrases mystérieuses qui hantent certains quatuors et ce « concert » de Vinteuil ? Ce n'était pas, du reste, que de la musique de lui que me jouait Albertine ; le pianola était par moments pour nous comme une lanterne magique scientifique (historique et géographique), et sur les murs de cette chambre de Paris pourvue d'inventions plus modernes que celle de Combray[5], je voyais, selon qu'Albertine jouait du Rameau ou du Borodine[6], s'étendre tantôt une tapisserie du XVIIIe siècle semée d'Amours sur un fond de roses, tantôt la steppe orientale où les sonorités s'étouffent dans l'illimité des distances et le feutrage de la neige. Et ces décorations[a] fugitives étaient d'ailleurs les seules de ma chambre, car si au moment où j'avais hérité de ma tante Léonie, je m'étais promis d'avoir des collections comme Swann, d'acheter des tableaux, des statues, tout mon argent passait à avoir des chevaux, une automobile, des toilettes pour Albertine. Mais ma chambre ne contenait-elle pas une œuvre d'art plus précieuse que toutes celles-là[1] ? C'était Albertine elle-même. Je la regardais. C'était étrange pour moi de penser que c'était elle, elle que j'avais crue si longtemps impossible même à connaître, qui aujourd'hui, bête sauvage domestiquée, rosier à qui j'avais fourni le tuteur, le cadre, l'espalier de sa vie, était ainsi assise, chaque jour, chez elle, près de moi, devant le pianola, adossée à ma bibliothèque. Ses épaules, que j'avais vues baissées et sournoises quand elle rapportait les clubs de golf, s'appuyaient à mes livres. Ses belles jambes, que le premier jour j'avais[b] imaginées avec raison avoir manœuvré pendant toute son adolescence les pédales d'une bicyclette, montaient et descendaient tour à tour sur celles du pianola, où Albertine, devenue d'une élégance qui me la faisait sentir plus à moi, parce que c'était de moi qu'elle lui venait, posait ses souliers en toile d'or. Ses doigts jadis familiers du guidon se posaient maintenant sur les *touches* comme[c] ceux d'une sainte Cécile[2] ; son cou dont le tour, vu de mon lit, était plein et fort et, à cette distance et sous la lumière de la lampe, paraissait plus rose, moins rose pourtant que son visage incliné de profil, auquel mes regards, venant des profondeurs de moi-même, chargés de souvenirs et brûlant de désir, ajoutaient un tel brillant, une telle intensité de vie que son relief semblait s'enlever et tourner avec la même puissance presque magique que le jour, à l'hôtel de Balbec, où ma vue était brouillée par mon trop grand désir de l'embrasser ; j'en prolongeais chaque surface au-delà de ce que j'en pouvais voir et sous celle qui me le cachait et ne me faisait que mieux sentir — paupières qui fermaient à demi les yeux, chevelure qui cachait le haut des joues — le relief de ces plans superposés ; les yeux, comme dans un minerai d'opale où elle est encore engainée, les deux plaques seules polies encore, devenus plus brillants que du métal tout en restant plus résistants que de la lumière, faisaient apparaître[a], au milieu de la matière aveugle qui les surplombe, comme les ailes de soie mauve d'un papillon qu'on aurait mis sous verre ; et les cheveux, noirs et crespelés, montrant d'autres ensembles selon qu'elle se tournait vers moi pour me demander ce qu'elle devait jouer, tantôt une aile magnifique, aiguë à sa pointe, large à sa base, noire, empennée et triangulaire, tantôt massant le relief de leurs boucles en une chaîne puissante et variée, pleine de crêtes, de lignes de partage, de précipices, avec leur fouetté si riche et si multiple semblant dépasser la variété que réalise habituellement la nature, et répondre plutôt au désir d'un sculpteur qui accumule les difficultés pour faire valoir la souplesse, la fougue, le fondu, la vie de son exécution, faisaient ressortir davantage, en l'interrompant pour la recouvrir, la courbe animée et comme la rotation du visage lisse et rose, du mat verni d'un bois peint. Et par contraste avec tant de relief, par l'harmonie aussi qui les unissait à elle, qui avait adapté son attitude à leur forme et à leur utilisation, le pianola qui la cachait à demi comme un buffet d'orgue, la bibliothèque, tout ce coin de la chambre semblait réduit à n'être plus que le sanctuaire éclairé, la crèche de cet ange musicien, œuvre d'art qui, tout à l'heure, par une douce magie, allait se détacher de sa niche et offrir à mes baisers sa substance précieuse et rose. Mais non ; Albertine n'était nullement pour moi une œuvre d'art. Je savais ce que c'était qu'admirer une femme d'une façon artistique — j'avais connu Swann. De moi-même d'ailleurs, j'étais, de n'importe quelle femme qu'il s'agît, incapable de le faire, n'ayant aucune espèce d'esprit d'observation extérieure, ne sachant jamais ce qu'était ce que je voyais, et j'étais moi-même émerveillé quand Swann ajoutait rétrospectivement pour moi une dignité artistique — en la comparant pour moi, comme il se plaisait à le faire galamment devant elle-même, à quelque portrait de Luini[1], en retrouvant dans sa toilette la robe ou les bijoux d'un tableau de Giorgione[2] — à une femme qui m'avait semblé insignifiante. Rien de tel chez moi. Même[b], pour dire vrai, quand je commençais à regarder Albertine comme un ange musicien merveilleusement patiné et que je me félicitais de posséder, elle ne tardait pas à me devenir indifférente, je m'ennuyais bientôt auprès d'elle, mais ces instants-là duraient peu. On[c] n'aime que ce en quoi on poursuit quelque chose d'inaccessible, on n'aime que ce qu'on ne possède pas, et bien vite je me remettais à me rendre compte que je ne possédais pas Albertine. Dans ses yeux je voyais passant, tantôt l'espérance, tantôt le souvenir, peut-être le regret, de joies que je ne devinais pas, auxquelles dans ce cas elle préférait renoncer plutôt que de me les dire, et que, n'en saisissant que cette lueur dans ses prunelles, je n'apercevais pas davantage que le spectateur qu'on n'a pas laissé entrer dans la salle et qui, collé au carreau vitré de la porte, ne peut rien apercevoir de ce qui se passe sur la scène. (Je ne sais si c'était le cas pour elle, mais c'est une étrange chose, comme un témoignage chez les plus incrédules d'une croyance au bien, que cette persévérance dans le mensonge qu'ont tous ceux qui nous trompent. On aurait beau leur dire que leur mensonge fait plus de peine que l'aveu, ils auraient beau s'en rendre compte, qu'ils mentiraient encore l'instant d'après pour rester conformes à ce qu'ils nous ont dit d'abord qu'ils étaient, ou à ce qu'ils nous ont dit que nous étions pour eux. C'est ainsi qu'un athée qui tient à la vie, se fait tuer pour ne pas donner un démenti à l'idée qu'on a de sa bravoure.) Pendant ces heures, quelquefois je voyais flotter sur elle, dans ses regards, dans sa moue, dans son sourire, le reflet de ces spectacles intérieurs dont la contemplation la faisait ces soirs-là dissemblable, éloignée de moi à qui ils étaient refusés. « À quoi pensez-vous, ma chérie ? — Mais à rien. » Quelquefois, pour répondre à ce reproche que je lui faisais de ne me rien dire, tantôt elle me disait des choses qu'elle n'ignorait pas que je savais aussi bien que tout le monde (comme ces hommes d'État qui ne vous annonceraient pas la plus petite nouvelle, mais vous parlent, en revanche, de celle qu'on a pu lire dans les journaux de la veille), tantôt elle me racontait sans précision aucune, en des sortes de fausses confidences, des promenades en bicyclette qu'elle faisait à Balbec, l'année d'avant de me connaître. Et comme si j'avais deviné juste autrefois, en inférant de lui[1] qu'elle devait être une jeune fille très libre, faisant de très longues parties, l'évocation qu'elle faisait de ces promenades insinuait entre les lèvres d'Albertine ce même mystérieux sourire qui m'avait séduit les premiers jours, sur la digue de Balbec. Elle me parlait aussi de ces promenades qu'elle avait faites avec des amies dans la campagne hollandaise, de ses retours le soir à

Amsterdam, à des heures tardives, quand une foule compacte et joyeuse de gens qu'elle connaissait presque tous emplissait les rues, les bords des canaux, dont je croyais voir se refléter dans les yeux brillants d'Albertine, comme dans les glaces incertaines d'une rapide voiture, les feux innombrables et fuyants[1]. Que la soi-disant curiosité esthétique mériterait plutôt le nom d'indifférence auprès de la curiosité douloureuse, inlassable, que j'avais des lieux où Albertine avait vécu, de ce qu'elle avait pu faire tel soir, des sourires, des regards qu'elle avait eus, des mots qu'elle avait dits, des baisers qu'elle avait reçus ! Non[a], jamais la jalousie que j'avais eue un jour de Saint-Loup, si elle avait persisté, ne m'eût donné cette immense inquiétude. Cet amour entre femmes était quelque chose de trop inconnu, dont rien ne permettait d'imaginer avec certitude, avec justesse, les plaisirs, la qualité. Que de gens, que de lieux (même qui ne la concernaient pas directement, de vagues lieux de plaisir où elle avait pu en goûter, les lieux où il y a beaucoup de monde, où on est frôlé) Albertine — comme une personne qui, faisant passer sa suite, toute une société, au contrôle devant elle, la fait entrer au théâtre — du seuil de mon imagination ou de mon souvenir, où je ne me souciais pas d'eux, avait introduits dans mon cœur ! Maintenant, la connaissance que j'avais d'eux était interne, immédiate, spasmodique, douloureuse. L'amour, c'est l'espace et le temps rendus sensibles au cœur.

Et peut-être pourtant, entièrement fidèle, je n'eusse pas souffert d'infidélités que j'eusse été incapable de concevoir. Mais ce qui me torturait à imaginer chez Albertine, c'était mon propre désir perpétuel de plaire à de nouvelles femmes, d'ébaucher de nouveaux romans ; c'était de lui supposer ce regard que je n'avais pu, l'autre jour, même à côté d'elle, m'empêcher de jeter sur les jeunes cyclistes assises aux tables du bois de Boulogne. Comme il n'est de connaissance, on peut presque dire qu'il n'est de jalousie que de soi-même. L'observation compte peu. Ce n'est que du plaisir ressenti par soi-même qu'on peut tirer savoir et douleur.

Par instants, dans les yeux d'Albertine, dans la brusque inflammation de son teint, je sentais comme un éclair de chaleur passer furtivement dans des régions plus inaccessibles pour moi que le ciel et où évoluaient les souvenirs, à moi inconnus, d'Albertine. Alors cette beauté qu'en pensant aux années successives où j'avais connu Albertine, soit sur la plage de Balbec, soit à Paris, je[a] lui avais trouvée depuis peu, et qui consistait en ce que mon amie se développait sur tant de plans et contenait tant de jours écoulés, cette beauté prenait pour moi quelque chose de déchirant. Alors sous ce visage rosissant je sentais se réserver comme un gouffre l'inexhaustible espace des soirs où je n'avais pas connu Albertine. Je pouvais bien prendre Albertine sur mes genoux, tenir sa tête dans mes mains, je pouvais la caresser, passer longuement mes mains sur elle, mais, comme si j'eusse manié une pierre qui enferme la salure des océans immémoriaux ou le rayon d'une étoile, je sentais que je touchais seulement l'enveloppe close d'un être qui par l'intérieur accédait à l'infini. Combien je souffrais de cette position où nous a réduits l'oubli de la nature qui, en instituant la division des corps, n'a pas songé à rendre possible l'interpénétration des âmes ! Et je me rendais compte qu'Albertine n'était pas même pour moi (car si son corps était au pouvoir du mien, sa pensée échappait aux prises de ma pensée) la merveilleuse captive dont j'avais cru enrichir ma demeure, tout en y cachant aussi parfaitement sa présence, même à ceux qui venaient me voir et qui ne la soupçonnaient pas au bout du couloir dans la chambre voisine, que ce personnage dont tout le monde ignorait qu'il tenait enfermée dans une bouteille la princesse de la Chine[1] ; m'invitant sous une forme pressante, cruelle et sans issue, à la recherche du passé, elle était plutôt comme une grande déesse du Temps. Et s'il a fallu que je perdisse pour elle des années, ma fortune, et pourvu que je puisse me dire, ce qui n'est pas sûr, hélas, qu'elle n'y a, elle, pas perdu, je n'ai rien à regretter. Sans doute la solitude eût mieux valu, plus féconde, moins douloureuse. Mais la vie de collectionneur que me conseillait Swann, que me reprochait de ne pas connaître M. de Charlus, quand avec un mélange d'esprit, d'insolence et de goût, il me disait : « Comme c'est laid chez vous ! », quelles statues, quels tableaux longuement poursuivis, enfin possédés, ou même, à tout mettre au mieux, contemplés avec désintéressement, m'eussent, comme la petite blessure qui se cicatrisait assez vite, mais que la maladresse inconsciente d'Albertine, des indifférents, ou de mes propres pensées, ne tardait pas rouvrir, donné accès sur cette issue hors de soi-même, ce chemin de communication privé, mais qui donne sur la grande route où passe ce que nous ne connaissons que du jour où nous en avons souffert : la vie des autres[1] ?

Quelquefois il faisait un si beau clair de lune qu'une heure à peine après qu'Albertine était couchée, j'allais jusqu'à son lit pour lui dire de regarder la fenêtre. Je suis sûr que c'est pour cela que j'allais dans sa chambre, et non pour m'assurer qu'elle y était bien. Quelle apparence qu'elle pût et souhaitât de s'en échapper ? Il eût fallu une collusion invraisemblable avec Françoise. Dans la chambre sombre je ne voyais rien que sur la blancheur de l'oreiller un mince diadème de cheveux noirs. Mais j'entendais la respiration d'Albertine. Son sommeil était si profond que j'hésitais à aller jusqu'au lit ; je m'asseyais au bord ; le sommeil continuait de couler avec le même murmure. Ce qui est impossible à dire, c'est à quel point ses réveils étaient gais. Je l'embrassais, je la secouais. Aussitôt elle s'arrêtait de dormir, mais sans même l'invervalle d'un instant éclatait de rire, me disait en nouant ses bras à mon cou : « J'étais justement en train de me demander si tu ne viendrais pas », et elle riait tendrement de plus belle. On aurait dit que sa tête charmante, quand elle dormait, n'était pleine que de gaieté, de tendresse et de rire. Et en l'éveillant j'avais seulement, comme quand on ouvre un fruit, fait fuser le jus jaillissant qui désaltère.

L'hiver cependant finissait ; la belle saison revint[2], et souvent, comme Albertine venait seulement de me dire bonsoir, ma chambre, mes rideaux, le mur au-dessus des rideaux étant encore tout noirs, dans le jardin des religieuses voisines j'entendais, riche et précieuse dans le silence comme un harmonium d'église, la modulation d'un oiseau inconnu qui, sur le mode lydien[3], chantait déjà matines, et au milieu de mes ténèbres mettait la riche note éclatante du soleil qu'il voyait. Bientôt les nuits raccourcirent, et avant les heures anciennes du matin, je voyais déjà dépasser des rideaux de ma fenêtre la blancheur quotidiennement accrue du jour. Si je me résignais à laisser encore mener à Albertine cette vie où malgré ses dénégations je sentais qu'elle avait l'impression d'être prisonnière, c'était seulement parce que chaque jour j'étais sûr que le lendemain je pourrais me mettre, en même temps qu'à travailler, à me lever, à sortir, à préparer un départ pour quelque propriété que nous achèterions et où Albertine pourrait mener plus librement et sans inquiétude pour moi la vie de campagne ou de mer, de navigation ou de chasse, qui lui plairait.

Seulement le lendemain, ce temps[a] passé que j'aimais et détestais tour à tour en Albertine (comme, quand il est le présent, entre lui et nous, chacun, par intérêt, ou politesse, ou pitié, travaille à tisser un rideau de mensonges que nous prenons pour la réalité) il arrivait que rétrospectivement une des heures qui le composaient et même de celles que j'avais cru connaître, me présentait tout d'un coup un aspect qu'on n'essayait pas de me voiler et qui était tout différent de celui sous lequel elle m'était apparue. Derrière tel regard, à la place de la bonne pensée que j'avais cru y voir autrefois, c'était un désir insoupçonné jusque-là qui se révélait, m'aliénant une nouvelle partie de ce cœur d'Albertine que j'avais cru assimilé au mien. Par exemple, quand Andrée avait quitté Balbec au mois[b] de juillet, Albertine ne m'avait jamais dit qu'elle dût bientôt la revoir ; et je pensais qu'elle l'avait revue même plus tôt qu'elle n'eût cru, puisque, à cause de la grande tristesse que j'avais eue à Balbec, cette nuit du 14 septembre, elle m'avait fait le sacrifice de ne pas y rester et de revenir tout de suite à Paris[1]. Quand elle était arrivée, le 15, je lui avais demandé d'aller voir Andrée et lui avais dit : « A-t-elle été contente de vous revoir ? » Or maintenant, Mme Bontemps étant venue pour apporter quelque chose à Albertine[2], je[c] la vis un instant et lui dis qu'Albertine était sortie avec Andrée : « Elles sont allées se promener dans la campagne. — Oui, me répondit Mme Bontemps. Albertine n'est pas difficile en fait de campagne. Ainsi, il y a trois ans, tous les jours il fallait aller aux Buttes-Chaumont. » À ce nom de Buttes-Chaumont, où Albertine m'avait dit n'être jamais allée, ma respiration s'arrêta un instant. La réalité est le plus habile des ennemis. Elle prononce ses attaques sur le point de notre cœur où nous ne les attendions pas, et où nous n'avions pas préparé de défense[d]. Albertine avait-elle menti à sa tante alors, en lui disant qu'elle allait tous les jours aux Buttes-Chaumont, à moi depuis, en me disant qu'elle ne les connaissait pas ? « Heureusement, ajouta Mme Bontemps, que cette pauvre Andrée va bientôt partir pour une campagne plus vivifiante, pour la vraie campagne, elle en a bien besoin, elle a si mauvaise mine. Il eſt vrai qu'elle n'a pas eu, cet été, le temps d'air qui lui eſt nécessaire. Pensez qu'elle a quitté Balbec à la fin de juillet croyant revenir en septembre, et comme son frère s'eſt[a] démis le genou, elle n'a pas pu revenir. » Alors Albertine l'attendait à Balbec et me l'avait caché ! Il eſt vrai que c'était d'autant plus gentil de m'avoir proposé de revenir. À moins que... « Oui, je me rappelle qu'Albertine m'avait parlé de cela... (ce n'était pas vrai). Quand donc a eu lieu cet accident ? Tout cela eſt un peu brouillé dans ma tête. — Mais en un sens il a eu lieu juſte à point, car un jour plus tard la location de la villa était commencée, et la grand-mère d'Andrée aurait été obligée de payer un mois inutile. Il s'eſt cassé la jambe le 14 septembre, elle a eu le temps de télégraphier à Albertine le 15 au matin qu'elle ne viendrait pas, et Albertine de prévenir l'agence. Un jour plus tard, cela courait jusqu'au 15 octobre. » Ainsi, sans doute, quand Albertine changeant d'avis, m'avait dit : « Partons ce soir », ce qu'elle voyait c'était un appartement que je ne connaissais pas, celui de la grand-mère d'Andrée, où dès notre retour, elle allait pouvoir retrouver l'amie que, sans que je m'en doutasse, elle avait cru revoir bientôt à Balbec. Les paroles si gentilles, pour revenir avec moi, qu'elle avait eues en contraſte avec son *opiniâtre* refus d'un peu avant, j'avais cherché à les attribuer à un revirement de son bon cœur. Elles étaient tout simplement le reflet d'un changement intervenu dans une situation que nous ne connaissons pas, et qui eſt tout le secret de la variation de la conduite des femmes qui ne nous aiment pas. Elles nous refusent obſtinément un rendez-vous pour le lendemain, parce qu'elles sont fatiguées, parce que leur grand-père exige qu'elles dînent chez lui. « Mais venez après », insiſtons-nous. « Il me retient très tard. Il pourra me raccompagner. » Simplement elles ont un rendez-vous avec quelqu'un qui leur plaît. Soudain celui-ci n'eſt plus libre. Et elles viennent nous dire le regret de nous avoir fait de la peine, qu'envoyant promener leur grand-père, elles reſteront auprès de nous, ne tenant à rien d'autre. J'aurais dû reconnaître ces phrases dans le langage que m'avait tenu Albertine le jour de mon départ, à Balbec. Pourtant, je ne devais peut-être pas ne reconnaître qu'elles, mais pour interpréter ce langage me souvenir de deux traits particuliers du caractère d'Albertine.

Deux traits du caractère d'Albertine me revinrent à ce moment à l'esprit, l'un pour me consoler, l'autre pour me désoler, car nous trouvons de tout dans notre mémoire : elle est une espèce de pharmacie, de laboratoire de chimie, où on met au hasard la main tantôt sur une drogue calmante, tantôt sur un poison dangereux. Le premier trait, le consolant, fut cette habitude de faire servir une même action au plaisir de plusieurs personnes, cette utilisation multiple de ce qu'elle faisait, qui était caractéristique chez Albertine. C'était[a] bien dans son caractère, revenant à Paris (le fait qu'Andrée ne revenait pas pouvait lui rendre incommode de rester à Balbec sans que cela signifiât qu'elle ne pouvait pas se passer d'Andrée), de tirer de ce seul voyage une occasion de toucher deux personnes qu'elle aimait sincèrement : moi, en me faisant croire que c'était pour ne pas me laisser seul, pour que je ne souffrisse pas, par dévouement pour moi, Andrée, en la persuadant que, du moment qu'elle ne venait pas à Balbec, elle ne voulait pas y rester un instant de plus, qu'elle n'avait prolongé que pour la voir et qu'elle accourait dans l'instant vers elle. Or le départ d'Albertine avec moi succédait en effet d'une façon si immédiate, d'une part à mon chagrin, à mon désir de revenir à Paris, d'autre part à la dépêche d'Andrée, qu'il était tout naturel qu'Andrée et moi, ignorant respectivement, elle mon chagrin, moi sa dépêche, eussions pu croire que le départ d'Albertine était l'effet de la seule cause que chacun de nous connût et qu'il suivait en effet à si peu d'heures de distance et si inopinément. Et dans ce cas, je pouvais encore croire que m'accompagner avait été le but réel d'Albertine, qui n'avait pas voulu négliger pourtant une occasion de s'en faire un titre à la gratitude d'Andrée. Mais malheureusement je me rappelai presque aussitôt un autre trait du caractère d'Albertine et qui était la vivacité avec laquelle la saisissait la tentation irrésistible d'un plaisir. Or je me rappelais, quand elle eut décidé de partir, quelle impatience elle avait d'arriver au train, comme elle avait bousculé le directeur, qui en cherchant à nous retenir aurait pu nous faire manquer l'omnibus, les haussements d'épaules de connivence qu'elle me faisait et dont j'avais été si touché, quand, dans le tortillard, M. de Cambremer nous avait demandé si nous ne pouvions pas remettre à huitaine. Oui, ce qu'elle voyait devant ses yeux à ce moment-là, ce qui la rendait si fiévreuse de partir, ce qu'elle était impatiente de retrouver, c'était un appartement inhabité que j'avais vu une fois, appartenant à la grand-mère d'Andrée, un appartement luxueux à la garde d'un vieux valet de chambre, en plein midi, mais si vide, si silencieux que le soleil avait l'air de mettre des housses sur le canapé, sur les fauteuils des chambres où Albertine et Andrée demandaient au gardien respectueux, peut-être naïf, peut-être complice, de les laisser se reposer[1].

Je le voyais tout le temps maintenant, vide, avec un lit ou un canapé, une bonne dupe ou complice, et où chaque fois qu'Albertine avait l'air pressé et sérieux elle partait pour retrouver son amie, sans doute arrivée avant elle parce qu'elle était plus libre. Je n'avais jamais pensé jusque-là à cet appartement, qui maintenant avait pour moi une horrible beauté. L'inconnu de la vie des êtres est comme celui de la nature, que chaque découverte scientifique ne fait que reculer mais n'annule pas. Un jaloux exaspère celle qu'il aime en la privant de mille plaisirs sans importance. Mais ceux qui sont le fond de la vie de celle-ci, elle les abrite là où, dans les moments où son intelligence croit montrer le plus de perspicacité et où les tiers le renseignent le mieux, il n'a pas idée de chercher.

Mais enfin du moins, Andrée allait partir. Mais je ne voulais pas qu'Albertine pût me mépriser comme ayant été dupe d'elle et d'Andrée. Mais[a] un jour ou l'autre je le lui dirais. Et ainsi je la forcerais peut-être à me parler plus franchement, en lui montrant que j'étais informé tout de même des choses qu'elle me cachait. Mais je ne voulais pas lui parler de cela encore, d'abord parce que, si près de la visite de sa tante, elle eût compris d'où me venait mon information, eût tari cette source, et n'en eût pas redouté d'inconnues. Ensuite parce que je ne voulais pas risquer, tant que je ne serais pas absolument certain de garder Albertine aussi longtemps que je voudrais, de causer en elle trop de colères qui auraient pu avoir pour effet de lui faire désirer me quitter. Il est vrai que si je raisonnais, cherchais la vérité, pronostiquais l'avenir d'après ses paroles, lesquelles approuvaient toujours tous mes projets, exprimaient combien elle aimait cette vie, combien sa claustration la privait peu, je ne doutais pas qu'elle restât toujours auprès de moi. J'en étais même fort ennuyé, je sentais la vie, l'univers, auxquels je n'avais jamais goûté, m'échapper, échangés contre une femme dans laquelle je ne pouvais plus rien trouver de nouveau. Je ne pouvais même pas aller à Venise[1] où, pendant que je serais couché, je serais trop torturé par la crainte des avances que pourraient lui faire le gondolier, les gens de l'hôtel, les Vénitiennes. Mais si je raisonnais au contraire d'après l'autre hypothèse, celle qui s'appuyait non sur les paroles d'Albertine, mais sur des silences, des regards, des rougeurs, des bouderies, et même des colères dont il m'eût été bien facile de lui montrer qu'elles étaient sans cause et dont j'aimais mieux avoir l'air de ne pas m'apercevoir, alors je me disais que cette vie lui était insupportable, que tout le temps elle se trouvait privée de ce qu'elle aimait, et que fatalement elle me quitterait un jour. Tout ce que je voulais, si elle le faisait, c'est que je pusse choisir le moment, un moment où cela ne me serait pas trop pénible, et puis dans une saison où elle ne pourrait aller dans aucun des endroits où je me représentais ses débauches, ni à Amsterdam, ni chez Andrée, ni chez Mlle Vinteuil, qu'elle retrouverait, il est vrai, quelques mois plus tard. Mais d'ici là je me serais calmé et cela me serait devenue indifférent. En tout cas il fallait attendre pour y songer que fût guérie la petite rechute qu'avait causée la découverte des raisons pour lesquelles Albertine à quelques heures de distance avait voulu ne pas quitter, puis quitter immédiatement Balbec ; il fallait[a] laisser le temps de disparaître aux symptômes qui ne pouvaient qu'aller en s'atténuant si je n'apprenais rien de nouveau, mais encore trop aigus pour ne pas rendre plus douloureuse, plus difficile, une opération de rupture reconnue maintenant inévitable, mais nullement urgente et qu'il valait mieux pratiquer « à froid[b] ». Ce choix du moment, j'en étais le maître ; car si elle voulait partir avant que je l'eusse décidé, au moment où elle m'annoncerait qu'elle avait assez de cette vie, il serait toujours temps d'aviser à combattre ses raisons, de lui laisser plus de liberté, de lui promettre quelque grand plaisir prochain qu'elle souhaiterait elle-même d'attendre, voire, si je ne trouvais de recours qu'en son cœur, de lui avouer mon chagrin. J'étais donc bien tranquille à ce point de vue, n'étant pas d'ailleurs en cela très logique avec moi-même. Car, dans une hypothèse où je ne tenais précisément pas compte des choses qu'elle disait et qu'elle annonçait, je supposais que, quand il s'agirait de son départ, elle me donnerait d'avance ses raisons, me laisserait les combattre et les vaincre.

Je sentais que ma vie avec Albertine n'était, pour une part, quand je n'étais pas jaloux, qu'ennui, pour l'autre part, quand j'étais jaloux, que souffrance. À supposer qu'il y eût eu du bonheur, il ne pouvait durer. Dans le même esprit de sagesse qui m'inspirait à Balbec, le soir[a] où nous avions été heureux après la visite de Mme de Cambremer, je voulais la quitter parce que je savais qu'à prolonger je ne gagnerais rien[1]. Seulement, maintenant encore, je m'imaginais que le souvenir que je garderais d'elle serait comme une sorte de vibration prolongée par une pédale, de la minute[b] de notre séparation. Aussi je tenais à choisir une minute douce, afin que ce fût elle qui continuât à vibrer en moi. Il ne fallait pas être trop difficile, attendre trop, il fallait être sage. Et pourtant, ayant tant attendu, ce serait folie de ne pas savoir attendre quelques jours de plus, jusqu'à ce qu'une minute acceptable se présentât, plutôt que de risquer de la voir partir avec cette même révolte que j'avais autrefois quand maman s'éloignait de mon lit sans me redire bonsoir, ou quand elle me disait adieu à la gare. À tout hasard je multipliais les gentillesses que je pouvais lui faire. Pour les robes de Fortuny, nous nous étions enfin décidés pour une bleu et or doublée de rose, qui venait d'être terminée. Et j'avais commandé tout de même les cinq auxquelles elle avait renoncé avec regret, par préférence pour celle-là.

Pourtant[c], à la venue du printemps, deux mois ayant passé depuis ce que m'avait dit sa tante, je me laissai emporter par la colère un soir. C'était justement celui où Albertine avait revêtu pour la première fois la robe de chambre bleu et or de Fortuny qui, en m'évoquant Venise, me faisait plus sentir encore ce que je sacrifiais pour Albertine qui ne m'en savait aucun gré. Si je n'avais jamais vu Venise, j'en rêvais sans cesse depuis ces vacances de Pâques, qu'encore enfant, j'avais dû y passer, et plus anciennement encore par les gravures du Titien et les photographies de Giotto que Swann m'avait jadis données à Combray[2]. La robe de Fortuny que portait ce soir-là Albertine me semblait comme l'ombre tentatrice de cette invisible Venise. Elle était envahie d'ornementation arabe comme Venise, comme les palais de Venise dissimulés à la façon des sultanes derrière un voile ajouré de pierre, comme les reliures de la bibliothèque Ambrosienne[1], comme les colonnes desquelles[a] les oiseaux orientaux qui signifient alternativement la mort et la vie, se répétaient dans le miroitement de l'étoffe, d'un bleu profond qui au fur et à mesure que mon regard s'y avançait se changeait en or malléable, par ces mêmes transmutations qui, devant la gondole qui s'avance, changent en métal flamboyant l'azur du Grand Canal. Et les manches étaient doublées d'un rose cerise qui est si particulièrement vénitien qu'on l'appelle rose Tiepolo[2].

Dans la journée, Françoise avait laissé échapper devant moi qu'Albertine n'était contente de rien, que quand je lui faisais dire que je sortirais avec elle, ou que je ne sortirais pas, que l'automobile viendrait la prendre, ou ne viendrait pas, elle haussait presque les épaules et répondait à peine poliment. Ce soir-là[3], où[b] je la sentais de mauvaise humeur et où la première grande chaleur m'avait énervé, je ne pus retenir ma colère et lui reprochai son ingratitude : « Oui, vous pouvez demander à tout le monde, criai-je de toutes mes forces, hors de moi, vous pouvez demander à Françoise, ce n'est qu'un cri. » Mais aussitôt je me rappelai qu'Albertine m'avait dit une fois combien elle me trouvait l'air terrible quand j'étais en colère, et m'avait appliqué les vers d'*Esther* :

Jugez combien ce front irrité contre moi
Dans mon âme troublée a dû jeter d'émoi...
Hélas ! sans frissonner quel cœur audacieux
Soutiendrait les éclairs qui partent de vos yeux[4] *?*

J'eus honte de ma violence. Et pour revenir sur ce que j'avais fait, sans cependant que ce fût une défaite, de manière que ma paix fût une paix armée et redoutable, en même temps qu'il me semblait utile de montrer que je ne craignais pas une rupture pour qu'elle n'en eût pas l'idée : « Pardonnez-moi, ma petite Albertine, j'ai honte de ma violence, j'en suis désespéré. Si nous ne pouvons plus nous entendre, si nous devons nous quitter, il ne faut pas que ce soit ainsi, ce ne serait pas digne de nous. Nous nous quitterons s'il le faut, mais avant tout je tiens à vous demander pardon bien humblement de tout mon cœur. » Je pensai que pour réparer cela, et m'assurer de ses projets de rester pour le temps qui allait suivre, et au moins jusqu'à ce qu'Andrée fût partie, ce qui était dans trois semaines, il serait bon dès le lendemain de chercher quelque plaisir plus grand que ceux qu'elle avait encore eus, et à assez longue échéance ; aussi, puisque j'allais effacer l'ennui que je lui avais causé, peut-être ferais-je bien de profiter de ce moment pour lui montrer que je connaissais mieux sa vie qu'elle ne croyait. La mauvaise humeur qu'elle ressentirait serait effacée demain par mes gentillesses, mais l'avertissement resterait dans son esprit. « Oui, ma petite Albertine, pardonnez-moi si j'ai été violent. Je ne suis pas tout à fait aussi coupable que vous croyez. Il y a des gens méchants qui cherchent à nous brouiller, je n'avais jamais voulu vous en parler pour ne pas vous tourmenter, et je finis par être affolé quelquefois de certaines dénonciations. » Et voulant profiter de ce que j'allais pouvoir lui montrer que j'étais au courant pour le départ de Balbec : « Ainsi tenez, vous saviez que Mlle Vinteuil devait venir chez Mme Verdurin l'après-midi où vous êtes allée au Trocadéro. » Elle rougit. « Oui, je le savais. — Pouvez-vous me jurer que ce n'était pas pour ravoir des relations avec elle ? — Mais bien sûr que je peux vous le jurer. Pourquoi “ravoir” ? je n'en ai jamais eu, je vous le jure. » J'étais navré d'entendre Albertine me mentir ainsi, me nier l'évidence que sa rougeur m'avait trop avouée. Sa fausseté me navrait. Et pourtant, comme elle contenait une protestation d'innocence que sans m'en rendre compte j'étais prêt à croire, elle me fit moins de mal que sa sincérité quand, lui ayant demandé : « Pouvez-vous du moins me jurer que le plaisir de revoir Mlle Vinteuil n'entrait pour rien dans votre désir d'aller à cette matinée des Verdurin ? » elle me répondit : « Non, cela je ne peux pas le jurer. Cela me faisait un grand plaisir de revoir Mlle Vinteuil. » Une seconde avant, je lui en voulais de dissimuler ses relations avec Mlle Vinteuil, et maintenant l'aveu du plaisir qu'elle aurait eu à la voir me cassait bras et jambes. Sans doute, quand Albertine m'avait dit, quand j'étais rentré de chez les Verdurin : « Est-ce qu'ils ne devaient pas avoir Mlle Vinteuil ? » elle m'avait rendu toute ma souffrance en me prouvant qu'elle savait sa venue. Mais je m'étais sans doute fait depuis ce raisonnement : « Elle savait sa venue qui ne lui faisait aucune espèce de plaisir, mais comme elle a dû comprendre après coup que c'est la révélation qu'elle connaissait une personne d'aussi mauvaise réputation que Mlle Vinteuil, qui m'avait tant désespéré à Balbec jusqu'à me donner l'idée du suicide, elle n'a pas voulu m'en parler. » Et puis voilà qu'elle était obligée de m'avouer que cette venue lui faisait plaisir. D'ailleurs, sa façon mystérieuse de vouloir aller chez les Verdurin eût dû m'être une preuve suffisante. Mais je n'y avais plus assez pensé. Aussi quoique me disant maintenant : « Pourquoi n'avoue-t-elle qu'à moitié ? c'est encore plus bête que méchant et que triste », j'étais tellement écrasé que je n'eus pas le courage d'insister là-dessus, où je n'avais pas le beau rôle n'ayant pas de document révélateur à produire, et pour ressaisir mon ascendant je me hâtai de passer au sujet d'Andrée qui allait me permettre de mettre en déroute Albertine par l'écrasante révélation de la dépêche d'Andrée. « Tenez, lui dis-je, maintenant on me tourmente, on me persécute à me reparler de vos relations, mais avec Andrée. — Avec Andrée ? ? » s'écria-t-elle. La mauvaise humeur enflammait son visage. Et l'étonnement ou le désir de paraître étonnée écarquillait ses yeux. « C'est chcharmant ! ! Et peut-on savoir qui vous a dit ces belles choses ? est-ce que je pourrais leur parler, à ces personnes ? savoir sur quoi elles appuient leurs infamies ? — Ma petite Albertine, je ne sais pas, ce sont des lettres anonymes, mais de personnes que vous trouveriez peut-être assez facilement (pour lui montrer que je ne craignais pas qu'elle cherchât), car elles doivent bien vous connaître. La dernière, je vous l'avoue (et je vous cite celle-là justement parce qu'il s'agit d'un rien et qu'elle n'a rien de pénible à citer), m'a pourtant exaspéré. Elle[a] me disait que si, le jour où nous avons quitté Balbec, vous aviez d'abord voulu rester et ensuite partir, c'est que dans l'intervalle vous aviez reçu une lettre d'Andrée vous disant qu'elle ne viendrait pas. — Je sais très bien qu'Andrée m'a écrit qu'elle ne viendrait pas, elle m'a même télégraphié, je ne peux pas vous montrer la dépêche parce que je ne l'ai pas gardée, mais ce n'était pas ce jour-là, d'ailleurs, quand même ç'aurait été ce jour-là, qu'est-ce que vous voulez que cela me fasse qu'Andrée vînt à Balbec ou non ? » « Qu'est-ce que vous voulez que cela me fasse » était une preuve de colère, et que « cela lui faisait » quelque chose ; mais pas forcément une preuve qu'Albertine était revenue uniquement par désir de voir Andrée. Chaque fois qu'Albertine voyait un des motifs réels, ou allégués, d'un de ses actes, découvert par une personne à qui elle en avait donné un autre motif, Albertine était en colère, la personne fût-elle celle pour laquelle elle avait fait réellement l'acte. Albertine croyait-elle que ces renseignements sur ce qu'elle faisait, ce n'était pas des anonymes qui me les envoyaient malgré moi, mais moi qui les sollicitais avidement, on n'aurait pu nullement le déduire des paroles qu'elle me dit ensuite, où elle avait l'air d'accepter ma version des lettres anonymes, mais de son air de colère contre moi, colère qui n'avait l'air que d'être l'explosion de ses mauvaises humeurs antérieures, tout comme l'espionnage auquel elle eût, dans cette hypothèse, cru que je m'étais livré n'eût été que l'aboutissement d'une surveillance de tous ses actes, dont elle n'eût plus douté depuis longtemps. Sa colère s'étendit même jusqu'à Andrée, et se disant sans doute que maintenant je ne serais plus tranquille même quand elle sortirait avec Andrée : « D'ailleurs, Andrée m'exaspère. Elle est assommante. Elle revient demain. Je ne veux plus sortir avec elle. Vous pouvez l'annoncer aux gens qui vous ont dit que j'étais revenue à Paris pour elle. Si je vous disais que, depuis tant d'années que je connais Andrée, je ne saurais pas vous dire comment est sa figure tant je l'ai peu regardée ! » Or à Balbec, la première année, elle m'avait dit : « Andrée est ravissante. » Il est vrai que cela ne voulait pas dire qu'elle eût des relations amoureuses avec elle, et même je ne l'avais jamais entendue parler alors qu'avec indignation de toutes les relations de ce genre. Mais ne pouvait-elle avoir changé, même sans se rendre compte qu'elle avait changé, en ne croyant pas que ses jeux avec une amie fussent la même chose que les relations immorales, assez peu précises dans son esprit, qu'elle flétrissait chez les autres ? N'était-ce pas possible, puisque ce même changement, et cette même inconscience du changement, s'étaient produits dans ses relations avec moi, avec moi dont elle avait repoussé à Balbec avec tant d'indignation ces baisers qu'elle devait me donner elle-même ensuite, et chaque jour, et que, je l'espérais, elle me donnerait encore bien longtemps, qu'elle allait me donner dans un instant[a] ? « Mais[1], ma chérie, comment voulez-vous que je le leur annonce puisque je ne les connais pas ? » Cette réponse était si forte qu'elle aurait dû dissoudre les objections et les doutes que je voyais cristallisés dans les prunelles d'Albertine. Mais elle les laissa intacts ; je m'étais tu, et pourtant elle continuait à me regarder avec cette attention persistante qu'on prête à quelqu'un qui n'a pas fini de parler. Je lui demandai de nouveau pardon. Elle me répondit qu'elle n'avait rien à me pardonner. Elle était redevenue très douce. Mais sous son visage triste et défait, il me semblait qu'un secret s'était formé. Je savais bien qu'elle ne pouvait me quitter sans me prévenir ; d'ailleurs elle ne pouvait ni le désirer (c'était dans huit jours qu'elle devait essayer les nouvelles robes de Fortuny), ni décemment le faire, ma mère revenant à la fin de la semaine et sa tante également. Pourquoi, puisque c'était impossible qu'elle partît, lui redis-je à plusieurs reprises que nous sortirions ensemble le lendemain pour aller voir des verreries de Venise que je voulais lui donner, et fus-je soulagé de l'entendre me dire que c'était convenu ? Quand elle vint me dire bonsoir et que je l'embrassai, elle ne fit pas comme d'habitude, se détourna, et — c'était quelques instants à peine après le moment où je venais de penser à cette douceur qu'elle me donnât tous les soirs ce qu'elle m'avait refusé à Balbec — elle ne me rendit pas mon baiser[2]. On aurait dit que, brouillée avec moi, elle ne voulait pas me donner un signe de tendresse qui eût plus tard pu me paraître comme une fausseté démentant cette brouille. On aurait dit qu'elle accordait ses actes avec cette brouille et cependant avec mesure, soit pour ne pas l'annoncer, soit parce que, rompant avec moi des rapports charnels, elle voulait cependant rester mon amie. Je l'embrassai alors une seconde fois, serrant contre mon cœur l'azur miroitant et doré du Grand Canal et les oiseaux accouplés, symboles de mort et de résurrection. Mais une seconde fois, au lieu de me rendre mon baiser, elle s'écarta avec l'espèce d'entêtement instinctif et néfaste des animaux[b] qui sentent la mort[3]. Ce pressentiment qu'elle semblait traduire me gagna moi-même et me remplit d'une crainte si anxieuse que, quand Albertine fut arrivée à la porte, je n'eus pas le courage de la laisser partir et la rappelai. « Albertine, lui dis-je, je n'ai aucun sommeil. Si vous-même vous n'avez pas envie de dormir, vous auriez pu rester encore un peu, si vous voulez, mais je n'y tiens pas, et surtout je ne veux pas vous fatiguer. » Il me semblait que si j'avais pu la faire déshabiller et l'avoir dans sa chemise de nuit blanche, dans laquelle elle semblait plus rose, plus chaude, où elle irritait plus mes sens, la réconciliation eût été plus complète. Mais j'hésitai un instant, car le bord bleu de la robe ajoutait à son visage une beauté, une illumination, un ciel sans lesquels elle m'eût semblé plus dure. Elle revint lentement et me dit avec beaucoup de douceur et toujours le même visage abattu et triste : « Je peux rester tant que vous voudrez, je n'ai pas sommeil. » Sa réponse me calma car, tant qu'elle était là, je sentais que je pouvais aviser à l'avenir, et elle recélait aussi de l'amitié, de l'obéissance, mais d'une certaine nature, et qui me semblait avoir pour limite ce secret que je sentais derrière son regard triste, ses manières changées, moitié malgré elle, moitié sans doute pour les mettre d'avance en harmonie avec quelque chose que je ne savais pas. Il me sembla que, tout de même, il n'y aurait que de l'avoir tout en blanc, avec son cou nu, devant moi, comme je l'avais vue à Balbec dans son lit, qui me donnerait assez d'audace pour qu'elle fût obligée de céder. « Puisque vous êtes si gentille que de rester un peu à me consoler, vous devriez enlever votre robe, c'est trop chaud, trop raide, je n'ose pas vous approcher pour ne pas froisser cette belle étoffe et il y a entre nous ces oiseaux fatidiques. Déshabillez-vous, mon chéri. — Non, ce ne serait pas commode de défaire ici cette robe. Je me déshabillerai dans ma chambre tout à l'heure. — Alors vous ne voulez même pas vous asseoir sur mon lit ? — Mais si. » Mais elle resta un peu loin, près de mes pieds. Nous causâmes. Tout d'un coup[a] nous entendîmes la cadence régulière d'un appel plaintif. C'étaient les pigeons qui commençaient à roucouler. « Cela prouve qu'il fait déjà jour », dit Albertine ; et le sourcil presque froncé, comme si elle manquait en vivant chez moi les plaisirs de la belle saison : « Le printemps est commencé pour que les pigeons soient revenus. » La ressemblance entre leur roucoulement et le chant du coq était aussi profonde et aussi obscure que, dans le septuor de Vinteuil[1], la ressemblance entre le thème de l'adagio qui est bâti sur le même thème-clef que le premier et le dernier morceau, mais tellement transformé par les différences de tonalité, de mesure, etc. que le public profane, s'il ouvre un ouvrage sur Vinteuil, est étonné de voir qu'ils sont bâtis tous trois sur les quatre mêmes notes, quatre notes qu'il peut d'ailleurs jouer d'un doigt au piano sans retrouver aucun des trois morceaux. Tel, ce mélancolique morceau exécuté par les pigeons était une sorte de chant du coq en mineur[a], qui ne s'élevait pas vers le ciel, ne montait pas verticalement, mais, régulier comme le braiment d'un âne, enveloppé de douceur, allait d'un pigeon à l'autre sur une même ligne horizontale, et jamais ne se redressait, ne changeait sa plainte latérale en ce joyeux appel qu'avaient poussé tant de fois l'allegro de l'introduction et le finale[1]. Je sais que je prononçai alors le mot « mort » comme si Albertine allait mourir. Il semble que les événements soient plus vastes que le moment où ils ont lieu et ne peuvent y tenir tout entiers. Certes, ils débordent sur l'avenir par la mémoire que nous en gardons, mais ils demandent une place aussi au temps qui les précède. Certes, on dira que nous ne les voyons pas alors tels qu'ils seront, mais dans le souvenir ne sont-ils pas aussi modifiés ?

Quand je vis que d'elle-même elle ne m'embrassait pas, comprenant que tout ceci était du temps perdu et que ce n'était qu'à partir du baiser que commenceraient les minutes calmantes, et véritables, je lui dis : « Bonsoir, il est trop tard », parce que cela ferait qu'elle m'embrasserait, et nous continuerions ensuite. Mais après m'avoir dit : « Bonsoir, tâchez de bien dormir », exactement comme les deux premières fois, elle se contenta d'un baiser sur la joue. Cette fois je n'osai pas la rappeler. Mais mon cœur battait si fort que je ne pus me recoucher. Comme un oiseau qui va d'une extrémité de sa cage à l'autre, sans arrêter je passais de l'inquiétude qu'Albertine pût partir à un calme relatif. Ce calme était produit par le raisonnement que je recommençais plusieurs fois par minute : « Elle ne peut pas partir en tout cas sans me prévenir, elle ne m'a nullement dit qu'elle partirait », et j'étais à peu près calmé. Mais aussitôt je me redisais : « Pourtant si demain j'allais la trouver partie ! Mon inquiétude elle-même a bien sa cause en quelque chose ; pourquoi ne m'a-t-elle pas embrassé ? » Alors je souffrais horriblement du cœur. Puis il était un peu apaisé par le raisonnement que je recommençais, mais je finissais par avoir mal à la tête, parce que ce mouvement de ma pensée était si incessant et si monotone. Il y a ainsi certains états moraux, et notamment l'inquiétude, qui, ne nous présentant que deux alternatives, ont quelque chose d'aussi atrocement limité qu'une simple souffrance physique. Je refaisais perpétuellement le raisonnement qui donnait raison à mon inquiétude et celui qui lui donnait tort et me rassurait, sur un espace aussi exigu que le malade qui palpe sans arrêter, d'un mouvement interne, l'organe qui le fait souffrir, s'éloigne un instant du point douloureux, pour y revenir l'instant d'après. Tout à coup, dans le silence de la nuit, je fus frappé par un bruit en apparence insignifiant mais qui me remplit de terreur, le bruit de la fenêtre d'Albertine qui s'ouvrait violemment. Quand je n'entendis plus rien, je me demandai pourquoi ce bruit m'avait fait si peur. En lui-même il n'avait rien de si extraordinaire ; mais je lui donnais probablement deux significations qui m'épouvantaient également. D'abord c'était une convention de notre vie commune, comme je craignais les courants d'air, qu'on n'ouvrît jamais de fenêtre la nuit. On l'avait expliqué à Albertine quand elle était venue habiter à la maison, et bien qu'elle fût persuadée que c'était de ma part une manie, et malsaine, elle m'avait promis de ne jamais enfreindre cette défense. Et elle était si craintive pour toutes ces choses qu'elle savait que je voulais, les blâmât-elle, que je savais qu'elle eût plutôt dormi dans l'odeur d'un feu de cheminée que d'ouvrir sa fenêtre, de même que pour l'événement le plus important elle ne m'eût pas fait réveiller le matin. Ce n'était qu'une des petites conventions de notre vie, mais du moment qu'elle violait celle-là sans m'en avoir parlé, cela ne voulait-il pas dire qu'elle n'avait plus rien à ménager, qu'elle les violerait aussi bien toutes ? Puis ce bruit avait été violent, presque mal élevé, comme si elle avait ouvert rouge de colère et disant : « Cette vie m'étouffe, tant pis, il me faut de l'air ! » Je ne me dis pas exactement tout cela, mais je continuai à penser, comme à un présage plus mystérieux et plus funèbre qu'un cri de chouette, à ce bruit de la fenêtre qu'Albertine avait ouverte. Dans[a] une agitation comme je n'en avais peut-être pas eue depuis le soir de Combray où Swann avait dîné à la maison[1], je marchai toute la nuit dans le couloir, espérant, par le bruit que je faisais, attirer l'attention d'Albertine, qu'elle aurait pitié de moi et m'appellerait, mais je n'entendais aucun bruit venir de sa chambre. À Combray, j'avais demandé à ma mère de venir. Mais avec ma mère je ne craignais que sa colère, je savais ne pas diminuer son affection en lui témoignant la mienne. Cela me fit tarder à appeler Albertine. Peu à peu je sentis qu'il était trop tard. Elle devait dormir depuis longtemps. Je retournai me coucher. Le lendemain[1], dès que je m'éveillai, comme on ne venait jamais chez moi quoi qu'il arrivât sans que j'eusse appelé, je sonnai Françoise. Et en même temps je pensai : « Je vais parler à Albertine d'un yacht que je veux lui faire faire. » En prenant mes lettres, je dis à Françoise sans la regarder : « Tout à l'heure j'aurai quelque chose à dire à Mlle Albertine ; est-ce qu'elle est levée ? — Oui, elle s'est levée de bonne heure. » Je sentis se soulever en moi comme dans un coup de vent mille inquiétudes que je ne savais pas tenir en suspens dans ma poitrine. Le tumulte y était si grand que j'étais à bout de souffle comme dans une tempête. « Ah ? mais où est-elle en ce moment ? — Elle doit être dans sa chambre. — Ah ! bien, hé bien je la verrai tout à l'heure. » Je respirai, elle était là, mon agitation retomba, Albertine était ici, il m'était presque indifférent qu'elle y fût. D'ailleurs n'avais-je pas été absurde de supposer qu'elle aurait pu ne pas y être ? Je m'endormis, mais, malgré ma certitude qu'elle ne me quitterait pas, d'un sommeil léger, et d'une légèreté relative à elle seulement. Car les bruits qui ne pouvaient se rapporter qu'à des travaux dans la cour, tout en les entendant vaguement en dormant, je restais tranquille, tandis que le plus léger frémissement qui venait de sa chambre, ou quand elle sortait, ou rentrait sans bruit en appuyant si doucement sur le timbre, me faisait tressauter, me parcourait tout entier, me laissait le cœur battant, bien que je l'eusse entendu dans un assoupissement profond, de même que ma grand-mère dans les derniers jours qui précédèrent sa mort[2], et où elle était plongée dans une immobilité que rien ne troublait et que les médecins appelaient le coma, se mettait, m'a-t-on dit, à trembler un instant comme une feuille quand elle entendait les trois coups de sonnette par lesquels j'avais l'habitude d'appeler Françoise, et que même en les faisant plus légers cette semaine-là pour ne pas troubler le silence de la chambre mortuaire, personne, assurait Françoise, ne pouvait confondre, à cause d'une manière que j'avais et ignorais moi-même d'appuyer sur le timbre, avec les coups de sonnette de quelqu'un d'autre. Étais-je donc entré, moi aussi, en agonie ? était-ce l'approche de la mort[a] ?

Ce jour-là et le lendemain nous sortîmes ensemble, puisque Albertine ne voulait plus sortir avec Andrée. Je ne lui parlai même pas du yacht, ces promenades m'avaient calmé tout à fait. Mais elle avait continué le soir à m'embrasser de la même manière nouvelle, de sorte que j'étais furieux. Je ne pouvais plus y voir qu'une manière de me montrer qu'elle me boudait, ce qui me paraissait trop ridicule après les gentillesses que je ne cessais de lui faire. Aussi, n'ayant plus même d'elle les satisfactions charnelles auxquelles je tenais, la trouvant laide dans la mauvaise humeur, sentis-je plus vivement la privation de toutes les femmes et des voyages dont ces premiers beaux jours réveillaient en moi le désir. Grâce sans doute au souvenir épars des rendez-vous oubliés que j'avais eus, collégien encore, avec des femmes, sous la verdure déjà épaisse, cette région du printemps où le voyage de notre demeure errante à travers les saisons venait depuis trois jours de l'arrêter, sous un ciel clément, et dont toutes les routes fuyaient vers des déjeuners à la campagne, des parties de canotage, des parties de plaisir, me[b] semblait le pays des femmes aussi bien qu'il était celui des arbres, et où le plaisir partout offert devenait permis à mes forces convalescentes. La résignation à la paresse, la résignation à la chasteté, à ne connaître le plaisir qu'avec une femme que je n'aimais pas, la résignation à rester dans ma chambre, à ne pas voyager, tout cela était possible dans l'ancien monde où nous étions la veille encore, dans le monde vide de l'hiver, mais non plus dans cet univers nouveau, feuillu, où je m'étais éveillé comme un jeune Adam pour qui se pose pour la première fois le problème de l'existence, du bonheur, et sur qui ne pèse pas l'accumulation des solutions négatives antérieures. La présence d'Albertine me pesait, je la regardais, douce et maussade, et je sentais que c'était un malheur que nous n'eussions pas rompu. Je voulais aller à Venise, je voulais, en attendant, aller au Louvre voir des tableaux vénitiens, et au Luxembourg les deux Elstir qu'à ce qu'on venait de m'apprendre, la princesse de Guermantes venait de vendre à ce musée, ceux que j'avais tant admirés chez la duchesse de Guermantes, les *Plaisirs de la danse* et *Portrait de la famille X*[1]. Mais j'avais peur que, dans le premier, certaines poses lascives ne donnassent à Albertine un désir, une nostalgie de réjouissances populaires, la faisant se dire que peut-être une certaine vie qu'elle n'avait pas menée, une vie de feux d'artifice et de guinguettes, avait du bon. Déjà d'avance, je craignais que le 14 juillet elle me demandât d'aller à un bal populaire et je rêvais d'un événement impossible qui eût supprimé cette fête. Et puis il y avait aussi là-bas, dans les Elstir, des nudités de femmes dans des paysages touffus du Midi qui pouvaient faire penser Albertine à certains plaisirs, bien qu'Elstir, lui, — mais ne rabaisserait-elle pas l'œuvre ? — n'y eût vu que la beauté sculpturale, pour mieux dire, la beauté de blancs monuments que prennent des corps de femmes assis dans la verdure[2].

Aussi je me résignai à renoncer à cela et je voulus partir pour aller à Versailles. Albertine, qui n'avait pas voulu sortir avec Andrée, était restée dans sa chambre, à lire, dans un peignoir de Fortuny. Je lui demandai si elle voulait venir à Versailles. Elle avait cela de charmant qu'elle était toujours prête à tout, peut-être par cette habitude qu'elle avait autrefois de vivre la moitié du temps chez les autres, et comme elle s'était décidée à venir avec nous à Paris, en deux minutes. Elle me dit : « Je peux venir comme cela si nous ne descendons pas de voiture. » Elle hésita une seconde entre deux manteaux de Fortuny pour cacher sa robe de chambre — comme elle eût fait entre deux amis différents à emmener —, en prit un bleu sombre, admirable, piqua une épingle dans un chapeau. En une minute elle fut prête, avant que j'eusse pris mon paletot, et nous allâmes à Versailles. Cette rapidité même, cette docilité absolue me laissèrent plus rassuré, comme si en effet j'eusse eu, sans avoir aucun motif précis d'inquiétude, besoin de l'être. « Tout de même, je n'ai rien à craindre, elle fait ce que je lui demande, malgré le bruit de la fenêtre de l'autre nuit. Dès que j'ai parlé de sortir, elle a jeté ce manteau bleu sur son peignoir et elle est venue, ce n'est pas ce que ferait une révoltée, une personne qui ne serait plus bien avec moi », me disais-je tandis que nous allions à Versailles. Nous[a] y restâmes longtemps ; le ciel était tout entier fait de ce bleu radieux et un peu pâle comme le promeneur couché dans un champ le voit parfois au-dessus de sa tête, mais tellement uni, tellement profond, qu'on sent que le bleu dont il est fait a été employé sans aucun alliage et avec une si inépuisable richesse qu'on pourrait approfondir de plus en plus sa substance sans rencontrer un atome d'autre chose que de ce même bleu. Je pensais à ma grand-mère qui aimait dans l'art humain, dans la nature, la grandeur, et qui se plaisait à regarder monter dans ce même bleu le clocher de Saint-Hilaire. Soudain j'éprouvai de nouveau la nostalgie de ma liberté perdue en entendant un bruit que je ne reconnus pas d'abord et que ma grand-mère eût, lui aussi, tant aimé. C'était comme le bourdonnement d'une guêpe. « Tiens, me dit Albertine, il y a un aéroplane, il est très haut, très haut[1]. » Je regardais tout autour de moi, mais, comme le promeneur couché dans un champ, je ne voyais, sans aucune tache noire, que la pâleur intacte du bleu sans mélange. J'entendais pourtant toujours le bourdonnement des ailes qui tout d'un coup entrèrent dans le champ de ma vision. Là-haut, de minuscules ailes brunes et brillantes fronçaient le bleu uni du ciel inaltérable. J'ai pu enfin attacher le bourdonnement à sa cause, à ce petit insecte qui trépidait là-haut, sans doute à bien deux mille mètres de hauteur ; je le voyais bruire. Peut-être, quand les distances sur terre n'étaient pas encore abrégées depuis longtemps par la vitesse[a] comme elles le sont aujourd'hui, le sifflet d'un train passant à deux kilomètres était-il pourvu de cette beauté qui maintenant, pour quelque temps encore, nous émeut dans le bourdonnement d'un aéroplane à deux mille mètres, à l'idée que les distances parcourues dans ce voyage vertical sont les mêmes que sur le sol, que dans cette autre direction où les mesures nous paraissent autres parce que l'abord nous en semblait inaccessible, un aéroplane à deux mille mètres n'est pas plus loin qu'un train à deux kilomètres, est plus près même, le trajet identique s'effectuant dans un milieu plus pur, sans séparation entre le voyageur et son point de départ, de même que sur mer ou dans les plaines, par un temps calme, le remous d'un navire déjà loin ou le souffle d'un seul zéphyr raye l'océan des flots ou des blés[b].

J'avais[c] envie de goûter. Nous nous arrêtâmes dans une grande pâtisserie située presque en dehors de la ville et qui jouissait à ce moment-là d'une certaine vogue. Une dame allait sortir, qui demanda ses affaires à la pâtissière. Et une fois que cette dame fut partie, Albertine regarda à plusieurs reprises la pâtissière comme si elle voulait attirer l'attention de celle-ci qui rangeait des tasses, des assiettes, des petits fours, car il était déjà tard. Elle s'approchait de moi seulement si je demandais quelque chose. Et il arrivait alors que[a] comme la pâtissière, d'ailleurs extrêmement grande, était debout pour nous servir et Albertine assise à côté de moi, chaque fois Albertine pour tâcher d'attirer l'attention de la pâtissière levait verticalement vers elle un regard blond qui était obligé de faire monter d'autant plus haut la prunelle que, la pâtissière étant juste contre nous, Albertine n'avait pas la ressource d'adoucir la pente par l'obliquité du regard. Elle était obligée, sans trop lever la tête, de faire monter ses regards jusqu'à cette hauteur démesurée où étaient les yeux de la pâtissière. Par gentillesse pour moi, Albertine rabaissait vivement ses regards et, la pâtissière n'ayant fait aucune attention à elle, recommençait. Cela faisait une série de vaines élévations implorantes vers une inaccessible divinité. Puis la pâtissière n'eut plus qu'à ranger à une grande table voisine. Là le regard d'Albertine n'avait qu'à être latéral. Mais pas une fois celui de la pâtissière ne se posa sur mon amie. Cela ne m'étonnait pas, car je savais que cette femme que je connaissais un petit peu avait des amants, quoique mariée, mais cachait parfaitement ses intrigues, ce qui m'étonnait énormément à cause de sa prodigieuse stupidité. Je regardai cette femme pendant que nous finissions de goûter. Plongée dans ses rangements, elle était presque impolie pour Albertine à force de n'avoir pas un regard pour les regards de mon amie, lesquels n'avaient d'ailleurs rien d'inconvenant. L'autre rangeait, rangeait sans fin, sans une distraction. La remise en place des petites cuillers, des couteaux à fruits eût été confiée, non à cette grande belle femme, mais par économie de travail humain à une simple machine, qu'on n'eût pas pu voir isolement aussi complet de l'attention d'Albertine, et pourtant elle ne baissait pas les yeux, ne s'absorbait pas, laissait briller ses yeux, ses charmes, en une attention à son seul travail. Il est vrai que si cette pâtissière n'eût pas été une femme particulièrement sotte (non seulement c'était sa réputation, mais je le savais par expérience), ce détachement eût pu être un comble d'habileté. Et je sais bien que l'être le plus sot, si son désir ou son intérêt est en jeu, peut dans ce cas unique, au milieu de la nullité de sa vie stupide, s'adapter immédiatement aux rouages de l'engrenage le plus compliqué ; malgré tout c'eût été une supposition trop subtile pour une femme aussi niaise que la pâtissière. Cette niaiserie prenait même un tour invraisemblable d'impolitesse ! Pas une seule fois elle ne regarda Albertine que pourtant elle ne pouvait pas ne pas voir. C'était peu aimable pour mon amie, mais dans le fond je fus enchanté qu'Albertine reçût cette petite leçon et vît que souvent les femmes ne faisaient pas attention à elle. Nous quittâmes la pâtisserie, nous remontâmes en voiture et nous avions déjà repris le chemin de la maison, quand j'eus tout à coup regret d'avoir oublié de prendre à part cette pâtissière et de la prier, à tout hasard, de ne pas dire à la dame qui était partie quand nous étions arrivés mon nom et mon adresse, que la pâtissière, à cause de commandes que j'avais souvent faites, devait savoir parfaitement. Il était, en effet, inutile que la dame pût par là apprendre indirectement l'adresse d'Albertine. Mais je trouvai trop long de revenir sur nos pas pour si peu de chose, et que cela aurait l'air d'y donner trop d'importance aux yeux de l'imbécile et menteuse pâtissière. Je songeais seulement qu'il faudrait revenir goûter là, d'ici une huitaine, pour faire cette recommandation et que c'est bien ennuyeux, comme on oublie toujours la moitié de ce qu'on a à dire, de faire les choses les plus simples en plusieurs fois[1].

Nous[a] revînmes très tard dans une nuit où, çà et là, au bord du chemin, un pantalon rouge à côté d'un jupon révélait des couples amoureux. Notre voiture passa la porte Maillot pour rentrer. Aux monuments de Paris s'était substitué, pur, linéaire, sans épaisseur, le dessin des monuments de Paris, comme on eût fait pour une ville détruite dont on eût voulu relever l'image ; mais au bord de celle-ci s'élevait avec une telle douceur la bordure bleu pâle sur laquelle elle se détachait que les yeux altérés cherchaient partout encore un peu de cette nuance délicieuse qui leur était trop avarement mesurée : il y avait clair de lune. Albertine l'admira. Je n'osai lui dire que j'en aurais mieux joui si j'avais été seul ou à la recherche d'une inconnue. Je lui récitai des vers ou des phrases de prose sur le clair de lune, lui montrant comment d'argenté qu'il était autrefois, il était devenu bleu avec Chateaubriand, avec le Victor Hugo d'« Éviradnus » et de « La Fête chez Thérèse », pour redevenir jaune et métallique avec

Baudelaire et Leconte de Lisle[1]. Puis, lui rappelant l'image qui figure le croissant de la lune à la fin de « Booz endormi[2] », je lui parlai de toute la pièce[a].

Je ne peux pas dire combien, quand j'y repense, sa vie était recouverte de désirs alternés, fugitifs, souvent contradictoires. Sans doute le mensonge compliquait encore, car ne se rappelant plus au juste nos conversations, quand elle m'avait dit : « Ah ! voilà une jolie fille et qui jouait bien au golf », et[b] que lui ayant demandé le nom de cette jeune fille, elle m'avait répondu de cet air détaché, universel, supérieur, qui a sans doute toujours des parties libres, car[c] chaque menteur de cette catégorie l'emprunte chaque fois pour un instant dès qu'il ne veut pas répondre à une question, et il ne lui fait jamais défaut : « Ah ! je ne sais pas (avec regret de ne pouvoir me renseigner), je n'ai jamais su son nom, je la voyais au golf, mais je ne savais pas comment elle s'appelait » ; si un mois après, je lui disais : « Albertine, tu sais cette jolie fille dont tu m'as parlé, qui jouait si bien au golf. — Ah ! oui, me répondait-elle sans réflexion, Émilie Daltier, je ne sais pas ce qu'elle est devenue. » Et le mensonge, comme une fortification de campagne, était reporté de la défense du nom, pris maintenant, sur les possibilités de la retrouver. « Ah ! Je ne sais pas, je n'ai jamais su son adresse. Je ne vois personne qui pourrait vous dire cela. Oh ! non, Andrée ne l'a pas connue. Elle n'était pas de notre petite bande, aujourd'hui si divisée. » D'autres fois le mensonge était comme un vilain aveu : « Ah ! si j'avais trois cent mille francs de rente... » Elle se mordait les lèvres. « Hé bien, que ferais-tu ? — Je te demanderais, disait-elle en m'embrassant, la permission de rester chez toi. Où pourrais-je être plus heureuse ? » Mais, même en tenant compte des mensonges, il était incroyable à quel point sa vie était successive, et fugitifs ses plus grands désirs. Elle était folle d'une personne et au bout de trois jours n'eût pas voulu recevoir sa visite. Elle ne pouvait pas attendre une heure que je lui eusse fait acheter des toiles et des couleurs, car elle voulait se remettre à la peinture. Pendant deux jours elle s'impatientait, avait presque des larmes, vite séchées, d'enfant à qui on a ôté sa nourrice. Et cette instabilité de ses sentiments à l'égard des êtres, des choses, des occupations, des arts, des pays, était en vérité si universelle que si elle a aimé l'argent, ce que je ne crois pas, elle n'a pas pu l'aimer plus longtemps que le reste. Quand elle disait : « Ah ! si j'avais trois cent mille francs de rente ! » même si elle exprimait une pensée mauvaise mais bien peu durable, elle n'eût pu s'y attacher plus longtemps qu'au désir d'aller aux Rochers, dont l'édition de Mme de Sévigné de ma grand-mère lui avait montré l'image[1], de retrouver une amie de golf, de monter en aéroplane, d'aller passer la Noël avec sa tante, ou de se remettre à la peinture.

« Au fond, nous n'avons faim ni l'un ni l'autre, on aurait pu passer chez les Verdurin, dit-elle, c'est leur heure et leur jour. — Mais si vous êtes fâchée contre eux ? — Oh ! il y a beaucoup de cancans contre eux, mais dans le fond ils ne sont pas si mauvais que ça. Mme Verdurin a toujours été très gentille pour moi. Et puis, on ne peut pas être toujours brouillé avec tout le monde. Ils ont des défauts, mais qu'est-ce qui n'en a pas[2] ? — Vous n'êtes pas assez habillée, il faudrait rentrer vous habiller, il serait bien tard. — Oui, vous avez raison, rentrons tout simplement », répondit Albertine, avec cette admirable docilité qui me stupéfiait toujours.

Le beau temps, cette nuit-là, fit un bond en avant, comme un thermomètre monte à la chaleur. Quand je m'éveillai, de mon lit par ces matins tôt levés du printemps[3], j'entendais les tramways cheminer, à travers les parfums, dans l'air auquel la chaleur se mélangeait de plus en plus jusqu'à ce qu'il arrivât à la solidification et à la densité de midi. Plus frais au contraire dans ma chambre, quand l'air onctueux avait achevé d'y vernir et d'y isoler l'odeur du lavabo, l'odeur de l'armoire, l'odeur du canapé, rien qu'à la netteté avec laquelle, verticales et debout, elles se tenaient en tranches juxtaposées et distinctes, dans un clair-obscur nacré qui ajoutait un glacé plus doux au reflet des rideaux et des fauteuils de satin bleu, je me voyais, non par un simple caprice de mon imagination, mais parce que c'était effectivement possible, suivant dans quelque quartier neuf de la banlieue, pareil à celui où à Balbec habitait Bloch, les[a] rues aveuglées de soleil, et voyant non les fades boucheries et la blanche pierre de taille, mais la salle à manger de campagne où je pourrais arriver tout à l'heure, et les odeurs[a] que j'y trouverais en arrivant, l'odeur du compotier de cerises et d'abricots, du cidre, du fromage de gruyère, tenues en suspens dans la lumineuse congélation de l'ombre qu'elles veinent délicatement comme l'intérieur d'une agate, tandis que les porte-couteaux en verre prismatique y irisent des arcs-en-ciel ou[b] piquent çà et là sur la toile cirée des ocellures de paon.

Comme un vent qui s'enfle par une progression régulière, j'entendis avec joie une automobile sous la fenêtre. Je sentis son odeur de pétrole[1]. Elle peut sembler regrettable aux délicats (qui sont toujours des matérialistes et à qui elle gâte la campagne), et à certains penseurs, matérialistes à leur manière aussi, qui, croyant à l'importance du fait, s'imaginent que l'homme serait plus heureux, capable d'une poésie plus haute, si ses yeux étaient susceptibles de voir plus de couleurs, ses narines de connaître plus de parfums, travestissement philosophique de l'idée naïve de ceux qui croient que la vie était plus belle quand on portait, au lieu de l'habit noir, de somptueux costumes. Mais pour moi (de même qu'un arôme, déplaisant en soi peut-être, de naphtaline et de vétiver m'eût exalté en me rendant la pureté bleue de la mer le jour de mon arrivée à Balbec[2]), cette odeur de pétrole qui[c], avec la fumée qui s'échappait de la machine, s'était tant de fois évanouie dans le pâle azur, par ces jours brûlants où j'allais de Saint-Jean-de-la-Haise à Gourville, comme[d] elle m'avait suivi dans mes promenades pendant ces après-midi d'été pendant qu'Albertine était à peindre, elle faisait fleurir maintenant de chaque côté de moi, bien que je fusse dans ma chambre obscure, les bleuets, les coquelicots et les trèfles incarnats, elle m'enivrait comme une odeur de campagne non pas circonscrite et fixe, comme celle qui est apposée devant les aubépines et, retenue par ses éléments onctueux et denses, flotte avec une certaine stabilité devant la haie, mais une odeur devant quoi fuyaient les routes, changeait l'aspect du sol, accouraient les châteaux, pâlissait le ciel, se décuplaient les forces, une odeur qui était comme un symbole de bondissement et de puissance et qui renouvelait le désir que j'avais eu à Balbec de monter dans la cage de cristal et d'acier, mais cette fois pour aller non plus faire des visites dans des demeures familières avec une femme que je connaissais trop, mais faire l'amour dans des lieux nouveaux avec une femme inconnue. Odeur qu'accompagnait à tout moment l'appel des trompes d'automobiles qui passaient, sur lequel j'adaptais des paroles comme sur une sonnerie militaire : « Parisien, lève-toi, lève-toi, viens déjeuner à la campagne et faire du canot dans la rivière, à l'ombre sous les arbres, avec une belle fille, lève-toi, lève-toi. » Et toutes ces rêveries m'étaient si agréables que je me félicitais de la « sévère loi » qui faisait que, tant que je n'aurais pas appelé, aucun « timide mortel », fût-ce Françoise, fût-ce Albertine, ne s'aviserait de venir me troubler « au fond de ce palais » où

une majesté terrible
Affecte à mes sujets de me rendre invisible[1].

Mais tout à coup le décor changea ; ce ne fut plus le souvenir d'anciennes impressions, mais d'un ancien désir, tout récemment réveillé encore par la robe bleu et or de Fortuny, qui étendit devant moi un autre printemps, un printemps plus du tout feuillu mais subitement dépouillé au contraire de ses arbres et de ses fleurs par ce nom que je venais de me dire : « Venise[2] », un printemps décanté, qui est réduit à son essence, et traduit l'allongement, l'échauffement, l'épanouissement graduel de ses jours par la fermentation progressive, non plus d'une terre impure mais d'une eau vierge et bleue, printanière sans porter de corolles, et qui ne pourrait répondre au mois de mai que par des reflets, travaillée par lui, s'accordant exactement à lui dans la nudité rayonnante et fixe de son sombre saphir. Aussi bien, pas plus que les saisons à ses bras de mer infleurissables, les modernes années n'apportent point de changement à la cité gothique ; je le savais, je ne pouvais l'imaginer, ou, l'imaginant, voilà ce que je voulais, de ce même désir qui jadis, quand j'étais enfant, dans l'ardeur même du départ, avait brisé en moi la force de partir : me trouver face à face avec mes imaginations vénitiennes, contempler comment cette mer divisée enserrait de ses méandres, comme les replis du fleuve Océan, une civilisation urbaine et raffinée, mais qui, isolée par leur ceinture azurée, s'était développée à part[a], avait eu à part ses écoles de peinture et d'architecture — jardin fabuleux de fruits et d'oiseaux de pierre de couleur, fleuri au milieu de la mer qui venait le rafraîchir, frappait de son flux le fût des colonnes et, sur le puissant relief des chapiteaux, comme un regard de sombre azur qui veille dans l'ombre, pose par taches et fait remuer perpétuellement la lumière. Oui, il fallait partir, c'était le moment. Depuis qu'Albertine n'avait plus l'air fâché contre moi, sa possession ne me semblait plus un bien en échange duquel on est prêt à donner tous les autres. Peut-être parce que nous l'aurions fait pour nous débarrasser d'un chagrin, d'une anxiété, qui sont apaisés maintenant. Nous avons réussi à traverser le cerceau de toile à travers lequel nous avons cru un moment que nous ne pourrions jamais passer. Nous avons éclairci l'orage, ramené la sérénité du sourire. Le mystère angoissant d'une haine sans cause connue, et peut-être sans fin, est dissipé. Dès lors nous nous retrouvons face à face avec le problème momentanément écarté d'un bonheur que nous savons impossible. Maintenant que la vie avec Albertine était redevenue possible, je sentis que je ne pourrais en tirer que des malheurs puisqu'elle ne m'aimait pas ; mieux valait la quitter sur la douceur de son consentement, que je prolongerais par le souvenir. Oui, c'était le moment ; il fallait m'informer bien exactement de la date où Andrée allait quitter Paris, agir énergiquement auprès de Mme Bontemps de manière à être bien certain qu'à ce moment-là Albertine ne pourrait aller ni en Hollande, ni à Montjouvain. Il arriverait, si nous savions mieux analyser nos amours, de voir que souvent les femmes ne nous plaisent qu'à cause du contrepoids d'hommes à qui nous avons à les disputer ; ce contrepoids supprimé, le charme de la femme tombe. On en a un exemple douloureux et préventif dans cette prédilection des hommes pour les femmes qui, avant de les connaître, ont commis des fautes, pour ces femmes qu'ils sentent enlisées dans le danger et qu'il leur faut, pendant toute la durée de leur amour, reconquérir ; ou l'exemple postérieur au contraire et nullement dramatique celui-là, de l'homme qui, sentant s'affaiblir son goût pour la femme qu'il aime, applique spontanément les règles qu'il a dégagées, et pour être sûr qu'il ne cesse pas d'aimer la femme, la met dans un milieu dangereux où il lui faut la protéger chaque jour. (Le contraire des hommes qui exigent qu'une femme renonce au théâtre, bien que, d'ailleurs, c'est parce qu'elle avait été au théâtre qu'ils l'ont aimée.)

Et quand ainsi[a] ce départ n'aurait plus d'inconvénients, choisir un jour de beau temps comme celui-ci — il allait y en avoir beaucoup — où Albertine me serait indifférente, où je serais tenté de mille désirs ; il faudrait la laisser sortir sans la voir, puis en me levant, me préparant vite, lui laisser un mot, en profitant de ce que, comme elle ne pourrait à cette époque aller en nul lieu qui m'agitât, je pourrais réussir, en voyage, à ne pas me représenter les actions mauvaises qu'elle pourrait faire et qui me semblaient en ce moment bien indifférentes, du reste, et sans l'avoir[b] revue partir pour Venise. Je sonnai Françoise pour lui demander de m'acheter un guide et un indicateur, comme j'avais fait enfant, quand j'avais déjà voulu préparer un voyage à Venise, réalisation d'un désir aussi violent que celui que j'avais en ce moment ; j'oubliais que, depuis, il en était un que j'avais atteint, sans aucun plaisir, le désir de Balbec, et que Venise, étant aussi un phénomène visible, ne pourrait probablement pas plus que Balbec réaliser un rêve ineffable, celui du temps gothique actualisé d'une mer printanière, et qui venait d'instant en instant frôler mon esprit d'une image enchantée, caressante, insaisissable, mystérieuse et confuse. Françoise[c] ayant entendu mon coup de sonnette entra, assez inquiète de la façon dont je prendrais ses paroles et sa conduite. Elle me dit : « J'étais bien ennuyée que Monsieur sonne si tard aujourd'hui. Je ne savais pas ce que je devais faire. Ce matin à huit heures Mlle Albertine m'a demandé ses malles, j'osais pas y refuser, j'avais peur que Monsieur me dispute si je venais l'éveiller. J'ai eu beau la catéchismer, lui dire d'attendre une heure parce que je pensais toujours que Monsieur allait sonner. Elle n'a pas voulu, elle m'a laissé cette lettre pour Monsieur, et à neuf heures elle est partie. » Et alors — tant on peut ignorer ce qu'on a en soi, puisque j'étais persuadé de mon indifférence pour Albertine — mon souffle fut coupé, je tins mon cœur de mes deux mains, brusquement mouillées par une certaine sueur que je n'avais jamais connue depuis la révélation que mon amie m'avait faite dans le petit tram relativement à l'amie de Mlle Vinteuil, sans que je pusse dire autre chose que : « Ah ! très bien, Françoise, merci, vous avez bien fait naturellement de ne pas me réveiller, laissez-moi un instant, je vais vous sonner tout à l'heure. »

ESQUISSES

Sodome et Gomorrhe

I

Esquisse I

LA RACE DES TANTES[1]

[Le personnage de M. de Guercy, le futur Charlus, fait son apparition dans deux des derniers Cahiers du « Contre Sainte-Beuve », les Cahiers 7 et 6, et les quelques crayons discontinus qui l'y mettent en scène sont parmi les premiers éléments nettement romanesques débordant le cadre de l'essai narratif. Ils introduisent le grand exposé sur les invertis que l'on retrouvera amplifié dans le texte définitif de « Sodome et Gomorrhe I ».]

Tous[a2] les jours après le déjeuner arrivait un gros et grand monsieur à[b] la démarche dandinée, aux moustaches teintes, toujours une fleur à la boutonnière : le marquis de Guercy. Il traversait la cour et[c] allait voir sa sœur Guermantes. Je ne crois pas qu'il sût que[d] nous habitions dans la maison. En tous cas je n'eus pas l'occasion de le rencontrer. J'étais souvent à la fenêtre à l'heure où il venait mais à cause des volets il ne pouvait me voir et d'ailleurs il ne levait jamais la tête. Je ne sortais jamais à cette heure-là et lui ne venait jamais à aucune autre. Sa[e] vie était extrêmement réglée. Il voyait les Guermantes tous les jours de une heure à deux heures, montait chez Mme de Villeparisis jusqu'à trois, puis allait au club, faire différentes choses et le soir allait au théâtre, quelquefois dans le monde mais jamais chez les Guermantes le soir excepté les jours de grande soirée qui étaient rares et où il faisait tard une courte apparition.

La poésie[f3] qu'avaient perdu par la fréquentation le comte et la comtesse de Guermantes[4] s'était reportée pour moi sur le prince et la princesse de Guermantes. Bien qu'assez proches parents, comme je ne les connaissais pas, ils restaient pour moi le nom de Guermantes. Je les avais entrevus chez les Guermantes et ils m'avaient fait un vague salut de gens qui n'ont aucune raison de vous connaître. Mon père qui passait tous les jours devant leur hôtel rue de Solférino[1] disait : « C'est un palais, un palais de conte de fées. » De sorte que cela s'était amalgamé pour moi avec les féeries incluses dans le nom de Guermantes, avec Geneviève de Brabant, la tapisserie où avait posé Charles VIII et le vitrail de Charles le Mauvais[2]. La pensée que je pourrais un jour être lié avec eux ne me serait même pas entrée dans l'esprit, quand un jour j'ouvris une enveloppe.

« Le prince et la princesse de Guermantes seront chez eux le... »

Il semblait qu'un plaisir intact, non dégradé par aucune idée humaine, aucun souvenir matériel de fréquentation qui rend les choses pareilles aux autres m'était offert sur cette carte. C'était un nom, un pur nom, encore plein de ses belles images qu'aucun souvenir terrestre n'abaissait, c'était un palais de conte de fées qui par le fait de cette carte reçue devenait un objet de possession possible, et de par une sorte de prédilection flatteuse du nom mystérieux pour moi. Cela me sembla trop beau pour être vrai. Il y avait entre l'intention qu'exprimait, l'offre que manifestait l'adresse, et ce nom aux syllabes douces et fières un trop grand contraste[a].

L'hôtel de conte de fées s'ouvrant de lui-même devant moi, moi étant invité à me mêler aux êtres de légende, de lanterne magique, de vitrail et de tapisserie qui faisaient pendre haut et court au IXe siècle, ce fier nom de prince de Guermantes semblant s'animer, me connaître, se tendre vers moi puisque enfin c'était bien mon nom et superbement écrit qui était sur l'enveloppe, tout cela me parut trop beau pour être vrai et j'eus peur que ce fût une mauvaise plaisanterie que[b] quelqu'un m'avait faite. Les seules personnes auprès de qui j'eusse pu me renseigner auraient été nos voisins Guermantes qui étaient en voyage, et dans le doute j'aimais mieux ne pas aller chez eux. Il n'y avait pas à répondre, il n'y aurait eu qu'à mettre des cartes. Mais je craignais que ce ne fût déjà trop si comme je le pensais j'étais victime d'une mauvaise farce. Je le dis à mes parents qui ne comprirent <pas> mon idée. Avec cet<te> espèce d'équivalent de l'orgueil[c] que donne l'absence entière de vanité et de snobisme, ils trouvaient la chose du monde la plus naturelle que les Guermantes m'eussent invité. Ils n'attachaient aucune importance à ce que j'y allasse ou n'y allasse pas mais ne voulaient pas que je m'habitue à croire qu'on voulait me faire des farces. Ils trouvaient plus « aimable » d'y aller ! Mais d'ailleurs indifférent, trouvant qu'il ne fallait pas s'attribuer d'importance et que mon absence serait inaperçue, mais que d'autre part ces gens n'avaient pas de raison de m'inviter si cela ne leur avait pas fait plaisir de m'avoir. D'autre part mon grand-père n'était pas fâché que je lui dise comment cela se passait chez les Guermantes depuis qu'il savait que la princesse était la petite-fille du plus grand homme d'État de Louis XVIII[1], et papa de savoir si comme il le supposait cela devait être « superbe à l'intérieur ». Bref le soir même je me décidai, on avait pris de mes affaires un soin particulier. Je voulais me commander une boutonnière chez le fleuriste mais ma grand-mère trouvait qu'une rose du jardin serait plus « naturelle ». Après[a] avoir marché sur un massif en pente et en piquant mon habit aux épines des autres, je coupai la plus belle, et je sautai dans l'omnibus qui passait devant la porte trouvant plus de plaisir encore que d'habitude à être aimable avec le conducteur et à céder ma place à l'intérieur à une vieille dame en me disant que ce monsieur qui était si charmant avec eux, avait une belle rose sous son pardessus dont le parfum[b] montait invisible à sa narine pour le charmer comme un secret d'amour et qui dirait « Arrêtez-moi au pont de Solférino » sans qu'on sût que c'était pour aller chez la princesse de Guermantes[c2]. Mais une fois au pont de Solférino où tout le quai était encombré d'une file stationnante et mouvante de voitures, une parfois se détachant et des valets de pied courant avec des manteaux de soie claire sur le bras, ma peur[d] me reprit, c'était sûrement une farce, et quand j'arrivai au moment d'entrer, entendant qu'on annonçait les invités, j'eus envie de redescendre. Mais j'étais pris dans le flot et ne pouvais plus rien faire distrait d'ailleurs par la nécessité d'avoir à enlever mon pardessus, prendre un numéro, jeter ma rose qui s'était déchirée sous mon paletot et dont l'immense tige verte était tout de même trop « naturelle », je murmurai mon nom à l'oreille de l'huissier dans l'espoir qu'il m'annoncerait aussi bas, mais au même moment j'entendis avec un bruit de tonnerre mon nom retentir dans les salons Guermantes qui étaient ouverts devant moi et je sentis que l'instant du cataclysme était arrivé. Huxley[3] raconte qu'une dame qui avait des hallucinations avait cessé d'aller dans le monde parce que ne sachant jamais si ce qu'elle voyait devant elle était une hallucination ou un objet réel, elle ne savait comment agir. Enfin son médecin après douze ans la force d'aller au bal, au moment[e] où on lui tend[f] un fauteuil, elle voit un vieux monsieur assis dedans. Elle se dit : « Il n'est pas admissible qu'on me dise de m'asseoir dans le fauteuil où est le vieux monsieur. Donc ou bien le vieux monsieur est une hallucination et il faut m'asseoir dans ce fauteuil qui est vide, ou c'est la maîtresse de maison qui me tend le fauteuil qui est une hallucination et il ne faut pas que je m'asseye sur le vieux monsieur. » Elle n'avait qu'une seconde pour se décider, et pendant cette seconde comparait le visage du vieux monsieur et celui de la maîtresse de maison qui lui paraissaient tous les deux aussi réels, sans qu'elle pût plutôt penser que c'était l'un que l'autre qui était l'hallucination. Enfin vers la fin de la seconde qu'elle avait pour se décider elle crut à je ne sais quoi que c'était peut-être plutôt le vieux monsieur qui était une hallucination. Elle s'assit, il n'y avait pas de vieux monsieur, elle poussa un immense soupir de soulagement et fut à jamais guérie. Si pénible que dut certainement être la seconde de la vieille dame malade devant le fauteuil, elle ne fut peut-être pas[a] plus anxieuse que la mienne quand à l'orée des salons Guermantes j'entendis lancé par un[b] huissier gigantesque comme Jupiter mon nom voler comme un tonnerre obscur et catastrophique[c], dans les salons Guermantes, et quand tout en m'avançant d'un air naturel pour ne pas laisser croire par mon hésitation s'il y avait mauvaise farce de quelqu'un, que j'en étais complice, je cherchais des yeux <le> prince <et> la princesse[d] de Guermantes pour voir s'ils allaient me faire mettre à la porte. Dans le brouhaha des conversations ils n'avaient pas dû entendre mon nom. La princesse, en robe mauve « princesse », un magnifique diadème de perles et de saphirs dans les cheveux, causait sur une causeuse avec des personnes, et tendait la main sans se lever aux entrants. Quant au prince, je ne vis pas où il était. Elle[e] ne m'avait pas encore vu. Je me dirigeais vers elle mais en la regardant avec la même fixité que la vieille dame regardait le vieux monsieur sur lequel elle allait s'asseoir, car je suppose qu'elle devait faire attention pour dès qu'elle sentirait sous son corps la résistance des genoux du monsieur ne pas insister sur l'acte de s'asseoir. Ainsi j'épiais sur le visage de la princesse de Guermantes, dès qu'elle m'aurait aperçu, la première trace de la stupeur et de l'indignation pour abréger le scandale et filer au plus vite. Elle m'aperçoit, elle se lève, alors qu'elle ne se levait pour aucun invité, elle vient vers moi, mon cœur tremble, mais se rassure en voyant ses yeux bleus briller du plus charmant sourire et son long gant de Suède en courbe gracieuse se tendre vers moi : « Comme c'est aimable d'être venu, je suis ravie de vous voir. Quel malheur que nos cousins soient justement en voyage, mais c'est d'autant plus gentil à vous d'être venu, comme cela nous savons que c'est pour nous seuls. Tenez, vous trouverez M. de Guermantes dans ce petit salon, il sera charmé de vous voir. » Je m'inclinai avec un profond salut et la princesse n'entendit pas mon soupir de soulagement. Mais ce fut celui de la vieille dame devant le fauteuil, quand elle se fut assise et vit qu'il n'y avait pas de vieux monsieur. Dès ce jour je fus à tout jamais guéri de ma timidité. J'ai peut-être reçu depuis bien des invitations plus inattendues ou plus flatteuses que celles de M. et Mme de Guermantes. Mais les tapisseries de Combray, la lanterne magique, les promenades du côté de Guermantes ne leur donnaient pas leur prestige. J'ai toujours compté sur le sourire de bienvenue et n'ai jamais compté avec la mauvaise farce. Et elle se fût produite que cela m'aurait été tout à fait égal. M. de Guermantes recevait très bien, trop bien, car dans ces soirées où il recevait le ban et l'arrière-ban de la noblesse, et où venaient des nobles de second ordre de province pour qui il était un très grand seigneur, il se croyait obligé à force de rondeur et de familiarité, de main sur l'épaule, et de ton bon garçon, de « Ce n'est pas amusant chez moi » ou de « Je suis très honoré que vous soyez venu », de dissiper chez tous la gêne, la terreur respectueuse qui n'existait pas au degré qu'il le supposait. À quelques pas de lui causait avec une dame le marquis de Guercy. Il ne regardait pas de mon côté, mais je sentais que ses yeux de marchand en plein vent m'avaient parfaitement aperçu. Il causait avec une dame que j'avais vue chez les Guermantes, je la saluai d'abord, ce qui interrompit forcément M. de Guercy mais malgré cela, déplacé et interrompu il regardait d'un autre côté absolument comme s'il ne m'eût pas vu[1]. Non seulement il m'avait vu mais me voyait car dès que je tournai vers lui pour le saluer, tâchant d'attirer l'attention de son visage souriant d'un autre côté du salon et de ses yeux épiant « la rousse », il me tendit la main et n'eut qu'à utiliser pour moi sans bouger son sourire disponible, sa main libre et son regard vacant[a] que je pouvais prendre pour une amabilité <pour> moi[b] puisqu'il me disait bonjour, que j'aurais pu prendre pour une ironie contre moi si je ne lui avais pas dit bonjour, ou pour l'expression de n'importe quelle pensée aimable ou ironique à l'endroit d'un autre ou simplement gaie si j'avais pensé qu'il ne m'eût pas vu. J'avais serré le quatrième doigt qui semblait regretter dans une inflexion mélancolique l'anneau d'archevêque, j'étais pour ainsi dire entré par effraction dans son bonjour incessant et sans acception de personne, je ne pouvais pas dire qu'il m'avait dit bonjour. J'aurais pu à la rigueur penser qu'il ne m'avait pas vu ou pas reconnu. Il se remit à parler avec son interlocutrice et je m'éloignai. On joua une petite opérette pour[c] laquelle on n'avait pas invité de jeunes filles. Il en vint après et on dansa[2].

Le[d3] comte de Guercy s'était assoupi ou du moins fermait les yeux. Depuis[e] quelque temps il était fatigué, très pâle, malgré la moustache noire et les cheveux gris frisés, on le sentait vieux, mais resté très beau. Et ainsi, le visage blanc, immobile, noble, sculptural, sans[f] regard, il m'apparut tel qu'après sa mort, sur la pierre de son tombeau dans l'église de Guermantes. Il me semblait qu'il était sa propre figure funéraire, que son individu était mort et que je ne voyais que le visage de sa race, ce visage que le caractère de chacun avait transformé, avait aménagé à ses besoins personnels, les uns intellectualisé, les autres rendu plus grossier comme la pièce d'un château qui selon le goût du châtelain a été tour à tour salle d'études ou d'escrime. Il m'apparaissait, ce visage, bien délicat, bien noble, bien beau, ses yeux se rouvraient, un vague sourire qu'il n'eût pas le temps de rendre artificiel flotta sur son visage dont j'étudiais en ce moment sous les cheveux défaits en mèches l'ovale du front et les yeux, sa bouche s'entrouvrit, son regard brilla au-dessus de la ligne noble de son nez, sa main délicate releva ses cheveux et je me dis : « Pauvre M. de Gurcy[1] qui aime tant la virilité, s'il savait l'air que je trouve à l'être las et souriant que j'ai en ce moment devant moi. On dirait[a] que c'est une femme ! » Mais au moment même où je prononçais en moi-même ces mots, il me sembla qu'une révolution magique s'opérait en M. de Gurcy. Il n'avait pas bougé mais tout d'un coup il s'éclairait d'une lumière intérieure où tout ce qui m'avait chez lui choqué, troublé, semblé contradictoire, se résolvait en harmonie, depuis que je venais de me dire ces mots : « On dirait une femme. J'avais compris, c'en était une ! C'en était une. Il appartenait à la race de ces êtres, contradictoires en effet puisque leur idéal est viril justement parce que leur tempérament est féminin, qui vont dans la vie à côté des autres, en apparence tout comme eux, mais portant en travers[b] de ce petit disque de la prunelle où notre désir est intaillé et à travers lequel nous voyons le monde, le corps non[c] d'une nymphe, mais d'un éphèbe qui vient projeter son ombre virile et droite[d] sur tout ce qu'ils regardent et tout ce qu'ils font. Race maudite puisque ce qui est pour elle l'idéal de la beauté et l'aliment du désir est aussi l'objet de la honte et la peur du châtiment, et qu'elle est obligée de vivre jusque sur les bancs du tribunal où elle vient comme accusée et devant le Christ, dans le mensonge et dans le parjure, puisque son désir serait en quelque sorte, si elle savait le comprendre inassouvissable puisque n'aimant que l'homme qui n'a rien d'une femme, l'homme qui n'est pas « homosexuel », ce n'est que de celui-là qu'elle peut assouvir[e] un désir qu'elle ne devrait pas pouvoir éprouver pour lui, qu'il ne devrait pas pouvoir éprouver pour elle, si le besoin d'amour n'était pas un grand trompeur et ne lui faisait pas de la plus infâme « tante » l'apparence d'un homme, d'un vrai homme comme les autres, qui par miracle, se serait pris d'amour ou de condescendance pour lui, puisque comme les criminels elle est obligée de cacher son secret à ceux qu'elle aime le plus, craignant la douleur de sa famille, le mépris de ses amis, le châtiment de son pays ; race maudite, persécutée comme Israël et comme lui ayant fini, dans l'opprobre commun d'une abjection imméritée par prendre des caractères communs, l'air d'une race, ayant tous certains traits caractéristiques, des traits physiques qui le <plus> souvent répugnent, qui quelquefois sont beaux, des cœurs de femme aimants et délicats, mais aussi une nature de femme soupçonneuse et perverse, coquette et rapporteuse, des facilités de femme à briller en tout, une incapacité de femme à exceller en rien ; exclus de la famille avec qui ils ne peuvent être en entière confidence, de la patrie aux yeux de qui ils sont des criminels non découverts, de leurs semblables eux-mêmes à qui ils inspirent le dégoût de retrouver en eux-mêmes l'avertissement que ce qu'ils croient un amour naturel est une folie[a] maladive, et aussi cette féminité qui leur déplaît, mais pourtant cœurs aimants exclus de l'amitié parce que leurs amis pourraient soupçonner autre chose que de l'amitié quand ils n'éprouvent que de la pure amitié pour eux, et ne les comprendraient pas s'ils leur avouaient quand ils éprouvent autre chose, objet tantôt d'une méconnaissance aveugle qui ne les aime qu'en ne les connaissant pas, tantôt d'un dégoût qui les incrimine dans ce qu'ils ont de plus pur, tantôt d'une curiosité qui cherche à les expliquer et les comprend tout de travers, élaborant à leur endroit une psychologie de fantaisie qui même en se croyant impartiale est encore tendancieuse et admet à priori, comme ces juges pour qui un juif était naturellement un traître, qu'un homosexuel est facilement un assassin ; comme Israël encore recherchant ce qui n'est pas eux, ce qui ne serait pas d'eux, mais éprouvant pourtant les uns pour les autres, sous l'apparence des médisances, des rivalités, des mépris du moins homosexuel pour le plus homosexuel comme du plus déjudaysé pour le petit juif, une solidarité profonde, dans une sorte de franc-maçonnerie qui est plus vaste que celle des juifs parce que ce[b] qu'on en connaît n'est rien et qu'elle s'étend à l'infini et qui est autrement puissante que la franc-maçonnerie véritable parce qu'elle repose sur une conformité de nature, sur une identité de goût, de besoins, pour ainsi dire de savoir et de commerce, qui à première vue décèle le frère du duc qui monte en voiture dans le voyou qui lui ouvre la portière, ou plus douloureusement parfois dans le fiancé de sa fille, et quelquefois, avec une ironie amère, dans le médecin par qui il veut faire soigner son vice, dans l'homme du monde qui lui met une boule noire au cercle, dans le prêtre à qui il se confesse, dans le magistrat, civil ou militaire, chargé de l'interroger, dans le souverain qui le fait poursuivre[c], race qui met son orgueil à ne pas être une race, à ne pas différer du reste de l'humanité pour que son désir ne lui apparaisse pas comme une maladie, leur réalisation même comme une impossibilité, ses plaisirs comme une illusion, ses caractéristiques comme une tare, de sorte que les pages les premières, je peux le dire, depuis qu'il y a des hommes et qui écrivent, qu'on lui ait consacrées dans un esprit de justice pour les[d] mérites moraux et intellectuels qui ne sont pas comme on le dit enlaidis en elle, de pitié pour son infortune innée et pour ses malheurs injustes, seront celles qu'elle écoutera avec le plus de colère et qu'elle lira avec le sentiment le plus pénible, car si au fond de presque tous les juifs il y a un antisémite qu'on flatte plus en lui trouvant tous les défauts mais en le considérant comme un chrétien, au fond de tout homosexuel il y a un anti-homosexuel à qui on ne peut pas faire de plus grande insulte que de lui reconnaître les talents, les vertus, l'intelligence, le cœur, et en somme comme à toute créature humaine, le droit à l'amour sous la forme où la nature nous a permis de le concevoir, si cependant pour rester dans la vérité on est obligé de confesser que cette forme est étrange, que ces hommes ne sont pas pareils aux autres et radotant[a] sans cesse avec une satisfaction irritante que Platon[b] était homosexuel, comme les juifs que Jésus-Christ était juif, sans comprendre qu'il n'y avait pas d'homosexuels à l'époque où l'usage et le bon ton étaient de vivre avec un jeune homme comme aujourd'hui d'entretenir une danseuse, où Socrate, l'homme le plus moral qui fût jamais, fit sur deux jeunes garçons[c] assis l'un près de l'autre des plaisanteries toutes naturelles comme on fait sur un cousin[d] et sur sa cousine qui ont l'air amoureux l'un de l'autre et qui sont plus révélatrices d'un état social que des théories qui pourraient ne lui être que personnelles, de même qu'il n'y avait pas de juifs avant la crucifixion de Jésus-Christ, si bien que pour originel qu'il soit le péché a son origine historique dans la non-conformité survivant à la réputation ; mais prouvant alors par sa résistance à la prédication, à l'exemple, au mépris, aux châtiments de la loi, une disposition que le reste des hommes sait si forte et si innée qu'elle leur répugne davantage que des crimes qui nécessitent une lésion de la moralité, car ces crimes peuvent être momentanés et chacun peut comprendre l'acte d'un voleur, d'un assassin mais non d'un homosexuel ; partie donc réprouvée de l'humanité mais membre pourtant essentiel, invisible, innombrable de la famille humaine, soupçonné là où il n'est pas, étalé, insolent, impuni là où on ne le sait pas, partout, dans le peuple, dans l'armée, dans le temple, au théâtre, au bagne, sur le trône, se déchirant et se soutenant, ne voulant pas se connaître, mais se reconnaissant, et devinant un semblable dont surtout il ne veut pas s'avouer de lui-même — encore moins être su des autres — qu'il est le semblable, vivant dans l'intimité de ceux que la vue de son crime si un scandale se produisait rendrait comme la vue du sang, féroce comme des fauves, mais habitué comme le dompteur en les voyant pacifiques avec lui dans le monde à jouer avec eux, à parler homosexualité, à provoquer leurs grognements, si bien qu'on ne parle jamais tant homosexualité que devant l'homosexuel, jusqu'au jour infaillible où tôt ou tard il sera dévoré, comme le poète reçu dans tous les salons de Londres, poursuivi lui et ses œuvres, lui ne pouvant trouver un lit où reposer, elles une salle où être jouées[1], et après l'expiation et la mort, voyant s'élever sa statue au-dessus de sa tombe, obligé de travestir ses sentiments, de changer tous ses mots, de mettre au féminin ses phrases, de donner à ses propres yeux des excuses à ses amitiés, à ses colères, plus gêné par la nécessité intérieure et l'ordre impérieux de son vice de ne pas se croire en proie à un vice que par la nécessité sociale de ne pas laisser voir ses goûts.

Le mensonge[a1] où il[b] est obligé de vivre au milieu des autres, il vit avec lui en lui-même, puisque femme, il est obligé pour se plaire à soi-même de se croire homme ; s'il marche d'un air qu'il croit indifférent et dont la négligence voulue redouble son agitation, toujours dans le sillage de quelque panache militaire, il redresse ridiculement, d'un air de héros, des hanches de femme, il regarde d'un air de dédain ce qu'il désire, il flétrit sincèrement l'efféminement avec des intonations de coquette et une voix de fausset. Les uns solitaires, allant chaque dimanche du château où ils vivent reclus, loin du monde « méchant » jusqu'à mi-chemin d'un château voisin où leur camarade d'enfance aujourd'hui marié, fait la promenade inverse. Et là au carrefour des trois chemins, sur le talus désert, ils[c] renouvellent l'étreinte de leur enfance, sans se dire un mot, se quittent sans s'être parlé, et quand ils se revoient dans la semaine, ne s'avouent jamais ce qu'ils ont fait, ne se l'avouent pas à eux-mêmes, et attendent le prochain dimanche, sans pluie et sans lune, comme si c'étaient deux fantômes muets de leur enfance qui réapparaissaient un instant. D'autres criant[d] leur foi, ou du moins ne se plaisant qu'avec leurs correligionnaires, parlant leurs langues, disant volontiers des mots consacrés, faisant les gestes rituels, d'autres corrects, barbus, bureaucrates farouches de leur vice, se tiennent vis-à-vis de tous les jeunes gens sur une réserve de demoiselle de province qui croirait impudique de dire bonjour, quelques-uns merveilleusement beaux, spirituels, nobles, recherchés dans le monde où ils passent avec une tristesse d'anges déchus, regardant sans pouvoir les exaucer les femmes se tuer pour eux, dédaigneux de la duchesse, troublés par le majordome ; quelques uns maternels épris de dévouement, cherchant toute leur vie à faire *[un mot illisible]* un député ou à trouver du travail pour un maçon ; certains[e] épris de direction, voulant perfectionner et conduire, professeurs de morale ou d'art, qui serrent leurs élèves dans leurs bras ; d'autres chastes, regrettant l'arrangement de la vie qui ne permet pas d'épouser le chef de gare et qui envoie aux colonies le chef de bataillon, résument[f] le plaisir de leur vie à donner deux sous de pourboire au télégraphiste ; chez[g] quelques-uns la femme ayant presque levé le masque viril, cherchant les occasions de se travestir, de se peindre, de montrer leurs seins ; et d'autres hideux, ostentatoires, impudiques, tenant dans une brasserie allemande la main <de> l'homme[a] qui est à côté d'eux, relevant leur manche pour laisser voir le bracelet de leurs bras, forçant à se lever et à sortir les jeunes gens effrayés[b] par les œillades de leur désir ou la provocation de leur haine préventive, servis avec politesse et mépris par le garçon philosophe qui connaît la vie et accepte les pourboires ; tous ambitieux[c] de ne frayer qu'avec ceux qui ne sont pas de leur race, mais ne se trouvant sans contrainte qu'avec ceux-là ; ne voulant aimer, être aimés que de ceux qui ne sont pas de leur race mais la possibilité du plaisir étant à la fin la seule orientation du désir, finissant par se plaire à ceux qu'ils rejetaient d'abord ; par la nécessité du consentement et aussi par l'espoir d'aller au-devant d'un désir pour eux menant en notre temps une vie aussi romanesque que celle du conspirateur et de l'aventurier, secrétant autour d'eux un halo d'efféminement.

Parfois[d1] dans une gare, dans un théâtre, vous en avez remarqué[e] de ces êtres délicats, au visage maladif, à l'accoutrement bizarre, promenant[f] d'un air d'apparent ennui, sur une foule qui leur serait indifférente, des regards qui cherchent en réalité s'ils n'y rencontreront pas l'amateur difficile à trouver du plaisir singulier qu'ils offrent et pour qui la muette investigation qu'ils dissimulent sous cet air de paresse lointaine, serait déjà un signe de ralliement. La nature, comme elle fait pour certains animaux, pour certaines fleurs, en qui les organes de l'amour sont si mal placés qu'ils ne trouvent presque jamais le plaisir, ne les a pas gâtés sous le rapport de l'amour. Sans doute[g] l'amour n'est pour aucun être une chose absolument facile, il exigerait la rencontre d'êtres qui souvent suivent des chemins différents. Mais pour cet être à qui la nature fut si marâtre, la difficulté est centuplée. L'espèce à laquelle il appartient est si peu nombreuse sur la terre qu'il a des chances de passer toute sa vie sans jamais rencontrer le semblable qu'il aurait pu aimer. Il le faudrait de son espèce, femme de nature pour pouvoir se prêter à son désir, homme d'aspect pourtant pour pouvoir l'inspirer. Il semble que son tempérament soit construit de telle manière, si étroit, si fragile que l'amour dans des conditions pareilles, sans compter la conspiration de toutes les forces sociales unanimes qui le menacent, et jusque dans son cœur par le scrupule et l'idée du péché, soit une impossible gageure. Ils la tiennent pourtant. Mais le plus souvent se contentant d'apparences grossières, et faute de trouver non pas l'homme-femme, mais la femme-homme qu'il leur faut, ils achètent d'un homme des faveurs de femme, ou par l'illusion dont le plaisir finit[h] par embellir ceux qui le procurent, trouvent quelque charme viril aux êtres tout efféminés qui les aiment[i].

Tout[a1] jeune quand ses camarades lui parlaient des plaisirs qu'on a avec les femmes, il se serrait contre eux, croyant seulement communier avec eux dans le désir des mêmes voluptés. Plus tard il sentit que ce n'étaient pas les mêmes, il le sentait mais ne l'avouait pas, ne se l'avouait pas. Les soirs sans lune, il sortait[b] de son château du Poitou, suivait le chemin qui conduit à la route par où on va au château de son cousin Guy de Gressac. Il le rencontrait à la croix des deux chemins, sur un talus <ils> répétaient les jeux[c] de leur enfance, et se quittaient sans avoir prononcé une parole, sans s'en reparler jamais pendant les journées où ils se voyaient et causaient, en gardant plutôt l'un contre l'autre une sorte d'hostilité, mais se retrouvant dans l'ombre, de temps à autre, muets, comme des fantômes de leur enfance qui se seraient visités. Mais son cousin devenu prince de Guermantes[2] avait des maîtresses et n'était repris que rarement du bizarre souvenir. Et M. de Guerchy revenait souvent après des heures d'attente sur le talus, le cœur gros. Puis son cousin se maria et il ne le vit plus que comme homme causant et riant, un peu froid avec lui cependant, et ne connut plus jamais l'étreinte du fantôme[d]. Cependant Hubert de Guerchy vivait dans son château plus solitaire qu'une châtelaine du Moyen Âge. Quand il allait prendre le train à la station il regrettait, bien qu'il ne lui eût jamais parlé, que la bizarrerie des lois ne permît pas d'épouser le chef de gare ; peut-être bien qu'il fût très entiché de noblesse eût-il passé sur la mésalliance[e] ; et il aurait voulu pouvoir changer de résidence quand le lieutenant-colonel qu'il apercevait à la manœuvre partit pour une autre garnison. Ses plaisirs étaient de descendre parfois de la tour du château où il s'ennuyait comme Grisélidis, et d'aller après mille hésitations à la cuisine dire au boucher que le dernier gigot n'était pas assez tendre ou d'aller prendre lui-même ses lettres au facteur. Et il remontait dans sa tour et apprenait la généalogie de ses aïeux. Un soir il alla jusqu'à remettre un ivrogne dans son chemin, une autre fois il arrangea sur un chemin la blouse défaite d'un aveugle. Il vint à Paris, il était dans sa vingt-cinquième année, d'une grande beauté, spirituel pour un homme du monde et la singularité de son goût n'avait pas encore mis autour de sa personne ce halo trouble qui le distinguait plus tard. Mais Andromède attachée à un sexe pour lequel il n'était point fait ses yeux étaient pleins d'une nostalgie qui rendait les femmes amoureuses, et tandis qu'il était un objet de dégoût pour les êtres dont il s'éprenait, il ne pouvait partager pleinement les passions qu'il inspirait. Il avait des maîtresses. Une femme se tua pour lui. Il s'était lié avec quelques jeunes gens de l'aristocratie dont les goûts étaient les mêmes que les siens. Cachant soigneusement la secte à laquelle il découvrait maintenant qu'il était à jamais affilié, pleins de mépris et d'outrages pour ceux en qui elle était connue, ils se réunissaient pourtant avec plaisir, causant comme des marchands de leur profession et des diverses denrées, s'oubliant malgré leur horreur de la race maudite, jusqu'à dire par jeu les mots consacrés, à esquisser les gestes rituels. Qui eût pu deviner cela en ces beaux élégants si insolents qui dans un café se levaient de dégoût s'ils apercevaient non seulement de cette lie de la race, qui porte bracelets et fait[a] des signes aux jeunes gens dans les cafés sous l'œil des garçons haineux méprisants et philosophes qui savent la vie et acceptent les pourboires, mais de ces graves lévites du vice, corrects et barbus comme des bureaucrates, qui évitent de se mêler à ceux de l'autre race tant ils s'en croient connus et méprisés, toujours sur la réserve et la défensive, voyant dans le moindre sourire un outrage, dans la plus simple politesse la semence d'une espérance[b] aimée, car la sympathie féconde leur désir, et d'ailleurs ils se sentent trop criminels pour croire à une camaraderie qui ne serait pas la preuve d'une secrète complicité ; réservés, impolis avec les jeunes gens comme ces jeunes filles de province qui croient impudique de parler, de dire bonjour, de sourire. Mais parfois, comme le désir d'un plaisir bizarre peut éclore une fois dans un être normal, <le> désir que <le> corps qu'il serrait contre <le sien> eût[c] des seins de femme pareils à des roses de Bengale et d'autres particularités plus secrètes le hantait. Il s'éprit d'une fille de haute naissance qu'il épousa et pendant quinze ans ses désirs furent tous contenus dans le désir d'elle comme une eau profonde dans une piscine[d] azurée. Il s'émerveillait comme l'ancien dyspeptique qui pendant vingt ans n'a pu prendre que du lait et qui déjeune et dîne tous les jours au café Anglais, comme le paresseux devenu travailleur, comme l'ivrogne guéri. Elle mourut et de savoir qu'il connaissait le remède au mal lui donna moins de craintes d'y retourner. Et peu à peu il devenait semblable à ceux qui lui avaient inspiré le plus de dégoût. Mais sa situation le préservait un peu. Il s'arrêtait un moment devant la sortie du lycée Condorcet en allant au club, puis se consolait en pensant <que> c'était[e] sur son bateau que le duc de Parme et le grand-duc de Gênes <iraient> à Londres[f], parce qu'il n'y avait tout de même pas de grand seigneur français qui eût une situation aussi grande que la sienne, et que probablement, à cause de cela, le roi d'Angleterre viendrait y déjeuner[1].

La Race des Tantes[g][2]

Ce n'est pas seulement aux autres, c'est à eux-mêmes que les uns ne se sont pas avoués ce qu'ils sont. Quand au collège ils se rapprochent fiévreusement d'un camarade qui leur raconte la nuit qu'il a passée avec une femme, ils croient seulement communier avec lui dans le désir de joies identiques pour tous deux. Et par une transposition inconsciente ils rapportent si bien à leur désir bizarre, tout ce qui dans la littérature, dans l'art, dans la vie a depuis tant de siècles élargi comme un fleuve la notion de l'amour, tant leur amour est si naturel qu'ils oublient finalement que l'objet ne l'est pas. Et sans songer que seul un homme-femme comme eux pourrait partager leur passion, ils attendent avec la foi d'une héroïne de Walter Scott la venue de Rob Roy et d'Ivanhoë. D'autres « savants » mais solitaires, n'avouent jamais. Ils fuient le monde. Et de leur château où ils vivent aussi isolés qu'une dame[a] du Moyen Âge, les soirs sans pluie ils prennent un chemin, puis un autre où aboutit la route qui mène à la propriété d'un cousin avec qui ils furent élevés. Au carrefour ils se rencontrent et sans prononcer une parole, sur le talus obscur, ils répètent les jeux de leur enfance. Puis ils se quittent sans un mot, et les jours suivants quand ils se voient chez l'un ou chez l'autre jamais une allusion n'est faite, ils sont les mêmes que s'ils ne devaient pas dans quelques soirs se rencontrer de nouveau au croisement des deux routes, sauf un peu de froideur, d'amertume et d'hostilité. Et ils ne savent pas trop si c'est bien eux-mêmes, ces deux fantômes de leur enfance qui reviennent s'étreindre dans la campagne obscure. Puis[b] le voisin qui a des maîtresses et chez qui survivait comme une maladie d'enfance ce goût bizarre, le perd, se marie. Et le mélancolique châtelain après des attentes inutiles sur le talus d'où il rentre le cœur gros de déceptions, remonte dans sa tour désormais pur et triste comme Grisélidis, n'ayant d'autres plaisirs que parfois, après de longues hésitations, de descendre aux cuisines à l'heure où vient le boucher, lui dire du seuil de la porte que le gigot de la veille n'était pas assez < tendre[c] >, ou les matins de printemps où le cœur ne se contient pas d'aller demander lui-même ses lettres au facteur. Un soir de folie il a remis un ivrogne dans son chemin et rajusté la blouse défaite de l'aveugle. Et il a de grandes tristesses en songeant quand il va prendre le train à la station que si la société était autrement faite[d] il pourrait demander la main du chef de gare, et parce que, de peur d'ennuyer, il n'ose pas suivre, en changeant de résidence, le lieutenant-colonel qui part pour une autre garnison. Mais d'autres comme des marchands aiment à se réunir le soir, après leurs affaires faites, à causer de leur profession, à se renseigner sur les denrées. Ils se cachent des autres mais se plaisent entre eux. Qui pourrait[e] soupçonner ces élégants jeunes gens, aimés des femmes, de parler à cette table de plaisirs que le reste du monde ne comprend pas < ? > Ils détestent, ils invectivent ceux de leur race et ne les fréquentent point. Ils ont le snobisme et l'exclusive fréquentation de ceux qui n'aiment que les femmes. Mais avec deux ou trois autres aussi décrassés qu'eux, ils aiment à plaisanter, à sentir qu'ils sont de même race. Parfois quand ils sont seuls, un mot consacré, un geste rituel leur échappe, dans un mouvement d'ironie volontaire mais de solidarité inconsciente et de plaisir profond. Ceux-là dans un café seront regardés avec crainte par ces lévites barbus qui eux ne veulent fréquenter que ceux de leur race, par peur <du> mépris[a], bureaucrates de leur vice, exagérant la correction, n'osant sortir qu'en cravate noire, et regardant d'un air froid ces beaux jeunes gens en qui ils ne peuvent soupçonner des pareils, car s'il est vrai <qu'> on croit[b] facilement ce qu'on désire, on n'ose pas non plus trop croire ce qu'on désire. Et quelques-uns de ceux-là par pudeur n'osent répondre que par un balbutiement impoli au bonjour d'un jeune homme, comme ces jeunes filles de province qui croiraient immoral de sourire ou de donner la main. Et l'amabilité d'un jeune homme jette en leurs cœurs la semence d'amours éternels, car la bonté d'un sourire suffit à faire éclore l'espérance, et puis ils se savent si criminels, si honnis, qu'ils ne peuvent concevoir une prévenance qui ne serait pas une preuve de complicité. Mais dans dix ans les beaux jeunes gens insoupçonnés et les lévites barbus se connaîtront, car alors leurs pensées secrètes et communes auront irradié autour de leur personne ce halo auquel on ne se trompe pas et dans lequel on distingue comme la forme rêvée d'un éphèbe ; le progrès interne de leur mal inguérissable aura désordonné leur démarche ; au bout de la rue où on les rencontre, redressant d'un air belliqueux des hanches féminines, prévenant à force d'impertinence le mépris supposé, masquant — et redoublant — par une feinte nonchalance l'agitation de manquer un but dont ils se rapprochent moins vite en feignant de ne pas le voir, on apercevra toujours une tunique lycéenne ou une crinière militaire ; et les uns comme les autres on les voit avec l'œil curieux[c] et l'attitude indifférente des espions rôder autour des casernes. Mais les uns et les autres, dans le café où ils s'ignorent encore, fuient devant la lie de leur race, devant la secte porte-bracelets, de ceux qui dans les lieux publics ne craignent pas de serrer contre eux un autre homme et relèvent à tous moments leur manchette pour laisser voir à leur poignet un rang de perles, faisant lever et partir, comme une odeur intolérable, les jeunes gens qu'ils pourchassent de leurs regards tour à tour provocants et furieux, les lévites et les élégants qu'ils désignent de rires efféminés et de gestes équivoques et méchants, cependant que le garçon de café indigné mais philosophe et qui sait la vie, les sert avec une politesse irritée, en se demandant s'il va falloir chercher la police, mais en empochant toujours le pourboire. D'autres apologistes de leur race, la glorifient jusque dans ses origines, et citent d'un air fin Platon[d] et Socrate comme les juifs qui répètent : « Mais Jésus-Christ était juif » sans comprendre que le péché même originel a son origine dans l'histoire, que c'est la réprobation qui fait la honte.

Quelques-uns[a], silencieux et merveilleusement beaux, Andromèdes admirables attachés à un sexe qui les vouera à la solitude, reflètent dans leurs yeux la douleur de l'impossible paradis avec une splendeur où viennent se brûler les femmes qui se tuent pour eux ; et odieux à ceux dont ils recherchent l'amour ne peuvent contenter celui que leur beauté éveille. Et en d'autres encore, la femme est presque à demi sortie. Ses seins sortent, ils cherchent les occasions de se travestir pour les montrer, aiment la danse, la toilette, le rouge comme une fille et dans la réunion la plus grave pris de folie se mettent à rire et à chanter.

Je[b1] me souviens d'avoir vu à Querqueville[2] un jeune garçon[c] dont ses frères et ses amis se moquaient qui se promenait seul sur la plage ; il avait une figure charmante, pensive et triste sous de longs cheveux noirs dont il avivait l'éclat en y répandant en secret une sorte de poudre bleue. Bien qu'il prétendît que ce fût leur couleur naturelle il rougissait légèrement ses lèvres au carmin. Il se promenait pendant des heures seul sur la plage, s'asseyait sur les rochers et interrogeait la mer bleue d'un œil mélancolique, déjà inquiet et insistant, se demandant si dans ce paysage de mer et de ciel d'un léger azur, le même qui brillait déjà aux jours de Marathon et de Salamine, il n'allait pas voir s'avancer sur une barque rapide et l'enlever avec lui, l'Antinoüs dont il rêvait tout le jour, et la nuit à la fenêtre de la petite villa, où le passant attardé l'apercevait au clair de lune, regardant la nuit, et rentrant vite quand on l'avait aperçu. Trop pur encore pour croire qu'un désir pareil au sien pût exister ailleurs que dans les livres, ne pensant pas que les scènes de débauche que nous lui assimilons aient un rapport quelconque avec lui, les mettant au même niveau que le vol et l'assassinat, retournant toujours à son rocher regarder le ciel et la mer, ignorant le port où les matelots sont contents pourvu que, de quelque manière que ce soit, ils gagnent un salaire. Mais son désir inavoué se manifestait dans l'éloignement de ses camarades, ou dans l'étrangeté de ses paroles et de ses façons quand il était avec eux. Ils essayaient son rouge, plaisantaient sa poudre bleue, sa tristesse. Et en pantalons bleus et en casquette marine, il se promenait mélancolique et seul, consumé de langueur et de remords.

Esquisse II
LE MARQUIS DE GUERCY
(SUITE[1])

[M. de Guercy est encore le héros de ces fragments du Cahier 51, de peu postérieurs à ceux que nous donnons dans l'Esquisse I. De même que dans cette dernière, Proust ébauche, sans souci de les situer ni de les relier, des scènes qui seront fort éloignées dans le texte définitif, en particulier les deux grands moments de la carrière homosexuelle de M. de Charlus : sa rencontre avec Jupien (ici un fleuriste nommé Borniche), et sa rencontre avec Morel (ici un pianiste anonyme), suivie d'une première version de « M. de Charlus chez les Verdurin ».]

M. et Mme de Guermantes[a2] étaient très liés avec leur tante de Villeparisis[3]. Mais le plaisir de penser qu'ils étaient ses héritiers était altéré par la pensée qu'elle devait deviner ce plaisir et penser qu'ils étaient par intérêt prêts à toutes les gentillesses envers elle. Ils se rebiffaient devant les moindres difficultés de caractère qu'ils eussent probablement supportées sans cela, pour ne pas avoir l'air de les supporter à cause de l'héritage. Mme de Villeparisis[b] trop intime avec les Guermantes pour ne pas être dans un petit salon écarté l'idole antique près de laquelle les jeunes femmes passent en faisant une génuflexion sans s'arrêter n'allait jamais à leurs réceptions. Mais elle en était très fière. Elle disait à un jeune homme de lettres d'un air entendu : « Je sais qu'ils ont ce soir la grande-duchesse de Parme. Ce sera très beau. » Et le lendemain quand Mme de Guermantes montait : « Hé bien comment était ta fête ? On ne s'est pas ennuyé en tous cas, car j'ai entendu encore des roulements de voiture à deux heures du matin. » Mais elle avait de petites manies que les Guermantes eussent sans doute supportées avec patience si elle ne leur avait pas laissé entendre autrefois qu'ils seraient ses héritiers. Ils trouvaient agréable d'y compter mais insupportable de penser que Mme de Villeparisis se disait qu'ils y comptaient et chaque fois qu'elle était de mauvaise humeur ils s'imaginaient qu'elle se disait : « Je n'ai pas besoin de me gêner, ils n'oseront jamais rien dire à cause du testament. » Et alors ils se rebiffaient devant de petites tracasseries qu'ils eussent probablement supportées avec patience s'ils ne s'étaient pas sus les héritiers. « Ma tante a été insupportable ce soir, disait Mme de Guermantes à son mari. Si elle croit qu'à cause du testament nous plierons devant tous ses caprices elle a tort. Après tout nous n'avons absolument pas besoin de sa fortune. Elle peut bien la laisser à qui elle voudra. » Cette disposition[c] fut fort aggravée par l'affection où Mme de Villeparisis commença à prendre la jeune baronne de Villeparisis[4].

Les Guermantes supposèrent que peut-être Mme de Villeparisis mécontente de leur résistance à tous ses caprices voulait laisser sa fortune à Mme de Villeparisis[1], et dès lors <ils> furent plus froids et plus cassants encore pour ne pas avoir l'air de lutter de gentillesse avec la jeune baronne. Enfin un beau jour une brouille véritable survint, les Guermantes déclarèrent[a] qu'ils ne remettraient pas les pieds chez leur tante et qu'ils laissaient la place à Mme de Villeparisis ; par une contradiction apparente mais assez explicable, si l'espérance de l'héritage les avait peu brouillés avec leur tante, la certitude[b] de ne plus l'avoir rendit la brouille définitive. À quoi bon maintenant se donner l'humiliation de revenir, et de rendre des devoirs à une vieille femme qui les avait toujours ennuyés, qui ne fréquentait pas la même société qu'eux, qui critiquait toujours tout, qui avait il fallait bien le dire une liaison scandaleuse et affichée etc. À partir de ce moment jusqu'à la mort de Mme de Villeparisis Mme de Guermantes se contenta de monter chez sa tante les deux ou trois fois où elle fut prise des crises du mal qui devait l'emporter. Quant à M. de Guermantes il ne voulut même pas monter. Mme de Guermantes qui trouvait qu'il l'aurait dû disait : « Adolphe[2] a été très ennuyé d'apprendre, Adolphe m'a chargé. » Mme de Villeparisis qui était indignée que M. de Guermantes affectât de ne pas se déranger faisait semblant de ne pas entendre et à la quatrième insinuation de sa nièce : « Je vais sortir mais avant je descendrai donner les nouvelles <à> Adolphe qui... » Mme de Villeparisis éclata : « Tu voudras bien ne plus prononcer devant moi le nom d'Adolphe. » Ce fut dit d'un tel ton que Mme de Guermantes n'en reparla jamais. Un de ces jours où Mme de Villeparisis avait été plus souffrante, on était allé prévenir M. de Guercy qui lui était resté fort lié avec elle, mais ne venait jamais l'après-midi comme j'ai dit[3] et venait la voir le soir en allant voir les Guermantes. En général Mme de Villeparisis n'aimait pas qu'on vînt ainsi par raccroc chez elle. Comme Monsieur qui n'aimait pas qu'on allât à Sceaux en allant à Versailles, elle voulait qu'on vînt chez elle exprès. Pour le bien marquer elle avait choisi comme heures où on pouvait la voir celles précisément où sa nièce sortait et à celles où sa nièce recevait sa porte était habituellement fermée parce qu'elle travaillait aux Mémoires. Les cartes qu'on lui laissait à cette heure-là ne comptaient pas. « Vous savez bien que je ne reçois pas à cette heure-là. Demain il y a matinée chez ma nièce je ne recevrai pas. » Mais pour M. de Guercy dont l'assiduité la touchait beaucoup et dont elle savait la vie réglée avec la marche, les douches, le club, de façon que cela lui eût été difficile de venir à un autre moment elle l'admettait. Il restait d'ailleurs longtemps, causait beaucoup avec elle, elle savait qu'il ne venait pas en passant. Mais ce jour là comme elle se sentit mal on le fit chercher. C'était un après-midi très chaud, il arriva en voiture qui entra dans la cour, puis renvoya sa voiture. Françoise aux fenêtres demanda comment allait Mme de Villeparisis, Borniche qui venait de rentrer lui parla un moment, mais maman entendant fit signe à Françoise de ne pas parler par la fenêtre. Je restais à regarder derrière les volets le grand sophora. Autour de ses fleurs roses des abeilles venaient chercher le pollen et en apportaient. C'était la fin de l'après-midi, cette heure si belle où l'air a une sorte de brillant invisible, si bien que chaque chose qui y est trempée prend quelque chose de velouté. On ressentait à regarder les moindres choses, la borne de la cour que le soleil n'avait pas encore atteinte, les fleurs qui étaient dans l'ombre et celles qui étaient dans la lumière une sorte d'exaltation, parce que les moindres couleurs rendues plus intenses par l'heure arrivaient au regard avec la sorte de justesse et d'harmonie infaillible des notes d'une mélodie. On était émerveillé que les fleurs roses du sophora[a] fussent roses, tant les tons avaient l'air juste. En réalité je crois que cette impression de justesse était obtenue par un peu d'excès et que la lumière trempait le rose des fleurs, le brun des branches dans du rose et du brun plus clair. Et les fleurs avaient l'air de se détacher de l'air ambiant comme d'un velours invisible sur lequel elles auraient été posées et sur lequel elles faisaient une douce pression. Par-dessus les toits le clocher du couvent voisin semblait en velours pourpré et repoussait le ciel qui refluait sur ses bords comme j'avais souvent vu le clocher de Combray. Le soleil touchait encore le haut de la tour qui semblait plus haute là d'être vaguement éclairée. C'était l'heure où on s'assied devant les portes en disant : « Il n'y a pas d'air. » Et Borniche lui-même n'avait pas commencé à travailler et prenait un peu l'air devant sa porte. J'avais envoyé demander des nouvelles de Mme de Villeparisis, on m'avait répondu qu'elle allait bien que ça n'avait rien été. Et de fait levant les yeux à une porte qui battait je vis M. de Guercy sortir de chez les Guermantes. Je le regardais traverser la cour. Il était arrivé à la hauteur de la boutique de Borniche qu'il voyait probablement ouverte pour la première fois puisqu'il ne venait jamais qu'aux heures <de fermeture>, qu'en <passant[b]>, je le vis s'arrêter vivement, regarder du côté de la boutique, continuer son chemin, revenir de l'air de quelqu'un qui a oublié quelque chose, ou plutôt de quelqu'un qui veut avoir <l'air> d'avoir oublié quelque chose et rester un moment dans la cour, en tirant sa montre, en regardant d'un air agité, négligent, impertinent, ridicule, dans tous les sens, et en fredonnant un air. Dans le silence de cette fin d'après-midi je distinguai le refrain pourtant susurré, c'était cette même *C'est l'étoile d'amour*[1] que je lui avais entendu chanter la première fois que je l'avais vu sur la plage. Je suis persuadé qu'il ne savait pas qu'il la fredonnait mais que quand il était repris d'une agitation pareille, par une association involontaire qui fait que tant d'airs sont les leitmotives de certains états d'âme et reviennent toujours quand nous les éprouvons, se trouvant dans une disposition pareille, une mimique identique et le geste de la canne sur son pantalon qui m'avait frappé ce jour-là et de relever ses moustaches, de froisser sa rose avait ramené l'air de Delmet[1]. Mais quelle ne fut pas ma stupeur en voyant au même moment passer sur la figure et dans les manières de Borniche une expression que je ne lui avais <jamais> vue. Lui qui avait toujours l'air si bon, commença à redresser la tête, à prendre le même air affairé et insolent que M. de Guercy, il mit les mains dans ses poches, il sifflota, il fit une mimique qui voulait signifier que dans cette cour il voyait tout sauf M. de Guercy, puis il rentra dans sa boutique. M. de Guercy partit, au bout d'un instant il revint, il avait dû jeter sa rose, car il ne l'avait plus, resonna chez Mme de Guermantes, je ne sais s'il demanda au maître d'hôtel de lui indiquer un fleuriste mais le maître d'hôtel lui indiqua la boutique de Borniche. Il fallait[a] que je sorte, je descendis, je voyais parfaitement M. de Guercy et Borniche qui ne pouvaient pas me voir et causaient d'ailleurs avec trop d'animation pour penser aux autres. Sur les briques qu'astiquait si bien Mlle Borniche, le jour de cinq heures s'étendait comme une baie lumineuse et pure. Borniche était debout devant la porte de l'arrière-boutique plus obscure, toute veloutée de cette belle pénombre onctueuse des jours chauds où la batterie de cuisine brillait dans une demi-obscurité qui était déjà la nuit. M. de Guercy qui avait mis <sa rose> à sa boutonnière remettait dans sa poche une pièce de monnaie que galamment Borniche n'avait pas voulu accepter. M. de Guercy s'avançait dans la cour mais il s'arrêta encore un instant pour demander à Borniche un renseignement que je ne distinguai <pas>. J'entendis seulement le commencement de la phrase : « Vous qui devez bien connaître le quartier vous pourriez peut-être me dire » puis il baissa la voix et j'entendis seulement les mots pharmacien et marchand de marrons. Borniche que je voyais de face debout au milieu de la petite baie dorée, eut un air froissé, jaloux et digne. Il se redressa avec le dépit d'une grande coquette et d'un ton glacial, douloureux et maniéré il dit : « Je vois que vous avez un cœur d'artichaut. » Au soleil[b] qui frappait son visage, le cerne de ses yeux s'était agrandi tout d'un coup. Car une pensée heureuse ne voletait plus sur l'étang des regards dont la solitude était arrivée en un instant à un degré d'abandon <et> de dévastation inouïs. Mais bientôt[c] l'ivresse du commérage[d] <noya la déception de son cœur>. Depuis ce jour[e], M. de

Guercy changea l'heure de sa visite à Mlle de Villeparisis, et il ne s'en allait jamais sans acheter une rose à Borniche. Et d'après le bien qu'il leur en dit, les Guermantes prirent désormais leurs fleurs chez Borniche. Françoise m'apprit même qu'elle avait su par le valet de chambre des Guermantes que le marquis avait trouvé du travail à Borniche « pour bien des petites choses ». Et il allait plusieurs fois par semaine lui ranger bien des petites affaires. « Ah ! c'est un si bon homme que le marquis disait Françoise, si bien, si bien, et un homme si dévot, si comme il faut. Ah ! si j'avais une fille et si j'étais riche, voilà un homme à qui je la donnerais les yeux fermés. — Mais Françoise elle serait bigame votre fameuse fille. Rappelez-vous que vous l'avez déjà promise à Borniche. — Ah ! dame c'est que lui aussi c'est un homme qui rendrait une femme bien heureuse. Lui et le marquis c'est bien le même genre de personnes. »

Puisqu'ici-bas[a1] *toute âme*
Donne à quelqu'un
Sa musique, sa flamme
Ou son parfum[2]*...*

Et comme les fleurs du sophora, dans cette cour, ne devaient pas rester sans s'unir à d'autres fleurs de sophora fleuries bien loin d'elle<s> et qui sur les ailes des abeilles, sur les ailes du vent les cherchaient à travers Paris et les rencontreraient enfin contre le vieux mur, le seul peut-être de tout ce quartier où s'appuyait un sophora et étaient entrées résolument dans la cour, ainsi[b] un être existait aussi rare que notre sophora, pour qui la fleur rêvée était un monsieur plus âgé que lui, gros, grisonnant, avec des moustaches noires. Il s'étiolait mélancoliquement dans notre cour. M. de Guercy y venait[c] chaque jour comme tant d'insectes rôdent autour des fleurs quand le calice fermé ne peut les apercevoir, et il avait fallu pour qu'il rencontrât Borniche que se produisît ce jour-là dans la santé de Mme de Villeparisis cette crise douloureuse et nuptiale. À partir de ce jour M. de Guercy changea l'heure de sa visite aux Guermantes.

La digitale dans le vallon[3].

L'amusement[d4] de revoir la tante de Léonie[5] me fit[e] retourner cette année-là quelquefois chez les Verdurin. C'était l'année où ils avaient loué à Chatou[6]. Je prenais[f] toujours le dernier train pour ne pas voyager avec tout le monde. Mais quand c'était le samedi j'avais à éviter le pianiste car comme il faisait cette année-là son service militaire, dans la musique, il n'arrivait à Paris qu'assez tard et reprenait le dernier train pour venir dîner. La tante n'attendait pas jusque-là pour ne pas avoir à se presser et à risquer « d'être rouge » en arrivant. Je venais de prendre mon billet et j'allais vers le train de Chatou quand j'aperçus dans la salle des pas perdus le marquis de Guercy qui parlait d'une façon animée à un militaire en qui je reconnus vite le pianiste. Je pris le train. On attendit le pianiste très tard ce soir-là, il ne vint pas, mais on reçut un télégramme de lui disant qu'il ne pouvait avoir de permission. Par une mauvaise chance la tante prit justement un train plus tard, le même que moi. Elle fut désolée de la dépêche et eut l'air de la croire vraie. Mais je crois bien qu'elle avait dû apercevoir son neveu, peut-être même penser que je l'avais aperçu car je remarquai ce soir-là chez elle au milieu de plis Watteau qu'elle n'arrêtait pas de draper et qui semblaient avoir subitement multiplié, un redoublement de majesté et presque un commencement d'aphasie. Quelques semaines plus tard elle demanda aux Verdurin d'amener un protecteur des arts et notamment de son neveu le marquis de Guercy. Et désormais deux fois par semaine on voyait maintenant gare Saint-Lazare un gros homme grisonnant avec une rose à la boutonnière et des moustaches noires qui arrivait en se dandinant et à qui la chaleur de la gare faisait hideusement couler le rouge qu'il se mettait maintenant sans mesure sur les *[un feuillet manquant]*

des[a][1] manières gracieuses, dit au docteur, nous venions de nous mettre à table pour ne pas faire attendre le marquis. — Le marquis ? qui ça ? cria d'une voix terrible le docteur Cottard, où il y a-t-il un marquis ? — Ça vous prend souvent », dit le peintre. Mme Verdurin qui les trouva tous deux plus communs que d'habitude dit d'une voix du répertoire : « Le marquis de Guercy (avec un geste de main, le docteur Cottard) qui nous fait le plaisir de venir dîner ici sans façon. — Ah ! bien, bien, ça va bien[2] » dit le docteur avec conciliation, mais ne sachant pas au juste comment il fallait lui dire, il tournait ses phrases d'une façon compliquée et impolie pour ne pas avoir à dire monsieur, comme quand on ne se rappelle pas si on tutoie ou non un ancien camarade qu'on a rencontré, ou quand au collège dans un thème latin quand on n'est pas sûr de la conjugaison, on « tourne par l'infinitif ». À partir de ce jour tous les samedis[b] on retrouvait au train M. de Guercy qui devenu fort gros, arrivait en se dandinant avec sa rose à la boutonnière, et dont le rouge qu'il se mettait maintenant sans discrétion aux lèvres coulait hideusement dans la chaleur torride de la salle des <pas> perdus, plus visible dans la lumière crue du hall de verre. Il demandait à la tante d'une voix de fausset, ironiquement paternelle : « Est-ce que "l'enfant" vient aujourd'hui ? » ce qui gênait un peu car on les avait souvent vus arriver ensemble à la gare et se quitter devant l'escalier pour ne pas avoir l'air d'arriver ensemble. Il aimait répéter « l'enfant », lui disant à lui à tout propos, sur un ton onctueux, suraigu et plaisant : « Oui mon enfant. » Et au bout d'un mois ne se gênant plus chez les Verdurin, il lui arrangeait sa cravate, lui enlevait des poussières sur la veste, disant : « Ah ! ces enfants, dire qu'ils ne sont pas capables de mettre leur cravate tout seuls. » Il faut dire que le prestige de M. de Guerchy, dès qu'on avait su qui il était, était instantanément tombé aux yeux des fidèles du petit noyau. Chose assez bizarre cet homme qui « dans son monde » avait conservé la haute situation mondaine que comportait son nom, qui avait même su la faire plus grande, par l'exclusivisme qu'il portait dans ses relations, sa sévérité dans les élections au club, son refus[a] de fréquenter les roturiers, les israëlites, les américains, même ceux qui allaient chez les Guermantes, et dont les habitudes étaient ou inconnues ou mises en doute dans ce milieu, cet homme avait la plus mauvaise réputation dans un milieu bohême que connaissaient le peintre et le docteur. Là sa situation mondaine impossible à s'imaginer et à apprécier puisqu'il n'y avait pas de points de comparaison ne comptait pas. Et sa mauvaise réputation répandue on ne sait pourquoi et que ne tenait pas en échec l'impression des gens qui connaissant son cœur, sa délicatesse, son esprit, avaient peine à la croire fondée et compatible avec tout cela, avait pris le caractère de certitude et d'infamie que ces réputations ont dans les milieux d'atelier, de coulisse, où on croit facilement et un peu à tort et à travers des choses infamantes sur les hommes et les femmes du monde. Pour Cottard, pour le peintre, c'était un homme taré. Ils ne pouvaient pas soupçonner sa situation vraie. Aussi quand il arrivait à la gare Cottard hésitait-il à faire monter sa femme dans le wagon où était Guercy. Et son œil s'arrondissait en regardant le peintre d'un sourire de docte. Mais le peintre et les quelques savants, professeurs, etc. qui venaient chez les Verdurin aimaient monter avec Guercy, parce qu'il était intelligent mais surtout parce que l'idée qu'ils se faisaient de son infamie donnait pour eux une sorte de saveur d'étrangeté à tous ses propos. Le préjugé qu'éprouvait contre lui leur sens moral avait tout naturellement pour envers une sorte de parti pris dont ils faisaient un peu partialement bénéficier son intelligence. Les moindres lieux communs qu'il énonçait sur l'amour, sur la jalousie, en pensant à l'expérience singulière où il les avait puisés, leur paraissaient aussi travestis, et dépaysés et en somme renouvelés que des maximes d'une vérité générale quand nous les entendons exprimées dans une pièce japonaise par des acteurs en robe rose et en souliers de papier *(?)*. Il suffisait qu'il dise : « J'avais peur de manquer le train parce que j'avais quelqu'un chez moi », on pensait « Pas une femme » bien sûr, et on aurait voulu l'interroger. De sorte que chacun finissait par monter dans le wagon où était installé un gros homme à lèvres peintes, avec le mélange d'inquiétude, de curiosité, de répugnance et presque de charme à voyager à côté d'une caisse mystérieuse de provenance exotique et suspecte et qui à travers sa forme redondante et ses couleurs crues laissait passer l'odeur curieuse de fruits inconnus dont la pensée levait le cœur. Aussi le jour où les Verdurin eurent Forcheville pour qui M. de Guercy était ce qu'il était dans le monde, aux yeux de quelqu'un qui n'en était guère mais qui en connaissait les nuances et les rangs, chacun fut si étonné de la déférence qu'il lui témoigna qu'on crut s'être trompé, ou qu'il y avait à cela une raison particulière. Ainsi Guercy étant debout, Forcheville[1] qui était dans un fauteuil se leva, s'écarta du fauteuil et en s'inclinant le montra à Guerchy, qui avec beaucoup de grâce mais comme une chose toute naturelle, n'accepta <pas> et le rassit en faisant le geste de lui appuyer sur les épaules en disant : « Mais comment donc mon cher. » En allant à table, Mme Verdurin prit le bras de Forcheville qui protesta voulant laisser le bras à Guerchy, mais dut céder devant l'insistance de Mme Verdurin qui pensait que c'était mieux ainsi. Néanmoins cette protestation de Forcheville éveilla dans son cœur une certaine inquiétude si bien qu'après le dîner elle laissa percer un certain doute auprès de son mari. M. Verdurin voyant le désir de sa femme alla rondement vers M. de Guerchy et lui dit avec un certain plaisir et d'un air fin : « Je l'ai mis à droite parce qu'il est marquis. Comme vous êtes comte... — Mais je suis aussi prince de Laon, monsieur, répondit M. de Guercy. Mais cela n'a aucune importance... ici ! J'ai bien vu que vous n'aviez pas l'habitude. » Quant à la princesse[2], si elle avait écrit qu'elle était malade le jour où M. de Guercy était venu pour la première fois, c'est qu'espérant qu'il ne reviendrait peut-être pas, et pensant qu'il savait aussi bien qui elle était qu'elle savait qui il était, elle avait craint qu'il ne « causât », et avait préféré ne pas se montrer. Mais maintenant que Guercy venait régulièrement elle était bien obligée de se trouver avec lui. Elle resta dans le coin qu'elle gardait d'habitude, mais à la centième puissance. Elle arrivait maintenant vingt-cinq minutes avant le départ du train et au journal habituel joignait un arsenal de revues. Quand Guercy la saluait, elle répondait par une inclination dont la profondeur signifiait qu'elle savait son rang et qu'elle était décidée à abdiquer le sien pour qu'il l'ignorât. Elle se redressait aussitôt vivement avec élégance et la plume de son chapeau venait trembler légèrement contre le molleton du wagon, là où il y a une guipure avec Ouest. Au bout de deux mois de Chatou ils en étaient encore là, elle l'ignorait tant qu'il n'était pas venu à elle, s'inclinait quand il s'inclinait, se redressait et de sa fine antenne la plume de son chapeau semblait chercher par un sens mystérieux de l'équilibre la position exacte que la princesse occupait auparavant, geste que complétait quelquefois celui de pousser encore dans son gant son billet de première qui était déjà ainsi enfoncé jusqu'aux doigts, ou à mettre un sinet[1] dans la revue qu'elle n'avait pas commencé à lire.

C'est comme un prêtre *[inachevé]*

Esquisse III

[LA RENCONTRE DE CHARLUS ET JUPIEN EN PRÉLUDE À LA SOIRÉE CHEZ LA PRINCESSE DE GUERMANTES]

[Ce court fragment du Cahier 52 situe la rencontre entre Charlus et Jupien, annonce la métaphore botanique, et prépare, pour après la soirée, la visite d'Albertine au retour de « Phèdre ».]

La veille du jour où devait avoir lieu la soirée de la princesse de Guermantes, j'appris que la duchesse et son mari étaient revenus à cause d'un malaise qu'avait eu Mme de Villeparisis et qu'on avait pris d'abord pour une petite attaque[a]. Je résolus d'aller voir Mme de Guermantes le lendemain avant dîner afin qu'elle pût faire demander séance tenante à sa cousine si celle-ci m'avait invité. Il fit le lendemain une journée extrêmement chaude qui me rappela celles que je passais avec Andrée, Albertine et Rosemonde sur la falaise, celles où j'aurais voulu apercevoir des yachts, des femmes en toilette de course, des mariages de fleurs accomplis par les insectes. Des jeunes filles, des jeunes femmes, j'en verrais sans doute chez la princesse de Guermantes, mais elles m'échapperaient aussitôt. Aussi pour remplir jusqu'au bord ma soirée de plaisirs différents qui m'attendraient au lieu que j'eusse comme on fait d'habitude à les attendre *[interrompu]*

Esquisse IV
[M. DE GURCY À L'OPÉRA]

[La mise en scène de la longue digression sur l'inversion, qui constituera « Sodome et Gomorrhe I » après la rencontre de Charlus et Jupien, est ici toute différente. Le héros est à l'Opéra, où il s'est rendu dans l'espoir de surprendre la princesse de Guermantes, et d'apprendre d'elle comment rejoindre la jeune fille aux roses rouges (voir l'Esquisse V) qu'il poursuit depuis la soirée de la princesse. Tandis qu'on joue du Wagner, ce qui donne lieu à de longs compléments sur la musique de ce compositeur, il aperçoit M. de Gurcy endormi et découvre en lui une femme. L'occasion de la révélation est la même que dans un fragment de l'Esquisse I empruntée aux Cahiers Sainte-Beuve. Après la digression sur l'inversion, la fin du Cahier 49 revient vers M. de Gurcy désormais percé à jour.

Nous donnons ensuite deux pages d'un autre Cahier, le Cahier 38, qui replacent la scène de l'Opéra dans l'action romanesque et paraissent mettre un terme au rôle de la jeune fille aux roses rouges, laissant la voie libre pour d'autres rêveries féminines du héros.]

Mais[a] à tous moments je détournais les yeux vers la loge de la princesse de Parme pour voir si la princesse de Guermantes n'y venait pas. M. de Gurcy s'y trouvait et causait avec les personnes présentes comme s'il n'eût eu d'autre pensée que le plaisir de se trouver avec elles. Mais son œil divergent plongeait à tous moments sans en avoir l'air et tandis qu'il continuait à parler, dans toutes les parties du théâtre. Tout d'un coup il rencontra mon regard et le sien parut si singulièrement troublé[b] que je pensai avec tristesse qu'il avait peut-être gardé une véritable rancune de mon refus trop cavalier[1], quand je réfléchis que j'avais le matin coupé ma moustache et ma barbe et qu'il ne devait pas à cette distance m'avoir malgré elle aussi vite reconnu. Ce que j'avais pris pour du trouble n'était sans doute que l'incertitude où le mettait la vue d'un visage connu et méconnaissable. Je le fixai avec force, souriant, pour voir s'il me reconnaîtrait et s'il fallait le saluer, et à ce moment, je vis une sorte de crainte dans ses yeux, qui coururent dans tous les sens comme ceux d'une bête poursuivie, et ne basculant[c] plus ses regards de mon côté il se mit à parler avec animation avec toutes les personnes présentes dans la loge, et se retira au second rang, sur un fauteuil un peu dans l'ombre. Peut-être m'avait-il reconnu et était-ce la mauvaise humeur qui lui avait fait fuir ainsi mon regard[d]. Cependant[e] la tempête du génie[f] faisait rage depuis plus d'une heure dans les cordes de l'orchestre, agitées en tous sens comme celles d'un vaisseau démonté, et à tous moments, oblique et puissante, une mélodie s'élevait, d'un vol rythmé comme une mouette paisible dans la tourmente au-dessus des mille agrès gémissants, de tous les bruits de la tourmente. Mais la plupart des spectateurs[a] incapables de discerner et de suivre ces bruits différents n'entendaient qu'un tumulte assourdissant et confus, pénible d'ailleurs car à défaut de leitmotiv caractérisé, persistait une phrase amorphe, une certaine harmonie nulle part clairement reconnaissable mais cependant toujours présente comme la sensation que nous avons d'un nerf où nous avons eu froid et qui sans nous faire nettement souffrir ne nous permet pas un seul instant d'oublier son existence. Plusieurs dans les loges où la lumière qui brillait en haut entre les écharpes rouges accrochait[b] comme un rubis, s'étaient endormis, comme les personnes qui ne trouvent jamais un aussi bon sommeil que par les soirs de grand vent. M. de Gurcy, quoiqu'il eût disait-il beaucoup d'admiration pour Wagner et qu'il m'eût laissé entendre qu'il en savait sur la genèse de son œuvre et la protection de Louis II[1] plus qu'il n'en pouvait dire, suivit la loi commune. Et à un moment où je jetais désespérément un dernier regard sur la loge de la princesse de Parme pour voir si Mme de Guermantes n'arrivait pas, je vis qu'il dormait. Avec[c] l'animation de la causerie et la tension de la volonté, avait disparu de son visage la vitalité factice qui pouvait faire illusion sur son âge, sur son vieillissement, sur l'altération de sa santé. Blanc comme un marbre[d], avec ses traits sculpturaux qui dans l'ombre faisaient ressortir avec beauté le pur type des Guermantes, sans regards, j'avais l'impression de voir plutôt que lui-même, son masque de marbre funéraire et blanc, immobile[e] après sa mort, sur son tombeau tel que j'avais vu dans l'église de Combray <celui> de plusieurs sires de Guermantes ses ancêtres. Plus qu'un individu n'était-il pas du reste avant tout un Guermantes comme cela serait symbolisé au jour de ses funérailles où la couronne princière des Guermantes et non ses initiales particulières se détacherait en une nacelle de pourpre sur les tentures noires dans l'église de Combray[2]. Il avait[f] le nez, la chevelure, le même visage ovale au nez proéminent et trop long que son frère, que son cousin. Mais les mêmes traits prenaient dans son visage une acception plus fine, plus intellectuelle et plus douce, comme la chambre d'armes *(?)* d'un <donjon féodal>, que les goûts[g] particuliers de l'occupant eussent aménagée peu à peu en bibliothèque ou en chapelle. Quel malheur qu'aux qualités que cette finesse des traits révélait il joignît tant d'étrangetés déplaisantes, de prétentions à la virilité excessive *(dire mieux)* de médisance, d'arrogance, de susceptibilité, d'incohérence qui empêchaient dans la vie de rarement dessiner dans son visage l'expression charmante de douceur et de bonté que j'y voyais au repos. Cette expression de douceur qui était difficile à saisir dans son visage cruel que par éclairs car il y superposait une brutalité postiche m'apparut plus encore au moment où, le soleil ayant reparu dans l'atmosphère wagnérienne on n'entendit plus qu'un céleste essaim de violons vibrer au-dessus de flots souriants comme une rumeur d'océanides ou d'abeilles, le vicomte s'éveilla. Un vague sourire dont sa volonté restée en arrière dans le sommeil n'avait pas eu le temps d'altérer le caractère[a] flotta sur son visage, et entrouvrit les coins de sa bouche, et les paupières de ses yeux, pour laisser passer une expression ensommeillée encore, si faible, si bonne, si douce que je ne pus m'empêcher de me dire : « Pauvre M. de Gurcy, lui qui aime tant qu'on soit mâle, lui qui est si épris et se pique tant de virilité, s'il savait : en ce moment, avec ses traits, son regard, son expression, son réveil même, il a l'air d'une femme[b]. » Mais au moment même où je prononçais ces mots une révolution sembla s'être opérée en M. de Gurcy comme s'il venait d'être touché par une baguette magique. Il n'avait pas bougé et pourtant chaque trait de son visage et chaque trait de son caractère, chaque manière d'être de sa peau, de ses yeux, tous les épisodes de nos relations, tous les mots qu'il m'avait dits et[c] tous les mots qu'il m'avait tus, tout cela qui bizarre, discordant, incompréhensible était inutilisable à ma pensée, tout cela en un instant se composa l'un avec l'autre comme les lettres d'une énigme dont on vient de trouver la clef, faisant à chaque pli de sa joue, à chaque frisure de ses cils, un riche dessous d'humanité profonde qui sans[d] me donner peut-être de M. de Gurcy une imagination aussi poétique que m'en donnait son nom quand je ne le connaissais pas encore, et que j'y logeais toutes les impressions rares, poétiques, le reflet d'un rocher de corail, que la réalité ne m'avait pas fournis, du moins me donna la compensation intellectuelle de la singularité foncière de son individualité réelle et qui me causa une impression d'autant plus grande, que l'emportant infiniment en ce moment sur son aspect sensible, lui faisant une sorte d'âme, de dessous s'adressant à ma pensée qui mettait de la profondeur sous son corps et lui donnait une sorte de beauté en faisant des moindres molécules de sa chair, des moindres mouvements de ses yeux, comme le revêtement créé par l'âme centrale que je voyais circuler sous elle et qui en leur donnant une signification au-delà d'eux-mêmes lui donnait une sorte de valeur d'art[e], comme la matière en rapport avec le sentiment qui l'anime, comme la pâte savoureuse à double et triple dessous, d'une œuvre d'art profondément méditée et exécutée en pleine pâte. Il leva les yeux, il me vit et la même expression de curiosité puis d'effroi, et d'attention factice portée aux discours des habitués de la loge passèrent dans son visage. Mais maintenant c'était un plaisir pour moi de les voir, car placé au centre de lui-même, les expressions même fugitives[f] de sa figure, qui pour lui n'avaient qu'un objet particulier et contingent, pour moi symbolisaient une loi générale de son être et m'aidaient à mieux me mouvoir dans son âme. Je traversais avec joie comme un amateur de peinture une tête fortement peinte et travaillée de Rembrandt les diverses couches de ce visage, les personnalités d'emprunt dont il couvrait sa personnalité secrète, la dignité du maintien, la conversation frivole dont il amassait la matière agréable autour de l'expression plus profonde d'un coup d'œil de désir vers un inconnu, ou l'effroi d'un chantage devant un regard persistant. Car maintenant je l'avais compris, tout ce qui me semblait obscur s'éclairait. Une fée eût <touché> des éléments[a] disparates et leur eût donné la vie qu'elle n'eût pas produit un enchantement plus complet que n'avait fait en moi-même la parole que je m'étais dite sans y penser, quand j'avais murmuré : « On dirait une femme[b]. » Maintenant j'avais compris : c'en était une !

C'en était une[1]. Il était de la race de ces êtres contradictoires en effet puisque leur idéal est viril justement parce que leur tempérament est féminin[c], et qui vont dans la vie, à côté des autres hommes, pareils à eux en apparence ; mais dans la facette transparente de la prunelle où notre désir inscrit la forme souhaitée à travers laquelle nous voyons l'univers, s'intaille non une nymphe mais un éphèbe dont la forme différente se projette pour eux sur toute chose[d].

**Capitalissime*[e2] :* Jusqu'ici un être mystérieux attaché à M. de Charlus et qui pourtant faisait corps avec lui m'était resté caché par ce pouvoir mystérieux qu'avaient les Dieux et qu'ont les mortels de passer invisibles au milieu de nous. Oui nous ne *voyons* qu'une fois que nous avons compris, il faut que la raison ait dessillé les yeux pour qu'ils voient. Jusque là nous ne verrons ni la bosse, ni le goître. Après cela nous ne verrons plus qu'eux. J'avais été vis-à-vis de M. de Charlus comme un homme distrait vis-à-vis d'une femme enceinte qui répète en souriant « Oui je suis un peu fatiguée en ce moment » et qui lui redit cent fois : « Mais qu'avez-vous donc ? » sans remarquer son ventre. Oui nous ne voyons qu'une fois que nous avons compris et les yeux pour voir ont besoin que la raison les ait dessillés. Jusque-là la bosse nous restera cachée. Brusquement tout ce qui accompagnait M. de Charlus et que je n'avais jamais vu me devint visible. La matière fluide brusquement cristallisée passait à l'état solide, le dieu vaincu devenait un homme dont on pouvait se saisir. J'avais rompu l'enchantement en prononçant les paroles fatidiques : « On dirait une femme. » Travestie, sous peine de déshonneur, mais jusqu'à son dernier jour, c'en était une.

Ce[f3] que je mets ici est pour venir plus loin pendant la représentation.

Beaucoup de ces ensembles étaient de ceux que j'avais entendus à Querqueville. *(Mettre ici le morceau fait dans d'autres cahiers que j'avais eu plus de plaisir à Querqueville quand je distinguais mal les thèmes.)* Cela me rappela l'affiche indiquant des sélections de Wagner devant laquelle un matin j'avais vu pour la première fois semblant la regarder, un monsieur que je ne connaissais pas, dont l'image était encore intacte dans ma mémoire et qui était M. de Gurcy[1]. Étrange chose que la mémoire continue, sans la rectifier, à faire exister de la vie qui n'est plus exacte, et à la confronter à de la vie actuelle différente qui ne peut coexister avec elle et lui donne un démenti. Dans la vie pratique, du jour où je connais M. de Gurcy, le M. de Gurcy que je ne connais pas, que je ne saluais pas, qui ignore mon nom comme j'ignore le sien, n'existe plus pour moi. Précisément un moment après cherchant des yeux si je voyais la princesse de Parme j'aperçus M. de Gurcy, je me dis voilà M. de Gurcy, *(pour[a] le membre de phrase, voir ce que j'ai mis dans le recto correspondant tout en maintenant pour tout ce qui ne s'y trouve pas ce qui est là)* avec qui je suis revenu bras dessus bras dessous il y a bien un mois, qui m'a proposé tant de belles choses, et qui est peut-être fâché contre moi, mais raison de plus pour le saluer[b] d'autant plus gentiment dès que je penserai qu'il m'aperçoit. Mais ma mémoire elle ne rectifie pas. Il continue à y vivre si je me reporte au jour où l'affiche indiquait les sélections de ce que j'entends ce soir un grand monsieur en chapeau de paille, au soleil, avec une fleur à la boutonnière, dont je ne sais pas le nom, qui ne sait pas le mien, que je n'aurais pas l'idée de saluer (ou même au jour de Combray dans le jardin Swann, silhouette qui précède l'autre mais s'y relie, et sont nettement séparées du Gurcy d'aujourd'hui qui n'a plus rien d'une simple silhouette). *Bien marquer en son lieu la silhouette Gurcy à Querqueville et à Combray (les 2 d'Alton[2]).* Or ce monsieur[c] existe encore dans ma mémoire ; il y existe en contradiction formelle avec le fait que nous soyons revenus bras dessus bras dessous il y a quinze jours, car rien de ce qu'il sut de moi devant son affiche, au soleil, ni de ce que je sois là, ne permet qu'il puisse admettre que pour lui je serai un monsieur avec qui il sera revenu bras dessus bras dessous d'une soirée, avec qui il sera un peu en froid, qui lui ferait une véritable insolence s'il passait devant lui sans le saluer comme ce matin-là devant l'affiche indiquant les sélections de Wagner. De sorte que notre mémoire peuplée ainsi de gens que nous <ne> connaissons pas, qui sont les mêmes, du moins le raisonnement nous l'affirme, que nos amis[d] d'aujourd'hui, ressemble un peu à ce réservoir nocturne de nos rêves où nous rencontrons tel monsieur en chapeau de paille qui passe, qui ne nous dit pas bonjour, à qui nous n'avons pas l'idée de dire bonjour, qui n'a pas l'air de nous connaître et que nous savons cependant être un de nos amis. C'est lui, et ce n'est pas lui. Ainsi des figures de notre mémoire. C'est un raisonnement analogue à celui que nous faisons pour reconnaître la personne dont nous rêvons, qui nous fait affirmer l'identité de cette silhouette inconnue, et de l'être actuel que la vie commune échangée avec lui a rempli de tant d'impressions qu'il en diffère totalement.

Aussi dès que je vis que le visage <de> M. de Gurcy se remuant un peu allait <mettre> son regard[a] dans la ligne du mien, m'apprêtais-je à le saluer, mais au moment même je fus presque déconcerté par la surprise que ma vue parut lui causer et par la fixité extraordinaire avec laquelle il me regarda[b].

Mais[c] en tous les spectateurs assis à côté les uns des autres dans une salle de spectacle avec des habits noirs à peu près pareils, la musique n'éveille pas forcément les mêmes pensées. Le prince d'Agrigente, très habillé des élégances superposées d'une chemise à petits plis, d'un gilet blanc, d'un habit à revers, à doublures, à boutons et où descendait le large ruban de soie du monocle, venait de s'acheminer avec des précautions affectées à sa place, comme s'il était au milieu d'une conversation qu'il ne voulait pas déranger, recueillant sur son passage le salut profond et empressé de boursiers que le hasard des abonnements avait fait ses voisins, qui après plusieurs années avaient fini par avoir à lui garder son fauteuil contre une erreur de contrôle ou à lui passer un programme, et maintenant échangeaient avec lui tous les lundis un salut qui était l'événement de leur semaine, le plus grand plaisir de leur soirée, et laissait après lui pendant quelques instants, sur leur visage ravi et distrait quelques derniers cercles d'émotion[d], le prince d'Agrigente, avant de jeter un coup d'œil sur la scène avait voulu reconnaître les lieux, et saluer les personnes de connaissance qui se trouvaient de côté et d'autre. Mais ayant aperçu derrière moi le marquis d'Arbace[e], qui avait une place vide à côté de lui, il s'était levé avec les mêmes précautions et était venu s'asseoir sur le fauteuil voisin. Leur conversation[f] me gêna beaucoup, d'abord qu'elle eût trait à mille autres choses qu'à la musique et plus encore quand elle la concerna. « Naturellement vous êtes venu au commencement car un musicien enragé comme vous. — Oui je vous dirai que j'aime en toutes choses me faire une opinion par moi-même, ainsi je ne lis jamais de comptes rendus. Hé bien même pour critiquer Wagner, il faut l'avoir vu à l'œuvre. — C'est très logique. — Malheureusement le ténor manque de voix, mais je trouve la femme excellente, je sais que les avis sont partagés, moi je suis absolument enthousiaste. Elle n'est pas aussi bien dans tous les passages, personne n'est parfait mais tout à l'heure là dans son grand air de bravoure, comment dirais-je sa cavatine, vraiment[a] il y avait longtemps que je n'avais entendu chanter comme cela à l'Opéra. — Oh ! mon vieux, cavatine cavatine, vous êtes trop fort pour moi. Hé bien il n'y a pas de ballet dans ces histoires-là, c'est ce que je vois de plus clair. — Ah ! polisson vous tenez à voir de jolies jambes. Mais avouez comme moi que cela n'a rien à voir avec la musique, de laquelle du reste se soucient peu toutes nos belles amies dont les loges ne se rempliront qu'à la fin. Mon Dieu je ne dis pas qu'il n'y ait beaucoup à critiquer dans Wagner. Mais comment voulez-vous vous faire un jugement motivé si vous n'arrivez qu'au dernier acte ? » Peu de spectateurs du reste avaient conservé la netteté d'esprit du marquis d'Arbace. Si elle excitait une pensée par ses souffles exaltants, la tempête wagnérienne qui faisait crier toutes les cordes de l'orchestre comme les agrès d'un vaisseau et au-dessus desquels s'élançait par moments, oblique, puissante et calme comme une mouette une mélodie qui s'élevait puissamment au-dessus d'elle, avait plongé la plupart des spectateurs dans une fatigue *[interrompu[b]]*

[...] et[c1] (privation la plus insupportable de toutes si elle n'était dérobée à leurs yeux par l'illusion même dont ils vivent) sans amour même, sans presque à jamais la possibilité de cet amour, dont l'espérance leur donne la force de supporter tant de solitudes, puisqu'il a pour objet l'homme qui n'a rien d'une femme, l'homme qui n'est pas androgyne, par conséquent l'homme qui ne peut pas les aimer, de sorte que leur désir resterait éternellement inassouvissable, s'il n'y avait un grand corrupteur, l'argent qui leur prostitue les pauvres, et surtout un grand trompeur, le besoin d'amour qui uni[d] au souvenir du plaisir finit par rendre dans leur imagination ceux qui leur en procurent, semblables à ceux qu'ils rêvaient, par faire des homosexuels sur lesquels ils sont forcés de se rabattre, de vrais hommes chez qui ils constatent un goût pareil[e] au leur mais qu'ils supposent, éveillé pour eux, venant vers eux par un libre choix de l'amour, du sein d'une nature pourtant virile. Et peut-être après tout cela est-il quelquefois vrai, chez les jeunes gens surtout à cause de quelques fibres féminines y persistant parfois assez tard[f] comme les organes de l'enfance qui disparaissent à la maturité, et aussi de l'indétermination sentimentale d'un âge encore gonflé d'une tendresse vague qui le porte tout entière, âme et corps, vers ce qu'il aime, sans s'être encore divisée et spécialisée, la curiosité[g], le besoin de rendre heureux ceux qu'on aime, de la poésie, encore <la> naïveté qui suppose en ce qu'on ne connaît pas un pouvoir de donner des sensations plus fortes, et l'absurdité de certaines heures où on commet un acte en contradiction avec ceux dont on est habituellement capable[a].

Reconnaissant[b1] ce qu'ils éprouvaient dans toutes les peintures de l'amour que leur offrit successivement la littérature, les arts, l'histoire, la religion, ils ne s'avisaient pas que l'objet auquel ils le rapportaient n'était pas le même, ils s'en appliquaient tous les traits, et à la faveur de cette confusion, pourvoyaient successivement leur vice du romanesque de Walter Scott, des raffinements de Baudelaire, de l'honneur de la chevalerie, des tristesses du mysticisme, de la pureté des formes des sculpteurs grecs et des peintres italiens ; attendant Rob Roy comme Diana Vernon et persuadés qu'ils étaient conformes au reste de l'humanité puisqu'ils retrouvaient leurs tristesses, leurs scrupules, leurs déceptions, dans Sully Prudhomme[2] et dans Musset. Pourtant instinctivement ils taisaient le « nom de ce qui fait souffrir[c] » comme le kleptomane qui ne s'est pas encore avoué son mal, se cache pourtant pour prendre un objet. Mais un jour ils comprennent[d].

Certains[e3] fuient la société, mais non comme ceux-là par horreur du vice, car s'ils le sentent exceptionnel, c'est à leur avis comme la supériorité de l'intelligence, comme la distinction des natures d'élite, ils s'en enorgueillissent, ils souhaitent à la stupide humanité de s'élever un jour jusqu'à lui, comme aux jours bénis de la Grèce, et en attendant fuyant par mépris et dégoût, la société des gens du commun abrutis par les femmes, interprètent à la lumière de leur idée fixe les grands livres du passé, et ils trouvent dans Montaigne, dans Gérard de Nerval, dans Stendhal une phrase[f] d'une amitié un peu ardente, persuadés qu'ils avaient en eux des frères, qui s'ignoraient peut-être et qui n'ont manqué que de quelqu'un comme eux pour leur faire voir clair dans leur âme. S'ils ont un jeune ami intelligent ils ne cherchent pas à la préserver de la contagion du vice, mais à le convertir à une doctrine faite seulement pour les libres esprits, les exhortant à l'amour pour les hommes comme d'autres font à l'anarchie, au sionisme, à l'antipatriotisme, à la désertion.

À[g4] propos des invertis

Chez certains, bien rares, le mal n'est pas congénital *(mettre[h] le mot exact)* et dans ce cas, superficiel, il peut guérir. Quelquefois même il tient à une difficulté de faire l'amour avec une femme qui tient à une infirmité anatomique, or on guérit certains asthmes en détruisant des adhérences que le malade a dans le nez ; d'autres fois il a pour cause un dégoût des femmes, une répulsion causée par leur odeur, par la qualité de leur peau, répulsion qui peut être vaincue, comme certains enfants qui se trouvent mal en voyant des huîtres ou du fromage finissent par les aimer beaucoup ; mais le plus souvent ceux qui sont nés avec le goût des hommes meurent ainsi[a]. En apparence leur vie peut changer, leur vice n'apparaît plus dans leurs habitudes courantes ; mais rien ne se perd : un bijou caché se retrouve toujours ; quand la quantité d'urines d'un malade diminue, il sue davantage mais il faut toujours que l'excrétion se fasse. Un homosexuel semble guéri, contrairement aux lois de la physique morale la quantité de force sensuelle qu'il avait semble anéantie, c'est simplement qu'elle est transférée ailleurs. Un jour cet inverti[b] perd son jeune neveu et à son inconsolable douleur vous comprenez que c'était dans cet amour chaste peut-être qu'avaient passé ses désirs qui n'étaient nullement détruits et qui se retrouvent au total comme dans un budget une somme qu'on a seulement par virement portée à un autre exercice. Comme ces malades qu'une crise de rhumatisme articulaire aigu guérit momentanément de leurs indispositions habituelles, l'amour pour son neveu a supprimé momentanément chez l'homosexuel les habitudes de débauches. Puis l'oubli agissant sur sa douleur comme sur toute autre, le guérit de ce mal *(par métastase, adjectif...)* et bientôt les habitudes de débauche reprennent, l'homosexuel recommence à rôder autour des casernes, des ateliers, des collèges. Le total est resté le même. Il faut pourtant faire cette réserve que dans ce cas il y a aussi un phénomène d'attention, l'amour agissant aussi à la façon d'une distraction puissante qui rend moins nécessaires des habitudes dont le besoin est en partie imaginaire et grandi par l'oisiveté. Or à cet égard une grande ambition politique, une vocation religieuse, une œuvre artistique à accomplir peuvent pendant quelque temps, souvent des années, détourner l'esprit des images voluptueuses qui poussaient l'homosexuel à la recherche de plaisirs quotidiens. Mais si comme on le voit par ces exemples, un amour chaste n'est pas nécessaire pour guérir provisoirement l'homosexuel de ses habitudes de débauche il n'est pas toujours non plus suffisant car elles peuvent parfaitement coexister avec lui. Ne voit-on pas de même des grands seigneurs soupirer pendant des années aux pieds d'une duchesse à qui ils envoient d'immenses corbeilles de fleurs tous les jours, et dépenser une autre partie de leurs revenus pour une fille fort vulgaire qui leur donne d'autres plaisirs ?

*Ajouter[c1] à cela dans l'énumération sur les tantes
Capitalissime*

à eux[d] *(si c'est dans une phrase incidente dire pour qui)* les romans d'aventure les plus invraisemblables semblent vrais, car dans leur vie, comme dans ces romans, l'ambassadeur est ami du forçat et le prince, sortant de chez la duchesse, avant de rentrer chez sa femme va conférer un instant avec l'apache. Plus librement peut-être que le petit-bourgeois tremblant et qui n'oserait. Car la grande éducation donne une certaine liberté d'allures, et puis ce même dédain qui pour l'aristocrate nivelle les classes qui sont au-dessous de la sienne, dédain dont les effets varient suivant les circonstances auxquelles il s'applique (nous en avons vu une dans la facilité avec laquelle M. de Norpois servait des ministres radicaux, nous en verrons d'autres dans d'étranges mariages qui se concluront dans la dernière partie de cet ouvrage) agissant dans ce domaine spécial, fait que le duc, quand il s'agit de condescendre ne fait pas entre le voyou et le bourgeois la différence que le bourgeois ferait. Puis à cela s'ajoute que le principe d'imitation qui fait que ces exceptions, si nombreuses qu'elles soient à l'humanité, que sont les homosexuels, veulent encore en l'étant participer à la communauté des plaisirs humains de sorte que l'amour schismatique est calqué sur l'autre, et que les détails mêmes coïncidant, les hommes qu'ils payent sont pour eux des filles, c'est-à-dire une espèce pour laquelle le viveur a une certaine sympathie, dans laquelle il sait qu'il peut rencontrer des qualités de sensibilité, voire de cœur, voire de droiture, qu'il ne trouverait pas toujours dans le monde. De sorte qu'il est arrivé que telle hétaïre de sexe masculin, ou tel proxénète, se trouvait avoir toujours chez lui quelque diplomate, quelque financier, quelque grand seigneur, et que M. de Charlus y arrivant à l'improviste était toujours certain de pouvoir y trouver les dernières nouvelles de la politique, un conseil de bourse, une voix prépondérante pour une élection au club, voire une conversation fort agréable — et d'autres des prêts d'argent. Telle est la sécurité avec laquelle ces grands seigneurs, une fois hors du monde jouent avec le vice. Sécurité qui peut être du reste trompeuse comme le montre de temps à autre un grand scandale — comme l'affaire Eulenbourg par exemple[1] — lequel semble au grand public être révélateur d'un état de choses tout à fait exceptionnel alors qu'au contraire, il n'est que la mise à jour arbitraire et souvent injuste d'une entre mille de ces existences paradoxales, contenant toutes en elles les mêmes éléments dangereux, lesquels chez celle-là seule, ont produit une irrépressible conflagration. *Il vaudra peut-être mieux mettre le diplomate, le financier, le chef, etc. dans la partie où Charlus va chez Jupien et demandera des nouvelles de la guerre. Ce sera le mieux. Le début peut rester là[2].*

*À[a] ajouter encore (capitalissime) cela permettra d'avoir un Jupien complet original, un peu comme le Jérôme Coignard (Bretaux je ne sais plus le nom <de> *Les Dieux ont soif*[3]) au papier[a] collé en face. Mais ce sera pour Jupien là où je dis qu'il tient une maison.* En somme Jupien exerçait maintenant un métier qui pouvait lui faire faire de la prison, d'autant plus qu'avec la guerre il fut comme il dit obligé de faire appel à des plus jeunes classes qui n'avaient pas dix-huit ans, et pourtant il était plus intelligent, plus lettré, plus sensible, plus honnête que la moyenne des gens. C'est qu'il n'est pas du tout certain que certaines qualités d'intelligence et du cœur aient pour résultat un accroissement de moralité dans la conduite de la vie. Au contraire à un certain degré (qui n'est évidemment pas le plus haut) le seul effet de l'intelligence *[plusieurs mots illisibles]* et de nous libérer d'un certain nombre de *[plusieurs mots illisibles]* qui nous faisaient bien agir[b]. Là où un ouvrier peu intelligent, étroit d'esprit sera patriote et pieux, un ouvrier plus intelligent sera facilement internationaliste. Là où un ouvrier peu intelligent et méchant si un M. de Charlus lui fait des propositions le traînera en police correctionnelle, un ouvrier nullement inverti, mais intelligent et doux, prendra la chose en plaisantant et tâchera dans la mesure du possible de lui donner satisfaction. Jupien avait remarqué que les Charlus sont en général supérieurs aux Guermantes. Il ne voyait aucun mal à satisfaire leurs goûts qui d'ailleurs étaient les siens et à faire ainsi gagner leur vie à de jeunes apaches qu'il jugeait au reste de meilleur cœur que bien des gens plus rangés. Sans doute à un degré d'intelligence et de moralité plus élevé Jupien aurait eu honte de son métier. Mais il était précisément au degré où il avait reconnu sans valeur les scrupules qui retiennent la masse et où il n'avait pas encore su atteindre aux scrupules que se donne l'élite.

Tout ce que M. de Charlus raconte chez les Verdurin sur les enfants de chœur etc. pourra peut-être être mis dans la bouche de Jupien (qui aura des livres curieux : Sésame mais pas de lys[1]) dans la discipline de la maison. Mais dire que son métier l'avait avili car au début il n'aurait jamais cru constituer un pandémonium où homme enchaîné etc. (penser à chevaux à l'embusqué). Cet avilissement peut-être parallèle à celui de M. de Charlus qui devenait peu à peu un de ces gens comme dans Saint-Simon (le prince d'Harcourt) etc. qui vivent obscurément dans la débauche[2].

Penser[c3] à faire dire à M. de Charlus pendant la guerre : Mais pensez qu'il n'y a plus de valets de pied, plus de garçons de café. Toute la sculpture masculine de Paris a disparu. C'est un vandalisme encore plus grand que la destruction des anges de Reims[4]. Pensez que comme télégraphiste, j'ai vu venir, moi, me porter une dépêche... une femme !

À[a] propos de la voix de M. de Charlus. En somme sa psalmodie de certains mots, si caractéristique des homosexuels, ne devait peut-être pas être interprétée ainsi puisque Mme de Marsantes faisait la même modulation sur le mot honneur. À moins qu'elle ne l'eût elle-même héritée d'un père pourvu du même vice. Car comment se reconnaître dans l'interprétation des signes physiques ? J'ai dit qu'on avait tort de prendre un nez juif pour un signe de judaïsme puisqu'il se cabre dans les familles les plus catholiques. Mais qui sait si là il n'a pas été amené par quelque ancêtre juif ?

À[b1] mettre dans le morceau sur les tantes.

Je me rappelais le récit de Robert à Balbec : la haine dont M. de Charlus jeune poursuivait les homosexuels. Peut-être ne l'était-il pas encore. Il pouvait aussi l'être et ne pas savoir qu'il l'était. Quand on est jeune on ne sait pas plus qu'on est homosexuel qu'on ne sait qu'on est poète, qu'on est snob, qu'on est méchant. Un snob n'est pas un homme qui aime les snobs, mais un homme qui ne peut voir une duchesse sans la trouver charmante, un homosexuel n'est pas un homme qui aime les homosexuels mais qui voyant un chasseur d'Afrique aimerait en faire son ami. Or l'homme est d'abord un être centrifuge qui s'ignore, qui se fuit, qui s'attache hors de soi à la contemplation de ses songes ; et croit recevoir son impulsion du dehors même <si> ses regards sont fixés loin de lui, sur la spirituelle duchesse, sur le brave chasseur d'Afrique par les charmes desquels ses goûts artistes préfèrent penser qu'il est régi plutôt que par quelque défaut ridicule de caractère ou quelque défectuosité de tempérament. Ce n'est que quand la révolution de la pensée autour du moi est accomplie, quand l'intelligence de l'homme, sortie de lui-même le voit du dehors comme un autre que les mots : « je suis snob, je suis homosexuel » se formulent à sa pensée sans s'échapper toutefois de ses lèvres car il a dans l'intervalle acquis assez d'hypocrisie pour tenir un langage qui donnera beaucoup mieux le change sur ses véritables sentiments que les confidences qu'il faisait d'abord trop imprudemment quand il ignorait leur sens véritable. D'ailleurs plus tard nous verrons, et M. de Charlus lui-même nous en fournira l'exemple, que ce deuxième stade est loin d'être le dernier.

*Pour[c2] Charlus il faudra dire que Saint-Loup s'était demandé ce qui rendait son oncle Charlus supérieur au reste de la famille, maintenant[d] je me rendais bien compte que l'intelligence est tellement liée à certaines conditions physiologiques que sans doute le principe qui le fait différent de son frère le duc de Guermantes, venait sans doute du petit coup de pouce détraqueur qu'avait donné à sa machine nerveuse son homosexualité.

À Balbec il faudra qu'il joue bien du Chopin, et Saint-Loup me dira qu'il est très supérieur au reste de la famille, qu'on se demande pourquoi.*

*À[a1] propos de ce qui est au verso quand je dirai le mot inverti, *je mettrai en note* :* Balzac, avec une audace que je voudrais bien pouvoir imiter, emploie[b] le seul terme qui me conviendrait « Oh ! j'y suis dit Fil de soie, il a un plan ! il veut revoir sa *tante* qu'on doit exécuter bientôt. Pour donner une vague idée du personnage que les reclus, les argousins et les surveillants appellent une *tante,* il suffira de rapporter ce mot magnifique du directeur d'une des maisons centrales au feu Lord Durham qui visita toutes les prisons pendant son séjour à Paris... Le directeur désigna du doigt un local en faisant un geste de dégoût : "Je ne mène pas ici Votre Seigneurie, dit-il, car c'est le quartier des *tantes...* — Hao, fit Lord Durham, et qu'est-ce ? — C'est le troisième sexe, Milord." » (Balzac, *Splendeur et misère des courtisanes*[2].) Ce terme conviendrait particulièrement, dans tout mon ouvrage, où les personnages auxquels il s'appliquerait[c], étant presque tous vieux, et presque tous mondains, ils seraient dans les réunions mondaines où ils papotent, magnifiquement habillés et ridiculisés. Les tantes ! on voit leur solennité et toute leur toilette rien que dans ce mot qui porte jupes, on voit dans une réunion mondaine leur aigrette et leur ramage de volatiles d'un genre différent. « Mais le lecteur français veut être respecté » et n'étant pas Balzac je suis obligé de me contenter d'inverti. Homosexuel est trop germanique et pédant, n'ayant guère paru en France — sauf erreur — et traduit[d] sans doute des journaux berlinois, qu'après le procès Eulenbourg[3]. D'ailleurs il y a une nuance. Les homosexuels mettent leur point d'honneur à n'être pas des invertis. D'après la théorie, toute fragmentaire du reste, que j'ébauche ici, il n'y aurait pas en réalité d'homosexuels. Si masculine que puisse être l'apparence de la tante, son goût de virilité proviendrait d'une féminité foncière, fût-elle dissimulée. Un homosexuel ce serait ce que prétend être, ce que de bonne foi s'imagine être, un inverti[e].

*Ajouter[f4] à la marge du verso précédent quand je parle des tantes volatiles, mais pourra être mis ailleurs.

Si c'est dans le verso précédent je pourrai mettre la première phrase (de ce qui suit), si c'est ailleurs, je mettrai ce qui suit, moins la première phrase.*

Quoique tous d'ailleurs ne jouent pas leur rôle avec autant d'éclat et de lyrisme, aussi en dehors. Qui n'a pas vu dans le monde de ces gens à si peu près semblables aux autres qu'on ne leur trouve rien d'extraordinaire. La correction du vêtement, de l'attitude semble parfaite. Pourtant il suffit qu'ils parlent.

Quelque rudesse[a] que leur voix essaye de donner, sur quelques tons graves qu'elle descende, on pourrait y reconnaître ce creux particulier[b] qui trompe aussi peu ce que Balzac avait appelé un diagnostiqueur de maladies morales, que la voix du phtisique décèle son mal au clinicien. Alors examinez de plus près l'être d'où est sortie cette <voix> où il y a malgré elle le fausset d'un instrument[c] mal accordé. Vous reconnaîtrez que l'objet qui de loin vous avait paru normal ne l'est pas, qu'il y a eu recollage, rafistolage. Son sérieux, sa froideur, sa réserve, sont l'objet d'un effort, d'un savant maquillage. De voix, de geste, de paroles, d'attitudes, de traits même souvent, c'est un être maquillé.

De[d1] nouveau M. de Gurcy me regarda avec fixité puis fuit mon regard. Mais maintenant ayant atteint l'âme véritable qui se cachait sous son apparence, je le regardais comme j'aurais regardé un visage peint par Rembrandt qui[e] nous dévoile sa vraie nature. Ce regard tendu vers moi comme un fil, puis tout d'un coup se déplaçant obliquement, vacillant et errant pour me fuir, il n'était pour lui que l'effet purement contingent d'une impression momentanée, il était de ces regards, de ces mouvements où nous n'avons l'intention <de> mettre[f] rien de nous-même car ils ne sont pas destinés à rien exprimer, mais sont utilitaires concernant seulement la vie pratique. Mais parfois c'est dans ceux-là que l'œil qui les regarde fait tenir un grand pouvoir d'expression et à travers leur cadre momentané qu'il voit une face éternelle de leur nature. Et certes la nature même du visage de M. de Gurcy, la pâte de ses joues poupines, et <hypocrites> par nécessité[g] me plaisaient autant à regarder qu'un visage de Rembrandt. Car je sentais sous la beauté décente des chairs fraîchement rasées et d'un noble type, sous la normale de la conversation qu'il devait tenir à ce moment à la princesse de Parme la vie secrète, ardente, peureuse, habilement cachée de ses désirs vrais, qui lui donnait l'opulente et piquante beauté d'un personnage costumé, incognito, dont le visage m'amusait à regarder en sa beauté papelarde et mensongère comme un beau masque d'art, tel que nous en voyons au Japon, aux gras reliefs, dont tous les méplats étaient significatifs et recouvraient quelque chose de plus réel que ce qu'ils montraient en apparence, dont les yeux regardaient à la dérobée avec une curiosité que démentait leur apparente indifférence autre chose que ce qu'ils paraissaient regarder, et fuyaient avec un effroi que démentait leur calme mystérieux autre chose que la lumière gênante du théâtre, comme l'emploi apparent de ses journées, et le dehors apparent de ses pensées, cachaient autre chose qui était toujours présent en lui.

Et[h2] d'ailleurs autour de l'expression volontaire et momentanée de son regard, comme autour de la rapide révolution d'un astre autour de lui-même, qui sera achevée le même jour, gravitent d'autres révolutions infiniment lentes et anciennes qui durent depuis des années ou des siècles, les orbes de ses joues portaient tracées des écritures plus anciennes qui s'y étaient creusées, me donnaient le sens non plus de ce qu'il pensait en ce moment mais de son tempérament habituel, de son caractère, de son passé ; si ses épaules en se reculant exprimaient un sentiment de l'heure même, leur manière même de se reculer était significative d'une sorte d'actes plus anciens ; et ses yeux bleus eux-mêmes, théâtre du regard momentané qui les traversait, étaient comme de précieuses verroteries, d'anecdotiques, historiques et sentimentales pierreries, où se lisait aussi l'histoire de leur beauté, des rêves inutiles qu'ils avaient dû — si bleus en ce moment dans son visage — éveiller chez bien des femmes, et qu'ils eussent voulu, avec leur fixe et perçant regard — éveiller inutilement chez bien des hommes.

Et d'ailleurs ce n'était pas que dans l'expression momentanée et consciente de M. de Gurcy attiré par ma vue ou effrayé par elle que je pouvais lire des vérités plus durables, une réalité plus profonde de sa nature. De même qu'autour de la révolution rapide, qui sera bientôt terminée, d'un astre autour de lui-même gravitent d'autres révolutions infiniment plus lentes durant depuis des années ou des siècles et dont celle-là n'est qu'un moment, de même autour du regard conscient de ses yeux les orbes de ses joues comme des mondes antiques racontaient inconsciemment en traits qui s'y étaient profondément gravés, qui ne s'y effaceraient plus et qu'il montrait en même temps qu'une expression volontaire et accompagnant celle-ci malgré lui, l'histoire de ses années passées, de son tempérament, de son caractère ; leur rondeur presque féminine, leur fatigue lassée par la débauche, faisaient que tandis que son expression fugitive dans la conversation ou le simple regard jeté au loin sur un théâtre en faisaient un homme d'un moment où il est vrai mon esprit approfondi par la musique atteignait à des gisements plus profonds, elles accompagnaient — comme dans ces soirées où tandis qu'on cause de choses frivoles on fait des projections ayant un intérêt historique ou scientifique durable — cette expression de leur face ravinée comme celle de la lune offraient le spectacle, qu'il n'eût pu modifier, non plus d'une heure mais d'une vie, d'une vie avec la prédestination de son tempérament inné, l'histoire de son passé, les menaces de son avenir qui n'était sans doute pas fort long car déjà l'artère... semblait indiquer une menace prochaine de congestion. Et ce visage qui semblait déjà mort avait quelque chose de triste pour celui qui voyait par-delà le moment où il s'agitait sa vie terminée, son être retourné au néant ; si ses épaules s'effacèrent volontairement pour ne pas rester en vue, ce mouvement était inséré dans une suite de mouvements infiniment plus lents répartis sur tout son passé qui étaient la manière dont il effectuait un mouvement volontaire et qui avaient une signification plus profonde que celle du moment présent, peut-être plus profonde que l'essence même de son individu et aussi profonde en un certain sens que l'essence de son vice, à savoir l'essence de sa race, car la préciosité contournée de mouvements caractéristique des homosexuels et qui leur fait tirebouchonner avec des serpentements en paraphes le simple geste de tendre un mouchoir, semblait n'être qu'une autre signification de cette arabesque nerveuse et perpétuellement modifiée qui caractérisait en haussements d'épaules, fuite du monocle, instabilité perpétuelle des lignes nerveusement retouchées de la silhouette, presque tous les Guermantes, ceux qui étaient vraiment Guermantes et qui certes n'étaient pas tous homosexuels, et qui étaient comme les lignes du nez ou du front qui chez un enfant peuvent être à la fois un trait de ressemblance de son père et de sa mère, bien que en tant que replacé dans la physionomie du père ou de la mère, il devient élément significatif d'un ensemble absolument différent : ainsi dans la lente révolution < et dans > son mouvement[a] involontaire, habituel, symptomatique, ancestral, si l'immobilité et le gonflement poupin des joues de M. de Gurcy avait quelque chose de déjà mort le mouvement d'épaules[b] de M. de Guermantes avait quelque chose d'éternel. Cependant, que bien que traversé par un regard conscient dont ils étaient le petit théâtre de *[un mot illisible]*, ses yeux, sertis dans son visage comme une verroterie bleue, comme un anecdotique et sentimental bibelot évoquaient tous les rêves qu'ils avaient dû — si bleus et si beaux et si indifférents à elles — éveiller en tant de femmes dont les destinées avaient pu comme celles de certaines étoiles passant au périhélie *(?)* des autres être influencées par la sienne, et tous les rêves qu'ils avaient dû inutilement porter — si bleus, si beaux, si attractifs, si perçants, si figés — mais si indifférents à eux — pour tant d'hommes. Tandis que mon esprit allongé par la musique pénétrait en M. de Gurcy au delà de la surface, tout d'un coup *[interrompu]*

Au[c1] dernier entracte j'allai dans la loge de la princesse de Parme et me fis reconnaître. Chacun s'exclama, les uns me trouvant mieux, d'autres demandant à suspendre leur jugement, à me revoir. La princesse de Parme me faisait mettre dans la lumière : « Il faudra que je m'y fasse. Je m'y habituerai mais je n'aime pas qu'on change ce que j'ai l'habitude de voir. » Seul M. de Gurcy ne participait pas à la conversation et ne fit aucune remarque sur ma nouvelle coupe, comme si les aspects des visages des hommes ne pouvaient en rien[d] intéresser un homme. À la fin cependant il pensa sans doute que son abstention finirait par avoir quelque chose d'affecté et d'une voix goguenarde en parlant très vite et en scandant les mots il[a] me dit sans me regarder : « Ça vous va très bien, vous êtes joli garçon comme ça, je n'ai pas besoin de vous l'apprendre, d'ailleurs l'opinion d'un vieux tableau comme moi ne peut pas vous intéresser, mais vous voyez que ces dames sont enchantées, vous ferez des conquêtes. Ah ! ces enfants, il faut toujours qu'ils soient après leur figure, qu'ils la fassent remarquer, qu'ils y changent[b] quelque chose. Allez mon pauvre petit c'est de votre âge vous avez bien raison. Quand vous serez devenu une vieille personne comme moi vous y ferez bien moins attention. » En me parlant ainsi il ne jeta un coup d'œil sur mon visage qu'une seule fois, mais ce coup d'œil fut si vif, s'attacha si fort à mes joues et à mon menton que je le ressentis comme une main dont il l'eût palpé avec une familiarité audacieuse sous le prétexte de s'assurer si j'étais bien rasé. Quant à ses paroles[c] il les avait débitées en scandant les mots, en insistant d'une voix de tête sur certaines syllabes, « Cela vous va ttrais bien. Vous ferez des conqqqêtes. Ah ! ces enfffants », avec cette nuance d'ironie et de préciosité où je me plaisais à voir s'unir, venues de deux sources si différentes mais si bien faites l'une pour l'autre qu'il n'était plus possible de savoir de laquelle elle était l'effet, la prononciation spéciale aux Guermantes, et la prononciation symptomatique des homosexuels. On parla de Wagner, de l'opéra représenté. « Comment trouvez-vous ça ? » dit la princesse de Parme. « Ah ! oui justement je suis très intéressé d'avoir votre appréciation », me dit le duc d'Époisses qui avait la bonne volonté de s'instruire auprès des intellectuels. Je vis avec effroi que j'étais incapable de tirer rapidement de mes impressions une réponse à cette question[d] et instinctivement je la pris au-dehors, dans ce que j'avais entendu dire à l'ami du prince d'Agrigente et dont je ne me serais pas avisé tout seul. « Mais, dis-je, c'est très beau, la femme me paraît très bien, peut-être pas tout le temps, mais elle a une belle voix, elle a bien chanté sa cavatine du premier acte. — Ah ! on sent tout de suite le jugement d'un connaisseur, voilà comme j'aime entendre juger », dit le duc d'Époisses. Comme un étudiant qui sait toute l'histoire de la philosophie et qui n'en peut rien montrer parce que l'examinateur le reçoit sur une réponse si simple que le plus ignorant aurait pu la faire[e], j'étais honteux d'être admiré pour avoir dit une chose si bête et qui donnait[f] si peu l'idée de toutes les pensées qu'il y avait en moi. Mais je me consolai en pensant que si j'en avais dit une qui m'exprimât plus complètement, il est probable que je n'aurais pas été admiré du tout. À ce moment la porte s'ouvrit et le prince de Guermantes entra. « Est-ce que la princesse est ici ? lui dis-je vivement. — Non, elle est un peu souffrante, je suis chez Mme de Marengo. — Chez Mme de

Marengo, dit la princesse de Parme. Ah ! oh ! Hé bien elle se met bien Mme de Marengo. Je crois qu'elle n'a pas souvent un prince de Guermantes dans sa loge, elle doit être joliment contente ! — Contente, pourquoi ? madame », dit le prince affectant un étonnement qui était si peu sincère, qu'il avait grand peine à tenir son sérieux en posant la question et à réprimer le sourire de satisfaction que lui causait la question de la princesse et cette allusion à la grandeur de son nom et de sa situation qui devait tant flatter Mme de Marengo. Quand il eut dit[a] quelques mots à la princesse de Parme et qu'il fut sur le point de se retirer je le suivis au fond de la loge : « Je ne veux pas vous ennuyer, mais vous ne savez pas par hasard si la princesse n'a rien reçu de ses amis musiciens ? — Ah ! mon pauvre ami vous n'avez qu'à n'y plus penser et à vous tourner d'un autre côté. La mère a répondu qu'ils suivent leur père dans une tournée en Amérique. Ils iront de ville <en ville>. À moins que vous ne vouliez aller vous faire planteur au Texas je crois qu'il faut vous rabattre sur une autre beauté. »

II

Esquisse V

[PREMIÈRE APPARITION DE LA JEUNE FILLE AUX ROSES ROUGES]

[C'est dans le Cahier 36, cahier fort ancien, qu'apparaît pour la première fois la jeune fille aux roses rouges, qui ne figure plus dans le texte définitif mais dont le rôle, dans la version de 1912 d'« À la recherche du temps perdu », était capital. Dans ce court fragment apparaissent déjà les trois identités possibles qui seront celles du personnage : fille d'un musicien polonais, d'aristocrates provinciaux ou de bourgeois parisiens.]

Au milieu du bal mes yeux s'arrêtèrent involontairement sur une jeune fille aux brillants yeux noirs duvetés de longs cils dans un visage d'un rose presque violacé dont elle devait savoir la riche et savoureuse douceur, car elle avait à son corsage et dans ses cheveux des roses rouges qui commençant sur le rouge violet et le rose safran[b], cherchaient, arrivaient pourtant à des rouges violets presque noirs qui faisaient ressortir comme un fard le brillant délicieux de ses carnations purpurines. Elle vit mon regard et aussitôt avec une audace inouïe me fixa[a] avec une expression indécise qui pouvait pour les autres paraître posée[b] à n'importe qui et à moi ne pouvait être interprétée[c] que comme un signe d'entente et presque un sourire de consentement et venant droit sur moi elle tourna comme pour aller au buffet et comme comprimée[d] par la foule dont elle avait eu soin de ne pas éviter la poussée elle écrasa ses seins sur moi comme pour m'en révéler, seule confidence qu'elle put me faire, la consistance et la forme, en agitant sous mon nez un mouchoir dont la couleur et l'odeur étaient la même que celle des roses[e] et devaient être la même que celle des joues. Je me précipitai pour savoir son nom, mais le temps que je trouve la maîtresse de la maison elle était partie. Du moins en rentrant comme les heures d'exaltation de Combray, je sentis en moi une vie plus grande que la mort, ma personne étant toute attachée à un autre être, elle, qui elle était, ce qu'était sa vie, savoir qui j'aimais, c'était la raison d'être, la cause, le principe d'existence du mien, et ma vie était si bien attachée à la sienne, elle n'était tellement à l'autre que ce qu'est à une idée l'esprit pour la comprendre, que tant que l'autre vivrait, la mienne ne pourrait périr. Le prix de ma vie, le but de ma vie n'était plus dans ma vie, et ma vie ne pouvait défaillir avant de l'avoir atteint[f]. J'allai voir successivement toutes les personnes que je connaissais qui avaient été au bal et d'un air indifférent je questionnais. Pas de doute, c'était Mlle Soliska la fille du musicien polonais. Je n'aimais plus que les artistes, je cherchais à posséder quelque chose d'elle en jouant de la musique polonaise, je pensais à aller voyager en Pologne, à tâcher de l'y rencontrer. Et surtout je cherchais dans mes amis ceux chez qui pouvaient fréquenter[g] des artistes polonais. Les autres n'avaient plus aucun prix pour moi. On m'avait dit que c'était par un hasard qu'elle était chez Mme de Guermantes, qu'elle n'allait jamais dans le faubourg Saint-Germain. C'était bien la dernière fois que j'y serais allé. Comme le monde des artistes était plus agréable. Et je refusais une invitation à dîner chez les Guermantes. Quelques jours après, en écoutant ma description une autre personne me disait : « Pas de doute c'est Mlle de Guermantes-Lerrach, la nièce des Guermantes, comme elle est pour quelques semaines ici elle va chez eux dès qu'ils ont deux personnes. » J'aurais pu dîner avec elle la veille ! Les Guermantes reprenaient tout leur charme à mes yeux, la Pologne, la musique de Chopin, le « monde artiste » retombaient dans le néant. Une troisième personne voyait très bien qui je voulais dire, c'était Mlle Écuyer, fille du grand industriel. Ah ! la bourgeoisie parisienne, il n'y avait encore que là qu'il y avait *[interrompu]*

Esquisse VI

[RÉCEPTION
CHEZ LA PRINCESSE DE GUERMANTES]

[Le souvenir d'un rêve mettant en scène Gilberte Swann revient à l'esprit du héros et l'occupe jusque chez la princesse de Guermantes ; le reste de ces pages extraites du Cahier 43 est consacré à la soirée que donne celle-ci. Il ne s'agit plus alors de fragments, mais d'une rédaction plus ou moins continue, procédant par reprises. Au cours de la soirée, Montargis fait mention de la maison de passe fréquentée par la femme de chambre de la baronne Picpus. Resté seul après le départ du duc et de la duchesse de Guermantes, le héros rencontre alors le jeune femme aux roses rouges et se met en quête de son nom.]

en[a] apercevant la voiture, je sentis en moi un sentiment infini de tendresse, comme si une femme que j'aimais s'y trouvait. Je cherchais pourquoi et ne pouvais comprendre. Puis je sentis qu'elle m'avait posé la main sur le genou, nous allions vers la mer. Mais qui ? C'était un rêve que j'avais fait la nuit dernière mais que je n'avais pas encore revu, c'est à l'instant seulement qu'il venait de se débarrasser de la nuit épaisse qui lui gardait toute sa fraîcheur, et je sentis la douceur du corps de la jeune fille qui était auprès de moi comme si à l'instant seulement je venais de m'éveiller. Qui était-ce ? Je tâchai de me rappeler mon rêve. C'était Mlle Swann qui était à Querqueville et qui avec une de ses amies m'accompagnait un bout de chemin en voiture pendant que j'allais la nuit à la pêche au hareng. Je me souvenais que c'était elle, mais je ne l'aurais pas reconnue car elle n'était pas ainsi. Alors je voulus rebrousser chemin, ne pas aller à ma soirée, mais plutôt prenant prétexte de ce que Swann avait dit ce soir, passer chez lui, lui dire que je n'avais pas osé lui dire que je savais que son mal n'avait rien de mortel et tâcher de revoir sa fille[1]. Quand je pense que pas un instant tandis que je l'avais vu ce soir je ne m'étais pas dit un instant qu'il était le père de Mlle Swann tout cela était si ancien. Mais à quoi bon, même si c'était d'elle que j'avais rêvé, si je n'avais pas en dormant donné son nom par erreur à quelque autre image, elle n'était pas mon rêve, ce n'était pas elle qui m'avait pris le genou, et m'avait dit : « Alors vous ne voulez pas m'aimer. » Et pourtant aucune autre qu'elle ne pouvait me faire plaisir à voir, car elle du moins avait quelque rapport avec mon rêve. Son nom suffisait à réveiller en moi le souvenir de la caresse qu'elle m'avait faite, et le besoin éperdu de l'embrasser, de continuer cette causerie où son âme allait s'ouvrir à moi. Mais quoi[b] cet être que j'aimais tant, cette créature délicieuse qui m'avait dit : « Vous ne voulez pas m'aimer », elle n'existait pas, je ne pourrais jamais la revoir, revoir ses joues dont je me rappelais encore la douceur veloutée, ô fantôme de l'amour que jamais l'on ne pourra serrer dans ses bras. La voiture s'arrêta, j'étais arrivé, il fallut descendre vite car une foule d'autres voitures suivaient qui s'arrêtaient l'une après l'autre devant le perron déposant les invités du prince et de la princesse de Guermantes. La peur de me mouiller les pieds, l'attention qu'il fallut pour payer le cocher, le plaisir de m'avancer indolent et majestueux entre la double haie de valets en livrée blanche et verte, me fit oublier que j'avais à décider si j'irais oui ou non à la soirée et je ne me souvins de mon hésitation qu'au moment où ayant donné mon pardessus je m'avançai vers l'huissier qui annonçait les invités[a].

Je[b1] m'aperçus que M. de Guermantes du salon voisin avait vu sa femme se lever et venir à moi comme elle n'avait fait pour aucun autre invité et je craignais que cela ne le mît de mauvaise humeur. Mais il avait la plus grande admiration pour sa femme et savait qu'elle ne faisait rien sans raison et sans de bonnes raisons. Si elle avait l'air un peu d'une reine de théâtre, il avait lui l'air d'un roi de féerie, ou d'opérette. Le défaut de costume, la satisfaction peinte sur son visage Louis XIII et qui en contournait suavement les joues un peu pleines, l'orgueil naïf souriant dans les yeux à fleur de tête, la bonhomie paternelle de l'accueil qui semblait vouloir mettre à l'aise les nobles ou francs-bourgeois de sa bonne ville dont il recevait ce soir-là le ban et l'arrière-ban, le geste dont il accompagnait ces mots : « Charmé, la princesse sera charmée » identiques pour chaque personne, tout concourait à faire de lui et de la princesse comme un couple de souverains factices sur la réception desquels le rideau de théâtre vient de se lever.

Le[c] prince de Guermantes n'était certes pas un méchant homme et il était loin d'être indifférent aux devoirs de charité et d'humanité. Malgré cela si, passant en voiture dans la rue, se sentant en retard pour un rendez-vous, il apercevait un pauvre homme tombant en défaillance sur un banc, il se disait : « Ah ! la vie » et se rencoignait dans ses coussins sans dire au cocher d'arrêter.

Mais en revanche *[interrompu[d]]* Par exemple venir en aide dans la rue à un pauvre qui semblait défaillir était à ses yeux un devoir important, mais qui[e] ne venait pourtant qu'après celui de recevoir ses invités, car si un jour il avait du monde chez lui, se sentant en retard et ayant dit au cocher de presser l'allure, il apercevait un tel pauvre il se disait : « Ah ! la vie ! », se rencoignait sur ses coussins sans faire arrêter la voiture, et ne songeait pas à avoir de remords d'un acte d'inhumanité qu'il n'était pas libre d'éviter « puisqu'il y avait du monde chez lui », commandement primordial devant lequel devait s'effacer non seulement la souffrance des autres mais la sienne. Il eût fallu qu'il se sentît bien malade pour se résigner à dire au concierge : « Vous ne laisserez pas monter les invités, vous direz que je suis malade que la réception n'a pas lieu[1]. »

« Comme[a] c'est aimable à vous », dit-elle en me tendant la main, avec ce sourire qui n'était qu'à elle et qui authentifiait en quelque sorte mon invitation sans contrefaçon possible de sa signature précieuse, « je suis vraiment ravie de vous voir. J'espère que maintenant vous reviendrez... » et comme je m'éloignai sentant que je n'avais absolument rien à lui dire pour ne pas la laisser parvenir au moment où elle se rendrait compte que me voir n'avait rien qui pût lui causer tant de plaisir, et aussi pour la laisser recevoir le prince d'Agrigente qu'on venait d'annoncer et qui était depuis quelques instants devant nous, attendant de pouvoir lui dire bonjour[b] *[interrompu]*

« Mais[c] mon cher je vous en prie je ne veux pas être importun », me dit le prince d'Agrigente[2], pensant que je devais avoir quelque chose d'important à dire à la princesse pour qu'elle m'eût retenu longtemps, que je devais être un de ses grands amis, « je voulais seulement dire bonjour à ma cousine » et fixant de toutes ses forces sur moi ses prunelles dans les lumières perçantes desquelles il avait pleine confiance comme si elles avaient été un appareil d'appréciation psychologique pour démêler en un instant le sujet de notre entretien et les causes de mon succès. Il était déjà prêt à m'attribuer sur le marché social le prix auquel j'avais l'air d'être coté et à s'incliner devant cette situation de fait, quitte à la commenter sans bienveillance par des réflexions marquées au coin de la philosophie de défense sociale des Guermantes du second cru, plus ou moins mêlés de Courvoisier. « Voilà bien le monde, devait-il se dire, je suis le cousin germain d'Edwige[3], j'ai été élevé avec elle, nous avons joué au cerceau ensemble, et elle ne m'offrirait pas un verre d'eau dans toute l'année, je ne suis plus bon à donner aux chiens à côté d'un M. X qui en somme n'est pas de notre monde. Qu'est-ce que c'est après tout en somme que ce M. X ? Bien fin qui me le dira. Qu'est-ce qu'il vend ? D'où sort-il ? Ah ! Voilà bien le monde. Moi qui suis de son sang on ne me regarde pas et on fait des mamours <au> premier aventurier[d] venu quitte à s'en mordre les doigts huit jours après. Il faudrait absolument que je l'invite pour lundi puisqu'il connaît tous ces gens-là. Mais ce n'est pas la peine que je compte là-dessus, il ne viendra pas chez moi. Je ne suis pas assez forte tête pour lui, je ne suis pas assez chic, je ne suis pas assez dans le mouvement, il doit bien voir qu'Edwige ne <me> gobe pas. » Mais je lui assurai qu'il ne dérangeait ien du tout et j'allai vers M. de Guermantes, craignant qu'il n'ait vu l'accueil que m'avait réservé sa femme et qu'il n'ait trouvé l'amabilité excessive et imméritée. Ce souci était mal fondé. M. de Guermantes savait que personne ne possédait plus que la princesse *(suivre en face)*

« Vous[a1] trouverez M. de Guermantes dans ce salon à droite », me dit-elle, paroles sous le couvert desquelles je m'apercevais que mon invitation non seulement ne m'avait pas été envoyée par mystification, hypothèse qui me faisait trembler un instant auparavant et que j'avais complètement oubliée, mais même que Mme de Guermantes ne me l'avait pas adressée par erreur, par hasard, par distraction, mais de propos délibéré et après en avoir prévenu M. de Guermantes qui avait ainsi échangé quelques mots avec elle à mon sujet et à mon insu, alors que je me figurais si peu l'un et l'autre s'occupant de moi. M. de Guermantes avait vu sa femme se lever et faire plusieurs pas au devant de moi et j'avais peur qu'il n'en fût indisposé contre moi. Mais il n'en était rien. Il savait que personne ne possédait plus que la princesse et jusque dans ses dernières nuances la science de ce qu'elle devait à chacun et de ce que chacun lui devait, de même qu'elle sans avoir rien à lui rappeler était sûre qu'il me ferait un accueil spécial, offrant au besoin son bras pour la conduire à sa place à telle personnalité particulièrement considérable, et qu'elle avait cru devoir accompagner elle-même de quelques pas. Mais si leur science des règles était égale, elle indiquait aussi les exceptions qu'on peut y faire, et par exemple ils étaient aussi versés l'un que l'autre dans l'arsenal des petites ruses qui en faisant servir pour un inconnu qui n'y a aucun droit ce qui est réservé aux princes et à certains ambassadeurs, aident à lui témoigner par des égards feints une prédilection sincère. Aussi M. de Guermantes sachant que la princesse ne me devait pas même de se soulever de sa chaise et sachant qu'elle le savait aussi bien que lui, comprenant parfaitement le sentiment auquel elle obéissait en me donnant dans sa plénitude ce que son amabilité comportait de plus complet, aurait pu ranger aussitôt l'action de sa femme dans la catégorie des manèges parfaitement licites dont il usait lui-même à l'occasion[b]. Mais il est plus probable qu'il avait vu que ce mouvement ne comportait aucune feinte et il ne l'eût pas moins bien compris et trouvé moins légitime. La connaissance parfaite qu'avait la princesse de Guermantes des diverses situations mondaines traçait devant elle une série de lignes parallèles, plus ou moins écartées, comme celles que sur les plages les guides baigneurs tracent avec des cordes pour repérer la hauteur de la marée montante, formant une espèce de damier, jusqu'où sa politesse s'avançait plus ou moins loin selon la personne qu'elle avait à recevoir. Mais si la politesse étendait son empire gradué sur toute sa vie, elle n'en éprouvait pas moins parfois pour un ami qu'elle n'avait pas vu depuis longtemps, ou qui venait d'être frappé par un malheur, ou de lui donner une grande marque d'affection, pour un malade dont la santé la tourmentait, pour un inconnu par le charme de qui elle était séduite, de ces sentiments appelés sympathie, reconnaissance, pitié, charité (parfaitement connus et excusés du prince qui avait lu qu'ils ont toujours existé dans le cœur même de ceux qui ont les plus hautes situations sociales et qui relèvent malgré tout de la psychologie humaine en général), qui la faisaient se porter vivement au-devant de celui qui en était l'objet d'un seul flot qui couvrait et dépassait toutes les subdivisions et limites de la politesse, devenues sans usage comme les poteaux indicateurs le sont aux équinoxes d'automne, mais comme eux servant par là même à mesurer la puissance exceptionnelle du flux qui les a rendus inutiles. Mais si l'amabilité mondaine de la princesse de Guermantes comme les accompagnements sur lesquels tout d'un coup la voix humaine s'élève, les dépassant, mais restant en harmonie et en mesure avec eux, communiquait à l'expression de ses sentiments plus profonds comme une sorte de rythme, il n'en était pas de même pour le prince dont la politesse toute apprise et ne s'appliquant qu'à des cas précis lui faisait tout d'un coup défaut dès qu'il éprouvait, ce qui arrivait assez souvent, un mouvement tout spontané, qui n'avait plus alors pour se traduire, tant son intelligence était médiocre, et sa culture, au-delà de l'étiquette, nulle, que des formes naïves et vulgaires[a]. Le désir de recevoir avec bonne grâce le ban et l'arrière-ban de la noblesse, ce qu'il considérait un peu comme sa bonne ville et ses vassaux, ajoutait ce soir à la majesté louis-treizième et comme fleur-de-lysée de son visage <de> roi de vitrail ou de jeu de cartes l'enluminure, le gonflant, le liseré élargi et flottant d'une satisfaction à laquelle il s'efforçait pour se montrer bon prince et dissiper la timidité de ses féaux sujets, de donner un air de bonhomie et même de jovialité[1]. Si bien que non loin de la princesse ceinte de son diadème de perles, et lui avec son front princier et bonhomme duquel il semblait de venir, à cause de la chaleur, de retirer un instant sa couronne, ils avaient l'air de deux rois de féerie qu'on voit en train de recevoir au lever du rideau. Ses yeux souriant à fleur de tête, sa bouche entrouverte dans une expression de fatuité cordiale, s'efforçaient de garder la bonne humeur mesurée, la simplicité pleine de finesse qui lui semblait convenir à une réception telle que celle-ci, prouver <que> les princes médiatisés seigneurs n'ont rien de si terrible, et que les plus grands seigneurs pourraient en remontrer à bien des bourgeois en fait de simplicité.

La bonne humeur mesurée, la finesse enjouée et sensible qu'il considérait comme l'apanage de la bonne compagnie ridait d'une patte d'oie multiple et fine l'entour de ses yeux dans lesquels brillait à fleur de tête[a] son regard bleu où il essayait d'amortir le feu perçant, l'invincible perspicacité des Guermantes, en l'émoussant de fatuité cordiale, en les faisant courir çà et là dans la salle de préférence en l'air pour éviter de blesser personne. Et en effet, comme la soirée était mixte c'est-à-dire qu'un certain nombre de jeunes gens et de jeunes filles étaient invités, dont plusieurs étaient des parentes éloignées à qui leurs parents avaient dit : « Tu diras "bonjour mon cousin" après tout c'est ton cousin » mais pour qui il était un être légendaire qu'elles n'approchaient jamais, les regards contendus[b] d'un certain nombre d'invités peu intimes, surtout de la jeunesse ne quittaient pas son visage. Et pour moi-même, son visage et son corps n'étaient que comme une espèce de couvercle de cette vie à laquelle mon imagination avait souvent rêvé. Ce visage, voilà tout ce que j'apercevais. À quoi cela correspondait-il, comment fallait-il l'interpréter ? Quelle place tenait dans sa vie, quelle importance attachait-il, que lui représentait une soirée comme celle-ci, qu'y avait-il derrière les mouvements d'yeux, derrière le nez fort, auxquels tout ce que j'imaginais de lui faisait une sorte de riche et vaste dessous que j'aurais voulu que ces quelques lignes de visage me permissent de compléter comme avec quelques points donnés on peut construire une figure géométrique. En somme il devait considérer comme peu de chose beaucoup des personnes qui étaient là ; de quelle vie différente les jugeait-il ? Chaque pli de sa joue souriante me semblait plein de prix, n'était pour moi que l'appendice visible d'un Inconnu qui le soutenait de son importance comme si j'avais eu devant moi le portrait de tel personnage de roman <qui> existât préalablement en moi d'une vie intellectuelle[c]. « Charmé, charmé », disait-il à chaque personne qui entrait avec une brusquerie familière destinée à le mettre à l'aise. « Vous avez vu la princesse, elle sera ravie. » Mais en ce qui me concernait il était arrivé que sachant que sa femme désirait être aimable avec moi et désirant l'être lui-même, il souhaitait vivement pour avancer les choses que je vinsse ce soir, du moment qu'il recevait de toutes façons, que je fusse là ou non, et craignait que je ne vinsse pas, ce qui l'eût peut-être entraîné à m'inviter à dîner ou au théâtre, ce qui ne lui convenait pas. Aussi eut-il en m'apercevant une bonne surprise qu'il ne sut pas manifester autrement qu'en frappant légèrement ses mains l'une contre l'autre et en criant « bravo, bravo » comme au théâtre. « Ah ! bien, je suis bien content. Justement j'avais peur que vous ne pussiez pas venir, cela me convient si bien, ah ! c'est parfait, je suis enchanté, charmé. Vous avez vu la princesse, elle sera ravie. — C'est bien beau ce portrait que vous avez là », lui dit une jeune femme à l'œil vif avec qui[a] il était en train de causer et qui me regardait avec curiosité. « Oui, n'est-ce pas ? Cela fait bien là, ça m'a été donné par Astolphe de Guermantes » (et au moment de prononcer ce nom il m'adressa un petit salut de la tête et de la main d'un air de dire, Astolphe de Guermantes que vous connaissez, je vous reconnais les droits que vous avez sur son amitié) « mon cousin Astolphe, le vôtre aussi du reste. C'est le grand papa Condé[1]. Vous le reconnaissez. Bonsoir mon cher duc, charmé, Edwige sera ravie », dit-il en serrant la main d'un nouvel arrivant. « Il faisait mieux ici que chez Astolphe. Vous auriez d'ailleurs tous les droits à l'avoir chez vous, ma petite, c'est la famille, il n'y a pas à dire, c'est la famille. Bonsoir Philidor. Geleswinther[b] n'est pas venue. Toujours souffrante, la princesse sera désolée. Il était à Guermantes », reprit-il en continuant à parler du portrait avec la jeune dame, « mais j'avais entendu dire, *justement* par Octave Feuillet », me dit-il en clignant de l'œil vers moi sans pouvoir contenir la satisfaction qu'il avait de pouvoir me dire qu'il avait rencontré M. Octave Feuillet, justement un littérateur[2]. « Mais à propos de mes cousins Guermantes, me dit-il, j'ai bien peur qu'ils ne soient pas des nôtres ce soir et que ce soit partie manquée. Ils étaient à Cannes chez Mme de Vermandois, ils doivent[c] être sur le chemin du retour mais je ne sais pas s'ils sont revenus. Elle est charmante ma petite cousine Oriane n'est-ce pas ? Astolphe n'est pas un sot non plus. Bonsoir mon vieux Grigri tu as vu ta cousine » dit-il en serrant la main du prince d'Agrigente, « aie donc l'obligeance de dire qu'on ouvre un peu les fenêtres de la bibliothèque, il fait une chaleur étouffante. Non, non. Il ne faut pas croire que ce soit un sot. Il a beaucoup lu. Vous lisez du matin au soir naturellement. C'est comme la princesse. Le golf, la chasse, tout cela ne l'amuse pas. Mais parlez-lui de la lecture, ah ! alors elle est toujours prête. C'est son fort. Mais vous savez c'est à ne pas croire. On est obligé de lui enlever son livre des mains. Je crois qu'elle ne ferait rien d'autre. Enfin c'est ennuyeux que puisque vous êtes justement venu, Astolphe et Oriane ne soient pas là. Ça me contrarie, parce que n'est-ce pas ça s'arrangeait mieux. » Je protestai que j'étais content ainsi. « Ah bien alors parfait », dit le prince en souriant d'un air soulagé et prenant mes expressions aimables au pied de la lettre. « Du moment que cela vous plaît comme cela c'est très bien. Vous comprenez je tenais beaucoup à ce que cette soirée comptât. Mais voilà vous êtes très aimable, jusqu'au chien du logis vous cherchez à complaire. — N'est-ce pas M. de Gurcy qui est là-bas près de la cheminée ? lui dis-je pour tâcher de le quitter. — Parfaitement c'est lui-même, cet excellent Sigisbert[3]. Vous le connaissez ? Quel homme exquis. Très fin, Gurcy, un littéraire. Oh ! bonsoir monseigneur je ne vous avais pas vu », dit-il en s'inclinant vers un jeune homme blond qui venait d'entrer et qui lui tendait la main. Je profitai pour m'esquiver mais le prince me rappela. « Monsieur, mais restez, la princesse tient beaucoup à ce que... » Mon geste évasif signifia que j'allais saluer M. de Gurcy mais que s'il le voulait je rebroussais chemin. « Ah ! non non pardon allez, allez » dit-il, car dans ses différents devoirs de maître de maison, celui de me laisser libre de faire ce qui me plaisait, et celui de ne pas avoir envers M. de Gurcy l'impolitesse d'empêcher quelqu'un de lui dire bonjour primaient sur celui de me témoigner en me retenant auprès de lui le plaisir qu'il avait à me connaître[1].

Mettre[a] deux ou trois pages plus loin quand la duchesse de Guermantes sera arrivée.

Tout le monde la regardait, quelques vieilles femmes laides et ennuyeuses avec qui <elle> avait toujours été impolie avec envie, quelques jeunes gens en arrêt qui ne la connaissaient pas mais avaient tellement entendu parler d'elle avec une fascination qui touchait à l'hébétude, mais tous avec admiration. Quelques clubmen particulièrement chic et qui avaient fait des stages d'amoureux également dans le demi-monde et dans le grand monde qui leur permettaient de décréter avec certitude d'une cocotte qu'elle n'était pas une fille commune, qu'elle avait quelque chose de comme il faut, qu'<elle> ne devait pas être d'une mauvaise origine, et d'apprécier l'élégance des robes, de cabinet[b] de toilette, de table d'une duchesse comme ils auraient fait d'une cocotte, déclaraient qu'il n'y avait pas une femme à Paris qui s'habillât comme elle. Ils admiraient sa sobriété (que la duchesse de Guermantes exagérait encore, comme[c] une sorte de leçon de goût quand elle allait chez sa cousine qui recevait généralement entourée de voiles et enturbannée d'argent <comme> une sultane[d]) qu'ils déclaraient la plus grande élégance. En réalité l<es> prétendue<s> simplicité<s> de la duchesse de Guermantes étai<en>t infiniment plus étudiées et moins « simples » que les poétiques splendeurs de sa cousine. Mais c'est par là qu'elles prenaient une beauté aussi grande que les naturels enchantements de duvets[e] et de plumes desquels éclosait la beauté de la princesse comme dans un nid d'alcyon. Debout au milieu du grand salon de sa cousine, plus regardée que saluée car il y avait relativement peu de personnes ce soir-là avec qui elle fût en relation, il n'y avait pas une dentelle de sa robe, pas un pli de sa coiffure, pas un bijou de son corsage, qui n'eût été placé par elle, après réflexion, pour une raison, avec science, science d'ailleurs[f] un peu héréditaire, comme ces femmes de chambre qui de mère en fille dans la famille Guermantes savaient coiffer leurs maîtresses d'une façon qui les distinguait immédiatement pour un œil averti. Or de même que quand[a] un artiste peine des années sur les mots de ses phrases, les mots eux-mêmes qu'il a fini par choisir sont moins précieux que d'avoir à la faveur de ce travail, lentement infusé sa vie, choisis par Mme de Guermantes, d'après son attitude, d'après l'attitude qu'elle trouvait qu'elle devait avoir, attitude dans laquelle elle immobilisait et stylisait par tradition aristocratique sa vivacité, sa gaieté personnelles, ces vêtements, ces atours avaient fini par être imprégnés, par dépendre de sa correction, de sa beauté, de cette âme de sa beauté, à peu près autant que son visage et ses membres. Et par là cette femme qui n'était pas capable de reconnaître un beau portrait saisissait elle-même les yeux des autres à la façon d'un merveilleux portrait où tout conspire et est uni, où la fantaisie de Velasquez et l'âme de l'infante imprègne<nt> aussi bien les bouffants d'un soulier ou les nœuds d'une perruque que le regard du visage et la courbure de la taille. Les personnes qui la regardaient disaient : « Comme elle est bien habillée, comme elle est belle. » En réalité ils éprouvaient l'impression étrange d'admirer une robe, des dentelles, des aigrettes, qui semblaient dépendre aussi directement de l'individualité organique de Mme de Guermantes que dépend de l'âme d'un rossignol son aile qu'il remue d'une façon naturelle ; comme un oiseau est moitié corps moitié plume, elle avait l'air d'une femme moitié chair, moitié étoffe, ou plutôt du déploiement à travers un corps mi-partie charnel mi-partie dentelles plumes et bijoux, d'un caractère de beauté singulier qui n'était pas moins empreint et moins prestigieux dans l'expression du costume que dans celle du visage. Et puis on le savait, on savait cet art de la toilette, art héréditaire comme ces femmes de chambre qui dans la famille Guermantes avaient pour coiffer leurs maîtresses des secrets qui les faisaient reconnaître immédiatement par un œil exercé[1], et comme on savait que chaque détail de sa toilette avait sa raison d'être et était exquis, on s'appliquait à la regarder et à chercher à la comprendre comme un tableau symbolique. *Mettre ici ce qui est sur ces feuilles de papier à lettres sur le génie de la famille Guermantes, le serpent la beauté (d'Haussonville Mlle d'Harcourt, Standish Mme Bert<ran>d de Montesquiou, etc[2].)*

Il[b3] vit très bien qu'à ce moment Mme de Guermantes vint me dire bonjour, et il eût été naturel qu'il reste mais il s'éloigna ce qui était même peu poli pour elle, comme si dans son incroyable orgueil, voyant que Mme de Guermantes était aimable pour moi, il eut peur que je n'en tire vanité, et pour m'humilier et me montrer combien cette amabilité était peu de chose, il me faisait voir en se détournant sans même lui dire bonjour, le peu de cas qu'il en faisait. « Hé bien vous voyez que vous étiez bien invité, me dit M. de Guermantes[1]. — Bien invité, qu'est-ce que cela veut dire ? Je ne suis pas au courant, Astolphe ne m'a rien dit », dit assez maladroitement Mme de Guermantes qui voulait que je pusse croire que si elle avait su que j'avais demandé un service à son mari, elle l'eût forcé à me le rendre. Et de peur que je ne fusse fâché contre lui, elle voulut rendre sa conduite plus excusable, sans avoir l'air de la connaître : « Nous ne voulions pas qu'Edwige sût que nous étions rentrés pour le cas où j'aurais été trop fatiguée pour venir », dit-elle comme ces coupables qui ont, de se préparer[a] d'avance une excuse, un soin qui suffit à prouver qu'ils ont trempé dans le crime. « Vous n'avez[b] pas trop mal dîné ? » lui demanda son mari en approchant trois chaises pour elle lui et moi et que je sentis disposé à se mettre tout de suite avec elle et moi à un de ces petits jeux de psychologie malveillante. « Imaginez-vous », dit-il en se tournant vers moi, « que ma tante sait aussi bien que moi que Rosemonde est au régime des légumes et qu'elle adore les petits pois. Il y en avait très peu comme du reste toujours chez Mme d'Ordener[2]. Vous croyez peut-être que ma tante qui vient de s'enfiler un bon demi-poulet... — Astolphe vous exagérez, dit la duchesse en souriant. — Mais Rosemonde[3] je n'exagère pas, ma parole cela me faisait mal au cœur de voir les morceaux qu'elle mangeait, un jour elle aura une attaque c'est certain. Hé bien n'est-ce pas ? une personne ayant un peu de délicatesse voyant que pendant ce temps-là Rosemonde n'avait rien mangé lui aurait laissé reprendre plusieurs fois des petits pois. Hé bien il a fallu que ma tante les mange jusqu'au dernier, j'étais révolté. »

« Mais il n'y a qu'une chose qui me surprend c'est que cela vous étonne, dit Mme de Guermantes. Remarquez, ajouta-t-elle en se tournant vers moi avec qui elle n'avait plus à garder au sujet de Mme de Villeparisis les ménagements du début, il sait qu'elle est d'un égoïsme monstrueux (ne parlons pas trop haut parce qu'il est inutile qu'on l'entende, dans le fond je l'aime tout de même autant qu'on peut aimer une personne en dehors de l'humanité et cela me ferait de la peine si on lui répétait ce que nous disons[c]), féroce, j'ai même tort de dire féroce parce que pour être féroce il faudrait même savoir qu'il existe d'autres personnes, et qu'elle n'en a pas conscience, c'en est même beau, c'est <ce> que Swann appelait son splendide isolement, Astolphe sait tout cela, voilà trente ans qu'il la voit ne penser qu'à elle et ne pas se soucier du bonheur ni même de la vie des autres », ajouta-t-elle en exécutant sur le mot vie une modulation mystérieuse et mélancolique qui semblait faire allusion à des crimes d'elle seule connus et qu'elle eût été fort en peine de préciser, « et il s'en étonne encore chaque fois comme au premier jour. Vous êtes étonnant mon pauvre ami. Pensiez-vous qu'elle se soucierait que je prenne des petits pois ou non ? — Mais c'est qu'il ne sait pas, dit M. de Guermantes en me désignant, ce que vous avez été pour elle, tous les gens qui ne sont pas nos relations à qui nous avons fait des amabilités pour lui être agréable ; Rosemonde s'est tuée pour vendre pour ses œuvres, vous savez comme elle peut être gentille, eh ! bien malgré cela rien ne peut vous donner une idée des petits soins, des petites attentions qu'elle a toujours eus pour ma tante. — Mais je continuerai mon ami[1]. » Mais elle changea de conversation car à tous moments des personnes dont elle n'était pas sûre venaient lui dire bonjour. Souvent c'était des personnes avec qui elle ne tenait pas à être aimable ; alors tout en continuant à me parler au moment où on la saluait, elle détachait son bras et abandonnait sa main sans que son regard ex<primât> *[interrompu[a]]*

à d'autres elle ne donnait pas la main et commençait à ébaucher un sourire qu'elle n'avait pas la force d'achever et qui restait un instant en place sur sa bouche à mordiller ses lèvres comme une fleur, tandis que ses yeux prenaient une expression de coquetterie découragée d'où l'idée de la personne qui était en face d'elle était volontairement absente. Mais la vue de presque toutes avec qui elle était plus liée lui rappelait : « Mon Dieu je n'ai pas été à une seule de ses soirées, je ne lui ai pas rendu sa visite etc. » Comme on savait qu'elle n'avait été dans le midi que quelques jours, cette absence qu'elle eût voulu faire remonter comme excuse jusqu'à plusieurs mois en arrière ne pouvait être invoquée pour des fêtes déjà un peu anciennes. Alors j'entendais à tout moment d'une voix où plusieurs mots étaient accentués avec[b] une intonation presque allemande : « Cela n'a *vraiment* pas été possible, vous savez avec *toute la* bonne volonté, j'avais *cinq* choses ce soir-là, comme c'était celle-là qui m'amusait j'avais voulu la garder pour la bonne bouche, et puis il a été trop tard, je n'ai plus osé monter chez vous. Je sais que ça a été charmant. » Et se tournant vers moi elle me disait à l'oreille : « Mais elle m'embête, elle ne s'en va donc pas, est-ce qu'il va falloir que je lui parle encore une heure de sa soirée, je ne me rappelle même plus si c'était une soirée ou une matinée[2]. » Et comme elle se tournait obstinément vers moi sans plus s'occuper de la dame, l'autre finissait par partir. Mais à ce moment une autre surgissait : « Ah ! Oriane[3]. — Vous verrez que nous ne pourrons pas causer une minute, me disait Mme de Guermantes. — Je ne devrais pas vous dire bonjour, vous êtes méchante, vous n'êtes pas venue m'entendre une seule fois. — Ma chérie j'ai été bien désolée, je sais que vous avez chanté comme un ange... — Oh ?... — Non très sérieusement, tenez mon beau-frère qui n'est pas complimenteur m'a dit que cela avait été magnifique. — Oui on a été très indulgent. J'aurais été si heureuse que vous veniez, je crois que vous auriez trouvé que j'avais fait des progrès. Chaque fois j'espérais, je me disais elle viendra bien une fois. — Vous êtes gentille. Mais vous savez je suis très peu sortie cet hiver. Je n'ai pas été bien du tout, vous savez. — Hé bien on ne le dirait pas. — Bonjour mon petit[a], comme il y a longtemps qu'on ne s'est vu », me dit tout à coup une voix derrière moi. C'était Montargis[b1]. « J'étais passé chez toi où on m'a dit que tu étais ici, et je suis venu t'y serrer la main quoique ce soit assommant tous ces gens qui me félicitent de ma belle élection au Jockey comme si c'était un événement[c]. » Tandis que Montargis disait ces mots s'avancèrent pour saluer celui qu'ils appelaient « un des meilleurs amis de leur mère », les deux fils de Mme de Blio, la maîtresse de M. de Guermantes[2]. Tout jeunes et merveilleux à voir, ce n'était pas les mêmes perfections du corps et du visage qui étaient surtout remarquables chez les deux. Mais toutes avaient quelque chose de poétique quand on songeait que noblesse de la prestance, chaude pâleur du trait chez celui-ci, front, nez, cou de statue sacrée, yeux infinis chez celui-<là>, elles n'étaient que des présents divins reçus de leur mère qui avait partagé entre eux les principaux attributs de sa beauté. Ainsi qu'Athéné et *[un blanc[d]]* n'étaient que la force et la sagesse de Jupiter, ils s'avançaient semblables à deux jeunes immortels[3].

M. de[e] Guermantes les aperçut. « Chut, dit-il à Montargis, inutile de dire devant eux que je t'ai présenté au Jockey s'ils ne le savent pas encore. » Ils ne le savaient pas. L'aîné salua avec respect Mme de Guermantes car sa mère lui recommandait d'être poli. Et le cadet imitait toujours la conduite de son frère.

« On peut reparler ? » dit Montargis à son oncle quand ils se furent éloignés, le plus jeune suivant l'autre. « Je n'ai qu'un moment à rester avec toi, dit-il en se tournant vers moi. Il faut que j'aille remercier mon autre parrain sur qui je n'ai pu encore mettre la main, Borodino. — Oh ! le capitaine de Borodino[4] ? — Maintenant chef d'escadrons s'il-te-plaît. — Je ne peux pas te dire le plaisir que cela <me> ferait de le revoir, il me semble si impossible à détacher de cet automne que j'ai passé près de toi qu'en le revoyant j'aurais fait deux ans dans le passé et cinquante lieues vers le nord. — Tu sais qu'il est un homme très susceptible, je ne peux pas t'emmener avec moi, cela enlèverait toute la solennité de ma visite. — Malheureusement nous ne connaissons guère les mêmes personnes, dit Mme de Guermantes, sans cela j'aurais tâché de vous le faire rencontrer. — Mais Rosemonde nous pourrions très bien faire inviter ce petit à la soirée des Marengo, ils seraient enchantés, et certainement M. de Borodino y viendra s'il est à Paris[1]. » Montargis qui ne m'avait pas vu depuis longtemps fit quelques pas avec moi. Dès les premiers mots je m'aperçus du changement qui s'était opéré en lui, depuis qu'il avait été quitté par sa maîtresse[2]. « Oh ! mon vieux, me dit-il à propos d'un travail commencé autrefois par lui et dont je lui parlais, l'intelligence, la littérature, j'en suis bien revenu. Les intellectuels vois-tu, toi à part, hommes et femmes, c'est tout fripouille et compagnie. » (Il avait su que plusieurs auteurs amis de sa maîtresse se moquaient de lui avec elle et après avoir mangé si souvent à sa table avaient passé du jour au lendemain au camp du prince russe[3].) Et en effet ce n'était qu'en elle qu'il avait aimé les lettres. Son amour pour les unes n'avait été qu'une crise passagère de sa jeunesse, comme son amour pour l'autre, et avait fini avec lui. Et d'autres sentiments avaient disparu aussi de son cœur qui n'avaient pas non plus en lui de racine durable et qui ne tenant qu'à son amour, devaient disparaître avec lui, par exemple son respect de la femme, de l'amour qui n'était que la forme intellectuelle de son désir que les autres hommes respectassent sa maîtresse, ne cherchassent pas à la lui enlever, et son horreur des gens de plaisir, de tous ceux qu'il croyait mépriser par théorie et dont il craignait seulement qu'ils ne dépravassent son amie. « Hé bien je vois que tu es au mieux avec Oriane. Mais tu n'en es plus amoureux. Ah ! vois-tu mon vieux j'en suis bien revenu de l'amour c'est une bonne blague[4]. Vois-tu, si on était sage, il n'y a qu'une chose de vraie ce sont les maisons de passe. Il n'y a que là qu'on trouve chaussure à son pied, ce que nous appelons au régiment son gabarit. — Tu devrais bien m'y mener, lui dis-je. — Ah ! mon petit cette fois-ci c'est impossible, je repars demain matin. Mais à ma prochaine venue si tu veux. Je connais un endroit merveilleux. Il y vient même des jeunes filles, me dit-il d'un air mystérieux. Il y a une petite demoiselle d'un nom comme Orcheville[5], je ne me rappelle pas bien, ça a l'air d'être une affaire merveilleuse. C'est la fille de gens très comme il faut mais qui sont toujours malades et ne peuvent pas s'occuper d'elle, et dame la petite se désennuie. — Oh ! quand viendras-tu ? — Je ne suis pas sûr, d'ailleurs, je crois qu'elle doit s'absenter. Mais il n'y a pas que ça. Dans un autre genre comme belle fille, si tu ne tiens pas absolument à coucher avec des duchesses, il y a une grande personne blonde qui est première femme de chambre chez la baronne Picpus[6], ça je te le dis franchement je n'ai jamais rien vu d'aussi beau. C'est un Giorgione. Ah ! c'est quelque chose de fou. Tu verras mon petit, attends mon retour nous passerons de bonnes soirées. »

Dès[a1] lors tous les désirs que j'avais souvent éprouvés rien qu'en les voyant passer dans la rue ou moins que cela en entendant parler d'elles, d'un lieu où elles pouvaient se trouver, en lisant un compte rendu de bal, pour quelque jeune fille[b] d'éducation raffinée, au fin visage, et que je supposais perverse, ou au contraire quelque belle fille vulgaire, orgueilleuse et parée, de ces femmes de chambre de femme riche plus élégantes que leurs maîtresses et qui, tantôt les unes, tantôt les autres, selon que j'avais un plus grand désir de beauté fine et d'amour presque platonique, ou de grasse beauté et de volupté vulgaire, et en déplorant[c] que la vie ne me permît pas de connaître jamais les unes ou les autres, tous ces désirs firent bloc, les uns dans la jeune fille noble qui allait dans la maison de passe, les autres dans la beauté plantureuse et blonde de la femme de chambre de Mme Picpus. Pendant des mois la jeune fille seule me préoccupait, puis pendant d'autres c'était la femme de chambre de Mme Picpus. Mais cette préoccupation même n'alla jamais sans un certain calme. Car sacrifiant tous ces désirs éparpillés sur des filles dont je ne savais même pas le nom et que je n'avais aucune chance de pouvoir approcher et que je voyais dans mes promenades sur le fond d'or du matin ou dans une promenade en voiture, aussi impossibles jamais à approcher ou à connaître qu'une femme peinte dans un tableau ancien, à un désir de l'une d'elles qui me semblait le plus parfait spécimen *[deux mots illisibles]* de beauté et que je savais que je posséderais quand je voudrais, la vague inquiétude qui m'agitait jusque-là fit place à la tranquillité qui vient de la certitude, et à me dire de temps à autre : « Il ne faudra pas oublier de rappeler à Montargis sa promesse. » Je ne la lui rappelais pas, mais la certitude de pouvoir satisfaire quand je voudrais mon désir l'avait calmé comme les cachets contre l'insomnie qu'il suffit d'avoir sur sa table à portée de sa main, pour s'endormir. « Tu verras nous passerons de bonnes soirées, me dit Montargis. Il faut que je dise adieu à Oriane. » *(Suivre en face à la page précédente.)*

« Une[d] grande belle fille avec une peau dorée, des cheveux roux, des yeux bleus, une insolence de duchesse. » Et je pétrissais une grande belle fille avec tous les éléments qu'il me fournissait et qui, peut-être à cause du côté de Méséglise et de Mlle Swann, aux cheveux roux, aux yeux bleus et à l'air insolent, était la couleur sous laquelle la femme m'apparaissait la plus séduisante.

Et dès lors je voyais sans cesse devant moi une belle fille à la peau blonde, aux cheveux roux, aux yeux bleus. Mais il lui manquait ce qui nous empêche d'imaginer une femme comme nous ferions d'une fleur, l'individualité, la présence, ce que nous ne connaissons que quand nous l'avons vue. Et comme le désir de cette peau, de ces cheveux, c'était le désir de la personne, je me demandais quelle personne pouvait cacher cette peau blonde, ces cheveux roux, cet air insolent et qu'on pouvait posséder. Si on veut bien y penser, on comprendra que savoir cela avant de mourir c'était pour moi tout le problème du bonheur. Car en réalité ce que Charles m'avait dit c'était ceci : « Ce qui te plaît le plus au monde, la chair la plus belle, l'âme la plus dédaigneuse existe, et cela tu peux le posséder. » C'est comme s'il m'avait dit : « Le bonheur est possible. » Mais comment était fait ce bonheur, *qui* était-il ? Car j'avais beau passer mes nuits à imaginer une peau blonde, des cheveux roux, des yeux bleus, je ne pouvais imaginer cette chose qui n'est pas faite avec des éléments qualitatifs, cette chose qui apporte un élément nouveau, incomparable, une personne. Or justement sans cet élément le fantôme que j'imaginais n'avait rien de réel, il ne pouvait rien m'accorder, ce que j'aimais, ce que je voulais posséder, ce dont être aimé et admiré, c'était de la personne, qui était-elle, comment était-elle ? Quand on sait la valeur de beauté qu'a une personne, qu'on vous a dit la splendeur de sa peau, la beauté de ses yeux, et qu'on vous a dit ensuite qu'elle était possédable, et qu'il ne manque à tout cela, comme à une argile qui n'est pas encore statue, que ce qu'on aimera précisément en elle, la personne, alors épuisé de se représenter dans leur vide, ce qu'on ne peut se représenter, tous ces possibles qu'éliminera tout d'un coup la vue du regard réel, alors on a soif de connaître la personne, on demande à grands cris cette chose qu'on ne peut créer soi-même : un individu[a].

« Il[b1] faut que je dise adieu à Oriane. » Il y avait auprès d'elle la jeune femme qui m'avait regardé tout à l'heure pendant que le prince de Guermantes me parlait. Je me rappelai alors seulement qu'elle s'était trouvée placée assez près de moi l'année dernière à une matinée chez la marquise de Villeparisis. On me présenta. C'était la baronne de Villeparisis, elle avait épousé un petit cousin de la marquise[2]. Je lui dis que je croyais l'avoir vue l'année dernière chez la marquise de Villeparisis. « Oh ! je vous ai bien reconnu tout de suite, quand vous avez dit bonjour au prince. C'était à la matinée où on a joué *Il faut qu'une porte soit ouverte ou fermée*[3]. C'est toujours si intéressant chez ma tante Villeparisis. On rencontre tant de célébrités qu'on ne voit pas ailleurs. Vous étiez à côté d'un monsieur à grands cheveux. Je vais être bien indiscrète. Pourriez-vous me dire si ce n'était pas François Coppée[4] ? » Je ne me rappelais pas du tout à côté de qui j'étais mais je lui assurai que ce n'était certainement pas Coppée, ni d'ailleurs personne d'intéressant, qu'il n'y avait, ce jour-là du moins, aucun littérateur ou artiste marquant. « Comment, s'écria-t-elle avec stupéfaction, il n'y avait pas de grands poètes ? Pourtant, ajouta-t-elle d'un ton profondément convaincu, il y avait des têtes impossibles ! — Oh ! cette Françoise », dit Mme de Guermantes sur un ton de reproche amusé. Comme je me mis à rire, elle pensa que ce qu'elle avait dit était peut-être après tout plutôt du genre comique et elle rit aussi. « Je vois que vous n'avez pas une haute idée de la poésie. — Mais si, dit-elle, la poésie, c'est ravissant si vous voulez, ce qu'il y a dans les livres des poètes c'est tout ce qu'on voudrait rencontrer dans la vie, des sentiments chics, délicats, chevaleresques. Si seulement c'était vrai[1] ! Mais c'est de la farce. Il n'y a <pas> plus matériel, plus intéressé que ces gens-là. J'ai une pauvre amie, dit-elle tristement en songeant à une douloureuse histoire dont elle avait été témoin, qui a cru un poète, elle a écouté ses beaux discours comme parole d'évangile. Allez ! ce qu'elle a été refaite. Il lui a mangé plus de deux cent mille francs. — Qu'est-ce que je te disais, me dit Montargis qui était enchanté de trouver une si éclatante justification de ses nouvelles idées. — Il n'y a que les femmes qui aient des sentiments assez délicats pour pouvoir être poètes. Mais elles ne sauraient pas. — Mais j'en connais une qui sait, c'est un très grand poète. — Vraiment. Hé bien il faut qu'elle ne soit pas nerveuse alors ? — Pourquoi, pas nerveuse ? Au contraire elle l'est. — Allons donc si elle était nerveuse elle ne pourrait pas écrire. Moi je ne pourrais pas écrire une ligne, je ne peux pas tenir en place deux secondes. Je ne sais pas comment j'ai pu rester assise ce temps-là. Adieu ma cousine, je vais voir si on ne va pas faire un petit tour de valse. » Et elle s'éloigna rapidement. « Voilà une petite qui est rudement intelligente », me dit ensuite Montargis quand je le reconduisis vers la porte. « Je sais bien, elle n'a pas encore le ton de la famille, elle est un peu voyante, un peu mauvais genre si tu veux, mais tout ça se fera. Seulement son mari n'est pas de force. Je ne lui donne pas deux ans pour être trompé. Maintenant on ne sait pas, elle a un bébé qu'elle adore. Pour les femmes c'est beaucoup, ça peut la préserver. » « Vous avez reconduit Charles, me dit Mme de Guermantes, vous ne voulez pas qu'on vous ramène[2] ? — Voyons Oriane, dit d'un ton plaintif M. de Guermantes, vous savez bien que ce n'est pas possible. Nous avons le petit coupé. Vous allez abîmer votre robe si nous sommes trois dans la voiture. — Mais vous êtes fou, pourquoi voulez-vous que ça abîme ma robe ? — Enfin j'ai mal à la jambe ce soir, je ne peux pas me mettre sur le strapontin. Alors ce petit y sera très mal. Vous pouvez bien revenir seul, ce n'est pas à deux lieues. Si vous avez à causer avec Oriane, vous n'avez qu'à venir demain, ce vous sera beaucoup plus commode que dans un trajet de cinq minutes où nous serons tous empilés. » Et Mme de Guermantes dans sa belle toilette rouge, avec sa haute plume rouge dans les cheveux, ses tulles rouges sur les épaules, et ses petits souliers rouges au pied, se dirigea vers le grand escalier de l'hôtel, pendant que M. de Guermantes faisait chercher ses affaires, non sans qu'en se retournant encore une fois, elle ne se soit excusée par un sourire et un geste évasif, d'être empêchée de me ramener par le caprice têtu et que je trouvais fort raisonnable de son mari. Je faisais avant de partir un dernier tour dans les salons que pas mal de personnes âgées avaient déjà quittés et où il restait surtout de la jeunesse[a]. Et je regardais avec curiosité ces jeunes filles posées toutes en fleurs pour un soir sur ces parquets en point de Hongrie, comme des roses qu'on a mises sur un reposoir et que jamais sans doute je ne reverrais, mais autour desquelles j'évoquais tristement le cadre de palissandre ou de peluche où on les ramènerait ce soir, où hélas je ne les reverrais jamais enfermées, où elles vivaient entre des amis que je ne connaissais pas, sous la loi de parents que je ne connaissais pas, ne sachant pas mon nom, ne connaissant pas mon visage, dans leur chambre à coucher, à leur table de famille, à leur cours, à leur catéchisme.

Soudain mes yeux s'arrêtèrent sur l'une d'elles dont les sombres yeux duvetés de longs cils brillaient vivement dans un visage d'un rose vif et foncé dont elle devait savoir l'opulent et savoureux velouté, car elle avait à son corsage et dans ses cheveux des roses satinées presque noires, qui faisaient ressortir à la façon d'un fard le brillant délicieux de sa carnation[1]. Je restais[b] fasciné par elle.

À[c] l'endroit des jeunes filles qui étaient là ma curiosité du mystère de leur nom et de leur vie, n'était pas sans mélange de douleur comme elle avait été pour la plupart des personnages qui se trouvaient à cette soirée, car ce n'était plus seulement une curiosité purement désintéressée de l'esprit qui cherche à déterminer la vie réelle de ce qu'il a jusque-là imaginé, c'était aussi la curiosité du cœur et des sens qui voudraient atteindre ce qu'ils désirent. Dans cette nouvelle rêverie la volonté avait sa part, apportant avec elle la part d'anxiété et de douleur dont les rêveries purement esthétiques sont exemptes. Et je regardais ces jeunes filles encombrant pour un soir le parquet de point de Hongrie de leur beauté épanouie, dans leur toilette d'apparat, comme les fleurs s'élançant hors des pots cachés dans du papier brodé sur l'autel, aux grandes fêtes, me demandant ce que voulait dire leur doux regard. Plus d'une devait être de ces jeunes filles dont la vue souvent m'avait frappé dans la rue d'un choc douloureux, quand j'en voyais d'une beauté inconnue comme est toute beauté individuelle, sans pareille, offrant la tentation d'un bonheur qu'aucune autre ne pouvait assouvir et disparaissant avec leur institutrice sous la porte de leur cours ou de leur catéchisme. Je ne les revoyais pas mais dans ces matinées de Paris <où> les rues <semblent> ornées[a] et plantées de femmes et de jeunes filles, dès que le soleil sèche en une nappe d'or la noire humidité des trottoirs, j'en voyais d'autres aussi jolies, aussi impossibles à connaître. Et la similitude de leurs façons, l'identique impossibilité de les connaître faisait naître en moi un même genre de désirs, une même qualité de rêve que l'impossibilité même de le réaliser avait empêché d'être trop douloureux jusqu'à ce moment où Montargis m'avait parlé d'une jeune fille allant dans cette maison de passe. Certes il avait ajouté que ce n'était pas ici qu'il fallait chercher de telles jeunes filles mais beaucoup qui n'y allaient pas, peut-être pensaient aux hommes, avaient peut-être des rendez-vous. Si jusque-là j'avais souffert de ne pas pouvoir être un de ceux avec qui elles causaient, qu'elles devaient revoir, qui allaient chez leurs parents, maintenant que j'imaginais une nouvelle manière de les connaître, à la fois plus intime et plus étendue car le désir peut s'étendre jusqu'à des êtres que nous[b] ne connaissons pas, et pouvant nouer avec un inconnu des relations plus fortes que celle qu'une jeune fille a avec ses amis, ouvrant une possibilité de plus de les connaître, de les approcher. C'était maintenant ce que pouvait être aussi ce côté de leur vie, qui me troublait, tandis que je voyais les plus timides, celles qu'on sentait les moins habituées au luxe du palais où elles se trouvaient, jeter un regard fixe et scrutateur sur le prince ou la princesse quand ils passaient, sur ces maîtres de maison à qui on leur avait dit qu'elles pouvaient dire mon cousin et ma cousine mais <dont> elles[c] n'avaient l'occasion d'approcher que de bien rares soirs, la grandeur quasi royale et le luxe éblouissant. Aussi demandaient-elles aux jeunes gens qu'elles connaissaient de les mener voir l'orangerie, le salon des glaces, le jardin d'hiver, toutes les pièces dont on leur avait vanté les merveilles, et jusqu'à la bibliothèque où le prince d'Agrigente se promenait seul, avec le désœuvrement d'un magnifique cygne ponceau, attrapant de temps à autre un volume ou un objet d'art dont il était bien incapable de rien faire, d'un coup de bec soudain, hésitant, irraisonné et tenace. Dans le flot qui encombrait le passage du salon à l'orangerie mes yeux restèrent frappés, comme je le restais souvent dans la rue, par la vue d'une jeune fille aux yeux bleu sombre, duvetés de longs cils noirs, au teint lisse brillant comme certains pétales, d'un rose vif foncé et sombre qu'elle devait apprécier autant qu'il le méritait car elle avait dans les cheveux et à son corsage des roses safranées et d'autres d'un rouge sombre qui en relevaient singulièrement la douceur opulente et lisse. Son visage m'avait pénétré si profondément qu'elle dut voir devant elle mes regards crevés, ma pensée ouverte où elle venait d'entrer. Et avec un imperceptible sourire, changeant légèrement la direction de ses pas, elle traversa la cohue juste à côté de moi, et en me pressant pour passer, appuya sur moi sa poitrine, fit glisser rapidement sa tête rose et brune tout près de la mienne, et déploya vivement sous mes narines un éventail rouge comme son teint, qui les remplit d'une odeur qui était celle que j'imaginais à ses joues. Déjà elle avait disparu avec des amies. Une fois sorti de l'enfance on ne reste plus à regretter une impression voluptueuse, on anticipe le bonheur de son retour en s'occupant de le préparer, la diplomatie qui amènera les succès de l'amour a remplacé la rêverie qui l'approfondissait, elle nous évite aussi, comme le recours à un médicament anesthésique, la tristesse de songer au bonheur d'hier qui n'est plus, pour escompter celui de demain, elle nous détourne de la fatigue de vivre avec nous-même dans une solitude qui est plus triste encore quand on aime. Ne pouvant retrouver la jeune fille, et ne pouvant d'ailleurs espérer l'approcher maintenant qu'elle n'était plus seule, je me mis à la recherche du prince ou de la princesse de Guermantes pour savoir son nom, décidé à ne plus m'occuper d'autre chose qu'à dîner avec elle un des jours qui suivraient. Je fus très long à les trouver. Ils reconduisaient la princesse d'Hanovre[a], force me fut d'attendre un moment. Mais alors M. de Guermantes alla chercher les affaires de Son Altesse pendant que Mme de Guermantes causait avec elle. Je restais debout, maudissant la présence <de> cette princesse, comme j'avais jadis maudit la présence de Mme de Villeparisis dans la voiture à Querqueville, quand passait une laitière, une paysanne que j'eusse voulu suivre et connaître[1]. Je restai seul contre une colonne, espérant attirer l'attention de Mme de Guermantes qui me vit en effet et penchant gracieusement sa tête vers moi, m'adressa un sourire d'autant plus doux qu'étant[b] avec la princesse d'Hanovre elle pensait que j'y attacherais plus de prix, mais elle ne me faisait pas signe de venir. Enfin je n'y tins plus et ne mettant pas en balance la honte d'être indiscret, et le risque de voir échouer mon entreprise, je m'approchai de Mme de Guermantes qui put croire que c'était pour connaître la princesse d'Hanovre à qui elle me présenta aussitôt et je lui demandai à mi-voix, en disant que cela m'intéressait parce que j'avais cru la reconnaître, qui était une jeune fille qui avait des roses rouges dans les cheveux et au corsage, des yeux bleus, des cils noirs. Elle chercha un moment, par l'attention de sa recherche tournant en elle-même sa pensée et ses regards, non tous cependant qu'elle ne put contenir et dont plusieurs, n'étant plus retenus par son sourire, illuminèrent obliquement l'étendue comme les feux d'un phare*(peut-être supprimer cet ajoutage)*[c], et dit :

« Écoutez je ne sais pas, je vais descendre, vous voyez je ne peux pas en ce moment », me dit-elle à mi-voix, et plutôt par un signe. « Dans un moment je vais m'en occuper. » Enfin le prince revint, mais la princesse qui semblait vouloir prolonger mon vertige[a], à partir du moment où tout fut prêt pour qu'elle s'en allât, leur demanda quand elle les verrait, célébrant la beauté de l'hôtel, restant plusieurs minutes à causer. D'autres personnes attendaient pour dire adieu à la princesse. Enfin elle me dit tout bas : « Ah ! vous voulez savoir le nom de votre jeune fille, pouvez-vous me la montrer ? Je vais quitter Son Altesse une seconde pendant qu'Hervé[1] est avec elle, je crois que je peux. Tenez, attendez une seconde que je dise adieu à l'ambassadeur d'Espagne je viens avec vous. » Elle fit rapidement à mon bras[b] le tour des salons, j'espérais doublement rencontrer la jeune fille à l'attention et à la considération de qui ce beau bras princier m'eût signalé, d'autant plus que pour ne pas être plus connue de la maîtresse de maison ce ne devait pas être une personne de première importance. Au bout de quelques minutes, pendant lesquelles à chaque personne un peu intime qu'elle rencontrait elle refaisait ma description sans qu'on pût lui répondre, et comme la princesse ne pouvait pas laisser plus longtemps la princesse d'Hanovre seule, je n'avais plus qu'à renoncer pour ce soir. Mais elle[c] me promit de s'informer[2].

Esquisse VII

DUC DE MARENGO

[La poursuite de la jeune fille aux roses rouges, croisée dans l'Esquisse précédente chez la princesse de Guermantes, mènera le héros, parmi d'autres tribulations, à une soirée chez Mme de Marengo. La réception donnera lieu — dans l'Esquisse VIII *— à une description détaillée d'un salon Empire et de la noblesse napoléonienne, mais il en existe une ébauche dans un Cahier plus ancien, le Cahier 28, que nous donnons ici.]*

Duc de Marengo[d]

Une fois Montargis me mena en soirée chez lui *(bureau Empire)*. La vue de la soirée était comme une amusante illustration tout à fait rare d'un ouvrage historique où chaque dame que vous voyez en tenue d'apparat, chaque galant cavalier n'est pas une personne quelconque faite pour admirer, mais tel personnage historique même peu connu mais singulier dont il n'existe pas d'autre portrait, et qui survit seulement aux planches curieuses de ce bel ouvrage. Ainsi ce jeune homme qui entrait derrière moi, qu'on ne voyait jamais dans le monde, il était, illustration survivante, dernier portrait ressemblant d'un épisode intéressant et secondaire de l'époque impériale, le seul descendant de Neiperg[a] et de Marie-Louise[1], ou du Bonaparte américain[2]. On ne[b] les voyait jamais dans le monde, ils n'avaient ni une grande situation, ni un charme quelconque, mais à cause de cela même leur saveur historique ne s'était pas évaporée, on sentait en eux le spécimen fraîchement coupé d'histoire, le chapitre de l'histoire impériale qu'ils rappelaient affleurait à leurs personnes. Et les curieuses pierres bleues que la ravissante femme qui entrait portait dans les cheveux, étaient celles que l'empereur d'Autriche avait données à sa grand-tante Mme de Montesquiou pour qu'elle consentît à abandonner le roi de Rome[3]. Quelques vieilles dames repliées sur elles-mêmes par la vieillesse, la paralysie ou le froid, et qui avaient été les éblouissantes ballerines des Tuileries, à peine regardées, ne trouvant plus personne qui voulût aller chez elles, exceptionnellement invitées, faisaient se dire que la situation sociale peut souvent ne pas être quelque chose de plus fixe que le visage, ne nous appartient pas davantage[4]. Comme elles étaient exclues maintenant de la belle société où elles avaient brillé, rétroactivement elles semblaient n'en avoir pas fait partie. Car le propre d'une grande situation c'est la force qui permet de la garder. Et comme elles ne l'avaient plus, comme elles regardaient d'au-dehors et d'en bas la petite cour dont elles avaient été une des reines, la place qu'elles y avaient occupée prenait quelque chose de tout factice, un songe dû aux caprices des femmes à la mode qui par quelque erreur, par jeu, comme pour une représentation les avait choisies mais où elles avaient glissé sans entrer, sans se graver, sans s'accrocher, sans se retenir. Et au milieu d'elles je vis que tout à fait intime avec elles, tout à fait comme elles au fond, était ma vieille amie Mme de Villeparisis. Mais elle faisait tout de même une nuance entre elles et elle, car elle me dit : « Vous[c] me trouvez au milieu de personnes qui ne sont ni très belles, ni très amusantes, ni très recherchées ! Tenez, donnez-moi votre bras parce que je ne m'amuse pas ici. »

On sentait que cette souveraineté mondaine qu'on avait cru habiter en elles, être intérieure à la majesté de leurs visages, elles ne l'avaient pas, puisqu'elles ne l'avaient pas gardée. Elles *n'étaient* pas de grandes dames, puisqu'elles avaient pu ne plus l'être. Ce que les circonstances peuvent défaire se trouve éliminé de nous. On se rend compte que c'était extérieur à nous, que nous avons assisté à notre propre élégance, du dehors, en vertu d'une convention, comme un rôle qu'on nous a arbitrairement distribué mais qui ne pénètre pas notre essence. Du moment que Brummel[1], décavé, dans un petit hôtel de Caen *(voir Marcel Boulenger[2])* se faisait payer à dîner, rétrospectivement il n'avait pas *été* un prince de l'élégance. *En réalité*, il n'était pas un prince de l'élégance, cela n'était pas en lui. Ce n'est en personne. Notre vraie réalité ne comporte pas cela puisqu'il y a en nous des éléments physiologiques qui peuvent survivre à cela. Les rois ne *sont* pas des rois[a].

Esquisse VIII

[EN QUÊTE DE LA JEUNE FILLE AUX ROSES ROUGES]

[Aussitôt après la conversation entre M. de Gurcy et le héros, où le premier offre au second de diriger sa vie, le héros, dans ce passage du Cahier 49, retombe dans sa rêverie sur la jeune fille aux roses rouges qui l'a frôlé effrontément à la fin de la soirée. Il se rend à la soirée de Mme de Marengo, dont l'hôtel Empire est longuement décrit ; il y rencontre Swann, venu écouter l'air de son ancien amour. Le héros se lancera à la recherche de la jeune fille, suivant les trois pistes déjà suggérées dans le fragment donné dans l'Esquisse V. Cette quête donne lieu à une longue rêverie à partir des noms qui disparaîtra du texte définitif avec le personnage de la jeune fille.]

Mais au bout d'un instant, autour de moi, dans l'air dilué par la pluie récente, un sentiment de bonheur palpita, m'entoura comme un parfum. Ma pensée, occupée depuis une heure à la tâche de causer avec M. de Gurcy, d'envisager les perspectives qu'il m'ouvrait, venait enfin d'avoir une trêve. Et elle venait d'apercevoir devant elle le souvenir de la jeune fille aux yeux bleus qui avait pressé contre moi les roses noires de son corsage. La veille encore la vie ne m'inspirait que de l'ennui, sa perte prochaine <était[b]> un accident qui n'avait rien d'improbable ni de redoutable. C'est qu'elle ne reflétait devant moi que le vide monotone de ma pensée, et qu'au moment où je disais ma vie, ma pensée, c'est un pur néant que je voyais. Mais voici qu'en moi quelque chose apparaissait en relief et en couleur, une impression originale qui s'élevait au-dessus du néant de ma pensée, comme une sorte de petite touche rendant un son particulier. Cet élément nouveau était en moi la seule chose réelle, originale, délicieuse, importante. Je ne voulais plus vivre que pour retrouver cette jeune fille, connaître sa vie, son âme inconnue, et y prendre place, mais pour cela je voulais vivre, et en même temps que la vie était redevenue pour moi quelque chose de désirable, la mort était redevenue improbable. La mort est facile à concevoir pour ceux qui sous le mot de vie <se contentent> de mettre[a] un vague néant. Dans ce cas la mort n'a rien à détruire et nous pensons à notre vie supprimée comme à un chiffre qu'on biffe sans difficulté d'une simple barre. Mais dès que nous voyons dans notre pensée quelque chose de réel, qui n'existerait plus et n'aurait plus de sens si nous mourions, alors l'idée de la mort devient trop difficile à former pour que sa venue continue à sembler bien à craindre. L'esprit a devant lui quelque chose de vivant qui ne peut plus se concilier avec la mort et ce qui était d'une conception plus aisée semble d'une éventualité plus probable. Comme aux jours de mes exaltations solitaires de Combray, dans le cabinet qui dominait le clocher de Pinsonville[1], ma pensée s'était soudain remplie d'un contenu réel, et il y avait de la vie enfermée en moi qui défiait la mort[b]. Je me sentais attaché à cette jeune fille par les liens d'un désir, d'une curiosité si forte, qu'ils tenaient ferme mon existence attachée à la sienne.

Mon rêve était si solidement rivé au jour où je reverrais cette jeune fille, je me sentais attaché à elle par <les> liens d'un désir et d'une curiosité si forte que ma vie tenue en suspens et devenue simple partie de la sienne, ne pouvait plus tomber au néant. Et je ne pouvais concevoir le néant où elle n'aurait plus de nom, où elle ne serait plus, car je n'étais plus moi-même qu'un effort adhérent à ce but, un simple appendice de ce but : savoir qui elle était, la connaître.

Ainsi remontais-je chez moi, glorieux d'une de ces découvertes de bonheur inattendu qu'on fait parfois dans son cœur et qui font que dans notre calendrier intérieur comme dans celui de la nature les jours se suivent mais ne se ressemblent pas tous.

Dès le lendemain mon désir qui n'habitait qu'une chambre de jeune fille indistincte, située je ne savais où et qui errait vaguement d'un cours probable à un catéchisme certain, commença d'élire des domiciles divers, alternatifs, mais plus déterminés. C'était l'époque où un fonctionnaire distingué du royaume des Deux-Siciles, le regretté M. Ferrari[2], ayant fui[c] jusque dans nos brumes le soleil et les révolutions de sa malheureuse patrie commençait dans sa retraite du *Figaro* à retracer en fresques ingénieuses, interminablement déroulées, les visions les plus éblouissantes et les plus tumultueuses du luxe et <du> plaisir. La cellule où l'anachorète sicilien exerçait rue Drouot[3] son art ingénieux et patient, était silencieuse et triste ; à peine une chaise de paille accueillait austèrement le visiteur édifié. Mais sur les murs blanchis à la chaux l'industrieux solitaire voyait se dérouler et bondir l'essaim « endiablé » des « intrépides bostonneuses[1] ». Parfois c'étaient des scènes de repas, de funérailles ou de noces, de chasses qu'il décrivait sur sa stèle, avec la fidélité minutieuse du céroplaste égyptien. Méconnaisse qui voudra la sagesse de l'ermite napolitain. Ayant chaque jour l'occasion de voir les plus fiers et les plus dédaigneux parmi les fils des hommes, venir le chapeau rabattu sur les yeux lui demander à la faveur de la nuit des services clandestins et dont il ne recevait pour salaire que d'être renié par trois fois au chant du coq, quand en ouvrant *Le Figaro* pour voir si son nom n'avait pas été oublié, le puissant chevalier s'écriait : « Je me demande qui est-ce qui a pu donner mon nom à Ferrari. C'est vraiment une indiscrétion ! », il gardait son indulgence et continuait ses services à cette humanité méprisable et ne cessait de la peindre sous des dehors majestueux et sous de brillantes couleurs pour les yeux d'une postérité peut-être plus prolongée qu'on ne croit. On dit toujours des plus grandes choses de ce temps : qu'en restera-t-il dans un siècle, sans penser que des plus petites qui se passèrent il y a cinq mille ans en Égypte ou en Crète le plus frivole détail nous a été exactement conservé. Elles ont seulement acquis une dignité plus grande. Une soirée à laquelle je me reprochais d'avoir perdu mon temps deviendra dans mille ans pour les plus graves d'entre[a] mes frères futurs la matière d'une sévère étude pour laquelle ils délaisseront par devoir les raouts de leur temps. Pour les Maspero[2] de l'avenir il sera aussi intéressant de connaître les menus faits des « fondateurs » de Bois-Boudran ou des habitués de Ferrières que pour ceux d'aujourd'hui il l'est de savoir *[interrompu[b]]*

et le fragment d'une inscription de M. Ferrari relative à des bals dont la fréquentation excessive eût fermé à un jeune homme doué les portes de l'Institut, y conduira tout droit celui qui dans les fouilles du futur en aurait fait la découverte et lu les caractères.

Quoi qu'il en soit du sort réservé aux descriptions minutieuses de la vie mondaine, dont l'artiste originaire et le citoyen fugitif du royaume de l'infortuné François II[3], introduisit en France avec le succès qui ne s'est pas épuisé les procédés minutieux et habiles, celle qui parut dans *Le Figaro* du lendemain me parut la plus belle littérature du monde. Après avoir énuméré en effet les nombreuses altesses et fils de roi présents à mon insu à la soirée de la princesse de Guermantes et lui avoir ainsi donné rétrospectivement dans mon souvenir une beauté qu'elle n'avait pas et qui me rendit plus heureux d'y être allé, le sujet fidèle des princes angevins[4] ajoutait le nom d'un certain nombre de jeunes filles <dont> en m'aidant de mes notions personnelles, du Tout-Paris et du Gotha, je réussissais parfois à identifier le nom. Mais laquelle[a] de toutes celles là était la jeune fille aux yeux bleus ? Quelle raison y avait-il pour qu'elle fût plutôt Mlle de Sidonia-Terrano que d'Épignac, ou Mlle de Landrecies, ou Mlle de Martinville, ou Mlle de Kerbezec, ou Mlle de Fontaine-le-Poet, ou Mlle de Rippetsheim ou qu'une[b] de celles que le peintre n'avait pas cru devoir faire figurer au premier plan et qui étaient confondues dans un être indistinct, dédaigneux et dansant. En la matière compacte, transparente, aux contours nuancés comme des pierreries obscures et différentes de chacun de ces noms j'introduisais successivement le souvenir <de> son corps[c] qui les illuminait momentanément d'une flamme délicieuse, qui en chacun paraissait d'une autre couleur, chacun, pendant qu'il était cru pouvoir être le sien, lui attribuant une origine, une parenté, un domicile, une nationalité différents qui pour un instant décidaient quel était le milieu de mon choix, mon quartier, ma rue préférée, le point de mire de ma seule ambition, le but de mes futurs voyages, la patrie de mes rêves[d]. Bien qu'attendant les renseignements que devait me fournir la princesse de Guermantes[1] j'exécutai de ce petit bal une copie fidèle d'après le maître italien et je l'adressai à Montargis en lui demandant laquelle de ces jeunes filles pouvait correspondre à tel signalement de visage et de toilette que je lui donnais.

Montargis[e] ne me répondit pas mais je vis à la soirée de Mme de Marengo[2] le prince de Guermantes, qui pour indiquer par cette nuance le rang secondaire auquel il plaçait le salon de cette duchesse allait chez elle parce qu'il l'avait beaucoup connue comme jeune fille, mais sans sa femme[3]. Les Marengo faisaient partie de cette société encore fort brillante pourtant qui devait croire que la vie de la princesse de Guermantes n'était qu'une longue suite de rhumes, de migraines, de méditations solitaires et à qui elle paraissait une fée aussi capricieuse et aussi invisible que la chance, la fortune, le succès le semblent aux êtres qui n'ont jamais pu les atteindre. Car le prince venait souvent chez eux, ayant été ami d'enfance de la duchesse et faisait[f] remonter chaque fois l'absence de sa femme à quelque cause fortuite, involontaire et qui lui avait causé un grand regret en l'empêchant de venir. « D'ailleurs ma pauvre femme sort si peu, vous savez, au fond elle déteste le monde. » Mais un certain nombre de demeures propices à sa santé avaient la vertu de combattre en Mme de Guermantes sa tendance à la rêverie et les contagions de l'hiver, et de la voir venir, majestueuse et gaie, grande, resplendissante de fraîcheur et de beauté, dans leur salle à manger ou leur salon où se déployait une seconde image d'elle, aussi mondaine, aussi sociable, aussi mondaine[g] que l'autre était rêveuse et isolée *(mal dit[h])*, où brillait chaque soir sur des assemblées composées exclusivement en personnes du faubourg Saint-Germain tantôt la douceur de son sourire unique, tantôt les soudaines conflagrations horizontales et chimiques des prunelles inflammables de ses yeux.

Sans doute l'attente même du plaisir d'y voir apparaître le prince de Guermantes qui me dirait peut-être le nom de mon inconnue (le comte et la comtesse[1] n'avaient pas remarqué la jeune fille que je voulais dire mais devaient de leur côté se renseigner), me donna dès mon arrivée chez le duc et la duchesse de Marengo cette excitation des nerfs qui vibrent sous les moindres impressions, mais je fus émerveillé de la sensation d'Empire « authentique » que me donna leur salon[a].

Il faut dire du reste qu'on a souvent cette impression quand on se trouve en présence d'œuvres originales que nous croyons si bien connaître par ce que nous avons lu sur elles, par les imitations, reproductions, pastiches que sachant d'avance ce qu'elles nous apporteront nous ne voudrions pas faire un pas pour nous mettre en leur présence. Mais les imitations s'attachant à des traits extérieurs et en apparence essentiels ont si invariablement négligé un charme à vrai dire impossible à imiter et même difficile à apercevoir, que quand nous nous trouvons en présence de l'œuvre même c'est ce charme-là, que nous étions à cent lieues de penser y trouver qui nous frappe plus que tout le reste et nous enchante de sa nouveauté. Nous croyons savoir par les livres de critique et quelques morceaux ce que c'est que Chateaubriand, que Gluck, que Racine, que Gérard de Nerval, que Saint-Simon. Un jour nous nous trouvons en présence de l'œuvre, la pompe de Chateaubriand, et <les> traits[b] conventionnels de ces autres écrivains tombent comme un masque et nous nous trouvons en présence de quelque chose d'étrange, semblable à ce que nous aimons le mieux aujourd'hui[c], qui ne pouvait s'imiter puisque c'était un charme et un génie et qu'il eût fallu avoir le génie de ces écrivains pour l'imiter. C'est ainsi que dès le vestibule de l'hôtel Marengo, à côté de ces grands meubles bien connus, où, sur la sanguine de l'acajou, entre deux sphinx ramenés d'Égypte, l'Empire, surchargé de victoires, a croisé ses faisceaux et déposé ses lauriers, on voyait une table de mosaïque où ces maréchaux de l'Empire qui suivirent en Asie les traces d'Alexandre, et reçurent plus tard des principautés d'Italie étaient figurés dans une matière multicolore, incrustée, polie comme le marbre et brillante comme de l'émail, où ici, un dolman était fait d'une incrustation de malachite, là, un visage d'un pétale de rose d'*[un mot illisible]*, avec l'art d'Herculanum et la poésie de l'Orient. Tandis que de nombreuses armures de prix, ayant appartenu aux plus fameux mamelucks[d] de l'empereur et dont, les unes d'or, impétueuses, mais qui dans la douceur ensoleillée et tiédie de leur métal semblaient plutôt gonflées sur les seins d'une victoire et ondoyantes comme les tarlatanes de ces courtisanes héroïques et les autres légères et multicolores comme des ailes, donnaient à cet inestimable fragment de musée militaire l'apparence étrange, voluptueuse et poétique d'une exposition de robes, d'une volière d'oiseaux, et d'une vitrine de papillons[a].

Si dans l'hôtel de Marengo, le style Empire prenait dans les objets particulièrement précieux qu'on y voyait une acception particulière plus savoureuse et moins solennelle que son acception banale, le « monde de l'Empire » y était également représenté par des « pièces » de choix, par des exemplaires uniques, par des personnages de « collection » qui donnaient plus à penser que les anciens préfets à moustaches cirées comme l'empereur, ou que les nobles absorbés par le faubourg Saint-Germain qu'on a coutume de comprendre sous ce nom général. Comme je m'en rendis compte par les noms des personnes présentes que Swann vers qui j'étais allé aussitôt que je l'avais aperçu me dit, beaucoup des femmes en grande toilette, des galants cavaliers en habit qui étaient devant nous, n'étaient <pas> des élégants quelconques, mais plutôt les exemplaires devenus rares, uniques, de telle figure historique, parfois peu connue, mais toujours singulière et intéressante, du premier ou du deuxième Empire, et semblaient moins destinés à orner simplement ces salons qu'à les illustrer, comme un ouvrage, de vignettes rarissimes et de documents authentiques. « Je ne vous gêne <pas>, monsieur, en me mettant près de vous », avais-je dit à Swann, qui avec sa charmante politesse, levant les bras au ciel en riant, d'un air de stupéfaction d'entendre des paroles qu'il se refusait même à prendre au sérieux, s'était levé pour me faire place et débarrassant une chaise voisine où étaient des programmes, l'avait approchée et la main sur mon épaule m'y avait assis. « Mais comment êtes-vous là, lui dis-je, je croyais que vous n'aimiez plus guère aller en soirée, d'autant plus qu'à ce que m'a dit Mme de Guermantes, ce n'est pas tout à fait une soirée de la qualité à laquelle vous êtes habitué. — La qualité m'est indifférente, mais je crains la quantité », me répondit-il avec sa manière originale de formuler. « Mais j'ai appris qu'on jouait un morceau symphonique que je n'ai jamais l'occasion d'entendre et que j'ai beaucoup aimé autrefois. Inutile de faire cette communication aux maîtres de maison, me dit-il, mais c'est uniquement pour cela que je suis venu. » Je regardai du coin de l'œil un des programmes et je reconnus en effet le titre de cette suite pour piano et violon que Swann, comme l'avait raconté mon oncle, avait entendue chez les Verdurin, puis chez la princesse de Moulins[1]. « Qui est ce monsieur ? », lui dis-je pour détourner la conversation, dans le cas où ces souvenirs l'eussent embarrassé, en lui montrant un monsieur à qui il venait de faire bonjour de la main, sans se déranger. « Ah ! me dit-il, c'est quelqu'un d'assez curieux, non pas par lui-même car il est assez insignifiant, mais c'est le petit-fils de Marie-Louise et Neipperg[1]. C'est curieux, n'est-ce pas ? C'est amusant pour cela ici, ce sont des gens qu'on n'a pas souvent l'occasion de voir. Tenez, vous voyez cet autre qui lui dit bonjour, eh bien c'est le plus authentique des Bonaparte, c'est le Bonaparte américain, de la branche aînée[a2]. Ils n'offrent pas un bien grand intérêt personnel et du reste comme dans l'Antiquité, où chaque ville avait sa légende religieuse, son souvenir singulier de mythologie survivant en une race issue des dieux, comme il y avait[b] les descendants de Jupiter et d'Alcmène ou de... ainsi ces hommes remontaient à quelque épisode particulier de l'épopée impériale, ou des galanteries du second Empire, et leur corps et leur visage était le produit presque inconscient mais fidèle de ces *[interrompu]*

Il me cita quelques-unes des personnes qui étaient là et qu'on ne voyait guère dans le monde. Pour certaines, les noms étaient aussi connus que les personnes l'étaient peu, mais par suite de l'obscurité relative où les personnes vivaient, on se figurait que le titre en lequel ces noms consistaient devait depuis longtemps être éteint, et ayant cessé d'être porté par des descendants de chair, ne s'appliquait plus qu'à des réalités intellectuelles, <ce> que sont les personnages de l'épopée impériale.

« Elles ne sont pas très recherchées, elles n'ont pas grand agrément », me disait Swann de l'une ou de l'autre. Et de fait elles allaient si peu dans le monde que certaines portaient des titres qu'on voit à tout moment dans l'histoire de l'Empire, qu'elles étaient les dernières, les seules à porter et que je croyais éteints depuis bien longtemps. Aussi leur charme historique ne s'était-il pas évaporé, ils semblaient n'étant plus que des noms, directement détachés de l'histoire dont ils ne prétendaient sans personnalité individuelle qu'à offrir un spécimen inédit, une anecdote curieuse du passé, sur lequel était affublé ce corps et ce visage, et leur aspect semblait s'adresser à l'esprit plus qu'à la vue. Mais si le chapitre amusant d'histoire qu'on se récitait en les voyant et où ils trouvaient leur raison d'être, leur explication, leur seule réalité, leur donnait à cause de cela l'apparence falote d'ombres montrées de lanterne magique, en revanche, d'être ainsi le dernier représentant d'une race, ou le seul produit de causes aussi singulières, comme le mariage de Neipperg et de Marie-Louise, ils prenaient quelque chose de nécessaire, d'unique, d'irrecommençable, de précieux et de caduc, de rare. Comme dans l'Antiquité où chaque ville avait sa légende religieuse, son souvenir local d'histoire, on savait que ceux-ci remontaient à l'union d'Alcmène à Jupiter, ceux-là à Thésée *(?)*, ainsi plus d'un de ces hommes et de ces femmes remontait à quelque épisode de l'épopée impériale ou des galanteries du second Empire, et leur visage en gardait sans en avoir conscience une ressemblance d'autant plus fidèle et qui semblait seulement, affleurant en leurs traits, l'image du passé. Le gracieux profil d'une jeune fille rappelait les amours d'un célèbre guerrier avec une incomparable danseuse. Le petit-fils d'un compagnon de l'empereur avait de son grand-père les yeux de créole, le teint d'hépatique, les cheveux crépus, l'air ardent, efféminé et naïf[1]. Tel prénom rappelait une bataille d'Afrique, tel autre l'héroïne d'un roman de l'époque. Enfin les objets mêmes qui paraient les femmes, bien plus cette chose si purement utilitaire, si dénuée de caractère, l'argent, était chez eux, non du présent, mais historique, portait sa date, se référait à un événement historique[a]. Une ravissante jeune femme qui dit bonjour à Swann avait dans les cheveux la parure de saphir qui fut donnée par l'empereur d'Autriche à la gouvernante du roi de Rome en dédommagement de lui avoir retiré son élève[b2], et la fortune de son mari, un majorat qui lui venait de l'Empereur, consistait en actions du Mont-Milan[3].

Cependant l'ordre du programme amena la suite d'orchestre pour laquelle Swann était venu[4]. Rien dans cette suite, comme je l'ai su depuis, pas même la délicieuse petite phrase qui revient deux fois et à laquelle je l'attendais, ne lui rappelèrent rien de ses souffrances d'alors, de son amour pour celle de laquelle il avait cessé depuis bien longtemps d'être amoureux. Mais tout ce que ses souffrances morales d'alors, le malaise physique de son corps dévoré d'angoisse et de fièvre d'alors, l'avaient empêché de ressentir alors, et qui était resté en quelque sorte matériellement gardé, dans ses organes, attendait le moment où cela pourrait pénétrer dans son âme — comme ces mots dits dans une conversation qui ne viennent pas jusqu'à notre attention distraite mais dont si l'on nous dit : « Je suis sûr que vous n'avez pas écouté », nous pouvons trouver le son exact dont s'est approvisionnée notre oreille — c'est tout cela, fraîcheur des bois, des feuillages nocturnes où invité par Mme Verdurin il avait passé des heures sans le sentir, inquiet seulement de savoir si son amie s'y rendait, si elle n'allait pas partir, si elle pensait à lui, torpeur[c] de ces jours chauds où sa soif fiévreuse <rêvait> de tables champêtres[d] entrelacées de fleurs et de fruits, mais où il ne pensait qu'au moment où il verrait son amie, maintenant que son amour, ses douleurs mortes, reprises par la nature, redevenus eux-mêmes frondaisons et été, n'y faisaient plus obstacle, c'est tout cela recueilli alors par la petite phrase, qui devait se le garder attaché à jamais, qui à peine eut-elle commencé — peupliers, hêtres du Japon *(?)*, lac, groseilliers et roses — vint se ranger et se peindre avec une pureté délicieuse le long du déroulement de son motif. Mais le charme qu'ils dégageaient n'était pas que le charme d'une impression de nature qui fut bientôt noyé sous un autre plus fort, mais plus trouble et factice. Ces bois, ces eaux, cette brise du soir entouraient la mélodie non pas comme si elle les eût seulement évoqués, mais comme si elle leur était intérieure, comme si habitait effectivement en eux la volupté imaginaire, irréelle comme ces sensations qu'on éprouve en rêve, qui était le charme même de la petite phrase et dont elle donnait la nostalgie, comme si en allant par une même nuit s'asseoir sous les mêmes arbres on rencontrait le bonheur particulier qui n'est pas de ce monde, dont la mélodie était comme la révélation. *(Avoir soin que cela se rapporte à ce bonheur indiqué dans l'analyse du cantique de Fauré[1].)* Comment après l'avoir entendue retourner à un monde réel où rien ne parlait d'elle ; fumeur d'opium, dormeur réveillé d'un rêve enchanteur, il voulait revoir ce qui du moins avait en quelque façon assisté inconsciemment à son rêve, les arbres, la nuit d'été, même les dîneurs d'un restaurant du bois. Et en même temps il souriait de retrouver en lui-même non son amour et ses tristesses, mais la particulière façon d'aimer et de sentir qu'il avait alors, qu'il avait oublié avoir jamais eue, et que la petite phrase comme une servante qui a mis de côté un objet d'autrefois qu'on croyait perdu, rapportait et montrait à son âme étonnée, attendrie. « Voulez-vous venir dîner avec moi demain au bois, me dit-il, ou déjeuner dans quelque jardin. Voulez-vous venir vingt-quatre heures à Combray voir mes groseilles et mes roses ? » Je lui dis qu'hélas je n'étais pas libre. Il y eut une courte pause avant la deuxième partie du programme et pour le laisser à sa rêverie je me retirai vers l'entrée, voulant donner encore un regard à ces merveilleuses coupes d'or qu'étaient les casques et à la table de mosaïque. On venait d'annoncer le prince de Guermantes. « La princesse est désolée, dit-il à Mme de Marengo. Elle a la migraine depuis ce matin. Elle a été obligée de se coucher. Et puis elle était obligée d'aller chez Mme de Toulouse dont c'était le dernier jour », ajouta-t-il d'un air péremptoire comme si cette dernière nécessité était inéluctable et sans réfléchir qu'il y avait un peu de contradiction entre les deux excuses qu'il donnait à Mme de Marengo. Il le sentit un instant après et reculant devant la complication d'une conciliation : « Enfin je ne sais plus, dit-il évasivement, je ne sais pas ce qu'elle aura fait, moi je lui ai dit : "Faites ce que vous voudrez, il n'y a pas de Mme de Toulouse qui tienne, moi je veux absolument aller chez les Marengo." Oui, je l'ai dit, je veux absolument aller chez les Marengo, voilà, c'est comme cela », ajouta-t-il car, venant de s'apercevoir combien il venait de dire quelque chose d'aimable, il le redisait avec le même ravissement qu'un fat qui vient de dire quelque chose de spirituel et qui le répète en riant lui-même de sa drôlerie. « Cher ami », murmura la duchesse en pressant à la broyer, comme si c'était une caresse délicieuse qu'elle faisait là, la main de son ami d'enfance. Et tandis que M. de Guermantes demandait où était le duc, Mme de Marengo qui le lui indiquait appelait son mari et, moitié parce que M. de Marengo était sourd, moitié pour mettre au courant ses invités, criait comme si elle eût cru à la lettre ce que venait de lui dire le prince de Guermantes et comme l'exposition d'une vérité indiscutable. « Voici Agénor[1], seul, parce que la princesse souffre horriblement d'une névralgie. Elle aurait énormément aimé venir, mais elle n'a pas pu se lever, quoique elle avait promis pour la dernière soirée de Mme de Toulouse. » Mais M. de Marengo, qui se croyait de la part des gens de l'ancienne noblesse l'objet d'un mépris qu'il n'avait nulle envie de dissiper et qu'il leur rendait d'ailleurs, se contenta, sans rien mot dire, de faire à M. de Guermantes un salut fort bref, où ne perçait ni la satisfaction de la venue du prince, ni regret de l'absence de la princesse.

« Tiens, bonjour, me dit le prince, comment ça va ? » J'aurais voulu lui demander tout de suite s'il avait pu savoir le nom de la jeune fille, mais pour ne pas avoir l'air d'y attacher trop d'importance, je lui parlai d'abord de choses et d'autres. « Vous ne savez pas si M. de Gurcy viendra ? » lui dis-je. En un coup de tête il fit avec sa langue claquant contre ses lèvres, un bruit qui se rapproche un peu de *mti*, *mti*, *mti*, *mti*, et qui s'élève contre ce que l'interlocuteur vient de dire non comme si c'était seulement inexact, mais impossible, comme si <c'était> plus[a] qu'une erreur, une hérésie. « Mti, mti, mti, mti, mais non, mais non, ce n'est pas du tout le même monde, ce n'est pas du tout sa coterie[2]. — Vous n'avez pas su par hasard qui était cette jeune fille l'autre soir... — Ah ! précisément j'ai une commission de ma femme pour vous. Impossible de savoir qui c'est. Mais d'après ce que vous dites, moi je suis persuadé que c'est Mlle de Vigognac[b], la fille de la marquise de Vigognac, Mlle de Brigousse. Elle est très brune, n'est-ce pas ? — Oui, très brune. — Hé bien c'est sûrement ça, voyez-vous. — Est-ce que vous croyez par hasard que la princesse pourrait, si cela ne la dérangeait nullement, me la faire rencontrer. — Oh ! absolument pas, hélas », répondit le prince de Guermantes dont les relations avec les Vigognac s'espacèrent aussitôt et prirent le vague, la distance, le relâchement caractéristique de nos relations avec des gens qu'un indiscret nous exprime le désir de connaître. « Ma femme ne les voit jamais. Nous pouvons rester deux ans sans les voir. Il a fallu le hasard de cette soirée. Ils mettront des cartes, ce sera tout. Ce sont des gens très comme il faut mais qui vivent dans leur Béarn, ils n'ont pas de fortune, on les voit très peu à Paris.

Du reste écoutez, elle n'est pas mal si vous voulez, mais il y a cent fois mieux. Je ne sais pas pourquoi vous voulez vous acharner à celle-ci[a]. Je regrette, mon cher, ç'aurait été un plaisir. Vous ne voulez pas venir goûter après-demain avec la fille de la princesse de Weimar. En voilà une que je trouve plus jolie que la petite Vigognac. Grande blonde, une race extraordinaire, et puis intelligente, elle vous tiendra tête sur tout. Elle parle arabe comme un Arabe[b]. » Il eut une minute d'embarras et de silence à laquelle je ne fis pas autrement attention, sentant bien qu'il ne voulait pas s'en occuper et que Mlle de Vigognac serait devant nous et viendrait lui dire bonjour qu'il trouverait un prétexte pour ne pas me présenter. Malgré cela un sentiment de sympathie désinterressée sourd quelquefois au milieu d'une âme occupée à des calculs égoïstes. J'ai su plus tard qu'il avait dit : « Je suis resté un moment hésitant. Il avait l'air si ennuyé que j'avais du regret et que j'ai hésité un moment, j'ai voulu lui dire : "Je vous mènerai demain chez eux." Et puis j'ai réfléchi, je me suis dit : "Non je ne peux pas faire cela."

« Tiens Swann, bonjour mon vieux Swann. Mais qu'est-ce que vous fichez ici, vous, par exemple. Ah ! elle est forte. Alors c'est pour cela que vous ne venez pas chez moi, c'est pour venir ici. C'est pourtant pas un endroit pour vous ici. — Mais je trouve que c'est très bien, dit Swann. — Mais naturellement, dit-il d'une voix stridente, c'est entendu, c'est très bien. Moi je trouve toujours tout très bien. Je dis simplement que ce n'est pas la société d'Adalbert[1]. » Swann fit signe à M. de Guermantes que la duchesse de Marengo était à deux pas. M. de Guermantes leva les yeux vers elle, et les ramena lentement d'un air confus, en regardant Swann en souriant, et tout le monde comme quelqu'un qui aurait été pris dans un accident, une mésaventure si publique, dont se serait si bien aperçu le mitron, la marchande de journaux et le sergent de ville, que sans les connaître il pourrait les prendre à témoin. Et il se mit[c] à parler avec nous de sujets indifférents mais cette fois à voix basse. La duchesse l'avait certainement entendu, mais elle ne pouvait lui en vouloir d'avoir surpris l'expression fragmentaire de sentiments qui étaient ceux qu'elle lui supposait avoir toujours, et d'avoir entendu une parole pareille à toutes celles qu'elle supposait qu'il disait quand elle n'était pas là. Et le voyant[d] ainsi chez elle, restant un peu, bavardant, en maîtresse de maison qui voyant les choses par rapport à sa soirée ne se dit pas que les invités ne songent qu'à filer par une autre porte, mais les voit chez elle comme dans un paradis momentané, où par choix et amour, ils préfèrent à toutes les autres son intimité et que c'est une page d'une étroite amitié avec ceux qu'elle a sous les yeux, légèrement grisée par l'ivresse de la réception, trouvant d'ailleurs qu'elle pouvait prendre prétexte de ce qu'il était ici, bavardant, daubant familièrement, et qu'elle avait plus d'éclat que d'habitude, recevant et étant chez elle, pour avoir des paroles d'intimité qu'elle n'eût pas eues le reste de l'année bien qu'elle l'eût souhaité et qu'en cette circonstance elle découvrait, elle lui dit à mi-voix : « Vous ne voudriez pas venir demain avec la princesse à l'Opéra. Ce sera splendide. Reské dans *Roméo*[1]. — Ah demain, demain, nous dînons en ville et du reste nous sommes invités à l'Opéra, nous avons déjà accepté. — Ah ! alors c'est impossible, dit la duchesse qui ne voulait pas avoir l'air d'insister et de ne pas le croire. — Vous croyez qu'elle a entendu, dit le prince à Swann ? Mais après tout qu'est-ce que j'ai dit de mal ? Je n'ai pas dit que c'était mal ici, au contraire. Il y en a un peu de toutes les paroisses mais au contraire c'est très amusant. Tenez, me dit-il, je vois ma tante Villeparisis au milieu de ce que ma femme appelle "les vieux monstres sacrés", c'est elle qui pourrait vous faire connaître Mlle de Vicognac[2]. Elle est très liée avec sa grand-mère. Si elle le veut ce n'est rien pour elle, tout ce qu'il y a de plus facile », car on trouve tout facile dès que c'<est> aux autres[a] à le faire, et de bonne foi du reste car on juge leur pouvoir d'un bloc, et on ne tient pas compte de la paille, de la petite circonstance non donnée a priori qui est la forme sous laquelle la difficulté se présente dans les cas particuliers dans la réalisation de ce qui comme données générales, n'en présente aucune.

À peine M. de Guermantes avait-il prononcé le nom de Mlle de Vicognac que les autres noms de jeunes filles auxquels je prêtais tour à tour de la poésie me parurent indifférents, ternes, secs. Mais tout ce qui concernait les noms de Vicognac[b] et de Brigousse absorbait en un instant toutes mes facultés d'intérêt[c]. Réuni<e>s pour moi dans un même dédain puisque Mlle de Vigognac n'y fréquentait pas, les sociétés comme celles de la princesse de Guermantes et de Mme de Marengo me parurent ne plus valoir la peine d'y jamais fréquenter. D'ailleurs la noblesse riche, élégante, donnant des fêtes, cela n'avait plus aucun charme pour moi. Non la noblesse intéressante, c'était cette vaillante petite noblesse du Midi, pauvre mais fidèle comme aux jours où elle trottait aux côtés d'Henri IV, « ses châteaux en croupe » comme écrivait le bon roi[3]. Là les filles avaient gardé cet entrain, ce goût de l'amour, qu'avaient ces jolies maîtresses d'Henri IV à qui il écrivait en montant à cheval ou en train de courir une bordée en mer : « Hé mon cœur, je baise vos beaux yeux » ou qu'il courait voir au sortir de la bataille[d]. Comment n'avais-je pas songé plus tôt que c'était le seul milieu qui pût être vraiment poétique, intéressant à connaître. D'ailleurs, aucun pays est-il aussi beau. Je laissais passer les années et je n'avais jamais été au pays basque. Ah ! y être reçu au castel des Vigognac, me promener seul avec

Mlle de Vigognac, lui dire : « Te rappelles-tu ce premier soir. » Demain j'irais acheter le recueil des lettres d'Henri IV où le nom de Vigognac se trouve, et une carte et un guide du Béarn. Quel ennui de ne pouvoir acheter cela encore ce soir. Quel repos si ce soir je trouvais des renseignements sur ce nom, et la place du castel. Je ne pourrais pas m'endormir avant. Quant aux lettres d'Henri IV, moi qui n'avais pas de beaux livres, c'est dans une rare édition ancienne que je l'achèterais. Avoir une belle chose et à cause d'elle. Oui mon amour tu n'en sais rien mais tu tiens une place dans la chambre de celui sur qui tu agitas ton éventail rouge. « Monsieur, dis-je à Swann, est-ce que vous croyez qu'on peut trouver à acheter des lettres d'Henri IV ? — Originales ? Des autographes ? — Oui, par exemple à ses amis, à M. de Batz, ou M. d'Ambrugeac, ou M. de Lubersac[1], ou ... M. de Vigognac, eh ! bien oui par exemple prenons pour type M. de Vigognac. Peut-on trouver l'original de lettre à lui adressée ? — Ah ! je ne sais pas. Ce sont les descendants qui en ont peut-être. — Vous ne les connaissez pas ? — Je connais des descendants des Ambrugeac. — Non, mais des Vigognac ? — Ah ! non. » Je lui demandai quelles étaient les vieilles femmes si laides, repliées sur elles-mêmes par la paralysie ou la décrépitude, auprès de qui se trouvait Mme de Villeparisis. Il me dit leurs noms. Même chez Mme de Marengo on ne les invitait pas volontiers. Personne n'allait plus chez elles que des femmes libérées tout à fait demi-castors ou des bourgeoises croyant qu'elles appartenaient au plus grand monde. Or on voyait quand on lisait des mémoires du second Empire, les noms de ces femmes cités entre celui de la duchesse de Mouchy et de Mme de Pourtalès[2] comme étant non seulement aussi jolies <mais> ayant[a] alors une situation égale à la leur et c'était vrai. Diverses circonstances <la> leur avaient fait perdre, comme d'ailleurs à Mme de Villeparisis quoique cette dernière fût tombée moins bas tout de même. En d'autres le pouvoir mondain avait persisté dans l'extrême vieillesse et l'enlaidissement. Pour elles il était aussi loin d'elles que leur jeunesse. Mais alors c'est qu'il ne leur appartenait pas davantage, qu'il n'était pas une partie d'elles. On peut perdre ce qui vous fut remis, mais ce qu'on perd n'était pas soi. Exclues aujourd'hui de la haute société où elles avaient brillé elles n'*avaient* jamais *été* de grandes dames puisqu'elles ne l'étaient plus. Elles avaient assisté à leur élégance, elles y pensaient aujourd'hui dans leur souvenir, elles qui n'étaient plus élégantes, comme à quelque chose d'extérieur à elles, de factice, qui leur avait été arbitrairement concédé[b]. Je me souvenais que dînant chez Mme de Guermantes avec le Rhingrave[3], je me demandais s'il était un rhingrave, s'il était pour prendre les expressions de Mme de Guermantes « ce qu'il y a de plus grand » ou si seulement ses situations lui appartenaient comme le nom de prince d'Agrigente à mon autre voisin de ce soir-là mais sans qu'ils *fussent*, comme d'ailleurs cela semblait être leur opinion implicite, des hommes différents des autres, sans que lui *fût* un rhingrave. Je me répondais maintenant en voyant ces vieilles détrônées auxquelles rétroactivement leurs trônes et leur élégance n'avai<en>t pas appartenu puisqu'elles n'avaient pas pu les garder, devant qui ils avaient été placés, par un caprice de la société comme un costume qu'on doit revêtir pour remplir un soir le rôle <d'>un personnage[a] qu'on n'est pas, et au-dessous desquels même elles ne trouvaient même dans leur souvenir, puisqu'elles n'osaient pas attirer l'attention des femmes élégantes d'alors et sollicitaient celle des moins qualifiées d'aujourd'hui. Je pensais à Brummel[1] qui n'était plus le roi des élégants, quand consul à Caen il cherchait à se faire payer à dîner par les clients de la table d'hôte pour qui il n'était qu'un vieux décavé tapeur et sans prestige, ne l'avait jamais *été*, sans quoi il n'eût pu cesser de l'être. Et je me rendis compte que ces prestiges de la naissance et du rang qui ont l'air d'habiter naturellement, intrinsèquement derrière un visage, comme son âme même, ne lui appartiennent pas plus que la jeunesse et ne durent comme elle que s'il est soutenu par les forces. Le même homme qui est « ce qu'il y a de plus grand » ne <le> sera plus s'il triche au jeu, ou s'il passe en correctionnelle pour une affaire de mœurs, ou simplement s'il n'a aucun snobisme *[interrompu]* qui[2] nous quitte quand les forces de la vie nous abandonnent et que lui-même, si les éléments de notre croyance en lui sont modifiés, succombe. Que ce prince « plus grand que n'importe qui » ait triché au jeu, ou passé en correctionnelle pour une affaire de mœurs, ou simplement qu'exempt de tout snobisme, fréquentant n'importe qui, il laisse pénétrer les idées les plus banales, les images les plus communes dans l'idée qu'on se faisait de lui, et il existe dépourvu de ce prestige qui avait paru faire partie de sa personne. Il n'est plus qu'un homme comme tous les autres, donc c'est cela qu'il était. Il y a des hommes qui ont le titre de rois mais ils ne sont pas des rois car ils peuvent ne plus l'être. Et ce qu'on trouve royal chez Édouard VII est comme ce qu'on trouve juif chez les juifs ou effet de leur homosexualité chez les homosexuels, ou une ressemblance avec un de leurs parents chez un enfant, ou une représentation de tel personnage qu'ils ont connu, ou de tel jardin qu'ils ont habité dans l'œuvre d'un grand romancier[3], ou la preuve de la culpabilité ou de l'innocence d'un homme dans tel air de son visage, seulement parce que l'esprit croit voir[b] la cause des faits dans d'autres faits qui leur ressemblent, mais pas plus que quantité d'autres qui pourraient tout aussi bien les avoir motivés.

« J'étais avec des personnes qui ne sont ni bien belles, ni bien intéressantes, donnez-moi le bras pour faire un tour car, Marcel[a], je ne m'amusais pas », me dit comme pour s'excuser du groupe où elle venait de se trouver Mme de Villeparisis qui vint à moi en m'apercevant. Évidemment elle faisait une différence entre elle et ses compagnes, puiqu'elle était gênée d'être restée confondue avec elles. Elle ne pouvait se douter qu'ayant dans ses relations la grand-mère de Mlle de Vigognac, et le pouvoir de me la faire connaître, elle avait pris à mes yeux depuis un moment ce prestige, cet attrait, elle m'inspirait ce désir de lui faire plaisir, de la voir constamment, dont le reste de l'univers était dépourvu et principalement les personnes dont je savais qu'elles ne pouvaient pas me rapprocher de Mlle de Vigognac comme la princesse de Guermantes. Ce[b] ne fut qu'en rentrant chez moi que retrouvant le moi que j'avais au moment de partir chez Mme de Marengo je me rappelai que je n'y étais allé que pour revoir le prince de Borodino[1]. Mais une fois là-bas de nouveaux objets avaient développé en moi une autre personne qui ne songeait pas au prince de Borodino et ne s'était même pas aperçu<e> de son absence.

« Hé bien cela marche, me dit un moment après M. de Guermantes. — Merci, Mme de Villeparisis va tâcher de nous réunir. — Ah ! vous voyez, s'écriait-il avec une vanité joyeuse, que je vous donne de bons conseils. Ah ! voilà, dit-il à Swann, ce jeune homme il ne peut pas se plaindre, je lui fais avoir des rendez-vous avec de belles jeunes filles. Voilà comme nous sommes nous autres. Il me l'a demandé il y a une heure. Je lui ai indiqué les voies et les moyens et c'est déjà en route. » Tous les soirs je relus[c] indéfiniment les lettres d'Henri IV et je voyais frétillant dans le nom de Vigognac mon inconnue rose et brune aux yeux bleus couverte de roses rouges secouer sur moi son éventail.

Quelques jours après je fus convié par Mme de Villeparisis à venir prendre le thé à cinq heures chez elle. Quand j'arrivai il y avait déjà quelques personnes mais mon inconnue n'était pas encore là. Je vis la jeune baronne de Villeparisis, le prince d'Agrigente, M. de Norpois, une jeune personne l'air prétentieux et à la peau couperosée, déjà fort marquée, qui me déplut extrêmement. Mme de Villeparisis me dit : « Je vais vous présenter à Mlle de Vigognac ! » Hélas que les descriptions sont peu ressemblantes, pour qu'à mon portrait de mon inconnue on ait pu l'appliquer à la femme qui en était certainement la plus différente et qui était ce que je pouvais trouver de moins séduisant. Évidemment elle était brune et elle avait la peau assez colorée. Mais la personne même, cet être que les traits suggèrent et qu'on associe à la pensée de son bonheur, combien il était différent. Que le nom de Vigognac maintenant me paraissait indifférent et laid, quelle forme biscornue de jeune fille mièvre et desséchée il prenait. Je n'ouvris plus une seule fois les lettres d'Henri IV. La noblesse et la province basque avaient perdu tout charme pour moi et d'ailleurs toute noblesse et toute province. Voici pourquoi. Maintenant quand le prince de Guermantes me rencontrait dans le monde[a] : « Ah ! Eh bien », me disait d'un bout d'un salon à l'autre le prince de Guermantes quand il me rencontrait. « Voyez-vous ce jeune homme, c'est moi qui lui amène les femmes qui lui plaisent. Ça n'était pas ça ? Ah ! dame mon cher que voulez-vous moi je ne peux pas faire plus. Sapristi. Je vous les amène toutes rôties et puis après cela vous dites que ça ne fait pas votre affaire. Dame si vous ne savez seulement pas le nom de la personne que vous voulez voir, évidemment ce n'est pas la peine de continuer. » Or la première fois qu'il me dit cela chez la duchesse de Guermantes celle-ci interrompit[b]. « C'est toujours de la petite personne qu'il s'agit, demanda la duchesse de Guermantes l'entendant me parler ainsi. C'est la grande amour alors ! Mais moi je savais bien que ce n'était pas la petite Vigognac. Je vous l'ai dit tout de suite, dit-elle au prince. Je sais le genre qui lui plaît, je savais que ça ne pouvait pas être cela. D'ailleurs je sais parfaitement bien qui c'est. Je l'avais aussi remarquée[c], elle est ravissante. On me l'avait montrée une fois à l'Opéra. C'est Mlle Tronchin. C'est la petite-fille du vieux médecin de la reine. Ce sont de vieux bourgeois de Paris[1]. Le père est avocat au Conseil d'État. Ce sont des gens qui doivent habiter rue de la Chaise et ne pas aller dans leurs plus grands déplacements au-delà de Bourg-la-Reine[d]. Malheureusement ils ne vont pas du tout dans le monde. Ce sont des gens très simples, très religieux. Enfin j'essaierai de vous la faire voir si vous voulez me donner votre confiance. Je tâcherai d'y faire honneur. » Ma rêverie se concentra sur le quartier de Paris où devait habiter les Tronquin[2]. La pensée même d'un voyage au pays basque ou à l'étranger me donnait un sentiment de nostalgie. L'idée du milieu austère, simple, vertueux, tendrement familial, de l'appartement nu et pauvre, où avait grandi et rentrait le soir après le bal cette fille si voluptueuse et si coquette lui donnait quelque chose de plus frais, de plus lisse et de plus parfumé, comme une fleur dans une chambre. Que j'aurais aimé me faire présenter dans ce milieu si comme il faut, si intelligent, si sérieux. Elle-même quoique séduite évidemment par le luxe comme celui qu'il y avait chez les Guermantes et dont elle n'avait pas l'habitude, elle avait été élevée dans l'admiration du savant son grand-père, de l'honnête jurisconsulte son père ; et en un sens trouvait ce milieu supérieur à tous. Mais un secret désir de richesse, d'élégance, d'aristocratie et de plaisir vivait en elle. Et le milieu si simple de ce père prenant l'omnibus, ce milieu qui eût paru si inélégant au plus vulgaire « salon » de petit coulissier, était si considéré, égalait dans sa simplicité les sommets mondains que l'échafaudage du luxe n'<eût[a]> pas atteint, qu'elle n'était pas déplacée chez les Guermantes. Malgré tout, dédaignant un peu ses parents, ambitieuse de cette vie, plus raffinée et belle que le milieu dont elle était sortie, quel délice ce serait de l'y connaître, de l'y cueillir dans la robe de bure que devait lui faire cet appartement triste, sa chambre de jeune fille sans tapis, où on ne faisait guère de feu pour l'élever à la dure, n'ayant aucun des déshabillés, des diverses toilettes de la fille mondaine. Quel bonheur <que> ce ne fût pas une fille de l'aristocratie chez qui le goût du plaisir ne lui eût pas appartenu, eût été la part qu'elle eût prise par imitation de l'éducation générale. Là j'avais le sentiment d'aimer un être vraiment individuel poussé tel quel, avec sa luxueuse chair de fleur, dans les anfractuosités d'un vieux roc où nulle fleur ne poussait, que de vénérables mousses, bien douces d'ailleurs. La pensée que la tendresse d'une mère, les vertueux et doux conseils d'un père avaient couvé cette sensualité, que ces joues si prêtes au plaisir allaient se reposer charmantes, respectueuses et craintives, sous leurs lèvres, donnait à sa grâce quelque chose de plus tendre, de plus complexe, de plus riche, comme le goût inimitable de ces miels qui sont faits de plusieurs espèces de fleurs *(vérifier)*. Ah ! si je pouvais l'y faire rester dans ce milieu, dans cet appartement familial, la détourner du monde où elle m'échapperait, lui faire aimer la lecture au coin du feu le soir et la musique, tandis que son père travaillerait près de nous et que sa mère broderait, dans ce quartier silencieux où l'on entend sonner l'heure à Saint-Séverin. Qui sait[b] si mes parents ne voudraient pas venir habiter par là. Hélas l'été on se quitterait. Mais pourquoi ? Vraiment je ne tenais plus à retourner à Querqueville. À quoi bon voyager ? Que de choses à voir aux environs de Paris, dont une vie ne suffirait pas pour épuiser le charme. Le moment où Versailles, où Saint-Cloud sont les plus beaux, le moment où les forêts sont pleines du souvenir des chasses royales, jamais je ne le connaîtrais si je voyageais au loin. Mais que j'aille passer l'été à côté des Tronquin, quelles délicieuses promenades je ferais avec elle, les matins brumeux, à Trianon ou sur la route du Butard[1]. Tels étaient mes rêves constants. J'ouvrais encore quelques-uns de mes livres. Mais au bout d'un instant je les fermais pour relire dans le Tout-Paris la liste des avocats au Conseil d'État et y trouver le nom de Tronquin, et pour relire dans le Larousse la vie du vénérable docteur Griégeois, médecin de la reine. Je me mettais souvent à ma fenêtre, je regardais le sophora en fleur jusqu'au moment où je voyais quelqu'un passer dans la cour[1]. Si c'était le facteur peut-être allait-il m'apporter une lettre de Mlle Tronquin qui avait su mon adresse. Si c'était le valet de chambre de Mme de Guermantes peut-être allait-il me monter un mot me donnant rendez-vous pour la voir. Il y avait peut-être depuis la soirée de la princesse de Guermantes, qui remontait déjà à dix jours, une personne qui eût pu avec plus de vraisemblance croire que son courrier allait lui apporter une lettre de moi que moi, le mien, une lettre de Mlle Tronquin, c'était M. de Gurcy à qui je n'avais toujours pas répondu[2]. Mais la rapidité avec laquelle on répond aux lettres est proportionnée bien moins à leur importance qu'à la facilité que nous avons d'y répondre. Toute la journée je mettais une ligne sur des cartes pour condoléancer d'une mort, refuser un dîner, féliciter d'un ouvrage. En revanche la lettre à écrire à M. de Gurcy se présentait à moi sous une forme si vaste, si redoutable, et si vague, que je l'écartais d'heure en heure, en me promettant le lendemain d'y répondre. Mon esprit scrupuleux me faisait considérer dans sa proposition surtout ce qui m'y paraissait tout à fait sage, et par là même inacceptable à ma frivolité. J'écartais tout ce que je trouvais d'erroné dans l'idée que M. de Gurcy se faisait par exemple des lettres, et je songeais surtout à sa prescription de ne plus aller dans le monde, de ne plus perdre mon temps aux conversations inférieures qu'on y tient, de me réaliser en moi dans la solitude, et de ne retourner au milieu des gens du monde que quand ma personnalité serait assez forte pour ne plus risquer que je la déforme et l'efface en cherchant pour leur plaire et par béate admiration devant leur prestige à leur ressembler. Ce conseil de M. de Gurcy se rapportait si bien à ce que ma conscience me disait chaque jour quand je rentrais de soirée, ayant perdu sans plaisir avec des gens que si j'étais sincère je sentais si médiocres, même Mme de Guermantes, même Swann, des heures où j'aurais été si heureux, si heureux, en lisant, en pensant, en travaillant, que je le remplissais d'un sens qu'il n'y mettait même peut-être pas et qu'il prenait par là plus de force encore pour moi. Mais, comme ce qu'il me demandait me semblait au-dessus de mes forces parce que je le voyais du sein de la vie que je ne <me> croyais pas capable de quitter, penser à sa proposition m'était d'autant plus désagréable que j'étais humilié de sentir que l'accepter m'était impossible, et qu'en la refusant je lui donnais la mesure de ma médiocrité. Il y a des lettres auxquelles on est honteux le lendemain de ne pas avoir répondu le jour même, dont on est décidé à ne pas au moins différer davantage l'envoi, mais de même que leur nécessité aurait pu les faire écrire, le fait de ne pas les avoir écrites cesse de nous les faire paraître nécessaires. Cette absence de lettre était un remords, quelque chose à changer.

C'était ennuyeux. Quand l'idée qui nous la rendait nécessaire s'est un peu affaiblie nous en profitons pour changer cette absence de lettre de caractère ; nous <nous> débarrassons de ce remords qui affectait les choses qu'on aurait dû faire et qu'on n'a pas faites ; et nous donnons au contraire à notre silence l'aspect d'une autre alternative, aussi plausible, aussi justifiable que celle où nous aurions répondu. Dès lors nous n'y pensons plus ; nous pouvions répondre, nous pouvions ne pas répondre ; c'est le second genre d'attitude que nous avons adoptée, comme on peut avoir le téléphone ou ne pas l'avoir. Et si on ne l'a pas parce que cela coûte trop cher, ou que c'est ennuyeux de faire venir des ouvriers pour le poser, il est plus agréable de se dire qu'on ne l'a pas parce qu'on est plus tranquille et qu'un philosophe doit s'en passer. Dès le premier jour j'avais été obligé de parler à mes parents de la proposition de M. de Gurcy qui les avait profondément touchés. Mais comme je voulais la repousser, et que sentant que j'avais tort, je me serais senti excusable à mes propres yeux si eux-mêmes m'avaient conseillé de le faire et si j'avais pu me dire que du moment que c'était leur avis je devais avoir raison, je leur avais traîtreusement présenté la chose sous le jour qui pouvait le plus leur déplaire. J'avais insisté sur la défense d'aller jamais plus dans le monde, auquel mes parents tenaient pour moi, comme à un dérivatif du travail, de la tristesse, de la solitude. Je m'étais représenté comme affolé[a] par la pensée de sa direction, comme en ressentant d'avance l'épuisement nerveux, comme n'ayant plus jamais une heure de détente, si bien que mes parents avaient dit : « Alors ne te rends pas malheureux pour cela. C'est ennuyeux parce que tu aurais sans doute là une protection bien utile mais enfin si cela doit t'agiter à ce point », j'avais mis en lumière quelques propos insolents qu'il avait eus, et enfin, avec une pire mauvaise foi je dois dire, par une inspiration subite je m'étais déclaré mal impressionné, froissé de cette proposition parce que suspecte de ce vieillard qui avait par moments l'air de faire une déclaration à un jeune homme[1]. À vrai dire je n'y avais pas pensé un instant, et en le disant je ne le croyais pas plus que les enfants innocents qui pour faire semblant d'être instruits de ce qu'on leur cache disent qu'ils savent très bien comment on fait les enfants, alors qu'ils ne s'en doutent pas, mais mettent par hasard le doigt sur la réalité qu'on leur cache, ou sur une personne, dans la maison de qui un grave événement qu'il ignore est débattu sans qu'il s'en doute, pour faire semblant d'être perspicace dit par hasard : « Je sais qu'on me cache quelque chose, je sais ce qu'on me cache », et fait l'admiration de tous pour une découverte qu'il n'a pas faite le moins du monde. À vrai dire je ne m'arrêtai pas à cette idée. Mais comme il me fallait justifier à mes propres yeux à la fois mon refus et le fait de ne pas avoir exprimé ce refus autrement que par le silence, je me persuadai que cette proposition qui m'avait d'abord touché était impertinente et indiscrète, que ce monsieur grotesque était bien osé de vouloir entreprendre sur mes plaisirs et conduire ma vie et qu'il n'y avait *qu'à ne pas lui répondre.* Et cette idée qu'il n'y avait qu'à ne pas répondre, que ne pas répondre n'était pas un oubli, un retard, un acte de négligence impardonnable, mais ce qu'il fallait faire, me parut <tellement> une attitude[a] que je n'avais pas adoptée par paresse, mais par choix, que quand je rencontrai M. de Gurcy chez Mme de Guermantes, je ne lui dis pas : « J'ai bien à m'excuser envers vous », mais avec la fierté <de> caractère de quelqu'un qui a la distinction d'avoir une attitude, comme d'autres ont un titre ou une décoration, et de savoir la porter : « Bonjour, comment allez-vous ? Il y a longtemps que je n'ai eu le plaisir de vous voir. » Sur quoi il me tourna le dos et partit sans me *[un mot illisible].* « Mais[b] qu'y a-t-il donc entre Adalbert et vous ? me demanda Mme de Guermantes, il a l'air furieux quand vous êtes quelque part. » Je répondis : « Je ne sais absolument pas », ce qui me parut faire partie de mon attitude. Je continuai d'ailleurs à saluer M. de Gurcy quand je ne pouvais pas faire autrement. Il me répondit d'abord d'un signe de tête glacial. Puis sa mauvaise humeur passa et il finit par redevenir avec moi le même qu'auparavant.

Je savais maintenant qui était la jeune fille inconnue. Si ma lettre à Montargis était restée sans réponse *(mettre cela avant, pour la lettre de Montargis)* la princesse de Guermantes avait déclaré que Mlle Tronquin n'était nullement chez elle ce soir-là et quand je parlai des roses rouges et de l'éventail rouge s'écria : « Mais si vous m'aviez dit cela, il n'y a pas deux jeunes filles qui étaient comme cela, c'est Olga Czarski, la fille de mon vieux professeur de violon, l'élève chéri de Chopin. — Mais j'avais décrit sa toilette au prince. — Hé bien ! il ne m'a rien dit, sans cela pensez-vous que j'aurais cru que c'était la petite Vigognac ? Je crois bien qu'elle est charmante ma petite amie Olga. Et d'une intelligence. Si vous l'entendiez jouer du violon ! Mais elle vient très rarement en France. Ils sont en Pologne en ce moment. Je ne crois pas qu'ils viendront avant deux ans. » La gloire médicale du docteur Piégeois, le prestige de la Chambre *(?)* des avocats à la Cour de cassation[1], le charme des environs de Paris, de la rue de la Chaise, et de la vieille bourgeoisie qui prenait l'ombre, allaient rejoindre dans mon indifférence, la noblesse basque et l'aristocratie parisienne. Au fond, me disais-je, c'est une bonne leçon. On croit toujours que c'est ce qui est différent de soi qui peut nous intéresser, on prend une curiosité factice d'êtres élevés d'une façon opposée à la nôtre, on veut sortir de soi, on voudrait aimer la fille d'un pharmacien de village. Au fond cette grâce, ce charme qui m'était allé droit au cœur ne pouvait venir que d'une nature telle que celle que je peux vraiment et naturellement comprendre, que d'une nature artiste. D'ailleurs je me serais assommé au bout d'une heure dans le salon du procédurier parisien aussi bien que dans le castel du hobereau gascon. Et leurs filles ne pouvaient tarder de trahir leur différence première d'avec moi. Mais quelle communion parfaite il pourra y avoir entre moi et cette petite, aimant tout ce que j'aime, faisant fi du monde et de sa sottise. Elle ne viendra pas à Paris, mais pourquoi n'irais-je pas en Pologne ? La vie se passe, et l'on ne voit rien de ce qui a enivré les peintres, inspiré les chefs-d'œuvre. Que cet amour me rend service s'il me force à lever l'ancre, à commencer la vie. J'avais demandé à la princesse de Guermantes de s'informer de leurs projets. Les jours passèrent sans que j'eusse de réponse. Parfois le soir je me disais : « Peut-être en ce moment la princesse de Guermantes a une réponse mais le temps lui presse moins qu'à moi que je la reçoive. Peut-être demain, après-demain seulement me l'enverra-t-elle, tandis que si je la voyais ce soir, dès ce soir je saurais. » Un soir <à> cette pensée que je pourrais peut-être avoir une réponse immédiate en voyant la princesse de Guermantes, je pensai[a] qu'elle était peut-être à l'Opéra. Et j'y entrai. Je cherchais des yeux dans les loges et je ne la vis pas. Mais dans la loge de la princesse de Parme il n'y avait qu'une dame, elle pouvait encore y venir[1]. On jouait un de ces opéras de Wagner dont j'avais été si souvent à Querqueville dans la salle du casino ou sur la plage applaudir des morceaux indistincts alors pour moi et qui avaient peut-être plus de charme que maintenant où je connaissais les phrases, et avec calme les reconnaissais, les constatais, de l'oreille seulement, sans prêter mon âme et détournant par moments les yeux vers les loges pour voir si je n'apercevais pas la princesse de Parme, heureux en même temps de sentir en moi mon intelligence, restée extérieure à l'œuvre, porter sur chaque phrase un jugement de connaisseur. Mais il y a certaines beautés qu'il suffit presque d'introduire naturellement en nous, pour qu'elles recréent en nous l'âme enthousiaste qu'elles méritent. Il y a des beautés si neuves, si pleines, si efficaces, qu'on n'a qu'à nous mettre en présence d'elles pour être sûr qu'elles se tireront d'affaire, et nous saisiront. Bientôt j'éprouvai[b] à voir ces phrases merveilleusement construites, équilibrées et puissantes[c] la même impression que j'avais eue un jour de voir à la hauteur de ma fenêtre à Querqueville un aéroplane passant au-dessus de la mer et s'élevant de plus en plus[2].

Esquisse IX

[DE LA JEUNE FILLE AUX ROSES ROUGES À LA FEMME DE CHAMBRE DE LA BARONNE PICPUS]

[La femme de chambre de la baronne Picpus, future baronne Putbus, prend désormais le relais, en tant qu'objet du désir du héros, de la jeune fille aux roses rouges, qui semble alors avoir disparu du roman : la seule transition qu'on trouve dans les Cahiers, avec ces quelques pages du Cahier 24 qui introduisent la quête de la femme de chambre, ne se fait pas avec la jeune fille aux roses rouges, mais avec une lycéenne rencontrée à Querqueville, et le déplacement est expliqué par l'inconstance du désir et la multiplicité de ses objets.]

Je m'étais promis à Querqueville qu'une fois rentré à Paris je mettrais tout en œuvre pour connaître la lycéenne. En consacrant l'avenir à réparer une déception du présent on croit se prémunir ainsi contre la crainte de changer, on semble le lier d'avance à être tel que le présent[a]. Mais le présent lui-même avait changé. Mon désir de la connaître s'était affaibli. Et des habitudes de Paris auxquelles je m'étais remis à tenir rendaient un peu compliqué ce qu'il eût fallu faire pour la rencontrer. En revanche, peut-être par suite du tour successif que font en nous nos divers tempéraments, nos diverses sortes de désirs — qui n'apparaissent avec plus de force <que> quand le précédent est rentré dans l'ombre —, et ma fréquentation de tant de jeunes filles avait dû dans une certaine mesure épuiser un peu le genre de désir jeunes filles et préparer le retour d'autres qu'il avait momentanément éclipsés — mes yeux étaient tombés un jour dans un journal sur cette note. « La baronne Picpus après avoir été[b] cet automne à Ville-d'Avray l'hôtesse de M. et Mme Verdurin s'est installée dans un appartement de la rue Villaret. » Le souvenir[c] de ce que m'avait dit Montargis sur sa femme de chambre, merveilleux Giorgione *(?)*, grand corps onduleux et blond aux yeux bleus, me donna une soif ardente de goûter à un genre de plaisirs que je ne connaissais pas. Et comme la pensée d'être un individu quelconque, non reçu chez sa baronne qui devait lui sembler la mesure de toute élégance, d'être méprisé par cette fille qu'il appelait une dogaresse, m'était insupportable, et comme <j'> aurais voulu avoir été vu[d] par elle d'abord chez sa maîtresse, avoir le prestige d'être un des invités de « chez nous » avant de la retrouver dans un lieu plus aisé, la possibilité de connaître Mme Picpus puisqu'elle connaissait les Verdurin chez qui mon vieil ami avait vingt ans[e] auparavant présenté Swann[f], pour un motif un peu voisin, m'enflamma aussitôt en me rendant la rencontre possible, en me faisant déjà apercevoir dans la chambre de la baronne sa femme de chambre, qui voyant mon regard, en gagnant la porte, se détournerait en me coulant un regard de ses yeux bleus, et que je n'aurais plus qu'à retrouver chez sa maquerelle[1]. Et la pensée que mes relations avec elle ne seraient pas mêlées de mépris de sa part, que dans son lit elle retrouverait quelqu'un qui avait du prestige pour elle, donnait déjà au plaisir que je me promettais avec elle un air de roman et d'amour quand les derniers mots de la note me rendirent tout d'un coup ce plaisir plus précieux, y mêlèrent ce qu'il faut de trouble, de difficulté, de tristesse pour en faire de l'amour, en ajoutant « s'est réinstallée pour peu de mois[a] à Paris dans son hôtel de la rue Villaret-Joyeuse[2]. La baronne partira en effet dès les premiers jours d'avril pour Venise[b] d'où elle s'embarquera à bord du yacht de Sir Ralph Methuen pour un voyage aux Indes qui doit durer deux ans. » Aurai-je le temps de connaître par notre ami les Verdurin, par les Verdurin Mme Picpus, par Mme Picpus sa femme de chambre avant leur départ[c] ? Car bien probablement elle partirait avec sa maîtresse. À propos de n'importe quoi je demandais à toutes les dames avec qui je causais : « Si vous partiez en voyage, serait-il possible que vous laissiez votre femme de chambre à Paris ? » À vrai dire j'aurais mieux aimé aborder Mme Picpus de plus haut que les Verdurin afin que quand elle prononcerait mon nom <devant> sa femme de chambre[d] ce fût avec plus de considération. J'allai voir Mme de Guermantes et lui demandai si par hasard elle connaissait Mme Picpus[3]. « En aucune façon, me répondit-elle. Je suis persécutée par son nom que je vois tout le temps dans les journaux. Que je cherche une nouvelle militaire, un renseignement sur le temps, la chronique des courses, le cours de la Bourse, je tombe toujours à la place sur quelque chose qu'a fait cette dame. — Et vous ne connaissez personne qui la connaisse ? — Mais Dieu merci, non, vous n'avez qu'à lire les noms des gens qui vont chez elle, ce n'est pas difficile, elle fait mettre cela dans le journal deux fois par semaine. Vous verrez que ce sont des gens qui n'ont de nom dans aucune langue, des gens que personne n'avait jamais vus, qui ne vont que chez elle, plus deux ou trois grands noms français éteints malheureusement depuis plusieurs siècles et généralement avec une orthographe un peu différente. Il y a une certaine vicomtesse de Vardes *(?)* avec un *w* qui doit être la reine[e] de ces fêtes[4]. » (Malgré le ton aigu d'ironie avec lequel Mme de Guermantes prononçait ce mot, que j'eusse donné en un moment tous les Guermantes de la terre pour être lié avec la vicomtesse de Vardes.) « Mais je ne pense pas que vous alliez chercher à aller dans un des endroits les plus grotesques[f] qui existent. Je dis que je ne connais personne qui la connaît, c'est exagéré : ma vieille cousine Pourtalès[1] qui à soixante-dix ans tient absolument à traîner sa bosse et sa perruque blonde chez n'importe quel converti qui "reçoit", y va. Mais je vous promets de ne pas lui demander de vous présenter. Mais ce sont des endroits déconsidérants qu'on fuit comme la peste. Je ne vous reçois plus si vous me faites des infidélités pour la baronne Picpus », dit-elle en riant et nous parlâmes d'autre chose. Puis je la quittai et écrivis à notre ami pour les Verdurin qui eux étaient partis pour le Midi et ne rentreraient qu'au mois d'avril[a]. Ma grand-mère ne voulait pas que j'aille chez les Verdurin et je fus obligé de passer outre à son mécontentement. « Ce n'est pas un milieu pour toi, disait-elle, c'est un mauvais milieu », avec cette véhémence des parents qui croient bien graves pour leurs enfants des milieux que ceux-ci jugent avec autant d'exagération délicieux, alors que quelques années après ces conflits, ils iront sans y penser, jugeant au peu de plaisir qu'ils y ont combien leurs parents avaient tort de s'en faire tant de peine. J'affectai tant de nervosité, de tristesse, de maladie, que ma grand-mère effrayée céda mais de temps à autre revenait à la charge. « Mais ce ne sont pas tes amis, demande un peu à M. de Guermantes ou à M. de Gurcy[b] s'il va chez les Verdurin. » J'avais envie dans ma colère de dire que c'était ce qu'il pouvait y avoir de plus flatteur pour les Verdurin et de faire des révélations sur M. de Gurcy. Et enfin un jour, tristement embrassé par ma grand-mère qui chassa aussitôt son air triste pour ne pas « gâter mon plaisir », je partis chez les Verdurin. Mais l'absence des Verdurin puis les négocations avaient tout retardé. Et quand je partis pour chez les Verdurin dont c'était une des dernières soirées à Paris avant qu'ils repartissent pour Ville-d'Avray, le départ de Mme Picpus pour Venise approchait.

Les Verdurin n'habitaient plus à cette époque *[interrompu[c]]*

Esquisse X

[LA PRINCESSE SHERBATOFF]

[Dans l'Esquisse XI, se rendant à Ville-d'Avray chez les Verdurin, dans l'espoir d'y faire la connaissance de la baronne Putbus, le héros rencontrera la bande des fidèles dans le train, dont la princesse Sherbatoff. Ce personnage fort ancien apparaît dès le Cahier 6, qui fait partie des Cahiers Sainte-Beuve : Proust, dans les quelques pages qui suivent, esquisse son portrait, auprès de celui du docteur Cottard, dans une première description du milieu Verdurin du temps de Swann.]

La princesse Sherbatoff d'une grande famille russe avait eu les plus belles relations et les avait toutes perdues, à la suite[a] de scandales qui étaient imparfaitement connus. Elle n'était plus reçue que dans deux maisons. Chez la grande duchesse Anastasie[1] qui par bonté et caprice la recevait encore, quand elle n'avait pas de monde, et par les Verdurin. À vrai dire si ces deux relations se trouvaient par suite des cataclysmes qui avaient emporté toutes les autres, les deux seules qui restaient à la princesse Sherbatoff, elle préférait les présenter comme choisies par elle, selon une mystérieuse élection, entre toutes les relations qu'elle pourrait avoir. « Je ne vais pas dans le monde, disait-elle, je ne vais absolument que dans deux maisons amies qui me plaisent pour des raisons différentes, chez la grande duchesse Anastasie et chez les Verdurin. Je n'ai *nulle part ailleurs* », disait-elle en insistant sur ce fait qui était vrai, mais qui prenait par le ton dont elle le disait l'air d'être l'objet d'une décision volontaire plutôt que d'une cruelle nécessité. Et les Verdurin s'ils n'étaient pas absolument dupes des raisons qui les faisaient préférer par la princesse à toutes les relations possibles se seraient[b] bien gardés de s'inscrire en faux contre une affirmation si flatteuse pour eux, si salutaire à la conservation du petit noyau, et qui ne pouvait rencontrer chez la tante du pianiste ou chez le docteur Cottard de contradiction bien sérieusement documentée. Si les Verdurin étaient les seules personnes que la princesse fréquentât (avec la grande duchesse Anastasie) la princesse Sherbatoff était la seule princesse que les Verdurin fréquentassent, ils n'étaient pas fâchés non plus de voir que Cottard et la tante du pianiste pensaient qu'ils l'avaient élue entre toute la noblesse comme la seule qu'ils voulussent fréquenter. « Les Verdurin ne sont pas exclusifs, disait le docteur Cottard aux personnes qui ne connaissaient pas les Verdurin. Vous y rencontrez de la haute noblesse comme la princesse Sherbatoff, une grande dame russe de la plus haute naissance, amie intime de la grande duchesse Anastasie qui la reçoit en intime aux heures où elle ne voit personne, des artistes comme le peintre ... etc. » La princesse n'était pas seulement une fidèle des Verdurin, elle était le type partout ailleurs si dégénéré, l'idéal avant elle inaccessible du fidèle. Les autres avaient des ennuyeux, et à défaut d'ennuyeux choisis par eux, ces ennuyeux forcés que sont la famille, et ces autres ennuyeux qui pour n'être pas des personnes n'en sont pas moins dissolvants de la parfaite cohésion du petit noyau que sont une profession, une maison de campagne où il faut aller. Il y avait des soirs où Cottard était retenu par ses malades, des mois où le peintre était obligé d'aller en Saintonge, un jour par an où le petit pianiste était obligé de dîner « en famille ». Ces empêchements à se réunir étaient le souci, le chagrin de Mme Verdurin. Quinze jours avant le jour de l'An elle était malade à la pensée que les fidèles lâcheraient peut-être le jour de Noël, le jour de l'An. La tante du pianiste était inflexible sur la nécessité qu'il dînât avec sa mère et sa cousine. « Vous croyez qu'elle en mourrait votre mère, disait sèchement Mme Verdurin, si vous ne dîniez pas avec elle le jour de l'An, *comme en province.* » L'approche du Vendredi saint lui donnait les mêmes angoisses. Elle avait eu beau dire négligemment au docteur Cottard la première fois : « Vous docteur, un savant, un esprit fort, vous venez le Vendredi saint comme un autre jour », elle tremblait légèrement en attendant la réponse, car elle ne pouvait plus être seule. Quand la princesse Sherbatoff entra dans la vie des Verdurin, ils découvrirent avec stupeur, avec ivresse, une personne qui était brouillée avec toute sa famille, qui était exilée de son pays, pour qui le lieu où elle avait à aller passer des vacances c'était le lieu où les passeraient les Verdurin, et qui avait compris le petit noyau avec une si pure orthodoxie que pour elle dîner en famille le jour de l'An c'était dîner chez les Verdurin. Elle ne connaissait qu'une grande-duchesse qui ne la recevait que le matin à l'heure où Mme Verdurin dormait, et où M. Verdurin s'occupait des menus, des loges, des voitures pour envoyer chercher les amis. Quand Mme Verdurin avait encore envie de parler à l'heure où tout le monde se précipitait vers le dernier train, si elle disait à la princesse : « Est-ce que vous pourriez rester à coucher ? », la princesse répondait avec simplicité : « Qu'est-ce qui pourrait m'en empêcher ? » Quand on prenait le train pour aller dîner à la campagne chez les Verdurin, on trouvait toujours dans le wagon, installée dans son coin, la princesse. C'était depuis des années sa position dans la vie, rester dans son coin. Lui disait bonjour qui voulait. Elle n'avait pas l'envie d'aller au-devant d'une rebuffade. C'était devenu chez elle une telle habitude qu'elle la gardait même avec les fidèles qui sans doute ne se doutaient pas de sa situation réelle. Elle était assise dans son coin, longtemps avant le départ du train. Ils arrivaient l'un après l'autre, elle avait l'air de ne pas les voir, mais tous les fidèles Verdurin mettaient dans le train une note si différente du reste et si homogène entre eux, que même sans regarder ils avaient flairé une fidèle dans ce wagon en apparence vide. « Ah ! voilà la princesse. Bonjour princesse. — Bonjour docteur », disait la princesse avec une élégance qui ne servait plus que pour le docteur après avoir servi à la cour et à laquelle il trouvait grand air. « Vous permettez que nous montions ? — Mais je crois bien. » Et elle pliait son journal. Et un instant après on hélait le peintre qui arrivait, et on laissait passer si elle ne s'accrochait pas la tante du pianiste qui ôtait son chapeau « pour ne pas être rouge en arrivant ». « Vous êtes une fidèle vous princesse et toujours dans le premier train, disait le docteur.

— Oui j'aime beaucoup ce petit noyau intelligent, pas méchant, tout simple. Je tiens à avoir mon plaisir complet, à arriver de bonne heure. Une amie... (la grande-duchesse Anastasie)... m'avait prêté sa voiture pour faire quelques courses, et me voilà[a]. »

Esquisse XI

[M. DE GURCY ET LES VERDURIN]

[Dans la première moitié du Cahier 47, le héros se fait inviter par les Verdurin à Paris, où il poursuit la femme de chambre de Mme Putbus ; d'où une description du salon des Verdurin, qui n'est plus celui que Swann avait connu. Mais les démarches du héros pour rejoindre Mme Putbus ont pris longtemps : la duchesse de Guermantes a refusé de s'entremettre, plaisantant sur le nom de la baronne, qui s'appelle un moment Picpus ; la grand-mère du héros s'est opposée à ce qu'il fréquente les Verdurin, jusqu'à ce qu'il la contraigne à accepter par une crise d'étouffement. Le milieu Verdurin est alors décrit, en particulier Brichot. Les fidèles se retrouvent dans le train de Ville-d'Avray à la gare Saint-Lazare, et c'est là que le héros surprend la rencontre de M. de Gurcy et du jeune pianiste. Elle est aussitôt suivie par le premier dîner où M. de Gurcy est invité chez les Verdurin. Il y prend vite ses habitudes et fait désormais partie des fidèles.]

« Vous[b1] parlez du temps où M. Swann allait chez eux, mais[c] vous savez qu'ils n'habitaient pas alors l'hôtel de la place Malesherbes[2] où nous allons[d] en ce moment », me disait[e] le vieil ami qui me conduisit[f] chez M. et Mme Verdurin, sans se douter certes pourquoi je lui avais demandé[g] de leur être présenté, et qui bien des années avant y avait présenté lui-même Swann, pour une raison analogue, un même mercredi, car Mme Verdurin était de ces femmes qui pendant un long morceau du siècle, quel que soit le régime politique, les révolutions, les guerres, les épidémies, conservent leur jour et reçoivent leurs habitués. « À cette époque-là[h], ils habitaient rue d'Astorg[3], un grand rez-de-chaussée avec entresol qui donnait sur un jardin. Vous qui aimez les belles choses, mon jeune ami, si vous aviez vu l'été quand on venait voir Mme Verdurin après déjeuner, dans les grands salons en enfilade inondés de soleil, devant les grands marronniers roses, dont les fleurs tombaient sur l'appui des fenêtres ; et tous les vases pleins de fleurs que l'un ou l'autre des fidèles ne manquait jamais d'envoyer à Mme Verdurin quoiqu'elle le défendît. Ah ! ce que je me suis amusé[i] autrefois dans cette maison de la rue d'Astorg[j]. Tous les grands artistes de Paris qui ont passé là inventaient chaque fois quelque chose de nouveau ; je confonds un peu les époques, je ne sais pas si c'était du temps de Swann qui s'est très vite brouillé avec eux mais ce qu'il y a eu là-dedans de soupers costumés, ce n'était que charades, soupers costumés[a], et pas le costume banal, qu'avec de l'argent tout le monde peut avoir[b]. On devait faire tout soi-même en remplissant des conditions très difficiles qui forçaient à une vraie ingéniosité. J'ai vu dans un dîner en papier Elstir en satrape. Vous ne pouvez pas imaginer quelque chose de plus beau. Ah ! ce sont des choses qu'on est content d'avoir vues et qu'on ne reverra plus. Elstir s'est marié, Swann est mort[1], bien d'autres sont partis. Et pour les grandes fêtes, très rares d'ailleurs, ces grands salons en enfilade si hauts de plafond s'y prêtaient bien mieux. Et puis il n'y avait pas[c] cette affreuse lumière électrique d'aujourd'hui qui ravage toutes les couleurs. Bien sûr, cela vous paraîtrait aujourd'hui un peu sépulcral ce salon tel que je le revois avec ses quelques lampes. Cela n'empêchait pas de bien s'amuser, allez. Et les soirs de grande fête qui étaient du reste rares, car Mme Verdurin détestait cela, c'était une maison d'intimité, elle resta longtemps sans en donner, on ne pouvait[d] pas traverser la cour, tant il y avait de voitures que les valets de pied appelaient sous la voûte. Je me vois encore à une grande soirée, la première depuis longtemps qu'il n'y en avait pas eu, aller chercher la voiture de Mme Swann, qui ne l'était pas encore. Mon Dieu qu'elle était jolie. Mais ce n'était pas, hélas ! pour y monter avec elle. À peine[e] je lui eus fait avancer sa voiture, “Est-ce que je vous ramène ?” dit-elle à M. de Forcheville, et les voilà[f] partis tous les deux. Mon Dieu je ne dis pas que le nouvel hôtel soit mal loin de là, mais ce n'est plus ça. »

Ainsi, tandis que mes yeux voyaient déjà que les Verdurin, seules personnes que j'avais su trouver connaissant Mme Putbus, probablement flattés de ma démarche, m'inviteraient à dîner avec elle et que je pourrais ensuite faire la connaissance, d'en haut en quelque sorte, en ami de sa maîtresse, de cette femme de chambre si insolente et si belle, vrai Giorgione, que Montargis[g] avait connue dans une maison de passe et dont le désir, un des quelques désirs types qui revenaient à tour de rôle occuper ma pensée, laissé quelque temps dans l'ombre par le désir des jeunes filles, était revenu prendre la place qu'avait un peu trop longtemps occupé ce dernier[h2], ainsi[i] les yeux du vieil ami à côté de qui je marchais, revoyaient eux, en souriant, l'ancien salon des Verdurin, rue d'Astorg, qu'ils préféraient <au nouveau>, appelant salon comme l'église qui n'est pas seulement l'édifice religieux mais aussi la communauté des fidèles[j], non seulement les pièces à larges fenêtres au midi, mais encore l'organisme social qui les remplit pendant tant d'années ; non seulement les gens[k], mais les plaisirs particuliers qu'ils venaient chercher chez M. et Mme Verdurin et auxquels avaient à jamais donné leur forme inséparable ces pouf et ces canapés bas de soie ancienne, mangée chaque jour davantage par le soleil, près desquels on avait attendu tant de fois que la maîtresse de maison fût prête et qui en regardant tomber les fleurs des marronniers semblaient comme les roses et les œillets des vases, désirer pour vous qu'elle ne tarde pas à venir. Et les belles proportions de ces anciennes demeures, la composition plus brillante alors du salon, la jeunesse plus gaie de M. et Mme Verdurin, si elles justifiaient peut-être en partie les préférences de mon vieil ami pour le salon de la rue d'Astorg, n'en étaient[a] pas la véritable cause. Ce qu'il y aimait et où il se reportait sans cesse, c'était cette partie plus ancienne dont dans un salon — comme dans toute chose — la partie extérieure, actuelle, contrôlable par tout le monde, n'est que le prolongement ; cette partie devenue irréelle qui s'est détachée à jamais <du> monde extérieur[b] où elle n'existe plus, pour venir se réfugier dans notre âme, lui donnant ainsi une sorte de plus-value, gens d'autrefois, maisons détruites, compotiers de fruits des fêtes que nous ne nous rappelons <pas>, en sa substance immatérielle, en cet albâtre[c] translucide et vivant de nos souvenirs, infiniment précieux parce que nous ne pouvons en montrer la couleur aux autres et que c'est à bon droit ainsi que nous leur parlons comme de quelque chose d'incomparable de ce qu'ils n'ont pas vu, et que nous ne pouvons considérer en nous-même sans une certaine émotion en pensant que c'est de l'existence de notre pensée que dépend la survie pour quelque temps encore, le reflet des lampes qui sont éteintes et l'odeur des charmilles qui ne fleuriront plus.

Et cependant quand nous fûmes arrivés chez Mme Verdurin qui en effet m'invita pour la semaine suivante à dîner à la campagne où ils partaient dans quelques jours et où elle espérait que je serais un de leurs habitués, je vis mon vieil ami souriant et attendri en reconnaissant ici un meuble là un tableau, disant à Mme Verdurin : « Je vois que vous avez toujours la même quantité de fleurs, de petites tables et de boîtes de chocolats. Voilà l'aquarelle qu'Elstir avait faite pour votre fête. — Oui c'est une aquarelle[d] d'Elstir, dit Mme Verdurin[1]. J'aime autrement cela que ce qu'il fait aujourd'hui. Monsieur, ma fille, dit-elle en s'interrompant pour me présenter une chienne qui bondissait autour d'elle. Allons, dis que tu es une bonne fille. Ah ! en voilà un, continua-t-elle en revenant à Elstir, dont on peut dire[e] que cela ne lui a pas réussi de quitter notre petit noyau. Je ne sais pas si vous trouvez que c'est bien fait ses grandes diablesses de compositions qu'il y avait au salon. Moi j'appelle cela barbouillé. Et dire que c'est[f] une femme qui l'a conduit là. — Mais au fond je ne sais pourquoi vous n'avez pas voulu la recevoir, dit mon vieil ami. — Dites donc vous êtes poli. Je ne reçois pas de gourgandines monsieur. Il est magnifique hein ? D'ailleurs lui-même je vous dirai qu'il y a longtemps qu'il ne m'intéressait plus. Du moment qu'il n'avait plus de talent », dit en se tournant vers moi Mme Verdurin qui oubliait que si elle avait été cause du départ d'Elstir c'était bien involontairement. Je ne crus pas pouvoir sans hypocrisie cacher un instant de plus que j'étais l'ami d'Elstir. « Vous pourrez lui dire que vous venez ici », me dit-elle, oubliant devant la perspective de pouvoir repêcher Elstir qu'elle venait de dire qu'il ne l'intéressait plus, « et dites-lui qu'on se souvient toujours de lui et qu'il n'a qu'à venir, on ne lui fera pas de reproches, il sera bien reçu. Il y a toujours pardon pour la brebis égarée quand elle se repent. Je crois[a] que vous connaissez aussi notre ami le docteur Cottard. Vous l'avez vu souvent jadis chez un de ses clients, M. Bloch », m'a-t-il dit. Je ne dis pas que c'est malgré mes instantes prières de faire venir E***, le médecin le plus intelligent de Paris, un des premiers admirateurs de Bergotte, que Bloch s'était fait soigner par Cottard. Persuadé[b] qu'il y a une vérité médicale, cachée et certaine, que seul un œil profond et juste, comme était d'après ce qu'on m'avait dit celui de ce grand médecin admirateur d'Elstir — du Boulbon[1] —, peut dévoiler sous l'incohérence des symptômes, tout conseil qui ne dérivait pas de cette perception, me semblait vain et funeste, et particulièrement les prescriptions incertaines de l'inintelligent Cottard qui <essayaient> par leur nombre <de trouver la vérité> tandis qu'elles ne faisaient que multiplier l'erreur, mais s'imaginaient que ce serait bien le diable si elles ne rencontraient pas la vérité, comme un musicien qui en jouant toutes les notes du clavier, espérerait bien trouver une belle phrase musicale[2]. « Il est amusant[c] n'est-ce pas ? avec cette bonhomie narquoise, ce tour ironique. Ce n'est pas un de ces savants qui ne vous parlent que du haut de leur grandeur. Il a cette façon amusante de présenter les choses, toujours cette petite pointe humoristique qui a de la saveur. Je lui dis quelquefois : "Avec vous docteur on ne sait jamais si vous parlez sérieusement." Je l'appelle le docteur pour rire. Parce que nous sommes très familiers avec lui. Ce n'est pas un médecin, c'est un ami. Du reste, ajouta-t-elle avec solennité, il a sauvé mon mari que la Faculté avait condamné, il a passé des nuits entières près de lui sans se coucher, il peut me demander ce qu'il voudra, Cottard ici, *c'est sacré*[d] ! — Mais ce paravent[e] je le connais, mais oui c'est celui qui était rue d'Astorg. Tenez mon jeune ami, vous me parliez de la rue d'Astorg, tenez regardez ce coin-ci, vous pouvez parfaitement vous représenter comment c'était. C'est à s'y tromper. Je crois y être encore. » Et je compris que si pour mon vieil ami le salon défunt de la rue d'Astorg lui faisait paraître moins beau par contraste avec lui, l'hôtel actuel, en revanche il lui ajoutait une beauté qu'il n'avait pas pour moi. Ceux de ses anciens meubles qui avaient été replacés ici, un même arrangement parfois conservé, intégraient dans le salon actuel des parties de l'ancien, qui pour mon ami l'évoquaient jusqu'à l'hallucination, et ensuite semblaient presque irréelles d'insérer dans la réalité ambiante des fragments d'un monde détruit et qu'on croyait voir ailleurs. Canapé sorti du rêve entre les fauteuils nouveaux et bien réels, petites chaises revêtues de soie rose mais aussi de la patine profonde de leur double spirituel qu'y ajoute celui qui se les rappelle tout en les regardant, tapis broché de la table à jeu élevé à la dignité d'une personne depuis que comme une personne il avait une mémoire et un passé, qu'il gardait à Paris le souvenir du château loué dans la Sarthe dans lequel il regardait le perron, la pièce d'eau et le jardin fleuriste, et dans l'ombre froide du salon de la place Malesherbes, le hâle des expositions au soleil de la rue d'Astorg dont il connaissait l'heure et la venue aussi bien que Mme Verdurin elle-même ; bouquet[1] de violettes et de pensées au pastel, présent du grand artiste[a] ami mort depuis, bouquet survivant d'une vie disparue sans laisser de traces, résumant un grand talent et une grande amitié, rappelant son regard attentif et doux, sa belle main mélancolique, pendant qu'il peignait ; encombrement, joli désordre de cadeaux d'amis, de fidèles, qui a suivi partout la maîtresse de maison et a fini par prendre l'importance et la fixité d'un trait de caractère, d'une ligne de la destinée ; interpolation curieuse des objets singuliers et superflus qui ont l'air de sortir encore de leur boîte pour être vus par le donateur et qui restent cadeaux du 1er janvier toute leur vie ; profusion[b] des bouquets de fleurs, des boîtes de chocolats qui systématise ici comme là-bas son épanouissement, suivant un mode de floraison identique ; tous ces objets enfin qu'on ne saurait d'abord isoler des autres mais qui pour l'ancien fidèle des fêtes des Verdurin, qui malade maintenant n'y vient plus depuis longtemps, avaient cette patine, ce velouté des choses auxquelles vient s'ajouter, leur donnant une sorte de profondeur, leur double spirituel, tout cela éparpillait, faisait chanter devant lui comme autant de touches, innombrables et sonores, qui éveillèrent dans son cœur des ressemblances aimées, des réminiscences confuses, et qui, à même le salon tout actuel qu'elles marquetaient çà et là, découpaient, délimitaient comme eût fait un cadre de soleil sectionnant par un beau jour l'atmosphère, les meubles et le tapis, poursuivaient d'un coussin à un porte-bouquet, d'un tabouret à un relent de parfum, d'un mode d'éclairage à une prédominance de couleurs, sculptaient, évoquaient, spiritualisaient, faisaient vivre une forme qui était comme la figure idéale, transcendante à leurs logis successifs, du salon Verdurin.

Mettre[a] probablement un peu avant quand je dis que je voudrais qu'elle sût que sa maîtresse me considère.

Si bizarre que cela puisse passer le besoin de ne pas être dédaigné d'elle, d'être admiré d'elle, me déterminait autant que la pensée du plaisir que je pourrais tirer d'elle. Il paraîtrait peut-être naturel[b] que je n'eusse pu supporter l'idée qu'une femme qui me plaisait, que je connaissais, me méprisait ; même[c] si je ne la connaissais pas, comme la fille qui se tenait sur le pont de la rivière près de l'église couverte de lierre, dans une promenade avec Mme de Villeparisis autour de Cricquebec[1], cela pourrait se comprendre encore. Car enfin je l'avais vue, sa présence existait déjà pour moi affirmée par son regard. Mais je n'avais jamais vu la femme de chambre de Mme Putbus. Je n'avais qu'à ne pas la connaître, qu'à ne jamais tomber sur son chemin, je n'avais pas à craindre d'être méprisé par elle. Mais j'en savais assez sur elle pour imaginer son genre de beauté, pour savoir qu'elle représentait quelque chose de délicieux pour moi, mais aussi qu'incapable de discerner les supériorités que je pouvais avoir sur elle, de percevoir tout ce qui relevait de l'intelligence même dans le domaine du corps, pour savoir que j'étais encore plus impuissant à lui <en> imposer qu'à la plus sotte des snobs, puisqu'elle n'avait même pas comme les snobs une connaissance des situations mondaines, et qu'il m'eût fallu un effort, dominer[d] mon angoisse propre, sortir de ma quiétude, pour l'affronter me faire connaître d'elle sous un jour favorable. Mais justement une sorte de scrupule de mon énergie vitale m'empêchait de me dispenser de cet effort[e]. J'avais besoin[f] de ne pas renoncer à cette sorte de beauté humaine qui était à la fois la plus faite pour me plaire et la moins faite pour que je lui plaise. Je ne me sentirais une attitude fière et saine de l'âme que quand je sentirais non pas inaccessible, et dominante, mais à portée de ma main, conquise cette nourriture choisie de ma sensualité. De même que jadis la fatigue même que m'imposait le voyage à Cricquebec était comme une sorte de symbole de la réalité du bien qu'il me fallait conquérir et que je ne voulais pas me contenter de garder dans mon esprit comme un idéal que j'imaginais mais que je ne possédais pas, de même je ne voulais pas que menant loin d'elle une vie impuissante, je pensasse aux charmes de la belle fille en pensant que mon triste corps lui eût déplu, que je n'aurais rien été pour elle. Je voulais qu'elle aussi devînt réelle pour moi, non pas imaginée mais connue, mais possédée. J'avais une sorte de besoin d'assimilation des êtres, des corps charmants qui me plaisaient, qui me semblaient salutaires, et je voulais les englober, ne pas les sentir au-dehors de moi, mais moi les enfermant, les contenant, agissant sur eux à ma guise, pas au-dehors, tendu impuissant vers eux. Du moment que j'imaginais la beauté, je voulais l'imaginer m'appartenant, possédée, ses pensées pleines de respect pour moi. *(C'est cela l'idée vraie je crois. Fontainebleau[1] la merveille pour qui je pars, et la merveille avec qui je reviens.)*

Phrase[a] à intercaler deux pages après (verso) au lieu de la phrase sur l'effort.

Comme jadis quand je partis malade pour Cricquebec, l'effort même qu'il me fallait faire pour arriver d'une façon qui me fît valoir auprès de cette femme de chambre, était comme le signe de ce qu'elle restait extérieure à moi, non atteignable, non possédée, simplement imaginée, ne m'appartenant pas quand je pensais à elle. Sans doute on peut vivre ainsi ; mais il y a là une certaine misère physiologique qui résulte de penser toujours à ce qui vous plaît comme vous ignorant, vivant en dehors de vous, ou vous dédaignant ; c'était une sorte de besoin d'assimilation, de besoin de faire fonctionner certains organes, certains muscles de ma vitalité, qui consistait à ne pas renoncer à connaître Cricquebec, à avoir la femme de chambre de Mme Putbus entourée de moi par ce cercle que la personnalité de quelqu'un met à l'entour d'une personne qui l'aime et lui obéit. Il y avait quelque chose pour moi de vivifiant à sentir ces beautés englobées, à sentir la tenue musculaire de mon organisme moral comme une main fermée *(tr<ès> bien)* sur un trésor, au lieu que vainement tendue sans chercher à l'atteindre vers un bien distant. Ce corps ne me semblerait possédé par moi que quand je sentirais que moi, en tant que notion serait possédée, gardée, révérée en lui. L'idée de nous méprisante ou simplement[b] l'absence d'idée qu'a un être est comme une force centrifuge qui tout le temps, même pendant que nous regardons son beau visage, le fait dérailler loin de nous *(t<rès> b<ien>)*.

Phrase plus juste[c] pour le morceau ci-dessous à la croix bleue et celui deux pages après qui subsisteront cependant au moins en partie.

Il semblait que l'effort que m'imposait de connaître, de risquer de déplaire d'abord, de m'efforcer de conquérir ensuite la femme de chambre de Mme Putbus, quand il m'eût été si facile de me plaire avec des femmes du monde qui ne cherchaient qu'à me plaire, il semblait que cet effort comme celui que j'avais eu jadis à assumer pour partir souffrant pour Cricquebec quand je pouvais si facilement me contenter de regarder des photographies du pays et me promener à Paris, était comme la marque de la différence qu'il y avait entre l'objet que je désirais et ma vie présente — différence qui était probablement la raison pour laquelle il me semblait agréable et pouvait m'être salutaire — et par conséquent de sa réalité. Car sans rien changer[a] à nos habitudes, quand nous continuons à vivre machinalement, de cela nous ne percevons qu'une plate découpure et avec nos yeux seulement. C'est quand[b] il faut adapter notre corps tout entier à une situation nouvelle, quand le matin et le soir, dans les lieux nouveaux, deviennent pour nous nouveaux aussi, que nous <recommençons> à vivre tout entiers[c]. Toutes les raisons qui faisaient qu'il était difficile pour moi de paraître agréable à la femme de chambre de Mme Putbus, tenaient justement à ce qu'elle était on ne peut plus différente de moi, par conséquent que nous ne pourrions avoir pour truchements de mêmes habitudes conventionnelles, une intellectualité commune à nous deux et que je me trouverais bien, à vif, en contact avec de la réalité.

*Pour[d] ajouter au petit morceau en face (celui de tout en haut).

Il faudra peut-être dans la fin du livre dire que* je n'avais rien éprouvé de plus réel à Cricquebec et auprès de la femme de chambre de Mme Putbus qu'ailleurs, parce qu'en réalité ce qui me faisait attacher de l'importance à cet effort c'était ce qu'il avait de pénible pour moi à cause de ma santé, de ma timidité, de mon amour-propre, par une sorte d'obligation physiologique que crée en chacun sa faiblesse particulière (sorte de morale de l'espèce) de pousser dans ce sens-là. C'était comme une sorte de scrupule physiologique des muscles plus faibles de ma volonté qui croyaient devoir ne pas rester inertes. *Mais si ce n'est pas bien à la fin le dire tout de suite en disant seulement : *À moins que* ce ne fût.*

Ce[e1] n'était qu'en désespoir de cause que j'avais pensé aux Verdurin. Montargis en garnison en Algérie ne pouvait avant longtemps me mener dans la maison de passe où d'ailleurs la femme de chambre de Mme Putbus d'après ce qu'il croyait ne venait plus. Puis il < ne > donnait pas son nom dans ces endroits. Elle ne savait pas qui il était. Et m'imaginant bien ce que pouvait être la sottise de la femme de chambre d'une personne de ce genre, et qui devait[f] jeter des regards de mépris sur toutes les personnes qui n'étaient pas reçues chez sa maîtresse, « chez nous » comme elle devait dire, je voulais qu'elle me connût[g] d'abord comme ami de sa maîtresse, pour jouir avec calme de la beauté d'une fille orgueilleuse pour les autres, mais remplie de déférence pour moi. Je voulais que d'abord elle m'eût regardé sans oser me parler chez sa maîtresse, ou qu'en tout cas dans la maison de passe je pus lui dire que je la connaissais, de façon à me mettre à côté d'elle dans le même lit avec le prestige préalable de quelqu'un à qui elle pourrait demander pendant qu'il se déshabille, ce qui le lui différencierait tant des autres : « Es-tu invité chez nous mercredi ? » J'avais bien eu[a] une lueur d'espoir en entendant dire un jour à mon grand étonnement tant les deux mondes me semblaient différents que le duc de Guermantes venait de sortir avec le baron Picpus. Quelques jours après j'étais allé voir Mme de Guermantes et je lui avais demandé si elle ne pourrait pas m'aider à connaître Mme Picpus[b]. Mme de Guermantes m'avait dit ironiquement : « La baronne Picpus d'Oldanon qu'on appelle le laudanum de l'Hôpital Picpus. Je ne peux pas ouvrir *Le Figaro* sans apprendre qu'elle interrompt son mercredi ou qu'elle reprend son vendredi, qu'elle part pour Bordeaux ou qu'elle revient de Ville-d'Avray. Mais expliquez-moi[c] pourquoi vous qui connaissez des gens agréables, est-ce par sadisme que vous voulez[d] sans qu'on vous y force aller vous vautrer sur cette ordure. Si je connaissais[e] quelqu'un qui aille chez elle je pousserais le dévouement pour vous jusqu'à aller dire[f] : "J'ai un de mes plus chers amis que je ne peux jamais arriver à faire venir chez moi et qui ambitionne d'être reçu chez la baronne Picpus." Mais je ne connais personne. J'ai une vieille cousine de quatre-vingt-six ans qui éprouve le besoin d'aller tous les soirs promener ses faux diamants, ses faux cheveux et ses fausses dents dans tous les mauvais lieux de Paris[g] et je ne doute pas qu'elle n'exhibe dans le salon Picpus ses faux diamants, ses faux cheveux et ses fausses dents, ce qui est charmant[h] si on croit que c'est moi. Mais je ne veux rien lui demander parce que c'est une folle et qu'elle serait capable d'amener Mme Picpus à mon jour. — Mais je croyais que son mari... — Oui ne m'en parlez pas, Astolphe[1] me le fait déjeuner ici avec des concombres le samedi parce qu'ils passent ce jour-là ensemble sur les obstacles comme commissaires de je ne sais quelles courses. Il bégaye, il est tout noir, il ne peut manger que des concombres. C'est épouvantable. Et toujours j'oublie qu'il vient. Astolphe me dirait que c'est un homme très instruit, ce qui est possible, et que dans son pays, dans la Frise, car ce bègue est frison, il règne sur des îles. Oui, bien que ça ne pousse pas à entrer dans les titres, ce baron noir qui se nourrit de concombres fait remonter sa filiation comme nous disons à une maison souveraine et tous les vendredis soirs Astolphe me rappelle qu'il avait une grande position sous Charles le Téméraire — il l'a perdue en tout cas — et de penser à lui demander s'il ne veut pas de café. Il est possible[i] qu'il règne sur des îles en Frise, mais à Paris il vit dans la poussière, qu'il a du reste échangée un moment contre la boue en épousant cette raccrocheuse, avec laquelle il faut reconnaître à son honneur du reste qu'il n'est pas demeuré deux mois. Ils sont séparés depuis le commencement du monde et je crois[a] que sa recommandation n'avancerait pas vos affaires. Astolphe, dit-elle à M. Guermantes qui entrait, vous pouvez me complimenter, je suis digne de vous, voilà une heure que j'explique à ce jeune homme les ancêtres frisons de votre ami Picpus. — Mais Oriane qu'est-ce que vous dites ? ce n'est pas du tout une famille de Frise. Ce sont des Clèvois. Ce sont les propres descendants de... — Comment, ce bègue qui se nourrit de concombres descend d'une maison souveraine ? »

Et je ne voyais personne[b] qui pût me servir quand j'avais appris que la baronne Picpus était liée avec les Verdurin, les amis d'un de nos vieux amis. Malheureusement[c] à la maison, pesait sur les Verdurin une de ces malédictions familiales qui se transmettent par héritage et non autrement. Mon père lui-même qui les respectait ne les comprenait pas. Au seul nom des Verdurin, s'élevait, comme de la tombe de mon grand-père, le vieux cri : « À la garde, à la garde[1]. » « D'ailleurs tu es souffrant, dit ma grand-mère. Ne cherche pas de nouvelles occasions de sortir. Ce n'est pas un milieu pour toi. » Ma grand-mère avait l'air heureux. Rien ne devrait nous être plus cher que le bonheur de ceux que nous aimons. Mais hélas ! pendant qu'<ils> vivent, il y a des moments où nous les détestons. Nous ne nous les représentons pas comme des êtres faibles à qui notre colère peut faire de la peine, à qui elle peut donner une insomnie, ôter l'appétit, mais comme des conspirateurs méchants et joyeux qu'il s'agit de réprimer, à qui il s'agit de faire sentir la règle de <nos> justes droits, qui ne se laissent pas léser et qui sont assez clairvoyants pour s'apercevoir qu'ils se moquaient de nous[d]. À leur bonheur nous ne donnons pas le nom sous lequel il nous serait si cher, mais celui de joie insolente d'avoir triomphé de nous, de satisfaction mesquine, de haïssable gaieté. Et nous ne sommes satisfaits que quand nous l'avons remplacé sur leur visage par la tristesse que nous nous figurons une colère mesquine, une vexation méritée. Je possédais hélas ! pour arriver à ce résultat un infaillible instinct qui ne reculait pas devant le mensonge et savait imiter la réalité. J'annonçais de l'air le plus naturel, j'avais l'air de leur avouer malgré moi que je projetais des actes auxquels je ne pensais même pas et que je n'aurais jamais mis à exécution, mais que je savais être ceux qui pouvaient le plus contraindre mes parents[e]. J'affectai d'aller sans qu'on le sût dans des milieux bien pires que les Verdurin et laissai entendre, avec un mensonge qui simulait parfaitement la vérité, que ne pouvant aller chez les Verdurin, je serais obligé d'aller bien plus bas. J'eus la cruauté, à propos des « À la garde, à la garde » de mon grand-père, de lancer quelques traits ironiques sur le snobisme des petits bourgeois qui empêchait de garder d'eux un souvenir complètement noble ; soit que l'énervement de voir détruire en un jour la diplomatie qui m'avait donné tant de peine depuis des années pour voir la femme de chambre de Mme Picpus en qui se résumait, en cette grande fille au corps onduleux et blond, aux yeux bleus, un des désirs de ma vie[a], accentuât en réalité mon état maladif et que pour calmer cet énervement j'eusse recours à des médicaments, soit que pour me venger de ma grand-mère je feignisse à la fois de souffrir et de me droguer, je sentis une incertitude se glisser en ma grand-mère pour savoir si sa défense n'aurait pas plus d'inconvénients que sa permission[1]. Et un jour où nous étions seuls ensemble, commençant ou faisant semblant de manquer de respiration au souvenir de M. et Mme Verdurin, à cause des raisons mystérieuses que je ne pouvais lui dire que j'avais d'y aller, je me précipitai sur une petite bouteille de cognac, que ma grand-mère torturée me déboucha d'elle-même pour que je ne souffrisse pas trop, souffrant moi-même en voyant son visage torturé de me verser du cognac, ses yeux pleins d'angoisse et de résolution ébranlée, de lui faire de la peine, et recommençant en la voyant triste et vaincue, à l'aimer plus que jamais, mais me forçant à continuer un moment encore à être cruel, pour obtenir ce que je voulais et qui me paraissait raisonnable, pratique, me faire faire connaissance avec un des plaisirs mystérieux de la vie d'une façon commode et que je ne retrouverais pas. Je l'obtins car tout en me versant le cognac ma grand-mère désolée et faible me dit : « Mais je ne veux pas te contrarier ainsi. Si j'avais su que tu avais une raison si forte. Je ne veux pas te rendre malheureux. » Je bus le cognac, lui dis que je me sentais mieux, la remerciai, et couvrais de baisers ce beau visage douloureux et tout pâle que j'adorais maintenant, comme si les baisers pouvaient effacer une peine qui n'était pas causée par un manque de tendresse de ma part, mais par l'idée de mon mauvais état de santé et de sa mauvaise hygiène, que mes lèvres en caressant pouvaient l'éliminer de son visage auraient été impuissantes à effacer de son cœur[b].

Si la mort[c2], la maladie, la politique, le mariage, l'adultère, l'art, le snobisme, l'inconstance avaient privé le petit cercle de Mme Verdurin de beaucoup de ses anciens habitués, de nouveaux avaient pris leur place. Le goût ancien de Mme Verdurin pour les arts et un goût nouveau pour la jeunesse lui <ont> fait boucher par un sculpteur, élève de l'École des beaux-arts, et par un pianiste à peine sorti du Conservatoire les vides laissés par Elstir et par le pianiste suédois, ce qu'elle appelait « sa petite classe ». Si l'âge avait rendu le vieil ami qui m'avait présenté chez elle moins assidu à ses dîners, il avait eu un effet contraire sur Brichot, le professeur de littératures anciennes à la Sorbonne, à qui sa vue affaiblie ne permettait plus les longues recherches d'autrefois, à la lampe, et à qui son médecin n'avait permis de conserver sa chaire, sa place dans les jurys de licence, d'agrégation et de doctorat, qu'à la condition de se distraire le soir, sans travailler et sans lire. Après s'être forcé pendant des années à accepter un dîner par an chez Mme Verdurin, il avait commencé à aller de temps en temps en soirée chez elle, puis à y dîner régulièrement une fois par semaine, et maintenant il était de tous ses dîners à Paris et à la campagne, quand la préparation de son cours ou la correction des copies ne le retenait pas trop tard. Gardant chez Mme Verdurin, où ils étaient d'ailleurs goûtés sous le nom d'éloquence incomparable et de feu roulant d'esprit, ce langage un peu pédantesque et ces plaisanteries un peu grosses qui avaient autrefois choqué Swann, il avait en revanche importé à la Sorbonne des vestons plus à la mode, des cravates claires, et le prestige d'un collègue qui a des succès « dans les salons ». Au courant d'usages qu'ils ignoraient, il les en instruisait doucement. « Les comédiens, lui disait un jour au milieu des professeurs réunis le plus grand philosophe de ce temps, à propos des cours que Got[1] faisait à la Sorbonne, devraient être versés dans tous les usages du monde puisqu'ils doivent les reproduire. Le directeur de l'école m'a demandé d'assister l'autre jour au cours de l'excellent Got et j'ai été choqué, je l'avoue, de le voir poser son chapeau par terre près de lui comme un provincial[2]. Ce n'est qu'un détail, si vous voulez, mais qui sur la scène suffirait pour ôter toute valeur à ces amusantes estampes, à ces vifs crayons de la vie élégante que le comédien doit nous donner et dont la vérité pour ainsi dire documentaire, comme de celles de Debucourt ou de Leprince[3] est tout le prix. — Ah ! en effet, en effet », opinaient en secouant la tête les collègues du philosophe quand Brichot répondit en souriant : « Excusez-moi, mon cher collègue, mais dans les salons élégants c'est au contraire l'usage depuis quelques années de poser son chapeau à terre près de soi. Got en le faisant n'a pas agi comme un provincial mais comme un membre du Jockey-Club. Je peux vous en dire quelque chose, ma mauvaise vue m'ayant fait prendre l'autre jour le chapeau de l'un d'eux à la place du mien, sur le tapis d'un salon fort select. » Faisant partie de cette élite d'esprits de second ordre qui dans toutes les professions méritent souvent d'occuper le premier rang, faute d'esprits vraiment éminents, et dont la supériorité relative a pour effet de les détacher de la superstition aveugle à la valeur de l'étude — belles-lettres, médecine, philosophie, politique — à laquelle ils se livrent, Brichot par l'erreur commune aux plus intelligents d'entre ceux qui ont passé leur vie dans les livres, Brichot croyait[a] que la peinture que les livres donnent de la vie est bien pâle auprès de la réalité telle qu'on peut la saisir dans le monde. Et il se frottait les mains quand il courait prendre le train pour se rendre aux dîners de Mme Verdurin à la campagne de penser qu'il allait y jouir du conflit des amours-propres et des passions, et de cette conversation polie régal des beaux esprits de tous les temps, d'Atticus et de Pline le Jeune à Sainte-Beuve[a].

Pendant que son collègue Boissier cherchait d'après ses luttes politiques et ses promenades à Tibur à comprendre Cicéron et Horace[1], il se frottait les mains en pensant qu'allant chez Mme Verdurin comme La Rochefoucauld chez Mme de Lafayette, comme Voltaire chez Mme du Deffand, comme Chateaubriand chez Mme Récamier[2], il saisirait mieux sur le vif ce qu'il avait tant de fois expliqué à ses élèves, que depuis le XVIIe siècle c'était dans les salons que s'étaient formées et harmonieusement réglées toutes les grandes écoles littéraires. Mais si Brichot était devenu <par> son assiduité aux réceptions des Verdurin, capable de rappeler celle des premiers habitués du petit noyau, elle était dépassée de bien loin par la « fidélité » d'une nouvelle recrue féminine, qui à vrai dire n'était pas une fidèle, mais l'idéal même — avant elle réputé inaccessible — du fidèle[3]. Toute sa vie en effet, quoique le symbole auquel il fallait adhérer avant d'être adopté par le petit clan exigeât qu'on ne fréquentât pas d'ennuyeux, qu'on envoyât baller les invitations et les dîners en famille, qu'on méprisât l'attrait des lointains voyages, Mme Verdurin avait été torturée par la jalousie et l'horreur d'être seule, les jours qui venaient rarement mais inévitablement, où un fidèle, si fidèle qu'il fût, ne pouvait pas venir, étant obligé de recevoir un ami de passage, de dîner chez sa mère, de se déplacer pour affaires, de garder le lit pour raison de santé. Le plus sauvage avait ses « ennuyeux », le plus seul au monde quelque parent, le plus continent une maîtresse qu'il n'avait pas toujours cueillie dans le salon Verdurin, les impuissants prenaient quelquefois la grippe, les plus inoccupés faisaient quelquefois vingt-huit jours[4].

« Il[b5] me semble que nous sommes peu nombreux ce soir, dit le docteur Cottard. C'est en petit comité », ajouta-t-il en regardant furtivement autour de lui des deux côtés de son lorgnon pour contrôler si cette expression qu'il ne connaissait que depuis peu, pouvait s'employer en pareil cas. On s'aperçut bientôt que manquait le petit pianiste. C'était inexplicable[c]. « Vous ne le connaissez pas, me dit Crochard. Oh ! il joue à merveille, vous verrez, il ne joue pas avec ses doigts, il joue avec son cœur, n'est-ce pas <Cottard[d]> ? — Il joue tout de même un peu avec ses doigts sans cela on ne l'entendrait pas s'il ne jouait qu'avec son cœur, repartit le <docteur Cottard[e]>. — Évidemment...

Vous n'avez pas saisi ce que je voulais dire », répondit Crochard un peu piqué. Je crus d'abord[a] ne pas connaître son nom, et quand Crochard dit qu'il n'avait peut-être pas eu de permission quoiqu'il fît son service à Paris dans la musique et fût très libre, tout d'un coup je me rappelai que c'était le nom d'un pianiste que j'avais entendu jouer très intelligemment à un concours du Conservatoire et dont j'avais même lu une petite critique dans une revue de jeunes gens et dont le souvenir[b] avait sans doute été réveillé en moi par un fait dont j'avais[c] été témoin dans la salle des pas perdus de la gare Saint-Lazare quelques instants avant l'arrivée de Crochard et du docteur Cottard et dont je n'avais pas cru devoir les informer. Au moment où j'arrivais, très en avance ne sachant pas bien l'heure du train, j'avais aperçu le marquis de Gurcy parlant avec animation bras dessus bras dessous à un militaire[d] dont il tenait le bras, ce qui ne m'eût pas autrement frappé, si en m'apercevant, il n'avait si brusquement retiré son bras de dessous le sien, comme il avait fait pour moi en revenant de chez la princesse de Guermantes quand nous avions rencontré M. de Sainte-Lucie[1], que ce militaire qui avait plutôt l'air d'un pierrot peint, couvert de poudre et de fard, que d'un soldat dont il ne devait pas avoir l'équilibre, avait trébuché et avait failli tomber à trois pas de là. J'avais regardé sa figure avec curiosité sans le reconnaître, et en admirant — car je ne doutais pas que M. de Gurcy ne vînt de le lever — combien la nécessité et l'espoir de plaisir peuvent faire ressembler à notre idéal la réalité la plus différente pour que M. de Gurcy, affamé de virilité, écœuré par les hommes efféminés, eût cru rencontrer un véritable jeune homme, séduit par un libre caprice à l'attrait de sa beauté, dans cette petite tante déguisée en soldat, quand les paroles de Crochard rapprochant tout d'un coup le mot militaire et le souvenir du pianiste me firent comprendre que c'était lui que j'avais vu tout à l'heure, mais que je ne revis pas ce soir-là, car M. Verdurin eut beau renvoyer la voiture aux différents trains, le cocher revint chaque fois bredouille, bien certain de n'avoir vu personne.

À la réunion suivante[2], Mme Verdurin nous apprit — sauf au docteur Cottard dont la femme était venue sans lui parce qu'il avait été retenu près d'un malade et viendrait plus tard — et à la princesse Sherbatoff qui la veille avait dit « À demain » à Mme Verdurin et qui pour la première fois de sa vie manquait, sans qu'on sût pourquoi —, que l'on aurait à dîner un nouveau venu, un vieil ami du petit pianiste, le marquis de Gurcy, qu'il avait demandé la permission d'amener. Cette proposition avait réjoui Mme Verdurin mais l'avait agitée. Elle désirait servir à M. de Gurcy quelqu'un de son monde et ne savait trop à qui faire appel. Sans oser avouer sa pensée à son mari elle lui dit négligemment : « Tu n'as pas une idée à me donner ? Je cherche quelqu'un qui corderait avec ce M. <de> Gurcy, pour qu'ils puissent parler ensemble de leur faubourg. — Hé bien ! et la princesse, est-ce que ça ne lui suffira pas ? » Mais le lendemain elle était revenue à la charge. « Te rappelles-tu Forcheville qui est venu autrefois ici. C'était un homme agréable. Si je lui faisais signe[a]. » Tandis que dans le faubourg Saint-Germain où M. de Gurcy était si connu et sa situation si considérable, la particularité de ses mœurs était soit ignorée, soit mise en doute et en tout cas cachée, dans le milieu que fréquentait le sculpteur et plus d'un des fidèles des Verdurin, le nom de M. de Gurcy n'était connu au contraire que comme synonyme d'homme d'une mauvaise réputation. Et la conclusion qu'ils en tiraient alors que non seulement son nom lui eût toujours donné une des plus grandes situations du faubourg Saint-Germain, mais que cette situation à cause de son agrément, de l'exclusivisme de ses relations exceptionnelles, était plus grande même que son nom ne le comportait, c'était qu'il devait être mis au ban de la société et n'y être reçu par personne, idée qu'aucune notion sur les différents salons, les différentes situations mondaines ne pouvait venir infirmer. On sent du reste combien dans certains milieux artistes, de mauvaises réputations vraies ou fausses sont crues comme articles de foi, avec la naïveté de collégiens à qui une maquerelle a raconté qu'elle avait les plus grandes dames de Paris dans son établissement[b]. Le sculpteur voulut même avertir Mme Verdurin qui désireuse d'être agréable au pianiste qui était le principal élément de ses soirées répondit aigrement : « Quelle bêtise ! Je sais ce que vous voulez dire. Vous confondez avec quelqu'un du même nom qui n'habite plus la France. Du reste ce serait vrai que je vous dirais que cela ne serait pas compromettant pour moi. » Le pianiste avait prévenu qu'ils viendraient en automobile. « Pour cette fois, passe, dit Mme Verdurin à son mari. Mais tu seras bien bon de dire à ce monsieur que je préfère qu'on prenne le train. Comme cela on sait sur qui on peut compter. Avec les automobiles on a des pannes, on arrive à la fin du dîner, on ne vient pas du tout. Ils viendront tout bêtement comme tout le monde. » Mme Verdurin était nerveuse de voir que la princesse ne venait pas. Elle s'imaginait que M. de Gurcy aurait été plus content pour le premier soir et aurait eu une meilleure opinion de son salon, si il y avait retrouvé une femme de son monde. Du moins elle avait Forcheville qui contre toute attente avait accepté, peut-être en vertu de cette loi que les gens qu'on désire le plus et qu'on craint le plus qui ne viennent pas sont toujours ceux qui viennent ; et que les personnes sans notoriété auront toujours quelque *[un mot illisible]* en vue, quelque vieil ambassadeur qui n'irait pas dans un milieu plus mondain où il croirait avoir l'air d'aller pour son plaisir mais qui est heureux de faire plaisir à des gens pour qui il sent qu'il est un personnage[a], ce qui parut une gaffe au sculpteur, persuadé que M. de Gurcy n'était pas reçu dans le monde des de Forcheville[b]. Aussi fut-il un peu surpris après l'arrivée de M. de Gurcy, mais il le fut bien davantage de voir au salon M. de Forcheville lui faire un grand salut. M. de Gurcy qui le connaissait à peine du Jockey eut l'amabilité de le traiter en homme du même monde en lui adressant le sourire d'intelligence qu'on fait à quelqu'un qu'on rencontre dans un mauvais lieu, ou chez un préfet et qui signifie : « Je comprends tout le sel qu'il y a vous un homme du monde à vous voir en goguette dans les salons du ministère. » Quand on se fut assis[c], M. de Forcheville, qui était sur un fauteuil, voyant M. de Gurcy debout <fit> mine de se lever et de lui offrir son fauteuil. « Mais voyons mon cher, je vous en prie » dit M. de Gurcy en le rasseyant de sa main appuyée sur son épaule comme s'il ne voulait pas, par grâce, accepter une offre qui lui était due[d].

« Mais[e1] je vous en prie, comment donc ! » dit M. de Fleurus, indiquant[f] par le ton de sa protestation qu'il interprétait comme un devoir que Forcheville avait voulu lui rendre, une préséance qu'il avait voulu lui reconnaître, ce qui n'avait peut-être été de la part de l'autre qu'un geste de vague politesse. M. de Fleurus désirant appuyer sur cette interprétation ajouta : « Mais voyons *mon cher* », en le rasseyant familièrement avec la main sur l'épaule, ce qui voulait dire : « Vous voyez bien que je vous traite comme mon égal, quoique je sache aussi bien que vous que vous ne l'êtes pas. » « Hé bien ! par exemple, il ne manquerait plus que ça. Mais pourquoi ? (tant il avait envie de le lui faire dire) il n'y a pas de raison », et voyant qu'il ne parvenait pas à le tirer de la gorge de Forcheville : « C'est bon pour les princes du sang. Il faut réserver ça pour eux. Vous me faites penser à un monsieur qui m'a écrit : “Son Altesse le baron de Fleurus” et la lettre commençait par “Monseigneur”. — Ah ! en effet il allait un peu loin », dit M. de Forcheville qui se mit à rire. M. de Fleurus avait provoqué[g] son hilarité mais il ne la partagea pas[2].

« Tenez, pas plus tard qu'il y a huit jours chez le nouvel ambassadeur d'Autriche qui est de très bonne maison et qui sait très bien rendre à chacun ce qu'il lui doit, un valet de pied a demandé à ma belle-sœur pour quelle heure devait revenir sa voiture, et cet homme en garçon bien stylé a dit : “la voiture de Votre Altesse”. Eh bien ! ma belle-sœur s'est écrié : “Ah ! au nom du ciel, pas d'altesse, je vous en supplie, dites madame la duchesse tout simplement." Dame, qu'est-ce que vous voulez, quand on vous envoie des choses comme cela par la figure il n'y a pas besoin d'adresser de réclamations à un almanach[1]. Du reste dans un sens elle n'a pas tort parce qu'il n'y a rien de plus beau que les ducs français. Un de mes bons amis que j'ai perdu et qui était très féru[a] de Saint-Simon, M. Swann, me lisait souvent la page sur les ducs : "*[un blanc]*" Il les met très au-dessus des princes étrangers[2]. D'ailleurs j'ai montré moi-même que c'était mon avis puisque je me suis démis en faveur d'un de mes neveux de mon majorat de Rippegrefastein et vous savez que je ne porte[b] que le titre de baron de Fleurus[3]. — Mais je crois que ce sont les plus anciens barons de France après les Montmorency. — Comment après les Montmorency ? Évidemment Fleurus dans le sens que vous dites n'est pas en France mais c'est l'érection de L'Isle Adam qui a été transférée[c] à Fleurus. Les Montmorency, je ne dis pas que ce n'est pas une maison qui a été glorieuse dans la suite mais enfin quelle position avaient-ils en l'an mil ? Saint-Simon précisément montre très bien ce que c'était que toute leur chimère de première terre de France[4]. En tout cas la contestation si contestation il y avait a été tranchée pour toujours par Henri IV qui voyant dans une porte M. de Montmorency et mon aïeul qui tout en sachant son droit était timide et risquait de s'effacer : "Entrez, entrez mon cousin, lui cria le roi, M. de Montmorency sait trop ce qu'il vous doit[5]." Les Montmorency sont souvent revenus à la charge dans le cours de l'histoire, mais sans plus de succès. Cela ne nous a d'ailleurs pas empêchés, mon pauvre père et moi, de les soutenir dans un fameux procès qu'ils firent à Adalbert de Talleyrand à qui Napoléon III avait conféré le titre de duc de Montmorency[d6]. »

« Vous[e7] connaissez M. de Gurcy », avait dit d'un air étonné, avant son arrivée, Forcheville à Mme Verdurin. « Mais... oui. Vous le connaissez ? — Oh ! je crois bien, c'est-à-dire — il ne savait pas si Gurcy lui dirait bonjour — je le vois au Club. Mais il n'est pas aimé. Il ne salue personne. Moi je n'ai pas l'habitude de me jeter à la tête des gens[f]. » Mme Verdurin offrit le bras à Forcheville qui eut un instant d'hésitation et mit à sa gauche M. de Gurcy[8]. Une ombre passa sur le visage du pianiste. « Je vois que vous connaissez M. de Gurcy, dit plus tard Mme Verdurin[g] à Forcheville. — Oh ! je crois bien, depuis une éternité, il est charmant, d'abord nous sommes du même club. Un excellent garçon que Gurcy », dit Forcheville dont l'amour-propre reprenait le dessus maintenant que l'amabilité de Gurcy avait dissipé sa crainte d'être démenti par l'événement, et qui ne voulait pas que Mme Verdurin pût croire qu'elle l'avait lié avec Gurcy. « Il y a plus de vingt-cinq ans que je le connais. »

Au milieu du dîner arriva le docteur que la présence de M. de Gurcy fit paraître plus vulgaire que d'habitude à Mme Verdurin. Voulant avoir l'air de trouver toute naturelle la présence de son nouvel hôte, mais aussi avec des manières gracieuses[1] : « Nous venions de nous mettre à table pour ne pas faire attendre le vicomte qui avait passé la journée au grand air. — Où ça un vicomte, hurla Cottard avec une stupéfaction sauvage. — Ça vous prend souvent ? dit le sculpteur. Faut soigner ça », tandis que Mme Verdurin cachait son irritation sous une intonation du répertoire : « Mais le vicomte de Gurcy à qui je vous nomme, M. le docteur Cottard. — Ah ! bien, bien, bien, ça va bien », dit le docteur *[deux mots illisibles]*. Pendant tout le dîner, pour obéir à une impulsion <de> sa nature expansive et aux commandements de sa politesse de table d'hôte, il eût voulu parler au vicomte à côté de qui il était mais ne sachant trop comment il fallait lui dire, embarrassé comme devant un ancien camarade de collège dont on ne sait plus trop si on le tutoie ou non, ou dans une langue où on n'est pas sûr des conjugaisons, il cherchait à construire des phrases où il n'eût pas à lui parler directement et suppléait le reste du temps par mille petits clignements d'yeux à l'adresse de M. de Gurcy qui ne douta pas que ce ne fût un de ses pareils dont il ne se rappelait pas où il l'avait rencontré, qui voulait lui faire des signes d'intelligence et lui rappeler qu'ils en étaient tous les deux[2]. Mais à la fois par coquetterie qui se raidit contre les avances, par colère de cette attitude de mauvais goût et cette familiarité, par peur d'être remarqué par Mme Verdurin et de faire de la peine au petit pianiste par qui il se croyait aimé, M. de Gurcy prit un air glacial qui fit rentrer Cottard dans son assiette. Il n'accueillit pas beaucoup mieux la conversation du sculpteur[a] qui comme il lui avait dit que ce milieu était intelligent, qu'il y avait des gens de talent, des artistes, lui répliqua, pour lui montrer qu'il était aussi un homme du monde : « Surtout ce qui est agréable, c'est qu'il y a mêlé à cela un élément aristocratique très élégant, comme le marquis de Forcheville que vous voyez, comme la princesse Sherbatof[b] qui devrait être ici. Je préfère cela aux milieux artistes. — Ah ! » répondit sèchement M. de Gurcy qui vint[c] causer avec moi. Il ne restait plus trace depuis longtemps de la froideur que M. de Gurcy m'avait marquée à la suite de notre retour de chez la princesse de Guermantes. Il m'y fit allusion ce soir-là en me disant : « Je suis toujours porté à être d'autant plus aimable avec vous que je vous dois une grande reconnaissance. Vous avez généreusement refusé de me laisser encombrer ma vie de la lourde charge de votre éducation intellectuelle et morale. À vrai dire je crois que vous avez refusé mon présent parce que vous n'avez pas su en deviner le prix. Mais quel repos je vous dois, quel loisir, quelle tranquillité. Je vous bénis souvent mon cher ami. » Je profitai du petit prestige que je croyais à tort que l'amabilité de M. de Gurcy devait me donner aux yeux de Mme Verdurin pour lui dire que j'aurais le grand désir de connaître Mme Putbus[1]. Je voulais que Mme Verdurin sût mon désir pour me prévenir au moins quand elle aurait Mme Putbus. Car la santé de ma grand-mère était mauvaise depuis quelque temps, j'étais obligé de rester beaucoup avec elle, souvent je ne pourrais pas venir aux réunions du petit noyau et j'aurais pu manquer précisément les jours où Mme Putbus serait là si on ne m'avertissait pas. Aux mots de grand-mère malade Mme Verdurin prit un air froidement indifférent pour dissimuler l'ennui poignant que lui donnait cette cause inopinée de lâchage. « Mais du reste je crois que vous avez dû... rencontrer... autrefois... ma grand-mère... à Combray... ou à Paris, chez ma grand-tante. » Mme Verdurin qui était dépourvue d'amabilité aristocratique, ayant vaguement conscience que mes grands-parents n'avaient pas désiré être en relations avec elle, jugea à propos de m'en parler du ton le plus dédaigneux : « Mais oui je crois bien. Comment ce vieil Amédée qui prisait c'est votre grand-père, mais il doit avoir cent dix ans. — J'ai perdu[a] mon grand-père madame. — Ah ! vous ne deviez pas vous amuser chez lui. Moi je vous dis ça je n'en sais rien, mais c'était un milieu que je fuyais comme la peste. Des gens qui partaient en guerre avec des grandes phrases longues comme le bras. Est-ce que ça vous impressionne beaucoup les grandes phrases ? Vous aimez beaucoup ça les grands mots, les gens qui font des phrases ? Je vous préviens, ce n'est pas le genre de la maison[2]. »

Elle connaissait Mme Putbus, mais moins que je ne croyais. Elle l'avait eue dernièrement à dîner et ne pouvait pas la réinviter tout de suite, mais cela ne tarderait pas trop. « Alors, madame je vous demanderai de me prévenir parce que si ma grand-mère est souffrante je ne voudrais pas trop la laisser. — Mais est-ce que vous croyez que ça lui fera du bien que vous ne veniez pas ici ? J'espère bien que vous n'allez pas nous lâcher. Mais qu'est-ce qu'elle a cette pauvre dame, moi vous savez je ne lui souhaite pas de mal, à cette bonne femme. Je voudrais qu'elle soit vite guérie, surtout pour que vous veniez régulièrement. Vous n'avez pas demandé conseil à Cottard ? Vous devriez. Ah ! je ne sais pas s'il pourra. Il a une immense clientèle. Mais pour moi, je crois qu'il le ferait. Voulez-vous que je lui en parle[b] ? »

Cependant M. Verdurin[3] pour justifier aux yeux de M. de Gurcy qu'il ne l'eût mis qu'à gauche et surtout pour le plaisir de parler nuances mondaines à un homme du monde, momentanément son inférieur puisqu'il lui accordait ou non telle ou telle place, lui dit : « Je vous ai mis à gauche seulement. — Mais cela n'a aucune importance, *ici*, répondit M. de Gurcy. — Non, non, permettez, insista M. Verdurin, c'était à dessein. J'avais d'abord pensé à ne pas m'occuper des titres, cela ne compte pas pour nous. Mais du moment qu'il y avait Forcheville, comme il est comte et que vous n'êtes que baron. — Mais monsieur[a] je suis aussi prince des Laumes, répondit-il[b] à M. Verdurin étonné. D'ailleurs je vous le répète, la chose est sans importance. J'ai bien vu que vous n'aviez pas l'habitude[c][1]. »

Et à partir de ce jour[2] deux fois par semaine on <vit> dans la salle des pas perdus de la gare Saint-Lazare M. de Gurcy, devenu fort gros, et tout blanc de cheveux, se diriger en se dandinant vers le train de Ville-d'Avray[3], une rose à la boutonnière, le nez poudré et les lèvres rouges d'un fard que la lumière crue de l'après-midi rendait plus visible et que la chaleur faisait couler. Il jetait sur la foule innombrable d'inconnus, voyageurs, ouvriers, collégiens, militaires, ecclésiastiques, qui remplissent une gare un regard furtif à la fois inquisiteur et timoré, et baissant aussitôt les yeux avec la réserve d'une fiancée fidèle ou d'une jeune fille bien élevée, se dirigeait vers le train de Chatou, les yeux baissés. Tous les fidèles étaient persuadés qu'il ne les avait pas vus, et pourtant dès qu'on venait lui dire bonjour, la main se tendait, quand <on> était arrivé à la distance convenable. À moi seul le bonjour était un peu plus froid et cinglant : « Bonsoir monsieur ! » Le plus souvent il arrivait seul et se mettait dans un coin où <on> venait le trouver si on voulait, comme la princesse[d]. Quant à elle, elle ne vint plus pendant quelque temps. Elle disait qu'elle était souffrante. En réalité la nouvelle que le vicomte de Gurcy[e], cousin de sa mère par les Czartorysky[4], qui l'avait connue autrefois et connaissait à merveille son histoire, devait venir dîner chez les Verdurin, l'avait inquiétée et elle avait attendu, mais M. de Gurcy était trop honoré du monde, c'est-à-dire trop confiant dans sa prééminence personnelle pour chercher le moins du monde à se faire briller aux yeux des Verdurin en jetant le discrédit sur la princesse Sherbatof. Quand on avait parlé d'elle il avait gardé un silence déférent. Et ses réponses évasives aux questions qu'on lui avait posées à son sujet, sans contredire à la vérité, ne pouvaient la faire soupçonner à des personnes qui ne l'avaient pas d'avance dans l'esprit. Le lien qu'il y a entre quelques mots que nous disons et l'idée à laquelle ils correspondent dans notre esprit et que les autres ne savent pas est trop subtil pour qu'ils puissent le saisir et il en est de la conversation des gens biens élevés comme de la musique descriptive qui ne peut donner à l'auditeur l'idée de ce qu'elle veut peindre que si on a commencé par l'avertir. Mais devant le wagon de Gurcy les premières fois, une pudeur fit hésiter Cottard. Pouvait-il vraiment faire monter sa femme avec lui ? Et son œil hésitait, s'arrondissait, s'aventurait[a] hors du lorgnon, consultait en souriant les autres fidèles. Ils se hasardaient, montaient, et bientôt, quand elle eût vu que l'insistance des Verdurin à ce qu'elle[b] revînt ne diminuait pas, et qu'ils lui parlaient sans embarras de M. de Gurcy, la princesse revint comme par le passé. M. de Gurcy feignait toujours de ne pas savoir si le pianiste venait ce soir-là ou non. Bientôt tous finirent par dominer la gêne qu'ils éprouvaient à se trouver à côté de M. de Gurcy[1] ; ils continuaient à avoir sans cesse en sa présence l'idée du goût spécial qui était caché en lui ; mais cette étrangeté même exerçait sur eux une espèce d'attrait. On était presque déçu s'il ne venait pas de voyager seulement entre gens comme tout le monde sans avoir auprès de soi ce personnage peinturluré, pansu et clos, comme une caresse de provenance exotique et suspecte, laissant passer la curieuse odeur de fruits dont l'idée d'y goûter vous soulève le cœur[c]. Et à leur insu cette étrangeté leur parfumait sa conversation au point que celle des plus intelligents d'entre les fidèles, de Crochard par exemple, paraissait fade à côté. Au début ils l'avaient trouvé intelligent malgré son vice. Maintenant s'ils le trouvaient plus intelligent que les autres c'était sans s'en rendre compte à cause de cela. Les moindres maximes que, adroitement provoqué par le sculpteur ou le sorbonnien, il énonçait sur l'amour, la jalousie, la beauté, prenaient aux yeux de ses interlocuteurs, à cause de l'expérience singulière, inconnue d'eux, où il avait puisé, prenaient ainsi dépaysées et travesties, le piquant, l'originalité apparente et le charme de ces réalités psychologiques peu différentes de celles que nous ont offertes de tout temps notre théâtre ou notre littérature, mais qui prennent pour nous un accent nouveau dans un roman russe ou si dans un drame japonais, elles sortent du masque d'un acteur.

M. de Gurcy devinait-il vaguement autour de lui cette curiosité et éprouvait-il à l'entretenir un plaisir de cabotinage ? Peu à peu, à force de connaître comme sien, un vice qui d'abord avait dû lui apparaître comme quelque chose d'extraordinaire, avait-il inconsciemment supposé qu'un même travail s'était fait chez les autres et qu'il pouvait divulguer sans danger ce qu'il contemplait sans horreur ? Tout simplement[2] en vieillissant n'était-il plus aussi maître de ses réflexes, se laissait-il dans ces moments d'alourdissement aller jusqu'à dire un moment ce qu'il pensait, chose qui ne lui était pas arrivée depuis bientôt quarante ans et le masque qu'il portait attaché depuis ce temps commençait-il avec le vieillissement de tous les organes, à ne plus adhérer aussi exactement à son véritable visage ? Ou était-ce librement qu'il le soulevait pour se rafraîchir un peu dans les brûlants trajets en wagon entre Paris et Ville-d'Avray où le plus correct éprouve à un moment le besoin de se mettre à l'aise, et où le fard lui coulait des lèvres ? Se croyait-il[a] tellement supérieur comme grand seigneur à ces obscurs roturiers, qu'il trouvait sans importance de laisser voir devant eux ce qu'il eût caché devant des gens du monde, comme faisait son frère quand à sa fenêtre il se rasait en chemise sous nos yeux ? Cet état d'esprit nouveau où la découverte par certains des particularités de sa vie lui apparaissait non plus comme un secret terrible qu'il fallait avant tout cacher, mais comme une source d'intérêt, une sorte de talent d'acteur négligé jusqu'ici et qui pouvait plaire en société, était-<il> la raison du plaisir qu'en dehors même de la présence du pianiste il semblait prendre au milieu des fidèles et dans le petit noyau ? Toujours est-il que quand par exemple le petit pianiste[b] disait qu'il avait trop chaud, M. de Gurcy lui arrangeait son col, touchait son cou, essuyait sa transpiration, défaisait sa cravate et en finissant lui pinçait l'épaule en disant : « Voilà mon enfant, vous voilà arrangé, les enfants, ça ne sait même pas défaire son col quand ils ont trop chaud pour ne pas attraper froid après. Il faut qu'une vieille maman gâteau comme moi les bouchonne comme des nouveau-nés ! » Et d'autres fois même nous montrant comme des traits merveilleux des propos fort insignifiants du pianiste, il ajoutait : « Comme je lui ai dit : "Mon enfant pour la peine il faut que je vous embrasse[c]." »

Un jour où il arrivait par un après-midi torride, dans le wagon où il n'y avait que Crochard, le sculpteur et moi, s'éventant avec un journal et disant de sa voix qui rythmait les mots de façon de plus en plus précieuse avec les années : « Il faut bien que ce soit pour le plaisir de dîner chez Mme Verdurin que je pénètre dans une fournaise pareille. Dire que j'étais chez moi à déguster des boissons fraîches, les volets clos, avec des personnes jeunes et peu vêtues », Crochard ayant interrompu : « Des femmes, marquis ? » M. de Gurcy se mettant à rire nous dit : « Est-il bête ? » Et à Crochard : « Vous voulez me faire causer mon bel ami, *tuch, tuch*, vous ne saurez rien. Sont-ils curieux ces hellénistes. On dira ça à vos petits élèves, qu'on vous donne une mauvaise note[1] ! »

Esquisse XII
[RÊVES DES PARENTS]

[Dans le Carnet 1, quelques fragments annoncent les réminiscences de sa grand-mère par le héros, témoignant de l'ancienneté du thème des « Intermittences du cœur » dans le projet romanesque.]

Rêve de Maman[a1], sa respiration, se retourne, gémit —. « Toi qui m'aimes ne me laisse pas réopérer, car je crois que je vais mourir, et ce n'est pas la peine de me prolonger. »

Rêve[b2]. Papa près de nous. Robert lui parle, le fait sourire, lui fait répondre exactement à chaque chose. Illusion absolue de la vie. Donc tu vois que mort on est presque en vie. Peut-être se tromperait-il dans les réponses mais enfin simulacre de la vie. Peut-être n'est-il pas mort.

Rêve[c3], suivre rapidement des gens le long d'une falaise, au coucher du soleil, on les dépasse, on ne les reconnaît pas parfaitement, voici Maman, mais elle est indifférente à ma vie, elle me dit bonjour, je sens que je ne la reverrai pas avant des mois. Comprendrait-elle mon livre. Non. Et pourtant la puissance de l'esprit ne dépend pas du corps. Robert me dit que je devrais m'informer de son adresse, pour si on m'appelait pour sa mort, j'ignore son quartier, le nom de la personne qui la garde.

Ajoutages

Un[4] jour[d] ma grand-mère me dit : « Puisque Montargis est si gentil avec toi, moi j'ai eu peur de t'ennuyer en lui parlant. Un jeune homme[e] ça envoie beaucoup de fleurs, c'est ce qui fait la fortune d'un fleuriste, est-ce que tu pourrais lui recommander celui qui est dans la maison de sa tante, tu sais un jeune homme c'est distrait je suis sûre qu'il passe devant sans l'avoir seulement remarqué. Et ce sont des gens si bien. » Je ne sais pourquoi je considérais comme une manie irritante et bête et qu'on <ne> devait pas encourager cette manie de ma grand-mère de vouloir toujours profiter d'une occasion pour rendre service à des protégés. J'aurais voulu combler Montargis de gentillesses et par délicatesse ne lui en demander aucune, je répondis avec mauvaise humeur à ma grand-mère que c'était impossible, et elle, avec un doux regard qui avait l'air de se moquer de l'idée qu'elle avait eue, et d'être pleine de respect pour mes décisions et mes amitiés qui ne la regardaient pas me dit : « Mais je crois bien, fais surtout ce que tu trouves bien. » Mais de temps en temps en riant comme pour se moquer d'elle, elle disait : « C'est tout de même malheureux qu'on n'ait pas pu recommander ces fleuristes. Tu vas dire que je radote mais j'en reviens toujours à mes fleuristes. »

Et après sa mort tout d'un coup, le souvenir d'un de ses sourires à table, me rappela celui qu'elle avait eu en face de moi à déjeuner à Querqueville, pour s'excuser de la demande qu'elle m'avait faite et que je venais de lui refuser de recommander Brichot[5] à Montargis. Alors la petite déception que je lui avais causée s'imprima si douloureusement dans mon cœur que je ne pus pas la supporter, et comme une bouillotte à passer au courant électrique, je fus déplacé sur le lit où j'étais assis. Sans doute je savais qu'elle n'avait pas été malheureuse, que moi je faisais bon marché des choses qu'on me refusait, mais du moment que je ne pouvais plus le lui accorder, la prendre dans mes bras, lui dire : « Mais comment as-tu pu croire que je le refusais sérieusement ? », un monde où cette réparation n'était plus possible, ne m'était plus supportable, tous les plaisirs et toutes les douleurs du monde ne comptaient plus à côté de la douleur de ne pouvoir effacer la déception, le sourire triste et moqueur de son visage et du moment que je ne le pouvais plus je voulais mourir.

Sans doute plus tard cette idée se représenta souvent à moi et me laissa indifférent mais c'est qu'elle était dépourvue de cette partie supérieure, de cette crête que les idées n'ont pour moi qu'à certains jours, les seuls qui comptent dans la vie, les seuls où elles sont complètes et non d'insipides tronçons d'idées.

Ma grand-mère[a1]

Chaque fois que je rêvais d'elle je croyais qu'elle s'était couchée sans me le dire j'étais désolé je voyais Françoise passer furtivement. Elle était couchée mais pas encore endormie, mais elle me renvoyait vite, brusquement, comme si c'était trop tard de désirer la voir, que dans le jour je lui avais préféré tout le monde, et maintenant elle ne voulait pas me voir, et éteignant sa lumière elle feignait de s'endormir.

Esquisse XIII

[LES INTERMITTENCES DU CŒUR]

[Dans ces pages des Cahiers 48 et 50, l'épisode de la « résurrection » de la grand-mère et des « Intermittences du cœur » a lieu en Italie, où le héros a repris sa quête, interrompue par la maladie et la mort de la grand-mère, d'une expérience sensuelle, et de la femme de chambre de Mme Putbus, dont il a appris le départ pour Venise. Il semble qu'il y ait dans ces Cahiers, quelque peu mêlées, deux versions de la résurrection, la première au retour de Venise, et la seconde à l'aller.]

C'était[b2] un bruit à contretemps, l'un qui semblait boiteux titubait contre un très long, et ainsi de suite. Peu à peu je m'assoupis et j'entendis une plainte. Ma grand-mère était devant moi, dans son lit, le visage ravagé par la souffrance, ses cheveux gris collés par la sueur sur son front. Elle était blanche comme en ces jours où cette pâleur révélait la complète destruction que la maladie opérait dans ses organes, et que sans parler, ses beaux yeux ouverts, elle semblait constater avec désespoir en pensant qu'elle ne pourrait plus nous être bonne à rien. Mais maintenant soulevant le drap qui lui couvrait la poitrine, elle gémissait et pour la première fois je l'entendais sangloter et je voyais ses larmes. « Oh ! mon enfant », me dit-elle en pleurant, « toi qui m'aimais ne me laisse pas opérer, car je sais que je vais mourir, ce n'est pas la peine de me prolonger, on veut m'opérer de force, toi qui m'aimais viens à mon secours, tu ne me laisseras pas opérer, n'est-ce pas, promets-le-moi. » Et je me jetai sur elle en l'embrassant. Je fus réveillé. C'était Venise ; mais j'avais sous mes narines l'odeur des joues de ma grand-mère et j'entendais les dernières vibrations de sa plainte.

Je[a1] vis que ma mère avait cru que je ne viendrais pas, elle était rouge d'émotion et semblait se retenir pour ne pas pleurer. Sa main tremblait un peu. Je l'embrassai longuement en lui demandant pardon. « Tu sais », dit-elle, « ta pauvre grand-mère le disait. C'est curieux, il n'y a personne qui sache être quand il veut aussi insupportable que ce petit qui peut être si gentil. » Nous vîmes sur le parcours, Padoue, puis Vérone venir au-devant du train nous dire adieu à la gare comme ces connaissances faites dans les pays de passage[b] qui viennent nous saluer une dernière fois mais ne partent pas, et tandis que nous nous enfuyions vers Paris elles s'en retournaient, regagnant l'une ses champs, l'autre sa colline. Les heures[c] passèrent. Ma grand-mère m'apparut. Elle suivait un chemin qui menait à une gare, marchant le plus vite qu'elle pouvait. On entendait siffler des trains qui partaient, elle courait presque. Elle avait crotté sa robe[d], presque perdu une bottine, son chapeau était tout de travers et elle avait une éclaboussure de boue jusque sur son voile. Sa figure était congestionnée et elle avait si mauvaise mine que le cerne de ses yeux descendait presque jusqu'à sa bouche. Ses regards étaient indiciblement tristes, mais aussi pleins de colère, de rancune[e].

Était-ce[f] seulement une de ces brèves colères qu'elle éprouvait contre moi quand j'avais fait une faute, qu'elle affectait plutôt pour m'en punir ; ou bien avant de mourir, à ce moment où les plus désintéressés d'eux-mêmes[g] sentent le prix de la vie qui va les quitter, avait-elle aperçu quelle duperie[h] avait été la sienne, toute dévouée à un enfant dont lui apparaissait seulement l'égoïsme qui l'avait tuée. Et comme je courais avec un besoin[i] fou de la rattraper, de ne plus la quitter, de la rendre heureuse, au moment où je passais près d'elle, qui marchait avec une gaucherie et une fatigue disgracieuse qui faisait couler mes larmes, elle ne répondit pas à mon appel, rouge, essouflée, rancunière, m'ayant lancé un reproche plein de ressentiment et d'équité dans un regard irréconciliable qui semblait avoir percé mon corps car il me regardait au-dedans de moi, elle détourna la tête, et s'éloigna en essayant de courir. Soudain je ne pus plus avancer. Un employé, avec des mots grossiers lui criait que le train allait partir, elle essayait de donner un dernier effort, sa fatigue me brisait, je savais que son cœur malade pouvait s'arrêter tout d'un coup de battre. Toutes les angoisses que j'avais pu avoir d'être sans elle, <le> soir[a] à Combray, les jours de départ, quand j'avais peur pour sa santé, vinrent de seconde en seconde sans qu'en moi je les reconnaisse grossir[b] celle que j'éprouvais en ce moment, en firent une détresse comme je n'en avais connue de toute ma vie et de toute la puissance infinie de laquelle je n'aspirai plus qu'à[c] l'avoir près de moi comme autrefois. Mais je ne pus faire un mouvement ; le train se mettant en marche, elle monta les marches d'un wagon, trébucha, retomba, un employé brutalement, la blessant peut-être — ah ! si j'avais pu savoir s'il ne lui avait pas fait mal — la poussa comme un paquet dans le wagon et referma la portière, tandis que le train accélérant son allure s'éloignait et je sentais que ma grand-mère, sans plus d'affection pour moi, sans me pardonner, sans esprit de retour, s'en allait vers des pays que je ne connaissais pas, où je ne pourrais pas la retrouver, pour toujours[d1].

Et[e2] dans le même instant, comme si à la faveur de cette perturbation, une des atmosphères les plus profondes de mon âme, une des plus profondes de mes atmosphères, des plus éloignées de mon attention, des plus invisibles habituellement <revenait> pour la première fois à la surface, je vis[f] ma grand-mère, comme elle était ce soir de l'arrivée à Querqueville, triste et préoccupée de me voir si fatigué d'un voyage dont elle avait espéré tant de bien pour moi ; son regard tendre et déçu me perçait le cœur. C'était ma grand-mère, bien différente de l'image conventionnelle que je mettais sous son nom quand j'essayais de penser à elle, quand je déplorais sa mort, quand j'avais honte de ne pas en avoir assez de chagrin. Pour la première fois je me souvins d'elle. Comme si le calendrier des sentiments était en retard sur l'autre, c'était aujourd'hui seulement que j'apprenais que la personne qui était morte c'était elle, elle, cet amas de tendresse et de tristesse ayant pris corps qui en ce moment, gros comme un sanglot, me remplissait le cœur. Je voyais cette robe de chambre qu'elle avait revêtue pour pouvoir plus utilement se fatiguer pour moi, et ce visage dont chaque plan avait été incliné et modelé pour la tendresse, suppliant[g] quand elle m'avait dit : « Oh ! je t'en prie ne fais pas un mouvement. C'est un tel bonheur pour moi de t'aider ! Non tu n'es pas gentil si tu ne me laisses pas faire. » Je ressentis l'angoisse que j'avais éprouvée dans les rues de Querqueville, cette tristesse d'être sans elle que j'avais peur de ne pas avoir la force de supporter pendant son absence ; et pourtant ce soir-là je savais que deux heures après je la reverrais ! Et puis je la voyais quand elle était rentrée, quand elle était allée mettre sa robe de chambre pour pouvoir m'aider plus utilement. Tout près de moi, contre moi sans que plus rien de ma vie qui avait continué fût interposé, je voyais dans ce visage dont chaque plan avait été incliné, modelé pour la tendresse, l'air suppliant dont elle m'avait dit : « Oh ! laisse, ne fais pas un mouvement. » Je les revoyais sans que rien de ma vie qui avait continué s'interposât, tout près de moi, contre moi, sans intervalle de temps, dans l'instant qui précédait immédiatement celui où je me trouvais. Car l'ordre du temps est continu mais incomplet en chacun des moi intermittents que nous sommes. Et comme pour le moi qu'un cadre de circonstances analogues venait d'amener en moi, prendre la place des autres, comme il n'avait pas eu de conscience dans l'intervalle, pour lui, c'est-à-dire maintenant pour moi qui n'était plus que lui, l'instant où ma grand-mère m'avait aidé à me déshabiller venait à peine de finir, je pouvais entendre encore l'écho du bruit qu'il faisait en disparaissant comme nous entendons encore s'éloigner à l'instant du réveil, le rêve qui <vient> de nous quitter. Toute heure nouvelle vient prendre rang immédiatement après la dernière qu'il a vécue, même si le sommeil où il est resté plongé depuis elle couvre plusieurs années, et si pendant ce temps-là d'autres événements ont eu lieu qu'il ignore, il est vrai que ces résultats partiels de la vie de chacun de nos moi sont reportés dans le livre total de l'intelligence où ils se complètent ; mais ils n'y figurent qu'en exposants, y ont perdu toute vérité et <ne> nous laissent plus rien soupçonner de réel[a]. Et comme le moi qu'un cadre de circonstances analogues, une pince dont une branche était une certaine fatigue nerveuse et l'autre l'assaut des impressions hostiles émanées des objets inanimés, venait de ressaisir, et de maintenir en moi à la place des autres moi, avait été privé de conscience depuis le soir de l'arrivée à Querqueville, pour lui, l'instant où ma grand-mère m'avait aidé à me déshabiller venait à peine de disparaître, il semblait que j'aurais presque pu le rattraper encore, et j'entendais l'écho du bruit qu'il avait fait en s'éloignant, comme en ouvrant les yeux un dormeur perçoit encore les dernières traces du départ, de la présence, du rêve qui vient de le quitter. Et comme quand elle était là, j'aurais voulu me réfugier dans ses bras, effacer avec mes baisers l'air de tristesse que je lui voyais. Alors je ne fus plus qu'un seul être, que je pourrais à peine me figurer dans les périodes où je suis un autre, de même qu'alors je n'aurais pas pu comprendre un seul des points de vue qui avaient pu me sembler importants une heure avant, un être pour qui le monde réel était occupé tout entier par ma grand-mère, par l'horreur de penser qu'elle avait souffert. Toutes les autres personnes, sauf ma mère qui était comme un peu d'elle, ne comptaient plus. Aucun plaisir n'avait plus de sens pour moi ; qu'ils vinssent à moi ou non était indifférent. Je n'aurais plus été capable de les goûter. Il n'y en aurait eu qu'un pour moi, calmer en moi cette angoisse sans cesse renaissante avec laquelle je me rappelais les moindres tristesses de ma grand-mère. Et <les> dernières souffrances[a] de ma grand-mère pendant sa maladie, je les revivais exactement en souffrant autant qu'elle avait pu faire. Autant ? Plus peut-être. Car quand nous ressentons la douleur d'un être qui n'est pas nous, nous ajoutons à cette douleur un élément de plus, une tristesse d'un genre nouveau, qui n'est pas aussi facile à supporter que la souffrance et qu'on va parfois demander à la mort d'abréger. C'est par cet élément qui s'y mêle que la pitié est peut-être moins véridique que ne serait la conscience exacte de la douleur des autres ; ou plus véridique peut-être car il juge leur vie dans toute sa tristesse, qui leur était cachée à eux-mêmes. Hélas comme si cela n'avait pas été assez douloureux de me rappeler les tristesses de ma grand-mère auxquelles j'étais étranger, et celles que j'avais causées sans le vouloir, il fallut que je sentisse renaître nez à nez, toutes celles que pour un dépit, ou pour amener de propos délibéré ses traits au degré de tristesse où je ne les trouverais plus haïssables et pourrais me réconcilier avec elle, pour obtenir tel plaisir auquel je tenais et qui m'apparaissait aujourd'hui comme dérisoire ou odieux, <je lui avais causées,> comme le jour[b] où je l'avais effrayée de je ne sais quelles paroles dites *a parte* et sans aucune sincérité pour qu'elle me laissât — ce qui n'avait pas manqué — aller chez les Verdurin[1] — comme le jour où j'avais menacé de me tuer si elle ne me laissait pas emporter de bière et où à peine installée dans le wagon, comme elle avait baissé le store après m'avoir montré les barques sur la Seine au couchant, elle avait d'elle-même d'un <air> intimidé et triste, d'un air doux et presque fragile tiré elle-même la bière qu'elle avait préparée, l'avait versée tout plein le verre, détournant seulement les yeux pendant que je buvais.

Oh ! si j'avais pu[c] maintenant avoir auprès de moi son visage pâli et désillusionné, avoir le temps de lui enlever une à une <toutes> les inquiétudes qu'elle pouvait[d] avoir sur ma santé, sur mon avenir, qui s'amoncelaient en elle à la fin de sa vie et dont elle ne me parlait pas de peur de me faire plus mal encore, et à leur place en la persuadant que j'étais guéri, heureux, que j'allais travailler, si j'avais pu mettre une telle joie qu'elle ait pensé à l'avenir avec cette espérance qu'il y avait dans ses regards quand j'étais enfant, alors c'est sans peur que je l'eusse laissée mourir, confiante et consolée. Hélas de ce visage dont chaque plan avait été incliné et modelé pour la tendresse, et que j'aurais voulu ne pouvoir imaginer qu'heureux, n'avais-je pas parfois, simplement parce qu'elle m'y déplaisait arraché un petit plaisir, comme ce jour où Montargis avait fait sa photographie et où j'avais peine à ne pas lui laisser voir ce que je trouvais de puéril, de presque ridicule, à la coquetterie qu'elle mettait à avoir un chapeau rabattu, à être photographiée[a] dans un demi-jour. J'avais laissé échapper un mot d'impatience, et l'espace d'une seconde son visage s'était contracté. Hélas maintenant qu'était à jamais épuisée la provision des joies et des consolations que je pouvais lui donner, rien ne pouvait plus effacer cette contraction de son visage ou plutôt de mon cœur ; car comme les morts n'existent au plus qu'en nous, quand nous voulons nous rappeler les coups que nous leur avons portés c'est sur nous que nous frappons.

Cette tristesse particulière comme certaines souffrances physiques qui ne ressemblent à aucune autre imprégnait tout ce qui se rapportait à elle, aux derniers temps de sa vie. La porte vitrée de l'escalier qui avait été maintenue ouverte le jour où nous étions sortis ensemble pour la dernière fois, la chaudière de sa chambre où elle avait fait allumer le feu d'avance ce jour-là, dès que je pensais à eux dégageaient cette tristesse avec tant de force qu'ils en prenaient une sorte d'intensité, de réalité plus grande que le reste du monde et, capables de l'empoisonner tout entier, donnaient l'envie de mourir pour sortir d'une vie où ils existaient. Et pourtant cette tristesse je m'y attachais, car je sentais bien qu'elle était la souffrance particulière causée par le souvenir de ma grand-mère, et la preuve qu'à ces moments-là c'était bien son souvenir que je sentais en moi. Je sentais que je ne me souviendrais vraiment d'elle que dans la douleur, et j'aurais voulu pouvoir enfoncer sans cesse plus avant en moi ce cilice pour rester en communion constante avec elle. Mais les moments où nous pouvons prendre contact avec notre âme sont si rares, et ce contact est si instantané, si fugitif que ma douleur même m'échappait, comme toute impression vraie et profonde. Par moments la pensée la plus effroyable, celle du plus grand chagrin qu'avait eu ma grand-mère, à la mort de mon grand-père, essayait de se construire en moi, élevant ses piles des deux côtés de mon cœur qu'elle déchirait ; elle allait s'y former tout entière ; mais soit que mon cœur n'eût pas la capacité de souffrir, de contenir une douleur si colossale, soit que mon attention se dérobât sous elle et ne portât plus son élan, au moment où les arches allaient se rejoindre, elles s'effondraient comme une vague qui s'écroule au moment où elle achève d'arrondir sa voûte, et je restais sans pensée ; mais bien vite j'essayais de m'infliger à nouveau cette blessure car il n'y avait qu'elle qui parvenait à inculquer en moi la forme affreuse et pourtant bénie de ce qu'avait souffert ma grand-mère. Et pourtant alors je ne savais pas ce que j'ai appris après, que le dernier jour où elle ait pu parler, elle avait appelé ma mère et lui avait dit[1] : « Adieu, adieu pour toujours » mais n'avait pas eu la force de me dire adieu à moi. Et un moment après quand j'étais entré auprès d'elle, elle avait fermé les yeux et fait semblant de dormir. Mais dans cette chambre de Milan[2] où j'avais pour la première fois perdu — et retrouvé — ma grand-mère, il me semblait que j'avais retrouvé une noblesse qui me rendait moins indigne de comprendre ma mère et de vivre auprès d'elle. Toute une vie étrangère qui entourait et dégradait mon âme s'était momentanément effacée. Et à sa place, des souvenirs déchirants mais adorés, avaient remonté du néant où je les croyais à jamais ensevelis et pressaient mon front saignant mais rajeuni de leur couronne d'épines et de fleurs.

[il me semblait que] je retrouvais aussi une vie meilleure que je croyais à jamais loin de moi. Il me semblait que maintenant j'étais moins indigne de vivre auprès de ma mère, que je la comprendrais mieux. Toute une existence étrangère parasite qui était venue s'ajouter à mon âme s'était momentanément effacée. Et à sa place des souvenirs déchirants mais adorés, avaient remonté du néant, et pressaient tendrement mon front saignant mais rajeuni de leur couronne d'épines et de fleurs. Le matin vint ; mais je vis que je n'avais pas le courage de partir pour Venise. Certes il n'était plus question de la femme de chambre de Mme Putbus et je n'aurais eu aucun plaisir à la voir. Mais rien que la pensée de partir pour un lieu nouveau m'était intolérable, surtout un lieu dont je me représentais la beauté et en même temps que ma grand-mère n'y était pas. À peine j'avais pensé à la lagune, à un palais, à une église que je sentais tout cela tandis que ce <que> mon cœur demandait, répondait comme au jardin public[3] où petit enfant j'avais perdu ma grand-mère et dont chaque avenue, chaque pelouse répondait à mes investigations anxieuses et galopantes : « Nous ne l'avons pas vue. » J'écrivis une dépêche à ma mère lui demandant de venir me retrouver non à Venise, mais à Milan, d'où nous partirions ensemble pour Venise et tirant de ma malle la photographie de ma grand-mère qu'avait faite Montargis, je me rejetai sur mon lit, regardant cette photographie où c'était à moi comme toujours d'ailleurs que ma grand-mère pensait et souriait, comme si elle avait vécu toujours. Et certes si je pensais ainsi à elle, ce n'était que par lâcheté en attendant que ma mère fût là. Mais en dehors de ces heures où pour ne pas trop souffrir je feignais de me souvenir du passé comme s'il durait toujours, jamais[a], ni alors, ni plus tard[b], que longtemps après, je n'ai cherché à repenser ce passé autrement que sous la forme affreuse, incompréhensible que lui ajoutait le fait actuel de la mort. Je n'ai jamais cherché à me figurer ma grand-mère comme étant maintenant simplement absente, mais comme existant toujours, à m'entourer de ses portraits, des objets qui lui avaient appartenu, comme des reflets de son individualité toujours existante mais devenue invisible, à faire telle ou telle chose qui lui aurait fait plaisir, à mettre devant ses photographies les fleurs qu'elle aimait comme si quelque chose de ce goût survivait encore, à me faire croire en voyant son portrait qu'elle était encore là, qu'elle me connaissait encore, qu'entre ma vie et elle une harmonie subsistait. Non, c'eût été par peur de souffrir, manquer de sincérité, ne pas oser m'attacher à cette impression nouvelle atroce, que l'être qui semblait fait si expressément pour nous et nous pour lui que nous n'aurions pu ni lui, ni nous, sans horreur, en imaginer un autre, entre les milliards qui se seront succédés dans l'éternité des ans, que nous puissions lui préférer, ou seulement aimer autant, n'était pas un *[interrompu]*[a]

Cette[b1] impression si affreuse qui était l'impression même de la mort, cette impression que cet être[c] qui peut-être par un miracle de sa tendresse, m'ayant mis comme but, comme image, comme souffle dans chaque inflexion de sa voix, de sa pensée, de son visage, avait fait de nous deux quelque chose qui semblait tellement fait l'un pour l'autre, d'une façon si absolue, rétroagissant et anticipant sur tout ce que l'humanité avait jamais pu et pourrait jamais produire que je savais bien que ma grand-mère n'aurait pas échangé tout le génie et toute la vertu de tous les poètes et de tous les saints qui avaient pu paraître ou paraîtraient jamais sur la surface de la terre pour n'importe lequel de mes défauts, de mes faiblesses, de mes ridicules, et qui par là rétroagissait sur le passé et anticipait sur l'avenir, semblait d'une façon absolue être faite pour moi, cet être non seulement n'était pas fait pour moi, mais je n'existais plus pour elle, si elle m'avait connu un instant[d], elle m'ignorait pour l'éternité où nous ne nous retrouverions jamais mais comme si c'était un pur hasard qui nous avait rapprochés. Certes cette impression n'apprenait rien, pas même le néant, elle n'était que contradiction entre le souvenir d'un moment où il semblait qu'il y eût affirmation d'existence éternelle, et un instant où il semblait qu'il y eût affirmation de néant éternel. Et au moment où je me disais : elle ne me connaît plus, elle n'existe pas, elle ne me retrouvera jamais, elle ne sait plus qui je suis, mon souvenir refoulé s'élevait me rapportant dans sa montée même, tout le détail de sa pensée qui ne se rapportait qu'à moi, où il n'y avait que moi, la perception de ma mine, la connaissance de mes manies, la volonté de mon bonheur, et cela était tellement dans sa nature que cela ne restait pas enfermé dans l'instant où elle me l'avait témoigné mais projeté indéfiniment durant au-delà. Ma grand-mère recommençait d'exister, et d'exister à ma mesure, d'une vie où j'étais réel, où toutes nos pensées, toutes nos tendresses, tous les petits mots que nous avions et que nous seuls avions pour les exprimer étaient réels, et à la même seconde, <de> l'autre partie de l'impression comme certaines douleurs sont faites de deux sensations l'une d'élancement l'autre de refoulement, je voyais que ma grand-mère était un néant pour lequel je n'existerais jamais, que je ne reverrais jamais, et d'une façon si absolue que la réalité de notre tendresse se trouvait balayée en arrière, comme les simples gestes d'un passager que vous auriez rencontré sur un bateau et qu'une vague a balayé sur le pont. Tel était le langage incompréhensible et terrible que me tenait la mort. Vouloir lui substituer l'écho d'un nom aimé comme si la mort qui ne le connaissait pas en savait les lettres, donner un visage anthropomorphique à la mort, comme eût fait un peuple enfant, feindre que ma grand-mère vivait encore, pensait à moi, penser à elle comme à un être qui m'eût encore connu, eût gardé les mêmes délicatesses, c'était supprimer tout ce qui était difficile, impossible peut-être à comprendre, c'était m'empêcher de voir que tout cela était maintenant rien, alors que le fait que ce fût rien empêchait que c'eût jamais été elle, et le fait qu'elle eût été elle qu'elle fût jamais rien[a][1]. Cette opposition déchirante c'était ce que la mort avait inculqué dans ma chair même comme le sillon que laisse la foudre. Cette blessure je ne devais pas la laisser fermer car c'était la seule chose qui ne fût pas comme une idée ou comme une théorie faite par moi mais par la mort et qui pût m'apprendre quelque chose d'elle[b].

Le[c] visage de ma grand-mère était écrit dans une langue que nous seuls comprenions, qui ne s'adressait qu'à nous, dans une langue plus que natale, son regard[d] à quelque moment qu'on le surprît portait comme le vitrage bressan nos deux noms entrelacés[2], son inquiétude avait mon avenir pour point de mire, toujours autour de mon bonheur son sourire avait pris la forme. Ma vie s'appuyait à elle non pas comme à quelque chose d'extérieur mais comme l'eau au vase qui la contient ; ma vie était aussi incompréhensible sans elle qu'un mot sans les lettres qui l'écrivent.

C'était[e] un être qui était rempli de moi et l'expression de ses traits était comme une robe à qui la pensée[f] perpétuelle de ce que je faisais, de ce que je serais un jour, aurait donné la forme et tous ses plis gracieux et graves. En elle je ne retrouvais que moi, je pénétrais comme dans ma patrie, je lisais chaque impression faite par moi, écrite par moi dans notre langue natale qui n'était que pour nous deux. J'étais le sceau de sa nature, l'effigie de sa pensée. Et puis cet être qui était comme de belles lettres qui écrivaient mon nom avait été effacé comme de la neige qui ne sait ce qu'elle dit et qui maintenant dessinerait autre chose ou rien. Sa face était comme celle de cette planète où les lignes tracées semblent l'avoir été par une intelligence sœur de la nôtre et dont la perfection nous faisait espérer en l'avenir et qu'on dit maintenant être produite mécaniquement par des forces aveugles. Elle était ma grand-mère et j'étais son petit-fils. Elle s'étendait devant moi comme un beau royaume, où mon nom était proclamé et chéri, où on ne parlait que ma langue, qui vivait sous mes lois. Sa vue m'assurait que le point de vue de notre âme, de notre personne, était plus vrai que le point de vue de la quantité et de la matière, puisque nous sentions que tout ce que le monde avait pu produire d'êtres depuis le commencement du monde jusqu'à sa fin n'aurait pu me remplacer moi pour elle, elle pour moi, qu'entre nous il existait des rapports plus profonds, plus insaisissables mais plus certains qui nous faisaient défier que jusqu'à la consommation des siècles nous pourrions trouver un équivalent l'un de l'autre, que cette harmonie ne dépendait pas du temps, que nous étions unis l'un à l'autre au-delà du temps. C'était bien cela notre tendresse. Elle avait un caractère d'éternité. Et puis tout ce qu'il y avait de moi en elle, elle-même, c'était devenu rien, rien c'est-à-dire une chose qui ne me connaissait pas, qui ne me connaîtrait plus jamais, qui avant cette brève illusion ne me connaissait pas non plus, qui eût aussi bien aimé n'importe quel autre, à la place de qui j'aurais pu aimer n'importe quelle autre, qui ne m'était pas prédestinée dans le passé, qui ne m'était pas gardée pour l'avenir, c'était une étrangère. Une moindre fatigue la torturait, prises pour moi toutes les fatigues lui étaient délicieuses. C'était l'espérance de faire de moi un homme de valeur qui lui donnait la force de vivre. <Elle[a]> ne vivait que pour moi. C'était une étrangère. Nous ne nous étions rien. Dans l'infini de l'espace et du temps un hasard nous avait fait passer l'un près de l'autre. Ce qui est en moi[b] c'est cette impossibilité de penser à elle à la fois comme quelque chose de réel, de plus réel que tout ce à quoi je rapportais, je suspendais tout, les choses, les êtres, moi-même, mes pensées, mes actes, ma vie et puis à la fois comme à un être qui n'existe pas, qui n'existera plus jamais pour tout cela, ne reviendra plus le conditionner, n'a plus de rapports nécessaires, éternels et par conséquent n'en avait pas, avec moi. Je ne peux la concevoir que comme ayant avec moi un tel rapport et en même temps il me faut la concevoir comme rien[c].

Autre[a1] rêve à mettre un autre jour peut-être, par exemple en rentrant de Padoue.

Je m'étais endormi, j'étais à Balbec, j'étais sorti avec Montargis, mais je l'avais quitté parce que j'avais trop envie d'embrasser ma grand-mère, de passer la soirée avec elle, je rentrai et mon impatience des moments que j'allais passer avec ma grand-mère où nous causerions de toutes choses, et des gens, grandissait tellement que je me jetai presque sur Françoise : « Où est Madame ? » Françoise me barra la route : « Oh ! il ne faut pas entrer, Madame est couchée. — Mais je peux l'embrasser ? — Non, elle a eu quelque chose qui lui a fait peur, alors elle a fait un mouvement trop violent et elle a été reprise d'une nouvelle attaque, elle ne peut pas parler, le médecin a recommandé qu'on n'entre pas. — Alors je ne pourrai pas la voir ? — Ce sera très long, peut-être qu'elle ne se remettra jamais. »

Rêve[b2] que je tâcherai de mettre plus tard.

Je m'étais endormi, je m'étais mis à un grand travail que je continuerais chaque jour, ma grand-mère était dans la chambre à côté et je me disais : « Enfin ma pauvre grand-mère va enfin me voir travailler, elle qui l'a tant désiré, et puis qui a désespéré, qui a cru que ce jour ne viendrait jamais, qui y a renoncé pour toujours. » Et déjà je sentais la douceur de ses joues quand j'allais l'embrasser en tenant sa tête dans mes mains et en lui montrant ce que j'avais fait[c], la continuité de mes bonnes habitudes, elle entrait, je l'embrassais, et avant que j'aie pu lui dire que je m'étais mis au travail, elle m'annonçait qu'elle partait pour passer les vacances avec mon grand-père. Mon cœur battait et je sentais comme un reproche dans ce qu'elle ne pût pas imposer à mon grand-père de passer les vacances avec moi ; je me révoltais. « Où vas-tu ? » Elle me disait le nom d'un endroit de Suisse, je lui disais : « J'y vais aussi. » Elle avait l'air légèrement contrarié de cette menace, ne disait ni oui ni non, et je voyais bien qu'elle savait presque aussi bien que moi-même que je n'irais pas, que je savais bien que je n'étais plus capable de secouer les habitudes de vie qui pesaient sur moi. Mais je sentais palpiter près de moi le vent de solitude, cette angoisse de la séparation. Oh ! d'ici là qu'il allait falloir se dépêcher de la rendre heureuse, lui montrer chaque jour tant de travail fait, tant de sagesse, tant de raison, que peut-être elle allait se reprendre à espérer, à rajeunir, que nous allions tous passer des vacances ensemble, fonder une nouvelle vie, une vie heureuse. « Mais tu ne pars pas avant longtemps ? » Et sur le léger embarras qu'elle avait quand pour m'éviter un énervement elle m'avait caché le plus longtemps possible une décision et aussi quand elle avait peur d'une résistance à une décision indispensable et que pourtant j'aurais peut-être pu par des violences briser, elle me répondit, les sourcils légèrement froncés, la figure un peu rouge, les yeux ne me regardant pas : « Mais demain matin, il le fallait, ton grand-père est fatigué. » Et je sentais devant moi ma grand-mère qui m'était retirée, désespérant de moi, pleine de reproches pour moi, résignée à une vieillesse où elle aurait renoncé toutes ses ambitions. La souffrance que j'éprouvai alors n'était pas une souffrance inventée ; gonflant l'image de ma grand-mère d'un étouffement que j'avais vraiment ressenti, c'était l'angoisse que j'avais eue la veille du premier départ pour Querqueville quand ma mère m'avait annoncé la veille qu'elle ne viendrait pas avec nous, qu'elle passerait les vacances avec mon père[1]. Et cette douleur jadis ressentie donnait à l'image de ma grand-mère quelque chose de poignant, de vivant, d'actuel qu'elle n'avait plus depuis bien longtemps qu'elle n'était plus à l'horizon de mon souvenir qu'une petite étoile clignotante vers laquelle je levais un instant un regard sans pensée. En ce moment par une parabole de sa révolution, elle était à côté de moi, immense, brûlante, changeant en moi le régime de toutes choses, soulevant une tempête qui me bouleversait, me brûlait, me faisait battre le cœur comme certains cataclysmes atmosphériques. Hélas ma chère grand-mère était-ce la dernière fois qu'elle passait près de moi, comme une de ces comètes que nous ne reverrons plus durant notre existence humaine ?

Par[a] un miracle de sa tendresse qui dans chacune de ses idées, de ses intentions, de ses propos, de ses sourires, de ses regards avait enfermé ma pensée, <entre> ma grand-mère[b] et moi il semblait y avoir une conformité particulière, préétablie, qui faisait tellement de moi une chose à elle, son petit-fils, et d'elle une chose à moi, ma grand-mère, que si l'on nous eût proposé de nous remplacer l'un pour l'autre la femme la plus géniale, ou le plus grand saint qu'il y ait jamais eu depuis que le monde existe ou jusqu'à la consommation des siècles, nous eussions souri, sachant bien que chacun de nous préférait le pire défaut de l'autre à toutes les vertus du reste de l'humanité. Son être était esseulé[c]. Dans nos yeux comme dans le vitrage bressan nos initiales étaient entrelacées[2], son visage était rempli de ma pensée, il écrivait mon nom. Et puis son visage n'était plus qu'un nom effacé sur la neige, rien, et la neige qui ne sait pas ce qu'elle tient et sur qui on marque aussi bien n'importe quel trait sans signification ; elle était comme la planète où des traits auraient fait croire à une œuvre humaine, qui n'était qu'un plissement dû à des forces aveugles ; elle qui ne vivait que pour moi, d'une façon si absolue qu'elle anticipait dans sa préférence pour moi, toutes les possibilités futures de la vie humaine, elle ne me reverrait jamais, nos relations auraient duré l'instant, le hasard d'une rencontre, et jusque dans l'éternité elle ne me rencontrerait jamais, ne saurait plus ce que c'est que moi, je n'étais plus rien pour elle ; et pourtant si sur son visage je lisais cette pensée non seulement humaine, mais pour ainsi dire mienne, c'est que sur son visage, dans le croisement de ses mains, aussi bien que dans tout ce qu'elle faisait et disait, je sentais son être, sa vie, son intention qui l'emplissait jusqu'au bord et dont j'étais l'objet. Cela n'était plus dans un corps. Je ne savais plus où le loger. Cela n'était plus. Cela n'avait pu être[a]. Ainsi ce qui n'était plus, ce n'était pas seulement une pensée, c'était un être, c'était une éternité. Il y avait écrasement d'une chose qui semblait ne pas pouvoir mourir, par quelque chose qui ne pouvait pas la connaître. Alors je compris le sens de ce regard appliqué que je n'avais plus cessé de voir à ma mère, sauf dans les moments où elle évoquait quelque souvenir de ma grand-mère. Et je frissonnai en pensant qu'elle s'était posé le problème de la même manière que moi, et qu'elle pour qui ma grand-mère c'était tant de milliards de fois plus qu'elle-même — incommensurablement — elle avait commencé à ce point-ci : comment ai-je pu la perdre, comment a-t-elle pu me perdre pour l'éternité ? L'honnêteté de la pensée qui n'essaye pas de croire à quelque chose de sublime quand c'est la seule chose qu'on ne sacrifie pas à ce besoin de retrouver sa mère pour lequel on sacrifiait tout. Peut-être aussi elle ne voulait pas souffrir moins que ma grand-mère et se refusa la consolation d'espérer. Peut-être aussi parce que pour elle ce n'était pas comme pour moi simple loyauté de l'esprit, volonté de ne pas dénaturer ce qui lui venait de son passé, même sa souffrance et de la garder intacte. Pour elle retrouver ou ne pas retrouver sa mère, qu'elle ait été pour elle vraiment ou non ou ne l'eût connue que par hasard, c'était la grande affaire[b] de l'avenir, de la vie, c'était ce fond même auquel on tient bien plus qu'à soi et sur lequel on ne peut chercher à se tromper.

Mais[c1] en ce moment pour avoir le courage de vivre les deux jours qui me séparaient de l'arrivée de ma mère je pensais[d] <à> ma grand-mère comme si elle existait encore, je *[un mot illisible]* à son visage, je me redisais quelque fin mot d'elle. Je me demandais ce qu'elle eût pensé de tel ou tel événement récent, de telle personne que j'avais rencontrée et me laissant aller ainsi à la survivance de ma tendresse, j'écartais pour ne pas trop souffrir l'idée du néant qui la contredisait. Mais la synthèse entre les deux se refit dès que, m'étant un instant endormi, je me trouvai dans ce monde intérieur plus vrai, plus émouvant que l'autre parce que notre intelligence[e] et notre volonté restées paralysées sur le seuil, nous laissent sans réponse à la cruauté de nos impressions véritables, tandis que nous le parcourons, embarqués sur les flots noirs de notre propre sang, parcourant nos artères, que les grandes figures solennelles que nous y rencontrons un moment, nous regardent, nous quittent , nous apparaissent non en dehors de nous[a] comme ce que nous voyons dans la veille, mais en nous à mi-profondeur de notre chair, de nos organes devenus transparents, et sont perçues d'une connaissance charnelle, interne, placée sous la dépendance des troubles de notre estomac et qui élève notre température, accélère le rythme de notre respiration et de notre cœur ; parce que les moindres sensations de tristesse, d'effroi, de remords prennent une puissance infiniment plus grande injectées sous la peau. Ainsi embarqué sur les flots noirs de mon propre sang, parcourais-je les artères de ce monde souterrain comme un Styx intérieur aux sextuples replis. J'avais abordé sous des porches sombres, j'allais et je venais ; ma grand-mère existait encore, mais d'une existence diminuée, faible comme celle du souvenir ; mon père n'arrivait pas ; je le cherchais ; mais il faisait nuit, le vent faisait courir l'obscurité autour de moi ; la mer montait, j'étais éclaboussé par les vagues. Tout d'un coup mon cœur se durcit, la respiration me manqua. Je venais de me rappeler que plus de six mois j'avais oublié d'écrire à ma grand-mère. Mon Dieu, mon Dieu que doit-elle penser de moi, comme elle doit être malheureuse, dans cette petite chambre qu'on a louée pour elle comme pour une ancienne domestique[1], où elle est toujours seule avec la garde qu'on a placée près d'elle pour la soigner, sur la petite chaise de paille qu'elle ne quitte pas, car elle n'a pas voulu une fois se coucher, elle doit croire que je l'oublie depuis qu'elle est morte, comme elle doit se sentir seule et abandonnée. Oh ! j'ai besoin d'aller la voir, je ne peux pas attendre une minute, je ne peux pas attendre que mon père arrive, mais où est-ce, comment ai-je pu oublier son adresse, pourvu qu'elle me reconnaisse encore, qu'il soit encore temps, qu'elle ne soit pas tout à fait morte. Comment ai-je pu oublier pendant six mois ? Mon père ne va peut-être pas venir. Mais comment trouver, il fait entièrement noir, le vent m'empêche d'avancer, et la mer m'entoure. Mais mon père est devant moi qui se promène. Je lui crie : « Où est grand-mère, où est grand-mère ? dis-moi l'adresse. Est-elle bien, es-tu bien sûr qu'elle ne manque de rien ? — Mais non, me dit mon père, tu peux être tranquille. Sa garde est bien. On envoie quelquefois un peu d'argent pour qu'on puisse acheter le peu qui lui est nécessaire. Elle demande quelquefois ce que tu es devenu. On lui a même dit que tu allais faire un livre. Elle a paru contente, elle a même essuyé une larme. » Alors je me rappelle qu'un peu après sa mort ma grand-mère m'avait dit en sanglotant d'un air humble comme une vieille servante, une étrangère chassée : « Tu me permettras bien de te voir quelquefois tout de même, ne me laisse pas trop d'années sans te voir. Songe que tu as été mon petit-fils et que les grands-mères n'oublient pas. » Et revoyant le visage si humble, si malheureux, si doux qu'elle avait alors, je voulais courir immédiatement lui dire ce que j'aurais dû lui répondre alors : « Mais grand-mère tu me verras autant que tu voudras, je n'ai que toi au monde. Je ne te quitterai plus jamais. » Qu'avait-elle dû penser de mon silence, comme elle avait dû sangloter toute seule depuis six mois et c'est en sanglotant moi aussi que je dis à mon père : « Vite, vite, son adresse, conduis-moi. — C'est que ... je ne sais si tu pourras la voir. Et puis tu sais, elle est très faible, très faible. Et je ne me rappelle pas l'adresse exacte. — Mais dis-moi toi qui sais, ce n'est pas vrai ce qu'on dit que les morts ne vivent plus, ce n'est pas vrai tout de même puisque grand-mère existe encore. » Mon père sourit tristement : « Oh ! bien peu, tu sais, bien peu[1]. Je crois que tu ferais mieux de ne pas y aller. Elle ne manque de rien. On vient tout lui mettre en ordre le matin. — Mais tout le reste du temps elle est seule. — Oui mais cela vaut mieux pour elle. Il vaut mieux qu'elle ne pense pas, cela ne pourrait que lui faire de la peine. Du reste tu sais elle est très éteinte. Il y a pourtant des jours où elle a l'air bien triste. Vois-tu il vaut mieux que tu n'y ailles pas. Seulement tu as raison de vouloir savoir l'adresse. Je sais que c'est une petite rue près de l'École militaire. Il faudra que tu le saches pour pouvoir y aller si la garde te prévient quand ce sera la fin[2]. D'ici là je ne vois pas que tu doives y aller, ni ce que tu pourrais y faire, je ne crois pas qu'on te la laisserait voir[a]. »

« Mais[b] je vivrai toujours près d'elle vois-tu près d'elle, cerfs, cerfs, succinctement, Francis Jammes, cerfs, fourchettes, te recomposer, cerfs, cerfs, succinctement, Francis Jammes, fourchettes[3]. » En parlant ainsi à mon père je vois clairement ma pensée au fond de ces mots et sentant mon ardeur croître je les redis de plus en plus vite, tandis que ma respiration se précipita et s'essoufla : « succinctement, Francis Jammes, fourchette, cerfs, te recomposer ». Puis je m'éveillai. Je dis encore une fois, tandis que je reprends haleine : « succinctement, Francis Jammes, fourchette, te recomposer » mais déjà je n'apercevais plus cette logique si naturelle et si pressante qui les unissait tout à l'heure. Toute signification s'était échappée de cette phrase qui avait perdu toute vie et toute consistance comme l'écume qu'on trouve sur le rivage. Et bientôt le peu qui en restait s'évanouit.

À la fin de la journée je voulus aller jusqu'au Dôme, et pour me donner le courage de bouger, de remuer mon cœur blessé, je m'efforçais dans la rue de ne pas penser à ma grand-mère, mais seulement au monument que j'allais voir, à ce que je savais de son architecture. Tout d'un coup une impression de matin de rivière et d'automne, glaciale, éclaira <mon cœur> et avant qu'il eût eu le temps de goûter son charme, entouré d'elle[a] il se mit à battre convulsivement, avec une affreuse douleur. C'était le nom de <l'église voisine de la ville de garnison> de Montargis[1] que j'avais voulu aller visiter le matin de mon départ de la garnison parce qu'on m'avait dit qu'elle était de <la même famille> de monument que le Dôme de Milan[b]. Et c'est sans tenir compte du matin d'automne bleu et doré que je me dirigeais vers l'église qui m'apparaissait toute blanche à cause des claires voyelles de son nom, et c'était en tâchant de lutter contre le désir d'avoir le premier train pour revoir ma grand-mère plus tôt que je voulais connaître ce type d'architecture nouveau pour moi. Mais maintenant ces divers états qui luttaient alors l'un contre l'autre s'étaient réunis pour toujours. Sur le nom tout blanc, jouaient un glacial soleil d'automne, le reflet d'un fleuve bleu. Et au sein des pierres mêmes de l'église que je voulais connaître se crispait comme l'aile captive d'un oiseau fossile qui griffe encore la pierre du souvenir de sa palpitation ce besoin anxieux de revoir ma grand-mère. Alors comme si un vent plus fort que moi m'avait empêché d'aller plus loin et obligé à reculer, je tournai le dos au Dôme en baissant la tête, et je me mis à marcher à petits pas sous les arcades. Le crépuscule tombait poussiéreux et chaud. Des odeurs d'étoffe et de pommades sortaient des boutiques. Alors je me rappelai le premier soir à Querqueville où je m'étais ainsi promené en croyant que je ne pourrais pas vivre jusqu'au moment où je trouverais ma grand-mère rentrée à l'hôtel. J'éprouvais la même angoisse qu'alors, je revoyais les lettres d'or du casino, les élégantes dans la pâtisserie, la chaleur d'appartement que la foule entretenait par cette chaude soirée dans cette rue inconnue ; je me rappelai les petits chaussons que ma grand-mère était allée acheter ; et repris de l'angoisse que j'avais eue ce soir-là je m'arrêtai comme alors, par prudence, pour laisser à mon cœur le temps de se calmer. Mais ce soir à Querqueville je savais que dans deux heures je la retrouverais à l'hôtel ! Je repris le chemin de l'hôtel ; et quand par hasard le mot Dôme, ou Querqueville, ou tout autre en qui je démêlais le mal qu'il allait me faire avant de l'avoir pensé, je m'arrêtais net, je tâchais de tenir aussi ma pensée inerte, pour éviter[c] tout mouvement de corps ou d'esprit qui m'aurait fait trop mal, et jusqu'à ce que j'aie pu changer le cours de mes pensées et reprendre ma route, je restais ainsi sans bouger, avec cette impassibilité de ceux qu'a éteints et contraints à s'avouer vaincus la force d'un irrésistible destin.

À l'hôtel, la vue de la photographie de ma grand-mère que je tirai de la malle, malgré le souvenir de ma dureté qu'elle me rendait mais qui me faisait moins mal parce qu'il m'était resté presque tout le temps présent depuis la veille, me fit plaisir. Car sous son joli voile, avec ce beau sourire, elle avait l'air moins fatigué, moins triste que je n'avais craint et cet air de fête et de santé me donna quelque douceur et m'ôta un peu de remords. Le lendemain ma mère vint me chercher et le soir nous étions à Venise[1].

Un[a2] matin j'étais resté à rêver la gondole amarrée devant San Giorgio dei Schiavoni. Mes paupières s'étaient fermées dans un moment d'assoupissement, séparant des choses qui m'entouraient mon regard qui se tourn <a> vers le monde intérieur et <vit> ma grand-mère[b] assise devant moi dans un fauteuil, près de mon père. Je sentais[c] qu'elle n'était pas comme une autre personne, qu'elle vivait moins, si faible et n'ayant pas l'air de me connaître. Pourtant je l'entendais respirer et sans que je pusse arriver à amener sur son visage un sourire ou un regard d'affection, parfois un signe, un mot montrait qu'elle avait compris ce que nous disions mon père et moi. Je l'embrassais, je tâchais d'amener un peu de couleur sur ses tristes joues, un peu de tendresse dans ses yeux. Mais elle semblait absente d'elle-même, à peine me voir, ne plus m'aimer. Je ne pouvais comprendre le secret qu'elle taisait et qui la rendait si froide, si indifférente avec moi, l'air abattu et mécontent. J'entraînai mon père à l'écart. « Tu vois, lui dis-je, tout de même il n'y a pas à dire, tu as vu qu'elle a répondu exactement à chaque chose. C'est l'illusion absolue de la vie. Peut-être se tromperait-elle dans les réponses, s'il lui fallait dire plusieurs mots, mais enfin tous ses signes sont justes, c'est le simulacre de la vie. Et tu l'entends respirer. Si on pouvait faire venir mon cousin qui prétend que les morts ne vivent pas. Or voilà un an qu'elle est morte et en somme elle vit toujours. » Mon père secoua tristement la tête en souriant : « Oui je ne te dis pas, mais si peu, si peu regarde comme sa pauvre tête retombe. — Enfin pourtant elle va mieux ; pense il y a un an elle ne pouvait plus ouvrir les yeux, elle allait mourir, elle ne pouvait rien avaler, tu sens bien qu'elle n'est plus la même. — Oui je n'aurais pas cru en effet j'ai été bien surpris, mais regarde comme cela a été long et en somme le peu que nous avons gagné, elle est si faible. — Mais elle me voit ? — Oh ! si peu. — Tu sais qu'elle veut absolument aller au bois tantôt[3]. — C'est de la folie ! — Tu crois que cela peut *lui être fatal*, qu'elle peut mourir davantage ? » Et je retourne près de ma grand-mère. « Oh ! laisse-moi l'embrasser, n'est-ce pas tu m'aimes encore ? » Un faible sourire passe sur ses joues, je ne puis l'y arrêter. Mais enfin elle a souri, donc elle existe. « Voyons père, tu crois qu'il est impossible qu'elle revive comme avant. — Que veux-tu les morts sont les morts. »

Esquisse XIV
[VISITE D'ALBERTINE AU RETOUR DE « PHÈDRE »]

[Dans ces extraits du Cahier 46, Albertine, au retour de « Phèdre », rend visite au héros, qui revient de chez la princesse de Guermantes, visite précédée du « téléphonage ». La scène donne lieu à divers compléments et prolongements qui lui préparent de nombreuses résonances pour la suite du roman et la naissance de la jalousie, pour le deuil même d'Albertine dont le héros fera bien plus tard l'expérience.]

qui[a1] mettait tout près de moi un endroit éloigné du Paris nocturne et presque populeux m'appela au téléphone il me sembla que c'était mon cœur encore et pas seulement la sonnette qu'une main sans pitié agitait désespérément. C'était Albertine. « Je ne vous dérange pas en vous téléphonant aussi tard ? — Mais non... Est-ce que vous venez ? demandai-je d'un ton indifférent. — N...non, si vous n'avez pas absolument besoin de moi. » Mon cœur faiblit. Mais je pensai que tant qu'elle était là je pourrais l'obliger à venir ou bien lui dire que j'allais aller chez elle[b]. « Je suis près de chez moi. Je n'avais pas bien lu votre mot, j'ai eu peur que vous ne m'attendiez. » Je sentais qu'elle mentait, et j'étais décidé dans ma fureur à la forcer à venir. Mais je voulais d'abord refuser ce que j'allais m'arranger à obtenir dans quelques secondes. « Je commence par vous dire que ce n'est pas pour que vous veniez car vous me gêneriez beaucoup à cette heure-ci je tombe de sommeil. Mais il n'y avait pas de malentendu possible dans ma lettre. Vous m'avez répondu que c'était convenu. Alors qu'est-ce que cela voulait dire ? — J'ai dit que c'était convenu mais je ne savais plus trop ce qui était convenu. Mais je vois que vous êtes fâché, cela m'ennuie. Je regrette d'être allée à *Phèdre.* Si j'avais su que cela ferait tant d'histoires », dit-elle comme tous les gens qui en faute pour une chose font semblant de croire qu'on leur en reproche une autre. « *Phèdre* n'est pour rien dans mon mécontentement. — Alors vous m'en voulez. C'est ennuyeux qu'il soit trop tard, sans cela je serais allée chez vous. — Hé bien écoutez tout vaut mieux que de rester longtemps sur une impression de colère. Or je ne pourrai pas vous voir d'au moins quinze jours, donc je vais prendre un peu de café pour me réveiller et venez tout de suite. — Vous ne voulez pas remettre cela à demain ? » Tout d'un coup à ce désir dirigé vers en haut de revoir une figure qui est comme une fleur de géranium qu'Albertine m'avait fait éprouver à Balbec, remplissant mes journées du petit souffle exaltant qui me dirigeait vers le moment de la voir, je sentis que tentait douloureusement de s'adapter pour n'en plus faire qu'un seul sentiment infiniment doux et terrible, ce tendre besoin d'un être comme je l'avais autrefois de Maman quand Françoise venait me dire à Combray qu'elle ne pourrait pas monter me dire bonsoir. Ce ne fut qu'un éclair passager. Mais je sentis la possibilité d'un tel sentiment et la même angoisse que j'avais à Combray[a]. « Non demain je ne suis pas libre, ni je vous dis pas avant plusieurs semaines. — Bien alors je... vais venir, c'est ennuyeux parce que je suis chez une amie qui... » Je sentais qu'elle n'avait pas cru que j'accepterais qu'elle vînt et je voulais la forcer. « Qu'est-ce que ça peut me faire votre amie. Venez ou ne venez pas, c'est votre affaire, ce n'est pas moi qui vous demande de venir, c'est vous qui me le proposez. — Hé bien je saute dans un fiacre et je serai chez vous dans dix minutes. » Ainsi de ce Paris lointain des profondeurs nocturnes duquel avait retenti l'appel du téléphone, allait sortir pour venir près de moi cette Albertine jadis connue dans les soleils de Balbec. Je ne pensais plus à ce qui avait pu la mettre en retard, et ce fut avec une joie sans mélange quoique non apparente que je reçus la communication de Françoise : « Mlle Albertine est là. » Françoise s'était levée pour ouvrir. « Comment Mlle Albertine vient-elle aussi tard » demandai-je et aussitôt remarquant qu'avec un art[b] que la Berma n'eût pas dépassé, son costume qui portait les traces d'une hâte fébrile, sa mine grimée comme celle d'une malade, marquait la fatigue inouïe que cette visite lui avait causée et les risques de fluxion de poitrine, j'ajoutai pour ne pas avoir l'air de m'excuser : « En tous cas je suis bien content qu'elle vienne. » Et c'était vrai. Si j'avais dit : « Elle vient bien tard », c'était machinalement. Ma joie était si vive que je ne me demandais plus ce qui avait pu la mettre si en retard et d'où elle m'avait téléphoné. Mais Françoise me rendit toute ma souffrance en me disant : « C'est ce que je lui ai dit : que Monsieur avait dû avoir peur qu'elle ne vînt pas car elle vient bien tard. Une autre aurait peut-être eu du regret d'avoir tourmenté Monsieur. Mais elle devait être en train de s'amuser et n'y a guère pensé, car elle m'a répondu au lieu de me dire ce qui l'avait retardé : "Mieux vaut tard que jamais" avec un air de se fiche du monde. » Du coup je crus apercevoir Albertine au milieu d'amis qu'elle me préférait infiniment et pour rester avec qui elle n'était pas venue. Mais nous avions peu de temps devant nous, je me dis que si je commençais par des questions et des reproches, on n'aurait plus de plaisir à s'embrasser. Et elle était rose comme une fleur de *(voir le nom que j'ai dû mettre à Balbec ou un autre)*. Même sa figure vue de côté et comme écrasée par la perspective avait la forme et la largeur épaisse et charnue de la fleur. « Je peux prendre un bon, Albertine[1] ? — Tant que vous voudrez » me dit-elle car elle était aussi bonne que jolie. Sa peau rose était tellement ravissante que je ne pouvais pas me lasser de l'embrasser. « Encore un dernier bon ? — Bien sûr ! — C'est que ça me fait un grand, grand plaisir vous savez, lui dis-je. — Et à moi encore mille fois plus », me répondit-elle. « Oh ! le joli portefeuille, me dit-elle. — Je vous le donne, lui dis-je, gardez-le comme un souvenir, ne laissez pas mourir la turquoise » sans penser que le souvenir ne valait que par le sentiment que j'y mettais et ne serait pas plus capable d'en inspirer un à Albertine qu'il n'avait été capable de conserver le mien pour Gilberte. L'impression douloureuse que j'avais ressentie avait éveillé en moi des ondes analogues à celles qui tout un jour s'étaient élevées dans mon cœur quand j'avais été présenté à la dame aux yeux bleus à Balbec. Mais ces ondes finirent par mourir — comme je ne revis pas de longtemps Albertine — neutralisées par des impressions diverses. Je ne songeai plus à ce qu'elle faisait loin de moi. L'angoisse dans le genre de celle de Combray ne tenta plus de se rejoindre à mon désir d'Albertine et je recommençai[a] à ne pas me soucier de ce qu'elle pouvait faire dans les intervalles fort longs des jours où, désirant brusquement ses caresses, je la faisais chercher au dernier moment.

N.B. Peut-être je ne mettrai la lettre de faire-part Jupien et la mort de la princesse de Guermantes qu'après avoir vu Albertine pour que l'attente d'Albertine ne soit pas écrasée par le récit de la mort[b1].

*À[c2] mettre pas au recto en face mais au recto suivant vers la 5e ligne.

Mettre (capitalissime) quand elle m'a quitté la nuit de la soirée chez la princesse de Guermantes, la nuit du téléphonage.*

Elle était partie mais pendant de longues heures je ne pus détacher mes pensées de la large fleur rose et charnue qu'elle était tout à l'heure près de moi. Comme si elle avait été pressée entre les pages d'un livre, elle avait laissé dans mon esprit son empreinte, une sorte de vide qui gardait sa forme et qui m'était douloureux. Heureusement le lendemain matin, comme on essaye de ne pas porter le poids d'une impression, d'un regret, d'une solitude, je parlai longuement à ma mère des qualités d'Albertine, de la douceur dont serait pour moi une vie où je verrais souvent des êtres aussi gais. Ainsi son prochain retour annoncé en paroles me parut plus probable, la séparation moins cruelle, et surtout mon regret que je fis ainsi sortir en paroles cessa de graver cruellement sa forme. Une parole mena à d'autres et le souvenir d'Albertine fut peu à peu noyé dans d'autres impressions. Mais malgré tout dans les heures qui avaient suivi son départ le même désir de la revoir, de prolonger par la répétition des impressions incomplètes, désir que j'avais déjà eu plusieurs fois et notamment après le retour en charrette de XXX (le lendemain de la partie de furet[1]) avait reparu un moment comme dans une pièce de musique de chambre de Vinteuil une idée fait de temps en temps entendre son rappel que d'autres éléments musicaux écartent et font fuir. C'est à la phrase de cette sonate, la seule pièce de musique que je connus de Vinteuil (phrase qui pour Swann par exemple avait eu une tout autre signification car chacun, Swann l'avait bien deviné, devait se servir d'elle et elle ne connaissait pas les individus), que je comparais[a] ces fugitifs essais d'un amour pour Albertine contre lesquels tant d'autres éléments entraient en lutte. Mes autres amours ç'avait été autre chose et ce n'était pas avec la sonate de Vinteuil que je les comparais. Eux-mêmes étaient d'autres *[un mot illisible]* au sein desquels s'agitaient bien des éléments d'ailleurs. Du reste peut-être Vinteuil avait lui aussi donné le jour à d'autres créations, à d'autres créatures que sa sonate. On m'avait dit qu'il avait fait des quatuors qu'il lui préférait, mais que tout cela noté d'une façon abrégée et illisible était comme si cela n'était pas. Car le monde de l'esprit ne se suffit pas à lui seul. Et les réalisations matérielles ont dans l'enchaînement des causes et des effets des conditions toutes matérielles qui pour Vinteuil avaient manqué. La souffrance que lui avaient causé les relations de sa fille avec son amie, l'hébétude morale, l'aboulie suite de ses souffrances, laquelle l'avait empêché de copier ses quatuors et sa symphonie, puis sa mort, voilà ce qui avait empêché la réalisation matérielle et faisait que sa sonate seule était connue, mais elle était un monde si complet qu'on ne pouvait désirer plus. Car on n'aurait pas voulu qu'en d'autres œuvres Vinteuil cessât d'être lui-même. Et comment aurait-il pu rester lui-même c'est-à-dire créer des univers qui rappelassent sa sonate et pourtant fussent d'autres univers.

Pour[b] mettre quand elle est là et que je suis calmé (capitalissime) le soir de la soirée Guermantes.

Mon angoisse finie se résolvait dans une joie émue, ravie. Je sentais bien que cette joie était plutôt la réaction de l'angoisse finie, qu'elle ne s'adressait à Albertine et j'en étais assez content. Car si elle <s'était> adressée à Albertine j'aurais senti la difficulté de l'approfondir, de la prolonger. Telle quelle, ôtant de l'importance à Albertine dont la venue était un simple calmant je me disais que sa présence avait guéri le mal que son attente avait fait et que j'allais pendant quelque temps pouvoir être tranquille. C'est le propre des amours si d'une part ils ont déjà un numéro d'ordre assez élevé dans la série de nos amours, et si en eux-mêmes ils sont à leur début de nous apparaître à nous-même comme assez indépendants de la personne comme une alternance d'angoisses et de joies. Car n'étant pas nouveaux on n'y eſt pas dupe de l'illusion. Et étant récents on n'a pas encore forgé la nécessité causale. *Toute cette fin eſt KAPITALE.*

Mettre[a] après cette scène (capital).

Cette rencontre de Swann chez Mme de Guermantes eut pour effet que je reçus plusieurs lettres de Gilberte et fus invité plusieurs fois chez Mme Swann. Mais je me levais si peu, j'aimais tant à être seul, ma pensée était tellement ailleurs que je ne retournai pas chez les Swann et fis dire que je dormais quand Gilberte vint pour me voir. Je dus finir pourtant <par> lui écrire[b] pour m'excuser et la prier de m'excuser auprès de sa mère. D'un nom, ce n'eſt pas seulement la beauté poétique[c] — comme par exemple le nom de Guermantes — c'eſt aussi le pouvoir sentimental qui finit par disparaître. Ce fut sans aucune émotion et en finissant d'accomplir machinalement un devoir ennuyeux et remis de jour en jour que je traçai sur l'enveloppe le nom de Gilberte Swann dont je couvrais jadis mes cahiers pour me donner l'illusion de correspondre avec elle[1]. Mais ce nom dans ce temps-là c'était moi qui l'écrivais. Maintenant la tâche avait été <diſtribuée> par l'Habitude[d] à l'un de ces nombreux secrétaires qu'elle nous adjoint et qui pouvait le tracer avec d'autant plus de calme qu'entré récemment à mon service il n'avait pas connu Gilberte, et tout au plus avait entendu dire par moi, sans mettre aucune réalité sous ces mots que c'était une personne que j'avais autrefois aimée.

Pour[e2] ces choses de Paris je dirai quand elle sera morte :

Et cette Albertine parisienne se détachant sur le fond des ténèbres parisiennes où je l'envoyais chercher de temps à autre était peut-être pour moi la plus petite triſte<sse> de toutes. Car à cette époque-là je ne savais rien de ce qu'elle faisait dans l'intervalle de ses visites. Il eſt vrai que je ne m'en souciais pas. Mais le souci que j'en aurais eu maintenant, je l'y replaçais par la pensée. L'attente où j'étais d'elle certains soirs, comme celui où Françoise m'avait dit sa réponse « Mieux vaut tard que jamais », déjà impatiente alors, devenait aujourd'hui anxieuse. Et si je revoyais quelques-uns des petits bleus par lesquels elle me répondait, si le téléphone ayant été laissé dans ma chambre, j'entendais tout d'un coup près de moi un bruit de toupie, je revoyais tout d'un coup cet endroit inconnu d'où elle m'avait appelé à deux heures du matin, et j'éprouvais une souffrance spéciale où le charme d'Albertine était mêlé à l'idée de sa continuelle absence et l'attente dans la nuit.

Je[a] me rendais compte combien je l'avais peu connue alors et mon insouciance d'alors en laissant dans la nuit tout ce qu'elle faisait augmentait ma jalousie et mon désespoir de ne jamais ressaisir tout ce passé que j'avais côtoyé sans chercher à le connaître et où ses petits bleus retrouvés rallumaient çà et là une lueur si brève autour de laquelle régnait une irritante mais impénétrable obscurité.

Au[b] sujet de ces petits bleus retrouvés (mais il faudra parler au moins d'un en son temps). Je retrouvai le mot qu'elle m'avait écrit pour me dire qu'elle viendrait après le théâtre, le jour de la soirée chez les Guermantes *(si je ne peux pas trouver de meilleure lettre)* qui commençait ainsi : « Puisque cela ne vous dérange pas je viendrai vous voir ce soir », curieux échantillon du passé disparu, cette petite lettre pour laquelle n'existait pas encore le soir où Albertine allait venir me voir. Pour la relire j'étais obligé moi-même de compter[c] comme « des mesures pour rien le laps écoulé » et de reprendre avec elle *da capo* à la fin de cet après-midi-là et alors de marcher avec elle vers ce soir où elle viendrait, il me semblait l'attendre pour dans quelques heures et à la fois je savais qu'elle ne viendrait pas, puisqu'elle était morte.

Ces[d] petits bleus garderont du charme tant que je l'aime. Et ceux de Gilberte, de Mme de Guermantes, de Mlle de Silaria n'en auront plus. J'en aurai brûlé beaucoup pour faire place aux moindres d'Albertine. J'en aurai gardé certains qui pourront éblouir Albertine.

Dire[e1] aussi (capital) que rétrospectivement je me demandais si ce que j'avais pris seulement le soir de la princesse de Guermantes avant qu'elle vînt pour un simple désir sensuel, n'était pas pour que la crainte de son insatisfaction ait pu amener déjà une douleur si grande, beaucoup plus. Car peut-être les sentiments qui doivent exister plus tard en nous préexistent, comme mon amour pour Albertine. Seulement la possibilité de les assouvir les voile à nos propres yeux et fait qu'ils mélangent seulement du bonheur à notre vie. Mais non ; car souvent j'avais la liberté de me livrer aussi au plaisir d'un être et je m'en dégoûtais. Pour l'aimer il faut en deux stades que sa privation[f] vous le rende désirable puis que l'habitude vous le rende nécessaire.

Esquisse XV
[MARIA À QUERQUEVILLE]

[Le Cahier 64 contient de nombreuses pages consacrées aux aventures du héros avec Maria, personnage qui préfigure Albertine, au cours de trois séjours à la mer. Quand le héros retrouve Maria et Andrée la deuxième année, d'emblée lui viennent les premiers soupçons gomorrhéens, encore très fugitifs, à propos des tendresses des deux jeunes filles. Des additions amplifient toutefois ces soupçons. Le héros embrasse enfin Maria au cours de la troisième année, où ils séjournent tous deux chez M. et Mme de Chemisey.]

Quand[a1] je <décidai> de retourner l'année suivante à Querqueville j'entendis dire que Maria un peu souffrante n'irait pas cette année. Mais ni elle ni Andrée ne m'intéressaient plus. Une fois à Querqueville j'appris qu'elles étaient là, je ne les recherchai pas. Mais je les rencontrai et la vie de l'an passé reprit. Une des premières fois où <je> les vis, dans ces mouvements gracieux qu'elle avait, Andrée posa son menton sur l'épaule de Maria, inclina tendrement sa tête vers la sienne, et elle embrassa dans le cou Maria qui ferma à demi les yeux[2]. Ce n'était certainement que de l'enfantillage mais je ne sais pourquoi cela me donna le soupçon qu'il existait peut-être autre chose entre elles. Je n'en fus pas moins gentil avec Andrée mais cela m'inspira pour Maria une insupportable horreur. Tout ce qu'elle faisait me paraissait odieux, tout ce qu'elle disait me paraissait stupide, quand elle n'était pas là je ne cessais de dire du mal d'elle, quand elle était là je la traitais plus mal encore. « Ce que vous êtes changé pour Maria, me dit la petite à figure poupine qui ne faisait encore sur la vie que des remarques fort générales. L'année dernière tout ce qu'elle faisait était parfait, cette année elle n'est pas bonne pour les chiens. » Plus j'étais désagréable avec Maria, plus j'étais gentil avec Andrée, je lui parlais de plus en plus gentiment, je disais du bien d'elle à tout le monde, à Maria aussi, mais à elle peut-être en choisissant bien ce qui ne pouvait pas la lui rendre plus attrayante. Un jour où j'avais été trop dur avec Maria elle laissa les autres comme nous revenions passer un peu devant et me demanda ce que j'avais. Je lui expliquai franchement ce que je croyais, sans pouvoir d'ailleurs lui expliquer la colère que cela me donnait ; ou plutôt je lui dis qu'aimant Andrée cette idée me rendait malheureux[3]. Elle me jura avec tant d'indignation que c'était faux qu'elle me persuada assez facilement. Mais les moindres gestes, les moindres mots ranimaient mes doutes ; quand j'étais seul cette idée revenait me tourmenter et les jours qui suivaient j'accablais Maria de mes sarcasmes. Puis mes soupçons s'apaisèrent et pendant quelque temps je me sentis quelque penchant pour la petite poupine. De petits boutons qui n'étaient pas plus désagréables que des pucerons sur un rosier et qui font sentir le printemps couvraient ses joues. Mais ils devinrent un peu trop forts et je ne pus plus penser à elle. Pendant les semaines qui suivirent je me plus assez fort avec Maria. Souvent je pensais à l'aspect qu'avait eu son visage la veille, à telle chose gentille qu'elle m'avait dite, je pensais à l'injustice de mes persécutions ; je voyais ses yeux levés, sa main tendue, son air franc et je souriais. Puis je n'y pensais plus. Un jour il fut décidé qu'elle devait jouer dans une comédie de Marivaux qu'on devait jouer fort loin de là chez des parents du premier président que connaissait ma grand-mère[1]. Les autres jeunes filles n'y allaient pas. L'intérêt des comédies de Marivaux, la jolie impression qu'il y aurait à voir cela à la campagne, tout cela s'agita en moi et me fit à l'étonnement de ma grand-mère quand je reçus l'invitation dire que malgré l'éloignement j'irais. La chose était décidée quand je reçus une lettre de Montargis qui m'annonçait qu'il viendrait passer deux jours justement ces jours-là. J'éprouvai une sorte d'exaspération contre Montargis de me priver de ce plaisir si rare de voir jouer Marivaux dans ce décor champêtre. Et après une journée de tristesse et de colère je lui écrivis que je quittais Querqueville d'un jour à l'autre, qu'il ne vînt pas. Cependant Maria était de nouveau fatiguée. Elle dut manquer plusieurs répétitions. Sa famille finit par la forcer de rendre son rôle ; elle n'irait que comme spectatrice ; puis même on trouva que c'était trop fatigant, ou peut-être cela lui aurait-il fait gros cœur de voir une autre jouer à sa place ; elle resterait à Querqueville. J'avoue qu'en refaisant l'itinéraire, je me sentis moins de courage que les jours précédents ; le trajet me semblait bien long, la route bien fatigante. Marivaux après tout n'était-il pas aussi joli lu tranquillement à Querqueville, et je ne serais pas privé ainsi du bon goûter sur la falaise, sans fatigue, avec mes petites amies. Les bourgeois de Querqueville pouvaient bien si cela les amusait aller se fatiguer sur la route poudreuse, pour voir de petites cruches jouer du Marivaux. Ce que ce serait bon de rester à Querqueville. Le surlendemain qui était un dimanche[2] où je ne voyais pas mes petites amies, je causai avec plusieurs personnes de Querqueville, à l'une je fis l'éloge de Maria, à la seconde je dis du mal de Maria, à la troisième je parlai de l'avenue où habitaient les parents de Maria, je nommai les différentes villas, sauf-celle-là, je demandai si j'avais bien tout dit et je me fis redire ce que je savais très bien, la profession du père, le nom de jeune fille de la mère ; il faisait très chaud ; je fis une courte sieste ; à mon réveil, je retrouvai en face de moi la pensée d'Anna[3] ; le valet de chambre de l'hôtel vint prendre différents ordres ;

pendant que je lui parlais, l'image, le nom d'Anna[1] vinrent plus de trente fois à ma pensée, comme si cette image et ce nom pareils à certaines graines vivaces ou à certaines maladies cancéreuses avaient crû, multiplié, envahi de la répétition indéfinie de son germe identique le champ de mon attention. Je ne pus m'empêcher de lui dire deux ou trois fois son nom pour lui demander s'il la connaissait ; et quand je fus seul je pris le *Tout-Paris* pour voir si son adresse que je savais s'y trouvait, je fis acheter un annuaire des téléphones pour voir si j'y voyais son nom, et un plan de Paris où je pusse voir la rue. Avec une loupe je tâchai de distinguer le numéro de la maison. Puis je demandai où je pourrais trouver une liste des avoués à Rouen pour y trouver le nom de son père[a]. Je l'aimais. Et aussitôt sa personne, sa vie, ses actions m'étaient redevenues mystérieuses comme alors que je ne la connaissais pas. Sa demeure, ses parents avaient un charme infini. Les moindres actes de sa vie avaient une importance infinie. Elle était replongée dans le mystère, mais ce mystère était autre et il était plus douloureux.

Au[2] temps où j'aimais Mlle Swann, l'aveu me paraissait sinon le terme du moins une des étapes capitales de l'amour. Aujourd'hui surtout avec la légèreté mondaine de Maria, je sentis que je perdrais à ses yeux la moitié de mon prestige si je lui disais que je l'aimais. À Mlle Swann je disais : « Si je ne vous vois plus, je serais trop malheureux <mais> je vous aimerai toujours. » J'étais devenu plus rusé. À Maria je disais : « Ne me voyez pas trop, sans cela je suis capable de vous aimer. Garantissez m'en, collaborez avec moi pour que je ne vous aime pas », sachant qu'elle me dirait : « Mais je ne tiens pas à ce que vous ne m'aimiez pas. Au contraire je vais tâcher de vous voir. » Et à présent moi je savais bien que je mentais quand je lui disais que je l'aimerais moins si je la voyais moins ou si elle n'était pas gentille, quand je lui disais que je ne l'aimais pas et que j'aimais Andrée. Mais j'étais entré dans cette période de la vie où on cherche à éviter la souffrance, où je prenais des drogues contre l'insomnie, où on ne dit plus aux gens ce qui soulage notre cœur, mais ce qui peut amener le leur à nous donner le maximum de satisfaction possible. Et puis j'étais aussi dans cette période de la vie où nous ne tenons plus absolument à ce que les choses aient leur justification en dehors de nous, à ce que la littérature ait une valeur philosophique, à ce que notre amour soit justifié par la supériorité de celle que nous aimons ou par sa préférence pour nous. Si on m'avait dit autrefois que Mlle Swann ne m'aimait pas, mon amour pour elle serait tombé, j'aurais souffert mais j'eusse trouvé absurde de l'entretenir. Maintenant mon amour me paraissait un état subjectif assez agréable pour m'y complaire sans qu'il fût nécessaire qu'un état pareil correspondît dans l'être aimé. Sans doute quand Maria multipliait des preuves de son indifférence qui me faisaient de la peine elle me disait bien que c'eſt qu'elle n'avait pu faire autrement que d'aller dans tel endroit. Mais je savais bien alors qu'on fait ce qui plaît. Mais à défaut de preuves de son amour à elle qui n'exiſtait pas, les preuves de mon amour à moi, que j'éprouvais bien ce qu'on appelle amour, me plaisaient. J'éprouvais du charme quand je lisais que dans l'année... Chateaubriand délaissait toutes affaires pour aller voir, emmener promener Mme X, et je pensais que je faisais de même en allant consciencieusement tous les jours porter mes sandwichs au tennis ; sans doute Chateaubriand avait peut-être plus de plaisir avec Mme X, mais les joues que je n'embrassais pas il me suffisait de penser que c'était pour elles que j'y allais, mes regards les embrassaient et je pensais que je les embrasserais peut-être un jour. Chose singulière : j'avais toujours dit à Andrée du mal de Maria et elle avait l'air de me croire absolument ★(les deux hypothèses)★[1].

★À[a2] propos des deux hypothèses *essentiel.*★

Soit que Maria lui eût dit mes soupçons, soit qu'elle les eût devinés ou pour toute autre raison, elle avait confirmé quelque phrase vague et nette que Maria avait dite sur leur horreur des gousses. Et je ne peux pas dire que je surpris rien qui prouvait qu'elles m'avaient menti. Mais si les paroles d'Andrée disaient cela en revanche il y avait un autre langage qui semblait dire autre chose. Quand nous étions dans la salle de danse au casino et que certaines jeunes filles qui avaient très mauvais genre et étaient très jolies nous regardaient, Andrée détournait les yeux avec une exagération où il me semblait lire : « Vous voyez que cela ne m'intéresse pas. » Mais elle devait les avoir regardées à la dérobée, peut-être dans la glace, car si quelqu'un disait qu'elles n'avaient pas dansé, ou pas causé, ou pas bu, ou pas ri, ou ne nous avaient pas regardés, Andrée étourdiment rectifiait ce que nous avions dit et alors je voyais qu'elle avait mis autant de précision à les voir que d'affectation à ne pas les voir. Et si je parlais d'une jeune fille à laquelle je pouvais supposer qu'Andrée ou Maria faisait attention, je ne <le> leur laissais pas supposer. Mais Andrée s'en doutait-elle ? et avait-elle quelque chose à cacher ? Car si je parlais de cette jeune fille et disais : « Eſt-elle une grande jeune fille blonde que j'ai aperçue allant à l'église ? », Andrée demandait à ses amies : « Eſt-elle blonde ? Je ne l'ai jamais bien regardée », ce qui me semblait bien fort. Parfois quand une jeune fille causait avec nous, je la voyais entrer la regardant avec une attention, un sérieux, dans une rêverie profonde ; elle voyait que je m'en apercevais et alors elle détournait les yeux. D'ailleurs cela pouvait être seulement une manière de regarder qu'elle avait.

C'était[a1] un court moment de soleil qu'on avait là après le déjeuner car c'était déjà l'automne. Par moments il était si doux, il ajoutait aux feuilles, aux grappes, à leur ombre posée un instant au-dessus d'elles une telle douceur que l'ivresse qu'on ressentait qui ressemblait à la griserie des convalescents nous donnait par contrecoup leur nature fragile, nous restreignions nos forces à ce qu'il en fallait pour que cette si brève et si faible lumière nous montât à la tête, et bientôt le vent la chassait. Je disais : « C'est trop beau ici » avec exaltation et les Chemisey croyaient que je le disais par politesse d'invité, au loin on voyait la mer. « Il ne fait pas chaud, disait Maria, allons marcher », et nous partions. *Peut-être alors nous allons dans le petit bois.*

Maintenant à peine étions-nous seuls dans un endroit avec Edgar[2], qu'elle s'étendait, me faisait mettre près d'elle, et je commençais sous prétexte de la rafraîchir à promener mes lèvres sur ses joues, sur son *[un mot illisible]* sous ses manches défaites. Un jour que sa chemisette était entrouverte en montrant la naissance de sa gorge, je dis : « Vous n'avez pas trop chaud là ? — Si. — Alors je peux ? — Oui, si vous êtes convenable, sans cela je vous préviens, vous allez recevoir une de ces claques. » Je commençai et je fus, paraît-il, convenable car elle disait : « Il faut reconnaître que ce garçon a une manière d'embrasser vraiment merveilleuse. » C'était pourtant la même Maria — je n'en avais pas la sensation mais je le savais — qui avait pris si tragiquement à Querqueville[b] que je voulusse l'embrasser. Ainsi à quelques années de distance le même être peut être deux êtres différents, gardant le même corps mais avec une autre idée sur les mêmes choses, le même corps mais se laissant pétrir tout le jour en souriant voluptueusement par les mêmes caresses auxquelles il eût préféré la mort quelques instants avant.

Esquisse XVI

[ALBERTINE À BALBEC]

[Le Cahier 71 reprend le scénario de la deuxième année à la mer du Cahier 64 (voir l'Esquisse XV). Le directeur du Grand-Hôtel apparaît, les soupçons du héros naissent d'un baiser de Claire (ici le nom d'Andrée) dans le cou d'Albertine, mais la « danse contre seins » ne sera évoquée que dans une addition à une addition. Le rapprochement avec la scène de Montjouvain est quant à lui explicite dès le

premier soupçon. Plus loin, le Cahier ébauche la « désolation au lever du soleil » après la découverte de l'intimité d'Albertine et de Mlle Vinteuil ; le héros est accompagné de sa grand-mère, à laquelle il demande la permission d'épouser Albertine.]

L'année[a1] suivante peu de temps[b] avant que je parte pour Balbec, ma mère entendit dire que ni Albertine ni Claire n'y viendraient probablement cette saison. Mais ni l'une ni l'autre ne m'intéressaient plus, elles ne tenaient plus en quoi que ce fût à mon cœur, et dans le séjour que j'allais faire à Balbec je pouvais à volonté faire figurer leur présence, ou l'en retirer, sans que rien dans l'agrément ou l'ennui que j'attendais de ce séjour en fût changé. Quand j'arrivai à l'hôtel[c] je fus conduit à ma chambre par le directeur. C'était le directeur aux joues pustuleuses et à la voix détonnant à chaque instant pour éviter l'accent des différentes langues qui pouvaient chacune à aussi juste titre prétendre à être sa langue maternelle, et duquel le port de tête insolent, l'air visiblement « dégagé » m'avaient causé un tel malaise le soir de ma première arrivée. C'était la chambre où ce même soir-là j'aurais tant voulu ne pas coucher. Mais si vives que soient les premières impressions elles finissent par s'oublier. À chaque nouvelle gentillesse qu'il avait eue pour moi, à tel moment de franchise, d'énergie, d'air reconnaissant où je l'avais vu, j'avais été obligé d'ajouter une touche nouvelle à la figure du directeur, si bien qu'au cours de mon premier séjour j'avais dû finir par la redessiner entièrement. Le nouveau portrait que j'avais fait de lui, qui ne rappelait guère la première esquisse et débordait d'humanité, c'était ce que je me rappelais de lui, aussi c'est cela seul que je revis ; de même je n'avais plus la faculté d'apercevoir les meubles de la chambre inconnue devenue réellement ma chambre qu'à travers les innombrables regards que j'avais déposés sur eux, et qui leur avaient donné comme aux joues mêmes du directeur une agréable patine et une expression amie ; couchées sur le lit hostile et qu'elles me cachaient, mes siestes anciennes m'invitèrent à m'y reposer. La voix du directeur me parut devenue plus douce et plus juste ; j'éprouvais à l'écouter me parler un certain plaisir. Ce plaisir devint très vif quand lui ayant demandé qui il y avait cette année à Balbec il me cita le bâtonnier, la jeune fille poupine, le notaire de Caen, me disant que tout ce monde-là avait demandé après moi. « Il y a aussi le premier président, il s'informait beaucoup quand vous arriviez, il serait allé à la gare s'il n'avait pas eu crainte de vous déranger. Il m'a dit que vous n'aviez qu'à le faire demander si vous vouliez avoir sa visite avant le dîner. Vous voyez que tout le monde vous désire, vous connaissez tout le monde ici. » C'était vrai et j'éprouvais de connaître tout le monde à Balbec un plaisir très vif quoique moins mystérieux que celui que j'éprouvais la première année à m'y sentir dans un monde inconnu. « Je verrai le premier président tout à l'heure, dis-je radieux au directeur, laissez-moi faire un bout de toilette. » On n'avait même pas encore eu le temps de monter mes bagages, et cette vie nouvelle et encore inentamée qui m'invitait, me pressait, allait venir me chercher, me parut aussi délicieuse que si on m'avait annoncé la présence dans l'hôtel et la mise à ma disposition non du premier président mais des pommes des Hespérides. J'appris par la jeune fille à figure poupine qu'Albertine et Claire qui en effet ne devaient pas d'abord retourner cette année à Balbec venaient d'y arriver. Sans que je les recherchasse, dès le lendemain je les vis, et l'existence de l'an passé recommença. Un des tout premiers jours, Claire dans un de ces mouvements gracieux qu'elle avait posa son menton sur l'épaule d'Albertine, inclina tendrement sa tête vers celle de son amie, sourit et embrassa dans le cou Albertine qui ferma à demi les yeux[1]. Ce n'était bien probablement que de l'enfantillage mais je ne sais pourquoi l'image de Mlle Vinteuil à côté de son amie dans la chambre de Montjouvain[2] se présenta à mon esprit et j'eus brusquement le soupçon que de tels rapports pouvaient exister entre Claire et Albertine. Je me rappelai combien je m'étais trompé quand je ne la connaissais pas encore sur l'expression du visage d'Albertine, quand je lui avais d'après le visage supposé une certaine nature, et que j'avais compris ensuite quand la connaissance de son caractère avait ruiné cette hypothèse que j'avais faite, quand j'avais vu Albertine bonne, sensible, franche, que les traits du visage ne sont pas des caractères aisément déchiffrables. Mais maintenant c'était entre deux autres hypothèses que j'hésitais avec bien plus d'anxiété et je me demandais si les passions et les vices usent d'une écriture fixe et qu'on puisse lire sans erreur possible. De ce que ce mouvement de tête et ce sourire étaient ceux qu'avait faits Mlle Vinteuil pouvais-je conclure avec assurance qu'ils ne pouvaient être interprétés que comme un signe des mêmes habitudes. Je ne fus pas moins gentil avec Claire, même je cherchais à me rapprocher d'elle, à prendre de l'influence sur elle, mais dès ce moment j'éprouvai à l'endroit d'Albertine une insupportable horreur. Elle ne pouvait rien faire qui ne me parût odieux, rien dire que je ne déclarasse stupide ; je ne cessais de dire du mal d'elle quand elle n'était pas là, et plus encore en sa présence. « Ce que vous êtes changé pour elle, me dit la petite à figure poupine. L'année dernière tout ce qu'elle faisait était parfait, cette année elle n'est pas bonne pour les chiens. » Plus j'étais méchant avec Albertine, plus j'étais gentil avec Claire, je ne disais que des choses aimables d'elle à tout le monde, et aussi à Albertine, pourtant à celle-ci peut-être pas les choses qui pouvaient lui rendre Claire plus attrayante. Un jour[3] où j'avais été par trop dur avec Albertine, celle-ci, au moment où nous revenions du casino, laissa les autres passer devant et me demanda ce que j'avais. Ma dureté avec elle m'avait-elle été pénible à moi-même, n'était-elle de ma part qu'une ruse inconsciente pour amener Albertine à être vis-à-vis de moi dans un état de crainte et de prière qui me rendît possible de lui poser certaines questions, de me permettre de savoir laquelle des deux hypothèses était la vraie ? Toujours est-il que quand elle m'interrogea ainsi, je me sentis soudain heureux, fort et calme comme quelqu'un qui touche à un but depuis longtemps désiré. Je lui dis que j'avais un aveu préalable à lui faire : j'aimais Claire ; je le lui dis avec une franchise et une simplicité dignes du théâtre mais qu'on a dans la vie que pour raconter les amours qu'on ne ressent pas réellement. Cette déclaration implicite de mon indifférence pour elle, Albertine, me permit de lui parler — comme à une confidente, une simple camarade — avec une douceur qui me fit du bien. Alors je lui dis qu'elle savait ce que c'est que l'amour (que j'avais même été il y a deux ans sur le point d'en ressentir pour elle, mais que j'en avais été entièrement guéri), qu'elle savait ses susceptibilités, ses douleurs, et que pourtant je n'osais pas lui dire comment, elle, Albertine, pouvait mêler de si grands chagrins mon amour pour Claire. Albertine me promit de ne pas se fâcher quoi que je lui dise. Ses amis voulurent revenir près de nous, elle les renvoya brutalement. Sur le pas de sa porte où nous étions arrivés la cuisinière vint lui faire signe qu'elle était en retard, elle dit qu'on la laisse tranquille, qu'on commençât sans elle. J'avais réussi à lui faire attacher, pour une fois, à cet entretien avec moi une grande importance, je sentais que je disposais en ce moment d'une attention, d'une docilité, que je ne retrouverais peut-être pas ces minutes exceptionnelles où j'étais redevenu pour elle le personnage principal, pour lequel étant donné la gravité de la circonstance on croit légitime (puisant la notion de ce qu'on doit faire alors dans quelque code non écrit, hérité à part) de renvoyer toute autre personne, pour lequel on retarderait s'il le fallait l'heure de rentrer. Alors je lui dis en lui faisant <comprendre> l'horreur qu'ils m'avaient inspiré pour elle (et sans lui dire comment ils m'étaient venus et en lui laissant croire qu'on me l'avait raconté) les soupçons que j'avais eus de relations amoureuses entre elle et Claire. Je lui parlais si affectueusement qu'elle ne put se mettre en colère, elle me supplia de croire que de telles relations feraient aussi bien horreur à Claire qu'à elle-même, que ce qu'on m'avait dit était une infamie sans l'ombre d'une vraisemblance. L'idée d'une Albertine ayant horreur de ce vice, ne l'ayant jamais pratiqué, s'exprimait nettement dans ses paroles, me semblait plausible et m'était agréable, je l'acceptai ; je remerciai Albertine et je lui promis de lui rendre mon amitié, de ne plus jamais être dur avec elle[a]. Je l'aimais, j'aurais voulu faire n'importe quoi pour elle. Et en réalité là encore c'est que j'étais sous l'empire d'une croyance invisible, celle qu'Albertine était vertueuse. Alors j'aimais tout en elle. J'avais oublié tous ses défauts. Mais, comme les personnes délicates à qui il faut un rien pour tomber malade, tout d'un coup cette croyance était supprimée. Un rien l'avait fait évanouir.

Pour[b] me replacer en face de l'autre hypothèse, pour me faire retomber dans mon état de souffrance et de fureur contre Albertine il me suffisait d'un regard insignifiant qu'elle avait adressé à Claire, d'un propos de Simone me disant qu'elle les avait rencontrées toutes deux qui allaient au bain, ou chez le fleuriste, d'une allusion faite par Claire à tel dîner où elles devaient se retrouver et où je n'allais pas, un de ces mille riens inoffensifs pour tout autre, mais mortels pour moi, comme les germes morbides infinitésimaux qui peuplent l'air et l'eau et qu'absorbe toute la journée sans que leur santé et leur gaieté s'altèrent, le plus grand nombre de gens bien portants mais qui pénétrant dans certains organismes prédisposés y apportent la souffrance et la fièvre. Sans même que la vie m'eût rien fait apercevoir de nouveau, au fond de ma mémoire tel mot oublié, tel geste disparu d'Albertine suffisaient à détruire ma croyance et à me replonger dans ce second état. Si Albertine m'apparaissait alors comme une autre personne, moi j'en étais aussi un autre pour elle. L'amitié que j'avais retrouvée pour Albertine était détruite, la gentillesse que je lui avais promise, je ne pouvais plus l'avoir avec elle, au lieu du désir de lui faire plaisir, j'avais celui de me venger d'elle, je lui disais devant les autres les choses les plus blessantes. Je n'avais même pas eu besoin de respirer de germes morbides du dehors ; je les avais puisés en moi, je m'étais intoxiqué moi-même. Puis j'apprenais qu'elles n'avaient pas été seules ensemble à ce dîner, qu'Albertine au lieu de revenir avec Claire s'était fait ramener par Mme de Cambremer, et ma crise de soupçons guérissait. La mauvaise hypothèse ne me semblait plus avoir de probabilité, ma croyance en le vice d'Albertine disparaissait et sans me rendre compte que cela tenait à ce que je croyais de nouveau Albertine vertueuse, je recommençais à lui vouloir du bien, mais aussi à ne plus tenir exclusivement à elle, à pouvoir m'intéresser aux autres jeunes filles. Même pendant quelques jours Simone me plut, de tout petits boutons sur sa figure n'étaient pas plus désagréables que des pucerons dans le cœur d'une rose. Mais ils devinrent un peu plus gros et je me désintéressai d'elle. Les semaines qui suivirent, ce fut avec Albertine que je me plus surtout. Claire était allée en visite dans un château voisin ; par deux ou trois mots de franchise, de confiance, qui semblaient exclure qu'elle pût avoir quelque chose de caché pour moi, Albertine m'avait décidément mis dans l'état où je trouvais à toutes ses paroles, à ses actions, à son visage, la douceur qui m'emplissait tout entier, où je me reprochais l'injustice de mes persécutions. Ses mots, quand je pensais à elle, c'est l'air du visage qu'elle avait eu en les prononçant que je me rappelais, comme il y a des photographies d'actrices les représentant au moment où elles disent tel vers ; je voyais au moment où elle les avait prononcés ses yeux où brillait un regard franc, que la plénitude des joues à ce moment-là accompagnait dans mon souvenir. Sans doute elles étaient, elles, moins douées de pouvoir d'expression que le regard, mais elles se subordonnaient docilement à lui, semblaient entièrement d'accord avec lui, et me paraissaient pétries d'une matière entièrement délicieuse dont le goût imaginé me faisait sourire[a].

Le[b1] dimanche suivant, jour où je ne voyais pas mes petites amies... Françoise vint... elle me dit... je lui répondis : « Oui, où il doit faire bon aujourd'hui c'est du côté d'Équemauville. — Ah oui *(mais le faire dire en langage de Françoise)*. — C'est ce qu'il y a de commode dans ces villas au bout de la plage, évidemment c'est loin, ce n'est pas très pratique, mais pour aller à la pêche à la crevette. — Oui, il n'y a pas beaucoup de personnes qui habitent par là. — Comment, pas beaucoup de personnes ? Mais il y a Mme de ***, M. ***. » Françoise me quitta. Je m'endormis ; quand je me réveillai, je vis devant moi la pensée de Maria, comme une maison nouvellement construite, qui ne s'en irait plus, qui changeait mon horizon et que j'aurais toujours sous les yeux. Sa vie, sa personne, ses actions m'étaient[c] reparues et redevenues mystérieuses comme alors que je ne la connaissais pas, mais ce mystère était douloureux. Je sus que je l'aimais. Je ne songeai pas à le lui apprendre. Je sentais que cela me ferait perdre tout prestige aux yeux d'Albertine qui avait le même caractère de légèreté *[deux feuillets manquants]* sérieuse garantie de nous faire involontairement souffrir. Mais au temps où j'aimais Gilberte, l'aveu, la déclaration de mon amour me semblait sinon le terme, du moins l'une des étapes capitales de l'amour, car cet amour je ne pensais pas qu'il était uniquement en moi, mais quelque chose d'extérieur à moi où Gilberte et moi nous communierions tous les deux. Maintenant il me semblait un état purement intérieur à quoi rien d'extérieur ne correspondait et qu'Albertine se chargerait d'autant plus volontiers d'entretenir en moi qu'elle saurait moins que je l'éprouvais.

Quelquefois[a] quand je n'allais pas à une partie, la tante d'Albertine disait : « Mais non restez avec lui. Ce n'est pas nécessaire d'aller danser tous les jours. » Albertine était obligée de rester à Balbec. Ces jours-là soit par colère contre moi qui étais cause qu'elle ne pouvait aller s'amuser, peut-être pour m'en punir, peut-être aussi parce que la devinant fâchée j'étais préventivement plus froid et restais sur la défensive, ces jours-là son visage semblait dépouillé de joies, saccagé comme une forêt à l'automne et vouer un regret mélancolique aux plaisirs qu'elle n'aurait pas eus. Ses yeux empreints d'une tristesse qui n'était pas pour moi semblaient dire au pas de quatre : « Vous, vous me comprenez au moins, vous savez que c'est vous que j'aime », et défier qu'on put comprendre en ses raisons subtiles l'amour qu'elle portait à la valse à trois temps. Elle se bornait à échanger avec moi, sur le temps qu'il faisait, l'heure de la marée, l'avance de la pendule, une de ces conversations ponctuées de silences et de monosyllabes où on s'entête avec une sorte de rage désespérée à détruire les instants qu'on aurait pu donner à la tendresse et au bonheur, et auxquels une sorte de dureté suprême est conférée par le paroxysme de leur insignifiance et le paradoxe de leur banalité. Une dureté ; une douceur aussi. Car l'indifférence du ton, on sait que l'autre n'en est pas dupe. Je disais : « Il me semble qu'hier la pendule retardait moins », je savais qu'Albertine comprenait : « Comme vous êtes méchante, comme vous me faites du mal ! » J'avais beau m'obstiner à prolonger comme indéfiniment, comme un jour de pluie, ces paroles sans éclaircie, je savais qu'elles n'étaient pas quelque chose d'aussi immobile, d'aussi définitif que je le feignais, et qu'Albertine elle-même sentait bien en m'ayant entendu déjà dire deux fois que les jours diminuaient, que si je le disais seulement une fois encore, j'aurais de la peine à me retenir de fondre en larmes. Entre nous, cette querelle mettait encore des rapports spéciaux. Elle me redonnait une sorte de prise momentanée sur l'insaisissable Albertine. J'aimais mieux voir Albertine rendue triste par moi que gaie par les autres. Et puis, sentant qu'Albertine ne m'aimait pas je vivais sans m'en rendre compte dans l'attente perpétuelle d'un changement qu'Albertine semblait devoir me refuser quand elle me témoignait une indifférente amabilité mais dont cette querelle, étant instable et qui ne pouvait durer, réveillait en moi l'espoir.

Hélas[b] ! si autrefois j'avais trouvé un si mystérieux attrait à me demander, sans parvenir à le savoir, ce que cachait le visage d'Albertine, ce même mystère existait toujours, il n'excitait pas en moi une curiosité moins constante mais comme il était plus douloureux ! Parfois je voyais attachés <par> une attention profonde sur le visage de Claire, les yeux d'Albertine. Leurs belles prunelles douces et noires derrière lesquelles j'aurais autrefois voulu pénétrer restaient immobiles, semblaient isolées de tout ce qui les entourait comme une personne en train de faire sa prière. Que se cachait-il alors sous leurs brillants pétales de velours noir ? Rien peut-être, le vague d'un moment de fatigue ou de distraction. Mais peut-être aussi un désir, le désir de certaines caresses comme peut-être *elle savait* qu'elles en avaient échangé la veille dans telle chambre, dans tel chemin, et en échangeraient le lendemain, peut-être à l'heure où elles me disaient qu'elles allaient à un cours. Ce qui se cachait à ce moment-là de souvenirs, de désirs, sous la surface du flot brillant et noir, je ne le connaîtrais jamais. D'autres fois pendant que je parlais à Albertine et que ses yeux m'écoutaient tout d'un coup je sentais passer de l'autre côté de ses prunelles comme derrière une fenêtre close mais éclairée les ombres mouvantes d'une pensée que je n'apercevais pas. Quelquefois, quand elle commençait à me dire étourdiment par exemple qu'il faudrait qu'elle pense à aller chercher son chapeau qu'elle avait oublié au tennis, ou qu'elle ne pourrait venir que tard le lendemain, elle s'arrêtait brusquement au milieu d'une phrase insignifiante et une magnifique lueur de pourpre venait inonder son visage. Pourquoi avait-elle été effrayée en me disant qu'elle avait oublié son chapeau au tennis, ou qu'elle ne pourrait venir le lendemain que tard ? Comme la secousse du tonnerre suit de près l'éclair, elle secouait ses mains devant sa figure pour me cacher la magnifique flamme violette qui venait de teindre d'un sombre reflet ses joues et son front. Mais le geste même dont elle s'efforçait d'écarter de son visage ces voiles de pourpre me les révélait. Et je me demandais de quelles parties de sa vie que je ne connaîtrais jamais, de tout ce gouffre inexplorable qu'est pour nous tous, ce qu'un autre que nous pense, se rappelle, revoit, venaient ces flammes lointaines, brusques, inexpliquées, éclairs de chaleur, rapides passages dans un éther inaccessible de mondes à jamais inconnus. Comme le mystère qui me troublait jadis, les « mystères » qu'elle me faisait quelquefois étaient communs à elle et à ses amies. J'arrivais en présence de la petite bande et je voyais extériorisés, fardant leur visage, habillant leurs gestes, comme si je les avais surprises au moment où elles se grimaient pour un bal costumé, les secrets qu'elles ne voulaient pas me dire, les mensonges qu'elles voulaient me faire. Ils recouvraient si bien leurs joues, leurs yeux, que ce n'est qu'à travers eux que je pouvais apercevoir Albertine, Claire et leurs amies. Il flottait même sur leurs voix, sur leurs mouvements, après mes plus insignifiantes questions il altérait leurs réponses. Elles se regardaient, l'air gêné vis-à-vis les unes des autres, quoiqu'elles ne s'inspirassent aucune gêne ; et en revanche à moi dont la présence les gênait elles répondaient d'autant plus avec un air d'assurance. Albertine eût-elle été malade et triste un de ces jours-là, si je lui demandais : « Comment allez-vous ? », pour me montrer qu'elle n'était pas coupable, ni affligée d'être surprise, c'est avec un sourire triomphant qu'elle me répondait : « On ne peut mieux. » Telles elles étaient ces jours-là, brusquement silencieuses à mon arrivée. Un même secret, comme une âme commune avait comme un peintre arrangé leurs poses et suspendu leurs mouvements, les disposant en un groupe aussi mystérieux que celui qu'elles formaient autrefois comme des bacchantes assemblées par Rubens. Chacune d'elles semblait recommander à l'autre de veiller sur le secret pourtant invisible et qu'extériorisait seulement leurs âmes conscientes. Et dans leur groupe magnifique qu'elles formaient de concert au bord de la mer ou dans un jardin, la pourpre d'un chaleureux mensonge éclaboussait leurs visages apprêtés et ruisselants.

Hélas ! la jalousie avait au moins l'avantage en me forçant à lutter pour tâcher d'avoir la possession d'Albertine de me détourner d'approfondir le peu qu'était cette possession. Alors pour tâcher de l'empêcher d'en aimer d'autres, je n'avais pas le loisir de me rendre compte que même rivée à moi elle ne m'aimerait pas.

Ceci[a] vient probablement avant ce qui est en face l'année d'avant, ou bien cette année-là avant l'idée du gougnotage.

Un jour j'appris qu'Albertine était près de Balbec. Elle vint me voir. Elle était bien coiffée, plus grasse, plus rose. J'étais couché, elle s'assit au bord de mon lit. *Ici scènes que j'avais placées chez Mme de Chemisey[1].* Le reste du temps je ne me souciais pas d'Albertine mais une fois par semaine environ, j'avais tout d'un coup le désir de reprendre nos caresses, et je lui envoyais un messager. Il était bien rare qu'elle ne vînt pas. Ce qu'elle faisait le reste du temps ne m'intéressait en aucune façon. Tout au plus prenais-je en note l'endroit où elle me disait qu'elle irait passer deux jours la semaine suivante mais d'où si je le désirais il lui serait bien facile de venir me voir. Car elle allait souvent chez des amies à Aprollonville, à Blandinville, etc. Quelquefois c'était dans la journée que je la voyais. Alors j'allais la chercher dans un de ces endroits. Elle quittait ses amies, venait me rejoindre, ou bien le soir c'est moi qui la ramenais par le petit chemin de fer d'intérêt local. Deux ou trois fois on ne put la trouver, j'attendis en vain, mais je n'eus que l'exaspération de mes sens excités qui restaient insatisfaits. Une ou deux fois seulement où on avait dit qu'elle allait rentrer, et où elle ne vint pas, j'eus le sentiment qu'elle avait très bien eu mon mot mais avait préféré rester avec ses amies. Je cherchai à m'imaginer à quelles fêtes si amusantes elles devaient bien aller. Dans ma déception je conçus un peu de jalousie, et par deux fois je faillis tomber amoureux d'elle. Mais elle revint, fut très gentille et puis elle partit. Je la quittai sur l'impression de caresses dont j'ajournai aisément le renouvellement à l'année suivante. Ces scènes se renouvelleront l'année suivante notamment le soir où je vais à la soirée de la princesse de Guermantes, et là l'attente désolée risquant d'en faire un amour, comme cela avait failli pour Mlle de Silaria le jour de l'île du Bois, mais cette impression s'efface. Je la revois de temps en temps, en somme elle reste un amour possible, mais plutôt une volupté facile que je place comme distraction quand je n'ai pas mieux à faire, tout en cherchant des amours, parce que je sais que cela ne me manquera pas. Elle joue en somme pour moi quand je suis une fois ou deux amoureux le rôle que jouait pour Swann la petite ouvrière qu'il trouvait plus jolie qu'Odette et qu'il emmenait en voiture jusqu'à l'heure où il allait rejoindre Odette comme j'avais amené Albertine dans l'île du Bois. Mais il arriva pour moi le contraire de ce qui était arrivé pour Swann, ce qui serait peut-être arrivé pour lui si Odette ne fût pas partie un soir avant lui de chez les Verdurin, s'il avait été trompé par la petite ouvrière. Une personne qui désirait m'empêcher d'aimer Albertine *(Françoise)* se chargea de me la faire aimer. Comme nous arrivions à Balbec et que nous apprîmes qu'elle y était, Françoise qui était toujours exaspérée quand Albertine venait à Paris sentit qu'à Balbec elle allait venir toujours et voulant tâcher de me dégoûter d'elle, elle dit : « C'est ennuyeux dans un sens qu'elle soit ici car on ne cause pas bien d'elle. — Comment ? on ne cause pas bien d'elle ? que voulez-vous dire ? — Oh ! moi je ne voudrais rien dire mais on sait bien qu'elle n'est pas sérieuse, ça se voit bien. Et puis on dit des choses que j'étais arrivée à mon âge sans même connaître. Monsieur n'a pas remarqué la manière qu'elle embrasse ses amies. Il doit se passer de drôles de choses entre ces filles-là. »

Et aussi M. de Faucompré[a1] qui me fait remarquer qu'elles jouissent en dansant les seins l'une contre l'autre.

Pour[b] ces scènes, comme je ne l'aime pas encore, je pense vaguement avec un sourire que peut-être quelqu'un l'a initiée dans l'intervalle, mais je sais que ce fut peu de chose car elle est gauche encore. Et avec la philosophie sensuelle et souriante de ceux qui n'aiment pas et que j'allais perdre bientôt (et que je reprendrai à la fin du volume quand Gilberte me propose sa fille) je me disais quels services on doit sans le savoir à de plus hardis que vous qui ont passé dans l'intervalle et ont fait qu'au lieu de la scène où une jeune fille dit : « Je vais sonner » quand on se penche vers son lit, elle se penche vers le vôtre et se laisse caresser comme dans deux pendants opposés du dessin l'une chaste et l'autre libertine.

Parmi[a1] les nombreuses Albertine : J'aimais par les temps où <la> pluie menaçait la voir passer sur sa bicyclette, avec son caoutchouc qui descendait jusqu'aux jambes et s'y collait comme si en vérité au lieu d'être destiné à recevoir l'eau il avait déjà été inondé et était destiné à prendre l'empreinte des formes de la belle jeune fille qu'<il> enveloppait d'un manteau aussi terrible que la <tunique> de Méduse et de genouillères aussi serrées et pourtant de surfaces aussi larges et aussi molles que des cuissards de Mantegna.

C'était[b] moins un vêtement qu'une tunique au sens de celle de Nessus, une sorte d'attribut figurant sa force et le plaisir du voyage, enveloppant sa belle poitrine d'une vaste étendue presque unie, sillonnée seulement de quelques plis et sous laquelle il semblait qu'on eût tout de suite trouvé ses seins nus, et se moulant aux genoux qu'elle coiffait comme de casques en relief.

Il[c2] faudra avoir mis avant quand je la connais :

J'éprouvai tout d'un coup un trouble délicieux : Albertine venait de rire. Le timbre de ce rire qui semblait s'être frotté sur les roses carnations secrètes qu'il avait traversées, était sensuel comme une odeur de géranium et comme elle il semblait apporter avec lui quelques particules pondérables, quelques stigmates ouverts des carnations roses et des parois secrètes contre lesquelles il venait de se frotter. Plus voluptueux encore que gai il semblait moins manifester l'hilarité momentanée de celle <qui l'> éprouvait que découvrir par une brèche subite et pour un instant quelque secret situé à une grande profondeur et habituellement caché de la façon dont Albertine éprouvait du plaisir.

Et alors quand elle sera avec une autre personne (peut-être avec Andrée) elle rira (il faudra dire de quoi). J'entendis de nouveau ce rire profond, pénétrant, âcre et sensuel comme une odeur de géranium, mais le trouble que je ressentis n'était plus le même qu'autrefois, il était douloureux ; il me semblait qu'elle venait de montrer à Andrée une partie secrète de sa personne au moment où l'agitait un frémissement voluptueux, qu'elle venait de faire sonner ce rire comme les premiers accords d'une fête pour laquelle peut-être ils étaient une sorte d'invitation à moins qu'ils n'en fussent un rappel et un souvenir.

À[a] mettre quelque part quand je commence à aimer Albertine. Tout ce qui faisait partie d'elle était si différent du reste qu'elle était pour moi une personne bien plus que tout autre être vivant. Il y avait le reste du monde qui ne me faisait rien éprouver de particulier et de l'autre les moindres propos, les moindres gestes mis en mouvement par cette force individuelle qu'elle était.

À[b] mettre plus loin mais toujours quand je commence à aimer Albertine. Chaque fois que je pensais à Albertine j'avais si envie de l'embrasser que malgré moi mes lèvres faisaient le mouvement de lui donner un baiser. Par là je rapprochais de moi, j'intériorisais presque son image, tandis que l'image des autres êtres, restant purement visuelle quand je pensais à eux, je la voyais assez loin de moi, dans le vide, mais comme un objet distant. Puis je ne pensai plus jamais à Albertine qu'en faisant mentalement le geste de refermer mes bras sur elle, de cacher sa tête contre ma poitrine. Bientôt sans que j'y prisse garde elle m'était devenue tout à fait intérieure. C'est en moi, tout entourée de mes caresses, que je pensais à elle.

*Très[c] important.

Quand Albertine une première fois me demandera à ne plus me voir (sans doute à Balbec quand je me rapproche d'Andrée).* Elle me dit : « La vie n'est plus possible. Vous n'êtes pas gentil. » J'en étais toujours à la première hypothèse et j'aurais voulu savoir en quoi je n'étais pas gentil pour pouvoir l'être. Et je lui dis : « Mais en quoi ? Dites, je ferai tout ce que vous voudrez. » Elle me répondit : « Non, cela ne servirait à rien, je ne peux pas vous expliquer. — Mais je suis le plus gentil que je peux. — Naturellement vous croyez que vous l'êtes, mais vous ne l'êtes pas du tout. » Alors j'eus peur qu'elle crût que je ne l'aimais pas, je lui dis : « Si vous saviez le chagrin que vous me faites, vous me diriez... » et j'avais peine à contenir mes larmes. Mais ce chagrin qui si elle avait douté de mon amour eût dû la réjouir sembla au contraire l'irriter et malgré moi je pensai à la deuxième hypothèse, celle où il faudrait juger des sentiments d'Albertine nullement d'après ses paroles. Alors malgré moi moi aussi je me mis à mentir et feignant d'accepter que nous ne nous verrions plus, je lui dis qu'alors il vaudrait mieux ne nous reparler jamais, je lui demandai de me rendre tel objet, d'en conserver tel autre, de penser à me faire rapporter la revue où il y avait les dessins d'Elstir tandis que je lui ferais rapporter le livre de Bergotte qu'elle m'avait prêté, j'avais l'air d'envisager avec calme[d] un avenir auquel je ne pouvais pas croire et entrant dans de nouveaux détails pour régler le temps où nous ne nous verrions plus je tâchais de prolonger de quelques instants encore les moments où nous nous voyions encore[a].

Mettre[b] quand je suis brouillé avec Albertine (probablement avant la grande brouille) quand je reviens à Balbec. Au milieu d'un tableau où il n'est pas question d'elle. Puis sonnent neuf heures, l'heure vers laquelle elle venait de si loin pour me voir, les premiers temps, quand elle était si longue pour venir parce qu'elle faisait beaucoup de toilette et se faisait onduler sans le dire. Un moment avant ma jalousie, la crainte des humiliations, tout aurait été plus fort que le désir de la revoir. Mais ma volonté n'était pas une chose identique et constante. Comment l'eût-elle été plus que la mer qui était devant moi et qui dans les peintures seulement est un fond plat sur lequel sont posés les bateaux. Comment ma volonté eût-elle été constante quand un désir s'attelle toujours à une pensée, à un souvenir et que nous n'<avons> pas toujours présente à nous toute notre pensée, toute notre mémoire ? C'est tantôt telle pensée tantôt tel souvenir qui nous apparaît et que parfois quand notre intelligence semble le plus calme soudain quelque grande lame de fond sortie des abîmes de la mémoire vient tout balayer. Alors je me sentais pris d'une telle angoisse que j'aurais accepté toutes les humiliations pourvu qu'elle entrât. Chaque bruit que j'entendais dans l'hôtel, l'ascenseur qui montait, me rappelaient ces bruits *(mettre en son temps)* qui m'annonçaient sa venue. Qui sait s'ils n'allaient pas l'annoncer encore ? Si alors le lift frappait à ma porte je me disais : « Ah ! si c'était elle ! » Mais hélas ! eût-ce été elle comme il était loin ce temps où elle était si longue pour venir parce qu'elle faisait beaucoup de toilette pour moi et se faisait onduler sans le dire, ce temps où nous semblions timidement préluder à un grand amour. À ce moment-là l'évocation de ce temps qui ne reviendrait plus était si forte, la douleur de ne plus connaître cette Albertine amoureuse et ces premiers soirs de rendez-vous si poignante qu'elle effaçait toutes les autres, et que ma jalousie elle-même rentrait dans l'ombre. Que m'importait qu'elle appartînt à n'importe qui, puisqu'il n'aurait plus ce désir apprêté, cette ambition de me plaire, cette coquetterie. Ce genre d'inquiétude est presque insoutenable au bord de la mer où déjà le soir laisse au cœur une sorte de vide aiguisé. J'entendis les vagues qui se brisaient sous ma fenêtre. Parfois quelque musicien ambulant venait jouer à l'orgue de barbarie des airs de café concert qui dans le vide immense de la plage prenaient une sonorité fragile d'épinette. L'heure passait. Albertine n'était pas venue.

Elle[a1] me dit : « Oui, je suis assez au courant de la musique parce que mon amie chez qui j'habite souvent, dont je vous ai parlé, son père était un grand musicien, vous avez peut-être entendu son nom qui commence à être connu, Vinteuil. » Vraiment il est déplorable que nous ayons des yeux, que nous parlions par objets, par corps humains, par choses distinctes les unes des autres. Cela nous trompe vraiment trop sur ce qui est en réalité. J'avais pensé jusqu'ici qu'Albertine était un corps qui était à une distance plus ou moins grande de moi, variant entre quelques centimètres et le plus souvent beaucoup de mètres. Mais au moment où j'entendis ces mots : « l'amie chez qui j'habite souvent, la fille d'un musicien dont vous avez peut-être entendu le nom, Vinteuil » la brusque modification qui en résulta en ce qui était pour moi Albertine n'eut pas lieu en dehors de moi à quelques centimètres. Au déchirement que je sentis en moi, je compris qu'à quelque distance de moi que des sens menteurs eussent l'habitude de placer Albertine, elle-même habitait non pas près de moi, mais dans mon cœur. Dans mon cœur et elle ne pouvait pas y changer sa place pour le déchirer. Je revoyais la chambre de Combray où Mlle Vinteuil avait poursuivi son amie. Était-il vraisemblable qu'elle ait chez elle dans son intimité, une amie comme Albertine (dont les manières tendres avec Andrée[2] m'avaient si souvent fait penser aux caresses de Mlle Vinteuil et de son amie) et que de semblables relations n'existent pas entre elles. Elle m'avait juré qu'elle n'avait jamais fait ces choses. Mais tous les jours des femmes coupables ne font-elles pas le serment qu'elles sont innocentes ? Il fallut rentrer chez moi. Je passai la nuit la main posée sur ce cœur bouleversé où l'être qui l'habitait venait de changer de place, d'où il venait de partir, je ne savais pas. Deux ou trois fois, pendant la durée d'un éclair, apercevant les murs revêtus d'acajou de la chambre, les bibliothèques pleines de livres, j'eus l'idée que la réalité c'était cela, qu'il suffirait d'un petit mouvement de ma volonté pour crever et traverser quelque chose d'aussi mince qu'un cerveau de papier et ne plus me soucier davantage de ce qu'avait pu et de ce que pourrait faire Albertine que si ç'avait été une chose lue dans un livre et concernant un personnage imaginaire. Mais mon cœur recommençait à me faire mal. Sans doute le nom, l'essence d'Albertine était au principe de ce mal, générateur, initial, comme le spermatozoaire dans l'être humain, mais comme ce spermatozoaire minuscule, et déjà disparu de cette excroissance énorme et vivante qui pourtant venait de lui. Pourtant ma conclusion fut formelle, certainement Albertine avait ces goûts, elle devait avoir ce genre de relations avec Mlle Vinteuil et avec bien d'autres. Ma grand-mère dormait dans l'autre chambre, de l'autre côté de cette mince cloison par laquelle si souvent la première année, elle avait répondu par quelques coups à ceux que j'essayais timidement de peur de troubler son sommeil. Je le craignais alors, je le craignais davantage maintenant car elle était plus âgée et moins bien portante, mais je ne pouvais pas rester seul, et comme si notre âme avait toujours besoin de se détourner de ce qui se passe de réel en elle et de transformer en action que l'intelligence combinera ce qu'elle aurait pourtant plus d'intérêt à connaître je ne pouvais pas rester un instant de plus sans poser les jalons de mon nouveau projet. J'entrai chez ma grand-mère. Elle s'éveilla. « Je te dérange, je vais te laisser te rendormir. — Mais non. — Grand-mère, je voudrais causer avec toi, tu te souviens, nous avions parlé de mariage possible entre moi et Albertine. — Oui, tu étais plutôt opposé, tu hésitais beaucoup. — Oui mais je n'hésite plus, il s'est passé quelque chose de nouveau, oh ! rien de mal, ne va pas croire à rien de mal, mais maintenant tout est changé, et grand-mère, je ne pourrais pas vivre sans cela, je viens te demander la permission de l'épouser. — Mais as-tu bien réfléchi ? Comment est-ce venu si brusquement ? — Grand-mère, ne me demande pas. — Enfin nous en parlerons à tes parents, si tu crois que cela puisse te rendre heureux, que tu seras heureux avec elle. — Oh ! heureux, grand-mère. » Et prenant la main de ma grand-mère je la mis sur ma bouche et je commençai à sangloter. Le jour se leva, éclaira avec des débris de tempête une mer plane et nue. Dès que j'entendis du bruit dans l'hôtel, j'appelai Françoise et lui demandai de faire venir le lift, le même qui m'avait tant intimidé le premier jour de mon arrivée à Balbec et qui n'était plus maintenant pour moi qu'un moyen de communication commode avec le dehors, tant les êtres loin de rester pour nous les mêmes, changent au fur et à mesure de l'éclairage et des proportions nouvelles que leur donne la longueur du temps ; l'affaiblissement de l'imagination, la force de l'habitude en font d'autres êtres, si bien qu'il faudrait pour être exact laisser pour la vie pratique et sa mensongère commodité la fiction de les appeler d'un même nom, mais quand on veut parler de la vie vraie, dans la littérature par exemple, leur donner chaque fois de nouveaux noms quand ils sont devenus pour nous des êtres nouveaux. Donc le nouveau lift que seulement par un jeu poétique de l'imagination éclairant des surfaces opposées je me rappelais parfois être l'ancien, entra dans ma chambre, je lui donnai un mot pour Albertine lui disant que j'étais bien souffrant, bien malheureux d'une dépêche que je venais de recevoir de Paris et que si elle sortait de bonne heure elle voulût bien venir me trouver. Bientôt elle fut dans ma chambre. « Je ne sais si vous saviez que j'aimais une femme, c'est ce qui m'avait fait hésiter à fixer ma vie, eh bien ! j'ai trouvé une dépêche hier soir en rentrant, il ne me sera plus possible de la revoir. J'ai passé une bien triste nuit. J'aurais bien voulu avoir auprès de moi ma petite Albertine. Vous seriez venue ? — Mais voyons, quelle question ! » Je lui pris la main, je l'embrassai. « Si vous saviez comme j'ai souffert du cœur, comme j'ai voulu mourir ! — Voyons, ne me dites pas des choses pénibles. — Mais avant de mourir j'aurais voulu vous voir, c'est vous que j'aurais voulu voir. J'ai senti combien je vous aimais. » Je pris encore sa main et comme une heure avant dans la main de ma grand-mère je me mis à sangloter. « Cela me révolutionne de vous voir ainsi. Mon Dieu, que puis-je faire ? — Rester le plus possible près de moi. — Mais tant que vous voudrez. — Vraiment vous le feriez ? » Et mon cœur se remplissait d'une telle douceur que je ne pouvais que pleurer davantage. « Laissez-moi regarder l'heure, dit-elle, je crois que c'est le moment où ma tante m'attend. » Alors je sentis que toute sa vie tout de même resterait entre nous. « Voilà que vous avez de nouveau l'air plus triste. — Mais non, mais vous savez dès que je repense à cette femme. — La méchante ! Ah ! si j'étais à sa place. » À l'âge où j'avais aimé Gilberte, je lui aurais dit : « Mais c'est vous que j'aime. » Mais je me rappelais trop ce qu'il m'avait coûté de céder à ce mouvement avec Andrée. « Voyons ma petite Albertine, ne faites pas attendre <vôtre> tante. — Oh ! ma tante, en voilà une affaire, ma tante, elle peut bien attendre. » Elle disait cela mais je sentais bien que c'était à cela qu'elle attachait de l'importance, que c'était en effet « une affaire » et que tous ces devoirs-là se reproduiraient dix fois par jour. Elle allait quitter Balbec dans trois semaines pour aller à Amsterdam. Il allait falloir rester des mois sans la voir. Et elle allait retrouver la fille de M. Vinteuil et tant de ses amies qu'elles se réjouissait de revoir. J'essayai de lui proposer de venir à Paris. « Il faut d'abord en tout cas que je reste encore trois semaines ici », dit-elle. Alors c'est donc que peut-être elle n'irait pas à Amsterdam, et c'était tout ce qui me préoccupait depuis que c'était Mlle Vinteuil qui avait créé ma jalousie. Car chaque jalousie nouvelle portait la marque de son origine, ressemblait à sa mère et se préoccupait de l'être qui l'avait causée. *[deux feuillets manquants]*

renoncé[a] à tous les avantages de la vie pour connaître Mme Blatin parce qu'elle était une amie de Swann, aujourd'hui pour qu'Albertine n'allât pas à Amsterdam, pour l'enfermer, pour l'isoler, j'aurais fait jouer toutes les influences, renoncé à tout ce que je pourrais jamais posséder, je l'aurais volée si j'avais pensé qu'elle pût rester assez dénuée d'argent pour pouvoir partir, et si tout de même elle était partie, je l'aurais assassinée : je l'aimais. Pas plus que l'imagination, la sensibilité ne dispose à la fois d'un grand nombre d'images. De même que c'était une église persane, une tempête à l'aube qui m'orientaient jadis vers Balbec, ce qui me déchirait le cœur en pensant qu'Albertine irait à Amsterdam, c'était une ou deux jeunes filles dont elle m'avait parlé. *[deux feuillets manquants]*

Le[a] 1er septembre qui était le surlendemain du jour où Albertine m'avait vu si triste elle me dit : « Vous parliez d'aller à Paris. Voulez-vous que nous y allions ? — Mais vous êtes obligée de rester ici encore trois semaines ? — Obligée, je ne suis pas obligée. Si cela vous plaît mieux, je peux revenir. — Mais votre tante ? — Elle fera ce que je voudrai. »

La[b1] vie réserve quelquefois des joies qui semblaient impossibles. « Mais bien sûr, quel besoin ai-je d'aller à Amsterdam ? s'écria Albertine. C'est humide, froid. Comme je serai plus heureuse chez vous. » Elle y vint, elle eut la chambre bleue non loin de la mienne.

Esquisse XVII

DEUXIÈME SÉJOUR À BALBEC

[Les pages que nous donnons dans cette Esquisse font suite à celles qui sont transcrites dans l'Esquisse XIV. Sous le titre Deuxième séjour à Balbec, *Proust rédige une sorte d'aide-mémoire, renvoyant à des Cahiers anciens, où il indique un nouveau montage des éléments du deuxième séjour à Balbec ; la prise de conscience de la mort de la grand-mère a lieu désormais au premier soir de l'arrivée à Balbec. Proust développe aussitôt la liaison avec Albertine, ses absences, et les premiers signes de la jalousie. C'est en présence d'Elstir qu'a lieu la scène capitale de la « danse contre seins » entre Albertine et Andrée, qui donne naissance aux soupçons gomorrhéens.*

Le personnage de Mme de Cambremer est esquissé à l'occasion de la visite des Cambremer au Grand-Hôtel, puis vient la réconciliation avec Albertine.

Le Cahier 46 contient encore le début de « M. de Charlus et les Verdurin », avec deux versions successives de la rencontre de Charlus et du musicien.]

D'abord[c2] je montre que j'étais venu la première fois y chercher l'inconnu, je viens y chercher le connu (cahier Dux[3]) j'étais venu y chercher une brume éternelle etc., je viens y chercher des souvenirs du déjeuner avec les vitres bleues, du soleil sur le volet (peut-être mettre seulement là ce que je dis à cet égard à Paris avant de retourner à Balbec dans la partie faite[d]). Et ajouter à cela : de plus je venais y chercher — comme quand j'avais demandé à Mme de Guermantes de me faire inviter à des bals[4] — un de ces lieux où il y a beaucoup d'inconnues rassemblées, et qu'on recherche quand on a pris conscience par expérience qu'on aime les inconnues, tout en ne croyant plus à l'inconnu. C'est ainsi qu'un pêcheur aime aller dans un pays où on lui a dit qu'il y a beaucoup de gibier. Si Albertine y venait, elle me faciliterait la connaissance avec des jeunes filles[a]. J'étais venu chercher une église persane, je venais chercher ce qu'Elstir m'avait dit de l'église, et les mers qu'il avait peintes et *que je retrouverais malgré moi* (cela expliquera sans le dire les descriptions : mers Turner etc.). J'étais venu dans un monde inconnu. J'y venais surtout parce que j'y connaissais tout le monde.

Certes je savais qu'Albertine (pas plus qu'Andrée) n'y viendrait cette année. Mais ni l'une ni l'autre ne me tenaient au cœur. Et dans le séjour que j'allais faire je pouvais à volonté faire figurer leur présence ou la retirer, sans que rien fût changé pour moi. Sans doute[b] de temps à autre j'aimais faire venir Albertine et prendre du plaisir avec elle. Mais[c] j'avais l'habitude de ne pas me soucier de ce qu'elle faisait dans l'intervalle et cette fois-ci il serait seulement beaucoup plus long, ce qui m'était indifférent. Cela ne m'empêchait pas de penser à elle et même quelquefois quand je n'avais pas un besoin physique d'elle qui lui était impérieux et qu'il fallait satisfaire le soir même, d'en avoir une sorte de désir moral. Car certains rêves[d] de tendresse, de bonheur partagé, toujours flottants en nous, ont une affinité pour le souvenir d'une femme avec qui nous avons eu du plaisir quand ce souvenir n'est pas trop précis. Ces désirs-là moins pressants que le désir physique et qui rappelaient d'autres aspects, plus doux, moins gais, du visage d'Albertine, volontiers j'en aurais ajourné indéfiniment la réalisation, content seulement qu'elle flottât vague en moi comme une possibilité de bonheur partagé, de tendre compagnie. Puis quand j'étais repris d'un besoin physique d'elle je la faisais venir. Mais alors mon désir de bonheur et d'amour, comme tout ce qui en nous a un objet imaginaire et qui à la rigueur pouvait s'exalter de son souvenir vague, ne trouvait nullement satisfaction dans sa personne imparfaite et se reportait sur d'autres femmes, même sur des femmes que je ne connaissais pas, dont je ne savais que le nom et que j'essayais d'imaginer, et aussitôt d'imaginer m'aimant. De sorte que mes rêves de bonheur, mes désirs d'union morale n'avaient pu être fixés définitivement par Albertine. Il est vrai qu'il y a un autre mode de combinaison entre les rêves et la personne d'une femme, mode plus imparfait, plus corrosif et intoxiquant, mais infiniment plus stable au point que la dissociation devient très difficile. C'est la jalousie. Mais je voyais si rarement Albertine et m'informais si peu de ce qu'elle avait pu faire dans l'intervalle que cet autre mode avait peu de chances de se réaliser. Je n'en aurais[e] que plus de loisir pour les[1] essayer, plus complets et différents avec des femmes qui me donneraient[a] plus de plaisir qu'Albertine déjà bien connue par moi, peu adroite, et avec qui c'était toujours un peu la même chose et en somme bien peu de chose. D'ailleurs la petite poupine devait être là. Qui sait si je ne trouverais pas chez elle la même transformation que j'avais trouvée chez Albertine quand elle était venue me voir le jour où j'avais reçu la lettre de Mlle de Silaria[1]. L'absence d'Albertine rendait à cet égard mes tentatives plus aisées. J'aurais certes beaucoup de plaisir à retrouver un jour sa figure rose penchée vers moi et ses mains prêtes à me chatouiller. Je contemplais volontiers cette image comme je l'avais fait souvent jusqu'ici, et la plaçais seulement cette fois plus loin, à la distance non plus d'une semaine ou d'une quinzaine, mais de plusieurs saisons, au terme de l'automne, pour le moment du retour à Paris.

*Je cause avec le directeur (Dux). Je me déshabille, je me rappelle ma première arrivée, chagrin de la mort de ma grand-mère (Cahier quand mon père partit vers l'Autriche[2]). Ma souffrance est telle que je ne sors plus[3]. Je reste couché et pas une fois je ne suis descendu déjeuner moi qui revenais à Balbec pour manger une sole dans la salle à manger. Le directeur vient me dire qu'Albertine est venue mais elle ne restera pas longtemps[4]. Mais je n'ai pas le courage de la recevoir ni personne. J'entends le matin le bain, le concert, les cris, cela me fait penser au rire d'Albertine et les filles me manquent car elles sont malgré tout la flore particulière de Balbec. Je fais monter Albertine, dans le désir d'entendre son rire. Mais elle est de mauvaise humeur et ne rit pas. « Je ne resterai pas longtemps, Balbec est assommant cette année[5]. » Et elle avait l'air furieux que sa tante l'eût amenée, ce que je ne trouvais pas très gentil pour moi. Continuation de la description de mon chagrin au milieu de laquelle j'aurai intercalé cette visite. Albertine revient me voir. Elle est gaie cette fois et nous recommençons nos jeux. Elle me dit qu'elle restera tout l'été[6]. « Mais alors nous ne nous verrons pas tous les jours comme l'année où vous étiez venu. — Oh ! non cette année je suis trop triste. Je vous verrai de temps en temps Albertine. Cela ne vous dérange pas que je vous fasse chercher comme à Paris ? — Non, si je vais chez des amies pour quelques jours je vous préviendrai. » Je restais encore couché le matin. Description des diverses mers. L'après-midi, je sors quelquefois en voiture avec ma mère. De temps en temps, le souvenir des caresses d'Albertine me saisissait brusquement, je l'envoyais chercher. Si c'était tout de suite après le dîner j'envoyais Françoise[7]. Mais parfois au moment où Françoise allait partir le souvenir de quelque peine que j'avais faite à ma grand-mère, de l'air tourmenté qu'elle avait eu, de sa mauvaise mine, me coupait bras et jambes. Je n'avais plus le courage d'avoir aucun plaisir. Je n'aurais voulu qu'une seule chose qui n'était pas possible, revoir ma grand-mère. Mais ces souvenirs devenaient de plus en plus rares. Quelquefois quand Françoise était partie chercher Albertine, elle restait si longtemps absente[a] que je commençais à désespérer. Dans la nuit qui tombait — à cette heure si triste au bord de la mer et qui avait éveillé ma première inquiétude le soir de mon arrivée à Balbec, quand du petit chemin de fer local j'avais vu claquer au faible vent du soir les drapeaux de casinos inconnus — dans le grand silence de la plage que bordait seulement le murmure latéral et mobile de la marée, un grêle orgue de barbarie jouant des valses viennoises, était perdu dans ce grand vide de la grève, donnait à cette inquiétude infinie une voix infime et un indépassable paroxysme. Tout à coup je voyais Françoise revenir, mais seule. « Hé bien Françoise j'ai cru que vous ne reviendriez pas. Mlle Albertine n'était pas là ? — Je suis été aussi vite que je pouvais. Mais elle ne voulait pas venir à cause qu'elle ne se trouvait pas assez coiffée. Elle m'a embobelinée pour me faire attendre. Si elle n'est pas restée plus d'une heure à se pommader, elle n'est pas restée cinq minutes. Ah ! ça <va> sentir l'odeur ici, c'est une vraie parfumerie. — Pourquoi, elle vient donc ? » disais-je d'un air étonné comme si j'avais parfaitement admis l'idée qu'elle ne vînt pas. « Elle est restée en arrière pour qu'elle s'arrange dans la glace. Je croyais la trouver déjà montée. » Je respirais. Enfin au bout[b] d'un moment j'entendais un pas rapide dans l'escalier, car elle ne prenait jamais l'ascenseur. Jamais symphonie... *[interrompu]*

quand je la voyais entrer rose sous ses cheveux noirs. « Ma chérie je suis content que vous veniez, je m'ennuyais ce soir. — Je peux rester aussi tard que vous voudrez, ma tante n'est pas là, j'ai tout mon temps, si cela ne fait pas scandale pour vous dans l'hôtel car pour moi cela m'est égal. » Et heureux de savoir qu'elle refuserait, car ç'aurait été un grand dérangement je lui demandais si je ne devais pas prévenir Françoise, ou quelqu'un de l'hôtel qu'on aurait à la raccompagner. Je ne me souciais pas de ce qu'elle faisait dans l'intervalle de ces visites. Seulement elle me faisait prendre en note les jours qu'elle passerait dans le voisinage chez des amies, me donnant l'adresse pour si j'avais besoin d'elle ces jours-là[1]. « Si vous vous sentez triste, si le cœur vous en dit, n'hésitez pas[c]. »

Certains jours[d2] où je ne pouvais résister au désir d'embrasser Albertine le soir même, il se trouvait qu'elle n'était pas à Balbec. Je l'envoyais chercher par ce lift qui le premier soir *[un blanc]* mais qui[3] *[interrompu]* Quelquefois ce n'était pas son jour de travail, il était déjà prêt à sortir, il avait quitté son uniforme. Il se croyait l'air du plus élégant jeune homme du monde, avec un chapeau de paille, une canne et des gants. Sa mère lui avait recommandé de ne jamais prendre le genre « ouvrier », le genre « chasseur ». Aussi soignait-il sa démarche et se tenait-il droit et fier. Comme grâce aux livres la science est accessible à un ouvrier qui ne l'est plus, son travail fini, grâce au canotier de paille blanche, à une canne, à ses gants, l'élégance, la même que celle de Saint-Loup semblait accessible au lift qui sa livrée ôtée se croyait un homme du monde. Avant d'entrer dans ma chambre il jetait dans l'entrée sa canne et ses gants[a]. « Cela ne vous gênera pas trop. Mais il faudrait absolument que vous la rameniez. À quelle heure serez-vous revenu ? — J'ai pas pour bien longtemps[b] n'a arriver », disait le lift qui poussant à l'extrême la règle d'éviter comme dit Bélise la récidive du ne avec le pas trouvait toujours que c'est assez d'une négative. « En allant n'en bicyclette je ferai vite. » Bientôt la nuit s'étoilait d'un coup de sonnette. Le lift arrivait d'habitude en disant : « Elle vient n'avec moi. Je suis monté devant n'elle », Albertine tenant à s'arranger devant la glace avant de monter. Mais deux fois il ne put la trouver, et mes sens surexcités restèrent insatisfaits. Même une fois où le lift m'avait dit : « Je demande pardon n'a Monsieur si Monsieur a tant n'attendu *(peut-être répartir les n' sur plus de dialogues car il y en a peut-être trop ici mais ne pas oublier quelques-uns)*. Elle était pas rentrée. Elle rentrera seulement n'a neuf heures. Mais aussitôt en rentrant n'elle viendra directement n'ici[1]. » J'attendis toute la nuit, de moins en moins certain qu'elle vînt au fur et à mesure que les heures passèrent, et malgré la réponse ferme que le lift m'avait rapportée[2]. Certes le plaisir que j'aurais demandé d'Albertine et dont j'étais si exigeant pour le soir même et auquel je voyais qu'il fallait renoncer était purement sensuel. Mais le regret d'un plaisir sensuel ajoute à celui-ci quelque chose qui n'est pas purement des sens. L'attente déjà finissait par être presque sans espoir. Et autour du regret lui-même l'attente dessinait le contour incertain et tremblant de vagues nappes douloureuses, que venait élargir et à laquelle venait s'ajouter le souvenir d'autres attentes, celle du soir où après la fête chez la princesse de Guermantes Albertine m'avait téléphoné si bizarrement et de tant de soirs plus anciens où j'avais tant souffert que ma mère restât sans monter dire bonsoir, à causer et à se plaire avec des étrangers. Et la raison ignorée pourquoi Albertine n'était pas venue excitait en moi une curiosité douloureuse[c]. Deux ou trois fois déjà des ondes s'étaient ainsi déplacées en moi et l'amour latent qu'on porte en soi avait eu la velléité de se mettre en marche vers Albertine. Mais comme un moteur qui ronfle sur lui-même sans produire de mouvement il avait fini par s'arrêter. Un dernier mouvement allait déterminer la mise en marche[d3].

Ajouter[a] à ce qui est ici dans ce verso :

D'ailleurs à mesure que nous vieillissons, l'association des idées, des sensations, des souvenirs, les lésions organiques et les déclenchements qu'elles opèrent, puis enfin la croyance moins grande qu'après tant de désillusions nous avons en la supériorité objective des êtres, fait que l'état subjectif où nous sommes prend le pas sur eux ; jadis l'amour que nous avions pour un être rendait anxieuses les heures où nous l'attendions. Maintenant pour notre cœur toujours palpitant et prêt à se briser la moindre attente est anxieuse et pour peu qu'elle soit l'attente d'un être, cette anxiété tandis que les heures passent, avant même que nous l'ayons revu s'est changée en amour.

AMOUR[b1]

Ceci est la suite de 22 pages moins loin, au verso (le verso vient après la fin du recto) personnes qu'elle m'avait préférées[2].

Je reçus le lendemain une lettre où elle me disait qu'elle venait seulement de rentrer à ..., n'avait pas eu mon mot à temps et viendrait le soir même si je le permettais[c]. Mais comme si j'avais su d'une façon a priori qu'Albertine me préférait bien des choses et des gens auxquels elle me sacrifiait quand elle pensait que je l'ignorerais, je sentis à travers cette phrase de sa lettre aussi bien qu'à travers celle qu'elle m'avait dite au téléphone le soir de la fête chez la princesse de Guermantes, version de ce qu'elle avait fait destinée à me tromper, une revendication douloureuse émanée d'un plaisir et d'un être que je ne connaissais pas. En réalité je ne formais là qu'une hypothèse, et je connaissais trop peu l'emploi du temps d'Albertine pour affirmer qu'elle n'avait pu ne pas avoir à temps ma lettre et affirmer qu'elle avait menti. Mais[d] cette hypothèse s'étayait sur bien des marques d'indifférence. Un jour que j'étais malade, Albertine était venue me tenir compagnie. Mais elle avait un rendez-vous, ne pouvait se mettre en retard. À l'heure dite, malgré mes prières, elle me quitta mais ayant rencontré à la descente de l'ascenseur Victoire et Claire, remonta avec elles pour un instant, dit-elle, et resta deux heures.

*N.B.[e] Ajouter *Capital* au recto précédent.
Il vaut mieux dire : « Il faut absolument que vous la rameniez » la fois (toujours au même recto) où il ne la ramène pas. Ce sera un peu de sa faute, « J'ai pas pris le bon chemin, ça m'a un peu allongé, elle venait de partir. »* Il sentait que cela allait me fâcher, aussi le dit-il en ricanant non qu'il fût méchant mais parce qu'il était timide et croyait diminuer l'importance de sa faute en la traitant en plaisanterie. C'est ainsi que quand il avait quelque chose à me demander d'important et qui le gênait, au lieu de prendre des circonlocutions il me le demandait brutalement *(à

moins que je n'aie dit cela de quelqu'un d'autre)*. Il m'avait demandé dix sous avec mille périphrases comme s'il s'était agi de cent francs mais s'il avait eu à me demander cent francs me les eût demandés de but en blanc comme s'il se fût agi de dix sous, pour que cela semblât moins, surtout à cause d'un trouble extraordinaire qui amenait chez lui comme une attaque d'apoplexie non pas seulement une extrême rougeur mais une altération du langage car dans ces moments au lieu de me parler à la troisième personne il me disait tout d'un coup vous. Et pourtant il eût voulu être plus poli ayant plus à attendre de moi et me considérant davantage. Aussi s'il me le demandait par lettre, il m'assurait dans ces cas-là et dans ces cas-là seulement de son profond respect. *Peut-être tout cela mieux pour quelqu'un d'autre car bizarre que ce lift m'écrive. Mais en tout cas le mettre quelque part ici ou ailleurs car c'est capital.*

Quand[a1] dès l'après-midi je décidais que je ne remettrais pas au lendemain de la voir, j'allais si elle n'était pas à Balbec la chercher moi-même, ainsi par exemple une après-midi qu'elle était à *[un blanc]*, où habitait Elstir cette année-là. Quand j'arrivai à la maison dont Albertine m'avait donné l'adresse, on me répondit qu'elle n'est pas là, elle est au bout de la rue chez une de ses amies, on va aller la prévenir, elle viendra tout de suite[b]. J'attendis dans la rue, elle arriva au bout d'un instant. Revenant d'une promenade en bicyclette elle était encore dans ce costume souple, résistant et serré comme une armure et où elle avait l'air d'un jeune saint Georges. Du sec caoutchouc ses joues se dégageaient fraîches et roses[2]. Une jeune fille que je ne connaissais pas se mit à la fenêtre et se retira aussitôt. D'autres rentraient, en espadrilles avec des filets et dirent à Albertine : « Tu n'oublieras pas que nous venons te chercher demain matin à six heures pour aller à la pêche. » Elles en revenaient elles-mêmes et entrèrent dans une maison mais par l'escalier de la cuisine qui descendait au sous-sol afin de ne pas mouiller l'appartement avant de s'être changées car elles étaient ruisselantes. Albertine voulait que j'entrasse chez son amie où les jeunes pêcheuses devaient, une fois habillées, venir la retrouver pour aller toutes ensemble danser dans la petite salle de bal du casino avant l'heure du dîner. « Vous verrez Andrée, elle me demande tout le temps après vous, elle sera bien contente. Du reste elle n'est pas bien ici, je la ramène après-demain à Balbec et elle y reste définitivement[c]. » Mais je ne faisais pas de bicyclette, je n'allais pas à la pêche, je sentais que je m'ennuierais au milieu de tout ce monde que je ne connaissais pas. Je vis que j'avais le temps d'aller faire une visite à Elstir, je demandai à Albertine de rester avec ses amies et je lui dis que je viendrais la chercher dans une heure au casino pour aller ensemble à

Balbec. Elstir habitait[a] *(copier ce qui est déjà écrit)*. Quand je voulus le quitter pour aller rejoindre Albertine il avait fini sa rose et le jour commençait à baisser. Il proposa de m'accompagner jusqu'au casino. Celui-ci était empli du tumulte de ces jeunes filles jouant et dansant, dansant ensemble, faute de danseurs. Andrée vint à moi en glissant *(phrase à prendre dans le cahier rouge[1])*. Albertine poussait[b] de grands cris, riait de ce rire si joli *(phrase écrite)*, je me plaisais infiniment dans ce petit casino, l'un de ceux qui m'avaient paru si tristes quand du train je les avais aperçus au bord de la mer, faisant flotter leur drapeau au vent fraîchissant du soir. Une des jeunes filles que je ne connaissais pas se mit à jouer une valse. Maria courut pour danser et faute de danseur, valsa avec Albertine. Elles dansaient très bien toutes les deux. Je fis admirer à Elstir le spectacle de cette jeunesse. « Oui, me dit-il, mais les parents sont bien imprudents qui laissent leurs filles prendre ici, sous l'influence de femmes dépravées de mauvaises habitudes. Tenez regardez, dit-il en me montrant Albertine et Andrée[c] qui valsaient lentement serrées l'une contre l'autre, voyez-vous elles sont au comble de la jouissance. Car c'est surtout par les seins que les femmes l'éprouvent. Et voyez leurs seins se touchent complètement. » En effet la valse continuait, le contact n'avait pas un instant cessé entre les seins d'Albertine et ceux d'Andrée. Je ne sais pas ce qu'Andrée dit à ce moment à Albertine, mais le rire de celle-ci retentit me faisant autant de mal qu'il m'avait fait plaisir un instant avant. La valse finie Albertine vint me chercher. Andrée causa un instant avec nous. Et pendant que nous étions tous réunis elle appuya câlinement sa tête sur l'épaule d'Albertine, lui jetant un regard qui me rappela celui qu'il y avait bien des années j'avais vu lancer à Mlle Vinteuil par son amie, le jour où j'avais attendu dans les buissons de Montjouvain[d2].

Il[e3] vaudra mieux que ce soit le docteur Cottard venu voir un malade et il me conseillera d'aller faire une visite chez Mme Verdurin. « Je ne pense pas qu'elle vous invite à dîner, me dit-il, mais même en visite vous y verrez des gens très intéressants et son merveilleux service d'assiettes. » Son service d'assiettes me fit seulement penser aux assiettes à petits fours de Combray, la lampe merveilleuse, le Dormeur éveillé. *Le Livre des Mille et Une Nuits* me parut devoir être deux fois merveilleux qui plongeait dans cet inaccessible passé de mon enfance. Je me promis beaucoup de joie de le faire venir et de le lire[4]. *Et c'est comme docteur, comme vue médicale que Cottard me fera remarquer l'attitude des jeunes filles dansant. Puis il filera pour prendre le petit chemin de fer départemental dînant chez les Verdurin à qui il parlerait de ma présence à Balbec.*

À[a1] partir de ce jour je n'eus pas seulement devant les yeux une autre Albertine, qui me semblait odieuse. Moi-même j'étais un autre, je ne lui voulais plus de bien, je ne voulais que me venger d'elle. En sa présence, hors de sa présence quand je pensais que ça pouvait lui être répété, je disais d'elle les choses les plus blessantes. Il y avait cependant des trêves. Un jour déchiré j'apprenais que Claire et Albertine avaient accepté ensemble une invitation chez Elstir. Je ne doutais pas que ce ne fût en pensant <à tout ce> qu'elles pourraient faire d'agréable pendant le retour ; je décidais d'aller dans la soirée faire une visite à Elstir à l'improviste ; je n'y trouvais que Claire. Albertine avait préféré venir un autre jour avec sa tante. Mon soupçon s'évanouissait, mon calme revenait. Mais il ne durait pas plus que la bonne santé de ces personnes fragiles qu'un rien suffit pour faire retomber malades[2].

*Capital[b3].

Dans cette partie du livre (deuxième séjour à Balbec) dire que parmi les amies d'Albertine cette année-là il y avait Gisèle.* J'étais trop jaloux d'Albertine pour faire attention à elle, mais comme elle était bonne fille, je la connus vite assez bien. Elle avait toujours ses gros yeux bleus, mais de près son gros nez, sa vilaine peau empêchaient de se plaire auprès d'elle. Elle était gaie, peu intelligente, droite, pleine de bon sens. Je ne lui racontai pas que j'avais une fois voulu quitter Balbec pour elle et qu'il s'en était fallu de quelques minutes que je ne fusse dans le train avec elle. Je ne lui racontai pas et n'eus pour cela aucun effort à faire ; car je me rendais bien compte maintenant que c'était une héroïne purement intérieure et non pas elle que j'avais voulu suivre ce jour-là. Elle n'aurait pas compris. Et puis il y a certains états tout subjectifs qui se suffisent si parfaitement à eux-mêmes qu'on ne tient pas à en faire l'aveu à ceux qui les ont provoqués. J'avais à l'égard de Gisèle cette espèce d'indifférence, d'ingratitude, que nous éprouvons souvent au fur et à mesure que nous avons vécu et que nous comprenons mieux l'essence de nos sentiments, à l'endroit d'un homme dont la musique nous a fait connaître des joies infinies mais que nous jugeons trop intérieures, trop indépendantes de sa personne, pour que nous éprouvions le besoin dans une soirée de nous faire présenter à lui[c].

*Capital[d].

Dire quand je suis jaloux.* Moi qui avais compté sur Albertine pour me faire connaître des jeunes filles, je pâlissais quand j'en voyais une nouvelle arriver à Balbec et tout mon espoir était qu'Albertine ne l'aperçût pas, ne la connût pas.

Kapitalissime[a].

Quelque part (bien avant sans doute) quand je commence à aimer Albertine.* Tout d'un coup à la pensée des avantages donnés à elle que j'aurais pu autrement employer, et sans me dire que je ne l'aurais pas voulu je me disais : « Mais quoi il y a quinze jours encore elle m'était égale. Si je secoue ces folies elle me l'eſt encore. » Car c'eſt le caraćtère si particulier de l'amour qui commence que nous ne pensons à autre chose qu'à la personne aimée, et que nous ne nous disons pas que c'eſt aimer. De sorte que nous pouvons à la fois nous dire que nous pouvons ne pas aimer à la fois parce que nous ne nous sommes pas encore dit j'aime et que la femme eſt devenue l'indifférente, à la fois parce que l'aimer a tellement été notre pensée de toutes les minutes qu'il nous semble que c'eſt une disposition purement subjećtive, une chose rien qu'à nous que nous pouvons dépouiller comme un voile et la revoir telle qu'elle était pour nous il y a quinze jours *(ou pour Mme de Guermantes)*.

Me[b1] contentant de ce qui était déjà un commencement de rétraćtation, puisque en somme si elle n'admirait pas encore les Poussin elle déclarait au moins les avoir oubliés et avoir besoin de les revoir, je ne voulus pas laisser plus longtemps Mme de Cambremer à la torture ; quittant le peintre des *Saisons*[2], et montrant un trait tremblant et doré que le soleil faisait sur la mer : « Je me demande souvent si c'eſt ce "rayonnement" dont Baudelaire a voulu parler quand il dit : "Rien ne me vaut le soleil rayonnant sur la mer[3]." Je crois qu'il pense à quelque chose de moins linéaire et de moins superficiel, mais plutôt à cet échauffement de toute la mer à midi quand elle eſt forte, mélangée de lumière et moussue comme du lait. Vous savez je parle de la poésie : "Chant d'automne". Vous connaissez sans doute l'admirable mélodie que Fauré a écrite sur ces vers[4]. — Je crois bien que je la connais », me dit Mme de Cambremer. Et je vis qu'elle ne la connaissait pas à sa voix qu'on ne sentait appliquée à aucun souvenir et reſtée dans le vide. « Quel merveilleux musicien. Vous connaissez *Les Berceaux*[5], c'eſt tout simplement un petit-chef-d'œuvre », et elle fredonna « Et ce jour-là les grands vaisseaux ». « Tenez juſtement les grands vaisseaux c'eſt de mise ici », remarqua-t-elle en riant, émerveillée de son à-propos. « Oh ! regardez elles s'envolent », me dit Albertine en me montrant les mouettes qui en effet s'échappant pour un inſtant de leur déguisement et de leur incognito de fleurs montaient toutes ensemble vers le soleil. « Mademoiselle je vois que vous aimez cet oiseau, dit Mme de Cambremer, cet oiseau dont le poète que citait tout à l'heure votre ami a dit "ses ailes de géant l'empêchent de marcher[6]". Voilà un beau vers. » Je dissimulai qu'il s'appliquait à l'Albatros. « Oh ! Madame, j'en ai beaucoup vu autrefois. J'ai passé une partie de mon enfance à Amsterdam où elles volent dans la ville même autour des canaux[1]. »

*Je[a2] crois qu'il faudrait mettre dans cette visite Chopin[b] et Debussy (je pourrais peut-être parler de l'odeur des roses sur la mer dans *Pelléas*) et du regard soulagé et reconnaissant (qui me fait penser au titre d'une pièce *Latude ou Vingt ans de captivité* ou à l'air des prisonniers de *Fidélio*) que me lance la vieille Cambremer car je crois qu'on n'aura plus l'occasion de la revoir.*

*Pour[c3] Chopin dire en symétrie avec Swann : *Depuis quelques années la musique de Chopin avait retrouvé sa gloire. Même les amateurs dont le goût est difficile pouvaient l'aimer sans honte, les plus raffinés, les plus grands de nos jeunes musiciens le prisaient. Mais Mme de Cambremer n'en était pas encore informée. Et polonaises et nocturnes avaient encore gardé à ses yeux leur déguisement sordide et suranné.

Ajouter[d4] capital :

Mme de Cambremer vivant beaucoup en province et même à Paris comme elle était souvent malade beaucoup dans sa chambre apprenait les modes de langage savantes ou frivoles plus par la lecture que par la conversation. Aussi ne faisait-elle pas toujours très bien la différence entre ce qui s'écrit et se dit. *Ceci posé comme premier exemple dans cette première visite comme je parlerai <de> Mme de Noailles :* « La trouvez-vous vraiment talentueuse ? » me dit-elle d'un mot qu'elle voyait souvent dans certains journaux mais qui causé faisait un effet bizarre.

J'avais[e5] devant moi une nouvelle Albertine, droite, bonne, qui par affection pour moi avait bien voulu me pardonner mes soupçons et chercher à les dissiper. Le soleil[f] s'était couché. Sur la mer tout près du rivage, essayaient de s'élever les unes par-dessus les autres des vapeurs d'un noir de suie mais aussi d'un poli, d'une consistance d'agate, d'une pesanteur visible, si bien que les plus élevées penchant au-dessus de la tige déformée et jusqu'au dehors du centre de gravité de celles qui les avaient soutenues jusqu'ici semblaient sur le point d'entraîner cet échafaudage déjà à mi-hauteur du ciel et de le précipiter dans la mer. La vue d'un vaisseau qui s'éloignait comme un voyageur de nuit me faisait penser au bonheur que c'eût été de partir avec Albertine pour Amsterdam. D'ailleurs entourés de tous côtés des images de la mer qu'assemblaient autour de nous les reflets des bibliothèques vitrées, n'étions-nous pas Albertine et moi comme sur la couchette d'un de ces bateaux que nous voyions auprès de nous et que dans l'obscurité qui était venue nous sentions se déplacer lentement comme des cygnes assombris et silencieux mais qui ne dorment jamais et passent toute la nuit sur l'eau. « Il faudrait tout de même que vous rentriez dîner. — Mais non vous n'êtes pas bien comme cela[1] ? »

Ma[a2] grand-mère il est vrai n'avait jamais entendu parler de cette traduction. Mais nous nous rappelions qu'elle disait souvent Clovis qui reste pour moi Clovis mes enfants malgré Augustin Thierry et que je n'appellerai pas plus Hlodowig que je ne dirai Karolingiens, car cela reste pour moi les Carlovingiens. Bloch lui ayant prêté une traduction de Sophocle par le « Père Leconte[b3] » elle avait été indignée de voir appelé Œdipe, Oidipous et nous avait dit : « J'avais bien entendu que ton ami avait dit Oidipous mais je n'étais même pas comme Voltaire à qui une dame disait O-Edipe et qui comprenant qu'elle voulait dire Œdipe, répondait O-U-I madame. Ton ami aurait pu me parler pendant des heures d'Oidipous sans que je me doute qu'il parlait d'Œdipe. Jamais je ne lirai ces traductions-là, les dieux perdent tout leur charme avec ces noms ridicules. » Et sa colère ne nous étonnait pas puisqu'elle trouvait déjà une trop grande réforme qu'on voulût corriger sa prononciation défectueuse sur certains noms et par exemple lui faire dire Fenlon au lieu de Fénélon, qu'elle trouvait plus doux et mieux approprié à l'auteur de *Télémaque*. Instruit par ces précédents le chagrin de ma mère se demandant quelle doctrine elle eût professé relativement aux *Mille et Une Nuits*, pouvait décider infailliblement et comme un article de dogme qu'était pour elle tout ce que pensait ma grand-mère, qu'elle n'eût pas admis une traduction <où> dès la couverture on voyait appelé *Les Mille Nuits et Une Nuits* l'ouvrage dont le nom si intangiblement familier pour elle était *Les Mille et Une Nuits* où Shéhérazade s'appelait Shahrazade, Dinarzade Doniazade, Aladin Aladdin, les génies, des gennis pour ne parler que des moindres changements[4]. Mais une fois que j'eus à mon tour ouvert les deux livres, je ne suivis pas les conseils de ma mère.

À[c5] un endroit mettre : j'écrivis trois fois à Cottard (par exemple pour lui demander si Mme Putbus était chez les Verdurin) il ne me répondit jamais (c'est pour montrer quelqu'un qui ne répond pas mais ne pas le dire). Il faudra qu'il soit très serviable en allant chez les Verdurin bien qu'à la première minute je fusse froid à cause des non-réponses. Il serait même mieux que les lettres fussent pour lui demander un vrai service. Et qu'après il en rende un vrai (Robert[6]).

Claire[a1] semblait éviter de la voir autrement qu'avec moi, et cette entente entre elles n'était pas seule à me faire supposer qu'Albertine avait dû lui raconter sa conversation avec moi, car dès le surlendemain comme dans la salle de danse du casino venaient d'entrer des jeunes filles très jolies, mais qui avaient beaucoup cette réputation (l'une même qui n'avait que quinze ans, passait pour vivre avec une comédienne en vogue[b]), Claire sur une allusion qu'on fit à leur vice, me dit : « Oh ! là-dessus je suis comme Albertine, il n'y a rien qui nous fasse horreur à toutes les deux comme cela. » Quant à Albertine elle avait tourné le dos et s'était mise à causer avec moi.

De[c2] sorte que par moments renaissait, éveillant encore une curiosité mais maintenant aussi douloureuse que jadis elle était enivrante, le mystère qu'autrefois, quand je ne connaissais pas Albertine, j'avais imaginé derrière la plaque noire *(mettre le mot qui est dans le cahier noir ou dans les autres)* de ses yeux. Je me demandais ce qu'ils cachaient sous leurs brillants pétales de velours noir derrière lesquels j'avais jadis tant voulu pénétrer, quand, tandis que je causais avec une jeune fille, je les surprenais, ces beaux yeux d'Albertine qui étaient fixés sur mon interlocutrice, immobilisés dans une sorte de contemplation profonde. Je me demandais[d] ce qu'ils recelaient alors derrière leurs doux pétales de velours noir à travers lesquels j'aurais jadis tant voulu pénétrer. Était-ce le désir de certaines caresses semblables à celles que peut-être elle savait mais ne m'avouerait jamais avoir échangées la veille avec une de ses amies, peut-être à l'heure où elle m'avait dit qu'elle avait été en courses, était-ce tout simplement le vague d'un moment de fatigue ou de distraction qu'ils cachaient ainsi, ces yeux d'Albertine dans cette attitude recueillie qu'ils gardaient, isolés de tout ce qui les entourait, comme s'ils eussent été en prière, et qu'ils quittaient bien vite, dès qu'ils se sentaient surpris. D'ailleurs dans ces yeux même quand Albertine était seule avec moi et pendant que je causais avec elle, je sentais aller et venir à travers sa prunelle, comme de l'autre côté d'une fenêtre close mais éclairée des pensées toutes proches mais indistinctes dont je voyais se déplacer l'ombre confuse et vivante sans espérer que je les connusse jamais. Le reste du visage, ces joues dont la saveur après m'avoir fait longtemps rêver m'avait tant déçu étaient à nouveau remplies pour moi de choses inconnues comme ils l'avaient été si longtemps, et parfois — tandis qu'Albertine s'arrêtait brusquement au milieu d'une phrase insignifiante comme : « Tiens j'ai oublié mes gants au tennis », ou « Demain je ne pourrai venir que tard » et comme si ces mots avaient exhibé quelque incompréhensible indécence qu'il fallait cacher au plus vite —

elles se couvraient d'une rougeur mystérieuse. Mais la nécessité du voile révélant trop la présence de la nudité qui avait eu le temps de disparaître, aussitôt Albertine portant ses mains à son visage essayait d'en écarter cette pourpre qui en un instant avait gagné jusqu'à son front. Partis de cet abîme inexplorable pour tout autre où roulent en silence comme des mondes toutes les joies mortes, toutes les aspirations vers l'avenir d'un être, que signifiaient-ils ces brusques et sombres reflets qui venaient tout d'un coup, passaient sur les joues d'Albertine, comme des éclairs de chaleur, comme le rapide reflet de pensées qui avaient rapidement passé en elle, dans un éther inaccessible et que je ne connaîtrais jamais ? Et ce mystère ressemblait aussi à celui qui jadis quand je ne connaissais pas Albertine m'avait donné un grand désir de pénétrer sa vie *(dire cela mieux)* en ce que souvent encore c'était épars dans toute la petite bande que je le surprenais, répandu entre elles comme une âme collective. Si j'arrivais un peu brusquement auprès d'elles ce n'était pas seulement Albertine qui soudain se taisait, éprouvant une gêne qu'elle cherchait à cacher par tant d'assurance que si même ce jour-là elle était malade et triste, elle me répondait quand *[interrompu]*

Mais[a1] je me dis que j'en profiterais pour aller voir Mme Verdurin afin de connaître Mme Putbus. Car mon chagrin s'éloignant certains désirs[b] étaient revenus. Je me rappelais les tableaux d'Elstir, je pensais à la femme de chambre de Mme Putbus et je voulais aller voir Elstir et Mme Verdurin à la Raspelière. Profitant de ce qu'Albertine était pour quelques jours à Bricqueville j'écrivis à Mme Verdurin, je lui rappelai son invitation chez Mme Swann, combien de fois j'avais voulu aller la voir et que la sachant par hasard dans le pays, je viendrais le jour où elle pourrait me recevoir. Deux jours après je reçus, en même temps qu'une lettre de Saint-Loup me disant qu'il avait appris par son oncle Charlus lequel repartait le jour même pour Paris que je devais être à Balbec et me demandant si je ne viendrais pas le voir ou si je pouvais le recevoir, un télégramme me demandant si[c] je pouvais venir dîner le surlendemain même[d]. Une voiture m'attendrait à six heures à la station d'Épinay. J'étais impatient[e], touché et flatté d'avoir été l'objet de tant d'empressement de la part de Mme Verdurin et ne pouvais m'empêcher de rire de plaisir en pensant que puisqu'elle désirait tant m'être agréable, il me serait aisé de me faire peindre à Mme Putbus sous des couleurs flatteuses qui donneraient une grande idée de moi à la jolie femme de chambre[2]. D'ailleurs le mode nouveau sous lequel m'arrivait un plaisir mondain, voiture venant me chercher au bord de la mer et devant me mener à travers quelques kilomètres de campagne au soleil couchant dans un vieux château d'où je repartirais au clair de lune, donnait à cette chose sur laquelle j'étais si blasé, un dîner en ville, un attrait tout nouveau. Qui sait si Mme Putbus n'était pas en ce moment à demeure chez Mme Verdurin. Je pourrais peut-être voir sa femme de chambre le soir même. Comme Robert m'avait dit qu'elle allait dans les maisons de passe, je pouvais sans invraisemblance, me figurer que je la serrerais facilement dans mes bras ; et je poussai cette imagination si loin, mon désir s'y appliqua avec tant de précision et de violence que sachant que le dîner n'était que pour le lendemain[a], je ne pus attendre jusque-là et je partis[b] voir Albertine à Brebainville où elle était chez des amies. Le petit chemin de fer s'arrêtait à *[un blanc]*, mais j'avais trop besoin d'embrasser[1] Albertine le jour même pour m'arrêter à voir Robert. *(Peut-être ici phrase sur l'amitié opposée aux filles du cahier rouge[2]).* Aussi par peur qu'il fût à la gare je me rencognai dans le wagon. Et j'avais bien fait car une des premières personnes que j'aperçus fut M. de Charlus que sans doute Robert n'avait pas été libre de venir conduire. Je n'eus pas du reste à me cacher beaucoup, car au moment où M. de Charlus allait traverser pour prendre sur l'autre voie un nouvel express qui allait directement à Paris ses regards furent attirés par un militaire l'air assez mâle et décidé qui était à voir le clairon marqué sur sa manche, dans la musique et qu'il se mit à considérer avec une attention profonde. Le militaire se dirigeait vers le train où j'étais. M. de Charlus résolument alla lui demander un renseignement. Une conversation s'ensuivit. Mon train partit et je n'en vis pas davantage. Je descendis à Brebainville *(changer le nom)* qui était la station suivante[c]. Quand j'arrivai à la maison dont Albertine m'avait donné l'adresse, on me répondit qu'elle n'était pas là, qu'elle était au bout de la rue chez une de ses amies, qu'on allait la prévenir. Elle arriva au bout d'un instant. Revenant d'une promenade en bicyclette, elle portait un grand caoutchouc, dans lequel je l'avais vue souvent passer comme dans une armure tant il lui serrait aux jambes comme des cuissards bosselés et tant il mettait sur sa poitrine un impénétrable bouclier. Détendu maintenant, entrouvert, il la faisait ressembler à une jeune guerrière qui dépose ses armes et <dont> il me serait d'autant plus doux d'embrasser[d] les joues qui se dégageaient du caoutchouc douces, fraîches et roses, qu'il restait pour moi, me faisant souvenir des longues randonnées qu'elle faisait dans la pluie la première année que j'étais à Balbec, comme une sorte de symbole du voyage.

filant[e3] à toute vitesse les épaules penchées sur sa machine dans les rues de Balbec, quand, malgré le mauvais temps, elle partait pour une longue promenade. Ce caoutchouc, matière à la fois souple et qui semblait durcie partout où elle fait de belles cassures, lui faisait aux genoux de nobles jambières qui semblaient en métal, comme dans le *Saint Georges* de Mantegna[1], mettait sur sa tête un bonnet aux longues cornes de même qu'il faisait courir des espèces de surfaix autour de sa poitrine profondément cachée comme sous une armure, sous un couvert impénétrable. Les gens se rangeaient effrayés et disaient qu'ils se plaindraient au maire qu'on allât avec cette vitesse. Et moi rien qu'à la vue de ce caoutchouc, j'évoquais, je projetais, je partageais les longues promenades de la voyageuse, bien au-delà de Balbec, nous nous arrêtions tous les deux seuls à l'abri de la forêt de Chantepie quand la pluie devenait trop forte, et au-dessous de la matière si stérile, les joues lisses d'Albertine m'auraient paru plus lisses à embrasser, et sa poitrine plus secrète à découvrir si elle avait voulu pour moi déposer les armes, défaire son bouclier[a].

Je[b2] lui demandai de revenir à Balbec mais elle ne pouvait pas. « C'est ennuyeux comme cela vous êtes pour moi une voyageuse, j'aurais aimé vous avoir avec moi en wagon. — Hé bien je vais venir avec vous jusqu'à Montargis[3] et je reprendrai là le train qui va en sens inverse. C'est entendu. — Alors partons tout de suite. — Laissez-moi enlever au moins mon caoutchouc. — Mais non c'est cela qui vous fait voyageuse. Je vous le déferai moi-même dans le wagon. » En allant à la gare nous croisâmes la princesse de Parme en automobile. Elle avait une toque de fourrure d'où descendaient de longs voiles. « C'est ravissant ce qu'elle a, me dit Albertine, j'aimerais savoir de chez qui cela vient. C'est par pure curiosité puisque je n'aurai jamais l'occasion de faire de l'auto[c4]. » Nous trouvâmes un wagon qui était vide[5]. Le soleil se couchait, un petit vent faisait claquer le drapeau du casino comme le soir où j'étais venu à Balbec mais il ne me causait cette fois aucune tristesse, j'allais rentrer dans un hôtel bien connu. À ... je ne prenais[d] pas la peine de me cacher quand je me reculai vivement, je venais d'apercevoir dans la gare M. de Charlus que Robert n'avait sans doute pas été libre d'accompagner et qui allait traverser pour gagner le quai où arrivait un nouveau train direct pour Paris[e]. À Paris où je ne le voyais que dans le monde, je ne me rendais pas aussi bien compte combien M. de Charlus était devenu gros et lourd. Les joues rouges, sans doute avivées de fard, les cheveux légèrement gris et la moustache retroussée à la mousquetaire teinte en noir, le derrière énorme et proéminent. Mais au moment[f] où je me cachais pour qu'il ne me vît pas, lui-même s'arrêta net en apercevant un jeune militaire portant un clairon brodé sur sa manche, d'un beau visage l'air mâle et décidé[g] et sur qui M. de Charlus attacha ce regard profond qui m'avait fait si peur le premier jour à Balbec. Puis[h] comme le clairon semblait attendre le petit chemin de fer d'intérêt local, mais celui qui allait dans l'autre sens que le mien M. de Charlus n'hésita pas, rebroussa chemin, alla droit au militaire[a1] et le saluant très légèrement lui demanda un renseignement non sans une grande hauteur. Cette hauteur est d'ailleurs relative selon le point de vue où on se place. Car un prince domine un pioupiou, mais un inverti est dominé par tout beau jeune homme. De là vient que sa vie est remplie d'avances à des gens qu'il affecte de dédaigner parce qu'il est un grand seigneur qu'il est au reste pour les nobles mais non pas — et tout au contraire un individu à surveiller — pour le préfet de police. Le jeune homme eut l'air étonné et de ne pas comprendre. <M. de Charlus> avait sorti[b] de sa poche une liasse de billets de banque qu'il maniait négligemment. Cependant l'employé qui précédait M. de Charlus avec ses valises s'était arrêté et lui fit signe. M. de Charlus ayant sans doute dit au militaire de l'attendre alla parler à l'employé et fit remporter ses valises. Le train de Paris partit sans qu'il le prît et mon train lui-même partit sans que j'en visse davantage. Nous étions maintenant seuls Albertine et moi dans le compartiment. Le soir tombait sur les grandes prairies humides qui s'étendaient à l'horizon jusqu'à des vallonnements plus lointains et bleutés. J'avais plus de plaisir à embrasser ses joues fraîches sur son caoutchouc qui me rappelait les grandes randonnées qu'elle faisait ainsi accoutrée dans la pluie, la première année de mon séjour à Balbec. Car le plaisir physique est moins mince s'il s'appuie à un peu de rêve, comme tout moment dont on jouit devient exaltant si l'insuffisance du bonheur présent est comblée par un bonheur qu'on imagine. Sans doute Albertine n'était plus pour moi la mystérieuse fille que j'avais d'abord aperçue à Balbec et avec qui je pensais atteindre à une vie inconnue. Pourtant d'après ce simple trajet en wagon et dans son caoutchouc qui était pour moi comme l'attribut de sa force et de son goût et de son pouvoir d'aller loin par tous les temps, dans tous les pays, j'avais l'illusion du voyage. Regardant les prés je pensais : « Les grands pays muets longuement s'étendront[2] » et ramenant son cou vers moi : « Mais toi ne veux-tu pas voyageuse indolente, rêver sur mon épaule en y posant ton front ? » « On a à peine[c] eu le temps de s'embrasser, me dit-elle quand on arriva à ... Voulez-vous que je vienne demain ? — Demain ma chérie c'est impossible je vais à *[un blanc]* chez les Verdurin. — Méchant, vous allez passer si près de chez moi. Voulez-vous que je vienne vous dire bonjour à la gare ? — Oh ! je ne serai pas seul, je dois retrouver à la gare le docteur Cottard, sa femme, M. Brichot. — Enfin vous savez quand vous voudrez. — Hé bien peut-être après-demain, je vous ferais chercher si j'étais libre. — Entendu. »

Ce[a1] papier est pour ajouter au verso en face au recto deux lignes avant le bas de la page, après l'air mâle et décidé.

C'était le jeune Santois. Quand je l'avais vu au concert de Balbec je lui aurais certainement dit si j'avais parlé comme font la plupart des gens : « Que diable faites-vous ici ? » C'est la phrase si particulière au voyage et à la vie de bains de mer, qu'entendent si souvent les gares, les halls d'hôtel et les salons de casino. La faute en est à ce que dans le théâtre du monde généralement habité il n'y a pas emploi réciproquement privilégié et exclusif des acteurs, des décors, des pièces. De sorte <que>, de même que des péripéties nouvelles ont lieu dans la même chambre où un tout autre drame s'était passé, de même inversement un même acteur se retrouve dans des « situations différentes » dans d'autres lieux, où on le reconnaît ce qui serait d'un pauvre expédient si c'était un artifice de roman mais ce qui donne à la vie ce charme romanesque des « reconnaissances » dans certaines comédies de Shakespeare, où un personnage est pris pour autre qu'il n'était, ou bien revient là où on ne l'attendait pas.

M. de Charlus attacha sur Santois qu'il ne connaissait pas et qui lui parut sans doute non pas comme à moi habillé en militaire mais en homme de guerre de naissance, un regard profond dans lequel il semblait aspirer toute la poudre des batailles.

Suivre au recto en face à l'avant-dernière ligne[2].

La Prisonnière

Esquisse I
[RÉVEIL EN MUSIQUE (PREMIÈRE JOURNÉE)]

[Ce qui deviendra l'ouverture de « La Prisonnière » n'est à l'origine qu'une série de descriptions climatiques et auditives pour le réveil du narrateur dans sa chambre. Au début d'un des cahiers d'ébauches, le Cahier 3, datant de 1908-1909, quatre rédactions, dont la dernière est la plus longuement développée, se succèdent à partir de la même image de la « bande de jour », de la « couleur du jour », ou de la « raie de jour », « au-dessus des rideaux » (voir l'Esquisse I de « Du côté de chez Swann », t I, p. 633 et suiv.). Certains de ces motifs, en particulier ceux de la quatrième ébauche, ont été ensuite répartis entre les autres réveils de « La Prisonnière ».

Dans le Cahier 50, datant de 1910-1911, les ébauches antérieures ont été montées dans le récit d'un réveil-type du narrateur, un « réveil en musique», tandis que dans le Cahier 53, de 1915, les premiers paragraphes du texte final se mettent en place.]

I.1

Cette[a1] bande de jour était bien obscure encore mais je n'en ai jamais eu besoin de davantage pour savoir si le jour serait beau ou laid. Et je n'avais même pas besoin de lever les yeux et de regarder en haut des rideaux. Les premiers bruits de la rue, le roulement des chariots sur le pavé, la sonnerie des marchands venaient à mon oreille dilatés par la chaleur et aérés par la brise d'un jour tempétueux et doux, sonnant à mon oreille l'espoir du beau temps, la joie du vent, la légèreté des pluies brèves, le charme de l'automne, du printemps, parcourant selon les jours toute une gamme heureuse qui me donnait le désir au plus bas d'un mol estuaire de Bretagne, où le vent soulèverait la mer et disperserait les cloches sans qu'il cessât de faire doux et les ajoncs de fleurir, au plus haut de passer le S<ain>t-Gothard et de descendre dans le printemps déjà tout en fleurs de Florence et d'Orvieto. Comment au contraire *[interrompu]*

I.2

Et[a] je n'avais même pas besoin de voir la couleur du jour en haut des rideaux pour savoir le temps qu'il faisait. Les premiers bruits de la rue m'apportaient l'atmosphère où ils avaient retenti. Le plus souvent pendant ces jours d'hiver, ils m'arrivaient morfondus par la pluie, obscurcis par le brouillard, quelquefois découpés par le froid avec une promesse de soleil glacial qui me donnait envie d'aller le voir au bord de la Somme nue enlacer des vignes d'ombre au porche d'or de Notre-Dame d'Amiens ; d'autres fois amollis, aérés, épandus et dispersés dans la tiédeur d'un jour tempétueux et doux, apportant une espérance de beau temps légèrement rafraîchi de pluies brèves, alors les simples appels du tramway qui passait, m'arrivaient si chargés de douceur, si fourragés par le vent, si légèrement mouillés de pluie, déjà touchés par le soleil que j'aurais voulu *[interrompu]*

Bien avant d'avoir tourné les yeux vers elle mon esprit voyageait dans le pays dont chaque jour particulier qui à lui seul est une saison et un climat donne la nostalgie ; et rien que les bruits de la rue, les premiers roulements des chariots, soit qu'ils m'arrivassent morfondus par la pluie, enroués par le brouillard, aérés par la brise, ou vibrants de soleil *[interrompu[b]]*

I.3

Cette[c] mince raie de jour, aujourd'hui plus claire, hier plus sombre me donne l'humeur endormie ou exaltée du temps qu'il fait. Mais je n'ai pas besoin de l'avoir vue. La tête encore tournée contre le mur, les premiers bruits de la rue m'ont apporté avec eux leur atmosphère, l'ennui de la pluie où ils se morfondent et qui ôte à mon cœur tout désir, ou l'élance vers la saison et le climat dont ce temps semble détaché[d], la lumière de l'air glacé où ils vibrent et où je voudrais si je puis arriver à temps par le train voir au bord de la Somme gelée la cathédrale d'Amiens chauffant à midi[e], l'abattement du brouillard qui les éteint, la douceur et les bouffées d'un jour tiède et tempétueux, où la chaleur les épanouit, le vent les aère et les disperse, où l'ondée légère ne les mouille qu'un instant, au soleil vite essuyée d'un souffle et séchée d'un rayon ; quand j'entends au loin le roulement du premier tramway qui va passer sous ma fenêtre et l'appel encore lointain du timbre du conducteur, je sais quand s'approche, quand s'efface dans le lointain l'appel du timbre du conducteur, je le vois ruisselant sous la pluie ôtant à mon cœur tout désir ou en partance vers l'azur.

I.4

Cette[a1] mince raie, au-dessus des rideaux, selon qu'elle est plus ou moins claire me dit le temps qu'il fait, avant même de me le dire, m'en donne l'humeur. Mais je n'ai même pas besoin d'elle. Encore tourné contre le mur, et même avant qu'elle ait paru, à la sonorité du premier tramway qui s'approche et de son timbre d'appel, je peux dire s'il roule avec résignation dans la pluie ou s'il est en partance pour l'azur. Car non seulement chaque saison mais chaque sorte de temps lui offre son atmosphère comme un instrument particulier sur lequel il exécutera l'air toujours pareil de son roulement et de son timbre ; et ce même air non seulement nous arrivera différent s'il bondit et rayonne dans l'air vide et sonore d'un jour d'hiver, lumineux et glacé, au lieu de cheminer entre les parfums dans l'air déjà mélangé de chaleur d'un matin d'été qui s'apprête à la solidification de midi, mais[b] prendra une couleur, une signification, et exprimera un sentiment tout différent, s'il s'assourdit comme un tambour de brouillard, se fluidifie et chante comme un violon dans l'atmosphère immense et légère où le vent tout prêt alors à recevoir cette orchestration colorée et légère, fait courir ses ruisseaux ou s'il perce avec la vrille d'un fifre la glace bleue d'un temps ensoleillé et froid[c], les premiers bruits de la rue m'apportent l'ennui de la pluie où ils se morfondent, la lumière de l'air glacé où ils vibrent, l'abattement du brouillard qui les éteint, la douceur et les bouffées d'un jour tempétueux et tiède, où l'ondée légère ne les mouille qu'à peine, vite essuyée d'un souffle ou séchée d'un rayon. Ces jours-là, surtout, si le vent fait entendre dans la cheminée un irrésistible appel qui me fait plus battre le cœur qu'à une jeune fille le roulement des voitures allant au bal où elle n'est pas invitée, le bruit de l'orchestre arrivant par la fenêtre ouverte, je voudrais avoir passé la nuit en chemin de fer, arriver au petit jour au moment du café au lait dans quelque petite ville de Normandie, Caudebec ou Bayeux, qui m'apparaîtrait sous son nom et son clocher anciens, comme sous la coiffe traditionnelle de la paysanne cauchoise, ou son bonnet de dentelles de la Reine Mathilde, au bord de la mer en tempête, et partir aussitôt en promenade, poursuivi par les embruns jusqu'à l'église, rose et dentelée comme un coquillage entre les toits ronds des maisons, église de pêcheurs miraculeusement protégée des flots qui semblent ruisseler encore dans la transparence des vitraux, où ils soulèvent la flotte d'azur et de pourpre de Guillaume[2] et ses guerriers, et s'être écartés pour resserrer entre leur houle circulaire et verte, cette crypte sous-marine de silence, étouffée d'humidité et de pourpre où l'on voit le Christ miraculeux[3] qui flotta près de *[un mot illisible]* sur les eaux mais dont une flaque stagne encore çà et là au creux de la pierre des bénitiers. Et le temps qu'il fait n'a même plus besoin que de la couleur du jour, de la sonorité des bruits de la rue pour se révéler à moi et m'appeler vers la saison et le climat dont il semble un envoyé. À sentir le calme et la lenteur de communications et d'échanges qui règne dans la petite cité intérieure de nerfs et de vaisseaux que je porte en moi, je sais qu'il pleut et je voudrais être à Bruges où près du four rouge comme un soleil d'hiver les gélines, les poules d'eau, le cochon cuiraient pour mon déjeuner comme dans un tableau de Breughel. Si déjà à travers mon sommeil, j'ai senti tout ce petit peuple de mes nerfs actifs et éveillés bien avant moi, je me frotte les yeux, je regarde l'heure pour voir si j'aurais le temps d'arriver à Amiens pour voir près de la Somme gelée, sa cathédrale, ses statues abritées du vent par les corniches adossées à son mur d'or, y dessiner, au soleil de midi, toute une vigne d'ombre. Déjà j'ai sauté à bas de mon lit, je peux apercevoir dans la glace que je fais mille grimaces de plaisir, et je chante, car le poète est comme la statue de Memnon ; il suffit d'un rayon de soleil levant pour le faire chanter[a]. Mais les jours de brume je voudrais m'éveiller pour la première fois dans un château que je n'aurais vu qu'ainsi, me lever tard en grelottant dans ma chemise de nuit, revenant gaiement me brûler près du grand feu dans la cheminée, près duquel le soleil glacé d'hiver vient se chauffer sur le tapis, je verrais par la fenêtre un espace que je ne connais pas, et entre les ailes du château qui paraissent fort belles, une vaste cour où les cochers pansent les chevaux qui tantôt nous emmèneront en forêt voir les Étangs et le Monastère tandis que la châtelaine tôt levée recommande qu'on ne fasse pas de bruit pour ne pas m'éveiller. Parfois un matin de printemps égaré dans l'hiver, où la crécelle du conducteur de chèvres étincelle plus claire dans l'azur que la flûte d'un pasteur de Sicile, je voudrais passer le S<ain>t-Gothard neigeux, descendre dans l'Italie en fleurs. Et déjà touché par ce rayon de soleil matinal, j'ai sauté à bas du lit, j'<ai> fait mille danses et gesticulations heureuses que je constate dans la glace, je dis avec joie des mots qui n'ont rien d'heureux, et je chante, car le poète est comme la statue de Memnon. Il suffit d'un rayon de soleil levant pour le faire chanter[b].

I.5

Cette[c] mince raie il me suffisait de l'apercevoir au-dessus des rideaux pour apprendre le temps qu'il faisait d'après une certaine nuance d'obscurité ou d'éclat qu'elle avait dès son apparition ;

mais cela n'était même pas nécessaire *[interrompu]* Mais je n'avais même pas besoin de la voir. La tête encore tournée contre le mur, les bruits de la rue, selon qu'ils m'arrivaient étouffés par l'humidité ou vibrant comme une flèche sur les trajectoires rectilignes du froid, le roulement du premier tramway que je sentais morfondu dans la pluie ou en partance pour l'azur, me mettaient dans l'humeur du jour. Et peut-être s'y trouvaient-ils déjà, devancés eux-mêmes par l'odeur, ou quelque émanation plus indéfinissable, plus rapide et plus permanente qui établit entre le fond de l'organisme et l'atmosphère une si immédiate harmonie que quelquefois je ne savais qu'il faisait beau temps que parce que pendant que je dormais le rayon du soleil à travers les rideaux fermés était <venu> toucher au fond de moi une statue de Memnon qui s'était mise à chanter, n'avait plus voulu se taire, et avait fini par causer mon réveil, comme on dit au régiment un réveil en musique[a]. Et chacun reconnaît à la sonorité d'un bruit qui lui parvient d'une voiture s'il bondit dans le vide d'un beau matin d'hiver, au lieu de cheminer entre les parfums dans l'air déjà mélangé d'un jour tôt levé de printemps et qui commence déjà à s'apprêter à la solidification de midi. Mais pour une même saison l'atmosphère de chaque jour est comme un instrument original sur lequel un même bruit exécute son air identique qui revêt un caractère et exprime un sentiment différent selon qu'il le transpose pour les sourdes résonances et tambours du brouillard ou les aigres cornemuses du beau temps. Le timbre du tramway qui se fluidifiait pour chanter comme un violon dans ces jours venteux et tièdes où l'atmosphère sinueuse est arrosée et amollie par les doux ruisseaux de la brise, devenait pointu comme une vrille pour percer de son fifre <la> glace dure, transparente et bleue d'un air brumeux et gelé, si bien que rien qu'à mon oreille s'éclairait et se décrivait le spectacle de la rue, prête à recevoir par les beaux jours cette orchestration colorée et légère où se retrouvent et s'entrecroisent tant de thèmes populaires du raccomodeur de fontaines, du porteur d'eau et du chevrier[b]. Ce premier rayon de soleil-là, même si les rideaux sont hermétiquement tirés, même si mes paupières sont closes, trouve bien le moyen de venir instantanément toucher en moi une statue de Memnon qui se met à chanter, et si je m'étais rendormi, me tirant de mon sommeil, me fait ce qu'on appelle au régiment un réveil en musique[1].

Chaque[c][2] jour se rattachait à une certaine sorte de temps, à une saison, à un climat, auquel me permettait de me référer la sonorité du roulement[d] du premier tramway qui passait et l'atmosphère étant comme un instrument différent sur lequel un même bruit exécute son air identique je reconnaissais aussitôt si l'appel de son timbre *[interrompu]*

Les jours différents rejouant[a] chacun un même bruit par son atmosphère spéciale comme par un instrument nouveau, à l'appel du timbre du conducteur j'entendais s'il s'était fluidifié pour chanter comme un violon dans les bouffées très légères et tièdes d'un jour de brise ou si, pointu comme une vrille, il perçait de son fifre la glace dure, transparente et bleue d'un matin ensoleillé d'hiver[b]. Et[c] même avant que le timbre n'eût retenti, rien qu'en entendant s'approcher le lourd véhicule je pouvais dire s'il se morfondait dans la pluie, ou était en partance pour l'azur[1].

I.6

Dès[d][2] le matin, la tête encore tournée contre le mur et avant d'avoir vu de quelle couleur était la raie du jour <au->dessus des grands rideaux des fenêtres, je savais déjà quel temps il faisait ; les premiers bruits de la rue me l'avaient appris — selon qu'ils m'étaient arrivés amortis et déviés par l'humidité ou vibrant comme des flèches dans l'espace sonore et vide d'un matin froid et pur —, le roulement du premier tramway, que je l'eusse senti morfondu dans la pluie ou en partance pour l'azur. Et peut-être les bruits eux-mêmes avaient-ils été devancés par quelque émanation plus rapide et plus pénétrante — peut-être une odeur — qui à travers mon sommeil même mettait mon organisme en harmonie avec la journée, y répandait une tristesse à laquelle je pouvais conjecturer que viendrait au-dehors s'associer la neige, ou y mettait en branle tant de cantiques en l'honneur du soleil que ceux-ci finissaient par amener mon réveil, un réveil en musique, comme on dit au régiment. Quand je sonnais *(Esther quelque part[e])* Françoise m'apportait mon courrier mais seulement quand me décidant à interrompre ma solitude j'avais sonné. Car à cause de mon état de santé on avait ordre de ne jamais entrer dans ma chambre quoi qu'il arrivât sans que j'eusse appelé, ce qui me faisait toujours comparer par Albertine à Assuérus. Elle avait appris *Esther* au couvent et aimait à me dire en riant :

La mort est le prix de tout audacieux
Qui sans être appelé se présente à ses yeux
Rien ne met à l'abri de cet ordre fatal
Ni le rang ni le sexe et le crime est égal
Moi-même...
Je suis à cette loi comme une autre soumise
Et sans le prévenir, il faut pour lui parler
Qu'il me cherche ou du moins qu'il me fasse appeler[3].

Je regardais[a] dans *Le Figaro* si ne s'y trouvait pas un article — ma seule page écrite depuis tant d'années — que j'avais envoyé à ce journal et qui n'y paraissait pas. *Mettre ici le petit bonhomme barométrique qui eſt dans le cahier brun[1] puis voir au verso.*

Esquisse II

[ALBERTINE À LA MAISON]

[La présence d'Albertine chez le narrateur à Paris eſt toute la situation de « La Prisonnière ». Elle eſt résumée en quelques phrases dans la première version du roman d'Albertine, au Cahier 71 de 1914. Dans la version au brouillon, mais complète, de « La Prisonnière » du Cahier 53, datant de 1915, la présence d'Albertine « à la maison » eſt précisée avant même l'ouverture, comme eſt établi le parallèle avec le rite du baiser du soir à Combray.]

La[b] vie réserve quelquefois des joies qui semblaient impossibles[c].

« Mais bien sûr, quel besoin ai-je d'aller à Amſterdam, s'écria Albertine, c'eſt humide, froid. Comme je serais plus heureuse chez vous. »

Elle y vint, elle eut la chambre bleue, non loin de la mienne. Et tous les soirs après le dîner, elle venait s'asseoir à côté de mon lit. Je ne pensais plus à ses amies d'Amſterdam. Je redevins heureux. Tout le jour, pendant qu'Albertine était sortie (j'avais fait demander à Andrée de tâcher de venir la prendre tous les jours pour sortir, car ainsi je savais ce qu'elle avait fait et j'étais tranquille) je connaissais les joies que donne la solitude. *Peut-être ici tout le morceau du troisième volume[2] sur la vie de convalescent. Puis après : Et comme je savais que je ne les éprouvais plus que quand Albertine serait rentrée et causerait avec moi[d].*

Je[e] ne puis pas parler du soir où le capitaine de Borodino permit à Saint-Loup que je dormisse au quartier (cette faveur ne guérissait qu'un malaise passager) ; non, quand je pense qu'Albertine vint habiter à Paris avec nous, qu'elle renonça à l'idée d'aller à Amſterdam disant qu'elle se trouvait bien mieux à la maison qu'au bord de ces canaux si froids, qu'elle eut sa chambre à vingt pas de la mienne, dans le cabinet à tapisseries de mon père[f], au bout du couloir, il me faut remonter au soir de Combray où je ne pouvais me décider à passer la nuit sans avoir embrassé maman, quand par miracle mon père l'apaisa, il me faut remonter à ce soir où maman vint coucher dans le grand lit à côté du mien si je veux trouver une autre circonstance où la vie m'ait fait remise, contre toute prévision, d'un malheur qui me semblait à la fois inévitable et mortel. Mais elle ne me donnait pas cette fois la joie que j'avais connue à Combray. La présence d'Albertine auprès de moi, sa séparation d'avec ses amies, ne faisaient qu'épargner à mon cœur le renouvellement de ses souffrances ; elles le maintenaient dans une sorte de repos, d'immobilité à la faveur de quoi il pouvait peu à peu réparer les parties qui en avaient été si brusquement déchirées, le soir où j'avais appris qu'Albertine avait été l'amie de Mlle Vinteuil. La vérité que j'avais cru découvrir ce jour-là, si en rapport avec toutes les vraisemblances que mon instinct avait remarquées, de nouveau maintenant ma raison, peut-être cherchant à obéir au vœu secret de mon cœur, cherchait chaque jour à me faire apparaître cette vérité comme moins probable. Elle perdait d'autant plus de sa force que ma souffrance de ce soir-là se guérissait peu à peu, comme l'idée de la mort s'affaiblit chez un malade au fur et à mesure qu'il s'éloigne de la crise qui a failli l'emporter[a]. Sans doute grâce à cet apaisement je n'étais plus fermé à certaines des joies, mais loin de les devoir à Albertine, je les goûtais au contraire pendant qu'elle n'était pas auprès de moi, dans la solitude[1].

Et[b2] si incomparables, si démesurément différents que fussent ces deux baisers, Albertine me remettait alors un viatique aussi calmant que ma mère en venant poser ses lèvres sur mon front à Combray[c], dans ma bouche elle glissait un instant sa langue, chaude et douce comme un pain quotidien, nourrissant et presque sacré. Puis, les souffrances que nous avons endurées à cause d'un être, finissant par donner à sa chair une douceur morale[d]. Au dernier instant avant de me quitter, quand Albertine glissait dans ma bouche sa langue, chaude comme un petit pain quotidien, chaud, nourrissant, presque sacré, elle me remettait — si démesurément différents, si incomparables que fussent l'un et l'autre baiser —, un viatique aussi sûr pour toute la nuit, que ma mère quand elle tendait sa joue à mes lèvres, chaque soir à Combray.

Esquisse III
[LE PETIT BONHOMME BAROMÉTRIQUE]

[Le « petit personnage intermittent » de l'ouverture de « La Prisonnière », le moi qui réagit au temps qu'il fait, est une idée ancienne : elle remonte, dans le Cahier 2, au « Contre Sainte-Beuve » ; elle a été reprise trois ans plus tard dans le Cahier 50.]

III.1

Quand[a1] successivement tous les autres hommes que j'ai en moi, l'un par-dessus l'autre sont tous réduits au silence, que l'extrême souffrance physique, ou le sommeil les a tous fait tomber l'un après l'autre, celui qui reste le dernier, qui reste toujours debout, c'est mon Dieu quelqu'un qui ressemble parfaitement à ce capucin qu'au temps de mon enfance les opticiens avaient sous la vitre de leur devanture et qui ouvrait son parapluie s'il pleuvait et ôtait son chapeau s'il faisait[b] beau. S'il fait beau mes volets ont beau être hermétiquement fermés, mes yeux peuvent être clos par le soleil, une crise terrible causée précisément par le beau temps, par une jolie brume mêlée de soleil qui me fait râler, peut m'ôter à force de souffrance presque la connaissance, m'ôter toute possibilité de parler, je ne peux plus rien dire, je ne pense plus à rien, même le désir que la pluie mette fin à ma crise, je n'ai plus la force de me le formuler. Alors dans ce chaud silence de tout que domine le bruit de mes râles, j'entends tout au fond de moi une petite voix gaie qui dit : il-fait-beau, il-fait-beau, des larmes de souffrance me tombent des yeux, je ne peux pas parler, mais si je pouvais retrouver un instant le souffle, je chanterais, et le petit capucin d'opticien qui est la seule chose que je suis resté, ôte son chapeau et annonce le soleil.

III.2

Et[c] plus simplement, tout au fond de moi, derrière tous les personnages que je suis, il y en a un[d] qui ne se soucie pas des autres, et qui quand le sommeil, ou le chagrin, ou la maladie les a tous renversés l'un après l'autre, comme des capucins de cartes, reste seul à son poste, semblable lui aussi à un capucin mais plutôt à celui que je voyais à la vitrine de l'opticien de

Combray et qui indiquait le temps. Dans des crises que la pluie seule pourrait calmer, si j'attends avec anxiété que le ciel se brouille, quand tombent les premières gouttes, il rabattra son capuchon avec mauvaise humeur. Et je crois bien qu'à l'heure où je mourrai, quand tous les autres pousseront les plaintes de l'agonie ou seront déjà réduits au silence, si un rayon de soleil se met à briller, cet égoïste prendra son chapeau à la main, se dira : « Il fait beau, quel bonheur, on peut sortir. »

III.3

De[a] tous les personnages que nous sommes ce n'est pas toujours ceux qu'on voit le mieux du dehors parce qu'ils occupent le devant de la scène qui tiennent le plus solidement en nous. Quand en moi la maladie ou la souffrance les a presque tous jetés à terre comme des capucins de cartes, il en reste encore deux ou trois, par exemple un certain philosophe qui, pareil à ceux qui ont un chapeau pointu dans Molière, ne s'aperçoit seulement pas de toutes les catastrophes qui sont survenues autour de lui et pourvu qu'il ait aperçu une partie commune entre deux œuvres, est heureux, raisonne et gesticule. Mais si celui-ci venait à être jeté à terre, il y en a un qui serait encore debout sur lui, et qui celui-là comme capucin, ressemble surtout à celui que je voyais à la vitrine de l'opticien de Combray, et qui placé là pour indiquer le temps ôtait son chapeau s'il faisait du soleil, et remontait son capuchon s'il allait pleuvoir. Cet égoïste ne connaît rien d'autre ; tandis que je souffre d'une crise que la venue de la pluie seule pourra apaiser, et que j'épie les premières gouttes, lui qui ne s'en soucie <pas>, s'il voit le ciel se brouiller, il rabat son capuchon avec mauvaise humeur. Et je crois bien qu'à mon agonie, quand tous mes autres mois seront morts, si brille un rayon de soleil, on pourra percevoir entre mes gémissements la voix distincte et contente d'un petit personnage barométrique qui ôtera son chapeau en disant : « Ah ! il fait beau ! »

Esquisse IV

[L'ODEUR DES BRINDILLES DANS LE FEU]

[Avec les bruits du dehors les parfums sont une invitation au voyage, au moins par le souvenir, pour le narrateur dans sa chambre. Il en est ainsi de l'odeur des brindilles jetées dans le feu, qui vient se placer dans la matinée du Cahier 50, puis dans le brouillon de « La Prisonnière » du Cahier 53.]

IV.1

Si[a] le froid au contraire forçait Françoise à venir m'allumer un peu de feu, parfois quelque brassée de brindilles jetée dans le feu pour le faire prendre suscitait dans son odeur inaccoutumée et reconnue, ou bien les feuilles d'automne de la garnison de Montargis où je rentrais chaque jour me chauffer et lire, ou bien les branches en fleurs des arbres fruitiers de Combray dans la glaciale semaine de Pâques, et faisait alors régner autour de la cheminée un cercle magique dans lequel je voyais la fenêtre de la salle à manger sur la rue du S<ain>t-Esprit, les assiettes peintes et où je retrouvais le plaisir de lire Bergotte au coin du feu. Car de véritables « pleins », comme des solides de formes aiguës, incrustaient, dans l'air de ma chambre, des réalités d'autres époques dont elles me donnaient le désir, et par là même la joie de mener la vie. Parfois c'était une odeur âcre de fumée et <de> neige, qui me rappelant ces soirs d'hiver où je m'apprêtais pour aller dîner à l'hôtel du Faisan doré avec Montargis et ses camarades, m'exaltait en me rappelant qu'il existait réellement un genre de vie insouciante, frivole, mêlée des plaisirs de la société, du régiment, du château, avec les plaisirs de la province, du froid, du confort et de la lecture[1].

IV.2

Françoise[b] venait allumer le feu et parfois pour le faire prendre y jetait quelques brindilles dont l'odeur inaccoutumée et reconnue suscitait autour de la cheminée un cercle magique dans lequel je me voyais lisant, tantôt à Combray, tantôt à Doncières, et intercalant dans l'air <de> ma chambre de Paris de véritables pleins, de belles incrustations de ma vie d'autrefois, où je me réjouissais comme si j'allais sauter du lit pour aller retrouver Saint-Loup ou me promener du côté de Méséglise. Cette similitude des journées avec de plus anciennes qui ne nous montrent pas seulement l'apparence des choses vues alors, mais du fond de nous-même dégagent comme le sculpteur du bloc chaotique, l'homme oublié que nous fûmes quand nous les vivions, et qui ainsi jour par jour nous appelle à une autre vie, nous fait pénétrer une autre profondeur des choses, était celle qui convenait vraiment à ce que j'avais de plus profond en moi, qui me donnait les joies d'une mémoire profonde, intéressant à mon souvenir les couches les plus souterraines de moi-même, les soulevant puissamment à la plus grande profondeur. C'était le trait particulier de ma nature, ces joies que j'éprouvais dans les promenades avec Mme de Villeparisis quand je croyais reconnaître trois arbres. Mais même pour ceux qui ne sont pas ainsi faits, quand on a déjà un peu vécu, chaque tintement de pluie, chaque bouffée de chaleur, chaque odeur de brume, de sa main invisible déroule devant nous un petit tableau, paysage que nous avons vu sous la pluie, au soleil, par un temps de brume. N'est-ce pas assez pour qu'il soit doux de vivre les yeux fermés, surtout quand comme pour moi, la maladie de chaque jour avivait en moi le prix de ces tableaux que je ne pouvais contempler, et pourtant l'espérance perpétuelle d'être guéri le lendemain, les empêchait de n'être qu'un pur souvenir mais en faisait une réalité à laquelle j'espérais bientôt revenir[a].

Esquisse V

[DÉSIR D'INCONNUES]

[Les inconnues aperçues de sa fenêtre par le narrateur sont le contrepoint de sa vie prisonnière d'Albertine dans le texte final. Mais observer les jeunes blanchisseuses, ou crémières, dans la rue, ou d'autres jeunes filles encore, était déjà le sujet de scènes plusieurs fois recommencées dans les Cahiers 4 et 6 du « Contre Sainte-Beuve » romanesque de 1908-1909 (on lira le passage du Cahier 6 dans l'Esquisse XII, p. 1137-1138). Proust a repris ce motif dans le Cahier 50, pour le deuxième volume du roman de 1910-1911, avant d'en rédiger une nouvelle version dans le Cahier 53, en 1915.]

V.1

À[b1] peine si comme un musicien qui entend dans sa tête la symphonie qu'il compose sur le papier a besoin de jouer une note pour s'assurer qu'il est bien d'accord avec la sonorité réelle des instruments, je me levais un instant et j'écartais le rideau de la fenêtre pour bien me mettre au diapason de la lumière. Je m'y mettais aussi au diapason de ces autres réalités dont l'appétit est surexcité dans la solitude et dont la possibilité, la réalité, donne une valeur à la vie, les femmes qu'on ne connaît pas. Voici qu'il en passe une qui regarde de droite et de gauche, égayée par la matinée éblouissante, et ne se presse pas, change de direction comme un poisson dans une eau transparente. La beauté[a] n'est pas comme un superlatif de ce que nous imaginons, comme un type abstrait que nous avons devant les yeux, mais au contraire un type nouveau, impossible à imaginer, que la réalité nous présente. Ainsi de cette grande fille de dix-huit ans, à l'air dégourdi, aux joues pâles, aux cheveux qui frisent. Ah ! si j'étais levé. Mais du moins je sens que les jours sont riches de telles possibilités, mon appétit de la vie s'en accroît.

V.2

J'apercevais[b1] un de ces êtres qui nous dit par son visage particulier la possibilité d'un bonheur nouveau. La beauté en étant particulière multiplie les promesses de bonheur. Chaque être est comme un idéal encore inconnu qui s'ouvre à nous. Et de voir passer un visage désirable que nous ne connaissions pas, nous ouvre de nouvelles vies que nous désirons vivre. Ils disparaissent au coin de la rue, mais nous espérons les revoir, nous restons avec l'idée qu'il y a plus de vies que nous ne pensions à vivre et cela donne plus de valeur à notre personne. Un nouveau visage qui a passé c'est comme le charme d'un nouveau pays qui s'est révélé à nous par un livre. Nous lisons son nom, le train va partir. Qu'importe si nous ne partons pas, nous savons qu'il existe, nous avons une raison de plus de vivre. Ainsi je regardais par la fenêtre pour voir que la réalité, la possibilité de la vie que je sentais en chaque heure près de moi contenaient d'innombrables possibilités de bonheurs différents. Une jolie fille de plus me garantissait la réalité, la multiformité du bonheur. Hélas nous ne connaîtrons pas tous les bonheurs, celui qu'il y aurait à suivre la gaieté de cette fillette blonde, à être connu des yeux graves de ce dur visage sombre, à pouvoir tenir sur ses[c] genoux ce corps élancé, à connaître les commandements et la loi de ce nez busqué, de ces yeux durs, de ce grand front blanc. Du moins nous donnent-ils de nouvelles raisons de vivre. J'élisais un de *[interrompu*[d]]

V.3

Parfois[e] j'allais écarter un instant le rideau qui me tenait dans l'obscurité pour constater si depuis le lever de l'aube où mon attention avait été attirée par le tumulte harmonieux des musiciens qui en moi accordaient leurs instruments pour participer à l'exécution du programme du jour, la lumière qui vibrait dans mon imagination était bien restée à l'unisson de celle qui chantait sous mes fenêtres ; ou encore pour me rendre compte de l'effet que cette lumière que je voyais intérieurement faisait sur la pierre ou sur une voiture qui passait, comme un musicien qui compose de tête et entend ses notes, va cependant à son piano ou à son violon pour en essayer la sonorité. J'avais encore un autre but. Même si je ne demandais à la journée que des désirs, encore est-il des désirs qui naissant d'êtres uniques, étant individuels, sont précisément faussés dès qu'on les imagine c'est-à-dire qu'on les généralise et les abstrait. Il fallait que je visse passer la démarche et le visage d'une fière jeune fille de quinze ans à cheveux roux qui suit son institutrice, à nez droit, ou de quelque jeune blanchisseuse portant son linge en courant, et où des différences de lignes peut-être quantitativement imperceptibles suffisaient à différencier une personne incomparable à toute autre et à donner l'idée d'un bonheur particulier qu'aucune autre personne ne pourrait donner[a].

V.4

Dépouiller[b1] une journée de — telle qu'elle apparaît dans le désir — cette parure noble et d'une essence si particulière, ce serait comme dépouiller l'univers d'une qualité aussi précieuse que la couleur, ou le parfum. Or cette parure qu'une femme ajoute à la journée diffère encore de toutes les autres, par un autre caractère, plus précieux encore, plus troublant, c'est que le désir qu'on a d'elle est individuel, que le visage qui l'a excité, même si les lignes par lesquelles il diffère sont infinitésimales, est cependant unique et tel, qu'aucun autre ne pourrait assouvir le rêve particulier du bonheur qu'il a éveillé en nous.

Sans doute cela donne à ce parterre mobile dont les femmes émaillent une ville, une variété, une résistance à côté desquelles les autres fleurs s'évanouissent comme des ombres. Et en effet chacune de ces fleurs vivantes ne cache-t-elle pas toute une vie où nous voudrions nous engager comme dans un jardin aperçu par la grille du regard, comme dans un roman original dont nous ne pouvons soupçonner le charme si nous ne l'avons pas lu. Or[c] nous représenter un tel visage d'après d'autres, comme nous ferions pour la lumière d'une journée par exemple, éprouver au lieu du désir d'une personne, le désir de la beauté, c'est en généralisant ce désir, en le rendant abstrait, lui ôter tout son caractère. Ce n'est qu'en voyant la jeune fille qui passe suivie de son institutrice, la blanchisseuse qui porte ses paquets, la mondaine qui fuit en automobile, que je pouvais éprouver avec exactitude le désir de la journée et de ces fleurs particulières si vite écloses sur le pavé de Paris au premier rayon de soleil, sur les trottoirs encore trempés, ou même tendant brièvement la tête à la pluie ou au vent, et dont aucune ne ressemble à l'autre. *Suivre au recto 2 pages plus loin.*

Mais[a] si le regard dont me frappait une telle vue me laissait pourtant plus heureux, en me faisant paraître la vie plus digne d'être vécue, la rue plus pleine de trésors qu'on ne pouvait imaginer, de bonheurs comme je n'en avais pas connus, et me donnait plus envie de guérir, de me promener, de vivre, pourtant au moment même où la femme inconnue passait, parfois de toute la vitesse de son automobile, j'éprouvais quelquefois une telle rage de ne pouvoir tomber sur elle comme une flèche tirée de l'embrasure de ma fenêtre par une arquebuse[b] et intercepter la fuite du visage où m'attendaient les baisers que je ne cueillerais pas, que souvent par peur d'une souffrance pourtant si précieuse, je préférais ne jeter aucun coup d'œil dans la rue[1].

V.5

Alors[c], convalescent affamé qui jouit de tous les mets qu'on lui refuse encore je me demandais si en épousant Albertine je gâcherais ma vie tant en assumant la tâche trop lourde pour moi de me consacrer à un autre être, qu'en vivant absent de moi-même par cette présence continuelle et en me privant à jamais des fruits de la solitude. Et pas de ceux-là seulement. Même en ne demandant à la journée que des désirs, encore en est-il, ceux que provoquent les personnes dont le caractère est d'être individuel, de ne s'adresser qu'à un être, comme si aucun autre ne pouvait les satisfaire et par conséquent qu'on fausse, si on y substitue dans sa pensée des désirs différents, auxquels on donne cet objet abstrait, contradictoire et inexistant, la Beauté. Aussi si sortant de mon lit, j'allais écarter un instant le rideau de ma fenêtre ce n'était pas seulement — comme un musicien s'assied un instant au piano et écoute les notes qu'il a écrites dans sa tête — pour vérifier si la lumière du soleil sur le balcon et sur les pavés était bien au diapason exact de celle qui baignait mon imagination, c'était pour apercevoir dans la rue quelque blanchisseuse portant ses paquets, quelque laitière aux manches de toile blanche, quelque fière jeune fille aux cheveux roux, au nez droit suivant son institutrice, image que des différences de lignes, peut-être mathématiquement insignifiantes, suffisaient à faire profondément différente de toutes les autres, et sans la vision de laquelle, j'aurais appauvri la journée du plus particulier de tous les buts qu'elle pouvait proposer à mes espérances de bonheur. Mais si le surcroît de vie que me laissait une telle vue me laissait plus heureux en me faisant paraître la rue plus comblée de beautés que le rêve ne peut imaginer parce qu'ils sont individuels, la vie plus digne d'être vécue, j'avais soif, de guérir, de sortir, et non pas avec Albertine, d'être libre, et parfois au moment où la femme inconnue passait dans la rue, tantôt à pied, tantôt de toute la vitesse de son automobile, je souffrais de ne pas pouvoir tomber sur elle comme une flèche tirée de l'embrasure de ma fenêtre par une arquebuse et immobiliser la fuite du visage où m'attendait la possibilité des baisers que je ne goûterais pas[a].

Esquisse VI
[LES VISITES À LA DUCHESSE DE GUERMANTES]

[Dans le Cahier 53, la duchesse de Guermantes est l'objet de deux brèves esquisses rédigées sur les versos : l'une la décrit comme « la femme de Paris qui s'habillait le mieux » ; l'autre ébauche les visites que lui fait le narrateur. Mais on est encore loin de ce qui deviendra dans le texte définitif un après-midi, ou plutôt une série d'après-midi[1], « chez la duchesse de Guermantes ». Car les conversations entre la duchesse, le duc, les autres familiers de leur hôtel et le narrateur sont des ajouts faits directement sur les dactylographies de « La Prisonnière ».]

Pour[b2] mettre un peu plus loin quand notre vie avec Albertine à la maison commence[3].

Quand je dis à Albertine qu'habitait en face la duchesse de Guermantes, ce nom éveilla deux impressions bien différentes. Élevée par une famille bourgeoise à ne pas avoir l'air de se préoccuper de nobles qu'elle ne connaissait pas, elle prit un air distrait, froid, presque désagréable. Et qui d'ailleurs avait un certain charme, étant — comme son amitié subite après qu'elle s'était couchée auprès de moi rappelant le côté Saint-André-des-Champs de Françoise et de Théodore — de race française aussi (car l'affranchissement des Communes et la Convention sortent de la féodalité) à la façon du « sympathique souvenir » <que> m'avait adressé le soir du concert le jeune Santois, depuis si déchu ou peut-être à son avis si en voie de parvenir[c]. Mais au bout d'un instant elle m'avoua qu'Elstir lui avait cité la duchesse de Guermantes comme la femme de Paris qui s'habillait le mieux et elle m'interrogea beaucoup sur elle.

Mettre[d] (capitalissime à l'endroit où cela pourra se placer dans notre vie, bien avant la soirée Verdurin).

Pourtant quelquefois, pendant qu'elle était sortie, je me levais et j'allais un instant faire une visite à la duchesse de Guermantes.

C'est que, entre toutes les manières de faire plaisir à Albertine — et je tâchais qu'il n'y eût pas de jour où je n'eusse pour moi la joie d'un plaisir à lui faire — une des plus certaines était de lui donner de jolies choses pour sa toilette. Souvent elle m'avait parlé de quelque brimborion ravissant, écharpe, ombrelle, sac à main *(?)*, étole, < qu' > elle avait par la fenêtre ou en passant dans la cour, de ses yeux qui distinguaient si vite tout ce qui se rapportait à l'élégance vu, porté par Mme de Guermantes. Je ne répondais rien mais au premier jour j'allais voir la duchesse pour tâcher de me faire expliquer ce que c'était, où cela avait été fait, comment je devais le faire faire, en quoi consistait le secret du faiseur, le charme de sa manière ou la beauté de son étoffe car surtout je ne voulais pas donner à Albertine dont le goût si difficile avait été affiné par Elstir de simples à peu près de jolies choses.

Esquisse VII

[ALBERTINE : RÉALITÉ ET IMAGINAIRE]

[Dès la première page de l'état primitif du « roman d'Albertine » dans le Cahier 71 — c'est-à-dire celle que Proust a paginée « 1 », rédigeant dans cette partie de son cahier la vie en commun de son narrateur avec Albertine[1], Proust introduit la dialectique du rêve et de la réalité dans les rapports du « je » narratif et d'Albertine. Mais la jeune fille « encagée » chez le narrateur a perdu les charmes que lui conférait l'imagination de celui-ci à Balbec. La synthèse de ce raisonnement dialectique qui lui fait suite dans la pagination autographe du Cahier 71, synthèse qui met en évidence « cette quatrième dimension, celle du Temps », sera finalement retardée jusqu'à la fin de « La Prisonnière », après la séance de pianola.

La rédaction de cette première partie — Albertine à Paris chez le narrateur —, dans le Cahier de brouillons 53, reste fragmentaire, mais elle s'insère déjà à sa place dans le premier cahier de manuscrit, le Cahier VIII*, dont la forme n'est pas encore définitive.]*

*Il[a] faudra marquer ceci qui est capital. Q < uan > d je ne connais pas Albertine elle est pour moi un rêve, quelque chose d'immense ; quand je la connais cela se réduit à presque rien. C'était cela, ces rêves ! (je n'ai pas écrit cela, l'écrire). Q < uan > d elle s'en va tout d'un coup les rêves se reforment mais sous forme douloureuse comme de l'acide lysique en un rhumatisme qui ne vous quitte plus. Il faudra aussi que le fait que je l'imagine toujours avec ses amies, donc quelque chose d'artistique, d'ambigu que j'associe je ne sais pourquoi à *La Nuit des rois*[2], au charme qu'elle a pour moi. Quand je pense à leur âme une pensée vulgaire, la mémoire habituelle de nos querelles et elle n'est rien. Quand je viens de relire *La Nuit des rois,* que je pense que c'était elle Viola me servant, jouant du pianola, alors ma faculté d'aimer est libérée, s'exerce et je l'adore. De sorte qu'on ne peut aimer un être qu'à condition de penser à quelqu'un d'autre que lui.*

On[a1] venait me dire qu'elle était là ; et encore avait-on l'ordre de ne jamais la nommer si je n'étais pas seul, et j'attendais qu'elle fût rentrée dans sa chambre avant de faire sortir l'ami ou l'amie qui avait pu venir me voir ; car je cachais qu'elle habitait la maison, et même qu'elle vînt me voir tant j'avais peur qu'on ne s'amourachât d'elle, qu'on l'attendît devant la porte, ou que dans l'instant d'une rencontre dans le couloir ou dans l'antichambre, elle pût faire un signe et donner un rendez-vous. Même alors quand elle venait auprès de moi et que je croyais tenir toute sa vie auprès de moi, cette vie ne m'apparaissait pas comme celle des autres, je la sentais pleine du temps et c'était d'ailleurs une beauté. Sans doute je ne trouvais pas auprès d'elle un plaisir aussi puissant que celui que me donnait la solitude, car j'étais, quand Albertine était là, moins complètement moi-même, mais il était infiniment plus fort, parce que ma personnalité s'y aliénait moins que celui que je trouvais, non seulement dans la vie mondaine et qui n'était même pas un plaisir, mais que celui que me donnait mon amitié avec S < ain > t-Loup. Nos relations avec un être modifient d'une façon si insensible mais si continue ce qu'il avait été pour nous tout d'abord que c'était pour moi une espèce d'émerveillement quand Albertine, au bout d'un instant, ayant enlevé ses affaires, venait s'asseoir au pied de mon lit[b], de penser que cette jeune fille au fond de laquelle existait une idée de moi fort familière et tout l'amalgame des sentiments qu'elle avait formés pour moi, et des réactions de mes sentiments sur les siens au cours de ces derniers mois, était la même que j'avais vue pour la première fois rieuse devant l'hôtel, le long de la grève à Balbec.

Je[c] retrouvais cette image ancienne dans ma mémoire ; ses yeux étaient insistants et rieurs sous le petit polo plat ; elle se détachait sur la mer ; je me disais : « C'était elle ! », et en touchant ses joues rebondies, en mettant ma bouche sur ses lèvres, je ne cessais de me répéter : « C'était elle ! », pour que ce que je possédais fût bien ce que j'avais désiré, pour replacer la sensation que j'éprouvais dans le cadre de mon premier désir. J'aurais voulu pouvoir appliquer la figure actuelle sur l'image d'autrefois et les faire se rejoindre. Mais non, je sentis mieux la beauté dans les espèces du temps enmêlées en voyant les diverses positions que l'image d'Albertine avait prise par rapport à moi. D'abord mince, inconnue, une silhouette sur la mer, placée sur un plan parallèle à moi, et dont je n'aurais jamais pu m'approcher. Puis, par Elstir — par ce qu'on appelle la présentation — ma vie était devenue comme perpendiculaire à la sienne, j'étais allé à elle, et dans une certaine mesure, par mes paroles qu'elle entendait, par mes regards auxquels elle répondait, par mes actions de tous les jours auxquelles les siennes répondaient (par ce qu'on appelle être en relation) j'avais dans une certaine mesure pénétré en elle. Elle reparaissait ainsi à certaines années différentes de ma vie, comme dans des plans différents, et où sa position par rapport à moi n'était pas la même. Et avec elle était entrée maintenant[a] cette quatrième dimension, celle du Temps.

Quelquefois[b1] en l'attendant pour que le temps me semblât moins long, je feuilletais un album d'Elstir, prenais[c] un livre de Bergotte, je jouais quelque phrase mélancolique de Vinteuil. Alors, bien différente de l'ennui que j'avais souvent auprès d'Albertine, du sentiment médiocre qui m'animait quand je pensais à elle, et qui se traînait à terre dans les médiocrités de la vie réelle, quand je lisais Bergotte, quand je jouais Vinteuil une immense tendresse pour Albertine me soulevait. Était-ce parce que l'art développait en moi une force de sentiment dont je ne disposais pas d'habitude ? Était-ce que je m'étais peu à peu dressé, quand je pensais à Albertine, à me figurer que j'aimais, que j'étais aimé, que grâce à elle je communiais à un sentiment général de l'humanité : l'amour, de sorte que tout ce qui me parlait d'amour me parlait d'elle ? Était-ce que le désir comme le bonheur ne se trouve pas quand on le cherche et enivre quand il est rencontré, quand on ne s'y attendait pas ? Était-ce que l'art remettait entre elle et moi ces distances de l'imagination qui me l'avaient fait aimer à Balbec quand je ne la connaissais pas[d] ?

Alors, pendant la lecture ou l'audition de ces œuvres qui, nous le savons bien, au cours de cet acte où, réveillant notre pensée, nous lui demandons de collaborer étroitement avec nos yeux ou nos oreilles, pour prendre connaissance d'une œuvre qui semble seulement visible et audible mais qui est en réalité intellectuelle, ce que je faisais sortir de moi, pour aller l'adapter à la phrase du poète ou du musicien, c'était ces rêves que m'avait inspirés Albertine quand je ne la connaissais pas encore et qu'avait renforcés le train-train de la vie de tous les jours. Gardant ce charme ambigu d'être seulement l'une des jeunes filles au bord de la mer mais mille fois plus aimée, elle que je trouvais laide quand je la regardais, quand elle était maussade, j'étais fou d'elle quand c'était elle la phrase sur l'amour de Stendhal ou de Shakespeare, ou de Bergotte que je lisais, la phrase de Franck ou de Vinteuil que je jouais comme si l'amour, pareil en cela au bonheur, perdu chaque fois que je le cherchais, se retrouvait dès que je ne le cherchais plus, dès qu'un objet imaginaire le faisait sortir du repaire où il se trouve, l'imagination[e].

Dès[f] qu'Albertine était là on venait me prévenir, et j'entendais ses pas, le bruit de sa jupe dans le petit couloir ; Albertine me faisait dire qu'<elle> allait venir chez moi, ou bien Françoise me disait qu'Albertine n'allait sans doute pas venir maintenant, qu'elle était rentrée dans sa chambre, qu'elle était rentrée chez elle et avait demandé du feu, et je pensais comme il était étrange que pour cette jeune fille que j'avais cru ne jamais connaître, rentrer chez elle ce fût précisément rentrer chez moi. L'impression éprouvée à Balbec le soir où elle était venue coucher à l'hôtel s'était complétée et stabilisée, du mystère, du plaisir sensuel, devenu quelque chose de domestique, de presque familial, enclos dans les murs où je vivais, circulant dans le couloir, et mettant dans mon appartement, quand de ma chambre, ou de dehors j'y pensais, au milieu du vide qu'il avait été jusque-là, un fruit <que[a]> même dans les moments où j'étais loin de lui, je ne pouvais revoir dans ma pensée qu'avec une collaboration de tous mes sens qui goûtaient à lui, de tous mes sens apaisés par la possibilité permanente d'y goûter encore[b].

On venait me prévenir dès qu'elle était là[c] ; et encore avait-on l'ordre de ne pas la nommer si je n'étais pas seul, si j'avais auprès de moi Bloch, ou Saint-Loup et j'attendais qu'elle fût rentrée dans sa chambre avant de faire sortir la personne qui était venue me voir ; car je cachais qu'elle habitât la maison, et même qu'elle vînt me voir, tant j'avais peur qu'un de mes amis ne s'amourachât d'elle, ne l'attendît devant la porte, ou que dans l'instant d'une rencontre dans le couloir ou dans l'antichambre, elle pût faire un signe et donner un rendez-vous[1].

Albertine[d][2] venait auprès de moi, assise en robe de chambre devant mon pianola elle me faisait de la musique, ou, tout en l'embrassant sur ses joues rebondies, je me faisais battre aux dames par elle, je causais avec elle. Certes je ne trouvais pas auprès d'elle les joies que j'avais eues dans la solitude, mais tout en le regrettant, en trouvant que dès qu'elle était là, je vivais moins, je m'ennuyais, pourtant je n'éprouvais pas auprès d'elle l'impression de sécheresse et de vide que j'avais dans la vie mondaine et même auprès de Bloch ou S<ain>t-Loup. La sensualité est tout de même en nous quelque chose d'assez profond pour donner à son objet plus de consistance que les plaisirs de la vanité ou de la conversation. Et puis elle, n'était-ce pas la même Albertine — cette jeune fille au fond de laquelle résidait habituellement une idée de moi fort familière, comme de la personne qui lui était sans doute après sa tante, la moins étrangère de toutes, qu'elle distinguait le moins de soi-même —, la même que j'avais vue la première fois, à Balbec, sous son polo plat, avec ses yeux insistants et rieurs, inconnue, mince comme une silhouette et dont je ne pourrais jamais m'approcher, se détacher sur la mer.

Elle semblait alors dans un plan parallèle au mien, et dont je ne pourrais jamais approcher, et que pourtant par la présentation chez Elstir, puis par nos relations à Balbec, j'avais rejoint. À différentes années de ma vie elle occupait ainsi par rapport à moi des positions différentes qui me faisaient mieux sentir la beauté des espaces interférents, des années où j'étais resté sans la voir, de tout le temps écoulé sur la diaphane profondeur duquel l'image que j'avais auprès de moi se modelait avec un puissant relief et des ombres mystérieuses. Hélas ce n'était pas que dans ma mémoire c'était aussi dans mon cœur qu'elle occupait ainsi diverses positions successives. Entre l'Albertine pour qui j'étais un inconnu, qui me recherchait et celle d'aujourd'hui qui m'embrassait presque machinalement certes, la distance était grande. Mais enfin je me disais que l'Albertine d'autrefois était contenue dans celle d'aujourd'hui et je me consolais de ne plus être aimé par les anciennes en les possédant toutes[a]. Les images successives qu'avait été pour moi Albertine, n'étaient[b] pas seules à lui donner ce volume. En elle-même, elle avait multiplié, s'était accrue par la superposition à une nature autrefois à peine formée de qualités, de défauts, qui allaient se répétant, poussant ici et là comme des racines hors d'une graine qui se divise et fleurit, tels traits de caractère que je n'avais pas connus et qui l'enrichissaient, l'alourdissaient et la teignaient somptueusement.

Ajouter[c1] au verso suivant ou au précédent.
Oui, dans le charme qu'elle avait pour moi, il y avait encore de tout ce désir que j'avais eu de connaître les jeunes filles dont le cortège insolent et fleuri, se déroulait le long de la plage, de l'agitation que j'avais eue alors, de la souffrance qu'elles ne sussent pas que je connaissais Robert de S<ain>t-Loup. Et sans doute, recouvert par bien d'autres choses, avait persisté au fond de mon amour pour Albertine — et au fond de l'amour qu'avait eu si longtemps Robert de S<ain>t-Loup pour Rachel — chez lui, même après qu'il l'eut fait renoncer aux planches, le prestige de la vie de théâtre —, et chez moi, même quand Albertine habita, cloîtrée par moi, dans ma maison, le charme, les curiosités, l'émoi, le désarroi social de la vie de bains de mer.

Mais[d2] tout en reconnaissant avec regret que dès qu'Albertine était là, je vivais moins largement que dans la solitude, pourtant je n'éprouvais pas auprès d'elle l'impression de sécheresse et de vide que me laissait la vie mondaine, et même l'amitié masculine, l'amitié de Bloch ou de S<ain>t-Loup. Une sensualité venue de régions plus profondes de mon être mettait en Albertine une consistance que sont incapables de créer les plaisirs de la vanité et de la conversation. Derrière cette jeune fille, comme derrière la lumière pourprée qui tombait aux pieds de mes rideaux à Balbec pendant qu'éclatait le concert des musiciens, se nacraient les ondulations bleuâtres de la mer. N'était-elle pas en effet, elle au fond de qui résidait de façon habituelle une idée de moi si familière qu'après sa tante j'étais peut-être la personne qu'elle distinguait le moins de soi, la même que j'avais vue pour la première fois à Balbec, sous son polo plat, avec ses yeux insistants et rieurs, inconnue encore, mince comme une silhouette profilée sur la mer. Ces effigies gardées intactes dans la mémoire sont souvent curieuses à y retrouver. On s'étonne de la dissemblance avec l'être qu'on connaît, on comprend quel travail de modelage accomplit quotidiennement l'habitude de la tendresse[a]. Dans le charme qu'elle avait pour moi maintenant au coin de mon feu, vivait encore le désir que m'avait inspiré le cortège insolent et fleuri qui se déroulait le long de la plage, et comme Rachel gardait pour Saint-Loup même qu'il la lui eût fait quitter, le prestige de la vie de théâtre, au fond de ma tendresse pour cette Albertine cloîtrée dans ma maison, loin de Balbec d'où je l'avais précipitamment emmenée, subsistaient le charme, l'émoi, le désarroi social, la vanité inquiète, les désirs errants de la vie de bains de mer. Elle était si bien encagée, que certains soirs même, je ne faisais pas demander qu'elle vînt, celle que jadis tout le monde suivait, que j'avais tant de peine à rattraper, filant sur sa bicyclette, que le liftier même ne pouvait pas me ramener, que j'attendais toute la nuit. Son charme était fait de l'émoi douloureux que sa fuite incessante excitait alors en moi. Maintenant que je l'avais dans sa chambre, dérobée à tant d'admirateurs et d'admiratrices, non plus filant à toute vitesse mais assise à ciseler, j'étais tranquille et souvent je ne l'appelais pas de tout un jour[b].

Esquisse VIII

[UN TEMPS DIFFÉRENT, SOUS UN AUTRE CLIMAT (DEUXIÈME JOURNÉE)]

[Des passages de la matinée originelle, telle que Proust l'a recomposée, à partir des premières ébauches contenues dans les cahiers du « Contre Sainte-Beuve », dans le Cahier 50, ont été répartis dans les brouillons de « La Prisonnière » du Cahier 53, avant d'être distribués entre les différentes matinées du texte final (voir les Esquisses I, XII, XVIII). Ici, il s'agit de la deuxième journée du texte définitif, telle qu'elle apparaît déjà dans le Cahier 53[1]*.]*

Et[c2] même avant que le timbre n'eût retenti, rien qu'en entendant s'approcher le lourd véhicule je pouvais dire s'il se morfondait dans la pluie, ou était en partance pour l'azur. J'entendais la sonorité de son roulement ; si elle bondissait comme pour se réchauffer et rayonnait dans l'air vide et lumineux de l'hiver, j'étais au seuil d'un monde nu, gonflé comme de veines par des fleuves bleus qui coulaient entre des rives sans ombres, au pied des cathédrales. Et j'aurais voulu aller dans une ville du Nord où j'aurais pu arriver à temps pour trouver les statues en espalier du porche, chaudes et dorées au soleil comme les vignes de l'hiver, et se festonner de pampres d'ombre, tandis que par la porte ouverte de la nef obscure j'aurais vu un rayon de midi traversant un vitrail, y cueillir et y assembler au-dessus de l'autel un bouquet éclatant de roses rouges ; si au contraire elle m'arrivait à tout moment aérée, divisée, déviée par les ruisseaux d'air qui s'écoulent en tous sens dans un jour venteux et doux, à peine mouillée d'une ondée intermittente que sèche aussitôt un souffle ou un rayon, alors j'aurais voulu aller < sur > une côte pour laquelle le vent venant jusque dans ma cheminée venait m'appeler et me dire : « Venez avec moi, je pars tout de suite » ; il ferait peut-être beau quand j'arriverais dans la petite ville normande, les toits, laissant s'égoutter en roucoulant les dernières gouttes, lisseraient au soleil leurs ardoises irisées par l'eau comme une gorge de pigeon[1].

Enfin[a] un jour, j'entendis des cloches, des cloches étrangères comme à Querqueville et qui n'étaient pas du pays. Mais elles s'y étaient fixées, car elles continuèrent à sonner tous les quarts d'heure faiblement, comme venant d'une église lointaine traversant avant d'arriver jusqu'à moi de longs espaces qu'elles me décrivaient. On m'a assuré ensuite qu'elles venaient seulement de la maison d'à côté où un locataire avait acheté une grande horloge suisse dont la sonnerie était en effet à s'y méprendre, si on la prenait pour une sonnerie de cloches à qui elle ressemblait exactement, non pas affaiblie par la distance, mais naturellement faible ; mon oreille continua à les recevoir de loin comme des volées de cloches et quand mon intelligence m'avait soigneusement rappelé que c'était une horloge voisine, c'était trop tard j'avais déjà joui de toute l'étendue du pays qu'elles faisaient régner autour de ma maison devenue maison de campagne, et du souvenir des heures d'autrefois, des heures de l'aube, de midi, du soir, des heures du jour de vent et de soleil, dont j'avais tant joui mais jamais peut-être tellement que depuis que je retrouvais tous leurs plaisirs fondus dans un son de cloches. Toutes je les aimais depuis les plus matinales qui sonnaient à l'angélus, pâles, à peine blanchissantes et rapides, faibles et clairsemées comme les gouttes de pluie qui passent dans la brise qui précède le lever du jour ou comme les dévots qui vont à la messe de six heures, me faisant jouir du plaisir de ceux qui vont partir en excursion avec le jour, et qui battent la semelle en attendant que les voitures soient attelées dans la cour du petit hôtel de province où on avait rendez-vous si le temps s'annonçait beau, fiers de se montrer les premiers arrivés à ceux qui les défiaient hier soir de pouvoir se réveiller et qui ne sont pas là.

Mais[a] hélas chaque jour en me conduisant, bien plus, en s'imposant à moi dans un pays différent, ôtait par là à ma personne, qui se sentait nouvelle chaque matin dans un monde nouveau, cette continuité qui m'eût seule permis de mettre à exécution le lendemain la ferme décision de commencer à travailler que j'avais toujours prise la veille. Mais voici que j'avais sans le savoir passé la nuit en voyage. Au réveil comme un passager sur un navire dans une mer dangereuse, je trouvais un froid vif, ou un orage déchaîné autour de moi. Ce n'était pas être inactif que de ne rien faire ce jour-là. Si je n'avais pas agi, le temps, l'atmosphère avait agi pour moi. Et le soir en me remémorant les dépressions barométriques que j'avais traversées, j'étais comme ces fonctionnaires qui en temps de guerre, dans ces jours exceptionnels où on ne va plus au bureau, lisant le soir le bulletin des opérations militaires accomplies, sentent qu'ils ont vécu un jour qui en valait la peine et n'ont pas perdu leur journée. Le lendemain un climat nouveau régnait autour de moi, j'avais débarqué dans un pays ensoleillé et tiède. D'ailleurs cette oisiveté eût-elle duré toute ma vie, que je l'aurais crue toute nouvelle, car la sensation du temps qu'il faisait qu'elle portait en elle, la colorait chaque jour de couleurs si différentes que mes yeux mêmes ne la reconnaissaient pas[b].

Si je me rendais compte qu'hier, par ce jour de grand vent, j'avais simplement été paresseux, en pensant à moi-même comme à un goéland qui se laisse bercer par la tempête et si j'étais décidé à ne pas recommencer, pouvais-je croire que c'était recommencer que par cette journée de soleil torride, rester immobile à goûter la chaleur comme un scarabée tapi dans une pivoine. Un jour[c] la pluie tombant sans cesse autour de la maison *(voir la forme exacte écrite ailleurs)* avait donné au seul fait de rester à la chambre, la douceur, le silence, la fraîcheur, l'intérêt d'une navigation. Le lendemain *(mais plutôt le lendemain est la navigation)* rester tout le jour les yeux clos par ce soleil éclatant, c'était chose permise, usitée, salutaire et plaisante comme des persiennes fermées contre la chaleur. Et le lendemain ce commencement de grandes pluies où rester sans rien faire dans une chambre était autre chose encore et avait la douceur, l'intérêt, la virginité d'une navigation[d] *[interrompu]*

Cette perpétuelle instabilité de mon être entre les renouvellements incessants duquel des habitudes laborieuses, si j'en avais eu, eussent du moins assuré une sorte de continuité, était encore accrue par la persistance de mon désir de travail qui chaque soir voyant que la journée s'était encore écoulée sans que j'eusse rien fait, la considérant non avenue, ne voulait plus y penser, et considérait que le lendemain, puis le lendemain, et ainsi de suite était en réalité le premier jour qui survenait depuis que j'avais pris la décision irrévocable de travailler *(mettre goëland et navigation après cela en mettant « Car »)*.

Mais[a] le lendemain comme si la maison avait voyagé pendant la nuit, je m'éveillais par un temps différent, sous un autre climat. On ne travaille pas en débarquant dans un pays aux conditions duquel il faut s'adapter, or chaque jour était pour moi un jour d'arrivée. D'ailleurs comment aurais-je reconnu ma paresse ? Tantôt, par des jours irrémédiablement mauvais la résidence dans la maison située au milieu d'une pluie égale et continue avait < la > glissante et fraîche douceur, le silence calmant, tout l'intérêt d'une navigation ; une autre fois, par un jour clair, en restant immobile dans mon lit c'était comme autour d'un tronc d'arbre < que > je laissais la lumière tourner autour de moi ; ou bien j'avais dès l'aube, discerné un jour tempétueux, désordonné et doux, aux cloches d'un couvent voisin, à peine blanchissantes, rares comme les dévotes matinales, éclairant le ciel sombre de leurs incertaines giboulées que fondait et dispersait le vent tiède, tour à tour je voyais[b] mouillés d'une ondée intermittente que sèche un souffle ou un rayon les toits laissant glisser en roucoulant une goutte de pluie et lissant au soleil momentané leurs ardoises irisées comme des gorges de pigeon, puis le vent recommençait à tourner ; journées chargées d'incidents atmosphériques d'une activité dont les oisifs croient avoir pris leur part parce qu'ils s'y sont intéressés, où le temps agit, sinon eux et qu'ils ne croient pas plus avoir perdues parce qu'ils n'ont rien fait qu'en temps de guerre les fonctionnaires dont le bureau est resté fermé mais qui lisent le soir dans le journal les *[interrompu[c]]*

journées si chargées d'incidents atmosphériques qu'elles ne peuvent pas paraître davantage vides au paresseux qu'au fonctionnaire ces journées d'émeute où il n'a pu aller à son bureau mais où il apprend par le journal tout ce qui s'y est passé et dont son esprit tire utilité et son oisiveté excuse, bien que ce ne soit pas lui-même qui l'ait accompli.

Ce jour-là comme tous les précédents était non avenu depuis ma vieille résolution de travailler, prise à Combray, et qui me semblait dater d'hier. Je me mettrais à l'ouvrage le lendemain. Et d'ailleurs quand même ce qui était arrivé c'eût été des événements autres que barométriques quelle influence auraient-ils pu avoir sur mon travail. Un paresseux va se battre en duel dans des conditions dangereuses. Alors lui apparaît le prix du temps dont il aurait pu profiter pour accomplir son œuvre, les charmes de la vie dont il a négligé de jouir, ah ! s'il n'est pas tué, à la minute même il se met à travailler et à jouir. Il revient du duel indemne ; mais l'événement ne peut exalter en nous que ce qui s'y trouve, chez le laborieux le travail, chez le paresseux la paresse. Il se dit : « Pour aujourd'hui congé » et ce congé il ne l'emploie même pas avec plaisir. Car il se retrouve en face des mêmes difficultés, des mêmes habitudes dont le regret ne tenait pas compte, puis la vie devenue si belle au moment où elle allait lui être ravie, redevient terne. Il ne s'amuse pas et se dit : « Je travaillerai demain. » Comme ce duelliste sorti sain et sauf de la rencontre, je me disais que[a] je me mettrais à l'ouvrage le lendemain ; mais je n'y étais plus le même, sous un ciel sans nuages ; le bruit des cloches, plus précieux que le miel contenait, non pas seulement comme lui de la lumière, mais la sensation de la lumière ; pour être celui qui s'était tant attardé comme une guêpe à Combray sur notre table desservie, il gardait aussi un goût de confitures. Par ce soleil éclatant, rester tout le jour les yeux clos c'était chose permise, usitée, salutaire et plaisante, comme de tenir ses persiennes fermées contre la chaleur[b].

Esquisse IX

[DUPLICITÉ D'ALBERTINE]

[Sur dix feuillets du Cahier 71, qu'il a paginés à la suite, Proust a développé le cycle des sentiments du narrateur vis-à-vis d'Albertine prisonnière chez lui : plaisir et impossibilité de la possession, soupçons et secrets de la vie d'Albertine. À ce stade primitif du roman, le découpage en journées n'existe pas encore. La place de ces passages n'est donc pas encore fixée, et ils se présentent comme une série d'exemples à l'appui d'hypothèses psychologiques, lesquelles sont présentées en premier.

Dans le premier cahier de brouillons de « La Prisonnière », le Cahier 53, les projets secrets d'Albertine, dont le narrateur reconnaît les signes, seront l'objet d'une rédaction en deux temps. Proust, en repaginant ce Cahier, a rapproché les réflexions habituelles du narrateur sur la conduite cachée d'Albertine, de la soirée particulière — ce sera la deuxième du roman — où elle avoue son intention d'aller le lendemain chez les Verdurin. Mais, dans le troisième cahier de brouillons, le Cahier 55, comme dans le manuscrit au net et le texte définitif, ces réflexions apparaissent dans la quatrième série de journées, en préfiguration du départ d'Albertine.]

Cette[c1] quatrième dimension, celle du Temps, que je trouvais autrefois à l'église de Combray, combien je la trouvais plus à Albertine ; tandis que les autres êtres se détachaient pour moi comme à plat, ne projetant devant moi que le faisceau de ce qu'ils me représentaient dans la vie actuelle, elle se modelait tendrement pour moi dans le temps qui lui faisait une sorte de volume, donnant de la profondeur aux ombres qui étaient autour d'elle, réservant l'intervalle des années où j'étais resté sans la voir, et après la diaphane épaisseur desquelles elle avait tout d'un coup resurgi[a]. Bien qu'à cause d'elle et pour qu'on l'ignorât je tâchais de ne plus voir personne, si pendant qu'elle était près de moi quelque ami, Bloch ou S<ain>t-Loup, venait pour me voir et que je fusse obligé de les recevoir quelques minutes, je commençais par la faire rentrer dans sa chambre, et m'arrangeais à ce qu'elle n'en sortît que quand ils seraient dans l'escalier, et tandis qu'en s'en allant ils passaient dans le couloir, séparés d'Albertine par une simple porte, je trouvais quelque chose de beau à penser que je possédais ainsi dans cette chambre, pareille au coffret précieux du conte, une personne plus merveilleuse pour moi que la princesse de la Chine, presque une sorte de grande déesse, incarnant cette présence à côté de laquelle nous passons d'ordinaire sans la soupçonner, le Temps[b]. Je disais qu'elle se modelait sur le fond des années écoulées ; pas seulement ; celles-ci étaient en elles comme un abîme que j'apercevais sans pouvoir m'en approcher, cet abîme des minutes inconnues, cet abîme de la vie d'un autre être que d'ordinaire nous ne soupçonnons pas, parce que nous appelons les autres des êtres par commodité de langage, mais sans leur conférer l'existence. Je touchais ses mains, j'embrassais ses joues, comme on aime ces pierres où habite l'antiquité de la terre, ou le schéma des océans profonds, ou un rayon provenant d'un astre. J'écoutais sa voix, je provoquais ses réponses, je caressais ses joues, mais je sentis que je ne faisais que jouer sur l'enveloppe d'un être qui donnait par ailleurs sur un infini.

Je[c] la regardais. Son visage était rose et à cause de son sourire, plissé comme une rose mousseuse *(mettre en son temps qu'elle est ainsi et que c'est une des Albertine)*. Mais comme je me serais trompé moi-même si j'avais cru n'avoir de plaisir à la regarder dans ma chambre, si je n'avais cru ne l'aimer que comme une belle rose mousseuse. Ou plutôt, dans les moments où c'était ainsi, je recommençais à ne plus l'aimer ; mais je recommençais à souffrir par elle, à l'aimer, dès que sous cette surface rose et plissée se creusait, quand je sentais que je remuais et faisais bouger cette tête rose que mon cœur avait voulu remplir, un inexhaustible gouffre, car nous n'aimons que les choses sous l'apparence desquelles nous imaginons quelque chose d'inaccessible. Derrière son visage c'était toutes ses pensées. Je ne la gardais plus près de moi que comme une rose, car derrière elle se creusait perpétuellement le gouffre d'un espace vide que mon cœur aurait voulu remplir. Derrière son visage c'était toutes ces soirées, toute une ville que je sentais inaccessible et continue[d].

Qu'avait-elle fait dans ces promenades ? Qui l'y avait accompagnée ? Elle rentrait tard, disait-elle, et je sentais ces soirées de la campagne hollandaise qu'elle avait parcourue avec des amies et le retour dans les rues d'Amsterdam où elle connaissait tout le monde, où elle avait peut-être de mauvaises relations, où les soirées se prolongeaient tard, où la foule est compacte et allumée par les bons repas, par ces soirs, dans ces rues, dont je voyais derrière son visage, dans ses yeux comme dans les glaces trompeuses d'une voiture, les feux innombrables, inatteingibles et reflétés.

Mais hélas cette beauté même de contenir, à l'encontre des autres êtres qui pour nous ne contiennent rien, les fluides profondeurs du temps, il y avait certains soirs où elle me devenait atrocement douloureuse, ceux où je sentais tout d'un coup, comme un éclair de chaleur, la présence de la vie inconnue d'Albertine, et elle la reculait jusqu'à ces distances où évoluent dans d'autres cieux des mondes inaccessibles, sentir tout ce qu'il y avait, à côté de moi, d'inconnu en elle, ne m'apportant plus de la beauté mais du désespoir. C'était les soirs où sa présence ne m'apportait aucun apaisement.

*Capital[a].

Il y a deux idées que je n'oublierai pas dans ce livre et que peut-être je mettrai dans cette partie, oui, cela expliquera le départ d'Albertine[b], pour les rapports de moi avec Albertine.

La première se rapporte forcément à moi (je vois que je fonds les deux et ce n'est pas mal ainsi, cela explique les départs d'Albertine[c]).* Chose curieuse, car tous les principes sous lesquels j'avais regimbé si douloureusement pendant mon enfance incomprise, sévérité trop raisonnable de ma grand-mère, arbitraire violent de mon père, qui opprimaient mais du dehors et restaient extérieurs et distants à mon enfance incomprise, maintenant ils <nous> avaient rejoints, je me les étais incorporés, c'était mon tour d'en faire souffrir les autres. Chaque fois qu'Albertine était triste sans raison je devenais froid, ironique : « Si vous étiez malade, s'il vous était arrivé malheur je serais le premier à vous plaindre, mais au fond vous n'avez aucune tristesse, peut-être n'en éprouveriez-vous pas si vous perdiez quelqu'un que vous aimez, car ce gaspillage de sensiblerie, etc. » Et me rappelant que c'était là des idées de ma grand-mère, des choses qu'elle disait par exemple à Françoise, j'étais persuadé d'être dans le vrai. D'autre part par une sorte d'arbitraire comme en avait mon père, j'annonçais des déterminations que ma fraternité de nature avec le nervosisme d'Albertine me faisait obscurément pressentir devoir jeter dans son âme le plus grand désarroi. Je ne comptais nullement mettre à exécution mes paroles, pas plus que quand je disais à ma grand-mère que je ferais telle chose qui lui déplaisait je ne comptais le faire, mais en annonçant ainsi les choses qui pouvaient justement affoler sa peur des changements, ses goûts de liberté, etc. en disant négligemment : « Comme je ne compte pas rester dans cet appartement, comme nous allons peut-être aller passer six mois dans un ermitage[1] », j'éveillais en elle des affolements, des résistances, pour des faits qui n'auraient pas lieu, alors que j'eusse pu les lui faire accepter en ménageant ce que ma grand-mère jugeait qui n'était pas digne d'être ménagé, ce que mon père ne ménageait pas par incompréhension, et ce que moi je ne ménageais pas par trop de compréhension qui me faisait haïr comme trop semblables à moi les résistances que précisément moi j'aurais eues, moi qui craignais tant les départs, les changements de maison, etc. *(mettre cette queue de phrase avant pour finir plutôt sur « que précisément j'aurais eues ». D'ailleurs tout cela est à récrire mieux[a])*.

Quand elle arrivait, si elle avait pour le lendemain quelque projet, quelque désir, je m'en apercevais tout de suite, et je sentais que ma pensée qui d'habitude restait calme comme le petit bouchon de liège à la surface de l'étang de Tansonville, à regarder sans le voir le miroir uniforme et vide des après-midi d'Albertine, allait trembler désespérément, agrippée, tirée par quelque chose d'invisible qui « mordrait ». Certes, parfois ce désir qu'elle avait, elle me le confiait ; et s'il avait pour objet d'entendre une œuvre musicale, d'aller faire une excursion, de prendre ce plaisir que j'aurais pu partager avec elle, je mettais à le lui procurer une ardeur que je n'aurais déployée pour personne. Mais d'autres fois, ce désir que je lui voyais elle ne m'en disait pas l'objet, je me figurais qu'il était provoqué par un autre être, et cela je ne pouvais le supporter. Elle n'avait pas besoin de me dire qu'elle[b] avait un désir, qu'elle avait formé un projet ; ce désir je le voyais, inconnu, rétif, indomptable, et dont son visage rond comme un œuf rose était rempli. Je comprenais qu'elle voulait aller ici ou là, faire telle ou telle chose, je ne savais pas pourquoi, dans quel but, pour arriver à quel plaisir, mais je savais qu'elle voulait le faire rien qu'à la *manière* nonchalante dont elle disait qu'elle le *ferait* peut-être, peut-être pas, ce qui était une manière à la fois d'en notifier l'intention, d'en préparer les moyens et d'en diminuer l'importance.

Elle disait ne pas y tenir ; mais ma volonté, soudain soulevée, éperdue, se passionnait pour que cette chose Albertine ne la fît pas, et que je déguisais sous des paroles de feinte indifférence, sous des conseils de tel ou tel emploi de journée pour le lendemain, desquels l'expression était aussi flottante que l'avait été celle du désir d'Albertine ; mes conseils dès qu'ils venaient toucher chez elle cette volonté qu'elle n'avait pas exprimée et que j'avais devinée, sentaient en elle la répulsion d'une électricité contraire, tiraient des étincelles. Je m'arrangeais pour l'obliger à aller le lendemain justement à un autre endroit que celui qu'elle avait choisi et qui m'avait soudain alarmé[a].

Et ainsi je recommençais comme autrefois à être méchant avec elle. Sans doute je me disais, si je ne l'aimais pas je ne serais pas si méchant avec elle et peut-être elle n'aurait pas de gratitude. Mais cet amour qui me faisait être méchant était aussi la source de gentillesses infinies pour elle que je n'eusse pas eues si je ne l'eusse pas aimée. De sorte qu'il me semblait que tout compte fait mon amour devait plutôt la toucher.

J'aurais pu lui confirmer que j'avais agi par amour. Être méchant du moment que je l'aimais, c'était si naturel. L'intérêt que nous témoignons aux autres, à ce qu'ils désirent, ne nous empêche pas d'être doux avec eux, car cet intérêt est mensonger ; les autres que nous-même nous sont au fond indifférents et l'indifférence ne pousse pas à la méchanceté. Je n'aurais pu m'excuser de mes ruses, de ma duplicité, qu'en lui avouant que j'avais agi par amour. Mais j'avais peur qu'apprendre mon amour — souvent je craignais qu'elle ne s'en doutât — ne refroidît plus encore ses sentiments pour moi que ne pouvait faire une méchanceté[b]. Puis je sentais entre nous depuis quelque temps l'intervalle d'un silence qui devait consister en des griefs irréparables qu'elle taisait. Pour contrecarrer ses projets j'avais souvent été obligé de ruser, de mentir, de me confier à Andrée et de lui dire : « Empêchez Albertine d'aller ici ou là. » Parfois même, ayant perdu le soupçon qu'Albertine avait pu revenir pour Andrée et ayant bien l'impression qu'il n'y avait rien entre elles, je me demandais si Andrée n'avait pas dit à Albertine que je lui avais fait telle ou telle recommandation. Elle m'affirmait que non. Albertine ne me l'avait jamais dit. Mais pourtant je sentais que depuis ce jour, d'Albertine s'était retirée[c] la confiance qu'elle avait eue longtemps en moi, elle n'avait plus jamais avec moi de ces expansions qu'elle avait encore avec moi à Balbec, il n'y avait pas deux mois, quand elle me disait : « Ce que vous êtes gentil ! »

Je pensais avec douleur que je n'étais plus pour elle ce que j'avais été, qu'elle confiait à d'autres ce qu'elle m'eût jadis confié à moi quand en effet elle avait encore raison d'avoir confiance. Je sentais s'ouvrir en elle des chemins inconnus que sa pensée *parcourait* seule, encore d'autres, des chemins dans lesquels je ne voyais pas *clair et où* elle ne m'amènerait pas. Et même une sorte de rudesse hostile protégeait *maintenant* contre moi son visage, certains soirs, en dehors même de ceux où je m'arran*geais* à l'empêcher de faire le lendemain ce qu'elle avait projeté. J'y réussissais d'autant mieux qu'elle ne luttait pas[d], elle restait douce, cédant, mais je sentais dans ses regards muets le regret de joies que je ne devinais pas et qu'elle préférait renoncer plutôt que de révéler. Combien alors je souffrais de cette affreuse position où nous a réduits le caprice ou les lois de la nature quand elle a institué la division des corps et n'a pas permis l'interpénétration des âmes, combien je souffrais d'être auprès de l'âme de cet autre être comme[a] un spectateur qu'on n'a pas laissé entrer dans la salle et qui par le carreau de verre d'une porte ne peut apercevoir rien de ce qui se passe sur la scène. À quoi bon demander à Albertine ce qu'elle voyait à ce moment-là. Mais je sentais que toute la soirée elle garderait devant les yeux les paysages que je n'apercevais pas et dont la contemplation qui m'était refusée l'empêchait par cela même d'être à ce moment-là pareille à moi.

Cette[b1] fois du projet qu'elle avait, elle fut obligée[c] de m'en dire un mot, je compris qu'elle[d] voulait aller le lendemain faire visite aux Verdurin, ce qui en soi-même ne m'eût en rien contrarié. Mais certainement c'était pour y rencontrer quelqu'un, pour arriver à quelque plaisir. Sans cela elle n'eût pas tellement tenu à cette visite. *Pour ajouter vers le bas de la page (après les mots : sans cela elle n'eût pas tellement tenu à cette visite).* Il est vrai qu'elle ne m'avait même pas dit : « J'y tiens. » Malheureusement, suivant dans ma vie une marche inverse de celle des peuples qui ne se servent de l'écriture phonétique qu'après l'avoir longtemps considérée comme une suite de symboles, moi qui pendant tant d'années n'avais cherché la vie et la pensée réelle des gens que dans ce qu'ils m'en disaient directement, je n'attachais plus au contraire d'importance qu'aux témoignages qui ne sont pas une expression rationnelle analytique et directe de la vérité ; pour les paroles elles-mêmes elles ne me renseignaient que comme les brusques rougeurs ou les silences subits. Tel adverbe chimiquement formé par le rapprochement involontaire de deux idées que l'interlocuteur *[interrompu[e]]*

Or elle m'avait dit : « Il serait possible que j'aille demain chez les Verdurin, je ne sais pas du tout si j'irai. » Cette hésitation apparente recouvrait une volonté arrêtée et n'avait pour but tout en me signifiant l'intention de sa visite que d'en diminuer l'importance. Je m'y trompais d'autant moins qu'Albertine employait toujours le ton dubitatif pour ces résolutions irrévocables[f].

D'ailleurs[g2] était-ce un sacrifice, elle prétendait que non. Je l'incitais à sortir, à aller faire des visites, je lui disais qu'elle menait une vie de prisonnière, elle me répondait : « Comment pourrais-je être plus heureuse ? » Je sentais dans ses yeux tantôt l'espérance, tantôt le souvenir, tantôt le renoncement et le regret dont son visage rond comme un œuf rose était rempli[a], le regret de joies que je ne devinais pas et auxquelles elle préférait renoncer plutôt que de me les dire. Combien alors je souffrais de cette position où nous a réduits le caprice de la nature quand elle a institué la division des corps et n'a pas permis l'interpénétration des êtres, combien je souffrais de me trouver auprès de l'âme et de cet autre être comme un spectateur qu'on n'a pas laissé entrer dans la salle et qui colle ses yeux à l'œil de bœuf de la porte sans pouvoir rien apercevoir de ce qui se passe sur la scène. Et Albertine gardait longtemps dans ses yeux le reflet de spectacles intérieurs qui l'empêchaient ce soir-là d'être unie à moi, d'être pareille à moi qui ne pouvais les contempler. « À quoi pensez-vous ma chérie — Mais à rien. » Quelquefois pour répondre à ce reproche que je lui faisais de ne me rien dire, elle me racontait, sans précision aucune, en des sortes de « fausses confidences », des promenades en bicyclette qu'elle faisait à Balbec l'année d'avant de me connaître. Et — comme si j'avais deviné juste autrefois en inférant de lui qu'elle devait être une jeune fille très libre faisant de longues parties de bicyclette — l'évocation de ces promenades insinuait dans ses traits le même mystérieux sourire qui m'avait séduit en elle, le premier jour, quand je ne la connaissais pas encore, à Balbec.

(Mettre en son temps.) Elle me parlait aussi des promenades en voiture qu'elle avait faites avec des amies dans la campagne hollandaise, du retour à Amsterdam, où jusqu'à des heures très tardives une foule compacte et joyeuse de gens qu'elle connaissait presque tous emplissait les rues, dont je croyais voir reflétés dans les yeux brillants d'Albertine, comme dans les glaces trompeuses d'une voiture rapide, les feux innombrables, inatteingibles et mobiles. Alors sous ce visage rose encore comme tout à l'heure mais trop nouveau pour moi pour qu'il pût m'être indifférent je sentais[b] se réserver, se creuser comme un gouffre l'espace inexhaustible à mon cœur des jours que je n'avais pas connus. Alors je comprenais combien je me trompais dans les soirs heureux où je m'amusais auprès d'elle, croyant qu'elle n'était dans ma chambre qu'un ornement multiple, une belle rose mousseuse, aux plis nombreux, une belle œuvre d'art, un ange de crêche musicien, attentif et câlin, aux joues rebondies, aux cheveux crespelés, à tout mettre au mieux une merveilleuse captive, possédée à l'insu de tous et que ceux qui venaient me voir ne devinaient pas plus enrichir ma demeure de sa présence mystérieuse que ce personnage dont personne ne devinait qu'il avait enfermé dans une bouteille la princesse de la Chine[1]. Elle pouvait être tout cela aux moments où justement je l'aimais le moins parce que j'étais heureux de la posséder comme une fleur, comme un ange de crêche, comme la princesse de la Chine et

qu'on n'aime pas vraiment ce qu'on possède. À d'autres moments, plus douloureux et où je l'aimais davantage car on n'aime vraiment que les choses sous l'apparence desquelles on poursuit une réalité inaccessible, je sentais se creuser en elle un abîme où se pressait sans que je puisse l'apercevoir le torrent des jours écoulés. Je pouvais toucher ses mains, ses joues, mais comme on manie l'écorce de ces coquillages, pierres au fond desquelles habite la rumeur ou le rayon originaires de l'océan immémorial, ou d'un être inconnu, je pouvais caresser l'enveloppe de cet être que je sentais par ailleurs donner sur un infini.

Non[a1], en réalité, je m'ennuyais presque auprès d'Albertine, elle commençait à me devenir indifférente quand je la regardais comme un ange musicien, une œuvre d'art que je me félicitais de posséder. Hélas on <n'> aime que ce en qui l'on poursuit quelque chose d'inaccessible, on n'aime que ce qu'on ne possède pas, et bien vite après quelques heures d'illusion je me rendais compte que je ne possédais pas Albertine. Dans ses yeux je voyais passer tantôt l'espérance, tantôt le souvenir, tantôt le regret de joies que je ne devinais pas, auxquelles elle préférait renoncer plutôt que de me les dire, et que je n'apercevais pas davantage que le spectateur qu'on n'a pas laissé entrer dans la salle et qui collé au carreau vitré de la porte ne peut rien apercevoir de ce qui se passe sur la scène. Pendant des heures quelquefois je voyais flotter sur elle, dans ses regards, dans sa moue, dans son sourire, le reflet de ces spectacles intérieurs dont la contemplation la faisait ces soirs-là dissemblable de moi, éloignée de moi à qui ils étaient refusés. « À quoi pensez-vous ma chérie ? — Mais à rien. » Quelquefois pour répondre à ce reproche que je lui faisais de ne me rien dire elle me racontait sans précision aucune, en des sortes de fausses confidences, des promenades en bicyclette qu'elle faisait à Balbec l'année d'avant me connaître. Et comme si j'avais deviné juste autrefois en inférant de lui qu'elle devait être une jeune fille très libre faisant de très longues parties, l'évocation de ces promenades insinuait dans ses traits le même mystérieux sourire qui m'avait séduit en elle le premier jour, quand je ne la connaissais pas encore à Balbec. Elle me parlait aussi de ces promenades qu'elle avait faites avec des amies dans la campagne hollandaise, de ses retours à Amsterdam à des heures très tardives, quand une foule compacte et joyeuse de gens qu'elle connaissait presque tous emplissait les rues dont je croyais voir reflétés dans les yeux brillants d'Albertine comme dans les glaces incertaines d'une voiture rapide les feux innombrables et fuyants. Ce n'est pas que tous ces lieux où elle avait pu avoir des désirs, des plaisirs n'eussent pour moi un certain charme, non pas celui si doux dont Gilberte, ou Mme de Guermantes, ou même

Albertine autrefois avaient empreint les lieux où se passait leur vie. Mais pourtant quels romans poétiques, quelles idylles boulevardières devenaient pour moi les soirées que j'imaginais qu'elle avait pu passer dans la maison aux escaliers vernis de l'Herengracht[1] *(vérifier le nom)*, dans tels petits casinos de province ou petits théâtres du Faubourg du Temple, des jeudis de mi-carême, ou de longs soirs silencieux de Montjouvain. Oui elle mettait dans tous ces lieux si indifférents pour moi un charme mais bien plus qu'artistique. Si Albertine avait passé de mon imagination dans mon cœur, que de gens, que de lieux, elle y avait fait entrer avec elle comme une personne qui au théâtre fait passer devant elle ses amis en disant au contrôleur : « Monsieur est avec moi. » L'affinité qu'il y avait entre elle et tout ce qui sans même la concerner directement pouvait être un lieu de plaisir, un lieu où elle avait pu en prendre était si instantanée, que je ne pouvais lire dans un guide de Paris le nom d'un passage plein de monde à certaines heures sans sentir quelque chose qui tressaillait dans mon cœur. C'était toute une partie de l'univers qui était entrée dans mon cœur, que je percevais non par les yeux froids de l'intelligence, non par les yeux charmés mais indifférents du souvenir, mais une sensation cardiaque à la fois voluptueuse et douloureuse. Si Bloch avait changé la vie pour moi, y avait semé des désirs, en m'apprenant tous les plaisirs qu'on y pouvait trouver, Albertine avait changé tous ces désirs en soupçons. Car maintenant ces mêmes richesses infinies de la vie ma préoccupation n'était plus tant de les goûter que d'empêcher un autre être d'y goûter. Ah ! qu'une curiosité esthétique ou mondaine (quand les gens disent : « Dites vous m'intéressez ») mériterait plutôt le nom d'indifférence auprès de la curiosité douloureuse, infinie que j'avais de savoir ce qui s'était passé ces soirs-là, les regards les sourires qu'elle avait eus, les mots qu'elle avait dits, les baisers qu'elle avait reçus[a] !

Capitalissimus[b]. Pour ajouter au verso précédent, sans doute après les baisers qu'elle avait reçus. Ah ! sans doute je n'aurais pas eu ce doute perpétuel si ce désir infini et curieux que je soupçonnais en elle, ce perpétuel besoin de roman nouveau, de connaître, de plaire, d'aimer, je n'en avais pas été dévoré moi-même. Je savais mes regards en allant au bois sur les cyclistes attablées, et le même soir dans les casse-croûtes de la rive gauche, mon amour pour Gilberte, pour Mlle de Silaria, pour Mme de Guermantes, ma curiosité de chaque fille qui passait sur les routes de Balbec ; il n'est de connaissance que de soi-même ; l'observation sert bien peu, les plaisirs qu'on a sentis, il n'y a que cela qui se change en savoir ou en souffrance.

Alors sous ce visage rose je sentais se réserver, se creuser comme un gouffre l'inexhaustible espace des jours où je ne l'avais pas connue. Dans les yeux d'Albertine, dans la brusque flamme de son teint, je sentais quelque chose comme un éclair de chaleur, passer dans des régions plus inaccessibles pour moi que le ciel et où évoluaient ses souvenirs inconnus. Alors cette beauté qu'elle avait pour moi de contenir des jours écoulés, devenait douloureuse jusqu'au désespoir. Je pouvais bien la prendre sur mes genoux, tenir sa tête dans mes mains, la caresser, mais comme si j'avais manié ces pierres qui contiennent la salure des océans antiques ou le rayon d'un astre, je sentais que je touchais seulement l'enveloppe d'un être qui d'un autre côté donnait sur un infini[a]. Combien je souffrais de cette position où nous a réduits le caprice de la nature quand en instituant la division des corps, elle n'a pas songé à rendre possible l'interpénétration des âmes. Et je me rendais compte qu'Albertine n'était pas même pour moi une merveilleuse captive gardée à l'insu de tous et de la présence de qui ceux qui venaient me voir ne devinaient pas plus que j'avais su enrichir ma demeure mystérieuse que ce personnage dont personne ne devinait qu'il tenait enfermée dans une bouteille la princesse de la Chine[b].

Non[c], plutôt cette quatrième dimension des choses que mon imagination avait perçue dans l'église de Combray, en la déchirant selon elle, elle la rendait sensible à mon cœur ; elle m'invitait sous une forme pressante, cruelle, et sans issue à la recherche des jours écoulés, elle était comme une grande déesse du Temps.

Aussi s'il a fallu que je perde pour elle non seulement tant d'argent, car malgré les prédictions de M. de Norpois les consolidés anglais baissaient toujours, mais des années, et pour que je puisse me dire, ce qui n'est pas sûr hélas, qu'elle n'y a rien perdu, je ne regrette rien. La solitude eût mieux valu pour moi, plus féconde et moins douloureuse. Mais quelles statues, quels tableaux, quelles œuvres d'art contemplés ou possédés m'eussent ouvert comme elle cette petite déchirure qui se cicatrisait assez vite mais qu'elle, et les indifférents inconsciemment maladroits, et à défaut de personne d'autre, moi-même savaient si bien rouvrir, cette cruelle issue hors de soi-même, ce saignant petit *chemin* de communication privé mais qui donne sur la route où tout le monde passe vers[d] cette chose qui n'existe pas d'habitude pour nous tant qu'elle ne nous a pas fait souffrir, la vie des autres.

Esquisse X
[LES BAISERS REFUSÉS]

[Dans « La Prisonnière », c'est Albertine qui, le soir, venant embrasser le narrateur, lui apporte, comme la mère à Combray, l'apaisement (voir l'Esquisse II, p. 1100). Cette scène du baiser sera encore trois fois répétée, mesurant la progression psychologique : le désir, devenu habituel, de cet assouvissement, et, pour les deux dernières, les crises que produisent chez le narrateur les refus d'Albertine, annonçant par là le départ de celle-ci (voir l'Esquisse XX, p. 1178-1179). Ces trois scènes sont contenues dans le Cahier 71, mais non dans l'ordre du récit définitif, ordre dans lequel elles apparaissent dans les Cahiers de brouillons 53 et 55.]

* Bien[a1] spécifier au sujet des baisers du soir d'Albertine :*
Depuis Combray et le baiser que ma mère m'apportait le soir, je n'avais jamais connu à personne le pouvoir d'apaisement qu'avait pour moi Albertine. J'avais eu beau douter d'elle, m'affliger, me redemander tel jour si elle n'avait pas de relations avec Mlle Vinteuil, tel autre jour avec Andrée, une fois qu'elle était là je déposais mes doutes en elle, je les lui remettais pour qu'elle m'en déchargeât, comme un croyant fait sa prière et je la prenais sur mes genoux et tenais sa figure contre la mienne et l'embrassais comme si elle m'avait administré successivement toutes les preuves de son innocence en me laissant goûter à toutes les parties de son corps.

Certes[b2], puisque seul le désir donne pour nous de l'intérêt à la vie, au caractère d'une personne, celui si multiple, chaque année différent, que m'avait inspiré Albertine était présent dans ce besoin que j'avais d'avoir ainsi Albertine tous les soirs auprès de moi.

Capitalissime[c]. Mettre probablement dans le verso en face avant que je dise qu'il y a de l'amour filial. Je venais de parler de baisers. Un jour pendant que je l'embrassais ainsi, je m'aperçus dans la glace. Je fus frappé de l'expression de dévotion, de tendresse passionnée avec laquelle je l'embrassais en l'appelant mon enfant. On aurait dit que je n'avais rien fait de répréhensible en oubliant Gilberte, de même que peut-être plus tard je ne ferais rien de répréhensible en oubliant Albertine, et que je remplissais comme un devoir sacré ma dévotion passionnée, douloureuse, à la jeunesse et à la beauté de la femme, là où elles étaient incarnées pour moi dans le moment. Et pourtant ce n'était pas que la jeunesse des femmes, ni que le souvenir de Balbec. *Suivre en face.*

Mais autre chose s'y était ajouté : un pouvoir d'apaisement qu'elle avait sur moi, tel que je n'en avais pas connu de pareil depuis celui que m'apportait à Combray ma mère quand elle venait m'embrasser dans mon lit. J'avais beau, avant qu'elle fût rentrée, avoir douté d'elle, l'avoir imaginée dans la chambre de Montjouvain, une fois qu'elle était auprès de mon lit, je déposais mes doutes en elle, je les lui remettais pour qu'elle m'en déchargeât, dans l'abdication d'un croyant qui prie. Toute la soirée elle avait pu pelotonnée en boule sur mon lit jouer espièglement avec moi comme une chatte. Et alors ces soirs-là son petit nez rose qu'elle diminuait encore par un petit air coquet suffisait pour faire d'elle, comme je l'avais remarqué à Balbec et le premier jour où je l'avais embrassée, une autre femme, sa figure était mutine et rose, elle laissait tomber sur sa joue une longue mèche annelée de ses cheveux, elle fermait à demi les yeux décroisant ses bras, elle avait l'air de dire : « Fais de moi ce que tu veux », et par peur de la dépraver je n'osais pas en profiter. Elle avait pu être cette petite fille vicieuse toute la soirée. Mais quand elle me quittait pour me dire bonsoir, *suivre au verso en face dernière ligne[a]*, c'était leur douceur devenue familiale que j'embrassais dans les deux côtés de son cou que je ne trouvais jamais assez brun, à assez gros grains.

Je[b1] sentais que sa présence ne m'apporterait aucun apaisement, que les minutes nous rapprochaient du moment où elle me dirait : « Bonsoir, je vais aller me coucher », comme d'un malheur inévitable ; une fois qu'elle me l'avait dit, je lui répondis froidement : « Bonsoir. » Mon cœur battait dans l'angoisse de sentir que si je voulais la retenir je n'avais plus qu'un instant pour trouver un prétexte, qu'elle était déjà près de la porte. Et quand elle l'avait refermée, quand je l'avais entendue entrer dans sa chambre, je sautais à bas du lit, je marchais dans le couloir, j'espérais qu'elle m'appellerait ; elle ne le faisait pas, je rentrais dans ma chambre, je cherchais si elle n'avait pas oublié quelque objet que je pusse lui rapporter afin d'avoir un prétexte pour entrer chez elle. Puis je voyais qu'elle avait éteint sa bougie ; j'écoutais, haletant, devant sa porte et quand j'étais gelé, je rentrais dans ma chambre, je me couchais et commençais à pleurer. Alors *j'en voulais* à Andrée, mais je ne lui en demandais pas moins de promener le lendemain Albertine car si elle m'avait fait ce mal de miner la confiance qu'Albertine avait en moi, du moins était-elle pour elle une amie peut-être un peu ennuyeuse, dont Albertine supportait impatiemment la tutelle, mais enfin une surveillante et un guide et qui la préservait de toutes les jeunes filles louches du genre de Mlle Vinteuil[c].

La[d2] soirée passait, si nous voulions faire la paix, recommencer à nous embrasser, il n'y avait plus grand temps avant qu'elle allât se coucher. Aucun de nous n'en avait encore pris l'initiative.

Alors si c'était l'apaisement du baiser de ma mère à Combray que m'apportait d'habitude Albertine, ces soirs-là, ce que j'éprouvais c'était bien l'angoisse de Combray les soirs où ma mère fâchée, ou retenue par des invités ne montait pas me dire bonsoir. Non pas peut-être seulement cette angoisse de Combray transposée dans l'amour. Non ; cette angoisse qui se spécialise plus tard dans l'amour quand le partage, quand la division des passions se fait, cette angoisse qui d'abord s'étend à toutes, cette angoisse encore indivise pendant l'enfance, il semblait qu'elle le fût déjà redevenue dans ma vie courte comme un jour d'hiver où le soir vient vite, dans ma vie où une sénescence précoce rassemblait déjà tous les sentiments en un seul, de sorte que c'était avec les tendresses d'un frère, d'un père, d'un fils, d'un amant que je tremblais de ne pas pouvoir garder toujours Albertine auprès de moi.

Mais au temps de Combray, quand j'avais de la peine, ce qui devait m'empêcher de dormir, je savais encore dire à maman qui me la causait : « J'ai de la peine, je ne pourrai pas dormir. » Depuis bien longtemps ma manière de le traduire n'était que d'avoir l'air froid, de parler de choses indifférentes, et cela ne faisait faire aucun progrès vers une solution. Mais je ne savais plus dire : « Je suis triste », comme autrefois à Combray, les soirs où maman me disait un bonsoir fâché, où je n'osais pas la rappeler[a].

Je sentais chaque minute me rapprocher du moment où elle me dirait bonsoir. Elle me le disait. Mais son baiser d'où elle était absente et qui ne me trouvait pas me laissait si anxieux que, le cœur palpitant, je la regardais aller jusqu'à la porte en me disant : « Si je veux la rappeler, trouver un prétexte, la retenir, faire la paix, elle n'a plus que trois pas à faire, plus que deux, plus qu'un, elle tourne le bouton, elle ouvre, elle a refermé la porte, c'est trop tard ! » Non, peut-être pas, je me levais, je passais et repassais dans le couloir, espérant qu'elle sortirait de sa chambre et m'appellerait ; à Combray, du moins, j'avais la ressource d'envoyer Françoise dans la salle à manger ou au jardin porter un mot à maman[b]. Je me postais, immobile à la porte d'Albertine pour ne pas risquer de ne pas entendre un faible appel, je rentrais dans ma chambre regarder si, par bonheur, elle n'aurait pas oublié un mouchoir, quelque chose que j'aurais pu paraître avoir peur qui lui manquât et qui m'eût donné le prétexte d'aller frapper à sa chambre. Mais non, rien. Je revenais me mettre dans sa porte. Mais il n'y avait plus de lumière sous la porte, elle avait éteint sa lumière, elle était couchée, je restais là, immobile, escomptant je ne sais quelle chance qui ne venait pas ; et longtemps après, glacé, je revenais me mettre sous mes couvertures et je pleurais toute la nuit.

Quand[a1] elle me quitte la première fois (?). La veille au soir, je voulus la garder encore, je lui dis : « Cela ne vous ennuie pas de rester près de moi ? » Elle me dit : « Non, tant que vous voudrez. » Je finis par lui dire bonsoir, mais j'eus beau l'embrasser, elle détourna son visage et ne m'embrassa pas. Alors je lui dis : « Si vous n'avez pas sommeil, restez encore un peu. » Nous nous remîmes à parler, mais tandis que nous parlions je sentis que c'était autant de temps perdu pour les caresses et qu'il vaudrait mieux pour les commencer, lui redire bonsoir le plus tôt possible. Je lui dis : « Allons, il est tout de même trop tard, je vais vous dire bonsoir. » Je l'embrassai à plusieurs reprises, mais chaque fois que j'espérais qu'elle allait m'embrasser, elle se détournait comme un animal qui sent la mort. À la troisième fois je me résignai à la laisser partir.

Quand[b2] elle vint me dire bonsoir et que je l'embrassai, elle ne fit pas comme d'habitude, se détourna et — c'était quelques instants à peine après le moment où je venais de penser à cette douceur qu'elle me donnât tous les soirs ce qu'elle m'avait refusé à Balbec — elle ne me rendit pas mon baiser. On aurait dit que brouillée avec moi elle ne voulait pas me donner un signe de tendresse qui eût plus tard pu me paraître comme une fausseté démentant cette brouille. On aurait dit qu'elle accordait ses actes avec cette brouille et cependant avec mesure, soit pour ne pas l'annoncer, soit parce que rompant avec moi des rapports charnels elle voulait cependant rester mon amie. Je l'embrassai alors une seconde fois, serrant contre mon cœur l'azur miroitant et doré du Grand Canal et les oiseaux accouplés, symboles de mort et de résurrection[c]. Mais une seconde fois, elle s'écarta et au lieu de me rendre mon baiser s'écarta avec l'espèce d'entêtement instinctif et néfaste *(meilleur adjectif qui porte malheur)* des animaux qui sentent la mort. Ce pressentiment qu'elle semblait traduire me gagna moi-même et me remplit d'une crainte si anxieuse que quand Albertine fut arrivée à la porte, je n'eus pas le courage de la laisser partir et la rappelai.

« Albertine, lui dis-je, je n'ai aucun sommeil. Si vous même vous n'avez pas envie de dormir, vous auriez pu rester encore un peu, si vous voulez, mais je n'y tiens pas, et surtout je ne veux pas vous fatiguer. »

Il me semblait que si j'avais pu la faire déshabiller et l'avoir dans sa chemise de nuit blanche dans laquelle elle semblait plus rose, plus chaude, où elle irritait plus mes sens, la réconciliation eût été plus complète. Mais j'hésitai un instant, car le bord bleu de la robe ajoutait à son visage une beauté, une illumination, un ciel sans lesquels elle m'eût semblé plus dure[d].

Elle revint lentement et me dit avec beaucoup de douceur et toujours le même visage abattu et triste : « Je peux rester tant que vous voulez, je n'ai pas sommeil. » Sa réponse me calma car tant qu'elle était là, je sentais que je pouvais aviser à l'avenir et elle recélait aussi de l'amitié, de l'obéissance, mais d'une certaine nature, et qui me semblait avoir pour limite ce secret que je sentais derrière son regard triste, ses manières changées, moitié malgré elle, moitié sans doute pour les mettre d'avance en harmonie avec quelque chose que je ne savais pas. Il me sembla que tout de même il n'y aurait que de l'avoir tout en blanc, avec son cou nu, devant moi, comme je l'avais vue à Balbec dans son lit, qui me donnerait assez d'audace pour qu'elle fût obligée de céder. « Puisque vous êtes si gentille que de rester un peu à me consoler, vous devriez enlever votre robe, c'est trop chaud, trop raide, je n'ose pas vous approcher pour ne pas froisser cette belle étoffe et il y a entre nous ces oiseaux fatidiques. Déshabillez-vous mon chéri. — Non, ce ne serait pas commode de défaire ici cette robe. Je me déshabillerai dans ma chambre tout à l'heure. — Alors vous ne voulez même pas vous asseoir sur mon lit ? — Mais si. » Mais elle resta un peu loin, près de mes pieds. Nous causâmes[a].

Ce verso se place 3 lignes avant la fin du recto en face après : nous causâmes. Ou si j'aime mieux à un autre retour du printemps. Antérieur par exemple (là où il y aura besoin d'étoffer). Ici ce n'est guère utile. Mais le morceau en lui même est excellent.

Tout d'un coup nous entendîmes la cadence régulière d'un appel plaintif. C'étaient les pigeons qui commençaient à roucouler. « Cela prouve qu'il fait déjà jour, dit-elle, et le sourcil presque froncé, comme si elle manquait en vivant chez moi les plaisirs de la belle saison, le printemps est commencé pour <que> les pigeons aient commencé. » La ressemblance entre leur roucoulement et le chant du coq était aussi profonde et aussi obscure que la ressemblance dans le quatuor de Vinteuil entre le thème de l'adagio qui est bâti sur le même thème clef que le premier et le dernier morceau* (l'indiquer à la soirée Verdurin)*, mais tellement transformé par les différences de tonalité, de mesure, etc., que le public profane, s'il ouvre un ouvrage sur Vinteuil, est étonné de voir qu'ils sont bâtis tous trois sur les mêmes quatre notes, quatre notes qu'il peut d'ailleurs jouer d'un doigt au piano sans retrouver aucun des trois morceaux. Tel ce mélancolique morceau exécuté par les pigeons était une sorte de chant du coq en mineur, qui ne s'élevait pas vers le ciel, ne montait pas verticalement, régulier comme le braiement d'un âne, enveloppé de douceur, allait d'un pigeon à l'autre, sur une même ligne horizontale, et jamais ne se redressait, ne changeait sa plainte latérale en le joyeux appel qu'avaient poussé tant de fois l'allégro et le finale *(ceci plutôt dans la soirée Verdurin, je veux dire cette dernière phrase[a])*.

Quand[b] je vis que d'elle-même elle ne m'embrassait pas, comprenant que tout ceci était du temps perdu et que ce n'était qu'à partir du baiser que commenceraient les minutes calmantes et véritables, je lui dis : « Bonsoir, il est trop tard », parce que cela ferait qu'elle m'embrasserait, et nous continuerions ensuite. Mais après m'avoir dit : « Bonsoir, tâchez de bien dormir », exactement comme les deux premières fois, elle se contenta d'un baiser sur la joue. Cette fois je n'osai pas la rappeler.

Dans[c] le silence de la nuit, je fus frappé par un bruit en apparence insignifiant mais qui me remplit de terreur, le bruit de la fenêtre d'Albertine qui s'ouvrait violemment. Quand je n'entendis plus rien je me demandai pourquoi ce bruit m'avait fait si peur. En lui-même il n'avait rien de si extraordinaire ; mais je lui donnais probablement deux significations qui m'épouvantaient également. D'abord c'était une convention de notre vie commune. Sans doute ce n'était qu'une des petites conventions de notre vie commune. Mais je me dis, pour qu'elle la viole ainsi sans m'en avoir parlé, serait-ce donc qu'elle n'a plus rien à ménager et qu'elle veut les violer toutes ?

Toute la nuit j'errai dans le couloir, espérant attirer l'attention d'Albertine par le bruit que je faisais, qu'elle aurait pitié de moi et qu'elle m'appellerait, mais je n'entendais aucun bruit. Dans une agitation comme je n'en avais peut-être pas eue depuis le soir de Combray où Swann avait dîné à la maison, je marchai toute la nuit dans le couloir, espérant par le bruit que je faisais attirer l'attention d'Albertine, qu'elle aurait pitié de moi et m'appellerait. Mais je n'entendais aucun bruit venir de sa chambre. À Combray j'avais demandé à ma mère de venir. Mais avec ma mère je ne craignais que sa colère, je savais ne pas diminuer son affection en lui témoignant la mienne.

Esquisse XI

[AÉROPLANES DANS LE CIEL]

[Dans un de ses carnets-agendas, le Carnet 2, Marcel Proust a noté quatre fragments se rapportant à des aéroplanes ou à des scènes d'aviation. Le premier est précédé par une note — suivant elle-même une référence dans ce Carnet à février 1915 — qui renvoie à la rencontre d'un aéroplane au cours d'une promenade du narrateur à Balbec dans « Sodome et Gomorrhe » : elle précise le caractère récurrent et le rôle structurel de ce motif. Quant au premier fragment lui-même,

il sera placé dans la conclusion de « La Prisonnière », tandis que le second — dans la pagination du carnet et donc probablement dans la rédaction de celui-ci — passera dans « Le Temps retrouvé » pour un rappel. Un troisième fragment est une addition presque entièrement consacrée à une métaphore littéraire, et le dernier, toujours dans l'ordre du carnet, a été utilisé pour la deuxième des journées du roman.]

Capital[a1]. À l'endroit où je mets dans mon second séjour à Balbec la phrase du ciel bleu piscine ou plutôt pas tout à fait à cet endroit mais par un jour semblable qui sera un autre des jours où je sors avec Albertine (et à cause de cela il vaudra mieux mettre la promenade déjà écrite où je rencontre à cheval un aéroplane plus tôt, de façon à l'avoir déjà vu avant ce que je vais dire[2]).

Voici[b3] la nouvelle chose, capitale. Certains jours à cause de la chaleur nous ne sortions que très tard. Au-dessus du mur blanc de la courette le ciel était tout entier en ce bleu radieux et si pâle comme le promeneur couché dans un champ le voit parfois au-dessus de sa tête, mais tellement uni, tellement profond, qu'on sent que le bleu dont il est fait a été employé sans aucun alliage et avec une si inépuisable richesse qu'on pourrait approfondir de plus en plus sa substance sans rencontrer un atome d'autre chose que de ce même bleu. Je pensais à ma grand-mère qui aimait tant dans l'art humain, dans la nature, la grandeur, et qui se plaisait à regarder monter dans un même bleu le clocher de S<ain>t-Hilaire. Soudain j'entendais un bruit, un bruit nouveau, et qu'elle eût tant aimé. C'était comme le bourdonnement d'une guêpe. Françoise venait me dire : « Si Monsieur veut voir, il y a un aéroplane, il est très haut, très haut. » Je regardais tout autour de moi mais comme le promeneur couché dans un champ je ne voyais, sans aucune tache noire, que le bleu pâle intact et sans mélange. J'entendais pourta<nt> toujours le bourdonnement des ailes que je ne voyais <pas>. Tout d'un coup elles entraient dans le champ de ma vision que circonscrivait le mur de chaux blanche. Là-haut de minuscules ailes brunes et brillantes fronçaient en un point le bleu uni pâle et inaltérable du ciel. J'avais pu enfin attacher le bourdonnement à sa cause, à ce petit insecte qui trépidait là-haut, sans doute à bien deux mille mètres de hauteur ; je le voyais bruire. Peut-être quand les distances sur terre n'étaient pas abrégées depuis longtemps comme aujourd'hui <par> la vitesse[c], le sifflet d'un train passant à deux kilomètres était-il pourvu de cette beauté qu'il a perdue et qui maintenant pour quelque temps encore dans le bourdonnement d'un aéroplane à deux mille mètres, nous émeut à l'idée qu'<un voyage peut> s'effectuer verticalement aussi bien que sur le sol, que les distances sont les mêmes, que dans cette direction où les mesures nous paraissent autres parce que l'abord nous en semblait inaccessible, un aéroplane à deux mille mètres n'est pas plus loin qu'un train à deux kilomètres, est plus près même, car le voyage identique s'effectue dans un milieu plus pur, sans séparations entre le voyageur et son point de départ, comme sur mer par les temps calmes où le remous d'un navire déjà lointain raye tout l'océan, comme dans ces champs au-dessus de Combray où les souffles qui avaient caressé Gilberte venaient jusqu'à moi. Ainsi, avec cette familière sublimité qui émouvait tant ma grand-mère devant toutes les simples manifestations de nature et d'art au-dessus desquelles on sentait un indice, un coefficient d'incalculable grandeur, on sentait dans la netteté si voisine du petit bourdonnement de guêpe de l'aéroplane dont rien n'interceptait tout le sillage sonore, toute la pureté, toute la douceur, toute la hauteur accessible du ciel d'été amical et vertigineux qu'il avait traversé.

À la page suivante je mets encore un mot différent sur les aéroplanes.

Encore[a1] aéroplanes : (il y en a de très beaux à la page précédente). Et je vais en mettre de beaux aussi six pages plus loin.

Ceci est t<ou>t autre chose et servira soit pour une comparaison soit pendant l'état de siège de Paris. Dans le soir bleu du ciel d'été on voyait au loin une petite tache brune qu'on aurait pu prendre pour un moucheron ou pour un oiseau. Ainsi quand on voit de très loin une montagne on pourrait croire que c'est un nuage. Mais on est ému parce qu'on sait que ce nuage est immense et résistant. Ainsi je savais que la tache brune qui bourdonnait dans le ciel d'été n'était ni un moucheron ni un oiseau, mais un aéroplane monté par des hommes et veillant sur nous. Et une heure plus tard dans la nuit qu'approfondissait l'extinction des réverbères sur ce Paris dont l'inutile beauté était sans défense, il n'y avait que la splendeur antique et inchangée d'une lune énorme, ironique et compatissante, il y avait d'autres lumières, les feux intermittents qu'on savait dirigés du haut de la tour Eiffel par une volonté intelligente qui veillait sur nous et me donnait la même émotion, la même impression de reconnaissance et de calme que j'avais éprouvée dans la chambre de S<ain>t-Loup, dans ce cloître où s'exerçaient les vertus militaires de tant de cœurs disciplinés qui avaient fait le sacrifice de leur vie. *Dire cela mieux.*

Ajouter[b] aux aéroplanes.

Et à cette distance avec la longue vue dans le point noir bougeant je distinguais la bonne figure d'un homme avec cette émotion que nous avons quand à la distance de tant de siècles en lisant nous[c] voyons des pensées si pareilles à celles que les meilleurs d'entre nous pourraient avoir dans cet Homère qui s'est peut-être trompé en donnant une figure humaine aux Dieux, mais qui nous donne en tout cas à admirer un prodige plus grand et indiscutable celui-là, c'est que lui-même, plus loin de nous que s'il était dans l'Olympe, nous offre, quand nous lisons le serment d'Hector caressant son fils, notre parfaite ressemblance.

Encore[a1] aéroplanes (voir précédemment 6 et 7 et pages moins loin — je crois 6 double-pages donc 12[2]).

Et d'ailleurs il ne tarda pas à y avoir près de Rivebelle un de ces hangars d'aviation qui sont pour les aéroplanes ce que les ports sont pour les bateaux. Nous y allions souvent avec Albertine, attirés par cette vie incessante des départs et des arrivées qui pour ceux qui aiment la mer donnent tant de charme aux promenades sur les jetées ou simplement sur la grève, et aux flâneries dans les aérodromes pour ceux qui aiment le ciel. À tout moment parmi le repos des appareils inertes et comme à l'ancre nous en voyions un péniblement tiré par plusieurs mécaniciens comme est traînée sur le sable la barque demandée par un promeneur qui veut aller sur la mer. Puis le moteur était mis en marche, l'appareil courait et tout d'un coup prenait son élan puis s'élevait dans l'immobilité extasiée et raidie de toute vitesse transformée en un saut calme, il était à flot, les mécaniciens rentraient. Bientôt le promeneur avait franchi des kilomètres et le grand esquif n'était plus dans l'azur qu'un petit point lointain qui plus tard peu à peu reprendrait sa matérialité, sa grandeur, son volume quand le moment serait revenu de ramener au port le promeneur qui avait été goûter au large dans ces horizons solitaires, la fraîcheur du soir.

Esquisse XII

[LA JEUNE CRÉMIÈRE (TROISIÈME JOURNÉE)]

[Directement à la suite d'une ébauche rédigée dans le Cahier 6, et reprenant les esquisses du Cahier 4 décrivant les jeunes employées des fournisseurs du voisinage (voir l'Esquisse V*, p. 1104-1107), Proust avait noté la scène où l'une d'entre elles, finalement une crémière, est introduite dans la chambre du narrateur par Françoise. La même scène est reprise dans sa totalité dans le Cahier 50.*

Dans les cinq premiers feuillets du Cahier de brouillons 73, le même motif des jeunes employées aperçues de sa fenêtre par le narrateur a été développé. Il se place maintenant dans ce qui est la troisième journée de « La Prisonnière », un dimanche. Mais le motif encadre désormais la conversation de ce matin-là entre le narrateur et Albertine, et la prémonition de la mort de cette dernière. Enfin, les désirs exprimés par le narrateur sont suivis de l'entrée chez lui d'une « petite laitière », formant ainsi la seconde partie — la réalisation du désir — des scènes anciennes notées dans les Cahiers 6 et 50 (voir l'Esquisse V, *p. 1104-1107). Cette disposition est restée la même dans les versions postérieures.]*

Et[a1] pourtant au milieu de tant de possibilités de bonheur, la plus importante de toutes me manquait. Cette frise de jeunes filles, qu'au flanc des beaux jours, assises dans un chariot sur une route, portant le pain dans les maisons du village, allant à la messe ou au cours, vendant des fleurs sur les boulevards extérieurs, j'avais vu se dérouler sans pouvoir la fixer, se dérouler à Querqueville ou à Paris, les bonheurs qu'elles font entrevoir, dépendaient du type unique de chaque tournure, de chaque visage, il était individuel et le soleil en m'avertissant qu'il dût le baigner et faire sourire, pouvait me faire imaginer la forme des désirs qu'elle m'aurait donnés. Mais une chambre s'ouvre sur le monde ; n'y avait-il pas un moyen de faire glisser un moment entre les deux montants de ma porte, pour me donner une idée de ce que la journée dehors faisait étinceler au soleil de bonheurs enivrants et nouveaux, une partie de cette frise étonnée et mouvante, de faire tenir un moment au fond de ma chambre, comme entre deux montants de théâtre découpée à même la vie ensoleillée du dehors, la silhouette d'une de ces fillettes, qui me permettrait de préciser les bonheurs dont était à ce moment prodigue la matinée.

Je[b] disais à Françoise que j'avais une commission à faire faire et quand viendrait à la maison une des laitières de la crémerie, ou une des blanchisseuses, une des ouvrières du teinturier, etc., elle me prévienne et la fasse entrer. Comme ces divers fournisseurs employaient chacun plusieurs jeunes filles et que Françoise d'ailleurs, se brouillant constamment avec eux nous faisait changer de laitier, de blanchisseur, de boulanger, de teinturier plus souvent qu'à Combray de filles de cuisine, quand Françoise ouvrant la porte disait : « Monsieur voici la demoiselle boulangère, ou fleuriste » et lui disait : « Venez, venez ma fille, n'ayez pas peur », là au fond de la chambre, il y avait grand-chance pour que je visse apparaître une « gamine » que je n'avais encore jamais vue.

Pour quelqu'un qui vit au milieu de la ville peut-être et qui n'a pas désiré d'avance de voir une seule de la multitude de femmes qu'il voit, peut-être cette multitude reste-t-elle indifférente, comme le tourbillon des monuments à un oisif qui passe sa vie à voyager. Mais à moi qui n'étant plus guère sorti que pour me rendre dans ces dîners toujours les mêmes où il y avait des femmes qui n'en étaient plus depuis longtemps ou n'en avaient jamais été, et qui ne me représentaient que des étuis à conversation et à amabilité, la vue d'un jeune visage de la rue m'intéressait comme la gravure d'un tableau enchanteur dont on m'a beaucoup parlé et dont je prends une idée ; comme une touffe de fleurs, non pas pour le riche dont les yeux ennuyés et sans désir se reposent perpétuellement sur les variétés les plus rares, mais pour un artiste qui l'hiver seul dans sa chambre, hanté par la pensée qu'il existe des violettes, ayant tant pensé à la courbe de leur bec bleu, à leur odeur, à leur chair, a faim d'en voir une, et s'en fait apporter une touffe dans un vase de cristal, au coin de son feu ; malheureusement si l'on peut jouir à l'aise et sans scrupules de la délicatesse de la présence dans sa chambre d'une gravure d'après un tableau, ou d'un bouquet de violettes, j'avais moins de calme pour goûter la présence de la blanchisseuse ou de la crémière. Je m'occupais tellement pendant qu'elle était là d'écrire une lettre insignifiante, de ne pas avoir l'air de lever les yeux sur elle pour qu'elle trouvât plus désintéressé le pourboire que je lui donnerais, de lui répéter vingt fois je ne vous fais attendre qu'une seconde, quoiqu'elle me dît : « Oh ! ça ne fait rien, monsieur, je ne suis pas pressée » que déjà Françoise venait me dire : « Monsieur, la fille boulangère a dit de bien remercier Monsieur » et ajoutait avec jalousie : « Je comprends qu'elle était contente ! Elle sautait comme un cabri », sans que je puisse seulement me rappeler bien exactement à quelle hauteur venait à peu près ce cabri, et quelle était la couleur de ses yeux.

Pour[a][1] m'éviter ces regrets j'aimais mieux renoncer à cette connaissance, ne pas aller jusqu'à ma fenêtre. D'ailleurs cette connaissance elle-même, si douloureuse, était-elle bien exacte. Ma fenêtre n'était pas très au-dessus de la rue, mais les femmes passaient vite, qui sait si l'image que je m'en faisais d'après le peu que j'avais aperçu n'était pas erronée, comme ces textes dont on ne possède que quelques lettres et qu'on reconstitue tant bien que mal. Qui sait si j'avais pu pendant un moment en avoir une près de moi, immobile, si le visage ne me fût pas apparu autre et moins séduisant que ce que la ligne d'une joue, la couleur d'une pommette m'avaient fait imaginer. Qui sait si l'expression de la bouche n'eût pas modifié la signification du profil, si le regard n'eût pas changé la personne. Pouvoir contempler un *fragment*, contempler une des silhouettes de cette frise animée de jeunes filles se *dérouler*, le matin, à la campagne entre les fleurs sur l'argile des routes ou en ville, au fronton de pierre des rues, portant sur sa tête un paquet de linge ou un pot de lait, la faire passer comme un décor mobile entre des portants, entre les montants de ma porte, arrêter un instant dans son encadrement — découpée à même la vie ensoleillée du dehors — une de ces silhouettes qui de la fenêtre me laissaient éperdu devant elles sans que je sache évaluer exactement la perte que j'avais faite, c'est-à-dire la valeur du trésor recélé par la journée, le prix de la vie, les possibilités de bonheur, et la garder un moment sous mes yeux, sans qu'elle s'arrête, sans non plus la reprendre toujours mais en lui ayant épinglé à elle une de ces fiches distinctives que les ichtyologistes attachent aux poissons pour être sûrs un jour de les reconnaître avant de les rejeter dans la mer.

Je disais à Françoise que j'avais une commission à donner et selon qu'elle attendait du lait ou du linge, la priais de faire entrer dans ma chambre, quand elle voudrait, ce qu'elle appelait une « des petites filles » ou une de la crémière ou de la blanchisseuse, gamines qui étaient très nombreuses, changeaient de plus souvent, de sorte qu'on en voyait toujours de différentes. Souvent ainsi, ayant pendant des jours esquissé par le désir les fleurs de la saison, les violettes, les pensées, je sentais que[a] j'accordais à mes yeux de leur faire voir de vraies violettes ou de vraies pensées comme on emmène des écoliers visiter des pays dont ils <ont> entendu décrire chaque site et dont ils rêvent. Mon imagination avait sans trêve pendant des jours <dessiné> des esquisses si poussées des violettes ou <d'> une de ces roses rouge sombre qui me rappelaient ma première soirée chez la princesse de Guermantes, certaines fleurs, que le prix de la fleur réelle grandissant sans cesse avec le désir que j'en avais, sa vue — comme de tout ce dont nous avions longtemps rêvé — me paraissait une sorte de miracle, de ces miracles auxquels on ne fait pas attention parce que la nature les permet et les prodigue mais que nous pouvons imaginer qui seraient aussi impossibles dans un univers fait autrement que la résurrection des morts ou la transmission de la pensée. Alors je demandais à Françoise de m'apporter dans un verre d'eau une touffe de violettes. Et le bleu des pétales, la limpidité de l'odeur, le bec d'oiseau du calice, le serpentage comme d'un dessin ancien de la tige, chaque détail rencontrait en moi une place préparée si longtemps d'avance par le désir pour la recevoir qu'il n'y avait pas une seule partie de la fleur qui ne fût reçue en moi, et qu'elle occupait dans ma chambre un volume, s'y teignait d'une couleur, y dégageait un parfum dont un être qui les eût moins désirés eût eu certes une perception plus mince et plus plate.

Françoise m'apportait une rose rouge qui, semblant cueillie dans ma pensée, finissait de fleurir devenue inconsciente et lourde au milieu de ma table, dans un vase sur le cristal duquel elle entassait, écrasait, prodiguait sa pourpre comme une femme qui laisse s'écouler derrière et alentour une traîne de velours rouge en un luxueux désordre. Et sur sa corolle était posée, s'allumait par moments, comme une clarté qui aurait été captive sous le velours des pétales, le reflet d'une autre rose, tantôt rose et tantôt violette comme une lueur de l'aurore qui l'avait allumée et qui était restée en elle, comme un reflet des autres fleurs, des autres roses, des fuchsias, des clématites et des géraniums du jardin[a]. De même quand au lieu d'une touffe de violettes, je laissais entrer dans ma chambre une jeune fille. Mais si je regardais et respirais les violettes en tâchant de faire entrer en moi l'image de la fleur et de la réunir à jamais à la fleur imaginée qui l'en désirait, devant la gamine qui était restée à l'entrée de la porte malgré les encouragements de Françoise, je ne pensais plus au but que je m'étais proposé en la faisant venir et qui ne me reviendrait à l'esprit qu'après. Je tenais les yeux fixés sur mon papier, pour faire semblant d'être très occupé à écrire et qu'elle ne pût deviner ma supercherie. Et j'avais si peur en la retenant, ou seulement en la regardant, de diminuer, en lui faisant soupçonner qu'elle n'était pas absolument désintéressée, la générosité du pourboire que j'allais lui donner et la délicatesse de ma conduite, qu'elle était déjà dans la cour « sautant comme un cabri », selon Françoise qui ajoutait par jalousie du pourboire : « Je comprends qu'elle est contente ! » quand je m'apercevais que je n'aurais pas su dire la hauteur de sa taille ni la couleur de ses yeux.

Le[b1] lendemain je m'éveillai tard, mais avant que j'eusse ouvert les yeux une joie m'apprit qu'il faisait un soleil de printemps. Dehors, ces thèmes populaires finement écrits pour des instruments différents, depuis la corne du raccomodeur de fontaines jusqu'au flageolet du chevrier qui me paraît être un pâtre de Sicile, ou le rempailleur de chaises, orchestraient légèrement l'air matinal et en faisaient une « Ouverture pour un jour de fête[c] ». Le[d] beau temps chantait en moi, mais comme un musicien va essayer un instant au piano les notes qu'il a composées de tête, je courus écarter le rideau de la croisée pour me rendre compte si la lumière se réalisait dans l'avenue au même diapason que dans mon cœur. Et puis, même résigné à ne demander à la journée que des désirs, il en est d'un certain ordre qu'on fausserait si on leur donnait pour objet un type abstrait de beauté et non le charme particulier de cette femme qui passe. Mathématiquement les lignes de son visage ne sont peut-être pas très différentes de celles d'une autre femme, comme les notes qui composent la mélodie la plus spéciale sont les mêmes notes qui reviennent toujours en musique. Leur disposition suffirait pour nous donner l'idée d'un être unique qui seul pourrait assouvir le bonheur qu'il me suggérait.

Je sonnai Françoise. Françoise m'apporta *Le Figaro*, un seul coup d'œil me permit de voir que mon article n'avait pas « passé », elle me dit qu'Albertine demandait si elle pouvait entrer (c'était en effet le moment où on savait qu'on pouvait me voir, ce qui faisait que maman me comparait aussi à Louis XIV). Elle devait, me faisait-elle dire, monter[a] à cheval avec Andrée et irait assister à la matinée du Trocadéro que je lui avais recommandée, remettant pour un autre jour son désir de connaître enfin les Buttes-Chaumont. « Elle peut bien faire ce qu'elle veut, me dis-je en riant », maintenant que je savais qu'elle avait renoncé au désir, peut-être mauvais, qu'elle avait eu d'aller faire visite aux Verdurin. Et à part moi je pensai, mais sans que cela altérât ma gaieté : « Oui, je me dis cela parce que nous sommes le matin et qu'il fait beau », mais ce soir quand reviendra l'heure de Combray je serai probablement un homme triste qui attache grande importance aux moindres allées et venues d'Albertine. Mais il est toujours temps d'attendre cette heure-là[b].

Albertine demandait à venir me dire au revoir. Elle entra. « Françoise m'a bien dit que vous étiez réveillé, me dit-elle, n'est-ce pas, je n'ai pas tort de venir », car avec cela la peur de faire froid en ouvrant la fenêtre de sa chambre, la peur de me réveiller, et d'entrer chez moi à un moment où cela n'était pas permis était extrême chez Albertine. « J'avais peur, ajouta-t-elle en riant, que vous me disiez :

> *Sans mon ordre on porte ici ses pas.*
> *Quel mortel insolent vient chercher le trépas*[1]. »

Et elle rit de ce rire qui me troublait toujours tant *(dire mieux)*. Je lui répondis en plaisantant : « Est-ce pour vous qu'est fait cet ordre si sévère ? » De peur qu'elle l'enfreignît jamais et me réveillât (maman prétendait que j'étais absolument pour cela comme ma tante Léonie), j'ajoutai : « Quoique au fond je serais furieux <de> me réveiller. — Je sais, je sais, n'ayez pas peur », me répondit Albertine.

Et pour adoucir ce que je venais de dire, j'ajoutai comme si nous jouions la scène comme elle la jouait au couvent : « Je ne trouve qu'en vous je ne sais quelle grâce qui me charme toujours et jamais ne me lasse » (et à part moi je pensais : si bien souvent[c]).

Elle était rouge et peu jolie. Je me disais que je ne l'aimais guère, qu'elle n'était vraiment rien pour moi et qu'il serait malheureux de gâcher sa vie pour elle. Je lui fis de grandes recommandations de prudence : « Je vous en prie, ma petite chérie, pas de haute voltige à cheval comme vous avez fait l'autre jour. Pensez, Albertine, s'il vous arrivait un accident. — Quoi ? Vous vous tueriez, dit-elle en riant. — Non, mais ce serait le plus affreux chagrin que je puisse avoir. »

Ce furent mes paroles, mais je me fis le reproche qu'elles n'exprimaient pas la vérité. Car sentant qu'Albertine ne pouvait plus que me priver de plaisirs, ou me causer des chagrins, me rappelant l'exemple de Swann et de Mahomet II[1], je me disais que la mort d'Albertine m'eût rendu ma liberté d'esprit et ma liberté d'action.

« Vous êtes gentil, je n'en doute pas, je sais que vous m'aimez bien. » Et elle ajouta : « Que voulez-vous, si c'est mon destin de mourir d'un accident de cheval ! J'en ai souvent le pressentiment ! Mais ça m'est bien égal. Il peut bien m'arriver ce que le bon Dieu voudra ! » Je crois que ces paroles n'étaient pas plus sincères que les miennes.

Je retournai près de la fenêtre. J'aurais voulu pouvoir descendre et rattraper cette petite laitière aux manches blanches et au bavoir blanc, cette boulangère en tablier bleu, cette midinette, cette blanchisseuse, cette fière jeune fille qui suivait son institutrice. Mes regrets même me laissaient plus heureux, en me montrant la ville enrichie de ces beautés qu'on ne peut imaginer puisqu'elles sont individuelles, la vie plus digne d'être vécue. Mais j'avais soif de guérir, de sortir, et pas avec Albertine, d'être libre, et parfois au moment où passait assise au fond de son automobile une belle inconnue, j'éprouvais presque de la rage de ne pouvoir tomber sur elle comme une flèche lancée de l'embrasure de ma fenêtre, et immobiliser la fuite d'un visage où s'ouvrait la possibilité mystérieuse de baisers que je ne connaîtrais pas.

Et puis cette vue douloureuse pouvais-je aussi la croire bien exacte ? N'eût-elle pas été autre, si j'avais pu en garder immobile une un moment auprès de moi, la passante que de la hauteur de notre entresol, je voyais s'enfuir. Pour évaluer la perte que ma réclusion me faisait éprouver, c'est-à-dire la richesse que m'offrait la journée, il eût fallu pouvoir intercepter dans le long déroulement de la frise animée quelque fillette portant sur sa tête un paquet de linge ou un pot de lait, la faire passer un moment comme la silhouette d'un décor mobile entre des portants, dans le cadre de ma porte et la retenir un instant sous mes yeux, non sans obtenir sur elle quelque renseignement précis qui me permît de la retrouver un jour, cette fiche distinctive que les ornithologues attachent à l'aile des oiseaux pour les reconnaître avant de leur rendre la liberté.

Aussi je sonnai Françoise et lui demandai pour faire faire une petite course, lui dis-je, de m'envoyer, s'il en venait, une de ces fillettes qui lui rendaient *[interrompu[a]]*

De blanchisseuse, un dimanche, il ne fallait pas compter qu'il en vînt. Mais par une mauvaise chance la porteuse de pain était venue pendant que Françoise était descendue. La fruitière ne viendrait qu'à l'heure du dîner. Françoise vint me dire qu'elle avait là la petite laitière encore bien gamine mais délurée[b2].

Esquisse XIII

[DE VINGTON À VINTEUIL ET SON SEPTUOR]

[Depuis le Cahier 14, vers 1910, où est décrit le rôle de l'amie de Mlle Vington dans la découverte de l'œuvre géniale du naturaliste Vington, jusqu'aux notes sur des feuilles volantes destinées au personnage de Vinteuil (qui s'est substitué au précédent) et à son septuor, contemporaines du dernier état manuscrit de « La Prisonnière », environ dix ans plus tard, Proust n'a cessé de déplacer et de développer tous les éléments de ce thème, notamment dans les Carnets 3 et 4 et le Cahier 57 du dernier volume primitif (voir les Esquisses du « Temps retrouvé »).

Dans le Cahier 73, l'un des Cahiers de brouillons de « La Prisonnière », la musique de Vinteuil est décrite à l'occasion de ce qui est à l'origine une symphonie, que Proust oppose à la sonate de « Du côté de chez Swann ». La description de ce qui est devenu finalement le septuor de Vinteuil occupe cinq feuillets du Cahier 73, formant un texte continu. Mais leur insertion dans le contexte d'un concert lors de la soirée chez les Verdurin n'apparaît que dans des additions sur les versos.]

Toujours[a1] est-il que ce n'est pas dans les creusets qu'on imagine que la nature réussit le mieux le génie ou les hautes facultés de tendresse, de morale. J'ai vu des familles de la plus parfaite moralité, respectabilité, honnêteté, où toutes les actions étaient bonnes depuis l'enfance jusqu'à la mort sans que s'y produisît une tendresse véritable et profonde. Or il y a quelques années je rencontrai chez sa cousine Mme Verdurin Mlle Vington devenue vieille fille, avec son amie. Des jeux oubliés d'autrefois était née entre elles une affection comme devrait être, comme est rarement celle de deux sœurs, avec tout ce que l'abnégation, le désintéressement, la tendresse délicate, le respect, le dévouement au-delà de la mort peut faire fleurir de plus héroïque, de plus saint. L'amie de Mlle Vington qui était fort intelligente venait de passer plusieurs années à réviser les manuscrits, à classer les collections, à reconstituer sur des souvenirs de Mlle Vington, à poursuivre les expériences, bref à reconstituer l'œuvre de Vington. Elle l'a fait paraître à ses frais, car Mlle Vington est ruinée, sans mettre son nom. C'est une œuvre scientifique admirable, sans laquelle on ne pourrait soupçonner le génie de Vington et qui éclipse entièrement ses premiers travaux. C'est à cette œuvre posthume que son nom devra de vivre toujours. Mlle Vington est morte l'année dernière. Son amie ne paraît pas devoir lui survivre. Elle vit tout à fait à La Rousselière et va m'a-t-on dit tous les jours au cimetière de Combray pleurer devant un petit enclos qui contient trois tombes. La première est celle de M. Vington. La seconde, celle de sa fille, porte ces mots : « Je t'attends. » La troisième est celle où elle a promis à Mlle

Vington à son lit de mort de se faire enterrer. Il semble qu'elle ne doive plus longtemps la faire attendre.

Pour[a] Vinteuil dans le second volume :
Les notes ces belles étrangères dont nous ne savons pas la langue et que nous comprenons si bien.

Pour Vinteuil :
Comme les couleurs du spectre extériorisent pour nous la composition intime des astres que nous ne verrons jamais, ainsi la couleur du peintre, les harmonies du musicien, nous permettent de connaître cette différence qualitative des sensations qui est la plus g<ran>de jouissance et la plus g<ran>de souffrance de la vie de chacun de nous et qui reste toujours ignorée car elle est indépendante de ce que nous pouvons raconter (les faits, les choses) qui sont les mêmes pour tous. Mais grâce à l'harmonie de Franck, de Wagner, de Chopin, à la couleur de Ver Meer, de Rembrandt, de Delacroix, nous allons vraiment dans les cieux les plus ignorés volant d'étoiles en étoiles. Bien plus que si des ailes nous étaient données ; car ce qui fait pour nous l'uniformité des choses, c'est la permanence de nos sens, et si nous allions dans Mars ou dans Vénus, les choses ne nous paraîtraient jamais très différentes puisque ce serait toujours des visions de nos mêmes yeux. Le vrai bain de Jouvence, le vrai paysage nouveau, ce n'est pas d'aller dans un pays que nous ne connaissons pas, c'est de laisser venir à nous une nouvelle musique.

Pour Vinteuil[b] encore fin de la symphonie de Franck[c].
Il semblait dans sa joie tirer les cloches à toutes volées par un dimanche de soleil où on s'écrase sur la place de Combray. La phrase était boiteuse et pas belle mais elle enivrait de joie et de soleil.

Vinteuil encore.
La monotonie des harmonies quel que soit le sujet, est une preuve de fixité des éléments composants de l'âme. Chez Schumann, un certain fond familial met du moelleux dans les intervalles, même pendant que le poète parle on entend toujours l'enfant qui dort. Malheureusement il y a de temps en temps le son de voix qu'on ne peut changer, l'accent allemand, l'inflexion immuable d'un nez familier. Puis trop souvent c'est un Beethoven étriqué.

La princesse de Guermantes avait vite, dans les choses, les phrases les plus familières la grandeur soudaine, sincère et pathétique d'une phrase de Schubert.

Pour[a1] musique :

Phrases habituelles, harmonies habituelles à Franck, demi-déesses de moindre grandeur qui lui sont familières, ses nymphes et ses sylvains qu'on reconnaît.

**Musique :*

La variété, la différence, que nous cherchons en vain dans l'amour, dans le voyage, la musique nous l'offre.

Les œuvres de cette dernière période de la vie de Vinteuil se ressemblaient. Dans presque toutes, ne tardait pas à s'élever, flotter une certaine atmosphère mélodique, comme des brumes particulières à certaines contrées. La phrase de Schumann dans le *Carnaval de Vienne* *(intermezzo je crois[2])* douce inconnue que tant de soirs je vis passer et repasser sans jamais voir son visage que je n'ai jamais pu examiner qu'à travers le masque des notes mais si caressant qu'il m'apporta quelque chose de nouveau que je n'ai jamais trouvé dans les femmes ou plutôt pour Vinteuil c'était un carnaval, une sorte de nocturne mais le vrai masque, le vrai rideau d'ombres c'était comme dans la Sonate cette épaisseur mouvante de petites notes en accompagnement derrière lesquelles tant de soirs je vis passer et repasser une phrase dont je n'ai jamais pu apercevoir le visage, mais si caressante, si différente de tout ce que j'ai jamais connu ni désiré, qu'elle est peut-être vraiment la seule inconnue que j'aie jamais rencontrée et que quand elle s'adresse à moi à travers ce masque du son, de cette voix si douce, j'en ai encore maintenant les yeux pleins de larmes comme devant l'offre du seul bonheur qu'il aurait valu la peine de posséder.

Elle[b3] était pour moi un univers épuisé, où je ne pouvais plus rien ressentir, et je ne pouvais pas plus en imaginer d'autres différents de celui-là quoique aussi beaux, que nous ne pourrions imaginer une autre terre. Ce me fut donc une grande joie, et comme si au lieu de nous montrer un Paradis fait avec les arbres et les rivières de ce monde-ci on nous menait dans un autre monde, que je pénétrai dans la Symphonie, où je trouvai des phrases de même nature, celles de la Sonate, mais la recréant pour moi puisqu'elles étaient nouvelles, et me faisaient éprouver des joies aussi grandes mais avec des éléments différents. C'était comme des arpèges d'une autre, une mémoire qui s'était forgée sans fin en se rappelant les formes de la phrase de la Sonate, ne pouvant concevoir une beauté différente. Et voici qu'en dehors de ces formes, extérieures à elles, venant se ranger à côté d'elles, éclataient les phrases de la Symphonie.

Bientôt une phrase d'un caractère douloureux s'opposait à celle-là, mais si vague, si profonde, si interne, presque viscérale que quand elle reprenait on ne savait pas si c'était le retour d'une phrase ou la reprise d'une névralgie. Ce quatuor était[a] d'une époque plus tardive dans la vie de Vinteuil, où sa musique était envahie de brumes violettes comme celles qui montent le soir des étangs. Ses phrases les plus gaies en étaient embuées, engainées, et même à un moment où il s'était amusé à introduire dans sa Symphonie un motif espagnol de gitanes on ne l'apercevait que comme à travers le clair de lune d'une opale.

Dans le dernier morceau les deux motifs luttaient ensemble dans un corps à corps où parfois l'un disparaissait entièrement, où l'on apercevait tantôt un morceau d'un autre. Puis le motif joyeux triomphait, mais entièrement changé, ce n'était plus un pur et mystérieux appel dans un ciel vide, c'était sur la terre la joie lourde et ensoleillée d'une fin de matinée brûlante. Là encore j'aurais pu trouver des équivalences avec un certain moment serein de la petite phrase de la Sonate. Celui-ci me transporta[b] davantage parce que je l'entendais pour la première fois, mais qu'à la considérer d'avance comme je pourrais la juger quand je serais aussi familier avec lui qu'avec l'autre, je sentis être moins heureux. Vinteuil n'avait pas trouvé cette fois une forme aussi pure, aussi harmonieuse pour exprimer la joie. La phrase titubante était sans beauté linéaire mais elle était d'une puissance d'expression extraordinaire. Elle était boiteuse mais à la façon de ces cloches qui le dimanche matin à Combray annonçaient la grand-messe sur la grand-place brûlée de soleil, où M. Vinteuil arrivait de Montjouvain. Je fus persuadé que le souvenir de ces cloches et de ce soleil avaient laissé en lui une impression qu'il avait retrouvée à portée de sa main comme sur une palette quand il était arrivé à ce moment de sa Symphonie. Comme les cloches de Combray, plus encore, avec un vertige inouï sa phrase précipitée, haletante et d'airain, déchaînait la joie et aveuglait de lumière. Je ne pus cacher mon ravissement à Brichot, j'aurais voulu réentendre tout de suite l'aigu et mystique appel du début, me retremper la vue dans cet écarlate inconnu qui m'enivrait. Je vis qu'il ne partageait pas mon enthousiasme : « C'est bien, me dit-il, mais c'est un peu dur, un peu austère », et ces deux adjectifs prouvèrent qu'il ne mettait aucune impression véritable dans le premier. Je pensais combien il était précieux que cette notion nouvelle de la joie que pour ma part je n'oublierais jamais, cet appel bizarre de l'ange écarlate d'un bonheur supraterrestre qui me laissait la nostalgie d'un paradis de plus, eût pu venir jusqu'à moi, du cerveau du petit bourgeois qui était un homme de génie en qui s'étaient matérialisés les plus curieux pressentiments, les plus profondes approximations de l'au-delà. « Moi qui avais cru qu'il n'avait laissé que sa Sonate », dis-je à Brichot.

Mais alors voici ce qu'il m'expliqua pour l'avoir entendu dire à Mme Verdurin, et que je pus compléter ensuite et reconstituer. En effet, Vinteuil était mort ne laissant que sa Sonate et des feuillets épars, grimoire où il semblait impossible de se reconnaître. Une personne qui avait beaucoup vécu auprès de lui, qui connaissait sa manière de travailler, ses indications orchestrales, le prit et le fit. Ce fut l'amie de Mlle Vinteuil, celle qui avait craché sur la photographie du vieux musicien. Elle l'avait peut-être indirectement conduit au tombeau. Mais à ses relations charnelles et maladives avec Mlle Vinteuil, tant les origines des plus beaux sentiments sont souvent repoussantes, avait survécu la plus noble affection. Non seulement elle aimait la fille, mais pour le père dont pour un instant de plaisir convulsif elle salissait l'image, elle avait gardé un culte. Au bout de quelque temps, elle s'était promis de faire connaître tout ce qu'il n'avait pas eu le temps d'achever et qu'elle seule au monde était capable de déchiffrer et de reconstituer. Et, comme les carnets où un chimiste de génie aurait tracé des découvertes qui auraient pu rester à jamais ignorées, elle avait exhumé de ces papiers épars et illisibles la formule de cette flamme écarlate, de cette joie inconnue, de cette mystique espérance de l'ange du matin, et des frêles cahiers retrouvés, des indications elliptiques à demi effacées, elle avait <fait> surgir, solide comme l'airain des cloches de Combray et les pierres du clocher et de la place ruisselants de soleil comme je les apercevais de mon lit, la titubation de leurs volées et le débordement de leur joie. C'est à elle que l'une des plus précieuses pensées formées par Vinteuil (et pas celle-là seulement, car il y avait d'autres œuvres encore) devait d'avoir pu venir jusqu'à l'immortalité et que je devais moi, moi qui avais aussi souffert par elle, de connaître l'appel d'un nouveau bonheur dont je ne cesserais jamais d'entendre du fond des cieux le cri déchirant étrange et gai.

Pour mettre (probablement au verso suivant[a], Capitalissime).

Ainsi ces autres univers rappelant la Sonate mais étant autres, que j'avais crus impossibles au temps où je rêvais à eux, comparant à une phrase de la Sonate mon amour indiqué, puis refoulé pour Albertine, ces univers existaient *(et il vaudrait mieux peut-être mettre là aussi ce que dans le passage sur Vinteuil du Cahier bleu[1] quand j'en joue avec Albertine, je dis du rapport entre le Quintette de Franck et la Sonate)*. Comme ce quatuor était différent ! Et pourtant lui aussi comme, autrement, il enseignait les mêmes lois ! Dans la Sonate tout se passait dans la blancheur liliale d'une aube sur des géraniums bleus. Le quatuor commençait un matin d'orage, par la lueur pourpre, l'espoir mystérieux de l'aurore et comme le cocorico de l'éternel matin *(y ajouter ce que je dis à la page suivante de ce cocorico)*. Mais cette atmosphère froide, lavée de pluie, électrique, chargée de suie du quatuor qui le mettant à tant de pressions atmosphériques, dans un tel autre monde, vif et rouge autant qu'elle était vierge et tiède, de la Sonate, empêchait-elle que ce quatuor ce fût aussi toute la vie essayant d'effacer cette promesse, cette pourpre mystérieuse dont seul le souvenir revenait, jusqu'à ce qu'au soir où s'apaisât la fin du quatuor, revînt plus triomphale, puis apaisée, s'éteignant par degrés dans un crépuscule et pourtant toujours dans la même atmosphère d'un jour orageux, froid et couvert, la même pourpre mystérieuse, la même promesse enivrante qui avait sonné comme un mystérieux chant du coq à l'aurore et qu'on réentendait en majeur dans la pourpre aussi vive, colorant tout aussi de sa magie, des nuages rouges du soir.

(N.B. Pour la Symphonie, il n'y aura, je crois, ni aube, ni aurore, tout se passera dans une douteuse matinée et finira dans l'embellissement enfin certain du soleil brûlant et des cloches titubantes de midi.)

Encore pendant cette musique. Absolument comme il y avait une certaine unité aux fragments dispersés çà et là, d'une certaine coloration, qui était l'unité d'Elstir, de même, la musique de Vinteuil, note par note, touche par touche, étendait une coloration spéciale qu'on n'avait jamais vue ailleurs et qui faisait que dès qu'on entendait un morceau de lui, après la lacune de temps où on n'en avait pas entendu, recommençait avec ses tons lilas que l'imagination pouvait rejoindre à ceux qu'on connaissait déjà de lui, cet univers spécial, aussi unique que celui d'Elstir, et duquel je connais quelques inestimables fragments, l'univers de Vinteuil[a].

Pour mettre dans ce concert ou ailleurs : Le violoncelliste dominant son instrument, inclinant la tête avec des mines qui à cause de la lourdeur vulgaire de son visage avaient la trompeuse apparence de mines de dégoût, se penchait vers sa contrebasse et la palpait avec une patience domestique comme s'il épluchait un chou, tandis que la petite harpiste en jupe courte, dépassée de tous côtés par les rayons horizontaux de sa harpe d'or, allait y chercher çà et là un son délicieux comme si, jeune déesse allégorique, elle avait cueilli des étoiles dans la voûte céleste.

*Se rappeler que je n'ai mis ni les fées familières, ni la composition astrale, ni la phrase la plus jolie *[un mot illisible]* que j'aie connue, ni bien d'autres choses toutes dans les petits cahiers de bonshommes[1] et que peut-être je mettrai là, peut-être au pianola, peut-être à la soirée finale. Et à propos des fées familières il faudra ajouter ceci qui est capital :* Ces fées sont assez nombreuses, j'en avais bien distingué dans le quatuor une ou deux, sœurs de celles que j'avais vues dans la Sonate. Mais bientôt à mieux distinguer dans les espaces d'abord voilés j'aperçus une phrase que j'avais connue dans la Symphonie et qui hésitante s'approche, disparaît comme effarouchée puis revient, s'apprivoise un peu, s'enlace à d'autres, et bientôt j'en vis d'autres d'autres œuvres venir faire le même jeu, s'apprivoiser. Et, toute cette harmonie d'éléments si différents qui attirés par des fées différentes se laissaient (la phrase de la Symphonie dans le quatuor par la phrase de la variation pour orgue) persuader et entraient dans la ronde divine mais cachée aux yeux des profanes par un voile confus au travers duquel ils ne distinguaient rien, disaient de temps en temps : « Comme c'est bien », et s'ennuyaient à mourir[a].

Quand j'ai à dire dans ce chapitre, entendre ce qu'on ne connaît qu'au piano revêtu des couleurs de l'orchestre (et si ce n'est pas dans ce chapitre que je le mets, cela n'est pas moins utile à noter car deux ou trois fois dans le livre cette comparaison revient et les éléments nouveaux que je vais ajouter permettront de varier la comparaison <un nombre> q<uelcon>q<ue> de fois. Ce qui m'inclinerait à le mettre dans ce Cahier est que je pensais surtout à Chabrier[1] :

Car qui a entendu une œuvre au piano connaît la photographie de l'œuvre seulement, c'est-à-dire l'œuvre dépouillée de ces bleus si célestes, de ces rouges lumineux et féroces, de ces violets orageux que l'œil ne peut imaginer et qui superposent à l'œuvre que nous connaissons une seconde œuvre plus originale encore, plus insoupçonnable, plus personnelle que la première. Ainsi quand sur ce dessin de l'œuvre de Vinteuil qu'était sa transcription il fallait étaler toutes les fragrances des cuivres, tout le crépuscule lilas des violons, toute une palette inconnue où plus encore que dans l'invention des thèmes se réalisait sa personnalité.

Dans ce chapitre je dirai à Mme de Guermantes : « Vous savez que j'ai connu Vinteuil. — Tiens ! Ça m'aurait amusé de le connaître, de l'avoir chez moi. » Et je fus obligé de répondre que non quand elle me demanda avec un sourire plein d'espérances rétrospectives : « Était-il spirituel ? »

Sur l'amie de Mlle Vinteuil, à propos de la soirée bien parisienne :

D'ailleurs depuis, comme exécutante hors de pair, elle a remis à la mode, a fait connaître, les plus magnifiques morceaux de l'ancienne musique religieuse[b]. Les critiques, les grands[c], s'ils savaient ses vices ne l'en couvriraient pas moins de la plus haute louange ; et c'est une des variétés de la nature où tout se mêle, où chaque chose se nourrit d'éléments étrangers, qu'il faille l'arrivée à Paris d'une personne extraordinairement vicieuse *(de *[un mot illisible]* dans *Polyeucte*)* pour ranimer le culte de l'art le plus austère et féconder par là, en les reprenant, les anciennes polyphonies et les hautes inspirations, la culture des nouvelles générations.

Il faudra que M. de Charlus, très artiste, connaisse la musique de Vinteuil et en parle bien, jolis mots à la Montesquiou ou à Mme Daudet[1].

Esquisse XIV

[LE BARON DE CHARLUS, ET L'HOMOSEXUALITÉ]

[Dans le Cahier 73, les discours du baron de Charlus sur l'homosexualité sont encadrés par une analogie : « L'amour de M. de Charlus pour Charlie était devenu aussi exigeant que le mien pour Albertine », au verso du folio 47, et par le récit de l'affront public qui lui est fait chez les Verdurin par le violoniste, « Bobby », au folio 58 recto, qui termine ce Cahier. Pour la conversation du baron de Charlus, Proust a ajouté des développements sur les versos, ainsi le passage sur Swann, sa rencontre avec Odette, au verso du folio 48, comme il a ajouté à ses « apparences doasanesques », en se référant en clair au baron Doäzan soulignant par là que ce dernier est bien, avec Montesquiou, un des modèles de Charlus[2]. Trois longues additions, non paginées, précisent l'argumentation de Charlus sur son sujet favori, la troisième, plus répétitive encore que le texte final. Ce sont elles que nous donnons ici.]

Ajouter[a3] à ce que dit M. de Charlus :

« Il y a celui qui dit qu'il a fait cela autrefois, par affection pour un ami qui est mort, mais qu'il est guéri ; celui qui prétend avoir essayé par curiosité pour avoir tout connu, celui chez qui cela a été seulement platonique. » Au ton dont M. de Charlus parlait de ces trois-là, je sentis qu'il ne croyait aucun d'eux et qu'il voyait seulement dans leurs explications une cote mal taillée entre le besoin de la confidence et la peur de la divulgation. « Je connais ceux aussi, dit-il, à qui on se confie, qui vous écoutent, et qui dès qu'on leur fait remarquer qu'un homme est bien vous répondent, d'un certain air agacé qui est exactement le même chez des gens qui ne < se > sont jamais connus, qui appartiennent aux classes les plus différentes de la société : "Ah ! je n'en sais rien, cela ne m'intéresse pas ; c'est comme si vous me demandiez si je trouve un moteur d'auto bien ou non, je n'y connais rien." Ces gens-là ont des maîtresses, mais ils "en sont". » M. de Charlus était assez intelligent, son intelligence s'exerçant toujours dans un même sens avait acquis assez de pénétration pour que cette remarque pût être juste. Mais elle comportait peut-être aussi une autre interprétation. Chacun de nous a un défaut, et quand il commence à le montrer, tout d'un coup il perd tout tact, toute mesure, devient franchement odieux. Il y a des gens qui sont charmants tant qu'ils ne parlent pas de leur fortune, ou de leurs relations, ou de leur santé. M. de Charlus quand il parlait homosexualité perdait soudain le sens de ce que les interlocuteurs peuvent supporter, de sorte que l'air dont il parlait, conséquence peut-être de ses façons à lui, souvent fier, était-il révélateur, en même temps que de la façon agacée dont certains homosexuels cherchent à dissimuler leur vice, de la façon agaçante que d'autres ont de l'étaler.

Quand[a1] Charlus dit que 8 sur 10 en sont (page précédente verso ou bien dans un autre Cahier) Brichot répondra :
« Si vous ne vous trompez pas, baron, vous êtes un de ces bien rares voyants qui à chaque époque ont su la vérité que tout le monde ignorait. Dans ce cas les révélations de Barrès sur la corruption parlementaire, de Bernard Lazare[2] sur les agissements du Bureau des renseignements, de Léon Daudet sur l'espionnage allemand ne sont pas plus extraordinaires que les vôtres. Mais prenez garde à ceci, si vous vouliez tracer un tel tableau de la société, outre qu'il vous ferait honnir de votre vivant, vous n'auriez même pas l'avantage des historiens que la postérité ratifie, une fois les documents mis au jour et la vérité connue. Car la vérité dont vous nous parlez, plus grave peut-être par ses conséquences que de g<ran>ds événements de l'histoire, n'a pas de caractère historique ; le jugement des historiens ne sera jamais appelé à commenter de votre cause et à vous donner raison contre l'opinion publique. Aucun document ne permet d'authentifier ces phénomènes collectifs ; seul pourrait le produire le témoignage unanime des intéressés, or ils sont intéressés à ne le produire jamais. Charlus chroniqueur passerait pour un calomniateur aujourd'hui et rien ne permettrait à la postérité de le venger de cette imputation. — Je ne me livre pas à la littérature et je ne travaille pas pour l'histoire, répondit Charlus. Comme disait le pauvre Swann, la vie me suffit. Elle est assez intéressante comme cela. — Comment ? Vous avez connu Swann, baron, demanda Brichot. Je n'en reviens pas. — Ce qui m'étonne, c'est que vous l'avez connu, vous, répondit Charlus. Pourtant si, il me semble qu'il m'avait parlé de vous. — Lui n'en était pas ! dit Brichot. — Non, dit le baron, baissant les yeux, d'un air incertain et comme pesant bien le pour et le contre. Au collège, *suit ce qu'il dit sur Swann au collège et sur sa coucherie une fois avec Odette[b]*.

« J'avoue[a1] que si ouvert que je cherche à rester à toutes les hardiesses, je ne peux me faire à cette forme nouvelle d'homosexualité », déclara M. de Charlus, comme si ces questions étaient l'objet banal des préoccupations de tout le monde, et du même ton dont tel de ses cousins, grand orateur catholique déclarait : « J'avoue que je suis toujours sur ce point un vieux gallican dans la tradition de Bossuet et de Montalembert et que je répugne à une certaine forme d'ultramontanisme », ou tel autre, ancien député monarchiste : « Je suis resté à mon âge un individualiste impénitent qui a conservé ses illusions libérales et je ne peux comprendre l'intervention de l'État en ces matières. » « Remarquez, continua-t-il, que ce n'est pas que je blâme ces novateurs, ou du moins présumés tels. Je les aime plutôt, et je m'efforce de les comprendre. Tant qu'on a à faire à la même homosexualité, rien de plus facile à comprendre. Prenons un exemple, c'est-à-dire faisons une supposition. Voici par exemple monsieur, dit-il en montrant Brichot. Tout ce que moi, homme normal, je ressens pour votre cousine, il l'éprouve pour vous, jeune homme. Cela va tout seul. — Dites donc, baron, interrompit Brichot, si cela vous était égal de ne pas changer les rôles et de prendre autrement vos exemples. — Mais je vous disais que c'était une supposition. Voilà un beau malheur. Enfin cela m'est égal, je fais la supposition inverse et c'est moi-même qui ressens pour ce jeune homme ce que vous ressentez pour sa <cousine ; tout est> simple. Mais je vois des jeunes gens du peuple — j'aime beaucoup à les questionner, à me mêler à leur vie, beaucoup plus que nombre de prétendus démocrates — de solides gaillards qui non seulement ont des femmes, sont coureurs, mais ont même de grands amours pour des femmes, échangent entre eux à propos d'elles des coups de couteaux. Pourquoi ces mêmes gaillards ayant pour les femmes les mêmes sentiments que j'ai moi — dans notre supposition — pour les jeunes gens se mettent-ils tout d'un coup, en s'en cachant parce que c'est mal vu dans leur monde où on croit toujours qu'alors ils le font aussi pour la galette, à désirer ce qu'ils appellent un môme, à lui donner des rendez-vous en cachette, petit acrobate, ou laveur de voitures, garçon fumiste ou électricien. À quoi correspond ces brusques et momentanés plongeons de leur instinct sexuel dans une forme différente ? Qu'est-ce que cela représente d'autre ? C'est quelque chose de plus que pour nous — puisque j'ai accepté dans la discussion le rôle que vous avez refusé — homosexuels véritables. Pour nous, l'homme c'est la femme, à moins que femmes nous-mêmes, ce soit pour nous l'homme tel qu'il est pour la femme. Mais pour eux, hommes qui aiment, qui ont des femmes, qu'est-ce que cela peut signifier tout d'un coup ces hommes ? Assurément pas ce qu'est l'homme pour la femme, puisque eux sont de vrais hommes. Assurément pas ce qu'eſt la femme pour l'homme, puisque pour cela ils ont la femme. Non, c'eſt quelque chose d'autre que je leur envie, je vous l'ai dit, car comment ne pas envier, si l'on eſt intelligent, une manière de sentir que l'on n'a pas, que je leur envie mais que je ne comprends pas, qu'ils ne comprennent pas sans doute eux-mêmes, car j'en ai beaucoup interrogé, et leurs réponses n'éclaircissaient rien. Il eſt vrai qu'elles n'étaient pas tout à fait sincères, car tantôt ils craignaient à cause de leurs camarades, à cause du point d'honneur d'avouer qu'ils aimaient trop la chose, tantôt croyant avoir à faire à un vieux monsieur qui l'aimait, ils craignaient de me froisser en me disant qu'ils aimaient mieux les femmes. — Dites donc baron, dit Brichot, si jamais le Conseil des professeurs propose au miniſtre d'ouvrir une chaire d'hiſtoire de l'homosexualité, je vous fais proposer en première ligne. Ou plutôt non, un inſtitut de psycho-physiologie spéciale vous conviendrait mieux. Et je vous vois surtout avec une chaire au Collège de France, vous permettant de vous livrer à des études personnelles, dont vous livreriez les résultats, comme fait le professeur de tamoul, ou de sanscrit devant le très petit nombre de personnes que cela intéresse. Vous auriez deux auditeurs et l'appariteur, soit dit sans vouloir jeter le plus léger soupçon sur notre corps d'huissiers que je crois insoupçonnable. — Vous n'en savez rien », répliqua le baron, d'un ton dur et tranchant.

Esquisse XV

[RETOUR DE LA SOIRÉE VERDURIN]

[Les huit derniers feuillets du premier des Cahiers de brouillons de « La Prisonnière », le Cahier 53, contiennent deux ébauches : le retour du narrateur chez lui, accompagné par Brichot et la confrontation avec Albertine. Ces deux passages ne sont séparés du départ du narrateur pour la soirée Verdurin que par la simple mention de celle-ci au milieu d'une ligne du manuscrit (voir var. a, p. 1153). Ce retour a été longuement repris par le troisième des Cahiers de brouillons, le Cahier 55, récit suivi de la confrontation avec Albertine.]

Quand[a1] nous partîmes de chez les Verdurin, une légère ondée étant tombée, le ciel de nouveau brillant était plein d'étoiles. Avais-je vu un tel ciel en chemin de fer, il me donna l'envie du voyage ; dès que je ne serais plus jaloux d'Albertine je tâcherais que nous nous quittions, car l'obſtacle que mon besoin d'être auprès d'elle mettait à mon désir de voyager, de travailler, me faisait oublier qu'il y en avait d'autres dans ma santé, dans ma paresse, dans mes mauvaises habitudes de vie qui, si je fusse resté sans elle, m'auraient sans doute retenu à Paris sans rien faire. *Conversation de retour avec Brichot[a] sur Charlus.*

Nous étions arrivés devant ma porte[b]. « Il n'est pas tard, vous ne voulez pas me conduire jusque dans ma lointaine Odéonie », me dit Brichot. Je me disais que si j'y étais allé j'aurais pu rester à mi-chemin et entrer chez la maquerelle dont m'avait parlé S<ain>t-Loup et chez qui à défaut du voyage à Venise j'aurais pu au moins connaître ici soit la femme de chambre de Mme Putbus, soit la jeune fille de bonne famille. Mais dans notre appartement sombre, la fenêtre de la chambre d'Albertine laissait passer à travers ses volets une lumière qui signifiait qu'elle m'attendait. Il fallait rentrer, et je dis adieu à Brichot avec un mouvement de regret, un élan de désir en pensant aux caresses que j'étais sûr de trouver, et pourtant un regret comme si j'avais refermé moi-même sur moi la porte de ma douce mais ennuyeuse prison.

Je n'avais pas pensé que j'ennuierais Albertine en lui disant que j'avais été chez les Verdurin. Mais dès que j'eus été la chercher dans sa chambre et l'eus emmenée dans la mienne, quand je lui dis où j'avais été, je vis à l'humeur avec laquelle elle l'apprit qu'elle croyait que j'avais voulu chercher à savoir pourquoi elle avait voulu y aller. Peut-être avait-elle peur que je l'eusse appris, à tout hasard elle jugea préférable de ne pas me le dire. Mais je sentis qu'elle avait un air si ennuyé, si découragé, que je craignis qu'elle ne prît en horreur la vie qu'elle menait chez moi, d'autant plus qu'au peu que m'avait dit Mme Verdurin je sentais qu'elle avait dû représenter à Albertine sa vie comme une captivité qu'elle avait trop bon caractère de supporter et qu'elle devait m'envoyer promener[c]. Et d'une part sachant que rien ne nous fait apprécier un bien que de croire qu'on va en être privé, d'autre part pensant qu'une brouille sérieuse était par la réconciliation qui la suivait le meilleur moyen de ne pas nous quitter fâchés comme cela arriverait infailliblement à l'air qu'elle avait, enfin peut-être par une survivance de ma croyance du temps de Gilberte que, quand une amitié ne marchait plus, il n'y avait plus qu'à en fonder une nouvelle : « Ma petite Albertine ce n'est pas parce que vous êtes fâchée que je vous dis cela car je vous adore, mais c'est parce que votre fâcherie me fait mieux comprendre combien la vie que vous menez ici est ennuyeuse pour vous, et pénible, comment vous vous sacrifiez pour moi, voyez-vous il faut nous quitter[d]. »

Je[e1] rentrai. D'en bas je voyais au second étage la fenêtre d'Albertine dont la lumière passait sous les rideaux ; calme rayon d'une attente fidèle, d'une présence réelle, mais qui n'était plus mystérieuse que pour les autres. Si je me réjouissais de penser que Brichot ne savait pas pourquoi je le quittais, c'était par un retour égoïste sur moi-même, et comme si mon corps se fût trouvé doublé, accru d'un autre corps invisible aux autres. Puis la pensée des caresses qui m'attendaient réveillait mon désir, mais j'avais quelque tristesse à penser que désormais le plaisir physique n'était plus pour moi l'apport qui m'aiderait à pénétrer dans des pays et dans des vies inconnues. Et par une sorte de symbole, car Albertine n'était pas seulement chez moi, elle était en moi, elle était devenue un complément, un double, une image de moi-même, le plaisir n'était plus maintenant pour moi au-dehors dans l'inconnu de la rue, des routes, des pays, pour le trouver ce que je faisais ce n'était pas comme j'avais rêvé, partir en voyage, ou simplement sortir, c'était rentrer[a]. Mais cette présence d'Albertine qui remplissait ma vie n'y mettait plus de joie. En apercevant cette fenêtre je pensai à cet autre être qui m'empêchait d'être seul, qui me faisait déjà mener si jeune une vie de famille, je n'eus qu'un désir ce fut de m'en délivrer. Et quand je refermai la porte cochère ce fut comme si je refermais la porte de ma prison. Si encore Albertine avait eu l'air heureuse. Mais au dire de Françoise chaque jour elle devenait plus exigeante et quand je lui faisais dire de ne pas rentrer trop tard haussait les épaules. J'allai la chercher dans sa chambre et elle me conduisait à la mienne. « Hé bien vous êtes-vous amusé ? — Pas beaucoup, j'ai entendu d'assez belles choses. » Et pour qu'elle ne pût pas croire que j'avais voulu le lui cacher si elle le voyait le lendemain dans le journal, peut-être aussi pour voir si c'était à cause d'elle qu'elle avait voulu il y a quelque temps aller au Trocadéro : « J'ai d'abord entendu une personne assommante qui s'appelle Léa. » Elle ne répondit rien. « Vous savez bien, celle qui jouait à la matinée du Trocadéro où je suis venu vous chercher. — Elle y jouait ! », s'écria Albertine sur un ton vif et dépité, comme si elle regrettait de ne pas l'avoir su et que je l'eusse privée de l'entendre. « Mon dieu ! quel regret ! » m'écriai-je irrité à mon tour[b]. « Allons qu'est-ce que vous allez encore chercher — Oh ! Albertine je n'aime pas "allez encore chercher", cela ne fait pas partie du vocabulaire de la personne supérieure que vous devenez. » Sans vouloir aller jusqu'à recommencer la comédie de la rupture, je pensai, puisqu'elle était de mauvaise humeur, que je <ne> risquais rien de lui faire savoir ce que je lui avais caché depuis plusieurs semaines pour éviter une scène, et ce qui était nécessaire pour reprendre mon empire et la soumettre pour, en lui montrant que je le savais, reprendre l'avantage et faire le maître. Après cela nous nous embrasserions d'autant mieux que je n'étais plus jaloux de l'une ni de l'autre chose auxquelles j'avais trouvé des explications qui innocentaient Albertine. « Albertine, lui dis-je, vous devez être moins amère. J'ai souvent à cause de vous des chagrins que je ne vous dis pas. Des gens qui ne vous aiment pas m'envoient des lettres anonymes sur vous, je ne vous en parle jamais. — Et que disent-elles ces lettres anonymes ? — Oh ! J'en ai oublié les 3/4. — Ah ! il y en a tant que cela. — Vous avez l'air de ne pas me croire ? — Mais si, mais si, je vous crois, allez toujours, dit-elle ironiquement. — Albertine vous n'êtes pas polie. Je vous citerai au hasard deux de ces lettres anonymes puisque vous avez l'air de ne pas y croire. L'une me disait que si la veille de notre départ de Balbec vous avez voulu le même jour y rester puis en partir, c'est parce que entre vos deux résolutions vous avez reçu une lettre d'Andrée vous disant qu'elle ne viendrait pas[a]. »

Brichot[b1] me demanda où j'allais, je lui répondis : « Chez moi. — Cela c'est bien, me dit-il, de finir sagement votre soirée dès cette heure-ci. » Il ignorait que pour moi qui en avais seulement un peu retardé le moment en allant chez les Verdurin, elle allait seulement commencer, et qu'une jeune fille, prête à m'offrir un corps que même loin d'elle tous mes sens ne cessaient d'envelopper, m'attendait patiemment, à la lumière de la lampe dans cet appartement que le vieux professeur s'imaginait vide et que remplissaient pour moi, chaudes et brillantes comme les ondes de clarté de la chambre d'Albertine, les promesses d'un plaisir que j'étais pressé d'aller goûter. *Conversation avec Brichot[c].*

Brichot me quitta au pont *[un blanc]*. Je n'avais que de l'ennui de rentrer car je n'avais plus de jalousie à l'endroit d'une rencontre possible d'Albertine avec Mlle Vinteuil. Mlle Vinteuil n'était pas venue à Paris. Albertine devait le savoir par Mme Verdurin. Et si Mme Verdurin l'avait trompée en lui disant le contraire, en tout cas elle n'avait pas hésité à me sacrifier Mlle Vinteuil, ce qui prouvait que je resterais maître d'elle comme je voulais. Aussi la vue du rectangle de lumière que la fenêtre d'Albertine faisait sur l'avenue me causa-t-il un sentiment de plénitude, de douceur et d'ennui. Je sentais que dans la demeure où je rentrais, où j'étais obligé de rentrer comme un mari *[interrompu[d]]*

Brichot[e] me demanda quelle adresse il devait donner au cocher et je lui dis la mienne. « Ça c'est très bien », dit-il. Pas plus que les amis qui venaient me voir et que je faisais passer dans le couloir sans qu'ils rencontrassent Albertine, il ne soupçonnait qu'en rentrant j'allais justement commencer ma soirée avec celle qui m'avait jusque-là attendu paisiblement dans sa chambre. J'éprouvais à y penser ce même sentiment de bien-être, d'orgueil, d'égoïsme et de renoncement à toute curiosité nouvelle, ce même sentiment à la fois doux, ennuyeux, flatteur, humiliant, sensuel et familial que j'avais éprouvé cet après-midi même, quand j'avais quitté mon piano au coup de sonnette d'Albertine, puis quand je l'avais eue à côté de moi dans la voiture, et quand passant devant moi elle était remontée à la maison[a], que le temps que j'avais passé chez les Verdurin n'avait été pour moi qu'un court intervalle pendant lequel m'attendait paisiblement dans sa chambre celle que j'avais hâte de retrouver. Et pourtant j'étais ennuyé de rentrer, je pensais à tous les plaisirs nouveaux à la recherche desquels j'aurais pu aller si je m'étais promené seul, si j'avais été dans la maison que m'avait indiquée Robert. La pénétration d'une vie inconnue, l'espoir de me faire aimer d'un être qui ne me connaissait pas, tout cela n'existait plus avec Albertine. C'était le même plaisir bien connu, sensuel, familial et domestique, goûté cet après-midi même, que je revenais chercher auprès d'elle, dans cet appartement où sa présence, soigneusement cachée à Brichot, mettait comme une plénitude, une richesse insoupçonnée, qui faisait qu'au moment où j'allais rentrer dans mon appartement, à un moment où les autres se fussent trouvés seuls, j'allais au contraire cesser complètement de l'être. Une jeune fille n'y était-elle pas, qui pour moi n'était pas seulement visible, couverte de couleurs, mais de tant d'autres sensations, que, pour seulement voir dans ma pensée, le teint de ses joues il me fallait écarter, exfolier d'innombrables baisers dont je retrouvais l'odeur, comme si son visage avait été une rose aux innombrables pétales. Et de ce que cette rose avait été cueillie à la treille *(voir petit Cahier homme[1] je crois[b])*, ce mystère que je trouverais à ma disposition matérialisé devant moi dès le moment où j'aurais ouvert ma porte, s'il nourrissait tous mes sens vidait mon imagination en la dispensant de le recréer, n'aurais-je pas à ma disposition rien qu'en ouvrant ma porte la personne dans laquelle se perdait le plus complètement la mienne, devant laquelle j'abdiquais le plus entièrement, me remettant tout entier à elle, comme un enfant sur les genoux de sa mère. C'était chez les Verdurin que j'étais seul, un moment privé de cette Albertine qui était devenue le riche complément de mon organisme et hors de laquelle je ne m'aventurais qu'un moment, pressé d'aller me rejoindre et m'unir à elle. La voiture s'était arrêtée devant ma porte. D'en bas je voyais à travers les volets la lumière de la fenêtre d'Albertine, comme les rayons de ce trésor si soigneusement caché à Brichot, à Robert, insoupçonné de tous qui m'attendait, que j'étais si pressé de retrouver, mais en échange duquel il me semblait que j'avais vendu la liberté de ma vie et la possibilité d'être seul. Si Albertine n'avait pas été là, j'aurais pu avoir du plaisir, ç'aurait été à défaut de partir en voyage, me promener seul dans des parties presque étrangères de Paris, aller dans cette maison que m'avait indiquée Robert, rechercher des êtres inconnus, tâcher de pénétrer leur vie et de me faire aimer d'eux, tandis que maintenant c'était au contraire retrouver un être connu, devenu un complément de mon organisme, hors de la présence duquel je ne pouvais m'aventurer que peu de temps, avoir du plaisir ce n'était pas partir en voyage, ce n'était même pas sortir, c'était rentrer. Rentrer ce n'était d'ailleurs pas pour moi comme pour les autres, me trouver seul, avoir besoin d'un aliment que les autres jusqu'à ce moment-là vous fournissaient et qu'après les avoir quittés on trouve en soi-même. C'était me rejoindre à cet être loin duquel, même chez les Verdurin, je m'étais senti relativement seul, car auprès des autres je n'avais pas une si entière absorption de moi-même, cet être par lequel, pour me dispenser de songer même une minute à moi, j'allais être reçu dès que j'aurais ouvert ma porte et dans la personne duquel se perdait le plus complètement la mienne, cet être dans lequel j'abdiquais aussi entièrement qu'un enfant sur les genoux de sa mère. J'avais hâte de me décharger auprès de lui de moi-même, d'entrer dans cette chambre dont la lumière d'ici me semblait mystérieuse parce que Brichot ignorait ce qui y veillait, et douce parce qu'elle était le signe de la vie jadis si désirée, du corps charmant qui m'y attendait.

*Pour[a1] le morceau ci-dessous il vaudrait mieux insister sur l'ennui et laisser la douceur, la richesse de sensations pour quand elle est morte.

Ceci sur ce verso et ce recto est le morceau définitif (quoique la forme soit à changer) qui annule les pages suivantes[2] (mais non pas quelques pages avant quand Brichot me demande l'adresse). Mais regarder dans les pages suivantes où je disais moins bien la même chose si je n'ai rien oublié.*

Nous étions arrivés devant ma porte. Je descendis de voiture et donnai au cocher l'adresse de Brichot. D'en bas je voyais à travers les volets les rayons de la lampe d'Albertine. Pour d'autres ils n'eussent peut-être été qu'une lumière superficielle, mais moi sous leur éclat, je savais toute la plénitude de vie qui m'attendait paisiblement là-haut et en laquelle mon corps et ma pensée allaient se confondre. Ce n'était pourtant pas sans ennui, sans regret que je voyais m'attendre, me rappeler, ces reflets dorés *(dire cela mieux)* du trésor, orgueil secret de ma vie, aussi insoupçonné de Brichot, qu'il était des amis qui venaient me voir et que je reconduisais dans le couloir sans que rien trahît la présence d'Albertine, mais en échange duquel il me semblait que j'avais vendu la liberté, la pensée, la solitude. Si Albertine n'avait pas été là-haut, pour avoir un plaisir sensuel, ce que j'aurais fait c'eût été sinon prendre un train, tout au moins faire dans le Paris nocturne de ces promenades qui sont presque un voyage, rechercher des êtres inconnus, tâcher de me faire aimer d'eux, au lieu de retrouver une femme qui était comme une autre partie de moi-même qui ne m'offrait plus et à qui je savais ne plus pouvoir offrir de nouveauté, qui me donnait au lieu des inquiétudes exaltantes du dépaysement, la douceur profonde, nécessaire, mais abêtissante de l'habitude ; si Albertine n'avait pas été là-haut, avoir du plaisir c'eût été partir, ou du moins sortir ; maintenant c'était au contraire rentrer. Et non pas rentrer comme celui qui ayant quitté les autres se trouve seul, et n'ayant plus d'aliment étranger fourni du dehors à sa pensée est enfin contraint d'entrer en commerce avec soi-même. Rentrer c'était retrouver non seulement ma maison mais la personne dont ces lumières que je voyais d'en bas étaient comme l'émanation douce, vivante, humaine, trop humaine, un être relativement auquel, quand j'étais avec les autres, comme chez les Verdurin par exemple, j'étais seul, tandis qu'auprès de lui j'abdiquais enfin complètement comme un enfant dans les bras de sa mère. Le plaisir que j'avais à voir d'en bas ces rayons qui remplissaient la chambre où je sentais circuler toute la richesse de sensations qui étaient là-haut à ma disposition *(dire mieux)* c'était, comme cet après-midi quand j'avais quitté mon piano au coup de sonnette d'Albertine ramenée pour moi du Trocadéro, un peu plus tard quand je l'avais sentie assise à côté de moi en voiture, ou quand passant devant moi elle était rentrée sous la voûte, c'était le plaisir de sentir ma vie remplie par une personne qui m'empêchait de me retrouver moi-même comme tous les plaisirs de possession où le bien nous est fourni du dehors et n'a pas à être créé par nous-même, c'était un plaisir à la fois familial et sensuel, flatteur pour mon amour-propre, déprimant pour mon intelligence, ennuyeux comme ce qui nous prive de la nouveauté, doux comme ce que nous apporte l'habitude.

En disant à Albertine que je venais de chez les Verdurin, je n'avais pas cru que je lui déplairais, mais je vis aussitôt se superposer à son visage cette apparence énigmatique et irritée dont nous savons bien qu'elle n'est que la transformation, la synthèse de griefs raisonnés, que nous nous efforçons par l'analyse de ramener à leurs éléments intellectuels. Or j'eus peur qu'ils ne pussent <qu'être> formulés ainsi dans l'esprit d'Albertine : « Naturellement j'en étais sûre, il avait des soupçons, il a voulu les vérifier, et pour que je ne puisse pas le gêner, il a fait tout cela en cachette. »

J'allai chercher Albertine dans sa chambre, je l'amenai dans la mienne et après l'avoir embrassée : « Devinez d'où je viens, de chez les Verdurin. »

J'avais à peine eu le temps de finir ces mots qu'Albertine me répondit par ceux-ci que les miens semblèrent avoir fait exploser immédiatement malgré elle : « Ah ! alors vous avez vu Mlle Vinteuil ! » Elle prit un instant un air content comme pour me montrer que cela lui était bien égal que je l'eusse vue, mais je vis que mes paroles avaient brusquement produit dans son visage cette altération énigmatique et irritée qui n'est que la synthèse de griefs transformés auxquels nous cherchons à notre tour par l'analyse à la ramener, pour voir exactement ce qui se passe dans l'esprit de notre interlocuteur. Or ce que je crus y lire c'était ceci : « Naturellement, il avait des soupçons, cela ne lui a pas suffi de m'empêcher d'aller chez les Verdurin, il a voulu y aller en cachette pour se rendre compte[a]. »

Ceci vient tout de suite après la fenêtre éclairée du dehors[1]. C'est par là que commence tout ce qui se passe dans la maison.

Certes Albertine ne m'avait jamais dit qu'elle me crût épris et jaloux d'elle, préoccupé de tout ce qu'elle faisait. Les seules paroles assez anciennes il est vrai, que nous eussions échangées relativement à la jalousie semblaient prouver le contraire. C'était par un soir de clair de lune, une des premières fois où je l'avais reconduite. Comme je lui proposais de la ramener jusqu'à chez elle, je lui avais dit en riant : « Vous savez, ce n'est pas par jalousie, si vous avez quelque chose à faire je m'éloigne discrètement. » Et elle m'avait répondu : « Je sais bien, mais je n'ai rien à faire qu'à être avec vous. » Et les autres, c'était chez les Verdurin quand M. de Charlus, peut-être pour avoir l'air de faire la cour à une femme, lui faisait mille compliments tout en jetant à la dérobée un regard sur Charley, je disais après à Albertine, qui croyait en effet M. de Charlus épris d'elle : « Hé bien il vous a assez serrée de près j'espère. J'ai souffert toutes les tortures de la jalousie. » Et elle qui voyait bien que je ne souffrais pas du tout me répondait en riant, avec le langage vulgaire, soit de son milieu bourgeois, soit de ses fréquentations mal élevées : « Quel chineur vous faites ! » Depuis elle ne m'avait jamais dit qu'elle eût changé d'opinion sur la nature de mes sentiments pour elle. Mais il devait y avoir à cet égard dans son esprit nombre d'idées qu'elle me cachait, mais qu'un hasard pouvait brusquement trahir, car quand en rentrant ce soir-là, après l'avoir cherchée dans sa chambre et amenée dans la mienne, je lui eus dit : « Devinez d'où je viens, de chez les Verdurin », j'eus à peine le temps de finir ces mots qu'Albertine m'avait répondu par ceux-ci qui semblèrent exploser malgré elle, avec une force et une soudaineté irrésistible : « Je m'en doutais bien ! Alors vous avez vu Mlle Vinteuil[a] ! — Je ne savais pas que cela vous ennuierait que j'aille chez les Verdurin. — M'ennuyer que vous alliez chez les Verdurin ? Qu'est-ce que vous voulez que cela me fiche ? — Mais Albertine, puisque vous me parlez de Mlle Vinteuil, à propos vous ne m'aviez pas dit que vous l'aviez rencontrée l'autre jour. — Est-ce que je l'ai rencontrée ? », dit-elle d'un air rêveur comme à elle-même qui semblait chercher dans sa mémoire, mais en réalité à moi, afin que je dise ce que je savais. Mais j'avoue que Mlle Vinteuil fut ce qui me préoccupa le moins. Même si Albertine avait eu rendez-vous avec elle chez les Verdurin, elle m'avait aisément sacrifié ce rendez-vous. Il m'était facile de continuer à empêcher Albertine de la voir, j'étais maître de ses actions tant qu'elle était chez moi. Ce qu'il fallait c'est qu'elle y restât. Or j'avais vu se superposer au visage d'Albertine au moment où je lui avais dit que je revenais de chez les Verdurin, un de ces masques énigmatiques qui ne sont que la synthèse d'idées transformées, et que nous cherchons à notre tour à ramener par l'analyse à ses éléments intellectuels afin de nous rendre compte de l'état d'esprit de la personne qui est avec nous[b]. Celui d'Albertine semblait pour la première fois trahir un mélange de colère et de découragement qui pouvait se traduire ainsi : « Naturellement, il avait des soupçons, cela ne lui a pas suffi de m'empêcher d'aller chez les Verdurin ; il a fallu qu'il y aille en cachette pour se rendre compte. » Alors j'eus[c] tout d'un coup l'effroi que la pensée de me quitter ne traversât son esprit[d], soit que coupable dans ses intentions elle se sentît traquée, empêchée de les mettre jamais à exécution, sans que cela désarmât ma jalousie, soit qu'innocente de pensée et de fait, elle se décourageât de voir que depuis Balbec où elle avait évité de rester jamais seule avec la petite poupine, jusqu'à aujourd'hui elle n'était ni allée chez les Verdurin, ni restée au Trocadéro, elle n'avait pas réussi à regagner ma confiance, et était condamnée <à> une vie intenable.

Pour qu'elle prît conscience des agréments[e] de cette vie, je ne lui avais jamais dit qu'elle était définitive, de même que pour que je ne lui déplus<se> pas trop je ne lui laissais pas voir combien elle me plaisait[1]. Mais ce soir je craignais que la sincérité des vagues paroles de se quitter *(les mettre en son temps pas mal avant, telles qu'elles sont dans le Cahier Dux[2])*, peut-être contredites dans l'esprit d'Albertine par ce grand amour jaloux qu'elle semblait croire que j'avais pour elle ne fussent pas suffisantes[f].

Esquisse XVI
[LA COMÉDIE DE LA RUPTURE]

[La scène que provoque le narrateur à son retour de la soirée Verdurin, signifiant son congé à Albertine avant de lui proposer « un renouvellement de bail », était déjà contenue dans le Cahier 71 (de même que par ailleurs l'explication a posteriori du retour de Balbec, docilement accepté par Albertine). Mais encore une fois, le contexte de cette fausse rupture n'était pas celui-là.

L'annonce de la scène, à la fin du Cahier 53 : « voyez-vous il faut nous quitter » (voir l'Esquisse XV, *p. 1154 et suiv.), a été suivie d'une amorce de rédaction sur un folio non paginé du Cahier 73, puis développée dans le Cahier 55, où une nouvelle rédaction, addition ultérieure dans le Cahier, reprend les termes du Cahier 71].*

*Il[a1] faudra que le morceau qui est en face <ne> vienne pas trop tard dans notre liaison. Car après, quand ma jalousie renaît, que mon espionnage commence, je sens que c'est elle qui a envie de me quitter quoiqu'elle ne m'en parle jamais. Ma jalousie sera la transition (la scène après l'angoisse) jusque-là je la laisserai sortir librement. Après plus. La cause de la jalousie pourra être que je comprends que c'est le jour de la Toussaint (ou autre fête) que Claire ne vient pas à Balbec.

Ne pas manquer de dire :*

Avec la jalousie, la tendresse familiale que j'éprouvais pour elle était peut-être la cause de ces brusques colères où j'avais le même besoin de la torturer qu'autrefois ma grand-mère et je croyais comme autrefois pour ma grand-mère qu'il serait toujours aisé pour moi d'effacer les traces de mes colères.

Ceci vient après ce qu'il y a dans la fin de ce Cahier où du moins au milieu de cette fin, c'est une première brouille.

Pour ne pas lui déplaire je lui avais dit qu'elle ne me plaisait pas. Maintenant je lui disais que nous allions nous séparer pour prévenir la tristesse que l'on trouve si facilement dans ce que nous sommes sûrs, qui ne nous quittera pas, que nous craignons même de ne pas être libre de quitter. Quand je le disais, elle répondait d'un air effrayé et tendre : « Mais non, il ne faut jamais se quitter. » Je ne répondais rien mais je montrais l'air de quelqu'un qui a sa décision prise à cet égard. *(Ici pourrait s'intercaler quelque chose n'ayant pas rapport à Albertine pour la solidité du tableau, par exemple la rencontre de Mlle de Forcheville. Peut-être mettre ici ce que j'ai écrit sur l'amour qui quand la jalousie ne le distrait pas sent son propre néant. Et alors :)* D'ailleurs ce n'était pas que par des amorces de séparation que je réveillais encore de temps à autre chez Albertine l'air de tendresse sans lequel j'étais si malheureux. *Mettre ici quelque soirée ou événement extérieur à Albertine, puis :* Comme je craignais qu'Albertine crût mes projets de séparation incertains ou en tout cas bien éloignés, un jour que nous avions eu un petit différend, après nous être réconciliés, pour avoir le plaisir que me donnerait sa tendresse, ou son effroi, je lui dis qu'il valait mieux se quitter. Et comme elle avait l'air de me dire : « Encore la même chanson », j'ajoutai que les séparations qui traînaient le moins étaient les meilleures, qu'il valait mieux puisque nous venions de le décider causer comme si de rien n'était et puis demain avant que je me réveille elle serait partie. Alors, elle parut bouleversée : « Comment demain ? Vous le voulez ? » Pour qu'elle ne pût pas croire qu'il s'agissait d'un projet en l'air, et la pousser de plus en plus dans l'idée que nous nous quittions, tirant moi-même les déductions de ce que je venais d'avancer, j'anticipais sur le temps qui allait commencer le lendemain et qui durerait toujours, le temps où nous serions séparés et je lui faisais quelques recommandations : « Ayez la gentillesse de me faire renvoyer le livre de Bergotte qui est resté chez votre tante. Cela n'a rien de pressé, dans trois jours, dans huit jours, quand vous voudrez. Mais pensez-y pour que je n'aie pas à vous le faire demander parce que cela me ferait trop de mal de vous écrire. Nous avons été heureux. Nous sentons maintenant que nous serions malheureux. — Ne dites pas nous, c'est vous seul qui vous trouvez cela. — Oui, enfin vous ou moi, comme vous voudrez, pour une raison ou l'autre nous sommes décidés à nous quitter ce soir. — *Vous* avez décidé et je vous obéis parce que je ne veux pas vous faire de peine. — Mais ce n'en est pas moins très douloureux pour moi. Je ne dis pas que ce sera douloureux longtemps, vous savez que j'oublie très vite, mais les premiers jours je m'ennuierai tant après vous. Alors je trouve inutile de raviver par des lettres, il faut finir tout d'un coup. — Oui, vous avez raison, dit-elle d'un air navré, plutôt que de se faire couper un doigt puis un autre, j'aime mieux me faire couper la tête tout de suite. » Elle avait l'air navré ; sans doute l'heure tardive qu'il était fatiguait ses traits. Mais aussi sans doute elle me croyait, comme elle m'avait cru tantôt quand je lui avais dit que j'avais reçu des nouvelles de la femme que j'avais aimée. Elle me croyait, elle qui souvent semblait ne pas ajouter foi à mes paroles, se défier de moi. Et si elle me croyait en ce moment sans doute c'est parce que j'étais habile comédien et savais rendre vraisemblable mon projet de la quitter, comme autrefois je rendais vraisemblable à ma grand-mère telle décision qui pouvait l'ennuyer et que je n'avais en réalité pas prise ; mais aussi sa crédulité venait peut-être de sa défiance même. Peut-être n'avait-elle jamais cru que je voulusse vraiment l'épouser et s'imaginait-elle que ce que je lui disais maintenant je l'avais résolu depuis longtemps[a].

« Et puis Albertine, je vous demande une chose ; si jamais, cela peut arriver, dans un an, dans trois ans nous nous trouvions dans la même ville, ne cherchez pas à me voir. »

Il était déjà quatre heures du matin, il allait falloir la quitter, et avant de la quitter lui dire que nous ne nous séparions pas, mais la force d'inertie que développe le besoin énervé de faire mal aux autres et de se faire mal à soi-même, me poussait à continuer jusqu'à la dernière seconde à régler les détails d'une séparation qui commençait, si mensongère que je la susse, à me faire à moi-même autant de peine que si elle était vraie tant j'arrivais pour persuader Albertine à lui donner un air de vérité. Ainsi comme elle avait l'air de ne pas répondre affirmativement à ma prière de ne chercher à se revoir jamais, je sentis malgré moi les larmes me gagner. « Oh ! si, Albertine, ne faites pas cela, ne cherchez pas à me revoir, vous me feriez trop de mal. Car j'avais maintenant de l'amitié pour vous, vous le savez, je sais bien, lui dis-je d'une voix simple et désolée, vous avez cru quand je vous ai raconté que j'avais revu Gilberte, vous avez cru que c'était arrangé, non, je vous assure qu'elle m'était bien égale » (ce qui n'était pas vrai car avant de savoir que c'était Gilberte j'avais eu un désir fou de la posséder). « Mais non, je ne l'ai pas cru, me dit-elle tendrement, toujours de sa même voix triste. Mais non, je vous le jure. — Non il ne faut pas croire cela, je vous aimais vraiment, pas d'amour peut-être, mais de grande, grande amitié. — Et moi, si vous croyez que je ne vous aime pas. — Et cela me fait une grande peine de vous quitter. — Et moi, une mille fois plus grande ! — Ainsi vous comprenez, si vous cherchiez à me revoir. » Elle vit que je pleurais, elle en parut bouleversée. Et sans doute c'était parce que son affection était infiniment moins grande que la mienne que mes larmes purent dépasser à ce point ce qu'elle croyait : « Non, non s'écria-t-elle vivement, ne pleurez pas mon chéri, jamais je ne chercherai à vous revoir puisque vous le voulez, je vous le jure. Tout plutôt que de vous faire du mal. — Merci ma petite Albertine vous êtes bien gentille. Du reste, les premières années du moins, j'éviterai les mêmes endroits. Vous ne savez pas si vous irez à Balbec cet été parce que dans ce cas j'éviterai d'y aller. — Oh ! je n'en sais rien, je ne sais pas encore. Que voulez-vous je suis un corps sans âme. Je verrai. Peut-être j'irai en Touraine chez ma tante[a]. » Et ce premier projet qu'elle commençait à faire me glaça comme si nous étions déjà séparés. Elle regarda la chambre, le pianola, les fauteuils de velours bleu. « Je ne peux pas croire que je ne verrai plus cela demain, ni après-demain, que je ne le reverrai jamais, cela ne peut pas m'entrer dans la tête. — Il le fallait, vous étiez malheureuse ici. — Mais non ! Je n'étais pas malheureuse, c'est maintenant que je le serai ! — Mais non, je vous assure, c'est mieux pour vous. — Pour vous peut-être. » Je me mis à regarder fixement dans le vide comme si une idée soudaine faisait chanceler ma résolution. « Voyons Albertine, vous dites que vous êtes plus heureuse ici, que vous allez être malheureuse, cela me bouleverse. Voulez-vous que nous essayions de prolonger un peu, quelques semaines, qui sait, en prolongeant semaine par semaine on arrivera peut-être très loin. — Oh ! ce que vous seriez gentil ! — Seulement c'est de la folie alors de nous être fait mal comme cela pendant des heures, c'est comme un voyage pour lequel on s'est préparé et puis qu'on ne fait pas. Je suis moulu de chagrin. » Et je disais vrai car j'avais fini par être navré vraiment comme un comédien qui est entré dans la peau de son rôle. Je la pris sur mes genoux, je ne l'avais jamais tant aimée. Je pris le manuscrit de Bergotte qu'elle désirait tant et j'écrivis dessus : *En souvenir d'un renouvellement de bail.* « Maintenant allez dormir, ma chérie, jusqu'à demain soir car vous devez être brisée. — Je suis bien contente. — M'aimez-vous un petit peu ? — Encore cent fois plus qu'avant[a]. »

« Qu'est-ce[b1] que vous voulez que ça me fasse que vous soyez allé chez les Verdurin, si vous croyez que j'en suis fâchée ! » Puisqu'elle l'était à ce point, les obstacles ne subsistaient plus qui s'étaient opposés pendant le dîner à ce que je lui proposasse une rupture, ni en moi l'attendrissement devant sa bonté, détruit par sa mauvaise humeur et les soupçons qu'elle me suggérait, ni, hors de moi, une bonne entente à ne pas rompre, une bonne soirée à ne pas troubler. Et même c'était peut-être la seule manière de la bien finir que de pousser notre dissentiment jusqu'à ce point où la gravité des solutions envisagées, me permît, sans capitulation, de ne pas répondre sur le même ton mais d'en prendre un doux et bon, convenable à la solennité d'une rupture, et qui, quand je renoncerais à celle-ci, rendrait facile, ce soir même, la réconciliation.

Ce[c2] qui est en marge est Capitalissime, surtout l'enclave du milieu ; il pourra peut-être y avoir un intervalle où je mettrai autre chose avant : Mais quoique habitué à ces sortes de scènes[3].

J'eus tout d'un coup l'épouvante que l'idée de me quitter ne traversât son esprit. Et puis chaque fois que je menaçais un être, Françoise, ma grand-mère, Albertine, dans sa sécurité, comme je ne réaliserais pas ma menace, pour ne pas faire croire que c'était une parole en l'air j'allais assez loin dans les apparences de la réalisation et ne me repliais que quand l'adversaire, vraiment convaincu, ou du moins ébranlé dans sa sécurité, avait tremblé pour de bon * — peut-être mettre ceci un peu plus loin, parmi les raisons pour lesquelles je dis cela, mais il vaudrait mieux dire d'abord : « Ma chère petite Albertine[1] », et je continue :* —

Mais quoique habitué à ces sortes de scènes, tout en les sachant mensongères, elles me faisaient éprouver un peu de la tristesse que j'aurais eue si elles avaient été vraies. J'aurais eu une peine infinie de quitter Albertine. Il n'importait pas puisque je ne songeais pas à la quitter. N'importe cette mise en scène, cette fiction, que j'interromprais quand je le voudrais, mais portant en elle — peut-être parce qu'elle était telle pour un des deux acteurs, Albertine qui jouait son rôle sincèrement et croyait devoir se préparer à partir — un peu de l'angoisse d'une séparation véritable[a].

Aussi, désespéré, mais d'une voix calme, je lui dis : « Ma chère petite Albertine, voyez-vous, la vie que vous menez ici est ennuyeuse pour vous, il vaut mieux nous quitter, et comme les séparations les meilleures sont les plus courtes, je vous demande, pour abréger le grand chagrin que je vais avoir, de me dire adieu ce soir et de partir demain matin, pendant que je dormirai. » Je lui dis cela pour bien des raisons. Quand je la sentais fâchée, la seule *[interrompu[b]]*

Elle parut à la fois stupéfaite, encore incrédule et déjà désolée : « Comment, demain ? vous le voulez ? » J'eus ce sentiment de reprendre de nouveau l'avantage sur elle que j'avais eu à Balbec le jour de la première visite de Mme de Cambremer, quand Albertine m'avait demandé des explications sur ma dureté. Pour qu'elle ne pût pas croire que je mentais, ou du moins que j'exagérais, et pour la faire aller de plus en plus loin dans[2] l'idée que nous nous quittions, tirant moi-même les déductions de ce que je venais d'avancer, j'anticipais sur le temps qui allait commencer le lendemain et qui durerait toujours, le temps où nous serions séparés, et je lui fis quelques recommandations : « Ayez la gentillesse de me renvoyer le livre de Bergotte qui est chez votre tante. Cela n'a rien de pressé, dans trois jours, dans huit jours, quand vous voudrez. Mais pensez-y pour que je n'aie pas à vous le faire demander, parce que <cela> me ferait trop de mal de vous le faire demander. Nous avons été heureux. Nous sentons maintenant que nous serions malheureux. — Ne dites pas nous, c'est vous seul qui trouvez cela. — Oui, enfin, vous ou moi, comme vous voudrez, pour une raison ou l'autre, nous avons décidé de nous quitter ce soir. — *Vous* avez décidé et je vous obéis parce que je ne veux pas vous faire de peine. — Soit, c'est moi qui ai décidé mais ce n'en est pas moins très douloureux pour moi. Je ne dis pas que ce sera douloureux longtemps, vous savez que j'oublie très vite, mais les premiers jours je m'ennuierai tant après vous. Aussi je trouve inutile de raviver par des lettres, il faut finir tout d'un coup. » Et sans doute ce que je disais sans sincérité eût été en effet, si j'avais vraiment décidé de la quitter, ce qu'il y aurait eu de plus sage.

« Oui, vous avez raison, plutôt que de se faire couper un doigt, puis un autre, j'aime mieux donner la tête tout de suite. » Elle dit cela d'un air navré qui m'aurait ravi, si la nécessité d'imaginer les choses que je lui disais, ne m'avait fait leur ajouter cette demi-croyance qu'on accorde par exemple aux fictions d'une tragédie et qui suffit pour faire pleurer. Quant à elle, même si la fatigue de l'heure indue, par le fléchissement qu'elle imposait à ses traits, ajoutait à son air de tristesse, elle me croyait sans doute, comme elle m'avait cru l'après-midi quand je lui avais dit que j'avais reçu des nouvelles de la femme que j'avais tant aimée. Elle me croyait, elle qui si souvent semblait ne pas ajouter foi à mes paroles, se défier de moi. Et si elle me croyait en ce moment, c'était sans doute parce que j'étais habile comédien et savais rendre vraisemblable mon projet de la quitter, comme autrefois je savais rendre vraisemblable à ma grand-mère[a] telle décision qui pouvait l'ennuyer et qu'en réalité je n'avais nullement prise ; mais de plus en ce moment la crédulité d'Albertine n'était peut-être qu'une conséquence partielle de sa défiance générale[b].

Esquisse XVII

[DEVANT LE PIANOLA (QUATRIÈME JOURNÉE)]

[Dans le Cahier de brouillons 73, qui contient les références à la musique de Vinteuil, un passage annonce un concert : un festival Wagner. Il se poursuit par une remarque du narrateur sur l'art du musicien et du peintre, cette découverte de « l'essence qualitative des sensations », alors que celui-ci joue une œuvre de Vinteuil au pianola, et non pas au piano, comme dans le texte final. Parmi les additions destinées à la musique de Vinteuil, additions qui figurent sur les versos du Cahier 73 (voir l'Esquisse XIII, *p. 1147 et suiv.), l'une sera utilisée dans la scène où Albertine fait fonctionner le pianola pour le narrateur, au cours d'une des soirées, correspondant à la quatrième série de journées.*

Cette scène a été développée dans le Cahier 55, où elle contient les passages sur l'analyse de la musique de Vinteuil, finalement utilisés lors de l'audition du septuor chez les Verdurin (voir l'Esquisse XIII, *p. 1147).]*

Aussi[c1] je demanderais plutôt à Albertine quand elle allait sonner tout à l'heure de venir avec moi au concert Lamoureux où il y avait un festival Wagner. Comme j'avais bien une demi-heure avant qu'elle arrivât, je m'assis au pianola pour jouer quelques-uns des morceaux que nous entendrions. J'avais fermé à demi les rideaux pour que le soleil ne m'empêchât pas de lire la musique. Elle allait venir, et contente de venir. Je ressentais un grand calme ; il permettait à mon esprit de se détacher un moment d'elle et de s'appliquer à ce que je jouais. Au contraire la musique, elle, m'aidait à m'oublier et par là à descendre en moi-même, à y découvrir de nouveau la vérité que j'avais cherchée en vain dans la vie, dans le voyage, dont pourtant la nostalgie m'était donnée par ce flot sonore qui faisait mourir à côté de moi ses vagues ensoleillées. Diversité double. Comme le spectre extériorise pour nous la composition de la lumière, l'harmonie d'un Wagner, la couleur d'un Elstir nous permettent de connaître cette essence qualitative des sensations d'un autre dans laquelle hélas l'amour ne nous fait pas pénétrer[1].

À[a2] mettre encore sur le quatuor de Vinteuil :

Absolument comme pour la peinture d'Elstir, la musique de Vinteuil avait été créée dans un pays où aucun de nous n'irait jamais, qui était la sensibilité de Vinteuil et d'où, dès les premières notes, il nous envoyait, graves et déchaînées, les rumeurs claires, les bruyantes couleurs, avec une joie de se livrer, et que nous n'avions jamais vues ailleurs. On n'aurait pu définir en quoi consistait cette nouveauté, car ces sensations particulières à sa musique éveillaient bien certaines couleurs comme celles du géranium, mais si vaguement que cette impression ressemble à un souvenir quand quelque livre promène avec vague et insistance devant nos yeux la soie odorante du géranium, sans qu'on sache pourquoi et simplement parce que c'est devant un massif de géraniums qu'on l'a lu autrefois mais on ne se rappelle pas encore. Seulement dans le souvenir ce vague peut être non pas approfondi mais éclairci grâce à un repérage de circonstances qui ne permettrait pas d'aller plus au cœur du souvenir lui-même, mais nous expliquerait pourquoi il a choisi cette modalité. Tandis que pour Elstir ou Vinteuil, comme ce vague ne venait pas d'une réminiscence mais d'une impression, on ne pouvait que se douter que la façon particulière dont Vinteuil « entendait » la vie et la projetait en nous avait pour équivalents de ses rapports uniques, cette espèce de fête inconnue, de joie colorée, de bruit aux cassures rougeâtres, qui faisait de son œuvre, de toutes ses œuvres, des fragments d'un même univers ou plutôt des univers créés par le même créateur à son apogée.* (Légende de Joseph[3].)* Peut-être cette identité avec les autres œuvres, cette résolution du même inconnu que les sons essayent de nous faire *voir* et que les sons d'un autre musicien ne nous feront jamais voir est-elle la plus g<ran>de preuve du génie. Peut-être pour la critique littéraire elle-même est-ce aussi à une certaine qualité au-delà de la vie elle-même *[deux mots illisibles]* plus qu'aux qualités explicables qu'on devrait donner la palme, si souvent on ne pouvait être trompé à ces heures-là par des associations d'idées, par des prestiges qui s'évanouissent avec l'âge comme il m'arrivait pour Bergotte *(article France sur le Trocadéro, Desjardins dans Ressemblance, Étoile dans le *Livre de mon ami*[a1])*.

Et[b2] ce n'était pas seulement les phrases qui se ressemblaient, mais les harmonies. Même les rares fois où il a voulu plaisanter, quand il a fait des pastiches d'airs espagnols, par exemple, cette harmonie les enveloppe encore, et son fandango captif s'agite dans le clair de lune d'une opale[c]. Comme la couleur d'un Elstir, les harmonies d'un Vinteuil nous permettent de connaître cette différence qualitative des sensations qui est la plus grande jouissance et la plus grande souffrance de la vie de chacun de nous et qui, chez les autres hommes, reste toujours ignorée, et que nous ne pouvons pas dire, même quand <nous> parlons. Notre langage ne nous permet de raconter que la partie de nos sensations qui nous est commune avec eux, celle qui constitue un fait, la seule qui soit sans intérêt.

J'avais dit à Albertine, le matin : « Quel beau soleil il fait, quel temps agréable ! » Mais je sentais que le prolongement que ce soleil avait en moi, précisément ce qui me donnait cette sorte de joie que je retrouvais de temps en temps à certains moments de ma vie, je ne pouvais pas plus l'exprimer que la qualité particulière, nerveuse, d'une ivresse. Or ce genre d'inexprimable c'est justement cela que nous retrouvons, et comme la généralisation de ce qu'il y a pourtant de plus particulier dans les nerfs et dans l'âme, comme si cela projetait au-dehors celui qu'ils ressentirent, dans les couleurs d'un Elstir, dans les harmonies d'un Vinteuil, comme les couleurs du spectre extériorisent la composition intime des astres que nous ne verrons jamais. Avec Elstir, avec Vinteuil, nous allons dans les cieux les plus inconnus, volant d'étoiles en étoiles bien mieux que si des ailes nous étaient données ; car si nous allions dans Mars et dans Vénus en gardant les mêmes sens, ils revêtiraient le même aspect uniforme qu'a ce que nous pouvons *voir*. Le vrai bain de jouvence, dans le seul paysage nouveau, ce serait d'avoir d'autres yeux, de voir tout d'un coup l'univers d'un autre, c'est ce prodige que l'art accomplit, si bien que le vrai voyage ce n'est pas d'aller dans un nouveau pays, c'est de laisser venir à nous de nouvelles musiques.

Pourtant si chez Vinteuil il y a une monotonie d'harmonies qui, quels que soient les sujets traités, prouve la fixité des éléments composants de son âme, des dernières œuvres s'élève bien vite une sorte de brumeuse atmosphère qui n'existait pas dans les premières, pareille à cette buée qui montait au-dessus de la mare de Montjouvain, par les soirs d'automne. Et tandis qu'Albertine jouait (et que je ne pouvais voir de sa multiple chevelure qu'une coque de cheveux noirs en forme de cœur appliquée au long de l'oreille comme le nœud d'une infante de Velasquez), comme si on avait pu dépouiller des êtres de leur corps, de leur apparence, de leur nom, les rendre anonymes, invisibles et faire mouvoir seulement devant moi leurs sentiments désincarnés, j'assistais à des combats d'Énergies, à des enlacements de Langueurs, trouvant en moi-même pour m'y intéresser un être qui n'avait cure des noms et des personnes, et qui suivait en haletant le déroulement immatériel et dynamique de ces péripéties sonores. Alors Albertine me disait : « Est-ce que ce n'est pas assez de Vinteuil comme cela, vous ne voulez pas un peu de Rameau, un peu de Borodine ? » Et s'écartant du pianola elle tournait vers moi maintenant d'autres ensembles de sa chevelure, et à côté de la coque noire que je voyais seule tout à l'heure, une aile magnifique, aiguë à sa pointe, large à sa base, noire, empennée, et triangulaire. Ainsi ses boucles se massaient en divers ensembles dont la juxtaposition formait ce monde si varié, si puissant, plein de crêtes et de précipices et de lignes de partage, et de pentes rainées, qu'était sa chevelure. J'acceptais Borodine et Rameau, une fois qu'elle avait introduit leurs rouleaux dans le pianola, celui-ci, lanterne magique plus savante, historique et géographique de ma chambre, plus moderne que celle de Combray, projetant sur les murs de ma chambre, reculés dans le passé ou l'Orient, soit une tapisserie du XVIIIe siècle semée d'amours et de roses, soit la steppe où les sonorités s'étouffent dans l'illimité des distances et le feutrage de la neige[a].

Esquisse XVIII

[LA DERNIÈRE MATINÉE DE « LA PRISONNIÈRE »]

[Des fragments de la matinée primitive, telle qu'elle avait été rédigée dans le Cahier 50, repris du Cahier 4 du « Contre Sainte-Beuve », ont été placés après une nouvelle rédaction, dans le troisième et dernier cahier de brouillons de « La Prisonnière », le Cahier 55, tout à la fin de ce roman, lors de la dernière matinée, celle du départ d'Albertine.]

XVIII.1

Qu'importait[a1] que je fusse couché, les rideaux fermés. Je vivais, je sentais la réalité de chaque heure, proposant toutes ses possibilités à mon appétit qui restait d'autant plus vif que je ne l'assouvissais jamais. Si je ne déjeunais plus, l'heure idéale du déjeuner ne divisait pas moins pour moi la journée. Rien qu'à la façon dans ma chambre dont les plus simples parfums, l'odeur de mon savon, de la soie des fauteuils bleus, du bureau de palissandre, reposaient debout côte à côte, en zones contiguës qu'on traversait qui ne se mêlaient pas, vernies qu'elles étaient par l'air doux immobile et onctueux d'une matinée de printemps, je savais que c'était l'heure où ceux qui tous les jours rentrent à midi à la campagne, descendent du train ou du bateau sur le même chemin parcouru tous les jours à la même heure si souvent, le plus souvent au grand soleil, devant la boutique du boucher, ou sous les cytises de l'avenue, se sentent en retard pour déjeuner, et en rentrant arrivent dans l'atmosphère claire obscure de leur salle à manger, veinée comme l'intérieur d'une agate des parfums juxtaposés des fleurs du dehors, de l'émanation des meubles, des cretonnes, et des compotiers de cerises qui sont déjà sur la table.

XVIII.2

Qu'importait[b] que je fusse couché, les rideaux fermés. Je sentais que je faisais partie moi-même de l'heure qu'il était, que j'avais part à ses possibilités, et je communiais avec elles avec un appétit qu'aucune satisfaction ne venait jamais calmer. Je ne sortais pas mais rien qu'à la façon dont un parfum, l'odeur de mon savon ou du fauteuil, se tenait debout dans la chambre, distinct, stable, verni par la douceur onctueuse d'une matinée de printemps, aussi glacé que la soie bleue des grands rideaux, je savais que c'était l'heure où ceux qui rentrent déjeuner à la campagne tous les jours à la même heure, à peine descendus du chemin de fer ou du bateau, sur la chaussée torride devant la boutique du boucher, ou sous les cytises de l'avenue, regardent l'heure, se pressent pour le déjeuner et aperçoivent déjà la salle à manger obscure, lumineuse et fraîche où ils vont entrer, et dont l'atmosphère striée des odeurs du jardin et des meubles comme l'intérieur d'une agate, s'enrichit d'une veine délicieuse par l'odeur des cerises qu'on vient de préparer sur le compotier.

XVIII.3

Qu'importait[c] que je fusse couché, les rideaux fermés ; à une seule de ses manifestations de lumière ou d'odeur je savais que l'heure *était*, non pas dans mon imagination mais dans la réalité présente du temps avec toutes les possibilités de vie qu'elle offrait aux hommes, non pas une heure rêvée mais une réalité à laquelle je participais comme un degré de plus ajouté à la vérité des plaisirs[1]. Quand autour de mon lit les plus simples parfums, l'odeur de mon savon, du bureau de palissandre, vernis par l'air onctueux et doux du printemps, se tenaient debout dans ma chambre, en tranches verticales distinctes, dans une congélation qui semblait ajouter un « glacé » plus doux encore à la soie bleue des rideaux et des fauteuils second Empire, je savais qu'en ce moment des hommes mûrs, des collégiens qui rentrent tous les jours déjeuner à la campagne, par l'avenue ombragée de cytises, ou dans la rue torride et déserte, devant la boutique du boucher, regardent s'ils n'ont pas de « retard » et voient déjà la salle à manger fraîche, obscure et lumineuse où on les attend et où l'atmosphère que les parfums juxtaposés du « mobilier de campagne » et des compotiers de fruits strient comme l'intérieur d'une agate, se veine délicatement de l'odeur des cerises, de la toile cirée, du gruyère et des abricots.

XVIII.4

Je[a] ne sortais pas, je ne déjeunais pas, je ne quittais pas Paris, mais quand l'air onctueux d'une matinée d'été avait fini de vernir, et d'isoler les simples odeurs de mon lavabo et de mon armoire à glace, et qu'elles reposaient immobiles et distinctes et sériées dans un clair-obscur nacré qu'achevait de « glacer » le reflet des grands rideaux en soie bleue, je savais qu'en ce moment des collégiens comme j'étais encore il y a quelques années, des « hommes occupés » comme je pourrais être, descendaient du train ou du bateau pour rentrer déjeuner chez eux à la campagne et sous les tilleuls de l'avenue, devant la boutique torride du boucher, tirant leur montre pour voir s'ils « n'avaient pas de retard », goûtaient déjà la fraîcheur de la salle à manger où l'atmosphère en sa congélation lumineuse — que striaient comme l'intérieur d'une agate les parfums distincts de la nappe, du buffet, du cidre, celui aussi du gruyère auquel le voisinage des prismes de verre destinés à supporter les couteaux ajoutait quelque mysticité — se veinait délicatement quand on apportait les compotiers de l'odeur des cerises et des abricots. Et, après s'être dirigé dans l'office obscur où luisent soudain des irisations comme dans une grotte, et où rafraîchit dans des auges pleines d'eau le cidre que tout à l'heure — si « frais » en effet qu'il appuiera au passage sur les parois de la gorge en une adhérence entière, glaciale et embaumée — on boira dans des jolis verres troubles et trop épais qui comme certaines chairs de femmes donnent envie de pousser jusqu'à la morsure l'insuffisance du baiser, des bulles montaient dans le cidre et elles étaient si nombreuses que d'autres restaient pendues le long du verre où avec une cuiller on aurait pu les prendre, comme cette vie qui pullule dans les mers d'Orient et où d'un coup de filet on prend des milliers d'œufs. Et du dehors elles grumelaient le verre comme un verre de Venise et lui donnaient une extrême délicatesse en brodant de mille points délicats sa surface que le cidre rosait[a1].

XVIII.5

Midi[b2] chaufferait devant la porte de la pâtisserie une odeur de cuisine et de sucrerie, tandis qu'un grain menacerait au-dessus du clocher qui s'élève au-dessus de la rue comme un gâteau et domine la mer comme une falaise. Et j'entrerais dans l'église dédiée à Notre-Dame des flots, où les plombs des verrières retenant l'histoire de la pêche du Christ miraculeux[3] conservé parmi les mâts de vaisseaux au pied de l'autel, il semble que ce soit contre les minces lames de verre bleu et verdâtre tournées en volutes de vagues, l'océan lui-même sillonné de barques du XIVe siècle qui viennent menacer la nef étroite et humide où fuient les pauvres pêcheurs ; mais si de bonne heure — car le premier tramway passe plus tôt dans la belle[c] saison —, je l'entendais cheminer à travers les parfums dans l'air déjà mélangé de chaleur d'un matin d'été tôt levé et qui s'apprête déjà à la solidification de midi, alors je n'aurais rien désiré que d'être un petit commerçant, ou un collégien, qui descend tous les jours du train de midi à une station de banlieue, suit la même rue torride où il reprend courage un instant à l'ombre de la boucherie, avant d'arriver aux peupliers de l'avenue, pour venir déjeuner dans sa petite maison de campagne comme jadis l'oncle de Maria à Querqueville[4]. Sans doute les prescriptions du médecin ne me permettaient pas de les imiter. Mais tout à l'heure, quand l'air onctueux de la matinée d'été aurait achevé de vernir et d'isoler les plus simples odeurs de ma chambre, l'odeur de mon lavabo, de mon armoire, rien qu'à la façon dont je les verrais reposer debout, immobiles et distinctes dans un clair-obscur nacré, qui ajouterait un glacé plus doux encore au reflet des rideaux et des fauteuils second Empire en soie bleue, je saurais que, non par un simple caprice de mon imagination, mais effectivement et pour tous les hommes, proclamée par des manifestations imperceptibles mais irrécusables de lumière et d'odeur, l'heure existait présentement où les accueillait et où m'eût accueilli la salle à manger obscure, lumineuse et fraîche, où l'atmosphère que les parfums du mobilier de campagne et des compotiers strient comme l'intérieur d'une agate, se veine délicatement de l'odeur des cerises, de la toile cirée, du gruyère et des abricots[5].

XVIII.6

De[a] mon lit, par ces matins tôt levés du printemps, j'entendais les tramways cheminer, à travers les parfums, dans l'air auquel la chaleur se mélangeait de plus en plus jusqu'à ce qu'il arrivât à la solidification et à la densité de midi. Plus frais au contraire dans ma chambre, quand l'air onctueux avait achevé d'y vernir et d'y isoler l'odeur du lavabo, l'odeur de l'armoire, l'odeur du canapé, rien qu'à la netteté avec laquelle, verticales et debout, elles se tenaient en tranches juxtaposées et distinctes, dans un clair-obscur nacré qui ajoutait un glacé plus doux au reflet des rideaux et des fauteuils de satin bleu, je me[b] voyais, non par un simple caprice de mon imagination, mais parce que c'était effectivement possible, suivant, dans quelque quartier neuf de la banlieue pareil à celui où à Balbec habitait < Bloch >, les rues aveuglées de soleil et voyant non les fades boucheries et la blanche pierre de taille, mais la salle à manger de campagne où je pourrais arriver tout à l'heure, et les odeurs que j'y trouverais en arrivant, l'odeur du compotier de cerises et d'abricots, du cidre, du fromage de gruyère, tenues en suspens dans la lumineuse congélation de l'ombre qu'elles veinent délicatement comme l'intérieur d'une agate, tandis que les porte-couteaux en verre prismatique y irisent des arcs-en-ciel prismatiques, ou piquent çà et là sur la toile cirée des ocellures de paon[c].

Esquisse XIX

[L'ODEUR DE PÉTROLE D'UNE AUTOMOBILE[1]]

[Parmi les sensations qui éveillent l'imagination du narrateur dans sa chambre, après les bruits du dehors, les parfums familiers, il y a l'odeur, le son de la trompe, le bruit du moteur d'une automobile. Dès le Cahier 4 du « Contre Sainte-Beuve », l'odeur de pétrole d'une automobile était un rappel des paysages de la Beauce, ainsi qu'une invitation à des amours champêtres et, dans le Cahier 50, à « partir déjeuner à Pinçonville chez la femme de chambre de Mme Putbus ». Dans le troisième et dernier Cahier de brouillons de « La Prisonnière », le Cahier 55, une nouvelle rédaction de ces fragments a été placée, à la suite des autres morceaux venus du Cahier 4 — le motif des parfums d'une matinée d'été, de la salle à manger, du cidre rafraîchi (voir l'Esquisse XVIII, p. 1171-1174) — au cours de la dernière matinée. Mais la référence géographique des randonnées automobiles est maintenant Balbec et sa région.]

Parfois[d][2] l'odeur de pétrole d'un automobile qui passait pénétrait par la fenêtre, cette odeur qui selon les délicats et les matérialistes nous gâte la joie des champs. Mais qui en réalité, en passant même dans une ville devant une chambre noire y entre suivie des bleuets, des coquelicots et des trèfles violacés entre lesquels la trépidante cage de cristal et d'azur nous a entraînés dans une atmosphère étouffante d'inoubliables après-midis d'été, à travers toutes les féeries des champs vers un rendez-vous d'amour[1].

Parfois[a2] l'odeur de pétrole d'un automobile qui passait dans la rue pénétrait dans ma chambre, cette odeur que les délicats prétendent leur gâter la campagne, car les délicats sont presque toujours des matérialistes et ne savent pas que l'odeur de pétrole peut aussi bien que celle des aubépines se charger de toute la félicité d'un jour de printemps. Cette odeur n'entrait pas seule, par ma fenêtre close elle jetait à poignée dans ma chambre les bleuets, les coquelicots, les trèfles violets, entre lesquels l'automobile m'entraîna jadis vers un pays désiré. Elle m'entraînait encore et son odeur m'offrait toute la campagne, et le pouvoir de rejoindre tout de suite une amie à l'heure où elle serait encore chez elle[3].

Parfois[b4] l'odeur d'un automobile entrait par la fenêtre, cette odeur que trouvent nous gâter la campagne de nouveaux penseurs qui croient que les joies de l'âme humaine seraient différentes si on volait, etc., qui croient que l'originalité est dans le fait et non dans l'impression. Mais le fait est si immédiatement transformé par l'impression que cette odeur de l'automobile (cette odeur qui se confond avec la pâleur de l'azur comme la petite fumée qui la dégage, cette odeur qui ne revient plus que suivie de chaque côté de bleuets et de boutons d'or parce qu'elle nous a suivis fidèlement entre eux, et qui est comme le parfum de toute la campagne — non de la campagne en elle, mais absorbée par nous, l'odeur de notre plaisir[c]) entrait dans ma chambre tout simplement comme la plus enivrante des odeurs de la campagne en été, celle qui résumait sa beauté et la joie aussi de la parcourir toute, d'approcher d'un but désiré. L'odeur même de l'aubépine ne m'eût apporté l'évocation que d'un bonheur en quelque sorte immobile et limité, celui qui est attaché à une haie, cette délicieuse odeur de pétrole, couleur du ciel et du soleil, c'était toute l'immensité de la campagne, la joie de partir, d'aller loin, entre les bleuets, les coquelicots et les trèfles violets, et de savoir que l'on arrivera au lieu désiré où notre amie nous attend. Pendant toute la matinée je m'en souviens dans ces champs de la Beauce la promenade m'éloignait d'elle ; elle était restée à une dizaine de lieues de là, par moments un grand souffle venait qui couchait les blés au soleil et faisait frémir les arbres. Et dans ce grand pays plat où les pays les plus lointains semblent la continuation à perte de vue des mêmes lieux, je sentais que ce souffle venait en droite ligne de l'endroit où elle m'attendait, qu'il avait passé sur son visage avant de venir à moi, sans avoir rien rencontré sur son chemin d'elle à moi que ces champs indéfinis de blé, de bleuets, de coquelicots qui étaient comme un seul champ aux deux bouts duquel nous nous serions mis et tendrement attendus, à cette distance où les yeux n'atteignaient pas mais que franchissait ce souffle doux comme un baiser <qu'> elle m'envoyait, comme son haleine qui venait jusqu'à moi, et que l'automobile me ferait si vite franchir, quand il serait l'heure de retourner près d'elle. J'ai aimé d'autres femmes, j'ai aimé d'autres pays. Le charme des promenades est resté attaché moins à la présence de celle que j'aimais qui me devenait vite si douloureuse par la peur de l'ennuyer et de lui déplaire que je ne la prolongeais pas, qu'à l'espoir d'aller vers elle où je ne restais que sous le prétexte de quelque nécessité et avec l'espoir d'être prié de revenir avec elle. Ainsi un pays était suspendu à un visage. Peut-être aussi ce visage était-il suspendu à ce pays. Dans l'idée que je me faisais de son charme, le pays qu'il habitait, qu'il me ferait aimer, où il m'aiderait à vivre, qu'il partagerait avec moi, où il me ferait trouver de la joie, était un des éléments même du charme, de l'espoir de vie <qui> était dans le désir d'aimer. Ainsi au fond d'un paysage, palpitait le charme d'un être. Ainsi dans un être tout un paysage mettait sa poésie. Ainsi chacun de mes étés, eut le visage, <la> forme d'un être et la forme d'un pays, plutôt la forme d'un même rêve qui était le désir d'un être et d'un pays que je mêlais vite ; des quenouilles de fleurs rouges et bleues dépassant d'un mur ensoleillé, avec des feuilles luisantes d'humidité étaient la signature à quoi étaient reconnaissables tous mes désirs de nature une année ; la suivante ce fut un triste lac le matin, sous la brume. L'une après l'autre et ceux que je tâchai de conduire dans de tels pays, ou pour rester près desquels je renonçai à y aller, ou dont je devins amoureux parce que j'avais cru — souvent inexactement, mais le prestige restait une fois que je savais m'être trompé — qu'ils y habitaient, l'odeur de l'automobile en passant m'a rendu tous ces plaisirs et m'a invité à de nouveaux, c'est une odeur d'été, de puissance, de liberté, de nature et d'amour.

Enfin[a1] le bruit d'une trompe d'automobile me lançant par la fenêtre un bouquet de fleurs des champs j'aurais voulu en arrêter une, et partir déjeuner à Pinçonville chez la femme de chambre de Mme Putbus.

Comme[b] un vent qui s'enfle mais par une progression régulière, j'entendis une automobile sous la fenêtre ; je sentis son odeur de pétrole qui pour les délicats — ce sont toujours un peu des matérialistes — gâte le plaisir de la promenade, mais qui semait devant moi les bleuets, les trèfles incarnats et les coquelicots. Ah !

si je montais dans la bondissante cage de cristal et d'acier qui m'avait entraîné au milieu d'eux, dans les champs de Balbec, vers quelles belles campagnes je pourrais fuir, pour une partie de plaisir, une partie de canot ou de pêche, au bord des champs, sous les arbres, dont je croyais sentir, tant je me les rappelais bien, les feuillages déjà touffus.

Je[a] sentis son odeur de pétrole. Elle peut sembler regrettable à deux sortes de personnes : aux délicats qui sont toujours des matérialistes et à qui elle gâte la campagne, et à certains penseurs qui croyant à l'importance du fait s'imaginent que l'homme serait plus heureux, serait capable de poésies plus hautes, si ses yeux étaient susceptibles de voir plus de couleurs, ses narines de sentir plus de parfums, travestissement philosophique de l'idée de ceux qui croient que la vie était plus belle quand on était en fraise et en costume qu'avec l'habit noir. Mais cette odeur de pétrole qui avec la fumée qui s'échappait, s'était évanouie dans le pâle azur des après-midis d'été à Balbec, comme elle m'avait suivi dans toutes mes promenades elle semait maintenant de chaque côté de moi les coquelicots, les bleuets, les trèfles incarnats ; enivrante odeur de campagne, elle n'était même pas une odeur limitée, immobile comme eût été celle de l'aubépine attachée à une haie, mais devant elle fuyait la route, pâlissait le ciel, s'avançait le soleil, se décuplaient les forces. Elle était le symbole de la puissance, du bondissement, et elle surexcitait mon désir de monter dans la bondissante cage de cristal et d'acier comme alors à Balbec. Mais cette fois pour aller vers une femme nouvelle, vers de belles campagnes où je pourrais l'après-midi canoter, me reposer sous les feuilles, faire l'amour. Et à tout moment l'air était déchiré par cet appel des trompes d'automobile sur lequel j'adaptais malgré moi des paroles comme une sonnerie militaire, « Parisien lève toi, lève toi, viens déjeuner à la campagne, viens faire du canotage avec une jolie femme à l'ombre des verdures nouvelles[b]. »

Esquisse XX

[« MLLE ALBERTINE EST PARTIE ! »]

[Dans la première version de « La Prisonnière », celle du Cahier 71, la dernière rédaction[1] de la scène des baisers refusés au narrateur par Albertine se poursuit sans interruption par le départ d'Albertine, que Françoise annonce au narrateur en lui remettant, à son réveil, une lettre de celle-ci. Puis Proust, sur les versos de ces feuillets, a précisé le contexte psychologique du départ d'Albertine, tandis

qu'il se donne pour indication, dans le Cahier suivant, le Cahier 54 (voir var. a, p. 1179), de reporter quelques jours avant, dans le récit, les signes avant-coureurs du départ d'Albertine.

Enfin, l'année suivante, en 1915, la conclusion de « La Prisonnière », dans le Cahier 55, est proche du texte final. Mais, comme dans les brouillons précédents, la coupure n'est pas marquée avec la suite du roman — qui deviendra « Albertine disparue ».]

Hélas[a1] la double hypothèse qu'en toutes choses je formais sur Albertine, je la formais aussi sur l'avenir qui nous était réservé. En tenant compte de ce qu'elle me disait, des projets que je lui soumettais et qu'elle approuvait, je me disais : « Elle restera toujours auprès de moi », et j'en étais plutôt ennuyé. Je me disais : « Consentira-t-elle à me quitter quand je le voudrai ? » En tout cas, cela ne faisait rien parce qu'à ce moment je ne le voulais pas encore. Mais cette certitude de l'avoir auprès de moi durcissait chaque jour, rendait chaque jour plus consistante en moi cette âme calme pour laquelle Albertine comptait bien peu, bien moins que mille attraits de la vie dont elle m'empêchait de jouir. J'aurais tant voulu aller à Venise. Mais en gondole, qui sait si elle ne s'éprendrait pas d'un gondolier. J'aimais mieux la tenir dans sa chambre. Seulement, il y avait aussi une autre hypothèse. Celle-là n'était étayée sur rien, que sur des regards, sur de soudains changements, des mauvaises humeurs sans cause. Il m'aurait été facile de lui prouver qu'elle avait tort. Mais j'aimais mieux ne pas l'essayer. Alors, dans cette hypothèse-là, je me disais qu'elle me quitterait un jour. Mais, n'étant pas logique avec moi-même, bien que ce ne fût pas sur les choses qu'elle disait, sur les choses qu'elle annonçait, que cette hypothèse-là était étayée, bien au contraire, puisqu'elles la contredisaient, je me disais qu'il y aurait toujours le temps d'aviser quand elle m'annoncerait qu'elle avait assez de cette vie, quand elle me donnerait ses raisons, alors je la détournerais de ses résolutions, je réfuterais ses raisons. Pourtant, un soir où elle avait été fâchée d'une chose où j'étais sûr d'avoir raison, bien qu'elle ne m'eût rien annoncé, j'éprouvai le besoin de lui dire : si vous voulez, demain soir nous ferons cela, puis après-demain cela, et puis dans quinze jours, et elle ne dit pas non. Seulement son visage, triste, son regard avait l'air d'avoir un secret. Quand elle m'embrassa avant de me dire bonsoir, elle ne m'embrassa qu'une fois au lieu de recommencer comme d'habitude ; quand elle fut à la porte, j'en eus du regret : « Albertine, lui dis-je, je n'ai aucun sommeil. Si vous n'aviez pas sommeil vous auriez pu rester encore un peu, si vous voulez, moi je n'y tiens pas et surtout je ne veux pas vous fatiguer. » Elle me dit : « Mais je peux rester tant que vous voulez, je n'ai pas sommeil. »

Mais elle n'en profita pas pour m'embrasser davantage et je voyais toujours dans sa figure le même secret. Elle n'avait plus l'air irrité comme les jours précédents, mais elle avait l'air par une certaine froideur de mettre d'avance son attitude en harmonie avec des choses que je ne savais pas. Quand je vis que d'elle-même elle ne m'embrassait plus, alors je lui dis : « Bonsoir, il est trop tard », pour faire recommencer tout de suite le moment où elle m'embrasserait et le faire durer ensuite toute la partie de la nuit que nous pourrions encore passer ensemble. Elle m'embrassa sur chaque joue, tendit chacune des siennes, mais aussitôt se leva, me tendit la main et dit : « Tâchez de bien dormir. » Mais je ne pus m'endormir qu'au matin. Quand je m'éveillai très tard, Françoise me remit une lettre d'elle et me dit : « Mlle Albertine m'a fait préparer ce matin ses affaires et elle est partie il y a une heure[a]. »

Ce[b1] qui est en face est une des formes de la séparation, mais il vaudrait peut-être mieux le mettre pour une autre séparation (avant celle-ci ? après celle-ci ?) et adopter pour celle-ci cette situation qui serait peut-être plus frappante :

Tout ce que je dis sur l'indifférence que je commence à avoir pour Albertine, le poids dont elle va peser dans ma vie, s'accumulerait. Puis elle enlaidirait. Puis mon âme calmée aurait soif d'autres désirs. Enfin je résous de lui demander de partir mais j'ajourne chaque fois au lendemain pour ne pas lui faire de peine. Mais chaque soir sa laideur croissante me le fait désirer davantage. Et chaque matin je m'éveille en me disant : je le lui dirai dans un mois, dans deux mois ; je tâcherai de choisir une époque où elle ne puisse pas aller en Hollande pour que les premiers temps l'idée de ses fréquentations possibles là-bas ne m'agite pas. Un de ces matins-là, je venais de m'éveiller (peut-être ici description d'une belle journée). Je sonnai Françoise pour qu'elle m'apportât mon café au lait. Il était midi. Elle me dit : « J'étais bien embarrassée. Ce matin à huit heures Mlle Albertine m'a demandé ses malles. Je n'osais pas y refuser, je n'osais pas venir réveiller Monsieur. Enfin elle est partie à neuf heures. Elle m'a donné cette lettre pour Monsieur. » Je dis à Françoise : « Ah ! très bien, il fait beau, n'est-ce pas. Laissez-moi, que j'aie le temps de lire cela[2]. »

Je[c3] repensai à ma vie gâchée, au peu de plaisir que j'avais avec Albertine, l'impossibilité de rien faire que me causait sa présence et je résolus de partir prochainement en lui laissant un mot. Peut-être valait-il mieux attendre encore un peu. J'étais impatient de ce jour de délivrance. Mais comme elle me devenait de plus en plus indifférente, je me dis qu'il valait mieux attendre encore un peu qu'elle me le fût tout à fait afin de ne plus avoir la plus légère tristesse, comme un médecin qui avant de vous faire une opération même légère attend que votre mal soit fini pour que vous ne souffriez nullement. Rien ne pressait, j'attendrais encore un peu, mais comme la vie serait agréable après, que de jolies filles j'allais pouvoir aimer, et jusque-là quelle prison. Pourtant je me résignai et m'endormis décidé à attendre encore un peu ; je ne m'éveillai qu'assez tard. Françoise entra dans ma chambre en me remettant une lettre d'elle et me dit : « Mlle Albertine m'a fait préparer ce matin ses affaires et elle est partie il y a une heure. » Je dis à Françoise : « Bien, voulez-vous me laisser un instant seul. »

Oui[a1] il fallait partir ; c'était le moment ; il fallait m'informer bien exactement du moment où Andrée quitterait Paris, agir énergiquement sur la tante d'Albertine de manière à bien savoir quand elle ne pourrait aller ni en Hollande, ni à Montjouvain, et quand ainsi ce départ n'aurait plus d'inconvénients, choisir un jour comme celui-ci où Albertine me serait indifférente, où je serais tenté de mille désirs, lui laisser un mot et partir[b], laisser Albertine sortir, et ne pas avoir d'adieux, lui laisser un mot, profiter de ce qu'en ce moment elle ne pouvait aller en nul lieu qui m'agitât, et partir sans chercher à me représenter ce qu'elle pourrait faire et qui m'était d'ailleurs égal, partir pour Venise ; je sonnai Françoise pour lui demander de m'acheter un guide et un indicateur, comme j'en avais acheté au moment des vacances de Pâques ; j'oubliais qu'un désir semblable, celui de Balbec, je l'avais atteint et que rien n'en était resté ; et je ne me disais pas comme j'aurais dû le faire que Venise, étant aussi, comme Balbec, quelque chose d'invisible, ne pourrait réaliser de l'ineffable, ce gothique actuel au milieu d'une mer au printemps, qui revenait d'instant en instant frôler mon esprit d'une image confuse, enchantée, insaisissable et caressante. Françoise entra : « J'étais bien ennuyée que justement Monsieur sonne si tard aujourd'hui, me dit-elle. Je ne savais pas ce que je devais faire. Ce matin à huit heures Mlle Albertine m'a demandé ses malles. J'osais pas y refuser, j'osais pas venir réveiller Monsieur. Elle est partie à neuf heures, elle m'a donné cette lettre pour Monsieur. »

C'était précisément ce que j'avais cru souhaiter tout à l'heure. Or ces mots : « Mlle Albertine est partie » comme un moule d'une forme sans pareille, imprimèrent dans mon cœur une douleur que je n'avais jamais connue ; je sentis que je ne pourrais y résister plus longtemps ; il fallait la faire cesser immédiatement[c] ; tendre pour moi-même je me disais comme maman à ma grand-mère et avec la bonne volonté qu'on a à ne pas vouloir laisser souffrir ce qu'on aime, je me disais à moi-même, comme maman à ma grand-mère mourante : « Aie un instant de patience, on va te trouver un remède, on ne va pas te laisser souffrir comme cela. » Cependant mon amour n'oubliant pas qu'il lui importait de paraître un amour partagé, surtout aux yeux d'une personne qui n'aimait pas Albertine et avait toujours douté de sa sincérité, je répondis à Françoise, en n'ayant l'air étonné que ce qu'il fallait pour ne pas sembler insincère : « Ah ! bien, vous avez très bien fait. Il fait beau n'est-ce pas. Tenez, voulez-vous vite me laisser un instant, que je lise cette lettre, je sonnerai tout à l'heure[1]. »

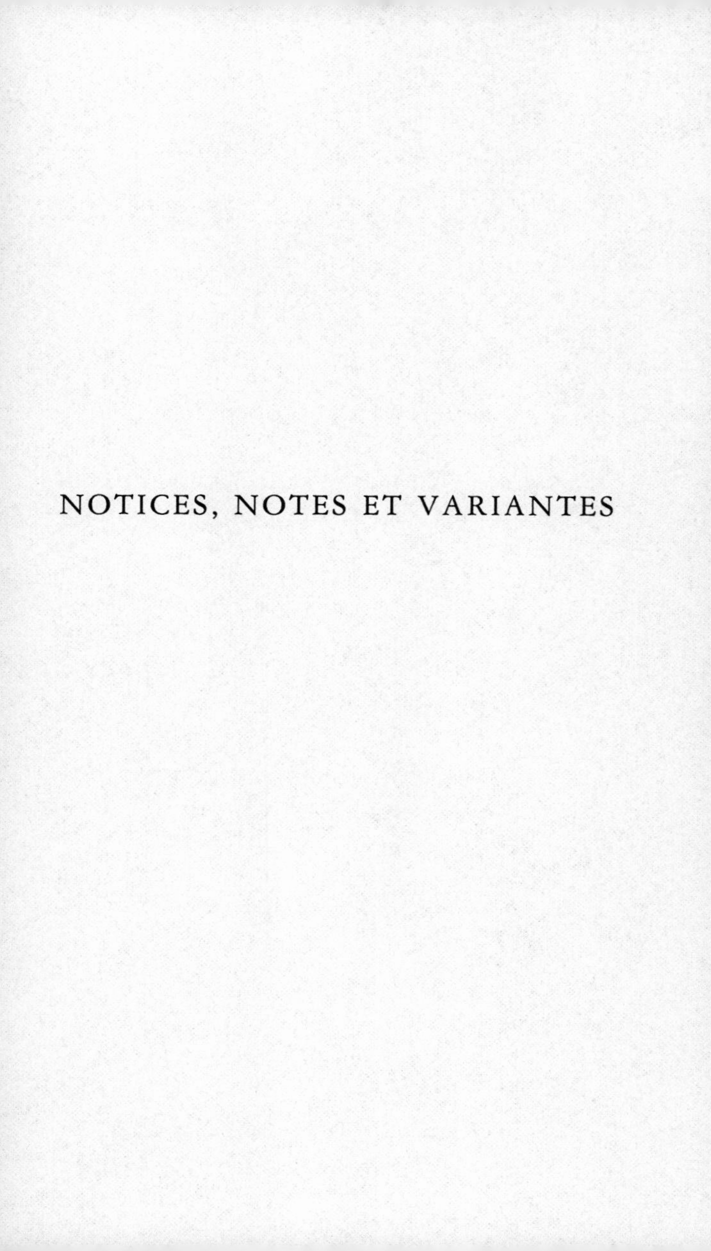

NOTICES, NOTES ET VARIANTES

Sodome et Gomorrhe

NOTICE

Sodome et Gomorrhe I et *II*, les tomes d'*À la recherche du temps perdu* publiés en mai 1921 et avril 1922, ont pour thème l'inversion sexuelle. Le sujet est peut-être au cœur de tout le roman de Proust, mais le titre *Sodome et Gomorrhe* ne s'est imposé que pendant la Première Guerre mondiale. Il convient de retracer, dans la genèse du roman, le parcours depuis ce thème ancien jusqu'à ce titre tardif.

Sodome et Gomorrhe n'appartient ni à la version d'*À la recherche du temps perdu* dont la publication commença en 1913 et fut interrompue par la guerre, ni au « roman d'Albertine », qui fut conçu après 1914. *Sodome et Gomorrhe* assure une longue transition entre ces deux cycles et prépare au « roman d'Albertine ». La relative indépendance de *Sodome et Gomorrhe* dans l'ensemble de l'œuvre explique son originalité. C'est le moment le plus romanesque, le lieu où l'œuvre se libère de *Du côté de chez Swann* comme du *Temps retrouvé*, de l'autobiographie et de la théorie esthétique, et où l'imagination a le plus grand rôle : songeons à Nissim Bernard ou à Vaugoubert. C'est l'épisode le plus balzacien de l'œuvre de Proust.

Sodome et Gomorrhe n'en a pas moins dans *À la recherche du temps perdu* la structure la plus rigoureuse, qui a permis à Proust de faire du thème de l'inversion un roman sur l'inversion, avec des éléments jusque-là mobiles dans les brouillons. Le titre annonce cette structure, par la symétrie de Sodome et Gomorrhe. Le roman est inconcevable sans le prologue publié à la fin du *Côté de Guermantes II* : *Sodome et Gomorrhe I*, ou la rencontre de M. de Charlus et de Jupien et la dissertation sur « La Race des Tantes », expose le motif que la suite développera. Il se clôt par la « Désolation au lever du soleil » : le héros apprend qu'Albertine connaît Mlle Vinteuil et son amie, il décide de la ramener à Paris. *La Prisonnière* et *Albertine disparue* sont ainsi introduits, que Proust inclura longtemps dans *Sodome et Gomorrhe*[1].

1. En 1922, *La Prisonnière* et *Albertine disparue* s'appellent encore *Sodome et Gomorrhe III* et *IV* ; voir p. 1233.

Un coup de théâtre ouvre le roman et un autre le ferme. Entre les deux, le thème sodomite et le thème gomorrhéen se croisent. Le thème sodomite, objet d'une caricature impitoyable dès l'ouverture, donne lieu à une violente étude de mœurs. Un nouveau monde a été découvert ; *Sodome et Gomorrhe I* représente une initiation aussi importante que la madeleine au début de *Du côté de chez Swann*, et l'homosexualité masculine sera désormais aperçue en tout lieu et tout milieu, à Paris et à Balbec, chez les Guermantes et chez les Verdurin : Châtellerault, Vaugoubert, Nissim Bernard, le prince de Guermantes en seront quelques incarnations rocambolesques.

Le thème gomorrhéen progresse autrement. Suggéré par Saint-Loup à propos de la femme de chambre de la baronne Putbus, il accompagne la liaison avec Albertine, depuis les soupçons inspirés au héros par la danse d'Albertine et Andrée au casino, jusqu'à l'apothéose finale : le souvenir de la scène de Montjouvain entre Mlle Vinteuil et son amie.

Cette symétrie n'est pas la seule qui structure le roman. Proust en prévoyait une autre, dans le plan d'*À la recherche du temps perdu* publié avec l'édition originale d'*À l'ombre des jeunes filles en fleurs*[1], entre la prise de conscience par le héros de la mort de sa grand-mère à l'arrivée à Balbec, et le souvenir de Montjouvain provoquant le départ de Balbec. Le plan de 1918 prévoyait pour ces deux événements un ancien titre du roman, « Les Intermittences du cœur », I et II. Le second séjour à Balbec est délimité par deux réminiscences, celle du premier séjour et celle de la scène de Montjouvain.

Une autre symétrie oppose le couple que forment Morel et Charlus, à partir de leur rencontre à la gare de Doncières, et le couple composé d'Albertine et du héros. Morel, comme Albertine, devient un messager entre les deux cités bibliques, un intermédiaire entre les sexes. Grâce à lui se met aussi en place la symétrie entre l'accueil de M. de Charlus par les Verdurin, dans *Sodome et Gomorrhe*, et son expulsion, qui aura lieu dans *La Prisonnière*.

Sodome et Gomorrhe est ainsi la partie la plus construite de l'œuvre de Proust, ce qui lui permet de se gonfler à plaisir de péripéties sans perdre sa tension dramatique. C'est un autre roman dans le roman ; l'intention dogmatique est perdue de vue, la verve est affranchie, et le livre comme tel est conçu avec rigueur, précédé d'une épigraphe, découpé en chapitres dotés de sommaires. La transition entre le roman de 1912 et le roman d'Albertine devint le volume le plus soigné d'*À la recherche du temps perdu*.

« La suite sera indécente. »

Bien avant que *Sodome et Gomorrhe* prît forme et titre, le thème de l'inversion sexuelle appartenait au roman. Il lui donnait son caractère impudique, obscène, inconvenant, selon les termes de Proust. Tentant pour la première fois en août 1909 de publier un roman

1. Voir cette Notice, p. 1233.

issu de l'essai sur Sainte-Beuve, Proust souleva d'abord cette question dans une lettre à Alfred Vallette, directeur du Mercure de France : « Je termine un livre qui malgré son titre provisoire : *Contre Sainte-Beuve, Souvenir d'une matinée*, est un véritable roman et un roman extrêmement impudique en certaines parties. Un des principaux personnages est un homosexuel[1]. » Avant même d'expliquer l'allusion du titre à Sainte-Beuve, Proust évoque le futur baron de Charlus, et revient deux fois sur la particularité du livre. Il parle des « parties obscènes » qu'il regretterait de supprimer pour une publication en feuilleton dans *Le Figaro*, et il propose les cent premières pages : « Mais elles sont de la plus grande pureté. Si la pensée des autres vous effraye et si vous désirez être rassuré sur le point (il n'y a pas l'ombre de *pornographie*) je puis vous en faire copier quelques parties mais dont le texte n'est pas absolument définitif[2]. » On verra auxquelles il pouvait songer dans une offre peut-être ambiguë : Vallette avait pour épouse Rachilde, auteur de romans équivoques. Mais Vallette refusa, et Proust renonça peu à peu à son « Sainte-Beuve ».

Lorsqu'il cherche à nouveau un éditeur, en 1912, il revient sur la question de la « bienséance ». Envoyant à la fin d'octobre 1912 son manuscrit à Eugène Fasquelle, il lui écrit : « Je voudrais très honnêtement vous avertir d'avance que l'ouvrage en question est ce qu'on appelait autrefois un ouvrage *indécent* et beaucoup plus indécent même que ce qu'on a l'habitude de publier[3]. » Il doit faire cette mise en garde parce que le premier volume est « sauf quelques rares passages, très chaste », ce qui ne sera pas le cas de la seconde partie, « entièrement écrite », mais « en cahiers et non dactylographiée ». Il précise, avec plus de détails qu'en 1909, mais en demandant de les garder secrets, « ce qui dans la deuxième partie est fort scandaleux », c'est-à-dire Charlus, anodin jusque-là : « Or dans la seconde partie, le personnage, un vieux monsieur d'une grande famille, se découvrira être un pédéraste qui sera peint d'une façon comique mais que, sans aucun mot grossier, on verra "levant" un concierge et entretenant un pianiste[4]. » Les deux épisodes scabreux d'*À la recherche du temps perdu* — la rencontre de Charlus et de Jupien, celle de Charlus et de Morel — sont déjà annoncés, mais Proust insiste sur l'originalité de son traitement du sujet : « Je crois ce caractère — le pédéraste *viril*, en voulant aux jeunes gens efféminés qui le trompent sur la qualité de la marchandise en n'étant que des femmes, ce "misanthrope" d'avoir souffert des hommes comme sont misogynes certains hommes qui ont trop souffert des femmes, je crois ce caractère quelque chose de neuf (surtout à cause de la façon dont il est traité que je ne peux vous détailler ici) — et c'est pour cela que je vous prie de n'en parler à personne. »

1. *Correspondance*, éd. Philip Kolb, Plon, 1970-1988, t. IX, p. 155 ; lettre d'août 1909.
2. *Ibid.*, p. 157.
3. *Ibid.*, t. XI, p. 255.
4. *Ibid.*, p. 256.

À Louis de Robert, Proust parle de la « terrible indécence[1] », de l'« *indécence* extrême[2] » du roman ; Jacques Madeleine, qui a lu le manuscrit de *Du côté de chez Swann* pour Fasquelle, se demande si l'inversion est le sujet de la suite du roman, mais la lettre d'accompagnement de Proust ne permet pas d'espérer beaucoup de l'apparition de M. de Fleurus[3], ni que le petit garçon « fasse la partie » du baron : « La lettre ne parle que d'un concierge et d'un pianiste. » Madeleine conclut : « Si le petit garçon ne s'invertit pas, à quoi sert toute cette monographie ? Si oui — et il faut l'espérer pour la logique — elle a sa raison d'être, mais il y a tout de même une disproportion inimaginable[4]. » Voyant dans l'inversion future du héros la seule raison d'être de *Du côté de chez Swann*, Madeleine se trompait sur la place du thème dans le roman, et ne faisait que signaler la scène de Montjouvain entre Mlle Vinteuil, alors appelée Vington, et son amie, scène capitale pour la genèse du thème de l'inversion.

Présentant en novembre 1912 son œuvre à Gaston Gallimard, Proust adopte une démarche plus prudente. Gallimard n'est pas, comme Fasquelle, l'éditeur blasé des naturalistes ; il n'a pas, comme Vallette, une femme spécialisée dans la littérature équivoque. Sans doute l'écrivain parle-t-il d'entrée de jeu du deuxième volume : « c'est un sujet très singulier et j'aimerais qu'il ne soit pas connu d'avance[5] », mais il n'y revient que pour finir, et avec délicatesse : « Puisque je vous ai écrit une si longue lettre et comme cela me fatigue d'écrire trop souvent, j'ai bien envie (deuxième *confidence*) de vous dire ce qu'il y a de choquant dans le deuxième volume, pour que si cela vous semblait impubliable vous n'ayez pas besoin de lire le premier. » Il mentionne encore les grands moments de la carrière de M. de Charlus, les rencontres avec le concierge et avec le pianiste, avant de souligner : « Ce personnage est assez épars au milieu de parties absolument différentes pour que ce volume n'ait nullement un air de monographie spéciale comme le *Lucien* de Binet-Valmer par exemple (rien n'est du reste plus opposé, à tous points de vue)[6]. »

Les négociations avec Fasquelle et Gallimard ayant échoué, Proust s'adresse au début de 1913 à Bernard Grasset par l'intermédiaire de René Blum, et les prévient tous deux encore de « l'extrême licence

1. *Correspondance*, t. XI, p. 251 ; lettre d'octobre 1912.
2. *Ibid.*, p. 268 ; lettre d'octobre 1912.
3. L'un des anciens noms du baron de Charlus.
4. Cité par J.-Y. Tadié, *Lectures de Proust*, Armand Colin, 1971, p. 17.
5. *Correspondance*, t. XI, p. 285.
6. *Ibid.*, p. 287. *Lucien* avait paru en 1910 chez Ollendorff. Proust apprécie peu les romans de Binet-Valmer (voir p. 1260 et une lettre de Proust à Georges de Lauris en date de juillet 1910, *Correspondance*, t. X, p. 139), mais celui-ci accueillera favorablement *Sodome et Gomorrhe* (voir p. 1258 et des lettres à Jacques Boulenger de novembre 1921, *Correspondance générale*, éd. Robert Proust et Paul Brach, Plon, 1930-1936, t. III, p. 276 et 280). Rappelons que les dates données dans la *Correspondance générale* — ainsi que dans les *Lettres à la N.R.F.*, Gallimard, « Les Cahiers Marcel Proust », n° VI, 1932 — sont parfois sujettes à caution ; nous adoptons alors la datation proposée par Philip Kolb dans *La Correspondance de Marcel Proust. Chronologie et commentaire critique*, Urbana, The University of Illinois Press, 1949.

et indécence de certaines parties[1] ». Il insiste aussi sur le caractère plus narratif de la suite du roman. L'association entre ce caractère et l'indécence reparaît lorsqu'il annonce à Grasset : « Mon second volume que nous publierons dans les mêmes conditions sera peut-être d'une meilleure vente car il est infiniment plus narratif et peut-être aussi parce qu'il est fort indécent. Mais je regretterais que ce fût là la cause de son succès[2]. » Au moment où paraît *Du côté de chez Swann*, il dit à ses amies que s'il ne leur envoie pas le livre, c'est en raison de ses pages indécentes[3].

Au moment de quitter Grasset pour les Éditions de la Nouvelle Revue française, en 1916, Proust présentera ainsi à Gallimard le volume désormais intitulé *Sodome et Gomorrhe* : « [...] sans aucune intention immorale, ai-je besoin de vous le dire, il est de la plus complète et plus audacieuse vérité de peinture[4] ». Avant de s'engager, l'écrivain veut s'assurer que Gallimard ne sera pas choqué et n'aura pas peur de choquer les lecteurs et la presse.

En 1921, lors de la publication de *Sodome et Gomorrhe*, Proust témoigne d'un souci comparable. Transmettant à Gaston Gallimard, en janvier 1921, le manuscrit de *Sodome et Gomorrhe I*, il lui demande le même secret qu'aux éditeurs pressentis en 1912 et 1913 : « Je vous rappelle que *Sodome et Gomorrhe I* ne doit être communiqué à personne (je dis personne)[5]. » Il lui redit en septembre 1921, à propos de *Sodome et Gomorrhe II*, alors prêt pour la fabrication : « Cet ouvrage (*Sodome II*) est le plus riche en faits psychologiques et romanesques que je vous aie encore donné[6]. »

Tout au long de l'histoire de la publication de l'œuvre, l'inversion a donc été l'un des premiers points abordés par Proust dans ses lettres aux éditeurs, en 1909, en 1912 et après la guerre, si bien que Madeleine, le lecteur de Fasquelle a pu croire qu'elle était le sujet du roman. Proust veut avertir l'éditeur, à qui il remet la première partie de l'ouvrage, que la seconde aura un ton différent. Mais l'originalité dont l'éditeur est ainsi avisé avant même d'ouvrir le manuscrit est celle du traitement du thème homosexuel, et sans doute la démarche est-elle ambiguë puisque l'annonce du ton différent du second volume n'est pas un argument fatalement défavorable. Ne taxons pourtant pas Proust de duplicité — en 1921 et 1922, il s'inquiète encore de l'accueil de *Sodome et Gomorrhe*[7] — mais retenons que dès 1909 et l'essai narratif sur Sainte-Beuve, il voyait dans l'inversion l'un des points forts de l'œuvre en chantier. Gomorrhe n'était pas mentionnée : Proust évoquait Charlus et la pédérastie, sans annoncer la scène de Montjouvain, ou l'aveu des amours lesbiennes

1. *Correspondance*, t. XII, p. 91 ; lettre à René Blum de février 1913.
2. *Ibid.*, p. 96 ; lettre à Bernard Grasset de février 1913.
3. *Ibid.*, p. 289, 340 et 349 ; lettres à Mesdames Daniel Mayer, Hugo Finaly et de Pierrebourg de novembre 1913.
4. *Ibid.*, t. XV, p. 130 ; lettre de mai 1916.
5. *Lettres à la N.R.F.*, éd. citée, p. 149.
6. *Ibid.*, p. 158.
7. Voir p. 1254 et suiv.

que Swann extorquera à Odette[1]. La symétrie constitutive du futur roman n'existait pas encore.

« Les Plaisirs et les Jours ».

Dès *Les Plaisirs et les Jours*, l'essentiel de la doctrine proustienne de l'inversion sexuelle affleurait. La thèse des hommes-femmes apparaît dans un conte où l'on a pu voir l'aveu voilé d'une expérience personnelle, « La Confession d'une jeune fille », qui passe pour un premier récit de l'enfance à Combray[2]. L'héroïne agonise, elle vient de se donner la mort et elle se rappelle les vacances aux Oublis, où eut lieu la scène du baiser maternel, l'angoisse de la séparation, quand sa mère repartait pour Paris, les promenades au bord d'un cours d'eau qui ressemble à la Vivonne, l'odeur des lilas, la désolation de sa mère devant son manque de volonté. Mais au lieu des expériences solitaires de Combray, venait l'initiation par un petit cousin « très vicieux », qui, dit-elle, « m'apprit des choses qui me firent frissonner aussitôt de remords et de volupté[3] ». L'aveu fait à sa mère apaise son sentiment de culpabilité, mais plus tard, à Paris, débute le cycle de la mondanité et de la volupté, relancé par l'amour d'un jeune homme « pervers et méchant[4] ». L'habitude aidant, l'héroïne va du plaisir au remords, qui l'éloignent de la nature et de l'art, de la solitude favorable à la création : « Personne d'ailleurs ne soupçonnait le crime secret de ma vie, et je semblais à tous la jeune fille idéale[5]. » Mais sa mère tombe malade, la jeune fille se fiance, se croit sauvée jusqu'au soir où le jeune homme qui avait été responsable de sa chute vient dîner. Ils se retirent dans une pièce, et aussitôt après avoir surpris dans le miroir sa propre volupté, la jeune fille aperçoit sa mère, qui les observait du balcon et qui meurt foudroyée.

Le conte, composé entre 1892 et 1895, annonce plusieurs thèmes d'*À la recherche du temps perdu* : le sadisme, la profanation des êtres chers, l'expiation. Il fait d'autant plus songer à une transposition que la scène de l'initiation sexuelle reparaît dans un autre conte des *Plaisirs et les Jours*, « Violante ou la mondanité[6] ». Fernand Gregh, ami de Proust dans les années 1890, est sévère pour les pages « précieuses, contournées et obscures » du recueil, surtout celles qui « expriment son premier aveu des amours défendues[7] ». Dans une lettre de 1910

1. Voir *Du côté de chez Swann*, t. I de la présente édition, p. 157-163 et 354-362. La scène de Montjouvain fut en effet condamnée par certains lecteurs de *Du côté de chez Swann*, Francis Jammes et Paul Souday en particulier (voir, dans la *Correspondance générale*, éd. citée, t. III, p. 69-70, la lettre de novembre 1919 à Paul Souday) ; Proust la justifia alors par ses répercussions dans la suite du roman (voir p. 1237).

2. Voir Maurice Bardèche, *Marcel Proust romancier*, Les Sept Couleurs, 1971, t. I, p. 48-52.

3. *Les Plaisirs et les Jours*, *Jean Santeuil*, Bibl. de la Pléiade, p. 87.

4. *Ibid.*, p. 90.

5. *Ibid.*, p. 92.

6. *Ibid.*, p. 30-32. Voir M. Bardèche, ouvr. cité, t. I, p. 47.

7. F. Gregh, *Mon amitié avec Marcel Proust. Souvenirs et lettres inédites*, Grasset, 1958, p. 9.

à Jean-Louis Vaudoyer, Proust traitera d'ailleurs « La Confession d'une jeune fille » de « pages condamnées[1] », expression qui rappelle les « pièces condamnées » de Baudelaire. Deux vers de « Femmes damnées[2] » servent d'ailleurs d'épigraphe à l'un des chapitres du conte. L'inversion, Gomorrhe avant Sodome, est un thème littéraire, baudelairien avant de devenir proustien, et, dans *À la recherche du temps perdu*, il demeurera inséparable des Lesbiennes de Baudelaire.

Un autre conte, « Avant la nuit », abordant l'homosexualité féminine et publié dans *La Revue blanche* en décembre 1893, n'a pas été repris dans *Les Plaisirs et les Jours*. La mise en scène rappelle « La Confession d'une jeune fille » : une femme à l'agonie confesse à son meilleur ami ses relations homosexuelles, l'en rendant responsable et lui rappelant des propos qu'il lui avait jadis tenus, « quand ma pauvre amie Dorothy fut surprise avec une chanteuse dont j'ai oublié le nom[3] ». Or le discours rapporté préfigure l'exposé de 1909 sur l'inversion, « La Race des Tantes[4] », et *Sodome et Gomorrhe I* : « Comment nous indigner d'habitudes que Socrate (il s'agissait d'hommes, mais n'est-ce pas la même chose), qui but la ciguë plutôt que de commettre une injustice, approuvait gaiement chez ses amis préférés ? » Si la reproduction n'est pas la finalité de l'amour, l'acte homosexuel n'est pas plus immoral que l'autre. La thèse de la fatalité constitutionnelle suivait : « La cause de cet amour est dans une altération nerveuse qui l'est trop exclusivement pour comporter un contenu moral. » Puis venait un argument esthétique : « Chez les natures vraiment artistes l'attraction ou la répulsion physique est modifiée par la contemplation du beau[5]. » Une référence au dégoût provoqué par la méduse, tant qu'on ne la perçoit pas avec les yeux de Michelet, était déjà présente[6]. Le ton est celui de l'apologie, mais l'horreur que provoque chez le corrupteur la découverte de l'influence qu'a exercée son discours montre les limites de l'apologie et vaut condamnation morale. Le corrupteur, qui est le narrateur, surmonte pourtant l'horreur qu'il ressent et nie éprouver le moindre remords. Le conte finit par un dernier aveu : la balle dont la jeune femme meurt, elle-même l'a tirée. Le sentiment de culpabilité n'est pas absent du traitement de l'inversion, qui s'expie.

Cette référence aux lesbiennes, première apparition du thème de l'inversion, peut être rapprochée de la biographie. « Violante ou la mondanité » parut dans *Le Banquet* au début de 1893, « Avant la nuit » dans *La Revue blanche* à la fin de la même année. Proust fit la connaissance de Robert de Montesquiou au printemps de 1893, et se proposa de lui dédier « La Confession d'une jeune fille[7] ». En

1. *Correspondance*, t. X, p. 163 ; lettre d'août 1910.
2. Voir *Les Plaisirs et les Jours*, éd. citée, p. 90.
3. *Ibid.*, p. 169. Voir M. Bardèche, ouvr. cité, t. I, p. 51-52.
4. Voir l'Esquisse I, p. 923-933.
5. *Les Plaisirs et les Jours*, éd. citée, p. 170.
6. Voir ici, p. 28.
7. *Correspondance*, t. I, p. 331, 341, 343-344 et 360 ; lettres à Montesquiou de septembre 1894, octobre 1894 et janvier 1895.

1894, il se lia avec Reynaldo Hahn et rencontra Oscar Wilde, de passage à Paris. Dès 1893, il rédigea un article sur le recueil de poèmes de Montesquiou, *Le Chef des odeurs suaves*[1], article qu'aucune revue ne voulut publier[2]. Or Proust y parle beaucoup de Baudelaire ; il le défend contre l'accusation de dépravation, de décadence et de satanisme ; il l'appelle le « plus grand poète du XIXe siècle », « seul intellectuel et classique[3] », et combat le cliché de la « maladie de la volonté » dont souffriraient tous les enfants de Baudelaire, et qui affectait Violante et la jeune fille de la « Confession ». La digression, qui sert à distinguer Montesquiou des décadents, introduit une idée que Proust ne cessera plus d'associer au thème de l'inversion, celle du classicisme de Baudelaire, le classicisme de la forme allant de pair avec la licence du contenu.

« Jean Santeuil ».

Les thèmes de Sodome et Gomorrhe apparaissent moins dans *Jean Santeuil* que dans *Les Plaisirs et les Jours*. M. Bardèche émet l'hypothèse que l'une des fonctions romanesques du motif de l'inversion — la méditation sur le secret et la double vie, sur la déchéance et la culpabilité — est assurée dans *Jean Santeuil* par un épisode singulier, qui ne sera pas repris dans *À la recherche du temps perdu* : « Le Scandale Marie[4] ». Charles Marie, député, ancien ministre, ami des Santeuil, voit sa carrière brisée par des malversations financières obscures, qui rappellent le scandale de Panama. Marie est abandonné de tous, sauf de M. Santeuil, qui l'aide à obtenir un non-lieu, poussé par sa femme ; celle-ci était une ancienne amie de Mme Marie, juive, alors que Mme Santeuil venait « d'un milieu où pesait sur les juifs la défiance la plus profonde[5] ». Avant de mourir, Mme Marie avait prié son amie de ne jamais abandonner son mari. L'épisode est mystérieux[6]. Selon M. Bardèche, son intérêt réside dans la tendresse, l'indulgence avec laquelle la déchéance est peinte : « C'est *comme vaincu*, écrit-il, que Charles Marie intéresse Marcel Proust[7]. » Les pages qui préfigurent « La Race des Tantes » se situent avant le scandale ; elles décrivent la duplicité de Marie, généreux et voleur, bon et corrompu, qui ne se sent bien qu'en compagnie des familiers

1. G. Richard, 1893.

2. Voir la lettre à Robert de Montesquiou d'octobre 1893, *Correspondance*, t. I, p. 241.

3. Voir *Essais et articles* (où ce texte de Proust est recueilli), *Contre Sainte-Beuve*, Bibl. de la Pléiade, p. 407.

4. Voir *Jean Santeuil*, Bibl. de la Pléiade, p. 579-618, et M. Bardèche, ouvr. cité, t. I, p. 72-78.

5. *Jean Santeuil*, éd. citée, p. 581.

6. Charles Marie aurait pour modèle Maurice Rouvier (1842-1911), qui fut député (1871-1903), sénateur (1903-1911), ministre de Gambetta en 1881 et 1884, président du Conseil en 1887, et ministre des Finances de 1889 à 1892. Il fut impliqué dans le scandale de Panama, mais bénéficia d'un non-lieu, et retrouva le portefeuille des Finances de 1902 à 1905, et la présidence du Conseil en 1905 et 1906, au moment de la crise marocaine.

7. M. Bardèche, ouvr. cité, t. I, p. 75.

de son vice et se rassure à l'idée que le vice est universel. Le sentiment de culpabilité, le mensonge et la complaisance caractériseront aussi les invertis. Proust se demande si Mme Marie a pu ignorer jusqu'à sa mort la double vie de son mari : on songe au mensonge auquel l'inverti sera condamné vis-à-vis de sa mère, dans « La Race des Tantes » de 1909, et dans *Sodome et Gomorrhe I* : « Qui saura jamais dans quelle mesure incertaine et flottante l'extrême aveuglement se mêle, dans une tendresse profonde, à l'extrême clairvoyance[1] ? » À la duplicité du coupable, répond la duplicité de la victime : « Il est difficile de supposer que la mère ou la sœur qui nous aime absolument, ne saisisse pas dans l'essence de notre nature toutes les conséquences, même mauvaises, qu'elle peut porter, difficile aussi de croire que dans son amour pour cette essence elle ne pardonne en elle ces conséquences détestables[2]. »

Cet aveuglement, cette indulgence des proches pour les vices de ceux qu'ils aiment, reviendront à la fin de *Jean Santeuil*. Mme Santeuil a été influencée et transformée par son fils, renonçant à elle-même : « Peu à peu, ce fils dont elle avait voulu former l'intelligence, les mœurs, la vie, avait insinué en elle son intelligence, ses mœurs, sa vie même et avait altéré celles de sa mère[3]. » Mme Santeuil tolère toutes les fréquentations de son fils ; elle n'a plus de sévérité pour la mondanité, plus de répulsion pour le vice ; comme son fils, elle est corrompue par l'habitude. Le dénouement de *Jean Santeuil* confirme le sens du « Scandale Marie » : « Nous ne pouvons approcher des êtres les plus pervers sans reconnaître en eux des hommes. Et la sympathie pour leur humanité entraîne notre tolérance pour leur perversité[4]. » Charles Marie disparaîtra du roman et Sodome et Gomorrhe fourniront une matière plus pittoresque pour l'étude du vice et de la duplicité.

Plusieurs autres épisodes de *Jean Santeuil* doivent être mentionnés. D'abord le fragment intitulé « Daltozzi suivant les femmes ». Henri à sa fenêtre — un voyeur, comme le héros d'*À la recherche du temps perdu* dans la cour de l'hôtel de Guermantes, lorsqu'il surprendra Charlus et Jupien — observe Daltozzi tentant d'aborder des femmes sous la pluie[5] : c'est l'avidité d'un homme déjà âgé pour les corps jeunes et vierges. Or la déchéance de Daltozzi appelle une note : « Il y a eu, avant, la vue par Jean chez Daltozzi de la photographie de sa mère. Un jour que Henri la lui montre ainsi dans la boue, il pense aux regards que sa mère laisserait tomber sur lui d'en haut. Elle ignore tout cela ! Et il se jure de ne jamais exposer sa mère à pareille contemplation[6]. » La note rappelle le fantasme de la mère profanée : comme dans « La Confession d'une jeune fille », les

1. *Jean Santeuil*, éd. citée, p. 583.
2. *Ibid.*
3. *Ibid.*, p. 871.
4. *Ibid.*, p. 872.
5. *Ibid.*, p. 844-848. Voir M. Bardèche, ouvr. cité, t. I, p. 96-97.
6. *Jean Santeuil*, éd. citée, p. 848, note de Proust.

enfants expriment leur sexualité en exerçant un sadisme sur leurs parents.

Un fragment du séjour à Réveillon, une promenade de Jean et Henri dans une vallée isolée, fournit une amorce de la métaphore botanique que *Sodome et Gomorrhe I* développera en contrepoint de la rencontre de Charlus et de Jupien[1]. Jean a perdu de vue Henri, et il contemple « au fond de la gracieuse vallée, sur une tige élancée une digitale violette, habitante silencieuse et brillante de ce lieu[2] ». Jean s'émeut de l'isolement du vallon et de la solitude de la digitale. Mais Henri, féru de botanique, met fin à son exaltation en donnant à la fleur le nom scientifique d'une espèce courante. Cela n'interrompt pas la méditation de Jean, qui se compare à la pauvre digitale, isolée bien qu'elle appartienne à une espèce répandue. L'idée reviendra dans la description de la race des invertis. Le thème est si important qu'il appelle une réflexion sur le livre : « Et moi aussi, se dit-il, bien souvent je me suis senti isolé du reste du monde comme la pauvre digitale. Mais dans d'autres moments j'ai senti qu'il était plein de pensées pareilles à la mienne depuis le passé le plus lointain, et qu'il en naîtrait aussi dans l'avenir, pour qui j'avais même quelquefois songé à conserver, pour offrir à leur amitié, dans un livre qui serait moi-même, une pensée qui ressemblerait à la leur[3]. » La conception du livre est celle du *Temps retrouvé*, et l'image de la fleur solitaire sera amplifiée dans *Sodome et Gomorrhe I*, illustrant la difficulté, pour le désir sexuel le plus singulier, de rencontrer l'objet qui le satisferait. Dans *Jean Santeuil*, la métaphore se dénouait par la consolation que Jean trouvait dans l'amitié d'Henri : « Il le prit affectueusement par le bras et lui dit : "Mon petit Henri, je suis bien heureux de t'avoir sur la terre[4]." »

Le rapprochement de cette page de *Jean Santeuil* et de *Sodome et Gomorrhe I* est confirmé par une addition à la version la plus ancienne de la rencontre de Charlus et Jupien, alors appelés Guercy et Borniche, dans le Cahier 51, datant de 1909[5]. Il y manque la comparaison entre la rencontre des deux hommes et la fécondation de l'orchidée par le bourdon. Une allusion botanique y est pourtant notée, où la fleur n'est pas encore l'orchidée, mais celle du sophora de la cour, attendant l'insecte rare qui s'unirait à elle. Sur le feuillet portant cette addition, Proust nota : « La digitale dans le vallon », associant la métaphore botanique de l'inversion avec la fleur solitaire de *Jean Santeuil.*

L'allusion la plus directe à l'inversion dans *Jean Santeuil* se trouve dans la scène que le héros fait à Françoise[6] au sujet de ses relations

1. *Jean Santeuil*, éd. citée, p. 469-472. Voir M. Bardèche, ouvr. cité, t. I, p. 103-104.
2. *Ibid.*, p. 470.
3. *Ibid.*, p. 471.
4. *Ibid.*, p. 472.
5. Voir l'Esquisse II, p. 938.
6. Dans *Jean Santeuil*, Françoise, la maîtresse de Jean, est un premier crayon d'Odette.

avec des femmes[1]. Le passage prépare « Un amour de Swann », où Swann extorque à Odette l'aveu de ses liaisons gomorrhéennes. Dans la version de *Jean Santeuil*, plus dramatique encore, Françoise disait comment elle avait découvert son vice : elle se pensait pareille aux autres, croyait ressentir le même trouble que les autres filles en entendant les récits que les grandes faisaient de leurs rencontres avec les garçons, et lorsqu'elle se serrait contre ses amies, les embrassait, « je croyais seulement, disait-elle, m'unir à des complices dans la joie de futures voluptés communes[2] ». *Sodome et Gomorrhe I* transposera l'illusion chez un garçon : « Tel collégien qui apprenait des vers d'amour ou regardait des images obscènes, s'il se serrait alors contre un camarade, s'imaginait seulement communier avec lui dans un même désir de la femme[3]. »

Mais Sodome est absente de *Jean Santeuil*. Est-ce l'une des raisons pour lesquelles le projet romanesque manque d'une structure ? La solitude, le sentiment de culpabilité sont traités indirectement, abstraitement. Cependant, dans un fragment unique, l'inversion est peinte sans caricature, dans une scène de séduction entre deux hommes qui n'a rien de ridicule ni d'abject. Mais il s'agit de pages impossibles à dater, publiées dans *Le Figaro littéraire* en 1952 et dont le manuscrit n'est pas connu : « Souvenir d'un capitaine[4] ». L'officier revient après un an d'absence dans une ville de garnison dont il a la nostalgie. À la porte d'une caserne, il discute avec son ancienne ordonnance, devant un brigadier de garde. L'officier est séduit par le brigadier, il parle, il pose à son intention. Le brigadier remarque le manège, en est troublé, tous deux échangent un regard d'amitié, de complicité, et le capitaine s'éloigne. C'est tout, sauf un peu de tristesse due à l'inachèvement de la scène. La rencontre, le décor militaire, le poste : tout fait songer aux deux grandes rencontres homosexuelles d'*À la recherche du temps perdu* mais sans histrionisme, dans un souvenir raconté à la première personne par le capitaine. Le tableau est de ceux que Proust condamnera plus tard et qui lui eût attiré, dit-il, « la sympathie des sadiques » : « Si, sans parler de pédérastie le moins du monde, je peignais des adolescents vigoureux, si je peignais des amitiés tendres, graves, sans jamais laisser entendre que cela va plus loin, alors j'aurais pour moi tous les pédérastes, parce que je leur présenterais justement ce qu'ils aiment[5]. » Mais le roman disséquera le vice, exposera la maladie, la tare nerveuse. Rien cependant ne confirme que « Souvenir d'un capitaine » soit contemporain de *Jean Santeuil*.

1. Éd. citée, p. 810-813. Voir *Du côté de chez Swann*, t. I de la présente édition, p. 354-362, et M. Bardèche, ouvr. cité, t. I, p. 114-118.
2. Éd. citée, p. 813.
3. Voir ici, p. 25.
4. *Textes retrouvés*, édition Ph. Kolb, Gallimard, *Cahiers Marcel Proust*, n⁰ III, 1971, p. 122-125. Voir M. Bardèche, ouvr. cité, t. I, p. 123.
5. *Correspondance*, t. XII, p. 238 ; lettre à Louis de Robert de l'été de 1913.

L'affaire Eulenbourg.

Après avoir renoncé à *Jean Santeuil*, Proust ne se remit qu'en 1908 à un projet romanesque, qu'il abandonna à l'automne pour l'essai sur Sainte-Beuve. Nous savons peu de choses de cette amorce d'*À la recherche du temps perdu*, mais le thème de l'inversion y tenait une grande place, lié au motif de la mère morte, de la mère profanée.

Dans un carnet de notes, le Carnet 1, Proust dressa en juillet 1908 une liste des « Pages écrites[1] ». Certains des fragments publiés en 1954 par Bernard de Fallois, dans le *Contre Sainte-Beuve*, correspondent aux titres de la liste[2]. Ainsi la notation du Carnet 1, « le visage maternel dans un petit fils débauché », rappelle une page du *Contre Sainte-Beuve* : « Le visage d'un fils qui vit, ostensoir où mettait toute sa foi une sublime mère morte, est comme une profanation de ce souvenir sacré. Car il est ce visage à qui ces yeux suppliants ont adressé un adieu qu'il ne devrait pas pouvoir oublier une seconde. Car c'est avec la ligne si belle du nez de sa mère que son nez est fait, car c'est avec le sourire de sa mère qu'il excite les filles à la débauche, car c'est avec le mouvement de sourcil de sa mère pour le plus tendrement regarder qu'il ment[3] [...]. » Dans *Sodome et Gomorrhe*, une réflexion voisine achèvera le portrait de M. de Charlus à sa première visite chez les Verdurin : « Au reste, peut-on séparer entièrement l'aspect de M. de Charlus du fait que, les fils n'ayant pas toujours la ressemblance paternelle, même sans être invertis et en recherchant des femmes, ils consomment dans leur visage la profanation de leur mère ? Mais laissons ici ce qui mériterait un chapitre à part : les mères profanées[4]. » La chute est à retenir : la simple ressemblance de M. de Charlus avec sa mère renvoie au motif de la profanation et à la scène de Montjouvain.

L'amour nous incite à souiller ce que nous aimons, le sacrilège est d'autant plus émouvant que nous aimons davantage : voilà les sentiments paradoxaux que noue le thème des « mères profanées », sentiments que Proust qualifie de « sadiques » chez Mlle Vinteuil, responsable, par sa conduite, de la mort de son père[5]. Le héros du roman, lui, se sentira coupable de la mort d'Albertine et de sa grand-mère : « Il me semblait que ma vie était souillée d'un double assassinat que seule la lâcheté du monde pouvait me pardonner[6]. »

1. *Le Carnet de 1908*, édition Ph. Kolb, Gallimard, *Cahiers Marcel Proust*, n° VIII, 1976, p. 56.

2. Voir K. Yoshikawa, « Marcel Proust en 1908. Comment a-t-il commencé à écrire *À la recherche du temps perdu* », *Études de langue et littérature françaises*, n° XXII, Tokyo, 1973, p. 135-152.

3. *Contre Sainte-Beuve*, éd. B. de Fallois, Gallimard, 1954, p. 282. Voir K. Yoshikawa, article cité, p. 138.

4. P. 300. Le passage est tardif, c'est une addition autographe à la dactylographie de *Sodome et Gomorrhe*, à propos de la féminité de M. de Charlus, de son aspect *lady-like*.

5. Voir Georges Bataille, « Marcel Proust et la mère profanée », *Critique*, n° 7, décembre 1946. Bataille a développé l'analyse dans *La Littérature et le Mal*, Gallimard, 1957.

6. Voir *Albertine disparue*, t. IV de la présente édition.

Proust put penser que son inversion avait tourmenté sa mère et abrégé sa vie, il fut en tout cas fasciné par l'association de l'amour et de la cruauté. L'article de 1907, « Sentiments filiaux d'un parricide », sur le meurtre d'une mère par son fils, en témoigne[1], ainsi qu'un projet théâtral dont il fit part à Reynaldo Hahn en septembre 1906 : « Un ménage s'adore, affection immense, sainte, pure (bien entendu pas chaste) du mari pour sa femme. Mais cet homme est sadique et en dehors de l'amour pour sa femme a des liaisons avec des putains où il trouve plaisir à salir ses propres bons sentiments. Et finalement le sadique ayant toujours besoin de plus fort il en arrive à salir sa femme en parlant à ces putains, à s'en faire dire du mal et à en dire (il est écœuré cinq minutes après). Pendant qu'il parle ainsi une fois, sa femme entre dans la pièce sans qu'il l'entende, elle ne peut en croire ses oreilles et ses yeux, tombe. Puis elle quitte son mari. Il la supplie, rien n'y fait. Les putains veulent revenir mais le sadisme lui serait trop douloureux maintenant, et après une dernière tentative pour reconquérir sa femme qui ne lui répond même pas, il se tue[2]. » Le dénouement rappelle « La Confession d'une jeune fille », où la mère surprenait sa fille avec le jeune homme qui l'avait débauchée. Défendant en 1913 la scène de Montjouvain auprès de Louis de Robert, Proust lui donnera pour modèle une aventure qui semble à l'origine de l'idée théâtrale de 1906 : « Des gens qui recherchent la cruauté, leur dire : "Vous êtes des sensibles pervertis" rien ne peut leur être plus désagréable. L'idée de cette scène m'a été suggérée par différentes choses mais surtout par ceci : un homme de grande valeur et fort connu était l'amant d'une grue, quoiqu'il fût marié et père de famille. Or pour avoir le plaisir complet il fallait qu'il dise à cette grue : "le petit monstre" en parlant de son propre fils. Rentré chez lui, il était d'ailleurs très bon père[3]. »

Aux premières pages du Carnet 1, contemporaines du renouveau romanesque de 1908, les thèmes de l'inversion et de la profanation de la mère se recoupent. Une note annonce la lecture pédérastique que M. de Charlus fera des *Illusions perdues* dans *Sodome et Gomorrhe II* : « Balzac : rencontre de Vautrin et de Rubempré près de la Charente. Langage de Vautrin à la Montesquiou et de Mme de Chaponay "Ce que c'est de vivre seul etc." Sens physiologique de ces paroles. Langage excitant de Rubempré. Vautrin s'arrêtant pour visiter la maison Rastignac (*Tristesse d'Olympio* de la pédérastie)[4]. » Suivent les premières amorces autobiographiques des « Intermittences du cœur » — le héros rêvera de sa grand-mère morte comme Proust avait rêvé de sa mère —, et d'autres notations pour « La Race des

1. Voir *Pastiches et mélanges*, *Contre Sainte-Beuve*, Bibl. de la Pléiade, p. 150-159.
2. *Correspondance*, t. VI, p. 216.
3. *Ibid.*, t. XII, p. 238 ; lettre de l'été de 1913. Selon Ph. Kolb, il s'agit de la liaison de Liane de Pougy, pseudonyme d'Anne-Marie de Chasseigne (1871-1950), et du docteur Albert Robin. Voir Liane de Pougy, *Mes cahiers bleus*, Plon, 1977, p. 193.
4. *Le Carnet de 1908*, éd. citée, p. 48-49. Voir *Sodome et Gomorrhe*, p. 437.

Tantes ». Le thème sodomite est en germe dès le premier semestre de 1908.

La correspondance le confirme, en particulier une lettre à Louis d'Albufera de mai 1908, où Proust énumère de nombreux projets. Si les thèmes sont là, la structure romanesque n'est pas acquise. Après une étude sur la noblesse, un roman parisien, un essai sur Sainte-Beuve et Flaubert, un essai sur les femmes, il mentionne « un essai sur la Pédérastie (pas facile à publier) », etc.[1] : autant de directions qu'empruntera *À la recherche du temps perdu*. La dernière citée paraît d'autant plus annoncer la dissertation de *Sodome et Gomorrhe I*, que, quelques jours plus tard, dans une lettre à Robert Dreyfus, Proust semble faire allusion à un article sur le même sujet : « J'avais l'intention de te demander si tu trouvais que l'article défendu serait aussi inoffensif [...] au *Mercure* ou dans une autre Revue qu'en volume. Mais dans l'intervalle mon projet se précise. Ce sera plutôt une nouvelle et alors il y aura le temps de te reconsulter[2]. » R. Dreyfus se rappellera que les remarques avaient trait à un projet d'article sur « les régions maudites[3] ».

L'inversion est en vérité un sujet d'actualité en 1908. Plus nombreuses que jamais sont les lettres où Proust dénonce les rumeurs qui courent sur lui. Au printemps, il prie Emmanuel Bibesco d'éviter de répandre des bruits sur son compte : « Je me disais que quand on a été comme moi en butte à de constantes accusations de salaïsme[4], il y a de la part d'un ami manque d'une certaine délicatesse, plutôt encore intellectuelle que morale, à plaisanter avec tant d'insistance devant un inconnu sur un cas (d'ailleurs inventé de toutes pièces) de Joséphisme[5]. » Dans deux lettres d'octobre 1908, à Georges de Lauris et Albufera, Proust se plaindra de l'incompréhension dont il est l'objet et de « toutes les ineptes calomnies qu'on a dites autrefois sur moi[6] ». Cependant, il demande à Albufera des renseignements pour son roman, notamment le moyen de rencontrer un jeune télégraphiste jadis employé par son correspondant, afin « de voir un télégraphiste dans l'exercice de ses fonctions, d'avoir "l'impression" de sa vie[7] ». Albufera ayant plaisanté sur le genre de rapports qu'il n'a pas eus avec le jeune homme, Proust commente pesamment la boutade et proteste : « Hélas, dit-il, je voudrais être aussi sûr que tu n'as pas à cet égard de telles idées sur moi. En tout cas ce serait plus explicable puisque tant de gens l'ont dit de moi[8]. » Il ajoute : « Je ne suis pas assez stupide, si j'étais de ce genre de canailles, pour aller prendre toutes les précautions pour que le garçon sache mon

1. *Correspondance*, t. VIII, p. 112-113.
2. *Ibid.*, p. 122-123 ; lettre de mai 1908.
3. Cité par Ph. Kolb, *ibid.*, p. 124.
4. Proust et Antoine Bibesco désignaient ainsi l'homosexualité.
5. *Correspondance*, t. VIII, p. 108 ; lettre d'avril ou mai 1908.
6. *Ibid.*, p. 255 ; lettre à Louis d'Albufera. Voir aussi, p. 239, la lettre à Georges de Lauris.
7. *Ibid.*, p. 76 ; lettre de mars 1908.
8. *Ibid.*, p. 98 ; lettre d'avril 1908.

nom, puisse me faire coffrer, t'avertisse de tout etc. » Dans la lettre suivante à Albufera, où est mentionné le projet d'« un essai sur la Pédérastie », il revient sur les insinuations d'Albufera relatives à ses « connaissances », et lui renvoie la balle : « Mais peut-être y a-t-il pour les tiennes (au point de vue auquel tu fais allusion) certitude plus grande. Je ne veux me faire l'accusateur de personne d'autant plus que je sais qu'il y a de très gentils garçons qui peuvent avoir des vices, mais dans ta génération à part quelques êtres *insoupçonnables* et au-dessus de toute calomnie [...] je t'assure que ce n'est pas que dans le monde du théâtre ou de la littérature que la malveillance a à s'exercer[1]. »

C'est l'affaire Eulenbourg qui mit l'homosexualité à l'ordre du jour en 1908 et contribua à la genèse du roman. Robert Vigneron, dans un article de 1937, y vit pour Proust « l'occasion de réaliser enfin un rêve qu'il poursuivait depuis plusieurs années[2] ». La formule est excessive, mais lors de l'affaire Eulenbourg, Proust perçut sans doute la fonction romanesque que pourrait avoir l'inversion : la coïncidence entre l'affaire et la mise en route du roman n'est pas un hasard. L'affaire, du nom d'un ami de l'empereur Guillaume II qui fut soupçonné d'homosexualité, le prince Philipp von Eulenbourg (1847-1921), ambassadeur à Vienne de 1894 à 1902, éclata en octobre 1907. Proust écrivit dès novembre 1907 à Robert de Billy, dans un contexte intéressant, puisque Gomorrhe y accompagne Sodome : « On m'a dit quelque chose — de très vilain — ou plutôt de très gracieux — relatif à deux dames qui sont je suis sûr de votre toute proche coterie, Mmes D*** et de N*** (deux belles-sœurs). Le saviez-vous ? C'est peut-être d'ailleurs entièrement faux. Que dites-vous de tout ce procès d'homosexualité ? Je crois qu'on a tapé un peu au hasard bien que pour certains ce soit très vrai, notamment pour le Prince, mais il y a des choses bien comiques[3]. » L'allusion concerne un procès qui venait de se terminer à Berlin. Maximilien Harden[4], journaliste qui réclamait une réaction plus ferme contre le trouble moral et la psychose d'encerclement sévissant en Allemagne depuis l'affaire marocaine de 1905 et le succès de la Triple Entente, s'en était pris à l'entourage de l'empereur Guillaume dans une série d'articles parus dans la *Zukunft* à l'automne de 1906 et au printemps de 1907. Une *camarilla*, « la Table ronde de Liebenberg », du nom de la propriété d'Eulenbourg, aurait exercé sur Guillaume II une influence pacifiste et francophile. Harden dénonça les mœurs de cette *camarilla*, insinuant que le prince « Phili » et le général comte Kuno von Moltke, gouverneur militaire de Berlin, étaient sodomites. Depuis le début du siècle, les procès scandaleux avaient été nombreux en

1. *Ibid.*, p. 112 ; lettre de mai 1908.
2. R. Vigneron, « Genèse de *Swann* », *Revue d'histoire de la philosophie et d'histoire générale de la civilisation*, 15 janvier 1937, p. 75. Voir M. Bardèche, ouvr. cité, t. I, p. 160-163, et sur l'affaire, Maurice Baumont, *L'Affaire Eulenburg et les Origines de la guerre mondiale*, Payot, 1933.
3. *Correspondance*, t. VII, p. 309.
4. Né en 1861, mort en 1927.

Allemagne, au point qu'à Paris on appelait l'homosexualité « le vice allemand » ; mais cette affaire-là eut un grand retentissement en raison de ses implications politiques et diplomatiques : le premier secrétaire de l'ambassade de France à Berlin au moment de la crise marocaine, Raymond Lecomte, était lié à Eulenbourg, qu'il avait connu vingt ans plus tôt à Munich, et par lui la France aurait été informée des intentions allemandes. Le prince fut écarté de la cour, l'empereur et le chancelier von Bülow l'abandonnèrent, mais Moltke introduisit une action en diffamation contre Harden. Un premier procès eut lieu en octobre 1907 ; Harden fut acquitté, mais le ministère public annula le jugement. Le prince fut contraint de se porter partie civile et déposa une plainte en diffamation pour les propos tenus pendant le procès. Un second procès Moltke eut lieu à Berlin en janvier 1908 : Harden fut cette fois condamné. Cependant le prince témoigna sous serment qu'il ne s'était jamais rendu coupable d'actes relevant de l'article 175, punissant la sodomie : il était tombé dans un piège tendu par l'avocat de Harden. En avril 1908, un troisième procès eut lieu à Munich. Harden poursuivait en diffamation un journal local qui l'avait accusé d'avoir reçu de l'argent du prince en échange de son silence, et il désigna comme témoins un laitier de Munich, ancien batelier du lac Starnberg, et un pêcheur du même lac, qui prétendirent avoir été l'objet des avances du prince au début des années 1880. Le laitier comprit le mot *camarilla*, qui revenait fréquemment dans les dépositions, comme un terme spécialisé désignant les inconvenances qu'il aurait commises : « Comment le prince, dit-il, peut-il jurer qu'il ignore la *kramilla*[1] ? » Les faits eux-mêmes étaient couverts par la prescription, mais le prince fut poursuivi pour faux témoignage, faux serment et subornation de témoins, à cause d'une lettre où il demandait au pêcheur de se taire. Il fut arrêté en mai 1908, transféré à Berlin, où, en raison de son état de santé, il fut interné pendant cinq mois à l'hôpital de la Charité. Deux procès successifs furent ajournés, en juillet 1908 et en juillet 1909, le prince étant trop malade pour y assister. Il ne put jamais établir son innocence. La chute de ce père de huit enfants fut spectaculaire. Son frère était déjà tombé pour les mêmes raisons, et sa familiarité avec des hommes du peuple, en particulier avec des bateliers du lac Starnberg, parut suspecte. Eulenbourg, jeune diplomate, avait été en poste à Munich en 1881, lors de la noyade de Louis II dans le lac Starnberg, et il avait été l'un des premiers à voir le cadavre du roi étendu sur la rive : autant de motifs pour que l'homosexualité devînt un sujet dans les salons et les revues à Paris. La comparaison avec la dénonciation et la déchéance de Wilde s'imposa[2].

C'est l'époque des lettres à Emmanuel Bibesco et à Louis d'Albufera, où Proust cherche à dissiper les rumeurs le concernant, et le temps du projet d'« un essai sur la Pédérastie ». Dans une lettre

1. M. Baumont, ouvr. cité, p. 240.
2. Voir n. 2, p. 17.

à Robert Dreyfus, auteur d'un ouvrage sur Gobineau, Proust fait allusion à Eulenbourg, qui avait connu Gobineau à Stockholm et était devenu son disciple : « Et tu as fait pour Gobineau, ce que le généreux Seillière et le pauvre Eulembourg[1] n'avaient pu faire[2]. » La lettre suivante à Robert Dreyfus rappelle leur discussion sur un « article défendu », maintenant un projet de nouvelle, et elle contient, semble-t-il, une allusion à l'affaire Eulenbourg : il y a entre la réalité et l'art un écart qui ne permet pas « de faire dépendre la réalisation d'un rêve d'art, de raisons elles aussi anecdotiques et trop tirées de la vie pour ne pas participer à sa contingence et à son irréalité[3] », comme si, dès mai 1908, un projet ayant pour point de départ l'affaire Eulenbourg s'était déjà détaché de la contingence, devenant rêve d'art.

Une autre allusion à Eulenbourg figure dans une lettre de juillet 1908 à Reynaldo Hahn. Montesquiou a rendu visite à Proust afin de lui lire des extraits du *Chancelier de fleurs*, consacré au souvenir de son secrétaire et ami, Gabriel de Yturri. Proust raconte la soirée à Reynaldo, il parodie Montesquiou énumérant les couples célèbres, « Scipion et Lelius, Oreste et Pylade, Horn et Posa, Saint-Marc[4] et de Thou, Edmond et Jules de Goncourt, Flaubert et Bouilhet, Aristobule et Pythias[5] ». Le procédé annonce la version de 1912 de « La Race des Tantes », où l'inverti cherche des précédents à ses amitiés exaltées[6]. La lettre contient un post-scriptum : « Dans le livre de Montesquiou une lettre du prince de Radolin l'assurant de sa sympathie pour la perte cruelle etc. Il eût mieux fait d'en garder un peu pour Eulenbourg[7]. »

L'affaire Eulenbourg aida Proust à concevoir un nouveau cadre pour les thèmes abordés dans *Jean Santeuil* avec « Le Scandale Marie » : la double vie d'un grand homme et sa déchéance, les sectes du vice. Bien des traits de Charlus étaient là, comme sa familiarité avec les hommes du peuple. Une note du Carnet 1 est significative : « Balzac dans *Splendeur et Misère*, Rouvier, Eulembourg[8] (*Candide* mais c'est plus particulier)[9] ». Eulenbourg est associé à Maurice Rouvier, le modèle vraisemblable de Charles Marie[10]. Il ne sera cependant

1. *Sic.*
2. *Correspondance*, t. VIII, p. 119 ; lettre de mai 1908.
3. *Ibid.*, p. 123 ; lettre de mai 1908.
4. *Sic.*
5. *Correspondance*, t. VIII, p. 163.
6. Voir l'Esquisse IV, var. *d*, p. 950, où Montaigne et La Boétie sont mentionnés. Proust, dans son adolescence, associait Montaigne et Socrate dans une lettre de 1888 à Daniel Halévy (*Correspondance*, t. I, p. 124).
7. *Correspondance*, t. VIII, p. 164. Radolin était l'ambassadeur d'Allemagne à Paris.
8. *Sic.*
9. *Le Carnet de 1908*, éd. citée, p. 66.
10. Voir p. 1192 et n. 6. Rouvier, président du Conseil en juin 1905, fut aussi ministre des Affaires étrangères après la démission de Delcassé, à la suite des incidents soulevés par la visite de l'empereur d'Allemagne au Maroc. Il obtint un accord sur le Maroc avec le gouvernement allemand. Auprès de Rouvier et Eulenbourg, Proust mentionne le roman de Balzac, où Vautrin est à ses yeux un modèle du traitement littéraire de l'inversion.

mentionné qu'une fois dans le texte définitif[1], lors d'une addition tardive à *Sodome et Gomorrhe*, ébauchée dans un cahier d'additions postérieur à la guerre, le Cahier 62 : Charlus connaît bien l'un des inculpés de l'affaire[2]. Mais dans la version de 1912 d'*À la recherche du temps perdu*, au Cahier 49, où avait lieu la découverte de la nature de M. de Charlus, alors appelé Gurcy, une addition capitale évoquait l'affaire Eulenbourg. Proust rendait cette affaire responsable de la diffusion du mot même d'« homosexualité » en France : « Homosexuel est trop germanique et pédant, n'ayant guère paru en France — sauf erreur — et traduit sans doute des journaux berlinois, qu'après le procès Eulenbourg[3]. » Il justifiait ainsi son refus du terme d'« homosexuel » et sa préférence pour celui d'« inverti », faute de pouvoir utiliser, comme Balzac dans *Splendeurs et misères des courtisanes*, celui de « tante ». Le roman de Balzac était cité auprès de Rouvier et d'Eulenbourg dans le Carnet 1 en 1908. Quant au Cahier 49, il présente quelques ressemblances frappantes avec la vie de Proust[4] ; il a parfois l'air d'une transposition des événements du premier semestre de 1908.

« Contre Sainte-Beuve » et la version de 1909.

L'étape suivante dans le développement du thème homosexuel correspond à l'essai sur Sainte-Beuve et aux pages célèbres publiées par B. de Fallois en 1954, sous le titre « La Race maudite », et qui sont un montage de fragments prélevés dans les Cahiers 6 et 7[5]. Rien dans les « Pages écrites » recensées dans le Carnet 1 en juillet 1908 ne semblait encore se rapporter à « la race maudite », contrairement à ce que George Painter a affirmé[6]. Des amorces du thème de l'inversion existent à cette date, mais pas de développement. En décembre 1908, Proust consulte Georges de Lauris et Mme de Noailles sur un nouveau projet[7]. Il veut écrire sur la méthode de Sainte-Beuve, mais sera-ce un article classique, ou le souvenir d'une matinée et d'une conversation sur le critique avec sa mère ? Il adoptera la seconde idée, et il parle de son *Sainte-Beuve* dans ses lettres jusqu'en juin 1909. *À la recherche du temps perdu* s'est dégagée de l'introduction narrative à l'essai sur Sainte-Beuve, illustration de la doctrine esthétique qui devait être formulée dans les pages critiques. Critique et

1. Il est aussi évoqué indirectement dans *Le Côté de Guermantes I*, t. II de la présente édition, p. 587 et n. 1.

2. Voir p. 338 et le Cahier 62, ff^os 47 r°-48 r°. Dans le Cahier 47, qui date de 1911 et constitue le brouillon du chapitre intitulé « M. de Charlus et les Verdurin » dans le roman de 1912, cette allusion à Eulenbourg figurait lors d'une conversation entre le héros et Brichot (alors appelé Crochard), laquelle prendra place dans *La Prisonnière* (Cahier 47, f° 35 r° ; voir *La Prisonnière*, p. 830-833).

3. Voir l'Esquisse IV, p. 955.

4. Voir p. 1209 et suiv.

5. *Contre Sainte-Beuve*, éd. Fallois, p. 247-266. Voir l'Esquisse I, p. 919-933.

6. G. Painter, *Marcel Proust*, traduction française, Mercure de France, 1966, t. II, p. 138.

7. *Correspondance*, t. VIII, p. 320-321.

création se mêlent dans les brouillons de 1908 et 1909, jusqu'au refus par Vallette d'une publication au Mercure de France, en août 1909. C'est après les dix cahiers Sainte-Beuve que le roman l'emporte sur l'essai.

Les Cahiers 6 et 7 paraissent les derniers de la série. Ceux qui précèdent contiennent surtout des fragments pour « Combray », mais la matière devient très diverse ; elle peut de moins en moins se couler dans un essai, même narratif, sur Sainte-Beuve. Or, la séparation du roman et de l'essai a lieu dans les pages mêmes des Cahiers 6 et 7 qui touchent au thème de l'inversion et ébauchent le baron de Charlus. Toujours dans le cadre de l'essai narratif sur Sainte-Beuve, les deux cahiers mêlent des fragments pour « Combray » et d'autres sur Baudelaire et Nerval. Soudain, des pages semblent impossibles à intégrer au *Contre Sainte-Beuve*. Dans le Cahier 6, « La Race maudite » s'intercale entre une description du milieu Verdurin et l'article sur Nerval[1], et dans le Cahier 7, elle succède à une série de fragments sur le marquis de Guercy, futur Charlus[2] : son arrivée à la plage, ses visites à l'hôtel Guermantes, la réception chez la princesse, le départ du héros avec M. de Guercy, qui lui lâche brusquement le bras lorsqu'il aperçoit un de ses amis. La révélation de sa vraie nature, lorsque le héros le voit assoupi, introduit enfin l'exposé de « La Race maudite », avant que le cahier ne revienne à Sainte-Beuve et à Baudelaire.

Au milieu des Cahiers 6 et 7, auprès de développements sur Baudelaire et Nerval, les premières notes sur le milieu Verdurin, sur M. de Guercy et « La Race des Tantes » surviennent donc. Ce sont les amorces de toute la partie centrale d'*À la recherche du temps perdu*, après « Combray », qui aurait servi de prologue narratif à la critique de Sainte-Beuve. Mais avec les Verdurin et M. de Guercy, la matière est trop riche ; seul un grand roman pourra la contenir. Les fragments nouveaux des Cahiers 6 et 7 datent du printemps 1909. La rupture n'est cependant pas complète, puisque la fin du Cahier 7 en revient à Baudelaire. L'invention de M. de Guercy n'interrompt pas encore l'essai sur Sainte-Beuve.

Ainsi, M. de Guercy était conçu en août 1909, lorsque Proust écrivit à Vallette. L'impudeur alors évoquée dans sa lettre tenait bien à la « Race des Tantes ». Après le refus de Vallette, Proust retravailla « Combray » pour un feuilleton du *Figaro*, dont Gaston Calmette avait accepté le principe. Ce travail paraît exclure qu'il ait en même temps développé la suite du roman. Il fit d'ailleurs souvent observer que des pages impudiques ne conviendraient pas au *Figaro*[3]. Un autre cahier de 1909, le Cahier 51, contient pourtant trois morceaux pour le marquis de Guercy : d'une part, Mme de Villeparisis et ses héritiers, la visite de M. de Guercy à sa tante, sa rencontre avec Borniche, futur Jupien ; d'autre part, les Verdurin à Chatou, M. de Guercy

1. Voir l'Esquisse I, p. 919-928.
2. *Ibid.*, p. 929-933.
3. *Correspondance*, t. IX, p. 163 ; lettre à Mme Straus d'août 1909.

surpris avec un musicien dans la salle des pas perdus de la gare Saint-Lazare ; enfin, M. de Guercy devenu un vieillard et se promenant en compagnie de Borniche. Les trois séquences subsisteront dans *À la recherche du temps perdu*, la troisième prendra place dans *Le Temps retrouvé*, lorsque le héros se rendra à la matinée de la princesse de Guermantes : la fin de la carrière de Charlus avait été prévue d'emblée[1]. Les deux premières séquences, la rencontre de Guercy et Borniche, celle de Guercy et du musicien, rejoindront *Sodome et Gomorrhe*[2]. Elles ont un contexte dès le Cahier 51 : l'hôtel Guermantes, la visite à Mme de Villeparisis pour la première ; le milieu Verdurin, le petit train pour la seconde. Ce sont les deux scènes scabreuses mentionnées dans les lettres aux éditeurs.

Les trois fragments du Cahier 51 ont un titre : « Le Marquis de Guercy (Suite) ». Il est possible que l'indication « Suite » renvoie aux Cahiers 6 et 7, où le marquis était introduit. À la fin de 1909, le personnage est donc entièrement esquissé, et seule la guerre de 1914-1918 l'enrichira[3]. Les pages du Cahier 51 sur M. de Guercy étaient sans doute composées en août 1909, lorsque Proust s'adressa à Vallette[4]. Avec celles des Cahiers 6 et 7 sur M. de Guercy et « La Race des Tantes », elles complètent le thème de l'inversion dans le roman de 1909, thème qui a pris forme en quelques mois grâce à l'ébauche de la carrière de M. de Guercy. Les morceaux ont surgi au cours de la version narrative de l'essai sur Sainte-Beuve, mais aucun montage n'est suggéré. Présentant son roman en 1912 aux éditeurs, Proust citait encore les deux scènes impudiques du Cahier 51 sans indiquer davantage un scénario où les insérer. Une fois esquissé, le thème de la sodomie fut laissé de côté, tandis que l'écrivain mettait au point le début du roman. Il composa en 1910 et 1911 les brouillons de la partie centrale du roman, et, en 1912 et 1913, annonçait aux éditeurs qu'ils étaient entièrement rédigés.

La version de 1912.

Dans *Du côté de chez Swann*, publié chez Grasset en novembre 1913, Proust donna le plan de deux autres volumes à paraître en 1914[5]. Les trois volumes correspondent à la version de 1912 du roman. Dans

1. Cahier 51, ffos 17 ro à 22 ro et *Matinée chez la princesse de Guermantes*, édition H. Bonnet et B. Brun, Gallimard, 1982, p. 63-66. Voir *Le Temps retrouvé*, t. IV de la présente édition.

2. Esquisse II, p. 934-938 ; voir le texte définitif, p. 3-12 ; Esquisse II, p. 938-942 ; voir le texte définitif, p. 254-257.

3. Voir *Le Temps retrouvé*, t. IV de la présente édition.

4. Voir H. Bonnet et B. Brun, introduction de la *Matinée chez la princesse de Guermantes*, éd. citée, n. 1, p. 23.

5. Le plan date d'entre août et novembre 1913. Voir K. Yoshikawa, « Remarques sur les transformations subies par la *Recherche* autour des années 1913-1914 d'après des cahiers inédits », *Bulletin d'informations proustiennes*, no VII, printemps 1978, n. 2, p. 19.

ce plan, la partie consacrée au thème de l'inversion se trouve au début du troisième volume, alors intitulé *Le Temps retrouvé*, dont les trois premiers chapitres portent les titres : « À l'ombre des jeunes filles en fleurs », « La Princesse de Guermantes » et « M. de Charlus et les Verdurin ». Ils sont suivis de : « Mort de ma grand-mère », « Les Intermittences du cœur » et « Les "Vices et les Vertus" de Padoue et de Combray », chapitres qui mènent jusqu'à la révélation esthétique. Le programme sera modifié par la guerre et par l'invention d'Albertine, et c'est un plan différent, en cinq volumes, qui sera publié dans *À l'ombre des jeunes filles en fleurs* en 1919[1].

En 1913, publiant *Du côté de chez Swann*, Proust disposait d'une suite dans des cahiers de brouillon qu'il qualifiait d'illisibles, se demandant s'il aurait la force de les recopier[2]. Le deuxième volume existait sous la forme de la fin de la dactylographie de *Du côté de chez Swann*, et du manuscrit à peu près continu du *Côté de Guermantes*, dans les Cahiers 39 à 43. Mais pour le troisième volume annoncé, le plan ne résume pas une rédaction continue ; il ébauche, en revanche, un montage. Quels sont dans les cahiers de brouillon les développements répondant aux titres du plan de 1913 ? Comment Proust passa-t-il du roman de 1912 au roman de 1918, étant entendu que celui-là n'est pas dilué dans celui-ci, qu'il n'est pas question d'identifier çà et là des morceaux du troisième volume de 1913 dans *Sodome et Gomorrhe* ? En ce qui concerne la partie centrale de l'œuvre, entre *Le Côté de Guermantes* et *Le Temps retrouvé*, les romans de 1912 et de 1918 sont deux romans différents[3].

Les Cahiers 39 à 43, numérotés de 1 à 5 par Proust, et contenant une rédaction suivie du *Côté de Guermantes*, datent de 1910-1911 ; Charlus et Saint-Loup s'appellent Gurcy et Montargis. Le dernier cahier de la série, le Cahier 43, se termine par une réception chez la princesse de Guermantes, dont une autre version ouvrira *Sodome et Gomorrhe II*[4]. La version du Cahier 43 amplifie celle de 1909, dans le Cahier 7[5] ; elle est nettement plus brève que la soirée du texte définitif, mais elle comprend déjà plusieurs moments : le héros se déplace de groupe en groupe, du prince et de la princesse au duc et à la duchesse, il bavarde avec Gurcy et Montargis, etc. Cette soirée correspond au deuxième chapitre du troisième volume prévu en 1913, « La Princesse de Guermantes ». De fait, le plan de 1913 ne respecte plus le scénario des Cahiers 39 à 43. À la fin du Cahier 43, après la soirée, le héros, malgré les observations de la princesse, s'en allait

1. Voir p. 1233.

2. Voir dans la *Correspondance*, t. XII, p. 97, une lettre à Bernard Grasset de février 1913 ; et p. 326, une lettre à Robert de Flers de novembre 1913.

3. La démarche adoptée ici, loin de chercher dans le texte définitif les pages répondant aux titres des chapitres annoncés pour le troisième volume en 1913, comme avaient cru pouvoir le faire A. Feuillerat (*Comment Marcel Proust a composé son roman*, New Haven, Yale University Press, 1934, 2ᵉ partie) et G. Painter (*Marcel Proust*, éd. citée, t. II, p. 297-303) avant de connaître les cahiers de brouillon, s'apparente à la méthode de M. Bardèche et K. Yoshikawa.

4. Voir l'Esquisse VI, p. 962-981, et le texte définitif, p. 34-120.

5. Voir l'Esquisse I, p. 919-923.

avec M. de Gurcy, qui proposait de diriger sa vie. Mais le plan de 1913 place cet épisode à la fin de la matinée chez Mme de Villeparisis, où il aura lieu dans le texte définitif. Il aurait clos le second volume du plan en trois volumes, et il figure en effet à la fin des épreuves Grasset du second volume, prêtes en juin 1914[1]. Ce déplacement confirme qu'il serait vain de chercher une totale conformité des brouillons prêts en 1912 au plan de la fin de 1913.

Après les Cahiers 39 à 43, Proust disposait, pour la fin du roman, des Cahiers 49, 47, 48 et 50, 58 et 57, discontinus et plus anciens. Le Cahier 49 commence où finit le Cahier 43, par la proposition de Gurcy au héros. « La Race des Tantes » y figure, proche encore de la version de 1909[2]. Vient après, mais sans suite, l'ensemble des Cahiers 47, 48 et 50. Le Cahier 47 commence par le chapitre « M. de Charlus et les Verdurin » du plan de 1913[3], et se poursuit avec la maladie et la mort de la grand-mère. Les Cahiers 48 et 50 développent parallèlement le voyage à Venise et Padoue, « Les Intermittences du cœur », « Les "Vices et les Vertus" de Padoue et de Combray », et parviennent aux mariages du jeune Cambremer avec la nièce de Jupien, et de Saint-Loup avec Gilberte Swann[4]. Les Cahiers 58 et 57 ébauchent enfin *Le Temps retrouvé*. Cet état du roman date de 1910-1911, et la série des Cahiers 47, 48 et 50, 57 et 58 est matériellement du même type que les Cahiers 39 à 43 du *Côté de Guermantes*. Il ne s'agit pas d'une rédaction suivie du troisième volume, mais un scénario existe, si lâche soit-il parfois. Les symétries complexes de *Sodome et Gomorrhe* font défaut, mais un motif se répète : le héros poursuit une jeune fille, il cherche une initiation sexuelle.

La jeune fille aux roses rouges et la femme de chambre de la baronne Putbus.

Lorsque Proust introduit Albertine dans le roman après 1913, celle-ci remplace deux femmes que le héros désirait, et dont la poursuite servait de fil conducteur à la partie centrale du roman de 1912, au début du troisième volume annoncé en 1913 : une jeune fille aux roses rouges, qui avait provoqué le héros chez la princesse de Guermantes, et la femme de chambre de la baronne Putbus, que Montargis avait connue dans une maison de passe. Ces deux types féminins, l'adolescente perverse et la femme corrompue, avaient été ébauchés dès 1909.

Un cahier ancien, le Cahier 36, lu à l'envers à partir de la dernière page, raconte sur dix feuillets la quête de la femme de chambre de la baronne, alors appelée baronne de Picpus, dont Montargis avait parlé au héros en ces termes[5] : « une grande blonde, la plus jolie fille que j'aie jamais vue, trop dame, insolente comme pas une, mais

1. Voir, au tome II de la présente édition, var. *a*, p. 592.
2. Voir l'Esquisse VIII, p. 983-1003.
3. Voir l'Esquisse XI, p. 1009-1030.
4. Voir l'Esquisse XIII, p. 1032-1048.
5. Cahier 36, ffos 1 r° à 10 r°, et « La Femme de chambre de la baronne de Picpus », *Textes retrouvés*, éd. citée, p. 263-268.

une merveille. Avec cela, c'est une fille qui a gardé quelque chose de la paysanne vicieuse, qui a été élevée à la campagne où elle allait tout enfant avec tous les garçons de la ferme[1]. » Le héros renonce à la rejoindre à Venise, où elle embarque pour les Indes avec sa patronne, mais un an plus tard, après qu'elle a été défigurée lors d'un incendie à bord du bateau, Montargis organise une entrevue. La jeune femme est originaire d'un pays voisin de Combray, et découvre au héros les polissonneries paysannes auprès desquelles, souffrant de solitude, il était passé sans les soupçonner. La piste sera développée dans le roman de 1912, aux Cahiers 48 et 50, lorsque le héros fera la connaissance de la femme de chambre à Padoue, et l'épisode motive le titre du chapitre du troisième volume annoncé en 1913, « Les "Vices et les Vertus" de Padoue et de Combray[2] ». On retrouve les détails essentiels de l'ébauche dans les brouillons de 1910-1911, telle la rencontre du héros et de la femme de chambre, ou l'évocation de Combray. Quelques-uns subsisteront dans le texte définitif, mais le héros n'y connaîtra jamais la femme de chambre[3].

Lu à l'endroit à partir de la première page, le Cahier 36 contient une série de fragments plus anciens, et d'abord quatre ébauches successives de la rencontre d'une jeune fille au restaurant[4]. C'est la fille du marquis de Caudéran, puis une Mlle de Quimperlé. Le héros se prend de désir pour elle, pour son nom, pour son château, mais la jeune fille a l'air hautain. Pourtant, bien qu'elle soit étroitement surveillée, elle jette des regards aux garçons. On reconnaît dans cette adolescente délurée la future Mlle de Stermaria. Après quatre lignes blanches, le Cahier 36 passe à une autre jeune fille aperçue par le héros, et qui est l'occasion d'un nouveau rêve[5] : la jeune fille aux roses rouges, qu'il rencontre à un bal chez Mme de Guermantes —la princesse ou la duchesse. Dans la foule, passant près de lui, elle le frôle de ses seins. Il cherche à connaître son nom. Ce serait Mlle Soliska, la fille d'un musicien polonais, et le héros rêve d'un voyage en Pologne. Mais non, c'est Mlle de Guermantes-Lerrach, c'est Mlle Écuyer, et au rêve de la Pologne se substitue un amour pour le faubourg Saint-Germain, pour la bourgeoisie parisienne. Chaque nom est un monde inconnu, et les trois hypothèses sur l'identité de la jeune fille recouvrent tous les désirs que le héros peut éprouver : pour une aristocrate, pour une bourgeoise, pour une artiste. Le Cahier 49 du roman de 1912, qui développera les quatre feuillets du Cahier 36, conservera le schéma des trois milieux[6].

Le début du Cahier 36 réunissait ainsi dès 1909 deux incarnations de la jeune fille provocante : la future Mlle de Stermaria et la jeune

1. *Ibid.*, p. 263.
2. Cahier 50, ff^os^ 5 r° à 17 r°. Voir p. 1225.
3. Voir *La Prisonnière*, p. 810-811, où l'on apprend que la femme de chambre est la sœur de Théodore, de Combray.
4. Cahier 36, ff^os^ 67 v° à 56 v°. Voir Georgette Tupinier, « Autour de cinq ébauches de Mlle de Stermaria », *Études proustiennes*, n° I, 1973, p. 213-223.
5. Voir l'Esquisse V, p. 960-961.
6. Voir l'Esquisse VIII, p. 983-1003.

fille aux roses rouges. La fin du Cahier 36 leur adjoint la femme de chambre. De ces trois femmes du roman de 1912, il ne restera que des traces après la guerre, et le texte définitif ne permet plus de soupçonner leur rôle.

Dans le Cahier 43 du roman de 1912, dernier des cinq cahiers de mise au net du *Côté de Guermantes*, la jeune fille aux roses rouges apparaît à la fin de la soirée chez la princesse de Guermantes[1]. Ces pages amplifient la rencontre du Cahier 36. Au cours de la soirée, Montargis a parlé au héros des maisons de passe qu'il fréquente depuis sa rupture avec sa maîtresse, et des femmes qu'on y rencontre, en particulier « une petite demoiselle d'un nom comme Orcheville », et « une grande personne blonde qui est première femme de chambre chez la baronne Picpus », « un Giorgone[2] ». Désormais, la rêverie du héros ira de l'une à l'autre de ces trois femmes, qui prennent le relais de Gilberte Swann. À la place qu'occupera dans le texte définitif la rencontre de Charlus et de Jupien[3], la page de transition entre la visite du héros à la duchesse[4], et l'arrivée à l'hôtel de la princesse, est consacrée au souvenir d'un rêve de « Mlle Swann qui était à Querqueville et qui avec une de ses amies m'accompagnait un bout de chemin en voiture pendant que j'allais la nuit à la pêche au hareng » ; souvenir suivi d'une réflexion sur l'absence de sentiment du héros pour Gilberte. Mais il entre chez la princesse et souffre de la même angoisse que dans le Cahier 7 de 1909, ne sachant s'il est invité[5]. Le prince et la princesse sont présentés comme des souverains de féerie ou de théâtre, trait qui figurait dans la description du Cahier 7, mais qui disparaîtra du texte définitif[6]. Le héros est reçu par le prince, sans avoir à chercher à se faire présenter à lui. Dans *Sodome et Gomorrhe II*, la quête d'une relation qui le présenterait au prince fournira un fil conducteur à la première partie d'une soirée bien plus longue. M. de Gurcy l'accueille de façon déconcertante et l'abandonne brusquement à l'arrivée de la duchesse, prénommée Rosemonde[7]. Le duc et la duchesse se plaignent de Mme de Villeparisis, qui a mangé tous les petits pois à dîner. La médisance rappelle les mauvaises relations qu'ils entretiennent avec leur tante dans le Cahier 51 de 1909[8]. Montargis arrive, élu du jour au Jockey, puis les deux fils de la maîtresse du duc, Mme de Blio, la future Mme de Surgis. Le capitaine de Borodino, que le héros a connu à Doncières, a été le parrain de Montargis au Jockey. Le héros ayant exprimé le vœu de le revoir, le duc de Guermantes lui fait part d'une invitation chez les Marengo, où Borodino viendra, s'il est à Paris. Puis

1. Voir l'Esquisse VI, p. 978-981.
2. *Ibid.*, p. 974.
3. *Ibid.*, p. 962-963.
4. Visite où il s'assure qu'il est réellement invité chez la princesse de Guermantes.
5. Voir l'Esquisse VI, p. 964 et l'Esquisse I, p. 921-922.
6. Voir l'Esquisse VI, p. 963 et l'Esquisse I, p. 919-920, et H. Bonnet et B. Brun, introduction de la *Matinée chez la princesse de Guermantes*, éd. citée, p. 25-26.
7. Voir l'Esquisse VI, p. 971.
8. Voir l'Esquisse II, p. 934-935.

Montargis parle des maisons de passe, de Mlle d'Orcheville et de la femme de chambre, et après un intermède où une jeune baronne de Villeparisis raconte sa méfiance à l'égard des poètes — réflexions que le texte définitif partagera entre la duchesse dans *Le Côté de Guermantes*, et Odette dans « Un amour de Swann[1] » —, la duchesse, prénommée maintenant Oriane, propose au héros de le raccompagner. Mais le duc s'y oppose et c'est après leur départ que le héros rencontre la jeune fille aux roses rouges. Il cherche le prince et la princesse afin d'apprendre son nom, il ne la retrouve pas, ne peut la leur montrer, et quittant la soirée, tombe sur le marquis de Gurcy, qui, chemin faisant, lui propose de diriger sa vie, et le rejette brutalement en apercevant le marquis de Mortagne[2].

Ainsi s'achevait le Cahier 43. Son scénario est déjà périmé lors du plan de 1913. Plusieurs incidents ont été avancés à la matinée chez Mme de Villeparisis, qui devait clôturer le second volume à paraître chez Grasset en 1914, comme tout ce qui concerne la rupture de Montargis et de sa maîtresse. La sortie du héros avec Gurcy, dont le Cahier 7 plaçait déjà l'ébauche entre la soirée de la princesse et la révélation de la vraie nature du baron, devait servir de point d'orgue au second volume, après la matinée Villeparisis.

En quelques pages du Cahier 43, pendant la soirée chez la princesse de Guermantes, les trois femmes que le Cahier 36 rassemblait déjà ont été introduites dans l'intrigue. La jeune fille aux roses rouges et la femme de chambre sont les incarnations majeures de la jeune femme facile recherchée par le héros. En 1912, la partie centrale du roman a pour scénario une rêverie sensuelle ; le thème féminin se limite à cela. Le trait mémorable de la femme de chambre, lors de sa courte apparition dans *Sodome et Gomorrhe II*, est absent des Cahiers 36 et 43 : il n'est pas question de son amour pour les femmes, qui servira de première annonce de Gomorrhe dans le « roman d'Albertine[3] ». Gomorrhe apparaît à peine dans le roman de 1912, le thème de l'inversion manque d'une structure, et la quête d'une femme procure un scénario tout linéaire.

Le Cahier 49 et l'année 1908.

Le Cahier 49 se rattache au Cahier 43 grâce à la jeune fille aux roses rouges[4]. De rédaction plus ancienne que le brouillon suivi du *Côté de Guermantes* dans les Cahiers 39 à 43, il commence par la proposition de Gurcy au héros, à la sortie de la réception chez la princesse[5]. Aussitôt que le héros a quitté Gurcy, il est envahi par le souvenir de la fille qui l'a frôlé, dont les roses, ici, sont noires.

1. Voir l'Esquisse VI, p. 976-977. Voir aussi t. II de la présente édition, p. 794-795 et t. I, p. 237.
2. Cahier 43, ff^os 63 v° et 64 r°-72 r°. Voir t. II de la présente édition, p. 581 à 592.
3. Voir p. 93 et p. 94.
4. Voir l'Esquisse VIII, p. 983-1003.
5. Cahier 49, f° 1 r°-8 r°. Voir n. 2 de cette page.

Suit une longue quête qui le mènera jusqu'à une soirée à l'Opéra, où il apercevra M. de Gurcy endormi et comprendra sa vraie nature[1].

La quête de la jeune fille aux roses rouges rappelle un épisode de la vie de Proust en 1908. Les coïncidences de détail forment un réseau si dense que le récit ressemble à une transposition des événements de cette année-là. Certaines des sorties de l'écrivain au printemps, des liaisons qu'il chercha à nouer, semblent avoir eu pour but d'enrichir le roman. Il se peut que le Cahier 49 reprenne une rédaction plus proche de la chronique, mais il n'existe pas d'ébauche du Cahier 49 : rien n'y renvoie dans la liste des « Pages écrites » du Carnet 1, en juillet 1908. Seule, la soirée chez les Marengo du Cahier 49 connaît une esquisse plus ancienne, parmi des fragments du Cahier 28 sur la poésie des noms, qui datent de 1909[2]. Mais le brouillon de l'apparition de la jeune fille aux roses rouges lors d'un bal, dans le Cahier 36, qui date du début de 1909[3], pourrait être une première élaboration à partir du calendrier mondain de 1908.

Le Cahier 49, revenant à la jeune fille aux roses rouges après avoir laissé de côté le personnage de Gurcy, développe l'idée, entrevue dans le Cahier 36, que son désir pour une jeune fille délivrera le héros de la hantise de la mort. La quête est entamée dès le lendemain par une lecture exaltée de la chronique mondaine du *Figaro*, tenue par « un fonctionnaire distingué du royaume des Deux-Siciles, le regretté M. Ferrari, ayant fui jusque dans nos brumes le soleil et les révolutions de sa malheureuse patrie[4] ». Suit une évocation amusante du sage chroniqueur mondain, habitué aux informateurs qui le renient chaque matin, et disent : « Je me demande qui est-ce qui a pu donner mon nom à Ferrari[5]. » Or Proust, qui sortait peu, fut l'un des informateurs de Ferrari en 1908, ainsi que nous l'apprend une série de lettres à Louis d'Albufera, datant de mai[6]. Pendant quelques semaines, Proust alimenta, grâce à la complaisance d'Albufera, la rubrique de Ferrari dans *Le Figaro*, « Le Monde et la Ville : Salons », lui adressant des listes d'invités à quelques réceptions parisiennes. Proust conclut l'épisode trois semaines plus tard par une allusion possible à Calmette : « Le désir de C*** est très bien mais puisque cela se prolonge au-delà de ce que je croyais je demanderai d'un autre côté[7]. » Proust s'adressera à l'automne de 1908 à Emmanuel Bibesco, qui refusera de lui rendre service[8].

Dans le Cahier 49, Proust souligne le paradoxe de l'activité du chroniqueur mondain[9] : à fréquenter les bals, on se ferme les portes

1. Voir l'Esquisse IV, p. 943-960.
2. Voir l'Esquisse VII, p. 981-983, et *Textes retrouvés*, p. 274-275. Le fragment du Cahier 28 est développé dans le Cahier 49 : voir l'Esquisse VIII, p. 986-997.
3. Voir l'Esquisse V, p. 960-961.
4. Voir l'Esquisse VIII, p. 984.
5. *Ibid.*, p. 985.
6. *Correspondance*, t. VIII, p. 125-131.
7. *Ibid.*, p. 132 ; lettre du début de juin 1908.
8. *Ibid.*, p. 300.
9. Voir l'Esquisse VIII, p. 984-985.

de l'Institut, alors que ces portes s'ouvriront devant ceux qui, dans plusieurs siècles, déchiffreront les chroniques mondaines, comme les savants font aujourd'hui des inscriptions égyptiennes. Une phrase inachevée disait : « Pour les Maspero de l'avenir il sera aussi intéressant de connaître les menus faits des "fondateurs" de Bois-Boudran ou des habitués de Ferrières que pour aujourd'hui il l'est de savoir[1]. » Ses lettres de juin 1908 à Mme Straus nous apprennent que Proust fit campagne contre la candidature à l'Académie française de Gustave Schlumberger, qu'il n'appelle jamais que « Shlumberg » et traite de « crapule ». Le spécialiste de Byzance avait cessé de fréquenter le salon de Mme Straus pendant l'affaire Dreyfus, et Proust, qui nourrit une forte rancune contre lui, projette un article hostile dans *Le Figaro*. Il cherche à obtenir, par l'intermédiaire de Mme Straus, des renseignements auprès de Salomon Reinach : « Est-il vrai qu'il n'a été élu que par une sorte de fraude et qu'il ne le serait plus aujourd'hui ? Qu'en particulier il se soit mal conduit avec Maspero[2] ? » Dans la lettre suivante à Mme Straus, il compare à « Shlumberg », les Boutroux, Bergson, Maspero, Bréal et Alfred Croiset[3], et enfin, ayant aperçu Schlumberger à une réception chez la princesse Murat, le 22 juin, il décrit à Mme Straus sa conduite grossière avec le savant[4]. Dans le Cahier 49, le narrateur compare les lecteurs futurs de Ferrari à l'égyptologue Maspero et à l'archéologue Gaston Boissier.

Le rapprochement serait peu significatif, si, après avoir rêvé sur les noms de jeunes filles donnés par Ferrari, le héros ne se rendait à une soirée dans la noblesse d'Empire, chez le duc et la duchesse de Marengo. Dans le fragment du Cahier 28 sur la poésie des noms, que le Cahier 49, on l'a dit, amplifie ici, le nom de Marengo remplace celui, biffé, de Borodino. Or, les longues descriptions de la noblesse d'Empire dans le Cahier 49, qui disparaîtront du texte définitif, font songer à la réception chez la princesse Murat, à laquelle Proust se rendit par exception le 22 juin 1908. Dans *Le Côté de Guermantes*, le capitaine de Borodino se rend chez les Murat quand il est en permission à Paris[5], et dans le Cahier 43, pendant la soirée chez la princesse de Guermantes, le duc de Guermantes promet au héros de le faire inviter chez les Marengo afin qu'il puisse revoir le capitaine de Borodino[6]. Enfin dans le Cahier 49, Mme de Marengo est d'ancienne noblesse, elle a été élevée avec le prince de Guermantes qui, pour cette raison, se rend, mais seul, chez elle. La princesse Lucien Murat, elle, était née Marie de Rohan-Chabot.

1. Esquisse VIII, n. 2, p. 985. Bois-Boudran est le château du comte Greffulhe, Ferrières celui du baron de Rothschild.
2. *Correspondance*, t. VIII, p. 134. Schlumberger avait été élu à l'Académie des inscriptions et belles-lettres en 1884.
3. *Ibid.*, p. 140.
4. *Ibid.*, p. 144.
5. Voir t. II de la présente édition, p. 430.
6. Voir l'Esquisse VI, p. 973-974.

Après que le héros a écouté auprès de Swann une suite d'orchestre — la future sonate de Vinteuil —, le prince de Guermantes arrive, donne le nom de la jeune fille frôlée chez lui : Mlle de Vigognac, ou Vicognac, et le héros s'enthousiasme aussitôt pour « cette vaillante petite noblesse du midi, pauvre mais fidèle comme aux jours où elle trottait aux côtés d'Henri IV, "ses châteaux en croupe" comme écrivait le bon roi[1] ». La même citation figurait, en décembre 1908, dans une lettre à Louis d'Albufera, dont la sœur, Bathilde, se fiance avec le vicomte Dufresne de Saint-Léon, fils d'une Valon d'Ambrugeac. Le nom d'Ambrugeac appelait cette remarque : « Les roturiers comme moi quand ils lisent savent quelquefois des détails sur les familles nobles... Donc j'ai lu une lettre d'Henri IV à M. de Lubersac lui annonçant que son ami d'Ambrugeac arrivait "avec tous ses châteaux en croupe". [...] Admettons que quelques-uns des châteaux soient tombés en route, c'est encore plus élégant d'avoir eu tant de châteaux sous Henri IV que de les avoir présentement. Tu peux donc consoler ta famille[2]. » Dans le Cahier 49, le héros se promettait d'acheter dès le lendemain une édition ancienne des lettres d'Henri IV ; il désirait aussi posséder des lettres autographes du roi, et s'adressant à Swann, lui demandait où se procurer des lettres d'Henri IV, « par exemple à ses amis, à M. de Batz, ou M. d'Ambrugeac, ou M. de Lubersac, ou... M. de Vigognac[3] ». Swann suggérait de s'adresser aux descendants et disait connaître des Ambrugeac, mais malheureusement pas de Vigognac. Le nom fictif suit trois noms réels : Batz, un ancêtre éloigné de Montesquiou, fut le modèle du d'Artagnan d'Alexandre Dumas[4], et Proust connaissait plusieurs Lubersac ; il était invité en juin 1908 chez Emmanuel Bibesco en compagnie de « deux jeunes dames Lubersac[5] ».

Il ne s'agit pas seulement de quelques ressemblances de détail entre la vie et la fiction. Il semble que les occupations de Proust, que nous connaissons par sa correspondance du printemps de 1908, aient pour but de construire le scénario qui apparaît dans le Cahier 49. Entre mars et juin, Proust parle souvent d'une jeune fille. Il demande des renseignements sur elle, à Mme Léon Fould, à Louis d'Albufera, voudrait une photographie d'elle[6], cherche à se faire inviter à des bals afin de la rencontrer. « *Pour quelque chose que j'écris, pour des raisons sentimentales aussi, je voudrais aller à un bal* », écrit-il en juin à Mme de Caraman-Chimay[7]. Le 12 juin, il aperçoit la jeune fille à un bal chez la princesse de Polignac, mais il n'est pas présenté à « la plus jolie

1. Voir l'Esquisse VIII, p. 994.
2. *Correspondance*, t. VIII, p. 322.
3. Voir l'Esquisse VIII, p. 995.
4. Voir n. 1, p. 995.
5. *Correspondance*, t. VIII, p. 149 ; lettre à Louis d'Albufera de juin 1908.
6. *Ibid.*, p. 63 (lettre à Mme Léon Fould de mars 1908), 93, 112 (lettres à Louis d'Albufera d'avril et mai 1908).
7. *Ibid.*, p. 135.

jeune fille que j'aie jamais vue[1] ». Le 22 juin enfin, à une réception chez la princesse Murat, André de Fouquières présente Proust à la jeune fille : « [...] cela, écrit-il aussitôt à Albufera, a été pour moi une émotion énorme, [...], mais aussi une assez grande déception, car de près elle ne m'a plus paru si bien et un peu agaçante dès qu'elle parle, et plus coquette qu'aimable. Je vais repenser plus tranquillement à elle, toutes mes idées sont un peu mélangées[2]. » Il ajoute aussitôt : « J'ai des idées de travail pour des mois. » L'émotion tombe vite. Dès la lettre suivante à Albufera, il parle d'elle froidement : « le fait surtout de l'avoir trouvée mille fois moins bien que je ne croyais, tout cela m'a fait un grand bien et donné un grand calme[3]. » Il n'en sera plus question. Dans le roman de 1912, le cycle de la rêverie enthousiaste et de la déception se reproduira sans cesse.

La jeune fille que Proust poursuivit au cours du printemps de 1908 était Oriane de Goyon ; née en 1887, elle avait vingt ans et faisait ses débuts dans le monde. Le nom qu'elle porte apparaît dans les *Mémoires d'outre-tombe* et dans l'*Almanach de Gotha*. Proust demande à Albufera un album de photographies de famille, « (surtout s'il y avait dedans Mlle de Goyon)[4] », dans la lettre même où il dresse la longue liste de ses travaux en cours, et Mlle de Goyon a sûrement à voir avec l'un ou l'autre, par exemple avec le « roman parisien ». Lorsqu'il demande à la princesse de Chimay de le faire inviter à un bal, il invoque, avant les « raisons sentimentales », « quelque chose que j'écris » : la ressemblance de la jeune fille aux roses rouges et de Mlle de Goyon intéresse moins la biographie de l'auteur que celle de l'œuvre. Non seulement Mlle de Goyon a laissé son prénom à la duchesse de Guermantes, qui passe de celui de Rosemonde à celui d'Oriane au cours de la soirée chez la princesse, dans le Cahier 43, mais elle a servi de modèle à cette jeune fille aux roses rouges qui provoque le héros au cours de la même réception, sans qu'il réussisse à se faire présenter à elle, comme Proust chez la princesse de Polignac, qu'il recherche plus tard chez les Marengo, comme Proust chez les Murat, et qui disparaît aussitôt de sa vie sans laisser de traces. Elle n'en laissera pas beaucoup plus dans *À la recherche du temps perdu* après l'invention d'Albertine.

La jeune fille aux roses rouges est évoquée dans une seule page du *Temps retrouvé*, où le narrateur énumère les femmes qu'il a aimées, y compris celles qu'il n'a jamais vues, dont il donne trois exemples, « la femme de chambre de Mme Putbus, Mlle d'Orgeville, ou telle jeune fille dont j'avais vu le nom dans le compte rendu mondain d'un journal, parmi "l'essaim des charmantes valseuses[5]". » Ferrari n'est pas nommé : l'intrigue des Cahiers 43 et 49 est résumée par la réunion des trois femmes que la réception de la princesse de Guermantes avait introduites dans le roman de 1912.

1. *Ibid.*, p. 138 ; lettre à François de Paris.
2. *Ibid.*, p. 147-148.
3. *Ibid.*, p. 175 ; lettre du début de juillet 1908.
4. *Ibid.*, p. 112 ; lettre de mai 1908.
5. Voir *Le Temps retrouvé*, t. IV de la présente édition.

Albertine disparue contient une autre allusion à l'intrigue du Cahier 49. Le héros a croisé trois jeunes filles sortant de l'hôtel de Guermantes ; l'une d'elles s'est retournée vers lui. Le concierge lui apprend que l'une des trois s'appelle Mlle d'Éporcheville, nom qu'il interprète comme une déformation de celui de la jeune fille rencontrée par Saint-Loup dans la maison de passe, Mlle d'Orgeville. Il espère que c'est elle qui l'a regardé : « Qui n'a au cours de sa vie de ces incertitudes, plus ou moins semblables à celles-là, et délicieuses ? Un ami charitable à qui on a décrit une jeune fille qu'on a vue au bal, a reconstitué qu'elle devait être une de ses amies et vous invite avec elle. Mais entre tant d'autres et sur un simple portrait parlé, n'y aurait-il pas eu d'erreur commise ? La jeune fille que vous allez voir tout à l'heure ne sera-t-elle pas une autre que celle que vous désirez[1] ? » Ainsi, dans le Cahier 49, le héros ne retrouvait jamais la jeune fille aux roses rouges. Dans *Albertine disparue*, le dénouement est pire : quand le héros rencontre sa jeune fille chez la duchesse, il découvre qu'elle n'est autre que Mlle de Forcheville — c'est-à-dire Gilberte Swann — et non d'Orgeville.

Quant à la réception chez les Marengo du Cahier 49, si elle disparaît du roman, les Iéna héritent leur salon Empire, que la duchesse de Guermantes loue dans *Le Côté de Guermantes II*[2]. Dans *Du côté de chez Swann*, le prince des Laumes, futur duc de Guermantes, se rendait pourtant chez les Iéna sans sa femme, comme le prince de Guermantes dans le Cahier 49[3].

Dans le Cahier 49, une fois que le héros avait appris du prince de Guermantes le nom de la jeune fille, Mme de Villeparisis l'invitait en compagnie de Mlle de Vigognac, mais celle-ci n'était pas la jeune fille aux roses rouges et la quête reprenait de plus belle, la duchesse de Guermantes suggérant une Mlle Tronchin, de la bourgeoisie parisienne. D'où de nouvelles rêveries, mêlées à une réflexion pénible sur la réponse à donner à la proposition de M. de Gurcy, oubliée depuis le début du cahier. Mais Mlle Tronchin (ou Tronquin) n'était pas non plus la bonne, et la princesse de Guermantes pensait à Olga Czarski, la fille de son professeur de violon[4]. Les tribulations du héros passaient par les mêmes étapes que dans l'ancien fragment du Cahier 36 : la noblesse de province, la bourgeoisie parisienne et le monde artiste[5]. Et c'est ainsi que le héros se rendait à l'Opéra, espérant apercevoir la princesse et obtenir des nouvelles des Czarski.

1. Voir *Albertine disparue*, t. IV de la présente édition. Voir aussi *Le Côté de Guermantes*, t. II de la présente édition, p. 679.
2. Voir t. II de la présente édition, p. 807 à 811.
3. Voir t. I de la présente édition, p. 332.
4. Voir l'Esquisse VIII, p. 997-1003.
5. Voir l'Esquisse V, p. 960-961. Swann hésitait aussi entre « tel petit trou de province ou tel milieu obscur de Paris, où la fille du hobereau ou du greffier lui avait semblé jolie » (voir t. I de la présente édition, p. 188).

Wagner et « La Race des Tantes ».

Dans le roman de 1912, le héros découvrait l'inversion à l'Opéra[1], et non dans la cour de l'hôtel de Guermantes, où aura lieu la rencontre de Charlus et de Jupien dans *Sodome et Gomorrhe I*. Le Cahier 49 est fidèle à l'ébauche de 1909 dans le Cahier 7[2], et le héros comprend la nature de M. de Gurcy, endormi dans une loge de l'Opéra. La musique de Wagner, qui figure au programme, donne lieu à de longues additions sur les pages de gauche. Mais dès la première rédaction, le narrateur oppose ses impressions présentes à celles d'autrefois, à Querqueville, quand il ne connaissait pas Wagner, dont les phrases lui semblent des aéroplanes filant au-dessus de la mer[3]. Ces deux rapprochements susciteront les additions des pages de gauche.

La première est une comparaison entre M. de Gurcy jadis à Querqueville, devant « l'affiche indiquant des sélections de Wagner », et M. de Gurcy aujourd'hui : comme la musique de Wagner, le héros le connaît mieux[4]. Le parallèle prépare la brutale révélation qui aura lieu dans un instant, en rappelant l'étrange apparition de M. de Gurcy sur la plage de Querqueville ; il y a même une allusion marginale à la première apparition de M. de Gurcy dans le roman, chez les Swann à Combray, « silhouette qui précède l'autre mais s'y relie, et sont nettement séparées du Gurcy d'aujourd'hui qui n'a plus rien d'une simple silhouette ». Une seconde addition marginale nous renvoie peut-être encore à l'année 1908 : « Bien marquer en son lieu la silhouette Gurcy à Querqueville et à Combray (les 2 d'Alton)[5] ». Proust se lia avec le vicomte et la vicomtesse d'Alton, et avec leurs deux filles, Colette et Hélène, à Cabourg, en août 1908. L'aînée paraît avoir repris le rôle de Mlle de Goyon à Paris[6]. La parenthèse est mystérieuse, qui compare les deux apparitions de M. de Gurcy aux deux d'Alton. Elle rappelle une note du Carnet 1, qui fait une allusion tout aussi mystérieuse à l'une des demoiselles d'Alton : « Suppositions inexactes, c'est Mlle d'Alton, l'écriture des deux cartes est la même[7]. »

La comparaison des phrases de Wagner avec des aéroplanes, elle, sera reprise dans une très longue addition : c'est l'esquisse d'un passage que *La Prisonnière* situera dans un contexte différent, et où les grands artistes du XIXe siècle — Balzac, Hugo, Michelet, Wagner — sont critiqués pour l'absence de structure, d'unité préméditée dans leurs œuvres[8]. Mais elles ont une unité d'autant plus profonde et vraie qu'elle n'est pas le fruit de l'intelligence et que

1. Voir l'Esquisse IV, p. 943-960.
2. Voir l'Esquisse I, p. 923-924.
3. Voir l'Esquisse VIII, p. 1003.
4. Voir l'Esquisse IV, p. 947-948. Voir *À l'ombre des jeunes filles en fleurs*, t. II de la présente édition, p. 111.
5. Esquisse IV, p. 947.
6. *Correspondance*, t. VIII, p. 230-233 ; lettres au vicomte d'Alton d'octobre 1908.
7. *Le Carnet de 1908*, éd. citée, p. 58.
8. Cahier 49, ffos 42 à 45 v° et 40 v° à 41 v°. Voir ici, p. 664-668.

l'artiste l'a constatée après coup au lieu de la construire artificiellement. Ces pages importantes concernent l'unité, la structure que Proust entend donner à son œuvre. Il ne conservera presque rien du Cahier 49, mais il transportera ces pages-là dans *La Prisonnière*, sous prétexte que la sonate de Vinteuil, que le héros joue au piano, lui rappelle *Tristan et Isolde*.

M. de Gurcy, après avoir fixé le héros sans le reconnaître — celui-ci s'est coupé la barbe et la moustache le jour même —, s'endort, comme la plupart des auditeurs. Et c'est la révélation de sa nature féminine[1], suivie de la dissertation sur l'inversion[2], à mi-chemin entre les Cahiers 7 et 6, et *Sodome et Gomorrhe I*. De nombreuses additions des pages de gauche, employant le nom de Charlus au lieu de Gurcy, serviront au portrait de M. de Charlus pendant la guerre, dans *Le Temps retrouvé*[3]. Proust a donc repris le Cahier 49 après 1914.

Un complément, déjà signalé, est capital[4] : il porte sur le nom des sectateurs de Sodome. Une différence sensible existe entre les Cahiers 7 et 6 de 1909, et le manuscrit de *Sodome et Gomorrhe I* rédigé pendant la guerre. Dans les Cahiers 7 et 6, le terme ordinaire est « homosexuel », avec des guillemets la première fois[5], puis sans guillemets. Dans *Sodome et Gomorrhe I* en revanche, le mot « homosexualité » apparaît rarement, et « homosexuel » une seule fois[6], tandis qu'« inverti » est le terme courant. Mais le Cahier 7 utilisait aussi « tante[7] », avec des guillemets, et le Cahier 6 donnait pour titre à un fragment, « La Race des Tantes[8] ». Bernard de Fallois préféra appeler son montage « La Race maudite[9] », bien que l'expression ne figure qu'une seule fois dans le Cahier 7, au détour d'une phrase[10]. Le Cahier 49 est intermédiaire. La fréquence du mot « homosexuel » a baissé depuis 1909, au point que là où le Cahier 7 évoquait la malédiction de cette race, au désir impossible à satisfaire, puisqu'elle convoite justement « l'homme qui n'a rien d'une femme, l'homme qui n'est pas “homosexuel”[11] », l'être désiré deviendra dans le Cahier 49, « l'homme qui n'a rien d'une femme, l'homme qui n'est pas androgyne[12] ». Mais dans le Cahier 49, les sectateurs de Sodome sont encore contraints de « faire des homosexuels sur lesquels ils sont forcés de se rabattre, de vrais hommes[13] ». Le manuscrit de *Sodome et Gomorrhe I* fera figurer le mot

1. Voir l'Esquisse IV, p. 943-946.
2. Cahier 49, f° 47 r°-62 v°. Voir l'Esquisse IV, p. 949-951, où nous donnons seulement quelques extraits n'appartenant ni à la version de 1909 ni au texte définitif.
3. Voir l'Esquisse IV, p. 951-955.
4. Voir *ibid.*, p. 955, et cette Notice, p. 1202.
5. Voir l'Esquisse I, p. 924.
6. Voir p. 9, 18, 22 et p. 27.
7. Voir l'Esquisse I, p. 924.
8. Voir l'Esquisse I, p. 930.
9. Voir son édition du *Contre Sainte-Beuve*, Gallimard, 1954.
10. Voir l'Esquisse I, p. 924.
11. *Ibid.*
12. Esquisse IV, p. 949.
13. *Ibid.*

« inverti » dans les deux cas[1]. Une addition du Cahier 49 explique pourquoi Proust préfère « inverti » à « homosexuel ». Les deux mots ne sont d'ailleurs que des pis-aller, il eût préféré celui de « tante », que Balzac utilise dans *Splendeurs et misères des courtisanes* : « [...] n'étant pas Balzac je suis obligé de me contenter d'inverti[2]. » Proust a retenu le terme de Charcot[3], plutôt qu'« homosexuel », introduit par la psychiatrie allemande. D'après la phrase déjà citée : « Homosexuel est trop germanique et pédant, n'ayant guère paru en France — sauf erreur — et traduit sans doute des journaux berlinois, qu'après le procès Eulenbourg. » Proust ébauche une explication à laquelle se conformera la théorie des hommes-femmes dans *Sodome et Gomorrhe I*, et qui justifie sa préférence pour « inverti » et « tante ». « Les homosexuels mettent leur point d'honneur à n'être pas des invertis », au sens que Proust donne à ce mot, qui n'est pas le sens reçu. Il conçoit en effet l'inversion non pas comme celle de l'objet désiré, mais comme celle du sujet désirant, et c'est pourquoi « inverti » est à ses yeux un plus proche synonyme de « tante ». L'homosexuel n'existe pas, il est une illusion de l'inverti : « Si masculine que puisse être l'apparence de la tante, son goût de virilité proviendrait d'une féminité foncière, fût-elle dissimulée. Un homosexuel ce serait ce que prétend être, ce que de bonne foi s'imagine être, un inverti[4]. »

La doctrine proustienne est parfaitement résumée, plus claire que dans les Cahiers 7 et 6 ou que dans *Sodome et Gomorrhe I*. L'affaire Eulenbourg a donné lieu à d'autres distinguos subtils, la classification lexicologique valant pour une nosographie psychiatrique. Remy de Gourmont, dans un article du *Mercure de France* de décembre 1907, « L'Amour à l'envers », oppose les uranistes, qui sont des invertis accidentels, et les homosexuels, qui sont des uranistes de naissance[5]. Revenant sur la différence un mois après, il définit l'« homosexualisme » comme un choix exclusif nécessité par des tendances physiques, à ne pas confondre avec les amitiés charnelles, qui naissent d'une confusion passagère de sentiments et ne sont pas absolues[6]. Proust néglige la théorie de l'accident en faveur de la thèse de l'inversion congénitale.

On ne peut dater avec précision l'addition du Cahier 49, sur les « tantes », les « invertis » et les « homosexuels », mais elle s'ajoute à une autre addition où figurent les noms de Charlus, Saint-Loup et Balbec[7]. Elle est donc postérieure aux épreuves Grasset de *Du côté de chez Swann* en 1913, où ces noms apparurent, et vraisemblablement contemporaine des additions de la guerre dans le Cahier 49 : les

1. Voir p. 18.
2. Esquisse IV, p. 955.
3. Voir n. 2, p. 16.
4. Esquisse IV, p. 955.
5. Remy de Gourmont, « Dialogue des amateurs. L'Amour à l'envers », *Mercure de France*, 1er décembre 1907, p. 474 à 477.
6. « Dialogue des amateurs. Variétés », *Mercure de France*, 1er janvier 1908, p. 100.
7. Voir l'Esquisse IV, p. 954-955.

homosexuels deviendront des « tantes volatiles » dans *Le Temps retrouvé.* La définition linguistique, avec la thèse congénitale qu'elle suppose, heurte même de front le passage qu'elle sert à préciser, et qui était conforme à la distinction faite par Remy de Gourmont au moment du procès Eulenbourg : « Chez certains, bien rares, le mal n'est pas congénital [...] et dans ce cas, superficiel, il peut guérir[1]. » Proust l'attribuait alors à « une infirmité anatomique » peut-être réversible, comme « on guérit certains asthmes en détruisant des adhérences que le malade a dans le nez », ou à une répulsion psychologique pour les femmes, « comme certains enfants qui se trouvent mal en voyant des huîtres ou du fromage finissent par les aimer beaucoup ». La comparaison rappelle une ancienne image d'« Avant la nuit », où la jeune lesbienne disait à son confident : « Malgré ma répulsion pour les huîtres, après que j'eus songé (me disiez-vous encore), à leurs voyages dans la mer que leur goût évoquerait maintenant pour moi, elles me sont devenues, surtout quand j'étais loin de la mer, un suggestif régal[2]. »

La référence à Balzac était présente dès l'origine d'*À la recherche du temps perdu.* Un des premiers feuillets du Carnet 1, déjà cité et datant de novembre 1908, associait *Splendeurs et misères des courtisanes*, Eulenbourg et Rouvier[3] ; et Proust avait noté dès février 1908 : « Balzac : rencontre de Vautrin et de Rubempré près de la Charente. [...] Vautrin s'arrêtant pour visiter la maison Rastignac (*Tristesse d'Olympio* de la pédérastie)[4]. » La comparaison figurera dans *Sodome et Gomorrhe II*, où M. de Charlus, dans le petit train, vantera *Illusions perdues* et *Splendeurs et misères des courtisanes*, ses œuvres préférées dans *La Comédie humaine* : « C'est si beau, le moment où Carlos Herrera demande le nom du château devant lequel passe sa calèche : c'est Rastignac, la demeure du jeune homme qu'il a aimé autrefois. Et l'abbé alors de tomber dans une rêverie que Swann appelait, ce qui était bien spirituel, la *Tristesse d'Olympio* de la pédérastie. » Un autre souvenir suit : « Et la mort de Lucien ! je ne me rappelle plus quel homme de goût avait eu cette réponse, à qui lui demandait quel événement l'avait le plus affligé dans sa vie : "La mort de Lucien de Rubempré dans *Splendeurs et misères*[5]." » L'homme de goût était Oscar Wilde, nommé dans la lettre à Robert Dreyfus de mai 1908, où Proust, à propos d'un projet d'article ou de nouvelle sur un sujet « défendu », mettait en garde contre la confusion de l'art et de la vie, « comme Oscar Wilde disant que le plus grand chagrin qu'il avait eu c'était la mort de Lucien de Rubempré dans Balzac, et apprenant peu après par son procès qu'il est des chagrins plus réels[6] ».

1. Esquisse IV, p. 950.
2. *Les Plaisirs et les Jours*, éd. citée, p. 170.
3. *Le Carnet de 1908*, éd. citée, p. 66. Voir cette Notice, p. 1202.
4. *Ibid.*, p. 48-49. Voir cette Notice, p. 1197.
5. Voir p. 437-438.
6. *Correspondance*, t. VIII, p. 123. Au moment de l'affaire Eulenbourg, le rapprochement avec la chute d'Oscar Wilde fut un lieu commun, et le procès du poète est évoqué dans *Sodome et Gomorrhe I*, p. 17.

La mort de Lucien était chère à Proust, qui en débattait avec sa mère dès 1896[1].

Après la digression sur les invertis, le Cahier 49 renoue avec l'intrigue. Dans sa loge[2], M. de Gurcy s'est réveillé, il a remis le masque de la virilité, mais désormais il ne présente plus de mystère pour le héros. Le Cahier 49 s'interrompt au milieu d'une phrase qui en finit avec l'épisode : « Tandis que mon esprit allongé par la musique pénétrait en M. de Gurcy au-delà de la surface, tout d'un coup[3] ». Mais aucun des cahiers de brouillon connus ne la termine, nous laissant incertains de la suite du scénario de 1912.

Un cahier, le Cahier 38, fournit un complément pour la scène de l'Opéra : une visite du héros dans la loge de la princesse de Parme, au dernier entracte, une fois le vrai Gurcy découvert[4]. Le fragment est en harmonie avec le Cahier 49 : le prince de Guermantes se trouve dans la loge de Mme de Marengo, mais sans la princesse. Il est postérieur à la longue addition du Cahier 49 sur Wagner et les artistes du XIXe siècle. Cette addition revenait en effet à l'Opéra par une conversation entre le prince d'Agrigente et son voisin[5]. Or le fragment du Cahier 38 y fait allusion, le héros citant l'ami du prince d'Agrigente, quand on lui demande son avis sur le spectacle. Ce fragment met aussi un point, qui paraît final, à la quête de la jeune fille aux roses rouges, dont Proust se souvient après le détour par Sodome. Le prince de Guermantes informe le héros qu'Olga Czarski a suivi son père dans une tournée en Amérique : « À moins que vous ne vouliez aller vous faire planteur au Texas je crois qu'il faut vous rabattre sur une autre beauté[6] », conclut-il.

La soirée à l'Opéra, comme la quête de la jeune fille aux roses rouges et la réception chez les Marengo, disparaîtra du texte définitif. Elle est sans rapport avec la soirée d'abonnement de la princesse de Parme, au début du *Côté de Guermantes I*[7]. Une note du Cahier 51 fait cependant allusion à la loge de la princesse de Parme, telle qu'elle apparaît dans les Cahiers 49 et 38. Le Cahier 51 contient une version ancienne de la matinée chez la princesse de Guermantes destinée à prendre place dans *Le Temps retrouvé*. Une seconde esquisse de même sens la suit, située elle aussi des années plus tard, mais dans une baignoire de théâtre où le héros a accompagné Mme de Guermantes[8]. La mise en scène de la baignoire sera abandonnée au profit de celle du « Bal de Têtes », mais une note sur la page de gauche envisage ceci : « Si je ne laisse pas cette scène je mettrai

1. Voir la *Correspondance*, t. II, p. 133. Mais Proust jugeait le livre stupide quand il le lisait à Beg-Meil en septembre 1895 (*ibid.*, t. I, p. 428 ; lettre à Robert de Billy.)
2. Voir l'Esquisse IV, p. 956-958.
3. *Ibid.*, p. 958.
4. *Ibid.*, p. 958-960.
5. *Ibid.*, p. 948-949.
6. *Ibid.*, p. 960.
7. Voir le tome II de cette édition, p. 336 et suiv.
8. Cahier 51, ffos 61 v° à 55 v°. Voir *Matinée chez la princesse de Guermantes*, éd. citée, p. 38-46.

cela quand je vais saluer la princesse le jour où je découvre ce qu'est Fleurus[1]. » Le nom de Fleurus, qui s'est substitué à Gurcy sur la dactylographie de *Du côté de chez Swann* à la fin de 1912, avant d'être remplacé par Charlus sur les épreuves en 1913, date l'indication et confirme que la version du Cahier 49 de « La Race des Tantes » était encore celle à laquelle Proust se tenait en 1913.

Après le Cahier 49, qui suivait, du point de vue de l'intrigue, la série des Cahiers 39 à 43 du *Côté de Guermantes*, le scénario de 1912 présente une lacune. La digression sur l'inversion a pris fin, la jeune fille aux roses rouges a été délaissée. Le conseil du prince de Guermantes, dans le fragment du Cahier 38, « il faut vous rabattre sur une autre beauté », annonce la quête d'une autre femme, et une autre femme sert en effet à lier la série des Cahiers 47, 48 et 50 : la femme de chambre de la baronne Putbus, mise en réserve depuis la soirée chez la princesse de Guermantes contenue dans le Cahier 43, où Montargis avait prononcé son nom[2]. Mais le relais ne passe pas entre la jeune fille et la femme de chambre. La lacune est importante et il est possible que se situe là une des scènes marquantes de *Sodome et Gomorrhe*, voire la plus marquante : la rencontre de Charlus et de Jupien, dont nous ignorons la place dans le roman de 1912. Elle n'avait pas lieu avant la soirée chez la princesse de Guermantes, puisque dans le Cahier 43, à la page comprise entre la visite à la duchesse et la soirée de la princesse, le héros se souvient qu'il a rêvé de Gilberte la nuit précédente[3]. Le contexte de la rencontre de Charlus et de Jupien en 1912 nous est inconnu, de même que sa fonction romanesque, puisque « La Race des Tantes » était introduite par la vision de M. de Gurcy endormi, comme à l'époque de l'essai sur Sainte-Beuve. La rencontre de Charlus et de Jupien, soulignée par la métaphore du bourdon et de l'orchidée, constituera une ouverture plus dramatique du monde de l'inversion, mais détachée de la dissertation, où serait-elle allée ? Dans le Cahier 49, la révélation avait lieu ; dans le Cahier 47, figure la rencontre de Gurcy et du musicien, un pianiste à l'époque[4]. La rencontre de Gurcy et de celui dont le Cahier 51, en 1909, faisait un concierge appelé Borniche, serait sans doute venue entre les deux. En octobre 1912 en effet, la lettre à Fasquelle paraissait fondée sur cette succession : « Or dans la seconde partie, le personnage, un vieux monsieur d'une grande famille, se découvrira être un pédéraste qui sera peint d'une façon comique mais que, sans aucun mot grossier, on verra "levant" un concierge et entretenant un pianiste[5]. » La lettre à Gallimard paraît confirmer cet ordre[6]. Dans le Cahier 51, où se trouvent les ébauches les plus anciennes des deux scènes, elles se présentent également dans cet ordre[7]. La rencontre du vieux monsieur et du concierge pourrait avoir

1. Voir *Matinée chez la princesse de Guermantes*, éd. citée, p. 38.
2. Voir l'Esquisse VI, p. 974.
3. *Ibid.*, p. 962-963.
4. Voir l'Esquisse XI, p. 1021-1022.
5. *Correspondance*, t. XI, p. 256.
6. *Ibid.*, p. 287, lettre de novembre 1912.
7. Voir l'Esquisse II, p. 934-938.

eu lieu entre les événements du Cahier 49 et ceux du Cahier 47. Il semble improbable qu'alors que la révélation, ébauchée dans le Cahier 7, fut montée dans le Cahier 49, et que la rencontre du pianiste, ébauchée dans le Cahier 51, le fut dans le Cahier 47, la rencontre du concierge n'ait pas encore été placée en 1912, à l'époque où Proust l'évoque dans toutes ses lettres aux éditeurs. Mais la position et la fonction de l'épisode en 1912 demeurent une incertitude majeure dans l'analyse de la genèse de *Sodome et Gomorrhe*.

« M. de Charlus et les Verdurin ».

Sans combler l'hiatus entre le Cahier 49, qui met en scène la jeune fille aux roses rouges, et le Cahier 47, dont la poursuite de la femme de chambre est le fil conducteur, un autre cahier propose une transition d'une femme à l'autre : le Cahier 24, qui ébauche le chapitre « Autour de Mme Swann[1] ». Ce brouillon n'est pas antérieur à 1911, mais il est précédé de plusieurs fragments que les Cahiers 49 et 47 développeront[2]. La jeune fille n'est pas celle des roses rouges, ni cette Mlle d'Orcheville que Montargis a connue dans une maison de passe, mais une lycéenne que le héros s'est promis de connaître à Paris, au retour de Querqueville. La lycéenne et la femme de chambre représentent cette fois les deux types féminins, la jeune fille perverse et la femme corrompue, et la transition s'explique par l'inconstance du désir : lassé par la fréquentation des jeunes filles au bord de la mer, le héros rêve de la femme de chambre quand il apprend par le journal le retour à Paris de la baronne de Picpus, après un automne passé à Ville-d'Avray chez les Verdurin. La fin de l'entrefilet, annonçant le prochain départ de la baronne pour une croisière de deux ans aux Indes, excite son désir : il cherche à se faire inviter chez les Verdurin, afin de rencontrer la baronne, malgré les objections de la duchesse de Guermantes et de sa grand-mère. Le fragment du Cahier 24 s'arrête au milieu d'une phrase, sur son arrivée chez les Verdurin : « Les Verdurin n'habitaient plus à cette époque ». Or le Cahier 47 commence là, et compare le nouveau salon des Verdurin à l'ancien[3] : le fragment du Cahier 24 a donc l'air d'un complément ayant valeur d'introduction au Cahier 47. La baronne s'appelle d'ailleurs Picpus dans le Cahier 24, comme au milieu du Cahier 47[4], et dans le Cahier 43, quand Montargis évoquait la rencontre de sa femme de chambre dans une maison de passe[5]. Mais le nom ne prouve rien : elle s'appellera de nouveau Putbus à la fin du Cahier 47[6], et elle s'appelait baronne de Picpus dans le fragment du Cahier 36, déjà mentionné, où le héros rencontrait enfin la femme de chambre à son retour des Indes[7]. En fait, le fragment du Cahier 24

1. Cahier 24, f°s 13 à 65.
2. Voir l'Esquisse IX, p. 1004-1006.
3. Voir l'Esquisse XI, p. 1009-1010.
4. *Ibid.*, p. 1017-1019.
5. Voir l'Esquisse VI, p. 974.
6. Voir l'Esquisse XI, p. 1027.
7. Voir p. 1206-1207.

est moins rédigé que le Cahier 47 ; c'est, par exemple, le cas du passage qui rapporte les objections faites par la grand-mère et la duchesse de Guermantes à la fréquentation des Verdurin par le héros ; ce fragment est donc plus ancien que le Cahier 47 : il pourrait dater de 1909, comme le Cahier 36.

La première moitié du Cahier 47 correspond au troisième chapitre, « M. de Charlus et les Verdurin », du troisième volume annoncé en 1913 ; la seconde moitié du Cahier 47 et le début du Cahier 48[1] étant consacrés au chapitre suivant, « Mort de ma grand-mère[2] ». Le héros se rend chez les Verdurin avec un vieil ami qui leur a déjà présenté Swann vingt ans plus tôt. Suit une comparaison de leur salon d'aujourd'hui, situé dans la plaine Monceau, place Malesherbes, et de leur salon d'autrefois, rue d'Astorg[3]. Swann est mort — il était présent chez les Marengo, au début du Cahier 49 —, Elstir est marié — c'est là une des premières apparitions de ce nom —, Forcheville est nommé. Le héros se souvient du portrait de la femme de chambre, par Montargis, à la soirée Guermantes du Cahier 43, et le vieil ami se rappelle le salon ancien, dont la description sera résumée dans *La Prisonnière*[4]. Le héros tient à connaître la baronne afin que sa domestique le respecte, au moment où il la rencontrera : plusieurs compléments analysent ce besoin bizarre[5].

Mais il doit franchir plusieurs obstacles afin de connaître la baronne et sa domestique. La duchesse de Guermantes refuse de lui venir en aide, et à cette occasion la baronne reprend le nom « Picpus » ou « de Picpus », qui était le sien dans les Cahiers 24 et 36, et même « Picpus d'Oldanon », afin de permettre un jeu de mots de la duchesse : « La baronne Picpus d'Oldanon qu'on appelle le laudanum de l'hôpital Picpus[6] ». Le héros apprend ensuite que la baronne fréquente les Verdurin ; il songe à se faire inviter chez eux, mais sa grand-mère s'y oppose. La transition que ménageait le Cahier 24 est donc absente ; dans ce Cahier, le héros se souvenait de la femme de chambre quand il lisait dans le journal le retour de la patronne de celle-ci à Paris après un séjour chez les Verdurin. Ici, le désir de la femme de chambre n'est pas introduit. L'opposition de sa grand-mère à la volonté du héros le rend malade et renouvelle

1. Voir l'Esquisse XI, p. 1009-1030.
2. Cahier 47, ff^os 35 r° à 69 r°, et Cahier 48, ff^os 2 r° à 8 r°.
3. Voir *La Prisonnière*, p. 707, où ces salons sont respectivement situés quai Conti et rue Montalivet. La conjonction de la rue d'Astorg et du train de Ville-d'Avray (où les Verdurin recevront, plus loin dans le Cahier 47) rappelle que Mme Aubernon de Nerville recevait à Paris rue d'Astorg (après avoir reçu rue de Messine), et à la campagne, de juin à octobre, dans sa maison du Cœur-Volant à Louveciennes, pour laquelle les invités prenaient le train à la gare Saint-Lazare. Proust fréquenta le salon de Mme Aubernon de Nerville dans les années 1890. Selon G. Painter, le docteur Pozzi y aurait été un modèle de Cottard, le professeur Victor Brochard, un modèle de Brichot, et le baron Doasan, un modèle de Charlus (*Marcel Proust*, éd. citée, t. I, p. 144-151).
4. Voir p. 707-708.
5. Voir l'Esquisse XI, p. 1014-1016.
6. *Ibid.*, p. 1017.

la scène du premier voyage pour Balbec, où il s'enivrait afin de retrouver la respiration[1]. La grand-mère cède alors à ses instances. Dès son entrée dans l'intrigue, la femme de chambre forme un couple avec la grand-mère. Leur symétrie confirme que le désir est coupable : le jour où la grand-mère aura son attaque, après avoir été pressée de sortir par le héros, Mme Verdurin l'avait enfin prévenu de la présence de la baronne à dîner[2], et tout le séjour en Italie sera partagé entre le désir de la femme de chambre et le deuil de la grand-mère[3].

Le noyau des « fidèles » est présenté à l'occasion d'un voyage en chemin de fer vers la maison de campagne des Verdurin, qui est située à Montmorency[4], puis à Ville-d'Avray. Il sera plus loin question du train de Chatou, ville où séjournaient les Verdurin selon les premiers fragments pour « M. de Charlus et les Verdurin », dans le Cahier 51 de 1909[5]. Dans *Sodome et Gomorrhe II*, la scène aura lieu dans le petit train d'intérêt local de La Raspelière. Dans le roman de 1912, Ville-d'Avray tenait donc lieu de La Raspelière, ainsi qu'A. Feuillerat l'avait soupçonné[6]. Le premier fidèle présenté est Brichot, professeur de littératures anciennes à la Sorbonne. Il aura plus d'importance dans le texte définitif, où le thème étymologique est amplifié[7]. Suit la princesse Sherbatof[8] : son portrait reprend une esquisse de 1909 figurant dans le Cahier 6, et il sera peu modifié dans le texte définitif[9]. Dès le Cahier 6, la princesse lisait *La Revue des Deux Mondes* dans le coin d'un wagon. Est aussi présent le docteur Cottard, un habitué de l'ancien salon Verdurin du temps de Swann[10].

La seconde scène impudique que Proust signalait aux éditeurs prend place ici : la rencontre de M. de Gurcy et d'un pianiste, dans la salle des pas perdus de la gare Saint-Lazare. Elle avait été ébauchée, on l'a vu, dans le Cahier 51 en 1909[11]. Les fidèles s'étonnant que le musicien ne les rejoigne pas, le héros se rappelle une scène qu'il a surprise en attendant le train. Les protagonistes en étaient M. de Gurcy et « une petite tante déguisée en soldat », que le héros identifie après coup comme un pianiste entendu jadis au Conservatoire. En fait d'indécence, le passage est bref, à peine plus développé

1. *Ibid.*, p. 1018-1019. Voir aussi *À l'ombre des jeunes filles en fleurs*, t. II de la présente édition, p. 11-12.

2. Cahier 47, f° 44 r°. Voir M. Bardèche, ouvr. cité, t. II, p. 155-156.

3. Voir p. 1225 et suiv.

4. Voir l'Esquisse XI, var. *b*, p. 1017 ; p. 1017 et 1028.

5. Voir l'Esquisse II, p. 938. Proust avait aussi songé au Vésinet (*ibid.*, var. *f*, p. 938).

6. A. Feuillerat, *Comment Marcel Proust a composé son roman*, éd. citée, p. 170-171. Feuillerat relevait des incohérences du texte définitif, impliquant que La Raspelière ait d'abord été située non loin de Paris.

7. Voir l'Esquisse XI, p. 1019-1021.

8. C'est alors l'orthographe du nom.

9. Voir l'Esquisse X, p. 1006-1009, et le texte définitif, p. 270 et suiv.

10. Cahier 47, ff^os 15 à 22. Voir p. 269-277. Le docteur Cottard avait été ébauché auprès de la princesse dans le Cahier 6, mais Proust réserva la princesse pour la seconde mise en scène du salon Verdurin.

11. Esquisse XI, p. 1022. Voir l'Esquisse II, p. 938-939, et le texte définitif, p. 253-256.

que dans le Cahier 51, et, à le comparer avec le texte définitif, on mesure l'audace que la guerre devait donner à Proust : les morceaux indécents qu'il annonçait en 1912 n'avaient rien des grandes fresques homosexuelles composées après 1914.

Un nouveau nom paraît, sinon un nouveau personnage : un certain Crochard discute avec le docteur Cottard de l'absence du musicien. Qui est Crochard ? Le vieil ami qui a présenté le héros aux Verdurin ? Ou Brichot sous un autre nom ? Brichot, dont il vient d'être question, n'est pas le vieil ami, puisque l'âge a distendu les relations de celui-ci avec les Verdurin, alors que Brichot est devenu de plus en plus assidu : leurs comportements sont expressément opposés[1]. Crochard est sans doute un autre nom de Brichot, puisqu'une conversation du héros et de Crochard, un peu plus bas dans le Cahier 47, deviendra, dans *La Prisonnière*, une conversation avec Brichot[2].

M. de Gurcy est présenté à la soirée suivante chez les Verdurin, version intermédiaire entre le fragment du Cahier 51 et le dîner à La Raspelière[3]. Forcheville, invité pour la circonstance, tient auprès de M. de Gurcy le rôle de M. de Cambremer à La Raspelière : Mme Verdurin le prend à sa droite, il est gêné par les égards qui lui sont prodigués. La scène donne lieu à un rapide changement du titre de M. de Gurcy, marquis depuis le début du Cahier 47, soudain vicomte et puis baron, tandis que M. de Forcheville est élevé au rang de marquis puis de comte, lors de la gaffe de M. Verdurin expliquant à M. de Gurcy pourquoi on ne lui a pas attribué la meilleure place[4]. Suivent des voyages réguliers entre Paris et Ville-d'Avray[5], et des notations sur le comportement de M. de Gurcy avec les fidèles, qui seront développées notamment dans *Sodome et Gomorrhe II*. La conversation de Charlus et Brichot, dans *La Prisonnière*, est ici une addition des versos, datant de la guerre, puisque le baron s'appelle Charlus, et sa folie grandiose est en effet inconcevable avant 1914[6]. Les mots « homosexuel » et « homosexualité » y sont répétés, suggérant une antériorité par rapport à l'addition du Cahier 49 qui les bannira[7], et le mot « inversion » figurera dans le passage de *La Prisonnière*.

Mais Mme Putbus — elle a retrouvé ce nom à la fin du Cahier 47 — n'est pas apparue chez les Verdurin : la femme de

1. Voir l'Esquisse XI, p. 1019-1022.
2. Cahier 47, ff^{os} 32 r° à 35 r°. Voir *La Prisonnière*, p. 830-833. Dans une ébauche du Cahier 24, le personnage s'appelait Cruchot, et il était « professeur de belles-lettres », puis, après rature, de « littérature ancienne » (f° 3 r°). Brichot, Crochard, Cruchot : on retrouve les sonorités de « Brochard » (voir n. 3, p. 1222). Brichot était dans le Carnet 1 le nom d'un fleuriste (*Le Carnet de 1908*, éd. citée, p. 120), qui s'appelle Borniche dans le Cahier 51 (Esquisse II, p. 936), le futur Jupien du roman. Brichot n'apparaissait pas dans les ébauches du noyau des Verdurin des Cahiers 6 et 7, en 1909.
3. Esquisse XI, p. 1022-1028. Voir l'Esquisse II, p. 939-942, et le texte définitif, p. 298-368.
4. Voir l'Esquisse XI, var. *a*, p. 1028.
5. *Ibid.*, p. 1028-1030.
6. Cahier 47, ff^{os} 32 v° à 37 v°. Voir le texte définitif, p. 800-812.
7. Voir cette Notice, p. 1216-1218.

chambre fournit dans le Cahier 47 un fil conducteur aussi lâche que la jeune fille aux roses rouges dans le Cahier 49. Le héros demande pourtant à Mme Verdurin de le prévenir si Mme Putbus vient dîner : cela aura lieu, on l'a dit, au cours de la maladie de la grand-mère, laquelle est frappée d'une attaque, aux Champs-Élysées, le jour même où le héros a un rendez-vous galant avec Mme du Change, et où la baronne Putbus dîne chez les Verdurin[1] : son désir est deux fois encore insatisfait, et le sentiment de culpabilité s'ajoute à la frustration. Mais dès la mort de sa grand-mère, le héros reprend sa quête de jeunes filles : Mlle de Quimperlé, future Mlle de Stermaria[2] ; une jeune fille blonde qu'il suppose une Mlle d'Ossecourt, et qui se révèle n'être autre que Gilberte Swann[3]. Le retour de Gilberte prend le sens d'un échec de l'initiation sexuelle. Le héros se souvient pourtant de la femme de chambre grâce à un article du *Figaro*, qui annonce son départ pour les Indes, et voilà que les ébauches des Cahiers 36 et 24 de 1909 vont être exploitées[4]. Mais au lieu d'attendre, comme dans le Cahier 36, le retour de la femme de chambre pour que Montargis la lui fasse rencontrer, le héros la suit à Venise et à Padoue, où elle lui apprendra les plaisirs qu'il n'avait pas soupçonnés pendant son enfance à Combray : c'est le chapitre « Les "Vices et les Vertus" de Padoue et de Combray » du plan de 1913. Entre « Mort de ma grand-mère » et ce chapitre, le plan de 1913 insérait « Les Intermittences du cœur ».

« Les Intermittences du cœur ».

Dans le roman de 1912, le héros rêvait de sa grand-mère et prenait conscience de sa mort au cours d'un voyage en Italie, entrepris à la poursuite de la femme de chambre[5]. Le roman de la guerre redistribuera l'épisode : le séjour à Venise rejoindra *Albertine disparue*[6], sous le signe du deuil d'Albertine au lieu du deuil de la grand-mère, tandis que « la perte après coup de ma grand-mère », comme Proust appelle aussi « Les Intermittences du cœur », inaugurera le second séjour à Balbec, dans *Sodome et Gomorrhe II*[7]. Se retrouvant seul dans la même chambre d'hôtel, le héros se souvient de sa première arrivée à Balbec avec sa grand-mère[8]. Dans le plan publié avec *À l'ombre des jeunes filles en fleurs* après la guerre, « Les intermittences du cœur I. Je sens que j'ai perdu ma grand-mère », étaient redoublées par « Les intermittences du cœur II. Pourquoi je quitte brusquement Balbec avec la volonté d'épouser Albertine »,

1. Cahier 47, f° 44 r°. Mme du Change est la future Mlle de Quimperlé, Silaria ou Stermaria.
2. Cahier 48, ff^os^ 10 r° à 19 r° et 25 r° à 27 r°.
3. Cahier 48, ff^os^ 31 r° à 40 r°. Voir *Albertine disparue*, t. IV de la présente édition.
4. Cahier 48, ff^os^ 40 r°-41 r°.
5. Voir l'Esquisse XIII, p. 1032-1048.
6. Voir t. IV de la présente édition.
7. Voir p. 148-178, correspondant à une prépublication dans la *N.R.F.* du 1er octobre 1921, sous le titre « Les Intermittences du cœur ».
8. *À l'ombre des jeunes filles en fleurs*, t. II de la présente édition, p. 26 et suiv.

c'est-à-dire le souvenir de la scène de Montjouvain[1], qui conclut le second séjour à Balbec. Ces deux symétries formelles se substituent à l'opposition thématique ébauchée dans le roman de 1912 entre la grand-mère et la femme de chambre.

Le thème des « intermittences du cœur » est l'un des plus profonds d'*À la recherche du temps perdu*. Dans sa lettre à Eugène Fasquelle d'octobre 1912, où il présentait son roman en deux volumes, *Le Temps perdu* et *Le Temps retrouvé*, Proust lui donnait, comme titre général, *Les Intermittences du cœur*, « qui fait allusion dans le monde moral à une maladie du corps[2] ». Mais il renonça à ce « titre primitif[3] », pour *À la recherche du temps perdu*, ainsi qu'il l'expliqua à Bernard Grasset, en mai 1913 : « Ce changement vient de ce que dans l'intervalle j'ai vu annoncé un livre de M. Binet-Valmer intitulé *Le Cœur en désordre*. Or cela doit être une allusion au même état morbide qui caractérise les cœurs intermittents. Je réserverai à un simple chapitre du deuxième volume le titre : *Les Intermittences du cœur*[4]. » Dans sa lettre de novembre 1912 à Gaston Gallimard, le prévenant de l'indécence du roman, Proust réfutait déjà toute comparaison avec une « monographie spéciale comme le *Lucien* de Binet-Valmer par exemple[5] ». La crainte de l'assimilation à un roman sur l'inversion a sans doute compté dans l'abandon du titre *Les Intermittences du cœur*. Quant au projet d'appeler ainsi un chapitre du second et dernier volume alors prévu — chapitre consacré au voyage en Italie du roman de 1912 —, il sera modifié en novembre 1913, quand Proust devra accepter une publication en trois volumes, et qu'il envisagera alors comme titre du second, « *Le Côté de Guermantes*, ou peut-être *À l'ombre des jeunes filles en fleurs* ou peut-être *Les Intermittences du cœur*[6] ». Enfin, malgré le plan paru dans *À l'ombre des jeunes filles en fleurs* et prévoyant la réapparition du titre, celui-ci ne figurera qu'une seule fois dans *Sodome et Gomorrhe II*, pas même comme titre de chapitre, mais peu avant la fin du premier chapitre, au début du second séjour à Balbec[7]. Il indique le thème de tout le séjour depuis le moment où le héros se souvient de sa grand-mère jusqu'à celui où il se souvient de la scène de Montjouvain.

Les « intermittences du cœur » désignent la temporalité discontinue de notre sensibilité, ses longs engourdissements et ses réveils imprévus. Le thème est, dans *À la recherche du temps perdu*, plus ancien que celui de la mémoire involontaire, dont la théorie structurera le

1. Voir *Du côté de chez Swann*, t. I de la présente édition, p. 159 et suiv.
2. *Correspondance*, t. XI, p. 257.
3. *Ibid.*, t. XII, p. 231 ; lettre à Louis de Robert de juillet 1913.
4. *Ibid.*, p. 177. Binet-Valmer, *Le Cœur en désordre*, Ollendorff, 1912.
5. *Correspondance*, t. XI, p. 287. Voir cette Notice, n. 6, p. 1188.
6. *Correspondance*, t. XII, p. 298 (voir aussi p. 295) ; lettres à Robert de Flers et à René Blum de novembre 1913.
7. Voir p. 148, qui correspond au début du fragment paru dans la *N.R.F.* du 1er octobre 1921.

roman[1]. Le héros se penche pour se déchausser au soir de son arrivée à Balbec, il effleure le bouton de la bottine que sa grand-mère l'avait aidé jadis à ôter, il revoit la scène d'autrefois et comprend soudain le sens de la mort d'un être cher : les pages sont plus émouvantes, moins dogmatiques que toutes les réminiscences involontaires[2]. La « perte après coup de ma grand-mère » donne lieu à une description des « moi » multiples qui nous composent, viennent à la conscience, disparaissent, mais n'en demeurent pas moins vivants, comme retirés et prêts à ressusciter à la moindre stimulation, selon une psychologie plus authentique que la théorie de la mémoire. Les « intermittences » sont aussi des réminiscences malheureuses, que l'art jamais ne transcendera.

Quelques notations autobiographiques du Carnet 1, dès ses premiers feuillets du début de 1908, avant l'essai sur Sainte-Beuve et la définition de la mémoire involontaire comme théorie du roman, annonçaient le thème des « intermittences du cœur »[3]. Trois rêves, notés dans les quatre premières pages du Carnet 1[4], reviendront dans la version de 1912 des « Intermittences du cœur », aux Cahiers 48 et 50[5], ainsi que dans *Sodome et Gomorrhe II*, mais il ne s'agit pas encore de fiction dans le Carnet 1. Proust note d'abord un rêve où sa mère est à l'agonie : « Toi qui m'aimes ne me laisse pas réopérer, car je crois que je vais mourir, et ce n'est pas la peine de me prolonger[6]. » Dans une addition du Cahier 50, au cours d'un voyage en train entre Padoue et Venise, après le rendez-vous avec la femme de chambre, le héros rêvera ainsi de sa grand-mère[7]. Les protagonistes du second rêve du Carnet 1 sont le père de Marcel, qui paraît vivre, et Robert, son frère, qui tient le rôle de l'intercesseur et parle à leur père[8]. Un rêve ajouté sur une page de gauche du Cahier 48, pour un matin à Venise, substituera la grand-mère au père mort, et le père au frère, dans le rôle de l'intercesseur ; le même rêve figurera dans *Sodome*

1. Selon K. Yoshikawa, des réminiscences surgissent dans le Carnet 1 : les pavés de Saint-Marc (f° 10 v°), la lustrine verte, qui disparaîtra de *Sodome et Gomorrhe II* (f° 12 r°, et ici, p. 335) ; Proust renonce peu après au projet romanesque de 1908 et passe, en novembre, aux notes pour l'essai sur Sainte-Beuve (ff^os 14 v° à 38 v°), faute d'avoir trouvé une structure narrative qui pût faire revivre les réminiscences (« Marcel Proust en 1908 », article cité, p. 144-151).

2. À la différence des épisodes de mémoire involontaire, les intermittences ne font pas l'objet d'une loi et demeurent aléatoires. Dans *Sodome et Gomorrhe*, Proust a supprimé les anticipations de la théorie de la mémoire involontaire, à propos de la lustrine verte et des cinéraires bleus, qui provoquaient l'extase du héros à La Raspelière (voir p. 339).

3. Voir K. Yoshikawa, « Marcel Proust en 1908 », article cité, p. 141. Voir aussi J. Yoshida, *Proust contre Ruskin. La genèse de deux voyages dans la « Recherche » d'après des brouillons inédits*, université de Paris IV, 1978, 2 vol. dactylographiés, t. I, p. 100-108.

4. Voir l'Esquisse XII, p. 1030-1032.

5. Voir l'Esquisse XIII, p. 1032-1048.

6. Esquisse XII, p. 1031, premier rêve.

7. Voir l'Esquisse XIII, p. 1032-1033.

8. Voir l'Esquisse XII, p. 1031, deuxième rêve.

et Gomorrhe II[1]. Dans le troisième rêve du Carnet 1, Marcel aperçoit sa mère qui semble en vie, il se demande si elle comprendrait son livre — la page datant de juillet 1908, ce livre est sans doute celui qui occupe Proust depuis le début de l'année —, et Robert est encore l'intercesseur, qui suggère de demander l'adresse de leur mère[2]. Une page du Cahier 50 substituera aussi la grand-mère à la mère morte, le père au frère comme intercesseur, et *Sodome et Gomorrhe II* fera de même[3]. La référence au livre demeurera : « On lui a même dit que tu allais faire un livre. Elle a paru contente[4]. »

Deux pages plus loin dans le Carnet 1, une notation préfigure le cadre des « Intermittences du cœur », dans le roman de 1912 et dans le texte définitif, une chambre d'hôtel, à Milan ou à Balbec : « Maman retrouvée en voyage, arrivée à Cabourg, même chambre qu'à Évian, la glace carrée[5]. » La chambre de Proust à Cabourg, en juillet 1908, lui rappela sans doute Évian, où il s'était rendu avec sa mère en septembre 1905. Elle y était tombée malade et mourut peu après avoir été ramenée à Paris par Robert Proust. De Cabourg, où il est arrivé malade, Proust écrit à Louis d'Albufera : « Je me suis mis au lit avec une assez forte fièvre et sans doute pour plusieurs jours, de sorte que je n'ai pu songer à voir encore personne[6]. » Cet isolement rappelle celui du héros des « Intermittences du cœur », à Milan ou à Balbec, si bien que la mention, parmi les « Pages écrites » recensées pendant l'été 1908 dans le Carnet 1, « le visage de Maman alors et depuis dans mes rêves[7] », paraît opposer une première ébauche des « Intermittences du cœur » au baiser du soir que la mère donnait au héros enfant.

Vers la fin du même Carnet 1, dans des pages moins faciles à dater — 1909-1910 —, trois fragments, qui ne sont plus autobiographiques, annoncent encore les « Intermittences du cœur ». Sur une liste de « Morceaux à ajouter », figure en troisième position : « Après la mort de ma grand-mère, apparitions etc[8]. » Une autre notation répond à ce programme : la grand-mère demande au héros de recommander à Montargis un fleuriste, du nom de Brichot[9]. Après la mort de sa grand-mère, le héros revoit un jour son visage désolé, lorsqu'il lui avait refusé cette recommandation, et il souffre de ne plus pouvoir revenir sur la déception qu'il lui avait causée. Le concept des « intermittences du cœur » est même formulé : la vision de sa grand-mère laissait le plus souvent le héros indifférent, parce qu'« elle était dépourvue de cette partie supérieure, de cette crête que les idées n'ont pour moi qu'à certains jours, les seuls qui comptent dans la

1. Voir l'Esquisse XIII, p. 1048, et le texte définitif, p. 175-176.
2. Voir l'Esquisse XII, p. 1031, troisième rêve.
3. Voir l'Esquisse XIII, p. 1045-1046, et le texte définitif, p. 157-159.
4. Voir p. 158.
5. *Le Carnet de 1908*, éd. citée, p. 53.
6. *Correspondance*, t. VIII, p. 183 ; lettre de juillet 1908.
7. *Le Carnet de 1908*, éd. citée, p. 56.
8. *Ibid.*, p. 107.
9. Voir l'Esquisse XII, p. 1031-1032.

vie, les seuls où elles sont complètes et non d'insipides tronçons d'idées ». Montargis est lié à ce souvenir douloureux, de même que, dans le roman, le souvenir du jour où Saint-Loup prit une photographie de la grand-mère, pendant le premier séjour à Balbec[1], figure dans les « Intermittences ». Un dernier fragment du Carnet 1 évoque la grand-mère : encore un rêve, mais pleinement romanesque. Le héros rêve d'elle, Françoise est là, la grand-mère renvoie le héros, refusant de le recevoir[2]. Un rêve ajouté sur une page de gauche du Cahier 50 reprendra ces données[3] : le héros, « par exemple en rentrant de Padoue », rêve qu'il revient d'une soirée à Balbec avec Montargis, et que sa grand-mère, indisposée, refuse de le voir. La coïncidence des noms de Balbec et de Montargis permet de dater l'addition du printemps ou de l'été de 1913. D'un bout à l'autre du Carnet 1, le thème des « Intermittences du cœur », primitif dans la conception du roman, permet d'assister au passage des notations autobiographiques aux notations romanesques.

Dans le roman de 1912, le scénario des « Intermittences du cœur » est difficile à suivre : les Cahiers 48 et 50 sont contemporains et ils se chevauchent, avec des itinéraires contradictoires pour le voyage en Italie[4]. Un passage où le héros rêve de sa grand-mère, entamé dans le Cahier 50, se poursuit même dans le Cahier 48, et Proust note : « [...] j'ai dû avoir les deux cahiers ouverts près de moi et écrire sur celui-ci au lieu de l'autre[5]. » Les « Intermittences du cœur » n'ont pas encore trouvé leur place, elles ont l'air d'une greffe sur un voyage à Venise consacré à la femme de chambre. Proust les a d'abord situées au retour — le héros rentre à Paris avec sa mère alors que, sans elle à l'aller, il s'était arrêté à Padoue pour rencontrer la femme de chambre —, puis à l'aller, tandis que le héros séjourne seul à Milan. Le Cahier 48, après la mort de la grand-mère, passe en effet à la préparation du voyage : annonce du départ de la baronne Putbus pour Venise, rêverie du héros, ayant trait à Venise et à la femme de chambre[6]. Mais la suite du Cahier 48 est confuse, et fut rédigée après le début du Cahier 50[7]. Celui-ci commence par le voyage de Paris à Padoue, via Milan. Le héros part seul, devançant ses parents sous prétexte de visiter Florence, et compte retrouver sa mère à Venise. En fait, après une halte à Milan, il s'arrête à Padoue, où il visite la chapelle des Scrovegni, et rencontre la femme de chambre, comme dans le Cahier 36[8]. Le passage sur la halte à Milan ne contient encore aucune évocation de la grand-mère.

1. Voir p. 172 et l'Esquisse XIII, p. 1037.
2. Voir l'Esquisse XII, p. 1032.
3. Voir l'Esquisse XIII, p. 1042.
4. Voir K. Yoshikawa, « Remarques sur les transformations subies par la *Recherche* », article cité, p. 9-12 ; et J. Yoshida, *Proust contre Ruskin*, éd. citée, t. I, p. 100-108.
5. Esquisse XIII, var. *b*, p. 1046.
6. Cahier 48, ff^os^ 40 r° à 45 r°.
7. Le Cahier 48, ff^os^ 47 r° à 65 r°, et le Cahier 50, ff^os^ 2 r° à 34 r°, se chevauchent.
8. Cahier 50, ff^os^ 2 r° à 17 r°. Voir *Textes retrouvés*, éd. citée, p. 263-268.

Sautant par-dessus le séjour vénitien, le Cahier 50 en vient aussitôt au départ de Venise, à la course du héros jusqu'à la gare pour rejoindre sa mère. Il avait refusé de partir avec elle afin de revoir la femme de chambre[1]. Sa grand-mère lui apparaît dans le train, courant elle-même vers une gare : ce rêve semble motivé par la course du héros. Un phénomène étrange se produit alors : la résurrection se poursuit par l'évocation du premier soir à Querqueville et du déshabillage, par le souvenir de la photographie prise par Montargis ; or, elle n'a plus lieu dans le train, au retour de Venise, mais dans une chambre d'hôtel, à Milan, sur le chemin de l'aller[2]. Le héros n'a plus le courage de continuer seul vers Venise, il écrit à sa mère qu'il l'attendra deux jours à Milan[3] : il ne saurait donc plus être question de rencontrer en chemin la femme de chambre à Padoue, comme au début du Cahier 50. Le rêve le plus troublant aura lieu dans la chambre milanaise, brutalement interrompu par ces mots : « Ici la fin du rêve et le départ de Milan, tout cela écrit par une distraction stupide dans le cahier précédent[4]. » L'indication renvoie au Cahier 48, où se trouve la fin du rêve, là où nous avons laissé ce cahier, bien plus haut dans l'intrigue, à Paris, où le héros rêvait de Venise et de la femme de chambre[5]. Le rêve s'achève sur les mots énigmatiques « cerfs, cerfs, succinctement, Francis Jammes, cerfs, fourchettes, te recomposer, cerfs, cerfs, succinctement, Francis Jammes, fourchettes », dont *Sodome et Gomorrhe II* omettra « succinctement » et « te recomposer[6] ». Après le rêve, le héros se réveille à Milan, se rend au Dôme : d'où une nouvelle réminiscence, le Dôme de Milan lui rappelant une église proche de la ville de garnison de Montargis, qu'il avait visitée le dernier matin de son séjour, en luttant contre le désir de revoir au plus tôt sa grand-mère. « Le lendemain ma mère vint me chercher et le soir nous étions à Venise[7] » : ainsi se terminent « Les Intermittences du cœur » dans les Cahiers 50 et 48, et un changement s'est produit au cours de leur rédaction. Deux itinéraires se mêlent et sont inconciliables. Rappelons-les : au début du Cahier 50, le héros, entre Paris et Venise, passe par Milan, sans songer à sa grand-mère, et s'arrête à Padoue pour voir la femme de chambre, avant de rêver pour la première fois de sa grand-mère — dans une addition — entre Padoue et Venise ; suivent des réminiscences au retour entre Venise et Paris. Puis le Cahier 50 passe sans transition à un itinéraire Paris-Milan-Venise, et les réminiscences

1. Voir le Cahier 50, ffos 18 r° à 19 r°, et l'Esquisse XIII, p. 1033-1034.
2. Cahier 50, ffos 20 r° à 34 r°, et l'Esquisse XIII, p. 1034 et suiv.
3. *Ibid.*, p. 1038 et p. 1044 et var. *c*.
4. *Ibid.*, var. *a*, p. 1046.
5. Voir le Cahier 48, ffos 48 r° à 51 r°, et l'Esquisse XIII, p. 1046-1047.
6. Esquisse XIII, p. 1046. Voir p. 159. Mais « succinctement » figurait encore sur le manuscrit de *Sodome et Gomorrhe* : le dactylographe ne sut pas le lire et Proust ne le restitua pas (voir var. *b* et *c*, p. 159).
7. Esquisse XIII, p. 1048.

ayant lieu à Milan, où sa mère rejoint le héros, cette version ne peut pas s'intercaler dans le bref passage à Milan du début du Cahier[1].

Selon le second itinéraire, « Les Intermittences du cœur » constituent l'ouverture du séjour à Venise au lieu de le conclure. À Venise, les souvenirs de la grand-mère alterneront donc avec les désirs pour la femme de chambre, alimentant le jeu de la sensualité et du sentiment de culpabilité, typique du roman de 1912. La symétrie avait été annoncée dès les premières pages du Cahier 47, où la grand-mère, on s'en souvient, contrariait le héros, quand il désirait se rendre chez les Verdurin afin de connaître Mme Putbus[2]. Le second itinéraire est plus satisfaisant pour la symétrie romanesque, inscrivant l'excursion de Padoue, où la sensualité du héros est enfin comblée, en contrepoint du deuil de sa grand-mère, et Proust paraît s'y être tenu dans la suite des Cahiers 48 et 50. La fin du Cahier 48 est consacrée au séjour à Venise, traversé de souvenirs récurrents de la grand-mère[3], tandis que la seconde moitié du Cahier 50 introduit les chapitres suivants du plan de 1913, « Mme de Cambremer. Mariage de Robert de Saint-Loup », par le faire-part que sa mère montre au héros dans le train[4]. Les Cahiers 57 et 58, du même type que les Cahiers 47, 48 et 50, fermeront le cycle romanesque avec *Le Temps retrouvé*.

« Les Intermittences du cœur » des Cahiers 48 et 50 contiennent en tout six rêves, dont trois figuraient sous forme autobiographique au début du Carnet 1, et un sous forme romanesque à la fin du carnet. Le premier rêve du Cahier 50 — une addition marginale — a lieu dans le train entre Padoue et Venise, après la rencontre de la femme de chambre[5]. Le second survient au départ de Venise vers Paris, après la course dans les rues[6]. Deux autres sont des ajouts sur les pages de gauche suivantes du Cahier 50[7]. Le cinquième est le grand rêve

1. L'intrusion du passage où le héros rêve de sa grand-mère dans le train, au départ de Venise, fut improvisée dans le Cahier 50 (f° 19 r°) : un début de rédaction biffé, une fois le train parti, passait aussitôt, comme ce sera le cas dans le texte définitif (voir *Albertine disparue*, t. IV de la présente édition), à l'annonce des mariages de Gilberte et de Saint-Loup, de la nièce de Jupien et du jeune Cambremer (voir l'Esquisse XIII, var. *c*, p. 1033). « Les Intermittences du cœur » retarderont cette péripétie (Cahier 50, f° 34 r°). Dans un premier mouvement de rédaction du Cahier 50, « Les Intermittences du cœur » sont absentes du voyage à Venise, lié au désir de la femme de chambre ; le rêve s'est ajouté dans le train au retour, appelé par la course du héros pour rejoindre sa mère, et les souvenirs ont été ensuite avancés à l'aller, donnant au thème toute sa portée : on peut le supposer sur la base de cette biffure. Mais les intentions de Proust se sont modifiées en cours de rédaction des Cahiers 50 et 48 sans qu'il revienne en arrière (sauf pour ajouter le rêve entre Padoue et Venise, après le rendez-vous avec la femme de chambre ; voir dans cette Notice, n. 7, p. 1227), et corrige les cahiers.

2. Voir l'Esquisse XI, p. 1018-1019. Le Cahier 24 annonçait déjà la symétrie (voir l'Esquisse IX, p. 1006).

3. Voir le Cahier 48, ff^os 53 r° à 65 r°.

4. Voir le Cahier 50, ff^os 34 r° à 63 r°.

5. *Ibid.*, f° 15 r°. Voir l'Esquisse XIII, p. 1032-1033.

6. *Ibid.*, p. 1033-1034.

7. *Ibid.*, p. 1042-1043.

de Milan achevé par inadvertance dans le Cahier 48[1]. Le dernier figure sur deux pages de gauche du Cahier 48, pendant le séjour à Venise, dans une gondole amarrée devant San Giorgio dei Schiavoni[2]. C'est un ajout à une description de Venise, où le héros souffre de l'absence de sa grand-mère. Il rêve qu'elle vit, que son père le dissuade de l'embrasser : la page sera l'une des plus émouvantes d'*À la recherche du temps perdu*. Située dans les dunes de Balbec, elle développe un rêve, noté au début du Carnet 1, au cours duquel Robert était l'intercesseur de Marcel auprès de leur père mort : « Peut-être se tromperait-il dans les réponses mais enfin simulacre de vie[3]. » Cette phrase centrale du rêve du Carnet 1 figure encore dans le récit du Cahier 48, mais elle disparaîtra de *Sodome et Gomorrhe II*. La femme de chambre survivra à peine dans le texte définitif, le voyage en Italie ne sera plus la dernière étape dans l'apprentissage du héros, « Les Intermittences du cœur » auront lieu à Balbec et non à Milan. Mais la tension entre le deuil et le désir, esquissée au cours des Cahiers 47, 48 et 50, sera conservée, et même soulignée par le plan de 1918, où le titre figure deux fois[4].

Depuis les Cahiers 39 à 43 ébauchant *Le Côté de Guermantes*, tout au long des Cahiers 49, 47, 48 et 50, le roman de 1912 était très différent de ce que *Sodome et Gomorrhe* deviendra. La quête sensuelle reliait lâchement des épisodes diversement élaborés. La jeune fille aux roses rouges était oubliée pendant la dissertation sur « La Race des Tantes », dans le Cahier 49, et la femme de chambre pendant le chapitre « M. de Charlus et les Verdurin », dans le Cahier 47. La structure des « Intermittences du cœur » était plus recherchée, dans les Cahiers 48 et 50, mais encore tâtonnante et inachevée. Malgré les mises en garde de Proust aux éditeurs, en 1912 et 1913, Sodome n'est pas au premier plan : la découverte de la nature de M. de Gurcy, assoupi à l'Opéra, n'est pas une ouverture de « La Race des Tantes » aussi abrupte que la rencontre de Charlus et de Jupien ; la rencontre de Gurcy et du musicien n'est pas aussi romanesque que la liaison de Charlus et de Morel. Nous ignorons où serait allée la rencontre de M. de Guercy et de Borniche, ébauchée dès 1909 dans le Cahier 51 ; nous ignorons le destin de la liaison de M. de Gurcy et du musicien après le Cahier 47, ainsi que le dénouement du chapitre « M. de Charlus et les Verdurin ». Enfin, Gomorrhe n'apparaissant pas en 1912, il n'y a aucun parallélisme entre les deux cités bibliques. La série de jeunes filles que le héros poursuivait était inconsistante, jusqu'à la rencontre

1. Voir l'Esquisse XIII, p. 1044-1046.
2. *Ibid.*, p. 1048.
3. Esquisse XII, p. 1031, deuxième rêve ; voir le texte définitif, p. 175.
4. Le texte définitif contiendra moins de rêves que la version de 1912. Est notable la disparition de deux d'entre eux, que le Carnet 1 n'ébauchait pas : la course de la grand-mère le long du train (Esquisse XIII, p. 1033-1034), et un rêve ajouté, où la grand-mère quitte le héros pour des vacances avec le grand-père (*ibid.*, p. 1042-1043). Ces rêves figurent encore dans le manuscrit au net de la guerre, à cheval entre le Cahier V et le Cahier VI, au retour du dîner chez les Verdurin (voir var. *a*, p. 368). Mais Proust les supprima lors de la correction de la dactylographie, leur substituant les pages sur le sommeil (p. 370-375).

de Padoue, qui refermait le cycle ouvert à Combray par les promenades solitaires et le geste provocant de Gilberte. Avec Albertine, la quête d'une initiation sexuelle ne sera plus au centre du roman, mais l'inversion deviendra un thème principal et rigoureusement orchestré.

Les remaniements de la guerre.

Dans *À l'ombre des jeunes filles en fleurs*, au lendemain de la guerre, Proust annonça pour la suite du roman un plan différent de celui qui avait accompagné *Du côté de chez Swann* en 1913[1]. Après *Le Côté de Guermantes*, troisième volume d'*À la recherche du temps perdu*, le plan du quatrième volume, *Sodome et Gomorrhe I*, était celui-ci :

« Révélation soudaine de ce qu'est M. de Charlus.
« Soirée chez la princesse de Guermantes.
« Second séjour à Balbec : Les Intermittences du cœur I.
« Je sens enfin que j'ai perdu ma grand-mère.
« M. de Charlus chez les Verdurin et dans le petit chemin de fer.
« Les Intermittences du cœur II.
« Pourquoi je quitte brusquement Balbec, avec la volonté d'épouser Albertine. »

Sodome et Gomorrhe II — Le Temps retrouvé devait constituer un cinquième et dernier volume. Le plan ne changera plus, mais la division des volumes, les titres, et parfois les proportions seront modifiés. Par rapport au roman de 1912 et au plan de 1913, les bouleversements sont considérables, et tiennent d'abord à l'introduction d'Albertine. La partie d'*À la recherche du temps perdu* que Proust appelait, en 1918, *Sodome et Gomorrhe* correspond à tout le « roman d'Albertine », et comprend aussi *La Prisonnière* et *Albertine disparue*, intitulés *Sodome et Gomorrhe II*[2]. Ce fut le morceau le plus profondément remanié pendant la guerre ; c'est un autre roman, qui reprend des éléments de la version de 1912, mais dans une trame méconnaissable. Proust disait à Grasset, en juillet 1918, que *Sodome et Gomorrhe* avait été écrit « depuis la guerre[3] », c'est-à-dire après le départ et la mort d'Alfred Agostinelli, au printemps de 1914. Comment Proust passa-t-il du roman de 1912 au roman de la guerre ? Comment composa-t-il le volume annoncé sous le titre *Sodome et Gomorrhe I* en 1918 ?

La fin d'*À la recherche du temps perdu* fut mise au net dans un manuscrit continu de vingt cahiers, numérotés de I à XX par Proust. *Sodome et Gomorrhe* occupe les sept premiers d'entre eux, numérotés

1. Voir cette Notice, p. 1204-1205.

2. Cette partie du roman deviendra *Sodome et Gomorrhe III* et *IV*, en 1921 et 1922, avant que Proust envisage *La Prisonnière* et *La Fugitive* (*Lettres à la N.R.F.*, p. 136 et 225, janvier 1921 et juin 1922).

3. L. Pierre-Quint, *Proust et la stratégie littéraire*, Corrêa, 1954, p. 168 (lettre à Bernard Grasset du 18 juillet 1918).

de I à VII : leur rédaction était achevée au printemps de 1916[1]. Avant ce manuscrit, quelle fut la genèse de *Sodome et Gomorrhe* en 1914 et 1915, à partir de l'invention d'Albertine ?

Deux cahiers de 1914, le Cahier 54 et le Cahier 71, sur la couverture duquel Proust inscrivit : « Dux », furent une première étape. Le Cahier 54 contient un premier jet d'*Albertine disparue*, rédigé peu après la mort d'Agostinelli en mai 1914. Le Cahier 71, rédigé ensuite, prépare *Albertine disparue* et met en place le « roman d'Albertine » : arrivée à Balbec pour le second séjour, premiers soupçons et « Désolation au lever du soleil », ébauche de *La Prisonnière*, départ de la jeune fille[2].

À l'étape suivante, un ensemble de cahiers intègre la péripétie d'Albertine dans la trame romanesque. Le Cahier 46 reprend le Cahier 71 en y ajoutant « Les Intermittences du cœur », les Cambremer, les Verdurin, et correspond à la première moitié du second séjour à Balbec[3]. Suivent une série de cahiers, numérotés sur les couvertures IV, V, VI, VII et VIII, datant de 1915, et formant un brouillon d'*À la recherche du temps perdu*, depuis le milieu de *Sodome et Gomorrhe II* jusqu'au début du *Temps retrouvé*[4]. Le Cahier 72, qui porte le chiffre IV, prend la suite du Cahier 46, et va jusqu'à la fin du chapitre III de *Sodome et Gomorrhe II*[5]. Le Cahier 53, qui porte le chiffre V, commence par le chapitre IV de *Sodome et Gomorrhe II*, et se poursuit avec *La Prisonnière*[6]. Il reprend les pages du Cahier 71 sur la découverte de l'intimité entre Albertine et Mlle Vinteuil. Mais, tandis que, dans le Cahier 71, le héros demandait à sa grand-mère la permission d'épouser Albertine, il le demande à sa mère dans le Cahier 53, car la grand-mère est morte avant le séjour à Balbec. Dans tous les cahiers de la série, de nombreuses pages ont été découpées afin d'être collées aux pages correspondantes du manuscrit au net. Au premier feuillet du Cahier 53, le héros apprend qu'Albertine connaît Mlle Vinteuil et s'apprête à la rejoindre — elle-même et non son amie comme dans le texte définitif —, à Amsterdam — et non à Cherbourg comme dans le texte définitif[7]. La rédaction est ensuite

1. En mai 1916, Proust demanda à Lucien Daudet un renseignement sur le bijoutier Cartier (*Correspondance*, t. XV, p. 111-114). Le renseignement donne lieu à une addition marginale dans le manuscrit au net (Cahier VI, f° 46 r° ; voir p. 424). Voir M. Suzuki, « Le Comique chez Marcel Proust », *Bulletin de la Société des amis de Marcel Proust*, n° XI, 1961, p. 382-383.

2. Voir l'Esquisse XVI, p. 1059-1075.

3. Voir p. 148-270.

4. Les cahiers portant les chiffres V, VII et VIII sont les Cahiers 53, 55 et 56. Les cahiers portant les chiffres IV et VI sont les Cahiers 72 et 73. Le Cahier 57, numéroté IX, conclut avec « L'Adoration perpétuelle » et « Le Bal de Têtes », mais, plus ancien, il date de 1910-1911 et appartient à la version de 1912, que le roman rejoint après le cycle d'Albertine.

5. Voir p. 270-497.

6. Cahier 53, f°s 1 à 11 ; voir le texte définitif, p. 497-515.

7. Albertine reprend des traits d'une Maria antérieure, qui avait passé sa jeunesse en Hollande, où elle avait connu la fille de Vinteuil (M. Bardèche, ouvr. cité, t. II, p. 31). Sur Maria, voir cette Notice p. 1237 et p. 1244, ainsi que l'Esquisse XV, p. 1055-1059.

bouleversée, Proust ayant numéroté des fragments de 1 à 18, sans suivre l'ordre des pages. Le fragment 18 correspond au lever du jour — c'est-à-dire à la fin de *Sodome et Gomorrhe* —, et il est accompagné par cette note marginale : « Ce qui est en bas de la marge après le mot *alinéa*, devra être très court, très détaché et finira le chapitre, ou le volume si le chapitre finit le volume[1]. » La notation montre que, tôt dans la rédaction du nouveau roman, avant le manuscrit de 1915 et 1916, Proust faisait du départ pour Paris avec Albertine une péripétie majeure du livre[2]. Dès 1915, *Sodome et Gomorrhe* était conçu comme un volume ; le second séjour à Balbec, comme un ensemble clos par les deux « Intermittences du cœur ». *Sodome et Gomorrhe* est bien un tout, une unité romanesque, en dépit de sa valeur de transition et de préparation au « roman d'Albertine ».

Les Cahiers 46, 72 — celui-ci numéroté IV — et 53 — numéroté V — forment donc une ébauche continue du second séjour à Balbec. Proust n'a pas numéroté le Cahier 46, mais comme le cahier numéroté IV prend exactement sa suite, il apparaît qu'à cette étape aucun cahier ne fut numéroté I, II ou III. Il existe un cahier sur lequel Proust inscrivit « Cahier III *ter* (vient après le Cahier III *bis*) » : le Cahier 52, dont la fin esquisse le pastiche de Saint-Simon[3], et dont le début consiste en résidus de compléments pour *Sodome et Gomorrhe I* et pour le début de *Sodome et Gomorrhe II*. Les pages arrachées, quatre-vingts environ, ont été intégrées aux Cahiers I et II du manuscrit au net, contenant la rencontre de Charlus et de Jupien et la soirée chez la princesse de Guermantes. Le Cahier 52, numéroté « III *ter* », n'appartient donc pas à l'étape du Cahier 46 et des cahiers numérotés IV à IX, brouillon de *Sodome et Gomorrhe* au *Temps retrouvé*, mais à l'étape suivante du manuscrit au net. La numérotation du manuscrit au net a d'ailleurs changé : les étiquettes sont collées sur d'autres étiquettes[4].

1. Cahier 53, f° 6 r°, addition marginale.

2. « L'après-midi Albertine alla un moment à Maineville. En rentrant elle me dit qu'elle avait causé avec sa tante et que celle-ci lui permettait de revenir à Paris. Albertine qui le matin même avait l'air de tenir tellement à rester à Balbec, voulait maintenant que nous partions tout de suite. Je ne m'expliquai pas pourquoi. Mais nous étions au 15 septembre. Ma mère ne fit pas d'objection au départ et le surlendemain nous étions à Paris. » Ainsi se fût terminé *Sodome et Gomorrhe* (Cahier 53, f° 6 r°, addition marginale).

3. Postérieur à novembre 1917 ; Cahier 52, ff^os 24 à 28. Voir J. Milly, « Le Pastiche Goncourt dans *Le Temps retrouvé* », *Revue d'histoire littéraire de la France*, septembre-décembre 1971, p. 816.

4. Voir K. Yoshikawa, *Études sur la genèse de « La Prisonnière », d'après des brouillons inédits*, université de Paris IV, 1976, 2 vol. dactylographiés, t. I, p. 6 à 8. Le Cahier 61, dans des additions datant de la fin de la guerre, fait allusion à un Cahier IV *bis* où figure la comparaison de l'hôtel de Balbec et du temple de Salomon (f° 42 r°). À cette date, la numérotation ne renvoie plus à la série des cahiers de brouillon de 1915, mais à la série des cahiers du manuscrit au net. Le Cahier IV *bis* n'est autre que l'actuel Cahier IV du manuscrit au net, dans une numérotation antérieure, ainsi que le montre une note de régie à la fin de l'actuel Cahier III du manuscrit au net : « Suivre au Cahier IV *bis* qui commence immédiatement après cette page » (voir var. *a*, p. 149 [n. 1, p. 1425]). Il n'y eut donc pas de cahiers de brouillons numérotés I, II, III au début de la série de 1915 ; mais les premiers cahiers de la série du manuscrit au net ont occupé ces positions, avant de devenir trop nombreux et d'imposer une nouvelle numérotation.

Les feuillets demeurés dans le Cahier 52 donnent plusieurs renseignements sur la composition de *Sodome et Gomorrhe*. La rencontre de Charlus et de Jupien s'insère désormais entre la visite à la duchesse et la soirée chez la princesse, alors que le roman de 1912 ne ménageait pas de transition entre ces deux épisodes[1]. La métaphore botanique prend de l'importance, alors qu'elle n'était que suggérée par une addition à la version de 1909 de la rencontre entre Guercy et Borniche, dans le Cahier 51. Au premier feuillet demeurant dans le Cahier 52, une seule phrase rappelle la visite du héros au duc et à la duchesse, prépare la visite qu'Albertine lui rendra en fin de soirée, et compare ce jour de grande chaleur aux jours où, à Balbec, le héros aurait voulu apercevoir « des mariages de fleurs accomplis par les insectes ». Les feuillets suivants développent la comparaison des hommes et des plantes, et introduisent l'image du vanillier, qui, en l'absence d'un oiseau-mouche ou d'une abeille, demeure stérile s'il n'est pas fécondé artificiellement[2]. Subsistent encore quelques scènes pour la soirée : le mauvais accueil que M. de Charlus réserve au héros[3], sa manière de recevoir les dames[4], le jet d'eau d'Hubert Robert, les Guermantes possédant à la fois le véritable jet d'eau et son portrait, « stupidement vendu par notre tante la duchesse d'Aiguillon, que Swann a retrouvé il y a une vingtaine d'années et qu'il a fait acheter à Hubert[5] », puis la rencontre de Swann et la description de sa maladie[6], enfin l'entrée dans la salle de jeux de Mme de Surgis à la recherche de ses deux fils[7]. Ces additions supposent que la soirée était déjà conçue dans ses grandes lignes, reprenant en partie le schéma de 1912, esquissé dans le Cahier 43.

Le second séjour à Balbec.

Le Cahier 46, qui intègre au second séjour à Balbec les chapitres « Les Intermittences du cœur » et « M. de Charlus et les Verdurin » du plan de 1913, est le meilleur témoignage sur la recherche d'un nouvel équilibre romanesque après l'invention d'Albertine. Il existe cependant un montage plus ancien, intitulé « 2e année à Balbec », dans le Cahier 13, où figurent « Balbec », « Montargis » et « Albertine[8] ». La présence simultanée de Balbec — nouveau nom de Querqueville — et de Montargis — ancien nom de Saint-Loup —

1. Voir l'Esquisse III, p. 942, et l'Esquisse V, p. 960.
2. Voir le Cahier 52, ffos 3 r°-4 r°, biffés, et le texte définitif, p. 27-28. C'est le Cahier 49, f° 59 r°, de la version de 1912 qui est ici corrigé.
3. Voir le Cahier 52, f° 6 r°, biffé, et le texte définitif, p. 40.
4. Voir le Cahier 52, f° 8 r°, biffé.
5. *Ibid*, f° 9 r°. La description du jet d'eau suit. Voir p. 56.
6. Voir le Cahier 52, ffos 15 r°-16 r°, et le texte définitif, p. 85 et 88-89.
7. Cahier 52, f° 20 r°, et le texte définitif, p. 93.
8. Cahier 13, f° 28 r°. Sauf ce feuillet, le reste du cahier est de rédaction plus ancienne (1910-1911). Voir H. Bonnet, *Marcel Proust de 1907 à 1914*, Nizet, 1971, p. 198 ; M. Bardèche, ouvr. cité, t. II, p. 37 ; et K. Yoshikawa, « Remarques sur les transformations subies par la *Recherche* », article cité, n. 3, p. 15.

permet de le dater du printemps ou de l'été de 1913[1]. Or le nom d'Albertine est déjà là, ajouté d'abord en surcharge sur Maria, puis répété plusieurs fois. Le scénario introduit Albertine dans les volumes antérieurs : *À l'ombre des jeunes filles en fleurs* et *Le Côté de Guermantes* ; puis il annonce *Sodome et Gomorrhe* : « Invitation chez la princesse de Guermantes. [Visite d'Albertine. *biffé*] Je me promets de faire signe à Albertine ce soir-là. / Je vais à Balbec parce que j'y connais tout le monde. Je remarque l'attitude d'Albertine et d'Andrée. Danse contre seins. » *Sodome et Gomorrhe* n'est qu'ébauché, mais le thème gomorrhéen est présent. Comment ce plan peut-il dater d'avant le départ et la mort d'Alfred Agostinelli ? Sa rédaction a pu en fait s'étaler sur les années 1913 et 1914.

Un second élément paraît confirmer que Proust a songé à un nouveau personnage féminin, sous le nom de Maria, avant 1914, ainsi qu'au développement du roman du côté de Gomorrhe. C'est une addition à la scène de Montjouvain, dans *Du côté de chez Swann* : « On verra plus tard que, pour de tout autres raisons, le souvenir de cette impression devait jouer un rôle important dans ma vie[2]. » Un premier commentaire a rattaché à la scène l'idée que le héros se fera du sadisme[3]. Mais la phrase citée paraît annoncer le dénouement de *Sodome et Gomorrhe*, où le souvenir de Montjouvain provoque le départ du héros pour Paris avec Albertine, et introduit *La Prisonnière* et *Albertine disparue*[4]. Or cette phrase était encore absente des troisièmes épreuves de *Du côté de chez Swann*, datées d'août 1913[5]. Elle a été ajoutée au plus tôt pendant l'été de 1913 : on verra qu'à cette date elle annonçait en fait la « danse contre seins ». Avec le plan du Cahier 13, elle suggère qu'une inflexion du roman de 1912 vers Gomorrhe eut lieu dès 1913.

À cette date, avant que les principes du nouveau montage aient été fixés dans le Cahier 46, Proust a envisagé trois séjours à Balbec[6] : un premier séjour sans jeunes filles, qui aurait ouvert le second volume à paraître chez Grasset ; un second avec jeunes filles, comme l'indique le début du plan du Cahier 13 : « Les filles. Je fais leur connaissance par le peintre » ; et un troisième séjour pour la découverte de Gomorrhe, ainsi que le suggère la fin du plan du

1. Une note du Carnet 2, située entre avril et août 1913, paraît contemporaine : « *Ne pas oublier* / Arrivée à Balbec la deuxième année : Hé bien qu'y a-t-il. Il y a M. de Montargis (ou dans la petite ville) vous allez les voir tout à l'heure (en somme tournée des questions) et cette vie nouvelle qu'on n'a pas encore le temps, les malles pas défaites "un bout de toilette à faire" est si agréable que de savoir que le premier Président est là et a demandé à vous voir et serait venu à la gare s'il n'avait pas eu peur de vous gêner c'est ravissant comme si c'était les pommes des hespérides » (Carnet 2, f° 25 r°). À cette date, il s'agirait d'une deuxième de trois années à Balbec.

2. Voir t. I de la présente édition, p. 157.

3. Voir *La Prisonnière*, p. 765 et suiv.

4. Voir p. 500.

5. La première phrase, annonçant la compréhension du sadisme, avait été ajoutée sur la dactylographie. Voir K. Yoshikawa, article cité, n. 8 et 9, p. 16.

6. *Ibid.*, p. 17-21.

Cahier 13, après la mort de la grand-mère et les réceptions Villeparisis et Guermantes, c'est-à-dire après *Le Côté de Guermantes*. En 1913 et 1914, alors que le début du roman était déjà publié ou composé, la suite demeurait extrêmement floue dans l'esprit de Proust. Le thème gomorrhéen, présent dès *Les Plaisirs et les Jours*, d'abord exposé dans la scène de Montjouvain, deviendra dramatique dans la « danse contre seins » du plan du Cahier 13. Albertine se substitue à la jeune fille aux roses rouges et à la femme de chambre, mais, en 1914, Albertine et la femme de chambre coexistent encore, avant que celle-ci ne cède la place[1].

Le plan du Cahier 13 et le Cahier 71, première esquisse en 1914 du « roman d'Albertine », depuis l'arrivée à Balbec jusqu'à la fuite de la jeune fille, s'appuient sur un ancien cahier, rouge, le Cahier 64[2]. Plusieurs années à Querqueville y étaient prévues auprès de Maria : la première, où le peintre présentait les filles au héros, s'achevait sur la scène du baiser refusé ; pendant la troisième, le héros séjournait avec Maria chez les Chemisey — préfiguration des Cambremer et de leur propriété de La Raspelière, et reprise du séjour à Réveillon de *Jean Santeuil*[3] —, et il embrassait la jeune fille. Entre les deux, au cours d'une seconde année, les soupçons du héros étaient éveillés par les tendresses de Maria et Andrée. Mais cela tenait à peu de chose, et seul le roman d'Albertine donnera un sens à ces pages anciennes. Le début du Cahier 71 est encore proche du Cahier 64, où les noms sont Maria, Querqueville, Montargis, Chemisey, et qui contient aussi des pages sur Baudelaire destinées à l'essai sur Sainte-Beuve. Dans le Cahier 71, la « danse contre seins », qui deviendra une péripétie essentielle de l'intrigue, n'apparaît encore que dans une addition à une addition[4].

Au début du Cahier 46 lui-même, un plan de « troisième volume » semble reposer encore sur trois séjours à Balbec[5] :

« Premier chapitre. Douleur de la mort de ma grand-mère. Les Filles. Désir de vivre avec Albertine. Elle veut sonner je ne pense plus à elle.

« Deuxième chapitre retour à Paris Soirée chez Mme de Villeparisis Mme de Guermantes [avant le départ pour les chasses. Albertine vient me voir quelquefois. Plaisir sans sensualité. Soirée où je dois voir Mlle de Silaria au bois. Albertine me conduit. Le

1. Dans le Cahier 48, du roman de 1912, où le héros rencontre la femme de chambre à Padoue, il lui demande, dans une addition, si elle a « jamais connu de femme aimant les femmes », par exemple Albertine (f° 16 r°). La femme de chambre, on l'a vu, n'était jamais associée à Gomorrhe dans le roman de 1912. Elle coexiste aussi avec Maria dans le Carnet 3 (ff^os 2 r°-2 v°).

2. Voir l'Esquisse XV, p. 1055-1059.

3. *Jean Santeuil*, éd. citée, p. 457 à 463.

4. Voir l'Esquisse XVI, p. 1068.

5. Cahier 46, f° 2 r°. Le Cahier 46 est matériellement du même type que les Cahiers 33, 34, 35, 44, 45, ébauchant la première année à Balbec, *Le Côté de Guermantes*, la seconde année à Balbec ; et que le Cahier 54, premier jet de *La Fugitive* datant de 1914. Le Cahier 46, où figure le nom de Saint-Loup, date lui aussi de 1914.

soir Saint-Loup me parle des maisons de passe dans le restaurant jeune fille (Mlle de Forcheville) et femme de chambre de la baronne Putbus. Visite chez les Guermantes. Visite d'Albertine changée. Reste très longtemps. Caresses. Regard méfiant de Françoise. Leur milieu. Un jour que je vais chez eux. Visites d'Albertine. Rencontre de Gilberte *biffé*] Retour de cette soirée : première réapparition d'Albertine (écrite dans le même cahier). Visite chez les Guermantes. Visite d'Albertine après une assez longue absence d'elle. Reste très longtemps. Caresses. Regard méfiant de Françoise. [Promenade à Saint-Cloud *add. interl.*]. Soirée chez la [duchesse *biffé*] [princesse *corr.*] de Guermantes, retour, attente d'Albertine, mieux vaut tard que jamais. »

Il s'agit d'un montage introduisant Albertine dans le début du troisième volume du plan de 1913. Le premier chapitre, à Balbec, consiste en un second séjour, avec jeunes filles ; le premier séjour, sans jeunes filles, ayant eu lieu dans le volume précédent. Il mêle la prise de conscience de la mort de la grand-mère — sa mort a donc déjà été avancée au second volume, alors que, selon le plan de 1913, elle avait lieu plus tard — et le geste d'Albertine sonnant au moment où le héros veut l'embrasser, qui figurera dans *À l'ombre des jeunes filles en fleurs*[1]. L'absence de Gomorrhe implique qu'une troisième année à Balbec aborde le thème, sans être structurée par « Les Intermittences du cœur ». Le second chapitre, à Paris, introduit des visites d'Albertine dans *Le Côté de Guermantes II*. Plusieurs épisodes figuraient au début du Cahier 48 du roman de 1912, après la mort de la grand-mère : Mlle de Silaria, future Mlle de Stermaria ; Saint-Loup et la scène du restaurant, où son propos sur les maisons de passe[2] est avancé ; Gilberte chez les Guermantes[3]. Mais ce plan fut rédigé en plusieurs temps, et sa fin, après des tâtonnements et un passage biffé, est conforme au contenu du Cahier 46. Cette fin prévoit trois visites d'Albertine : après une soirée chez Mme de Villeparisis, après la description du salon Guermantes, et après la soirée chez la princesse[4]. Sans que le début du plan ait été corrigé, sa fin met en place les préparations du roman d'Albertine dans *Le Côté de Guermantes* et *Sodome et Gomorrhe*, jusqu'au séjour à Balbec. Et celui-ci, dans le Cahier 46, précédé du titre « Deuxième séjour à Balbec » qui est désormais sans ambiguïté, est marqué par la prise de conscience de la mort de la grand-mère et placé sous le signe de Gomorrhe[5]. Si le plan du début du Cahier 46 supposait encore, dans ses premières lignes, trois années à Balbec, la suite du Cahier 46

1. Voir t. II de la présente édition, p. 285-286.
2. Voir le texte définitif, p. 92.
3. Cahier 48, ff^os^ 10 r°-40 r°. Voir cette Notice, p. 1225.
4. Voir le Cahier 46, ff^os^ 38 r° à 57 r°. Le cahier est vierge depuis le plan du folio 2 r°. La visite d'Albertine après la soirée de la princesse de Guermantes est donnée dans l'Esquisse XIV, p. 1049-1054.
5. Voir le Cahier 46, ff^os^ 57 r° à 101 r°, et l'Esquisse XVII, p. 1075-1092. Voir le texte définitif, p. 148-270.

repose sur un plan en deux séjours : le baiser refusé par Albertine rejoindra le premier séjour dans *À l'ombre des jeunes filles en fleurs* ; la prise de conscience de la mort de la grand-mère rejoindra le second dans *Sodome et Gomorrhe*.

Dans le Cahier 46, rien ne préfigure la séparation du *Côté de Guermantes* et de *Sodome et Gomorrhe*. Proust note sur une page de gauche, après quelques rédactions abandonnées pour les visites d'Albertine à Paris : « Je commence ici (en face tout ce qui concerne Albertine *depuis* le chapitre : À l'ombre des jeunes filles en fleurs[1]) ». Sous ce dernier titre, Proust songe encore au premier chapitre du troisième volume du plan Grasset de 1913, ou au premier chapitre, pour la seconde des trois années à Balbec, du plan du troisième volume figurant au début du Cahier 46. On peut penser que le volume intitulé *Sodome et Gomorrhe I* dans le plan de 1918, depuis la rencontre de Charlus et de Jupien jusqu'au départ du héros et d'Albertine pour Paris, n'a pas pris son autonomie avant que la symétrie des deux cités bibliques ne fût acquise, grâce à Albertine et à Morel. On peut aussi penser que l'insertion tardive de la rencontre de Charlus et de Jupien et de « La Race des Tantes » au début de *Sodome et Gomorrhe* eut lieu une fois que le second séjour à Balbec fut organisé[2].

Le « deuxième séjour à Balbec », dans le Cahier 46, commence par une comparaison avec le premier séjour : Albertine ne doit pas venir, mais le héros, qui n'est pas jaloux, sera d'autant plus libre de fréquenter d'autres jeunes filles[3]. Suit un montage, qui renvoie à des pages écrites ailleurs : la conversation avec le directeur du Grand-Hôtel, la prise de conscience de la mort de la grand-mère, la réclusion, les visites d'Albertine, venue cependant à Balbec[4]. Mais peu à peu, le montage schématique devient une nouvelle rédaction. Le héros envoie Françoise ou le lift à la recherche d'Albertine. Une nuit, elle ne vient pas, et l'attente donne lieu à la première crise de jalousie[5]. Le héros part parfois lui-même à sa recherche dans une

1. Cahier 46, f° 46 v°.

2. La coupure de *Sodome et Gomorrhe* par la « Désolation au lever du soleil » était esquissée dans le Cahier 53 (voir cette Notice, p. 1235). La coupure entre *Le Côté de Guermantes* et *Sodome et Gomorrhe* n'a pas encore été décidée dans le Cahier 46, comme le confirme un passage biffé du folio 50 r°, sur les visites d'Albertine avant le départ pour Balbec : « Je rentre de chez la duchesse. / Décidément j'irais à cette soirée. Je pensais que j'y verrais peut-être des jeunes filles, et en tout cas beaucoup de jeunes femmes, que je rentrerais peut-être amoureux d'une mais qu'en tout cas je ne pourrais posséder le soir même et pour calmer l'agitation où je serais sans doute en rentrant, j'envoyai Françoise porter un petit mot à Albertine où je lui demandai de venir à minuit. En arrivant chez la princesse de Guermantes. Suit le récit de la soirée. » Dans cette transition entre la visite à la duchesse et la soirée chez la princesse, Albertine coexiste avec le souvenir de la jeune fille aux roses rouges, qui provoquait le héros au cours de la soirée, dans le roman de 1912. Nulle trace en revanche de la rencontre de Charlus et de Jupien, qui sera ici insérée dans le texte définitif.

3. Voir l'Esquisse XVII, p. 1075-1077. Voir la note voisine du Carnet 2, citée n. 1, p. 1237. La comparaison des deux séjours sera suggérée dans le roman, p. 148.

4. Voir l'Esquisse XVII, p. 1077-1078.

5. *Ibid.*, p. 1078-1079.

station voisine, et il se rend avec Elstir au petit casino où dansent les jeunes filles[1]. La « danse contre seins », premier signe de Gomorrhe, est commentée par Elstir, non par Cottard, et un rapprochement immédiat — dont le roman fera l'économie — est fait avec la scène de Montjouvain : le regard d'Andrée sur Albertine « me rappela celui qu'il y avait bien des années j'avais vu lancer à Mlle Vinteuil par son amie, le jour où j'avais attendu dans les buissons de Montjouvain[2] ». Cette mention explicite confirme que la scène de la « danse contre seins » était conçue lorsque Proust ajouta la phrase préparatoire dans le récit de la scène de Montjouvain, sur les épreuves de *Du côté de chez Swann*, entre l'été et l'automne de 1913, sans que le destin d'Albertine dans *La Prisonnière* et *Albertine disparue* fût encore prévu : il sera rattaché au souvenir de Montjouvain dans le texte définitif, mais il paraît impensable avant le départ et la mort d'Agostinelli[3]. Dès lors, c'est l'ère du soupçon. Une addition propose de faire jouer à Cottard le rôle d'Elstir, afin d'assurer la liaison avec le milieu Verdurin, ce qui permettra de transférer dans la région de Balbec les pages du Cahier 47 pour « M. de Charlus et les Verdurin[4] ». Suit la visite des Cambremer, déjà fixée dans ses grandes lignes, puis, dans la chambre du héros, l'aveu de son amour pour Andrée à Albertine, et leur réconciliation[5].

Cette réconciliation marque un point de non-retour du roman : « J'aurais dû en rester là », dira le narrateur[6]. Sur un exemplaire de *Du côté de chez Swann*, Proust, en novembre 1915, raconta la suite du roman à Mme Scheikévitch[7] : il cita longuement ce paragraphe du Cahier 46 où, après la réconciliation avec Albertine, le narrateur regrette de ne pas l'avoir quittée alors, avant de s'engager dans le cycle fatal de la jalousie[8]. Proust résume beaucoup plus hâtivement la suite du roman : M. de Charlus et les Verdurin, Albertine et Mlle Vinteuil, les fiançailles[9]. Or le paragraphe cité comme un tournant de l'intrigue, plus irrémédiable que la « Désolation au lever du soleil », est, dans le Cahier 46, entamé sur un recto et poursuivi sur la page de gauche en regard : le Cahier 46 était donc rédigé à la fin de 1915, et la réflexion sur cette péripétie fut peut-être — la

1. *Ibid.*, p. 1081-1082, et le texte définitif, p. 190-192.
2. *Ibid.*, p. 1082.
3. Voir cette Notice, p. 1237.
4. Voir l'Esquisse XVII, p. 1082.
5. Voir le Cahier 46, ff^os 66 r°-82 r°. Voir quelques extraits dans l'Esquisse XVII, p. 1084-1086, et le texte définitif, p. 200 à 229.
6. Cahier 46, ff^os 82 r°-81 v°. Voir p. 229.
7. Voir *Essais et articles*, éd. citée, p. 559-564.
8. *Ibid.*, p. 560-561.
9. « Du reste, peu à peu, je me fatigue d'elle, le projet de l'épouser ne me plaît plus ; quand, un soir, au retour d'un de ces dîners chez "les Verdurin à la campagne" où vous connaîtrez enfin la personnalité véritable de M. de Charlus, elle me dit en me disant bonsoir que l'amie d'enfance dont elle m'a souvent parlé, et avec qui elle entretient encore de si affectueuses relations, c'est Mlle Vinteuil. Vous verrez la terrible nuit que je passe alors, à la fin de laquelle je viens en pleurant demander à ma mère la permission de me fiancer à Albertine » (*Essais et articles*, éd. citée, p. 561).

longueur de la citation le suggère — contemporaine de la dédicace à Mme Scheikévitch. Celle-ci semble indiquer d'ailleurs qu'en novembre 1915 la place de la rencontre de Charlus et de Jupien n'était toujours pas définie. Proust évoque en effet « ces dîners chez "les Verdurin à la campagne" où vous connaîtrez enfin la personnalité véritable de M. de Charlus », comme si celle-ci n'avait pas été révélée auparavant[1]. Dans le Cahier 46, une dernière notation souligne la gravité de la réconciliation : « Probablement après du bonheur (si le chapitre finit là) mettre un grand blanc puis ce que je mets au verso suivant de ma conversation avec ma mère sur les *Mille et Une Nuits*[2]. »

La fin du Cahier 46 décrit la rencontre de Charlus et du musicien, ainsi que les invités des Verdurin dans le petit train[3]. Mais la rencontre se rattache aussi à des pages antérieures du Cahier 46, et la symétrie d'Albertine et de Morel, structure centrale de *Sodome et Gomorrhe II*, s'ébauche d'une rédaction de la rencontre à la suivante. La première version se situe au début du séjour à Balbec[4] : le héros, une fois consolé du deuil de sa grand-mère, se souvient de la femme de chambre, dont il espère rencontrer la patronne chez les Verdurin. Excité par le souvenir, il part à la recherche d'Albertine dans une station voisine. Le train s'arrête dans la garnison de Saint-Loup, où le héros surprend Charlus s'adressant à un militaire sur le quai. Le récit tient en quelques lignes. Le héros rejoint aussitôt Albertine, enveloppée dans un manteau en caoutchouc pour faire de la bicyclette, et comparée à un *Saint Georges* de Mantegna, belle image dont le texte définitif ne conservera presque rien[5]. Cette première version se compose d'additions sur les pages de gauche du Cahier 46, mais la fin du cahier contient une autre rédaction de l'épisode[6]. Le héros rejoint d'abord Albertine, et lui demande de le raccompagner à Balbec. Le second récit a donc lieu au retour et non à l'aller, et Albertine, toujours en caoutchouc, est présente auprès du héros quand il voit le baron aborder le militaire, qu'une paperole appelle Santois[7]. D'autres additions apportent les détails qui rendent la scène pittoresque dans le texte définitif. La scène impudique, toujours évoquée dans les lettres aux éditeurs pressentis, ébauchée dès le Cahier 51 en 1909, encore située gare Saint-Lazare dans le Cahier 47 de la version de 1912, a trouvé un sens romanesque nouveau : son déplacement depuis l'aller, où le héros était seul, jusqu'au retour, où il est en compagnie d'Albertine, annonce la symétrie entre Albertine et Morel, entre Sodome et Gomorrhe.

1. À moins que Proust, s'adressant à Mme Scheikévitch, ne répugne à faire allusion à Charlus et Jupien.
2. Esquisse XVII, n. 2, p. 1086. La notation renvoie au dernier mot du paragraphe transcrit dans la lettre à Mme Scheikévitch (voir p. 229-230).
3. Cahier 46, ffos 94 r° à 101 r°.
4. *Ibid.*, ffos 60 v°, 59 v°, 58 v° et 94 r° ; voir l'Esquisse XVII, p. 1088-1089.
5. Voir l'Esquisse XVII, p. 1089-1090 et le texte définitif, p. 258 ; voir aussi *Albertine disparue*, t. IV de la présente édition, ainsi que l'Esquisse XVI, p. 1069.
6. Cahier 46, ffos 96 r°, 95 r°, 97 r°, 98 r° ; voir l'Esquisse XVII, p. 1090-1092.
7. Voir l'Esquisse XVII, p. 1092.

Le caoutchouc d'Albertine, détail mémorable de la rencontre de Charlus et de Morel, a d'abord été comparé à un « impénétrable bouclier[1] » ; d'où, sur une paperole collée en marge, l'allusion au *Saint Georges* de Mantegna[2]. Sous la paperole, une addition marginale renvoyait seulement à « un saint Georges dans les vieux tableaux », mais elle proposait surtout une autre évocation d'Albertine, « enveloppée dans un caoutchouc comme dans la tunique de Méduse[3] », corrigé en Nessus sur le manuscrit au net, mais omis par le dactylographe[4]. Saint Georges et Méduse : la coïncidence est frappante. Saint Georges, selon la lecture fin de siècle des peintres de la Renaissance italienne, en particulier de Botticelli, c'est l'androgyne, la jeune fille provocante aux seins serrés sous l'armure ; tandis que Méduse, la Gorgone — un lapsus de Proust pour Nessus —, c'est une fois de plus l'autre pôle du mythe de la femme fin de siècle : non plus la chasteté perverse, l'adolescence impure, mais la beauté corrompue, flétrie, outragée, la « charogne ». Or, entre le Cahier 46 et le manuscrit de *Sodome et Gomorrhe*, saint Georges et la Méduse disparaîtront de la description du caoutchouc d'Albertine. Dans le roman de 1912, la place de *Sodome et Gomorrhe* était occupée par la poursuite de la jeune fille aux roses rouges et de la femme de chambre, ces deux images de la femme. La jeune fille frôlait le héros dans un bal, elle le provoquait, appuyait ses seins contre lui : c'était l'adolescente perverse. Quant à la femme de chambre, Montargis l'avait connue dans une maison de passe : « merveilleux Giorgione », « grand corps onduleux et blond », « une dogaresse[5] ». Rencontrée enfin à Padoue, abîmée, le visage brûlé dans un incendie comme par une petite vérole, elle est Méduse, la courtisane avilie de Baudelaire ou la Merteuil des *Liaisons dangereuses*. Mais Albertine une fois inventée, le couple décadent disparaît, un autre couple apparaît : Albertine et Morel, Sodome et Gomorrhe. La substitution se produit dans ces pages mêmes du Cahier 46, où le caoutchouc d'Albertine excite le désir du héros, et où le couple aperçoit Charlus accostant le musicien. Celui-ci, décrit comme une femme dans le roman de 1912, « une petite tante déguisée en soldat[6] », subit une transformation parallèle : « donner à ce jeune homme un bel air si mâle qu'il soit insoupçonnable[7] », ajoute Proust dans la marge. Albertine et Morel à la place de la jeune fille et de la femme de chambre, voilà l'un des changements essentiels entre le roman de 1912 et celui de la guerre.

Le Cahier 46 combine des éléments du Cahier 47 du roman de 1912, où le chapitre « M. de Charlus et les Verdurin » se déroulait près de Paris, et des éléments de deux cahiers ébauchant un séjour

1. *Ibid.*, p. 1089.
2. *Ibid.* p. 1089-1090.
3. *Ibid.*, var. *a*, p. 1090.
4. B.N., N. a. fr. 16 712, f° 26, et N. a. fr. 16 740, f° 8.
5. Esquisse IX, p. 1004.
6. Esquisse XI, p. 1022.
7. Esquisse XVII, var. *a*, p. 1091.

à Balbec et la naissance de la jalousie. Ces deux cahiers sont le cahier « Dux », Cahier 71, datant de 1914 ; et un cahier rouge encore inconnu. Le cahier « Dux » est mentionné par Proust à propos de la comparaison des deux séjours à Balbec et de la conversation avec le directeur[1]. Le cahier rouge, lui, est mentionné à propos d'une comparaison de l'amitié pour Saint-Loup et du désir pour les filles, et surtout à propos d'une version primitive de la « danse contre seins[2] ». On songe au Cahier 64, ancien cahier rouge ébauchant trois séjours à la mer avec Maria[3]. Le nom de Maria apparaît d'ailleurs deux fois dans les références du Cahier 46 au cahier rouge, biffé et remplacé par celui d'Albertine. Mais on ne trouve pas de « danse contre seins » dans le Cahier 64. Maria fut en tout cas la première protagoniste de cet épisode, et Albertine succéda à une Maria qui existait avant 1913[4], à laquelle faisait allusion la phrase préparatoire introduite dans la scène de Montjouvain, entre l'été et l'automne de 1913, avant que le nom d'Albertine n'apparût dans les carnets, en 1914[5].

Avec le Cahier 46, s'achève la transformation du roman de 1912 en un scénario qui, en 1915, est déjà celui du texte définitif, sauf peut-être en ce qui concerne la rencontre de Charlus et de Jupien, et la séparation du *Côté de Guermantes* et de *Sodome et Gomorrhe*, dont nous ne savons rien à cette date. Entre 1913 et 1915, Albertine et la femme de chambre ont coexisté, avant que cette dernière ne soit plus évoquée que comme un danger pour Albertine[6]. C'est le second séjour à Balbec du Cahier 46 qui a imposé la structure de *Sodome et Gomorrhe*. Les souvenirs de la mort de la grand-mère, extraits du voyage en Italie des Cahiers 50 et 48, sont déplacés à Balbec, formant une symétrie entre les ouvertures des deux séjours, et le Cahier 46 renvoie au début du Cahier 50 par cette seule parenthèse : « Je me déshabille, je me rappelle ma première arrivée, chagrin de la mort de ma grand-mère (Cahier quand mon père partit vers l'Autriche[7]). » Le chapitre « M. de Charlus et les Verdurin » du plan de 1913, esquissé dans le Cahier 47, est transporté aux environs de Balbec, le train de Ville-d'Avray devient celui de La Raspelière, et la symétrie majeure du « roman d'Albertine », entre la jeune fille et le musicien, est introduite.

À la suite du Cahier 46, le Cahier 72, numéroté IV sur la couverture, ébauche la seconde partie du séjour à Balbec, à partir de la présentation des fidèles dans le petit train : dîner chez les Verdurin

1. Voir l'Esquisse XVII, p. 1075 et 1077.
2. *Ibid.*, p. 1089 et var. *c* et p. 1082. Voir K. Yoshikawa, article cité, p. 23-24.
3. Voir p. 1238. Le Cahier 64 contient bien une comparaison entre l'amitié pour Saint-Loup et le désir pour les filles (f° 109 v°).
4. Voir M. Bardèche, ouvr. cité, t. II, p. 25-26, et K. Yoshikawa, article cité, p. 23-25. Dans le Cahier 33, les deux noms coexistent dans le groupe des jeunes filles (M. Bardèche, ouvr. cité, t. II, p. 32).
5. Voir cette Notice, p. 1237.
6. Voir p. 235 et 250.
7. Esquisse XVII, p. 1077. Voir le Cahier 50, f° 2 r° : « Mon père partant dans quelques jours pour l'Autriche ma mère resterait seule. »

à La Raspelière, promenades en voiture avec Albertine, habitudes liées au chemin de fer[1]. Morel n'est qu'un flûtiste anonyme sur les pages de droite, mais il prend le prénom de Charley sur les pages de gauche. Les articulations du roman ne bougeront plus : Albertine se remet à la peinture après le dîner à La Raspelière, où elle était présente[2], et le cahier s'achève sur la fin du chapitre III du roman, avant le « Brusque revirement vers Albertine », ébauché dans le Cahier 53, numéroté V, et appartenant déjà à la « Deuxième partie de l'épisode », ce titre étant biffé sur la couverture du Cahier 72. Les derniers mots de ce cahier évoquent le « Comment va » de M. de Chevregny — Criquetot dans le texte définitif[3].

Alors que des rebondissements sont ajoutés sur les pages de gauche, comme les propos de Charlus sur Balzac ou son duel imaginaire[4], le thème étymologique, si massif dans *Sodome et Gomorrhe II*, figure dès les pages de droite, où il occupe en proportion plus de place encore que dans le roman. Chantepie introduit la toponymie[5], et l'anthroponymie s'applique aux académiciens, plus nombreux que dans le texte définitif, et comprenant Cambon, La Bruyère, et jusqu'à deux prélats dont le nom signifie le « houx », Mgr d'Hulst et Mgr Quelen[6]. Plus loin, Brichot explique *Balbec* comme une corruption de *Dalbec*, de *bec*, « ruisseau », forme normande du germain *bach* ou *pach*, et de *dal* ou *thal*, « vallée »[7]. Pour ces premières étymologies, auxquelles des paperoles du manuscrit au net ajouteront les étymologies normandes plus spécialisées, Proust consulta le petit livre d'Hippolyte Cocheris, *Origine et formation des noms de lieu*[8]. Quelques pages plus loin, dans le Cahier 72, à gauche et dans la marge, il combine déjà des étymologies personnelles pour les stations du petit train[9]. La

1. Cahier 72, ff^os 1 à 57 ; et voir le texte définitif, p. 269-497.
2. Voir le Cahier 72, f° 27 r°, et le texte définitif, p. 382.
3. Cahier 72, f° 57 r°. Voir p. 497.
4. Voir le Cahier 72, ff^os 32 v° et 33 *bis* v°.
5. *Ibid.*, f° 11 r°. Chantereine et Renneville sont ajoutés dans la marge au folio suivant. Voir p. 313-316.
6. Voir le Cahier 72, ff^os 12-14, et le texte définitif, p. 322. Saint-Martin-du-Chêne et Saint-Mars-des-Ifs sont des additions marginales du folio 13. Voir p. 323-324.
7. Cahier 72, f° 15. Les exemples sont, pour *bec* : Les Hauts-du-Bec, Le Bec-Hellouin, Le Bec-Thomas, Notre-Dame du Bec, le Robec, Caudebec, Bricquebec, le Becquet et Becquerel ; pour *bach* ou *pach* : Offenbach, Osterbach, Anspach et Ranspach ; pour *dal* ou *thal* : Rosendal et Darnetal.
8. Librairie de l'Écho de la Sorbonne, 1874 et 1875 ; C. Delagrave, 1885, sans modifications. Parmi les exemples cités dans la note précédente, ceux en *bec*, *bach*, *pach* figurent aux pages 14-15, sauf Les Hauts-du-Bec, Caudebec et Bricquebec ; ceux en *dal* et *thal* à la page 61. Chantepie, Chantereine et Renneville, p. 108-109. Tous les noms d'académiciens analysés par Proust étaient des noms de lieux donnés par Cocheris. Proust fut sensible à l'étymologie que donnait Cocheris du *bec* normand : « Les Germains avaient pour désigner un *ruisseau*, un *petit cours d'eau*, un mot dérivé du sanscrit *pay* (se mouvoir, couler), que les Persans écrivent *bak* » (p. 14). D'autres étymologies tirées de l'ouvrage de Cocheris se trouvent dans le Carnet 4, f° 51 v°, et dans le manuscrit au net : voir var. *a*, p. 383 (n. 2, p. 1564).
9. Voir le Cahier 72, ff^os 34 v° et 35 r°, addition marginale. À la fin du cahier, f° 55 v°, d'autres noms sont encore calqués sur l'ouvrage de Cocheris : Hermonville, Incarville et Arembouville rapprochés d'Herimund, Wiscar et Herimbald. Voir p. 494.

PLANS
DES STATIONS
DU « PETIT TRAIN »[1]

Doncières Montpeyroux
Doncières rive gauche
Saint-Frichoux où habite l'ami de Saint-Loup
La Sogne où habite Elstir
Maineville où elle habite
Parville où Albertine descend quelquefois
Toutainville
Balbec-Plage

Balbec
Écaudeville
[Maineville]
Loigny
Doville
Parville
[Harambouville]
[Doville]
[Épreville]
Saint-Mars-le-Vieux
[Harambouville]
La Sogne
Maineville
[Douville]
Harambouville
[Saint-Mars-le-Vieux]
Graincourt
Doncières-Montpeyroux
Doncières rive gauche
Saint-Frichoux
[La Sogne]
Incarville
[Parville] Évreville
Toutainville
Balbec-Plage

1. Ces plans sont extraits du Cahier 72, f° 35 r°, addition marginale. Les noms entre crochets sont biffés.

confusion de ces listes de noms, ainsi que des plans qu'il dessine et que nous reproduisons ci-contre, rend absurde toute interprétation réaliste de la géographie de la région de Balbec, toute représentation de la ligne et des stations du chemin de fer d'intérêt local.

Après 1915.

Le manuscrit au net de *Sodome et Gomorrhe*, dans les sept premiers des vingt cahiers du manuscrit de la fin d'*À la recherche du temps perdu*, était rédigé au printemps 1916[1]. *Sodome et Gomorrhe I*, qui annonce la nouvelle orientation du roman par la « Révélation soudaine de ce qu'est M. de Charlus », a pu être inséré à cette date entre la visite à la duchesse de Guermantes et la soirée chez la princesse de Guermantes. La transformation du thème de l'inversion en une structure romanesque, avec l'apparition de Gomorrhe auprès de Sodome, entre 1913 et 1915, s'acheva sans doute par là. Le choix du titre et de l'épigraphe n'a pas dû précéder cette insertion. Proust les mentionne en mai 1916, dans une lettre à Gaston Gallimard, au moment où il envisage de rompre avec Grasset : « Mon livre (plus long que je ne m'en rendais compte moi-même) comporte un volume que d'après le vers de Vigny (*La femme aura Gomorrhe et l'homme aura Sodome*) j'intitule *Sodome et Gomorrhe*[2]. » Ayant acquis l'unité dont rend compte ce titre, *Sodome et Gomorrhe* est autre chose qu'une longue préparation à *La Prisonnière* et à *Albertine disparue* : la transition entre le roman de 1912 et le « roman d'Albertine » est devenue le volume le plus structuré d'*À la recherche du temps perdu*.

Si la structure de *Sodome et Gomorrhe* demeura stable, les différences restent sensibles entre le manuscrit achevé au printemps 1916 et le roman publié en 1921 et 1922[3]. Les débuts et les fins des sept cahiers du manuscrit, où les matériaux s'accumulent après 1916, souvent sans être mis en place dans l'intrigue, seront le lieu des remaniements majeurs entre le manuscrit et le texte définitif. Le début de *Sodome et Gomorrhe I* était différent dans le Cahier I et la fin manquait dans celui-ci[4]. Le début de la soirée chez la princesse était différent dans le Cahier II[5]. Le fil conducteur était bien constitué par les efforts du héros pour être présenté au prince de Guermantes, les épisodes principaux étaient là, mais dans un ordre très différent de celui qu'ils auront dans le texte définitif, car la première partie de la soirée fut remaniée sur la dactylographie à l'occasion d'une prépublication sous

1. Voir cette Notice, n. 1, p. 1234.
2. *Correspondance*, t. XV, p. 130. Voir n. 3, p. 3.
3. Voir A. Winton, *Proust's Additions : The Making of « À la recherche du temps perdu »*, Londres-New York, Cambridge University Press, 1977, 2 vol.
4. Voir le Cahier I, f°s 1 à 13, et A. Ferré, « Première version du début de *Sodome et Gomorrhe I* », *Bulletin de la Société des amis de Marcel Proust*, n° VI, 1956, p. 165-170. Une ébauche du nouveau début, datant de 1920, se trouve dans le Cahier 60, f° 125 r°. Et le Cahier I s'arrête à notre page 32, fin du 1er §.
5. Cahier II, f°s 1-65, correspondant aux pages 34 à 90.

le titre « Jalousie », dans *Les Œuvres libres*, en novembre 1921[1]. La fin de la soirée, le « téléphonage » et la visite d'Albertine, la suite des réceptions de la saison ont peu bougé après le manuscrit[2]. Mais la dernière page, avant le départ pour Balbec, sur les impressions mondaines du héros, est un résumé confus, fait aussi pour « Jalousie », d'amples développements du manuscrit[3].

Le Cahier IV, consacré au second séjour à Balbec, aux souvenirs de la grand-mère, à la scène du casino, aux premiers accès de jalousie, à la visite des Cambremer, jusqu'à la réconciliation avec Albertine, amplifie le Cahier 46 et le texte définitif s'y conformera[4]. Le Cahier V contient la rencontre du musicien, appelé Santois, les portraits des fidèles, et la soirée à La Raspelière[5].

Le Cahier VI du manuscrit correspond en gros au chapitre III du roman[6]. Mais le début était là encore différent : le héros rêvait de sa grand-mère, et celle-ci ne montait pas avec lui dans un train. De longues réflexions sur le sommeil s'y substitueront dans la dactylographie[7]. Puis le Cahier VI, plus bref que l'actuel chapitre III, passait aux promenades avec Albertine, sautait à la description de l'aéroplane, aux fidèles dans le petit train et aux souvenirs de ses stations. Le Cahier VI contenait en outre une longue comparaison entre Brichot et Swann, dont le roman ne retiendra presque rien[8].

Le Cahier VII correspond au chapitre IV de *Sodome et Gomorrhe II*[9], sous une forme peu différente du texte définitif. La description du lever du soleil a été empruntée à une version ancienne du premier séjour à Balbec[10].

Manquent la plupart des anecdotes pittoresques, que Proust ajoutera sur la dactylographie et les épreuves. Le manuscrit de 1916 est à mi-chemin entre le roman de 1912, concentré sur le héros, sur ses réactions devant le monde, ses espoirs et ses déceptions, et le texte définitif, de plus en plus balzacien. Nombreux sont les traits

1. Voir cette Notice, p. 1252. A. Winton ignore le volume N. a. fr. 16 728 de la Bibliothèque nationale, qui contient la dactylographie largement remaniée du début de *Sodome et Gomorrhe II*, ayant servi de copie d'impression pour « Jalousie », et un exemplaire corrigé de « Jalousie », ayant servi de copie d'impression pour *Sodome et Gomorrhe II*.

2. Voir le Cahier II, ffos 65 et suiv., et le texte définitif, p. 90-106 ; le Cahier III, et le texte définitif, p. 106-148. Le texte a aussi été remanié à la jonction des deux cahiers.

3. Voir le Cahier III, ffos 87 à 90 et 102 à 104, et le texte définitif, p. 146-148.

4. Voir p. 148-236. Les changements ont encore lieu aux deux bouts du cahier, notamment à la fin (ffos 139-141), où se sont accumulées les scènes gomorrhéennes que le texte définitif redistribuera (p. 197-198, 244-245 et 246-248), insérant à leur place les aventures de M. Nissim Bernard et la scène des jeunes courrières.

5. Voir p. 248-368.

6. Voir p. 382-486.

7. Voir le Cahier V, ffos 131 à 138, et Cahier VI, ffos 1 à 5. Voir p. 369-375.

8. Voir dans le Cahier VI, la paperole figurant entre le folio 65 et le folio 66. On en trouve trace p. 361-362 et 442-443.

9. Voir p. 485-515.

10. Voir p. 512-514 (voir *À l'ombre des jeunes filles en fleurs*, t. II de la présente édition, p. 15-16).

de langue notés entre 1917 et 1922 dans des cahiers d'additions, les Cahiers 61, 60, 62 et 59 : ils rendront les personnages réalistes et leurs aventures comiques.

Lors de la soirée chez la princesse de Guermantes, le professeur E***[1], Mme de Citri[2], l'ambassadrice de Turquie[3], les trois dames charmantes qui ont converti le duc au dreyfusisme[4], ne figurent pas dans le manuscrit, mais sont ébauchés dans les Cahiers 62 et 60. Le roman connaîtra encore quelques développements théoriques, comme des ajouts à « La Race des Tantes » ou les réflexions sur le sommeil[5] ; mais Proust accentuera surtout les tics, les particularités des personnages : le parler de Françoise et le patois de sa fille, les manières du liftier, les cuirs du directeur, la salivation de Mme de Cambremer et le snobisme de sa belle-fille, les yeux, le nez de M. de Cambremer, sa sympathie pour les maux du héros, les étymologies de Brichot, la pusillanimité de Saniette, le langage de Céleste et Marie[6]. Enfin, le tableau de l'inversion s'enrichira de péripéties infinies. Proust ajoutera plusieurs scènes qui donnent au héros des doutes sur les mœurs d'Albertine[7], et l'homosexualité masculine deviendra caricaturale. Dans *Sodome et Gomorrhe I*, le monologue burlesque de Charlus est absent du manuscrit[8]. Dans *Sodome et Gomorrhe II*, l'illustration du motif de l'homosexualité par des vers extraits des deux dernières pièces de Racine est amplifiée à partir de courtes allusions du manuscrit : la comparaison des attachés ou des grooms et des chœurs féminins d'*Esther* et d'*Athalie* accompagnera Vaugoubert, Nissim Bernard, Charlus[9]. Dans le manuscrit, Charlus est le seul représentant de la race maudite, qui, après 1916, gagne

1. Voir p. 40-43, et le Cahier 62, ffos 39-40.
2. Voir p. 85-87, et le Cahier 62, ffos 22 à 24, de l'écriture de Céleste Albaret. On trouve au folio 25 le sommaire de *Sodome et Gomorrhe I* (p. 3) ; et aux folios 25 à 29, l'esquisse des pages du *Côté de Guermantes II* sur Bergotte et le nouvel écrivain (t. II de la présente édition, p. 621-625), datant de l'automne 1920, puisqu'elles figurent aussi dans la préface à *Tendres stocks* de Paul Morand (Gallimard, 1921), d'abord publiée dans *La Revue de Paris* du 15 novembre 1920 (*Essais et articles*, éd. citée, p. 615-616).
3. Voir p. 59-61, et le Cahier 60, ffos 104 à 108.
4. Voir p. 137-138, et le Cahier 60, ffos 71 à 74. Voir encore l'innovation Courvoisier de la princesse, p. 35-36, et Cahier 61, ffos 48 r°-49 r°.
5. Pour « La Race des Tantes », voir les Cahiers 61, ffos 77 à 79, et 60, ffos 116 à 121 (voir p. 22-23). Sur le sommeil, voir le Cahier 62, f° 7 et ffos 54-55 (voir p. 369-375), juste avant l'ébauche de la mort de Bergotte, datant de mai 1921 (voir *La Prisonnière*, p. 687-693).
6. La fille de Françoise, Cahier 62, ffos 34 à 38 ; le lift, Cahier 61, f° 87 r° ; les cuirs du directeur, Cahier 61, ffos 19 v°, 40 r°, 42 r°, Cahier 62, ffos 10 r°, 46 v° ; le langage du duc, Cahier 61, f° 37 r° (voir p. 117) ; Jupien et M. de Charlus, Cahier 61, ffos 71 r° et 98 r° ; les dames de Combray, Cahier 60, f° 122 r° (voir p. 168).
7. Cahier 61, f° 95 r°, au casino de Balbec. Cahier 60, ffos 113 v° à 116 v°, Albertine et l'inconnue du casino (voir p. 244-245). Cahier 62, ffos 12 à 14, les regards des femmes sur Albertine.
8. Voir p. 12-15.
9. P. 64-65 ; voir le Cahier II, f° 54 r°, paperole. P. 170-171 ; voir le Cahier IV, f° 43 r°, paperole. P. 237-238 et 375-376 ; voir le Cahier VI, f° 6, paperole arrachée.

une extension universelle : Vaugoubert apparaît dans une paperole du manuscrit ; une note du Cahier 62 va jusqu'à lui prêter une liaison de jeunesse avec Norpois[1]. La liaison de Nissim Bernard avec le commis du Grand-Hôtel, le rendez-vous de Charlus avec un valet de pied, sa correspondance avec Aimé, tout cela s'accumule sur une seule longue paperole du manuscrit[2]. Le duc de Châtellerault est inventé plus tard encore, ainsi que la liaison du prince de Guermantes avec Morel[3]. Celui-ci devient un premier rôle, alors qu'il n'était qu'un faire-valoir de Charlus dans le manuscrit[4]. Le thème de l'inversion a trouvé une forme, et celle-ci libère l'inventivité romanesque.

La publication de « Sodome et Gomorrhe ».

La publication de *Sodome et Gomorrhe* se conforma au plan donné dans *À l'ombre des jeunes filles en fleurs*, si ce n'est que Proust détacha le premier chapitre prévu, « Révélation soudaine de ce qu'est M. de Charlus », et le fit paraître à la fin du *Côté de Guermantes II*, en mai 1921, sous le titre de *Sodome et Gomorrhe I*. On se souvient que la rencontre du baron et du giletier, esquissée dès 1909 dans le Cahier 51, annoncée à tous les éditeurs en 1912 et 1913, ne commandait pas l'exposé sur l'inversion dans le roman de 1912, et que sa place y demeure inconnue. Il se peut que la scène soit restée longtemps mobile, et elle demeure mal insérée dans l'intrigue. La décision de joindre cette ouverture magistrale du monde de l'inversion à la fin du roman des Guermantes n'a pu être prise avant celle de couper *Le Côté de Guermantes* en deux, à quoi les Éditions de la Nouvelle Revue française se résignèrent au printemps de 1920[5]. En choisissant d'annoncer par un coup de théâtre la suite du livre, Proust se montra sensible aux réactions des critiques lassés par les réceptions chez les Guermantes[6].

Proust était pressé de publier la fin de son œuvre. Dès décembre 1919, il écrivait à Gaston Gallimard : « Si vous avez reçu des épreuves du *Côté de Guermantes* ou de la dactylographie de *Sodome et Gomorrhe*, vous m'aiderez, en me les communiquant sans retard, à rattraper le temps perdu[7]. » Or, en janvier 1921, *Le Côté de Guermantes II* — alors sur épreuves —, étant censé paraître en février, Proust n'a pas encore remis *Sodome et Gomorrhe I* : « [...] *Sodome I*, écrit-il à son éditeur, qui doit paraître avec, n'est encore qu'en

1. Voir le Cahier II, f° 61 r° (un morceau de la paperole est déplacé au folio 54 r°), et le Cahier 62, f° 38.

2. Cahier VI, f° 6, paperole arrachée, correspondant aux pages 375 à 382, et aux aventures de M. Nissim Bernard, p. 237-238.

3. B.N., N. a. fr. 16 741, f° 73, paperole, pour la liaison du prince et de Morel ; N. a. fr. 16 728, ff^os^ 2-3, paperole, pour l'aventure de M. de Châtellerault.

4. Voir A. Winton, ouvr. cité, t. I, p. 173-180.

5. Marcel Proust-Jacques Rivière, *Correspondance*, Gallimard, 1976, p. 97 ; lettre du 30 au 31 mars 1920.

6. *Correspondance générale*, éd. citée, t. III, p. 85 (lettre à Paul Souday de novembre 1920), p. 217 et 232 (lettres à Jacques Boulenger de novembre 1920 et de mars 1921).

7. *Lettres à la N.R.F.*, éd. citée, p. 113.

manuscrit, pas même en premières épreuves[1]. » Il estime que le livre ne pourra paraître avant mai, et quand il avertit enfin son éditeur qu'il lui a « tout » communiqué[2], il ajoute : « Je vous rappelle que *Sodome et Gomorrhe I* ne doit être communiqué à personne (je dis personne)[3]. » Il travailla à ces pages précieuses jusqu'au dernier moment, remaniant une première dactylographie, sur laquelle il changea le début du Cahier I du manuscrit, et corrigeant dans le détail une seconde dactylographie[4]. Les dernières pages du Cahier 60 contiennent des additions pour *Sodome et Gomorrhe I*, notamment un brouillon de la première page, intitulé de façon erronée : « Faire commencer *Le Côté de Guermantes* ainsi[5]. »

Dans la lettre de janvier 1921 où il avertit Gallimard qu'il lui a « tout » envoyé pour *Le Côté de Guermantes II* et *Sodome et Gomorrhe I*, Proust émet le vœu que l'on compose dès à présent *Sodome et Gomorrhe II*, « sur la détestable dactylographie que j'aurai à remanier complètement sur épreuves[6]. » Il souhaite une publication en octobre 1921, mais hésite sur un délai si court entre les deux tomes. Gaston Gallimard, d'accord pour octobre, insiste pour « faire et refaire » des dactylographies, et demande celle de *Sodome et Gomorrhe II*, qu'il propose de recommencer[7]. En juin 1921, Proust se plaint : « Voilà plusieurs mois que vous m'avez pris mon manuscrit de *Sodome II* sans m'envoyer pour cela d'épreuves. » Il demande qu'on colle en marge de chaque page du « manuscrit » une feuille de même dimension pour les remaniements[8]. La « détestable dactylographie » des Cahiers II à VII du manuscrit au net, peu révisée, augmentée seulement de quelques paperoles, fut en effet composée au printemps 1921, et les épreuves furent déposées chez Proust le 28 juin[9]. Mais celui-ci n'a corrigé que les trente-six premières pages des épreuves, sur près de quatre cents, pour revenir ensuite à la dactylographie, où il a surtout remanié la soirée chez la princesse de Guermantes. La raison de ce retour à la dactylographie paraît avoir été la

1. *Lettres à la N.R.F.*, éd. citée, p. 137. Il s'agit du manuscrit dactylographié, réclamé par Gallimard dans une lettre inédite à Proust du 14 janvier 1921. Dans une lettre à Rivière, Proust mentionne aussi le « manuscrit de *Sodome I* » ; et si Rivière lui répond : « Quant à *Sodome*, on y travaille sans répit. Mais il a fallu faire dactylographier votre texte. De là le retard », c'est parce qu'il y eut deux dactylographies successives de *Sodome et Gomorrhe I* (*Correspondance*, éd. citée, p. 157 et 160, 15 janvier et 7 février 1921).

2. *Lettres à la NRF*, p. 146.

3. *Ibid.*, p. 149, lettre du 20 janvier 1921. Gaston Gallimard accusa réception du manuscrit dactylographié de *Sodome et Gomorrhe I* le 21 janvier.

4. B.N., N. a. fr. 16 738, ffos 1 à 48 et ffos 49 à 76.

5. Cahier 60, f° 125 ; voir p. 3.

6. *Lettres à la N.R.F.*, éd. citée, p. 147.

7. Lettre inédite à Proust du 24 janvier 1921. Les lettres inédites de Gaston Gallimard à Marcel Proust nous ont été aimablement communiquées par Mme Claude Mauriac.

8. *Lettres à la N.R.F.*, éd. citée, p. 144.

9. B.N., N. a. fr. 16 766 ; voir la lettre inédite de Gaston Gallimard à Proust du 28 juin.

prépublication du début de *Sodome et Gomorrhe II* dans *Les Œuvres libres*, en novembre 1921[1]. Le titre de « Jalousie » convient mal à cet extrait de plus de cent cinquante pages, où la jalousie n'apparaît qu'après l'arrivée à Balbec[2], une vingtaine de pages condensant ensuite quelques scènes qui suscitent les premiers soupçons du héros.

Le critique Jacques Boulenger, avec qui Proust correspondait depuis un article sur *À l'ombre des jeunes filles en fleurs* paru dans *L'Opinion* le 20 décembre 1919, lui suggéra, en juillet 1921, de donner des pages à la nouvelle publication d'Henri Duvernois[3]. Proust répondit d'abord que Gaston Gallimard le prendrait mal ; mais, invoquant des besoins d'argent, il demanda des détails à Boulenger vers la fin d'août et prit contact avec Duvernois[4]. Gallimard réagit comme prévu : « La *N.R.F.* a été furieuse des *Œuvres libres*, écrit Proust à Boulenger en octobre 1921, et j'ai promis pour l'avenir de ne plus jamais écrire dans une revue bien que je n'aie jamais prononcé devant Gallimard de vœux d'obéissance (et de chasteté même)[5]. » Proust tenta de calmer son éditeur : « Vous craignez qu'un extrait aux *Œuvres libres* empêche de lire le livre. Mais au moins le titre étant différent, il y a chances pour que ce soit le contraire[6]. » Ou encore : « La partie qu'a Duvernois est de beaucoup la moins bonne (et je le regrette de toutes façons car c'est la plus nuisible au livre)[7]. » Il songe aux longues mondanités qui rattachent le début de *Sodome et Gomorrhe II* au *Côté de Guermantes*. Enfin : « Pour *Jalousie*, je comprends votre raison, mais c'est si peu de chose dans l'œuvre totale et y paraîtra si remanié que je ne vois pas bien l'obstacle[8]. » « Jalousie » n'en représente pas moins un quart de *Sodome et Gomorrhe II*, mais la querelle de septembre 1921 permit à Proust d'exiger que *Sodome et Gomorrhe II* parût en mai 1922, à partir d'une copie d'impression remise à la fin de novembre 1921[9]. Gaston Gallimard l'avait plusieurs fois réclamée depuis septembre[10].

L'affaire de « Jalousie » incita Proust à donner deux nouveaux extraits à *La Nouvelle Revue française*, après avoir refusé à Rivière les souvenirs de la mort de la grand-mère au début de septembre

1. Voir ici, p. 34-136 et p. 185-198.
2. La transition confirme que le texte n'a pas jusqu'alors répondu au titre : « Mais ce ne fut pas de cette soirée, suivie d'une trop longue absence, que devait dater ma jalousie à l'égard d'Albertine. Cette jalousie qui devait bouleverser ma vie, être fatale à ma vie, et terminer la sienne, cette jalousie, je dirai pour finir les trois petits incidents qui devaient la faire naître et qui se produisirent, non à Paris, mais à Balbec » (*Les Œuvres libres*, n° 5, novembre 1921, p. 138-139).
3. *Correspondance générale*, éd. citée, t. III, p. 259.
4. *Ibid.*, p. 265 et 267.
5. *Ibid.*, p. 269.
6. *Lettres à la N.R.F.*, éd. citée, p. 157 ; lettre de septembre 1921.
7. *Ibid.*, p. 158.
8. *Ibid.*, p. 163 ; lettre de décembre 1921.
9. *Ibid.*, p. 176.
10. Lettres inédites à Proust des 1er, 22 et 26 septembre, 5 et 13 octobre.

1921[1]. Mais il céda bientôt, ajoutant habilement dans une lettre à Gaston Gallimard sur « Jalousie » : « Pour le titre de l'extrait de Jacques, j'aimerais quelque chose comme : "La perte après coup de ma grand-mère[2]". » Les lettres échangées avec Rivière, au sujet de l'extrait, sont pleines de malentendus : Rivière a sous les yeux les épreuves, alors que Proust est revenu à la dactylographie[3]. Le document qu'il remit à Gallimard en novembre 1921 pour l'impression de *Sodome et Gomorrhe II* comprend, pour le début, un exemplaire de « Jalousie » revêtu de corrections autographes, puis la dactylographie corrigée. Proust précise dans une lettre à Gaston Gallimard : « Vous devez prévenir l'imprimeur que tous les numéros de pages mis en haut de chaque page ou au milieu de la page par votre dactylographe, *ne comptent pas*. La seule pagination, c'est le numéro mis par moi à la main en tête de chaque page. (Quant au premier placard de l'imprimeur, ne s'en occuper en rien ; le manuscrit, pour lequel le bon à tirer peut être donné sans épreuves, c'est la dactylographie de votre dactylographe mais avec mes ajoutés, ma pagination et, au début, les premières pages de *Jalousie* [...]. Je crois que cela fera deux volumes, à paraître ensemble sous le titre *Sodome et Gomorrhe II*[4]. » Après l'important remaniement effectué sur la dactylographie, Proust limita ses interventions à quelques ajouts sur épreuves[5], et seul le nombre de volumes — trois, finalement — changea encore[6]. Pressé par la suite de l'œuvre, il prêta peu la main

1. Rivière, lisant les épreuves de *Sodome et Gomorrhe II* en août 1921, réclamait « Les Intermittences du cœur » pour la revue (*Correspondance*, éd. citée, p. 178, 179, 181). Proust refusa d'abord, menaçant de publier ailleurs (*ibid.*, p. 182). L'extrait parut dans la *N.R.F.* du 1er octobre. Proust résista à en donner un autre (*ibid.*, p. 196), mais « En tram jusqu'à La Raspelière » parut dans la *N.R.F.* du 1er décembre 1921.

2. *Lettres à la N.R.F.*, éd. citée, p. 158 ; lettre de septembre 1921.

3. *Correspondance*, éd. citée, p. 187-192.

4. *Lettres à la N.R.F.*, éd. citée, p. 176. Proust écrivit à Gaston Gallimard au sujet de la préparation de *Sodome et Gomorrhe II* : « Pour l'extrait des *Œuvres libres* il y aurait peu à changer, car j'ai fait une large coupure, mais je l'ai mise sous enveloppe et je n'aurai qu'à la replacer. En revanche pour l'extrait de *La Nouvelle Revue française*, Jacques ayant coupé çà et là, ce sera toute une reconstruction » (*ibid.*, p. 150 ; lettre d'octobre 1921). La large coupure que Proust fit pour « Jalousie » et qu'il envisage de restaurer correspond sans doute à l'amour de la princesse de Guermantes pour M. de Charlus et à la passion de celui-ci pour un conducteur d'omnibus (voir var. *b*, p. 114). Proust omit malheureusement de restituer le passage.

5. Il reprit le manuscrit quelques jours au début de décembre 1921 (*Lettres à la N.R.F.*, éd. citée, p. 160-164 et 182-185), procéda encore à quelques ajouts sur le manuscrit à la fin de janvier 1922 (*ibid.*, p. 192), proposant enfin de passer chez l'imprimeur pour « quelques petits ajoutages d'une ligne ou deux » (*ibid.*, p. 194, mars 1922). Gallimard s'en inquiétait dans une lettre inédite du 3 février 1922.

6. Proust réagit en janvier en voyant son roman annoncé en trois volumes dans la *N.R.F.* (*ibid.*, p. 189), et écrivit à Gaston Gallimard : « J'ai terminé les ajoutés de la partie que j'ai et les fautes aperçues par hasard. Mais pour les titres et les places des chapitres, j'attends votre décision sur deux ou trois volumes. Je ferais le changement aussitôt et le volume partirait chez l'imprimeur » (*ibid.*, p. 192-193). La décision n'était pas prise le 1er février (*ibid.*, p. 202), bien que Gallimard, dans une lettre du 27 janvier, ait accepté le découpage en deux volumes voulu par Proust.

à la correction des épreuves, qui fut effectuée par les services de Gallimard, notamment par Gabory[1].

Un dernier point : au cours de l'été 1922, Proust a songé à vendre le manuscrit et les épreuves corrigées de *Sodome et Gomorrhe* — vraisemblablement *II* —, pour sept mille ou dix mille francs. Il en est question dans des lettres à Gaston Gallimard et à Sydney Schiff[2]. Jacques Doucet aurait été intéressé, mais refusa de payer les sept mille francs demandés par Proust[3]. Celui-ci redoutait d'ailleurs que ses manuscrits soient livrés à l'« indiscrétion posthume » des étudiants qui réfléchiraient sur ses variantes[4], et la vente n'eut pas lieu. Gallimard aurait retourné à Proust les épreuves de *Sodome et Gomorrhe*, mais elles nous sont inconnues[5].

« La femme aura Gomorrhe et l'homme aura Sodome. »

Au moment de publier *Sodome et Gomorrhe*, en 1921 et 1922, Proust retrouva les inquiétudes de 1912, lorsqu'il avertissait les éditeurs de l'indécence du roman. La guerre a coïncidé avec un relâchement des mœurs, ainsi qu'on l'a souvent observé, par exemple dans une enquête de la revue *Les Marges*, en 1926, sur « L'Homosexualité en littérature[6] ». Proust a d'ailleurs complaisamment chargé sa fresque de Sodome après 1915. Il paraît néanmoins se rappeler que la scène de Montjouvain avait, en 1913, choqué certains lecteurs de *Du côté de chez Swann*, Francis Jammes par exemple. Il l'avait alors justifiée comme une préparation de la seconde partie : les indécences vont se multiplier. Il redoute un scandale et se montre de plus en plus sensible à la réprobation sociale de l'inversion, tandis que la publication de *Sodome et Gomorrhe* approche. Il écrit à Paul Souday, le critique du *Temps*, dès le début de 1920 : « [...] en réalité, M. de Charlus [...] est une vieille Tante (je peux dire le mot puisqu'il est dans Balzac)[7]. » Comme dans la version de 1912 de « La Race des Tantes », Proust allègue Balzac pour justifier son appellation préférée des sodomites. Annonçant à Souday, en octobre 1920, la publication du *Côté de Guermantes I*, il écrit : « C'est encore un livre "convenable". Après celui-là, cela va se gâter sans qu'il y ait de ma faute. Mes personnages ne tournent pas bien ; je suis obligé de les suivre là où

1. Gaston Gallimard, dans une lettre inédite à Proust du 1er avril 1922, confirme que *Sodome et Gomorrhe II* a été composé deux fois, une première à Bruges, par l'imprimerie Sainte-Catherine, une deuxième en France, par Paillart, « en caractères plus gros, sur le texte dactylographié, remanié, que vous m'avez remis ensuite ».
2. *Lettres à la N.R.F.*, éd. citée, p. 250-252 et 261, et *Correspondance générale*, éd. citée, t. III, p. 50-51 et 56-57, lettres d'août et de septembre 1922.
3. G. Gallimard, lettres inédites à Proust des 10, 12, 26 juin et 5 août 1922.
4. *Correspondance générale*, éd. citée, t. III, p. 51 ; lettre à Sydney Schiff de l'été 1922.
5. Lettre inédite à Proust du 28 août 1922.
6. Eugène Montfort, « Enquête : l'homosexualité en littérature », *Les Marges*, 15 mars 1926, p. 176 à 216, et 15 avril 1926, p. 242 à 245.
7. *Correspondance générale*, éd. citée, t. III, p. 76.

me mène leur défaut ou leur vice aggravé[1]. » Proust réagira à l'article de Souday sur *Le Côté de Guermantes I*[2] : « Une chose m'a fait de la peine où vous n'avez certainement pas mis de méchanceté ! Au moment où je vais publier *Sodome et Gomorrhe*, et où, parce que je parlerai de Sodome, personne n'aura le courage de prendre ma défense, d'avance vous frayez (sans méchanceté, j'en suis sûr) le chemin à tous les méchants, en me traitant de "féminin". De féminin à efféminé, il n'y a qu'un pas. Ceux qui m'ont servi de témoins en duel vous diront si j'ai la mollesse des efféminés. Encore une fois, je suis certain que vous l'avez dit sans préméditation[3]. » Dans une autre lettre à Souday, il revient sur le qualificatif : « "Féminin", appliqué à moi, a fait son chemin, comme je le craignais ; des "coupures", notamment du *Figaro*, me l'apprennent, et le chemin de *Sodome* devient aussi un *leitmotiv*[4]. »

Dans la préface à *Tendres stocks* de Paul Morand, rédigée à l'automne de 1920, Proust glisse une idée qui reviendra sans cesse en 1921 et 1922, comme un plaidoyer *pro domo* : « [...] Baudelaire est un grand poète classique et, chose curieuse, ce classicisme de la forme s'accroît en proportion de la licence des peintures[5]. » Et de comparer les vers les plus libres de Baudelaire, dans « Femmes damnées », à du Racine. Le procès des *Fleurs du mal* n'avait pas lieu d'être : après coup, ce sont surtout les « Pièces condamnées » qui révèlent le classique en Baudelaire, l'égal de Racine. L'argument *pro domo* sera plus apparent dans « À propos de Baudelaire », publié dans *La Nouvelle Revue française* en juin 1921, un mois après *Sodome et Gomorrhe I*. Proust s'était assuré que la mise en vente du roman aurait lieu avant celle de la revue : « En principe, écrivait-il à Jacques Rivière, je ne devrais vous envoyer l'article ci-inclus que *Sodome* une fois en vente, car dans l'hypothèse invraisemblable d'un retard de la dernière heure, ce serait un désastre que cela parût à moins d'un bon mois d'intervalle[6]. » Il insiste encore sur l'affinité des *Fleurs du mal*, en particulier des « Pièces condamnées », et des vers classiques par excellence, ceux de Racine. Il rappelle que, pour Anatole France, « les pièces les plus

1. *Correspondance générale*, éd. citée, t. III, p. 83.

2. Souday concluait une comparaison d'*À la recherche du temps perdu* et des *Mémoires* de Saint-Simon en ces termes : « Toutes proportions gardées, il y a du vrai, bien que M. Marcel Proust soit surtout un esthète nerveux, un peu morbide, presque féminin » (*Le Temps*, 4 novembre 1920, p. 3).

3. *Correspondance générale*, éd. citée, t. III, p. 86 ; lettre de novembre 1920.

4. *Ibid.*, p. 89 ; lettre de novembre 1920. Proust réagit aussi vivement à une insinuation de Jacques-Émile Blanche, dans la dédicace de *Dates*, en janvier 1921 : « Il me semble parfois, et dans vos plus belles pages, que vous empruntiez à un sexe les traits d'un autre ; qu'en certaines pages de vos effigies, il y ait substitution partielle du "genre", si bien qu'on pourrait dire *il* au lieu d'*elle*, et faire passer du masculin au féminin les épithètes qui qualifient un nom, une personne, dans ses gestes et son maintien » (*Propos de peintre*, t. II, *Dates*, Émile-Paul, 1921, p. XV). Proust lui répliqua en janvier 1921 : « Je n'insiste pas, par excès de fatigue, sur mille traits qui seront dénaturés (comme le *il* qu'on pourrait lire *elle*, etc.) » (*Correspondance générale*, éd. citée, t. III, p. 171-172).

5. Voir *Essais et articles*, éd. citée, p. 609.

6. Marcel Proust-Jacques Rivière, *Correspondance*, éd. citée, p. 172 ; lettre de la fin d'avril 1921.

licencieuses, les plus crues, sur les amours entre femmes[1] », sont ce que Baudelaire a écrit de plus beau. Avant lui, Baudelaire a donc parlé de Gomorrhe ; on l'a condamné, mais pour reconnaître après coup qu'il fut là le plus grand, digne des classiques. Pourquoi Baudelaire fut-il fasciné par les lesbiennes, au point de songer à donner leur nom à son recueil ? L'explication a pour effet paradoxal de contredire le vers de Vigny qui sert d'épigraphe à *Sodome et Gomorrhe I* et pose comme irréparable la séparation des sexes : « La Femme aura Gomorrhe et l'Homme aura Sodome ». Vigny, dit-on, a écrit ce vers par jalousie de « l'amitié de Mme Dorval pour certaines femmes », concluant à une inimitié fatale des hommes et des femmes[2]. Mais la fascination de Baudelaire pour Gomorrhe est plus profonde et ambiguë. Sodome et Gomorrhe ne mourront pas séparément, leur destin réside au contraire dans la confusion, et il existe des médiateurs entre les deux cités bibliques. Proust se compare sur ce point à Baudelaire : « Cette "liaison" entre Sodome et Gomorrhe que dans les dernières parties de mon ouvrage (et non dans la première *Sodome* qui vient de paraître) j'ai confiée à une brute, Charles Morel (ce sont du reste les brutes à qui ce rôle est d'habitude départi), il semble que Baudelaire s'y soit de lui-même "affecté" d'une façon toute privilégiée. Ce rôle, combien il eût été intéressant de savoir pourquoi Baudelaire l'avait choisi, comment il l'avait rempli. Ce qui est compréhensible chez Charles Morel reste profondément mystérieux chez l'auteur des *Fleurs du mal*[3]. » Voilà justifiée l'importance prise par Morel dans le roman après 1915. Comme Albertine et avec elle, il est devenu un agent de liaison entre Sodome et Gomorrhe, selon une conception plus romanesque de l'inversion que celle de Vigny, qui régnait dans *Sodome et Gomorrhe I*.

À la date même où Proust s'interrogeait sur la fascination de Baudelaire pour les lesbiennes, il semble avoir fourni de vive voix à Gide, qui le raconte dans son journal, une réponse tranchante : Baudelaire était inverti. « La manière dont il parle de Lesbos, et déjà le besoin d'en parler, suffiraient seuls à m'en convaincre[4] », aurait-il dit, se déclarant persuadé, face aux doutes de Gide, que Baudelaire pratiqua l'homosexualité.

L'association de Racine et de Baudelaire deviendra une idée fixe dans les derniers articles de Proust — « [...] Baudelaire, son procès révisé, fraternise avec Racine » —, jusqu'à ce paradoxe : « Dernière et légère différence : Racine est plus immoral[5]. » Il revendique leur héritage : le scandale passé, il sera lui aussi un classique. Mais le scandale n'eut pas lieu. Sans doute l'appendice du *Côté de Guermantes II* surprit-il : « Je dois ajouter qu'au dernier chapitre, jugea Souday, le récit s'engage dans une direction où il devient un peu difficile de

1. *Essais et articles*, éd. citée, p. 630.
2. *Ibid.*, p. 620.
3. *Ibid.*, p. 633.
4. Gide, *Journal, 1889-1939*, Bibl. de la Pléiade, p. 692 (14 mai 1921).
5. *Essais et articles*, éd. citée, p. 641.

le suivre. Il y a eu jusque dans les familles royales, d'après Saint-Simon, des personnages analogues au baron de Charlus de M. Proust ; mais l'auteur des *Mémoires* se bornait à des indications plus sommaires[1]. » Proust se montra ironique dans son remerciement : « Pour la fin du livre, j'espérais [...] que vous escamoteriez moins que vous ne l'avez fait de mon baron de Charlus. Mais je sais que vous parlez du haut d'une tribune qui s'adresse à tous et que vous êtes tenu à une réserve qui n'a rien de la timidité... Littérairement, vous semblez féliciter Saint-Simon d'être resté plus "sommaire"[2]. » *Sodome et Gomorrhe I*, détaché de la suite du tableau, était assez équivoque pour désamorcer le scandale. Et *Sodome et Gomorrhe II* a une fin morale qui devait racheter le tout. Proust écrit à Jacques Boulenger avant la publication de ce dernier ouvrage : « En tout cas votre moralisme sera satisfait, car vous verrez que mon héros, contempteur de Sodome, va se marier au moment où l'ouvrage finit. Il n'y aura plus guère que des passions du héros pour des femmes dans les suivants *Sodome*, auxquels je compte du reste donner des titres moins inspirés de Vigny[3]. » Rivière, qui fut bouleversé à la lecture des épreuves de *Sodome et Gomorrhe I*[4], avoua même à Proust la satisfaction qu'il avait éprouvée à une description sans indulgence de l'inversion, traitée avec complaisance dans la littérature contemporaine : « Je savoure entre autres choses, (c'est très mal à dire, vous ne le répéterez pas) une espèce de vengeance à lire les pages terribles (et rendues plus terribles encore par leur équité même), où vous avez décrit la race des Sodomistes. J'avais besoin de l'espèce de décongestion que me donnent ces pages. Sans en être nullement ébranlé, j'avais entendu trop souvent autour de moi fausser la notion de l'amour pour ne pas éprouver une détente délicieuse à écouter parler là-dessus quelqu'un d'aussi sain, d'aussi heureusement équilibré que vous[5]. » Après *Sodome et Gomorrhe II*, Souday revint sur les réserves que « La Race des Tantes » lui avait inspirées : « Il ne faut pas trop vous effrayer du titre de cette partie de l'immense roman », dit-il à ses lecteurs, même s'il « annonce un sujet assurément des plus scabreux[6] ». Les précédents sont nombreux depuis l'Antiquité. Sans doute, « on ne peut dire que M. Proust ne traite pas son sujet, et son livre n'est certes pas à l'usage des collèges et pensionnats. Mais [...] M. Proust ne perd pas le respect de sa plume et ne rivalise aucunement avec le "divin marquis", tellement surfait, d'ailleurs, [...] ni avec aucun fabricant de l'inavouable camelote pornographique qui se débite sous le manteau ». Souday, pourtant, concluait sévèrement, estimant le livre « très hardi, et au fond sans grand intérêt, mais plus inutile que véritablement scandaleux ».

1. *Le Temps*, 12 mai 1921, p. 3.
2. *Correspondance générale*, éd. citée, t. III, p. 94 ; lettre de juin 1921.
3. *Ibid.*, p. 290 ; lettre de mai 1922.
4. *Correspondance*, éd. citée, p. 170 ; lettre à Proust d'avril 1921.
5. *Ibid.*, p. 174 ; lettre d'avril 1921.
6. *Le Temps*, 12 mai 1922, p. 3.

Proust se plaignit que la presse l'abandonnât à la parution de *Sodome et Gomorrhe*, à l'exception de Fernand Vandérem[1], Léon Daudet[2], et Binet-Valmer. Ce dernier était resté sceptique à la lecture de « La Race des Tantes », qu'il avait comparé à son propre *Lucien* : « En 1910, dégoûté par les mœurs que je voyais naître dans certains salons, j'ai imaginé ce que pourrait souffrir un grand homme dont le fils porterait le poids d'une hérédité trop somptueuse[3]. » Le point de vue de Proust n'était pas le même, et Binet-Valmer, pourtant amateur d'*À la recherche du temps perdu*, jugeait : « Si ce monument doit être couronné par quatre volumes qui étudieront l'inversion sexuelle, je pense que l'heure est mal choisie. » Il louera pourtant, dans « Jalousie », la description de l'inversion pour sa valeur documentaire[4], et *Sodome et Gomorrhe II* le fera conclure que l'œuvre est celle « d'un historien qui n'a pas attendu, pour bien voir une société, le recul nécessaire », mais qui a décrit avec justesse les « tares de toute civilisation trop avancée, fatiguée[5] ».

Les invertis ne furent pas satisfaits non plus, la réaction de Rivière expliquant pourquoi. Quand Gide et Proust se rencontrèrent en mai 1921, le sujet de la conversation fut ce que Gide, apportant *Corydon*[6] en échange de *Sodome et Gomorrhe*, appelait l'« uranisme ». Gide reprochait à Proust d'avoir eu l'air de « stigmatiser l'uranisme », n'ayant montré Sodome que sous les espèces du grotesque et de l'abject[7]. Une lettre de Proust à Boulenger corrobore le récit de Gide : « Vous savez que j'ai fâché beaucoup d'homosexuels par mon dernier chapitre. J'en ai beaucoup de peine. Mais ce n'est pas ma faute si M. de Charlus

1. *Correspondance générale*, éd. citée, t. III, p. 257 ; lettre à Jacques Boulenger de juillet 1921. Voir *La Revue de France*, 15 juin 1921 et 15 juin 1922.

2. *Correspondance générale*, éd. citée, t. III, p. 276-277 ; lettre de novembre 1921 à Jacques Boulenger. Daudet fit l'éloge de Proust, « véritable démon qui trifouille la sottise et la méchanceté humaines avec un microscope en place de fourche », dans *L'Action française* du 1er septembre 1921 (p. 1) ; alors que, sous la signature d'« Orion », le quotidien avait rendu compte autrement du livre dans son numéro du 6 août : « Avertissons pour finir que le livre de Proust porte en ses dernières pages le premier chapitre de la suite. Le titre en est tel qu'on hésite à le reproduire, et le sujet à l'unisson. Quelle rage de tout braver ! » (p. 4).

3. *Comœdia*, 22 mai 1921, p. 2.

4. *Ibid.*, 13 novembre 1921, p. 4. Voir, au sujet de cet article, la *Correspondance générale*, éd. citée, t. III, p. 276-277 et 280 (lettres à Jacques Boulenger de novembre 1921), ainsi que les *Lettres à la N.R.F.*, éd. citée, p. 180 (lettre à Gaston Gallimard de novembre 1921).

5. *Comœdia*, 11 juin 1922, p. 4. Voir la correspondance de Proust et de Binet-Valmer publiée dans le *Bulletin de la Société des amis de Marcel Proust*, nº XXX, 1980, p. 161-186. Signalons encore « l'article venimeux de M. André Germain » (*Les Écrits nouveaux*, juillet 1921), qui provoqua une réplique de Rivière dans la *N.R.F.* (*Correspondance générale*, éd. citée, t. III, p. 272-273, lettre à Jacques Boulenger de novembre 1921, et Marcel Proust-Jacques Rivière, *Correspondance*, éd. citée, p. 204, lettre à Proust de novembre 1921), ainsi que les articles de Roger Allard dans la *N.R.F.*, qui contribuèrent au lancement de l'étiquette « Marcel Proust moraliste » (1er septembre 1921 et 1er juin 1922).

6. Gide avait publié anonymement *Corydon*, à quelques exemplaires, sans nom de lieu ni d'éditeur, en 1911 et 1920. C'est seulement en 1924, après *Sodome et Gomorrhe*, qu'il le publia sous son nom aux éditions de la N.R.F.

7. Gide, *Journal. 1889-1939*, éd. citée, p. 694.

est un vieux monsieur, je ne pouvais pas brusquement lui donner l'aspect d'un pâtre sicilien comme dans les gravures de Taormine[1]. » Proust aurait en revanche expliqué à Gide la laideur de son tableau de l'inversion par une transposition des aspects heureux de Sodome : « Tout ce que ses souvenirs homosexuels lui proposaient de gracieux, de tendre et de charmant » aurait servi à la partie hétérosexuelle du livre, à la description des jeunes filles, qui ne seraient autres que des garçons transposés[2].

Quant aux femmes, Gomorrhe ne les séduisit pas davantage. Proust fit la connaissance de Natalie Clifford Barney, qui lui adressa ses *Pensées d'une Amazone*, mais leurs points de vue étaient inconciliables : « Hélas, lui écrivit-il, rien ne sera, moins que *Sodome et Gomorrhe* si j'ai jamais la force d'en corriger les épreuves, un chant alterné avec votre doux chant. La paix divine des *Bucoliques*, du *Banquet*, la liberté de Lucien, n'y règnent pas, mais plutôt le sombre désespoir des deux vers de Vigny que je lui avais donnés, il y a tantôt cinq ans, comme épigraphe, et que vous citez du reste aussi[3]. » La lettre datant d'entre août et octobre 1920, le choix de l'épigraphe de Vigny remonterait à la fin de 1915 et à la rédaction du manuscrit au net[4]. Natalie Barney cite encore une lettre où Proust évoque l'autorité de Baudelaire, comme si souvent après l'automne de 1920 : « Or je viens de relire ces sublimes *Épaves*, de Baudelaire [...]. Comme c'est plus audacieux que tout ce qu'on trouve audacieux[5]. » Natalie Barney, pourtant préparée, fut effarouchée par *Sodome et Gomorrhe I* et redouta la suite : « Le premier volume de *Sodome et Gomorrhe* ayant paru, je lui exprimais mes craintes sur Gomorrhe. Il me répondit qu'en effet ses Sodomites étaient affreux mais que ses Gomorrhéennes seraient toutes charmantes. Je les trouve surtout invraisemblables[6] ! »

L'explication biographique de *Sodome et Gomorrhe* par une transposition, à laquelle le témoignage de Gide conféra de l'autorité, masque la réussite du roman : celle-ci repose sur la structure que Proust donna au thème de l'inversion, avec ses deux côtés, comme souvent dans *À la recherche du temps perdu*, opposés d'abord, supposés incompatibles, comme chez Vigny, avant de se rejoindre, puis de se confondre, comme chez Baudelaire. Proust a mis longtemps à concevoir cette

1. *Correspondance générale*, éd. citée, t. III, p. 245-246 ; lettre de mai 1921. Proust retrouve un argument qu'il donnait en août 1913 à Louis de Robert (*Correspondance*, t. XII, p. 238).
2. Gide, *Journal. 1889-1939*, éd. citée, p. 694.
3. N. Clifford Barney, *Aventures de l'esprit*, Émile-Paul, 1929, p. 61-62.
4. Proust remercie avec retard de l'envoi des *Pensées d'une Amazone* (Émile-Paul, 1920), ouvrage qui avait paru au printemps (voir Ph. Kolb, *La Correspondance de Marcel Proust, Chronologie et commentaire critique*, Urbana, The University of Illinois Press, 1949, p. 239). Le vers de Vigny figure dans une lettre à Gallimard de mai 1916 (*Correspondance*, t. XV, p. 130). L'épigraphe ne figure pas cependant sur le manuscrit au net de *Sodome et Gomorrhe I* : elle est une addition autographe en marge de la seconde dactylographie (B.N., N. a. fr. 16 738, f° 49), ayant servi de copie d'impression et datant de la fin de 1920 ou du début de 1921.
5. N. Clifford Barney, *Aventures de l'esprit*, éd. citée, p. 63 (octobre 1920).
6. *Ibid.*, p. 74.

disposition : elle n'apparaissait pas dans le roman de 1912, où le thème de l'inversion était plaqué sur le scénario d'une initiation sexuelle ; elle n'était encore qu'ébauchée dans le manuscrit de 1916, avant que Morel ne prît l'envergure d'un double d'Albertine ; et les développements ultimes du roman la consolident. La structure de *Sodome et Gomorrhe* donne à la vision proustienne de l'inversion son originalité, car le thème n'est pas nouveau en 1920 ; il ne l'était pas même en 1908, quand Proust songea à l'inclure dans son roman. Il était apparu dans la dernière décennie du XIXe siècle, lié à la décadence, au culte de l'androgyne. Proust fut sensible à la mode dans *Les Plaisirs et les Jours*[1]. Vers 1910, plusieurs romans revinrent à la charge, comme *Lucien*, de Binet-Valmer, dont Proust ne pense pas de bien : « Vous savez, dit-il à Georges de Lauris, l'horreur que j'ai des romans de Marcel Prévost. Ce sont des chefs-d'œuvre à côté[2]. » Proust, on l'a vu, avertissait Gallimard en novembre 1912 que la fin de son roman n'aurait « nullement un air de monographie spéciale comme le *Lucien* de Binet-Valmer par exemple[3] ». Tous les romans de l'inversion sont des monographies jusqu'à *Sodome et Gomorrhe*, et ce sera encore le cas dans les années 1920. L'homosexualité fera alors recette[4], et après en avoir accusé la guerre, qui contraignit les hommes à la promiscuité, on en imputera la responsabilité à Proust[5]. *Sodome et Gomorrhe* n'a

1. Voir É. Carassus, *Le Snobisme et les Lettres françaises de Paul Bourget à Marcel Proust, 1884-1914*, A. Colin, 1966, p. 422-430. C'est l'époque de Péladan, de Rachilde, de Lorrain.

2. *Correspondance*, t. X, p. 139 ; lettre de juillet 1910.

3. *Ibid.*, t. XI, p. 287. Voir aussi *Escal-Vigor* de Georges Eekhoud (Mercure de France, 1899) et *Dédé* d'André Essebac (Ambert, 1901). Lucien Daudet publia en 1908, année de l'affaire Eulenbourg, un roman qui faisait vaguement allusion à l'inversion, *Le Chemin mort* (Flammarion). Proust en rendit compte dans *L'Intransigeant* (*Essais et articles*, éd. citée, p. 550-552), sans mentionner cet aspect du livre (voir la *Correspondance*, t. VIII, p. 176-177, 194-195 et 197 ; lettres à Lucien Daudet de juillet et août 1908).

4. L'enquête de la revue *Les Marges*, en 1926, sur l'homosexualité et la littérature (voir n. 6, p. 1254), fut suscitée par un feuilleton du *Temps* où Paul Souday s'était écrié : « La mesure est comble » (*Les Marges*, 15 mars 1926, p. 176). Citons *Jésus-la-Caille* de Francis Carco (Mercure de France, 1914), et après la guerre : *Le Suborneur* d'Abel Hermant et *Ces petits messieurs* de Francis de Miomandre, tous deux publiés dans la revue *Les Œuvres libres*, respectivement en septembre et décembre 1921 (Proust y publia « Jalousie » en novembre 1921) ; puis *L'Ersatz d'amour* de Willy et Menalkas (Amiens, E. Malfère, 1923), où les allusions à l'affaire Eulenbourg sont nombreuses ; enfin *Ryls. un amour hors la loi*, de Henry Marx (Ollendorff, 1924).

5. « Je crois donc que la contagion homosexuelle en littérature est partie de Marcel Proust », juge par exemple Gérard Bauer (*Les Marges*, 15 mars 1926, p. 180). L'enquête des *Marges* est suivie du compte rendu d'*Albertine disparue*, par Eugène Montfort, qui appelle de ses vœux une réaction contre Proust : « Après les transports de la foi et les débordements du fanatisme, une réaction anti-proustienne est bien possible. Une grande impiété viendra » (*ibid.*, p. 220). Dès 1921, Marcel Prévost avait réagi, dans un article intitulé « La Crise de la pudeur », où il s'adressait à une mère : « La littérature romanesque d'aujourd'hui est plutôt plus chaste que celle de votre temps. Mais enfin, il paraît des livres, signés de noms connus, et qui s'appellent *Sodome et Gomorrhe* : ils sont aux étalages des librairies ; on en parle devant vos filles » (*La Revue de France*, 1er décembre 1921, p. 455). En 1932, Colette,

pourtant rien de commun avec la littérature de l'inversion, que ce soit en 1890, en 1900, en 1910, ou en 1920. Sodome n'y est pas peuplé de jeunes gens, non que ceux-ci aient été transposés en jeunes filles, mais parce que le désir n'est pas lié à la beauté, comme Proust l'aurait dit à Gide[1]. Sur un thème qui a toujours appartenu à l'imaginaire proustien et qu'une série de monographies avaient illustré depuis trente ans, cette observation a permis à l'écrivain d'échafauder la partie la plus romanesque de son œuvre[2].

ANTOINE COMPAGNON.

SODOME ET GOMORRHE I

NOTE SUR LE TEXTE

I. MANUSCRIT

C'est le Cahier I[3] qui constitue le manuscrit au net de *Sodome et Gomorrhe I*. Il appartient à la série de vingt cahiers rédigés pendant la Première Guerre mondiale et contenant la rédaction continue d'*À la recherche du temps perdu* depuis *Sodome et Gomorrhe* jusqu'à la fin du roman. Il est paginé par Proust de 1 à 63 et porte, sur la couverture, l'indication : « *À la recherche du temps perdu / Sodome et Gomorrhe I /* Premier Cahier ». Comme dans les autres cahiers de la série, Proust a écrit sur les rectos, en débordant souvent dans les marges et en utilisant des paperoles. Certaines des pages collées sur le Cahier I proviennent d'autres cahiers, en particulier du Cahier 52.

II. DACTYLOGRAPHIES

Nous disposons de deux dactylographies de *Sodome et Gomorrhe I* :

— La copie au carbone d'une première dactylographie[4], commençant à la page 3 dans la numérotation du dactylographe, laisse de nombreux blancs là où le manuscrit n'a pu être déchiffré. On y relève maintes erreurs de lecture et des passages du manuscrit y sont omis. Aucune intervention de Proust n'y est visible.

dans *Ces plaisirs* (Ferenczi), même si elle conteste qu'une secte de Gomorrhe existe comme celle de Sodome, reconnaît l'influence de Proust : « Depuis que Proust a éclairé Sodome, dit-elle, nous nous sentons respectueux de ce qu'il a écrit » (p. 185).

1. Gide, *Journal 1889-1939*, éd. citée, p. 694.

2. Plusieurs correspondants m'ont fourni des renseignements pour les notes de *Sodome et Gomorrhe* : Claudie Balavoine, Pierre Brunel, Florence Callu, Jean-Pierre Chambon, Jean-Louis Chrétien, Yves Coirault, Jean-Pierre Collinet, Louise Colon, Robert Courtine, André Guyaux, Willy Hachez, Philip Kolb, Philippe Lauvaux, Jean-Louis Mourgues, Theodore Reff. Qu'ils soient remerciés.

3. N.a.fr. 16708.

4. N.a.fr. 16738, ffos 1-48.

— L'original d'une seconde dactylographie[1], présentant de nombreuses corrections et additions de la main de Proust, servit de copie d'impression ; elle porte des indications destinées au typographe. L'écart entre le texte de la première dactylographie et celui de la seconde dactylographie avant correction est souvent important ; en effet, Proust relut, corrigea et remania l'original de la première dactylographie — dactylographie dont, rappelons-le, nous n'avons pu consulter que la copie au carbone —, qui servit ensuite à l'établissement de la seconde dactylographie. Cette première dactylographie portant des corrections autographes a été utilisée par Pierre Clarac et André Ferré pour leur édition de *Sodome et Gomorrhe I* dans la Bibliothèque de la Pléiade, en 1954.

Parmi les corrections les plus importantes portées sur la première dactylographie et exécutées lors de la frappe de la seconde dactylographie, où l'on peut les constater, signalons :

— Le changement du début de *Sodome et Gomorrhe I* ; Proust a substitué aux quatorze premiers feuillets du manuscrit une version plus brève[2]. Selon Clarac et Ferré, le nouveau début figurait sur « une longue feuille pliée, repliée et collée au-dessus du passage de la page 7 auquel elle se raccorde », après que les six premières pages dactylographiées eurent été rayées[3].

— Le prolongement de la fin de *Sodome et Gomorrhe I* ; le texte s'arrêtait, dans le manuscrit et la copie au carbone de la première dactylographie, à la page 32 du texte définitif : « Le baron et Jupien, c'est bien le même genre de personnes. » Selon Clarac et Ferré, le texte des pages 32-33 figurait sur un feuillet manuscrit placé à la fin de l'original corrigé de la première dactylographie, original qu'ils ont eu à leur disposition.

— L'addition de la longue conversation entre M. de Charlus et Jupien figurant dans notre édition aux pages 12 à 15.

Parmi les corrections, moins importantes, portées par Proust sur la deuxième dactylographie, notons :

— L'addition du tour de la cour par le héros se rendant dans la boutique inoccupée d'où il épiera Charlus et Jupien. L'accent y est mis sur le voyeurisme ; apparaît la référence à la scène de Montjouvain[4].

— L'ajout de la description du jeune homme qui se révélera ultérieurement être une femme et la comparaison avec les travestis de Shakespeare[5]. Cette addition est très probablement postérieure au printemps de 1920, où la correspondance entre Proust et Jacques Rivière contient plusieurs mentions de *La Nuit des rois*[6].

1. N.a.fr. 16738, ff^os 49-76.
2. Voir p. 3-4 et var. *c*, p. 4.
3. André Ferré, « Première version du début de *Sodome et Gomorrhe I* », *Bulletin de la Société des amis de Marcel Proust*, n° VI, 1956, p. 165.
4. Voir p. 9 à 11 et var. *c*, p. 11.
5. Voir var. *f*, p. 22.
6. Voir M. Proust-J. Rivière, *Correspondance*, Gallimard, 1976, p. 96 et 114.

III. ÉPREUVES

Nous n'avons conservé aucun jeu d'épreuves de *Sodome et Gomorrhe I*. Au reste, il y a peu de différences entre la seconde dactylographie après qu'elle a été corrigée et l'édition originale. Proust rappelle, dans une lettre d'avril 1921 à Jacques Rivière, qu'il n'y eut pas de « premiers placards[1] ». La maladie l'empêcha de participer à la correction des épreuves qui a dû être effectuée par Gaston Gallimard, Jacques Rivière et Jean Paulhan, lesquels se limitèrent à opérer quelques retouches là où la compréhension l'exigeait. Proust, dans une lettre de juillet 1921 à Sydney Schiff, note : « Aussi il y a eu un peu moins de fautes que quand j'y mets la main[2] ».

IV. ÉDITION ORIGINALE

L'achevé d'imprimer de *Sodome et Gomorrhe I* est daté du 30 avril 1921 (Imprimerie Louis Bellenand, Fontenay-aux-Roses, pour le compte des Éditions de la Nouvelle Revue française). Le volume compte 282 pages, mais seules les 28 dernières sont occupées par *Sodome et Gomorrhe I*, la majeure partie du volume étant consacrée au *Côté de Guermantes II*.

V. EXEMPLAIRE CORRIGÉ

On dispose pour *Sodome et Gomorrhe I* d'un exemplaire de la seconde édition — qui est en fait la suite du tirage de l'édition originale — ayant été revu par Proust[3]. Les quelques corrections autographes qu'on peut y lire sont de peu de portée.

VI. ÉTABLISSEMENT DU TEXTE

Notre texte de référence est celui de l'édition originale. Les principes qui nous ont guidés dans son établissement sont les suivants :

La première dactylographie, de fort mauvaise qualité, est source de fréquentes transformations du texte. Or, Proust, en la relisant, est rarement retourné au manuscrit ; il s'est le plus souvent contenté d'adapter le texte dactylographié. On ne saurait cependant, dans ces cas, revenir à la leçon du manuscrit pour éviter d'offrir un texte résultant de l'adaptation de fautes de frappe[4] ; en effet, dans la mesure où les deux dactylographies ont incontestablement été revues et corrigées par Proust, des régressions par rapport aux derniers documents corrigés par l'auteur paraissent illégitimes.

1. *Ibid.*, p. 173.
2. *Correspondance générale*, éd. citée, t. III, p. 26.
3. Nous remercions M. et Mme Claude Mauriac, qui nous l'ont communiqué.
4. Clarac et Ferré, qui ignoraient que Proust avait corrigé une seconde dactylographie, ont eu tendance à substituer au texte de l'édition originale celui de la première dactylographie corrigée. Leurs corrections régressives expliquent la plupart des différences entre leur édition et la nôtre.

En revanche, lorsque le texte est demeuré incohérent, du point de vue du sens ou de la syntaxe, depuis la dactylographie fautive jusqu'à l'édition originale, nous revenons au seul texte correct, celui du manuscrit.

Lorsque le texte de la première dactylographie est manifestement erroné, nous ne nous obligeons pas à le faire figurer en variante, puisqu'il ne résulte en aucune façon de la volonté de Proust. Nous nous contentons alors de signaler son caractère fautif.

Quand l'exemplaire corrigé contient des modifications autographes cohérentes, nous les introduisons dans le texte et donnons en variante le texte imprimé dans l'édition originale. Mais nous ne signalons les leçons de cet état corrigé que lorsque le texte y est en effet corrigé. Dans les autres cas, on déduira que ces leçons sont identiques à celles de l'édition originale.

SIGLES UTILISÉS

ms.	Manuscrit.
dactyl. 1	Copie au carbone de la première dactylographie.
dactyl. 2	Seconde dactylographie avant correction.
dactyl. 2 corr.	Seconde dactylographie corrigée.
orig.	Édition originale.
orig. b	Exemplaire corrigé par Proust.

NOTES ET VARIANTES

Page 3.

a. Le sommaire et l'épigraphe ne figurent ni dans le cahier manuscrit, ni sur le double de la dactylographie 1. Ce sont des additions autographes de Proust dans la dactylographie 2. ↔ *b.* On sait *Le passage qui commence par ces mots et se termine à* cette heure-là. *[p. 4, 17ᵉ ligne] était différent dans le cahier manuscrit et sur le double de la dactylographie 1. Il a dû être récrit par Proust sur l'original de la dactylographie 1 qui n'est pas en notre possession (voir var. c, p. 4).* ↔ *c.* d'où l'on embrasse la vallée montagneuse qui s'étend jusqu'à l'hôtel de Tresmes, gaiement décoré par le rose campanile *dactyl. 2* ↔ *d.* l'hôtel de Tresmes, faire *dactyl. 2*

1. Voir les Esquisses I, p. 919, p. 923-933 ; II, p. 934-938 ; III, p. 942 ; et IV, p. 943-960.

2. Le sommaire, addition manuscrite à la seconde dactylographie (voir var. *a*), figure dans le Cahier 62 (fº 25 rº), un cahier d'additions postérieures à la Première Guerre mondiale, juste avant une ébauche des pages sur Bergotte et l'artiste nouveau (ffºˢ 25-29 ; voir *Le Côté de Guermantes II*, t. II de la présente édition, p. 621-625). Ce même passage figure dans la préface à *Tendres stocks* de Paul Morand, datant

de l'automne 1920 (voir *Essais et articles*, *Contre Sainte-Beuve*, Bibl. de la Pléiade, p. 615).

3. Vers 78 de « La Colère de Samson », poème des *Destinées* d'Alfred de Vigny : « Bientôt, se retirant dans un hideux royaume, / La Femme aura Gomorrhe et l'Homme aura Sodome, / Et, se jetant, de loin, un regard irrité, / Les deux sexes mourront chacun de son côté » (vers 77-80 ; *Œuvres complètes*, Bibl. de la Pléiade, t. I, p. 141). Proust écrivit à Natalie Barney, entre août et octobre 1920, qu'il avait choisi l'épigraphe, « il y a tantôt cinq ans » (Natalie Clifford Barney, *Aventures de l'esprit*, Émile-Paul, 1929, p. 61-62 ; voir la Notice, p. 1259). Comme le sommaire, elle est cependant une addition manuscrite à la seconde dactylographie, que Proust aurait corrigée à l'automne de 1920. Le même vers est cité à deux reprises dans l'article « À propos de Baudelaire », écrit au printemps de 1921 et publié dans *La Nouvelle Revue française* de juin 1921 (voir *Essais et articles*, éd. citée, p. 620 et 632) : « [...] c'est lui-même Vigny qu'il a objectivé en Samson, et c'est parce que l'amitié de Mme Dorval pour certaines femmes lui causait de la jalousie qu'il a écrit : "La femme aura Gomorrhe et l'homme aura Sodome" » (*ibid.*, p. 620). Le vers 80 du poème, cité p. 17, l'était toutefois déjà dans le Cahier 49, appartenant à la version de 1912 du roman (f° 50 r°). Au poème de Vigny, datant de 1838-1839, la rupture avec Marie Dorval donne un ton personnel. À propos des soupçons qu'aurait éveillés chez le poète l'amitié de deux femmes, on a parlé de Marie Dorval et de George Sand, mais sans aucune certitude. Le titre, le sommaire et l'épigraphe font allusion aux deux cités bibliques de la Plaine, dont le châtiment est décrit dans la Genèse, XVIII, 16 et XIX, 29. Dieu détruisit Sodome et Gomorrhe par le soufre et le feu, pour punir les habitants de leurs mœurs sexuelles, après avoir envoyé deux anges pour sauver les chastes. L'abbé Mugnier relate dans son journal : « Abel Bonnard racontait chez Mme de Fitz-James que Marcel Proust était venu demander à la princesse de Polignac l'autorisation de dédier son prochain livre à la mémoire du prince, son mari. Très flattée la dame, mais Proust doit donner à ce livre le titre de *Sodome et Gomorrhe* » (*Journal*, éd. Marcel Billot, Mercure de France, « Le Temps retrouvé », 1985, p. 358, à la date du 31 juillet 1919).

4. Voir *Le Côté de Guermantes II*, t. II de la présente édition, p. 861, et la première version du début du chapitre, var. *c*, p. 4. On trouve dans le Cahier 60, au folio 125 r° et v°, une ébauche du nouveau début, qu'on peut dater de l'automne de 1920.

5. Voir *Le Côté de Guermantes II*, t. II de la présente édition, p. 860-861.

Page 4.

a. providentiel, recueillir le pollen offert *dactyl. 2* ↔ *b.* marquis d'Angenis avec *dactyl. 2* ↔ *c.* cette heure-là. *Le début de « Sodome et Gomorrhe I » jusqu'à ces mots était différent dans le cahier manuscrit et sur le double de la dactylographie 1. En voici le texte :* Le lendemain je résolus d'aller avant dîner voir la duchesse pour qu'elle pût séance tenante faire demander à sa cousine. J'éprouvais un vif plaisir, c'est qu'il faisait une insupportable chaleur ; d'eux-mêmes, mes nerfs, ma peau, toute ma sensibilité s'était mise au régime d'été. Jadis à Combray, dans ma chambre aux volets fermés, il me suffisait des coups de marteau de l'emballeur pour voir le soleil dans la rue. Maintenant de nouveaux tableaux, selon les jours, venaient autour du moindre indice composer un spectacle invisible au milieu duquel se passait ma vraie vie. À l'extrémité torride de la rue, le souvenir de Balbec avait attaché une aile immense, rafraîchissante et couleur bleu paon, qui était la mer. Je l'avais tout le temps sous les yeux et le dessin que comme une mélodie hésitante traçait en moi mon incertitude relativement à la soirée Guermantes était accompagné en sourdine par une brise de mer continue qui balançait des roses. Si alors j'écrivis à Albertine en lui envoyant des places pour *Phèdre* et en lui demandant de venir, maintenant qu'elle avait un appartement séparé et pouvait rentrer comme elle voulait, en sortant du théâtre, comme je rentrerais de la soirée Guermantes, cette lettre me fut peut-être dictée par ces rumeurs marines inentendues par moi mais qui mettaient devant mes yeux tandis que je pensais à la soirée Guermantes une poussière d'émeraude et des tiges de roses, par ces basses que je ne distinguais pas mais qui toujours soutiennent nos désirs nouveaux et souvent d'une inspiration moins noble, en y solidarisant avec eux un passé négligé mais précieux et qui détermine leur couleur et la qualité de leur harmonie. Et en effet un brusque jet lumineux de mon attention ayant fouillé une parcelle minuscule et obscure de mes souvenirs qui avait soudain retrouvé une netteté, une importance, un prix qu'elle avait depuis longtemps perdus, j'avais pour la première fois peut-être depuis Balbec — où je n'avais différé de chercher à lui écrire qu'en prenant vis-à-vis de moi-même l'engagement de le faire en arrivant à Paris — <écrit à> cette Gisèle pour laquelle j'avais couru à fond de train à la gare. À son image par un cordon vivant, s'ajouta l'embryon de roman que j'avais formé ce jour-là, et que maintenant, rétrospectivement, la facilité même d'Albertine me faisait juger comme étant parfaitement viable. La précision de mon désir fut accrue par la possibilité — qui elle-même accrut l'impatience — de le réaliser. Mais n'avait-elle pas dit que son désir était de se fixer à l'étranger ? Peut-être fallait-il, à moins de renoncer à jamais à tout ce que cette aventure aurait eu de particulier et dont elle aurait lu et approuvé le désir dans mes yeux, la revoir le plus tôt possible. Mais c'était une raison de plus pour voir et pouvoir interroger ce soir Albertine. Peut-être si j'écrivis à celle-ci fût-ce aussi un peu par lâcheté. Chez la princesse de Guermantes je désirerais sans doute bien des femmes qui ne feraient que passer devant mes yeux et m'échapperaient aussitôt. <Quoique> les plaisirs de ma soirée dussent être surtout mondains et qu'une sorte de plaisir distrait souvent de ceux d'une autre sorte, plus souvent les seconds ne font que s'ajouter aux premiers comme les médicaments qu'un malade essaie pour se désaccoutumer d'anciens auxquels ils s'additionnent, et parce que tout plaisir, tout acte passif diminue l'énergie et la résistance, trouver en rentrant une femme qui ne serait pas de celles qui m'auraient inspiré des désirs dans une soirée, mais qui par la satiété du plaisir me les ferait oublier, était sans doute un peu lâche, tout à fait en opposition avec les principes de Swann qui n'emmenait pas de maîtresse en voyage pour ne pas se distraire de poursuivre la conquête des inconnues qu'il rencontr<erait>, — c'était commode ; et même quelque chose de plus ; en préparant, comme le physicien qui met en train plusieurs expériences, des plaisirs si différents pour une soirée si courte, où disposés d'avance ils m'attendraient sans que j'eusse, occupé ailleurs, le temps de les désirer, de penser à eux, et sans qu'il me restât plus que tout juste celui de les rejoindre avec une voiture marchant vite qui me mènerait de l'hôtel Guermantes dans les bras d'Albertine déjà arrivée, j'aurais le sentiment, tout opposé aux longues et vides attentes de ceux que la réalité ne récompense d'aucun retour, d'une richesse de réalisations complexes, d'une plénitude ne laissant, comme une musique substantielle, de place pour aucun creux. Disposés d'avance et pressés les uns contre les autres dans une soirée si courte, au lieu de les faire précéder d'un long désir, je n'aurais pas le temps, dans l'absorption par tout mon être de celui où j'étais plongé, par exemple dans la distraction mondaine dans la soirée Guermantes, de penser à ceux que j'aurais tout au plus le temps de rejoindre et qui — ceux que je goûterais dans les bras d'Albertine — m'attendraient sans que j'eusse eu plus d'instants à les désirer qu'une abeille sortant gorgée d'une fleur qu'elle vient de visiter et qui trouve tout de suite à côté d'elle la fleur ouverte d'avance où elle va trouver un nouveau nectar. C'est à de telles fleurs que m'avaient toujours fait penser Albertine et ses amies se détachant sur le plan lumineux et incliné des eaux. La chaleur qu'il faisait en me faisant penser à ces fleurs de Balbec, me faisait penser à ces journées arides sur la falaise où parfois je voyais la tige d'un rosier de Pennsylvanie contenir comme un éventail tout l'horizon marin — avec des bateaux entre deux fleurs — dans ses branches, et où j'aurais tant voulu pouvoir herboriser et assister à des mariages de fleurs accomplis par des insectes. Comme un homme limite sa jalousie aux heures dont une femme lui a dit l'emploi et qu'il se représente, prenant pour l'empêcher de voir tels hommes de telle heure à telle heure une peine qu'il jugerait inexplicable, s'il avait la force de se représenter aussi bien toutes les heures dont il ne sait rien, où cette femme sort aussi, peut rencontrer ces mêmes hommes ou d'autres et le tromper tout aussi bien, de même parce que Mme de Guermantes m'avait parlé des champs où elle allait herboriser avec Swann, de son jardin où se faisaient autant de mariages que dans le salon d'une vieille dame marieuse ou dans une paroisse fréquentée, de l'arbuste de la cour et de sa plante rare pour qui il était si difficile de trouver un parti, dans l'ensemble inintéressant du monde j'isolais les champs où elle était allée avec Swann, le jardin de la duchesse, l'arbuste de la cour, la plante rare, je les douais de cet intérêt privilégié que prennent pour nous les « exemples » sortis du domaine de l'abstraction et que l'imagination réalise et j'aurais voulu les étudier longuement. Peut-être avant le dîner quand Mme de Guermantes serait rentrée et que j'irais la voir consentirait-elle à me mener dans son jardin. Depuis qu'elle m'avait intéressé à la fécondation des fleurs j'avais lu les livres de Darwin, j'étais allé demander à un professeur de botanique au Museum des échantillons de diverses sortes de pollen ; je n'espérais guère pouvoir reconnaître celui que les thrips, les abeilles, les bourdons, les papillons porteraient sur eux, et savoir si c'était celui qui pouvait féconder la fleur où ils allaient s'arrêter. Mais je savais que le pollen est souvent plus abondant chez les plantes qui le font transporter par des agents physiques comme le vent, car alors une grande quantité de grains risque d'être perdue, ou qui le lancent par propulsion mécanique. Pour tout dire par cette chaude journée, ce que j'étais altéré de voir plus que des fleurs, plus que le ciel avec ses nuées, c'était ces autres nuages colorés qui presque à ras du sol voyagent de fleurs <en fleurs> ; pareilles à ces gerbes prismatiques d'eau que lancent les tuyaux d'arrosage pour rafraîchir les jardins ; peut-être dans celui de Mme de Guermantes pourrais-je voir de vraies fusées de pollen projetées par les fleurs anémophiles ; la pluie de soufre qu'égouttent, abondante, fine et serrée, les fleurs du pin, les nuages d'or qui voyagent entre les genêts d'Espagne, tout ce monde aussi inconnu de moi, presque aussi invisible pour mon œil qui n'avait jamais su le remarquer que les ondes électriques qui nous entourent, et dont j'aurais tant voulu qu'un Elstir, de son regard subtil et révélateur qui avait bien su percer le crépuscule et capter les vapeurs, eût fixé pour m'apprendre à les reconnaître, champ encore inexploré de la peinture, les brumes errantes et colorées, les averses intermittentes, attendues, instantanées et voulues comme un geste décisif, providentielles et fécondes comme la pluie d'or de Sémélé (?)[1].

Mais en attendant que Mme de Guermantes rentrât et après m'être assuré qu'il était impossible sans aller chez elle — ce que je ne pouvais faire en son absence — d'avoir vue dans son jardin, comme je m'étais aperçu que l'orchidée avait été placée à l'air sur le rebord de la fenêtre de son antichambre donnant sur la cour, je résolus, plus soucieux de satisfaire mes curiosités de ces jours-là que les convenances, de passer l'après-midi caché derrière les volets à la fenêtre du grand escalier, d'où je pourrais de bien loin hélas épier <avec> un battement de cœur si entraient dans la cour les insectes qui bien invraisemblablement et du reste sans que je pusse distinguer ni reconnaître ce qu'ils apporteraient de si loin, par une chance si peu probable, le seul pollen sans lequel l'arbuste et la plante resteraient vierges. M'enhardissant peu à peu, je descendis jusqu'à la fenêtre du rez-de-chaussée ouverte aussi et dont les persiennes étaient à demi closes ; de la boutique de Jupien, contiguë à la cage de l'escalier je l'entendais se préparer à partir mais il ne pouvait me voir derrière mon store, et je restais scrupuleusement immobile. — Je fis pourtant un brusque mouvement pour ne pas être vu quand j'aperçus, vieilli à voir ainsi en plein jour, grisonnant, bedonnant, d'une rougeur qu'il estompait d'un peu de poudre fort facile à distinguer dans cette lumière crue, M. de Charlus traversant la cour pour aller chez Mme de Villeparisis. Il avait fallu la grave indisposition de la marquise pour que son neveu fît une visite, peut-être pour la première fois de sa vie à cette heure-là. ◆◆ *d.* d'après des habitudes *ms.* : d'après ses habitudes *dactyl. 1, dactyl. 2 corr.* ◆◆ *e.* Jockey et de là au bois. Mon recul avait été bien inutile car le baron ne m'avait pas vu. Malgré cela au bout *ms.* : Jockey ou au bois. Au bout *dactyl. 1, dactyl. 2*

1. Voir t. II de la présente édition, p. 805-807, la préparation du thème botanique, appartenant à une paperole du manuscrit du *Côté de Guermantes II*. La comparaison entre la rencontre de Charlus et de Jupien et la fécondation de l'orchidée par le bourdon était absente

1. Sémélé, séduite par Zeus, de qui elle eut Dionysos, au lieu de Danaé, mère de Persée, qu'elle eut de Zeus, après que celui-ci se fut introduit sous la forme d'une pluie d'or dans une tour où son père, Acrisios, roi d'Argos, la tenait captive.

des esquisses, où la métaphore botanique était fugitivement suggérée (voir l'Esquisse II, p. 938, et n. 3, p. 28). Proust s'inspire de *L'Intelligence des fleurs* de Maeterlinck (Fasquelle, 1907), et des travaux de Darwin : *De la fécondation des orchidées par les insectes et des bons résultats du croisement*, trad. L. Rérolle, C. Reinwald, 1870 ; *Des effets de la fécondation croisée et de la fécondation directe dans le règne végétal*, trad. Éd. Heckel, C. Reinwald, 1877 ; *Des différentes formes de fleurs dans les plantes de la même espèce*, trad. Éd. Heckel, C. Reinwald, 1878. De fait, toutes les informations de Proust proviennent de la préface du professeur Amédée Coutance au troisième ouvrage, où le professeur résume le deuxième ouvrage, paru l'année précédente, et où il suggère à plusieurs reprises une comparaison avec les hommes, par exemple : « Étranges contradictions, étrange législation qui, dans le monde des êtres libres, aurait de fâcheuses conséquences » (p. XXI).

2. Voir l'Esquisse II, p. 935-936.

3. Cette allusion demeure énigmatique.

Page 5.

a. prolongeait son attente *[p. 4, 5e ligne en bas de page].* Je savais que la fleur avait tout préparé pour la réception de l'ambassadeur s'il devait venir, et aussi des défenses pour ne pouvoir être violée par qui ne serait pas lui, et que cette attente était si peu passive, que de même que chez la fleur mâle qui avait donné la semence, d'elles-mêmes les étamines s'étaient spontanément tournées pour que l'insecte pût facilement la recevoir, de même chez la fleur femelle qui était ici si l'insecte venait, arquant coquettement ses styles, ferait imperceptiblement comme une vierge hypocrite mais ardente la moitié du chemin pour être mieux pénétrée par lui. Je pensais à toutes ces lois merveilleuses qui gouvernent le monde végétal et sont gouvernées elles-mêmes par des lois de plus en plus hautes. Ainsi par exemple si la visite *ms., dactyl. 1* ◆◆ *b.* le sommeil répare à son tour la fatigue, *ms.* : le sommeil repose à son tour la fatigue, *dactyl. 1, dactyl. 2* ◆◆ *c.* exagérément *[5 lignes plus haut]* sortie. Et, tandis que j'entendais les moindres pas de Jupien faisant à côté de moi, qu'il ne voyait pas, ses préparatifs de départ, je pensais que toutes ces belles lois devraient nous incliner à regarder à travers les pétales des fleurs un être silencieux, presque immobile, mais doué de prévoyance et de volonté, à imaginer la fleur en un mot <non> d'après les parties pensantes de nous-mêmes, mais au contraire d'après tout ce qui en nous obéit à des lois aussi touchantes, aussi belles, et qui ne se connaît pas, qui est entièrement <in> conscient, et que le physiologiste, le chimiste, n'arrivent à connaître que du dehors, étudiant l'évolution de nos organes, le rôle de nos sécrétions, l'autodéfense de nos cellules, comme ils étudieraient, aussi étrangères à eux-mêmes, les anthères d'une fleur dolichostylée, ou le blé redevenant dans les climats tropicaux une plante vivace, parce qu'il n'a plus besoin (Babinet cité par Maeterlinck) de passer par l'état de graine pour survivre pendant la saison rigoureuse. Pourquoi vouloir que tout cela soit de la prévoyance consciente, de la pensée, quand chacun de nous, et le premier imbécile venu, le plus sot, si nous nous en tenons à sa vie consciente, à sa pauvre pensée, devient le lieu d'une aussi grande infinité de lois merveilleuses et géniales, si nous le considérons dans son corps, dans sa vie physiologique, c'est-à-dire ce qu'il ne connaîtra jamais de lui-même, pas plus que ne le connaît l'orchidée ou l'abeille. Mais me disais-je les parties les plus hautes de nous-mêmes sont-elles aussi inconsciemment soumises à ces belles lois ? Non pas qu'il faille mêler les règnes et par soif de merveilleux, pas plus que les fleurs ne veulent, ne pensent, il ne faut dire /nous vivrons tout le temps qui sera nécessaire pour achever notre œuvre *corrigé en* un écrivain vivra tout le temps qui lui sera nécessaire pour achever son œuvre/. Car la destruction des organes nécessaires à la vie peu<t> dépendre d'un choc extérieur, d'une lésion interne, et échappe<r> aux prises du désir, de la prière, etc. Mais dans le cerveau même de l'écrivain vieillissant, quand il brille encore d'intelligence, déjà un commencement d'aphasie lui fait dire un mot pour un autre, il oublie le lendemain la lettre qu'il avait à écrire. Le jugeant sur les remarques profondes dont il sème sa conversation, les beaux vers qu'il cite, on rit s'il dit qu'il perd la mémoire. Et sans doute c'est lui qui a raison et ses contradicteurs se trompent autant que ce philosophe qui croit réfuter que Voltaire ait été neurasthénique en rappelant son immense activité intellectuelle et qu'il ait été hypocondriaque puisqu'il plaisantait ses maladies. Mais à regarder les choses par l'autre face, si ce début d'aphasie, d'amnésie prouve la sclérose du cerveau malgré ces remarques profondes, ces souvenirs anciens finement rappelés, ceux-ci en revanche ne pourraient-ils prouver que dans cette sorte de coopération physiologico-spirituelle qu'exige la production d'une œuvre, une sorte d'instinct inconscient du cerveau le pousse à réserver ses forces pour l'intuition, pour le souvenir des intuitions, et à laisser échapper les faits purement matériels. Quoi qu'il en soit j'en arrivais à me demander si, si inconsciente<s> que soi<en>t, sous le gouvernement de ses belles lois aveugles, les plus merveilleuses parties de nous-mêmes, nous ne pourrions pas arriver, peut-être à cause de leur proximité plus grande de la pensée, à en avoir une connaissance autre que celle que nous aurions du dehors, autre que rationnelle et scientifique, si nous ne pourrions pas arriver à les connaître directement, c'est-à-dire à ce qu'elles se connaissent elles-mêmes, à ce que pour une petite part, sur certains points, elles se doublent de conscience, elles deviennent réfléchissantes, comme s'est faite au-dessous du front notre chair là où elle est devenue des yeux. *add. paperole*] Quand à Combray dans la voiture du docteur [du Boulbon *biffé*] [Percepied *corr.*] j'étais resté si longtemps immobile et l'esprit tendu après avoir vu les clochers de Martinville, je n'avais certes rien cherché à inventer ni à pauvrement composer selon ma chétive fantaisie d'imbécile ; non l'effort désespéré que j'avais fait alors, et depuis renouvelé quelquefois, bien rarement, dans ma vie, n'avait-ce pas été de tâcher d'arriver à rendre conscient en moi un petit fragment de ces lois — mais pas celles du monde physique, plus hautes encore — de ces lois inconscientes qui convergeaient en moi à mon insu, aussi nombreuses, aussi incessantes, aussi inconnues à elles-mêmes, que celles qui existent dans nos organes, dans les animaux, dans les plantes. De sorte [que le seul *biffé*] [qu'un *corr.*] livre qui serait la peine d'être écrit si jamais la volonté de travailler me venait serait un livre où lever seulement le voile de l'inconscience sur les lois qui dirigeant l'imagination, mais dirigeant aussi l'amour-propre, sont divines chez les poètes mais aussi chez les sots. Au premier abord rendre conscient, faire se formuler à nous ce qui d'abord est inconscient, n'est pour nous exactement rien, cela semble impossible. L'effort est long, semble devoir rester toujours inutile. Et pourtant n'arrive-t-il pas dans notre esprit qu'il y a des choses que nous voyons tout d'un coup sortir tout entières de rien, créées *ex nihilo*, dans la réminiscence par exemple. Sans doute quelquefois cherchant à nous rappeler quelque chose nous avons frôlé un indice, nous saisissons parfois une antenne du souvenir qui se dérobe, nous pouvons prendre un point d'appui sur telle ou telle notion concernant le souvenir, et après chaque échec nous nous disons courage, encore un dernier effort. Mais il n'en est pas toujours ainsi. À Balbec quand j'avais vu le nom de Mlle Simonet dont Gilberte m'avait parlé ne m'étais-je pas dit qu'elle avait autrefois prononcé ce prénom devant moi. Mais rien ne m'en restait, j'ignorais si ce prénom était long ou court, formé d'un seul mot ou de deux, courant ou rare, sonore ou sourd, finissant par un e muet ou par une voyelle, éclatant ou terne, français ou étranger, se rapprochant de tel ou tel autre. Pendant des heures j'avais fait effort, si tel est qu'on puisse appeler effort une peine prise dans le vide, qui ne s'appuie sur rien, qui ne s'aide de rien. Dans mon esprit la page où j'aurais voulu peu à peu recomposer ce prénom était restée blanche. Pendant des heures. Et puis tout d'un coup, d'un seul coup, sur cette page j'avais vu tracé au complet par une main invisible et divine, et qu'il me semblait n'avoir pu guider : Albertine. Au moment où je m'encourageais par cette comparaison, je vis sans plus me déranger pour lui cette fois, M. de Charlus ressortir de chez sa tante. Il ne s'était passé *ms*[1]. *Le texte du double de la dactylographie 1 est similaire à celui du manuscrit.* ✦✦ *d.* malaise de digestion. En ce moment, *ms., dactyl. 1* ✦✦ *e.* volonté. Dans cette lumière crue, il paraissait plus vieux, pâle presque comme un marbre où son front pur, son nez fort et fin qui ne recevait plus d'un regard volontaire une signification différente qui altérât la beauté de leur modelé, sculptaient les traits caractéristiques des Guermantes, comme si ce que j'avais devant moi ressemblait déjà à la statue que M. de Charlus aurait un jour sur son tombeau quand il ne serait plus qu'un Guermantes comme les autres, Palamède XIV de Guermantes. Mais ces *ms., dactyl. 1*

1. Sur l'union mystérieuse des étamines et du pistil, voir *L'Intelligence des fleurs*, éd. citée, p. 39-40, et surtout la préface de Coutance à *Des différentes formes de fleurs* [...], éd. citée, p. XXVIII : « On dirait que la plante a le pressentiment de la venue de l'être qui doit lui

1. Le début de cette variante s'inspire de *L'Intelligence des fleurs* de Maeterlinck, en particulier p. 90-91 : « une curieuse étude de Babinet sur les céréales nous apprend que certaines plantes, transportées loin de leur climat habituel, observent les circonstances nouvelles et en tirent parti comme font les abeilles. Ainsi, dans les régions les plus chaudes de l'Asie, de l'Afrique et de l'Amérique, où l'hiver ne le tue pas annuellement, notre blé redevient ce qu'il devait être à l'origine : une plante vivace comme le gazon. » Jacques Babinet (1794-1872), physicien français, polytechnicien, académicien en 1840, fut un grand vulgarisateur. Un long passage de son article, « Les Saisons sur la terre et dans les autres planètes » (*Revue des Deux Mondes*, 15 janvier 1856, p. 436-450), était cité par Schopenhauer dans *De la volonté dans la nature*, au chapitre de la « Physiologie végétale » (trad. Édouard Sans, PUF, 1969, p. 122). Schopenhauer fait lui-même la comparaison avec les abeilles. Maeterlinck allègue Schopenhauer et *De la volonté dans la nature* dans *L'Intelligence des fleurs* (p. 27), afin d'imputer une volonté et des désirs aux plantes. Dans cette variante, c'est donc la thèse de Schopenhauer que Proust discute, l'ayant lue chez Maeterlinck.

apporter la vie. Elle ne demeurera pas inerte et passive [...]. Ici des étamines se retournent pour que l'insecte puisse recevoir plus facilement le pollen qu'il emportera ; là, elles se courbent et se pressent sur le chemin qui conduit au nectar ; [...] l'on voit les styles s'arquer mollement [...]. »

2. Sur la dégénérescence liée à l'autofécondation et les avantages de la fécondation croisée, voir *L'Intelligence des fleurs*, éd. citée, p. 40, et surtout la préface de Coutance à *Des différentes formes de fleurs* [...], éd. citée , p. XV et p. XVII : « L'autofécondation est dans ses résultats généraux une cause d'infertilité et de dégénérescence : c'est la loi de la consanguinité appliquée au règne végétal. La fécondation croisée, au contraire, est une source d'avantages pour l'espèce et la pousse dans les voies d'un épanouissement et d'une vigueur remarquables. [...] Darwin nous l'apprend, c'est l'autofécondation qui, de temps en temps, ramène dans le rang les plantes exagérées dans un certain sens par le croisement » ; et un peu plus loin : « [...] un seul acte d'autofécondation fait tout rentrer dans l'ordre. »

3. Voir var. *c*, p. 5. Dans *Sodome et Gomorrhe*, Proust supprime, en général, les considérations dogmatiques annonçant le dénouement du roman.

4. Voir l'Esquisse I, p. 923-924, et l'Esquisse IV, p. 944 à 946.

Page 6.

a. M. de Charlus serait fâché s'il pouvait se voir en ce moment, car *ms., dactyl. 1* ◆◆ *b*. virilité, pour qui rien ni personne n'était assez viril ; ce à quoi *ms., dactyl. 1* ◆◆ *c*. le demi sourire, *ms., dactyl. 1, dactyl. 2* ◆◆ *d*. femme ! *Le passage qui suit ce mot et qui va jusqu'à* le marchand de marrons *[p. 11, 13e ligne en bas de page] est différent sur le cahier manuscrit [ms.] et sur le double de la première dactylographie [dactyl. 1]. Voir la variante c, p. 11. Selon Clarac et Ferré, qui ont eu entre les mains cet état du texte, c'est sur l'original de la première dactylographie que Proust a porté ses corrections (voir la Note sur le texte, p. 1262).*

1. Voir l'Esquisse II, p. 936.
2. Proust écrit toujours « orchydée ».

Page 7.

a. jamais vu la scène préalable / M. de Charlus estima sans doute qu'elle avait déjà trop duré dans une maison où il était connu, et après avoir d'un air fanfaron dit au revoir au concierge (lequel complètement saoul n'entendit pas, réfugié du reste dans l'arrière-cuisine de sa loge où il se sentait davantage chez lui pour recevoir ses invités). / Mais cette scène n'était pas *dactyl. 2*[1]

1. Proust songe-t-il aux *Quatuors* de Beethoven, dont il fut de plus en plus amateur ? ou aux passages de transition qui, dans les symphonies du même compositeur préparent le retour du thème, comme au début de la Cinquième, ou dans l'andante de la Septième ?

1. Voir la variante *d*, page 6.

Page 8.

a. lever. Ces regards ne devaient pas avoir pour but de mener à quelque chose. Car quel que fût *dactyl. 2* ◆◆ *b.* un homme, un homme-oiseau, un homme-poisson, un homme-insecte — on eût dit *dactyl. 2* ◆◆ *c.* et se contentait de lisser *dactyl. 2, orig. Nous corrigeons.* ◆◆ *d.* cochère. Le baron semblait pourtant ne s'éloigner qu'à regret, et ce ne fut qu'après *dactyl. 2* ◆◆ *e.* la rue où Jupien, tremblant *dactyl. 2* ◆◆ *f.* perdre sa piste s'élançait pour le rattraper. *dactyl. 2*

1. Sous biffure dans le manuscrit (voir var. *c*, p. 11), Jupien porte le nom de Borniche, qui était le sien dans l'Esquisse II, dont ce passage s'inspire (voir p. 936).

Page 9.

a. sollicitant *[p. 8, 12e ligne en bas de page]* plus mon attention, M. de Charlus revint suivi de Jupien à qui il demandait du feu. Jupien qui avait gardé jusque-là l'air le plus dédaigneux, parut au comble de la joie. « Entrez, on vous donnera tout ce que vous voudrez. » La porte *dactyl. 2* ◆◆ *b.* les vieux messieurs. *Le passage qui suit ces mots et qui va jusqu'à* M. de Charlus voulait lui donner. *[p. 11, 1er §, dernière ligne] figure sur une paperole ajoutée à la dactylographie 2.*

1. Voir *Du côté de chez Swann*, t. I de la présente édition, p. 157.

Page 10.

a. la guerre des Boers [et celle de Mandchourie[1] *biffé*], j'avais été *dactyl. 2 corr.* ◆◆ *b.* tels que je pensais n'en sortir jamais, je pensais à tel voyageur *dactyl. 2 corr., orig. Nous suivons la leçon d'orig. b.* ◆◆ *c.* moi qui me suis battu plusieurs fois en duel sans aucune crainte au moment de l'affaire Dreyfus, *dactyl. 2 corr., orig. Nous suivons la leçon d'orig. b.*

1. La guerre des Boers (1899-1902) tient son nom des colons d'origine hollandaise, habitant le Transvaal et l'Orange, qui y furent vaincus par les Anglais. La première rédaction du passage mentionnait aussi la guerre de Mandchourie (voir var. *a*). Sur les conversations avec Saint-Loup sur l'art militaire, voir *Le Côté de Guermantes I*, t. II de la présente édition, p. 406-416.

2. Cette notation, ajoutée en 1920 sur la seconde dactylographie, et modifiée sur l'exemplaire personnel de Proust (voir var. *c*), incite à se poser la question de l'âge du héros au moment de la découverte de Sodome et Gomorrhe.

Page 11.

a. Dans orig. b, Proust a corrigé furent *en* fut *, sans toutefois accorder* prononcées *; nous nous en tenons à la leçon de l'originale.* ◆◆ *b.* voulait

1. Il s'agit, soit de la guerre sino-japonaise de 1894-1895, où la Chine fut écrasée et où s'affirmèrent les prétentions nippones sur la Mandchourie ; soit, et plus vraisemblablement, de la guerre russo-japonaise de 1904-1905, où la Russie céda ses concessions au Japon.

lui donner. / Au bout d'une demi-heure, M. de Charlus ressortit. « Pourquoi *dactyl. 2 corr., orig. Nous suivons orig. b.* ⬥⬥ *c.* c'était à une femme[1] ! *[p. 6, 1er §, dernière ligne]* J'eus d'autant moins à me déranger pour lui que je vis ses yeux jusque-là à demi clos et soudain, brusquement fixer leurs regards du côté il est vrai de la cage de l'escalier, mais non sur elle, sur la boutique de Jupien au seuil de laquelle je voyais Jupien faire les premiers pas pour <partir> à son bureau. [Quelle ne fut pas ma surprise de voir celui-ci cloué sur place devant M. de Charlus, semblant prendre racine comme une plante, et regardant l'embonpoint du baron vieillissant avec une sorte d'émerveillement *add.*] M. de Charlus ne devait pas connaître Jupien plus que celui-ci ne le connaissait, puisque leurs heures de présence dans cette demeure n'avaient jamais dû coïncider. Cependant de son côté le baron semblait ne s'éloigner qu'à regret, il restait sur place, il tira sa montre, prit un air négligent, impertinent et ridicule, qui trahissait l'agitation, mais semblait avoir peine à démarrer, et après avoir tourné deux ou trois fois la tête, vira et s'éloigna en sifflotant comme un gros bourdon. Justement un insecte passa à ce moment près de sa figure, qu'il chassa de la main et que j'aurais voulu protéger. Qui sait si ce n'était pas celui attendu depuis si longtemps par l'orchidée et qui venait lui apporter ce pollen si rare sans lequel elle resterait vierge. J'essayais de retrouver dans la cour le vol de l'insecte si chassé par M. de Charlus il y était rentré, et comme mes yeux allaient dans la direction de l'orchidée, ils rencontrèrent Jupien toujours sur le seuil de sa boutique mais quelle ne fut pas ma stupeur d'à peine reconnaître Jupien tant il venait de se transformer. Lui qui avait toujours l'air si bon, si humble, avait redressé sa taille, donnait à sa tête un port avantageux, et un poing sur la hanche, une main dans sa poche, cambrait sa taille, faisait saillir son derrière, prenait autant de poses pour M. de Charlus qu'il feignait de ne pas voir qu'aurait pu en prendre la fleur de l'orchidée pour l'insecte providentiellement survenu qui était peut-être celui qui avait pénétré dans la cour mais dont l'étonnement que me causait le manège de [Borniche[2] *biffé*] [Jupien *corr.*] m'empêch<a> de continuer à suivre les siens. Quant à M. de Charlus s'étant ravisé il était rentré dans la cour avait tiré de sa poche une carte comme s'il avait oublié de faire à Mme de Villeparisis une commission qu'il allait lui laisser par écrit, puis voyant Jupien qui avec un air dédaigneux que je n'aurais pu lui soupçonner était rentré, le baron revint sur ses pas, tira une cigarette et entrant délibérément dans la boutique de l'ancien giletier lui demanda s'il aurait du feu. Puis la porte de la boutique se referma et je ne pus plus entendre leur conversation. Au bout d'une demi-heure M. de Charlus ressortit, j'entendis Jupien refuser avec force de l'argent que M. de Charlus voulait lui donner. [Pourquoi avez-vous votre menton rasé comme cela lui dit Jupien d'un ton de câlinerie. C'est si beau une belle barbe. J'aime bien les barbes. » « Fi quelle horreur répondit le baron. Cependant celui-ci *add.*] Celui-ci s'attardait encore sur le pas de la porte. « Voyons que je pense si je n'ai rien à vous dire avant de m'en aller. Vous qui connaissez le quartier, vous devez avoir des renseignements, vous ne pourriez pas me dire si le marchand de marrons *ms. Le texte du double de la dactylographie 1 est similaire à celui du cahier manuscrit.* ⬥⬥ *d.* le pharmacien d'en face,

1. Voir var. *d*, p. 6.
2. Voir n. 1, p. 8.

savez-vous quelque chose ? Il a un cycliste *ms., dactyl. 1, dactyl. 2* ⁂ *e.* une prière qui allait nécessiter qu'ils pénétrassent tous deux une seconde dans la boutique, *ms., dactyl. 1 erronée*[1] : une prière qui allait nécessiter qu'ils pénétrassent à nouveau tous deux dans la boutique, *dactyl. 2*

1. Proust se souvient sans doute d'une anecdote relative à Néron, rapportée par Émile Mâle, à propos de l'influence de la *Légende dorée* de Jacques de Voragine (vers 1229-1298) sur l'iconographie médiévale. Néron « a épousé un de ses affranchis, et il veut à toute force que ses médecins le fassent accoucher ; et, en effet, par l'effet d'un philtre, il mit au monde une grenouille qu'il fit élever dans son palais » (*L'Art religieux du XIIIe siècle en France*, Ernest Leroux, 1898, p. 379). Proust a souvent consulté cet ouvrage.

Page 12.

a. et qui sans doute toucha assez Jupien pour effacer sa souffrance, car avant d'entrer chez lui de nouveau avec le baron il regarda la figure du baron, *ms., dactyl. 1* ⁂ *b.* de l'air noyé de bonheur *Après ces mots, on trouve sur le cahier manuscrit deux rédactions successives reproduites sur le double de la première dactylographie en notre possession. Voici le texte de la première rédaction* : de quelqu'un qui vient de caresser délicieusement notre amour-propre en nous adressant une demande flatteuse / et se décidant à accorder à M. de Charlus celle que celui-ci venait de formuler, le faisant entrer devant lui il dit au baron d'un air ému : « Grand gosse ! » *Voici le texte de la seconde rédaction* : qu'on a devant quelqu'un qui vient de flatter profondément notre amour-propre. Et avant de faire rentrer un instant dans la boutique M. de Charlus pour lui accorder la faveur que j'étais réduit à supposer, il attacha sur celui qui l'avait flatté en la lui demandant un long regard souriant empreint de bonheur, de reconnaissance et de supériorité et murmura en s'adressant au baron : « Grand gosse ! » *Le passage qui suit* « Grand gosse ! », *qui commence par* « Si je reviens *[p. 12, 2e §, 1re ligne] et qui se termine à* rien n'est fini *[p. 15, 5e ligne] ne figure ni sur le cahier manuscrit ni sur le double de la première dactylographie. Nous n'avons donc plus pour ce passage qu'un seul état, la seconde dactylographie (voir var. c et d, p. 12 et var. a, p. 14).* ⁂ *c.* médecin [(et sans doute « grand gosse » était un simple cliché car en entendant le mot jeune, il regarda en riant le baron qui rougit vivement) *add. biffée*) dans le même tramway *dactyl. 2 corr.* ⁂ *d.* bien portante), [puisque cette jeune personne, c'est généralement un homme. *biffé*] Si elle change *dactyl. 2 corr.*

1. Voir, dans le Cahier 61, au folio 71 r°, des ajouts tardifs pour le langage de Jupien à M. de Charlus : « Embrasse-moi mon bébé, mon loulou, ma petite gueule. »

1. Rappelons que ce sigle de *dactyl. 1 erronée* indique que le dactylographe de *dactyl. 1*, censé retranscrire *ms.* a fait une faute de lecture ou de frappe. Nous nous contentons donc de signaler que la leçon de *dactyl. 1* est fautive, sans en rendre compte. Voir la Note sur le texte, p. 1264.

2. Voir, var. *b*, p. 114, un long passage du manuscrit, absent du texte définitif, où il est question d'une liaison entre M. de Charlus et un conducteur de tramway.

3. Allusion au conte des *Mille et Une Nuits* intitulé « Les Rencontres d'Al-Raschid sur le pont de Bagdad ». Le narrateur lui-même se comparera au calife dans *Le Temps retrouvé* ; voir t. IV de la présente édition.

Page 13.

1. La cathédrale Sainte-Croix, à Orléans, est un grand édifice gothique des XVIIe et XVIIIe siècles, achevé en 1829 seulement. La flèche centrale, construite en 1858, est inspirée de celle de la cathédrale d'Amiens.

2. On appelle sans raison Maison de Diane de Poitiers, à Orléans, un logis de la Renaissance, l'hôtel Cabu, où le Musée historique fut ouvert en 1885. La maison fut incendiée en juin 1940.

Page 14.

a. aimait la jeune chasseresse et couchait *dactyl. 2 corr.*

1. M. de Charlus pourrait faire allusion aux trois Médicis suivants : Léon X (pape de 1513 à 1521), Clément VII (pape de 1523 à 1534), et Léon XI (pape en 1605). M. de Charlus descend des Médicis par les Bouillon. Clément VI et Grégoire XI, qui vécurent au XIVe siècle, furent aussi apparentés aux La Tour d'Auvergne, devenus ducs de Bouillon. Voir Willy Hachez, « À propos des papes apparentés à M. de Charlus », *Bulletin de la Société des amis de Marcel Proust*, n° XXXVII, 1987, p. 46.

Page 15.

a. Grecs, aujourd'hui obscène, caractères qui maintenant qu'on les a vus resteront ineffaçablement inscrits sur le Charlus, ces personnes pour se persuader *ms., dactyl. 1 erronée.*

1. Voir l'Esquisse I, p. 924, et l'Esquisse IV, p. 946.

2. La déesse Athéna protège Ulysse dans l'*Iliade*, et dans l'*Odyssée* où elle ne se fait pas reconnaître. Au chant XIII de l'*Odyssée*, lors du retour d'Ulysse à Ithaque, elle se révèle à lui après lui être apparue sous les traits d'un adolescent, et le conseille lors du meurtre des prétendants. « Athènè » était la graphie de Leconte de Lisle dans sa traduction des *Hymnes orphiques* (Lemerre, 1869) : voir n. 1, p. 102.

Page 16.

a. il leur est arrivé *[p. 15, 5e ligne en bas de page]* de ne pas supposer un seul instant que l'homme à qui elles parlaient étaient le frère, ou le fiancé, ou l'amant d'une femme vont lui dire : « Quelle horreur que cette femme », quand heureusement un mot que leur chuchote un voisin leur fait savoir qu'il est le frère, le fiancé ou l'amant, ce qui fait apparaître aussitôt une sorte de Mané, Thécel, Pharès indélébile qui permettra d'éviter les gaffes sur le monsieur jusque-là table rase, surface nue, maintenant décorée de la qualité d'amant, de fiancé, ou de celle de frère, laquelle entraînera toute une mise en mouvement — comme le retrait ou l'avance de la fraction d'une armée — des notions désormais complétées qu'on possédait sur le reste de la famille. [L'être mystérieux qui était accouplé à M. de Ch <arlus> *biffé*] [La bête que chevauchait M. de Charlus comme un centaure avait *biffé*] L'être qui en M. de Charlus s'accouplait le différenciait des autres hommes comme dans le centaure le cheval, cet être avait beau faire corps avec lui, je ne l'avais jamais aperçu. Maintenant l'invisible s'était matérialisé, *ms., dactyl. 1 erronée.* ↔ *b.* porte inscrit en ses regards le désir à travers lequel il voit toutes choses dans l'univers, pour eux cette forme, intaillée dans la facette de la prunelle, n'est pas celle d'une nymphe mais d'un éphèbe. *ms., dactyl. 1, dactyl. 2* ↔ *c.* inavouable, à la lettre, son désir, son idéal, ce qui fait *ms., dactyl. 1*

1. Daniel, V, 25 : « Compté, pesé, divisé. » Menace prophétique inscrite sur les murs de la salle où Balthazar se livrait à sa dernière orgie, au moment où Cyrus pénétra dans Babylone.

2. Dans sa préface à *Corydon*, Gide reprochera à Proust la théorie de l'homme-femme : « Certains livres — ceux de Proust en particulier — ont habitué le public à s'effaroucher moins et à oser considérer de sang-froid ce qu'il feignait d'ignorer, ou préférait ignorer d'abord. Nombre d'esprits se figurent volontiers qu'ils suppriment ce qu'ils ignorent... Mais ces livres du même coup, ont beaucoup contribué, je le crains, à égarer l'opinion. La théorie de l'homme-femme, des *Sexuelle Zwischenstufen* (degrés intermédiaires de la sexualité) que lançait le Dr Hirschfeld en Allemagne, assez longtemps déjà avant la guerre, et à laquelle Marcel Proust semble se ranger, peut bien n'être point fausse ; mais elle n'explique et ne concerne que certains cas d'homosexualité, ceux dont précisément je ne m'occupe pas dans ce livre — les cas d'inversion, d'efféminement, de sodomie » (*Corydon*, N.R.F., 1924, n. 1, p. 11). Lors de l'affaire Eulenbourg (voir la Notice, p. 1196 et suiv.), Magnus Hirschfeld intervint comme expert lors du premier procès Moltke-Harden à l'automne de 1907, le cas de Moltke étant à ses yeux pathologique. Il se désavoua lors du second procès qui se déroula en décembre 1907 et janvier 1908. L'affaire Eulenbourg est mentionnée au début de *Corydon* (p. 15), qu'elle paraît avoir provoqué. Mais, avant Hirschfeld, Krafft-Ebing avait introduit des degrés de l'inversion dans la *Psychopathia sexualis* en 1886 : hermaphrodisme (ou bisexualité), homosexualité, efféminement, androgynie.

Vingt ans plus tôt, Karl Heinrich Ulrichs, juriste érudit et défenseur de l'inversion, dans une série de volumes publiés entre 1864 et 1869, avait affirmé le caractère inné de l'inversion, soutenant que, chez l'inverti, l'âme d'une femme est enfermée dans le corps d'un homme. Les écrits de psychiatrie et de médecine légale furent nombreux après 1870 à traiter de l'inversion. Voir Albert Moll, *Les Perversions de l'instinct génital. Étude sur l'inversion sexuelle*, préface de R. von

Krafft-Ebing, trad. fr., G. Carré, 1893 ; et Julien Chevalier, *Une maladie de la personnalité. L'Inversion sexuelle*, Lyon, A. Storck, 1893. On notera la remarque de Moll (p. 54) : « En France, on désigna ce phénomène, avec Charcot et Magnan, sous le nom d'inversion de l'instinct sexuel. » Charcot et Magnan (« Inversion du sens génital », *Archives de neurologie*, nos VII et XII, janvier et novembre 1882) traduisent ainsi l'expression allemande, *Die conträre Sexualempfindung*, « sens sexuel contraire », introduite par Westphal en 1870. Le terme d'« homosexualité », lui, était apparu en 1869, chez le médecin hongrois Karoly Maria Benkert. Sur la réflexion terminologique chez Proust, voir l'Esquisse IV, p. 955, et la Notice, p. 1202 et p. 1216-1218.

Page 17.

a. obligés de mentir toute sa vie et même à l'heure *ms.* : obligés de mentir toute la vie et même à l'heure, *dactyl. 1, dactyl. 1, dactyl. 2, orig. Nous suivons la leçon d'orig. b.* ⁂ *b.* leur prostituait de vrais *ms., dactyl. 1, dactyl. 2*

1. Proust exprimait cette idée dès 1908 dans le Carnet 1 : « Le pédéraste trouve quand il en trouve un autre une sorte de prédestination que ne trouve pas l'amoureux. Mais voudrait une non-tante mais vite croit demi-tante une tante qui lui plaît. Il voudrait et croit trouver des non-tantes, car emplissant son désir bizarre, de tout le désir naturel, croit avoir un désir naturel dont il peut retrouver l'échange hors de la pédérastie » (*Le Carnet de 1908*, éd. Philip Kolb, Gallimard, 1976, p. 63).

2. Allusion à Oscar Wilde (1856-1900), condamné en 1895 à deux ans de travaux forcés, à la suite d'un procès pour mœurs.

3. « La Colère de Samson », v. 80 (voir n. 3, p. 3). Le vers, dans la bouche de Samson, exprime sa déception devant les femmes.

Page 18.

a. maladie inguérissable du système nerveux ; comme *ms., dactyl. 1* ⁂ *b.* parfois beaux, parfois hideux ; trouvant *ms., dactyl. 1, dactyl. 2* ⁂ *c.* dont le nom leur est *ms., dactyl. 1, dactyl. 2 corr.* ⁂ *d.* Socrate était inverti comme les Israélites disent que Jésus était juif, sans songer *ms., dactyl. 1* : Socrate était l'un d'eux comme les Israélites disent de Jésus, sans songer *dactyl. 2, dactyl. 2 corr.*

Page 19.

a. pas le sien, ce qui, même si par hasard ils savent, leur est rendu facile par la fausseté mondaine ; jeu *ms., dactyl. 1* ⁂ *b.* scandale inévitable où *ms., dactyl. 1 erronée.* ⁂ *c.* leur vice leur impose *ms., dactyl. 1* ⁂ *d.* pareils à eux. *Sur la page suivante du cahier manuscrit, une paperole est collée, que dactyl. 1 reproduit en partie. Le haut de cette paperole est déchiré :* tendre exaltation lui faisait former. Et quand j'ai vu Charlus devant chez les Verdurin, en pensant à ce ridicule par lequel se tra<duisaient> les progrès en lui de son idéal, je mettrais (devant chez les Verdurin) le morceau de recto en face, puis la marge ci-dessus, puis ce qui suit : / Si quelque chose avait pu dès ce temps-là me démontrer l'utilité de l'art, me donner le remords de n'y avoir pas voué ma vie, c'était de voir quel milieu déformant est le corps. M. de Charlus voyait sans cesse devant les yeux, non pas une Vénus comme la plupart des hommes, mais un jeune Endymion qui esthétiquement n'est pas moins beau. Or cette vision de sa pensée, si elle se mirait dans son corps le faisait comme dans ces miroirs où un adolescent svelte apparaît avec trois ventres. Plus il était épris de grâce virile, plus il paraissait efféminé. Ainsi les vieillards au fur et à mesure qu'ils aiment des filles de plus en plus jeunes, prennent de l'âge à grands pas. Ils nourrissent en quelque sorte de leur chair la statue qu'ils élèvent à la gloire de la jeunesse, et un beau jour on trouve une enfant délicieuse et à peine formée s'échappant avec effroi du lit où un moribond vient de succomber. D'ailleurs pour l'inverti le ridicule extérieur, comme on en pouvait juger devant M. de Charlus, est double de ce qu'il est dans les autres vices parce que l'erreur mentale est double. L'homosexuel ne se croit pas seulement semblable à ce qu'il désire comme le snob qui se croit noble et l'amoureux transi qui s'imagine que ses baisers toucheraient comme ceux de la femme qu'il aime ; il a de plus assimilé tout ce que les mœurs, la littérature, les arts, la sagesse des moralistes ont élaboré sur l'amour des femmes et il le transporte aux hommes. Par où, quand il fait les yeux doux et écrit des billets mélancoliques à un garçon coiffeur il est un excellent personnage de comédie dont seule une absurde pudibonderie a empêché la comédie de s'emparer, car il est aussi comique et pitoyable que l'Avare ou le Malade imaginaire. Sans doute par instants une glace imprévue — par exemple la froideur méprisante d'un jeune homme, réfléchissante comme une glace — renvoie à l'inverti l'image qu'il présente aux autres au lieu de celle qu'il berçait dans son imagination. Il veut rectifier son tir, renoncer à aimer ceux qui ne peuvent le comprendre. Mais ces velléités sont courtes. Et sans doute est-ce à bon droit. L'amour étant ce qu'un être vivant peut connaître de meilleur, si la nature a rendu singulières et incommodes les voies par lesquelles il peut le goûter, encore est-il préférable qu'il s'en accommode que de renoncer par respect humain à cette exaltation intérieure. Les animaux sont si souvent mal construits pour l'amour qu'ils ne peuvent le goûter — comme les baleines par exemple — qu'au prix de grandes souffrances, et certaines plantes comme la vallisnère dont parle Maeterlinck qu'en se blessant à mort[1]. Qu'est-ce à côté de cela que le sourire méprisant qu'éveille l'inverti chez celui qu'il aime et qui ne peut l'aimer ? D'ailleurs la disgrâce n'est-elle pas en cela la même que celle de la plupart des hommes qui aiment les femmes. / Tout ceci pourrait aussi être mis dans le grand portrait / C'en était une en insistant sur l'excellent personnage de comédie ou pour ma conversation avec Charlus après la mort d'Albertine. *La paperole avait été vraisemblablement conçue pour « M. de Charlus et les Verdurin », avant d'être déplacée ici. Le feuillet suivant du manuscrit revient à « La Race des Tantes ».* C'est par exemple un étudiant arrivé de sa province avec une bourse, sans relations, sans autre chose que l'ambition.

1. Selon *L'Intelligence des fleurs* (éd. citée, p. 21-22), « la plus romanesque » des plantes aquatiques est « la légendaire Vallisnère ou Vallisnérie, une Hydrocharidée dont les noces forment l'épisode le plus tragique de l'histoire amoureuse des fleurs ». Les mâles s'arrachent à leurs pédoncules pour rejoindre les fleurs femelles à la surface de l'étang : « Blessés à mort mais radieux et libres, ils flottent un moment aux côtés de leurs insoucieuses fiancées » (*ibid.*, p. 24).

Page 20.

a. peut-être en lui, dans la « table rase » qu'ils semblent être, la seule originalité *ms., dactyl. 1 erronée.* ↔ *b.* qui aiment tous les deux Wagner ou les ivoires *ms., dactyl. 1 erronée.* ↔ *c.* de vieilles lorgnettes, d'estampes *ms., dactyl. 1*

1. Voir deux allusions du Carnet 1 : « Homme trouvant son plaisir à s'amuser des circonstances de la vie (avoir connu toute la bourse aux timbres. Louisa [de Mornand], Albu <fera>, etc.) » ; et : « Bourse aux timbres, comme maintenant » (*Le Carnet de 1908*, éd. citée, p. 57 et 59). Sur la « collection de femmes comme on en a de lorgnettes anciennes », voir *Le Côté de Guermantes II*, t. II de la présente édition, p. 648.

Page 21.

a. le téléphone ou par acheter *ms., dactyl. 1* : le téléphone, par recevoir la comtesse X, ou par acheter *dactyl. 2* ↔ *b.* ont cherché à effacer. *Le passage qui suit ces mots et va jusqu'à* cravate noire *[4e ligne en bas de page] a été inséré sur la première dactylographie*[1] *à la place d'une addition marginale du cahier manuscrit dont voici le texte :* Il faut avouer que certains en qui est non seulement mêlée à l'homme mais hideusement visible comme non pas en quelque rêve de Gustave Moreau car il n'y a ici nulle sérénité mais en quelque cauchemar de Rops, la femme tortillée sur elle-même, crispant pieds et mains, agitée par le spasme d'un rire aigu et cruel d'hystérique, produisent dans un café la même impression de malaise que si on y avait laissé s'attabler n'ayant de commun avec les consommateurs ordinaires que le veston ou le smoking des diables aux pieds fourchus ou des singes à l'œil mélancolique et creux, en cravate blanche, au pied prenant[2].

1. Sur la Schola cantorum, voir t. II, n. 1, p. 332. D'Indy y enseigna la composition de 1897 à sa mort, en 1931, et en prit la direction à la mort de Ch. Bordes (1909). Antisémite virulent, il fut fortement marqué par la musique de Wagner, tandis que Félix Mendelssohn, compositeur juif, avait été la bête noire de Wagner.

2. Félix-Potin, 45-47, boulevard Malesherbes, où Céleste Albaret faisait des achats.

Page 22.

a. grandes foules [quand leur regard sur le quai d'arrivée des bateaux, au départ des trains de banlieue, leur triste regard cher<che> *biffé*], peut-être perdent-ils trop [le sentiment précieux de ce que leur façon d'aimer a de profondément exceptionnel. *biffé*] la contrainte sociale est trop lourde encore et qui sont ceux surtout *ms., dactyl. 1* ↔ *b.* genre d'amour. Quelques-uns il est vrai (mais moins nombreux d'ailleurs et qui demanderaient une étude à part), parce qu'ils se croient supérieurs *ms.,*

1. Celle que nous ne possédons pas ; ce passage n'apparaît pas sur notre *dactyl. 1*.

2. Il s'agit peut-être d'une allusion à Consul, chimpanzé qui se produisait en redingote à l'Olympia, et se servait d'une fourchette (voir une lettre de juillet 1917 à Mme Straus, *Correspondance*, t. XVI, p. 196).

dactyl. 1 : genre d'amour. Laissons pour le moment de côté ceux que le caractère exceptionnel de leur penchant faisant se croire supérieurs *dactyl. 2, dactyl. 2 corr., orig. Nous corrigeons.* ↔ *c.* leur vice le font *ms., dactyl. 1, dactyl. 2* ↔ *d.* Quelques-uns, si on les surprend *Début d'une longue correction dans le cahier manuscrit (voir var. b, p. 25).* ↔ *e.* cette belle tête de femme ne dit *ms., dactyl. 1* ↔ *f.* « Je suis une femme. » *Le passage qui suit ces mots et va jusqu'à* gomorrhéenne) : « Je suis une femme » *[p. 23, 17e ligne] est une addition portée sur la dactylographie 2.* ↔ *g.* des actes mêmes, et que les actes mêmes, s'ils *dactyl. 2 corr., orig. Nous suivons la leçon d'orig. b.*

1. Proust écrit « Galathée », comme Gide (*Corydon*, éd. citée, p. 101). Galatée est la nymphe marine qu'aima le centaure Polyphème. Proust paraît songer au tableau de Gustave Moreau, *Galatée en plein sommeil*, envoi du peintre au Salon de 1880 avec *Hélène*. C'est ce que suggère une allusion du manuscrit aux femmes de Moreau et de Félicien Rops (voir var. *b*, p. 21).

Page 23.

a. opposé au sien. Et pour l'inverti *dactyl. 2 corr., orig. Nous suivons orig. b.* ↔ *b.* si ce jeune homme vous glisse hors des doigts, malgré vous, malgré lui, ce ne sera pas *ms., dactyl. 1 erronée.* ↔ *c.* des femmes. On peut le châtier, l'enfermer, le dévier, le lendemain la femme aura trouvé *ms., dactyl. 1* : des femmes. [On *corrigé en* Sa maîtresse] peut le châtier, l'enfermer, [le dévier *[sur des femmes add.] biffé*], le lendemain [la femme *[homme add.] biffé*] [l'homme-femme *corr.*] aura trouvé *dactyl. 2 corr.* ↔ *d.* Pourquoi dans le visage de cet homme[a] admirerons-nous des délicatesses *ms., dactyl. 1, dactyl. 2. L'erreur du dactylographe de dactyl. 1 a été adoptée par Proust.*

1. L'esquisse de cette page (voir var. *f*, p. 22) se trouve dans le Cahier 60, ff^os 119-121. Elle est précédée de cette autre esquisse : « Dans Sodome et Gomorrhe I / Ils aiment leur mère, leur femme, leur sœur et même après des années quand on leur parle d'elles, leurs yeux se mouillent mais simplement comme le front d'un homme très gros qui est tout de suite en nage s'il se met à marcher ; avec cette différence que pour les derniers, on les plaint, on leur dit : "Comme vous avez chaud", tandis que pour les premiers on fait semblant de ne pas voir leurs larmes pour ne pas encourager la sensiblerie. "On" c'est-à-dire les gens du monde, car les domestiques s'alarment dès qu'un œil s'humecte, disant d'un ton quasi médical "je *n'aime pas* vous voir pleurer comme ça" et comme si les pleurs qu'on répandait étaient une sorte d'hémorrhagie, dangereuse pour celui qui en est atteint et pour celui qui la contemple et qui sait que la vue du sang lui fait remonter son manger. Cette affection des invertis pour leur femme, pour leur sœur, peut être si profonde que pendant quelque temps ils changent de vie et le retour à leurs habitudes n'est qu'une des formes de la consommation de l'oubli.

a. de ce jeune homme *ms.*

Mais le plus souvent le mensonge dans lequel ils ont coutume de vivre est le plus fort. Ils ont été forcés par le préjugé même qui les circonscrit, de tromper quotidiennement leur entourage, que la douleur, ses cérémonies, leurs habitudes sont simultanées et qu'ils peuvent, arrivés le cœur gros à la mairie ou à l'église, faire de l'œil maniaquement au préposé des pompes funèbres ou à l'enfant de chœur » (ffos 116 r°-118 r°). Quelques autres notations figurent au bas du folio 118 r° et au folio 119 r°, témoignant de la proximité de *Sodome et Gomorrhe I* et des développements sur l'inversion du *Temps retrouvé* : « Dans les bordels images étranges on dit la sous-maîtresse comme si c'était à elle à faire apprendre ou répéter des leçons immorales. Et quelle périphrase dans cette expression "En ce moment ces dames prennent des poses, il ne fait rien". Bruit terrible de messe, on attend les répons. Circulation et interruption comme par sergents de ville. / Chez Jupien vagues peintures pompéiennes dans les sous-sols. "Il y a des femmes c'est très bien ici, dit en riant d'un air précieux et câlin Jupien en montrant les déesses d'Herculanum." » Suit le brouillon retenu par *Sodome et Gomorrhe I*. L'allusion aux travestissements dans les comédies de Shakespeare, plus précise dans l'esquisse — « l'inversion est une source de poésie comme ces déguisements qui amènent des erreurs de sexe dans *Le Soir des Rois* » (f° 120), suggère un rapprochement avec deux lettres de la *Correspondance* de Proust et Jacques Rivière, en mars et juillet 1920 (éd. Philip Kolb, Gallimard, 1976, p. 96 et 114). Il y est question de l'envoi à Proust par Rivière d'un exemplaire de *La Nuit des rois*, dans la traduction de Théodore Lascaris parue aux Éditions de la N.R.F. en 1920. Viennent ensuite, dans le Cahier 60, deux notations encore qui concernent l'inversion : « Au bordel (Jean) ces larges yeux étaient les miroirs où s'étaient un moment reflétés mais où je ne pouvais pas voir tout ce que j'aurais voulu connaître (de Santois ? d'Albertine ?). Les formes de la beauté féminine engendrent un plaisir tout physique où elles ne sont pour rien, et pourtant ce plaisir les stérilise ; la chasteté protège la fécondité des idées amoureuses » (f° 121).

2. Maeterlinck décrivait ainsi le volubilis dans *L'Intelligence des fleurs* : « [...] ceux d'entre nous qui ont quelque peu vécu à la campagne ont eu maintes fois l'occasion d'admirer l'instinct, la sorte de vision qui dirige les vrilles de la Vigne vierge ou du Volubilis, vers le manche d'un râteau ou d'une bêche posé contre un mur » (éd. citée, p. 26).

Page 24.

a. femme. Et ne parlons pas de ces jeunes folles qui *ms., dactyl. 1 erronée.*

1. Proust mettait un point d'interrogation après « Saturne » dans le manuscrit. Le satellite de Saturne auquel il paraît faire allusion est sans doute Titan (découvert en 1655) ; mais, selon la plus ancienne tradition astrologique, c'est Saturne lui-même qui préside aux amours

contre nature et à l'inversion en général. On lit ainsi, dans le *De Judiciis astrorum* d'Aboul Hasan Ali ibn Aboul Ridjal, que le saturnien *jacet cum juvenibus et pueris parvis* (« couche avec des jeunes gens et des petits enfants », éd. latine de Bâle, 1551 ; nous traduisons). Mais on peut d'abord songer aux *Poèmes saturniens* de Verlaine. Le mot « Saturnisme » a pu désigner l'inversion dans les lettres de Proust et des Bibesco (George Painter, *Marcel Proust*, Mercure de France, 1966, t. I, p. 384), mais Ph. Kolb lit « Salaïsme », formé sur le nom d'Antoine Vacaresco de Sala, ami des Bibesco (lettre d'avril 1902 à Antoine Bibesco, *Correspondance*, éd. Ph. Kolb, Plon, 1970-1988, t. III, p. 42-43).

Page 25.

a. la pente *[p. 24, 2e ligne en bas de page]* qu'il leur avait paru si amusant de descendre. *ms., dactyl. 1 erronée* : la pente qu'il leur avait paru si amusant de descendre, qu'elles avaient trouvé[a] si amusant, ou plutôt qu'elles n'avaient pas[b] pu s'empêcher de descendre. *dactyl. 2, dactyl. 2 corr., orig. D'après Clarac et Ferré, qui ont vu la première dactylographie corrigée par Proust, la leçon du manuscrit aurait dû être biffée et remplacée par une nouvelle rédaction que la dactylographie 2 lui a en fait accolée.* ⬥⬥ *b.* après l'avoir porté longtemps *C'est par ces mots que se termine la longue correction qui figure dans le cahier manuscrit sur deux paperoles et dans la marge. Le début de cette longue correction* Quelques-uns, si on les surprend *se trouve au milieu de la page 22 (voir var. d de cette page). Voici le texte initial du cahier manuscrit* : le végétarisme *[p. 22, 21e ligne]* et l'anarchie. Mais le plus grand nombre de ceux qui <ont> fui la société c'est non pas comme ces doctrinaires, ces évangélistes dont nous parlions, par un orgueil que ferait fléchir seul le zèle de l'apostolat, mais par honte, et ceux-là non seulement n'ont pas eu la force de supporter la contrainte sociale, mais encore la contrainte mentale ne s'est pas exercée sur eux, ils ont tenu leur genre d'amour pour un vice plus exceptionnel encore qu'il n'est et sont allés vivre seuls du jour qu'ils l'ont découvert, après qu'ils l'eurent porté longtemps ⬥⬥ *c.* Car qui se connaît soi-même tout d'abord, qui n'est resté un temps plus ou moins long à ignorer qu'il était poète, qu'il était snob, qu'il était méchant, qu'il était inverti. Tel collégien *ms., dactyl. 1* ⬥⬥ *d.* il en reconnaît l'analyse et en enrichit la substance *ms., dactyl. 1 erronée.* ⬥⬥ *e.* Vernon, et pourtant quelquefois, par une prudence défensive de l'instinct qui précède parfois et trop rarement la vue claire de l'intelligence, taisant « le nom de ce qui fait souffrir » comme le kleptomane encore inconscient se cache pour voler un objet [Saint-Loup m'avait raconté que M. de Charlus dans sa *biffé ms.*] J'ai su plus tard par toute cette famille que j'ai tant connue que quand M. de Charlus était adolescent la glace et les murs de sa chambre disparaissaient sous des chromos représentant des actrices et qu'il faisait des vers *ms., dactyl. 1* ⬥⬥ *f. que Lucie au monde, ms., dactyl. 1, dactyl. 2* ⬥⬥ *g.* Faut-il [...] chez lui dans la suite, *dactyl. 2, dactyl. 2 corr.* : Faut-il [...] chez elles dans la suite, *orig. Nous corrigeons. Voir, dans la variante suivante, la leçon du cahier manuscrit et celle du double de la dactylographie 1.* ⬥⬥ *h.* Faut-il donc mettre au commencement de cette vie un goût qu'on ne devait point retrouver chez lui dans la suite[1], comme chez ces bruns qui peuvent montrer d'eux

a. qu'ils avaient trouvé *dactyl. 2, dactyl. 2 corr.*
b. qu'ils n'avaient pas *dactyl. 2, dactyl. 2 corr.*

1. Voir la variante précédente.

des photographies enfantines où ils étaient blonds. Mais sans chercher en ce moment une interprétation qui entre les divers possibles risquerait d'être aussi fantaisiste que les biographies d'écrivains que des critiques sagaces essaient d'après les livres, je me rappelais qu'à Balbec Saint-Loup m'avait raconté que M. de Charlus dans sa jeunesse poursuivait de sa haine les homosexuels. Or si cette haine était naïve, peut-être c'est qu'homosexuel M. de Charlus ne l'était pas encore, ou même l'étant déjà ne savait pas qu'il l'était. Un snob n'est pas un homme qui aime les snobs, un inverti un homme qui aime les invertis, mais un snob, un inverti sont des hommes qui ne peuvent pas voir une duchesse ou un beau garçon sans se sentir attirés vers eux. Or pendant toute la première période de son développement l'homme est centrifuge, s'attache hors de soi à la contemplation, cherche hors de soi la raison de ses songes. Il croit, il préfère recevoir son impulsion du dehors, être mû par les grâces de la duchesse, par la loyauté du chasseur d'Afrique, plutôt que par un ridicule du caractère ou une défectuosité du tempérament et ce n'est que quand la révolution de la pensée autour du moi s'est accomplie, quand l'intelligence de l'homme le voit lui-même du dehors comme elle verrait un autre, que les mots : « J'ai tel vice » s'écrivent devant ses yeux, sans sortir toutefois de ses lèvres, car parallèlement à la nature de son tempérament il a appris — souvent trop tard — l'utilité de l'hypocrisie[1]. [Qui sait si les photographies de femmes ne sont pas un commencement aussi d'horreur pour les invertis qui va encore mieux avec l'inversion que l'importance attachée à être décoré et l'insignifiance trouvée à la décoration des autres, peut-être aussi le début de cet amour purement esthétique pour les femmes que devait avoir M. de Charlus avec tant de raffinement et qui commençait par des déshabillés d'actrices comme son goût littéraire par ces vers enfantins, et aussi cette complexité de la tendresse quand on est très jeune qui laisse l'amour s'égarer un peu partout même sur ce dont il se retirera à jamais plus tard, sur un camarade pour un homme normal, sur une chanteuse de café concert pour un inverti. *add. ms.*] Mais les solitaires *ms., dactyl. 1*

1. *Rob-Roy* est un roman de Walter Scott datant de 1817 : Rob-Roy, brigand romantique écossais, est le père de Diana Vernon, qui épousera Francis Obaldistone. Voir cette note du Cahier 54, f° 15 r° : « Hélas, de même que quand j'aimais Albertine, je pensais à Diana Vernon etc. (voir et mettre les dernières pages du cahier Dux). »

2. Dans le manuscrit, la description de la jeunesse de l'inverti s'applique à M. de Charlus (voir var. *e* de cette page). Voir aussi l'Esquisse I, p. 929 et suiv.

Page 26.

a. qu'on prenne [reviennent *biffé*], et sauvés *dactyl. 2 corr.* : qu'on prenne, reviennent et sauvés *orig. Nous ne possédons pas, pour ce passage, d'état antérieur à la dactylographie 2. Voir la variante suivante.* ◆◆ *b.* à qui

1. Voir l'Esquisse IV, p. 954, et la *Correspondance*, t. XII, p. 238, où Proust, en juillet-août 1913, se défend, dans une lettre à Louis de Robert, d'avoir voulu plaire aux pédérastes : « Très précisément parce que je dissèque leur vice (j'emploie ce mot vice sans nulle intention de blâme) je montre leur maladie, je dis précisément ce qui leur fait le plus horreur, à savoir que ce rêve de beauté masculine est l'effet d'une tare nerveuse. La meilleure preuve c'est qu'un pédéraste adore les hommes mais déteste les pédérastes. »

l'hypocrisie *[p. 25, 5e ligne en bas de page]* eſt douloureuse. Et quand le jour *ms., dactyl. 1. Voir la variante précédente.* ↔ *c.* par honte, ils s'en vont vivre solitaires à la campagne. Débiles, n'étant jamais parvenus à la maturité de leur force, tombés *ms., dactyl. 1* ↔ *d.* comprend que le même ne pourra survivre à tant de milliers de mètres au-dessus du niveau de la mer en son ami émancipé, atteignant à la pleine majorité dont il ne sépare pas l'amour normal. Et en effet, *ms., dactyl. 1* ↔ *e.* ne guérit pas, non que certains, bien rares d'ailleurs, l'inversion, non congénitale, ne puisse guérir. Elle eſt alors superficielle, peut tenir à quelque défaut anatomique qui rend malaisé les rapports avec la femme et ne survit pas à l'ablation de sa cause pas plus que chez certaines femmes des idées noires qui tiennent à une affection gynécologique, ou chez les enfants certains aſthmes qui proviennent d'adhérences nasales. Mais le plus souvent on naît, on meurt inverti. Le délaissé exige *ms., dactyl. 1*

1. Voir l'Esquisse IV, p. 950-951, qui développait plus longuement ce cas.

Page 27.

a. quelquefois changer *[p. 26, dernière ligne]*, leur vice n'apparaît plus *ms., dactyl. 1* : quelquefois changer, leur vice [(comme on dit) *add.*] n'apparaît plus *dactyl. 2 corr.* ↔ *b.* se fasse. Un homosexuel semble guéri, on croirait volontiers à une révolution en physique en voyant une quantité de sa force sensuelle anéantie, elle ne l'eſt pas mais simplement transférée ailleurs. Un jour cet homosexuel perd un de ses neveux et à son inconsolable *ms., dactyl. 1* ↔ *c.* l'amour pur pour un jeune parent a momentanément remplacé chez l'inverti, par métaſtase, ses habitudes de débauche qui reprendront *ms., dactyl. 1* ↔ *d.* vient le voir et cherche *ms.* : vient le soir et cherche *dactyl. 1, dactyl. 2 corr., orig. Nous corrigeons d'après le cahier manuscrit.* ↔ *e.* mais malade le délaissé *ms., dactyl. 1* ↔ *f.* Alors seul dans sa tour le solitaire tombe dans la mélancolie. Il n'a d'autre *ms., dactyl. 1* ↔ *g.* premières, se plaint d'une civilisation où un jeune homme qui en aurait envie n'a pas le droit de se fiancer à un sous-chef de gare, et avant *ms., dactyl. 1*

1. Grisélidis, héroïne de légende, mise en scène par Pétrarque, Boccace, Perrault, eſt le symbole de la vertu conjugale, en raison des épreuves auxquelles sa fidélité fut soumise.

Page 28.

a. ne tromperait pas, si celui-ci passait par là, l'amateur *ms., dactyl. 1 erronée.* ↔ *b.* je voyais en elle une délicieuse *ms., dactyl. 1 erronée.*

1. Voir l'Esquisse I, p. 933. Andromède était la fille de Céphée, roi d'Éthiopie, et de Cassiopée. Parce que la reine s'était vantée d'être plus belle que les nymphes de l'Océan, Poséidon avait envoyé un monſtre marin dont seul le sacrifice de la princesse libérerait le pays. Lorsque Persée arriva — et non l'un des Argonautes —, il aperçut la jeune fille enchaînée à un rocher, levant vers le ciel des yeux pleins

de larmes. Il obtint de Céphée la promesse que la main d'Andromède lui serait accordée s'il tuait le monstre, ce qu'il fit avec l'épée qui avait déjà tranché la tête de Méduse. Proust, malade et isolé du monde, se comparait volontiers à Andromède dans ses lettres. Ainsi à Henry Bordeaux, en octobre ou novembre 1906, il se dit « toujours attaché à un rocher qu['il] sai[t] qu['il] ne quitter[a] plus jamais » (*Correspondance*, t. VI, p. 250). Et surtout, dans une lettre à Antoine Bibesco, en juin 1902, Proust demande à son correspondant de lui pardonner un conseil : « [...] il reflète chez moi la disposition subjective et jalouse d'une Andromède masculine toujours attachée à son rocher et qui souffre de voir Antoine Bibesco s'éloigner et se multiplier sans qu'il puisse le suivre. En sorte que mes conseils anti-mondains ne seraient peut-être qu'une forme inconsciente, didactique et péjorative du sublime "La pauvre fleur disait au papillon céleste : / Ne fuis pas ... Je reste, tu t'en vas !" » (*ibid.*, t. III, p. 61). Les vers sont empruntés à Victor Hugo, *Les Chants du crépuscule*, XXVII. Proust les citait également dans le manuscrit de *Sodome et Gomorrhe I*, où ils étaient appelés par la métaphore botanique : voir var. *a*, p. 31.

2. Dans le Cahier 52, ff^os 3-4, figure une esquisse du passage qui suit, jusqu'à la 14e ligne en bas de page. L'orchidée et la vanille y sont présentes, mais non la méduse.

3. En ce point, le Cahier 49, appartenant à la version de 1912 du roman, suggère une comparaison entre l'inverti et la fleur qui paraît être à l'origine du développement de la métaphore botanique : « C'est en vain que dans sa frêle apparence et sous ses précieuses couleurs le jeune et pauvre malade regarde avec mélancolie la foule où son œil n'aperçoit rien qui puisse lui convenir. Comme certaines fleurs où l'organe de l'amour est si mal placé qu'elles risquent de se flétrir sur leur tige avant d'avoir été fécondées, la rencontre d'un amour mutuel est chez eux soumise à des difficultés spéciales ajoutées encore à celles qui existent pour tout le monde déjà, qu'on peut dire qu'une telle rencontre très rare pour la plupart des êtres devient pour eux à peu près impossible » (f° 60 r°). Voir p. 29, 1re ligne et suiv.

4. Michelet décrivait ainsi la méduse dans *La Mer* (1861) : « Quelques coquilles étaient là toutes retirées en elles-mêmes et souffrant de rester à sec. Au milieu d'elles, sans coquille, sans abri, tout éployée gisait l'ombrelle vivante qu'on nomme assez mal *méduse*. Pourquoi ce terrible nom pour un être si charmant ? » (*Œuvres complètes*, Flammarion, s. d. [1898], t. XXIX, p. 372). Puis il en voyait d'autres : « Celles-ci étaient grosses, blanches, fort belles à leur arrivée, comme de grands lustres de cristal avec de riches girandoles, où le soleil miroitant mettait des pierreries » (*ibid.*, p. 374). Il insiste dans l'œuvre sur les échanges que végétaux et animaux font de leurs apparences. Proust s'est aussi servi de cette description poétique de la méduse pour celle des asperges à Combray : voir *Du côté de chez Swann*, t. I de la présente édition, n. 1, p. 119.

5. Voir la préparation du thème botanique dans *Le Côté de Guermantes II*, t. II de la présente édition, p. 805-807. Il n'y a pas de développement sur le vanillier dans *L'Intelligence des fleurs* ni dans les ouvrages de Darwin. Voir, en revanche, Ilia Metchnikoff, *Études sur la nature humaine. Essai de philosophie optimiste* (Masson, 1903, p. 23-24), qui cite l'invention d'Edmond Albius à la Réunion en 1841, et renvoie à Arthur Delteil, *La Vanille*, A. Challamel, 1897, 4e éd. Proust connaissait l'ouvrage de Metchnikoff, auquel il fait allusion dans une lettre à Antoine Bibesco de mars 1906 (*Correspondance*, t. VI, p. 57), et dans une de ses dernières lettres à Gaston Gallimard, en septembre ou octobre 1922 (*Lettres à la N.R.F.*, Gallimard, 1932, p. 269). Il s'était déjà inspiré de cet ouvrage pour la description de la « guêpe fouisseuse » dans *Du côté de chez Swann*, t. I de la présente édition, n. 1, p. 122.

6. Victor Hugo, *Les Voix intérieures*, XI. Le poème commence ainsi : « Puisqu'ici-bas toute âme / Donne à quelqu'un / Sa musique, sa flamme, / Ou son parfum [...] » (*Œuvres poétiques*, Bibl. de la Pléiade, t. I, p. 964). Voir l'Esquisse II, p. 938. Reynaldo Hahn a composé sa première mélodie sur ce poème, sous le titre de « Rêverie » (1888), *Mélodies*, Heugel, 1893, t. I, p. 1. Proust l'évoque dans une lettre à Reynaldo de septembre 1904 (*Correspondance*, t. IV, p. 246).

Page 29.

a. bedonnant. Ce Roméo *ms.* : bedonnant, le Roméo *dactyl. 1, dactyl. 2 corr.* : bedonnant ; le Roméo *orig. Nous corrigeons d'après le cahier manuscrit.* ◆◆ *b.* femelle, ou qui dote le pollen si c'est le vent qui doit assurer le transport de celui-ci, le rend *ms., dactyl. 1* : femelle, ou qui si c'est [...], le rend *dactyl. 2, orig. Nous corrigeons.* ◆◆ *c.* au passage par la fleur *ms., dactyl. 1* : au passage de la fleur *dactyl. 2, orig. Nous corrigeons d'après le cahier manuscrit.* ◆◆ *d.* qui les attirent (Darwin), et pour que *ms., dactyl. 1* : qui les attirent [(Darwin) *biffé*], et pour que *dactyl. 2 corr.*

1. On reconnaît les familles de Juliette et de Roméo, à Vérone.

2. Voir la préface de Coutance à *Des différentes formes de fleurs* [...] de Darwin, éd. citée, p. XXV et suiv.

Page 30.

1. Voir la préface de Coutance, ouvr. cité, p. XXIII : « Un pollen qui déterminerait une fécondation illégitime demeure inerte sur les stigmates qui l'ont reçu, comme s'il appartenait à une plante très éloignée par ses caractères. » Voir aussi *L'Intelligence des fleurs*, éd. citée, p. 66 : « [...] de très récentes expériences de Gaston Bonnier semblent prouver que chaque fleur, afin de maintenir son espèce, sécrète des toxines qui détruisent ou stérilisent tous les pollens étrangers. »

2. Voir la préface de Coutance, ouvr. cité, p. XX et XXVIII.
3. *Ibid.*, p. XX.
4. Voir *Le Côté de Guermantes II*, t. II de la présente édition, p. 842-854. Selon *L'Intelligence des fleurs*, chez la pédiculaire des bois, les étamines « l'une, puis l'autre, viennent frapper l'insecte, leur orifice libre, et l'asperger de poussière fécondante » (éd. citée, p. 51).

Page 31.

a. la trace. Certes je ne pourrais pas oublier l'attitude ridicule, les minauderies et les manèges de Jupien quand il avait aperçu M. de Charlus et debout devant sa boutique avait semblé lui dire (comme « la pauvre fleur au papillon céleste » et oubliant qu'ils étaient « fleurs tous deux ») : « ne fuis pas[1] ». Mais cette coquetterie ne me paraissait plus ridicule ; j'y trouvais une sorte de poésie je ne dis pas <de même> qu'à la lueur que certaines méduses allument comme signal d'amour, mais qu'à tous les gestes tentateurs qu'adressent aux insectes, au dire de Darwin, non seulement les fleurs dites composées. *ms., dactyl. 1* : la trace. Je trouvais [...] Darwin, non seulement par les fleurs dites composées. *dactyl. 2, dactyl. 2 corr.* ◆◆ *b.* même aux parfums de nectar, à l'éclat *ms., dactyl. 1, dactyl. 2 corr., orig. Proust n'a pas adapté la construction aux changements survenus depuis le ms.* ◆◆ *c.* recommander Mlle Jupien *ms., dactyl. 1 erronée* : recommander Mme Jupien *dactyl. 2*

1. Sur l'escargot, voir Remy de Gourmont, *Physique de l'amour. Essai sur l'instinct sexuel*, Mercure de France, 1903, p. 140.
2. Aristophane, dans *Le Banquet* de Platon (189*d*-191*d*), expliquait les formes de l'amour par un mythe de l'origine selon lequel, avant que Zeus les coupât en deux, il y avait trois sortes d'hommes, l'un pourvu de deux corps masculins, l'autre pourvu de deux corps féminins, et l'homme-femme ou androgyne. Depuis la séparation, chacun est à la recherche de sa moitié avec qui refaire l'unité primitive. L'idée de Darwin, pour qui la division des sexes est intervenue tardivement dans l'évolution des espèces, se prêterait de la même façon à une justification de l'inversion par un « hermaphroditisme initial », faisant de l'homosexualité de Legrandin, par exemple, « une sorte de retour, même détourné, vers la nature » (voir *Albertine disparue*, t. IV de la présente édition). La critique a souligné que Proust naturalisait et innocentait ainsi l'inversion (Rina Viers, « Évolution et sexualité des plantes dans *Sodome et Gomorrhe* », *Europe*, février-mars 1971, et « La Signification des fleurs dans l'œuvre de Marcel Proust », *Bulletin de la Société des amis de Marcel Proust*, n° XXV, 1975 ; Marcel Muller, « *Sodome I* ou la naturalisation de Charlus », *Poétique*,

1. Proust cite les vers 1, 8 et 4 de Hugo, *Les Chants du crépuscule*, XXVII. Il les connaissait (voir n. 1, p. 28), mais il les a retrouvés, cités par Amédée Coutance en conclusion de sa préface à *Des différentes formes de fleurs [...]* de Darwin : « Qui n'a pas lu cette plaintive élégie de la fleur et du papillon, commençant par ces mots : / La pauvre fleur disait au papillon céleste : / Ne fuis pas ; / Vois comme nos destins sont différents : je reste, / Tu t'en vas. » (p. XXXIII).

n° VIII, 1971 ; Marie Miguet-Ollagnier, *La Mythologie de Marcel Proust*, Les Belles-Lettres, 1982, p. 255-256). Gilles Deleuze a davantage insisté sur la complexité et l'ambiguïté de la théorie proustienne de l'inversion : « Tout le thème de la race maudite ou coupable s'entrelace d'ailleurs avec un thème d'innocence, sur la sexualité des plantes » (*Proust et les signes*, PUF, 1970, 2ᵉ éd., p. 145). Ce déplacement rejoint celui que la médecine accomplit dans le dernier quart du XIXᵉ siècle, passant d'un jugement sur la pédérastie comme vice contre nature et monstruosité de la volonté, à sa conception comme maladie et « anomalie congénitale morbide » (Krafft-Ebing) : de la perversité à la perversion, suivant les termes de Krafft-Ebing également. Selon le traité d'Ambroise Tardieu, *Étude médico-légale sur les attentats aux mœurs* (J.-B. Baillière, 1857, 7ᵉ éd., en 1878), la pédérastie est un vice, et l'hypothèse de la folie est évoquée une seule fois (éd. de 1878, p. 255) ; mais toute une série d'ouvrages allemands, à partir des travaux de Casper, jugent innée la pédérastie et l'appellent un « instinct » : « Chez la plupart de ceux qui y sont adonnés, il est de naissance et constitue pour ainsi dire un hermaphrodisme moral » (*Traité pratique de médecine légale* [Berlin, A. Hirschwald, 1857-1858, 2 vol.], trad. fr., G. Baillière, 1862, 2 vol., t. I, p. 118). La thèse proustienne dans son ambiguïté est donc conforme au débat médical de la fin du siècle, plutôt qu'elle ne naturalise l'inversion. Au demeurant, elle ne renvoie jamais à la naturalisation la plus célèbre de l'inversion, celle qui fut opérée par Schopenhauer dans un appendice au chapitre XLIV des Suppléments au *Monde comme volonté et comme représentation*, « Métaphysique de l'amour » (trad. A. Burdeau [Alcan, 1888-1890, 3 vol.] revue par R. Roos, PUF, 1966, p. 1320-1327). La pédérastie y est jugée une tendance contre nature, mais qui procède par quelque côté de la nature même, puisqu'elle existe à toute époque et sur tout continent. Elle est un mal préférable à un malheur durable qu'elle prévient, la détérioration de l'espèce qui adviendrait si les hommes trop jeunes ou trop vieux engendraient des enfants. La pédérastie n'est donc pas aux yeux du philosophe un vice de l'âge viril, à moins d'une dépravation accidentelle et prématurée de la faculté génératrice ; elle naît avec l'âge ou appartient à l'adolescence, elle « est le résultat, en effet, d'une faculté génitale sur son déclin ou trop peu formée encore, qui, dans les deux cas, est un danger pour l'espèce » (*ibid.*, p. 1326). Le point de vue de Schopenhauer, que Proust n'a apparemment pas connu, est absent de *Sodome et Gomorrhe I*. Néanmoins, la conception proustienne de la physiologie végétale est fidèle au *Monde comme volonté et comme représentation. L'Intelligence des fleurs* de Maeterlinck, dont elle s'inspire, citait *De la volonté dans la nature* (éd. citée, p. 27), autre ouvrage du philosophe, afin d'imputer une intelligence aux plantes ; significativement, Proust revient (voir var. *c*, p. 5 et la note en bas de page 1271) du terme de Maeterlinck (intelligence) à celui de Schopenhauer (volonté). Par le truchement de Maeterlinck, la philosophie de Schopenhauer figure dans *Sodome et Gomorrhe I*, elle imprime sa marque à la représentation de la vie des plantes et de la pédérastie.

3. Voir la préface de Coutance à *Des différentes formes de fleurs* [...] de Darwin, éd. citée, p. XXII.

Page 32.

a. que nous verrons plus tard. Ce fut d'habitude par Françoise que j'appris chaque nouveau bienfait de M. de Charlus pour la famille Jupien. « Ah ! en voilà *ms., dactyl. 1* ↔ *b.* le même genre de personnes. » *Après ces mots et jusqu'à la fin de « Sodome et Gomorrhe I » [p. 33, dernière ligne], on lit sur le cahier manuscrit et sur le double de la dactylographie 1 un passage différent du texte définitif, qui a été modifié par Proust sur l'original de la dactylographie 1 qui n'est plus en notre possession. Voici le texte de ce passage dans le cahier manuscrit et dans le double de la dactylographie 1 :* Françoise fut aussi touchée d'apprendre que presque chaque jour M. de Charlus allait dire bonjour à Jupien avant de sonner à la porte de la marquise. Antoine et « Antoinesse » eussent été sans doute bien étonnés rue Chanoinesse s'ils avaient entendu Jupien appeler le vieux gentilhomme « mon petit gosse ». Ce genre <d'> appellation ne signifiait sans doute pas d'ailleurs que Jupien eût l'habitude d'amis moins âgés que M. de Charlus. Mais de même que l'inverti habituel [pense en serrant dans ses bras un jeune homme *biffé ms.*] [dans une liaison avec un adolescent *corr. ms.*], reproduit instinctivement tous les sentiments nuancés par la littérature, le langage de l'amour habituel, de même l'inverti qui aime les hommes plus âgés par une transposition au second degré, leur applique le langage qu'ils appliqueraient à des petits jeunes gens. Par banalité de langage d'ailleurs ils se rapprochent de l'amour dont ils s'écartent et qui leur semble l'amour normal, et qui pour eux est ce que les Grecs appellent l'amour des jeunes garçons, de même que les amoureux des jeunes garçons (παιδεραστές) contrefont l'amour normal pour les femmes. D'ailleurs la plupart des gens en employant une formule ne voient pas assez clair dans sa lettre pour remarquer les cas où on ne peut l'employer. Un monsieur qui a entendu parler de nous dira au moment de la présentation[1] (voir M. de Cambremer).

1. Genèse, XIX, 1 et XVIII, 21. Proust récrit librement l'histoire de la destruction de Sodome, dont seul Loth réchappa, selon la Bible.

2. L'ange à l'épée flamboyante n'apparaît pas dans la Genèse lors de la destruction de Sodome, mais lorsque Adam et Ève sont chassés du paradis (III, 24). La confusion serait ainsi entre Sodome et l'Éden.

Page 33.

a. au cours de ces pages ; mais *dactyl. 2*[2]

1. Sur Antoine et son « Antoinesse », dans la bouche de Françoise, voir *Le Côté de Guermantes*, t. II de la présente édition, p. 323-324. Il s'agit d'Antoine Bertholhomme, concierge du 102, boulevard Haussmann, et de sa femme, Louise Bertholhomme. Sur la présentation de M. de Cambremer, et sans doute sur les étouffements de sa sœur lui faisant dire au héros : « Je ne peux pas vous dire comme ça m'amuse d'apprendre que vous avez des étouffements », voir ici, p. 317-318.

2. Voir la variante *b*, p. 32.

1. Genèse, XIX, 26 ; la femme de Loth échappa à la destruction de Sodome, mais elle regarda en arrière, malgré l'interdiction qui lui en avait été faite, et devint une statue de sel.

2. Genèse, XIII, 16 ; Dieu dit à Abraham : « Je rendrai ta race comme la poussière de la terre, en sorte que, si l'on pouvait compter la poussière de la terre, on pourrait aussi compter ta race. » Voir aussi la Genèse, XXVIII, 14 ; le verset, appartenant à la promesse de Dieu dans le songe de Jacob, s'applique à sa descendance et non à celle des rescapés de Sodome. Le détournement a pour conséquence d'identifier la postérité de Jacob et la race des sodomites, Sion et Sodome.

3. Saint-Pétersbourg s'est appelé Petrograd de 1914 à 1924, avant de devenir Leningrad.

SODOME ET GOMORRHE II

NOTE SUR LE TEXTE

La genèse de *Sodome et Gomorrhe II* est complexe ; ainsi, le nombre des états entre le manuscrit de mise au net et l'édition originale, qui est notre texte de référence, varie selon les passages considérés. Cette Note sur le texte se propose de retracer les différentes étapes de l'élaboration de ce tome d'*À la recherche du temps perdu* à partir du manuscrit.

I. MANUSCRIT

Le manuscrit au net est composé de six cahiers numérotés de II à VII par Proust[1] et appartenant à la série de vingt cahiers rédigés pendant la Première Guerre mondiale, qui présente une rédaction continue d'*À la recherche du temps perdu* depuis *Sodome et Gomorrhe I* jusqu'à la fin du roman. Les Cahiers II à VII portent, sur des papiers collés à leur couverture, les mentions : « Sodome et Gomorrhe I, deuxième cahier », « Sodome et Gomorrhe I, troisième cahier », etc. ; ils sont paginés par Proust à la suite du Cahier I — qui contient l'actuel *Sodome et Gomorrhe I* —, de la page 64 à la page 657. On lit, à la dernière page du Cahier VII : « Fin de l'avant-dernier volume (Sodome et Gomorrhe I) ». Toutes ces indications sont antérieures à la décision de placer la rencontre entre Charlus et Jupien à la fin du *Côté de Guermantes II*, sous le titre *Sodome et Gomorrhe I*.

1. N.a.fr. 16709 à 16714. Le Cahier II (N.a.fr. 16709) correspond, dans le présent volume, aux pages 34-106 ; le Cahier III (N.a.fr. 16710) aux pages 106-148 ; le Cahier IV (N.a.fr. 16711) aux pages 148-248 ; le Cahier V (N.a.fr. 16712) aux pages 248-368 ; le Cahier VI (N.a.fr. 16713) aux pages 375-486 ; le Cahier VII (N.a.fr. 16714) aux pages 486-515.

Comme dans le Cahier I[1], le texte, écrit sur les pages de droite, déborde dans les marges et sur les pages de gauche ; il se prolonge par des paperoles. Des pages collées sur le manuscrit proviennent des cahiers de brouillon, en particulier, pour le chapitre IV de *Sodome et Gomorrhe II*, du Cahier 53. Le Cahier IV inclut un fragment, collé sur une paperole, des placards Grasset de 1914[2] d'*À l'ombre des jeunes filles en fleurs*. Le Cahier VI, sans utiliser d'extraits des placards Grasset de 1914, récrit deux passages d'*À l'ombre des jeunes filles en fleurs*[3]. Quelques pages et certaines paperoles ont été arrachées du manuscrit, mais la plupart d'entre elles peuvent être retrouvées dans une boîte contenant le reliquat du fonds Proust de la Bibliothèque nationale.

II. DE LA DACTYLOGRAPHIE À « JALOUSIE »

La dactylographie.

Les Éditions de la Nouvelle Revue française firent établir une dactylographie[4] du manuscrit. Elle fut achevée avant janvier 1921. Proust la jugea de mauvaise qualité ; de fait, par ses erreurs et ses omissions, elle est à l'origine de nombreuses divergences entre l'édition originale et le manuscrit.

Sur la base de cette dactylographie, et sans que Proust l'eût relue attentivement, sans qu'il eût corrigé ses fautes ni rempli ses blancs — il se contenta d'ajouter quelques passages, en marge ou sur des paperoles —, le texte fut composé au printemps de 1921.

Les épreuves de 1921.

Les épreuves[5] reproduisent donc le manuscrit, avec les fautes de la dactylographie — et quelques-unes qui leur sont propres —, ainsi que les ajouts portés par Proust sur cette dactylographie. Ces ajouts concernent notamment le musicien, déjà nommé Morel, alors qu'il s'appelait Santois dans le manuscrit et Sautois, à la suite d'une erreur

1. Voir la Note sur le texte de *Sodome et Gomorrhe I*, p. 1261.
2. Voir la Note sur le texte d'*À l'ombre des jeunes filles en fleurs*, t. I de la présente édition, p. 1305. Le fragment d'épreuves correspond aux pages 179-180 de *Sodome et Gomorrhe II*.
3. Ces deux passages concernent le cabinet de la grand-mère ou de la mère du héros (voir *À l'ombre des jeunes filles en fleurs*, t. II de la présente édition, p. 64 et *Sodome et Gomorrhe*, p. 383 ; pour rédiger le texte destiné à *Sodome et Gomorrhe II*, Proust s'inspire de l'extrait d'*À l'ombre des jeunes filles en fleurs* paru dans *La Nouvelle Revue française* de juin 1914) et les oiseaux dans la forêt de Chantereine ou de Chantepie (voir *À l'ombre des jeunes filles en fleurs*, t. II de la présente édition, p. 79 et *Sodome et Gomorrhe*, p. 383-384, où le modèle est encore l'article de *La Nouvelle Revue française*).
4. Cette dactylographie est actuellement dispersée sous les cotes suivantes : N.a.fr. 16728, pour « Jalousie » ; N.a.fr. 16739-16741, pour la suite ; et N.a.fr. 16738, pour les reliquats.
5. N.a.fr. 16766.

de lecture, dans le texte tapé par le dactylographe. Les noms de Sautois et de Morel coexistent donc sur les épreuves de 1921.

Proust commença alors à corriger ces épreuves, mais seulement jusqu'à la page 36, au-delà de laquelle il ne les a pas relues. Il les abandonna durant l'été de 1921 pendant lequel il mit au point, en travaillant à nouveau sur la dactylographie, le début de *Sodome et Gomorrhe II* qu'il fit paraître sous le titre de « Jalousie », dans *Les Œuvres libres*, n° 5, p. 7-156, en novembre 1921. Cet extrait correspond aux pages 34-136 de notre édition, plus une conclusion réunissant quelques scènes à Balbec qui venaient de plus loin dans le roman.

III. « JALOUSIE »

Pour « Jalousie », Proust revint donc à la dactylographie et la transforma dans des proportions considérables, sans commune mesure avec les changements qu'elle avait connus avant la composition des épreuves de 1921[1].

La soirée chez la princesse de Guermantes et la visite nocturne d'Albertine au héros, provenant des Cahiers II et III du manuscrit, ont fait l'objet d'une telle réécriture sur la dactylographie que celle-ci se présente désormais comme une seconde version manuscrite, où la première page dactylographiée apparaît au folio 59. C'est cette dactylographie corrigée qui a servi de copie d'impression pour « Jalousie », ainsi que l'indique une page de titre[2]. Il s'agit d'un mélange complexe de pages manuscrites, autographes ou non, et de pages dactylographiées et corrigées[3].

Le début de la nouvelle version de la soirée chez la princesse de Guermantes, écrite tantôt par Proust, tantôt, sous la dictée, par Céleste Albaret, est postérieur à la correction des trente-six premières pages des épreuves de 1921, qu'il reproduit en les retouchant encore. On note quelques différences entre cette version et le texte imprimé de « Jalousie » — dont elle constitue, rappelons-le, la copie d'impression —, différences qui attestent des interventions de l'auteur sur les épreuves de « Jalousie », lesquelles ne nous sont pas parvenues.

Après que « Jalousie » eut paru, en novembre 1921, Proust en corrigea de sa main un exemplaire[4], après avoir retiré les dernières pages[5] qui réunissaient quelques épisodes éveillant la jalousie du héros à Balbec et justifiant ainsi, *in extremis*, le titre de l'extrait. C'est cet

1. N.a.fr. 16728 (ff^os 1-144). Nous appellerons cette étape « dactylographie corrigée », alors que « dactylographie » désigne l'état non corrigé mais légèrement augmenté.

2. Voir var. *a*, p. 34.

3. Le tout est paginé par Proust de 1 à 141. Les pages écartées de la dactylographie ont été conservées et se trouvent presque toutes à la Bibliothèque nationale sous la cote N.a.fr. 16738 (ff^os 77-162).

4. N.a.fr. 16728 (ff^os 145-210).

5. P. 139-156 ; voir var. *b*, p. 185.

exemplaire tronqué et corrigé de « Jalousie » qui servit de copie d'impression pour les pages 34 à 136 de *Sodome et Gomorrhe II*[1].

Les différences entre le manuscrit du Cahier II pour le début de la soirée chez la princesse de Guermantes et la nouvelle version rédigée sur la dactylographie en vue de la publication de « Jalousie » sont si considérables qu'il est impossible de rapporter le texte du manuscrit à des variantes du texte imprimé. Nous avons donc donné dans leur intégralité les soixante premiers feuillets du manuscrit dans une longue variante[2]. Le texte du manuscrit et le texte imprimé se rejoignent à la page 87 de *Sodome et Gomorrhe II*.

Le récit de la soirée est bien plus court dans le texte définitif que dans la version manuscrite. Après les pages 34-87, qui réduisent les soixante premiers feuillets du manuscrit, trois longs développements sont supprimés[3]. Il est vraisemblable que Proust aurait souhaité réintégrer au roman l'un ou l'autre de ces passages après la publication de « Jalousie », mais il ne l'a pas fait[4]. D'autre part, un très petit nombre de longues additions a été porté sur la dactylographie corrigée[5].

IV. APRÈS « JALOUSIE »

Nous avons dit que l'exemplaire corrigé de « Jalousie » a servi de copie d'impression pour les pages 34-136 de *Sodome et Gomorrhe II*. À partir de la page 136, 2e §, aucun état intermédiaire entre la dactylographie corrigée et l'édition originale ne nous est parvenu. C'est la dactylographie corrigée elle-même qui servit de copie d'impression pour la fin de *Sodome et Gomorrhe II*. La copie d'impression de ce texte est donc composite :

— des pages 34 à 136 : exemplaire tronqué et corrigé de « Jalousie ».

— des pages 136 à 515 : dactylographie corrigée.

La dactylographie corrigée.

Cette partie de la dactylographie corrigée correspond à la fin du Cahier III et aux Cahiers IV à VII du manuscrit. Elle est paginée par Proust de 139 à 515, à la suite de l'exemplaire corrigé de « Jalousie[6] », et découpée en chapitres dont les titres apparaissent sous la forme de papiers collés. Sans être remaniée dans les mêmes proportions qu'en son début, elle présente de nombreuses additions dans les

1. On dispose en outre d'une copie par Céleste Albaret des deux premières pages de *Sodome et Gomorrhe II* (N.a.fr. 16729, ffos 196 r°-197 v°) et d'une copie, d'une autre main, qui n'est pas celle de l'auteur, des quatre premières pages de *Sodome et Gomorrhe II* (N.a.fr. 16729, ffos 201-208). Cette dernière copie reproduit les quatre premiers feuillets de la dactylographie corrigée avant les dernières corrections que lui apporta Proust.

2. Voir var. *b*, p. 34 (p. 1300-1353 de l'appareil critique).

3. Voir var. *f*, p. 106 ; var. *c*, p. 112 ; var. *b*, p. 114.

4. Voir la Notice, p. 1253 et n. 4.

5. Voir p. 123-126 et p. 130-131.

6. N.a.fr. 16739-41. On sait que « Jalousie » comptait 156 pages. Mais rappelons que l'exemplaire corrigé de cet extrait est incomplet, les pages 139 à 156 ayant été arrachées par Proust.

marges ou sur des paperoles, ainsi que des suppressions importantes. Les additions ont parfois été elles-mêmes dactylographiées, dans une frappe plus serrée que le texte initial[1]. Sur la dernière page, on lit la mention « Fin du tome I de Sodome et Gomorrhe », corrigée par Proust en « Fin du tome II de Sodome et Gomorrhe ».

La fin du récit de la soirée chez la princesse de Guermantes, après ce qui en avait été donné dans « Jalousie », connaît encore quelques suppressions et accourcissements notables[2]. C'est aux endroits de la dactylographie correspondant à la fin et au début des cahiers manuscrits, où les matériaux s'étaient accumulés, que Proust remanie le plus profondément son texte. Ainsi, les pages 146 à 148 de notre édition résument, d'une manière assez peu claire, des réflexions du héros sur ses goûts dans le monde ; ce remaniement se produit à la « charnière » des Cahiers III et IV. Le début du Cahier IV et des « Intermittences du cœur » est récrit. La fin du Cahier IV, où s'étaient accumulées des scènes gomorrhéennes aggravant les soupçons du héros, est répartie dans la dactylographie corrigée, tandis que Proust introduit à la place de ces scènes les aventures de M. Nissim Bernard et de son jeune commis, qui proviennent de la « charnière » des Cahiers V et VI. On verra à la lecture des variantes que ce cas n'est pas isolé ; les passages correspondant à la fin du Cahier V et au début du Cahier VI sont très corrigés[3]. Seule la « charnière » des Cahiers VI et VII est intacte.

Les additions anecdotiques, comiques, voire burlesques sont fort nombreuses : ainsi, c'est sur la dactylographie corrigée qu'apparaissent l'hypersecrétion salivaire de la vieille Mme de Cambremer[4], beaucoup des étymologies de Brichot[5], le personnage du philosophe norvégien[6] etc. Mais les additions les plus importantes concernent Morel, à qui elles donnent une nouvelle envergure. Dans un grand nombre de cas, il s'agit d'additions précoces de la dactylographie apparaissant déjà sur les épreuves de 1921. En revanche, la rencontre entre Charlus et Morel a été récrite au dernier moment sur la dactylographie corrigée, ainsi que d'autres développements touchant aux rapports entre les deux personnages.

1. Comme pour la partie de la dactylographie corrigée qui servit de copie d'impression pour « Jalousie », les pages écartées lors de la correction se trouvent pour la plupart à la Bibliothèque nationale, sous la cote N.a.fr. 16738. — Il existe une copie par Céleste Albaret de la première page des « Intermittences du cœur » (p. 148), sous le titre « Commencement du second cahier » (N.a.fr. 16729, ff^os^ 197 v°-198 v°), ainsi qu'une copie d'une autre main (mais non celle de Proust) des six premières pages des « Intermittences de cœur » (p. 148-154), laquelle a servi de copie d'impression pour le roman, à la place du passage correspondant de la dactylographie corrigée, dont le texte, écrit tantôt par l'auteur, tantôt par Céleste Albaret, était très confus (N.a.fr. 16776, ff^os^ 36-47).

2. Voir, par exemple, var. *c*, p. 139.

3. Voir var. *a*, p. 368 et var. *c*, p. 375.

4. Voir var. *c*, p. 203.

5. Voir var. *c*, p. 281 ; var. *a*, p. 283 ; var. *b*, p. 286.

6. Voir p. 321.

Les épreuves de 1922.

Au début de 1922 a lieu une nouvelle composition d'épreuves, sur la base de la dactylographie corrigée ; ces nouvelles épreuves, qui ne tiennent aucun compte des épreuves de 1921, ne nous sont pas parvenues. Elles portaient vraisemblablement quelques additions dont certaines, anecdotiques, paraissent être des allusions à décrypter, comme, par exemple, la visite du grand éditeur parisien chez les Verdurin[1] ou le passage concernant le noble ruiné que Mme Verdurin voudrait avoir pour concierge[2]. Les plus importantes affectent encore les rapports entre Charlus et Morel.

V. PRÉPUBLICATIONS

Outre le long passage du début de *Sodome et Gomorrhe II* paru en novembre 1921 sous le titre « Jalousie » dans *Les Œuvres libres*, Proust a donné cinq extraits à des revues avant la parution du roman en mai 1922. Les deux premiers extraits sont importants, les trois autres mineurs.

— « Les Intermittences du cœur » a paru dans *La Nouvelle Revue française* du 1er octobre 1921[3]. L'extrait correspond au début du Cahier IV du manuscrit et aux pages 148-178 du roman, où le texte a conservé ce sous-titre. Proust songeait d'ailleurs à en faire un chapitre à part entière de *Sodome et Gomorrhe II*. Quelques différences par rapport à l'édition originale attestent plus de vigilance pour la revue que pour le roman de la part des Éditions de la Nouvelle Revue française. L'extrait omet deux passages importants du roman : la description de la vieille Mme de Cambremer et celle de l'hôtel de Balbec comparé au temple de Salomon[4].

— « En tram jusqu'à La Raspelière », dédié à Jacques Boulenger, a paru dans *La Nouvelle Revue française* du 1er décembre 1921[5]. L'extrait sélectionne des morceaux du voyage vers La Raspelière qui prennent place entre les pages 259 et 301 de notre édition. On trouve à la Bibliothèque nationale des pages dactylographiées[6] portant des indications de la main de Jacques Rivière et qui ont servi au montage du passage à partir de feuillets extraits de la dactylographie corrigée par Proust.

Les trois autres fragments sont conformes au texte du roman ; il est vraisemblable qu'ils furent composés à partir des épreuves de 1922. Ce sont :

— « Étrange et douloureuse raison d'un projet de mariage », paru dans *Intentions*, 1re année, n° 4, avril 1922, p. 1-20. L'extrait est identique aux pages 497-515 de *Sodome et Gomorrhe II*.

1. Voir var. *b*, p. 296.
2. Voir p. 357 et n. 2.
3. P. 385-410.
4. Voir p. 161-165 et 169-171.
5. P. 641-675. Léon Pierre-Quint a étudié les variantes entre cet extrait et le roman dans *Comment travaillait Marcel Proust*, Éditions des Cahiers libres, 1928, p. 17-31.
6. Sous la cote N.a.fr. 16776, ffos 51-59.

— « Une soirée chez les Verdurin », paru dans *Les Feuilles libres*, 4e année, n° 26, avril-mai 1922, p. 75-86. L'extrait est identique aux pages 341-352 de *Sodome et Gomorrhe II*.

— « L'arrivée de Mme d'Orvillers chez la princesse de Guermantes », paru dans le supplément littéraire du *Figaro* du 30 avril 1922, en première page. L'extrait est identique aux pages 118-119 de *Sodome et Gomorrhe II*.

VI. ÉDITION ORIGINALE

Sodome et Gomorrhe II a paru en trois volumes aux Éditions de la Nouvelle Revue française, en mai 1922. L'achevé d'imprimer est identique pour les trois tomes : « Achevé d'imprimer le 3 avril 1922 par F. Paillard à Abbeville (Somme) ». Le premier volume correspond aux pages 34-190, le deuxième aux pages 190-352, le troisième aux pages 352-515 de notre édition.

VII. ÉTABLISSEMENT DU TEXTE

L'ensemble des documents aujourd'hui accessibles permet d'améliorer grandement le texte de l'édition originale de mai 1922.

Si certaines fautes de cette édition originale — incohérences syntaxiques, variantes dans les noms propres, répétitions dues au mauvais placement d'additions et de corrections — proviennent du manuscrit, la plupart de ses défauts trouvent leur origine dans la dactylographie, qui présente de nombreuses fautes de frappe, des omissions, des additions mal intégrées, des espaces laissés en blanc parce que le dactylographe n'a pas su déchiffrer l'écriture de Proust, et comblés par ce dernier sans qu'il ait recours au manuscrit. Ces distorsions ont été adoptées ou adaptées par Proust, qui, comme toujours, intervient plus volontiers en des endroits où le texte n'est pas particulièrement en défaut.

Dans une moindre mesure, des distorsions analogues sont intervenues entre la dactylographie corrigée et « Jalousie », ou entre l'exemplaire corrigé de « Jalousie » suivi de la dactylographie corrigée — ces deux documents constituant, on l'a vu, la copie d'impression de *Sodome et Gomorrhe II* — et l'édition originale. Si Proust a participé à la correction des épreuves de 1922 avec M. Gabory, de la NRF, il ne l'a pas fait avec plus de soin qu'il n'avait revu la dactylographie. L'édition originale fourmille de fautes et de coquilles.

Pierre Clarac et André Ferré, qui se chargèrent en 1954 de procurer la première édition d'*À la recherche du temps perdu* dans la Bibliothèque de la Pléiade, n'ont pas disposé de tous les documents désormais connus ; notamment, ils n'ont pas eu accès à ce document capital qu'est la copie d'impression de *Sodome et Gomorrhe II*. Ils ont eu tendance à introduire dans le texte de l'édition originale de nombreuses corrections régressives, c'est-à-dire à recourir au manuscrit, annulant ainsi les interventions de l'auteur sur la dactylographie corrigée[1].

Il ne nous manque en revanche aucun document essentiel, excepté les épreuves de 1922. Cependant, Proust ayant trop souvent mal corrigé les derniers documents qu'il a revus, l'établissement du texte présente des difficultés.

Nous avons fait nôtres les principes qui ont guidé l'établissement de l'ensemble des textes de cette nouvelle édition d'*À la recherche du temps perdu*. Notre texte de référence est l'édition originale, parue du vivant de Proust ; nous la suivons lorsqu'elle offre un texte acceptable. Nous revenons aux leçons de la dactylographie corrigée ou de l'exemplaire corrigé de « Jalousie », lorsqu'elle est incohérente.

Dans les cas où l'édition originale ne respecte pas la volonté de l'auteur, manifestée sur la dactylographie corrigée, nous conservons cependant le texte de l'édition ; ainsi, à la page 417 de ce volume, le héros aperçoit un aéroplane et l'émotion lui fait verser des larmes. La mention de ces larmes a été biffée sur la dactylographie corrigée mais l'édition originale ne tient pas compte de cette biffure et imprime le passage. Nous la suivons.

Quand revenir au manuscrit ? Il serait arbitraire de le faire lorsque Proust a adapté sur la dactylographie corrigée les leçons fautives provenant des distorsions évoquées plus haut. En revanche, lorsqu'il a purement et simplement adopté ces leçons, sans doute parce qu'il ne les a pas vues, et lorsque celles-ci n'offrent pas un sens satisfaisant, il semble légitime de revenir au texte manuscrit.

L'édition originale multiplie les variations orthographiques des noms propres. Nous avons harmonisé ces graphies quand le référent était sans conteste unique : des cousins des Cambremer s'appellent Chevregny et Chevrigny. Dans le manuscrit mis au net, ils se nomment Chevrigny dans les premiers temps, Chevregny vers la fin ; nous retenons cette dernière orthographe. Parmi les stations du petit train, Grallevast est un Grattevast où Proust a omis les barres des *t* ; Hermenonville est une déformation dactylographique d'Hermonville. Plus ennuyeux, Douville et Donville sont bien des déformations dactylographiques de Doville, mais Douville est le nom du lieu à l'endroit où il est question de son étymologie ; c'est donc cette graphie que nous adoptons. Arembouville, Arambouville, Harembouville, Harambouville sont des variations imputables à Proust dans le manuscrit, mais le lieu s'appelle Arembouville quand l'étymologie est en question ; d'où notre choix de cette leçon.

Il était impossible de donner toutes les variantes. Nous avons dû faire un choix. Mais toute modification apportée au texte de l'édition originale entraîne une variante qui la légitime.

1. Ils ont également utilisé une copie intermédiaire des quatre premières pages de *Sodome et Gomorrhe II* (N.a.fr. 16729, ffos 201-208), la copie d'impression des six premières pages des « Intermittences du cœur » (N.a.fr. 16776, ffos 36-47) et une troisième copie non autographe, qu'ils ne mentionnent pas mais à laquelle renvoie une note de leur édition (il s'agit de N.a.fr. 16776, ffos 48-50).

SIGLES UTILISÉS

ms.	Manuscrit.
dactyl.	Dactylographie non corrigée, légèrement augmentée.
épr.	Épreuves de 1921.
dactyl. corr.	Dactylographie corrigée.
NRF oct.	Extrait paru dans la *NRF* du 1er octobre 1921.
Jalousie	Extrait paru sous ce titre dans *Les Œuvres libres* en novembre 1921.
NRF déc.	Extrait paru dans la *NRF* du 1er décembre 1921.
Jalousie corr.	Exemplaire corrigé et incomplet de « Jalousie ».
orig.	Édition originale.

NOTES ET VARIANTES

Page 34.

a. Sodome et Gomorrhe II / Premier chapitre[1] *ms., dactyl., épr.* : [Sodome et Gomorrhe II *biffé*] / [[Une *biffé] Jalousie*[2] *corr.*] / [Premier chapitre *biffé*] [M. de Charlus[3] chez la princesse de Guermantes. — Un médecin. — Face caractéristique de Mme de Vaugoubert. — Mme d'Arpajon, le jet d'eau d'Hubert Robert, et la gaieté du grand-duc Wladimir. — Mme *[*d'Amoncourt *add. interl.]* de Citri, Mme de Saint-Euverte etc. — Curieuse conversation entre Swann et le prince de Guermantes. — Albertine au téléphone. — Albertine dansant avec Andrée dans le casino d'Incarville. — Albertine à Balbec, regardant dans la glace. *add.*][4] *dactyl. corr.* : Jalousie / *M. de Charlus dans le monde. — Le professeur E... — Une émule de la princesse Palatine. — Mme d'Arpajon, le jet d'eau d'Hubert Robert et la gaieté du grand-duc Wladimir. — Mme d'Amoncourt de Citri, Mme de Saint-Euverte, etc. — Swann et le prince de Guermantes. — La visite d'Albertine. — Albertine dansant avec Andrée dans le casino d'Incarville. — Albertine à Balbec, regardant dans la glace. Jalousie* : Sodome et Gomorrhe II / Chapitre premier / M. de Charlus dans le monde. — [...] Mme d'Amoncourt de Citri [...] Les

1. Voir dans la variante *b* de cette page le début de *Sodome et Gomorrhe II* dans le manuscrit, la dactylographie et les épreuves de 1921.

2. Il s'agit du titre de l'extrait paru dans *Les Œuvres libres*, n° 5, novembre 1921, p. 7-156 (correspondant aux pages 34-136 et 185-198 du roman), pour lequel la dactylographie corrigée a servi de copie d'impression.

3. Ce sommaire figure sur un papier collé.

4. Sur la page précédant le premier feuillet sur lequel figurent le titre et le sommaire, on trouve d'une autre main que celle de Proust : « [Une *biffé*] Jalousie / [roman inédit *biffé*] / par Marcel Proust / à composer immédiatement pour les *Œuvres libres* / Prendre grand soin du manuscrit qui devra nous être rendu », et au bas de cette page, de la main de Proust : « N.B. J'ai supprimé les mots Roman inédit. Il est parfaitement vrai que c'est inédit d'un bout à l'autre. Mais le mot roman ne s'applique pas bien, nouvelle un peu mieux, mais je préfère *Jalousie* par Marcel Proust. / Marcel Proust. »

intermittences du cœur. *Jalousie corr., orig. Nous corrigeons.* ◆◆ *b. Proust a profondément remanié le début du chapitre I de « Sodome et Gomorrhe II » dans la dactylographie corrigée. Dans cet état, les soixante-sept premiers feuillets — qui portent la version définitive — sont presque tous de la main de Proust ou de Céleste Albaret. Nous donnons ci-dessous le texte des soixante premiers feuillets du Cahier II, jusqu'au folio 61 — qui correspond, dans le texte définitif, au début du second paragraphe de la page 87. À partir de là, en effet, le texte initial est suffisamment proche du texte de la dactylographie corrigée pour que nous puissions simplement rendre compte des différences en variantes. Le texte du Cahier II est — à l'exclusion des erreurs de la dactylographie et des deux longues additions portées par Proust sur la dactylographie — celui de la dactylographie mais diffère du texte des épreuves jusqu'à la page 1330, dernière ligne — qui correspond à la page 36 des épreuves —, Proust ayant en effet corrigé les 36 premières pages des épreuves de 1921. Voici le texte de « Sodome et Gomorrhe II » dans le manuscrit et dans la dactylographie :* Le fait de vivre ou d'être invités dans un des seuls hôtels de Paris qui fussent encore pourvus de jardins magnifiques et si exactement anciens qu'ils ressemblaient encore exactement à la vue qu'en a peinte Hubert Robert, n'équivalait certainement pas plus pour le prince et la princesse de Guermantes à la possession réelle, c'est-à-dire spirituelle, de ces jardins, que pour moi habiter Balbec, et ensuite pouvoir posséder chez moi une des jeunes filles qui s'y promenaient au bord de la mer, n'équivalait à recréer dans mon esprit la mer, — tellement que j'avais pu prolonger indéfiniment mon séjour au Grand-Hôtel et faire venir presque chaque quinzaine Albertine, sans me sentir jamais satisfait. S'il en était autrement, si titre valait possession, le petit roman mondain qu'avait écrit le prince d'Agrigente n'eût pas été de la plus lourde vulgarité, sans aucune de ces fines qualités aristocratiques qui faisaient la distinction d'un récit semblable signé d'un nom bourgeois, et quand un officier héroïque mais dénué de dons littéraires avait voulu donner une relation de sa campagne au Maroc, il ne se fût pas contenté d'emprunter à la plus médiocre littérature du temps les clichés correspondant non à la vie qu'il avait matériellement menée, mais à la classe d'esprits à laquelle il appartenait, sur « l'aube et les ailes de la victoire », « l'ouragan de fer et de feu », « la rouge moisson d'où lèvera le bon grain », etc. Il faut avouer cependant que le duc de Guermantes quand il m'avait parlé de cette soirée et de l'intérêt qu'elle pourrait avoir avait fait aux jardins et à leur beauté une place qu'ils <ne> tenaient nullement dans ma préoccupation. « Ah ! vous n'y êtes jamais allé ? » m'avait-il dit, trouvant soit aimable que j'eusse pu y aller, soit habile de l'avoir cru, ce qui l'avait pu dispenser de chercher à m'y faire inviter, soit extraordinaire que chaque personne qu'<il> connaissait ne connût pas les mêmes gens <que lui>. « S'il ne pleut pas, je suis sûr que cela vous plaira. Rien que les jardins sont magnifiques. » Et la duchesse avait dit à Swann : « On ne peut savoir ce que ça pouvait être beau ! » Et sans doute l'affectation de ne rechercher dans un divertissement mondain qu'un plaisir esthétique était conforme à l'esprit des Guermantes. Mais il se peut aussi que ce ne fût pas seulement une affectation ; car les gens du monde avaient plus de calme et de liberté d'esprit pour faire attention au cadre des fêtes, étant plus blasés que moi sur les fêtes elles-mêmes, auxquelles ils se rendaient par habitude, ou devoir, ou vanité, mais sans y mêler aucune curiosité de l'imagination. Et d'autre part comme d'imagination ils n'en avaient pas non plus pour chercher d'avance ce que pouvait être un jardin ancien, ce qu'ils voyaient ne risquait pas d'être inférieur à ce qu'ils s'étaient figurés. Ils pouvaient avoir le goût sévère, mais au cas qu'il fût contenté, la satisfaction sans mélange de ceux qui n'ayant rien vu devant les yeux de l'esprit quand ils lisaient une pièce, peuvent être au théâtre émerveillés par le spectacle. Ce fut au contraire dans une disposition d'esprit où la pensée de voir un jardin qui ressemblât aux Tuileries ou au Luxembourg n'entrait pas un instant que je partis pour la soirée. Mon père qui faisait quelques pas après dîner comme à Combray, étant l'ennemi des dépenses superflues, je ne pus ni faire venir une boutonnière de chez le fleuriste, ni prendre un fiacre, ce que je faisais chaque fois que j'étais seul mais en me cachant de lui. Je demandai donc à Françoise de me faire couper une rose dans le jardin, ce pourquoi nous allâmes elle et moi trouver Jupien qui était ami du jardinier. Jupien revint vite avec ma rose, mais je me rappelle surtout les mots <qu'il> nous dit à Françoise et à moi quand nous vînmes lui demander ce service et qui comme si souvent les siens étaient naturellement littéraires : « Bonjour Monsieur, vous venez avec Mme Françoise, est-ce vous qui la menez ici, est-ce elle qui vous mène, ou est-ce une bonne étoile qui vous mène tous les deux ? » Jupien alla couper une petite rose que je passai sans papier d'argent hélas au revers de mon habit, je montai suivant l'itinéraire que mon père avait combiné pour m'apprendre à la fois la topographie et l'économie, dans un tramway. Après avoir consulté le baromètre il me conseilla l'impériale où je montai non sans m'excuser beaucoup sur les pieds de tous les voyageurs et [m'admirais secrètement de partir dans un si simple appareil et sans le révéler *biffé ms.*]. Puis à mon arrivée dans les remous des voitures qui déposaient tour à tour les invités devant le perron et s'en retournaient, les nobles proportions de l'immense vestibule agirent si efficacement sur moi que je pris inconsciemment l'air indolent et majestueux, l'âme tranquille d'un invité pareil aux autres invités et que la question de savoir si je l'étais vraiment ne se reposait pas devant moi jusqu'au moment où devant la porte ouverte du premier grand salon j'eus à faire la queue[1] entre trois ou quatre personnes auxquelles, à tour de rôle, un huissier demandait leur nom. Dans ce premier salon la princesse de Guermantes entre quelques amies plus intimes avec qui elle causait était assise, et alors qu'une fois je l'avais entendu dire à Mme d'Arpajon : « Vous viendrez, n'est-ce pas ? » d'un air de prière et d'amitié comme si la venue de ses invités lui rendait un grand service et lui causait une vraie joie, mais elle ne semblait plus pressée d'exiger l'échéance car à chaque personne annoncée qui entrait, interrompant seulement sa conversation avec ses amies pour tourner la tête, elle répondait seulement au salut de l'arrivant, sans se lever, en lui tendant la main ; et bien pis encore que chez la duchesse de Guermantes où les convives se séparaient sans avoir consommé aucun acte essentiel à la vie du faubourg Saint-Germain, tout au plus était-ce dans son regard reconnaissant que la princesse témoignait aux invités qui entraient qu'elle les remerciait d'être venus comme elle l'avait tant désiré. Mais pourquoi elle l'avait désiré était impossible à comprendre car après leur avoir serré la main elle leur rendait leur liberté et le rejetait à la rivière et se remettait à causer avec ses amies. Les choses importantes qu'elle avait à dire à l'invité, sans doute il y avait trop de monde aujourd'hui. Il reviendrait une autre fois. Une autre fois ce serait

1. Voir p. 36, dernier §, 1re ligne.

la même chose, c'est la vie. Mais pour la plupart ce regard reconnaissant ne brillait même pas dans les yeux de la princesse ; sans bouger elle leur tendait la main comme pour leur dire le plaisir qu'elle avait à les rencontrer dans cette maison amie qui n'avait pas l'air d'être la sienne, et comme si on était venu y faire tout autre chose que la voir. Telle était du moins l'impression que donnait la poignée de main affable et distraite de la princesse, et qu'accentuait l'empressement des visiteurs intimidés à la quitter pour s'écouler dans les salons, impression qui perçue par moi de la porte où on ne pouvait pas me voir des salons mais d'où je voyais contribua à me rassurer. En s'occupant si peu de ce qu'on venait y faire, la princesse semblait reconnaître à ceux qui se trouvaient ici un droit d'y être qui ne semblait pas émaner d'elle. Disons à ce propos bien que cela s'appliquât plutôt (du moins en ce qui concerne le prince) à de plus petites réceptions <que> c'était en effet chez le prince et la princesse de Guermantes une tradition venue des cours de Bavière et de Saxe (quoique un peu différente de celle que suivait la princesse de Parme) d'adopter le plus souvent pour recevoir l'air des gens en train de se livrer à une occupation quelconque, causer avec une amie, jouer aux cartes, etc., au milieu de laquelle ils étaient surpris par l'arrivée des invités qui avaient l'air de promeneurs passant là par hasard que, levant les yeux, ils reconnaissaient, allant jusqu'à leur dire bonsoir d'un air gracieux comme ils leur eussent dit au Bois de Boulogne, en se retournant aussitôt vers les amis avec qui ils étaient en train de causer. D'habitude même, installés à un endroit où ils faisaient semblant de ne pas voir les arrivants, ils s'arrangeaient ainsi pour qu'on fût forcé de venir leur dire bonjour et pour n'avoir qu'à répondre. Le prince ajoutait à cela quand il recevait dans l'hôtel de s'asseoir volontiers sous un dais magnifique qui était une célèbre tapisserie qui lui venait de Charles-Quint et devant lequel s'étendait un vaste tapis, de sorte que différents accessoires lui permettaient de graduer son amabilité selon la qualité de l'arrivant, détournant une seconde la tête d'un air distrait et bienveillant pour la plupart, se soulevant pour les duchesses, allant jusqu'au bout du tapis pour les altesses, etc. Le prince de Guermantes se rendait très bien compte qu'il effaçait par là (sauf dans les grandes fêtes auxquelles il laissait un caractère d'hommage qu'on venait lui rendre) le caractère solennel des réceptions, ce qu'il traduisait maladroitement avec la syntaxe fautive des gens du monde en disant : « Ce n'est pas une soirée, c'est un salon », voulant dire par là : « Mme de Guermantes et moi nous < sommes > restés chez nous ce jour-là, on est entré, mais tout s'est passé comme si nous étions seuls. » Au premier abord ce fait que les invités ne reçussent qu'un salut rapide des maîtres de maison qui ne s'occupaient pas plus d'eux que si c'étaient des amateurs venant visiter leur hôtel à louer, ou des touristes promenés par l'agence Cook dans leur château historique, avait ceci de rassurant que je pouvais me dire : « En somme ils ne s'occupent pas de nous, ils ont l'air de nous reconnaître le droit d'aller et venir ; si je ne suis pas invité, tant pis ! » Cependant cette indifférence aggravait par ailleurs les inquiétudes qu'elle avait rassurées. Car de temps à autre la princesse jetait vers l'entrée des salons ces yeux dont j'avais déjà rencontré la flamme < à la > soirée de l'Opéra-Comique. L'infrangible beauté de leur matière semblait, bien à tort d'ailleurs, donner une dureté implacable à leur expression. Et le peu d'attention aux gens qui entraient avait pour effet qu'elle paraissait leur en prêter une extraordinaire car comme elle ne modifiait en rien pour eux la splendeur de ses prunelles, elle avait l'air de scruter celui qu'elle apercevait avec <une> sévérité impossible à fléchir. Elle était d'ailleurs si belle à ce moment-là que ce souvenir suffit pour moi à résumer l'éclat et à me rappeler la date de cette soirée comme d'autres visions d'elle font pour d'autres fêtes. Elle aura été un peu comme cette figure de femme dont tous les privilégiés de certaines solennités reçoivent l'effigie, frappée au revers d'une médaille commémorative[1]. Absorbé dans la contemplation[2] de la princesse qui ne m'avait pas vu, je n'avais songé au rôle terrible de cet huissier, tout habillé de noir et étincelant d'acier comme le bourreau, qui se penchait vers chaque malheureux arrivant dont c'était le tour d'entrer. Il me demanda mon nom, je le lui dis aussi machinalement que le condamné à mort se laisse attacher sur le billot, aussitôt levant majestueusement la tête comme pour annoncer une grande nouvelle, et avant que j'eusse eu le temps de le prier de taire mon nom ou du moins de le chuchoter pour ménager l'amour-propre des Guermantes si j'étais vraiment invité et le mien, si je ne l'étais pas. Une bande d'agiles valets de pied, en livrée des plus riantes, entourait l'exécuteur, prêts à se saisir de moi si n'étant pas invité j'avais à être jeté à la porte avec force horions et devant tout le monde. Articulant mon nom avec plus de netteté encore qu'il n'avait fait un instant pour : « Son Excellence Monsieur l'Ambassadeur d'Espagne », il le lança à tous les échos avec une telle violence, que le phénomène dût être perçu jusque dans les salles les plus reculées du vaste palais. Pour moi j'étais pareil au sinistré qui vient d'entendre le bruit préalable du cataclysme qui va l'anéantir dans quelques secondes, et avec la lucidité contradictoire et pourtant si fréquente dans ces angoisses suprêmes, je regardais les salons où pour la dernière seconde les invités rieurs et insouciants ne se doutaient pas plus que les voûtes allaient s'écrouler que ne purent faire un moment les spectateurs, les prêtres ou les simples habitants, à Gaza, rue Favart ou à Herculanum, quand commençait déjà l'éruption du Vésuve, l'accès de colère de Samson ou l'incendie de l'Opéra-Comique[3].

Si pénible que dut être la seconde où la vieille dame hésita en face du fauteuil et prit le parti de s'asseoir dessus, elle fut peut-être moins cruelle que celles qui s'écoulèrent à partir du moment où ayant entendu le grondement de mon nom, comme le bruit anticipé d'un cataclysme déchaîné par une folle imprudence, je dus, pour ne pas me retirer au moins, en prenant un air d'hésitation, de pouvoir plaider ma bonne foi, je dus, comme si je n'étais affligé d'aucun doute, marcher d'un pas délibéré vers la princesse. Mon supplice était encore prolongé par le fait que dans le brouhaha des conversations, la princesse n'avait pas entendu le nom du condamné, clamé pourtant avec une violence qui me semblait propre à faire s'écrouler sur le sacrilège les voûtes de l'hôtel Guermantes. De sorte que je dus continuer à marcher vers elle en la regardant avec la même anxiété que la vieille dame se préparant à s'asseoir et épiant les moindres indices qui s'ils lui confirmaient sous son dos les genoux du petit vieillard, lui conseilleraient de ne pas insister et de déguerpir au plus vite. À ce moment la princesse ayant tourné la tête m'aperçut, et ce qui ne me laissa douter que j'avais bien été victime d'une

1. Voir p. 37, 1re ligne.
2. Voir p. 37, 4e ligne en bas de page.
3. L'histoire, imputée à Huxley, de la malade souffrant d'hallucinations, est ici omise (voir p. 38).

machination, en m'apercevant, au lieu de rester assise comme quand elle allait dire bonjour à un invité, elle se leva. Au même instant je poussai le soupir de soulagement de la vieille dame ayant senti que le fauteuil était vide, la princesse venait de me tendre la main, de me remercier en souriant d'être venu, elle resta encore quelques instants debout avec la grâce qu'il y a dans les vers de Malherbe où l'on voit « Pour lui faire honneur les anges se lever », et s'excusa que la duchesse ne fût pas encore là comme si je devais m'ennuyer sans elle. [La princesse de Guermantes se levait rarement pour quelqu'un mais quand elle le faisait comme c'était pour montrer qu'elle n'était enivrée ni par sa puissance ni par sa fortune elle ne se contentait pas d'aller à vous d'un air de joie, avec reconnaissance, avec humilité, les yeux fixés sur vous avec une tendresse timide et un embarras feint, dans le désir de montrer le plus possible les fruits d'une éducation princière, la peine qu'elle se donnait pour vous recevoir, la splendeur d'une taille haute et souple elle exécutait autour de vous, en vous tenant la main un tournoiement plein de grâce[1] et dans l'irrésistible tourbillon duquel on se sentait emporté. Comme si, rendue muette par le bonheur et la surprise, en vous voyant entrer, elle ne voulait pas plus parler que si elle eût craint de troubler un sacro-saint quatuor de Beethoven, elle vous donnait la sensation de bostonner avec vous. Et quand elle avait terminé, avec une grâce infinie et une telle science que le plus maladroit n'aurait pu lui marcher sur le pied, on était étonné au moment où elle vous faisait la ramener à sa chaise qu'elle ne vous remît pas comme une conductrice de cotillon, une canne à bec d'ivoire ou une montre-bracelet. Elle ne me remit à vrai dire rien de tout cela et me désigna seulement, radieuse encore de m'avoir vu entrer, l'endroit où se trouvait le prince ; puis elle alla au devant d'un grand peintre, avec un air de vouloir l'aider, comme s'il avait été boiteux. Mais oubliant cette claudication supposée le fit tournoyer avec la même désinvolture. Pour moi je devais pendant toute la soirée éviter de parler autant que possible à la princesse sentant qu'elle s'approcherait inévitablement de moi du même air d'intérêt que si j'avais eu besoin d'eau de mélisse et fort contradictoirement m'entraînerait dans la rotation qu'elle exécuterait autour de moi. *add. dactyl.*] Elle avait mis dans son élan pour venir à moi, dans l'humilité de l'attitude de ce corps constellé d'émeraudes cette noblesse des Guermantes à faire fi de ses grandeurs. Je sentis que c'est avec la même simplicité incomprise des bourreaux qui l'eussent cru fière qu'elle fût montée à l'échafaud. Puis n'ayant sans doute rien à me dire malgré la satisfaction qu'elle avait à me voir elle me repassa à son mari pour plus d'explications en me disant : « Vous trouverez le prince dans le jardin[2]. » C'était sous une autre forme faire recommencer mes doutes et par conséquent mon supplice. La princesse avait bien eu la pensée de <m'> inviter. Mais comment supposer qu'elle eût songé alors à avertir son mari de son projet ? Je n'étais évidemment pas du nombre des personnes dont elle causait avec lui. Et si alors elle avait prononcé mon nom, cet homme de sous Philippe-le-Bel l'eût immédiatement écarté. Je n'avais pas un très long trajet pour arriver vers le groupe où causait le prince. Mais une centaine de mètres est assez long à faire si la mitraille pleut en terrain découvert[3]. [J'aperçus M. de

1. Voir p. 39, 4e ligne.
2. Voir p. 39, 2e §, 8e ligne.
3. Voir p. 47, avant dernier §. On trouve, à deux autres reprises, ce passage dans le manuscrit, p. 1307, lignes 26 à 28 et 37 à 39.

Charlus. Je n'avais nullement à cette époque l'idée que je me formai plus tard (et qui me semble-t-il ressort du chapitre précédent) que l'anomalie — si fréquente en réalité qu'elle est presque une normalité — des relations sexuelles, peut engager en quelque sorte la moralité d'un être, et qu'elle en était aussi distincte qu'une maladie purement physique par exemple. Dans cette même époque (où je devais être long à parvenir encore) il y avait il est vrai d'autres moments où j'estimais que tout acte d'un être engage sa moralité, et par conséquent un acte d'anomalie sexuelle autant qu'un autre. Mais cette autre façon de considérer la vie n'était pas plus défavorable à ces anomalies ; car si on considère les modifications de la moralité chez un être dit, on ne sait pourquoi, antiphysique, on remarquera généralement avec le pénible accroissement de défauts comme le bavardage malveillant et le manque de discrétion par exemple, l'accroissement non moins notable de qualités de sensibilité et de compréhension qui ont bien leur prix. Si bien que n'ayant ni les mêmes qualités ni les mêmes défauts que les hommes de l'autre race, le remplacement des qualités défaillantes par d'autres, et aussi des défauts, laissera le total à peu près pareil. Mais ce soir où j'étais chez la princesse de Guermantes je n'étais pas encore arrivé à des vues de ce genre. Bien plus l'anomalie dont M. de Charlus m'avait l'après-midi même donné le spectacle si frappant, je la croyais mille fois plus rare qu'elle n'était en réalité. Je supposais qu'au sein d'une humanité entièrement différente, seuls deux ou trois malheureux étaient frappés de ce mal maudit. De plus l'impression que m'avait produite cet après-midi-là M. de Charlus avait été accrue de ce qu'<on> appelait <à> Doncières, quand on parlait Art militaire, l'effet de surprise. Jamais je n'aurais pensé cela de lui[1]. Il est vrai qu'on aurait pu objecter à cela que pourtant, quand mes parents m'avaient reproché de ne jamais lui répondre et de le laisser des mois sans savoir si j'acceptais ou non <ses> propositions j'étais entré dans une violente colère et avais jusque reproché en termes voilés à mes parents de me pousser à accepter des propositions déshonnêtes. Mais la colère seule m'avait inspiré ce gros mensonge. (La colère seule à moins que les paroles auxquelles nous croyons le moins soient la préfiguration d'une réalité que nous ne connaissons pas encore.) Je savais très bien que j'étais en faute avec M. de Charlus. Sans doute il vient un âge apaisé où l'on répond à toutes les lettres, où on salue au moment où il faut, où on n'<est> ni timide, ni frivole, ni impoli. Mais il y a souvent d'abord des années de jeunesse où on ne peut penser à personne sans se rappeler tous les manquements qu'on a eus envers lui et où devant la trop grande difficulté de mettre à jour l'accumulation des politesses dues, on voudrait être brouillé avec tout le monde. Si ma grossièreté avait été foncière, jamais je n'eusse eu une plus belle occasion de liquider la question de mes rapports avec M. de Charlus puisque j'avais appris de lui il y avait quelques heures à peine, quelque chose qui, selon la morale que j'avais alors, était une raison suffisante de ne pas lui parler. Mais ma grossièreté ne tenait qu'à mon âge et cachait mille scrupules de délicatesse. De plus ce que je savais maintenant de M. de Charlus, il ignorait absolument que je l'eusse appris. J'avais l'habitude de me mettre à la place des gens. Si je ne lui avais pas parlé, ne pouvant deviner une cause toute récente, il eût pu me croire ingrat après qu'il m'avait si affectueusement, la dernière

1. Voir p. 40, 11ᵉ ligne.

fois que je l'avais vu, ramené à la maison, et offert pour ainsi dire de me servir de second père. Il me semblait que mon attitude envers lui devait dépendre non de ce que je savais, mais de ce qu'il avait été jusqu'ici avec moi. Aussi de toutes façons lui eus<sé>-je parlé même si la commodité d'être présenté par lui au prince de Guermantes n'eût précipité mon mouvement vers lui. Malheureusement et je m'en doutais bien M. de Charlus ne pouvait qu'être fort ennuyé de me voir. Certes il ne soupçonnait pas que je l'avais vu de l'escalier. Peut-être même me pardonnait-il d'avoir pour la seconde fois laissé tomber ses offres, sans lui répondre un mot, lui mettre une carte, lui donner signe de vie. Non ce qui allait lui être évidemment le plus pénible c'est que ma présence chez la princesse de Guermantes, comme quelques mois auparavant chez la duchesse, fût comme un démenti à ses paroles : « On n'entre là que par moi. » Il savait bien que les tonnerres qu'il agitait contre ceux qu'il prenait en haine commençaient à ne plus être que des tonnerres de carton et n'avaient plus la force de chasser quelqu'un de n'importe qui ; mais peut-être croyait-il que son pouvoir plus ou moins amoindri, était réel aux yeux des novices comme moi et que j'avais cru réellement qu'on ne pouvait aller chez la princesse de Guermantes qu'en passant par lui. Ma présence semblait non seulement démentir ses paroles mais narguer ses prétentions et montrer l'inanité de son pouvoir[1] *add. dactyl.*] J'aperçus bien M. de [Gurcy *biffé ms.*] Charlus et bien qu'il causât avec l'ambassadeur d'Allemagne[2], j'allai droit à lui pour le prier de me présenter au prince, mais j'eus le malheur pour lui ôter toute crainte, d'ajouter (voulant dire que la princesse m'avait très bien reçu) : « Je les connais[3] très bien » de sorte qu'il me répondit sèchement : « Si vous les connaissez quel besoin avez-vous que je vous présente ? », mécontent d'ailleurs de voir ma présence à cette fête donner comme un démenti à sa récente affirmation : « On ne pénètre chez la princesse de Guermantes que par moi », affirmation à laquelle il pouvait croire maintenant que c'était par ironie que je n'avais pas riposté si j'étais dès lors en relation avec la princesse. Il se détourna et reprit sa conversation avec le diplomate. Il ne tenait peut-être pas non plus à être sans nécessité l'introducteur d'un jeune homme qu'il eût pu paraître avoir fait inviter. Je me tournai alors dans un groupe de femmes qui semblaient peupler de faisans rares le jardin ancien, et m'adressai à Mme d'Arpajon, laquelle prenait pour moi, plongée dans ce milieu nouveau une importance nouvelle, au point que son nom y sonnait à mes yeux autrement que chez la duchesse de Guermantes. Mais elle avait de ces situations peu solides où on économise son crédit. Elle me dit « Je le connais très peu[4]. » Mme de Souvré ne me refusa pas, mais comme ces gens qui possèdent l'art s'il s'agit d'appuyer un solliciteur auprès de quelqu'un de puissant de paraître à la fois, pour le

1. Le passage qui va de « Non ce qui allait lui être évidemment le plus pénible » à « montrer l'inanité de son pouvoir » et qui figure dans une addition portée par Proust sur la dactylographie, correspond au deuxième paragraphe de la page 40. On notera cependant qu'on le trouvait déjà à deux reprises dans le manuscrit (p. 1306, ligne 29 et p. 1314, ligne 27).

2. Voir p. 48, 14e ligne en bas de page.

3. Voir p. 54, 25e ligne. On trouve une nouvelle fois ce passage dans le manuscrit : voir page 1311, ligne 4 en bas.

4. Voir p. 52, 2e §. Voir aussi, dans le manuscrit, p. 1311, ligne 33.

solliciteur le recommander, et pour le haut personnage ne pas recommander le solliciteur de manière que leur geste à double sens leur ouvre un crédit dans la reconnaissance de ses comptes avec l'un sans leur créer un débit dans ses comptes avec l'autre, elle se contenta sans dire un seul mot de m'indiquer le <prince> en me poussant par les épaules en souriant dans sa direction, mouvement inefficace et qui me laissa à peu près à mon point de départ. Heureusement M. de Bréauté était là ; installé derrière son monocle comme dans un fauteuil d'orchestre, il admirait le spectacle, et faisait glisser sa lèvre supérieure sur l'inférieure avec un mouvement qui donnait à sa voix la sonorité de ferraille ébréchée[1] d'un couteau qu'on repasse. « Boniour mon ier », me dit-il. Il fut très heureux de ma demande, me conduisit vers le prince de Guermantes. *Après ces mots, on trouve sur le manuscrit et sur la dactylographie, un passage interrompu dont le texte, que nous donnons ci-dessous, revient en arrière :* Entouré d'un certain nombre de femmes dont les amples toilettes mettaient dans le parc comme le luxe des volailles exotiques que les rois faisaient vivre autrefois dans leurs jardins, le prince faisait quelques pas au-devant des ambassadrices, et leur offrait le bras d'un air galant comme s'ils allaient danser une contredanse, et restait sans cela sur sa chaise assis sous un berceau de verdure. Une haute houpette blonde sur son front à qui elle donnait l'asymétrie des Guermantes, le prince saluait avec beaucoup de bonne grâce et de grandeur le ban et l'arrière-ban de sa bonne ville venu<s> lui présenter ses hommages, mais la vue de son simple habit noir jurait tant avec son titre de l'ancien régime qu'il donnait l'idée dans *Henri III et sa cour*[2] ou dans une féerie d'un roi de théâtre qui dans une répétition sans costume joue en tenue de ville. Je n'avais guère plus de cent pas à faire pour aller jusqu'à lui. Mais le trajet le plus court peut sembler long s'il faut l'accomplir sous la mitraille en terrain découvert. Et d'abord par qui me faire présenter ? J'entendis bientôt une voix haute qui criait les noms comme eût fait un huissier. C'était M. de Charlus causant debout avec l'ambassadeur d'Allemagne, il faisait semblant de ne pas voir les personnes qui, même les femmes, par cette habitude d'imposer sa royauté qu'il avait prise, venaient lui dire bonjour[3], si bien qu'on entendait glapir les uns après les autres, comme s'il les avait annoncés, ces noms : « Bonsoir Mme de la Tour du Pin-Verclause, Bonsoir Mme de la Tour du Pin-Gouvernet. » J'hésitais un peu à m'approcher de lui, surtout *La rédaction reprend ensuite :* Je n'avais guère plus de cent pas à faire pour aller jusqu'au prince. Mais le trajet le plus court peut sembler interminable s'il est accompli sous la mitraille, en terrain découvert. Et d'abord par qui me faire présenter ? Des femmes étaient assises en groupes sur des chaises, d'autres arrivaient. Non moins que tout à l'heure ils se tourneraient dans l'étage nouvellement rouvert <vers> la série incomparable des portraits des Guermantes et des Montmorency, le lit de [Charles Quint *biffé ms.*] François Ier, la bibliothèque de Charles d'Orléans, tous les yeux étaient fixés dans la demi-obscurité du jardin sur d'autres raretés que comme celles ci-dessus mentionnées on ne pouvait voir que chez la <princesse> de Guermantes,

1. Voir p. 54, 2e §, 8e ligne. Voir aussi dans le manuscrit, p. 1312, lignes 12-13 et p. 1344, ligne 4.
2. Drame historique d'Alexandre Dumas (1829).
3. Voir p. 48, 10e ligne en bas de page. On trouve également ce passage dans le manuscrit aux pages indiquées ci-dessous : page 1308, ligne 20 ; page 1312, ligne 3 ; page 1313, ligne 30 ; page 1317, ligne 27.

certaines princesses allemandes, la grande duchesse de Mecklembourg, la princesse de Lippe, certaines grandes dames françaises, la comtesse de Dunois, Mme de Tours, qui n'allaient plus nulle part depuis longtemps, la comtesse de Bourbon-Soissons qu'on croyait morte ou enfermée et qui en sa toilette qui semblait dater d'avant la Révolution, répondait avec grâce aux jeunes femmes qui venaient la saluer. De loin tous ces groupes chamarrés repeuplaient le jardin[1] comme autrefois ces faisans, ces canards exotiques et ces paons que le duc d'Aiguillon-Guermantes par curiosité de naturaliste y avait fait élever au XVIIIe siècle. Et parmi eux s'élevait une voix haute et grinçante comme un cri d'oiseau, c'était celle de M. de Charlus, lequel appuyé à l'escalier de pierre qui ramenait dans les salons, et à qui, par suite de l'espèce de royauté qu'il avait usurpée, les invités, même les femmes, qu'à dessein, et pour les forcer à venir jusqu'à lui il faisait semblant, comme s'il était absorbé par trois ou quatre admiratrices qui s'étaient groupées autour de lui et écoutaient ses saillies, de ne pas voir à deux pas, venaient dire bonjour, accompagnant le bonsoir par lequel il répondait au survenant ou à la survenante par le nom de ceux-ci, de sorte que de loin il avait l'air de les annoncer avant leur rentrée dans l'hôtel. Sans doute rien ne différait plus des hautes fonctions aristocratiques remplies en ce moment par M. de Charlus que les attitudes où je l'avais surpris il y a quelques heures. Mais de même qu'autrefois les circonstances les plus équivoques n'avaient pas réussi à me montrer en lui ce que j'ignorais, maintenant rien, même la plus solennelle mise en scène, ne pouvait m'empêcher de voir derrière cela ce que je savais. Il me semblait d'ailleurs, en écoutant de loin son intarissable papotage, que le mot employé par Balzac mais dont on n'oserait plus user aujourd'hui, de « Tante », eût magnifiquement amplifié et ridiculisé son ample habit à jupes, sa toilette sombre, blanc sur noir comme celle de la mère de Whistler[2] et que parait au jabot de l'habit un grand cordon de soie noire auquel était suspendue en émail blanc et rouge la croix de Malte[3]. Car M. de Charlus était chevalier de cet ordre religieux, celui-là même que Swann venait d'aller étudier avec lui à Rhodes[4]. Quant à cette voix, que ne me clamait-elle pas maintenant, venue des profondeurs du tempérament, de l'hérédité ! Désormais souvent dans le monde il devait m'arriver en présence d'hommes, en tout par le premier abord pareils aux autres, d'une correction parfaite, voire excessive, de reconnaître au bout d'un moment que l'objet qui m'avait paru normal, n'en avait l'apparence que grâce à des efforts inouïs et tardifs, de truquage, de recollage, de maquillage plus ou moins savants. Mais je n'avais pas besoin de pousser mon observation si loin, si seulement ces êtres ouvraient la bouche. Alors, sans qu'il fût nécessaire qu'ils missent dans leur rôle autant de lyrisme et d'éclat, reconnaissant le genre de voix de M. de Charlus, ce genre de voix qui quelque rudesse postiche qu'elle affecte, quelque rusticité qu'elle parvienne à contracter, quelque gravité sacerdotale qu'elle emprunte, à quelques notes basses qu'elle arrive à force d'étude à descendre, est bien difficile à confondre, alors comme l'accordeur sans le secours du diapason

1. Voir p. 54, 2e §, 1re ligne.
2. *La Mère* de Whistler, « Arrangement en gris et noir n° 1 », exposé en 1872, est entré au Louvre en 1891.
3. Voir p. 53, 3e ligne.
4. Voir *Le Côté de Guermantes II*, t. II de la présente édition, p. 862.

porté à son oreille, décèle l'altération de la corde, je savais à quelle sorte d'instrument faussé j'avais à faire, je diagnostiquais l'inversion d'une intuition aussi rapide et aussi rarement faillible que le clinicien[1] qui sans même avoir vu un personnage aux joues d'ailleurs fleuries placé derrière lui, se retourne en entendant une voix creuse où il a reconnu le symptôme de la phtisie.

À côté de ces femmes que je ne connaissais pas, et que d'ailleurs on avait, même dans le monde, rarement l'occasion de rencontrer, s'en trouvaient d'autres avec qui j'avais souvent dîné chez la duchesse de Guermantes comme Mmes d'Arpajon et de Souvré, et des hommes aussi, comme M. de Bréauté-Consalvi qui le nez renifleur et la lippe friande, aspirait de toute la force de ses bronches les substantiels atomes d'élégance richement concentrés dans l'air nocturne, tandis qu'au fond du jardin et tenus à distance par la crainte d'être mouillés des groupes, comme dans un tableau du XVIIIe siècle, admiraient le fameux jet d'eau svelte et blanchâtre[2] au milieu d'une étendue humide et boisée qui lui était consacrée ; circonvenu d'un portique, le jet d'eau, pareil à quelqu'un de ces monuments élancés qui ornaient les jardins au temps de Louis XV, élevait vers le ciel sa fière colonne de nuages. Sans doute la vue de personnes de connaissance[3] aurait dû me rassurer sur la difficulté d'être présenté au maître de maison, mais une modification purement imaginative intervenait pour me les faire paraître toutes nouvelles. J'entendais bien prononcer à côté des noms de la duchesse de Mecklembourg, de la princesse de Hesse, ceux bien connus de moi de Mmes d'Arpajon et de Souvré. Mais le nom de Guermantes n'était pas le seul qui avait changé pour moi de couleur et de forme, émigré dans un autre siècle, et retenti dans une partie de mon imagination moins endurcie par l'habitude, quand, sur la carte d'invitation, il avait été précédé non plus du titre désignateur de ma voisine, de duchesse, mais de celui de princesse. Chez la princesse de Guermantes, entre des femmes qui n'étaient pas celles au milieu desquelles je les voyais d'habitude, les amies de la duchesse devenaient autres. Leur intimité avec la princesse de Hesse me rappelait tout d'un coup ce que j'oubliais, à force d'avoir l'habitude de me représenter avant de descendre chez la duchesse la présence probable de Mmes d'Arpajon et de Souvré, comme partie intégrante et vulgaire du dîner, analogue au poulet chasseur ou au bœuf Strogonof, ce qu'elles étaient en tant que marquise d'Arpajon ou duchesse de Souvré, le rôle que leurs ancêtres avaient joué. Peut-être il m'eût suffi de les voir ainsi au lieu de la salle à manger de la duchesse, dans un grand jardin, ou même de les voir, au lieu que ce fût chez une personne brillante, dans le salon d'un financier chez qui j'aurais été pour la première fois, en un mot pour que leur nom ne se présentât pas à moi dans les conditions habituelles, et par là cessât d'être un mot redevenant un nom, pour qu'elles m'apparussent ainsi tout d'un coup remplissant une toute autre fonction, habitant des régions plus profondes de leur existence sociale, et reprissent pour moi une importance qu'elles avaient perdue. Aussi, chaque réunion mondaine que la maîtresse de maison seule croit et à tort quelque chose d'autre, de mieux réussi

1. Voir p. 63, 2e §, 5e ligne.
2. Voir p. 56, 3e §, 3e ligne. Voir aussi dans le manuscrit p. 1319, 16e ligne.
3. Le passage qui commence par ces mots et qui va jusqu'au bas de la p. 1310 est résumé, dans le texte définitif, en quelques lignes. Voir p. 49, 2e §, 1re à 6e ligne.

que les autres, en diffère cependant. Car une sensation comme celle que nous donne la présence d'une personne connue ne peut pas entrer en nous entourée de sensations autres que d'habitude sans devenir elle-même autre, sans reprendre soudain cette vigueur que reprennent les infusoires épuisés quand avant de se reproduire par division, ils se conjuguent avec un autre infusoire, ou ces fleurs auxquelles j'avais tant pensé dans l'après-midi, qui ne donnent qu'une descendance étiolée et stérile jusqu'à ce qu'elles se croisent avec des fleurs différentes. D'ailleurs en dehors de ces changements d'éclairage et de valeur que prend, comme une couleur, un nom, selon ceux entre lesquels il est placé, la simple présence d'une personne dans une soirée est l'objet de jugements variables, et de sa part et de la part des autres. Tel qui croit parce qu'il est chez la princesse de Guermantes que les Souvré vont chercher à lui faire la cour, ne se rend pas compte que les Souvré y font la loi, que lui n'y est que par hasard, et scandalise les Souvré ; tandis que le contraire peut fort bien arriver aussi et parce qu'il est là les Souvré lui croire avec la princesse de Guermantes, et en lui-même une importance dont il se sait ou se croit dénué. De sorte que, dans de tels groupes, il arrive que deux personnes s'<admirent> réciproquement, ou se méprisent réciproquement, selon l'appréciation qu'elles font de leur valeur par rapport à la maîtresse de maison. Appréciation d'autant plus difficile à fixer d'ailleurs que la maîtresse de maison change d'avis sur la valeur, sur le charme, sur l'importance de l'invité, soit qu'elle se méfie de l'étranger qui deviendra son ami ensuite, soit que son imagination travaille à l'endroit de ce qui pour elle est nouveau, lui paraît tout beau, devient à ses yeux le centre de ses fêtes, centre qui sera relégué tout à fait aux bouts l'année suivante, après constatation de l'erreur ou évanouissement du mirage, et l'année d'après encore mis tout à fait hors du cercle, quitte à être rappelé dix ans plus tard comme ces hommes politiques mis à l'écart depuis longtemps et à qui on redemande tout à coup de former un cabinet. Car les lois de l'imagination et de l'esprit gouvernent toutes choses ici-bas. En attendant, et que l'engouement de la princesse à mon endroit dût être momentané ou durable, et provenir ou non de ce qu'elle me croyait à cause de ma présence constante chez sa cousine, avoir une importance dont elle devait d'ailleurs définir difficilement la nature, Mme de Souvré avait pris pour moi une magnificence étrange, était devenue ce dont je ne m'étais jamais avisé depuis longtemps, la duchesse de Souvré. Ce prestige nouveau dû à ce qu'elle causait avec un homme ennuyeux que la duchesse de Guermantes ne voulait pas recevoir, le baron des Îlots, mais qui justement à cause de cela ne se trouvait pas dans mon souvenir à côté de Mme de Souvré, multipliait sa grandeur comme un zéro après un chiffre, et à ce qu'au-dessus d'elle je voyais au <lieu> du plafond de la duchesse la branche d'un marronnier, ce prestige nouveau, analogue à l'importance que reprend pour nous la vie quand l'électricité ne fonctionnant pas nous faisons allumer dans notre chambre une lampe à huile qui en modifie l'aspect et dérange nos habitudes, ce prestige tombait fort mal à propos car il me rendait d'autant plus intimidant de prier Mme de Souvré de me présenter au prince. Je m'approchai d'elle et la saluai : « Bonsoir, me dit-elle, y a-t-il longtemps que vous n'avez pas vu la duchesse de Guermantes ? » Elle excellait à donner à ce genre de phrases une intonation qui prouvait qu'elle ne les débitait pas par niaiserie pure comme les gens qui, ne sachant de quoi vous parler, vous aborderont mille fois en vous parlant d'une relation commune qui est peut-être pour vous une relation très vague. Elle disait cela au contraire avec un fin fil conducteur du regard qui signifiait : « Ne croyez pas que je ne vous ai pas reconnu. Vous êtes le jeune homme que j'ai vu chez la duchesse de Guermantes. Soyez tranquille, je me rappelle très bien. » Malheureusement cette protection que par cette phrase d'apparence stupide et d'intention délicate <elle> étendait sur moi, était extrêmement fragile et s'évanouit aussitôt que je voulus en user. En effet ma timidité, bien que due à des raisons que Mme d'Arpajon ne pouvait comprendre, trouva une justification rétrospective dans la lâcheté de celle-ci, lâcheté qui prenait sa source dans un manque de force mondaine que je n'avais pas discerné et qu'avait encore accru, d'abord sa liaison avec le duc de Guermantes, et plus encore son abandon par celui-ci. La mauvaise humeur que lui causa ma demande fut telle qu'elle garda un silence qu'elle eut la naïveté de croire un semblant de n'avoir pas entendu, et sans s'apercevoir qu'elle fronçait les sourcils de colère. Peut-être au contraire s'en aperçut-elle, ne se soucia pas de la contradiction ou s'en servit pour me donner la seule leçon de discrétion qu'elle pouvait sans trop de grossièreté, muette et pourtant éloquente. D'ailleurs elle était de fort mauvaise humeur, car beaucoup de regards des badauds qui s'éveillent si vite dans les gens du monde étaient levés vers un balcon Renaissance de l'hôtel, à l'angle duquel, au lieu des statues monumentales qu'on y appliquait souvent à cette époque, se penchait, non moins sculpturale la magnifique duchesse de Surgis, celle qui venait de succéder à Mme d'Arpajon dans le cœur du duc de Guermantes. Sous un léger tulle blanc qui la protégeait du frais, on voyait son corps élancé, souple, envolé, de Victoire. Elle ressemblait par là aux précédentes maîtresses du duc, toujours fidèle, à travers leur succession, à un même type. Mais son teint frêle et ambré, ses yeux immenses défiaient toutes comparaisons. Les femmes qui lui parlaient peu, à cause de la duchesse, la regardaient beaucoup. Mais autour d'elle, et comme en ce moment même sur le balcon s'empressaient autour de sa majesté marmoréenne les plus célèbres habits noirs et les plus insolents monocles devenus pour elle obséquieux. Repoussé par Mme d'Arpajon je me tournai vers Mme de Souvré. Possédant l'art s'il s'agit d'appuyer une sollicitation auprès de quelqu'un de puissant, de paraître à la fois aux yeux du solliciteur, le recommander, et aux yeux du haut personnage, ne pas recommander le solliciteur, de manière que leur geste à double sens leur ouvre un crédit de reconnaissance dans leur compte avec l'impétrant sans leur créer aucun débit vis-à-vis du sollicité, la duchesse de Souvré se garda bien de m'opposer un refus, et profitant d'un moment que les regards du prince n'étaient pas tournés vers nous, elle me prit maternellement par les épaules, et souriant à la figure détournée du maître de la maison qui ne pouvait la voir, me poussa vers lui d'un mouvement prétendu protecteur et volontairement inefficace qui me laissa en panne presque à mon point de départ. J'aurais peut-être mieux réussi avec M. de Charlus si je n'avais eu la malencontreuse idée après lui avoir demandé de me présenter au prince, d'ajouter, pour lui ôter toute crainte, et voulant indiquer par cette phrase inadéquate et absurde que la princesse m'avait fort bien reçu : « Je les connais très bien. » À quoi M. de Charlus à qui avaient été départis par la nature, la justesse de raisonnement, le don de la réplique, et aussi le désir de ne pas laisser diminuer par les autres ce qu'il faisait pour eux, peut-être aussi ne tenant pas à être sans nécessité l'introducteur d'un jeune homme qu'il eût pu paraître avoir fait inviter, me répondit sèchement : « Si vous les connaissez, quel besoin avez-vous que je vous présente ? » Et aussitôt levant les yeux sur un vieux monsieur qui était depuis une seconde devant lui, cria d'une voix aigre : « Bonsoir M. Odoard du Hazay », puis à une dame qui se tenait sur ses jambes derrière : « Bonsoir Mme de Villeneuve-Esclapon », et avec une bienveillance volontairement exagérée comme pour mieux faire ressortir dans l'affabilité l'effort, la condescendance, la simulation : « La jeune fille n'est pas venue, elle va bien ? » sans écouter la réponse. Dans ces conjonctures difficiles les mots : « Boniour mon ier » susurrés auprès de moi par M. de Bréauté qui venait de me prendre par la main, résonnèrent à mon oreille, non comme le bruit ferrailleux et ébréché d'un couteau qu'on repasse pour l'aiguiser, mais comme la voix d'un sauveur possible. Moins puissant que Mme de Souvré, mais moins foncièrement atteint qu'elle d'inserviabilité, beaucoup plus à l'aise avec le prince que ne l'était Mme d'Arpajon, se faisant peut-être des illusions sur ma situation dans le milieu des Guermantes, ou peut-être la connaissant mieux que moi, M. de Bréauté accueillit ma demande avec satisfaction *[p. 55, 9e ligne]*, me conduisit [...] des deux cousins *[p. 55, 22e ligne]*, celui qui était le plus simple c'était le prince. Ayant une haute idée de son rang et ne me connaissant pas il me parla avec, comme il était complètement sincère, une froide réserve là où le duc eût joué la comédie de l'égalité et eût cherché à me flatter en m'appelant dix fois « Mon cher ». Je trouvai *[p. 55, 23e ligne]* dans sa réserve [...] le laisser accueillir les nouveaux *[p. 55, 5e ligne en bas de page]* arrivants. Il le faisait malgré lui avec un peu du dédain qui caractérisait, recevant du caractère particulier de chacun des modalités différentes, et que les jours de grande fête, exagérait chez le prince ce qu'au contraire il aurait cru tempérer ce dédain, la bienveillance d'un grand recevant comme un roi les bourgeois de sa bonne ville, le ban et l'arrière-ban de la noblesse (et jusqu'à ce qu'il appelait entre intimes le « fretin ») invités à lui présenter ses hommages. Dans son esprit peu compliqué cette idée de fête évoquait l'idée de celles qu'on donnait dans sa jeunesse, des traditions d'urbanité qu'il s'efforçait de maintenir en se mettant pour un instant à la portée de chacun avec la bonne grâce d'un roi de féerie ou d'un compère de revue. Beaucoup de ceux qui venaient le saluer étaient d'autant plus troublés que la princesse laissant un certain désordre — à moins que ce ne fût un ordre qui semblait mystérieux parce que ses lois s'exerçant à des intervalles éloignés n'avaient pas été dégagées — présider à ses invitations, elles éclataient souvent comme la foudre pour des gens qui se croyaient oubliés depuis des années. Souvent à ces invitations soudaines, la raison qu'il aurait fallu assigner était tout simplement le hasard d'un certain roulement, ou le remords d'oublis successifs. Mais l'ignorance des causes véritables et parfois fort simples induit souvent l'esprit à en chercher de plus compliquées. Souvent des gens qui pour n'avoir pas été invités chez la princesse exerçaient leur esprit à chercher comment ils avaient pu exciter son courroux, en revanche de nouveaux invités chez elle supposaient une intervention secrète, voire romanesque. C'est ainsi par exemple que trois hommes invités à cette soirée et qui ne purent s'y rendre, ayant appris quelques mois après la mort tragique d'une jeune et délicieuse nièce de la princesse, se demandèrent, dans leur regret, ne l'ayant qu'entrevue autrefois, de n'avoir pu faire sa connaissance, se demandèrent chacun de leur côté si ce n'était pas par hasard elle qui dans le désir de les connaître avait prié la princesse de les inviter. Et pour un des trois c'était peut-être vrai. Ils n'osèrent jamais le demander à la princesse mais pendant longtemps ne pensèrent à la belle jeune fille morte à vingt ans que comme des amoureux rétrospectifs au sentiment posthume desquels la nièce de la princesse avait de son vivant répondu. Un des arrivants qui presque tout de suite après moi vint saluer le prince se trouva être Swann[1]. Or au grand étonnement des personnes présentes, au moment même que Swann lui dit bonjour le prince lui fit comprendre qu'il désirait l'emmener un moment à l'écart. Il ne le prit <pas> par l'épaule ou sous le bras comme aurait fait le duc de Guermantes, mais avec une grande majesté s'éloigna en attirant Swann sur ses pas. Certes Swann savait mieux que n'importe qui l'art de se tenir poliment dans le monde, mais ne l'eût-il pas su que cet art à ce moment-là comme un don de la grâce lui eût été octroyé. Il <y> a dans les nobles manières comme dans les nobles architectures quelque chose qui loin d'intimider ennoblit, met à l'aise, et de même que je m'étais senti tout à coup faire les mouvements qu'il fallait quand m'avaient accueilli <dans le vestibule les> belles proportions de l'hôtel Guermantes, de même que quelques mois auparavant quand la duchesse de Guermantes avait pivoté autour de moi pour que je lui offrisse mon bras qui s'était déclenché avec la précision d'une pièce qui était solidaire de ses membres à elle comme appartenant à un seul mécanisme, de même derrière le prince de Guermantes nous ayant demandé de le suivre se creusait une force pneumatique où on avançait attiré par lui avec une exactitude mathématique. Si les arrivants n'ayant plus l'occasion de venir saluer le prince qui s'était retiré assez loin avec Swann en une longue conférence, comme pour les seigneurs qui, quand ils ne pouvaient aller saluer le roi à Versailles[2], s'arrêtaient d'autant plus nombreux à Meudon chez Monsieur (ou à Saint-Cloud) leur flot se détournait d'autant plus grossi vers M. de Charlus. Lui cependant les recevait avec une bonhomie qui n'était pas dans son caractère. « Prenez garde que le petit ne prenne froid », criait-il comme à des sourds à des gens tout près de lui, mais à qui, par son ton factice et comme à la « cantonade » il trouvait un plaisir peut-être moins d'insolence que d'art à montrer qu'il s'amusait à remplir un rôle. Un observateur superficiel aurait pu croire que c'était seulement en grand seigneur qu'il entendait jouer par tradition seigneuriale à l'affabilité avec les personnes qui venaient le saluer, et aurait à peine distingué cette affabilité de celle, à laquelle l'apparentait tout au plus un certain caractère familial, du prince de Guermantes. Or plutôt qu'un grand seigneur c'était un comédien lettré qui jouait son rôle. Certes M. de Charlus était avant tout un Guermantes, et il se disait qu'il était un grand seigneur important dans une fête, mais pour l'homme de la culture raffinée, de l'imagination artiste qu'était M. de Charlus, le mot de fête ne pouvait pas évidemment avoir le même sens que pour son cousin. Malgré lui ses souvenirs esthétiques lui faisaient donner au mot fête le même sens luxueux, curieux et en somme beau que se sont plus ou moins représenté les Carpaccio, les Véronèse et les Tiepolo. Il avait <fait> choix d'une attitude artistement appropriée comme il l'eût fait d'un costume. Et pour ne pas rester

1. Voir p. 55, dernier §, 1re ligne.
2. Voir p. 58, 4e ligne.

dans le vague des personnes qui ne savent pas voir (ce qui était tout le contraire de M. de Charlus, fort « épiscopal » en cela) et racontent indistinctement qu'était en « costume italien Renaissance » quelqu'un qui a copié le sien d'après la *Sainte Ursule* de Carpaccio, ou d'après le *Repas chez Lévi* de Véronèse[1], disons que le personnage que M. de Charlus ne représentait pas mais croyait représenter, c'était à la fois au deuxième acte de la *Tannhaüser*, au haut de l'escalier de la Warburg, le Margrave et Élisabeth. Mais une attitude, un genre d'accueil ne sont pas une chose aussi fixe qu'un costume qui nous reste malgré nous après les épaules. Et au bout de quelques instants sa hauteur reprenait M. de Charlus, il ne pensait plus en hospitalier Margrave, il n'entendait plus avec les oreilles de l'esprit la marche célèbre qu'un des premiers il avait été écouter à Bayreuth, et c'est d'une voix cassante et sèche qu'il disait bonsoir à chaque personne en l'appelant par son nom. Je me dis même en pensant à ce sentiment d'art que M. de Charlus mêlait à la vie mondaine qu'il eût été plus conforme à sa nature qu'au lieu de fréquenter seulement comme un autre duc chez des personnes de grande naissance, il eût recherché en dehors de ce cadre trop banal parmi celles qui de moins haut rang lui eussent semblé supérieures par une beauté semblable à celle d'un portrait, par des souvenirs glorieux pour l'histoire ou l'histoire littéraire attachés à une femme d'une situation médiocre. C'est ce qui était arrivé pour Swann véritable imitateur en cela de Robert de Montesquiou qui a écrit tout un livre sur la Castiglione[2]. Mais chez M. de Charlus, ce qu'on appelle improprement le snobisme, le préjugé aristocratique, était trop rigide pour s'être laissé dépraver par l'art. Je me trouvai passer devant lui pour rentrer dans l'hôtel. Ma présence à cette fête eût dû me semblait-il l'irriter en donnant un démenti à son affirmation d'il y avait quelques mois : « Ce n'est que par moi qu'on pénètre chez la princesse de Guermantes. » Ce n'était pas seulement son crédit que je semblais nier en m'y trouvant à son insu, mais presque son pouvoir surnaturel de magicien seul capable de vous ouvrir la porte magique. Qu'il pût croire qu'en plus ma présence devait avoir pour conséquence que je croyais qu'il m'avait trompé, que les gens qui étaient là étaient pareils à tous les autres, il n'y fallait pas songer car le pauvre Don Quichotte[3] qu'était M. de Charlus continuait à voir devant lui des enchanteurs et devait croire à moitié que je les voyais aussi. Il pouvait en revanche croire que je l'avais matériellement trompé en ne lui répondant pas quand il m'avait dit qu'on n'entrait que par lui chez le prince et la princesse de Guermantes : « Mais je les connais ! » (ce qui pourtant n'eût pas été vrai) puisqu'il me voyait chez eux. En tous cas sa vue pour la première fois me faisait souvenir du palais des contes de fées et me rendait assez confus devant M. de Charlus. Mais j'avais tort d'avoir ces craintes qui provenaient de ce que je jugeais M. de Charlus sur ce qu'on m'avait raconté de lui, c'est-à-dire sur ce qui avait été vrai, sur ce qui l'était encore il y avait quelques années. Transportée quatre ou cinq ans plus tôt ma visite chez lui, suivie de si près, sans avoir passé par sa voie hiérarchique, sans avoir recouru à ses sortilèges, de mon

1. *La Légende de sainte Ursule* (1490-1495), par Carpaccio, que Proust put voir à la galerie de l'Académie à Venise, de même que le tableau de Véronèse, *Le Repas chez Lévi* (1573).

2. *La Divine Comtesse. Étude d'après Mme. la comtesse de Castiglione*, préface par Gabriele D'Annunzio, Manzi, Joyant et Cie (1913).

3. Voir p. 53, 2e §, 3e ligne.

invitation chez sa cousine, si elles eussent eu lieu quelques années plus tôt eussent déchaîné chez lui la fureur méritée par un crime de lèse-majesté compliqué de l'irrévérencieuse gaminerie qui eût consisté à lui cacher que je connaissais la princesse de Guermantes. Mais au cours des vingt dernières années, contre des amis, voire contre des parents qui, prétendait-il, s'étaient mal conduits avec lui, contre des inconnus aussi qu'il avait déclarés impossibles à connaître, il avait tant brandi de foudres, prononcé d'index, il avait avec tant de fréquence interdit ou suspendu l'accès des salons des différents Guermantes que ceux-ci, soucieux de ne pas se brouiller avec tous les gens qu'ils aimaient, de ne pas se priver jusqu'à leur mort de la fréquentation de nouveaux venus dont ils étaient curieux avaient peu à peu renoncé à suivre jusqu'au bout de tous ses caprices et à épouser toutes les rancunes tonnantes mais inexpliquées d'un parent qui aurait voulu qu'on abandonnât pour lui femme, frère, enfant et qu'on s'en souciât autant que de cela. D'autre part lui-même ne mettait pas toujours une longue persévérance dans ses haines lesquelles s'enflant soudain sans motif, retombaient dans ce cas de même. Il y en avait même que personne n'avait jamais sues car elles n'avaient duré que quelques instants. Seul dans sa chambre, pensant à tel homme médiocre et à telle satisfaction, jugée sotte par le baron et qu'il se représentait sur le visage de l'imbécile, il était décidé à la première occasion à faire rentrer au néant toute cette suffisance, à insulter devant tout le monde le benêt, à lui dire, en présence d'un public déconcerté et tremblant, les choses les plus fortes, les moins en usage dans le monde. Car y eût-il eu plusieurs altesses et majestés dans le salon, ce n'était pas pour intimider le baron qui ne craignait aucune loi divine ni humaine. Et seul chez lui, enivré de la colère qui le gagnerait quand il apostropherait le sot, il était pâle, écumant. Mais bientôt le souvenir d'un autre imbécile le détournait de celui-là qui d'ailleurs justement en lui écrivant un mot déférent et chaleureux remettait à son égard le baron dans les dispositions les plus sympathiques. Sans doute ces haines moins qu'éphémères et qui ne duraient que l'espace d'une heure n'étaient pas les plus fréquentes. Mais enfin ayant d'une part vu trop de fois mentir l'effet de ses malédictions contre d'anciens intimes, étant lui-même revenu parfois de ses préventions contre des inconnus, ayant été pour d'autres raisons que les raisons nobiliaires amené à rechercher la société de gens que les Guermantes ne recevaient pas simplement par peur de lui parce qu'il leur avait dit que leur présence dans un salon y mettait comme une tache de graisse, et pour lesquels il leur demandait ensuite une invitation, M. de Charlus sentait craquer de toutes parts le cadre théâtral où il avait essayé d'installer sa vie, il était débordé ; comme d'anciens couturiers à la mode dont la clientèle se désintéresse et qui tournent au grand magasin, il avait dû « baisser ses prix » et une fois sur quatre il acceptait de voir ses menaces rester sans effet. À la quatrième par exemple, s'il voyait refuser une invitation à un de ses favoris, ou qu'on <en> accordât une à quelqu'un qu'il haïssait, il tirait l'épée contre la maîtresse de maison, fût-elle altesse, fût-elle reine, que ses coups inlassables suffisaient alors à faire vivre désormais dans l'alarme et sur le qui-vive. Mais il n'avait pas pour moi tant de haine ; le peu qu'il en pouvait avoir n'excitait du reste chez moi aucun ressentiment car je le considérais comme un peu fou, livré à des impulsions qui le faisaient se battre contre des moulins à vent, avec un insouci dans ce cas-là, de la bonne éducation, de ce que pourraient penser les gens comme il faut et juste milieu, que je trouvais plutôt estimable, car s'il y avait dedans beaucoup d'orgueil et d'hystérie, il y avait aussi une supériorité d'intelligence qui méprisait les conventions mondaines. Quant à simuler pour moi, par esprit de suite, une haine qu'il n'éprouvait pas, M. de Charlus me connaissait déjà assez, c'est-à-dire n'attachait plus assez d'importance à moi pour s'en donner la peine ; fatigué d'une longue vie de mise en scène, il ne prenait plus la peine de les régler minutieusement que pour les tout nouveaux venus, comme Françoise ne soignait le café que pour les étrangers, comme Mlle Swann veillait à ne jamais écrire deux fois de suite à un ami un peu récent sur le même papier à lettres, mais se relâchait ensuite. Tel avec moi, M. de Charlus se négligeait, aussi devait-il en me retrouvant se laisser aller d'abord au sentiment que lui aurait inspiré la vue parmi tant d'indifférents, de quelqu'un pour qui il avait toujours eu de la sympathie, c'est-à-dire au sentiment qui paraissait le plus étranger à sa nature, la cordialité. Des gens faisaient la queue pour venir lui dire bonjour comme à un mariage. Ses regards, riches de signification pour moi maintenant, rapides, subreptices, comme le coup de ligne du pêcheur de truites, se jetaient à la dérobée sur ce qu'ils semblaient ne pas voir et ne prêtaient aucune attention réelle à ce qu'ils faisaient mine de regarder, c'est-à-dire le visage et la robe de la jeune comtesse Molé qu'il n'avait pas quittée depuis le commencement de la fête, comme ses pensées cachées étaient sans aucun rapport avec les mots qu'il disait. Pour moi qui savais depuis tantôt que cette tête à double fond était l'image même de sa vie d'une pompe officielle cachant des scandales secrets, maintenant que j'en avais trouvé le point d'éclairage, le centre d'harmonie, ce visage me donnait autant de plaisir à regarder qu'un portrait peint par un grand peintre où il n'y a pas une seule parcelle de chair et de couleur qui ne soit en étroite coordination avec le reste et n'exprime à sa façon, non seulement l'humeur présente du modèle, mais sa vie habituelle, mais son passé, mais ses origines. Les plus rapides révolutions de la nature s'accomplissent au sein de révolutions plus lentes, elles-mêmes rapides relativement à celles dont elles ne sont qu'un moment. Si les regards de M. de <Charlus> exprimaient des préoccupations du moment, c'est les convoitises, la décence et l'hypocrisie de plusieurs années qu'on pouvait lire dans les orbes papelardes et dévotes de ses joues, en traits qui ne s'effaceraient plus. Plus antiques encore la singularité de sa silhouette, la qualité étrange de ses yeux bleus, l'intonation, les modulations natives de sa voix et de son rire, attestaient l'innéité de l'inversion. Mais dans ces mondes si antiques que nous portons en nous et qui sont antérieurs à l'apparition de l'individu, les caractères qui le définiront sont encore si indivis avec ceux qui seront propres à d'autres qu'il faut être très circonspect dans leur interprétation. Certaines particularités de la voix, de la silhouette et du regard de M. de Charlus où l'observateur superficiel aurait vu tout de suite l'inverti, pouvaient lui venir du côté Guermantes, lui être communes avec des Guermantes qui n'étaient nullement invertis. De même que chez tel inverti descendant d'une lignée intelligente et affinée de comédiens la préciosité de la prononciation, l'affectation du débit, réquisitionnées par son vice, ne viennent cependant pas de lui mais de l'habitude d'entendre autour de lui parler comme au Conservatoire ou sur les planches, car la vie jette perpétuellement des forces anciennes dans des creusets nouveaux et fait servir pour des sentiments nouveaux des moyens d'expression qui ne furent pas créés pour lui comme le croit trop facilement le vulgaire auquel il suffit pour trouver un nez juif au fils d'une juive et d'un catholique, qu'il ait le nez busqué du père. Reste à savoir si au cours ténébreux de cette longue histoire inconnue de l'hérédité et comme un oiseau subreptice aura apporté à une fleur par l'apport fortuit d'un pollen différent, un caractère nouveau qui reparaîtra de temps à autre, une des aïeules de la famille catholique n'eût pas dans le passé une aventure avec un juif, ou si au Moyen Âge un Guermantes inverti n'a pas indélébilement apposé sur sa descendance les caractères particuliers de l'inversion que même ceux qu'elle n'entachera pas reproduiront, mais seulement dans l'air du visage, l'allure du corps et le son de la voix. Il semble en tous cas que ces personnalités comme celles de M. de Charlus qui semblent unir en elles à un homme selon la physiologie une femme exilée, ces hybrides qu'on retrouverait sans doute au moins tous les soixante ans dans chaque famille, bénéficient de ce surcroît de dons que produit chez les humains comme chez les plantes, le croisement. Sans aller certes jusqu'à dire que la nature déséquilibrée et un peu folle de M. de Charlus lui avait conféré le moindre génie, il avait, relativement à son frère Basin et à Mme de Marsantes, à tous les Guermantes en général, une supériorité incontestable et qui se marquait aussi bien dans la manière dont il jouait du piano, dont il jouissait d'une peinture, que dans sa profonde pitié des misères humaines, en un mot dans cette aptitude à communiquer avec un monde pour lequel nous ne sommes pas créés, aptitude qui ne s'obtient souvent qu'au prix du détraquement, des hiatus de notre machine nerveuse.

Ayant pris ma place dans la file pour remonter dans l'hôtel, je fus arrêté au passage par M. de Charlus, tandis que derrière moi deux dames s'approchaient pour lui dire bonjour. « C'est gentil de vous voir ici », me dit-il en me retendant la main. « Bonsoir Madame de la Tour du Pin-Verclause. Bonsoir ma chère Herminie. » Mais sans doute le souvenir de ce qu'il m'avait dit sur son rôle de chef de l'hôtel Guermantes lui donnait le désir de paraître éprouver à l'endroit de ce qui le mécontentait mais qu'il n'avait pu empêcher, une satisfaction à laquelle son impertinence de grand seigneur et son égaillement d'hystérique donnèrent immédiatement une forme d'ironie excessive. « C'est gentil, reprit-il, mais c'est surtout bien drôle. Mon Dieu que c'est drôle[1] ! » Et il se mit à pousser des éclats de rire qui semblèrent à la fois témoigner et de sa joie et de l'impuissance où la parole humaine était de l'exprimer, cependant que certaines personnes sachant combien il était à la fois difficile d'accès et propre aux « sorties » insolentes s'approchaient avec curiosité, avec l'empressement, presque indécent dans une fête, de badauds qui dans la rue prennent leurs jambes à leur cou pour aller voir s'il y a une dispute ou un accident, si on rit ou si on pleure, tous désireux <de savoir> s'il convenait désormais de me mépriser comme la victime sans défense dont il avait fait gorge chaude, ou <de me traiter> comme le privilégié avec lequel il poussait la familiarité jusqu'à rire — on ne savait de qui, dans ce cas — à gorge déployée. « Allons ne vous fâchez pas, me dit-il en me touchant[2] doucement l'épaule, vous savez bien que je vous aime bien. Bonsoir Madame de la Tour du Pin-Gouvernet. Bonsoir Philémon. Avez-vous été voir le jet d'eau ? me dit-il. Non ? Mais comment, c'est ce qu'il

1. Voir p. 58, 2e §, 9e ligne.
2. Voir p. 58, 2e §, 18e ligne.

y a de plus joli. Vous avez l'air d'ignorer que vous êtes dans l'endroit le plus beau du monde et vous ne vous écriez pas comme Élise : "Quoi voici donc d'Esther les superbes jardins[1] !" Malheureusement il vous manque le plus prodigieux qui était la tante Esther elle-même[2]. Nous ne pouvons pas la ressusciter pour vous. Mais le jet d'eau, comme dans un palais d'Orient, est plus ancien qu'elle. Vous verrez comme il s'est assorti un joli clair de lune. Et avec ce clair de lune. Pensez que ma cousine Marie ne porte pas de préférence le prénom de Thérèse que le Gotha lui donne aussi. Parce qu'alors cela devient "La Fête chez Thérèse" et c'est du reste exactement cela[3]. » À ce moment le baron fut interrompu par Mme de Gallardon conduisant son neveu, le vicomte *[p. 53, 5e ligne]* de Courvoisier [...] en fut stupéfait *[p. 53, 13e ligne]*. Peut-être M. de Charlus, sachant que Mme de Gallardon daubait sur ses mœurs[a] et n'avait pu résister une fois au plaisir de lui lancer une allusion, tenait-il par cet éclat à couper court[b] à tout [...] l'appuient *[p. 53, 1er §, dernière ligne]* d'une menace militaire. Quoi qu'il en fût l'impolitesse de M. de Charlus envers ce jeune homme était exactement celle d'un homme ou d'une femme de la petite bourgeoisie en face de quelqu'un de plus élégant chez qui ils veulent neutraliser le mépris qu'ils croient inspirer par l'expression du mépris qu'ils feignent de ressentir. On ne peut presque dire que cette impolitesse avait quelque chose de rude comme la fierté plébéienne, l'humeur ombrageuse de certains prolétaires qui à peine vous demandent-ils un service, rompent les pourparlers parce qu'ils se sont crus dédaignés. Or une telle comparaison même en s'en tenant à la petite bourgeoisie peut sembler inexacte puisque la situation de M. de Charlus était à un certain point de vue plus grande que celle de quiconque. Mais la situation commandée comme toute chose matérielle par la croyance est relative à l'idée qu'on s'en fait ; le désir que quelqu'un de supérieur a de connaître ou de recevoir quelqu'un d'inférieur qui ne s'en soucie pas intervertit entre eux l'ordre des situations. D'ailleurs ces dépressions purement momentanées, en fonction de l'opinion intime, peuvent quand elles se répètent trop souvent, produire un affaissement durable et souvent définitif (au moins vis-à-vis d'une certaine catégorie de personnes) dans la situation même d'une puissante princesse, de la situation même d'un très haut seigneur. Mais celle de M. de Charlus était encore à son zénith. « Oui vous devriez aller voir le jet d'eau[4], me dit-il. Et avec ce clair de lune. Je regrette un peu les feux de Bengale, les lampions. Mais enfin on ne peut pas tout avoir, même de ce qui est le plus précieux et qui est généralement négatif. Ne pas avoir de feux de Bengale serait

a. sachant que Mme de Gallardon doutait sur ses mœurs *dactyl.*
b. plaisir de lui lancer une allusion, tenait-il à couper court *dactyl.*

1. Cf. *Esther*, acte III, sc. I, v. 826 (Zarès).
2. Sur cette tante, voir p. 1323 et t. II, p. 853.
3. Allusion à « La Fête chez Thérèse », de Victor Hugo (*Les Contemplations*, livre premier, XXII). Proust cite le poème dans une lettre à Emmanuel Bibesco du printemps de 1913, où il est question de la comtesse Thérèse Murat, « la [comtesse] infiniment préférable à la [Thérèse] de Hugo » (*Correspondance*, t. XII, p. 118). « Mlle de Briey [...] sera-t-elle de cette incomparable Fête *avec* Thérèse », écrit Proust à la fin de la lettre (p. 119-121). Reynaldo Hahn est l'auteur d'un ballet du même titre, qui fut monté à l'Opéra en 1910 : Proust l'évoque dans une lettre de mars 1911 à Reynaldo Hahn (*Correspondance*, t. X, p. 257-258).
4. Voir p. 58, 2e §, 20e ligne.

évidemment mieux. Mais c'est encore très bien cela. » Mes regards m'appartenaient si peu quand j'étais dans le monde et se posaient si distraitement sur les choses à moins qu'une impression poétique ne vînt éveiller en moi l'homme intérieur que je ne savais pas plus que des lampions et des feux de Bengale se peignaient dans mes prunelles depuis un quart d'heure qu'un somnambule ne sait ce qui passe devant ses yeux ouverts (ou un malade chloroformé). C'est ainsi par exemple, pour dire en une fois ce que je n'appris qu'en plusieurs, qu'un orchestre invisible[1] joua pendant toute la soirée. Mais j'étais trop distrait pour l'entendre et je n'appris son existence que le surlendemain par le récit que *Le Figaro* fit de cette fête dont il me donna le regret de ne pas avoir joui davantage en déclarant que c'était la plus belle que Paris se souvînt d'avoir vue depuis dix ans. Mais j'attachais au jugement de M. de Charlus, surtout depuis qu'Elstir m'avait parlé de lui, un peu de l'importance que j'aurais attaché à celui de Swann. Aussi avant de rentrer dans l'hôtel j'allai un instant jusqu'au jet d'eau. Dans une clairière réservée par de beaux arbres dont plusieurs étaient aussi anciens que lui, planté à l'écart, on le voyait de loin svelte, immobile, durci, pareil à un arbuste d'une essence rare et qui laisse seulement agiter par la brise la retombée plus légère de son panache pâle et frémissant. Même un végétal est moins définitivement figé. Le XVIIIe siècle avait épuré l'élégance de ses lignes à jamais inaltérées, mais en en fixant le style semblait en avoir arrêté la vie ; il donnait à cette distance l'impression de l'art, nullement la sensation de l'eau. Le nuage humide lui-même qui s'amoncelait perpétuellement à son faîte gardait le caractère de l'époque comme ceux qui dans le ciel s'assemblent autour des palais de Versailles. Mais de près on se rendait compte que tout en respectant comme les pierres d'un pilier antique, le dessin tracé, c'étaient des eaux toujours nouvelles qui s'élançaient et montant obéir aux ordres anciens de l'architecte, qu'elles ne les accomplissaient exactement qu'en paraissant les violer, leurs mille bonds épars pouvant seuls, à la distance voulue, donner l'impression de l'élan. Celui-ci était en réalité aussi souvent interrompu que pouvait sembler l'être l'éparpillement de la chute, alors que des marches de l'escalier il m'avait paru infléchissable, immobile, dense, d'une continuité sans lacunes. On voyait que cette continuité, quand on était auprès de lui, était assurée à tous les points de l'ascension du jet d'eau où celui-ci semblait se briser, par l'entrée en ligne, par la reprise latérale d'un jet parallèle qui montait plus haut que le premier, et qui lui-même, à une plus grande hauteur, mais trop fatigante pour lui, était relayé par un troisième. De près des gouttes qui n'avaient plus de force, retombaient de la colonne d'eau en croisant au passage leurs sœurs montantes, et parfois saisies, déchirées, en masses inconsistantes et prises dans un remous d'air restant suspendues, amolissaient de leurs hésitations, de leur trajet en sens inverse la nerveuse et rapide élévation du jet d'eau et à demi volatilisées, estompaient par le mauve duvet d'une vapeur la rectitude nerveuse de cette tige tendue vers le ciel. *[Suit une page de rédaction confuse sur le jet d'eau. Nous ne la reproduisons pas.]* Ce parc Guermantes et l'hôtel auquel il attenait était une de ces résidences trop belles que leur caractère universel destine à faire dans l'âge moderne revenir à la collectivité, à ces héritiers des princes d'autrefois que sont les peuples, comme ces palais du duc de Luxembourg,

1. Voir p. 56, 4e ligne.

du duc de Bourbon, du duc de Soubise, du cardinal Mazarin, du roi, qui sont devenus le jardin du Luxembourg, la Chambre des députés, les Archives, la Bibliothèque nationale, le Louvre, le parc de Versailles, ou à Rome le Palais Farnèse et la Villa Médicis devenus l'Ambassade de France et l'École des Beaux-Arts (?). Comme à partir d'une certaine heure un souverain revient tenir le cercle ou va de groupe en groupe se montrer aux principaux invités, M. de Charlus n'était plus sur l'escalier qui ramenait du parc aux salons, quand je quittai le premier pour rentrer dans les seconds. Le principal était une salle immense, pourtant plus longue que large, et qui aurait été une merveilleuse salle de théâtre ou de bal. Les principales beautés du Paris aristocratique, et dont je connaissais certaines de vue pour les avoir aperçues à l'Opéra, s'y trouvaient, chacune entourée d'un cercle d'amies ou d'admirateurs. Si même une seule des femmes qui faisaient la monnaie courante des dîners où j'allais souvent, pouvait à mes yeux, changée de milieu, annoncée dans une réunion peu élégante, au milieu d'inconnus, dans un décor nouveau, prendre pour moi la vitalité nouvelle d'une merveilleuse greffe, inversement ces célèbres merveilleuses, dont chacune était une reine que je n'imaginais que chez elle, dans une demeure où je n'étais pas invité, commandant à tout un peuple, et hors de cela ne se montrant qu'en des lieux tout à fait publics, dans des théâtres où trônant dans une avant-scène, elle semblait régner de là sur toute la salle, entrées maintenant dans une formation nouvelle où toutes n'étaient plus que des unités dissemblables mais égales, subissaient elles aussi la même transformation. Je me rendais compte que ces féeriques princesses dont on m'avait dit qu'elles n'allaient chez personne (ce que j'avais pris à la lettre) sortaient en réalité tous les soirs, pour des réunions de toutes les princesses où chacune n'était plus qu'une femme du monde. Et cet abaissement qui les faisait entrer dans le rang, comme <le> rang était nouveau, était tout de même un embellissement. De chaque côté de la longue galerie, assise et quelquefois debout quand elle aimait à faire valoir sa taille, chacune de ces déesses présidait à une petite assemblée plus spéciale dans la grande, comme une sainte à ses dévôts particuliers. De sorte que dans la grande nef semblait rangée de chaque côté une longue procession de chapelles dans lesquelles entrait de temps en temps un nouvel adorateur, quelque ambassadeur étranger par exemple, qui venait déposer ses hommages aux pieds de la statue qui s'animait, lui souriait de ses yeux d'une autre couleur que sa chair, comme sont les statues espagnoles, et détachant son bras lui tendait la main. La princesse de Guermantes ne se tenant plus obstinément à l'entrée circulait maintenant dans la vaste nef ; elle entendit M. de Bréauté, dont j'avais provoqué les protestations en le remerciant de m'avoir présenté au prince et qui cherchait à changer la conversation, me parler de la duchesse de Guermantes. Je lui répondis que je l'avais vue un instant avant le dîner. Les femmes du monde éprouvent un tel plaisir à saisir comme une perche le nom de l'une d'entre elles, surtout si celle-ci est particulièrement à la mode, qu'en entendant le nom de la duchesse, la princesse de Guermantes qui passait à côté de nous et était d'ailleurs friande quoique incompréhensive et un peu dédaigneuse de tout ce qui concernait un cercle intime où elle avait l'impression qu'on se moquait légèrement d'elle, se sentit attirée vers M. de Bréauté et moi et ne put poursuivre vers le fond du salon où elle comptait se diriger. Et comme même au point de vue mondain l'opinion, le désir l'emportent sur la position acquise, en un mot l'esprit sur la matière, à cause de la considération que sa cousine avait pour moi, la princesse demanda : « Qu'est-ce qu'elle disait avant dîner, ma délicieuse cousine Oriane ? Du reste nous la verrons tout à l'heure, je sais qu'elle a dîné chez la princesse de Parme. Elle m'a dit qu'elle viendrait tout de suite après. Je crois que nous devons nous voir chez Oriane jeudi. Il y aura la reine de Serbie. » J'ajoutai : « Et le président de la République. — Oh ! mais ce sera très intimidant[1] », dit ou plutôt eut l'air de demander sur un ton peureux la princesse de Guermantes. Elle avait connu d'autres souveraines que la reine de Serbie. Il en traînait toujours chez elle quelqu'une et beaucoup d'altesses quand elle recevait et on s'y occupait si peu d'elles que ceux qui ne savaient pas d'avance qu'elles avaient été invitées ne les remarquaient même pas. Aussi ne fut-ce ni par humilité, ni par orgueil ironique que la princesse de Guermantes dit ces mots, mais par bêtise, la seule chose qui peut l'emporter sur l'orgueil chez les gens du monde. C'est ainsi qu'on les voit couramment par ignorance de la grammaire, par impossibilité de former une idée claire, dire quelque chose qui rabaisse le rang auquel ils tiennent tant, et qu'un révolutionnaire intelligent qui saurait penser et s'exprimer, leur rendrait, au moins en paroles. Même pour leur simple généalogie un agrégé d'histoire en sait plus qu'eux car ils n'ont pu l'apprendre qu'avec une intelligence informe et la répètent de travers. Absolument comme une bourgeoise qui veut briller en appelant par son petit nom une grande dame qu'elle connaît peu, et à la fois comme une grande dame qui éprouve un rafraîchissement à entendre le nom d'une autre grande dame qu'elle connaît beaucoup. « Vous connaissez la princesse de Parme ? », me demanda-t-elle. Elle pensait que rien de l'intimité de la duchesse ne m'était inconnu et était pourtant assez contente de se rendre compte exactement dans quelle mesure. Le duc et la duchesse furent annoncés[2] pendant que la princesse causait avec M. de Bréauté et moi. Est-ce parce que tant d'événements[a] ont passé depuis cette époque qui ont modifié la vie sociale, ou parce que l'importance de certaines femmes est un effet de notre jeunesse, de sorte que nous croyons qu'il n'existe plus de duc de Guermantes, comme les vieillards ont successivement cru qu'il n'existait plus de Rachel, de Mars, de Sarah[3], mais il ne me semble pas qu'aujourd'hui il y ait dans le monde des « arrivées » comparables à celle de la duchesse de Guermantes qui survient quand on osait à peine y compter encore, semblant conjurer par sa seule présence tous les éléments qui eussent pu empêcher la soirée de réussir, <et> faisait quand on était plus attentif à sa manière d'entrer, de dire bonjour, de s'asseoir, de se

a. Est-ce parce que tant d'événements *Début d'un passage absent du manuscrit, vraisemblablement écrit par Proust sur une paperole aujourd'hui disparue (voir pour la fin du passage, la variante a au bas de la page 1322).*

1. Voir p. 59, 6e ligne.
2. Voir p. 59, 2e §, 2e ligne.
3. Trois grandes comédiennes : Mlle Rachel (1821-1858) débuta au Théâtre-Français en 1838 dans Camille d'*Horace*, elle joua les grands rôles classiques, surtout raciniens, et romantiques. Mlle Mars (1779-1847) excella dans les emplois de grandes coquettes du répertoire romantique qu'elle créa, elle était surnommée « le Diamant » et fut l'actrice favorite de Napoléon Ier. Sarah est la sœur de Mlle Rachel (1819-1877) qui joua en province et à l'Odéon, ou plus vraisemblablement Sarah Bernhardt.

lever, de sortir. Autour du jeu de son éventail pullulaient les ambassadeurs. Et comme même dans le grand monde il y a tout de même des étages et que se trouvaient là d'authentiques signes à des personnes conscientes de leur importance, mais enfin qui ne seraient jamais présentées à la duchesse de Guermantes, pour ne pas laisser manquer à leur femme un spectacle aussi intéressant ils couraient presque dans le grand salon de l'hôtel de la princesse en disant : « Ursule, Ursule, regardez vite la duchesse de Guermantes avec l'ambassadeur d'Allemagne. Il y a peut-être un incident diplomatique. Mon Dieu ! quel merveilleux paradis elle a sur la tête. » Et ainsi ces nobles de second ordre avaient un air, bien qu'invités, de spectateurs qui, à la Revue, montent sur des chaises pour l'arrivée du président de la République. Et comme ils restaient à une certaine distance, par discrétion, du « cercle » que tenait la duchesse, les bruits les plus contradictoires couraient sur les <conclusions> qu'il convenait de tirer touchant la politique extérieure. Au reste même si ce genre de dames est mort à jamais, ce n'est pas plus une raison pour ne pas nous occuper d'elles que maintenant, après tant de révolutions passées, de grandes dames du[a] XVIIIe siècle ou des pharaons d'Égypte. Mais l'entrée de la plus grande actrice, si éclatante soit-elle peut ne pas être si <non> <sans> timidité du moins sans artifice. La duchesse de Guermantes n'était pas tout à fait la même dans le monde et dans l'intimité. Il y avait d'ailleurs à cela des causes inévitables. Ainsi par exemple dans l'ordinaire de la vie les yeux de la duchesse étaient distraits, un peu mélancoliques[1] et <elle> les allumait seulement d'une flamme spirituelle chaque fois qu'elle avait à dire bonjour à quelque ami absolument comme si celui-ci avait été quelque mot d'esprit, quelque trait charmant, quelque régal pour délicats dont la digestion amène une expression de subtilité et de joie sur le visage du connaisseur. Mais pour les grandes soirées comme elle avait trop de bonjours à dire, elle trouvait qu'il eût été trop fatigant d'éteindre à chaque fois après chacun d'eux la flamme de ses regards. Aussi tel un gourmet de littérature allant au théâtre voir une nouveauté d'un des maîtres de la scène témoigne sa certitude de ne pas passer une mauvaise[b] soirée en ayant déjà tandis qu'il remet ses affaires à l'ouvreuse, sa lèvre ajustée pour un sourire sagace, son regard avivé par une approbation malicieuse, c'est dès son arrivée que la duchesse allumait ses yeux pour toute la soirée, et tandis qu'elle donnait son manteau — ce soir d'un magnifique rouge Tiepolo avec un ancien dessin vénitien — au vestiaire, s'assurait dans une glace de leur scintillement en même temps que de celui de ses autres bijoux. Oubliant sans doute qu'elle était censée ignorer ce que j'étais venu demander au duc, elle me dit : « Nous ne voulions pas qu'on sût[2] que nous étions rentrés. », paroles qu'avait infirmées d'avance la princesse en me disant

a. de révolutions passées, de grandes dames du *Fin d'un passage absent du manuscrit, vraisemblablement écrit par Proust sur une paperole aujourd'hui disparue (voir pour le début du passage, la variante a au bas de la page 1321).*

b. ne pas passer une mauvaise *Début d'un passage, absent du manuscrit mais figurant sur une paperole conservée à la Bibliothèque nationale dans une boîte contenant le reliquat manuscrit, c'est-à-dire la presque totalité des pages et paperoles arrachées du manuscrit (voir la Note sur le texte, p. 1292 et pour la fin de ce passage, la variante a au bas de la page 1324).*

1. Voir p. 61, 2e §, 2e ligne.
2. Voir p. 62, 3e ligne.

qu'elle avait vu un instant dans l'après-midi sa cousine qui lui avait promis de venir mais qui forcèrent le duc après un long regard irrité dont, pendant cinq minutes sans bouger, il accabla sa femme, à me dire : « J'ai raconté à Oriane, il y a cinq minutes, les doutes que vous aviez. » Maintenant qu'elle voyait qu'ils n'étaient pas fondés et qu'elle n'avait aucune démarche à faire pour essayer de les dissiper, elle les déclara absurdes, me plaisanta longuement. « Cette idée de croire que vous n'étiez pas invité ! On est toujours invité ! Et puis il y avait moi *[p. 62, 14e ligne]*. Croyez-vous [...] semblaient, par toutes leurs actions *[p. 62, 25e ligne]*, dire les Guermantes, et ils le disaient, pour tout ce qu'on peut imaginer de gentil, pour être aimés, pour être admirés, mais non pourtant pour être crus, car s'ils l'avaient été leur amabilité n'aurait plus rien eu d'admirable. Il est même incroyable à quel point ils croyaient, sans se l'avouer expressément, le caractère fictif de cette amabilité démêlé par ceux qui en bénéficiaient. Le démêler, c'est ce qu'ils appelaient être bien élevés ; croire l'amabilité réelle, c'était la mauvaise éducation. On ne peut pourtant dès le premier jour connaître une langue si difficile. J'avais cru que Saint-Loup ne m'avait pas reconnu quand il m'avait salué si froidement d'une voiture. J'avais été mal élevé en devenant amoureux de Mme de Guermantes parce qu'elle m'avait fait bonjour avec la main d'une baignoire. Un de mes amis le fut davantage, car, présenté de la veille à la duchesse, l'apercevant dans une loge de premières au Français, il la vit lui adresser mille signes de la main, et dare-dare monta se faire ouvrir la loge pour y faire une visite. Le duc était de fort mauvaise humeur ce soir-là, et la loge pleine. La duchesse fut polie mais pour la dernière fois, et ne répondit plus jamais qu'à peine aux saluts du jeune homme. Je reçus du reste à peu de temps de là une leçon inverse qui acheva de m'enseigner dans la plus parfaite exactitude l'extension et les limites de certaines formes de l'amabilité aristocratique. Après le thème, la version et l'on sait la langue. C'était à une matinée *[p. 62, 11e ligne en bas de page]* donnée [...] main libre, le duc ne *[p. 62, 6e ligne en bas de page]* fit au moins à quarante mètres[1] de distance mille signes d'appel et d'amitié. Mais[2] moi [...] l'usage des bains est *[p. 63, 1er §, dernière ligne]* parfait pour la santé. Ce ne furent d'ailleurs jamais chez les Guermantes que des nuances très fugitives, très rares, mais dont aucun, sauf dans une large mesure le prince et la princesse et Saint-Loup, n'était complètement exempt.

Malgré tout Mme de Guermantes devait avoir des remords de ne pas avoir fait avant la soirée une démarche à mon intention auprès de sa cousine, car après m'avoir dit le plaisir qu'elle aurait à me faire inviter chez toutes ses amies et m'avoir demandé chez lesquelles j'aimerais aller : « Allons, venez me faire une visite, ajouta-t-elle, je vais vous faire les honneurs de cette maison bien qu'elle ne soit pas mienne, hélas ! » Elle bondit à ma protestation que la sienne n'était pas mal non plus et dit : « C'est comme si vous compariez de posséder un petit trou ou... Versailles ! Absolument ! Quand c'était la mère d'Hubert, la sœur du prince de Bade, qui habitait ici, comme elle s'appelait Esther, Swann ne venait jamais ici sans dire : "Ainsi voici d'Esther les superbes jardins." » Je sus gré à la duchesse de me rappeler cette tragédie avec laquelle j'avais été littéralement élevé. D'ailleurs après avoir célébré le « palais » de sa

1. Voir la variante *b*, page 62.
2. Voir la variante *c*, page 62.

cousine[1], elle s'empressa d'ajouter qu'elle aimait mille fois mieux son trou. « Ici c'est admirable pour visiter ; mais je mourrais de chagrin s'il fallait rester à coucher dans des chambres où ont eu lieu tant d'événements historiques. Ça me ferait l'effet d'être restée après la fermeture au Louvre ou au château de Fontainebleau ou de Blois, et d'être obligée d'y passer toute la nuit avec la seule ressource de me dire que je suis dans la chambre où a été assassiné Monaldeschi. Comme camomille c'est insuffisant. Allons venez avec moi. — Je n'y fais d'objection, Oriane, dit le duc. Mais mon petit ne la laissez pas aller dans le jardin (il voulait sans doute y retrouver tout à l'heure Mme de Surgis), elle a très chaud, sa robe est très décolletée, elle[a] prendrait froid. — Justement, Basin, cela m'amusait de lui montrer le jet d'eau. — Hé bien ! vous le lui montrerez une autre fois. Montrez-lui le petit tableau d'Hubert[b] Robert qui le représente. — C'est comme si vous aviez envie de voir une personne et qu'on vous montre son portrait. Enfin, comme dit votre assommante Yvette Guilbert[2], ça fait toujours plaisir. — Oriane, ma petite enfant, mais c'est tout ce qu'il y a de plus inconvenant ce que vous dites là, vous allez donner une terrible idée de vous à ce jeune homme. — Mais non, il est intelligent, vous savez Basin. — Je le sais. Si je ne vous gêne pas, je vais regarder aussi l'Hubert Robert ; cela me fera plaisir. » Nous nous dirigeâmes vers le fond du salon. « Hé bien ! me dit Mme de Guermantes, poursuivant sans doute son idée de compensation à la mauvaise volonté qu'elle semblait avoir montrée en n'envoyant pas chez sa cousine, et ces dames chez qui je dois vous faire inviter. Dites quels dîners vous amuseraient ? » Tout en marchant, Mme de Guermantes laissait la lumière azurée de ses yeux briller devant elle, mais dans le vague afin qu'ils puissent éviter les gens à qui elle ne désirait pas dire bonjour et dont parfois elle apercevait à l'horizon l'écueil sombre et menaçant. Car il n'y avait pas seulement des différences entre la princesse et la duchesse. Le milieu de l'une et de l'autre n'étaient pas tout à fait le même. Sans doute chez la duchesse de Guermantes fréquentaient des gens que la princesse n'aurait pas voulu inviter[3]. Antisémite comme son mari, elle n'eût pas reçu la baronne Alphonse de Rothschild, qui, intime amie de la duchesse de La Trémoïlle et de la princesse de Sagan, comme la duchesse de Guermantes, fréquentait beaucoup chez cette dernière. Il en était de même encore du baron de Hirsch que le prince de Galles avait amené chez la duchesse, mais non chez la princesse à qui il aurait déplu, et aussi de quelques grandes notabilités bonapartistes ou même républicaines, qui intéressaient la duchesse mais que le prince, royaliste convaincu, n'eût pas voulu recevoir par principe. Son antisémitisme étant aussi de principe ne fléchissait devant aucune élégance si accréditée fût-elle, et s'il recevait Swann dont il était l'ami de tout temps, tout en étant le seul des Guermantes qui l'appelât Swann et non Charles, c'est que sachant que la grand-mère de Swann,

a. sa robe est très décolletée, elle *Fin d'un passage — dont le début est signalé à la variante b, p. 1322 — absent du manuscrit mais figurant sur une paperole appartenant au reliquat.*

b. le petit tableau d'Hubert *Début d'un passage figurant sur deux feuillets absents du manuscrit mais appartenant au reliquat (pour la fin de ce passage, voir la variante au bas de la page 1327).*

1. Voir p. 68, dernier §, 4ᵉ ligne.
2. Voir p. 473.
3. Voir p. 68, 10ᵉ ligne.

laquelle était une protestante mariée à un juif, avait été la maîtresse du duc de Berri, il essayait de croire à la légende qui faisait du père de Swann un fils naturel du prince. Dans cette hypothèse, laquelle était d'ailleurs fausse, Swann, fils d'un catholique fils lui-même d'un Bourbon[1], et d'une catholique, n'aurait eu aucun sang juif dans les veines. D'ailleurs porteur d'un nom en soi-même obscur, il n'était pas, en tous cas, représentatif d'une race comme eût été un Rothschild. C'est ce qui faisait que malgré la violence de l'antisémitisme qui depuis l'affaire Dreyfus régnait au Jockey, Swann seul y était épargné. Et s'il n'y allait pas c'est qu'ennuyé de l'attitude nationaliste que sa femme avait prise, les milieux ardemment antisémites lui étaient désagréables, et ce n'était que par égard pour le télégramme pressant du prince et <pour> être certain d'être tranquille et de pouvoir se soigner les jours suivants sans être dérangé par un rendez-vous de celui-ci, qu'il était venu ce soir. Le milieu de la princesse était ainsi plus fermé, plus pur, celui de la duchesse par contre infiniment plus élégant. Beaucoup de gens de noblesse excellente mais sans éc<lat> exceptionnel, et vivant dans une région un peu provinciale du faubourg Saint-Germain, ne faisant pas partie de la <fleur des> coteries élégantes, en eux-mêmes sans charme, sans esprit, étaient reçus à leurs grandes soirées par le prince et la princesse, et tenus prudemment à l'écart par la duchesse qui, fort indifférente aux principes, tenait en revanche à ne rien avoir que d'exquis, de première qualité en son genre, ou de tout à fait éclatant. Il semble dans ces conditions que la princesse et la duchesse auraient dû avoir chacune un certain dédain réciproque pour le salon de l'autre. Et en effet c'est le dédain ou le blâme <qui> était le sentiment qu'elles exprimaient. « Qu'est-ce que c'est que tous ces paquets mal ficelés dont nous gratifie Hedwige, disait la duchesse. Vraiment, elle est trop bonne, elle invite des gens qui n'ont pas de quoi se mettre une robe sur le corps. » Et la princesse de Guermantes avait un regard d'affliction spécial pour dire à son mari qu'Oriane avait reçu à un théâtre Deschanel et les Rothschild. Mais cette expression dédaigneuse ou réprobatrice était en réalité fort inexacte ! La duchesse regrettait que la princesse ne fût pas plus sévère dans le choix de la noblesse qu'elle invitait, mais ce qu'elle relevait surtout avec un mélange de crainte et d'admiration également dissimulées, c'est que la princesse ne voulait ni juifs ni républicains, et pour ainsi dire pas de bourgeois. Aussi, si quelqu'un qui n'avait pas de titre, pas de couleur réactionnaire ou qu'elle suspectait d'idées nouvelles demandait à la duchesse de le faire rencontrer avec sa cousine, la duchesse, cette femme si puissante, si libre dans ses actions, si souveraine, avait-elle ainsi que son mari (car c'était un trait particulier aux Guermantes quand il s'agissait de Guermantes d'un groupe un peu différent), avait-elle une véritable colique de peur, vous faisait passer un véritable examen : « Vous n'êtes pas au moins dreyfusard, etc. » et finalement refusait en disant : « Vous vous ennuieriez, ce n'est pas du tout votre genre, elle est assommante. » Il est vrai que si au contraire on disait rétrospectivement : « Je regrette de ne pas m'être trouvé chez vous en même temps que la princesse de Guermantes », comme le danger était passé, la duchesse disait : « Oh ! elle aurait été sûrement très heureuse, très flattée. » Et pendant ce temps-là si quelque dame très noble mais n'étant pas affiliée à certains milieux de haute élégance demandait à la princesse d'être

1. Voir p. 68, 1er §, avant-dernière ligne.

présentée à la duchesse, la première avait exactement la même peur qu'avait eue la seconde, se rendant bien compte que ce n'était pas du tout « le genre d'Oriane » et qu'on ne pouvait trop savoir la tête qu'elle ferait. Et ainsi, chacune était encore plus craintive de l'autre que satisfaite d'elle-même, car dans la vie l'amour-propre joue moins de rôle que l'imagination. La duchesse fut bien scandalisée quand je lui dis qu'à des dîners, je préférerais de grands bals. Ces mots excitèrent d'abord sa stupéfaction, puis son indignation et son mépris. Elle me considérait comme un « intellectuel », elle-même comme une « intelligence », et croyait que la seule chose qui eût pu me faire autant de plaisir que de la connaître, c'eût été si j'avais vécu plus tôt de connaître Pailleron, et maintenant de me faire présenter à M. Étienne Lamy[1]. Elle se demanda si elle ne s'était pas trompée sur moi, me dit : « Ce n'est pas digne de vous, ce que vous dites là », paroles qui me jetèrent dans un grand trouble. Je n'étais pas comme certains hommes heureux, mais qui restent toujours de grands collégiens, et qui sont persuadés qu'ils ont raison et que le reste de l'univers ne vaut pas la peine d'être approfondi. L'humilité de ma grand-mère était transportée chez moi dans l'ordre intellectuel, je croyais tous les points de vue, fût-ce celui de Mme de Guermantes, supérieurs au mien, ou plutôt je ne songeais même pas que je pusse avoir un point de vue, tant je pensais peu à moi et ne prenais conscience de moi qu'en tant qu'incarné dans les choses et les êtres avec lesquels, pour les comprendre, j'essayais de m'identifier. Je ne fus donc pas loin de me mépriser de désirer aller à de grands bals, comprenant à peine plus que Mme de Guermantes la raison de mon désir. Cette raison était que j'arrivais à l'âge où, au lieu de croire que chaque plaisir est unique, exceptionnel, offert par le destin, on arrive, en unissant tous ceux qu'on a déjà goûtés, à tracer la courbe de ses goûts et on se résigne à chercher à les satisfaire. On ne construit plus comme autrefois l'avenir sans tenir aucun compte du passé, ou on y fait entrer en ligne de compte cette chose (si décriée tant qu'on croyait à la conquête de la réalité objective), ce qui nous a fait le plus souvent plaisir, ce qui vraisemblablement nous fera toujours plaisir. Je commençais à savoir que, en ce qui me concernait (pour une partie au moins de moi-même, car il y en avait d'autres bien plus importantes, cachées plus profondément en moi et qui à cause de cela devaient mettre plus de temps à venir jusqu'à ma conscience et ne me seraient révélées qu'en dernier) c'était de rencontrer des jeunes filles inconnues dont mon imagination cherchait à déchiffrer le visage et à reconstituer la vie. Certes il me fallait toujours qu'elles fussent inconnues, que je fusse inconnu d'elles, qu'elles possédassent cette fascination mystérieuse des visages qui ne nous renvoient rien de nous-même et qui, s'ils nous reflètent un instant malgré eux, quand nous tombons dans l'angle de leur réfraction, le font presque sans s'en apercevoir comme un miroir humain qui prend à peine conscience du passant insignifiant qu'il aura en tous cas oublié sitôt qu'il se sera éloigné. Comme le trajet, la distance pour les pays, pour que les jeunes filles que je rencontrais me parussent réelles il fallait que j'eusse, intimidé et anxieux, à traverser cette zone

1. Édouard Pailleron (1834-1899) fut l'auteur de nombreuses pièces de théâtre à succès. Voir t. II de la présente édition, *Le Côté de Guermantes II*, p. 786 (« le pailleronisme » d'Oriane). Étienne Lamy (1845-1919) homme politique et historien fut élu secrétaire perpétuel de l'Académie française en 1913.

d'inconnu qui les séparait de moi, que je devinsse, si c'était une fille de salle, un habitué du restaurant, si c'était une jeune fille du monde, que j'arrivasse à connaître sa famille. Mais ces rencontres elles-mêmes avec les jeunes filles inconnues, ces rencontres dont jadis j'aurais cru diminuer la valeur, la vérité, en les provoquant, maintenant j'en arrivais à rechercher les lieux où je pouvais trouver réunies le plus de belles jeunes filles inconnues ; or pour les jeunes filles du monde (qui n'étaient pas les seules qui me plussent, mais en étaient une notable part, et qui me semblaient bien mystérieuses à leur façon avec leur vie claustrale dans le faubourg Saint-Germain), le lieu où je trouvais le plus aisément réunies celles dont me faisaient rêver les comptes rendus des journaux, c'étaient les salons fréquentés où ont lieu les grandes réunions collectives qui font seules sortir ces vierges pieuses de leur hôtel de la rue de l'Université ou de la rue de la Chaise. Mais les femmes du monde se font des goûts des intellectuels une idée plus haute et pensent que rien ne peut leur plaire autant qu'une conversation littéraire où scintille, pour des privilégiés qu'on trie sur le volet, l'esprit des Guermantes. « Comment, malheureux ! des *bals* ! des bals où on danse ! s'écria la duchesse au comble de la stupéfaction, mais c'est assommant, c'est bon pour des petits crétins. Et puis ce n'est pas élégant du tout. Je vous propose de vous faire inviter dans des salons où n'arrivent pas à pénétrer cinquante élus, et vous préférez des bals où peut aller suer n'importe qui, des gens que personne ne connaît. » Elle semblait presque aussi étonnée qu'au régiment un commandant de compagnie, à qui on a recommandé un jeune marquis incorporé de la veille, et qui, ayant demandé à ce bleu ce qu'il peut faire pour lui, s'entendrait répondre : « Je voudrais être ordonnance. » « Mais je ne peux pas vous faire inviter à des bals, reprit-elle, je ne connais pas ces affaires-là. Mon Dieu ! il y a quelques petites sauteries de jeunes femmes qui peuvent être assez jolies. » Mais ce n'était pas ce que je voulais, je souhaitais le grand nombre où je ne risquerais pas de voir éliminée la chance de bonheur qui pouvait s'offrir, l'équivalent aristocratique d'une foule de feu d'artifice. J'exprimai cela en disant que je préférerais de grands bals de jeunes filles. « Oui, enfin, c'est la cohue que vous voulez. Jamais je n'aurais cru ça de vous. » Nous étions arrivés auprès du tableau. Nous nous assîmes tous trois sur un canapé devant lui. C'était un ravissant tableau d'Hubert Robert représentant précisément le jet d'eau des jardins Guermantes, assez semblables à ce qu'ils sont aujourd'hui. Autour du jet d'eau des gentilshommes et des femmes en mante font le cercle et admirent. Un seigneur, le chapeau sous le bras, donnant le bras à une femme, monte l'escalier monumental au haut duquel j'avais vu M. de Charlus recevoir le bonjour des invités. Hubert Robert avait sans doute fait là son chef-d'œuvre, un tableau plus poétique que[a] ceux qu'il a exécutés d'habitude et sans doute parce que son imagination s'était émue de retrouver dans le jardin Guermantes ces jeux d'eau qu'il avait tant décrits dans les villes d'Italie. On sentait qu'il avait fait à la fois ce qu'il avait vu et ce qui dans ses souvenirs venait naturellement s'y ajouter. Et les seigneurs qui se promenaient là étaient sortis tout autant que de l'hôtel où ils avaient été invités comme ce soir à une fête, de la

a. un tableau plus poétique que *Fin d'un passage figurant sur deux feuillets absents du manuscrit mais appartenant au reliquat (pour le début de ce passage, voir var. b au bas de la page 1324).*

même imagination qui en avait peuplé tant de jardins romains, ces jardins qui eux avaient touché de la même manière et pour une autre raison Vélasquez, qui y retrouvait devant la blancheur des marbres le noir élancement des arbres comme dans les patios de son pays natal. Dans ces jardins des villas romaines, Vélasquez n'a pas craint devant un élégant portique de peindre l'échafaudage ou le linge séchant qu'il a vus. Encore bien moins Hubert Robert à qui le goût des ruines avait donné celui de l'accident, et par conséquence du détail caractéristique et momentané (Hubert Robert, l'anecdotier des catastrophes ou seulement des transformations qui a représenté tant de monuments de Paris après leur incendie, pendant leur démolition), a-t-il hésité à montrer au fond du tableau, le long des murs de clôture, des ouvriers en train de réparer un treillage vert, analogue à celui qui les losangeait aujourd'hui. Ce tableau, vendu par la duchesse d'Aiguillon, était resté assez longtemps hors de la famille et avait fini par entrer dans la collection d'un vieil amateur où Swann l'avait vu et tellement aimé qu'il en était arrivé à aller demander périodiquement au concierge des nouvelles de sa mort, dans l'espoir d'une vente après décès. Mais une fois qu'il eut pu se rendre acquéreur de l'Hubert Robert Swann n'en garda pas longtemps la jouissance paisible, le prince de Guermantes désirant passionnément que le tableau rentrât dans sa famille. Swann avait hésité des années ; enfin un beau jour, le prince qui venait de le payer cent mille francs à Swann, l'emporta enveloppé d'un papier d'emballage, dans un fiacre dont le cocher faillit le crever en se disputant avec le prince. Car celui-ci, conservateur en fait de prix et qui n'avait pas suivi les coutumes dépensières des Américains et des financiers, s'il n'hésitait pas à payer cent mille francs, un tableau, ne donnait que trois sous de pourboire à un cocher. Et celui-ci trouvait que c'était peu pour être allé de la Porte Dauphine au Luxembourg. Swann, qui chez lui avait l'Hubert Robert presque invisible par terre le long des portes, entre des Perronneau[1] ou des Turner, comme dans l'atelier d'un peintre ou le cabinet d'un amateur du XVIIIe siècle, avait été chargé de mettre l'Hubert Robert en belle place dans le grand salon de l'hôtel de Guermantes. Une bordure invisible d'ampoules électriques projetaient sur lui leur lumière, et dans un jour spécial qui faisait sa matière plus belle et la pénétrait de clarté, le rendaient translucide comme de l'ambre ou du jade, l'isolaient, en faisaient le point de mire de tous les regards. « Quand la mère Maillé donnera un bal, me dit la duchesse pour me témoigner de son bon vouloir, je lui dirai de vous inviter. Mais c'est la place publique. Si vous croyez que <c'est> ça qui vous cotera... » Non loin de l'Hubert Robert étaient trois des Elstir que j'avais vus chez la duchesse et que celle-ci, à la prière du duc qui ne perdait jamais une occasion de « faire des affaires » s'était fort à regret résignée à céder à sa cousine. Le prince de Guermantes, à la somme contre laquelle il les avait acquis du duc avait ajouté un petit croquis d'Elstir, mais dénué d'importance. Cependant des groupes aux yeux curieux se formaient pour regarder moins l'Hubert Robert que Mme de Guermantes. En face d'autres grandes dames qui avec elle faisaient de cet immense salon rectangulaire, comme une sorte de Salon Carré de la Beauté aristocrate, la duchesse était merveilleuse dans sa robe rouge, sous sa plume rouge.

1. Jean-Baptiste Perronneau (1715-1783) est l'auteur de nombreux portraits, dont celui d'Oudry, au musée du Louvre (voir t. II de la présente édition, p. 713).

Comme tels détails dont l'absence ne nous semble pas nuire à l'ensemble parce que nous ne les connaissons pas encore, mais avant l'apposition desquels le peintre qui dans son esprit les voit déjà et sait combien ils ajouteront à la beauté du chef-d'œuvre, ne veut pas laisser celui-ci sortir de l'atelier, tant que chez elle j'avais vu les souliers noirs la toilette de la duchesse m'avait parue superbe. Maintenant qu'elle avait des souliers rouges, je m'apercevais que c'est seulement depuis qu'ils la complétaient que cette toilette était parfaite. Mais alors je me rappelai les paroles de Swann sur sa propre mort, que la duchesse n'avait pas eu le temps d'écouter, et il me semblait que c'était dans le sang de son ami qu'elle était baignée. Tout en laissant quelques personnes de sa coterie s'approcher de nous et en parlant avec eux de l'Hubert Robert, car les Guermantes, comme l'esprit est uni au corps, parlaient toujours de choses d'art dans un décor mondain, la duchesse jetait sur les plus rares beautés du monde un coup d'œil qui pouvait ne pas aller jusqu'au bonjour, car la salle était si grande qu'on regardait ces divers groupements comme au théâtre on examine les loges. Entre ces deux rangées de groupes variables mais constitués autour d'une beauté reine, le défilé des seigneurs dénués d'importance, mais non d'empressement et de curiosité, se pressait comme dans un musée. Quelques vieilles dames ennuyeuses et laides, aux cheveux gris et sales teints en noir, et pour lesquelles la duchesse, malgré d'anciennes relations de famille, et parfois des liens de parenté, avait toujours été impolie, des jeunes gens qui ne la connaissaient pas mais avaient entendu parler d'elle, <comme> vers 1867 tous les jeunes Français entendaient parler de l'Impératrice, ou vers 1880 tous les jeunes Anglais de la princesse de Galles, la regardaient, les vieilles dames avec une expression envieuse, les jeunes gens avec une fascination qui touchait à l'hébétude. Nous avions beau tenir entre nous des propos pleins de clarté et dénués de mystère, tels qu'ils auraient pu être échangés entre des gens qui ne s'y connaissent pas en peinture, pour ces jeunes gens qui ne nous entendaient pas, notre groupe assemblé autour de la duchesse rouge, sollicitait autant la curiosité que quelques autres formés autour de grandes dames aussi célèbres. « Comment, vous les aimez ? » répondit Mme de Guermantes à un mot admiratif sur les Elstir qui étaient auprès de nous et qu'elle m'avait déclaré quelques mois auparavant être d'une beauté rare, mais seulement il est vrai parce que la duchesse les possédait, de sorte qu'il était naturel que dès le jour de la vente ils eussent perdu cette beauté. « Je ne suis pas ennemie systématique de la peinture d'Elstir, ajouta-t-elle, il y en a qui sont curieux mais je n'ai jamais aimé ceux-ci. Je préfère infiniment la petite esquisse que nous avons achetée. Vous ne la connaissez pas ? Oh ! il faudra venir la voir. C'est un rien, mais c'est exquis. C'est infiniment supérieur à tout ce qui est là... Tiens, voilà Mme de Saint-Euverte, dit Mme de Guermantes en voyant Mme de Saint-Euverte qui entrait. Nous avons dîné tout à l'heure ensemble chez la princesse de Parme. Comme elle donne demain sa grande machine annuelle *[p. 69, 2e ligne]*, je pensais qu'elle serait allée se coucher. [...] Les notabilités *[p. 69, 2e §, 8e ligne]* du milieu Guermantes, les duchesses, si clairsemées alors, et qui pouvaient tout au plus s'y dire bonjour de loin, comme dans une salle de spectacle, séparées par une foule d'inconnus, avaient, comblées de politesses adroites par la maîtresse de maison amené peu à peu *[p. 69, 2e §, 11e ligne]* leurs amies. [...] Aussi, en symétrie en quelque sorte *[p. 69, 2e §, 22e ligne]* avec les deux duchesses en exil que tout au début de ce salon, on avait vues aux deux extrémités en soutenir comme deux cariatides l'avenir chancelant, dans les dernières années on ne voyait plus mêlées au beau monde que deux personnes hétérogènes : la vieille Mme de Cambremer et la femme d'un architecte à laquelle on était souvent obligé de demander de chanter *[p. 69, 9e ligne en bas de page]*. Mais ne connaissant [...] Mme de Cambremer ne trouva pas l'invitation *[p. 70, 3e ligne]* assez pressante et s'abstint. On peut donc s'étonner qu'ayant maintenant un salon qui (en exceptant M. de Charlus qui ne voulait pas y aller mais c'était un original et il y avait des gens autrement bien que Mme de Saint-Euverte avec qui il était brouillé) ne différait en rien par sa composition des premiers de Paris, donnant tous les ans une garden-party qui était un des « clous » de la saison et où il y avait toujours au moins deux altesses de passage, sans parler naturellement des résidentes, de la princesse de Parme, et bien entendu de tous les ambassadeurs étrangers. Mme de Saint-Euverte crut nécessaire la veille de cette garden-party de venir rallier les courages, et rappeler sa fête à un chacun, comme un candidat au bachot repasse au dernier moment les sujets qui ne sont pas tout à fait ancrés dans sa mémoire, ou fait rafraîchir celle des examinateurs auxquels il est recommandé. Même le lieu où elle venait accomplir cette dernière manœuvre semblait fort en proclamer l'inutilité : puisque le public qu'elle avait invité, c'est chez la princesse de Guermantes qu'elle venait le relancer, c'était donc le public le plus élégant de Paris et elle la maîtresse de maison la plus brillante. C'est ainsi qu'elle apparaissait dans les comptes rendus des journaux où tous les grands noms de Paris étaient cités chez elle, et sans mensonge, car personne ne manquait sa splendide garden-party. Mais malgré tout Mme de Saint-Euverte était de ces personnes qui, ayant les mêmes invités que telle duchesse, sentait que ces invités l'honoraient en venant au lieu d'être honorés de venir chez elle. Elle obtenait qu'on vînt, mais grâce à mille démarches qui parfois avaient fait qu'on avait été à deux doigts de ne pas venir. Et on sentait trop que si elle tenait tellement à la production du phénomène qui s'accomplissait sans tambour ni trompettes, au milieu des seuls invités à l'hôtel Saint-Euverte, c'était surtout pour que dès le lendemain, grâce au pouvoir de réfraction des journaux, au jeu de glaces napolitain du brillant courriériste du *Figaro*[1], il se répercutât en des millions de personnes non invitées mais qui se représenteraient rétrospectivement toutes les duchesses de la terre chez Mme de Saint-Euverte. Or le milieu Guermantes qui se cachait même d'aimer la noblesse, préférait en tous cas la noblesse à l'amour affiché de la noblesse, de même que M. de Charlus préférait les jeunes gens aux amoureux de jeunes gens, race « efféminée » contre laquelle il tonnait. Pour le prince et la princesse de Guermantes Mme de Saint-Euverte était sûre de les avoir, quoiqu'ils eussent été les derniers à se rallier, mais ils avaient promis, c'étaient d'honnêtes gens et une fois qu'on avait leur promesse, surtout pour quelque chose d'aussi grave qu'un devoir mondain il aurait fallu, pour manquer, qu'ils eussent les côtes brisées dans un accident. Pour Mme de Guermantes Mme de Saint-Euverte avait fait mieux, elle était allée elle-même voir la duchesse chez elle pour l'inviter. La duchesse malgré que la situation de Mme de Saint-Euverte eût fort changé depuis pas mal d'années, faisait profession de ne pas aimer aller chez elle. Le

1. François Ferrari. Voir l'Esquisse VIII, p. 984 et n. 2.

reproche qu'elle adressait à la marquise, c'était d'être snob, d'aimer les duchesses, les princesses, d'en parler sans cesse. C'était ce que Mme de Guermantes appelait une femme assommante, on ne pouvait pas être intelligent si on était snob. Oserons-nous dire qu'entre le goût de Mme de Saint-Euverte pour les femmes chic et le goût de Mme de Guermantes pour les femmes intelligentes, la différence pouvait à la rigueur passer pour moins profonde que la duchesse ne se l'imaginait. Peut-être aurait-on pu la trouver aussi mince que celle qui séparait les goûts de M. de Charlus de ceux de ces hommes efféminés, qui n'ont pas l'air d'hommes et qu'il eût refusé avec horreur de fréquenter. L'observateur impartial peut penser qu'il n'y a là qu'une question de dosage, et aussi chez les Saint-Euverte, chez les efféminés, une absence d'hypocrisie. Mais le voisinage même de ces caractères qui les rend si proches pour le psychologue, sert au contraire à mettre en eux une guerre qui n'existerait pas entre caractères plus différents. Mme de Guermantes eût sans doute trouvé moins nécessaire de déclarer Mme de Saint-Euverte assommante, s'il n'y avait pas eu un peu de Guermantisme sous une forme peu agréable et qu'aggravait l'absence d'hypocrisie chez Mme de Saint-Euverte. Toujours est-il que pour la duchesse Mme de Saint-Euverte n'eût pas eu besoin de venir ce soir-là chez la princesse, puisque l'invitation avait été faite de vive voix[1] et d'ailleurs reçue par la duchesse avec cette charmante bonne grâce, triomphe des académiciens de chez lesquels le candidat sort attendri et ne doutant pas qu'il peut compter sur leurs voix. Mais il n'y avait pas que la duchesse de Guermantes. Le prince d'Agrigente viendrait-il et bien d'autres ? Aussi pour veiller au grain, Mme de Saint-Euverte avait-elle cru plus expédient de venir elle-même, insinuante avec les uns, impérative avec d'autres, annonçant pour tous, à mots couverts, d'inimaginables divertissements qu'on ne pourrait pas revoir une seconde fois et promettant à chacun la rencontre de la personne dont il avait précisément besoin pour conclure une affaire, amorcer un mariage, assurer une élection. Et tout en parcourant ainsi les rangs avec lenteur pour pouvoir verser successivement dans chaque oreille : « Vous n'oubliez pas demain », elle détournait parfois la tête de l'air de ne pas avoir vu quelqu'un. Car même chez les plus grands seigneurs, la bonté, ou le reste d'une camaraderie de collège, peut faire admettre tel hobereau qui n'est pas du grand monde. Il y en avait quelques-uns de tels chez la princesse de Guermantes. Mme de Saint-Euverte les connaissait mais décidée à ne pas les inviter, elle préférait ne pas leur dire bonjour pour feindre de ne pas les avoir aperçus, pour pouvoir leur dire après la fête : « J'ai fait mes invitations verbalement. Malheureusement je ne vous ai pas rencontré. » Ainsi tout regard inattendu d'un « non-invité » faisait-il détourner à la baronne ses yeux aussitôt inquiets et furieux. Cependant notre conversation devant l'Hubert Robert était interrompue à tous moments par des gens qui venaient saluer la duchesse. Certes pour les femmes avec qui elle ne tenait pas à se lier, tout en continuant à me parler elle détachait son bras d'un mouvement automatique et leur donnait la main, et même à d'autres ne donnant même pas la main commençait de développer au coin de sa bouche un sourire découragé qu'elle n'avait pas la force d'achever et qui finissait en moue. Malheureusement la vue

1. Voir p. 71, 1re ligne.

d'un plus grand nombre lui rappelait indistinctement : « Mon Dieu ! c'est vrai, je n'ai pas été à sa soirée. » « Qui donc est cette jeune femme, demanda le duc de Guermantes à la maîtresse de maison, je la connais, elle m'a dit bonjour, mais je ne me souviens pas, je suis brouillé avec les noms », ajouta-t-il avec fatuité. La princesse de Guermantes lui répondit, non sans ajouter comme excuse de l'inviter, que son mari la rendait malheureuse, que c'était Mme Casa Miranda, la fille de M. Menillo. M. de Guermantes le savait fort bien mais ne voulait pas, pour moi, avoir l'air de connaître des rastaquouères. Il ne voulut même pas avoir l'air de se rappeler ce que sa cousine venait de lui dire car quand la duchesse qui l'avait envoyé le demander parce qu'elle la trouvait « bien arrangée » lui demanda enfin qui c'était, il répondit : « Hedwige vient de me le dire et je ne peux déjà plus me souvenir, je ne connais pourtant que cela, c'est une petite Madame Pic de la Mirandole, quelque chose comme cela. » Les gens du monde même les plus intelligents sont si bêtes que la duchesse répondit avec le plus grand sérieux à son mari : « Oh ! non, Basin, vous vous trompez certainement. Si elle s'appelait Pic de la Mirandole, on le saurait, c'est un trop beau nom, tout le monde aimerait porter un nom pareil. » J'étais plus snob que la duchesse en ce qui la regardait elle-même, et je souffris comme d'une déchéance qu'elle eût subie de voir qu'elle préférait le nom de Pic de la Mirandole, qui ne me rappelait que d'ennuyeuses études, à celui de Guermantes, lié à tous les rêves de mon enfance. « Ce n'est peut-être pas tout à fait Pic de la Mirandole, mais enfin un nom dans ce genre-là, elle est gentille, le nez n'est pas bien mais le regard est charmant », répliqua le duc, qui avait lancé Pic de la Mirandole seulement pour faire semblant de ne pas savoir et aussi pour faire de l'esprit, et qui n'ayant donné ce nom d'un savant italien que comme approximatif ne s'était pas attendu à une dénégation si sérieuse de sa femme. Aussi tandis que regardant l'Hubert Robert j'essayais en vain dans le panache blanc du jet d'eau de retrouver cette sensation de l'eau vivante que j'avais eue, plus que dans mes promenades à Balbec quand je voyais la mer de loin, quand j'avais vu le jet d'eau du fond du parc, et que je me disais que cette absence de liquidité est peut-être un mérite du peintre puisqu'elle est le signe, sinon de ce qu'est en réalité la chose représentée mais de la déception qu'elle donne à distance, j'entendais sans discontinuer : « Cela n'a pas été possible, avec toute la bonne volonté, j'avais cinq choses ce soir-là, je suis très peu sortie cet hiver, je n'ai pas été bien du tout, j'arrive ce matin du Midi, je sais que vous avez chanté comme un ange », et parfois la duchesse se tournait vers moi comme si la dame ne devait pas l'entendre me disant : « Mais elle m'embête. Est-ce que je vais être obligée de lui parler de sa soirée pendant une heure ? Je ne me rappelle même plus si c'était une soirée ou une matinée. »

On vit passer une duchesse que sa laideur, sa bêtise et certains écarts de conduite avaient exclue, non pas de la société, mais de l'intimité de ses pareilles. « Ah ! » fit Mme de Guermantes avec le coup d'œil exact et désabusé du connaisseur à qui quelqu'un montre un bijou faux. Sur la seule vue de cette duchesse à demi tarée, Mme de Guermantes cotait la valeur médiocre de cette soirée. Elle fit à la duchesse un signe de tête des plus secs. Elle avait été élevée <avec elle>, mais avait cessé toutes relations avec elle. « Je ne comprends pas pourquoi Marie Gilbert nous invite avec toute cette lie. On peut dire qu'il y en a ici de toutes les paroisses. C'est beaucoup mieux arrangé chez Mélanie ou chez Jeanne de Sagan. Elles invitaient tout ça mais pas avec nous. Et qu'est-ce que c'est encore que ceux-là ? » dit Mme de Guermantes en voyant une petite dame l'air un peu étrange, dans une robe noire tellement simple qu'on aurait dit une malheureuse, <qui> fit ainsi que son mari un grand salut à la duchesse. Celle-ci qui ne la reconnut pas *[p. 72, dernier §, 5e ligne]* et qui avait de ces insolences, se redressa comme offensée, et la regarda sans répondre d'un air étonné : « Qu'est-ce[1] que c'est que cette personne, Basin ? » demanda-t-elle d'un air étonné, pendant que M. de Guermantes, pour réparer l'impolitesse d'Oriane, saluait la dame et serrait la main au mari[2]. « Mais [...] Il se fera faire *[p. 73, 27e ligne]* tout simplement un procès, et il ira en prison ; vous lui donnez de très mauvais conseils, Oriane. — J'espère pour lui qu'il a à sa disposition des personnes plus jeunes s'il a envie de demander des mauvais conseils, et surtout de les suivre. Mais s'il ne veut rien faire de plus mal qu'un livre ! » Non loin de nous, M. de Charlus assis légèrement en retrait de la comtesse Molé, et comme affublé de sa jupe bleue, paraissait absorbé dans la plus intense conversation avec cette jeune femme derrière la barrière de satin et de dentelles de qui il daignait répondre parfois aux bonjours comme du fond d'une loge. Plus loin une merveilleuse et fière jeune femme détachait doucement d'une robe tout entière blanche de diamants et de tulle, sa tête aux joues vivement colorées comme la haute fleur où un pétale rose s'élève doucement d'un cœur laiteux. La duchesse de Guermantes la regardait qui parlait devant tout un groupe aimanté par sa grâce, mais n'échangeait pas de saluts car elles étaient trop loin l'une de l'autre. « Votre sœur est partout la plus belle ; elle est charmante ce soir », dit Mme de Guermantes au prince de Chimay qui passait[3]. « Voilà Paulette qui arrive bien tard », dit<-elle> en voyant s'avancer en sens inverse, avec un air de lassitude qui lui seyait, une femme à qui on eût donné une quarantaine d'années bien qu'elle eût davantage, la marquise d'Orvillers, connue par plusieurs liaisons fameuses, et quelques-unes même intéressées. Sous ses cheveux blonds Mme d'Orvillers s'avançait, grande et inclinée, dans une robe de soie blanche à fleurs, laissant battre sa poitrine délicieuse, fourbue et palpitante, à travers son harnais de diamants et de saphirs ; tout en secouant la tête comme une cavale royale pour secouer un licol de perles d'une valeur incalculable et d'un poids incommode, elle posait ses yeux doux et merveilleux, d'un bleu qui s'usait et devenait plus caressant encore comme celui de la mer quand la saison s'avance et le soleil descend, et faisait un signe de tête amical à des femmes dont le public eût été étonné de découvrir ainsi qu'elle était leur amie, car si ces femmes, toutes de grande naissance, étaient quelquefois légères aussi, comme Mme d'Arpajon à qui Mme d'Orvillers donna de loin un regard de rivale (elles avaient été presque en même temps les maîtresses d'un homme qu'elles s'étaient farouchement disputées), d'autres fois ces femmes étaient absolument vertueuses, comme la duchesse de Guermantes ou comme la belle dame en gaze blanche. Mais dans ce monde-là, entre des femmes qui appartenaient, ce qu'ignorait le public, à des familles d'une grandeur équivalente, et que leur enfance,

1. Voir var. *a*, p. 72.
2. Voir var. *b*, p. 72.
3. Voir p. 73, 6e ligne en bas de page.

comme en témoignait le prénom dont elles s'appelaient, avait rapprochées, l'amitié, l'intimité même pouvait très bien subsister même si l'une était honnête et si l'autre était légère, à condition que chez cette dernière des qualités de tact, de bonté, de diplomatie lui eussent permis (et c'était le cas pour Mme d'Orvillers) de garder toute sa position mondaine. Dans ce cas-là une personne comme Mme de Guermantes, qui eût pu vivre éternellement sans jamais tromper son mari, n'avait que plus de plaisir à fréquenter une Mme d'Orvillers, experte dans un art qu'elle-même ne pratiquait à aucun degré, comme un bon bourgeois peut avoir pour ami, entre cinq notaires, un poète. Et réciproquement c'est d'une façon tout à fait sincère et pas seulement par habileté mondaine que Mme d'Orvillers admirait particulièrement et servait de tout son pouvoir des femmes comme la duchesse de Guermantes, comme le poète a une amitié plus exempte de jalousie pour un homme intelligent mais qui n'écrit pas. Ainsi c'est par leur prénom que je l'entendis appeler non seulement Mme de Guermantes, mais Mme d'Arpajon (ce qui me donna sur la naissance de celle-ci et sur l'apparentement des groupes du faubourg Saint-Germain entre lesquels la vie seule des êtres avaient mis des distances les familles ayant été unies au début[1]). Mais si le regard liquide et pâle qui <fut> versé sur la duchesse de Guermantes fut rempli d'une douceur sans mélange, en revanche elle contempla un instant la marquise d'Arpajon comme dans l'espoir de la trouver en défaut et avec le souvenir rancunier de défauts de caractère qui s'étaient affrontés aux siens.

Le colonel de Froberville vint s'asseoir auprès de nous[2]. Bien qu'il eût épousé une femme qui était apparentée, de loin il est vrai, aux Guermantes, son nom médiocre, la bourgeoisie de sa mère lui faisaient une situation très petite. Mais depuis l'affaire Dreyfus, par mépris des « intellectuels », des pacifistes, on exaltait les militaires ; un colonel devenait un personnage et était aisément mis, simplement parce qu'il était colonel, à la droite d'une maîtresse de maison. Dernièrement dans un dîner M. de Froberville n'avait eu que la gauche parce qu'il y avait M. de Charlus à qui la droite revenait naturellement, mais celui-ci avait été indigné que Froberville ne fût pas au bout d'une table où dînaient nombre de gens d'une plus grande naissance. L'esprit des Guermantes en effet, tout en prônant avant tout l'intelligence, était avant tout conservatif du « monde » et ne voulait pas qu'aucune des crises politiques qui pouvaient se succéder pût faire passer un nationaliste sans quartiers avant un duc dreyfusard. On savait que la duchesse de Guermantes était dans ces idées et aussi elle était considérée comme une mauvaise Française ou tout au moins comme une Française « mal pensante », comme une femme frivole incapable de sacrifier les puériles vanités du monde au salut du pays, par les femmes qui arboraient sur leurs ombrelles des devises telles que : « Mort aux Juifs, Vive l'Armée, Vive la Revanche, Vive Déroulède, Vive Marchand[3]. » Si celles qui exhibaient d'une façon aussi matérielle leurs

1. Phrase incomplète.
2. Voir p. 73, 6e ligne en bas de page.
3. Paul Déroulède (1846-1914), auteur de poésie patriotique et fondateur de la Ligue des patriotes en 1882, député boulangiste, tenta en 1899 de renverser la République parlementaire. Jean-Baptiste Marchand (1863-1934), général et explorateur, remonta en mars 1897 l'Oubangui pour atteindre le Nil à Fachoda en juillet 1898. Il évacua Fachoda en novembre 1898, après que Kitchener y fut parvenu en remontant le Nil, et fut accueilli comme un héros à son retour en France.

opinions étaient relativement en petit nombre, en revanche ces opinions mêmes étaient universellement répandues dans le monde, paix et corruption étaient devenus des termes presque synonymes, et naturellement le colonel de Froberville <avait> bénéficié de la situation de faveur qui était faite aux militaires dans la société[1]. Malheureusement si la femme qu'il avait épousée était parente très véritable des Guermantes, c'en était une aussi extrêmement pauvre, et comme lui-même avait perdu toute sa fortune, ils n'avaient guère de relations et c'étaient de ces gens qui ne pouvaient rappeler qu'à de rares occasions, quand ils avaient la chance de perdre ou de marier un parent, qu'ils faisaient vraiment partie de la communion du grand monde, comme ces catholiques de nom qui ne s'approchent de la sainte table qu'une fois l'an. Leur situation eût été fort malheureuse si Mme de Saint-Euverte fidèle à l'affection qu'elle avait eu pour feu le général Froberville (oncle du colonel) n'avait pas aidé de toutes façons le ménage, donnant des toilettes et des distractions aux enfants. Mais le colonel qui passait pour bon garçon n'avait pas l'âme reconnaissante ; il était envieux des splendeurs d'une bienfaitrice qui les célébrait elle-même sans trêve et sans mesure. Sa garden-party annuelle était pour lui, sa femme et ses enfants un plaisir merveilleux qu'ils n'eussent pas voulu manquer pour tout l'or du monde, mais un plaisir empoisonné par l'idée des joies d'orgueil qu'en tirait Mme de Saint-Euverte. Son annonce puis son récit dans les journaux, avec des détails complémentaires sur les toilettes donnés pendant plusieurs jours de suite, leur faisaient tellement mal, qu'eux assez sevrés de plaisirs et qui savaient pouvoir compter sur celui de ces garden-party, en arrivaient chaque année à souhaiter que le mauvais temps en gâtât la réussite. À consulter le baromètre et renifler avec délices les prémices d'un orage qui pût faire rater la fête[2]. Dans celles que Mme de Saint-Euverte donnait pour les réprouvés, M. et Mme de Saint-Euverte jouaient le rôle de garde-chiourmes, d'agents sanitaires dans un lazaret. Et un journal ayant publié la nomenclature sordide d'une de ces fêtes, on avait attribué l'indiscrétion <dés>espérante pour Mme de Sainte-Euverte à M. de Froberville. Quelqu'un nomma le prince[a] de La Tour d'Auvergne qui venait d'entrer. « C'est un nom qu'il se donne comme cela protesta M. de Guermantes. Il n'y a qu'un seul d'Auvergne, le duc de Bouillon, l'oncle d'Oriane. — Le frère de Mme de Villeparisis *[p. 80, 2e §, 10e ligne]*? demandai-je [...] une personne, une place tellement *[p. 81, 30e ligne]* plus importante que sa caste en occupe[3] une grande [...] il n'est pas nécessaire de parcourir *[p. 81, 1er §, dernière ligne]* les galeries du Louvre. Il suffit de regarder les photographies de famille d'un de nos camarades les plus aristocratiques où son grand-oncle le duc ressemble à s'y méprendre aux photographies de mon propre grand-oncle ; ou encore de voir quelques-unes de ces vivantes photographies du temps passé, de ces vieux messieurs qui ont gardé la simplicité, l'avarice, les modes, la politesse d'il y a soixante ans et dont on croirait qu'ils furent clerc de notaire plutôt que président du

a. Quelqu'un nomma le prince *Début d'un passage absent du manuscrit mais figurant sur une paperole conservée à la Bibliothèque nationale dans une boîte contenant le reliquat (pour la fin de ce passage, voir la variante au bas de la page 1336).*

1. Voir p. 76, lignes 1-3.
2. Voir p. 76, 1er §, trois dernières lignes.
3. Voir var. *a*, p. 81.

Jockey. Les noms Bouillon, Guermantes continuent à se chamarrer des couleurs de l'ancien régime, les personnes s'ensevelissent dans la noire chrysalide de la redingote Louis-Philippe ou Jules Grévy. Pourtant le petit vieillard de cet après-midi m'avait tant frappé par son humilité, ses façons timides et douces, que je ne pouvais croire qu'il fût un intransigeant aristocrate, ne fréquentant que des grands seigneurs, et chez qui, même en tenant compte de l'adoucissement de la vieillesse, la fierté eût pu revêtir ces apparences de facile et malléable bénignité. J'aurais beaucoup désiré, après qu'il m'était apparu à un point de mon imagination <si> éloigné, l'y replacer dans ce qu'avait pu être sa vie véritable. Mais je ne pus pas tirer grand-chose à cet égard de Mme de Guermantes. « Mais qui fréquente-t-il ? — Surtout des prêtres, des prêtres et la famille. — Est-ce que Mme de Saint-Euverte le connaît ? — Mais pas du tout, d'où est-ce qu'elle le connaîtrait ? — Mais qui reçoit-il ? — Il ne reçoit pas, il est très avare. » Pourtant bien que Mme de Guermantes affectât du reste de ne s'intéresser à rien de ce qui touchait l'aristocratie, souvent malgré elle, quand elle laissait intelligemment parler ses simples souvenirs de famille, sa conversation, si largement que la duchesse crût l'avoir dépouillée du passé, contenait encore bien des vieilles et charmantes curieuses vieilles choses que je n'eusse pas trouvées ailleurs, de même qu'un grand seigneur ruiné possède encore une quantité de choses inconnues à un millionnaire récent, des terres même hypothéquées, des châteaux même en ruine, auxquels se rattachent d'anciens usages, d'anciens droits, d'anciennes expressions où tient toute une partie de la vie religieuse, seigneuriale et religieuse d'autrefois, et que le financier ne connaît pas. Mais sur le duc de Bouillon la duchesse ce soir-là fut muette pour le même motif qui eût dû la rendre intéressante, c'est-à-dire qu'elle me sentait littérairement curieux de la vie de son oncle. Or si la duchesse était en partie[a] inconsciente de la poésie ancienne que ses propos dégageaient mais à son insu, elle comprenait moins encore ce que peut être une œuvre littéraire et comment elle s'élabore. N'ayant pas même songé qu'il pût y avoir une différence entre ce que les philosophes appellent le sujet et l'objet, elle pensait que je ne pouvais m'intéresser qu'aux gens intelligents, et elle trouvait son oncle bête, quelqu'un qui n'était pas pour moi. Au reste je ne regrettai qu'à demi son silence provisoire du reste, car une troisième cause de malentendus était que dans le monde je ne pouvais pas plus dégager de charme des propos de la duchesse qu'à voyager, de l'étrangeté des pays que je traversais. Mais rentré chez moi j'eusse pu les retrouver et les soumettre à ces préparations de l'imagination qui leur confèrent ou en extraient une poésie ajoutée ou réelle. « Écoutez, Basin, dit la duchesse, je ne sais pas pourquoi vous ne voulez pas que j'aille au jardin. Il fait un temps splendide. — Trop beau, dit avec un sourire de mauvais augure M. de Froberville. Il fera sûrement de l'orage. — Tiens, bonjour, Babal, dit Mme de Guermantes en interrompant le colonel et en tendant la main à M. de Bréauté. — Bonjour, duchesse, tout le monde espérait vous voir hier soir chez Mme Molé », dit-il en regardant le baron qui conduisait Mme Molé, prête à partir, vers la maîtresse de la maison, comptant pendant qu'elle <dirait>

a. si la duchesse était en partie *Fin d'un passage absent du manuscrit mais figurant sur une paperole conservée à la Bibliothèque nationale dans une boîte contenant le reliquat (pour le début de ce passage, voir la variante au bas de la page 1335).*

adieu à celle-ci aller demander les affaires de la comtesse. En effet, M. de Charlus mettait une extrême ostentation dans le manège de ces galanteries platoniques qu'il affectait tantôt pour une femme, tantôt pour une autre. D'abord on ne se cache pas de ce qui n'a rien de réel. Ensuite M. de Charlus mettait à ces feintes amours qui lui assuraient dans les soirées le voisinage immuable d'une compagne éclatante une sorte de vanité esthétique, laquelle ne pouvait trouver son accomplissement que dans une véritable exhibition. On eût dit que s'astreignant lui-même aux termes les plus sobres, les plus sombres, il cherchait en se blottissant derrière une femme à contenter un secret penchant pour la couleur sans entamer en rien l'idée qu'il se faisait de la virilité. Comme ces actrices qui font danser par une ballerine le pas qu'elles ont à exécuter dans une pièce, c'est par une femme qu'il faisait revêtir les costumes qui lui plaisaient, c'est elle qui s'irisait des couleurs que lui n'osait porter. Enfin dans la mesure fort large où M. de Charlus agissait ainsi pour conserver ou refaire sa réputation, il ne pouvait se réhabiliter lui-même, qu'en compromettant sa partenaire. En ce sens cette conduite était calculée ; mais même quand elle l'était le plus, le personnage était tellement un imaginaire qu'elle portait malgré tout les traces d'une intention esthétique, parfois même fort peu relevée. Ainsi M. de Charlus, en dehors même de ces grandes dames dont il se parait, s'amusait souvent à distinguer telle jeune femme jolie, intelligente, élégante, qui n'avait pas encore une position bien établie dans la société et s'affichait avec elle au théâtre, s'installait dans la loge de la nouvelle favorite pendant des actes entiers au lieu d'aller voir ses parents qui étaient dans la salle. Or, sans doute c'était pour qu'on dise qu'il était amoureux, puisqu'il aimait l'intelligence et comme un prince de Conti, un prince de Ligne savait faire honneur au mérite. Mais c'était aussi — et ce n'est pas la faute du narrateur si le personnage est aussi complexe — pour se donner à soi-même un air de Gramont Caderousse[1], de grand Cocodès de l'Empire, mettant à la mode une femme rien qu'en se montrant avec elle. Ce genre de patronages avait sur une partie de la famille de M. de Charlus cet effet d'exciter une curiosité pleine d'admiration en faveur de la nouvelle favorite. L'« intelligence » paraissait à cette partie de la famille un élixir qu'on pouvait découvrir non pas en lisant Montesquieu ou Stendhal, mais en allant faire une visite à la jeune femme. Une autre partie moins bienveillante de la famille restait sceptique quant à l'amour prétendu de M. de Charlus pour la jeune femme. Non pas qu'on crût à des goûts opposés. Mais cela faisait davantage partie de la philosophie de certains Guermantes de ne croire rien, de décider que tout cela était platonique et que les méchants bruits n'étaient pas plus réels. « Si vous voulez mon opinion, disait cette partie de l'aristocratie, il ne fait ni cela ni autre chose, il ne fait rien. » Enfin pour la partie de la famille qui, ambitieuse d'être en relations avec Palamède, n'avait pas réussi à l'attirer dans les raouts qu'elle donnait, pas plus qu'on n'y voyait venir Oriane, pour cette partie de la famille les jeunes étrangères momentanément distinguées par M. de Charlus étaient fort utiles car elles aidaient à fournir une explication de la froideur qu'il manifestait : « Nous ne

1. Il s'agit du fils du général de Gramont (1783-1841), duc de Caderousse, pair de France en 1831, qui mourut en Orient en 1865 après une vie de scandales, et légua sa fortune au docteur Déclat et à une actrice, ce qui entraîna un procès retentissant. Voir *À l'ombre des jeunes filles en fleurs*, t. II de la présente édition, p. 131 et n. 3.

verrons pas Palamède ce soir ? — Non, il m'en veut parce que je n'ai pas voulu recevoir cette petite Russe. Dame, je ne sais pas qui c'est. Est-elle seulement mariée ? Mais il ne me le pardonnera pas. Je crois que je ne suis pas bien avec lui. » Et de fait on était si souvent « mal avec Palamède » que dans toute la famille Guermantes au moment d'inviter avec M. de Charlus le parent le plus intime on lui demandait : « Vous n'êtes pas mal avec Palamède ? » et que même ces possibilités de brouilles chroniques avaient fini par paraître aux Guermantes le rythme normal des relations, même avec d'autres membres de la famille que M. de Charlus, et qu'on entendait fréquemment un Guermantes en invitant un autre à déjeuner avec sa propre belle-sœur, lui demander : « Vous n'êtes pas mal avec elle en ce moment ? » avec cet air de méfiante prudence et de lâcheté qu'on avait pris à force d'être toujours prêt à sacrifier quelqu'un qui n'était pas actuellement dans les grâces de Palamède. « À propos de Mme Molé, continua M. de Bréauté, c'est très amusant ce soir, Palamède ne la quitte pas d'une semelle, c'est le clou de la soirée, tout le monde veut les voir et quand il la mettra en voiture vous verrez tout le monde se précipiter vers la sortie comme on court sous une véranda dans une garden-party quand un orage se met à tomber. — Ah ! oui, je sais, répondit la duchesse de Guermantes, c'est le grand flirt de Palamède en ce moment. Du reste je le comprends parfaitement, elle me plaît beaucoup. Mais je n'étais pas chez elle d'abord parce que j'étais sur la route de Cannes. Et puis est-ce que vous croyez que j'étais invitée ? — Mais comment, elle ne quittait pas la porte des yeux, vous aviez sûrement reçu un carton. — C'est très possible, Babal, seulement je ne sais plus ce que ça veut dire les cartes qu'on envoie maintenant. J'en ai déjà reçues de Mme Molé où il y a simplement : “Pensez à moi le vendredi 27 vers 10 heures.” Mon Dieu ! sans être comme celui qui prétend qu'on n'a pas besoin d'aller dans une église pour prier, il me semble que penser à Mme Molé soit une opération qui ne requière pas de cadre spécial. Ainsi dans ma chambre à coucher ou dans mon petit salon, quand dix heures sonnent, j'interromps ma lecture ou ma partie de bridge et pendant quelques secondes, je pense avec force à Mme Molé comme on fait un vœu au moment où passe une jolie étoile filante. Je vous dirai que je n'étais même pas sûre que cette gentille dame en demandait tant. Pensez à moi le 27, il me semble que c'est un petit *Vergist mei nicht*[1] comme on nous en envoie de Marienbad. » Nous vîmes passer à ce moment deux jeunes gens dont la grande et dissemblable beauté tirait de son origine *[p. 85, 2e §, 12e ligne].* C'étaient les deux fils [...] pareils à deux figures *[p. 85, 2e §, dernière ligne]* allégoriques. « C'est comme Giorgina qui envoie des cartes : “Une tasse de thé le 22.” Je déteste le thé le soir et cela m'empêche de dormir. Je sais donc d'avance que j'irai partout excepté là. Quant à Mme de F'zensac, elle rédige : “sera chez elle, etc.” Je me dis : “Quelle femme intelligente de rester chez soi” et je l'imite[a]. Non de mon temps quand on voulait que quelqu'un se dérange on disait : “Vous prie de lui faire l'honneur de venir passer la soirée.” » M. de Bréauté, aveuglé par son monocle comme une terne maison de village

a. *On trouve, en marge du manuscrit, à cet endroit, cette note de Proust :* Il vaudrait mieux mettre la conversation sur Racine et sur l'ancêtre de Bréauté avant la grande enveloppe que recevra Mme Molé.

1. Pour *Vergißmeinnicht*, « Ne m'oubliez pas ».

par un soleil trop éclatant, écoutait ces remarques de la duchesse avec un sourire, car reconnaissant l'esprit des Guermantes et ses décrets imprévus, il comprenait que la duchesse voulait rendre aux invitations le bon ton d'autrefois comme la princesse patronnait une ligue artistique pour ressusciter la mode jadis si pittoresque des enseignes peintes. D'ailleurs en ce qui concernait les recherches d'originalité de la comtesse Molé, non pas au point de vue de ses invitations[a], mais de la carte manuscrite, trop grande et trop matinale qu'elle avait laissée chez la duchesse, ce même esprit de Guermantes ne devait pas tarder à se manifester. Dès le lendemain matin en effet, un valet de pied à qui la duchesse avait dit de se lever plus tôt que de coutume allait sonner dès six heures et demie du matin à la porte de l'hôtel Molé. « Pour Mme la comtesse Molé », dit le valet de pied en remettant au concierge à peine éveillé et ahuri un objet qu'il eut grand peine, aidé de sa femme, à monter deux heures plus tard avec les lettres. Quand la comtesse fut levée, elle trouva posée sur l'immense « pouf » de son salon, seul meuble assez grand pour la recevoir et qu'elle dépassait de tous les côtés, une gigantesque enveloppe vide qui avait servi à envelopper la photographie des médailles frappées à Rhodes par les Commandeurs de l'Ordre de Saint-Jean et que Swann avait donnée à la duchesse. Au milieu étaient tracés à la main de l'écriture du photographe d'art : « La duchesse de Guermantes » et un des angles repliés soigneusement par la duchesse faisait une corne triangulaire et gigantesque[1]. Mme Molé resta un instant stupéfaite puis éclata de rire. Comme elle avait assez d'intelligence et assez peu de vanité pour pouvoir profiter d'une leçon, elle comprit que les personnes douées d'originalité comme était, au moins relativement aux femmes du monde en général, la duchesse de Guermantes aimait qu'on les admire et non pas qu'on les copie. Et elle fut la première à raconter à tout le monde comme un trait spirituel ce qui fut pendant quinze jours, chez tous les Guermantes, la « dernière » d'Oriane.

À ce moment un musicien bavarois *[p. 81, 2e §, 1re ligne]* à grands cheveux [...] motivé un peu *[p. 82, 9e ligne]* sa silencieuse algarade, et[2] pour montrer [...] plus fortunés *[p. 83, 26e ligne]* passer au-dessus de sa tête, ces plaisirs délicats furent immédiatement couverts par la joie dissimulée mais éperdue de M. de Froberville. « Tenez, Oriane, dit le duc, regardez Swann qui va vers le fumoir sans doute pour filer à l'anglaise, il a la mort sur le visage. Regardez-moi ce teint. » Et en effet, les moindres efforts devenant bien vite un surmenage excessif pour un malade, si on leur impose, comme il était arrivé ce soir à Swann, de rester trop longtemps fatigués, à la chaleur, leur mine se décompose et bleuit comme fait au bout de quelques heures la couleur d'une prune trop mûre ou du lait en train de tourner. « Pauvre Charles ! et puis sa calvitie prend quelque chose d'étonnant ; elle a gagné par places, il a l'air d'avoir besoin de fourreur, comme mon manteau de loutre. — Oui, il a l'air assez camphré, et camphré sans succès », répondit le duc. Souvent en effet, sans avoir la grande intelligence de son frère, il disait des choses qui

a. de vue de ses invitations *Début d'un passage absent du manuscrit, vraisemblablement écrit par Proust sur une paperole aujourd'hui disparue (pour la fin du passage, voir la variante au bas de la page 1340).*

1. Voir *Le Côté de Guermantes II*, t. II de la présente édition, p. 881.
2. Voir var. *a*, p. 82.

n'étaient pas bêtes et il pouvait pendant un instant donner assez spirituellement la réplique à sa femme, ou même parfois intéresser des gens sérieux. Seulement, ce que je ne pouvais comprendre, (j'éprouvais la même chose que la princesse de Guermantes) il était intelligent par moments, sur un point, sans continuité. L'heureux tour d'une expression, la portée d'un jugement qui m'avaient toujours paru un signe exact et indiscutable, un indice barométrique, d'altitude intellectuelle, était, comme chez beaucoup de gens du monde, au point qu'on se demandait s'il était le produit du hasard, ou la citation d'un autre, enclavé dans un certain nombre de sottises qui indiquaient un niveau général beaucoup plus bas. Il en est ainsi souvent chez les gens du monde. Beaucoup, du reste, parlaient du duc de Guermantes comme d'un homme des plus spirituels et citaient des mots de lui, des phrases mais auxquelles il manquait d'être grammaticalement et logiquement constituées. De sorte qu'on comprenait ce que le duc avait voulu dire et qui pouvait ne pas être stupide, mais qu'il était dénué du sentiment de la langue française, pas davantage d'ailleurs que ceux qui rapportaient ces phrases spirituelles sans s'apercevoir qu'elles ne formaient même pas des phrases. Les efforts que faisait M. de Froberville *[p. 83, 2ᵉ §, 1ᵉ ligne]* pour qu'on n'entendît pas [...] se frotter les mains *[p. 83, 5ᵉ ligne en bas de page]*. Souriant d'un œil et d'un seul coin de bouche à M. de Froberville dont elle appréciait l'intention aimable mais qui l'assommait, la duchesse répondit à son mari : « Oui, j'ai trouvé excessivement mauvaise mine à ce pauvre Charles ! j'ai remarqué qu'il a[a] excessivement mauvaise mine[1], répondit la duchesse qui cependant en voyant que Swann était assez bien pour aller à une grande soirée, lui reprochait intérieurement de lui avoir parlé de sa mort prochaine. — Allons, Oriane, il faut absolument que vous alliez un peu près de Marie, vous lui avez à peine dit bonjour, dit le duc. — Tiens, ça va bien depuis tout à l'heure, fit Mme de Guermantes à la duchesse de Rébenac qui arrivait. Nous venons de nous quitter, me dit-elle, nous venons de dîner ensemble chez Mme de Saint-Euverte. Tiens, voilà Grigri qui en vient aussi. » Et plus tard ce ne furent plus seulement les invités de Mme de Saint-Euverte, mais Mme de Saint-Euverte elle-même qui entra. Comme le prince de Guermantes, qui prétendait que le mari de cette dame n'était rien moins que Saint-Euverte, avait longtemps défendu à sa femme de l'inviter, Mme de Saint-Euverte quand finirent par arriver chez elle les premières invitations de la princesse, s'était contentée de mettre des cartes. Maintenant en arrivant très tard elle indiquait qu'elle ne cherchait pas à montrer aux autres qu'elle était invitée, et venait seulement quand il n'y avait plus grand monde, comme en visite pour le plaisir de sympathie et non mondain de causer un instant avec la princesse. « Je vous dirai, reprit la duchesse en parlant de Swann à son mari, que je ne tiens pas excessivement à le voir[2] parce qu'il paraît, d'après ce qu'on m'a dit tout à l'heure chez Mme de Saint-Euverte, qu'il voudrait avant de mourir que je fasse la connaissance de sa femme et de sa fille.

a. j'ai remarqué qu'il a *Fin d'un passage absent du manuscrit mais vraisemblablement écrit par Proust sur une paperole aujourd'hui disparue (pour le début de ce passage voir la variante au bas de la page 1339).*

1. Voir p. 90, 3ᵉ ligne.
2. Voir p. 79, 2ᵉ §, 5ᵉ ligne.

Mon Dieu, ça me fait une peine infinie qu'il soit malade, mais d'abord j'espère que ce n'est pas aussi grave que ça. Et puis enfin ce n'est tout de même pas une raison, parce que ce serait tout de même trop facile. — Vous verrez Robert », me dit en me clignant de l'œil en passant auprès de moi Mme de Marsantes, qui quand elle me rencontrait dans le monde, ne sachant que si je la reconnaissais, me jetait : « Vous allez voir Robert », ou « Vous verrez bientôt Robert », ou « J'ai eu une lettre de Robert », à la fois comme une bonne nouvelle et comme un mot de passe. « Il va mieux, il est bien maintenant », me dit-elle en faisant allusion à la liaison terminée de son fils comme <à> une maladie enfin vaincue. « Je vous raconterai bien des choses », ajouta-t-elle de l'air des gens qui ont de quoi vous intéresser. Du reste je savais qu'elle avait eu moins à faire rompre Robert qu'à l'empêcher de retourner chez Rachel, celle-ci ayant d'elle-même quitté à peu près complètement Robert pour le jeune homme parent des Verdunois que j'avais vu à Balbec, et dont Léa ne cachait pas qu'elle était folle. Elle le comprenait parmi ses amis « artistes » ce qui me semble un peu fort. Malgré cet amour qu'elle ne cachait pas, et qui du reste ne lui était guère rendu, Robert n'avait pas le courage de renoncer à elle, et sa mère, éclairée par plusieurs camarades de son fils avait été obligée d'insister sur le rôle ridicule qu'on lui faisait jouer. Dans le monde on trouvait qu'à cette occasion de la rupture, Mme de Marsantes et en général la famille de Robert avait poussé jusqu'à l'exagération jobarde, la délicatesse envers une drôlesse des griffes de qui on aurait dû tirer Saint-Loup, sans la récompenser encore par une somme d'argent de tout le mal qu'elle lui avait fait. Mais les amis de Rachel connurent et donnèrent même des incidents qui marquèrent la liquidation de la liaison, une version fort différente. La famille de Robert, disait-on dans cet autre milieu, s'était montrée d'une avarice qui frisait l'indélicatesse. Il avait fallu la menace d'un procès scandaleux pour obtenir la restitution des sommes que Rachel avaient avancées à Robert. Rachel racontait une entrevue entre elle et le duc de Guermantes, agissant comme mandataire de sa sœur, et où les procédés chevaleresques ne semblaient pas avoir été du côté du grand seigneur. Le plus triste est que Rachel qui autrefois aimait à parler du culte de Robert de sa mère qu'il appelait, disait-elle, « la seule Sainte de notre monde », citait maintenant d'elle des traits peu honorables qu'elle assurait tenir de Robert. Et c'était peut-être vrai. On se confie, on s'épanche, la politesse des gens qui se taisent comme s'ils avaient oublié ce que nous avons eu le tort de dire, si elle ne nous promet pas la sécurité, nous donne au moins la tranquillité provisoire des enfants ou des autruches qui se croient cachés. Tout cela se saura peut-être un jour. Mais quoi, ne jouons<-nous pas> plus que cela, toute notre vie sur l'incertitude (c'est-à-dire sur la probabilité, quand nous faisons œuvre glorieuse, et quand nous nous abandonnons à nos vices, sur l'improbabilité) de la vie éternelle ? « Il n'eût tenu qu'à moi d'être duchesse de Guermantes », disait Rachel qui savait que le duc de Guermantes n'ayant pas d'enfants avait l'intention de se substituer son neveu. Et comme elle avait maintenant un vernis de littérature et d'histoire elle mélangeait ses récits sur la rupture d'allusions à des épisodes de l'histoire des Guise et des Guermantes, histoires destinées à la fois à faire briller son érudition, le haut rang qu'elle eût pu obtenir, sa délicatesse d'y avoir renoncé, ou la supériorité d'une intelligence qui ne tenait pas au fla-fla. Le tout entremêlé de plaisanteries impayables sur Robert formait un récit brillant qu'elle refaisait chaque après-midi aux Acacias, chaque soir dans sa loge, et qui contribuaient à assurer, aux yeux des étrangers surtout, sa réputation de femme d'esprit.

Cependant Mme de Guermantes continuait à expliquer que l'état précaire où se trouvait Swann n'était pas une raison pour qu'elle entrât en relation avec sa femme : « Un écrivain, sans talent n'aurait qu'à *[p. 80, 1re ligne]* dire : [...] profiter pour le voir *[p. 80, 1er §, avant-dernière ligne]* lui, puisqu'il serait mort ! — Vous avez parfaitement raison, dit le duc. D'autant plus qu'on m'a assuré qu'il était dreyfusard[1]. Je n'y avais pas ajouté foi d'abord, mais c'est malheureusement parfaitement exact. Ce qu'on nous a dit à dîner ce soir ne laisse aucune espèce de doute. J'avoue que j'en ai été stupéfait. Dreyfusard, Swann ! un homme entouré de la considération générale, un diseur de bons mots ! un connaisseur en peinture, un gourmet, une espèce de Brillat-Savarin (dans son genre bien entendu), dit entre parenthèses craignant qu'une assimilation complète parût inexacte. C'est à ne pas croire. Et malheureusement cela est. — Le prince de X est aussi dreyfusard, dis-je à M. de Guermantes. — Ah ! mon Dieu ! vous faites bien de me parler de lui[2]. Il nous a invités à dîner pour samedi prochain, j'allais oublier. Oui, il l'est aussi, mais lui ça ne compte pas, c'est un étranger. » (Et en effet, de même que les étrangers pouvaient ne pas être nobles et étaient cependant placés avant tout le monde, ils pouvaient être dreyfusards sans que cela empêchât de les aimer, de les aimer comme certains domestiques aiment leurs maîtres pour qui ils se jetteraient au feu mais qu'ils croient avoir touché de l'argent dans une affaire véreuse et brûlé un testament désavantageux, probablement parce que étrangers et maîtres étant d'une autre race on ne leur applique pas les mêmes lois.) « Tous les étrangers sont dreyfusards, reprit le duc de Guermantes (avec des exceptions naturellement). Cela ne tire pas à conséquence. Mais les Français c'est autre chose. Or je n'ai jamais donné dans les exagérations des antisémites qui ne peuvent pas admettre qu'un juif soit français. Pour moi un juif pouvait être français, j'entends un juif honorable, homme du monde. Or Swann était cela dans toute la force du terme. Hé bien ! il me force à reconnaître que je me suis trompé[3], puisqu'il prend parti pour ce Dreyfus (qui, coupable ou non, ne fait nullement partie de son milieu, qu'il n'aurait jamais rencontré) contre une société qui l'avait adopté, qui l'avait traité comme un des siens. Du reste la question est tranchée car sur la culpabilité de Dreyfus le monde est d'accord avec ce que j'appellerai le bon populo. Car il n'y a pas à dire *[p. 77, 4e ligne en bas de page]*, nous nous étions tous portés [...] Basin ne se trompe *[p. 78, 24e ligne]* pas. — Mais enfin mon petit, continua M. de Guermantes en s'adressant à moi, (tenez, vous par exemple, elle ne vous l'a pas dit, mais elle vous aime beaucoup) son mariage ce n'était pas encore la même chose. Que voulez-vous, l'amour est l'amour. J'excuserais encore un jeune homme, un petit morveux se laissant emballer par les utopies. Mais Swann, un homme intelligent, d'une délicatesse éprouvée, un esprit positif, un collectionneur, un membre du Jockey, un père de famille !

1. Voir p. 76, 4e ligne en bas de page.
2. Voir p. 77, dernier §, 2e ligne.
3. Voir p. 77, 3e ligne.

Ah ! J'ai été bien trompé. » Le ton dont M. de Guermantes disait cela *[p. 78, 31e ligne]* était d'ailleurs parfaitement [...] d'une portée incalculable *[p. 79, 21e ligne]*. Il prouve qu'ils sont tous unis secrètement et qu'ils sont en quelque sorte[1] forcés [...] du grand seigneur *[p. 79, 1er §, avant-dernière ligne]* trahi.) Ce qui est extraordinaire, c'est que sa femme est paraît-il "bien pensante" et en opposition absolue avec lui. En tous cas je ne la connais pas, ça m'est égal. Mais Charles, cela ne pourra que me gêner un peu dans mes rapports avec lui. Naturellement je ne lui fermerai pas ma porte. Il peut venir tant qu'il voudra comme cet après-midi, *in petto*, c'est un vieil ami. Mais tenez, au Jockey, on savait que nous étions très liés, eh bien ! il ne manque pas de bonnes langues pour me dire : "Hé bien ! Swann, vous savez ?" Je le défendais, je ne pourrai plus le défendre. Il a signé je ne sais quel papier. Ça donne envie de s'expatrier. Enfin on verra comment tout ça tournera. Ce qui m'étonne c'est qu'il ait osé se montrer ici. Il paraît qu'il a eu une longue conversation avec Hubert. Savez-vous à quel sujet[2], demanda le duc à M. de Bréauté. Est-ce que vous en avez entendu parler ? C'est peut-être au même sujet. — Non, dit M. de Bréauté, qui heureux d'être renseigné fit épanouir son gros œil sous son monocle comme un melon sous une cloche. Je peux vous dire ce que c'est car Mme Molé me l'a raconté. C'est d'ailleurs fort spirituel. Il paraît que l'écrivain Bergotte a écrit dernièrement pour les Swann un petit acte qu'ils ont fait représenter chez eux. C'était ravissant d'ailleurs. Mme Molé y était, elle s'est énormément amusée. » Pendant que la duchesse allait vers sa cousine, nous croisâmes le couple Chaussepierre, et Mme de Guermantes croyant compenser son dédain par une familiarité plus insolente encore que lui, à mon avis, leur cligna amicalement des yeux comme à de vieilles connaissances. Mais ce furent eux cette fois qui demeurèrent de glace. « Comment, Mme Molé va chez les Swann ? dit la duchesse étonnée. Ah ! c'est Mémé qui aura arrangé cela. — Or donc on a répété à Hubert qu'il y avait là une espèce de fantoche, comment dirais-je, de *minus habens*, et que l'acteur Huguenet[3] chargé de le représenter s'était fait tout à fait la tête d'Humbert, que d'ailleurs le sieur Bergotte aurait voulu en effet dépeindre. — Tiens, cela m'aurait amusé de voir cela, dit la duchesse en souriant rêveusement. C'est ce qui au fond finit toujours par m'arriver avec ces maisons-là. Tout le monde finit par y aller, et je reste seule à m'ennuyer dans mon coin. — C'est sur cette petite représentation, reprit M. de Bréauté en avançant sa lèvre de rongeur, qu'Hubert demandait des explications à Swann qui s'est contenté de répondre, ce que tout le monde trouva ravissant : "Mais pas du tout, cela ne vous ressemble en rien. Vous êtes bien plus ridicule que ça." » Je frôlai la dame d'honneur de la princesse de Parme et la saluai au passage : « Comment va ce bon amiral ? Quel charmant homme ! — Mais Madame je ne connais même pas l'amiral Jurieu de la Gravière. — Ah ! la bonne histoire ! Il nous a assez parlé de son neveu Lolotte. — Mais Madame on ne m'a jamais appelé Lolotte. — Vous êtes taquin, vous êtes taquin, je le dirai à Son Altesse Royale. — Ah ! Mais à propos de Swann, dit <M. de Bréauté à Mme de Guermantes>, j'ai

1. Voir var. *a*, p. 79.
2. Voir p. 75, 2e ligne.
3. Félix Huguenet (1858-1926), acteur français, entra à la Comédie-Française en 1908, mais n'y resta que deux ans ; il excella dans le théâtre de boulevard.

quelque chose qui pourra peut-être l'amuser. — Mais lui aussi pour vous, j'oubliais de vous le dire. Qu'est-ce que c'est que votre chose ? — Voici, répondit M. de Bréauté en cherchant ses mots et en faisant glisser sa langue sur ses dents avec le bruit d'un couteau qu'on repasse, j'ai eu la bonne fortune de mettre la main sur un lot de lettres d'un ami de Racine. Ces lettres restées inconnues jusqu'ici donnent des détails assez piquants sur la vie du grand poète, détails dont il est vrai quelques-uns ont passé dans la vie de Racine par son fils, mais pas tous. Or ces lettres, continua M. de Bréauté en abrégeant car il voyait que la duchesse s'ennuyait et avait envie de rejoindre sa cousine, sont adressées par l'épistolier à un sien ami, ancien secrétaire des commandements de Mlle de Montpensier, qui vivait retiré dans sa terre de Tansonville près Combray. » La duchesse dont les détails inédits sur la vie de Racine n'eussent pas soutenu l'attention, reçut au contraire du nom de Tansonville un vif stimulant. « Mais je crois bien ! je connais parfaitement Tansonville ! c'est la maison de Charles ! — Hé bien ! précisément, dit M. de Bréauté dont le monocle brilla, dont les lèvres et les narines frémirent du sourire qu'on a quand on se frotte les mains, j'ai pensé que cela l'amuserait, et j'ai l'intention de lui donner quelques-unes de ces lettres adressées au “Seigneur de Tansonville”, que je compte d'ailleurs publier. — Oh ! mais il va être enchanté. Je ne peux pas vous dire comme c'est joli Tansonville. C'est peu de chose, mais c'est une charmante vieille maison. Moi j'y allais souvent autrefois de Guermantes, quand il n'y avait pas l'affreuse créature, c'est à deux pas. Il y a un corps de logis pour le concierge, qui est une ancienne maison des archers de Péronne, de je ne sais où, que Charles a fait transporter brique à brique et qui est un bijou. Aussi Palamède lui rendait la politesse de lui dire que quand on allait chez lui on avait envie d'être concierge, parce que vous savez près de chez Palamède il y a cet admirable Hôpital de Beaune[1] qui faisait dire à Charles que quand on traverse Beaune, on n'a qu'une envie, c'est d'y tomber malade. — C'est à côté de Méréglise dit M. de Bréauté. Ça a à peu près deux mille habitants Méréglise ? — Un peu moins répondit la duchesse. Là-bas nous comptions par “feux”, ajouta-t-elle en souriant comme pour se moquer du langage ancien et provincial qu'elle avait gardé, mais qu'elle savait joli. Palamède vous dirait que Méréglise relevait de la sergenterie de Guermantes et de l'élection de Thiberzy. Seigneur de Tansonville ne me paraît pas très juste parce que Tansonville était ce qu'on appelait terre d'abbaye. Cependant ce n'est pas impossible. Tout ça était extraordinairement mêlé. Ma belle-mère vous aurait expliqué tout ça. Elle se rappelait le temps (je crois surtout qu'elle se rappelait qu'on le lui avait raconté) où quand sa grand-mère voulait établir à Combray pour l'avantage des habitants le marché qui y a lieu encore une fois par semaine, l'abbé et les religieux de Saint-Hilaire mirent opposition parce que les lettres n'avaient pas été lues à la sortie de la messe paroissiale. Mon Dieu ! que ça m'amuse de penser que Racine a connu Tansonville comme moi ! Hé bien ! Charles a pour vous un cadeau d'un autre ordre. Vous savez qu'il est allé à Rhodes (non pas à Rome, à Rho-des, reprit la duchesse que la demi-surdité de M. de Bréauté agaçait) pour étudier les monnaies que faisaient frapper les grands maîtres de l'Ordre de Saint-Jean de Jérusalem. Notre bon Charles a probablement

1. Sur l'hospice de Beaune, voir « Journées de lecture », *Pastiches et mélanges, Contre Sainte-Beuve*, Bibl. de la Pléiade, p. 191.

d'autant mieux aimé ce voyage de recherches que ce n'est pas dans des boutiques d'antiquaires ou dans des fouilles qu'on trouva ces monnaies, mais sur la tête des jeunes personnes du pays qui sont, paraît-il, belles comme le jour... — Comme le soleil et comme la rose, c'étai <en> t les armes de l'île, dit M. de Bréauté. — Eh bien ! ces personnes belles comme des roses portent dans les cheveux des monnaies d'une valeur inestimable et malheureusement estimée, ce qui fait qu'elles vous les font payer fort cher. Mais enfin cette forme de bric-à-brac doit plaire à Charles. Il a fait le voyage avec Palamède, vous savez que Mémé est chevalier de l'Ordre. Du reste il ne nous laisse pas ignorer car il a arboré ce soir une croix presque aussi grande que celle de Mouchy qui est grand-croix, bailli, tout ce qu'on veut. — Oriane, comme vous aimez exagérer, dit le duc. Mémé a sa même croix que je lui ai toujours vue. Et il n'y attache pas tant d'importance que cela, allez ! — Mais Basin, vous êtes complètement fou ou aveuglé par l'amour fraternel. Si vous aviez entendu quand je lui ai parlé de tout l'argent que la Commanderie de Khevenhuller lui rapporte, avec quelle onction de prêtre Mémé m'a répondu que c'était moins cela qui était important dans l'Ordre que les "grâces spirituelles qu'il rapporte". On dirait que vous ne savez pas comme votre frère est pieux. Heureusement pour Mouchy et pour lui, ils ne sont pas chevaliers profès comme Khevenhuller[1] que cela voue au célibat ce qui ne veut pas dire à la chasteté. Mais comme Mémé et Charles n'ont fait vœu de chasteté ni l'un ni l'autre, je suppose qu'ils n'ont pas dû penser qu'aux monnaies. En tous cas, parmi ces monnaies il en a trouvé une aux effigies d'un Bréauté qui était grand-maître de l'ordre. — Non, pas un Bréauté, mais je devine qui, le beau-frère d'un de mes ancêtres, qui a fait là-bas des choses merveilleuses avec le roi de Chypre. — En tous cas il paraît qu'il a l'air beaucoup plus dévot que vous, il est représenté à genoux devant la croix, et sous un capuchon de moine. — Oui, <mais> sous leur habit monacal, il avait une fameuse cotte de maille, c'est lui qui avec la flotte de Venise et celle du pape a repris Smyrne aux Musulmans. » Souvent, plus tard, en pensant à ces travaux qu'avaient publiés Swann sur l'Ordre de Saint-Jean de Jérusalem, et M. de Bréauté sur des correspondants de Racine, je comparais cette contribution si intéressante et leur vie si mesquinement frivole. On peut au choix en conclure qu'une vie en apparence légère et mondaine peut être seulement l'apparence superficielle qui cache un labeur sérieux et fécond ; ou bien que certains goûts d'érudition peuvent très bien s'accompagner des pires laideurs du caractère, *a fortiori* d'un snobisme insupportable. Cette deuxième explication moins bienveillante était probablement plus juste pour M. de Bréauté que pour Swann, en exceptant toutefois le Swann des toutes premières années, le Swann d'avant le Jockey et désireux d'y entrer, lequel avait peut-être été assez ridicule. En tous cas, pour revenir du général au particulier, ce mélange de culture et de snobisme était très caractéristique du milieu Guermantes.

« Écoutez, je vais être obligée de vous dire bonsoir », dit la duchesse à Froberville d'un air de résignation *[p. 84, 2e ligne]* mélancolique, [...]

1. Le comte Rodolphe de Khevenhüller-Metsch, ambassadeur d'Autriche-Hongrie à Paris de 1903 à 1910, donnait deux grands bals par saison à l'hôtel Matignon, le siège de l'ambassade d'Autriche-Hongrie (Voir André de Fouquières, *Cinquante ans de panache*, Flore, 1951, p. 107).

le plaisir *[p. 84, dernière ligne]* plus grand d'y constater certaines choses ratées, surpassés tous deux pas celui de pouvoir pendant longtemps se vanter d'avoir frayé avec les premières, et se gausser, en les exagérant ou en les inventant, des secondes.

Cependant au moment où, après avoir reconduit la comtesse Molé, M. de Charlus franchissait le seuil et rentrait à l'intérieur de ce palais classique qu'était au dire de la duchesse de Guermantes l'hôtel de sa cousine, dominant « d'Esther les superbes jardins », précisément l'exclamation d'Esther apercevant Élise sortit de sa bouche, en se trouvant face à face avec son ami d'autrefois M. de Vaugoubert. Celui-ci n'ayant cessé d'occuper des postes diplomatiques de plus en plus importants, M. de Charlus ne l'avait pas revu depuis longtemps. M. de Vaugoubert n'avait pas seulement les mêmes goûts que le baron, il était encore le seul de ses amis avec qui M. de Charlus eût échangé jadis des confidences. À l'époque où M. de Charlus avait une garçonnière où avec deux de ses amis, les ducs de X et de XX, il faisait venir des femmes, M. de Vaugoubert était venu un jour et avait fait des propositions à M. de Charlus, M. de Charlus crut devoir à l'opinion de ses trois amis de jeter le jeune Vaugoubert nu et fouetté dans la rue. Vaugoubert était charmant à cet âge-là. M. de Charlus en le mettant nu ne pouvait se défendre de l'admirer, et tout en le frappant il le touchait. Mais ils restèrent longtemps sans se revoir, si longtemps que Vaugoubert avait changé, ne plaisait plus à M. de Charlus et ne put être pour lui qu'un confident. Peu à peu tandis que les deux amis de M. de Charlus apprenaient les goûts du baron, desquels ils ne s'étaient jamais doutés, on révélait à M. de Charlus qu'ils avaient (sans le savoir l'un de l'autre) les mêmes. Et enfin les trois finirent par comprendre que s'étant cru chacun une exception dans l'univers, chacun d'eux avait eu des maîtresses, affiché un goût violent des femmes, pour se faire estimer de deux amis qui prenaient la même peine mais ne les aimaient pas. Plus tard encore en causant avec Vaugoubert M. de Charlus découvrit que des trois il avait été le plus naïf. Car dès le lendemain de l'exécution de Vaugoubert chacun des deux autres avait à l'insu de M. de Charlus et du troisième donné secrètement rendez-vous à Vaugoubert et après lui avoir fait jurer de ne rien dire lui avait demandé les plaisirs que M. de Charlus n'avait pas osé prendre. Ce serment M. de Vaugoubert l'avait violé aussi souvent qu'il l'avait pu ainsi que beaucoup d'autres. Car on se confiait beaucoup à lui à cause des assurances qu'il donnait, souvent sous cette simple forme : « C'est mon métier de me taire et de ne jamais rien raconter. » Il faisait par là allusion à la Carrière. Mais que pouvait la discrétion du diplomate contre le besoin autrement profond, de confidences, de révélations, de commérages qu'avait l'inverti. L'époque à laquelle ils se reportaient maintenant était si ancienne que M. de Charlus retrouva en présence de son ancien camarade l'ouverture de cœur et le besoin de confidences qu'il avait soigneusement étouffés en lui depuis qu'il avait atteint l'âge d'homme. Et après avoir parlé un instant politique et voyage, M. de Charlus fit allusion aux intéressantes conversations que l'un et l'autre eussent pu avoir ensemble si la carrière de M. de Vaugoubert ne l'avait fait vivre si constamment loin de Paris. À ces conversations à vrai dire M. de Charlus eût seul fourni. Ambitieux et timoré, M. de Vaugoubert avait depuis bien longtemps renoncé à se livrer à ce qui eût été pour lui le plaisir[1]. [L'inversion sexuelle avait eu

1. Voir p. 64, 13e ligne.

sur sa vie l'effet édifiant d'une entrée dans les ordres. Combinée avec l'ambition elle l'avait voué depuis la trentaine à la chasteté du chrétien. *add. dactyl.*] Aussi comme chaque sens perd de sa force et de sa vivacité, s'atrophie quand il n'est plus exercé, M. de Vaugoubert, de même que l'homme civilisé qui ne serait plus capable des exercices de force de l'homme des cavernes, avait perdu la perspicacité spéciale qui se trouvait somme toute rarement en défaut chez M. de Charlus, et aux tables officielles, soit à l'étranger, soit à Paris, le diplomate n'arrivait plus, ne cherchait même plus à reconnaître ceux qui sous le déguisement de l'uniforme, pouvaient être au fond ses pareils. Quelques noms que lui cita M. de Charlus, indigné si on le citait pour son vice, mais toujours amusé de faire connaître celui des autres, causèrent à M. de Vaugoubert un étonnement délicieux. Non qu'après tant d'années il songea à profiter d'aucune aubaine. Mais ces révélations rapides, pareilles à celles qui dans les tragédies de Racine apprennent à Athalie et à Abner que Joas est roi, ou à Assuérus qu'Esther est juive, changeant à vue l'aspect du Quai d'Orsay ou de la Wilhelmstrasse, rendaient ces palais rétrospectivement mystérieux comme ces palais raciniens, temple de Jérusalem ou salle du trône de Suse, où Abner et Assuérus apprennent tout à coup que l'enfant auquel il<s> ne faisai<en>t pas attention cache un prince de la race de David et que la reine « dans la pourpre assise[1] » est de sang juif. « Ah ! mais je ne m'en doutais pas, dit-il avec un étonnement plus marqué en parlant d'un secrétaire d'ambassade. J'ai dîné avec lui chez l'ambassadeur de XXX. Pour lui, je n'ai guère de doutes », ajouta-t-il, soit qu'en effet la réputation de ce diplomate fût tout à fait établie, soit que M. de Vaugoubert ne voulait pas, n'ayant poussé jusqu'ici que des exclamations de surprise, ne voulût pas paraître trop naïf à M. de Charlus. « Mais tu en étais entouré sans le savoir, dit M. de Charlus, car il n'a exprès peuplé son ambassade que de cela. » Et tous les vices ont tellement leur dialecte qui en étendue ne dépasse pas leurs bornes, mais dans le sens de la hauteur ne connaît pas de caste et est parlé aussi bien par l'élite que par le plèbe, M. de Charlus, cet homme non seulement si noble, mais si lettré qu'il s'était refait une noblesse de propos — qu'était loin d'avoir son frère le duc —, dit en souriant : « Alors vous faites la vieille procureuse. » Si M. de Charlus avait appris *Esther* par cœur dans son enfance, il est probable qu'il appliquât à l'ambassadeur dont il parlait avec M. de Vaugoubert, les vers par lesquels la reine explique à Élise que Mardochée lui a composé un personnel exclusivement mais secrètement israélite :

Cependant son amour pour notre nation
A rempli ce palais de filles de Sion
Jeunes et tendres fleurs par le sort agitées,
Sous un ciel étranger comme lui transplantées,
Dans un lieu séparé de profanes témoins,
Il met à les former son étude et ses soins[2].

[*add. dactyl.* : En effet cette ambassade était composée de personnalités fort différentes, plusieurs extrêmement médiocres, en sorte que si l'on cherchait quel avait pu être le motif du choix qui s'était porté sur elles, on ne pouvait découvrir que l'inversion[3]. En mettant à la tête <de>

1. Voir var. *a*, page 64.
2. Racine, *Esther*, acte I, sc. I, v. 101-106.
3. Voir p. 74, 24e ligne.

ce petit Sodome diplomatique un ambassadeur aimant au contraire les femmes avec une exagération comique de compère de revue on semblait avoir obéi à la loi des contrastes. Malgré ce qu'il avait — et n'avait pas — sous les yeux il ne croyait pas à l'inversion. Il en donna immédiatement la preuve en mariant sa sœur à un chargé d'affaires inverti qu'il croyait un coureur de poules. Dès lors il devint un peu gênant et fut bientôt remplacé par un nouvel ambassadeur qui assura l'homogénéité. D'autres ambassades cherchèrent à rivaliser avec celle-là mais elles ne purent lui disputer le prix (comme au concours général, où un certain lycée l'a toujours), et il fallut que plus de dix ans se passassent avant que des attachés hétérogènes s'étant introduits dans cet ensemble si parfait, une autre put enfin lui arracher la pelure et marcher en tête.

Plus intéressante du reste que M. de Vaugoubert était sa femme, Junon masculine et rubiconde appartenant à cette race des femmes de Charlus dont la princesse Palatine reste un type immortel. À côté du marquis elle avait l'air d'un homme et on était touché des vains efforts qu'avait fait la nature, chez M. de Vaugoubert, pour découvrir un homme qui pût sembler femme. Mais les efforts de la nature ne sont pas toujours récompensés par le succès comme Maeterlinck l'a montré pour certaines fleurs dont les ruses mal calculées échouent toujours. Mme <de> Vaugoubert avait beau avoir l'air couronné d'aristocratie, car elle était de grande race, d'un garçon d'écurie, d'un fort aux halles, d'un garçon boucher, en elle un certain relent *di femina* écœura bientôt le diplomate. Il ne put même pas comme tant de ses semblables lui faire les nombreux enfants qui servent à détruire une mauvaise réputation. Alors il se produisit un phénomène étrange et double : désirée, ou du moins préférée au début, parce qu'elle avait l'air d'un homme elle prit bien plus encore l'air d'un homme quand elle fut devenue l'objet d'un insurmontable dégoût de la part du marquis. Peut-être y eut-il là un de ces exemples de mimétisme si fréquents chez les fleurs qui finissent par ressembler à des insectes pour les attirer, et sentant son mari devenir joyeux, léger, tendre, dès qu'il était avec des hommes, se fit-elle inconsciemment homme elle-même. Peut-être aussi les quelques traits féminins qui subsistaient en elle dépérirent-ils faute de soins, faute d'être cultivés, de se sentir aimés. Son visage de mieux en mieux sculpté, d'une fierté Louis XIVe[1], devint malgré cela comme un objet de rebut, de désolation. Majestueuse elle semblait étonnée, et les vagues aspirations du mari, bien plus qu'en lui-même, se lisaient sur le visage à l'abandon, sur les cheveux en friche de sa femme. Quelques naïfs pourtant virent là la trace de grands dons politiques ; on lui fit la réputation que c'était elle qui faisait tout dans les postes où M. de Vaugoubert était envoyé. On ne le maintenait en activité, disait-on, malgré sa niaiserie et ses sentiments réactionnaires qu'à cause des profondes capacités de la marquise.

Il fut si aimable avec moi — par savoir-vivre diplomatique — que m'y laissant prendre et croyant que depuis que M. de Norpois m'avait fait faire sa connaissance il avait dû entendre parler de moi sans cesse, pour être si empressé, croyant être aimable je lui demandai de me présenter à sa femme[2]. Je crus d'abord ne pas m'être trompé tant il manifesta de joie. Elle passa à ce degré où la marche ne suffit pas, et ce fut presque

1. Voir p. 47, 9e ligne.
2. Voir p. 45, 2e §, 12e ligne.

en dansant avec mille entrechats et sourires de gratitude qu'il me conduisit vers Mme de Vaugoubert qui était assise assez loin. Mais arrivé à destination, me désignant à sa femme avec un profond salut, il me déposa devant elle comme un colis précieux avec quelques gestes de recommandation mais sans proférer un seul mot. Je compris alors qu'il ne savait même pas comment je m'appelais. Mme de Vaugoubert n'en fut pas moins à la hauteur d'un rôle qui me semblait difficile, elle me proposa de venir au buffet et moi qui craignais de manquer Albertine si je rentrais trop tard, j'usai de tous les expédients possibles pour me débarrasser d'elle. *add. dactyl.*] « Je ne me doutais en rien de tout cela », dit M. de Vaugoubert. Il était émerveillé non seulement que les compatriotes que M. de Charlus venait de lui découvrir dans cette ambassade fussent si nombreux, mais aussi parce qu'il trouvait ces jeunes secrétaires et attachés plus aimables depuis un instant que lui était apparue leur race cachée.

Ciel ! quels nombreux essaims d'innocentes beautés !
Quelle aimable pudeur sur ce visage est peinte !
Prospérez, cher espoir d'une nation sainte[1] *!*

« Qui sait si dans le pays d'où je viens, ajouta M. de Vaugoubert, ce n'est pas la même chose[2] ? — C'est probable, répondit M. de Charlus, d'abord, sans savoir, le roi Théodose, j'imagine. — Oh ! pas du tout ! — Il n'est pourtant pas permis d'en avoir l'air comme ça ! — Il est charmant, dit M. de Vaugoubert, et le jour où a été conclu l'accord avec la France, le roi m'a embrassé. Jamais je n'ai été si ému ! — C'était le moment de le lui dire. — Oh ! mon Dieu, quelle horreur s'il soupçonnait seulement, mais non il ne sait rien », s'écria M. de Vaugoubert, frissonnant à cette seule supposition.

(*Le roi jusqu'à ce jour ignore qui je suis,*
Et ce secret toujours tient ma langue enchaînée[3].)

À ce moment un ami de M. de Charlus lui serra la main, M. de Vaugoubert regarda le baron en souriant d'un air interrogatif. Soit que M. de Charlus eût été gêné par ce signe d'une curiosité qu'il n'eût pas sans doute trouvé imprudente si c'eût été lui, Charlus, qui l'eût ressentie le second et adressé le premier, soit que M. de Vaugoubert à ce moment-là eût trop l'air des gens comme lui, air que prenait mais qu'exécrait M. de Charlus, et qu'il n'eût par sa question même trop assimilé à ces gens M. de Charlus qui voulait bien dire lui-même qu'il en faisait partie mais avait des révoltes soudaines si on le lui disait, peut-être aussi parce que le baron avait pu faire réflexion qu'en somme depuis un quart d'heure, M. de Vaugoubert ne cessait, inconsciemment, d'exalter sa propre abstinence, presque sa conversion à quelqu'un qui, par ses propos même, avait continuellement confessé son endurcissement, les yeux de M. de Charlus étincelèrent de la rage qu'on a contre quelqu'un dont la souriante maladresse a failli vous faire arriver un ennui. « Je n'en sais absolument rien[4] et ne suis nullement désireux d'en apprendre davantage. Je te laisse à tes intéressantes méditations », dit M. de Charlus à M. de Vaugoubert et il le quitta brusquement sans lui serrer la main, laissant le diplomate stupéfait et désolé d'un revirement si inattendu et si fâcheux. On peut estimer que

1. Racine, *Esther*, acte I, sc. II, v. 122-124.
2. Voir p. 65, 4e §, 2e ligne.
3. Racine, *Esther*, acte I, sc. I, v. 90-92.
4. Voir p. 74, 13e ligne.

le manque de pénétration que M. de Charlus avait reproché à M. de Vaugoubert à l'égard de certains de ses collègues permettait au diplomate de voir la réalité plus poétiquement sous ce voile d'apparence dont M. de Charlus la dévêtait. M. de Vaugoubert ne voyait que les ombres peintes sur les parois de la caverne où il était enchaîné, ou plutôt entre les êtres et lui que sa grandeur attachait au rivage, une transparence qu'il n'osait percer lui faisait apparaître les hommes comme dans le palais de cristal d'une profondeur sous-marine : le voile d'illusion, objectivé si longtemps dans les toiles d'Elstir en une nacre bleuâtre qui leur donnait l'air de représenter les êtres comme au fond des eaux, existait d'ailleurs aussi quoique à un bien moindre degré pour M. de Charlus. Lui aussi commit ses erreurs à Balbec notamment où il faillit avoir un scandale avec les jeunes cavaliers sur le compte desquels trompé par son désir et par des apparences bien ambiguës de costumes, d'attitudes de propos et de voix il s'était entièrement trompé, et où inversement il ne sut pas voir dans la politesse réservée d'un valet de pied de casino une offre muette dont il ne se consolait pas plus tard de n'avoir pas profité. Au seuil de la vieillesse il se reprochait amèrement les occasions qu'il avait laissé passer comme Bonaparte à Sainte-Hélène disait : « Si j'avais *[un blanc]* » comme [le criminel *biffé*] à la veille de son exécution et comme les Goncourt dans leur journal pleurent les estampes originales, les assiettes de Chine et les Clodion authentiques qu'ils avaient ratés[1].

Tout en nous dirigeant vers la princesse, la duchesse de Guermantes, le duc et moi, nous passions vers des groupes formés par les femmes les plus célèbres de l'aristocratie ayant autour d'elles leur cour. Mme de Guermantes s'arrêtait pour me présenter aux plus importantes, par remords peut-être de n'avoir pas fait il y a quelques heures la démarche que j'avais demandée au duc ou parce que ma présence chez sa cousine me donnait à ses yeux un peu du même genre d'importance que son amitié avec elle me donnait aux yeux de sa cousine, ou que cette présence facilitât les présentations puisqu'elle me donnait l'investiture préalable de la princesse, surtout sans doute parce que, « qui peut le plus peut le moins » étant beaucoup moins vrai que « à qui le plus est aisé, le moins est souvent fort difficile », la duchesse se trouvant naturellement être plus particulièrement liée ou alliée avec les femmes du rang le plus élevé, il lui était beaucoup plus aisé de me présenter à la comtesse de Flandres qui la tutoyait ou à la duchesse de Luynes qu'elle tutoyait, qu'à des femmes moins importantes qu'elle avait eu peu d'occasions et gardait peu de désir de connaître. Cette facilité pour Mme de Guermantes de me mener ainsi de l'une à l'autre des dames célèbres qui blanches, mauves, roses, s'élevaient comme d'un massif au milieu d'une assemblée d'amis, me donnait l'impression d'une promenade dans une allée où tantôt devant l'iris, devant le lys, devant la rose mais (car elles rendaient bien son amitié <à> Mme de Guermantes et adoptaient son protégé) dont les corolles animées s'inclinaient gracieusement comme dans les poésies de Wordsworth ou de Shelley, où les fleurs murmurent de tendres paroles.

À ce moment M. de Vaugoubert s'inclina vers la duchesse[2] de cet air élégant, trop poli, efféminé et niais qu'il ne perdait pas, même au jeu

1. Clodion (1738-1814), sculpteur français, s'était spécialisé dans le « genre », les statuettes gracieuses.

2. Voir p. 75, 4e ligne en bas de page.

de tennis, ce qui faisait que, présentant de respectueuses et souriantes excuses aux altesses royales dans le camp de qui il était avant de se permettre de recevoir la balle il la laissait échapper et leur faisait perdre la partie[1]. « Voilà cette brute de Vaugoubert », m'avait dit tout bas d'un accent rauque Mme de Guermantes, persuadée qu'elle était que seuls les gens qui n'étaient pas de son monde étaient des « capacités ». « Madame la duchesse, dit le diplomate après avoir terminé son profond et joli salut, je viens solliciter l'honneur de vous présenter Mme de Vaugoubert. » Le marquis en effet était marié et dans la femme qu'il avait choisie, éclatait de la part du diplomate un effort aussi touchant que celui que font certaines fleurs, certains animaux pour tourner les lois inéluctables de la nature, pour s'évader, en se servant d'elles-mêmes, de la prison qu'elles lui assignent. En effet, haute en couleur, fortement musclée, droite comme un grenadier, tandis que M. de Vaugoubert la protégeant inutilement d'un bras gracieusement tendu la faisait avancer et la désignait à Mme de Guermantes, la marquise avait l'air d'un homme[2]. Sans doute c'est surtout par intérêt que les hommes qui n'aiment pas les femmes se marient. Et M. de Vaugoubert avait eu soin de choisir, dans un des pays où il avait été accrédité, une femme appartenant à la plus haute aristocratie, fort riche, et d'une intelligence reconnue. Mais il ne s'était pas contenté de cela comme font ceux qui ne s'étant pas déshabitués d'un commerce sans plaisir mais régulier avec les femmes, épousent n'importe laquelle. D'autres demandent davantage au mariage. Et se rappelant qu'avant que leur vice se soit constitué, à l'époque éparse et indécise de l'adolescence où un homme est tous les hommes, celui qu'il sera plus tard et ceux que décidément il ne sera pas, ils avaient du plaisir avec une certaine femme séduisante par telles ou telles particularités, c'est dans cet ordre de particularités que la femme les trouble encore en vertu d'associations de souvenirs aussi obscures que celles qui font que certaines choses font peur à un cheval, et dans cet ordre qu'ils choisissent leur femme. M. de Vaugoubert avait été plus loin. Il avait cherché une femme qu'il pût aimer parce qu'il y aurait entre elle et un garçon boucher le moins de dissemblances possibles. Ces dissemblances s'étaient pourtant bientôt révélées. Aussi M. de Vaugoubert n'aimait-il véritablement ni sa femme ni ses enfants. Il était bon pour eux et ceux qui le voyaient s'occuper d'eux en chemin de fer quand il revenait d'une capitale, eussent été étonnés d'apprendre les rêves si différents qu'il nourrissait. En revanche, les quelques jeunes gens à qui il s'était décidé à adresser la parole dans un lieu public, qu'il avait fait inviter à la cour, avec qui il entretenait d'amoureuses correspondances, souriaient qu'il eût, comme dans une autre vie, une femme et des enfants, sauf les plus naïfs qui prenant à la lettre ce que leur disait M. de Vaugoubert assuraient qu'il avait une immense affection pour sa femme, qu'elle était son meilleur ami, et que « cela n'empêche pas ». La duchesse contrairement à ce que j'aurais cru fut très aimable pour Mme de Vaugoubert, parce que celle-ci passait pour une personne éminente, une forte tête, qui faisait disait-on tout le travail diplomatique de son mari, qui eût été depuis longtemps mis en disponibilité par le ministre sans les profonds mérites de sa femme. En tous cas, avec son visage masculin et morose, elle ajoutait une effigie de plus

1. Voir p. 74, 2e ligne et p. 75, 6e ligne en bas de page.
2. Voir p. 46, 2e §, 5e ligne.

à ce long médaillier des femmes d'invertis, parmi lesquelles une des plus remarquables est la princesse Palatine, femme de Monsieur, et une de celles dont l'histoire serait la plus curieuse à écrire, feu la baronne de Charlus.

Ce fut peu de temps après que M. de Vaugoubert fut mis à la retraite, à la suite, pensèrent quelques-uns, d'un de ces scandales auxquels est voué un vice qu'on n'exerce pas par les brusques et maladroits débordements d'une chasteté excessive, mais en réalité parce que le Quai d'Orsay le tenait pour un agent médiocre. Il n'avait en effet pour lui qu'un grand bon sens et une éducation parfaite. L'éducation n'est évidemment pas une discipline égale à des études de psychologie vraiment profondes, mais en nous habituant à nous mettre à la place des autres, elle est une discipline spirituelle pourtant, et fort supérieure à la superficielle culture littéraire qui permet à tant de jeunes diplomates, dépourvus d'ailleurs de tout goût véritable, de rechercher les œuvres des poètes à la mode et d'employer jusqu'à leur jargon quand ils veulent plaisanter. Ces diplomates-là chez qui la culture n'est pas assez profonde pour remplacer le jugement naturel et l'éducation, sont tous inférieurs aux Vaugoubert qu'ils font révoquer et qui eussent peut-être préservé leur pays des malheurs qu'ils y attirent.

En conduisant vers sa cousine la duchesse qu'accompagnaient aussi M. de Guermantes et le prince d'Agrigente, Mme de Marsantes, au moment où nous venions de quitter les Vaugoubert passa auprès de nous, comme la duchesse venait de s'arrêter pour saluer la comtesse de Flandres. Elle voulut me raconter, maintenant que c'était déjà loin, comment la rupture s'était accomplie, la terrible première nuit où Robert seul chez lui avait dû être veillé par un garde, les boutons des fenêtres démontés, comme dans la salle de « suppression » où on retire sa morphine au morphinomane. Mais même ainsi au milieu de tout le monde, les larmes montèrent aux yeux de cette femme pourtant si maîtresse d'elle. C'est que son amour, fait comme celui de tant de mères, de désintéressement et d'ambition, de soucis pour la santé, le bonheur et l'honneur de leur fils et de rêves pour son mariage, son amour était par moments féroce mais n'était pas impitoyable. Trop intelligente, trop nourrie de l'esprit naturel et quasi positiviste des Guermantes pour affecter d'ignorer ce qu'est un attachement comme celui de Robert et de Rachel, attachement qui avait pu menacer un moment de durer autant que la vie de son fils, elle éprouvait en même temps qu'une secrète admiration pour un fils capable d'inspirer ou même seulement d'éprouver une tendresse qui avait failli durer autant que sa vie, une pitié si profonde pour les souffrances qu'en mère exigeante elle lui avait causées en exigeant qu'il y renonçât, qu'elle sentit sa voix se briser dans sa gorge et me quitta précipitamment. « C'est tout à fait fini, n'est-ce pas, entre Robert et son collage », me dit « Gri-gri », quand j'eus quitté Mme de Marsantes. « Du reste ce n'est pas une fille vulgaire », ajouta-t-il, car trouvant cela grand seigneur, il faisait un bout de conversation avec les actrices au foyer des artistes ou au Bois. Et se rappelant une plaisanterie qu'elle lui avait faite en le rencontrant dans l'allée des Cavaliers où leurs chevaux s'étaient croisés, sur la duchesse de Longueville et la Fronde, et qu'il n'avait pas comprise, connaissant lui beaucoup moins bien l'histoire en général et en particulier l'histoire des Guermantes qui était le fort de Rachel depuis qu'elle avait failli entrer dans la famille : « C'est une fille instruite, qui a beaucoup lu pour une personne de sa condition. Je sais qu'elle ne s'est pas bien conduite là-dedans mais vous savez dans ces affaires de famille il y a le pour et le contre. Marie Sabran a peut-être un peu exagéré. » Et comme le génie de la famille Guermantes l'animait : « N'importe, dit-il, on sent un bon fond, je ne sais pas qui elle est, mais elle doit être la fille de gens bien. » Je laissai la duchesse s'approcher de sa cousine et, pour tâcher de rencontrer Swann, je gagnai le fumoir. Je ne sais si c'est à cause de ce que la duchesse de Guermantes[1],

1. Voir dans *Le Côté de Guermantes*, t. II de la présente édition, p. 855, l'invitation à la soirée puis les doutes du héros. Les Esquisses I et VI de *Sodome et Gomorrhe*, p. 919-924 et p. 962-981, donnent les versions de 1909 et de 1912 de la soirée. Le début de la soirée était très différent dans le manuscrit : voir la longue variante *b*, p. 34.

2. Le héros habitant l'hôtel du duc de Guermantes dans le faubourg Saint-Germain, comment passerait-il par la place de la Concorde en chemin vers l'hôtel du prince de Guermantes, situé rue de Varenne (voir p. 480) ? Mais dans l'Esquisse I, l'hôtel du prince était situé rue de Solférino (p. 919), et le héros quittait l'omnibus au pont de Solférino (p. 921).

3. Voir, p. 407, une autre description de la lune, ainsi qu'une addition renvoyant à celle-ci, de rédaction plus tardive. Leur modèle commun est ébauché dans le Carnet 2, f° 46 r°-v°.

4. Un duc de Châtellerault apparaît dans les *Mémoires* de Saint-Simon : Anne-Charles-Frédéric de La Trémoïlle (1711-1759), fait duc de Châtellerault lors de son mariage, deviendra prince de Talmond à la mort de son père en 1739 (*Mémoires*, Bibl. de la Pléiade, t. III, p. 52-53).

Page 35.

1. Selon Maurice Sachs (*Le Sabbat*, Corréâ, 1946, p. 281-282), l'aventure serait arrivée à Albert Le Cuziat rue Jouffroy. Albert Le Cuziat, ancien domestique du prince Constantin Radziwill, était le propriétaire de la « maison » de la rue de l'Arcade — modèle de la « maison » de Jupien dans *Le Temps retrouvé* — que Proust fréquenta à la fin de la guerre. L'écrivain avait fait sa connaissance vers 1911 (George Painter, *Marcel Proust*, Mercure de France, 1966, t. II, p. 327). Or, dans le Carnet 1, on trouve une note de 1908 qui pourrait déjà annoncer l'épisode : « Jeune hussard anglais et vieux domestique dans le brouillard d'une allée du bois mettant un sceau d'obscurité sur la nature » (*Le Carnet de 1908*, Gallimard, 1976, p. 64).

2. Voir *Le Côté de Guermantes II*, t. II de la présente édition, p. 733-744.

3. L'innovation mondaine de la princesse de Guermantes est une addition tardive notée dans le Cahier 61, ff^os 48-53.

1. On peut lire ces mots au folio 61 du Cahier II du manuscrit.

Page 36.

1. Édouard Detaille (1848-1912), peintre français, membre de l'Institut (voir *Le Côté de Guermantes II*, t. II de la présente édition, p. 722), participa à la guerre de 1870 et se spécialisa dans la représentation des scènes militaires. Il habitait 129, boulevard Malesherbes (*Tout-Paris, annuaire de la société parisienne*, 1908). Nationaliste et antisémite, il appartint à la Ligue de la patrie française (voir n. 2, p. 142). Bergotte figurait à sa place dans la notation du Cahier 61 esquissant l'épisode.

2. *Le Rêve*, tableau allégorique à message patriotique d'Édouard Detaille, valut au peintre une médaille au Salon de 1888 : pendant les manœuvres, les hommes au bivouac dorment roulés dans leurs couvertures. Dans le ciel passent les soldats victorieux de la vieille France. Exposé au musée du Luxembourg, le tableau fut rendu populaire par une gravure largement répandue. Il est aujourd'hui conservé au musée d'Orsay.

Page 38.

1. Voir une description voisine, lors de l'arrivée de Swann à la soirée de Mme de Saint-Euverte (*Du côté de chez Swann*, t. I de la présente édition, p. 318-320). Cette description-ci est notée dans le Cahier 60, ff^os 90-93.

2. Thomas Henry Huxley (1825-1895), biologiste, paléontologue et médecin, professeur d'anatomie comparée et de biologie, est l'auteur de nombreux ouvrages vulgarisant les doctrines transformistes. L'écrivain Aldous Leonard Huxley (1894-1963), qui avait fait un compte rendu d'*À l'ombre des jeunes filles en fleurs* dans *The Athenaeum* du 7 novembre 1919, était son petit-fils, et non son neveu, mais le neveu du poète et critique Matthew Arnold (1822-1888) : une allusion à cet article figure dans une lettre à Antoine Bibesco de 1919 (voir les *Études proustiennes*, Gallimard, n° IV, 1982, p. 233). L'anecdote qui suit figurait déjà dans la version de 1909 de la soirée, alors attribuée à Huxley — et dans la version de 1912 (voir l'Esquisse I, p. 921 et l'Esquisse VI, n. 1, p. 964). La version de 1912 renvoyait à *De l'intelligence* de Taine (1870) comme à sa source (voir l'Esquisse VI, n. 1, p. 964) ; mais si l'ouvrage de Taine analyse de nombreux cas d'hallucination (Ire partie, livre II, chap. 1, 4e § ; IIe partie, livre I, chap. 1, « De l'illusion » et chap. 2, « De la rectification »), celui-ci n'y figure pas. Un fauteuil fournit toutefois un exemple d'illusion enrayée : « [...] le malade garde sa raison, n'apostrophe pas ses fantômes, va s'asseoir sur le fauteuil où ils lui semblent assis, bref se sait malade » (Hachette, 4e éd., 1883, t. II, p. 40).

3. *Les Larmes de saint Pierre [...]*, stances dédiées à Henri III, 1587, v. 238-240 (*Œuvres*, Bibl. de la Pléiade, p. 14) : « Et quel plaisir encore à leur courage tendre, / Voyant Dieu devant eux en ses bras les attendre, / Et pour leur faire honneur les anges se lever ! » Il s'agit des Innocents massacrés par Hérode et accueillis au ciel en triomphe.

Page 39.

1. « Mon âme a son secret, ma vie a son mystère ; / Un amour éternel en un moment conçu : / Le mal est sans espoir, aussi j'ai dû le taire, / Et celle qui l'a fait n'en a jamais rien su. » Il s'agit du début du « Sonnet imité de l'italien » d'Alexis Félix Arvers (1806-1850), paru dans *Mes heures perdues* en 1833. Arvers fut un dramaturge à succès qui écrivit dix-sept pièces entre 1835 et 1849, dont certaines en collaboration avec Scribe, mais le « Sonnet d'Arvers » demeure tout ce qu'on connaît du poète.

2. Voir, par exemple, les politesses confuses échangées par Argan et Diafoirus dans *Le Malade imaginaire* de Molière, acte II, sc. V.

Page 40.

1. Voir dans *Le Côté de Guermantes I*, t. II de la présente édition, p. 581 et suiv., les propositions du baron ; ici, dans l'Esquisse VIII, p. 1002, leur interprétation par le héros dans le sens du vice du baron ; et t. II de la présente édition, p. 849-851 dans *Le Côté de Guermantes II*, le second refus du héros, après lequel le baron le reconduit chez lui.

2. Voir *Le Côté de Guermantes II*, tome II de la présente édition p. 609-614, la visite du héros et de sa grand-mère chez le professeur E***. Il s'agit ici d'une addition tardive notée dans le Cahier 62, f° 39 r°.

Page 42.

a. par la chaleur intus (ce qui signifiait évidemment *dactyl. corr.* : par la chaleur intus (ce qui signifie évidemment *Jalousie, Jalousie corr.* : par la chaleur » (ce qui signifie évidemment *orig. Le terme médical « intus », du latin, « de l'intérieur », n'a peut-être pas été retenu par les correcteurs.*

Page 43.

1. Les aventures anciennes de M. de Charlus et de M. de Vaugoubert, omises ici, figuraient dans le manuscrit : voir var. *b*, p. 34 (p. 1346). Saint-Loup avait fait allusion à cette vieille histoire, sans donner le nom de M. de Vaugoubert, en présentant son oncle au héros : voir *À l'ombre des jeunes filles en fleurs*, t. II de la présente édition, p. 109. L'introduction de M. de Vaugoubert (p. 42-45) a été récrite tardivement, pendant l'été 1921, sur la dactylographie corrigée et préparée dans le Cahier 59, ff^os 25-29. Le Cahier 62, lui, prévoyait ici une aventure de jeunesse de M. de Norpois : « Jamais Vaugoubert contenant un vif désir n'avait osé lever les yeux sur son ami pourtant le plus intime M. de Norpois. Mais il croyait de l'intérêt de sa carrière de "donner le change" aux diplomates. Il ignorait qu'en rhétorique, M. de Norpois et l'un de nos plus célèbres diplomates non seulement avaient éprouvé l'un pour l'autre, mais n'avaient pas craint d'exhiber une de ces affections comme en ont deux matelots. Et les élèves du

collège où les deux ambassadeurs avaient fait leur classe pouvaient les voir encore, presque enlacés l'un à l'autre, dans les cartes album[s] que Pierre Petit venait tirer. La prudence de M. de Vaugoubert n'en avait pas été moins justifiée, car ces deux "mousses" au col évasé, sitôt quittée la mer, avai[en]t l'un pris femme, l'autre eu des maîtresses et eussent considéré comme une criminelle folie, chez un garçon étant arrivé à l'âge d'homme, ce qui dans leurs souvenirs d'adolescence leur semblait concevable et risible comme d'avoir cru longtemps que les enfants naissaient dans les choux » (Cahier 62, f° 38 r°). Le même cahier esquissait encore un autre personnage d'homosexuel : « Pour ajouter à *Sodome et Gomorrhe II* (Soirée chez la princesse de Guermantes) : M. de X semblait épris de gloire militaire mais ce n'était en effet qu'un semblant. Il aimait seulement les militaires, de sorte qu'il pratiquait les exercices violents où concourt l'armée, d'une façon civile seulement, étant habillé, avant que déshabillé, et les compagnons seulement de ses luttes plutôt dédiées à Vénus (mettre plutôt le nom du dieu qui préside aux amours homosexuelles) qu'à Mars, étant seuls coiffés — au moins à l'arrivée et au départ — du casque ou du képi. J'aurai du reste à revenir sur cet homme fougueux et pacifique. Il terminait en ce moment une brochure où il flétrissait l'affreuse corruption de notre époque de décadence ; il ne voyait un refuge que [dans] l'idéal, sans quoi l'écrivain et le peintre s'ils voulaient être réels en seraient réduits à peindre des vices qu'un honnête homme ne pourrait même nommer sans sentir la plume tomber de ses doigts et être taxé, à juste titre, d'infamie. Il comptait se présenter à la députation sous l'égide de l'Action libérale. Car du radicalisme, du républicanisme rouge ou modéré, il ne voulait pas entendre parler, sauf le cas où on lui assurerait un siège. Quant à l'Action française elle le gênait encore plus car elle attaquait constamment des gens de son monde et il eût été perpétuellement embarrassé par l'article du matin en dînant en ville le soir. Au reste on ne lui croyait à cette époque aucune influence politique, ni qu'elle pût jamais faire élire un seul député » (Cahier 62, ff^os 45-46).

Page 44.

1. Après avoir été publié de 1836 à 1885, ce quotidien reparut en 1888, alors boulangiste, et fut publié jusqu'en 1928, puis de nouveau en 1934-1935.

Page 45.

1. Cette première mention de la représentation où se trouve Albertine n'est plus, dans le texte définitif, préparée par une allusion qui figurait dans le manuscrit de *Sodome et Gomorrhe I* : voir var. *c*, p. 4.

Page 46.

1. Bernhard, prince von Bülow (1849-1929), homme politique allemand, chancelier de l'Empire sous Guillaume II (1900-1909), ambassadeur à Rome en 1915, avait épousé Maria Beccadelli en 1886. Il passa ses dernières années à Rome, où il mourut. La colline du Pincio, fameuse pour ses terrasses fleuries, est un lieu de promenade des Romains.

2. Maurice Paléologue (1859-1944), diplomate et écrivain français, déposa aux procès relatifs à l'affaire Dreyfus en 1899, comme membre du cabinet du ministre des Affaires étrangères ; il fut ambassadeur à Saint-Pétersbourg de 1914 à mai 1917 et accéda à l'Académie française en 1928. Son nom était celui d'une illustre famille byzantine, apparue dans l'histoire au XIe siècle, qui occupa le trône de Constantinople de 1261 à 1453, avant d'être dispersée par la conquête turque. Selon André de Fouquières, toutefois, qui tient le renseignement de Ferdinand Bac (voir n. 2, p. 337), sa famille, d'origine bulgare, s'appelait Pollack et s'était établie à Constantinople, où son père avait pris le nom de Paléologue (*Cinquante ans de panache*, Flore, 1951, p. 141).

Page 47.

a. réalisait ce type acquis ou prédestiné qui est celui de la femme mariée à un Charlus, type dont l'image *dactyl. corr.* : réalisait ce type dont l'image *Jalousie* : réalisait ce type [acquis ou prédestiné, *add.*] dont l'image *Jalousie corr.* ↔ *b.* de cheval et ayant pris *dactyl. corr., Jalousie, Jalousie corr., orig. Nous corrigeons.*

1. Charlotte Élisabeth de Bavière (1652-1722), fille de Charles-Louis, électeur palatin, fut la seconde femme de Philippe, duc d'Orléans, frère de Louis XIV. D'apparence masculine, cultivée, elle laissa des lettres pleines des détails les plus crus sur la cour de Versailles et sur l'homosexualité des grands seigneurs. Ses lettres furent traduites par G. Brunet sous le titre *Correspondance complète de Madame, duchesse d'Orléans, née princesse palatine* (Charpentier, 1857), souvent réédité. Voir *À l'ombre des jeunes filles en fleurs*, t. I de la présente édition, p. 532 et n. 4.

Page 48.

a. ces derniers, si, en effet, souvent la princesse, même s'ils étaient de ses amis, ne les conviait pas, cela tenait souvent à sa crainte *dactyl. corr., Jalousie, Jalousie corr., orig. Nous corrigeons en supprimant* souvent *qui précède* la princesse.

1. Le prince de Radolin (1841-1917) fut ambassadeur d'Allemagne à Paris de 1901 à la Première Guerre mondiale.

2. Le marquis de La Tour du Pin-Gouvernet, et la marquise, née Gabrielle de Clermont-Tonnerre, figurent dans le *Tout-Paris* de 1908, ainsi que le comte de La Tour du Pin-Verclause, et la comtesse, née Marie-Louise de Chateaubriand.

Page 49.

a. lié, mais elles me semblaient *dactyl. corr., Jalousie, Jalousie corr.*

1. Un seigneur de Brantes, Léon d'Albert, duc de Piney-Luxembourg, mort en 1630, apparaît dans les *Mémoires* de Saint-Simon (éd. citée, t. I, p. 59). Mme de Brantes, née de Cessac, le marquis de Brantes, et la marquise, née Marguerite Schneider, figurent dans le *Tout-Paris* de 1908. La marquise de Brantes, née de Cessac, tante de Montesquiou, est citée dans un pastiche de Saint-Simon (voir *Pastiches et mélanges*, *Contre Sainte-Beuve*, Bibl. de la Pléiade, p. 50).

2. La maison de Mecklembourg est citée par Saint-Simon, notamment en la personne d'Élisabeth de Montmorency-Bouteville, duchesse de Châtillon, puis de Mecklembourg. La grande-duchesse Wladimir (1854-1920) était née duchesse de Mecklembourg (voir n. 1, p. 57).

3. Les références à Carpaccio et à Véronèse étaient plus précises dans le manuscrit : voir var. *b*, p. 34 (p. 1313-1314 et n. 1).

4. Proust fait allusion à la marche avec chœur du second acte de l'opéra de Wagner, qui annonce l'arrivée des chanteurs venant prendre part au tournoi des chevaliers et qui, sous la présidence du landgrave, chanteront l'amour.

5. Selon Saint-Simon, la maison de Souvré s'éteignit à la mort de Mme de Louvois, en 1715 (*Mémoires*, éd. citée, t. V, p. 783-785).

Page 50.

1. Dans le manuscrit de *Sodome et Gomorrhe I*, c'était le nom d'Albertine qui était affecté par l'oubli : voir var. *c*, p. 5. La digression sur la mémoire et le sommeil peut être rapprochée d'un passage sur le sommeil qui s'inspire de Bergson (p. 370-375). Elle rappelle « L'Âme et le Corps », conférence de Bergson datant de 1912, recueillie en 1919 dans *L'Énergie spirituelle*, volume que Proust a consulté pour les réflexions ultérieures sur le sommeil. Dans cette conférence, Bergson analysait la mémoire des mots et l'aphasie (*Œuvres*, PUF, édition du Centenaire, 1959, p. 853-855).

2. Une mystérieuse marquise d'Arpajon est mentionnée en février 1911 dans la correspondance de Proust et Anna de Noailles (*Correspondance*, éd. Ph. Kolb, t. X, p. 245 et 246). Le marquisat d'Arpajon appartenait à la maison de Noailles, une marquise d'Arpajon apparaissant dans les *Mémoires* de Saint-Simon (ainsi qu'une duchesse), et une duchesse dans les *Lettres* de Mme de Sévigné. Dans *Sodome et Gomorrhe*, Mme d'Arpajon est vicomtesse ou comtesse ; mais une marquise d'Arpajon est mentionnée dans *Le Temps retrouvé*, que Bloch confond avec l'actuelle (voir t. IV de la présente édition).

3. Voir *Le Côté de Guermantes II*, t. II de la présente édition, p. 780-784.

Page 52.

1. Mme de Surgis s'appelait Mme de Blio dans la version de 1912 (voir l'Esquisse VI, p. 973). Son nom est aussi Mme de Turgis dans le manuscrit : voir, par exemple, var. *c*, p. 88.

2. La référence était plus précise dans le manuscrit : voir var. *b*, p. 34 [p. 1308]. On peut aussi songer au portrait de Robert de Montesquiou par Whistler, *Arrangement in Black and Gold* (1891), aujourd'hui à la Frick Collection de New York.

Page 53.

a. Pour les leçons de ms. et de dactyl., voir var. b, p. 34 [p. 1318] et var. a et b au bas de la page 1318.

1. Voir *Le Côté de Guermantes II*, t. II de la présente édition, p. 862. La croix de Malte est une croix d'or, émaillée de blanc et anglée de fleurs de huit pointes. Le ruban est noir. La tache rouge est constituée par le fond du trophée, un écu émaillé aux armes de l'ordre : « de gueules à la croix latine d'argent ».

2. Voir Matthieu (X, 35-37) et Luc (XIV, 26).

Page 54.

a. occasionnée par lui *dactyl. corr.* : occasionnée pour lui *Jalousie, Jalousie corr., orig. Nous corrigeons d'après la dactylographie corrigée.*

1. Boni de Castellane avait eu ce projet pour son château du Marais (*Comment j'ai découvert l'Amérique*, Crès, 1924, p. 193). Plusieurs ducs d'Aiguillon apparaissent dans les *Mémoires* de Saint-Simon (éd. citée, t. II, p. 544). L'érection en duché-pairie fut obtenue en 1638 par Richelieu pour sa nièce de Combalet.

Page 56.

a. jardin, mais me dirent *dactyl. corr.* : jardin, même dirent *Jalousie, Jalousie corr., orig. Nous corrigeons d'après la dactylographie corrigée.*

1. Voir *Le Côté de Guermantes II*, t. II de la présente édition, p. 872, où le jet d'eau est annoncé. La description du jet d'eau du prince de Guermantes paraît inspirée par celui du parc de Saint-Cloud : « Un peu plus loin que la grande cascade au milieu d'un bassin, autour duquel des arbres forment une salle de verdure, s'élance jusqu'à une hauteur de quarante-deux mètres le grand jet d'eau, cette autre merveille du parc » (*Environs de Paris*, Collection des Guides Joanne, Hachette, 1887, p. 8). Il fut représenté plusieurs fois par Hubert Robert et Proust fait allusion à un tableau de lui sous le titre *Les Grandes Eaux de Saint-Cloud* (voir *Du côté de chez Swann*, t. I de la présente édition, p. 40). Un tableau d'Hubert Robert, intitulé *Le Jet d'eau*, fut d'ailleurs vendu en 1897 par la marquise de Montesquiou-Fezensac. La description actuelle, absente des versions de 1909 et de

1912, a été très retravaillée par Proust, ainsi qu'en témoigne les résidus du Cahier 52, cahier d'additions. Un texte ancien, « Lettres de Perse et d'ailleurs. Les comédiens de salon. Bernard d'Algouvres à Françoise de Breyves », paru dans *La Presse* du 12 octobre 1899, représente une première ébauche de la description du jet d'eau, reconnu à la fête des Eaux de Saint-Cloud à partir d'un tableau d'Hubert Robert : « j'ai reconnu un original dont j'avais vu chez ta cousine le portrait » (voir *Essais et articles*, éd. citée, p. 427). Un brouillon de cette visite figure sur un feuillet, recueilli dans B.N., N. a. fr. 16 729, f° 122. Dans le texte définitif de la soirée chez la princesse de Guermantes, le tableau d'Hubert Robert n'est plus évoqué après le modèle, alors qu'il l'était longuement dans le manuscrit, où le héros le contemplait en compagnie du duc et de la duchesse de Guermantes : voir var. *b*, p. 34 (p. 1324, 1327-1328).

Page 57.

a. se dégageait malgré l'eau qui [mouillait *ou* souillait *lecture incertaine*] malicieusement *dactyl. corr.* : se dégageait malgré l'eau qui souillait malicieusement *Jalousie, Jalousie corr., orig. Nous adoptons la leçon* mouillait .

1. Le grand-duc Wladimir (1847-1909), second fils du tsar Alexandre II et oncle de Nicolas II, fit de longs séjours à Paris avec son épouse, Marie Pavlovna (voir *Le Temps retrouvé*, t. IV de la présente édition), qui était liée à Mme de Chevigné.

2. Selon Paul Morand à qui Proust l'aurait rapporté, le mot serait du grand-duc Paul, le frère du grand-duc Wladimir (voir *ibid.*), qui aurait applaudi Mlle Bartet dans ces termes (George Painter, *Marcel Proust*, éd. citée, t. II, p. 316).

Page 58.

1. Lors de la mort de Monsieur en 1701, Saint-Simon rappelle le caractère du frère de Louis XIV : « La foule était toujours au Palais-Royal » (éd. citée, t. II, p. 13) ; Saint-Cloud est peint comme une « maison de délices » (*ibid.*), où on admire un grand degré magnifique pour descendre dans les jardins, la galerie-orangerie, et la grande cascade achevée en 1699 : les rapprochements sont nombreux entre le cadre de la présente soirée et Saint-Cloud, sans ajouter, pour renforcer la comparaison, que Charlus, comme Monsieur, est le plus savant de la famille en ce qui concerne rangs et cérémonies, et qu'il partage avec Monsieur la réputation d'inversion. Mais si Monsieur recevait à Saint-Cloud « beaucoup de gens qui, de Paris et de Versailles, lui allaient faire leur cour les après-dîners [...] ; encore ne fallait-il pas que ce fût en passant, c'est-à-dire en allant de Paris à Versailles ou de Versailles à Paris » (*ibid.*, p. 14).

Page 59.

a. je l'ai vue dans l'après-midi, *dactyl. corr.* : je l'ai vue dès l'après-midi, *Jalousie, Jalousie corr., orig. Nous corrigeons d'après la dactylographie corrigée.*

1. La princesse Hélène de Montenegro (1872-1953) épousa en 1896 le prince de Naples, roi d'Italie en 1900 sous le nom de Victor Emmanuel III.

2. Voir *Le Côté de Guermantes I*, t. II de la présente édition, p. 509.

3. L'ambassadrice de Turquie apparaît dans une addition tardive notée dans le Cahier 60, ffos 104-108. L'ambassadeur de Turquie à Paris, depuis 1895, était Salih Munir Pacha (*Tout-Paris*, 1908).

Page 61.

a. M. de Jouville *dactyl. corr.* : M. de Janville *Jalousie, Jalousie corr., orig. Nous corrigeons d'après la dactylographie corrigée.*

1. Mme Henry Standish (1848-1933) était née Hélène de Perusse des Cars. Proust, que Mme Greffulhe avait emmené au théâtre, fit sa connaissance en mai 1912 et l'appelle une « élégante du Septennat » dans une lettre à Robert de Billy (*Correspondance*, t. XI, p. 128). Il se renseigna peu après sur les toilettes des deux dames auprès de Mme de Caillavet (*ibid.*, p. 154-155) ; elles lui serviront à opposer les toilettes de la duchesse de Guermantes et de la princesse de Guermantes (voir *Le Côté de Guermantes I*, t. II de la présente édition, p. 353). Une autre allusion à Mme Standish figurait dans le manuscrit : voir var. *b*, p. 114 (p. 1390) ; voir aussi l'Esquisse VI, p. 970.

2. Le titre de duc de Doudeauville appartenait à l'une des trois branches de la maison de La Rochefoucauld (voir *Le Temps retrouvé*, t. IV de la présente édition). Le duc Sosthène de Doudeauville avait épousé en premières noces Yolande, princesse de Polignac, décédée en 1855 (voir *Essais et articles*, éd. citée, p. 436) ; en secondes noces, Marie, princesse de Ligne, décédée en 1898. Il est lui-même mort en 1908 (voir n. 4, p. 143). Dans un brouillon de la version de 1912 (voir l'Esquisse VI, p. 970), Mme Standish est associée à la comtesse d'Haussonville, au salon de laquelle Proust consacra un article du *Figaro* en 1904 (voir *Essais et articles*, éd. citée, p. 482).

3. Proust définira plus loin le rose Tiepolo (voir *La Prisonnière*, p. 896).

Page 62.

a. n'étiez pas invité ! On est toujours invité ! Et puis, *dactyl. corr.* : n'étiez pas invité ! Et puis, *Jalousie, Jalousie corr., orig. Nous adoptons la leçon de dactyl. corr. Pour les états antérieurs, voir la variante b, p. 34 (p. 1323).* ◆◆ *b.* le duc me fit au moins à quarante mètres *dactyl. corr.*[1],

1. Pour les états antérieurs, voir la variante *b*, page 34 *[p. 1323]*.

Jalousie : le duc me fit à au moins quarante mètres *Jalousie corr.* : le duc me fit au moins à quarante mètres *orig.* ↔ *c.* d'appel et d'amitié [et qui avaient l'air de vouloir dire que je pouvais m'approcher sans crainte, que je ne serais pas mangé tout cru à la place des sandwichs au chester. *add. dactyl. corr.*] Mais *dactyl. corr., Jalousie*

1. Voir *Le Côté de Guermantes II*, t. II de la présente édition, p. 863. L'anecdote serait empruntée à Montesquiou racontant que le comte Aimery de La Rochefoucauld refusa de modifier sa soirée pendant l'agonie de Gontran de Montesquiou, son cousin (voir George Painter, *Marcel Proust*, éd. citée, t. I, p. 208).

2. Voir, Esquisse VI, p. 970-971, l'arrivée de la duchesse de Guermantes.

3. La dernière Montmorency, d'une des plus anciennes et illustres maisons de France (voir *À l'ombre des jeunes filles en fleurs*, t. II de la présente édition, p. 114), fut Anne, la mère d'Adalbert de Talleyrand-Périgord (voir t. I de la présente édition, p. 629). Napoléon III donna à ce dernier le titre de duc de Montmorency en 1862, après la mort de sa mère (voir *Le Côté de Guermantes II*, t. II de la présente édition, p. 880). Louis de Talleyrand-Périgord, son fils, épousa le 17 novembre 1917 Cécilia Blumenthal, promettant de laisser au fils d'un premier lit de son épouse le titre de duc de Montmorency.

Page 63.

a. que j'aurais dû m'approcher, elle lui dit *dactyl. corr., Jalousie* : que j'aurais dû m'approcher. Elle lui dit *Jalousie corr., orig. Nous rétablissons la leçon initiale, la correction portée sur Jalousie corrigée rendant la syntaxe incohérente.* ↔ *b.* mais à la voix fausse duquel il me suffisait pour me dire : « C'est un Charlus », d'appliquer mon oreille *dactyl. corr.* : mais dont la voix fausse me suffisait pour me dire : « C'est un Charlus », d'appliquer mon oreille *Jalousie* : mais dont la voix fausse me suffisait pour apprendre : « C'est un Charlus », à mon oreille *Jalousie corr., orig. Le texte est toujours incohérent. Nous corrigeons.*

1. Le thème de la voix aisément reconnaissable des invertis est fréquent chez Proust ; de même que c'est un lieu commun de la psychiatrie de la fin du XIXe siècle, noté, par exemple, chez Krafft-Ebing (*Psychopathia sexualis*, 1886). Voir l'Esquisse IV, p. 954 ; ou, ici, la scène de la fraisette p. 356-357. Une notation du Cahier 61 prévoyait encore une variation sur le thème : « Si la plupart du temps les vocalises de leur rire suraigu les faisaient reconnaître, parfois aussi, alors qu'on les avait trouvés délicats, fins, doux, à quelque plaisanterie qu'on faisait un rire gros et vulgaire éclatait chez eux, révélateur d'une ascendance masculine (peut-être elle aussi diversement pervertie) sur laquelle une grâce féminine et attendrie qui la cachait avait été, dans une parfaite superposition, appliquée » (f° 102). Voir aussi les allusions du Cahier 46 au fils adoptif d'Abel Hermant, un modèle de Morel, révélant sa nature par sa voix (Esquisse XVII, n. 1, p. 1091).

Page 64.

a. qu'Esther dans la pourpre assise a des parents *dactyl. corr.* : qu'Esther dans la pourpre a des parents *Jalousie* : qu'Esther assise dans la pourpre a des parents *Jalousie corr., orig. Voir, pour les états antérieurs, la variante b, page 34 (p. 1347).* ↔ *b.* ou de tel service *dactyl. corr., Jalousie, Jalousie corr.* : ou tel service *orig. Nous adoptons la leçon de Jalousie corrigée.*

1. Citation modifiée de Racine, *Esther*, acte I, sc. 1, v. 83. M. de Vaugoubert tient le rôle d'Élise : s'inaugure ainsi une comparaison, poursuivie tout au long de *Sodome et Gomorrhe*, entre les secrétaires d'ambassade, ou les grooms du Grand-Hôtel, et les jeunes filles de Racine, laquelle instaure une confusion entre Sodome et Sion (voir p. 170, 171 et 172 ; p. 237 et 238 ; et p. 376). Dans les trois premières occurrences, c'est le narrateur qui associe de jeunes garçons aux jeunes filles des chœurs de Racine ; dans la quatrième, c'est M. de Charlus lui-même. Dans trois cas, il s'agit de tableaux pédérastiques caricaturaux, concernant M. de Vaugoubert, Nissim Bernard, M. de Charlus ; dans le second, le héros est seul, en train d'observer le manège des chasseurs. Le thème, tardif, se développe sur des paperoles du manuscrit ; il est redistribué lors de la correction de la dactylographie. L'amorce du thème paraît coïncider avec sa quatrième apparition, lorsque M. de Charlus dîne au Grand-Hôtel de Balbec avec un valet de pied : elle figure en effet en tête d'une très longue paperole du manuscrit, où suit l'histoire de Nissim Bernard et de son commis, qui constituera la troisième apparition du thème dans le roman. Dans les occurrences successives du thème, Proust prend soin de ne pas répéter les vers de Racine : ici, ce sont onze vers en tout, du début d'*Esther*. Sur la paperole du manuscrit, le thème était introduit par le rappel d'une aventure de jeunesse de M. de Vaugoubert et de M. de Charlus (voir var. *b*, p. 34 [p. 1346-1347]). Sur le thème racinien dans *Sodome et Gomorrhe*, voir notre article, « Proust sur Racine », *Revue des sciences humaines*, n° CXCVI, octobre-décembre 1984.

2. La comtesse Blanche de Clermont-Tonnerre donna le 4 juin 1912 une fête persane fameuse dont le décor reproduisait celui des murs du palais de Suse découvert par M. Dieulafoy (André de Fouquières, *Cinquante ans de panache*, éd. citée, p. 109).

Page 65.

1. *Esther*, acte I, sc. II, v. 122-124.

2. M. de Wedel-Jarlsberg, ambassadeur de Norvège à Paris à partir de 1906, paraît avoir eu une telle réputation (*Correspondance*, t. X, p. 303 ; lettre de juin 1911 à Robert de Billy).

3. Citation modifiée d'*Esther*, acte I, sc. I, v. 101-106. Les vers sont à la première personne, dans la bouche d'Esther : « Cependant mon amour pour notre nation [...] ». Au vers 102, Proust substitue « peuplé » à « rempli ».

Page 66.

1. Citation modifiée d'*Esther*, acte I, sc. 1, v. 90 et 92. Le second vers est chez Racine : « [...] Sur ce secret encor tient ma langue enchaînée ».

2. Gabriele D'Annunzio (1863-1938), l'écrivain italien.

3. Alexandre Pavlovitch Isvolski (1856-1919), ambassadeur de Russie à Paris de 1910 à 1917.

4. Henrik Ibsen (1828-1906), l'écrivain norvégien. Les dates rendent peu vraisemblable la coexistence d'Isvolski et d'Ibsen dans la conversation parisienne de Mme Timoléon d'Amoncourt : d'où, peut-être, l'incertitude du duc de Guermantes au paragraphe suivant.

5. Voir *À l'ombre des jeunes filles en fleurs*, t. II de la présente édition, p. 243.

Page 67.

a. le nom de M. de Guermantes, en tête et sans commentaires dans *dactyl. corr.* : le nom de M. de Guermantes en tête de ses commentaires dans *Jalousie* : le nom de M. de Guermantes en tête des personnes remarquées « notamment » dans *Jalousie corr.* : le nom de M. de Guermantes en des personnes remarquées « notamment » dans *orig. Nous adoptons la leçon de Jalousie corrigée.*

Page 68.

1. Le grand prix de Paris se dispute à Longchamp, quinze jours après le prix du Jockey-Club à Chantilly, depuis 1863 : le deuxième dimanche de juin jusqu'en 1909, le dernier dimanche depuis cette date.

2. Il s'agit de l'épouse du baron Alphonse de Rothschild (1827-1905), chef de la maison de Paris, régent de la Banque de France, président du conseil d'administration des Chemins de fer du Nord, membre de l'Académie des beaux-arts. Voir *Le Côté de Guermantes I* et *II*, t. II de la présente édition, p. 590 et p. 795.

3. La duchesse de La Trémoïlle, née Marguerite Duchâtel, épouse de Charles, duc de La Trémoïlle (1838-1911), érudit, ami de Charles Haas, membre de l'Académie des inscriptions en 1899.

4. La princesse de Sagan, née Jeanne-Marguerite Seillière, épousa en 1858 Charles Guillaume Boson de Talleyrand-Périgord (1832-1910), connu sous le nom de prince de Sagan. Quatrième duc de Talleyrand et de Sagan à la mort de son père en 1898, il tint à la fin du XIXe siècle le rôle d'arbitre des élégances. Il avait pour demi-sœur Dorothée de Talleyrand-Périgord, comtesse de Castellane, et pour neveu le comte Boni de Castellane, ami de Proust.

5. Le baron Maurice de Hirsch de Gereuth (1831-1896), financier bavarois d'origine israélite, s'enrichit dans les chemins de fer et consacra sa fortune à des fondations charitables ainsi qu'à secourir les juifs persécutés.

6. Voir *Le Côté de Guermantes II*, t. II de la présente édition, p. 825 et n. 1.

7. Jean de Monaldeschi, favori de Christine de Suède, fut assassiné sur son ordre à Fontainebleau en 1657.

Page 69.

a. gens bien. *dactyl. corr., Jalousie, Jalousie corr.* : gens de bien. *orig. Nous adoptons la leçon des états antérieurs.* ◆◆ *b.* (*panem et circenses*) *dactyl. corr., Jalousie* : (*panem et circenses*) *Jalousie corr. Sur cet état, dans la marge, Proust a écrit :* « pas d'italiques » : (*panem et circenses*) *orig.*

1. Mme de Saint-Euverte s'appelait, dans les brouillons de 1912 du roman, Mme d'Ordener (Esquisse VI, p. 971), ou encore Mme d'Arbance (*ibid.*, var. *a*, p. 973).

2. Juvénal, *Satires*, X, 78-81 : « *[...] nam qui dabat olim / imperium, fasces, legiones, omnia, nunc se / continet, atque duas tantum res anxius optat, / panem et circenses.* » La locution — comme la plupart des citations latines de Proust — figure dans les pages roses du *Petit Larousse* (1907, 18e édition) : « Mots d'amer mépris adressé par Juvénal aux Romains de la décadence, qui ne demandaient plus que du blé et des spectacles gratuits au Forum. »

Page 70.

a. d'Uzès, de Luynes, etc., *dactyl. corr.* ◆◆ *b.* Elles glissent sur une fête, vraiment élégante celle-là, où la maîtresse de maison pouvant avoir toutes les duchesses, lesquelles brûlent d'être « parmi les élus », ne demandent qu'à deux ou trois, et ne font pas mettre le nom de leurs invités dans le journal. *dactyl. corr.* : Elles glissent sur une fête, vraiment élégante celle-là, où la maîtresse de maison pouvait avoir toutes les duchesses, lesquelles brûlent d'être « parmi les élus », ne demandant qu'à deux ou trois, et ne font pas mettre le nom de leurs invités dans le journal. *Jalousie, Jalousie corr., orig. Nous corrigeons pour des raisons de sens.*

1. Voir *À l'ombre des jeunes filles en fleurs*, t. II, p. 243, et *Du côté de chez Swann*, t. I, p. 22.

2. Ce peut être Anne de Rochechouart-Mortemart (1847-1933), veuve d'Emmanuel de Crussol, treizième duc d'Uzès, décédé en 1878, romancière, poète, sculpteur, *yachtwoman*, chasseresse et féministe ; ou bien la jeune duchesse d'Uzès, née Thérèse de Luynes, épouse de Louis, duc d'Uzès à la mort de son frère aîné, Jacques, en 1893 (voir *À l'ombre des jeunes filles en fleurs*, t. II de la présente édition, p. 88). Émilienne d'Alençon, la maîtresse de Jacques, quatorzième duc d'Uzès, sera évoquée p. 471 et n. 5.

3. Voir n. 3, p. 68.

Page 71.

1. La maison de Durfort est présente dans les *Mémoires* de Saint-Simon : les Durfort sont ducs de Duras ou ducs de Lorge.

Plusieurs Durfort figurent dans le *Tout-Paris* : la vicomtesse, née Anne de Montmorency ; la comtesse, née Sibylle de Chateaubriand ; la comtesse de Durfort-Civrac de Lorge, née Antoinette de Caraman.

2. Mme de Boigne procéda de la sorte lorsque ses soirées devinrent à la mode pendant la Restauration : « Mes invitations étaient verbales et censées adressées aux personnes que le hasard me faisait rencontrer. Toutefois, j'avais grand soin qu'il plaçât sur mon chemin celles que je voulais réunir et que je savais se convenir » (*Mémoires*, éd. Jean-Claude Berchet, Mercure de France, 1971, t. II, p. 7).

Page 72.

a. sans répondre, d'un air étonné : « Qu'est-ce *dactyl. corr.,* *Jalousie, Jalousie corr., orig. Nous revenons au manuscrit (voir var. b, p. 34 [p. 1333]) pour éviter une répétition avec la ligne suivante).* ⁂ *b. Pour la leçon du manuscrit, voir var. b, p. 34 (p. 1333).*

1. Il s'agit de la comtesse Edmond de Pourtalès, née Mélanie de Bussière (voir *Le Côté de Guermantes II*, t. II de la présente édition, p. 695). La famille de Pourtalès, d'origine française et de religion protestante, émigra lors de la révocation de l'édit de Nantes et se fixa dans la principauté de Neuchâtel.

2. Ce collège ecclésiastique de neuf membres, institué en Russie par Pierre le Grand en 1721, fut supprimé en 1917.

3. Le couvent de l'Oratoire, au 145, rue de Rivoli, fut affecté par Napoléon au culte protestant en 1811.

4. Le début du paragraphe précédent, sur la « duchesse fort noire », est une addition du manuscrit. Cette addition suspend la description du comportement de la duchesse de Guermantes envers les invités qu'elle croise.

Page 73.

1. Ou plutôt de la Chanlivault, selon les relations de parenté définies à cette page.

2. Joseph de Riquet, prince de Chimay et de Caraman (1836-1892), fut ministre des Affaires étrangères de Belgique. Il avait épousé Marie de Montesquiou-Fezensac. Leur fille aînée n'était autre que la comtesse Greffulhe, dont il serait ainsi question ici, sœur de Joseph, prince de Chimay à la mort de leur père.

Page 76.

1. Voir *Du côté de chez Swann*, t. I de la présente édition, p. 305.

Page 78.

1. Les portraits du bourgmestre et de sa femme font partie de la collection Six à Amsterdam.

Page 79.

a. portée incalculable. Il prouve qu'ils sont tous unis secrètement et qu'ils sont en quelque sorte *dactyl. corr.*[1], *Jalousie, Jalousie corr. :* portée incalculable. Il prouve qu'ils sont en quelque sorte *orig. Nous adoptons la leçon des états antérieurs.*

1. Citation de l'*Énéide* de Virgile, livre II, vers 65-66 : « *Accipe nunc Danaum insidias et crimine ab uno / Disce omnes.* » L'expression figure dans les pages roses du *Petit Larousse* (1907, 18ᵉ édition) : « "D'après un seul, apprenez à connaître tous les autres" : expression que Virgile place dans la bouche d'Énée racontant à Didon comment Sinon, le Grec perfide, persuada aux Troyens de faire entrer dans leurs murs le cheval de bois. Se cite à propos de quelque trait distinctif servant à caractériser une classe d'individus. »

Page 80.

1. Le pape Paul III érigea en 1545 Parme en duché pour son fils naturel, Pierre Louis Farnèse, et la famille Farnèse régna jusqu'en 1731 sur le duché, qui passa ensuite aux Bourbons, et rejoignit le royaume d'Italie en 1860. Proust connut la fille naturelle du dernier prince régnant de Parme, Mme d'Hervey de Saint-Denis (voir n. 2, p. 118).

2. Proust évoque une affaire qui a donné lieu à plusieurs procès entamés dès la Restauration. Le duché de Bouillon avait été transmis aux La Tour en 1594, par le mariage d'Henri de La Tour, vicomte de Turenne (1555-1623), auquel Henri IV fit reconnaître l'héritage de sa femme, Charlotte de La Marck, princesse de Sedan et de Bouillon. Il eut deux fils, Frédéric Maurice, duc de Bouillon, et le Grand Turenne. La maison de La Tour se fit appeler d'Auvergne après que Frédéric Maurice de La Tour, duc de Bouillon, fut forcé de céder à Louis XIV, pour avoir pris part aux troubles de la Fronde, les villes et seigneuries de Sedan et de Raucourt, en échange du duché d'Albret et des comtés d'Évreux et d'Auvergne. La terre dite comté d'Auvergne, selon Saint-Simon, était une possession ordinaire qui ne conférait aucun privilège à son possesseur et ne venait nullement aux droits de l'ancienne province d'Auvergne (éd. citée, t. II, p. 846-847). Le dernier duc de Bouillon, Jacques Léopold de La Tour d'Auvergne, mourut le 7 février 1802 sans postérité. Le congrès de Vienne désigna une commission pour départager les compétiteurs aux droits du duché de Bouillon. Elle se prononça en faveur du prince de Rohan-Guéménée, fils d'une sœur de l'avant-dernier duc, au détriment du duc de La Trémoïlle, qui se prévalait d'une double adoption, et du comte de La Tour d'Apchier. Par la suite, intervinrent les La Tour Lauraguais. La question patrimoniale ayant été réglée à Vienne, les procédures sur la possession du nom d'Auvergne

1. Le manuscrit et la dactylographie donnent le même texte (voir var. *b*, p. 34 [p. 1343]).

aboutirent à un arrêt de la cour de Paris du 26 janvier 1824, selon lequel « le titre de comte d'Auvergne et la propriété de ce nom ont été éteints en la personne de Marguerite de Valois » et « le droit de porter le nom d'Auvergne s'est éteint en la personne du dernier duc de Bouillon ». Une branche cadette des princes de Bouillon, celle des comtes La Tour d'Auvergne d'Apchier, releva cependant le nom (*Annuaire de la noblesse de France*, 1853, p. 179). À la mort de Godefroy-Maurice-César, comte d'Apchier (1809-1896), dit le prince de La Tour d'Auvergne, duc de Bouillon, le nom de La Tour d'Auvergne et d'Apchier s'est éteint. Une mise au point a été publiée par *Le Gotha français* (t. VI, mai 1903, p. 279-286) pour faire pièce à un « nouveau prince de La Tour d'Auvergne-Bouillon, qui vient de surgir on ne sait d'où » (p. 286). Les La Tour d'Auvergne d'Apchier et les Lauraguais n'avaient en effet jamais prétendu au titre de prince, mais seulement au nom de La Tour d'Auvergne. Ces deux familles avaient d'ailleurs, sans conteste, une origine commune avec les La Tour, des vicomtes de Turenne, avant que ceux-ci aient recueilli la succession des Bouillon. Proust fait donc allusion aux prétendants ultérieurs à la relève du nom, par exemple ce prince Charles de La Tour d'Auvergne, qui assista en 1910 à une fête mémorable chez Mélanie de Pourtalès (André de Fouquières, *Cinquante ans de panache*, éd. citée, p. 60). L'article du *Gotha français* cité ci-dessus s'élève avec non moins de violence que le duc de Guermantes contre les faux princes de La Tour d'Auvergne, qui subsistent d'ailleurs aujourd'hui. Plus loin, M. de Charlus transmettra à Morel son mépris pour les faux La Tour d'Auvergne (p. 476). Voir aussi Willy Hachez, « Les Bouillon », *Bulletin de la Société des amis de Marcel Proust*, n° XXXIV, 1984.

3. Proust a connu un marquis de Lubersac, antidreyfusard violent (George Painter, *Marcel Proust*, éd. citée, t. I, p. 298 et 314), ainsi que « deux jeunes dames Lubersac » (*Correspondance*, t. VIII, p. 149, lettre de juin 1908 à Louis d'Albufera).

Page 81.

a. que sa caste en occupe *dactyl. corr*[1]. *Jalousie, Jalousie corr., orig. Nous corrigeons.*

1. Charles-Victor Prévôt, vicomte d'Arlincourt (1789-1856), écrivain français auteur du *Solitaire* (1821), écrivit après la révolution de Juillet, sous le masque de romans historiques, des pamphlets contre le nouveau régime : *Les Rebelles sous Charles V* (1832), *Le Brasseur roi* (1834). Il est l'auteur d'une tragédie, *Le Siège de Paris* (1826).

2. Loïsa Puget (1810-1889), poète et musicienne française, chantait vers 1830 ses propres mélodies dans les salons. Le « temps du vicomte d'Arlincourt et de Loïsa Puget » n'est autre que la monarchie de Juillet.

1. Le manuscrit et la dactylographie portent le même texte (voir var. *b*, p. 34 [p. 1335]).

3. Les Guermantes sont, dans le roman, liés aux La Rochefoucauld (voir *Le Côté de Guermantes II*, t. II de la présente édition, p. 820). Le duc de La Rochefoucauld, prétendu grand-père maternel de Saint-Loup, pourrait être le père d'Aimery de La Rochefoucauld, un des modèles du prince de Guermantes, et le grand-père de Gabriel de La Rochefoucauld, un des modèles de Saint-Loup.

Page 82.

a. sa silencieuse interpellation et *dactyl. corr., Jalousie. Pour les états antérieurs, voir la variante b, page 34 (p. 1339).*

1. Un certain Marcel Herwegh, musicien, figure dans le *Tout-Paris* de 1908.

Page 83.

a. M. de Froberville dont elle appréciait l'intention aimable mais ne sentait pas moins le mortel ennui, Mme de Guermantes finit *dactyl. corr., Jalousie* : M. de Froberville dont elle appréciait l'intention aimable mais ne [sentait pas *biffé*] moins [intolérable *add.*] le mortel ennui, Mme de Guermantes finit *Jalousie corr.* : M. de Froberville dont elle appréciait l'intention aimable mais moins intolérable le mortel ennui, Mme de Guermantes finit *orig. Nous adoptons la leçon de dactyl. corr. et de Jalousie.*

1. L'église de Montfort-l'Amaury possède une belle collection de vitraux du XVIe siècle, dont un miracle de sainte Élisabeth de Hongrie, ornant une fenêtre circulaire du bas-côté droit.

2. Voir *À l'ombre des jeunes filles en fleurs*, t. II de la présente édition, p. 243.

Page 84.

1. « Cimetière », en italien ; le plus connu, le *Camposanto monumentale* de Pise, édifié à partir de 1278, contient de célèbres fresques commencées en 1360 et peintes sur deux siècles, gravement endommagées par les bombardements de 1944. Benozzo Gozzoli a travaillé à l'intérieur du *Camposanto*, mais les fresques auxquelles la duchesse de Guermantes fait allusion sont l'œuvre d'un maître inconnu : le « Triomphe de la Mort », le « Jugement dernier » et l'« Enfer ».

Page 85.

1. La comparaison mythologique des deux fils de Mme de Surgis — alors Mme de Blio — aux enfants de Jupiter existait dès la version de 1912 du roman (voir l'Esquisse VI, n. 3, p. 973). Mais Proust demanda en février 1921 des renseignements plus précis à Albert Thibaudet, qui se trouvait à Upsal (M. Proust-J. Rivière, *Correspondance*, éd. citée, p. 163). Il écrivit aussi en août 1921 à Jacques

Boulenger : « Si vous avez un collaborateur calé en mythologie, vous me le direz. Car j'ai besoin d'un renseignement » (*Correspondance générale*, Plon, 1930-1936, t. III, p. 262). Il écrivait peu auparavant au frère de Marcel Boulenger, avec une autre allusion mythologique : « Mais je n'aime pas séparer les deux frères, ces deux Dioscures qui scintillent dans mon firmament » (*ibid.*, p. 242). Proust écrit à Jacques Rivière, le 12 ou le 13 septembre 1921 : « Je n'ai pas reçu le renseignement mythologique de Thibaudet » (ouvr. cité, p. 188) ; ce dernier répond le 16 septembre : « J'ai pourtant fait prier Thibaudet de vous envoyer le renseignement que vous m'aviez demandé. Je vais insister » (*ibid.*, p. 194). La réponse de Thibaudet, datée du 8 octobre, fut transmise par Jacques Rivière à Proust : « Pour la question que vous me posez de la part de Proust, rien à signaler. Ce genre de produit est une spécialité réservée au roi des dieux. Mais peut-être que la métaphore pourrait s'accommoder soit de la fraternité relative de Minerve et de Bacchus — la sagesse sortie de la tête de Zeus et le génie dyonisiaque né après un stage dans la cuisse du *Pater omnipotens* — soit de Vénus, mère d'Éros et d'Antéros, le second étant une personnalité d'autant plus attirante qu'elle reste mystérieuse. Avec de la bonne volonté le couple Amour et Anti-amour feront peut-être l'affaire. Pourquoi Vénus n'aurait-elle pas incarné en l'un et en l'autre deux de ses "vertus" ? Telles les deux vertus de la lance d'Achille ou de la langue d'Ésope. La Vénus de Milo n'est-elle point la mère d'Antéros ? » (*ibid.*, p. 199). Proust n'utilisa pas le renseignement et se contenta de l'image originale, où apparaît le fantasme d'un engendrement par la femme seule. Voir Marie Miguet, « Un épisode de *Sodome et Gomorrhe* : Mme de Surgis et ses fils. Parthénogenèse et hermaphrodisme », *Bulletin de la faculté des lettres de Mulhouse*, n° VI, 1974 ; et *La Mythologie de Marcel Proust*, Les Belles-Lettres, « Annales littéraires de l'université de Besançon », 1982.

2. La marquise de Citri appartient à une addition tardive, notée dans le Cahier 62, f° 22 r°.

Page 86.

1. Le comté d'Aumale passa par mariage dans la maison d'Harcourt en 1340. En 1417, Marie d'Harcourt épousa Antoine de Lorraine. Le comté fut érigé en duché en 1547 par le roi Henri II en faveur de François de Lorraine, duc de Guise ; il passa par mariage à la maison de Savoie en 1618, avant d'être acheté par Louis XIV en 1675 et d'appartenir à la maison de France. Il passa à la maison d'Orléans par mariage en 1769.

Page 87.

a. Je ne sais si c'est à cause de ce que la duchesse de Guermantes, *À partir de ces mots (voir var. b, p. 34 [p. 1353]) le texte du manuscrit, et par conséquent celui de la dactylographie, est assez proche de l'édition originale pour qu'il soit possible d'en rendre compte sous forme de variantes.* ◆◆ *b.* tête, et pour *ms., dactyl., dactyl. corr., Jalousie, Jalousie corr., orig. Nous corrigeons.*

Page 88.

a. divinités égyptiennes accroupies *ms. Le mot* égyptiennes *a été omis dans la dactylographie.* ◆◆ *b.* jeune marquis de [Chalandon *biffé*] Surgis-le-Duc, mais elle semblait, *ms. Le mot* mais *a été omis dans la dactylographie.* ◆◆ *c.* Mme de Turgis vint *ms., dactyl.*

1. La phrase est imitée de la *Théogonie* d'Hésiode dans la traduction de Leconte de Lisle, suivie des *Hymnes orphiques* (Lemerre, 1869) : « Et, d'abord, le Roi des Dieux, Zeus, prit pour femme Mètis, la plus sage d'entre les Immortels et les hommes mortels. [...] il était dans la destinée que, de Mètis, naîtraient de sages enfants, et, d'abord, la Vierge Tritogénéia aux yeux clairs, aussi puissante que son père et aussi sage. [...] Et puis, il épousa la splendide Thémis [...]. Et Eurynomè [...]. » Proust omet alors Dèmèter. « Puis, Zeus aima Mnèmosynè aux beaux cheveux [...]. Et Lètô enfanta Apollôn et Artémis [...]. Enfin, Zeus épousa la dernière, la splendide Hèrè [...] » (p. 31-32). Mais Proust lui donne le nom latin de Junon.

Page 89.

a. un retour à la fois quiet et soucieux sur soi-même (mélange *ms., dactyl.* : un retour à la fois quiet et soucieux (mélange *dactyl. corr., Jalousie, Jalousie corr., orig. Nous retenons la leçon du manuscrit.* ◆◆ *b.* faisait-elle reparaître plus accusé *ms.* : faisait-elle apparaître plus accusé *dactyl., dactyl. corr., Jalousie, Jalousie corr., orig. Nous adoptons la leçon du manuscrit.* ◆◆ *c.* « changé ». *ms.* : changé. *dactyl., dactyl. corr., Jalousie, Jalousie corr., orig.*

1. Les deux citations sont fort connues. Lucrèce est l'auteur de la première (*De natura rerum*, livre II, vers 1-2) : *« Suave, mari magno turbantibus aequora ventis, / E terra magnum alterius spectare laborem »* (« Il est doux, quand, sur la vaste mer, les vents soulèvent les flots, de regarder, de la terre ferme, les terribles périls d'autrui »). La seconde, *« Memento, homo, qui a pulvis es et in pulveram reverteris »*, correspond aux paroles que prononce le prêtre en marquant de cendre le front des fidèles le jour des Cendres, en souvenir des mots de Dieu à Adam, après le péché originel : « Souviens-toi, homme, parce que tu es poussière et que tu retourneras en poussière » (Genèse, III, 19).

2. Les Valois furent la dynastie régnante en France de 1328 à 1589.

Page 90.

a. c'est toi qui vaut *[sic]* à ma tante *ms., dactyl., dactyl. corr.* : c'est à toi que vaut *[sic]* à ma tante *Jalousie, Jalousie corr., orig. Nous corrigeons.* ◆◆ *b.* assommant. » Il employait cette expression « faire » dans le sens « avoir l'air » comme quand il me disait à Balbec (en son temps et pas là) : « Ma tante Guermantes n'est pas très instruite ce qui d'ailleurs serait assez terrible car, entre nous, la culture des gens du monde. » « Ne nous mettons *ms., dactyl.*

1. Voir, Esquisse VI, p. 973, l'arrivée de Saint-Loup, alors appelé Montargis.

Page 91.

1. Proust écrivait dans la préface de *Propos de peintre* de Jacques-Émile Blanche (1919) : « De vieux oncles qui décident de donner un conseil judiciaire à leur neveu ont précisément fait les mêmes bêtises et de la même manière, mais s'imaginent que " ce n'était pas la même chose " » (*Essais et articles*, éd. citée, p. 583).

2. Sur l'élection de Saint-Loup au Jockey-Club, voir l'Esquisse VI, var. *b*, p. 973.

Page 92.

1. C'est la seule allusion du roman au fait que l'épouse de M. de Charlus aurait été une Bourbon. Sur le culte qu'il lui porte, voir *Le Côté de Guermantes II*, t. II de la présente édition, p. 796-797.

2. Voir l'Esquisse VI, p. 974.

3. Voir *À l'ombre des jeunes filles en fleurs*, t. I de la présente édition, p. 565-568.

4. Orgeville (Eure), de *Otgerivilla*, « domaine d'Otger », selon Hippolyte Cocheris, *Origine et formation des noms de lieu*, p. 171 (voir n. 1, p. 281, sur cet ouvrage d'où provient la première génération des étymologies de *Sodome et Gomorrhe*). La demoiselle s'appelait Orcheville dans l'Esquisse VI, p. 974.

5. « L'évêque de Lisieux, qu'on transportait dans sa ville épiscopale, meurt subitement dans une prairie, on élève aussitôt en cet endroit une croix que l'on appelle *Crux episcopi*, La Croix-l'Évêque, aujourd'hui Le *Pré-l'Évêque*, entre Lisieux et Pont-l'Évêque » (*Origine et formation des noms de lieu*, éd. citée, p. 166).

Page 93.

1. Sur la femme de chambre de Mme Putbus, voir l'Esquisse VI, n. 6, p. 974 (où la baronne porte le nom de Picpus), l'Esquisse IX, p. 1004 et suiv. et l'Esquisse XI, p. 1010. Dans la version de 1912 du roman, le héros la rencontrait à Padoue : voir l'Esquisse XIII, p. 1038 ; sur ce personnage, important dans le roman de 1912 et dont le texte définitif ne conserve que peu de chose, voir la Notice, p. 1206 et suiv. La famille Putbus figure dans le Gotha (édition de 1908, p. 417) : il s'agit d'un titre poméranien remontant au XIIe siècle, passé au XIXe siècle à la maison clévoise de Wylich-et-Lottum, elle-même éteinte dans les mâles. Dans l'Esquisse XI, p. 1018, la maison Picpus est en effet clévoise.

2. Gustave Jacquet (1846-1909), élève de Bouguereau, peintre de genre, fut aussi portraitiste mondain : la comtesse de Maigret, la duchesse d'Uzès posèrent pour lui. Montesquiou, son ami, rédigea la préface du catalogue de la vente après décès de ses œuvres à la Galerie Georges Petit en novembre 1909 (lettre de novembre 1909 à Montesquiou, *Correspondance*, t. IX, p. 213).

Page 94.

a. belle. » Et il me fit une description qui, comme chaque fois que je me retrouvais avec lui, je me remettais sans même y penser, à parler le langage qui lui était familier, comme un pays reparle patois en rencontrant quelqu'un du pays *[sic]*. « Alors elle doit être assez Giorgione — Follement *ms., dactyl., dactyl. corr.*

1. *Der Neffe als Onkels* ou *Le Neveu pris pour l'oncle* (1803), comédie en trois actes de Schiller, est une adaptation en prose de *Encore des Ménechmes* (1791), de Louis-Benoît Picard (1769-1828), qui faisait référence aux *Ménechmes* (1705) de Jean-François Regnard (voir *À l'ombre des jeunes filles en fleurs*, t. I de la présente édition, p. 556). La pièce de Schiller a été publiée plusieurs fois en France sous le titre *Oncle et neveu*, et traduite sous le titre *Oncle ou neveu ?* (Hachette, 1892). L'allusion est une addition tardive notée dans le Cahier 62, f° 49 v°.

2. Le type de beauté faisant référence à Giorgione du temps de Proust avait pour modèle les deux femmes du *Concert champêtre*, au musée du Louvre, tableau traditionnellement attribué à Giorgione. Les historiens se divisent aujourd'hui entre celui-ci et Titien, ou supposent que le tableau fut commencé par Giorgione et achevé par Titien.

Page 95.

a. effacé avec celui-ci, *ms., dactyl., dactyl. corr., Jalousie, Jalousie corr.* : effacé de celui-ci, *orig. Nous retenons la leçon des états antérieurs.* ◆◆ *b.* peut-être des juifs turcs », *ms., dactyl., dactyl. corr.* ◆◆ *c.* appris qu'ils l'étaient. *ms. Le texte de la dactylographie est erroné.* ◆◆ *d.* qui étaient ces deux jeunes gens *ms., dactyl., dactyl. corr.* : qui était le nom de ces jeunes gens *Jalousie, Jalousie corr., orig. Nous retenons la leçon de la dactylographie corrigée.*

Page 96.

a. un regard autre que ceux *[p. 95, 4e ligne en bas de page]* que Charlus avait pour les femmes. Ceux-là disparaissaient si un jeune homme venait à passer dans la rue, et par-dessus eux, venus prendre leur place, ce qu'on pouvait voir un instant, c'était un regard venu des plus grandes profondeurs, un regard qui n'était pas comme les autres, volontairement poli, mais involontairement avide. Sans doute ces regards-là étaient si forts qu'ils avaient pour toujours marqué les yeux de M. de Charlus et qu'en les voyant on distinguait aisément dans leur transparence comme dans celle de la cornaline d'une bague-cachet, que la figure qui y avait été intaillée n'était pas celle d'une femme mais d'un garçon. Tout de même ce n'est que quand un garçon passait que ces yeux s'éclairaient assez vivement pour qu'on pût bien y distinguer l'image. Alors le doute n'était plus possible et on ne pouvait plus attacher aucune valeur aux affectations d'indifférence qui suivaient. Si ce n'était pas seulement dans la rue, où le passage est furtif et la rencontre isolée, mais dans un salon où beaucoup de jeunes hommes et de jeunes femmes étaient réunis, M. de Charlus laissait presque naïvement éclater la profession qu'il se cachait d'exercer et ses regards s'attachaient dans le salon aux jeunes gens, comme le regard d'un couturier se fût attaché à l'étoffe des habits, montrant tout de suite sans le vouloir qu'il était de la partie. / « Oh ! *ms., dactyl.* ◆◆ *b.* réunion du Syndicat[1]. *ms.* : réunion de Syndicat. *dactyl., dactyl. corr.* : réunion de syndicat. *Jalousie, Jalousie corr., orig. Nous adoptons la leçon du manuscrit.*

1. Citation modifiée des *Femmes savantes* de Molière, acte I, sc. III, v. 244 : « Jusqu'au chien du logis, il s'efforce de plaire. »

2. Victurnien d'Esgrignon est le héros du *Cabinet des antiques* (1838) de Balzac, roman appartenant aux *Scènes de la vie de province*. Le jeune homme, d'une grande beauté, est la victime d'intrigues féminines quand il arrive d'Alençon à Paris.

Page 97.

a. briller et M. de Charlus *ms., dactyl., dactyl. corr.* : briller et de M. de Charlus *Jalousie, Jalousie corr., orig. Nous retenons la leçon de la dactylographie corrigée.* ◆◆ *b.* avec nous. » Et les joues de Swann avaient des angles aigus, des obliquités étranges comme un morceau de glace à demi fondu où des pans entiers manquent. « Mais pas tant *ms., dactyl.* ◆◆ *c.* avec Mlle d'Ambresac *ms.* : avec Mlle d'Aubressac *dactyl., dactyl. corr., Jalousie, Jalousie corr., orig. Nous retenons la leçon du manuscrit.*

1. Émile Loubet (1838-1929), homme politique français, fut président de la République de 1899 à 1906, à la mort de Félix Faure et pendant la révision du procès de Dreyfus. Loubet s'étant prononcé pour la révision, il fut victime de mouvements antidreyfusards à Auteuil peu après son accession à la présidence, et lorsque Dreyfus fut de nouveau condamné à Rennes en 1899, Loubet le grâcia.

2. Ce sont vraisemblablement le prince Edmond de Polignac (voir *Le Côté de Guermantes II*, t. II de la présente édition, p. 826) et le comte Robert de Montesquiou.

Page 98.

a. célèbre au XVIIIe siècle. *ms.* : célèbre du XVIIIe siècle. *dactyl., dactyl. corr., Jalousie, Jalousie corr., orig.*

1. Il s'agit des dreyfusistes, ainsi désignés par leurs adversaires.

Page 99.

1. « La diatribe de Charlus parlant de Mme de Saint-Euverte (Mathilde Sée) est à la lettre une diatribe de Montesquiou », écrira Jean Cocteau dans son journal, *Le Passé défini*, t. I, 1951-1952, éd. Pierre Chanel, Gallimard, 1983, p. 271.

2. Citation des *Déliquescences. Poèmes décadents d'Adoré Floupette*, Byzance, chez Lion Vanné (Paris, L. Vanier), 1885, parodie des symbolistes par Gabriel Vicaire et Henri Beauclair. La seconde partie, « Scherzo », du poème *Symphonie en vert mineur* commence par ces vers : « Si l'âcre désir s'en alla, / C'est que la porte était ouverte. / Ah ! verte, combien verte, / Était mon âme ce jour-là ! »

Page 100.

a. stupide qu'elle eût l'air de croire *dactyl. corr.*[1], *Jalousie, Jalousie corr.* : stupide qu'elle eût l'air de se croire *orig. Nous retenons la leçon de Jalousie et de Jalousie corrigée*

Page 101.

a. rend si désagréable de rester dans une classe *[p. 98, 2ᵉ §, 7ᵉ ligne]* de « Sciences ». Je lui demandai si ce qu'il avait dit *ms., dactyl. Le passage compris entre* classe de « Sciences » *et* Je lui demandai *est une addition de Proust sur la dactylographie corrigée qui reprend en fait un passage qui figurait plus loin dans le manuscrit (voir var. f, p. 106).* ◆◆ *b.* dont je vous parle, je dois dire *ms.* : dont je vous parle, je dois vous dire *dactyl., dactyl. corr., Jalousie, Jalousie corr., orig.*

Page 102.

a. Et vous lisez vous aussi ? *ms.* : Et vous lisez aussi ? *dactyl., dactyl. corr., Jalousie, Jalousie corr., orig. Nous adoptons la leçon du manuscrit.* ◆◆ *b.* voir de très loin, *ms., dactyl., dactyl. corr., Jalousie, Jalousie corr.* : voir très loin, *orig. Nous adoptons la leçon des états antérieurs.*

1. Allusion aux *Hymnes orphiques* dans la traduction de Leconte de Lisle (Lemerre, 1869), XXXI, « Parfum d'Athènè » : « Pallas, née unique, vénérable fille du grand Zeus, Déesse bienheureuse, au grand cœur, qui excites au combat, au nom illustre, qui habites les antres, qui traverses les hauts sommets et les montagnes ombragées, et te réjouis des bois, amie des armes, qui troubles et terrifies les esprits des hommes, qui exerces aux jeux gymniques, [...] qui poursuis les cavaliers, Tritogénéia, [...] ! » (p. 109-110).

Page 103.

a. flétris, ne se soutenant plus, *ms., dactyl., dactyl. corr.* : flétris, ne se tenant plus, *Jalousie, Jalousie corr., orig. Nous adoptons la leçon des états*

1. Pour les états antérieurs, voir la variante *a*, page 101.

antérieurs. ◆◆ *b.* maladies ethniques comme elle de persécution, *ms.* : maladies *[un blanc]* comme elle de persécution *dactyl.* : maladies [*[*ethniques *corr. biffée]* particulières, comme elle l'est, elle-même, par la *corr.*] persécution, *dactyl. corr.* ◆◆ *c.* comme des scribes sur une frise *ms.* : comme des saintes sur une frise *dactyl.* ◆◆ *d.* mit même son monocle *ms.* : mit son monocle *dactyl., dactyl. corr., Jalousie, Jalousie corr., orig.*

Page 104.

a. cousin, le marquis de Surgis *ms., dactyl.*

1. Le premier landgrave de Hesse de la lignée des Hesse-Darmstadt à porter le titre de grand-duc fut Louis X (1790-1830), allié de Napoléon Ier, qui devint le grand-duc Louis Ier en 1806. Au moment de l'affaire Dreyfus, le grand-duc de Hesse était depuis 1892 Ernest Ludwig (né en 1868).

2. Gustave (1858-1950) était le fils aîné du roi Oscar II et de Sophie de Nassau.

3. Eugénie de Montijo de Guznan (1826-1920), qui avait épousé Napoléon III en 1853, fut en effet dreyfusiste.

4. « Le titre d'abbé, titre donné au religieux qui gouvernait une abbaye, entre aussi dans un grand nombre de noms de lieux [...]. Du reste, au Moyen Âge, tous les titres des dignités religieuses ou laïques entrent dans la composition des noms de lieu » (Cocheris, *Origine et formation des noms de lieu*, éd. citée, p. 164). Arnay-le-Duc figure parmi les exemples.

Page 105.

a. pièce par pièce ce qu'elle avait jadis en naissant. Ces allers et retours sont fréquents car nos vices ne gardent pas toujours leur première folie et nous nous disons assez vite : « Si la jeunesse avait su ! » Comme la situation qu'on a vous fait l'âme de cette situation, elle avait pour des personnes qu'elle eût dédaignées autrefois les avances, les admirations, les respects d'une bourgeoise snob, plutôt que d'une Duras qu'elle était. Quant aux grands seigneurs *ms. Certains mots sont absents de la dactylographie* : « Si la jeunesse avait su ! » *et* Duras . ◆◆ *b.* parti pour elle, et ainsi Mme de Surgis [re *biffé*] descendrait pour la deuxième fois *ms.* : parti pour elle, et ainsi Mme de Surgis redescendait pour la deuxième fois *dactyl.* : parti pour elle, et ainsi Mme de Surgis redescendrait pour la deuxième fois *dactyl. corr., Jalousie, Jalousie corr., orig. Nous retenons la leçon du manuscrit.*

1. « Le Démon de la perversité » est le titre du premier conte des *Nouvelles histoires extraordinaires* d'Edgar Poe, dans la traduction de Baudelaire.

2. Marie-Anne de Mailly, marquise de La Tournelle et duchesse de Châteauroux (1717-1744), fille de Louis III de Mailly, épousa Louis, marquis de La Tournelle, en 1734. Veuve en 1740, elle fut pendant deux ans la maîtresse de Louis XV. La duchesse de Mazarin commanda en 1740 à Jean-Marc Nattier (1685-1766) des portraits de

ses deux cousines, les marquises de Flavacourt et de La Tournelle (filles cadettes de Louis de Mailly), en allégories : *Silence* et *Point du jour*. Les originaux sont perdus mais les tableaux sont connus par des répliques ; voir Pierre de Nolhac, *Nattier peintre de la cour de Louis XV*, Goupil et Cie, 1910, p. 86. Nattier exécuta aussi, pour la chambre à coucher où Mme de Châteauroux s'installa en 1742 à Versailles, quatre portraits dont un d'elle-même. Nolhac les identifie à quatre portraits allégoriques du château de l'ancienne abbaye de Longpont : Mme de Châteauroux est *L'Été*. Une copie appartenait en 1910 au comte Henri de Montesquiou (*ibid.*, p. 227). Nattier fit un dernier portrait de Mme de Châteauroux, appartenant en 1910 à la marquise de Trévise : c'est une allégorie de *La Force*. Barbey d'Aurevilly décrit un portrait de Mme de Châteauroux par Nattier dans *Le Chevalier Des Touches* (*Œuvres romanesques complètes*, Bibl. de la Pléiade, t. I, p. 749). Montesquiou, dans sa préface au catalogue de la vente après décès de Jacquet (voir n. 2, p. 93), comparait le portrait de Mme de Béchevet à un « dessus de porte de Nattier » (*Têtes couronnées*, E. Sansot, 1916, p. 252).

Page 106.

a. sans dissimulation, qu'une vie *ms., dactyl. corr., Jalousie* : sans dissimulation, soit qu'une vie *Jalousie corr., orig. Nous retenons la leçon de Jalousie.* ♦♦ *b*. Swann debout eut, en serrant *ms.* : Swann eut, en serrant *dactyl., dactyl. corr., Jalousie, Jalousie corr., orig.* ♦♦ *c*. tout près et d'en haut, *ms.* : tout près et de haut, *dactyl., dactyl. corr., Jalousie, Jalousie corr., orig.* ♦♦ *d*. du corsage, et les ailes de ses narines que le parfum *ms.* : du corsage, et les ailes de ses hanches que le parfum *dactyl., dactyl. corr.* ♦♦ *e*. l'a repris. On avait dit que Diane de Saint-Euverte l'avait acheté. — Mon Dieu ! quel destin pour cette malheureuse toile d'être prisonnière chez une pareille personne. Y aller une fois par hasard c'est déjà une faute de goût mais y passer sa vie surtout quand on est une belle chose c'est si cruel que cela en devient impardonnable. Il y a certaines disgrâces telles que s'y résigner est un crime. — Il lui parle *ms., dactyl.* ♦♦ *f*. je voulais dire était *[2ᵉ §, 9ᵉ ligne]* vrai. Swann connaissait M. de Charlus depuis bien des années. Ç'aurait été une raison s'il n'avait pas eu certaines grossièretés dans sa nature de me dire non seulement que ce n'était pas vrai, mais que personne ne disait cela, qu'il ne l'avait jamais entendu dire. Mais d'autre part il y avait longtemps qu'il avait classé [Charlus dans une certaine catégorie[1] d'hommes ayant été autrefois de la part du baron l'objet d'une cour assidue qui lui avait inspiré pour lui du dégoût, de l'irritation et du mépris. Aussi me répondit-il que c'était vrai. « Mais cela reste chez Charlus une chose purement morale et qui n'est jamais allé jusqu'à la pratique », ajouta-t-il, soit que cette restriction fût aussi peu conforme à la pensée intime de Swann qu'elle l'était à la réalité, et fût seulement dans ces paroles, la part, trop petite encore, concédée à la délicatesse, au souci de ne pas nuire

1. Le passage qui va de « Charlus dans une certaine catégorie » à « tout disposé à honorer Saint-Euverte » (p. 1379, 4ᵉ ligne en bas de page) est en fait absent du manuscrit. Il figure sur une paperole qui appartient au reliquat.

à un ami, soit qu'au contraire il fût de la race de ces jeunes gens qui ne savent voir que l'aura, l'émanation impalpable qui s'élève au-dessus de faits fort concrets, qui dans le Panama, l'affaire Dreyfus, la franc-maçonnerie, l'action allemande croient à un manque de caractère de députés trop bons, à la bonne foi d'un état-major nationaliste, à un anticléricalisme de parole, à des utopies humanitaires, et ne soupçonnant pas la corruption de centaines de chéquards, les machinations contre Picquart et Dreyfus, les fiches, l'espionnage allemand à l'œuvre dans toute la France, et de même ne perçoivent que des amitiés exaltées, au besoin une tendresse déviée mais pure, au-dessus de l'organisation d'un vice entièrement physique. « N'importe, me dit-il, même calomniés, comme je crois qu'est Charlus, ces gens-là sont tout de même des malheureux, de pauvres êtres. Ce n'en est pas moins très embêtant pour les gens qui ont affaire à lui, reprit Swann. Un homme comme Charlus pour un pas qu'il fera en avant, en fera dix en arrière. Il se croit toujours offensé, et alors ce sont des rages, des vengeances. » Certes le langage que tenait en ce moment Swann n'était pas le même que lui dictait jadis son ardente amitié pour « Mémé » quand celui-ci passait ses soirées à tâcher d'obtenir qu'Odette consentît à recevoir l'amant délaissé. Mais c'est que ces amitiés, poussées à leur paroxysme dans le temps qu'on est amoureux d'une certaine femme, reçoivent de cet amour qu'<elles> servent, un formidable appoint qu'elles perdent, une fois l'amour évanoui. Swann croyait sincèrement avoir une immense affection pour M. de Charlus quand celui-ci lui donnait du prestige aux yeux d'Odette, était auprès d'elle pour Swann comme un porte-parole éloquent et sûr, un gardien vigilant et sûr, un mélange d'homme à la mode qui vous fait valoir et de grand eunuque qui ne vous fait pas courir de risques. Mais tous ces avantages avaient fini avec l'amour de Swann. Combien aujourd'hui m'eût été à moi indifférent et même insupportable de fréquenter la vieille dame des Champs Élysées, Mme Blatin. « Vous rappelez-vous dans Saint-Simon, ajouta Swann, le portrait de Mme de Charlus, la mère de M. de Lévy ? Elle croyait toujours qu'on voulait lui faire des avanies, et un jour que le feu ayant pris à sa perruque sans qu'elle s'en aperçût, l'archevêque de Reims la lui arracha pour qu'elle ne prît pas feu elle-même, elle crut qu'on voulait lui faire un affront et jeta à la figure de l'archevêque un œuf qu'elle tenait à la main et qui fit omelette[1]. Hé bien ! c'est tout Charlus. Cette susceptibilité chez Mme de Charlus avait une autre cause et qui me touche beaucoup, c'est qu'elle était "toujours faite comme une crieuse de vieux chapeaux ; ce qui lui fit essuyer maintes avanies parce qu'on ne la connaissait pas et qu'elle trouvait fort mauvaises". Ce "parce qu'on ne la connaissait pas" me rappelle certains amours-propres que j'avais moi-même devant les femmes. Enfin n'importe, même les gens calomniés comme je crois qu'est Charlus, les gens comme lui, même si platoniques qu'ils restent, sont tout de même des malheureux, de pauvres êtres. À un moment de ma vie où j'étais très malheureux, j'avais pris l'habitude de la morphine et j'étais allé dans une maison de santé pour m'en déshabituer. J'avais là-bas comme voisin un jeune homme d'un nom fort connu qui quand il voulait sortir d'une chambre faisait quelques pas, puis avant d'arriver à la porte s'arrêtait et restait quelquefois des heures là,

1. Voir la mésaventure de la marquise de Charlus, mère du marquis de Lévis dans les *Mémoires* de Saint-Simon, Bibl. de la Pléiade, t. VII, p. 377-378.

debout à faire de vagues gestes : il ne pouvait pas arriver à trouver la volonté d'ouvrir la porte. Cela s'appelle de l'aboulie. Hé bien ! ce garçon avait peut-être un cœur d'or, il était peut-être un très bon fils, mais il ne m'en inspirait pas moins une répulsion mêlée de pitié d'ailleurs. On ne choisirait tout de même pas ces gens-là comme amis. Il y a des tares invisibles qui sont cependant aussi gênantes que le fait d'avoir trop de doigts ou d'être nain. Ma comparaison avec des êtres incomplets et généralement sans intelligence n'est pas juste pour Charlus chez qui la tare est bien d'avoir altéré en rien une intelligence qui est au contraire remarquable, étonnamment brillante, et je comprends très bien qu'il séduise. Par compensation la tare est peut-être plus embêtante pour les autres que chez l'aboulique parce qu'il vous poursuit, vous circonvient, sans laisser deviner son but. Enfin, c'est trop long à vous expliquer. » J'éprouvais quelque indignation à entendre Swann parler ainsi d'un de ses meilleurs amis. Mais en revanche il me donna aussitôt après une idée de lui que je n'avais pas su me former tout seul et qui est celle que j'ai gardée car j'avais personnellement amassé les matériaux ; il ne fallait plus que la voix de Swann pour la construire. J'avais entendu pour la première fois de M. de Charlus par Saint-Loup qui m'avait dit que son oncle n'avait qu'un vernis d'homme du monde. Et ce jugement avait contrebattu en moi les impressions agréables que me donnaient tant de paroles justes ou brillantes de M. de Charlus. « Il est pourtant supérieur à son frère, dis-je à Swann. — Comment, supérieur à son frère ! mais non seulement à son frère, mais aux trois quarts du monde. C'est un homme éminent, de l'esprit le plus profond, le plus brillant. Villiers de l'Isle-Adam que j'ai fait dîner une fois avec lui l'a trouvé exquis. » Je sentis que c'était ce que je pensais et ce que je n'avais pas eu assez d'initiative d'esprit pour m'affirmer à moi-même. « Oui, mille fois supérieur à son frère, reprit Swann, et ayant accès dans tout un univers intellectuel que Guermantes ne soupçonne pas. Et pourtant Guermantes peut quelquefois être tout à fait gentil, je vous assure. Et puis enfin malgré tout Charlus est un homme qui n'a jamais eu plus de rapports avec des femmes que je suis du reste persuadé qu'il n'en a eu d'un autre genre. C'est tout de même une espèce de cécité. Si je peux parler avec Charlus de mille choses d'art dont je ne pourrais pas dire un mot à Guermantes, en revanche je parle à Charlus comme à un aveugle-né dont je sais qu'il ne connaît rien de ce que j'ai le plus aimé. Ce n'est pas de sa faute. Mais enfin Guermantes a aimé toutes les plus belles femmes et je suis sûr qu'il est en ce moment l'amant de cette splendide créature que Charlus a confisqué ce soir sans raison. — Je vois, dit Mme de Surgis à M. de Charlus, que vous ne l'aimez pas, Mme de Saint-Euverte. — Ma chère marquise, vous avez de plus heureuses inspirations dans le choix de vos toilettes que dans celui de vos expressions, répondit M. de Charlus avec un sourire et sur un ton de politesse qui faisait passer les impertinences. Comment voulez-vous que je puisse aimer Mme de Saint-Euverte[1] ? Il faudrait d'abord que je la connusse, ce qui est de toute évidence impossible. En bon catholique, je me sens tout disposé à honorer saint Euverte, *paperole*] sans très bien me rappeler dans l'hagiographie quels furent les titres de ce confesseur à la canonisation ; même si vous voulez, en non moins bon païen, je respecte Diane et j'admire son croissant, surtout quand il est placé dans vos cheveux par

1. Voir var. *a*, p. 101.

Elstir. Mais quant au monstre contradictoire et même au monstre tout court que vous appelez Diane de Saint-Euverte, j'avoue ne pas pousser le désir de l'union des églises jusque-là[1]. Ce nom rappelle les temps où on élevait des autels à saint Apollon. C'est un temps fort lointain, dont doit dater du reste la personne dont vous parlez si j'en juge par son visage, lequel a d'ailleurs étonnamment résisté à l'exhumation. Et pourtant c'est malgré tout une personne avec qui on pourrait s'entendre, elle a toujours affirmé un singulier amour de la beauté », dit M. de Charlus. Cette phrase aurait paru incompréhensible à la marquise si, depuis quelques minutes déjà, ayant cessé de comprendre, elle n'avait renoncé à écouter. L'amour de la beauté qui faisait que M. de Charlus avait avec beaucoup de mépris social, un respect plus secret pour Mme de Saint-Euverte, venait que celle-ci avait toujours pour valets de pied une meute innombrable et sélectionnée d'irréprochables gaillards. « Oui, quel destin pour une belle œuvre qui a été gâtée au début en vivant en face de vous ! Le sort de ces peintures captives a quelque chose de tragique. Songez si jamais vous faites une visite de cinq minutes chez cette dame de la *Légende dorée*, avec quel désespoir le pauvre portrait fixé, dans ses tons bleus et roses, doit vous dire : “Vois comme nos destins sont différents, je reste, tu t'en vas[2] !” Et pourtant vous êtes fleurs toutes deux. Les fleurs du moins, enchaînées elles aussi, ont trouvé dans leur captivité des ruses sublimes pour confier leurs messages. J'avoue que je ne serais pas surpris qu'aussi intelligemment, un jour que les fenêtres de la femme du saint bourguignon seraient ouvertes, votre portrait, dépliant ses ailes de toile s'envolât, résolvant ainsi avant les hommes le problème de la navigation aérienne et faisant d'Elstir, sous une seconde forme et plus imprévue, le continuateur de Léonard de Vinci[3] ». « Bonjour ma chère Françoise[4] », dit Mme de Saint-Euverte qui venait d'entrer à Mme de Surgis, laquelle par lâcheté lui répondit très brièvement, tandis que M. de Charlus ne dissimulait nullement sa gaîté. Pour le forcer à la saluer, et sous le prétexte qu'on pouvait le considérer comme une altesse, puisque les Guermantes sont dans la deuxième partie du Gotha, Mme de Saint-Euverte gardant un visage froid fit à M. de Charlus une révérence profonde, et laissa légèrement dépasser en avant de son corsage un moignon de main non tendue, mais prenable si le cœur en disait au baron. Celui-ci répondit par un salut grave et rapide de grand seigneur d'ancienne cour, mais ne fit pas semblant de croire qu'il devait toucher à l'embryon de main qui resta pour compte à Mme de Saint-Euverte la faisant ressembler à un pingouin. « Mon Dieu ! voilà Mme de Saint-Euverte, me dit Swann, pourvu qu'elle ne nous ait pas vus. Jamais je ne pourrai vous finir mon histoire ; ce qu'il y a de terrible dans le monde, c'est qu'on n'est jamais deux minutes seuls, et que tout le monde semble conspirer pour venir

1. Proust relate un mot semblable de Montesquiou dans son pastiche de Saint-Simon : « Il cria fort distinctement devant Diane de Feydeau de Brou, veuve estimée du marquis de Saint-Paul, qu'il était aussi fâcheux pour le paganisme que pour le catholicisme qu'elle s'appelât à la fois Diane et Saint-Paul » (*Pastiches et mélanges*, éd. citée, p. 52).

2. Victor Hugo, *Les Chants du crépuscule*, XXVII. Voir *Sodome et Gomorrhe I*, var. *a*, p. 31.

3. Fin du Cahier II.

4. Début du Cahier III.

nous déranger. — Bonjour mon cher ami », dit Mme de Saint-Euverte à Swann, et pensant qu'il avait remarqué la froideur du baron : « Je ne sais pas ce que j'ai fait à votre ami M. de Charlus. » Et elle ajouta en se tordant de rire : « Je crois qu'il ne me trouve pas assez chic pour lui. » Il aurait été difficile de dire si cette gaîté signifiait qu'il fallait être stupide pour ne pas vouloir fréquenter une personne moins chic que soi, ou bien au contraire que Mme de Saint-Euverte était tellement chic que ce ne pouvait être qu'une excellente farce de feindre de croire que quelqu'un ne la fréquentait pas parce qu'elle ne l'était pas assez. Peut-être eût-elle été elle-même (surtout si elle disait cette phrase et faisait cette plaisanterie parce qu'elle les avait déjà entendues de la bouche d'autres personnes et qu'en somme on *[un mot illisible]* très bien dans sa vie, soit qu'on parle, soit qu'on agisse) assez en peine de démêler à laquelle de ces deux interprétations il convenait de se ranger. En tous cas Swann fut embarrassé pour lui répondre car la vérité que proférait Mme de Saint-Euverte en plaisantant (à savoir qu'elle n'était pas absolument chic) était à la fois incontestable et désagréable pour elle, de sorte qu'on était également ennuyé d'y contredire et de la confirmer. Il faut dire que ce genre de phrases, que jamais par exemple n'eût proférées une personne d'un orgueil intact comme Mme Verdurin, étaient surtout depuis quelque temps la spécialité gênante de Mme de Saint-Euverte. Elle avait fini par se rendre compte qu'elle n'amusait pas, tout en mettant ce défaut à la charge des autres, qu'on ne l'invitait pas autant qu'elle invitait, et elle convenait à moitié de cette disgrâce imméritée en disant avec de grands éclats de rire : « Je crois qu'elle me trouve un peu ennuyeuse », « je crois qu'elle ne me trouve pas assez intelligente pour elle ». La protestation qu'elle comptait provoquer par de telles assertions arrivait bien, mais mettait <mal> à l'aise, de sorte qu'on avait fini par esquiver les entretiens un peu particuliers avec elle, surtout devant le monde, où on était gêné d'être forcé par elle à mentir. Elle était plutôt la femme de tête à tête (bien qu'elle répétât les choses aimables qu'on lui avait dites à des « grandes machines » où on n'avait que le temps de lui baiser la main). « Vous ne lui avez pas marqué beaucoup d'empressement, dit Mme de Surgis à M. de Charlus pour le flatter. Vous ne la connaissez pas ? » Mme de Surgis, bien que ce fût un lieu commun d'exalter son extraordinaire « réussite » et qu'elle arrivait à tout ce qu'elle voulait, appartenant au genre « bébête ». Il est vrai que les théoriciens de sa « réussite » auraient objecté si on avait dit cela que ce talent de parvenir n'est pas forcément accompagné d'esprit. Car on tenait beaucoup comme thème de conversation à dire qu'on avait beaucoup d'admiration pour une personne qui arrive à tout ce qu'elle veut. Cela n'empêchait pas de lui battre froid. Mais il y a ainsi des gens qui tiennent à distance leur banquier véreux mais qui trouvent spirituel de dire : « Il m'inspire du respect parce qu'il a tellement d'argent. Je trouve ça très beau. » « Il faut croire que si, répondit le baron, puisqu'elle est venue me dire bonjour. — Oui, j'ai vu cela, et avec un grand respect. Mais est-ce que vous n'alliez pas chez elle autrefois ? — Mon Dieu, j'ai eu comme tout le monde mes erreurs que j'ai réparées. Quel juste est sans péché ? Ce qui est incroyable, c'est de la voir ici. Il n'y a plus de société. Enfin, elle tient le bon bout puisqu'elle a le portrait. » En réalité la situation de Mme de Saint-Euverte était infiniment plus considérable maintenant qu'au temps où M. de Charlus était allé deux ou trois fois chez elle, et où la princesse des Laumes n'y connaissait presque personne. D'année en année Mme de Saint-Euverte avait éliminé ces amis qui étaient des inconnus pour le milieu Guermantes et tout le milieu Guermantes venait chez elle. Mais M. de Charlus se souciait peu de cela. Pour lui Mme de Saint-Euverte restait Mme de Saint-Euverte, c'est-à-dire peu de chose. Eût-elle été beaucoup que ses caprices à lui lui eussent paru plus importants. Quant à Mme de Saint-Euverte, comptant depuis pas mal d'années tant d'acquisitions nouvelles, elle aurait dû se consoler plus facilement de n'avoir rétrogradé que sur le seul point de M. de Charlus. « Mais non, dit Mme de Surgis, il a dû être acheté par des gens qui s'appellent Verdurot, Monsieur et Madame Verduret, aidez-moi un peu. — J'en suis incapable, répondit M. de Charlus. Je vois ce que c'est, c'est ce qu'on appelait au temps de Saint-Simon des personnes *de Paris*. Alors, si c'est chez Mme Verduret ou rat, j'ai encore moins de chance de revoir jamais le portrait. — Saint-Simon, dit le marquis Victurnien à M. de Charlus, je sais ce que c'est, c'est là-dessus que je viens d'être recalé à mon bachot. » Cette plaisanterie excita une bruyante hilarité chez le comte Arnulphe. Et tous deux prirent la main que leur tendit M. de Charlus après qu'il eut pris congé de la marquise. Mais soit par cette difficulté de vous quitter qui était parfois inhérente à l'espèce de névrose amicale des Guermantes, soit qu'il fût pressé de revoir les deux jeunes gens : « Vous ne seriez pas libres de [venir *biffé*] me recevoir demain après-midi. — Non, demain après-midi j'ai beaucoup de choses à faire », répondit Mme de Surgis. Et elle rougit parce que ce beaucoup de choses était précisément ne pas rater un instant de la fête Saint-Euverte. Elle n'osait pas l'avouer mais en femme intelligente qui ne copie pas exactement les façons des grands et en prend ce qui lui est adaptable, elle savait que d'un dédain qui était parfaitement permis à M. de Charlus, personne ne lui saurait de gré à elle dont l'absence chez Mme de Saint-Euverte pourrait tout au plus faire croire qu'elle n'y était pas invitée. De plus cette réunion avec tant de gens élégants qu'elle y rencontrerait, serait infiniment plus profitable à sa carrière qu'une visite à M. de Charlus. À peine du reste avait-elle quitté celui-ci qu'elle fut rejointe par Mme de Saint-Euverte. Un peu hautaine, en personne qui a à demander quelque chose et qui du reste savait Mme de Surgis assez mal vue : « Écoutez, lui dit-elle, je ne sais pas ce que j'ai fait à M. de Charlus, vous avez vu comme il me boude. On me dit qu'il est froissé que je ne l'aie pas invité à ma fête (elle savait très bien qu'elle mentait). Ce n'est pas ma faute, il ne me laisse jamais de cartes. Si ça vous amuse de l'y retrouver, vous pouvez très bien l'amener, il verra comme ça que je n'ai rien contre lui. » « Enfin, *ms., dactyl.*

Page 107.

a. Mais tourmenté par cette idée *ms.* : Mais par cette idée *dactyl., dactyl. corr., Jalousie, Jalousie corr., orig. Nous retenons la leçon du manuscrit.* ◆◆ *b.* cette fois non plus seulement sur l'illégalité *ms., dactyl., dactyl. corr.* : cette fois non plus sur l'illégalité *Jalousie, Jalousie corr., orig. Nous retenons la leçon du manuscrit et de la dactylographie corrigée* ◆◆ *c.* Marie et Hubert lui *ms., dactyl.*

1. Voir *Le Côté de Guermantes I*, t. II de la présente édition, p. 531.

2. Ce quotidien publié de 1836 à 1917, sous la direction d'Yves Guyot en 1892, soutint la révision du procès de Dreyfus.

3. De ce quotidien dreyfusard fondé en 1897, Clemenceau était le principal collaborateur ; Zola y publia son « J'accuse », le 13 janvier 1898.

4. Voir n. 1, p. 104.

5. Voir *Le Côté de Guermantes I*, t. II de la présente édition, p. 494. La princesse Henri de Ligne, née Marguerite de Talleyrand-Périgord, la princesse Louis de Ligne, née Élisabeth de La Rochefoucauld, et la princesse Ernest de Ligne, née Diane de Cossé-Brissac, figurent dans le *Tout-Paris* de 1908.

6. Voir *Le Côté de Guermantes II*, *ibid.*, p. 879-880. Le prince Louis de La Trémoïlle de Tarente, député de la Gironde, et la princesse, née Pillet-Will, figurent dans le *Tout-Paris* de 1908.

7. Une célèbre Mme de Chevreuse apparaît chez Saint-Simon (*Mémoires*, éd. citée, t. I, p. 508-522) : Marie de Rohan-Montbazon (1600-1679), épouse du connétable de Luynes puis de Claude de Lorraine, duc de Chevreuse. Sa vie fut romanesque, fournie en intrigues amoureuses et politiques.

8. La branche d'Arenberg de la maison de La Marck se fondit dans la maison de Ligne au XVIe siècle. La princesse Auguste d'Arenberg figure dans le *Tout-Paris* de 1908, ainsi que la princesse Pierre d'Arenberg, née Mlle de Gramont. Le prince Auguste d'Arenberg, membre de l'Institut, était président de la Compagnie universelle du Canal de Suez.

Page 108.

a. Mme de Chevreuse, la duchesse *[p. 107, 3e ligne en bas de page]* d'Arenberg. Ma femme voudrait que vous soupiez avec nous. Vous seriez à côté d'elle et elle m'a chargé de venir insister. » Or chaque fois *ms., dactyl.* ↔ *b.* chargeons en nous-mêmes *ms., dactyl., dactyl. corr.* : chargeons nous-mêmes *Jalousie, Jalousie corr., orig. Nous retenons la leçon de la dactylographie corrigée.* ↔ *c.* à temps. Par exemple si nous devons partir en voyage et même si nous nous endormons, lui il veille, et un peu avant le moment où nous devons nous lever il se met à faire du bruit dans notre tête pour nous éveiller, comme un domestique en ferait dans notre chambre. Ce serviteur *ms. Le passage qui va depuis* lever il se met *jusqu'à* tête pour nous *est absent de la dactylographie.* ↔ *d.* se battre. « Oriane va être désolée mais au fond j'en suis ravi, dit le duc, parce que cela va peut-être la décider à ne pas souper et elle est fatiguée, j'aime bien mieux qu'elle rentre. He bien ! Swann, et ce cafard ? Tenez je vous trouve déjà mieux que tantôt. Les yeux sont très fatigués mais le teint est meilleur. » Swann remercia d'un sourire incrédule, modeste et reconnaissant. Il connaissait son état et remarquait la façon dont les gens le regardaient, mais il tenait de famille l'habitude de ne pas arrêter longtemps sa pensée sur certains sujets désagréables. Il passa sa main sur son front tandis que le duc allait rapporter ma réponse à la duchesse. Swann avait beau *ms., dactyl.* ↔ *e.* se tuent par la veille, par les excès, *ms.* : se tuent par les veilles, par les excès, *dactyl., dactyl. corr., Jalousie, Jalousie corr., orig.*

Page 109.

a. qui me parle, vous *ms.* : qui me parla, vous *dactyl., dactyl. corr., Jalousie, Jalousie corr., orig. Nous retenons la leçon du manuscrit.* ↔ *b.* partisan doit être *ms.* : partisan dut être *dactyl., dactyl. corr., Jalousie, Jalousie corr., orig. Nous retenons la leçon du manuscrit.* ↔ *c.* tous les jours, ce n'était pas *Le Siècle* il est vrai, mais c'était *L'Aurore* *ms., dactyl., dactyl. corr.* ↔ *d.* de s'allier à M. Gohier[1]. Cela *ms.* : de s'allier à *[un blanc].* Cela *dactyl.*

1. Le modèle des prince et princesse de Guermantes serait ici M. et Mme Greffulhe (voir George Painter, ouvr. cité, t. I, p. 315), celui de l'abbé Poiré étant alors l'abbé Mugnier (1853-1944), qui connut Proust à la fin de sa vie (voir son *Journal*, éd. citée).

Page 110.

a. erreur." » Swann en écoutant le prince ne m'avait pas, quand je l'avais vu, paru trop ému, mais en ce moment, comme jadis à la soirée Saint-Euverte, quand il entendait la petite phrase de Vinteuil, il se voyait détaché de lui-même, tel qu'il pouvait se projeter dans mon attention. Aussi je vis que ses yeux étaient mouillés de larmes. Il fit semblant de se frotter les yeux comme s'il y avait mal et mit son monocle. « Je vous avoue *ms., dactyl., dactyl. corr. avec lég. var.* ↔ *b.* faible les y a forcés. Du reste depuis longtemps Swann, par une habitude de moindre effort, appelait spirituels les gens qu'égayait son esprit, intelligents ceux qui pensaient comme lui, bons ceux qui ne disaient pas de mal d'Odette. Il avait d'abord adapté aux relations de celle-ci l'esprit de coterie qu'il pratiquait autrefois chez les Guermantes. Mais depuis l'affaire Dreyfus, c'est-à-dire depuis qu'en lui le mort avait saisi le vif, comme Odette ne pensait pas comme lui sur ce sujet et que Swann observait une grande réserve à l'égard des quelques personnes du faubourg Saint-Germain que sa femme commençait à attirer et qu'il jugeait antisémites, c'est au dreyfusisme qu'il s'était mis à appliquer l'esprit de coterie, trouvant indistinctement intelligents, parce qu'ils étaient de son opinion, *ms., dactyl.* ↔ *c.* refusa absolument, non seulement d'intervenir auprès du prince, mais d'autoriser *ms., dactyl., dactyl. corr.*

1. Voir *Le Côté de Guermantes I*, t. II de la présente édition, p. 407 et n. 1.

Page 111.

a. cocardier, ce qui n'empêchait pas bien des gens du faubourg de le croire un traître aux gages de l'Allemagne, les opinions étant toujours difficiles à apprécier, surtout les opinions intermédiaires. Swann me quitta *ms., dactyl.* ↔ *b.* où il avait tant d'amis, *ms.* : où il avait trop d'amis, *dactyl., dactyl. corr., Jalousie, Jalousie corr., orig.* ↔ *c.* Elle a tellement grandi *ms.* : Elle a réellement grandi *dactyl., dactyl. corr.,*

1. Urbain Gohier (1862-1951), journaliste de la presse conservatrice, se rangea du côté de Dreyfus et devint rédacteur de *L'Aurore.* Plus tard directeur du *Cri de Paris* et de *L'Œuvre*, il renia ses anciens compagnons.

Jalousie, Jalousie corr., orig. ◆◆ *d.* plus faite *[2e §, 9e ligne]* pour elle. La raison pour laquelle je n'avais pas vu Gilberte et ne la verrais probablement pas de bien longtemps, était que je ne l'aimais plus et n'avais plus aucun désir de la voir. Mais je me gardai bien de donner cette raison à Swann, parce qu'il aurait pu la laisser soupçonner à Gilberte qui ne m'aurait pas trouvé gentil, et je tenais à le paraître. Car avec mon amour pour Gilberte et mon désir de la voir, un autre sentiment qui n'était qu'une dépendance de ceux-là avait disparu, à savoir mon envie de faire croire à Gilberte que je ne l'aimais pas et que je n'avais pas envie de la voir. Envie où il entre à la fois de la ruse parce que sentant qu'on déplaît par l'amour, on cherche à se donner les avantages de l'indifférence et de la haine. Mais on ne tient plus à paraître indifférent, bien au contraire, dès qu'on l'est, et dès qu'on <n'> aime plus on cesse de détester. Il est bien vrai qu'au temps où Gilberte me rendait malheureux, craignant que la feinte indifférence que je lui marquais ne portât pas les marques inimitables de la sincérité, j'attendais pour me venger, et avec autant d'effroi mais aussi autant d'espoir que la mort même, l'heure atroce et inévitable où l'indifférence véritable, la cessation de l'amour, auraient commencé. Il ne faudrait pas oublier alors — si je n'avais fait qu'un nœud chaque jour à mon mouchoir c'eût été pour cela — de bien témoigner à Gilberte cette indifférence enfin réelle. Mais ce qui nous fait faire de tels serments, c'est notre impossibilité, tant que nous sommes incarnés dans un moi, de renoncer entièrement quand nous nous imaginons le moi à venir, aux particularités du moi actuel. En désirant pendant que j'aimais Gilberte pouvoir lui témoigner un jour quand je ne l'aimerais plus, de l'indifférence, j'étais aussi naïf qu'un vivant qui demanderait au Bon Dieu de lui permettre d'avoir au paradis une belle auto. Mais mon moi nouveau, plus logique que mon intelligence n'avait été quand elle croyait embrasser à la fois mes moi successifs, refusa cette satisfaction posthume à l'ancien sans s'y attarder davantage qu'un médecin n'écoute même pas son malade lui adresser une recommandation dérisoire. Je ne cherchai qu'à me donner l'air vis-à-vis de Gilberte d'avoir désiré *ms., dactyl.*

1. Voir *Du côté de chez Swann*, t. I de la présente édition, p. 87. Charles Haas, le modèle principal de Swann, combattit courageusement en 1870, et refusa de signer la pétition pour Picquart en septembre 1898. Dans une lettre de septembre 1898 à Mme Straus, Proust demande à sa correspondante de solliciter la signature du comte d'Haussonville. Mais, comme ici Swann, il doute qu'elle l'obtienne (*Correspondance*, t. II, p. 251-252).

Page 112.

a. autrefois. » Si d'ailleurs me soustraire ou me résigner comme à une corvée à une visite aux Swann, jadis désirée sans espoir comme d'inconnaissables délices, était la mesure d'un grand changement survenu dans mes rêves et dans mes sentiments, je ne m'en avisai pas tant que je fus avec Swann. C'est peu à peu que, tandis que je voyais Gilberte, ma mémoire avait retiré du nom des Swann l'odeur d'aubépines du raidillon de Tansonville, les cheveux blancs de Bergotte devant une cathédrale, l'amitié du comte de Paris, et avait mis à leur place des notions toutes différentes. La graduation avait rendu le travail de substitution insensible ; une fois que l'état de choses nouveau et insolite fut entièrement constitué, l'habitude me le rendit familier. D'ailleurs la sonorité du nom de Swann, à force de le prononcer, de l'entendre, avait perdu son étrangeté, comme à force de la respirer l'odeur du vétiver à Balbec. Ni l'une ni l'autre je ne les percevais plus. Il est vrai qu'aux déceptions du rêve avait survécu l'ardeur de la tendresse. Mais de cette dernière, avait triomphé la séparation et les habitudes nouvelles qu'elle avait instituées avaient masqué aussi ce second changement. En parlant à Swann je me reportais forcément à ce que Gilberte Swann était déjà depuis assez longtemps pour moi, c'est-à-dire une personne que je me faisais des reproches de ne pas voir. Avant de quitter Swann, *ms., dactyl.* ◆◆ *b.* Dreyfus. Ça marche très bien, mais enfin on ne sait jamais. Toutes ces canailles-là *ms., dactyl., dactyl. corr.* ◆◆ *c.* Quand Swann *[3e §, 1re ligne]* fut parti, j'allai dans le grand salon dire adieu à la princesse de Guermantes de qui la duchesse de son côté était en train de prendre congé. Je devais ensuite me lier beaucoup, sinon pour longtemps avec la princesse, mais des femmes appartenant à une même coterie peuvent être par nature si dissemblables que, quelque amitié que la princesse ait eu pour moi, il me fut toujours impossible d'obtenir auprès d'elle le plus mince de ces petits succès d'esprit que ne me ménageait pas, par exemple, sa cousine. La princesse était loin de ne pas être intelligente. Elle passait même pour l'être supérieurement dans un milieu où il suffit pour mériter cette réputation qu'un homme ou une femme s'occupe d'autre chose que de frivolités et où on marque alors en parlant de lui la même déférence qu'au collège les cancres pour ceux qui ont tous les prix. M. de Charlus aimait même à citer d'elle des mots qu'il trouvait admirables mais dont la valeur isolée témoignait pour moi de celle d'une pensée que la simple et spirituelle propriété d'expression de quelqu'un qui a le sentiment du langage. Il me semblait que c'était à sa température habituelle et constante qu'on pouvait juger de la profondeur d'un esprit plutôt qu'aux vues profondes qui y sont en quelque sorte enclavées ; idée à laquelle donne tort la supériorité si elle est réelle d'un écrivain comme Balzac, dont la sottise et la maladresse d'expression ne cesse <nt> de nous choquer, que comme celle des gens du monde intellectuel [*sic*], à force d'habitudes. D'ailleurs le jugement de M. de Charlus, comme aurait pu être celui de Swann, s'il n'était pas tout à fait équitable en ceci que faisant un sort à des propos isolés et qui par eux-mêmes ne prouvaient un grand don ni de conversation ni d'esprit, de personnes sans réelle supériorité intellectuelle, et en négligeant complètement des femmes qui avaient la plus jolie conversation et le style le plus achevé en parlant, n'était pas cependant dépourvu d'une certaine vérité. M. de Charlus et Swann étaient en quelque sorte dans le sens le plus profond du mot, des *dilettanti* de la vie mondaine. Pour les tableaux qu'ils aimaient à se faire, et à faire valoir, les événements survenus dans la vie d'une femme, les œuvres d'art capitales à l'histoire desquelles sa personnalité avait été mêlée, les joyaux célèbres qu'elle portait fournissaient beaucoup leur conversation, non pas dans le sens où l'entourage de Mme de Villeparisis fournirait à ses Mémoires, car dans les Mémoires parlés des deux « lions » il s'agissait non de badauderie historique et de fins jugements, mais d'exaltation pseudo-artistique. À ce point de vue par exemple une femme comme la princesse de Metternich[1]

1. Pauline Sandor (1836-1921) fut la femme du prince de Metternich (1829-1895), le fils du chancelier, ambassadeur à Paris sous le second Empire. Ses *Souvenirs* furent publiés en 1922.

qui au point de vue absolu peut être très inférieure à la duchesse de Guermantes, parler fort mal, ne dire que des choses médiocres, l'emporte pourtant sur la spirituelle duchesse que son bon sens mesuré a porté à ne se mêler en rien au dehors des choses mondaines, parce que la princesse de Metternich fut l'amie de Wagner, celle qui fit jouer *Tannhaüser*, qu'on revoit brisant son éventail pendant que les abonnés de l'Opéra sifflaient. Encore la princesse de Metternich est-elle laide. Mais si la femme est belle, le « caractère » de sa beauté qui n'est pas tout de même un « mérite » personnel à la femme au même degré que l'esprit, ajoute pourtant un élément d'art plus grand. Restent sans doute les paroles mêmes. Mais qui ne sait que pour les écrivains, et pour les gens du monde qui aiment le monde en artistes, une parole qu'ils citeront n'a pas beaucoup plus besoin de mérite intrinsèque que l'épigraphe qu'ils choisissent. On ne choisit pas une épigraphe dans le livre qu'on trouve le plus beau, mais parce qu'elle donne lieu à un beau développement, et que le fait même d'avoir été choisie dans un auteur tout différent de ce qu'on va dire, dont le nom rappelle d'autres choses, fait tableau, est une touche de couleur de plus. D'ailleurs on n'est pas difficile pour les mots de souveraines, pas plus que pour les mots de souverains. Le maître le plus génial de l'expression pittoresque dans la langue française, Saint-Simon tombe en arrêt et en extase parce que Louis XIV a dit du duc d'Orléans[1] : « Savez-vous ce que c'est mon neveu, c'est un fanfaron de vice. » « Je demeurai dit Saint-Simon (vérifier) d'un si grand coup de pinceau. » Et Sainte-Beuve enchérissant (citer). Enfin de la bouche de ces grandes médiocres, sans esprit à elles, peuvent sortir une fois par hasard des paroles qui relatant un fait curieux, ou prenant par le contraste entre leur royauté et le découragement éprouvé, une signification philosophique, une poésie désenchantée, peu<ven>t être pour le Swann ou le Charlus qui les entend matière à plus de rêveries que tout l'esprit d'une duchesse de Guermantes, si supérieure en de justes balances où le mérite propre seul serait pesé. La tristesse par exemple qui accablait la princesse de Guermantes depuis la mort de sa tante chérie, l'Impératrice Élisabeth, les bijoux de l'infortunée princesse qu'elle portait maintenant toujours, ajoutaient des couleurs au portrait qu'on pouvait en causant faire d'elle, aux rêveries où l'imagination se laissait aller en la voyant dans une fête. Qu'elle dît alors un de ces mots comme beaucoup en disent, on était aussi prêt à leur donner une valeur admirable, qu'à une simple coïncidence, ou au cri assez connu d'un oiseau de nuit, pour peu qu'on ait longtemps médité sur des événements tragiques une valeur funèbre et fatidique. La princesse de Guermantes se distinguait d'ailleurs de ces grandes insignifiantes que sont les intellectuelles du monde par une force réelle, un véritable flot

1. Voir l'apophtegme du roi sur le duc d'Orléans dans les *Mémoires* de Saint-Simon, Bibl. de la Pléiade, t. IV, p. 904 : « Savez-vous, [...], ce qu'est mon neveu ? Il a tout ce que vous venez de dire : c'est un fanfaron de crimes. » Et la réaction de Saint-Simon : « [...], je fus dans le dernier étonnement d'un si grand coup de pinceau ; c'était peindre en effet M. le duc d'Orléans d'un seul trait, et dans la ressemblance la plus juste et la plus parfaite. Il faut que j'avoue que je n'aurais jamais cru le Roi un si grand maître. » Sainte-Beuve en dira : « Ce coup de pinceau, Louis XIV l'avait trouvé à force de bon sens et de justesse. Saint-Simon, ce jour-là, est dans l'admiration de rencontrer le roi qui chasse sur ses terres et qui, pour une fois qu'il se le permet, y chasse en maître » (*Nouveaux lundis*, Michel Lévy, 1868, t. X, p. 266).

dès qu'elle avait <à> exprimer un sentiment noble. Mais sa vue élevée passait au-dessus des ridicules, ne les apercevait pas. Ce qu'on appelle l'esprit et qui à un certain degré peut être dans la manière de raconter d'un Tolstoï ou d'un Dostoïevsky la marque la plus certaine du génie, et en tous cas le point de vue le plus habituel pour regarder la vie du génie, n'existait à aucun degré chez elle, et n'était pas capable de lui arracher chez les autres même le rire naïf que lui <accordaient> Mme Swann ou Mme Cottard si inférieures à la princesse, aussi n'avait-on pas de plaisir à causer avec elle qu'on sentait dépourvue des sens qui eussent pu discerner chez vous quelque supériorité. Mais chaleureuse, romanesque, ardente, reconnue pour merveilleuse et belle même par les femmes qui la trouvaient ridicule sans la comprendre, elle tranchait par quelque chose de passionné, de démodé, comme eût pu faire au milieu des autres femmes de son milieu une héroïne romanesque de la Restauration. Pendant toute cette soirée j'entendis beaucoup des invités chuchoter qu'ils avaient hésité à venir, car le ménage du prince et de la princesse de Guermantes allait très mal, celle-ci étant sur le point de quitter son mari par amour pour M. de Charlus. L'admiration purement esthétique du baron pouvait tromper les gens naïfs. Et d'autre part depuis le bruit de la séparation du duc et de la duchesse de Guermantes, et surtout avant <le bruit> du mariage de Robert avec Mlle d'Ambresac, je savais qu'il naît dans le monde, comme dans le peuple en temps de guerre, ou dans le monde politique en temps de crise, des bruits qui ne reposent absolument sur rien. Je conclus qu'il en était ainsi dans ce cas plus absurde que tout autre, et que la princesse de Guermantes ne songeait pas à M. de Charlus. Je me trompais. La cause des événements dramatiques qui survinrent peu après dans sa vie ne me fut pas connue très longtemps avant ces événements. Le premier symptôme qui me frappa, mais que je ne sus nullement interpréter fut celui-ci. À partir d'une certaine époque, M. de Charlus, sans être pris *ms., dactyl.* ◆◆ *d.* personnes avec qui *[3e §, dernière ligne]* il désirait dîner. Un second symptôme, au contraire, me fut une révélation. Ce fut sur la princesse que je le notai, un jour que j'étais en voiture seul avec elle *[p. 114, 16e ligne]*. Au moment [...] sans le vouloir, qu'elle était *[p. 114, 1er §, dernière ligne]* adressée à M. de Charlus. Il est vrai *ms., dactyl.*

1. Dreyfus fut réhabilité en 1906. Picquart, réformé depuis 1898, fut réintégré dans l'armée en 1906, et nommé général de brigade et ministre de la Guerre dans le cabinet Clemenceau (1906-1909). Charles Haas mourut en 1902.

Page 113.

a. sentiment pour une certaine personne, sans dire quel genre de personne, je vis *ms., dactyl., dactyl. corr., Jalousie, Jalousie corr.* ◆◆ *b.* quelle façon, et ce secret que me révéla d'un seul coup l'incident de la lettre presque arrachée par moi dans la voiture. / D'ailleurs, *ms., dactyl.*

1. Voir une variation de ce propos, p. 414. Une notation l'annonçait dès le Carnet 1 en 1908 : « Je ne sais pas ce que c'est que la société des honnêtes gens mais celle des fripouilles est délicieuse » (*Le Carnet de 1908*, éd. citée, p. 55).

Page 114.

a. pour faire coucher un frère près de sa sœur dès qu'on eut appris qu'il ne l'aimait pas qu'en frère. *ms., dactyl.*[1] : pour faire coucher un frère près de son frère dès qu'on eut appris qu'il ne l'aimait pas qu'en frère. *dactyl. corr.* ◆◆ *b.* dès qu'on eut appris qu'il ne l'aimait pas *[7e ligne de la page]* qu'en frère. / Si j'en avais gardé <des doutes> sur la connaissance qu'avait la princesse des goûts de M. de Charlus, j'avais été détrompé un soir où comme depuis quelque temps elle me répétait combien elle était triste, puis me parlait de M. de Charlus. Pour lui épargner fût-ce au prix d'un chagrin les déceptions qui me semblaient devoir l'attendre, je lui dis que certains hommes, et souvent les plus remarquables par l'intelligence et les plus délicats de sensibilité, ne pouvaient demander la satisfaction de leurs désirs qu'à des femmes extrêmement vulgaires, des filles, des bonnes, quelquefois des filles des rues. Et je lui dis que je craignais d'après ce que certains de ses amis <m'avaient dit>, que M. de Charlus ne fût de ces hommes-là. « Croyez-vous donc que je ne sache pas tout », me dit-elle en posant sur moi ses regards d'une dureté admirable. Puis ayant l'air de ne pas avoir compris elle-même ce qu'elle venait de dire, elle répondit à mes paroles et me demanda si je ne croyais pas que des hommes comme ceux dont je parlais ne pouvaient pas tout de même ressentir de l'amour pour une femme qu'ils admireraient esthétiquement, et si l'amour de cette femme ne finirait pas, à force de les toucher, par déclencher le leur. « L'amour est une grande force, il n'est pas indifférent qu'on se sente aimé. » Mon avis, que je tus, est que l'amour est en effet une grande force mais éloignante et qu'il n'est pas indifférent qu'on se sente aimé car cela empêche d'aimer. « Je ne sais même pas pourquoi je vous pose la question, me dit-elle, je connais tant d'exemples de femmes qui ont fini par inspirer l'amour qu'elles ressentaient. » Et elle pouvait dire vrai ; des chimères analogues à celles en lesquelles notre désir voulait croire et que notre raison nous apprit être impossibles, à la fin de notre vie, nous découvrons après une longue expérience que pour certains de telles chimères se sont réalisées. Car la diversité des circonstances et des êtres est telle dans la nature qu'il n'y a presque aucune combinaison qui ne puisse se produire, fût-elle exception en apparence aux lois qui nous semblent les plus certaines. Mais de ce qu'en feuilletant dans la collection des journaux du monde entier pendant dix ans, on y trouvera le récit d'une vie à côté de laquelle les exploits des 45[2], les vengeances des 13 de Balzac, et de Monte-Cristo, les tours de force de Sherlock Holmes, sont réalisés, il ne s'ensuivra pas que si après avoir lu ces ouvrages, nous nous décidons avec quelques amis à renouveler les exploits de ces héros, nous ne serons pas arrêtés dans la quinzaine. Dans le monde on remarquait la fébrilité de la princesse, sa crainte, elle qui était encore bien loin de vieillir, que l'agitation nerveuse où elle vivait maintenant l'empêchât de garder l'air jeune. Même un jour, dans un dîner où était invité aussi M. de Charlus et où à cause de cela elle arriva radieuse mais étrange, je m'aperçus que cette étrangeté tenait à

1. Voir la variante suivante.

2. *Les Quarante-cinq* (1847-1848) et *Le Comte de Monte-Cristo* (1844-1845) par Alexandre Dumas, et l'*Histoire des treize* de Balzac, comprenant *Ferragus* (1833), *La Duchesse de Langeais* (1834) et *La Fille aux yeux d'or* (1835).

ce que, croyant se donner bonne mine et l'air plus jeune, elle s'était, sans doute pour la première fois de sa vie, complètement peinte. Elle exagérait encore cette excentricité des toilettes qui avait toujours été un peu son défaut. Il suffisait qu'elle eût entendu M. de Charlus parler d'un portrait pour qu'elle en fît copier les atours et les portât. Un jour que coiffée ainsi d'un chapeau immense, copié dans un portrait de Gainsborough (il vaut mieux mettre un peintre dont les chapeaux fussent extraordinaires) elle revenait sur son thème habituel maintenant, de la tristesse que ce devait être de vieillir, et citait à ce propos le mot de Mme Récamier disant qu'elle saurait qu'elle n'était plus belle quand les petits ramoneurs ne se retourneraient plus dans la rue : « Soyez tranquille, ma chère petite Marie, répondit la duchesse de Guermantes, d'une voix caressante pour que la douceur affectueuse du ton empêchât sa cousine de se fâcher de l'ironie des mots, vous n'avez qu'à porter des chapeaux comme celui que vous avez là, vous pouvez être sûre qu'on se retournera toujours[1]. » Cet amour qu'on commençait à chuchoter qu'elle avait pour M. de Charlus, joint à ce qui se découvrait peu à peu relativement à la vie de celui-ci, fut presque d'un aussi grand secours aux antidreyfusards que l'origine germanique de la princesse. Quand un esprit hésitant faisait valoir en faveur de l'innocence de Dreyfus qu'un chrétien nationaliste et antisémite comme le prince de Guermantes, avait été converti à y croire, on répondait : « Mais est-ce qu'il n'a pas épousé une Allemande ? — Oui, mais... — Et est-ce que cette Allemande n'est pas vicieuse. N'est-elle pas amoureuse d'un homme qui a des goûts spéciaux ? » Et le dreyfusisme du prince avait beau ne pas lui avoir été suggéré par sa femme et n'avoir pas de rapports avec les mœurs du baron, l'antidreyfusard philosophe concluait : « Vous voyez bien ! C'est peut-être de la meilleure foi du monde que le prince de Guermantes est dreyfusiste. L'influence étrangère a pu s'exercer sur lui d'une façon occulte. C'est le mode le plus grave. Mais un bon conseil. Chaque fois que vous trouverez un dreyfusard, grattez un peu. Vous ne trouverez pas bien loin le ghetto, l'étranger, l'inversion ou la wagnéromanie. » Et lâchement on cessait la conversation, car il aurait fallu avouer que la princesse était une wagnérienne passionnée.

Chaque fois que la princesse savait que je devais venir chez elle, et comme elle savait que je voyais souvent M. de Charlus, elle préparait sans doute un certain nombre de questions assez savamment placées pour que je ne pusse apercevoir ce qui se cachait derrière elles, et qui devait être de pouvoir contrôler si telle assertion, telle excuse de M. de Charlus relative à une certaine adresse, à un certain soir, étaient vraies ou non. Quelquefois pendant toute la durée de ma visite elle ne me posait aucune question, si insignifiante eût-elle pu paraître, et tâchait de me faire

1. Dans une lettre de mai 1912 à Mme Gaston de Caillavet, Proust rapporte un mot semblable de Mme Standish à Mme Greffulhe : « L'autre prenant à son compte le mot de Mme Récamier (?) disait qu'elle saurait qu'elle ne serait plus belle quand les petits ramoneurs ne se retourneraient plus sur son passage. Et Mme Standish lui répondit : "Oh ! n'ayez pas peur ma chère, tant que vous vous habillerez de cette manière-là, on se retournera toujours !" » (*Correspondance*, t. XI, p. 157). Proust paraît se souvenir d'un récit de Sainte-Beuve à propos du mot de Mme Récamier : « À une femme qui la revoyait après des années, et qui lui faisait compliment sur son visage : "Ah ! ma chère amie, répondait-elle, il n'y a plus d'illusion à se faire. Du jour où j'ai vu que les petits Savoyards dans la rue ne se retournaient plus, j'ai compris que tout était fini" » (*Causeries du lundi*, Garnier, 3e éd., 1857, t. I, p. 132-133).

remarquer qu'elle ne m'en posait aucune. Et après m'avoir dit adieu, la porte déjà ouverte, comme sans préméditation, m'en posait cinq ou six. Et les choses allaient ainsi quand un soir elle me fit chercher ; je la trouvai en proie à une agitation extraordinaire ; elle réprimait difficilement des sanglots. Elle me demanda si je consentais à me charger d'une lettre pour M. de Charlus et me supplia de le lui ramener à tout prix. Je courus chez celui-ci, il était devant sa glace, en train d'effacer un peu de poudre. Il prit connaissance de la lettre — le plus désespéré des appels, comme j'ai su depuis — et me chargea de répondre que c'était matériellement impossible pour le soir même, qu'il était malade. Tout en me parlant, d'un vase il tirait à chaque fois une rose d'une nuance différente, l'essayait à sa boutonnière, et regardait dans le miroir comment elle s'accordait avec son teint, sans pouvoir arriver à se décider pour aucune. Son valet de chambre entra lui dire que le coiffeur était là ; le baron me tendit la main pour prendre congé de moi. « Mais il a oublié son fer à friser », dit le valet de chambre. Le baron entra dans une colère terrible ; seule la vue de la rougeur qui allait gâter sa mine le força de reprendre un peu de calme auquel se mêlait pourtant un désespoir plus amer encore que tout à l'heure, puisque ce n'était pas seulement les cheveux qui seraient moins légers qu'ils n'eussent pu l'être, mais la peau plus rouge, et par la sueur, le nez luisant. « Il faut aller le chercher, insinua le valet de chambre. — Mais je n'ai pas le temps, gémit le baron en une plainte destinée à produire un effet de terreur égale à la plus violente colère, tout en produisant moins de chaleur chez celui qui l'exhalait. Je n'ai pas le temps, pleura-t-il, il faut que je sois parti dans une demi-heure, ou je vais tout manquer. — Alors, M. le baron veut-il qu'il entre ? — Mais je ne sais pas, je ne peux pas me passer d'un coup de fer, dites-lui qu'il est une brute, un scélérat, dites-lui. » Cependant je sortais et je courus chez la princesse. Haletante, elle traça de nouveau quelques mots qu'elle me pria de porter encore. « J'abuse de votre amitié, mais si vous saviez pourquoi ! » Je retournai chez M. de Charlus. Un peu avant d'arriver à sa demeure, je le vis qui rejoignait Jupien devant un fiacre arrêté. Le phare d'une auto qui passait éclaira une seconde au fond du fiacre la casquette et le visage d'un conducteur d'omnibus. Puis je ne pus plus l'apercevoir car on avait fait placer le fiacre dans un coin sombre, à l'angle d'une impasse entièrement noire. J'entrai dans celle-ci pour que M. de Charlus ne me vit pas. « Donnez-moi une seconde avant de monter, dit M. de Charlus à Jupien, ma moustache n'est pas défaite ? — Non vous êtes superbe. — Tu me charries ! — Employez pas de mots comme ça, ça ne vous va pas. C'est bon pour celui que vous allez voir. — Ah ! il a l'air un peu voyou, je ne déteste pas ça. Mais dis-moi un peu quel genre d'homme est-ce, pas trop maigre ? » De sorte que je compris que si M. de Charlus n'allait pas au secours de la merveilleuse princesse folle de douleur, ce n'était pas même à cause d'un rendez-vous avec un être aimé, ou seulement désiré, mais de la présentation arrangée de quelqu'un qu'il n'avait jamais vu. « Non il n'est pas maigre, plutôt grassouillet, entrelardé, sois tranquille, il est tout à fait ton genre, tu verras, tu seras content mon petit môme », ajouta Jupien en employant à l'égard du baron une expression qui semblait aussi peu directement appropriée, aussi rituelle, que quand les Russes appellent un passant « mon petit frère ». Il entra avec M. de Charlus dans le fiacre de sorte que je n'aurais dû plus rien entendre, mais dans son trouble M. de Charlus non seulement négligea de fermer la glace, mais se mit sans s'en rendre compte et pour avoir l'air à l'aise, à parler sur le ton retentissant et aigu qu'il prenait quand il était en représentation. « Je suis charmé de faire votre connaissance et surtout confus de vous avoir laissé attendre ainsi dans ce mauvais fiacre, dit-il pour boucher par des paroles le vide de sa pensée anxieuse, et sans songer que ce mauvais fiacre devait sembler fort bon à un contrôleur d'omnibus. J'espère que vous me ferez le plaisir de passer avec moi une soirée, une confortable. Vous n'êtes jamais libre que le soir ? — À moins le dimanche. — Ah ! vous êtes libre le dimanche après-midi. C'est parfait. Cela simplifie tout. Aimez-vous la musique ? Allez-vous quelquefois au concert ? — J'y vas souvent. — Ah ! eh bien ! très bien, voyez comme on s'entend déjà gentiment, je suis vraiment ravi de vous connaître. Nous pourrons aller au Concert Colonne, j'ai souvent la baignoire de ma cousine de Guermantes ou de mon cousin Philippe de Cobourg. » Le baron n'osa pas dire le roi de Bulgarie, de peur d'avoir l'air de faire « de l'épate », mais bien que le contrôleur d'omnibus n'eût absolument rien compris à cette phrase et n'eût aucune notion sur les Cobourg, ce nom princier parut encore trop voyant à M. de Charlus qui pour ne pas avoir l'air de surfaire ce qu'il offrait, se mit par modestie à le déprécier. « Oui, mon cousin Philippe de Cobourg, vous ne le connaissez pas », et aussitôt comme un riche dirait à un voyageur de troisième « On est tellement mieux là que dans les premières » : « Au fond c'est une raison de plus de vous envier, car il est assez bête le pauvre, ce n'est même pas tellement qu'il soit bête, mais il est agaçant, tous les Cobourg sont comme ça. Du reste je vous envie de toutes façons, ce doit être si agréable cette vie de plein air, tout en voyant tant de gens différents, et encore dans un coin charmant, sous les arbres, car je crois que mon ami Jupien m'a dit que votre ligne aboutissait à la Muette ? J'ai souvent voulu habiter par là. C'est ce qu'il y a de plus beau à Paris. Alors c'est convenu nous irons au Concert Colonne. On pourra griller la baignoire. Non pas que je ne serais très flatté d'être vu avec vous, mais on est plus tranquille. C'est si embêtant le monde, n'est-ce pas ? D'ailleurs je ne dis pas cela pour ma cousine Guermantes qui est charmante et si belle. » De même que les érudits timides qui craignent d'être taxés de pédantisme, abrègent une comparaison savante et ne réussissent qu'à paraître plus longs, en devenant tout à fait obscurs, ainsi le baron cherchant à effacer l'éclat des grands noms qu'il citait, rendait son discours tout à fait inintelligible au contrôleur d'omnibus. Celui-ci n'en comprenant pas les termes, essayait de le *[sic]* discerner d'après les intonations et comme elles étaient celles de quelqu'un qui s'excuse, il commençait à craindre de ne pas recevoir la somme que Jupien lui avait fait espérer. « Quand vous allez au concert le dimanche, est-ce aussi à Colonne que vous allez ? demanda le baron. — Plaît-il ? — À quel concert allez-vous le dimanche ? reprit le baron un peu agacé. — Des fois à Concordia, des fois à l'Apéritif Concert ou au Concert Mayol. Mais j'aime mieux me dégourdir les jambes. C'est canulant de rester assis toute une journée ! — Je n'aime pas Mayol. Il a un genre efféminé qui me déplaît horriblement. En principe j'ai horreur de tous les hommes de ce genre. » Comme Mayol est populaire le contrôleur comprit ce que disait le baron, mais encore moins pourquoi celui-ci avait voulu le voir, puisque ce ne pouvait être pour ce qu'il détestait. « On pourrait aller dans des musées ensemble, reprit le baron. Est-ce que tu as jamais été au musée ? — J'connais que le Musée du Louvre et le Musée Grévin. » Je retournai chez la princesse, lui rapportant sa lettre. Dans sa déception, elle eut contre moi un mouvement de colère dont elle s'excusa aussitôt. « Vous allez me détester, dit-elle, je n'ose pas vous demander d'y retourner une troisième fois. » Je me fis arrêter un peu avant l'impasse, et m'y engageai. Le fiacre était toujours là. M. de Charlus disait à Jupien : « Hé bien ! le plus pratique est ceci ; descends le premier avec lui, et mets-le dans son chemin, et viens me rejoindre ici. Allons, j'espère vous revoir. Comment ferons-nous ? — Hé bien ! vous pourriez me faire envoyer un mot quand vous sortez pour aller manger à midi », dit le contrôleur. S'il usa de cette expression qui s'appliquait moins exactement à la vie de M. de Charlus, lequel ne « sortait pas pour aller manger à midi » qu'à celle des employés d'omnibus et autres, ce n'est point sans doute chez le contrôleur défaut d'intelligence mais mépris de la couleur locale. Continuateur des grands maîtres, il traitait le personnage de M. de Charlus comme un Véronèse ou un Racine, ceux du mari de Cana ou d'Oreste, dont l'un montre le mari de Cana et l'autre, Achille comme si ce Juif et ce Grec légendaires avaient fait partie l'un du fastueux patriciat de Venise, l'autre de la cour de Louis XIV. M. de Charlus ne crut pas devoir relever l'inexactitude et répondit : « Non, ce sera plus simple que vous arrangiez cela avec Jupien. Je lui en parlerai. Bonsoir, j'ai été charmé », ajouta-t-il sans pouvoir se défaire de son amabilité d'homme du monde et de sa morgue de grand seigneur. Peut-être était-il d'autant plus mondain à ce moment-là qu'il n'était pas dans le monde ; car quand on sort de ses habitudes, la timidité vous rendant incapable d'invention, c'est au souvenir des habitudes qu'on fait appel pour presque tout, et ainsi c'est sur les actes dans lesquels on croyait s'en affranchir qu'elles s'exercent avec le plus de force, presque à la manière de ces intoxications qui redoublent quand on interrompt l'usage du toxique. Jupien sortit avec le contrôleur. « Hé bien ! qu'est-ce que je t'avais dit ? dit Jupien. — Ah ! il me faudrait beaucoup de soirées comme celle-là ! Et puis j'aime bien entendre causer comme ça, posément, un type qui ne s'emballe pas. C'est pas un curé ? — Non pas du tout. — Il ressemble à un photographe chez qui que j'ai été une fois faire faire mon portrait. C'est pas lui ? — Non, dit Jupien. — Farceur, dit le contrôleur qui croyait que Jupien voulait le tromper, et qui craignait, comme M. de Charlus était resté dans le vague sur les rendez-vous futurs, qu'il ne lui posât un lapin, farceur, tu vas pas me dire que c'est pas le photographe. Je l'ai bien reconnu. Il habite au troisième rue de l'Échelle, il a une petite chienne noire qui s'appelle même je crois Love, tu vois que je sais ! — C'est idiot ce que tu dis, répondit Jupien. Je ne dis pas qu'il n'y a pas un photographe qui a une chienne noire, je te dis que ce n'est pas lui à qui je t'ai présenté. — Bien, bien, c'est comme tu veux, je reste dans mon idée. — Tu peux y rester, je m'en fous. Je passerai demain te parler pour le rendez-vous. » Jupien regagna le fiacre, mais le baron énervé en était déjà sorti. « Il est bien, bien élevé, gentil. Mais comment sont ses cheveux ? Il n'est pas chauve au moins, je n'ai pas osé lui demander d'ôter sa casquette, j'étais ému comme une fiancée. — Quel gros bébé tu fais ! — Enfin nous allons parler, mais pour la prochaine fois j'aimerais mieux le voir dans l'exercice de ses fonctions, j'irais par exemple en taxi à la Muette, et là je prendrais dans son tram le coin du bout à côté de lui. Même si c'était possible, en doublant le prix, j'aimerais qu'il fasse des choses assez cruelles. Par exemple il ferait semblant de ne pas voir les vieilles dames qui font signe au tramway et qui n'en auraient plus après. — Grand vicieux ! Mais ça, coco, ce n'est pas facile parce qu'il y a aussi le conducteur, tu comprends, il tient à être bien vu dans son travail. » Je sortis de l'impasse, je me rappelais la soirée où chez la princesse de Guermantes (la soirée que, en train de la raconter, j'ai interrompue de cette parenthèse anticipatrice, mais à laquelle je vais revenir) où M. de Charlus se défendait d'être amoureux de la comtesse Molé, et je me disais que si nous savions lire dans la pensée des gens que nous connaissons, nous serions souvent étonnés d'y voir la plus grande place tenue par toute autre chose que ce que nous croyons. En quittant l'impasse, je gagnai l'hôtel de M. de Charlus. Celui-ci n'était pas encore rentré. Je laissai la lettre. On apprit le lendemain que la princesse de Guermantes, prenant un médicament pour un autre, s'était empoisonnée, accident après lequel elle resta plusieurs mois entre la vie et la mort et se retira du monde pendant plusieurs années. Il m'est quelquefois arrivé depuis en prenant l'autobus de payer ma place au contrôleur que Jupien avait dans le fiacre « présenté » à M. de Charlus. Ce contrôleur était un gros homme laid, bourgeonné, avec une vue basse qui lui faisait maintenant porter ce que Françoise appelait des lorgnons. Je n'ai jamais pu le voir sans penser à l'émoi, puis à la stupeur de la princesse de Guermantes si j'avais pu l'avoir auprès de moi et lui dire : « Attendez, je vais vous montrer la personne à cause de qui M. de Charlus résista à vos trois appels, le soir que vous vous êtes empoisonnée, à la personne d'où sont venus tous les malheurs de votre vie. Vous allez la voir, elle n'est pas loin d'ici. » Sans doute le cœur de la princesse eût alors battu bien fort. Et sa curiosité eût peut-être été mêlée d'une secrète admiration envers un être qui avait été assez séduisant pour rendre M. de Charlus, si bon pour la princesse, insensible à ses prières. Combien de fois, qu'elle le crût femme ou homme, avait-elle dû, dans son chagrin mêlé de haine et malgré tout de sympathie, n'avait-elle pas dû lui prêter le plus noble des visages. Alors en voyant celui-ci, bourgeonné, laid, vulgaire, aux yeux rouges et myopes, quel choc ! Sans doute la cause de nos chagrins, incarnée en un corps aimé d'un autre être, nous est quelquefois compréhensible ; les vieillards troyens voyant passer Hélène se disaient : « Notre mal ne vaut pas un seul de ses regards. » Mais le contraire est plus fréquent peut-être, parce que (de même qu'inversément des femmes admirablement belles ont toujours été délaissées par leur mari) il est commun que des êtres, laids aux yeux de presque tout le monde, excitent des amours inexplicables ; c'est qu'on peut tout aussi bien dire de l'amour ce que Léonard disait de la peinture, que c'est *cosa mentale*, quelque chose de mental. D'ailleurs on ne peut même pas dire que le cas des vieillards troyens soit plus ou moins fréquent que l'autre cas (la stupéfaction devant l'être qui a causé nos peines) car si on laisse seulement passer un peu de temps, le cas des vieillards troyens se confond presque toujours dans l'autre, il n'y a plus qu'un cas. Si n'ayant jamais vu Hélène, et pour peu qu'elle eût eu le destin de vieillir longtemps et mal, si on avait dit un jour aux Troyens : « Vous allez voir cette fameuse Hélène », il est probable que devant une petite vieille rougeaude, épaissie, informe, ils n'eussent pas été moins stupéfaits que n'eût été la princesse de Guermantes devant le conducteur d'autobus. / Pour revenir à la soirée chez la princesse de Guermantes, j'allai dire adieu à la maîtresse de maison. Elle était si belle que j'ai gardé l'image de ses traits gravée à la façon d'une médaille commémorative, que la princesse remettait pour toujours, comme le plus précieux souvenir, à ceux qui avaient assisté à ses fêtes. En même temps que moi prirent congé d'elle le duc et la duchesse de Guermantes, lesquels avaient abandonné l'idée de rester à souper. Mais au moment où Mme de Surgis était partie, le duc avait trouvé le moyen d'échanger quelques mots avec elle. Accessoirement il lui avait fait savoir que la duchesse n'irait pas demain chez Mme de Saint-Euverte, ce qui leur fit aussitôt former le projet, à lui et à Mme de Surgis, d'y aller ensemble, et allait fournir dès le lendemain soir à Mme de Saint-Euverte une excuse et une vengeance de ne pas avoir eu la duchesse, quand elle dirait que le duc préférait sortir avec Mme de Surgis et que tout le monde le comprenait. Mme de Guermantes en fut outrée, et Mme de Surgis l'ayant su, força le duc à redoubler d'assiduité auprès de Mme de Saint-Euverte. Mais surtout dans ces quelques mots que Mme de Surgis échangea avec M. de Guermantes en quittant la soirée de la princesse, elle avait pu lui glisser à l'oreille combien M. de Charlus avait été charmant *ms., dactyl.* ◆◆ *c.* longtemps. On était souvent attendri de la façon dont cet homme si dur parlait de son cadet Palamède. Voyant M. de Charlus passer au moment où *ms., dactyl., dactyl. corr.*

1. Voir ce long récit à la variante *b* de cette page. Proust le retira vraisemblablement pour la publication de « Jalousie » dans *Les Œuvres libres*, avec l'intention de le restituer dans le roman. Mais il omit de le faire. Voir la Notice, p. 1253 et n. 4.

2. Voir l'Esquisse VI, p. 977, où la duchesse de Guermantes propose au héros de le ramener chez lui, et où le duc s'y oppose en raison de l'exiguïté de la voiture.

Page 115.

a. tu ne sais pas comme ça me manque. *ms.* : tu ne sais pas comme cela me manque. *dactyl., dactyl. corr., Jalousie, Jalousie corr., orig.* ◆◆ *b.* avec lui ? me demanda-t-elle craintivement. Mais *ms., dactyl. avec lacunes* ◆◆ *c.* l'autre comme deux chats qui ont été élevés ensemble et que *ms., dactyl.*

Page 116.

a. dictionnaire chinois. — Car tu te rappelles Basin, à ce moment-là, Basin, j'avais une toquade de chinois. — Si je me rappelle, *ms.* : dictionnaire chinois. Si je me rappelle, *dactyl., dactyl. corr., Jalousie, Jalousie corr., orig. Nous retenons la leçon du manuscrit.* ◆◆ *b.* vraie. Tu disais que je n'ai jamais eu les idées de tout le monde, tu ne disais pas les idées, tu disais les goûts. Comme c'est juste ! Je n'ai jamais eu en rien les goûts de tout le monde, comme c'est juste ! Tu disais que j'avais des goûts spéciaux. *ms.* : vraie. Tu disais que je n'ai jamais eu les idées de tout le monde, comme c'est juste ! Tu disais que j'avais des goûts spéciaux. *dactyl., dactyl. corr., Jalousie, Jalousie corr., orig. Nous retenons la leçon du manuscrit.*

1. Le marquis d'Hervey de Saint-Denis, littérateur et sinologue français (1823-1892), fut professeur de chinois au Collège de France

en 1874, et membre de l'Académie des inscriptions et belles-lettres en 1878. Proust a connu sa veuve, un modèle de Mme d'Orvillers (voir n. 2, p. 118).

Page 117.

a. significative étreinte et la duchesse exigea de me ramener avec cette amabilité aristocratique qui sans doute n'est pas fâchée de payer d'avance en politesses qui ne coûtent rien, mais qui a bien de la grâce aussi, parce que tenant pour rien des difficultés ou s'empêtreraient de petits bourgeois, elle vous procure sans faire aucune façon, des plaisirs ou seulement une commodité effective. Celle d'être ramené plus vite et de ne pas faire attendre Albertine fut la raison qui me fit accepter l'offre de la duchesse, avec un plaisir d'une toute autre sorte que celui que j'aurais attendu autrefois d'un pareil retour. Sous le nom des Guermantes aussi bien que sous celui des Swann, et comme derrière ces rideaux à la faveur desquels s'accomplissent des changements de décor pour un nouveau tableau, c'était tout autre chose qui avait pris la place de ce qu'ils représentaient jadis pour moi. Nous descendîmes ensemble l'escalier de l'hôtel, si large que ses marches avaient l'air des degrés d'une estrade de théâtre. Des deux côtés, *ms., dactyl.*

1. Mgr Dupanloup (1802-1878 ; voir *Le Côté de Guermantes I*, t. II, p. 492 et n. 3) s'occupa activement de l'enseignement dans les collèges religieux, participa à la lutte en faveur de la liberté de l'enseignement entre 1844 et 1850, et fut en 1850 l'un des promoteurs de la loi Falloux. L'anecdote se compose de deux additions tardives : Cahier 61, ff^os 36-37 (associant le langage de Bloch, celui du duc, et les comparant à Dupanloup) ; Cahier 60, f° 13 r° (notant l'expression prêtée au duc).

2. Les origines de cette famille provençale remontent au XIe siècle. Proust était lié au comte Boni de Castellane (voir *À l'ombre des jeunes filles en fleurs*, t. I de la présente édition, n. 3, p. 629).

Page 118.

a. son neveu. *Le paragraphe qui, dans le texte définitif, suit ces mots et qui va de* Pendant que nous descendions *[p. 118, 2e §, 1re ligne] à* avec qui ils sont liés aussi[1]. *[p. 119, 1er §, dernière ligne] ne figurait pas à cet endroit dans le manuscrit et dans la dactylographie (voir la leçon du manuscrit et de la dactylographie, var. b, p. 119). Il a été ajouté par Proust sur la dactylographie corrigée et reprend trois passages du manuscrit et de la dactylographie dont l'un était situé plus haut (voir var. b, p. 34, [p. 1333-1334]) et les deux autres plus bas (voir var. b, p. 120 et var. b, p. 122).*

1. Ce passage parut en bonnes feuilles dans le supplément littéraire du *Figaro*, le 30 avril 1922, page 1, à la veille de la parution de *Sodome et Gomorrhe II*, précédé de la présentation suivante d'un auteur anonyme : « Nous avons la bonne fortune de pouvoir offrir à nos lecteurs une des pages encore inédites du roman de M. Marcel Proust dont on annonce la prochaine apparition. Ce portrait de la princesse d'Orvillers arrivant à une fête chez la duchesse *[sic]* de Guermantes est une partie bien significative de l'immense panorama psychologique du grand écrivain et de l'incomparable romancier qu'est M. Marcel Proust. »

1. Le prince de Sagan, oncle du comte Boni de Castellane (voir *À l'ombre des jeunes filles en fleurs*, t. I de la présente édition, p. 629 et n. 2) mourut en 1910.

2. La marquise d'Hervey de Saint-Denis (voir n. 1, p. 116) était la fille naturelle du dernier prince régnant de Parme (George Painter, ouvr. cité, t. I, p. 214). Proust la décrit lors d'une réception chez Montesquiou en 1894, « Une fête littéraire à Versailles », (*Essais et articles*, éd. citée, p. 360).

Page 119.

a. ni d'y être vue[1], *dactyl. corr., Jalousie, Jalousie corr., orig. Nous corrigeons.* ♦♦ *b.* sont sa sœur et son *[p. 118, 1er §, dernière ligne]* neveu[2]. Or plus d'une des personnes qui étaient à cette soirée, et d'abord le duc de Guermantes, avaient une réputation d'élégance plus grande que celle du prince de Sagan. J'aurais donc dû passer cette soirée et tant d'autres où je les vis ensuite, comme au milieu d'ombres célèbres, dans le même enchantement qu'on a pendant une lecture. Mais le duc de Guermantes, pour être pour moi un prince de Sagan, il m'a manqué cette chose si importante : ne pas le connaître. Tout autant que le génie et le talent l'importance mondaine est offusquée par l'interposition familière entre elle et nous d'une personne physique. L'habitude de dîner avec quelqu'un est un coup de massue terrible à sa possibilité d'être pour nous un personnage d'histoire. L'histoire, même anecdotique, les hommes du monde qui doivent y figurer n'y entrent qu'à la façon dont les peintres entrent au Louvre c'est-à-dire après leur mort. L'importance, la poésie, ce n'est que l'imagination qui peut les donner ; on ne les dégage pas par le contact matériel. Certes les nuances dont se varie entre des fleurs humaines voisines et de l'espèce la plus rare, la pureté d'un sang précieux, il n'y aurait pas eu moins d'intérêt à le suivre, et peut-être l'essaierons-nous, de Mme de Villeparisis au duc de Guermantes, du duc de Guermantes au baron de Charlus, de M. de Charlus à Saint-Loup, que du prince de Sagan à son frère, à sa sœur, à ses neveux. Mais du prince de Sagan je ne possédais que deux images, l'une avenue du Bois saluant Mme Swann, l'autre sur l'escalier de l'hôtel de Guermantes, saluant la duchesse. Je ne l'avais pas connu. Depuis il était mort. Et j'admirais que des vivants avec qui on pouvait causer, fussent ainsi apparentés, fussent de la même essence de celui qui appartenait à un règne si différent, celui qui n'était plus qu'un nom, ou plutôt qui était devenu, qui s'était haussé jusqu'à devenir un nom.

Mme d'Orvillers en passant rendit encore quelques mots tendres à la duchesse. Quoique légère elle était si recherchée qu'elle ne faisait ainsi que de courtes apparitions dans les soirées, et d'ailleurs malgré la distance immense qu'eût mise entre elles le public qui connaissait ses galanteries, la croyait presque une cocotte, ne considérait la princesse de Guermantes que comme une aimable cousine. La princesse des... la suivit de près, évitant d'ailleurs de lui dire bonjour parce qu'elles avaient eu des difficultés chacune prétendant être placée avant l'autre. Cette princesse

1. Voir la variante *a*, page 118.
2. *Ibid.*

de XXX assez rigide et trouvant inouï qu'on pensât à placer avant elle une femme qui avait des amants ressemblait comme deux gouttes d'eau à une grande femme à démarche dégingandée dans sa jupe beige ou écossaise, que je rencontrais quelquefois le matin quand je revenais de ma leçon de droit, en écolier, ma serviette sous le bras, et qui sans se gêner le moins du monde se retournait jusqu'à dix fois sur moi, en m'adressant des sourires, s'arrêtant aux devantures, me faisant presque des signes. « C'est tout de même inouï qu'Oriane traite en amie cette Mme d'Orvillers qui en a fait plus que les pires. Ah ! si M. de Gallardon voyait cela il ne me permettrait plus de dire bonjour à Oriane. D'ailleurs il m'a toujours défendu ce milieu. Vous ne savez pas comme il est jaloux. Du reste il aime que sa femme voie un milieu comme il faut. Il a raison. » « Tenez, comme j'ai eu raison de vouloir vous ramener malgré vous, me dit le duc tandis que nous attendions sur l'escalier, voilà qu'il pleut, vous n'auriez pas trouvé de voiture et vous auriez eu un temps affreux. Ne niez pas l'évidence, vous vouliez nous plaquer, vous nous snobiez », ajouta-t-il, l'emploi de mots vulgaires et une fausse humilité étant deux traits concordants de la haute idée qu'il avait de sa situation mondaine. Il ne se doutait pas du plaisir que me causait ce temps affreux, comme tout ce que je sentais identique à quelque chose que j'avais déjà connu. Mon cœur s'élargissait pour accueillir ces êtres qui ne sont pas que particuliers, qui s'étendent, épars, sur de vastes espaces de durée, et notamment des jours de certaine sorte. Dès que je les avais reconnus je n'avais plus besoin de les vivre à l'aide de l'incommode perception du présent ; je devenais simultanément contemporain du passé où je trouvais à les y goûter simultanément des plaisirs dûs à la vivacité du désir qui ne peut se satisfaire au travail de l'imagination, à d'autres raisons que je ne devais découvrir <que> peu à peu. En ce moment j'étais heureux d'avoir retrouvé un de ces amis que j'avais déjà parmi ces Dieux qui passent de temps à autre auprès de nous au cours de notre vie. Dans quelques mois peut-être il me serait donné de revoir celui qui enguirlandé de couronnes bleues vous invite à aller cueillir des raisins à la treille, ou, vous avertissant de la fraîcheur et de prendre une couverture, vous invite à une promenade en barque sur la mer mauve de septembre. Mais ce soir, celui dont le duc de Guermantes, faisant tomber en moi les cloisons entre le présent et le passé, venait de me révéler la présence immortelle, c'était celui qui après une journée brûlante de chaleur, arrose et rafraîchit le feuillage qui ne sera que plus luxueux tout à l'heure, comme avec la lance d'un jardinier. Je voyais au bout de mon regard le peuplier de la rue des Perchamps multipliant les révérences qu'une personne trop polie adresse à un prince qui ne la voit pas. Et bien que la saison en fût passée je sentais l'odeur des lilas. On annonça *ms., dactyl.*

1. Voir *Le Côté de Guermantes II*, t. II de la présente édition, p. 668. Le Cahier 61, cahier d'additions, présentait une version différente des regards de la rue, située du côté de Sodome : « Il y a des hommes dont j'ai connu toute la vie régulière, quelques liaisons féminines seulement venant s'ajouter à leur union conjugale et féconde, sans qu'elle fût soupçonnée par personne d'inversion. Mais certain soir avant de les connaître j'avais vu l'espace d'un lieu où ils se trouvaient sillonné par leurs regards, comme par des éclairs de chaleur ou par

des étoiles filantes, certains soirs phosphorescents aussi, pourrait-on dire, où leurs regards appeleurs fouillaient comme le feu d'un phare, comme le signal lumineux d'une tour ou d'une planète, le regard de quelque homme qui souvent ne comprenait pas ; de quelque homme qu'ils ne regarderaient plus ensuite voyant qu'il était encadré dans une société qu'ils connaissaient ; de quelque homme avec lequel peut-être même ils n'eussent pas eu, soit par faute de réciprocité, ou respect humain, ou scrupule religieux, ou fidélité à leur femme, ou distraction par d'autres événements, ou pureté spirituelle de leur propre ardeur, de rapports charnels, mais dont la vue avait tout de même éveillé en eux cette étincelle électrique et brûlante d'une curiosité infinie que chez ceux-là les femmes avec qui en revanche ils couchent n'allument jamais » (Cahier 61, ff[os] 77-78 r°). Deux ajouts développaient encore le thème : « Capital. Comme le vice n'est pas tout mais aussi la situation sociale, la fonction, le plastron, la moustache, l'air de famille avec leurs parents, il y en avait que M. de Norpois lui-même fréquentait pendant des mois sans plus deviner qu'un policier ne devine en la personne habilement truquée qu'il a près de lui, chargée au besoin de le combattre ou de s'entendre avec lui, un autre policier » (Cahier 61, f° 77, addition marginale). Et celle-ci : « Pour les tantes qui ne vous regardent que quand elles ne vous connaissent pas encore et en insistant sur l'importance de ce premier regard : ajouter car elles ignorent qui vous êtes, le nom, les relations de la personne qui le porte avec une autre qu'on connaît sont un sujet fréquent de stupéfaction, et parce qu'elles l'ignorent nous pouvons faire la découverte de ces tantes dans un regard qu'elles n'auront plus ensuite, les vices étant comme l'occasion qu'on laisse échapper si on ne la saisit pas du premier coup. Ce qui donne raison à l'expression de leurs amis. Je comprends votre impression je l'ai eue mais quand on le connaît on change entièrement d'avis, il est tout le contraire » (Cahier 61, f° 79 r°).

Page 120.

a. qui ne sont pas de son sang[1]. » Mme de Gallardon *ms., dactyl., dactyl. corr.* : qui ne sont pas de son rang. » Mme de Gallardon *Jalousie, Jalousie corr., orig. Nous retenons la leçon de la dactylographie corrigée.* ◆◆ *b.* encore furieux *[1er §, dernière ligne]* d'avoir attendu. Au moment où presque tout le monde s'en allait et où Mme de Guermantes entrait dans sa voiture, arrivait, fendant la foule des partants, la seule baronne de la Maisonnette. Comme elle avait une mauvaise position dans le monde, elle était peu invitée. Longtemps le prince et la princesse de Guermantes avaient évité de la recevoir. Elle ne mettait pas de cartes chez eux pour ne pas avoir l'air de chercher des invitations. Mais des services d'ordre différent, latéraux et plus importants qu'elle leur rendait, les avaient forcés à lui en adresser pour ses soirées. Elle en avait laissé passer beaucoup sans s'y rendre. Et maintenant, quand elle y allait, c'était en femme qui vient du théâtre après tout le monde ce qui lui donnait l'air de ne pas

1. Mme de Gallardon est une cousine de la duchesse de Guermantes.

venir pour montrer qu'elle était invitée, pour connaître du monde, mais par amitié pour la princesse, pour lui faire à elle et à son mari, à eux seuls, une visite. Forte de ce dédain manifesté pour le monde, elle n'hésitait pas à s'asseoir à côté de la princesse sur une chaise que celle-ci était bien obligée de lui offrir. Et cela faisait de Mme de la Maisonnette, par cette manière d'arriver seule et d'être assise en amie, un personnage d'altesse, une manière d'amie, que subitement elle devenait, passant ainsi de l'extrême disgrâce à une grandeur singulière qui impressionnait. Pendant le retour, *ms., dactyl.*

1. La duchesse avait été changer ses souliers rouges à la fin du *Côté de Guermantes II* (voir t. II de la présente édition, p. 883-884).

2. Une caricature d'Albert Guillaume, parue dans *Le Journal* du 16 juillet 1923, correspond à la description de Proust. Elle reprend vraisemblablement un modèle plus ancien.

3. Voir l'Esquisse VI, p. 975-976.

Page 121.

a. repos durable à ma *[1er §, dernière ligne]* volonté. « Est-ce que ce que vous a raconté Bréauté sur l'entretien de Swann et d'Humbert vous a beaucoup amusé ? demanda le duc à sa femme. J'ai trouvé ça stupide. — Non c'est assez spirituel, comme tout ce qui vient de Swann, mais enfin il a dit souvent mieux. » J'eus un instant l'idée de rétablir les faits. Mais Swann ne m'en avait pas donné l'autorisation, et puis cela ne sert presque jamais à rien. Sans s'arrêter au démenti si probant soit-il, le potin, dans certains cas la calomnie, recommencent à pied d'œuvre, en vertu de la même tendance qui les avait d'abord fait naître, ou peut-être de l'esprit d'imitation qui fait que les gens connaissent la phrase : « Oui on a démenti, mais il paraît que c'était bien vrai, que c'était tout de même lui. » À cela rien ne fait, ni les lettres adressées aux journaux, ni les jugements, ni les témoignages de personnes insoupçonnables. « Dieu merci, j'ai trouvé cela bien médiocre, dit le duc, avec ce bon sens dont les gens d'une faible intelligence font parfois preuve au moment où en manquent des êtres qui leur sont supérieurs. Du reste, ajouta-t-il, cela ne m'étonne pas. J'ai trouvé Swann d'un vieilli, l'air presque abruti. Il doit sentir qu'on ne tient pas à le voir. Sa présence faisait presque scandale. — Hé bien ! *ms., dactyl.* ↔ *b.* demanda-t-elle de sa voix monocorde et rauque, *ms.* : demanda-t-elle de sa voix menacarde *[sic]* et rauque *dactyl., dactyl. corr.* : demanda-t-elle de sa voix menaçante et rauque *Jalousie* : demanda-t-elle d'une voix menaçante et rauque *Jalousie corr., orig.*

1. Voir l'Esquisse XI, p. 1016-1018 où le héros cherche à entrer en contact avec la baronne Putbus, ou Picpus, par l'intermédiaire de la duchesse de Guermantes.

Page 122.

a. inconnue. » Et la duchesse me rappela le nom de toutes les femmes à qui elle m'avait présenté. « N'oubliez pas la princesse des ... elle est très susceptible. » Je demandai si elle n'était pas un peu légère. « Oh !

pas du tout, vous confondez, c'est Mme d'Orvillers. Oh ! non Septimie est plutôt bégueule. *ms., dactyl.* ◆◆ *b.* sur elle », dit *[1er §, dernière ligne]* le duc. « Mais cela m'étonne que vous ne l'ayez jamais rencontrée dans la maison, dit la duchesse, car elle vient souvent déjeuner avec moi. Et elle est reconnaissable, elle a une démarche si particulière et souvent une jupe beige ou un écossais parce que la pauvre n'a pas beaucoup d'argent. Elle n'est pas très heureuse et pas très bonne, mais vertueuse, si. » Combien il en existe pour un jeune homme, de ces femmes et de ces hommes, qui le matin dans la rue quand il était pour elles ou pour eux un inconnu <ont> des regards bizarres, en ligne brisée comme l'éclair, des regards qui ont l'air de le reconnaître et que ces mêmes femmes et ces mêmes hommes n'auront plus quand ils le connaîtront. Alors des rapports mondains, amicaux, commenceront, excluant tellement tout ce qui aurait pu se rapporter au regard sillonnant l'air, que le jeune homme croira avoir été le jouet d'une illusion, ou l'objet d'une méprise, jusqu'au jour où d'autres faits, non compris dans la vie mondaine, viendront se raccorder, l'expliquant rétrospectivement, au regard presque oublié. La voiture *ms., dactyl.*

Page 123.

1. Voir *Le Côté de Guermantes II*, t. II de la présente édition, p. 862-863.

2. Il s'agirait d'une réplique d'Aimery de La Rochefoucauld à la mort de son cousin, Gontran, le frère de Robert de Montesquiou (voir n. 1, p. 62).

Page 124.

a. d'elle-même décampé[1]. [J'étais du reste ravi *biffé*] [Et se tournant *[...]* figure. » J'étais resté ravi *corr.*] de ne pas avoir *dactyl. corr.* : d'elle-même décampé. Et se tournant [...] figure. » J'étais resté ravi de ne pas avoir *Jalousie, Jalousie corr., orig.*

Page 125.

a. en Angleterre *[1er §, dernière ligne].* » / Tel était le caractère des habitants *dactyl. corr.* : en Angleterre. » / Tel était, en dehors [...] où ils en étaient si on les interrompt, ce qui finit par donner [...] habitants *Jalousie, Jalousie corr., orig. Nous corrigeons.* ◆◆ *b.* le parler de sa mère différait de celui *dactyl. corr., Jalousie* : le parler de sa mère n'était pas le même de celui *Jalousie corr., orig. Nous retenons la leçon de la dactylographie corrigée et de Jalousie.*

1. Les réflexions sur le langage de Françoise et de sa fille appartiennent à des additions tardives notées dans le Cahier 62, ff^os 34-38, et dans le Cahier 60, f° 68 v°.

2. Village d'Eure-et-Loire, canton d'Illiers.

1. Pour cette variante et les variantes suivantes, jusqu'à la variante *a*, page 126, voir la variante *b*, page 126.

Page 126.

a. de géographie linguiste et de camaraderie *dactyl. corr., Jalousie, Jalousie corr., orig. Nous corrigeons.* ↔ *b.* drôle d'heure pour recevoir *[p. 122, 6e ligne en bas de page]* vos visites, me dit la duchesse. » Elle aurait pu entendre dire que je faisais déjà un peu de la nuit le jour mais elle ne s'occupait jamais ni son mari de ce qui se passait dans la maison. / Il conviendrait d'arrêter ici le récit d'une journée déjà si longue, si la fin de la soirée n'avait failli voir la formation par combinaison de deux sentiments préexistants mais distincts, d'un sentiment nouveau chez moi et qui aurait eu pour objet Albertine. En effet celle-ci que je craignais d'avoir fait attendre n'était pas arrivée quand je rentrai, ce qui était inexplicable puisqu'il était plus de minuit et que *Phèdre* finissait vers onze heures et demie. Ma pensée était fixée sur la sortie du Théâtre-Français, sur la pluie qui avait pu empêcher Albertine de prendre une voiture, mais elle n'était pas fille à craindre d'être mouillée, sur l'avenue de l'Opéra éclairée de becs électriques. La visite d'Albertine me semblait de plus en plus désirable au fur et à mesure qu'elle était moins probable. Sans doute ce que j'avais souhaité pour ce soir, c'était un simple plaisir sensuel. Et que je dusse finir par me mettre dans mon lit sans le goûter, il n'y avait à cela rien de triste. Mais l'habitude de céder à mes caprices, d'exiger avec d'autant plus d'impatience leur réalisation qu'elle semblait plus compromise, faisait qu'au lieu de renoncer simplement à la venue d'Albertine, je restais dans l'incertitude ; et réveillées par elle en moi, telles que je les avais éprouvées autrefois aux Champs-Élysées quand Gilberte tardait à venir, toutes les impressions de l'attente diffusaient maintenant le même immense halo d'inquiétude, de charme et de tendresse autour du petit objet médiocre et peu apprécié, de plaisir purement matériel et si peu apprécié qui, dans tout l'ensemble de ce que je ressentais et où il tenait une place centrale mais minime, était le seul élément nouveau. Comme chaque fois *ms., dactyl.* : drôle d'heure pour recevoir vos visites, me dit [la duchesse *corrigé en* -elle]. [— Allons, mon petit, dépêchons-nous *[...]* en retard pour que la fête soit *[p. 123, 1er §, dernière ligne]* complète. *add.*] [Elle aurait pu entendre dire *[comme dans ms.]* seul élément nouveau. *corrigé*[1] *en* Moi aussi j'étais pressé *[p. 123, 2e §, 1re ligne]* de quitter *[...]* sans que j'y prisse aucun plaisir.] Comme chaque fois *dactyl. corr. Les textes de Jalousie, de Jalousie corrigée et de l'originale sont à quelques variantes près que nous donnons en leur lieu, similaires au texte de la dactylographie corrigée (voir de la variante a, page 124 à la variante a, page 126).* ↔ *c.* s'ouvrait, le concierge *ms., dactyl., dactyl. corr., Jalousie, Jalousie corr.* : s'ouvrait, la concierge *orig. Nous retenons la leçon de Jalousie corrigée.*

Page 127.

a. la fleur et Françoise avec ces formes paysannes qui me plaisaient ou m'exaspéraient selon mon humeur me dit : *ms., dactyl.* ↔ *b.* nos caresses. Et pour embellir *ms. Pour la leçon de la dactylographie, voir la variante suivante.* ↔ *c.* billes d'agates. Sentant qu'Albertine, insoucieuse de moi, me laissait seul, je me sentais envahi par le sentiment d'abandon

1. Pour corriger ce passage, Proust a inséré des feuillets du manuscrit dans la dactylographie corrigée.

que m'avait fait souvent éprouver Gilberte, de sorte que la simple privation d'un plaisir physique me faisait éprouver une tristesse morale. D'ailleurs, *ms. Le passage qui va de* Sentant qu'Albertine *à* tristesse morale *a été placé par erreur dans la dactylographie après* caresses *(voir la variante précédente).*

1. Voir *Du côté de chez Swann*, t. I de la présente édition, p. 98 et n. 1, ainsi que p. 395.

Page 128.

a. vint arranger des *[16e ligne de la page]* choses dans ma chambre. Elle n'aurait pas vu d'inconvénient à faire du bruit, l'heure étant passée où Albertine pouvait encore venir. Elle n'en faisait d'ailleurs pas et causait avec moi en élevant peu la voix. Mais je détestais cette conversation où je me croyais obligé d'avoir l'air indifférent et même vaguement satisfait, et où je sentais que mon visage ravagé par la déception contrastait tant avec mes paroles qu'il me fallait dire à Françoise que j'étais malade pour expliquer cet état différent de ce que je prétendais être mon état moral insoucieux ; je la détestais aussi sous la continuité uniformément banale de laquelle mes sentiments changeaient de minute en minute passant de la crainte à l'anxiété, à la déception complète, lesquelles absentes des paroles vaguement satisfaites que je me croyais obligé d'adresser à Françoise, ravageaient mon visage et brisaient mes nerfs au point que je prétendis que je souffrais d'un rhumatisme pour expliquer le désaccord entre mon indifférence simulée et ces expressions douloureuses ; si je me croyais obligé de continuer à parler de choses indifférentes, j'en voulais à Françoise de m'en dire qui le fussent, et surtout de faire un bruit qui risquait de m'empêcher *ms., dactyl.* ◆◆ *b.* directement avec *[6e ligne en bas de page]* notre cœur. Dans un plan éloigné mais parallèle, cette même soirée devait avoir un aspect bien différent pour Albertine qui ne s'était peut-être pas encore demandée une seule fois si elle viendrait me voir ; car le même temps est d'une longueur variable s'il est compté à la mesure d'un astre qui dure des millions d'années ou d'un infusoire qui est mort avant la fin de la journée ; la soirée passe vite dont on entend seulement les heures sonnées par le clocher ou dont les battements de notre cœur nous rendent douloureux et par conséquent perceptible chaque quatre-vingtième de minute ; j'étais torturé *ms., dactyl.*

1. L'invention du téléphone ne fut pas le fait de l'Américain Thomas Edison (1847-1931), mais celui de son compatriote Alexander Graham Bell (1847-1922).

Page 129.

a. besoin *[1er §, dernière ligne]* de moi. » En ce moment j'aimais Albertine ; peut-être étais-je destiné, me disais-je, à l'aimer toujours. Il semble que nous ayons eu besoin de mettre de notre angoisse, de mettre de nous-même sur un être, pour qu'il éveille vraiment en nous cet intérêt profond qu'est l'amour. C'est comme un peu de notre cœur que dans ces minutes anxieuses nous avons oublié en cet être duquel après cela nous chercherons sans cesse à nous rapprocher pour tâcher de rejoindre, de ressouder les deux parties de notre cœur. J'avais en ce moment aussi besoin d'Albertine, et ma douleur qu'avait dissipée l'appel du téléphone recommença, mais je ne dis rien d'abord car je pensais que tant qu'Albertine était en communication avec moi, je pourrais toujours l'obliger à la dernière seconde soit à venir chez moi, soit à me laisser courir chez elle. Tout ce qu'il fallait c'était que maintenant la soirée ne finisse pas sans que je l'eusse vue. « Oui, *ms., dactyl.* ↔ *b.* chez moi, dit-elle, et un peu loin de chez vous ; *ms.* : chez moi, dit-elle, et infiniment loin de chez vous ; *dactyl., dactyl. corr., Jalousie, Jalousie corr., orig. Nous adoptons la leçon du manuscrit.* ↔ *c.* vous me gêneriez beaucoup... *ms., dactyl., dactyl. corr., Jalousie* : vous me gênerez beaucoup... *Jalousie corr., orig.* ↔ *d.* complications. Mais je tiens *ms.* : complications. Je tiens *dactyl., dactyl. corr., Jalousie, Jalousie corr., orig.*

1. L'« écharpe agitée » sert de signal entre Isolde et Tristan, à l'acte II, sc. 1, de l'opéra de Wagner *Tristan et Isolde* (voir *Du côté de chez Swann*, t. I de la présente édition, p. 186). Le « chalumeau du pâtre », à l'acte III, sc. 1, prévient Tristan à l'agonie du départ du navire d'Isolde. Cette mélopée, un célèbre solo de cor anglais, fut inspirée à Wagner par un chant de gondolier vénitien, ainsi qu'il le rapporte dans *Ma vie*, Plon, 1911-1912, 3 vol. (voir *La Prisonnière*, p. 665-667 ; 674). Dans « Journées en automobile », article de 1907, Proust comparait la trompe de la voiture aux deux motifs de Wagner (voir *Pastiches et mélanges*, éd. citée, p. 68-69).

2. Voir, Esquisse XIV, p. 1049, la mise en place, au début de la guerre, du coup de téléphone et de la visite d'Albertine.

Page 130.

a. différent, bien qu'étranger à lui, ce doux et terrible besoin d'un être qu'à Combray j'éprouvais pour ma mère, *ms., dactyl.* : différent, ce terrible besoin d'un être qu'à Combray j'avais appris à connaître au sujet de ma mère, *dactyl. corr.* : différent. Ce terrible besoin d'un être qu'à Combray, j'avais appris à le connaître au sujet de ma mère, *Jalousie*

1. Voir dans *Le Côté de Guermantes I*, t. II de la présente édition, p. 433-434, la conversation du héros et de sa grand-mère au téléphone ; ou, dans *Jean Santeuil* (*Jean Santeuil* précédé de *Les Plaisirs et les Jours*, Bibl. de la Pléiade, 1971, p. 356-361), la voix de la mère de Jean au téléphone. Dans toutes ces scènes, le téléphone joue comme « présence à la fois retrouvée et perdue », illustration, selon Georges Poulet, de « l'impossibilité qu'il y a pour les êtres d'arriver à être présents les uns aux autres » (*L'Espace proustien*, Gallimard, 1963, p. 63 et 65).

Page 132.

a. être lointain, le message invisible, ce qui allait surgir *ms.* : être lointain, ce qui allait surgir *dactyl., dactyl. corr., Jalousie, Jalousie corr.* : être lointain, une voix qui allait surgir *orig. Nous retenons la leçon du manuscrit.*

Page 133.

a. le dédain et la moquerie, *ms., dactyl., dactyl. corr.* : le dédain de la moquerie, *Jalousie, Jalousie corr., orig. Nous retenons la leçon de la dactylographie corrigée.*

Page 134.

a. chaque fois que Mme de Villeparisis m'invitait, mais elle souffrait chaque fois que je faisais cadeau à Albertine d'un objet qu'elle avait d'ailleurs parfois convoité pour elle-même. Mais surtout elle était indignée du manque de réciprocité de la part d'Albertine. J'en étais arrivé *ms., dactyl.*

Page 135.

a. semblant d'être en train d'écrire. *dactyl. corr.*[1] : semblant d'être contraint d'écrire. *Jalousie, Jalousie corr., orig. Nous adoptons la leçon de la dactylographie corrigée.* ⁂ *b.* à moi, Gilberte Swann. *dactyl. corr.*[2], *Jalousie, Jalousie corr.* : à moi, à Gilberte Swann. *orig.* ⁂ *c.* en récitant *[1er §, dernière ligne]* ce dicton qu'elle prétendait courant à Combray et que pour ma part je n'y avais jamais entendu : / *Mangeons* [...] *n'ai plus faim.* / Quand Albertine fut entrée, je me dis que si je commençais par des questions et des reproches, on n'aurait plus le temps. *ms., dactyl.* ⁂ *d.* encore. « Je peux prendre un bon, Albertine. — *ms., dactyl., dactyl. corr.* : encore. « Je veux prendre un bon baiser, Albertine. — *Jalousie, Jalousie corr., orig. Nous retenons la leçon du manuscrit et de la dactylographie corrigée.*

1. Une notation du Cahier 60 imaginait un prolongement de cette scène : plus tard, Albertine se couperait et apprendrait au héros qu'elle connaissait Gilberte (Cahier 60, f° 29 r°).

2. Voir var. *d.* Il s'agit d'une allusion à la scène du premier baiser : voir *Le Côté de Guermantes II*, t. II de la présente édition, p. 658. Les brouillons des deux passages figurent dans le Cahier 46 : voir l'Esquisse XIV, p. 1050.

Page 136.

a. importance que *[p. 135, dernière ligne]* d'un état purement intérieur à moi-même, puisque maintenant *ms., dactyl.* : importance que d'un état purement intérieur, puisque maintenant *dactyl. corr., Jalousie, Jalousie corr.* : importance que d'un état purement inférieur, puisque maintenant *orig. Nous retenons la leçon de Jalousie corrigée.* ⁂ *b.* une bille *[2e ligne de la page]* quelconques[3]. Des objets quelconques, des lettres quelconques,

1. Voir la leçon du manuscrit dans la variante *c* de cette page.

2. Voir la leçon du manuscrit dans la variante *c* de cette page.

3. Après ces mots, le texte de « Jalousie » s'écarte de celui de la dactylographie corrigée et résume en 17 pages plusieurs épisodes qui, à Balbec, feront naître la jalousie du héros. La transition, une addition marginale de la dactylographie corrigée, est celle-ci : « Mais ce ne fut pas de cette soirée, suivie d'une trop longue absence, que devait dater ma jalousie à l'égard d'Albertine. Cette jalousie qui devait

voilà ce que mes présents, toute ma correspondance, avaient dû paraître à Gilberte quand je me figurais l'enchaîner par certains mots. Elle ne s'était pas souciée de mes lettres. Je ne pouvais *ms., dactyl.* : une bille quelconques. [Je demandai à Albertine *[...]* gentil de le faire *[3e §, 3e ligne]* tout de suite. Ce fut sans émotion[1] et comme mettant la dernière ligne à un ennuyeux devoir de classe, que je traçai sur l'enveloppe ce nom[2] de Gilberte *[...]* j'avais été amoureux. *add.*] Je ne pouvais *dactyl. corr.* ↔ *c.* simplement [re *biffé*] devenus pour moi *ms.* : simplement redevenus pour moi *dactyl., dactyl. corr., orig. Nous retenons la leçon du manuscrit.*

1. Voir l'Esquisse XIV, p. 1053.

Page 137.

a. m'unissait autrefois à Gilberte. *Le passage qui, dans le texte définitif, suit ces mots et va de* Il se produisit à cette époque *à* le monde ne change pas *[p. 139, 2e §, 12e ligne] est différent dans le manuscrit et dans la dactylographie. Nous donnons le texte de ces deux états dans la variante c de la page 139.* ↔ *b.* un gaga comme [le général de Pellieux[3] *biffé*] [Forcheville *corr.*] ? Un [général *biffé*] [officier *corr.*] menaçant les Français de la boucherie *dactyl. corr.*[4] ↔ *c.* connu [à Barèges *biffé*] [aux Eaux *corr.*] trois *dactyl. corr.*

1. La conversion du duc de Guermantes à la cause de Dreyfus, sous l'influence des trois dames charmantes, est une addition tardive notée dans le Cahier 60, ffos 70-74.
2. Sur l'origine de cette expression, voir var. *b*.
3. Le peintre Georges Clairin (1843-1919), portraitiste de Sarah Bernhardt et décorateur final de l'escalier de l'Opéra, signataire de la pétition lancée au lendemain de « J'accuse » de Zola, portait chez Mme Lemaire le surnom de Jotte ou Jojotte. Proust pastiche

bouleverser ma vie, être fatale à ma vie, et terminer la sienne, cette jalousie, je dirai pour finir les trois petits incidents qui devaient la faire naître et qui se produisirent, non à Paris, mais à Balbec. » Pour la suite de « Jalousie », après cette transition, voir var. *b*, p. 185. Par ailleurs, après ces mots, « un portefeuille, une bille quelconques » s'achève la cote N. a. fr. 16 728, et la cote N. a. fr. 16 739 prend le relais avec la suite de la dactylographie corrigée.

1. Le passage qui commence par ces mots et qui va jusqu'à « amoureux » figurait plus bas dans le manuscrit et dans la dactylographie (voir var. *c*, p. 139).

2. Sur le manuscrit et sur la dactylographie, on lit également « ce nom » (voir var. *c*, p. 139 [p. 1409]).

3. Le général de Pellieux, commandant militaire du département de la Seine, fut chargé en novembre 1897 d'une enquête sur Esterhazy, qu'il conclut en mettant le capitaine hors de cause et en demandant l'ouverture d'une enquête sur le colonel Picquart. Son intervention au procès de Zola, en février 1898, resta célèbre : « Que voulez-vous que devienne cette armée au jour du danger, plus proche peut-être que vous ne le croyez ? Que voulez-vous que fassent ces malheureux soldats qui seront conduits au feu par des chefs qu'on a cherché à déconsidérer auprès d'eux ? C'est à la boucherie qu'on conduirait vos fils, messieurs les jurés ! Mais M. Zola aurait gagné une nouvelle bataille, il écrirait une nouvelle *Débâcle*, il porterait la langue française dans tout l'univers, dans une Europe dont la France aurait été rayée ce jour-là. » Cité par Jean-Denis Bredin, *L'Affaire*, Julliard, 1983, p. 248.

4. Voir la variante précédente.

une conversation entre Mme Lemaire et Clairin — « Notre Jotte » — dans une lettre de 1896 à Reynaldo Hahn (voir la *Correspondance*, t. II, p. 90). L'appellation est à rapprocher de Chochotte, surnom de Brichot chez les Verdurin (voir p. 314).

Page 138.

a. alliances. [Mme Swann, quand Gilberte reçut le petit mot que j'avais écrit après le départ d'Albertine, crut peut-être que je l'avais écrit par « snobisme ». Elle put avoir deux raisons de le croire. La première est qu'elle avait appris sans doute que je « sortais » et faisais des visites. Comme je devais ensuite (ce que j'ignorais) vivre entièrement détaché du monde, et n'y parus plus guère que beaucoup d'années plus tard, à la matinée dont la description est tout à la fin de cet ouvrage, je donne ici en quelques mots la raison de ce que Mme Swann eût appelé mes sorties. / Éteint par l'habitude dans le nom de Guermantes, le rayon qui y avait longtemps brillé, diaprait à leur tour *biffé*] [Je ne vis *[...]* à voir *corr.*] d'autres fées *dactyl. corr.* ↔ *b.* coquillage. [Je n'aurais su établir entre ces diverses fées la hiérarchie selon laquelle je plaçais jadis, au collège, les acteurs, et plus tard à Doncières en causant avec Saint-Loup, les généraux. D'une part si on peut « classer » plus aisément des talents, que de prétendues « intelligences » mondaines (tout de même une des « valeurs » qui entrent en jeu dès qu'il s'agit de hiérarchiser), dont la plus haute s'élève peu au-dessus de la sottise. Mais j'indique là à tort les difficultés d'un problème qui autant qu'insignifiant et insoluble était impossible à résoudre et même à poser. *corrigé en* Je n'aurais pas su classer ces dames, la difficulté du étant *[sic]* autant qu'insignifiant et impossible non seulement à résoudre mais à poser.] Avant la dame *dactyl. corr.* : coquillage. Je n'aurais pas su classer ces dames, la difficulté du problème étant aussi insignifiante et impossible non seulement à résoudre mais à poser. Avant la dame *orig. Nous adoptons la leçon de dactyl. corr. en restituant le mot* problème *oublié.* ↔ *c.* l'une recevant tous jours après déjeuner les mois d'été, même *dactyl. corr.* : l'une recevait toujours après déjeuner les mois d'été, même *orig. Nous corrigeons.*

1. Cette avenue longe la Seine entre la place de la Concorde et le Grand-Palais.

Page 139.

a. seconde. C'est que son salon était en passe de devenir fort chic. Je n'ai imaginé *dactyl. corr.* ↔ *b.* supposant la même dame *dactyl. corr.* : supposant que la même dame *orig. Nous restaurons un texte cohérent à l'aide du manuscrit (voir la fin de la variante suivante, p. 1415).* ↔ *c.* celui qui m'unissait *[p. 137, 2e ligne]* autrefois à Gilberte[1]. / Cette nuit-là quand fut partie Albertine qui plus que jamais, et surtout dans les moments où je l'avais regardée de côté, m'avait rappelé la belle espèce de roses qui pousse si bien dans le sol de Balbec et qu'on vend sur la digue, dans la belle saison, à l'heure du goûter, longtemps je ne pus détacher mes regards de la large fleur violacée et charnue qui pourtant n'était plus là

1. Voir var. *a*, p. 137.

mais qui comme entre les pages d'un livre où elle aurait été pressée, avait laissé dans mon esprit et comme en creux l'empreinte douloureuse de sa forme, mais elle n'était maintenue que par le poids de mon regret solitaire ; j'effaçai peu à peu la première, parce que j'allégeai le second dès le lendemain matin (aussitôt après que Françoise fut entrée dans ma chambre, arrachant du premier regard, sur ma table vide, la certitude que j'avais donné le portefeuille orné de turquoises), en faisant venir ma mère et en lui parlant du plaisir que j'avais eu à voir Albertine et que ce serait pour moi surtout d'une vie où je verrais des êtres aussi sains, aussi gais, aussi distrayants qu'elle. Les ondes de ma tendresse pour Albertine, un peu analogues à celles qui s'étaient élevées en moi, le jour où j'avais été présenté à (la jeune fille dure aux yeux bleus), furent bien vite neutralisées par trop d'impressions différentes, au cours des mois suivants où ma vie fut surtout mondaine ; et quant à l'angoisse de ne pas la voir venir et dont elles n'avaient été à son arrivée et par réaction qu'une sorte de reflux heureux, cette angoisse ne se renouvela pas parce que je fus si longtemps à revoir Albertine que je recouvrai toute mon insouciance de ce qu'elle pouvait faire de son temps dans les longs intervalles qui séparaient les rares soirs où un brusque désir de caresses me faisait la faire chercher au dernier moment. Seulement chaque fois que je jouais la sonate de Vinteuil, me rappelant que le désir qui cette nuit-là avait persisté un peu après le départ d'Albertine de la revoir, de prolonger par la répétition un plaisir incomplet, ce désir ce n'était pas la première fois qu'Albertine l'éveillait en moi ; qu'il y avait déjà paru notamment après le retour en charrette de X (le lendemain de la partie de furet) je le comparais à un motif qui dans la sonate fait de temps en temps une courte entrée, écarté qu'il est ensuite, et mis en fuite par d'autres éléments musicaux. Certes ce que Swann, au temps où il aimait Odette, avait vu dans la sonate, c'était tout autre chose que ces courts rappels, mais il n'eût pas été étonné de me voir leur identifier l'essai toujours si fugitif, repris pour peu de temps, d'un amour pour Albertine, amour qui ne parvenait pas à triompher des autres éléments en lutte dans ma vie. Car même alors Swann avait l'impression que la sonate prêterait ses vastes et indifférentes retraites à des amours successives qu'elle abriterait sans les connaître. Par sa combinaison avec un autre anxieux et doux, ce voluptueux motif finit par s'installer dans la sonate et par devenir le grave et désolé andante, le plus beau qu'on ait écrit depuis les grands andantes beethovéniens. Mais après avoir voisiné avec lui, mon angoisse pareille à celle <de> Combray, semblait s'être définitivement éloignée du désir passager que m'inspirait le corps fleuri d'Albertine. De sorte <que> si la sonate qui avait déserté l'imagination de Swann avait élu domicile dans la mienne et s'y comportait provisoirement au moins d'une façon différente, en revanche la jalousie dont Swann m'avait laissé — et que je savais — avoir été un des malheurs de sa vie, restait absente de la mienne. C'était seulement du reste à mon amour, à mes velléités d'amour, pour Albertine, que je rêvais ainsi quand je jouais la sonate. Pour les autres amours que j'avais eus, ils n'étaient pas de même sorte ; c'est à d'autres œuvres qu'il eût fallu les comparer, car ils constituaient chacun un ensemble distinct au sein duquel s'agitaient, se mêlaient bien des éléments différents. Il devait en être de même de ces créations, de ces créatures diverses, auxquelles Vinteuil avait encore donné le jour, comme ce quatuor et cette symphonie qu'il préférait, dit-on, à sa sonate.

Mais ensevelies sous l'obscurité d'une notation illisible, abrégée, tout au plus significative pour l'auteur lui-même, impossibles à reconstituer, ces œuvres étaient restées dans ce néant qu'est <l'> esprit laissé à lui-même qui ne se suffit pas, et privé de la réalisation matérielle qui elle dans l'enchaînement des effets et des causes résulte de conditions toutes matérielles. Aussi de tout ce qu'avait conçu Vinteuil, il ne subsistait que la sonate, les souffrances qu'avait causées à l'auteur le genre de vie de sa fille, l'hébétude morale, l'aboulie auxquelles l'avaient conduit ces souffrances, ayant empêché la réalisation des autres œuvres. Elles demeuraient inexistantes, et à vrai dire pour moi inconcevables. Car on n'aurait pu souhaiter qu'en elles Vinteuil fût autre qu'il avait été dans la sonate, c'est-à-dire eût cessé d'être lui-même. Et d'autre part s'il restait lui-même en créant d'autres univers, il semble que ceux-ci n'eussent pu que répéter exactement et inutilement la sonate qui en était un si complet en lui-même. / Ma rencontre avec Swann chez la princesse de Guermantes eut pour effet que je reçus plusieurs lettres de Gilberte et fus invité plusieurs fois chez Mme Swann. Mais ma vie était si prise moitié par la maladie et moitié par le monde que je ne pus aller voir Mme Swann qu'à l'improviste, ce qui se trouva être quand sa fille était sortie, et que celle-ci regrettant de m'avoir manqué chez sa mère me fit demander de lui fixer un rendez-vous ; je ne pus arriver à me rendre libre d'avance aucun jour. Il était arrivé le temps que je n'avais osé lui annoncer, dont j'avais eu tant envie de lui dire que je préparais malgré moi la venue chaque fois que je refusais un rendez-vous d'elle, ce temps que je pressentais plus par l'épouvante qu'il m'inspirait que je ne pouvais presque me le figurer. Le sacrifice pendant si longtemps si cruel que je m'étais imposé, de ne plus voir Gilberte, ma parfaite indifférence actuelle aurait dû semble-t-il, le justifier rétrospectivement. Elle le condamnait plutôt quand j'y songeai. Car je m'étais rendu si malheureux pour que Gilberte gardât de moi un plus grand souvenir, pour ne pas faire à ses yeux figure d'amant rebuté. Or que pouvait me faire le souvenir qu'avait de moi Gilberte ? Son opinion m'était complètement égale, et c'était m'être fait bien du chagrin pour être estimé d'une personne dont l'estime aujourd'hui ne comptait plus <pour> moi. Puis je réfléchis qu'elle ne comptait plus parce que je n'aimais plus Gilberte, que si j'avais continué à la voir j'aurais continué à l'aimer. C'était ce que le professeur Cottard aurait appelé un cercle vicieux. Il fallait pour remettre notre entrevue que j'écrivisse à Gilberte. Ce fut sans émotion *[p. 136, 3e §, 3e ligne]* et comme mettant la dernière ligne à un ennuyeux devoir de classe, que je traçai sur l'enveloppe ce nom[1] de Gilberte Swann [...] c'était une jeune fille *[p. 136, 3e §, avant-dernière ligne]* dont j'avais été amoureux parce qu'il m'avait souvent entendu parler d'elle. La constatation de cette indifférence absolue pour Gilberte me rassura tout en m'attristant relativement à l'avenir de mes rapports avec Albertine. Je me représentai cet avenir pareil à celui qu'avait eu mon amitié pour Gilberte, et en somme privé de véritable souffrance. Je ne songeais pas que la vie se répète mais avec de grandes variations qui admettent dans le cas nouveau tout ce qu'avait exclu le précédent. Quant à l'Habitude et pour ne pas anticiper sur les malheurs de mon amitié pour Albertine, elle ne fait pas perdre aux noms seulement leur pouvoir sentimental, mais aussi leur charme poétique comme je l'avais

1. Voir var. *b*, p. 136.

expérimenté pour le nom de Guermantes. Même de celui-ci modifié par l'indice plus nouveau du titre de princesse, j'avais fini par éliminer l'« inconnue ». Mais éteint en ce nom de Guermantes, le rayon qui l'avait diapré s'était rallumé en d'autres, de sorte que pendant quelque temps encore, le monde fut pour moi plein de fées, et non seulement de fées, mais de féeriques palais. Comment dans ces premiers débuts de la vie mondaine, tant que nous croyons encore [à la réalité *biffé*] [que les femmes sont vraiment *corr.*] des personnes, ne pas s'imaginer leur demeure comme aussi réelle qu'elles-mêmes, pétrifiée et construite autour d'elles, dans un rapport nécessaire avec leur nature comme autour du mollusque la valve de nacre ou la tourelle d'émail de son coquillage, comment croire qu'une nécessité de nature ne fait pas participer le palais à l'essence mystérieuse de la fée. Cette nécessité du reste si l'esprit ne l'avait pas conçue d'abord l'association des désirs et aussi l'association des souvenirs suffiraient pour la rendre inéluctable. Quand j'allais dans un hôtel situé à l'extrémité du Cours-la-Reine ne savais-je pas que c'était Mme d'Arpajon que j'y trouverais, l'hôtel lui-même pouvait-il me sembler autre chose qu'un des modes selon lesquels on pouvait la voir, comme quelque chose qui lui appartenait en propre, autant que son cercle, sa toilette, presque autant que son corps ? Et quand je revenais de chez elle, était-ce autrement que pour la commodité du langage que je parlais comme de choses séparées de l'hôtel et de Mme d'Arpajon quand l'un et l'autre formaient pour moi une synthèse indivisible. Sans doute un des principaux éléments de cette individualité, c'était ma croyance. Comme autrefois je m'étais intéressé au théâtre, à l'armée, maintenant dans une vie qui par les visites que Mme de Guermantes me demandait d'aller faire à celles de ses amies que j'avais connues chez elle, devint surtout mondaine et que coupèrent seulement à deux reprises en un long intervalle de temps deux visites d'Albertine, je demandais quelle était la femme la plus intelligente, qui avait le premier salon, qui était la moins snob, comme je demandais si du Boulbon était le meilleur clinicien de Paris, quels étaient les premiers acteurs du Théâtre-Français, et plus récemment les plus géniaux tacticiens, si Coquelin c'était un plus grand artiste que Got, ou Geslin de Bourgogne un général plus inspiré que Négrier[1]. Comme jadis des questions théâtrales ou plus récemment des questions militaires, je me posais et posais aux autres des questions mondaines, mais ces dernières avec plus de perplexité que les autres parce qu'ayant moins de sens, ou même n'en ayant aucun, il me semblait plus ardu d'y répondre, parce qu'en effet il y a quelque chose qui donne plus de peine à l'esprit qu'un problème dont la solution est difficile, c'est un problème qui ne comporte aucune solution. La hiérarchie des talents est une chose difficile mais peut-être possible, mais non celle d'« intelligences » dont la plus haute est encore bien voisine de la sottise ; et quant à évaluer le don de snobisme de chacun, nulle selon l'intéressé, énorme selon les autres (sauf pour leurs amis, qui eux-mêmes changeaient d'avis, comme Mme de Guermantes qui trouvant M. de Bréauté son adversaire dans un drame politique ne put expliquer la différence de leurs idées que par ce snobisme, dont elle avait prétendu *jusque-là qu*'il était exempt), quelle importance cela peut-il avoir puisque la vie que mènent *ces détracteurs* des snobs, n'a de raison d'être et de

1. Coquelin et Got, voir t. I de la présente édition, p. 73 et *n. 2.* Geslin de Bourgogne et Négrier, voir t. II de la présente édition, p. 426 et n. 2 et 4.

fondement que le snobisme. Mais je n'avais pas seulement du mal à résoudre ces problèmes — pour la cause non encore aperçue de moi qu'ils étaient insolubles — mais encore je ne pouvais arriver à les poser en vertu de raisons valables assurément pour le reste des hommes, mais infiniment plus déterminantes pour moi, à cause de la classe d'esprits à laquelle j'appartenais sans m'en douter le moins du monde et qui ne se manifestait qu'en faisant entrer dans mes jugements des impressions imaginatives et poétiques que, ne se déclarant jamais à moi, je ne faisais pas entrer en ligne de compte au moment d'additionner les différents mobiles, ce qui faisait que mon total était toujours faux, l'imagination et un certain sens poétique <y tenant>, tout à fait à mon insu tant j'avais peu idée ou souci de ce que je pouvais être et aussi parce qu'il est de l'essence de ces facultés de s'évanouir au moment où nous faisons le décompte de ce qu'on a pensé ou fait, une place plus importante que chez la plupart des personnes que je connaissais. Pour comparer certains salons par exemple, il eût fallu pouvoir comme en mathématiques, les réduire d'abord en quantité de même nature. Or cela m'était impossible, soit que j'eusse seulement entendu parler d'eux, soit que je les eusse fréquentés. On va voir pourquoi les mêmes personnes rencontrées dans des salons différents me semblent autres, mais en dehors de cette raison qui va suivre, il faut dire qu'elles y fréquentaient dans des proportions autres, avec multiplication ici pour certaines, totale adjonction pour d'autres là, retranchement complet pour certaines ailleurs, qui, n'y eût-il pas eu ces réactions chimiques dont je viens de parler, eût suffi par l'inépuisable variété des combinaisons géométriques à renouveler perpétuellement les figures. Je n'étais jamais allé chez Mme de Souvré. Mais je savais par M. de Bréauté qu'il allait très rarement chez elle, lui qui venait tous les jours chez Mme de Guermantes. En revanche le duc de Mouchy qui mettait des cartes une fois par an chez Mme de Guermantes, dînait plusieurs fois par semaine chez Mme de Souvré. Déjà ces différences donnaient pour moi à ces deux salons une différence d'aspect qui m'y faisait soupçonner une différence de qualité que j'aurais été d'autant plus heureux d'approfondir que peut-être alors j'aurais enfin pénétré ce qu'était l'essence de la vie mondaine et l'essence de l'intelligence mondaine, ces essences que j'avais senties invisibles, mystérieuses, derrière le corsage de corail de Mme de Guermantes, ou dans ses gestes dans la loge à l'Opéra-Comique, mais que je n'avais jamais su saisir ni la seconde dans ses propos intelligents comme ceux de n'importe quelle personne d'esprit, ni la première dans ces dîners où j'attendais toujours que se passât l'événement mystérieux dont j'avais tant rêvé dont les premiers temps je crus que l'absence tenait à ce qu'en ma présence à moi, profane, on n'osait pas célébrer les rites véritables, puis que je soupçonnai n'exister pas quand je vis peu à peu qu'on ne faisait aucune différence entre moi et les autres invités et que quand la duchesse se séparait de moi et de ses autres invités, après le néant d'une causerie qui ne donnait nullement la raison qu'elles eussent fait toilette pour se réunir, que tant d'institutions domestiques eussent collaboré à cette réunion, qu'on se dît au revoir avec reconnaissance, avec regret, et que tous les gens qui n'étaient pas de ce monde — à l'instar de moi quelques mois auparavant — se desséchassent de n'être pas initiés à ses mystères hélas ! peut-être inexistants. Cette différence des habitués des salons Guermantes et Souvré, Argencourt et Montmorency, etc. me semblait d'autant plus grande que les habitués de chacun d'entre eux connaissaient beaucoup plus la Dame qui y présidait, parlait d'elle dans des termes fervents qui me faisaient croire qu'en elle enfin devait résider cette intelligence mystérieuse que je n'avais pas su trouver jusqu'ici. Mme de Guermantes elle-même éveillait mes soupçons que cette intelligence imaginable existait chez Mme de Souvré en me disant : « Non, M. de Mouchy ne vient jamais chez moi. Je le connais très bien mais nous ne sommes qu'en cartes, tenez il va beaucoup chez Mme de Souvré, jamais il ne finit la journée sans y passer une heure. » Alors si j'interrogeais quelque habitué de Mme de Souvré. Sans doute je ne voyais pas projeter sur elle <les> illuminations poétiques <qu'> avec une verve originale et de savants trompe-l'œil M. de Charlus était allé puiser — quand il avait voulu me parler de la princesse de Guermantes ou de tel autre — dans l'arsenal d'une érudition mi-historique, mi-artistique, si voisine de tout ce que j'aimais et plus capable par là que tout de m'enfoncer dans mon erreur et de me persuader qu'il existait dans le monde une poésie et un mystère véritables par la façon poétique et les chuchotements mystérieux qu'il avait pour en parler. Mais enfin malgré cela chacun aimait à avoir l'air de connaître des choses intéressantes ; les amis de Mme de Souvré me disaient d'elle des merveilles comme un habitué de Mme de Souvré en eût entendu dire de Mme de Guermantes par un habitué de cette dernière. Personne ne mentait car elles avaient chacune leur qualité, et le hasard, peut-être aussi des affinités, avaient peu à peu, dans une même coterie, différencié leurs habitués. Cette différenciation n'impliquait pas comme pour des œuvres d'art par exemple, différence de valeur. Chacune avait ses qualités, elles étaient probablement assez médiocres l'une et l'autre. Mais la figure entièrement différente que ces combinaisons particulières des circonstances leur donnaient dans mon esprit me faisait me poser à leur égard des questions de supériorité ou d'infériorité qui auraient pu avoir un intérêt quelconque s'il s'était agi de Sarah Bernhardt et de la Berma, mais qui pour Mme de Guermantes et Mme de Souvré n'avaient même pas de sens. Questions auxquelles donnaient une apparence de réalité qui me trompait encore plus, les rares hommes de valeur, artistes par exemple, qui fréquentaient chez elle, parce que ces sortes de gens touchés par la bienveillance, détruisent leurs impressions subjectives, mettent leur logomachie au service de leur partialité, transforment en « grande femme », en être « profondément curieux » la duchesse exactement aussi agréable qu'une autre avec qui ils sont bien, au détriment de celles qui ne les ont pas invités. Ainsi un musicien de valeur que ne recevait pas Mme de Guermantes, la traitant avec un extrême mépris et prenant comme M. de Charlus des mots mystérieux pour me parler de la princesse de Guermantes, j'en étais arrivé à croire qu'il existait entre ces deux dames un abîme plus profond qu'entre le passage de l'Opéra et le Ponte Vecchio. Mais ici intervenaient encore d'autres éléments de différenciation. Si, quand je croyais aller seulement au Cours-la-Reine, le printemps que mon fiacre violait emplissait mon esprit, y mettait des sachets parfumés qui éclataient dans les salons où j'allais ensuite et enrobaient dans leur combinaison d'odeurs l'impression que j'allais recevoir et le nom que j'allais me rappeler, aussi en eux-mêmes, tant qu'une longue cohabitation avec la personne où le lieu ne leur avait pas fait perdre leur valeur propre, comme il était arrivé pour Balbec, pour la princesse de Parme, pour la princesse d'Agrigente, les noms et même les titres avaient leur poésie propre qu'ils projetaient sur la personne[1]. Princesse de Guermantes ou duchesse de Guermantes, pour un héraldiste la différence n'est peut-être pas aussi grande que pour quelqu'un qui est sensible aux mots ; de plus c'est dans les Mémoires du XVIIe siècle qu'il est tout le temps question de la princesse de Guermantes ; aussi si la duchesse de Guermantes m'avait évoqué Geneviève de Brabant, Gilbert le Mauvais, le côté de Guermantes, la princesse de Guermantes m'évoquait tout autre chose, la duchesse d'Aumale, la princesse de Soubise, les Guéméné. Je n'étais donc nullement étonné que reçu chez la duchesse de Guermantes, je ne le fusse pas chez la princesse de Guermantes. Même si le musicien ne m'eût pas parlé en termes mystérieux de cette grande femme, fille de la protectrice de Wagner, même si, semblant lui donner raison, M. de *** qui était ami des deux n'avait ajouté : « Évidemment la duchesse est intelligente, mais enfin elle plaisante toujours, joue aux cartes et ne parle jamais que de riens, tandis que la princesse a une vaste intelligence, cause admirablement art, belles-lettres, physique même et astronomie », cela me représentait tout autre chose que la duchesse de Guermantes. Et toutes ces impressions différentes se cristallisant pour chacune en quelque chose d'unique et d'incomparable, j'en arrivais à croire que leurs particularités avaient peut-être un rôle mystérieux. J'avais beau savoir que le titre de duchesse est le plus grand, que la fortune ne joue aucun rôle dans ces situations mondaines, que d'ailleurs celle du duc de Guermantes était énorme, de même qu'à Balbec je me demandais si une loi du faubourg Saint-Germain ne défend pas aux marquis de fréquenter les roturiers tandis qu'elle le permet aux marquises, je pensais que peut-être c'était parce que l'autre Mme de Guermantes était princesse et possédait un immense hôtel qu'elle ne m'inviterait jamais. Ces diverses superstitions, enfantées par l'ignorance où j'étais de la nature poétique des impressions que je recevais du monde, parce que je n'avais *suspendu.* / Ce n'est pas seulement les caractères et les esprits que la vie mondaine n'était pas arrivée à unifier complètement, mais même les rites les plus frivoles sont différents dans chaque famille, dans chaque coterie, ou par l'effet du hasard, et par suite des circonstances par rapport à tel individu. Mme de Montmorency qui ne me donna pas la main quand je lui fus présenté et continua pendant un an à me dire « Monsieur », m'invitait régulièrement à l'Opéra. Mme d'Argencourt qui me tendit la main dès la première seconde, ne me dit jamais « Monsieur » et me parla toujours en ami, ne m'invita jamais pour des raisons que je me creusais la tête à chercher et qui me semblaient devoir faire partie de sa personnalité comme attributs, au même titre que son hôtel avec jardin (fermé pour moi), sa main tendue, la suppression du « Monsieur », l'habitude de dire « Madame » devant le nom de Guermantes, de Rohan, etc., là où Mme de Montmorency eût dit la duchesse de Guermantes, la duchesse de Rohan. Ces particularités me semblaient particulièrement importantes chez les personnes que je ne connaissais pas ; comme toutes les femmes ne sont pas également amies des mêmes personnes, le fait que l'une connut M. de Bréauté moins que ne le connaissait Mme de Guermantes, mais que M. d'Argencourt qui n'allait que rarement chez la duchesse, allât chez cette autre régulièrement tous les jours, que parmi

1. Notation marginale : « Je laisse ces dernières pages à tout hasard bien que l'invitation chez la princesse de Guermantes qu'elles précédaient soit maintenant longtemps avant. Mais pour en corrigeant les épreuves voir ». La fin est illisible.

son intimité figurât M. de Mouchy, d'autres hommes du monde que je n'avais jamais vus, même une modification provenant d'un simple retranchement, par exemple la singularité que la duchesse de Guermantes n'allât pas chez la duchesse de Montmorency, suffisait pour me faire imaginer le salon de celle-ci tant que je ne le connus pas comme quelque chose de nouveau et d'extraordinaire. / Mais la raison principale où résidait pour moi l'originalité de la fée était une raison qui, bien que ne tenant pas à son essence, s'imposait à moi dès que j'avais pénétré dans son palais, s'imposait à moi avec ce caractère de nécessité inéluctable qui est propre au souvenir. La saison où j'étais allé la voir, l'heure où la dame recevait, faisait pour moi, de son domaine, quelque chose d'aussi irréductible au reste, et par conséquent d'aussi peu comparable, d'aussi peu calculable, que l'impression particulière que j'en avais reçue. Sans doute par exemple il y avait une différence intrinsèque aussi grande que peuvent être les différences dans le domaine de la mondanité entre le salon Arpajon qui après celui des Guermantes était l'un des premiers, et le salon de Mme Swann chez laquelle à peine quelques recrues mondaines commençaient à paraître. Mais ce qui faisait que les personnes semblaient autres chez Mme d'Arpajon ou chez Mme Swann, que leurs salons étaient bien pour moi irréductibles l'un à l'autre, tenait surtout à une raison qu'il convient d'indiquer car tout en nous bornant à ces deux exemples, on pourrait donner des raisons analogues des différences entre tous les palais et toutes les fées. Comment une visite (car je n'y allais plus maintenant qu'en visite) à Mme Swann qui recevait l'hiver seulement, très tard, tout à fait avant le dîner, tout près du bois, dans un quartier à cette heure-là tout à fait désert, où sortant pour cela de chez moi à l'heure où mes parents allaient presque se mettre à table, dans le froid, dans une nuit déjà largement étendue sur l'espace de plusieurs heures, et me dirigeant vers le « home » d'Odette, vers son « seven o'clock » et l'encens odorant de son thé embuant l'étoilement des lampes (et si madame n'était pas encore rentrée, je contemplais dans ce tabernacle de chaleur et de lumière, les divers enfoncements de rayons et d'ombres, posant comme une énigme à mon attente intimidée et anxieuse les raisons mystérieuses, les rites inconnus qui faisaient brûler tant de lampes de formes, de grandeur, de couleur différentes, au fond des retraites creusées comme des confessionnaux et sur des consoles pareilles à des autels), comment une telle visite (presque pareille au pèlerinage qu'une nuit de Noël ont fait vers une chapelle de campagne où la flamme des cierges illumine les ténèbres neigeuses du chemin) eût-elle pu être comparée par moi, comme des grandeurs de même espèce, à une visite à Mme d'Arpajon, celle-ci n'étant chez elle qu'à partir de mai, de deux à quatre, dans son hôtel du Cours-la-Reine, où par les volets à demi fermés contre la chaleur, des reflets de la Seine venaient baigner et faire flotter sur les tapisseries nautiques appendues aux murs les navires aux mâts harnachés de roses. En allant chez Mme d'Arpajon, dans le fiacre dont j'avais fait baisser la capote à cause de la chaleur, et quand je croyais seulement aller au Cours-la-Reine où était situé l'hôtel d'Argencourt, seule action que je porterais dans mon compte au sujet de cette course, pour qui eût su lire en moi, ce qui tenait presque toute la place et aurait dû figurer dans le total si j'avais voulu savoir quelle importance garderait pour moi le salon d'Argencourt, ce dont se moquerait un homme pratique qui n'aurait pas ressenti la même impression, c'était, aussi exaltants que dans un grand voyage en Italie, une fois passé le Saint-Gothard, le malaise, les délices, l'éblouissement de la traversée au milieu de l'après-midi de la plénitude du printemps nouveau ; dans les immenses salons rectangulaires du rez-de-chaussée hermétiquement clos contre la chaleur où la marquise recevait, il faisait à peine jour, mais pourrais-je jamais énumérer toutes les fleurs de saison que, en y retirant le soleil, une persienne abaissée ajoute dans une pièce. À peine distinguait-on aux murs les roses et admirables tapisseries fluviales et marines du XVIIIe siècle qui représentaient des vaisseaux aux mâts tressés de larges fleurs plates comme des roses trémières. C'est à peine si dans la fraîche pénombre je reconnaissais la duchesse de Guermantes assise dans un fauteuil de tapisserie représentant *L'Enlèvement d'Europe*, la princesse de Guermantes qui s'en allait, le prince d'Agrigente qui se levait. Les parfums du tiède jour de mai que je venais de traverser et dans lequel elles allaient se replonger, les galères fleuries de ce palais sous-marins si proche de la Seine printanière et construit presque dans son lit comme le palais de Neptune au bord du fleuve Océan (où chercher quelque palais de Crète à la fois marine et europesque) réagissaient si fortement sur toutes ces visites que, eussent <-elles> été les mêmes que j'avais vues ailleurs, elles m'y semblaient autres, devenues des divinités du Printemps et des Eaux, des emblèmes de fraîcheur transparente et d'ombre rosée. / Encore je n'imagine en tout ceci que les aspects différents que le monde prend pour une même personne, en supposant, par simplification et pour plus de commodité que le monde ne change pas, et qu'à ces transformations qu'il subit dans l'imagination d'un individu ne s'ajoutent pas des transformations plus lentes mais plus générales. Au premier abord ces transformations semblent le résultat d'aventures purement individuelles et si à quinze ans de distance on trouve que la même dame[1] qui ne connaissait personne *ms. dactyl. Le texte de la dactylographie corrigée est très proche de la version définitive. Les modifications de détail sont signalées de la variante b, page 137 à la variante b, page 139.*

1. De ce tableau de Boucher de 1747, acheté par Louis XV, le musée du Louvre possède l'original, et une copie qui servit de carton de tapisserie.

2. Le héros fera un troisième bref séjour à Balbec après son voyage à Venise (voir *Albertine disparue*, t. IV de la présente édition).

3. Dans sa dédicace de *Du côté de chez Swann* à Mme Scheikévitch, à la fin de 1915, Proust annonçait l'évolution du salon d'Odette : « Vous verrez sa société se renouveler » (*Essais et articles*, éd. citée, p. 560 ; *Correspondance*, t. XIV, p. 280).

Page 140.

a. devront de plus en plus à partir du point où nous sommes arrivés être entraînés *ms. dactyl.* : devront eux aussi être conçus vus comme entraînés *dactyl. corr.* : devront être eux aussi être comme entraînés *orig. Nous corrigeons en supprimant* être *devant* eux aussi . ↔ *b.* mondain, desquelles ils connaissent le fort et le faible et qui ne parlent plus *ms. dactyl.* : mondain, et desquelles comme ils en connaissent le fort et le faible ne parlent plus *dactyl. corr., orig. Nous*

1. Voir la variante précédente.

adoptons la leçon du manuscrit et de la dactylographie. ↔ *c.* à ce qui pique à ce moment-là les curiosités les plus neuves, semblent, dans leur toilette nouvelle car tous les changements historiques s'accompagnent d'un changement dans la mode, semblent paraître seulement à ce moment-là, *ms., dactyl.* : à ce qui pique à ce moment-là les curiosités les plus neuves, semblent, dans leur toilette, apparaître seulement à ce moment-là, *dactyl. corr., orig. Nous corrigeons en supprimant* à ce moment-là *placé devant* curiosités. ↔ *d.* Directoire *[22e ligne de la page].* Mais très souvent la maîtresse de maison nouvelle est tout simplement, comme [...] ouvrir, des femmes *ms., dactyl., dactyl. corr., orig. Nous corrigeons.* ↔ *e.* croiront *ms., dactyl.* : croient *dactyl. corr.* : crurent *orig. Nous retenons la leçon du manuscrit.*

1. Les débuts parisiens des Ballets russes eurent lieu le 18 mai 1909 au théâtre du Châtelet. Lors de la tournée suivante, Proust assista à la première représentation, le 4 juin 1910, de *Shéhérazade* (musique de Rimski-Korsakov), en compagnie de Reynaldo Hahn et Jean-Louis Vaudoyer. Ce dernier publia un article sur les Ballets russes dans *La Revue de Paris* du 15 juillet 1910 (voir la *Correspondance*, t. X, p. 141). Proust, qui fréquenta Nijinski et Bakst à partir de 1911, s'enthousiasma pour les Ballets russes.

2. Voir *À l'ombre des jeunes filles en fleurs*, t. II de la présente édition, p. 298 et n. 1.

3. Vatslav Nijinski (1890-1950), alors le plus célèbre danseur russe, fut engagé par Diaghilev pour la première tournée des Ballets russes, où il interpréta notamment *Les Sylphides*. L'année suivante, il se produisit dans *Shéhérazade* et *Carnaval*. Il dansa aussi *Le Spectre de la rose* (musique de C. M. von Weber) et, en 1912, le *Prélude à l'après-midi d'un faune* (Debussy).

4. Alexandre Nikolaïevitch Benois (1870-1960), peintre russe et historien d'art, fut le décorateur des Ballets russes pendant leurs saisons parisiennes à partir de 1909. Son chef-d'œuvre fut *Petrouchka*, en 1911, produit d'une collaboration avec Fokine, Stravinski et Diaghilev.

5. Igor Stravinski (1882-1971) vint à Paris avec les Ballets russes, pour lesquels Diaghilev lui commanda les partitions de *L'Oiseau de feu* (1910), *Petrouchka* et *Le Sacre du printemps*, qui fit sensation à Paris en 1913.

6. Maria-Sofia dite Misia Godebska (1872-1950) — épouse en premières noces de Thadée Nathanson, puis d'Alfred Edwards en 1904 et José-Maria Sert en 1910 —, qui était à Cabourg en même temps que Proust en août 1907 (voir la *Correspondance*, t. VII, p. 261-262), serait ici le modèle de la princesse Yourbeletieff (voir George Painter, *Marcel Proust*, éd. citée, t. II, p. 203-204).

Page 141.

a. passé dans ce moment *ms., dactyl.* : passé au moment *dactyl. corr.* ↔ *b.* mort et il allait *dactyl. corr.*[1], *orig. Nous corrigeons.*

1. Le texte était différent dans le manuscrit et la dactylographie.

◆◆ *c.* communard. La comtesse Molé qui avait *ms., dactyl., dactyl. corr.* ◆◆ *d.* visite au cours de laquelle comme la comtesse (jouant *ms., dactyl., dactyl. corr.* : visite au cours de laquelle comme la princesse (jouant *orig. Nous corrigeons.* ◆◆ *e.* pied les duchesses de *ms.* : pied la duchesse de *dactyl., dactyl. corr., orig. Nous adoptons la leçon du manuscrit.* ◆◆ *f.* opinions reçues, avait déclaré à Mme Verdurin ravie, qu'elle trouvait les gens de son monde idiots, et qu'elle trouvait Zola d'un grand courage. Mais le sien n'avait pas été jusqu'à *ms. Sur la dactylographie on lit* cela *à la place de* Zola .

1. Le critique d'art Serge de Diaghilev (1872-1929) fut l'impresario des Ballets russes lors de leurs tournées en Europe occidentale à partir de 1909.

2. Anatole France, l'un des modèles de Bergotte, trônait ainsi dans le salon de Mme Arman de Caillavet.

3. En novembre 1913, d'après une lettre à Jean-Louis Vaudoyer, Proust songea à louer le palais Farnèse — dans la petite ville de Caprarola, près de Viterbe —, qui appartenait au comte de Caserte (voir la *Correspondance*, t. XII, p. 314).

Page 142.

a. situations et contribuant *orig. Nous ne possédons pas pour ce passage d'état antérieur (voir la variante suivante). Nous corrigeons.* ◆◆ *b.* mariée à un Juif, elle avait un mérite *[1re ligne de la page]* double. Quelques hommes *ms., dactyl., dactyl. corr.*

1. Dans les *Mémoires* de Saint-Simon, il est souvent question d'Élisabeth de Lorraine-Lillebonne, Mlle de Commercy, fille du damoiseau de Commercy, qui devint princesse d'Épinoy par son mariage avec Louis Ier de Melun, prince d'Épinoy.

2. La Ligue de la patrie française, regroupant les intellectuels antidreyfusards, fut fondée à la fin de 1898 pour répliquer à la Ligue des droits de l'homme. Dirigée par Coppée, Lemaitre, Brunetière, Barrès, elle connut vite un grand succès pour la défense de l'armée et de la patrie : vingt-deux membres de l'Académie française en firent partie. La ligue avait pris naissance dans le salon de la comtesse de Kersaint, sœur de la comtesse Aimery de La Rochefoucauld (André de Fouquières, *Cinquante ans de panache*, éd. citée, p. 78).

3. Le marquis Armand du Lau d'Allemans était membre du Jockey Club, familier de Charles Haas, de Louis de Turenne, et d'Édouard VII alors prince de Galles.

4. Le marquis du Lau et le comte Louis de Turenne faisaient partie de la cour de la comtesse « Mélanie », Mélanie de Pourtalès, avec le vicomte de Vaufreland et le peintre Édouard Detaille (voir André de Fouquières, ouvr. cité, p. 60).

5. Le comte du Lau et le prince Giovanni Borghèse figurent parmi les invités de la comtesse Robert de Fitz-James (*ibid.*, p. 75). Le prince Giovanni Borghèse (1855-1918) avait épousé en 1902 Alice de Riquet, comtesse de Caraman-Chimay.

6. Charles, vicomte de La Rochefoucauld, duc d'Estrées (né en 1863), était le fils aîné du duc Sosthène de La Rochefoucauld-Doudeauville (voir n. 4, p. 143).

Page 143.

a. qui le rendait plus sûr et plus rapide, mais qui ne le laissait *ms.* : qui la rendait plus sûre et plus rapide mais qui ne la laissait *dactyl.* : qui la rendait plus sûre et plus rapide, mais [qui *biffé*] ne la laissait *dactyl. corr.* : qui la rendait plus sûre et plus rapide, mais ne la laissait *orig. Nous corrigeons d'après le manuscrit.* ↔ *b.* le dernier échelon. » Odette, malgré ses brillantes *ms., dactyl., dactyl. corr.*

1. Paul Doumer (1857-1932), homme politique français, fut député radical en 1888, ministre des Finances en 1895-1896 et 1921-1922, gouverneur général de l'Indochine de 1896 à 1902, président de la République en 1931, assassiné l'année suivante par Gorgulov.

2. Paul Deschanel (1855-1922), homme politique français, fut président de la Chambre des députés (1898-1902, 1912-1920). Choisi par le Bloc national comme président de la République contre Clemenceau en février 1920, il dut démissionner dès septembre 1920 pour raison de santé.

3. François Athanase de Charette de La Contrie (1763-1796), Vendéen, dirigea l'insurrection de 1793. Après l'échec de la tentative des émigrés pour débarquer à Quiberon en juin 1795, il fut arrêté par Hoche, condamné à mort et exécuté à Nantes. Sa famille demeura légitimiste, ainsi le baron de Charette (né en 1832), partisan du comte de Chambord.

4. Ambroise Polycarpe de La Rochefoucauld, duc de Doudeauville (1765-1841), fut directeur général des Postes en 1822, puis ministre de la Maison du roi ; il démissionna lors de la dissolution de la Garde nationale en 1827. Louis François Sosthène (1785-1864), son fils, fut un homme politique ultra-royaliste ; directeur des Beaux-Arts en 1824, il s'illustra par une extrême pruderie. Sosthène de Doudeauville (1825-1908), second fils de ce dernier, élu à l'Assemblée nationale le 8 février 1871, siégea à l'extrême droite, et devint l'un des membres les plus ardents du parti légitimiste et le correspondant du comte de Chambord. Il chercha des alliés parmi les bonapartistes. Député de la Sarthe de 1871 à 1898, il fut ambassadeur à Londres en 1873-1874.

5. Voir *À l'ombre des jeunes filles en fleurs*, t. II de la présente édition, p. 243 et n. 2.

Page 144.

a. entouré par le comte Molé, le prince d'Agrigente, *ms., dactyl.* ↔ *b.* Reinach et Labori. Certes le temps passe pour tout le monde et change la figure aussi bien du grand monde que de l'autre. Mais il faut une sorte d'esprit d'exégèse pour saisir le changement dans les fêtes comme celles des Guermantes ; par exemple dans le souper qui <avait> terminé la fête chez la princesse, souper pour lequel je ne restai pas et où les convives si on se les rappelle <sont> comme les antennes bien différentes, de corps d<epuis le> temps devenus immatériels. Rappelons-nous que parmi les hommes qui soupèrent il y avait M. de Lubersac, M. de Mouchy,

M. Standish, c'est-à-dire le petit-fils de cette duchesse de Duras qui écrivit *Ourika* et aima si passionnément Chateaubriand, et les deux petits-fils de la duchesse de Mouchy, l'idole de Chateaubriand, laquelle rendit la duchesse de Duras si malheureuse et pour laquelle avant qu'elle mourût folle fut écrit *Le Dernier des Abencérages*[1]. Mais les deux descendants, étroitement unis, de cette ombre lamentable, causaient amicalement avec le petit-fils de Claire de Kersaint. À côté d'eux étaient assis M. d'Haussonville, petit-fils de Mme de Staël, l'amie de Mme de Duras, M. de Mun, descendant d'Helvétius, et de M. de Castellane, petit-fils de la duchesse de Dino[2]. Qu'on remonte des soupeurs de ces soirs-là à leurs arrière-grands-parents, et l'on trouve tout composé, tel qu'il eut lieu souvent en réalité, le plus brillant souper du XIXe siècle. / Elle commençait à être à la mode. Elle était une de ces nouvelles venues que de temps à autre les gens du monde, par besoin de nouveauté, par curiosité et ostentation d'intelligence, substituent dans leur salon aux dames snobs qui tiennent trop à l'aristocratie et font ainsi, selon l'aristocratie elle-même preuve de bêtise. À cette même époque des femmes qui devaient avoir leur jour plus tard étaient, comme des pièces trop neuves, dédaignées, parce qu'elles exprimaient une forme d'intelligence qui n'était pas encore à la mode et portaient leurs cheveux d'une manière qui passait encore pour trop excentrique pour sembler agréablement originale. Mais Bergotte était maintenant l'homme du jour. On savait qu'il ne bougeait pas de chez Mme Swann et on en concluait qu'elle devait avoir de l'esprit jusqu'au bout des ongles. Puis elle avait une fille qui, par suite d'un héritage que venait de faire Swann allait être formidablement riche. Enfin on savait gré à Mme Swann d'être ce qu'on appelait à ce moment-là « bien pensante » c'est-à-dire antidreyfusarde. On disait bien que Swann d'ailleurs mourant avait d'autres opinions, mais on ajoutait qu'il était gâteux, idiot, « on ne s'occupe *ms., dactyl.*

1. Voir *Le Côté de Guermantes*, t. II de la présente édition, respectivement p. 407 et n. 1, 543 et n. 2, 531 et n. 2, 539 et n. 2, 675 et n. 1. Le Comité de salut public fut institué en 1793 par la Convention. Quand Robespierre en prit la tête après la chute des Girondins, il instaura la Terreur.

1. Le marquis de Lubersac, le duc de Mouchy et M. Henry Standish. Claire de Kersaint, duchesse de Duras (1777-1828), tint un salon brillant sous la Restauration, écrivit deux romans, *Ourika* (1823) et *Édouard* (1825), et fut l'une des adoratrices de Chateaubriand. Natalie de Laborde de Méréville, vicomtesse de Noailles puis duchesse de Mouchy, que Chateaubriand rencontra en 1807 en Espagne au retour de Jérusalem, rencontre dont s'inspirent *Les Aventures du dernier des Abencérages*, perdit la raison en 1817 et mourut en 1835 dans une maison de santé.

2. Le comte Othenin d'Haussonville (1843-1924), que Proust connut chez Mme Straus, était arrière-petit-fils de Mme de Staël. Le comte Albert de Mun (1841-1914), homme politique, fondateur des Cercles d'ouvriers catholiques. Boni de Castellane (1867-1932), neveu de Boson de Talleyrand-Périgord, prince de Sagan dont il hérita, et descendant de Dorothée de Courlande, duchesse de Talleyrand-Périgord, princesse de Sagan, duchesse de Dino (1792-1862), dont la fille Joséphine-Pauline devint marquise de Castellane.

Page 145.

a. voix *[p. 144, avant-dernière ligne]* : « Mais ne vous faites donc pas présenter, voyons » et était glacial si sa femme le nommait. De sorte que des dames habituées à ce que tout le monde courût après elles et voyant pour la première fois un mari qui s'était fait tirer l'oreille pour être présenté, lui gardaient avec de la rancune qui n'était que pour lui une grande considération qui était aussi pour sa femme. Aussi quand Odette était en visite *ms., dactyl.* ↔ *b.* aucune. Néanmoins elle disait à son tour : « Dame, on n'aime pas beaucoup aller chez Mme de Saint-Euverte », et elle la méprisait un peu. Et pas seulement cela. Car comme M. de Guermantes avait quitté Mme de Turgis et était revenu à Mme d'Arpajon, chez laquelle pourtant toutes les amies de la duchesse de Guermantes fréquentaient, elle disait : « Oui je vais *ms., dactyl.*

Page 146.

a. connaissait pas et avait entrevue à une vente de charité). L'impression favorable créée autour du nom d'Odette et qui faisait penser qu'il était élégant d'y aller était double. Pour les personnes remarquables comme Mme de Louis de Gaudron, le fait qu'elle connût peu de monde du grand monde, la faisait considérer comme une femme *ms., dactyl.* ↔ *b.* chez elle. Et pour les femmes complètement nulles (comme l'amie de Mme de Guermantes qui me reluquait dans la rue) c'était le contraire ; apprenant *ms., dactyl.* ↔ *c.* « farceuse », et elles étaient fort allumées *Le passage qui, dans la version définitive, suit ces mots et va de* par l'idée de la connaître *à* tenaient en partie à ce que les Verdurin *[p. 149, dernier §, 2e ligne] est différent dans le manuscrit et dans la dactylographie. Nous donnons le texte, dans son intégralité, de ces deux états dans la variante a de la page 149.* ↔ *d. Deux Mondes*, le rite *dactyl. corr.*[1], *orig. Nous corrigeons.*

1. Judas Colonna, dit Édouard Colonne, chef d'orchestre français (1838-1910), fut le fondateur à Paris du Concert national (1871), plus tard Association des concerts Colonne, qui défendit la musique française pendant quarante ans.

2. Voir *Du côté de chez Swann*, t. I de la présente édition, p. 296.

3. Les maisons de Montmorency et de Luxembourg se lièrent par le mariage en 1661 de François Henri de Montmorency-Bouteville avec l'héritière de Piney. Il signa dès lors Montmorency-Luxembourg et fut reçu duc et pair en 1662. Son fils Charles François Frédéric Ier de Montmorency prit le titre de duc de Luxembourg à sa mort en 1692. Leur procès de préséance avec les ducs et pairs est longuement commenté par Saint-Simon (*Mémoires*, éd. citée, t. I, p. 122-153 ; voir aussi p. 885-927, « Relation du procès [...] »).

1. Pour cette variante, et jusqu'à la variante *b* de la page 148, nous ne possédons pas d'état antérieur à la dactylographie corrigée (voir la variante précédente).

Page 147.

a. des personnes à qui jamais on ne pourrait *[p. 146, 10e ligne en bas de page]* présenter Odette. J'aimais beaucoup aller chez elle, ce qui stupéfiait Mme de Guermantes qui la trouvait *dactyl. corr.*

1. Une notation du Carnet 1 associe cette sensation à l'hôtel des Réservoirs à Versailles : « Escalier pour aller au bain au<x> Réservoir<s> des fleurs blanches du tapis répondant aux douces fleurs blanches du mur escalier muette attente, on parle plus bas, l'odeur de la maison suinte, cinéraires en arrivant » (*Le Carnet de 1908*, éd. citée, p. 60). Une notation du Carnet 3 se réfère à une même impression : « Fleurs blanches des tapis, pots de cinéraires, silence dans l'escalier » (Carnet 3, f° 45 v°).

2. Étienne Falconet (1716-1791), statuaire français, protégé de Mme de Pompadour, fut reçu à l'Académie en 1754 et fournit de nombreux modèles de biscuits. On songe ici à la *Baigneuse* (1757) conservée au musée du Louvre, souvent reproduite (voir var. *a*, p. 149). Georges de Lauris décrit ainsi le salon de Mme Straus : « La courbe délicate d'un Falconet, statuette aux épaules tombantes qui ne sont plus à la mode, se détache au-dessus d'une console aux rondeurs Louis XV » (*Souvenirs d'une belle époque*, Amiot-Dumont, 1948, p. 153).

Page 148.

a. dont elle ne devina jamais la cause. *Dans la dactylographie corrigée, sur le feuillet qui suit celui sur lequel figurent ces mots, Proust a ajouté, puis biffé cette transition :* Mais c'est assez parler du monde. Ce n'est pas à Paris mais à la mer que commencera de se nouer pour éclater ensuite à Paris le drame qui fait le centre de cet ouvrage. Ne prolongeons plus les préparatifs du voyage. Il est temps de partir pour Balbec. ◆◆ *b.* Ma seconde arrivée à Balbec *Le passage qui commence par ces mots et qui va jusqu'à la fin du chapitre I de « Sodome et Gomorrhe II » [p. 178, 1er §, dernière ligne] correspond à l'article publié dans « La Nouvelle Revue française » du 1er octobre 1921 (p. 385-410) sous le titre « Les Intermittences du cœur ». Il s'agit du début du Cahier IV du manuscrit au net dont les premières pages ont d'ailleurs été largement remaniées dans la dactylographie (voir la variante a, page 149 [p. 1425]). Pour établir l'article de « La Nouvelle Revue française », Proust a pratiqué plusieurs coupes dans le passage puis il a, après cet article, à nouveau corrigé la dactylographie. Le premier feuillet de la dactylographie corrigée, consacré aux « Intermittences du cœur », est recouvert d'un papier collé où figure la transition signalée dans la variante a de cette page, puis trois croix et cette phrase biffée :* Ma seconde arrivée à Balbec ne ressembla pas à la première. *Entre les trois croix et le début du passage, Proust a ajouté, et n'a pas biffé :* Chapitre II. Les Intermittences. *Il a donc envisagé, soit que les trente pages sur les rêves de la grand-mère forment un chapitre à elles seules, soit que le chapitre II commence dès l'arrivée à Balbec. Les cinq premiers feuillets de la dactylographie corrigée jusqu'à* M. de Cambremer (La Raspelière), *[p. 149, 5e ligne en bas de page] sont de la main de Céleste Albaret. La suite du texte a été, dans la dactylographie corrigée, encore beaucoup remaniée jusqu'à la page 152 (voir la variante d de cette page). Il existe du reste une copie non autographe du début des « Intermittences du cœur » (N. a. fr. 16776, ffos 36-47) qui va de la page 148 à la page 154, ligne 7* de nul service pour nous, *et qui correspond aux folios 14 à 23 de la dactylographie corrigée (N. a. fr. 16739). Cette copie non autographe a servi de copie d'impression pour le début du chapitre fort confus jusque-là.*

1. Proust avait songé à donner ce titre à son roman tout entier, voir la Notice, p. 1226.

2. Voir l'Esquisse XV, p. 1055-1056, où le deuxième de trois séjours à Querqueville, en compagnie d'une jeune fille qui s'appelle alors Maria, préfigure, dès avant 1912, le second séjour du héros à Balbec et les aventures d'Albertine du côté de Gomorrhe. Voir les Esquisses XVI, p. 1059 et suiv., et XVII, p. 1075 et suiv., où le second séjour à Balbec, avec Albertine, est mis en place au début de la guerre. Voir aussi la Notice, p. 1236.

3. Voir p. 316 et n. 2 p. 317 l'étymologie de ce nom.

4. Les cuirs du directeur du Grand-Hôtel de Balbec sont introduits tardivement, et massivement, dans le roman. Nombreux sont ceux que Proust nota dans les cahiers d'additions après la guerre, en particulier dans le Cahier 61, ffos 19 v°, 40 r°, 42 r° ; et dans le Cahier 62, ffos 10 r° et 46 v°.

Page 149.

a. « farceuse » et elles étaient fort *[p. 146, 13e ligne]* allumées par la curiosité d'aller chez elles. Mais comme elles craignaient aussi que certaines femmes très sévères du faubourg n'eussent déjà d'elles-mêmes une idée assez incertaine, si dans un concert de charité elles apercevaient Mme Swann dans un moment où Mme de Rochechouart ou Mme de Montmorency pouvaient les voir, elles détournaient la tête jugeant impossible de saluer Mme Swann, et attendaient de voir, au sujet de son entrée dans le monde, « comment ça tournerait ». Le peu de gens du monde qui allaient dans le salon Swann prenaient de cette proportion changée une importance nouvelle. M. de Bréauté, soudain mis en valeur par l'absence des personnages qui l'entouraient d'habitude, la satisfaction qu'il avait de s'y trouver, l'action mystérieuse qu'il avait l'air d'y accomplir, était vraiment un personnage nouveau, et je n'étais pas loin de croire que ce n'était plus la même chose — mais une chose nouvelle, intéressante — de le rencontrer là <que> dans un de ces salons ultra-élégants où sa présence ne frappait plus tant elle était habituelle et nécessaire, comme chez Mme d'Arpajon. La duchesse de Montmorency faisait partie des personnes qui pour rien au monde ne se seraient laissé présenter Odette. Elle habitait dans le faubourg Saint-Germain presque en banlieue, une vieille maison immense remplie de jardins et de pavillons dont je crois bien que tous les autres que celui qu'elle habitait étaient loués. Sous la voûte une admirable statuette qu'on disait de Falconet représentait sans doute une Source, et l'humidité qui suintait des murs avait l'air d'être naturellement un de ses attributs. Un peu plus loin, le concierge, toujours les yeux rouges, soit chagrin, soit neurasthénie, soit migraine, soit rhume, ne vous répondait jamais, vous faisait un geste vague indiquant que la duchesse était là et laissait tomber de ses yeux quelques gouttes au-dessus d'un bol rempli de « ne m'oubliez pas ». Le plaisir que me causait la vue de la statuette de Falconet venait moins de sa merveilleuse beauté artistique que de son incompréhensible ressemblance avec une Pomone certainement hideuse que je voyais à Combray s'élever au-dessus du massif central du jardin de Mme Sazerat dans la rue des Perchamps. Pomone qui devait être la plus laide chose du monde sans que je puisse même expliquer ce qu'elle était, l'ayant vue à une époque où je ne cherchais pas à définir les choses, et les gens qui pourraient me renseigner étant morts, et le jardin détruit. Mais le plaisir que j'avais à voir la statuette n'était rien auprès de celui que me causait le grand escalier humide et sonore comme celui de certains établissements de bains d'autrefois, les pots de cinéraires, bleu sur bleu dans l'antichambre et surtout le salon rond où la duchesse vous recevait. Ce salon me jetait dans un enthousiasme indescriptible parce qu'il ressemblait étrangement à celui d'une petite maison du Parc des Princes que nous avions louée une année où mon père trop occupé n'avait pu quitter Paris, et surtout à ce que sa tenture en cretonne à ramages, qui eût peut-être dû faire un singulier effet dans Paris et qui donnait à ce pavillon plutôt l'air d'une villa louée à la campagne, me faisant immédiatement penser au couvre-pied à fleurs du lit de ma tante Octave. Aussi déjà assez exalté après avoir vu la Source de pierre, la nymphe en fleurs qui remplissait l'office du concierge silencieux, l'escalier rempli d'échos et les vases pleins de cinéraires, je devenais littéralement gris quand j'entrais dans le salon rond avec ses ramages en cretonne et j'aurais voulu embrasser sans fin la duchesse de Montmorency. Elle qui croyait jusque-là avoir un petit pavillon fort modeste trouva mon enthousiasme charmant et ne le jugea pas déraisonnable. Atteinte d'un soudain orgueil elle prit pour la première fois de sa vie un air modeste et me dit : « Je suis ravie que cela vous plaise. » Je lui avouai en toute sincérité et la bouche pâteuse comme un homme ivre que je trouvais cela infiniment supérieur à l'hôtel de la princesse de Guermantes. Elle avait cru jusque-là que cet hôtel était tout ce qu'il y avait de plus beau à Paris. Elle n'eut pourtant qu'une seconde d'étonnement et me dit : « J'ai de moins belles choses, mais c'est plus intime. C'est moi qui ai tout trouvé, tout arrangé. C'est ce qui est amusant. » Malheureusement j'étais la première personne qui avait qualifié son logis d'enivrant et de supérieur même à l'hôtel de la princesse de Guermantes ce qui était vrai dans le sens où les water-closets des Champs-Élysées m'avaient fait éprouver des impressions plus poétiques que le Palais Bourbon. Elle raconta naturellement à ses amis un jugement si flatteur. Celui-ci parvint aux oreilles de la princesse de Guermantes. Elle se demanda si la duchesse de Montmorency était devenue folle, ou si c'était moi, ou si j'avais flagorné cette dame d'une façon tellement grossière que cela tournait à la plaisanterie. J'appris sa colère et ne tâchai pas de la calmer. Il aurait fallu lui parler du couvre-pied de Combray. Elle ne m'aurait pas compris. / Pour revenir, après avoir montré qu'elle ne rend pas compte de tout, à l'hypothèse que j'avais faite pour l'étudier en elle-même avec plus de commodité, que la terre ne tournait pas, et m'en tenir aux aspects différents, qu'avait pour moi à mes débuts dans le monde <l'> hôtel (château de ville, comme on disait le Roi en son hôtel) des différentes fées, si j'avais essayé d'établir un compte de la valeur d'une fée et de son salon, celui de Mme d'Arpajon par exemple, d'après le plaisir que j'avais eu chez elle, je n'aurais pas eu l'idée de porter dans l'addition ce qui donnait pourtant les plus gros chiffres, à savoir la chaleur du jour, le paysage marin des tapisseries, la demi-obscurité des salons, ce qui fait que non seulement l'importance de l'impression éprouvée n'eût pas seulement paru absurde à Mme de Guermantes qui trouvait Mme d'Arpajon une « bonne idiote », une « brave crétine », chez laquelle « c'était » toujours tellement assommant que cela rendait malade d'y aller. La duchesse me disait : « Mon pauvre petit, vous êtes plus bête ou plus snob que je n'aurais cru », ne doutant pas un instant comme j'étais un jeune inconnu qu'elle me fût infiniment supérieure. Et eussé-je été même un homme célèbre comme Bergotte ou Elstir qu'elle en eût seulement conclu que le talent peut aller avec une certaine bêtise. « Il a un grand talent, aurait-elle dit. Et à côté de cela il n'était tout de même pas intelligent. Je l'ai vu avoir du plaisir à aller chez Prudentienne. J'ai d'abord cru que c'était par calcul tant cela me paraissait stupéfiant, mais je crois au fond que cela lui plaisait sincèrement et Dieu sait qu'elle est bête comme une oie. » Mais à plus forte raison, comme je n'avais rien « produit », du moment que j'éprouvais et avouais éprouver du plaisir à aller chez Mme d'Arpajon, Mme de Guermantes (qui ne s'était jamais doutée du genre de plaisir que je pouvais avoir dans le monde et qui ne l'avait trouvé compréhensible que quand le monde c'était son salon à elle, à elle qu'elle savait si belle, mais surtout qu'elle croyait si intelligente) trouvait que j'étais inférieur à ce qu'elle avait cru, qu'elle s'était trompée sur moi. Encore m'eût-elle excusé d'aller chez certaines personnes, même qu'elle ne fréquentait pas, mais qui, disait-elle avec une certaine considération « savent en tous cas faire venir tous les hommes agréables chez elles ». Car les idées de Mme de Guermantes sur les esprits littéraires, qu'elle croyait devoir se plaire uniquement avec des « intellectuels », sans se rendre compte que pour eux l'intelligence est quelque chose qu'ils produisent eux-mêmes et n'ont pas besoin d'aller chercher les autres auxquels ils demandent plutôt le spectacle de ce qui diffère le plus de leur propre nature, se compliquait d'une conception des salons, des femmes qui ont un salon, qui savent faire venir les gens d'esprit, conception qui elle est peut-être plus transitoire que l'éternelle et fausse conception qu'auront toujours les femmes du monde, même dites littéraires, de la littérature. Tout au plus m'eût-elle excusé si je fusse allé dans le monde pour prendre des notes et « faire une étude ». Comme ce n'était pas le cas, elle me jugeait m'être inférieur et me désolait en me faisant partager à moi-même cette opinion. Car si elle était incapable de comprendre les motifs qui me faisaient me plaire dans l'obscurité estivale des salons subfluviaux de Mme d'Arpajon, moi-même je ne savais pas le rapport qu'il y avait entre ces impressions que j'éprouvais et les motifs que je pouvais avoir de me plaire aux réceptions. Mais à moi-même cette impression m'eût paru hors de tous rapports avec les motifs de se plaire aux réceptions Arpajon, motifs dans l'addition desquels je n'eusse jamais pensé à faire figurer ni le soleil de plomb que je recevais dans le fiacre découvert, ni la fraîcheur transparente du salon aux vaisseaux fleuris. Aussi le compte que j'aurais fait n'eût pu être que faux puisque ce n'est que pour la commodité du langage que nous isolons les personnes de leurs demeures, que les impressions réelles sont une synthèse de toutes les impressions différentes, associées et même inséparables, que tout autant que l'idée que nous nous faisons de la fée différente des autres suffit à individualiser la demeure où nous allons la voir, tout autant cette demeure impose sa couleur particulière, sa forme, ses odeurs artificielles ou celles qu'y répand la saison, à la fée qui l'habite et aux hôtes qu'elle y reçoit, et qu'enfin si même une grande partie des erreurs tenait à des dispositions de l'imagination et de la sensibilité qui absolument insoupçonnées de moi alors, trouveraient peut-être un jour sinon leur véritable objet, du moins un meilleur emploi, en attendant ces erreurs ne me faisaient que perdre mon temps dans des recherches sans but et me poser d'insolubles problèmes, m'entraînant de plus à des méprises continuelles qui ne servaient qu'à me faire paraître ridicule et dénué de jugement aux plus fins des gens du monde. Ils ne s'imaginaient pas, non plus que moi que quand je disais salon Swann et salon Arpajon, je voyais un papillon noir aux ailes feutrées de neige, et un papillon aux ailes glacées d'azur. Et si la sécheresse des romanciers qui analysent avec une sagacité cruelle les ridicules de la vie mondaine, tient en partie à ce qu'ils ne se placent jamais dans l'imagination des jeunes snobs, nous ne pouvons ici aux lépidoptères, nous venons de dire, ajouter tant d'autres qui si on leur rendait la vie, montreraient dans ces premières années où on débute dans le monde une sorte de printemps social, non dépourvu de poésie, frémissant et diapré. Pourtant, sans pouvoir évoquer ici les incessantes métamorphoses qui sont infligées aux mêmes gens du monde par chaque nouvelle fée, dans son palais différent, il est une dernière sorte de renouvellement du personnel mondain qu'il importe de ne pas passer sous silence si l'on veut ne rien laisser perdre de ce qui, en montrant qu'en toutes choses l'élément modificateur vient de l'impression intime et de l'imagination, pourra plus tard suggérer peut-être dans quelle direction il peut être possible de retrouver le temps perdu. C'est le renouvellement que produisent les réceptions (dans le présent livre, les réceptions des Verdurin) hors de Paris à la campagne. Aussi bien n'aurons-nous aucun détour à faire pour traverser leur « vie de château » puisqu'elle se trouve précisément au carrefour de deux de nos chemins, l'un peu important où l'on voit un pays continuer à varier quand sa réalité se confronte non plus maintenant à l'imagination, mais à la mémoire, l'autre chemin, principal au contraire, car il nous mènera à la péripétie [principale de ce récit[1] *biffé*] / Les images peu nombreuses[2] qui nous décident à voyager — celles que nous nous représentons pour chercher à les évaluer, dans les minutes d'hésitation, chaque fois que nous avons envie de rester chez nous, et dont nous jugeons *en fin de compte* que leur prix l'emporte *sur l'ennui de partir* — ne devaient pas moins me décevoir la seconde fois que j'allai à Balbec que la première. Elles étaient pourtant bien différentes puisque je désirais voir maintenant non plus ce que je m'étais figuré avant mon premier séjour, mais ce que je m'étais si souvent rappelé depuis, par exemple — au lieu d'une église persane noyée dans le brouillard, éclaboussée d'écume, aperçue entre chien et loup tout en

1. Ainsi s'achève le Cahier III du manuscrit, le Cahier IV prenant la suite. Proust indique toutefois : « Suivre au Cahier IV *bis* qui commence immédiatement après cette page. » Il s'agissait d'une numérotation antérieure du Cahier IV.

2. C'est par ces mots que débute le Cahier IV du manuscrit après plusieurs passages biffés par Proust que nous ne donnons pas.

buvant du café au lait à l'auberge — une salle à manger d'azur devant l'immense vitrage de laquelle les ombres des nuages flottaient au vent et au soleil sur la mer bleu de paon, après l'heure du bain, quand la princesse de Luxembourg elle-même suivie de son nègre habillé de rouge avait regagné sa ville. Images choisies par le souvenir mais aussi arbitraires, aussi étroites dans leur étendue, aussi fugitives dans leur durée, aussi exclusives de toutes autres, aussi excitantes pour mon désir, aussi maîtresses de ma volonté, qu'avaient été les premières, si différentes pourtant, celles que l'imagination avait formées, la réalité détruites et auxquelles la mémoire venait de substituer celles-là. Mais il n'y a pas de raison pour que, en dehors de nous, un lieu réel possède plutôt les tableaux du souvenir que ceux de l'imagination. Puis par irréflexion nous nous imaginons d'avance à l'arrivée mais restés les mêmes qu'au départ, sans songer que nous trouverons, venue à notre rencontre, et quelquefois ayant fait route avec nous, une réalité nouvelle qui modifiera en même temps que nous nos désirs, nous <fera> oublier les anciens à cause desquels nous sommes partis, en éveillera d'autres et enfin éloignera de nous, à l'aide de circonstances qu'on ne peut prévoir et dont on peut prévoir tout au plus qu'elles se produiront, la possibilité ou l'envie d'atteindre tel but arbitraire que nous avions assigné à notre voyage. [Et à ce propos je noterai un tableau tout à fait en dehors du genre de ceux que je vais avoir à décrire et qui était bien en effet un tableau. Quand par une légère déviation des rails, j'aperçus, bien avant d'arriver à Balbec, au bout des terres, une nappe bleue moins consistante et dont je connaissais bien le lointain et instable glissement, je ne sais par quel hasard il s'y trouvait un grand concours d'immenses voiliers. Peut-être était-ce une partie de l'escadre britannique — hautes cathédrales de toile — qui passait en vue de ces rivages. L'étrange vie que je menai dès le lendemain de mon arrivée m'ôta toute idée de demander des éclaircissements sur ce point. Toujours est-il que les voiles bombées, blancs ballons dans les courbes s'inscrivaient dans les cadres rectilignes, et de dimensions variées, de l'architecture nautique, donnaient à ces vaisseaux lointains majestueusement fouettés par le vent, l'apparence de ceux que les successeurs de Claude Lorrain ont peints dans leurs atours compliqués, éclatants, fougueusement dignes. Et si j'avais pu dans le moment même aborder l'un d'eux je n'eusse nullement été surpris d'y trouver sur la dunette, des gentilshommes en habits brodés, avec de grandes épées, et des pistolets d'argent. Mais ce tableau disparut presque instantanément de ma vue ainsi que celui de la mer bleue, et je ne devais pas plus le revoir qu'un tableau aperçu au fond d'une des salles d'un musée où l'on passe vite, dans une ville où on n'aura plus jamais l'occasion de retourner. *add. dactyl.*[1]] J'avais résolu d'aller à Balbec surtout parce que les Verdurin, *ms., dactyl. Le texte de la dactylographie corrigée est conforme à la version définitive, à l'exclusion de certains passages que nous signalons de la variante c, page 146, à la variante b, page 148.*

1. Ce quotidien fondé en 1884, d'abord littéraire et artistique, devint un organe conservateur et catholique.

2. Joseph Caillaux (*1863-1944*), homme politique français, ministre des Finances de 1899 à 1902, puis de 1906 à 1909, attacha son nom

1. Cette addition de la dactylographie figure dans les épreuves de 1921 mais n'a pas été conservée dans la dactylographie corrigée.

à l'institution de l'impôt sur le revenu. Président du conseil et ministre de l'Intérieur en 1911 et 1912, il négocia avec l'Allemagne dans l'affaire du Maroc. De nouveau ministre des Finances en décembre 1913, il fut l'objet d'une violente campagne du *Figaro*, relative à l'impôt sur le revenu. Gaston Calmette menaçait de publier d'anciennes lettres à sa maîtresse, devenue sa seconde femme. Le 16 mars 1914, Mme Caillaux, née Henriette Rainouard, épouse divorcée de Léon Claretie, rendit visite au directeur du *Figaro* et l'assassina. Proust, qui avait dédié *Du côté de chez Swann* à Calmette, fut affecté par sa mort (voir une lettre de mars 1914 à Mme Straus, *Correspondance*, t. XIII, p. 111). Le directeur du Grand-Hôtel paraît songer ici à la crise marocaine de 1911, où Caillaux fut accusé de céder à l'Allemagne, par exemple dans un article de *L'Écho de Paris* du 11 septembre 1911 (voir G. H. Steel, *Chronology and Time in « À la recherche du temps perdu »*, Genève, Droz, 1979, p. 90-91).

3. Voir l'Esquisse XVI, p. 1060-1061, et l'Esquisse XVII, p. 1075-1076, où la comparaison est plus développée. Voir aussi une notation du Carnet 2, citée dans la Notice, n. 1, p. 1237.

4. Près d'Illiers, un hameau s'appelle La Rachepelière. Voir, p. 353 et n. 1, l'étymologie de ce nom, qui apparaît au cours du Cahier 72, brouillon de la guerre pour le séjour à Balbec.

5. Voir l'Esquisse IX, p. 1004 ; l'Esquisse XI, p. 1010 et 1014 et suiv., où le héros est obsédé par l'idée de faire la connaissance de la femme de chambre en pouvant se réclamer de sa patronne. C'est ce qui l'incite à chercher à se faire introduire chez les Verdurin. Dans la version de 1912 du roman (voir l'Esquisse XI, p. 1028 et n. 3), la résidence de ceux-ci était située aux environs de Paris et non en Normandie. C'était déjà le cas dans les brouillons de 1909 (voir l'Esquisse II, p. 938).

Page 150.

a. m'avait-il assuré. « Jusqu'à un certain point, naturellement. Elle ne te dira pas *ms.* : m'avait-il assuré. « Elle ne te dira pas *dactyl., dactyl. corr., NRF oct., orig. Nous adoptons la leçon du manuscrit.*

1. Il n'est plus question de Venise, ville aux environs de laquelle le héros faisait enfin la connaissance de la femme de chambre dans la version de 1912 du roman (voir l'Esquisse IX, p. 1006).

Page 151.

a. la paysanne combraysienne que *ms.* : la paysanne que *dactyl., dactyl. corr., NRF oct., orig.* ◆◆ *b.* la route de *[2e §, 4e ligne]* Méséglise, j'appelais de toute la force de mon désir. Mais cette paysanne, je l'avais appelée en vain, et j'étais amené à me contenter de compromis par la difficulté de trouver pour mes plaisirs la réalité entièrement objective que j'avais d'abord cherchée. Qui m'assurait d'ailleurs que dans la vie quotidienne d'une femme je trouverais tout cet inconnu où j'aurais cru pénétrer grâce à elle. Que de fois il m'était arrivé de voir un visage se détachant pour moi, non sur l'atmosphère ambiante, mais sur l'invisible de la vie dans laquelle il allait bientôt rentrer, à laquelle il commandait, et où je n'avais pas accès. C'était les souvenirs habituels, les espérances prochaines de cette vie, qui, convertis en lumière flottaient dans ce regard mystérieux et y faisaient nager le reflet des choses que je connaissais pas. C'était eux qui donnaient aux ailes du nez, à la tournure, cette fierté souvent absurde des jeunes filles qui voient *a priori* un inférieur dans l'étranger qui ne va pas chez elles, qui ne connaît pas ses amies. Or cette invisible vie sur laquelle se profilaient les jeunes filles ne se flétrissait pas seulement bien avant que j'y eusse pénétré, mais dès que je les avais connues, elles, et que j'avais pu extraire comme une racine carrée la formule du regard qui n'était mystérieux et distant que de loin. Pour les amies d'Albertine, quand je les voyais passer les premières fois sur la digue, devant la mer, je croyais voir dans leur pensée, derrière elles, leurs promenades en bicyclette, leurs repas de famille, comme le souvenir de ce qu'elles devaient croire un empyrée d'où elles me dédaignaient et qui me rendrait impossible de regarder jamais de bien près et à mon aise le délicieux coin de bouche de l'une. Et maintenant que ces jeunes filles m'étaient devenues familières et indifférentes, en face de ces courses en bicyclette et de ces repas de famille captifs dans leur regard qui les transfigurait, je voyais, comme double et en symétrie avec eux, les mêmes repas de famille chez d'ennuyeuses bourgeoises et qui m'auraient paru la plus fastidieuse chose du monde. Du moins à Balbec *ms., dactyl.* ↔ *c.* nouvelle vie. Dans un pays nouveau où la sensibilité renaît, où on tombe en arrêt devant l'odeur d'un parquet ou le soleil posé sur la fleur brodée d'un fauteuil, je serais dans cet état d'exaltation où nous voudrions une femme et cette femme que je désirais, elle serait justement à Balbec. Or on verra *ms., dactyl.* ↔ *d.* l'impuissance d'aimer. Du moins il en fut ainsi pour les derniers mois de Paris. Mais à Balbec où je n'allais pas dans un état d'esprit si peu utilitaire que la première fois ; *ms., dactyl.* : l'impuissance d'aimer. [Du moins il en fut *[comme dans ms.]* peu utilitaire que la première *corrigé dans dactyl. corr. en* Au reste, à Balbec, je n'allais pas dans un esprit aussi pratique que la première] fois ; *dactyl. corr., orig. Nous corrigeons.*

1. Voir *Du côté de chez Swann*, t. I de la présente édition, p. 155-156.

Page 152.

a. l'on dansait. Certes Albertine et ses amies ne figuraient pas dans ces jeunes filles que j'espérais rencontrer. Il n'y avait plus pour moi d'inconnu en elles, et même si en d'autres cet inconnu était une illusion, c'était une illusion dont j'entendais profiter tant que j'en serais dupe pour aller avec une nouvelle venue — peut-être avec la femme de chambre de Mme Putbus — à Venise, où Albertine et ses amies en maintenant autour de moi mes habitudes, m'eussent empêché d'entrer en contact avec la cité désirée. Si les amies d'Albertine venaient à Balbec, elles pourraient du moins m'aider à connaître d'autres jeunes filles ; mais il était presque certain qu'elles iraient cette année-là ailleurs. En tous cas c'était de peu d'importance, et faire des connaissances à Balbec *ms., dactyl.* ↔ *b.* mon premier voyage. *Le passage qui dans le texte définitif suit ces mots et qui va de* Je fus tiré de ma rêverie *à* prudence pour me déchausser *[avant-dernière ligne de la page] est différent dans le manuscrit et dans la dactylographie. Nous donnons le texte de ces deux états dans la variante d de cette page.* ⁂ *c.* il faut des granulations (probablement pour graduations). Je reconnais *dactyl. corr.*[1]. ⁂ *d.* dénué à mon premier *[7e ligne de la page]* voyage[2] et ma seconde arrivée présentait le contraste le plus complet avec ce qu'avait été la première. Le directeur m'avait cette fois envoyé chercher à la gare ; il m'attendait sur la porte, tenant à la main ce chapeau qu'il n'enlevait pas volontiers. Il était si heureux de revoir un ancien client, me dit-il. Et il ajouta qu'il tenait beaucoup à une clientèle titrée, ce qui me fit craindre qu'il voulût m'anoblir, jusqu'à ce que j'eusse compris que « titrée » était la forme sous laquelle était resté dans sa mémoire « attitrée ». Je faisais seulement partie d'une clientèle attitrée. Le même lift silencieux, mais cette fois par respect et non par dédain, et rouge de plaisir, mit en marche l'ascenseur. M'élevant le long de la colonne montante je retraversai ce qui avait été pour moi le mystère d'un hôtel inconnu, où quand on arrive, passant sans protection et sans prestige, chaque habitué qui rentre dans sa chambre, chaque jeune fille qui descend dîner, chaque bonne qui passe dans les couloirs étrangement délinéamentés comme les alvéoles d'un édifice construit par une espèce animale nouvelle, et la jeune fille venue d'Amérique avec sa dame de compagnie et qui descend dîner, jettent sur vous ce premier regard où on regrette tant de ne pas lire tout ce qu'on voudrait que l'inconnue sût de vous. Maintenant j'éprouvais le plaisir trop reposant de monter à travers un hôtel connu, où je me sentais chez moi, où j'avais accompli une fois de plus cette opération toujours à recommencer, plus longue pour chaque nouvel objet, plus difficile que le retournement de la paupière et qui est en quelque sorte celui de la vue, qui consiste à extérioriser, à poser sur les choses l'âme qui nous est familière au lieu de la leur qui nous effrayait. Et je me disais que maintenant qu'elle était terminée pour le Grand-Hôtel de Balbec, aller toujours dans d'autres hôtels où je viendrais dîner pour la première fois, où l'habitude n'aurait pas encore tué à chaque étage, devant chaque porte, le dragon terrifiant qui semblait veiller sur une existence enchantée, serait peut-être pour moi un plaisir pénible, proche et amplificateur de celui que j'avais à approcher des femmes inconnues qu'en somme les palaces, les casinos, les plages, ne font, à la façon des vastes polypiers, que réunir et faire vivre en commun. / Au dernier étage l'ascenseur s'arrêta, le directeur en descendit avec moi pour me conduire à ma chambre. Entre-temps il m'apprit qu'au dîner dont c'était bientôt l'heure, je verrais Aimé dans la salle à manger, que le premier président était là, et aussi la femme du notaire, et le bâtonnier, n'ayant pas osé monter chez moi pour me laisser le temps de me préparer, et pensant que je devais être « fatigué du voyage », se feraient annoncer dès que je les y autoriserais ; qu'Albertine et plusieurs de ses amies qui en effet ne devaient pas venir cette année à Balbec avaient changé de projets, étaient depuis trois jours non à Balbec même mais à dix minutes dans le petit chemin de fer, à Épreville, avaient pensé quand elles avaient appris mon arrivée à venir me chercher à la gare, par discrétion s'en étaient abstenues, mais étaient déjà venues demander à l'hôtel que je ne manque pas de leur faire dire dès que je pourrais les voir. « Alors en somme je pourrai les voir quand je voudrai ? — Mais z-oui, me répondit le

1. Voir la variante précédente.
2. Voir la variante *b* de cette page.

directeur, et elles voudraient que ce soit le plus tôt possible, que vous n'ayez pas des raisons tout à fait nécessiteuses. Vous voyez, conclut-il, que tout le monde ici vous désire, en définitif. » On n'avait pas encore eu le temps de monter mes bagages, j'étais obligé de demander au directeur de me laisser un moment seul et de me faire apporter du savon, et déjà cette vie de bains de mer, pleine, inentamée, m'entourait, me pressait, me réclamait. J'éprouvais à « connaître tout le monde » maintenant, à Balbec, un plaisir moins vif que la première année à me plonger dans une vie inconnue, mais si doux pourtant que j'avais hâte de retrouver jusqu'au premier président et au bâtonnier comme si ç'avaient été des pommes des Hespérides. / Enfin ce qui achevait d'opposer cette arrivée à l'hôtel de Balbec à celle que j'y avais eue la première fois, c'est que pendant ce premier séjour, je n'avais pas seulement répandu socialement ma personnalité dans un monde que d'abord je ne connaissais pas, j'avais aussi sans m'en rendre compte répandu peu à peu mon moi sur les êtres et sur les choses qui ne me renvoyaient plus que lui. Si vives que soient nos premières impressions l'habitude finit par ôter entièrement au monde extérieur le pouvoir de réagir sur nous et par nous permettre d'y insinuer complètement notre âme. Ces opérations s'étaient effectuées progressivement la première année. Remis en face du directeur je ne lui vis plus de pustules, ne lui trouvai plus l'air bêtement insolent et n'aperçus plus dans sa voix la trace de toutes les langues qu'il aurait pu à bon droit appeler maternelles. Ce que je vis aussitôt dans son visage ce fut le reflet de gentillesses qu'il avait eues pour moi, de moments de franchise, de l'énergie avec laquelle certains jours où il était souffrant il avait protégé mon sommeil. C'était cela seul, ce portrait de lui redessiné par moi jour après jour, trait par trait, rempli maintenant d'humanité, d'expressions sympathiques, et peu ressemblant au visage du soir de ma première arrivée, c'était cela seul que je me rappelais ; aussi je ne vis pas autre chose. Tout autant que sur les joues et la voix du directeur, mes regards quotidiens avaient fini par répandre une patine amie sur la chambre où j'avais été si malheureux le premier soir, et cette fois-ci, je n'avais pas éprouvé un serrement de cœur, mais une impression de confort quand on m'avait dit qu'on allait me conduire à « ma » chambre, car maintenant elle était en effet pleine de moi. Trop pleine de moi, pensais-je (en sentant combien parmi des choses si habituelles mon imagination restait pauvre) quand, le directeur (lequel avait d'abord voulu me donner un appartement plus grand, au premier, en me disant que pour que je me rende compte des différences de prix il établirait des devises, mais il trouva que j'avais raison quand je lui dis que je préférais mon ancienne chambre et m'approuva d'un « vous êtes tout à fait dans le mouvement », qui signifiait dans sa pensée « vous êtes tout à fait dans le vrai ») m'ayant laissé seul, et ayant voulu commencer ma toilette malgré le malaise commençant qui semblait, causé sans doute par le voyage, annoncer une terrible crise, je ressentis tout d'un coup un plaisir délicieux. Je me sentais enfin à Balbec, non que je pusse voir la mer car il faisait complètement nuit, mais parce qu'en me trempant dans l'eau je venais de sentir pour la première fois depuis mon arrivée cette odeur des savons si parfumés du Grand-Hôtel, et qui avait monté à mes narines, le premier matin, quand tout en commençant à me laver, j'allais regarder par la fenêtre les chaînes des montagnes en azur, les glaciers et les cascades en écume, de la mer ensoleillée. Et cette même odeur de savon appartenant à la fois au moment actuel, et à cette lointaine matinée, semblait flotter entre les deux comme l'essence réelle d'une vie particulièrement douce, la vie au bord de la mer, où l'on n'a rien à faire qu'à choisir dans sa malle puis dans son armoire, quelqu'une des jolies cravates qu'on a apportées, avant de descendre sur la plage. Et ayant voulu me mettre un instant dans mon lit — ces lits d'hôtel où on ne peut pas se border — pour tâcher d'arrêter la crise d'étouffement qui grandissait, comme les sensations les plus humbles, amies obscures, oubliées et fidèles, gardent à notre disposition et nous rendent sans difficultés, ces souvenirs de moments de joie que nos pensées les plus hautes ont laissé échapper, les draps, tels sans doute que je ne les avais pas revus depuis ce premier jour d'arrivée où tout en faisant ma toilette je m'étais tant bien que mal recouché un instant dans le lit défait, ces draps trop fins pour moi, trop légers, trop vastes, ces draps qui ne tenaient pas aux couvertures et restaient soufflés autour d'elles en blanches volutes, bercèrent divinement sur la rondeur incommode et bombée de leurs voiles, le soleil glorieux et plein d'espérances du premier matin. On vint frapper à la porte pour m'avertir que le dîner était servi, mais me sentant trop mal je dus dire que je ne pourrais pas descendre, qu'on me laissât essayer de dormir et qu'on ne vînt plus chez moi jusqu'au lendemain. Les heures passèrent, mais ma crise augmentait, et tout était depuis longtemps éteint dans l'hôtel quand je sentis qu'il fallait me résigner à prendre un médicament violent qui seul me calmerait assez pour que je pusse remuer et me déshabiller. Allongeant le bras en tâchant de ne pas trop me déplacer je fouillai dans ma valise. Soit qu'on l'eût oublié, soit qu'on l'eût mis dans les malles de ma mère qui ne devait venir me rejoindre que dans deux jours, le médicament n'était pas là. Que faire ? Tout le monde était couché dans l'hôtel, eussé-je réussi à appeler quelqu'un qu'on n'aurait pu obtenir sans ordonnance le médicament chez le pharmacien. Il fallait essayer de me déshabiller tout de même. Mais je ne pouvais y arriver à cause du mal que me faisait mon cœur à chaque mouvement. Je mis une demi-heure pour aller de la malle à un fauteuil. Mais une fois assis je sentis que toute la souffrance que je venais de me donner était inutile, car le silence seul aurait pu me permettre de m'endormir. Or à ce moment j'entendis tout à coup le tintement, suffisant à m'empêcher de dormir même si je n'avais pas tant souffert. De plus pour me rendre plus difficile le sommeil qui seul eût pu me calmer, j'entendis commencer le tintement de cette eau du réservoir qui alimentait les bains, et que, comme il était contigu à ma chambre, on arrêtait la première année chaque soir, au moment où j'allais me coucher. On l'avait oublié cette fois-ci. Malgré cela et dans ma détresse et dans mon isolement, me sentant pourchassé loin de tout repos par ce bruit ennemi, je me baissai avec une lenteur extrême à cause du mal que mon cœur me faisait pour me déchausser. *ms., dactyl.*

1. Paillard, un restaurant parisien que Reynaldo Hahn appréciait, est installé depuis 1880 au 38, boulevard des Italiens, à l'angle de la rue de la Chaussée-d'Antin.

2. Voir l'Esquisse XVII, p. 1077, proposant de déplacer à Balbec la scène du souvenir et des rêves de la grand-mère. Elle avait lieu en Italie dans la version de 1912 du roman, et le héros était déchiré entre le deuil de sa grand-mère et le désir de la femme de chambre : voir l'Esquisse XIII, p. 1034 et suiv. Les « Intermittences du cœur » remontent

en fait au plus ancien de la genèse d'*À la recherche du temps perdu*. Le Carnet 1 y fait allusion dans une page datant de la fin de 1909 ou du début de 1910 : « Après la mort de ma grand-mère, apparitions etc. » (*Le Carnet de 1908*, éd. citée, p. 107). Mais les toutes premières pages du Carnet 1 rapportaient déjà des récits de rêves où, avant l'invention du personnage de la grand-mère, les protagonistes étaient les parents de Proust : voir, Esquisse XII, p. 1031, ces rêves qui demeureront dans le texte définitif. Voir aussi la Notice, p. 1225-1233.

Page 153.

1. Voir *À l'ombre des jeunes filles en fleurs*, t. II de la présente édition, p. 28.

2. Sur le terme médical d'« intermittence », voir la Notice, p. 1226. Le sens métaphorique et psychologique se trouvait dans l'essai de Maurice Maeterlinck, « L'Immortalité », repris dans *L'Intelligence des fleurs*, éd. citée, livre que Proust consulta pour *Sodome et Gomorrhe I* et l'application de la métaphore végétale aux amours homosexuelles. Maeterlinck écrivait ainsi : « On dirait que les fonctions de cet organe, par quoi nous goûtons la vie et la rapportons à nous-mêmes, sont intermittentes, et que la présence de notre moi, excepté dans la douleur, n'est qu'une suite perpétuelle de départs et de retours » (p. 290). Le sens proustien est voisin de celui-là. « Si le fantôme d'une personne aimée, écrivait encore Maeterlinck, reconnaissable et apparemment si vivant que je lui adresse la parole, entre ce soir dans ma chambre à la minute même où la vie se sépare du corps qui gît à mille lieues de l'endroit où je me trouve, cela, sans doute, est bien étrange » (p. 300). Les intermittences sont associées par Proust aux troubles de la mémoire, c'est-à-dire aux réminiscences, aux accidents de la mémoire involontaire : ce sont les réminiscences douloureuses. À la différence des réminiscences heureuses, suscitant l'extase et transcendées à la fin du roman par la doctrine artistique de l'« adoration perpétuelle », les intermittences ne seront jamais sublimées par l'art ; ni celle-ci, ni l'autre qui lui fait pendant : la découverte qu'Albertine connaît Mlle Vinteuil, à la fin du second séjour à Balbec (voir p. 499). Proust associe les intermittences et la mémoire involontaire, en novembre 1913, dans une lettre à René Blum, à qui il explique son livre en vue d'un article : « [...] de même nous croyons ne plus aimer les morts, mais c'est parce que nous ne nous les rappelons pas ; revoyons-nous tout d'un coup un vieux gant et nous fondons en larmes » (voir la *Correspondance*, t. XII, p. 296).

Page 155.

a. dans mon souvenir sur les plans de ce visage modelés et inclinés par la tendresse *ms.* : dans mon souvenir sur les pentes de ce visage modelé et incliné par la tendresse *dactyl., dactyl. corr., NRF oct., orig. Nous retenons la leçon du manuscrit.*

Page 156.

a. intelligence, ni infléchie ni atténuée par ma pusillanimité, *ms.* : intelligence, ni atténuée par ma pusillanimité *dactyl., dactyl. corr., NRF oct., orig. Nous adoptons la leçon du manuscrit.* ↔ *b.* inhumain, comme un double *ms., dactyl., NRF oct.* : inhumain, un double *dactyl. corr., orig. Nous retenons la leçon du manuscrit.*

1. Voir *À l'ombre des jeunes filles en fleurs*, t. II de la présente édition, p. 144-145. Les photographies de la grand-mère du héros, prises par Saint-Loup, rappellent les photographies de Mme Proust prises par Mme Catusse à Évian, et évoquées par Proust en ces termes dans une lettre de novembre 1910 à Mme Catusse : vous « par qui, le jour où vous vîntes à Évian elle voulait et ne voulait pas être photographiée, par désir de me laisser une dernière image et par peur qu'elle fût trop triste » (*Correspondance*, t. X, p. 215). Mme Proust était tombée gravement malade en septembre 1905, pendant un séjour à Évian avec son fils. Ramenée à Paris, elle mourut peu après son retour. Une notation de 1908 dans le Carnet 1 paraît rattacher à Évian la scène des intermittences : « Maman retrouvée en voyage, arrivée à Cabourg, même chambre qu'à Évian, la glace carrée » (*Le Carnet de 1908*, éd. citée, p. 53).

Page 157.

a. sang comme sur un Styx intérieur *ms.* : sang comme sur un *[un blanc]* intérieur *dactyl.* : sang comme sur un [Léthé *corr.*] intérieur *dactyl. corr.* ↔ *b.* replis, mille fois plus émouvantes que celles que nous voyons au dehors de nous dans la ville, nous apparaissent au dedans, nous abordent et nous quittent en nous laissant en larmes, de grandes figures solennelles. Je cherchai *ms., dactyl.*

1. Une notation de l'été 1908, dans le Carnet 1, paraît annoncer la scène : « [...] le visage de Maman alors et depuis dans mes rêves » (*Le Carnet de 1908*, éd. citée, p. 56). Proust évoque à plusieurs reprises de tels rêves dans ses lettres. Il écrit ainsi à Mme Straus en novembre 1905, peu après la mort de sa mère : « Alors dans le sommeil l'intelligence n'est plus là pour écarter un souvenir trop angoissant pour un instant [...] ; alors je suis sans défense aux impressions les plus atroces » (*Correspondance*, t. V, p. 359). Il parle aussi du deuil dans une lettre du 18 février 1907 à Georges de Lauris, qui vient de perdre sa mère : « Maintenant je peux vous dire une chose, vous aurez des douceurs que vous ne pouvez croire encore. Quand vous aviez votre mère vous pensiez beaucoup aux jours de maintenant où vous ne l'auriez plus. Maintenant vous penserez beaucoup aux jours d'autrefois où vous l'aviez. Quand vous vous serez habitué à cette chose affreuse que c'est [d'être] à jamais rejeté dans l'autrefois alors que vous la sentirez tout doucement revivre, revenir prendre sa place, toute sa place, près de vous » (*ibid.*, t. VII, p. 85).

2. Fleuve de l'oubli ; le manuscrit, non lu par le dactylographe, mentionnait à la place le fleuve des Enfers, le Styx, que Virgile

décrivait ainsi dans l'*Énéide*, emprisonnant les suicidés : « *inamabilis undae / alligat et novies Styx interfusa coercet* » (son flot lugubre les enchaîne et les replis du Styx les enferment neuf fois) (livre VI, v. 439-440).

Page 158.

1. Voir, Esquisse XII, p. 1031, le troisième rêve.

Page 159.

a. très éteinte. Il y a pourtant des jours où elle a l'air bien triste, ta pauvre grand-mère. Je te laisserai l'adresse pour que tu puisses y aller si la garde te prévient quand ce sera la fin. Mais d'ici là je ne te conseille pas d'y aller, je ne vois pas *ms., dactyl.* ↔ *b.* cerfs, cerfs, succinctement, Francis Jammes, fourchette. » *ms. Le mot* succinctement *n'a pas été lu sur la dactylographie. et Proust ne l'a pas rétabli sur la dactylographie corrigée.* ↔ *c.* « Francis Jammes, cerfs, cerfs, succinctement », la suite *ms. Même remarque qu'à la variante précédente.* ↔ *d.* avoir sous les yeux ces flots de la mer desquels ma grand-mère pouvait contempler pendant des heures l'élévation alpestre et la négligente majesté ; l'image nouvelle de leur beauté, désormais pâle, indifférente, *ms., dactyl.*

1. Voir l'Esquisse XIII, p. 1044-1046, où le rêve comprend d'autres mots. Liliane Fearn (« Sur un rêve de Marcel », *Bulletin de la Société des amis de Marcel Proust*, n° XVII, 1967, p. 535-549) propose un déchiffrement symbolique du rêve. Gérard Genette conteste que le rêve importe par sa valeur symbolique : ce qui compte est le « témoignage de rupture au réveil, entre [le langage du rêve] et la conscience vigile » (*Figures III*, Éditions du Seuil, 1972, p. 199). Le cerf paraît un souvenir du conte de Flaubert, *La Légende de saint Julien l'hospitalier*, où un cerf prédit à Julien qu'il tuera son père et sa mère. Proust nota vers novembre 1908 dans le Carnet 1 : « *Saint Julien l'hospitalier* le citer dans van Blarenberghe. S'en souvenir toujours » (*Le Carnet de 1908*, éd. citée, p. 69). Il s'agit d'une allusion à l'article « Sentiments filiaux d'un parricide », publié le 1er février 1907 dans *Le Figaro*, que Proust envisage de reprendre dans un recueil. Il figurera dans *Pastiches et mélanges* en 1919, sans la citation de Flaubert. Le thème évoqué par la notation du Carnet 1 est celui du sadisme exercé par le fils sur la mère, peut-être de la culpabilité ressentie par Proust à la mort de sa mère. La référence à Francis Jammes, l'écrivain et poète français (1868-1938), paraît le confirmer. Dans une lettre de janvier 1913 à Louis de Robert, Proust disait son admiration pour le poète (voir la *Correspondance*, t. XII, p. 24). Il précisait dans la lettre suivante (janvier 1913), en réponse aux réserves de son correspondant, qu'il admirait Jammes en dépit du défaut de construction de ses œuvres : « Jammes lui laisse dans un grand désordre des expressions dont chacune est une révélation. [...] Mais j'aime mieux les justes indices que les grandes constructions où dix mille ratages fardés par l'intelligence et la rhétorique donnent

l'impression (pas à moi) d'une réussite » (*ibid.*, p. 37-38). Proust envoya à Jammes *Du côté de chez Swann*. La réponse fut chaleureuse : « Je reçois une lettre de Francis Jammes où il m'égale à Shakespeare et à Balzac ! » rapporte Proust en décembre 1913 à Jean-Louis Vaudoyer (*ibid.*, p. 372). Il venait d'écrire la même chose à André Beaunier (*ibid.*, p. 367). Dans cette lettre de Jammes que nous ne connaissons pas, celui-ci condamnait toutefois la scène de Montjouvain, où Mlle Vinteuil et son amie profanent la photographie du musicien dans leurs jeux érotiques : nous l'apprenons par une lettre de janvier 1914 à Henri Ghéon, où Proust, après avoir cité encore les éloges de Jammes, résume dans une parenthèse : « [...] (suit une page où M. Jammes me demande de supprimer dans la prochaine édition la scène de sadisme entre les deux femmes) [...] » (*ibid.*, t. XIII, p. 26). Dans une lettre de novembre 1919 à Paul Souday, qui avait également blâmé certaines scènes de *Du côté de chez Swann*, Proust évoque aussi la scène des jeunes filles : « M. Francis Jammes m'avait ardemment prié de l'ôter de mon livre » (*Correspondance générale*, éd. citée, t. III, p. 69). Quant à la fourchette, on peut se rappeler que dans l'un des plus anciens brouillons pour les « deux côtés », le heurt d'une fourchette contre une assiette provoquait la réminiscence d'un jour d'arrivée à Combray en chemin de fer, où des ouvriers avaient frappé sur les rails, et donnait lieu à un exposé en forme de l'esthétique de Proust (Cahier 26, ffos 15-21). Dans *Le Temps retrouvé*, la fourchette est devenue une cuiller (t. IV de la présente édition).

2. *Aias* est la graphie grecque d'Ajax, reprise par Leconte de Lisle dans sa traduction nouvelle du théâtre de Sophocle (Lemerre, 1877). Dans « Sentiments filiaux d'un parricide », Proust comparait le crime d'Henri van Blarenberghe à la folie d'Ajax, massacrant bergers et troupeaux en les prenant pour les Grecs, et citait la tragédie de Sophocle (*Pastiches et mélanges*, éd. citée, p. 155).

Page 160.

a. trop longue pour nous deux, Mme de Villeparisis se demandait toujours qu'est-ce que nous pouvions trouver ainsi sans cesse à nous dire, et où même ce nous serait déjà une assez grande douceur de rester l'un à côté de l'autre sans rien nous dire du tout. Le directeur *ms., dactyl., NRF oct.*

Page 161.

1. Sur les sensations à l'arrivée à l'hôtel de Querqueville, voir un fragment du Cahier 26 dans *Textes retrouvés*, éd. Ph. Kolb, Gallimard, 1971, p. 246-247.

2. Michelet évoque ces squelettes calcaires dans le chapitre sur la méduse de *La Mer* (éd. citée, p. 375-376), que Proust a mis à profit dans *Du côté de chez Swann* (t. I de la présente édition, p. 119 et n. 1) et *Sodome et Gomorrhe I* (p. 28 et n. 4).

3. Voir une notation de 1908 sur des savons dans le Carnet 1 : « Les savons entretenant la continuité d'autres matinées en voyage avec la mer tentante, et le parfum du lit et la forme de la chambre que l'âme est obligée de prendre » (*Le Carnet de 1908*, éd. citée, p. 60). Le thème est rappelé dans le Carnet 3, f° 45 v°.

Page 162.

a. ce qu'il appelait *[p. 160, 2e §, avant-dernière ligne]* le « calyptus » et il m'offrit d'en faire acheter chez le pharmacien, bien qu'il craignît que mes voisins ne fussent incommodés par l'odeur du « calyptus ». Je refusai de descendre et l'eucalyptus, et répondis que personne n'entrât. Le directeur me répondit que si un employé se le permettait, il serait roulé de coups. Un valet de chambre vint me demander si je ne voulais pas descendre. Je répondis que j'étais souffrant, puis on vint me dire qu'Albertine était en bas qui demandait à monter, mais je ne la reçus pas. Enfin, un peu plus tard, on m'apporta la carte cornée de la marquise douairière de Cambremer. *ms., dactyl.*

1. Allusion à saint Jean Baptiste, dont Salomé réclama la tête à Hérode, d'après les évangiles selon Matthieu et selon Marc. Le directeur déforme son nom, Iaokanann, dans *Hérodias* de Flaubert.

Page 163.

a. tellement peur *[p. 162, 8e ligne en bas de page]* de fâcher quelqu'un, qu'il y avait peu de garden-parties, goûters, séances de chant, non seulement dans les châteaux de la région, mais même dans le petit hôtel que telle famille obscure et ancienne avait sur la place de l'église à Bénéville ou Chattoncourt [où] la comtesse quand elle était invitée ne fît tout son possible pour se rendre. Elle eût mieux aimé rester *ms., dactyl.* ◆◆ *b*. au milieu des fleurs *[3e ligne de la page]*. Mais la comtesse savait que sa venue probable avait été annoncée comme une attraction par les maîtres de maison que son absence décevrait. Les nobles ou francs-bourgeois de Maineville-la-Teinturière, de Saint-Denis de Terre-gate ou de Balbec avaient beau *ms., dactyl.*

1. Voir *À l'ombre des jeunes filles en fleurs*, t. II de la présente édition, p. 243 et n. 2.

Page 164.

a. servait, sous ses vélums tendus *ms.* : servait, contre ses velours tendus *dactyl.*

Page 165.

a. de le « comprendre » ; *ms.* : de les « comprendre » ; *dactyl., dactyl. corr., orig. Nous retenons la leçon du manuscrit.* ◆◆ *b*. par cette modalité du souvenir involontaire provoqué par une identité de sensation, si particulier à moi, comme m'était peut-être particulier aussi cet égoïsme qui avait besoin de ma souffrance personnelle pour me rendre insensible au plaisir et faire renaître en moi la tendresse. Sauf cet égoïsme encore, et aussi avec de l'impureté en plus, un chagrin comme celui de ma mère, *ms., dactyl.* ◆◆ *c.* mais qui, arrivé *ms., dactyl., NRF oct., dactyl. corr.*

Page 166.

a. tant que vivait celle que nous aimons, d'exercer [...] exclusivement d'elle. Une fois *ms., dactyl.* : tant que vivait l'être bien-aimé, d'exercer [...] exclusivement d'elle. Une fois *dactyl. corr.*

1. On compte quatre maisons d'Orléans dans l'histoire, dont deux parvinrent au trône. La seconde y accéda avec Louis XII (1462-1515), petit-fils du fondateur, Louis d'Orléans, frère de Charles VI. La quatrième, dont le fondateur fut Philippe (1640-1701), duc d'Orléans, frère de Louis XIV, parvint au trône en 1830 avec Louis-Philippe, chef de la branche cadette des Bourbons. La comparaison de Proust est donc erronée.

2. Le titre de prince de Tarente appartint en effet à la maison de La Trémoïlle. Dans les *Mémoires* de Saint-Simon, le prince de Tarente devient duc de La Trémoïlle en 1707, à la mort de son père (éd. citée, t. III, p. 51 et 54).

Page 167.

a. que je reçus de ma mère avant *ms., dactyl.* : que je reçus de [ma mère *corrigé en* maman] avant *dactyl. corr. C'est sur la dactylographie corrigée que Proust a presque partout corrigé* ma mère *en* maman . ◆◆ *b.* mît entre eux une [telle différence *corrigé en* distance telle] n'étaient *ms.* : mît entre eux une distance telle n'étaient *dactyl.* : mît entre eux une telle distance *NRF oct., dactyl. corr.* : mît entre eux une telle différence n'étaient *orig. Nous retenons la leçon de dactyl. corr.*

1. Sur Mme de Beausergent, écrivain fictif ayant pour modèle Mme de Boigne, voir *À l'ombre des jeunes filles en fleurs*, t. II de la présente édition, p. 57.

2. L'en-tout-cas, ou en-cas, est une ombrelle pouvant servir aussi de parapluie ; voir p. 230, et *Du côté de chez Swann*, t. I de la présente édition, p. 368.

3. Ce sont les appellations habituelles de Mme de Sévigné et de La Fontaine. Sainte-Beuve, par exemple, qualifie Mme de Sévigné de « la femme la plus spirituelle » dans un article de *La Revue de Paris* du 3 mai 1829 (repris dans *Portraits de femmes*, *Œuvres*, Bibl. de la Pléiade, t. II, p. 1000). Il appelle La Fontaine « le bonhomme » dans un article publié dans *Le Globe* le 15 septembre 1827 (repris dans *Portraits littéraires*, éd. citée, t. I, p. 697).

Page 168.

a. genre d'éducation. Nous n'eussions pas perdu ma grand-mère et n'eussions eu que des raisons d'être heureux qu'elle eût fait de même.

Vivant assez *NRF oct.*[1] : genre d'éducation. Nous n'eussions pas perdu ma grand-mère et n'eussions eu que des raisons d'être heureux. Vivant assez *dactyl. corr., orig. Nous retenons la leçon de « La Nouvelle Revue française ».* ◆◆ *b.* et les *Lettres* de Mme *[p. 167, 4e ligne en bas de page]* de Sévigné où elle croyait entendre lui parler la voix de celle qu'elle pleurait quand elle lisait : « Ma fille », façon de dire que ma grand-mère avait prise en imitation de celle que des professeurs qui nous faisaient rire appellent « la spirituelle marquise ». Pendant ce temps-là je restais seul dans ma chambre. *ms., dactyl. Voir la variante a de cette page.*

1. La dame de Combray est une addition tardive, notée dans le Cahier 60, ff^os 122-123, et dans le Cahier 62, f° 34 v°.

2. Voir var. *b*, p. 230, où le manuscrit situait la remarque dans un contexte différent. Bertrand de Salignac-Fénelon (1878-1914), l'un des modèles de Saint-Loup, était un descendant d'un frère de l'évêque de Cambrai, auteur de *Télémaque*. Antoine Bibesco l'avait fait connaître à Proust en 1901, et leur amitié fut passionnée jusqu'au départ de Fénelon pour Constantinople en décembre 1902. Fénelon fut tué le 17 décembre 1914 à Mametz.

Page 169.

a. dernière promenade, l'odeur du feu qu'on avait allumé d'avance dans sa chambre pour quand elle rentrerait, étaient imprégnées de la tristesse dont j'étais envahi depuis quelques jours, et l'exhalaient avec une puissance telle que par contraste le reste du monde semblait *ms., dactyl.* ◆◆ *b.* je retrouvasse ma grand-mère, ma grand-mère que j'avais retrouvée autrefois, *ms., dactyl., NRF oct., dactyl. corr.* : je retrouvasse ma grand-mère, que j'avais retrouvée autrefois, *orig. Nous adoptons la leçon de « La Nouvelle Revue française » et de la dactylographie corrigée.*

1. Voir *À l'ombre des jeunes filles en fleurs*, t. II de la présente édition, p. 24-25.

Page 170.

a. dans les plinthes. Bien *ms., dactyl., dactyl. corr., orig. Nous corrigeons.* ◆◆ *b.* belles sur la mer [comme des nymphes aux peplos *[sic]* envolés *corr. biffée*[2]], et jusqu'aux *dactyl. corr., orig. Nous corrigeons à l'aide du manuscrit (voir var. a, p. 171).*

1. Voir *À l'ombre des jeunes filles en fleurs*, t. II de la présente édition, p. 66 et p. 82-83.

2. Marie-Madeleine Gabrielle de Rochechouart (1645-1704), fille de Gabriel de Rochechouart, premier duc de Mortemart, sœur de Mme de Montespan, devint abbesse de Fontevrault en 1670. Saint-Simon dit d'elle dans ses *Mémoires* pour l'année 1704 : « Ses affaires l'amenèrent plusieurs fois et longtemps à Paris. C'était au

1. Nous ne possédons pas pour ce passage d'états antérieurs. Voir à ce propos la variante *b* de cette page.

2. La dactylographie était lacunaire (voir var. *a*, p. 171).

fort des amours du Roi et de Mme de Montespan. Elle fut à la Cour et y fit de fréquents séjours, et souvent longs. [...] Le Roi la goûta tellement qu'il avait peine à se passer d'elle » (éd. citée, t. II, p. 473-474).

3. Françoise Athénaïs de Rochechouart, marquise de Montespan (1641-1707), maîtresse de Louis XIV, en huit ans de liaison, lui donna huit enfants.

4. Du manuscrit à l'édition originale, on lit « plinthes ».

5. Fête célébrée à Athènes en l'honneur d'Athéna ; une procession avait lieu au dernier jour. La frise des Panathénées est le bandeau sculpté, représentant la procession, qui couronnait le mur de la *cella* du Parthénon à Athènes. Des fragments de cette frise se trouvent au British Museum et au musée du Louvre.

Page 171.

a. belles sur la mer *[p. 170, 6e ligne en bas de page]* comme la frise des Panathénées. Mais comme l'élément masculin dominait, pensant sans doute à M. de Charlus, racinien comme ma grand-mère et comme moi, cet hôtel était comme une sorte de tragédie antique mais chrétienne ayant pris corps *ms.* : belles sur la mer comme cet hôtel était comme une sorte de tragédie antique mais chrétienne ayant pris corps *dactyl. Voir la variante b, p. 170.* ↔ *b.* d'entre eux, comme la vieille reine : *ms., dactyl., dactyl. corr.* : d'entre eux, comme la nouvelle Reine : *orig. Nous retenons la leçon de la dactylographie corrigée.* ↔ *c.* de Balbec ou dans le temps d'*Athalie*. Certes M. de Charlus, me disais-je, aurait pu s'y plaire mieux que l'année où je l'y avais connu, en quoi je me trompais. Je le voyais s'attardant dans tous ces retraits correspondant aux « cours intérieures » du temple juif, et à tel ou tel petit sanctuaire où il était aisé de ne pas être vu. / Mes pensées *ms., dactyl.*

1. Il s'agit de la seconde occurrence du thème racinien : voir p. 64-65. Le Cahier 61 propose une modification tardive de la mise en place du thème, selon l'indication suivante : « [Il serait sans doute mieux *biffé*] [Il serait peut-être bien (?) *addition interlinéaire biffée*] [de mettre tout le *biffé*] morceau du Cahier IV *bis* où je compare l'hôtel de Balbec au temple de Salomon dans la bouche de M. de Charlus par exemple quand je cause avec lui chez la princesse de Guermantes quand il me dit "Voici d'Esther les superbes jardins" il pourrait dire : "À ce propos vous n'êtes pas retourné dans le temple d'Athalie ?" Pour une fois il daigna s'expliquer. "Hé bien l'Hôtel de Balbec." "En effet lui dis-je j'ai remarqué le côté représentation où le public est admis (comme dans le Cahier IV *bis*)." [Le Cahier IV *bis* est un nom antérieur du Cahier IV du manuscrit (voir n. 1, p. 1425).] "Mais surtout tout ce 'peuple d'amants', toute cette troupe 'jeune et timide' de chasseurs [*Esther*, acte II, sc. VIII, v. 710]. Moi je trouve cela affreux. On dirait des petites filles. Ils font mille manières. Mais enfin le côté décoratif est intéressant." Suivrait alors le morceau du Cahier IV *bis* dans la bouche de Charlus » (Cahier 61, f° 42 r°). Mais cette indication n'a pas été suivie d'effet, et la comparaison

demeure le fait du narrateur dans le texte définitif. Toutefois, lors des autres occurrences du thème, M. de Charlus en est bien le responsable.

2. Citation modifiée de Racine, *Esther*, acte II, sc. IX, v. 790, « le peuple florissant ». Voir par ailleurs un vers d'*Athalie* (acte I, sc. I, v. 8) : « Le peuple saint en foule inondait les portiques. »

3. Citation modifiée de Racine, *Athalie*, acte II, sc. VII, v. 661 : « Quel est tous les jours votre emploi ? » Athalie s'adresse à Joas.

4. *Ibid.*, v. 669-670 ; nouvelle question d'Athalie à Joas.

5. Citation modifiée d'*Athalie*, *ibid.*, v. 676 : « Je vois l'ordre pompeux de ses cérémonies » ; Joas répond à Athalie.

6. Citation modifiée d'*Athalie*, acte II, sc. IX, v. 772. Une voix du chœur parle de Joas : « Loin du monde élevé [...]. »

7. *Athalie*, acte I, sc. III, v. 299 : « Ô filles de Lévi, troupe jeune et fidèle » ; c'est Josabet qui parle.

Page 172.

a. j'ignorai longtemps, que ma grand-mère, la veille de sa mort, dans un moment de conscience et s'assurant que je n'étais pas là, avait pris *ms., dactyl.* : j'ignorai longtemps, que, la veille de sa mort, dans un moment de conscience et s'assurant que je n'étais pas là, elle avait pris *NRF oct.* : j'ignorai longtemps, que ma grand-mère, la veille de sa mort, dans un moment de conscience et s'assurant que je n'étais pas là, elle avait pris *dactyl. corr., orig. Nous retenons la leçon de « La Nouvelle Revue française ».* ↔ *b.* causer ainsi. » Je compris *ms., dactyl.* : causer ainsi. [À moins qu'on ne les ait calomnisées. *add. NRF oct.*] » Je compris *NRF oct., dactyl. corr.* ↔ *c.* pour « puberté ». « Illustrées » m'embarrassa davantage. Peut-être était-il une confusion avec « illettrées », qui lui-même en eût alors été une avec « lettrées ». En attendant *ms., dactyl.*

Page 173.

a. parce qu'à ce moment-là *ms., dactyl., NRF oct., dactyl. corr.*

Page 174.

a. père, les principes *NRF oct.* : père, des principes *dactyl. corr., orig. Nous retenons la leçon de « La Nouvelle Revue française ».* ↔ *b.* accorderaient *NRF oct., dactyl. corr.* : accorderont *orig. Nous retenons la leçon des états antérieurs.*

Page 175.

a. « sentais indisposé *[p. 173, 11e ligne en bas de page]* ». Je lui répondis en la priant de me laisser et d'aller prévenir Albertine que je ne pourrais pas venir et je restai toute la journée dans ma chambre à pleurer. Et peut-être le soir je souffris plus encore en causant avec le directeur. *ms., dactyl.* : « sentais indisposé ». Je lui répondis *[comme dans ms.]* chambre à pleurer. [Quelles déclamations *[p. 173, 2e ligne en bas de page]* apitoyées *[...]* plus fort, celui qui a pour base *[p. 174, 3e ligne en bas de page]* la pitié. *add. paperole*[1]] Et peut-être le soir je souffris plus encore en causant avec le directeur. *NRF oct., dactyl. corr.* ◆◆ *b.* peut-être de ne pas me voir. *On lit, à cet endroit, dans la marge du manuscrit* : Mettre au moment de sa mort que maman trouve papa si bon pour elle, quoique il fasse peu, et se persuade qu'il l'aimait beaucoup.

1. Voir l'Esquisse XII, p. 1031, deuxième rêve ; et l'Esquisse XIII, p. 1048.

Page 176.

a. si souriante *ms.* : si souciante, *dactyl.* : si insouciante, *dactyl. corr., orig.*

1. Voir l'Esquisse XVII, p. 1077.

Page 177.

a. Épreville-la-Campagne, *ms., dactyl.* ◆◆ *b.* petite plage, la première station après Toutainville, et où était *ms., dactyl., NRF oct.* ◆◆ *c.* et Balbec où *ms., dactyl.* ◆◆ *d.* entre leurs fleurs, *ms.* : entre les fleurs, *dactyl., NRF oct., dactyl. corr., orig.*

1. La villa de Mme Bontemps est ici située à Épreville. Mais dans l'édition originale c'est à Égreville que le héros envoie chercher Albertine (p. 186 et 190), avant que la localité reprenne le nom d'Épreville (p. 194). On trouve aussi Évreville dans l'édition originale (p. 252). Mais lorsqu'il s'agit d'étymologie, la localité concernée est Épreville (p. 383), nom qui revient encore une fois (p. 486). Pour un lieu qui paraît en être un seul, en dépit des variantes orthographiques, nous retenons l'orthographe Épreville, la plus fréquente, et celle dont l'étymologie est débattue. Notons qu'une autre station du petit train a pour nom Égleville, qui fait aussi l'objet d'une étymologie (p. 495 et n. 1).

2. Voir, p. 485 et n. 1, l'étymologie d'Incarville.

Page 178.

a. si loin qu'elle allât *ms.* : si loin qu'on allât *dactyl., NRF oct., dactyl. corr., orig. Nous retenons la leçon du manuscrit.* ◆◆ *b.* une journée de printemps[2]. *Avec ces mots, s'achève l'article paru dans « La Nouvelle Revue française » du 1er octobre 1921, sous le titre « Les intermittences du cœur ».* ◆◆ *c.* une journée de printemps *[1er §, dernière ligne].* Craignant au plaisir que j'avais trouvé dans cette promenade solitaire que le souvenir de ma grand-mère ne s'affaiblît en moi, je cherchais de le raviver en pensant au plus grand chagrin de ma grand-mère, celui qu'elle avait eu à la mort

1. En fait ce passage est légèrement différent du texte définitif, voir à ce propos les variantes *a* et *b* de la page 174.

2. Voir la variante suivante.

de mon grand-père ; à mon appel *ms., dactyl. Les mots* Deuxième chapitre *et le sommaire sont ajoutés sur un papier collé dans la dactylographie corrigée.*

Page 179.

a. petit mort ? *Le passage qui suit ces mots et qui va jusqu'à* Je lui demanderais de m'accompagner *[p. 180, 27e ligne] est une addition marginale suivie d'une paperole du manuscrit, reprenant une ancienne description de la mer rurale, venant des épreuves Grasset pour « À l'ombre des jeunes filles en fleurs » (t. II de la présente édition, p. 65 et var. c).* ↔ *b.* Comme la première année, aucune, quitte à revenir, ne demeurait plusieurs jours. Elles ne ressemblaient *ms., dactyl. erronée.* : Comme la première année, elles étaient rarement les mêmes. Mais d'ailleurs elles ne ressemblaient *dactyl. corr.* : Comme la première année, les mers, d'un jour à l'autre, elles étaient rarement les mêmes. Mais d'ailleurs elles ne ressemblaient *orig. Nous corrigeons.*

Page 180.

a. sur les eaux, *Le passage qui suit ces mots et qui va jusqu'à* aussi civilisé *[22e ligne de la page] est une page des épreuves Grasset collée sur le manuscrit. Voir var. a, p. 179.* ↔ *b.* cheminée fumait au loin *ms., dactyl., dactyl. corr.* : cheminée fumant au loin *orig. Nous retenons la leçon des états antérieurs.* ↔ *c.* chercher Albertine à [Bénéville *biffé*] Épreville. Je lui demanderai *ms. Le nom de lieu est laissé en blanc dans la dactylographie. Dans une rédaction antérieure biffée du manuscrit, c'était Rosemonde que le héros allait chercher à Bénéville.* ↔ *d.* Doville *ms.* : Douville *dactyl., dactyl. corr., orig.* ↔ *e.* Mme Verdurin. [Rosemonde *biffé*] [Albertine *corr.*] m'attendrait *ms.* ↔ *f.* tous les surnoms : car dans la région on l'appelait *ms., dactyl. erronée.* ↔ *g. Sur le manuscrit, dans l'interligne, on lit également* la Tortue.

1. La description qui suit, de la mer rurale, est transférée depuis le premier séjour à Balbec (voir *À l'ombre des jeunes filles en fleurs*, t. II de la présente édition, p. 65, après « sa molle palpitation »). Il s'agit de fragments préparés par Proust et insérés ici et là dans le roman : voir aussi p. 512-514. Ici, seule est nouvelle la référence à Elstir, témoignant de son influence sur la perception des ambiguïtés naturelles par le héros (Alison Winton, *Proust's Additions*, Cambridge, University Press, 1977, 2 vol., t. I, p. 355).

2. Tel fut le nom donné au chemin de fer, constitué par une voie portative de faible largeur, imaginé par Paul Decauville (1846-1922), industriel et homme politique français.

3. Grallevast dans l'édition originale. Voir la Note sur le texte, p. 1298.

4. Il est vain de chercher un plan réaliste pour l'itinéraire du petit chemin de fer, dont les stations se multiplient au cours du roman. On trouve, dans le cahier de brouillon qui met en place la seconde partie du séjour à Balbec (Cahier 72, f° 35 r°), deux plans esquissés par Proust, auprès de listes d'étymologies pour les noms des stations. Ces plans ne sont pas cohérents, et il semble que Proust

ne se soit plus soucié ensuite de vraisemblance. Nous les donnons dans la Notice, p. 1246. Lors du premier séjour, la ligne passait, entre Balbec-en-Terre et Balbec-Plage, par Incarville, Marcouville, Doville, Pont-à-Couleuvre, Arambouville, Saint-Mars-le-Vieux, Hermonville, Maineville (voir *À l'ombre des jeunes filles en fleurs*, t. II de la présente édition, p. 22), et elle s'appelait B. C. B. (*ibid.*, p. 303). Lors du second séjour, la ligne est ici appelée B. A. G. : Balbec-Angerville-Grattevast (ou Grallevast ; voir la Note sur le texte, p. 1298). Mais plus tard, il s'agit de la ligne Balbec-Douville par Doncières (p. 497). Cependant elle passe, entre Balbec-Plage et Douville-Féterne, terminus voisin de La Raspelière, par Toutainville, Épreville (ou Égleville ; voir n. 1, p. 177), Montmartin-sur-Mer, Parville-la-Bingard, Incarville, Saint-Frichoux, Doncières et Féterne (p. 252). Bien d'autres stations s'ajoutent au trajet : Infreville (p. 194) ; Maineville ou Maineville-la-Teinturière (où monte la princesse Sherbatoff, p. 275) ; Hermonville (ou Hermenonville ; voir la Note sur le texte, p. 1298), Grattevast (ou Grallevast ; *ibid.*, p. 1298) ; Saint-Martin-du-Chêne (où monte M. de Charlus, p. 429), le tout jusqu'à Doncières (où monte Morel) ; puis Graincourt-Saint-Vast (où monte le Dr Cottard, p. 259) ; Arembouville (ou Arambouville, ou Harambouville ; voir la Note sur le texte, p. 1298), Saint-Pierre-des-Ifs (où monte aussi M. de Charlus, p. 493) ; Amnancourt (p. 486), Bricquebec (p. 280-281), Maineville et Renneville (p. 284), Égleville (où monte aussi la princesse, p. 495), Saint-Mars (p. 267-268), ou Saint-Mars-le-Vieux (p. 284), Saint-Martin-le-Vêtu ou Saint-Martin-le-Vieux (p. 281), Fervaches (p. 286) et La Sogne (p. 367). Les stations sont nombreuses, elles se touchent presque par endroits, comme le remarque le héros (p. 196) ; la ligne a changé depuis le premier séjour et passe à présent par Doncières-la-Goupil (p. 250). Elle passe et repasse par les mêmes lieux. Certains critiques ont imaginé deux lignes partant de Balbec, puisqu'il y a trois terminus dans le texte : Balbec-Grattevast (p. 180) et Balbec-Douville (p. 497), et que Grattevast est dit dans la direction opposée à Féterne (p. 383). Mais Grattevast est aussi entre Doncières et Maineville (p. 463 et 468). Il vaut mieux renoncer à accorder des indications incohérentes dans un plan complexe et absurde. Par exemple, comment accorder les différentes localisations de la villa de Mme Bontemps, où Albertine réside parfois : Épreville (p. 177), ou Incarville (p. 247), mais aussi non loin des stations de Maineville et de Parville (p. 495), où Albertine descend indifféremment ? Proust ne se soucie pas du réalisme de la géographie de Balbec, mais du système des noms, qui se développe avec les considérations étymologiques de Brichot (voir n. 1, p. 281). André Ferré, dans sa *Géographie de Marcel Proust*, premier ouvrage sur le sujet (Éditions du Sagittaire, 1939), remarquait ainsi l'incohérence des indications géographiques proustiennes : La Raspelière est plusieurs fois situé dans la Manche (p. 478-479, 481, 496-497) ; la propriété, d'où l'on voit le bateau de Jersey (p. 386), serait du côté de Granville. Mais Féterne est en Bretagne (p. 163), et Falaise n'est pas loin (p. 329). La connaissance de la genèse montre que Proust n'harmonise nullement les différents moments et états du texte du point de vue des références : les noms sont ce qui lui importe. Le nom de La Raspelière provient certes de la région d'Illiers : mais il est plus exact de dire qu'il provient du livre du chanoine Marquis sur Illiers (voir n. 1 et 4, p. 353). Ferré notait aussi que certains noms venaient d'un peu partout en France, et il entrait dans le détail : mieux vaut dire qu'ils viennent de l'ouvrage de Cocheris dont Proust s'est servi pour les étymologies générales (voir n. 1, p. 281), comme Chantepie, Hermonville, Doncières, etc. Quant aux noms normands proprement dits, ils sont situés en majorité dans le Cotentin et l'Avranchin : sans qu'on puisse tous les rapporter à un seul ouvrage de l'érudit local, Édouard Le Héricher, c'est cependant de cet auteur que les étymologies normandes de Proust sont les plus voisines (voir n. 1, p. 281). Les noms de lieu de la région de Balbec représentent donc non pas une géographie réaliste et vraisemblable mais un système de noms lâchement régi par la curiosité étymologique. C'est pourquoi — contrairement à André Ferré, dont l'hypothèse est que les noms proustiens avaient « pu être inspirés par un séjour dans quelque Balbec réel et des promenades aux environs » (ouvr. cité, p. 108) — nous ne nous risquerons pas à dessiner un plan de la région de Balbec et un itinéraire du chemin de fer. Plus récemment, Willy Hachez a aussi proposé un plan de la géographie proustienne, dans « Balbec et ses environs dans *La Recherche* », *Bulletin de la Société des amis de Marcel Proust*, n° XXVIII, 1978, p. 677-684. L'expérience des manuscrits rendant illégitime toute entreprise de ce genre, nos commentaires sur les noms de lieu renverront désormais non pas aux référents géographiques mais aux analyses étymologiques.

Page 181.

a. de Paris pour Balbec, *ms., dactyl., dactyl. corr.* : de Paris à Balbec, *orig. Nous suivons les états antérieurs.* ↔ *b.* de Rosemonde *ms., dactyl., dactyl. corr., orig. Proust a vraisemblablement omis, sur le manuscrit de substituer* Albertine *à* Rosemonde (*voir var. c, p. 180*). ↔ *c.* Je ne pus rester *ms.* : Je ne puis rester *dactyl., dactyl. corr., orig. Nous retenons la leçon du manuscrit.* ↔ *d.* je descendis [, je rejoignis la falaise et j'en suivis les chemins sinueux *biffé*]. Maineville avait acquis *dactyl. corr.*[1] : je descendis, je rejoignis la falaise et j'en suivis les chemins sinueux. Maineville avait acquis *orig. Nous retenons la leçon de la dactylographie corrigée, le membre de phrase qui y est biffé se retrouvant au paragraphe suivant (p. 182).* ↔ *e.* marchand de biens été avait *[sic]* construire *dactyl. corr.*

1. Le nom de Rosemonde est ici un *lapsus calami* pour celui d'Albertine. Voir var. *c*, p. 180.

Page 182.

a. je descendis *[p. 181, 27e ligne]*, je rejoignis la falaise et j'en suivis les chemins sinueux dans la direction de Balbec. Et je me rappelais

1. Voir, pour les états antérieurs, var. *a*, p. 182.

certaines promenades que j'avais faites avec ma grand-mère. J'avais rencontré peu avant, pendant quelques minutes, un médecin des environs que je ne devais jamais revoir et qui m'avait dit que ma grand-mère mourrait bientôt, un de ces êtres peut-être méchants, peut-être fous, peut-être affligés d'une crainte de mourir dont ils veulent que souffrent aussi, pour eux-mêmes les autres, et qui plus tard nous apparaissent pareils à ces bohémiens, à ces demi-sorciers, entrevus au coin d'une route et qui vous jettent une prophétie funeste et vraie. C'était la première fois que j'avais pensé qu'elle pouvait mourir. Je ne pouvais ni lui confier mon angoisse ni supporter celle-ci dès que ma grand-mère s'éloignait. Et les plus beaux chemins par où nous passions ensemble, je me disais : un jour elle ne sera plus là quand je les prendrai, et cette seule idée qu'elle mourrait un jour creusait dans mon bonheur d'être avec elle une souffrance telle que prendre les devants et mourir moi-même tout de suite était ce que j'eusse le mieux aimé. Or c'était ces chemins ou d'à peu près semblables que je suivais, et déjà la souffrance que j'avais eue dans le wagon s'affaiblissait, et si j'avais rencontré Rosemonde je lui eusse demandé de venir avec moi. Tout à coup je fus appelé par l'odeur des aubépines qui, comme à Combray au mois de mai, suivaient une haie dans leurs grands voiles blancs et mettaient dans cette verte campagne de France la blancheur catholique de leur procession. Je m'approchai, mais mes yeux ne savaient à quel cran mettre leur appareil optique pour voir les fleurs à la fois le long de la haie et en moi-même. Appartenant à la fois à beaucoup de printemps passés, les pétales se détachaient sur une sorte de profondeur merveilleuse et malgré le grand soleil qu'il faisait, à demi obscure, soit à cause du crépuscule de mes indistincts souvenirs, soit à cause de l'heure nocturne du mois de Marie. Et autour de la fleur ouverte devant moi dans la haie, et que semblait animer le maladroit frémissement de ma vision incertaine et double, la fleur qui s'élevait de ma mémoire tournoyait sans pouvoir s'appliquer exactement, dans la tremblante hésitation de leurs pétales, aux aubépines vivantes et insaisissables.

Celles-ci faisaient ressortir la lourdeur des fleurs d'un pommier richement établi en face d'elles, comme des jeunes filles de bonne famille et qui n'ont pas de dot, tout en étant amies avec les filles d'un gros marchand de cidre, rendant justice à leur teint frais, à leur bonne tenue, savent qu'elles ont plus de chic dans leur robe blanche chiffonnée. Je n'eus pas le cœur de rester auprès d'elles, et pourtant je n'avais pas pu m'empêcher de m'arrêter. Mais les sœurs de Bloch que j'aperçus et qui ne me virent pas, ne détournèrent même pas la tête vers les aubépines. Celles-ci ne leur avaient fait aucun appel et ne leur avaient rien dit ; elles étaient comme ces jeunes filles pieuses qui ne manquent pas un mois de Marie, d'où elles ne craignent pas de s'adresser à la dérobée à un jeune homme à qui elles donneront rendez-vous dans la campagne, et même par qui elles se laisseront embrasser dans la chapelle quand il n'y aura personne, mais qui pour rien au monde, car cela leur a été bien défendu, n'adresseront la parole ni ne joueront avec des enfants d'une autre religion. En rentrant, le concierge *ms., dactyl. Voir, pour les états postérieurs, var. c et d, p. 181* ↔ *b.* divertir de vous ; en paroles *dactyl. corr.*[1], *orig. Nous corrigeons.*

1. Pour les états antérieurs, voir var. *a*, p. 183.

1. Sur la finale en « ville », voir p. 484 ; en « tot », p. 283.

2. Proust écrivait à Lucien Daudet en juin 1915, commentant le faire-part de décès de la comtesse Mniszech, née Hanska : « La lettre de faire-part de la comtesse Mniszech m'a d'abord fait penser au temps où vous m'envoyiez de fausses invitations de la comtesse [...] dans l'espoir que j'irais sans être invité. [...], vous aimerez, je crois, dans mon livre (très Montesquiou) la lettre de faire-part de la jeune Cambremer » (*Correspondance*, t. XIV, p. 146-147).

3. Citation modifiée d'une lettre de Mme de Sévigné du [11] février 1671 : « Je n'ai encore vu aucun de ceux qui veulent, disent-ils, me divertir, parce qu'en paroles couvertes, c'est vouloir m'empêcher de penser à vous, et cela m'offense » (*Correspondance*, Bibl. de la Pléiade, t. I, p. 157). Le passage est ébauché dans le Cahier 46, f° 63 v°.

Page 183.

a. lettre bordée *[p. 182, 6e ligne en bas de page]* de noir. Tandis que je regardais ma lettre le directeur affairé donnait des ordres dans toutes les directions. C'est qu'un secrétaire de la princesse de Parme avait retenu une chambre pour la nuit pour Son Altesse qui venait de chez la princesse de Luxembourg et repartait le lendemain pour Rennes. Il m'annonça cette curieuse nouvelle qui semblait lui donner l'importance d'une autorité constituée, et je me gardai de dire que je connaissais la princesse de Parme, espérant puisqu'elle ne passait qu'une nuit que je pourrais l'éviter. J'allais monter dans ma chambre, mais il me dit que Maman n'était pas dans nos chambres mais en train de lire au salon. Comme j'étais assis à côté d'elle et qu'elle avait fermé les *Lettres* de Mme de Sévigné, le premier président s'approcha d'elle, ma mère le regarda d'un visage triste et peureux parce que entre elle et toutes choses, voyant ma grand-mère, ma mère n'osait regarder, parler, qu'avec une sorte de ménagement. Mais elle rompit tout de suite l'entretien, car le premier président la sentant absorbée dans la pensée de sa mère, venait de lui dire : « Je voudrais vous voir vous distraire un peu. » Même autrefois ces paroles eussent produit à ma mère la même impression pénible qu'à ma grand-mère celles de Mme de Villeparisis lui disant : « Comment vous écrivez tous les jours à votre fille, que pouvez-vous trouver à lui dire ? » Celles-ci l'eussent choquée comme celles-là, parce qu'elles témoignaient, celles-ci et celles-là, de la même incapacité à comprendre cet éternel dialogue entre une mère et une fille qui s'aiment, et qui pourrait durer des milliers d'années sans qu'il leur parût avoir abordé rien de tout ce qu'elles avaient à se dire. Mais combien l'impression de ma mère fut plus cruelle, maintenant qu'à peine commencé entre elles deux, il était fini pour toujours. Ma mère détourna la tête et reprit sa lecture. À moi, le premier président me montra une dame qui lisait, me chuchota : « C'est la princesse de Parme. » La dame qu'il me montra n'avait aucun rapport avec la princesse, laquelle ne devait d'ailleurs être là que pour le dîner. Mais la nouvelle qu'elle devait venir s'étant répandue, les fausses nouvelles avaient commencé à circuler et dix personnes se montraient comme étant la princesse de Parme une pauvre dame, déjà intimidée d'être dans un hôtel nouveau et auréolée malgré elle par tous ces spectateurs indiscrets, d'un prestige auquel elle n'avait pas droit. Je remontai seul dans ma chambre ; je pensais à Albertine et comme il était à peine quatre heures je demandai à Françoise d'aller chercher Albertine pour qu'elle vînt passer la fin de l'après-midi avec moi. Françoise une fois partie, resta si longtemps que je commençai à désespérer. Ma mère entra un instant dans ma chambre et me demandant si j'avais été choqué comme elle de ce que lui avait dit le premier président, elle y appliqua cette phrase de Mme de Sévigné dont elle citait maintenant les lettres aussi souvent que ma grand-mère : « Je ne vois aucun de ceux qui veulent me divertir ; en paroles courantes, c'est qu'ils veulent m'empêcher de penser à vous et cela m'offense. » Je n'avais pas allumé *ms., dactyl.*

Page 184.

a. aimables et flatteuses, car munies des sages conseils de sa mère, les princesses toute leur vie et même jusqu'à un âge avancé, ne voyagent qu'à la façon d'Anacharsis. Une autre pièce *ms., dactyl. erronée.*

Page 185.

a. les personnes qui passaient *[p. 184, dernière ligne]* sur la plage et qui ignoraient son nom, *ms., dactyl.* : les personnes qui passaient sur la plage, ignorant son nom, *dactyl. corr.* : les personnes qui passaient sur la place, ignorant son nom, *orig. Nous adoptons la leçon de la dactylographie corrigée.* ↔ *b.* si elle régnait déjà. *Le paragraphe qui suit ces mots et qui va de* Je remontai dans ma chambre *à* c'est un piano. *est une addition portée par Proust dans la dactylographie corrigée. C'est à cet endroit que reprend « Jalousie », dont le texte s'enchaîne ainsi :* non à Paris, mais à *[voir var. b, p. 136 et n. 3, p. 1405]* Balbec. / Le premier soir où, à Balbec, j'écrivis à Albertine, je ne pus être seul dans ma chambre. J'entendais quelqu'un *[2e §, 2e ligne]* jouer. *À partir d'ici, le texte de « Jalousie » est très proche de celui de la dactylographie corrigée ; nous n'en donnons plus les variantes, sauf dans deux cas intéressants (voir var. b, p. 195 et var. a, p. 196).* ↔ *c.* comme une crainte enfantine *dactyl. corr.* : comme une cruauté enfantine *orig. Nous retenons la leçon de la dactylographie corrigée.* ↔ *d.* chez Mme Verdurin. D'ailleurs mes rêves d'amour et de bonheur purent renaître plus vifs encore une fois qu'Albertine eut apaisé mon désir physique, mais non plus s'attacher à elle redevenue un être aux contours imparfaits et précis. Ce n'est pas que la combinaison d'un tel être avec ces rêves de bonheur moral ne puisse être réalisée ; mais c'est le plus souvent sous l'action de la jalousie ; certes le mélange obtenu alors, si cruellement toxique qu'il soit, est particulièrement stable, au point que la dissociation devient très difficile entre les deux éléments. D'ailleurs nos désirs. *ms., dactyl.*

Page 186.

a. nous troublera *[p. 185, 2e ligne en bas de page]* guère. Cette alternance a d'ailleurs en dehors de bien d'autres causes une toute physique qui est qu'après les grandes *ms., dactyl.* : nous troublera guère. Et puis outre les causes [...] les grandes *dactyl. corr.* : nous troublera guère. Et puis les causes [...] les grandes *orig. Nous retenons la leçon de la dactylographie corrigée.* ↔ *b.* baiser sur le front. L'assouvissement trop complet du désir charnel nous donne alors une sorte de sénilité momentanée pendant laquelle on est semblable à ces vieillards las et chimériques, dont les dernières années sont consacrées à une jeune femme qui n'est pour eux qu'une sœur, une chaste Béatrice pour qui ils écrivent de beaux vers. Quant à Albertine, pour éprouver à son égard de la jalousie, je la voyais trop rarement, *ms., dactyl.* ↔ *c.* tire-sous. » Catégorie *ms., dactyl., dactyl. corr.* : tire-sous. » Cette catégorie *orig. Nous retenons la leçon des états antérieurs.* ↔ *d.* « chasseur ». *Proust a noté dans la marge du manuscrit :* Festubert, Hébuterne, parents des Cambremer.

1. Voir n. 1, p. 177.

Page 187.

a. Saint-Loup son uniforme, *ms., dactyl., dactyl. corr.* : Saint-Loup sans uniforme, *orig. Nous adoptons la leçon des états antérieurs.*

1. Notation du Cahier 60, f° 8 r°.
2. Notation du Cahier 61, f° 87 r°.

Page 188.

1. Jeune berger d'une grande beauté ; Séléné, qui l'aimait, demanda pour lui à Zeus une vie exempte de souci et l'immortalité. Zeus n'accorda ces faveurs qu'à la condition qu'Endymion serait plongé dans un sommeil éternel.

Page 189.

a. postes », par compensation *ms.* : postes », pour compensation *dactyl., dactyl. corr., orig. Nous retenons la leçon du manuscrit.*

1. Dans *Les Femmes savantes*, Molière tourne en ridicule les idolâtres de la grammaire. Bélise dit à Martine, acte II, sc. VI, v. 483-484 : « De *pas* mis avec *rien* tu fais la récidive, / Et c'est, comme on t'a dit, trop d'une négative. » Paul Souday critiqua le présent passage dans son feuilleton publié dans *Le Temps* du 12 mai 1922 (p. 3) : « M. Proust est brouillé avec les temps, les modes, et généralement avec la grammaire. Cette incompatibilité d'humeur l'entraîne à de plaisantes méprises. » Après avoir cité la phrase du liftier et le commentaire de Proust, Souday poursuivait : « Bélise s'est gardée d'édicter une règle si fausse, et à Martine disant : *Ne servent pas de rien* ce n'est pas le *ne* qu'elle déconseille » ; et de citer les vers de Molière. Proust répondit à Souday dans une lettre de mai 1922 qui se présente comme un pastiche du feuilletoniste : « Une des méprises qui paraît la plus "plaisante" à M. Souday est celle qui a trait à la règle de *Bélise*. Sur ce point, pourtant, M. Proust ne semble pas critiquable. Il a commencé par dire que la règle de *Bélise* n'était pas si sévère et que le liftier la poussait un peu loin. La règle est, à vrai dire, très mal énoncée par Molière. L'analyse logique et la grammaticale voudraient la révision entière, la refonte de ces deux vers incorrects. Ils ne sont pas moins merveilleux, et dans la verve de l'ensemble qui s'arrêterait à la gaucherie du tour ? Preuve qu'il ne faut pas être trop grammairien

quand on juge. Mais il y a plus. D'abord la règle elle-même, fût-elle incorrectement formulée, resterait néanmoins absurde. Qu'on dise que c'est trop de deux négatives, soit, mais d'une seule ? Alors, on ne peut plus rien nier ? Ensuite, rien est-il là négatif ? J'ai entendu, jadis, soutenir le contraire "*res*"[1]. Mais, surtout, le liftier du roman n'est pas plus fautif qu'Assuérus : "Que craignez-vous, Esther ? Suis-je pas votre frère ?" Et le dix-septième siècle parlait souvent ainsi "sans licence poétique". M. Benda, qui se pique d'en écrire, quand il lui plaît, la langue, imprime couramment, dans les articles de journaux : "A-t-on pas vu l'Europe ?", etc. "Est-il pas étrange que ?", etc. » (*Correspondance générale*, éd. citée, t. III, p. 98-99.)

2. Notation du Carnet 3, f° 19 v° : « Je vais chercher n'[Ernest *biffé*] Albertine. »

Page 190.

a. commission, et qu'elle serait *ms., dactyl.* : commission, et serait *dactyl. corr., orig. Nous retenons la leçon du manuscrit.* ↔ *b.* une heure du matin. *C'est par ces mots que se termine le premier volume de l'édition originale de « Sodome et Gomorrhe II ». Dans le manuscrit, le passage qui suit ces mots et qui va jusqu'à* J'avais cessé *[p. 198, 4e ligne en bas de page] était très différent du texte définitif. Voir à ce propos la variante c de la page 198.*

1. Voir n. 1, p. 177.

2. La scène de la « danse contre seins », comme l'appelle Proust, qui éveillera les soupçons du héros au sujet d'Albertine, est annoncée par une phrase ajoutée aux épreuves de *Du côté de chez Swann* pour la scène de Montjouvain : « On verra plus tard que, pour de tout autres raisons, le souvenir de cette impression devait jouer un rôle important dans ma vie » (*Du côté de chez Swann*, t. I de la présente édition, p. 157). Dans l'Esquisse XV, brouillon antérieur à 1912 pour un second de trois séjours à Querqueville avec une certaine Maria préfigurant Albertine, le héros la soupçonnait déjà de tendresses pour une jeune fille qui s'appelait déjà Andrée (voir p. 1055). Dans l'Esquisse XVI, mettant en place le second séjour à Balbec au début de la guerre, les soupçons du héros étaient pareillement éveillés par les tendresses des deux jeunes filles, qui s'appelaient alors Albertine et Claire, et le rapprochement était explicite avec la scène de Montjouvain (voir p. 1061). Une addition évoquait la scène de la « danse contre seins », dont le spectateur, et commentateur, était, auprès du héros, un certain M. de Faucompré (voir l'Esquisse XVI, p. 1068). Dans l'Esquisse XVII enfin, la scène est développée, les jeunes filles s'appellent Albertine et Claire, mais au lieu de Cottard comme dans le texte définitif, le spectateur est, auprès du héros, Elstir, qui, sous le nom de Biche, aimait faire des mariages entre femmes dans « Un amour de Swann » (sur « monsieur » Biche, voir *Du*

1. Selon l'étymologie, « rien » vient de « *res* » ou de « *rem* ».

côté de chez Swann, t. I de la présente édition, p. 200, et l'Esquisse XVII, p. 1081-1082). Voir la Notice, p. 1237 et suiv.

Page 191.

a. évoquait aussi les roses *dactyl. corr., orig. Nous adoptons la leçon du manuscrit*[1].

Page 192.

a. instants à la scène que je venais de voir. *Le passage qui suit ces mots et qui va jusqu'à* d'aller les voir *[p. 193, 1er §, dernière ligne] ne figurait ni dans le manuscrit ni dans la dactylographie (voir la variante c, p. 198). Il a été ajouté par Proust, à l'exclusion des phrases signalées dans la variante b de cette page et dans la variante a de la page 193, sur une paperole dans la dactylographie corrigée.* ⬥⬥ *b.* qui convenait. *La phrase qui suit ces mots est une addition postérieure à la dactylographie corrigée.*

1. Voir n. 2, p. 240.
2. Voir n. 3, p. 199.

Page 193.

a. camisole de force. *La phrase qui suit ces mots est une addition postérieure à la dactylographie corrigée.*

Page 194.

a. en marche. *Le passage qui suit ces mots et qui va jusqu'à* plus jalouse que moi-même *[p. 197, 1er §, dernière ligne] apparaît sous la forme d'une paperole manuscrite dans la dactylographie corrigée. Mais une version dactylographiée et corrigée de cette paperole figure elle aussi dans la dactylographie corrigée plus loin (voir var. a, p. 249), à la fin des épisodes de soupçons, où Proust a sans doute envisagé un temps de la placer. Nous employons dans les variantes suivantes, jusqu'à la variante a de la page 197, les sigles suivants : « dactyl. corr. (paperole) », quand il s'agit du texte de la paperole ajoutée à la dactylographie corrigée ; « dactyl. corr. (add. dactyl.) » quand il s'agit du texte de l'addition dactylographiée de la dactylographie corrigée, « dactyl. corr. » quand le texte de la paperole et celui de l'addition dactylographiée sont identiques.* ⬥⬥ *b.* bien [Gisèle *biffé*] Andrée *dactyl. corr. (paperole).* ⬥⬥ *c.* frivolité naïve de sa part, si toutes nos supplications ne réussissaient pas *dactyl. corr.* : frivolité, mais ne savais si toutes nos supplications ne réussiraient pas *orig. Nous adoptons la leçon des états antérieurs.* ⬥⬥ *d.* à cinq heures à [Infreville *biffé*] [Amfreville-la-Bigot *corr.*]. Tourmenté *dactyl. corr. (add. dactyl.).*

1. Voir n. 1, p. 177.

1. Voir la leçon du manuscrit et de la dactylographie dans la variante *c* de la page 198, p. 1455.

Page 195.

a. à dix heures du soir d'Infreville [(prendre plutôt un nom qui soit dans les noms de la côte) *biffé*]. « C'eſt vrai, *dactyl. corr. (paperole)* : à dix heures du soir à Montmartin qui eſt à côté d'Amfreville. « C'eſt vrai, *dactyl. corr. (add. dactyl.).* ↔ *b.* côté de Balbec, [vers (citer un nom), *biffé*] nous dînerions *dactyl. corr. (paperole)* : côté de Balbec, vers Quellehome, nous dînerions *Jalousie* : côté de Balbec, vers Robehomme, vers Nettehou. Nous dînerions *dactyl. corr. (add. dactyl.).* ↔ *c.* d'Infreville et de [reſte *biffé*] tous *dactyl. corr. (paperole)* : d'Infreville et du reſte, tous *orig. Nous adoptons la leçon de la dactylographie corrigée.*

Page 196.

a. Mais du côté de... ce n'eſt *dactyl. corr. (paperole)* : Mais du côté de Quellehome ce n'eſt *Jalousie* : Mais du côté opposé ce n'eſt *dactyl. corr. (add. dactyl.).* ↔ *b.* qu'Albertine n'étant pas *ms., dactyl. corr.* : qu'Albertine, n'était pas *orig. Nous retenons la leçon de la dactylographie corrigée.* ↔ *c.* dame d'Amfreville, ou enfin *dactyl. corr. (add. dactyl.).* ↔ *d.* eu, encore [bes<oin> *biffé*] maintenant, de beaucoup *dactyl. corr. (paperole)* : eu besoin, maintenant, de beaucoup *orig.*

Page 197.

a. reſte en me venant me *[sic]* voir *dactyl. corr. (paperole)* : reſte en venant me voir *dactyl. corr. (add. dactyl.)* : reſte en me venant voir *orig.* ↔ *b.* plus jalouse que moi-même. *Le paragraphe qui suit ces mots apparaissait plus loin dans le manuscrit, parmi plusieurs scènes de soupçons accumulées aux derniers feuillets du Cahier* IV. *Prouſt a rediſtribué ces scènes. Il a avancé celle-ci ici afin de conſtituer la conclusion de « Jalousie ». Il a dispersé les autres et à leur place, dans la dactylographie corrigée, il a mis les descriptions de la famille de Bloch, de M. Nissim Bernard, de Céleſte Albaret et Marie Gineſte (voir p. 236 à 244 et var. b, p. 236).*

1. Poétesse grecque née à Lesbos, d'après la légende, elle se jeta dans la mer du promontoire de Leucade, parce qu'elle aimait le batelier Phaon, mais qu'elle était dédaignée de lui (Ovide, *Héroïdes*, XV). La légende lui impute par ailleurs le vice traditionnellement associé aux habitantes de Lesbos. L'épisode eſt noté dans le Cahier 60, f° 93.

2. La cousine de Bloch, ici anonyme, s'appelle Eſther Lévy et eſt l'amie de Mlle Léa (voir *À l'ombre des jeunes filles en fleurs*, t. II de la présente édition, p. 257). Elle représente dans le roman le paradigme lesbien. Voir aussi p. 245-246. La scène des jeunes filles aperçues dans la glace eſt ébauchée dès l'Esquisse XV, p. 1058.

Page 198.

a. peut-être afin — dans l'hypothèse où Albertine eût aimé les femmes et eût sacrifié ce goût à mon bonheur — de lui *ms., dactyl.* : peut-être, dans l'hypothèse [...] les femmes, de lui *dactyl. corr., orig. Nous complétons la leçon de l'originale en ajoutant* afin. ⁂ *b.* remplis de préoccupation. *Jalousie se termine par ces mots (voir var. b, p. 185). Dans le manuscrit, le paragraphe qui suit ces mots venait après la scène du casino (voir la variante suivante).* ⁂ *c.* heure du *[p. 190, 1er §, dernière ligne]* matin. / L'amour a pour cause l'habitude, non pas les charmes d'une personne, mais par exemple une phrase comme : « Non *[p. 193, 3e §, 4e ligne]*, ce soir je ne suis pas libre. » On n'y fait guère attention à cette phrase car on va rejoindre des amis, on est gai toute la soirée ; on ne s'occupe pas un seul instant d'une certaine image, mais pendant ce temps-là elle baigne dans le mélange nécessaire ; quand on rentre chez soi, on la retrouve, le cliché est développé. L'image apparaît dans toute sa netteté, on se dit : « Comme elle me plaît, qu'est-ce qu'elle pouvait avoir à faire ce soir ? Qu'est-ce qu'elle a fait ? » On souffre, on envoie dans toutes les directions pour savoir à quoi MM. X, Y et Z ont passé leur soirée. On est calmé un moment en apprenant qu'ils ont été chez tels gens où elle n'était pas. On respire. On l'aime déjà moins. On ne ferait plus les mêmes sacrifices pour elle. Mais tout d'un coup on pense que c'est peut-être à cause de quelqu'un de tout différent qu'elle « n'était pas libre ce soir ». Où chercher ? On recommence à souffrir, et maintenant qu'on aime celle qui ce soir n'était pas libre, on s'aperçoit que la vie, la vie qu'on aurait quittée pour un rien la veille, on y tient énormément, parce que si on continue à ne pas craindre la mort, on n'ose plus penser à la séparation. / Je passai une soirée pleine d'émotions analogues à celle que j'avais éprouvée en attendant Albertine au retour de chez la princesse de Guermantes, avec cette différence qu'Albertine malgré les assurances du lift ne vint pas. Par là cette soirée fut en quelque sorte plus complète. Dans celle d'autrefois j'avais connu la douleur qu'il y a à voir de minute en minute la chance diminuer que vienne la femme attendue. Ces souffrances-là je les ressentis encore ce soir-là mais pas jusqu'à une heure du matin, heure que le lift m'avait fixée comme limite, mais jusqu'à trois heures. Alors brusquement la situation changea et mes pensées devinrent plus riantes. C'est que jusque-là j'étais parti de l'idée qu'Albertine allait venir, et comme elle ne venait pas, comme mon espérance allait en décroissant, comme une lune, j'étais horriblement malheureux. À trois heures, je n'attendais plus, elle ne pouvait plus venir. C'est de cette idée qu'elle ne viendrait pas, que cette nuit était tout simplement une nuit comme tant d'autres où je ne la voyais pas, c'est de cette idée que je partais. Et dès lors la pensée que je la verrais le lendemain ou d'autres jours, se détachant sur ce néant accepté, devenait charmante. Quant à la ressemblance de la première partie de la soirée avec celle qui avait suivi la fête chez la princesse de Guermantes il y a deux remarques à faire, la première générale et qui pourrait servir à tous les amoureux. On devrait dans ces nuits d'angoisse se demander si quelque cause physique, un médicament pris, un malaise cardiaque passager, ne nous met pas dans un état d'anxiété qui n'a pas de rapport avec l'attente de la personne désirée mais qui nous semble le seul effet de cette attente. Dans ce cas nous en grandissons d'autant l'idée de notre amour, c'est-à-dire notre amour même. Il y a des amours comme il y a des maladies nerveuses par fausse interprétation de la nature de la souffrance par laquelle ils ont commencé. Dix minutes d'explication données à temps pourraient les guérir. La question est autre de savoir s'il est aussi nécessaire de guérir les amours que les maladies nerveuses, et si l'erreur sur la cause a une grande importance dans un sentiment qui d'une façon ou d'une autre est toujours erroné. Au milieu du calme que je retrouvai à la fin de cette nuit-là, il y eut cependant pour moi un moment de vive souffrance. Voyant combien Albertine m'avait manqué, j'avais songé à faire avec elle quelques arrangements, agréables d'autre façon pour elle, et où je lui demanderais de venir régulièrement, par exemple trois fois par semaine, passer la soirée avec moi. Tout d'un coup je me dis : « Elle est trop inexacte, elle oublierait aussi bien de venir comme cette fois et j'aurais à repasser des nuits pareilles. » À ce moment j'eusse pris par erreur une boîte entière de cachets de caféine que mon cœur n'eût pas battu d'une façon plus intolérable. Je fus étonné de la disproportion entre une telle souffrance et l'idée qu'Albertine était une personne inexacte. Mais c'est que nos idées ne sont généralement que l'apparence extérieure d'autres qu'elles ne montrent pas plus qu'une boîte japonaise, ce qu'il y a dans une plus petite qui y est enfermée. Or sous le masque de l'idée formulée, c'est l'idée informulée qui agit. Dans l'idée de l'inexactitude d'Albertine, il y avait le renoncement au projet de passer régulièrement des soirées avec elle. Et ce projet sans que je m'en rendisse compte était ce qui m'avait aidé à supporter son absence par l'image de sa présence future et perpétuellement renouvelée. Et voilà que ce calmant m'était enlevé par l'idée qu'Albertine étant trop inexacte, je renonçais à lui proposer de venir plusieurs fois la semaine, passer les soirées avec moi. Ce n'était pas l'idée qu'Albertine fût inexacte qui me faisait souffrir, c'était mon angoisse du début qui cessait brusquement d'être apaisée. / L'autre remarque est que le lien entre ces deux soirées consistait, en ce que le souvenir de la première fut probablement cause qu'au lendemain matin de la seconde, quand Albertine m'écrivit *[p. 194, 3e ligne]* qu'elle venait seulement de rentrer à Épreville, n'avait donc pas eu mon mot à temps et viendrait si je le permettais me voir le soir, je crus que *[sic]* derrière les mots de sa lettre comme derrière ceux qu'elle m'avait dits il y avait déjà longtemps au téléphone, — version fabriquée pour me tromper d'une anecdote en réalité différente — sentir *[p. 194, 2e §, 5e ligne]* la présence [...] se fut mis en marche. / Quand dès l'après-midi, je décidais de ne pas remettre au lendemain de la voir, j'allais si elle n'était pas à Balbec la chercher moi-même. Un jour où elle m'avait dit qu'elle serait à Incarville, j'allai y faire une visite à Mme Bontemps. Mais comme chaque fois que je m'arrêtais à Incarville sans que j'aie jamais pu savoir l'ennemi mystérieux de mon asthme que cette localité renfermait et contre laquelle celui-ci (qui le reconnaissait, le flairait) réagissait en grondant sans que je pusse la contenir, je fus pris d'une crise et dus demander à Mme Bontemps la permission de monter dans une chambre isolée dont j'ouvris la fenêtre pour ne pas l'empester, brûler un peu de la poudre calmante que j'avais toujours sur moi. On m'avait dit qu'Albertine n'était pas là. Quand ma fumigation fut terminée je demandai où Albertine était. On me dit au bout de l'avenue chez une de ses amies, c'est à deux pas, on va la prévenir ; je l'envoyai chercher en disant qu'on lui cachât que j'étais là. Elle ne manifesta pourtant aucune surprise de me voir et beaucoup de joie. « J'ai été si contente quand j'ai su que vous étiez là. — Mais qui vous l'a dit ? — Personne. — Alors ? » Elle se mit à rire : « Vous avez fait une fumigation. — Oui, comment le savez-vous ? — Parbleu, c'est bien malin. Vous avez dû laisser la fenêtre ouverte, j'étais encore dans l'autre avenue, à plus de cent mètres d'ici que j'ai reconnu l'odeur. Je déteste ces fumigations parce que je suis sûre que cela vous fait du mal, vous êtes un malade imaginaire, mon pauvre ami, vous vous abîmez la santé avec tout ça et si j'avais un peu d'influence sur vous, je vous enlèverais tout ça. Mais je sais que tout ce que j'y gagnerais c'est de me brouiller avec vous, aussi je n'essaye pas. Mais comme odeur, je trouve ça délicieux. Et puis ça m'a fait plaisir quand je l'ai sentie parce que je me suis dit, il n'y a que lui qui fasse brûler ça, il est sûrement chez ma tante. Et voyez-vous je ne m'étais pas trompée. » Il pleuvait et comme elle revenait d'une promenade en bicyclette, elle portait un grand caoutchouc dans lequel je l'avais souvent vue passer à toute vitesse dans les rues de Balbec, quand malgré la pluie elle partait pour de longues courses. Alors, quand elle était sur sa bicyclette, remontant aux jambes où il faisait bomber au-dessus des genoux comme des cuissards bosselés, et durcissant comme un bouclier sur la poitrine, le caoutchouc, aux nobles cassures, enserrait Albertine comme dans une armure métallique, et les passants, tout en grommelant qu'ils se plaindraient au maire, se rangeaient pour ne pas être renversés par l'élan de ce jeune saint Georges. Mais maintenant qu'Albertine, toute rose, sous le bonnet de caoutchouc gris aux deux longues cornes, était à pied, détendue, le manteau où à la poitrine seulement quelques plis se tordaient comme des serpents qui expirent, avait retrouvé sa souplesse, et mon désir était accru par l'obstacle encore visible et déjà vaincu de cette cuirasse à demi dépouillée, par le contraste comme il y en a entre certains verres dont nos dents quand nous buvons heurtent le cristal et le vin frais qu'ils contiennent, entre la chair vivante et rose que chercheraient mes lèvres et la matière lisse et stérile à l'odeur fade que mes joues rencontreraient, que mes mains pour aller jusqu'à la poitrine de mon amie auraient à écarter. Une jeune fille que je ne connaissais pas se mit à la fenêtre et se retira aussitôt. D'autres rentraient, en espadrilles et avec des filets, et dirent à Albertine : « Tu n'oublieras pas que nous venons te chercher demain matin à six heures pour aller à la pêche. » Elles-mêmes en venaient et, ruisselantes, entrèrent dans une maison voisine mais, afin de ne pas mouiller l'appartement, par l'escalier de service qui descendait au sous-sol, à la cuisine, où on leur avait préparé des bains de pieds. « Elles viennent du barrage, elles n'ont rien pris, dit Albertine avec une certaine satisfaction, il n'y a que du sale poisson... Vous verrez Andrée, elle est là-haut, elle demande tout le temps après vous et sera bien contente de vous voir. Du reste elle n'est pas bien ici, je la ramène demain à Balbec où elle restera définitivement », me dit Albertine qui voulait que j'entrasse chez son amie où les jeunes pêcheuses une fois habillées devaient venir la retrouver pour aller toutes ensemble danser jusqu'à l'heure du dîner dans la salle de bal du petit casino de Bénéville. On n'avait pas pu inviter Gisèle parce qu'Andrée était de nouveau brouillée à mort avec elle. Elle m'en donna d'ailleurs des raisons décisives quelques jours après et qui probablement le lui parurent moins qu'à moi, car je ne tardai pas à les trouver réconciliées, et Andrée me disant la profonde affection qu'elle avait toujours pour elle. J'ai connu plus tard, on le verra, certaines particularités du caractère d'Andrée qui pouvaient sans aucune raison soulever chez elle des haines momentanées. Je ne crois pas que dans ses brouilles avec Gisèle il y eut tout à fait de cela. Je crois plutôt qu'elle avait réellement à se plaindre de Gisèle pour des défauts de caractère que je ne fus pas à même d'expérimenter (je la trouvais assommante mais pour d'autres raisons) et que sa nervosité lui faisait ressentir avec une vivacité particulière. Mais elle avait besoin de voir des amies, était aussi sensible à un bon procédé qu'à un mauvais et adaptait un nouveau jugement sur de nouvelles impressions. Pour en revenir à ce jour où Albertine était avec ses pêcheuses de crevettes, je préférai ne pas entrer chez son amie et leur donner rendez-vous au casino de Bénéville pour dans un quart d'heure, plutôt que de monter chez ces gens que je ne connaissais pas. Dans la rue je me trouvai face à face avec le docteur Cottard qui était venu à Bénéville pour une consultation. J'hésitai *[p. 190, 2e §, 13e ligne à p. 190, 3e ligne en bas de page]* presque à lui dire bonjour [...] petit chemin de fer d'intérêt local pour aller y dîner. Je n'étais pas très désireux de ne pas rentrer à Balbec où depuis quelque temps je n'étais pas malheureux. À Balbec *[sic]*. L'habitude que j'avais de l'hôtel m'aidait à réagir contre la mélancolie qui me venait de la plage. Et le soir, entre chien et loup, quand la mer montait, si un orgue de barbarie se mettait à jouer et que j'avais envie de mourir, je faisais des efforts surhumains pour sortir de ma tristesse, en regardant la glace, les rideaux, et je m'accrochais pour me retenir sur la pente du suicide au charme familier et d'ailleurs inutile à autre chose qu'à ma consolation car ils n'avaient jamais fonctionné, des radiateurs. / Mais il ajouta : « Vous y verrez leur merveilleux service d'assiettes et surtout des gens très intéressants. Allons, venez, je vous enlève. » Le mot « service d'assiettes » m'ayant rappelé les seules que j'aurais aimées voir, les assiettes de Combray représentant le Dormeur Éveillé, Aladin, Ali-Baba, et autres sujets tirés des *Mille et Une Nuits*, je pensai que ce livre, en me ramenant à mon enfance, pourrait aujourd'hui me paraître deux fois merveilleux et je me promis de le faire venir à Balbec. Quant à aller dîner chez les Verdurin ce soir, cela me sembla bien difficile et au lieu d'accompagner Cottard à la gare, comme il avait encore pas mal de temps avant son train ce fut lui qui vint avec moi jusqu'au casino. Celui-ci était plein du tumulte des jeunes filles car Albertine et ses amies étaient déjà arrivées, jouant, dansant ensemble, faute de cavaliers. / Andrée vint à moi en glissant[1] et j'hésitais encore si je n'irais pas avec Cottard chez les Verdurin, quand je refusai définitivement son offre, pris d'un désir trop vif de rester avec Albertine. C'est que je venais de l'entendre rire. Et ce rire évoquait aussitôt *[p. 191, 8e ligne, à p. 191, avant-dernière ligne en bas de page]* les roses[a] [...] Je repartis avec Cottard distrait en causant avec lui, ne pensant que par instants à la scène de la valse. Le mal que les paroles du docteur m'avaient fait était profond mais les pires souffrances n'en furent pas senties par moi immédiatement comme il arrive pour ces empoisonnements qui n'agissent qu'au bout d'un certain temps *[p. 193, 2e §, dernière ligne]*. D'ailleurs les souffrances eurent la même cause mais inverse de la déception que m'avait causée Albertine la première année quand elle avait refusé que je l'embrasse et avait voulu sonner ; je ne me doutais pas alors qu'elle ne fût pas facile et son refus m'avait accablé. Depuis toutes ces paroles contre les jeunes filles qui ont un affreux genre m'avaient tant entretenu dans l'idée qu'elle ne pouvait aimer les femmes, que cette désillusion si brusque me déchirait. / À partir *[p. 198, dernier §, 1re ligne]*

a. évoquait aussi les roses *dactyl.*

1. On lit à cet endroit, dans le manuscrit : « (phrase à prendre dans le cahier rouge) ». Dans la dactylographie, rien n'est écrit dans la parenthèse.

de ce jour la vue d'Albertine ne cessa plus de me causer de la colère ; je n'eus pas seulement sous les yeux une nouvelle Albertine et qui m'était odieuse, bien qu'à vrai dire je doutasse fort de ce que m'avait dit Cottard. Il était bien certain qu'Albertine n'avait pas le moins du monde <ce> vice saphique mais il suffisait qu'elle pût par plaisanterie de jeune fille avoir quelques attitudes équivoques avec Andrée pour que j'en ressentisse un dégoût profond. Je n'avais pas seulement sous les yeux une nouvelle Albertine, moi-même j'étais devenu un autre. J'avais cessé *ms., dactyl.*

Page 199.

a. une pose d'Albertine auprès [d'Andrée *biffé*] [de Victoire *corr.*] et qui *ms.*

1. Claire, dans la mise en place du début de la guerre ; Victoire dans une digression (Cahier 46, f° 85 r°).

2. Claire, dans le Cahier 46.

3. Addition du Cahier 46, f° 84 v°. Proust écrit au printemps de 1921 à Montesquiou : « Mon frère dit "intoxication". C'est un bon billet pour rassurer les malades » (*Correspondance générale*, éd. citée, t. I, p. 283).

Page 200.

a. contrôler tout entière, *ms., dactyl.* : contrôler entière, *dactyl. corr., orig. Nous retenons la leçon du manuscrit.* ◆◆ *b.* raconté qu'il était. *Après ces mots, on trouve dans le manuscrit une paperole, mal placée dans la dactylographie, dont voici le texte :* [Ces récits avaient beaucoup contribué à me faire croire que dans l'amour — encore plus que dans les simples relations sociales où le premier président se trompait sur la princesse de Parme et moi-même si longtemps sur M. de Charlus *biffé*] — encore plus que quand il s'agit <des> mille phénomènes de l'invisibilité humaine, qu'il s'agisse du génie de Vinteuil ou de l'orgueil nobiliaire de Norpois, ou de la situation mondaine de la princesse de Luxembourg, ou des passions véritables de M. de Charlus — la réalité est bien différente pour celui qui regarde et pour celui qu'il voit ou plutôt croit voir. Celui-ci dresse devant soi-même, volontairement ou non, le mirage d'une existence factice qui n'est pas plus le « fond des choses » que le fond du narthex qui dans certains monuments de l'époque romane donne tellement par son ampleur, l'illusion d'être la véritable église, qu'on est tout ébloui quand le sacristain vous en ouvre tout à coup le fond qui n'est que le second portail, le vrai, de la nef, et que celle-ci se découvre à nous dans son immensité. Mais j'avais beau admettre d'avance ce double fond de la vie, en tant qu'il concernait l'amour, il ne m'avait jamais donné que plus le désir d'échapper à des amours comme ceux de Swann. Avoir approfondi les causes d'une maladie incurable ne vous fait pas moins souhaiter de ne pas la contracter puisque les connaissances acquises et la lucidité de l'esprit ne diminueront pas la souffrance. Aussi ces récits m'avaient-ils donné la terreur de m'attacher à une Odette.

1. Victoire dans le Cahier 46 (f° 66 r°).

2. Le liftier l'appelait aussi « la baronne de Cannebière » dans un brouillon de la même scène (Cahier 46, f° 69 r°).

Page 201.

1. Dans la mise en place du séjour à Balbec rédigée au début de la guerre, ce monsieur avait un nom : « Elle me présenta sa belle-fille et leur ami M. des Forges, je lui présentai mes petites amies » (Cahier 46, f° 69 r°).

2. Henri Le Sidaner (1862-1939), peintre français, élève de Cabanel, fut cependant marqué surtout par l'impressionnisme. Ami de Maeterlinck et de Rodenbach, il eut une période symboliste (1896-1899), avant d'adopter la technique impressionniste des tons divisés. Il peignit des villes mortes, Bruges et Venise, des intérieurs, tables servies et desservies, des jardins, des canaux, des bouquets, jouant toujours des effets de lumière : artiste « distingué », en effet, mais non « grand ».

Page 202.

a. pendait à la façon d'une croix *[p. 201, 24e ligne]* pectorale. Elle avait profité, *ms., dactyl.* : pendait à la façon d'une croix pectorale. [Le monsieur était un célèbre *[...]* quelque chose à la fois d'important et d'incomplet. *add.*] [Elle *corrigé en* Mme de Cambremer] avait profité, *dactyl. corr.* ↔ *b.* Celle-ci qui chez *[lacune]* les relations de voisinage la forçaient à fréquenter autour de Féterne *[lacune]* dans un de ces châteaux on lui présentait quelqu'un si froide, si *[lacune]* de réserve, de crainte de se commettre, me[a] tendit *ms., dactyl.* : celle-ci, qui glaciale avec les petits nobliaux que le voisinage de Féterne la forçait à fréquenter, si pleine de réserve de crainte de se compromettre, me tendit *dactyl. corr., orig. Nous corrigeons en remplaçant* qui *par* si . ↔ *c.* pas assez de sucre. La pièce *ms., dactyl.*

1. La visite de Saint-Loup à sa garnison rappelle quelques pages de Proust, dont la date et le manuscrit sont inconnus. Elles ont été publiées, sous le titre « Souvenir d'un capitaine », dans *Le Figaro littéraire* du 22 novembre 1952, p. 7. Voir *Textes retrouvés*, éd. citée, p. 123-125 ; et notre Notice, p. 1195.

Page 203.

a. pour moi. Tout autant que *ms.* : pour moi. Autant que *dactyl., dactyl. corr., orig.* ↔ *b.* À cause du médiocre niveau où nous abaisse *ms., dactyl.* ↔ *c.* ne voyait la mer que de si *[14e ligne en bas de page]* loin. Or *ms., dactyl.* : ne voyait les flots que de si loin. [Elle avait deux singulières *[...]* venant du nez. *add.*] Or *dactyl. corr.*

1. Dans les *Mémoires* de Saint-Simon, Mme de Thiange, sœur de Mme de Montespan, est remarquée pour son hypersécrétion salivaire : « Elle bavait sans cesse et fort abondamment » (éd. citée, t. III, p. 67).

a. de se compromettre, me *dactyl.*

Page 204.

a. la cure de Doville, malgré *ms., dactyl. lacunaire.* ↔ *b.* envoyer la brochure sur la toponymie de cette région. C'est un vrai travail *ms., dactyl.*

1. Voir, p. 353, l'étymologie de La Raspelière et la liaison avec le nom Arrachepel.

2. Dans la cathédrale Notre-Dame, de style gothique normand (XIIIe siècle), quelques vitraux datent du XVe siècle.

3. La cathédrale d'Avranches, construite au XIIe siècle, s'est effondrée en 1790. L'église principale est Saint-Saturnin, de style néogothique, où se retrouvent des débris d'une ancienne construction, notamment un portail du XIIIe siècle.

4. Pour l'association de La Raspelière et des Arrachepel, Proust s'inspire d'un ouvrage du curé d'Illiers (chanoine Marquis, doyen d'Illiers, *Illiers*, « Archives du diocèse de Chartres », XII, « Monographies paroissiales », II, Chartres, 1907). L'ouvrage avait d'abord constitué un numéro de la revue, *Archives historiques du diocèse de Chartres*, 10e année, n° CXI, 25 mars 1904. Proust écrit en juin 1913 à Max Daireaux : « L'autre jour feuilletant un volume sur la petite ville d'où nous venons et où une rue porte le nom de Papa, une celui de mon oncle, où le jardin public est le jardin de mon oncle etc. je lisais les noms dans les plus humbles emplois des Marcel Proust, greffiers ou curés ou baillis du XIVe au XVIIe siècle » (*Correspondance*, t. XII, p. 209). Brichot contestera les étymologies proposées par le curé de Combray ; voir p. 280. Le curé de Combray était déjà apparu dans *Du côté de chez Swann* (voir t. I de la présente édition, p. 103-105).

Page 205.

1. Les séries, et non seulement celle des « Nymphéas », caractérisent la dernière partie de la carrière de Monet : les « Meules » (1891), les « Peupliers » (1892), les « Cathédrales de Rouen » (1892-1893), enfin, de 1898 à la mort de Monet en 1926, les séries de « Nymphéas » qui approchent de la peinture pure. Clemenceau obtint du peintre, qui était son ami, le legs, à l'occasion de l'armistice, d'une décoration de nymphéas pour l'orangerie des Tuileries. Proust s'enthousiasma pour Monet (voir *Essais et articles*, éd. citée, p. 675).

2. Le Sidaner lui-même était un grand admirateur de Monet (voir n. 2, p. 201).

Page 206.

a. afin d'être contrainte d'habiter *[p. 205, 1er §, dernière ligne]* Féterne. » À cause du médiocre niveau où nous abaisse la conversation mondaine, puis de cette espèce d'« entrance » qui fait que des mondains qui ont eu de l'influence sur nous s'emparent alors de notre corps et parlent par notre voix, faisant de notre conversation une série d'« imitations » inconscientes, soit enfin parce que ne cherchant pas à manifester mes qualités, ignorées de moi-même, et qu'en tous cas j'aurais cru antipathiques aux autres qui ne cherchent pendant ce temps-là en nous que quelque chose de différent d'eux de sorte que nous les décevons tant que nous cherchons à leur plaire et ne les charmons que quand nous étant un instant oubliés nous leur fournissons un peu de ce nous-même qu'ils ne connaissent pas et que peut-être ils attendent avec curiosité en ayant entendu parler, je me mis à parler à Mme de Cambremer de la façon qu'instinctivement je croyais qu'elle dût admirer c'est-à-dire comme eût fait son frère. « Elles ont, dis-je en parlant des mouettes, une immobilité et une blancheur de nymphéas. » Mme de Cambremer-Legrandin s'empressa au nom de nymphéas, de me parler avec enthousiasme de ceux qu'avait peints Claude Monet. Elle était du reste bien loin d'être bête ; *ms., dactyl.*[1]. ⁂ *b.* lumière du Poussin *ms., dactyl., dactyl. corr., orig. Nous corrigeons.* ⁂ *c.* moelleuse et fondante ; je pouvais *ms.* : moelleuse et florissante ; je pouvais *dactyl., dactyl. corr., orig. Nous retenons la leçon du manuscrit.* ⁂ *d.* En entendant ce nom, Mme de Cambremer fit entendre à six reprises *ms.* : En entendant ce nom, à six reprises *dactyl., dactyl. corr., orig. Nous retenons la leçon du manuscrit.*

1. Voir n. 1, p. 205. Dans sa préface de la traduction de *La Bible d'Amiens* de Ruskin, Proust avait évoqué ces « toiles sublimes » de Monet (*Pastiches et mélanges*, éd. citée, p. 89).

Page 207.

a. besoin *[28e ligne de la page]* de discuter. On se donne la plupart du temps bien de la peine pour avoir des visites avec qui on puisse laborieusement s'ennuyer, comme je faisais en ce moment avec Mme de Cambremer, alors qu'on aurait une suite ininterrompue de plaisirs innocents et variés, si l'on était seul, j'entends seul avec soi-même, et non avec le souvenir de visiteurs qui est presque aussi ennuyeux que leur visite même, car on cause avec lui et on ne s'entend pas soi-même. Mais en ce moment, en regardant furtivement le livre de Mme de Sévigné, je pensais combien j'aurais été plus heureux de passer cette heure-là <à> causer avec maman qu'avec Mme de Cambremer. C'étaient les deux femmes les plus opposées. Chez maman qui tenait beaucoup de son père — si bien d'accord lui-même avec Swann — l'intelligence consistait à faire avec rien, avec tout ce qui nous tombait sous la main, en causant, à faire quelque chose de drôle, de charmant. Cette drôlerie avait quelquefois à sa base l'aveu d'un sentiment dont avant de le lui entendre exprimer j'aurais rougi, parce qu'il impliquait un peu de vanité bourgeoise, voire des habitudes assez « distantes ». Mais c'était avoué avec une si fine moquerie de soi-même et tant de grâce, qu'on sentait aussitôt qu'on pouvait avoir de tels préjugés et en même temps le cœur le plus exquis. Avec n'importe quoi maman amusait, comme un enfant qui tenant de simples bouts de bois, croit voir des moutons, des locomotives, des soldats. Mme de Cambremer était comme les enfants

1. Dans la dactylographie, Proust a biffé ce passage qui reproduit à peu près un développement qui figurait plus haut dans le manuscrit et la dactylographie (p. 203, 15e à 22e ligne).

qui ont au contraire des jouets chers et pas d'imagination. Elle me parla plus tard de maman avec dédain comme d'une « bonne femme », bonne mais un peu niaise, parce que maman ne l'avait pas suivie dans ses discussions artistiques. Les sujets traités par Mme de Cambremer étaient en effet beaucoup plus relevés que ceux que nous agitions maman et moi, quand nous tâchions de concilier un certain decorum vis-à-vis de l'hôtel avec la terreur de froisser Françoise. Mais je crois tout de même que maman était aussi intelligente que Mme de Cambremer (bien que maman soutînt le contraire) comme j'ai plus tard vu des livres à sujets fort ambitieux ne fournir pourtant pas une seule fois ces traits de vérité, de charme, de comique, qui depuis *L'Odyssée* jusqu'à nos jours parent quelques ouvrages de visées plus simples et de plus précieuse valeur. « Du reste, continua *ms., dactyl.*

1. La première représentation de *Pelléas et Mélisande* de Debussy, rien moins que houleuse, eut lieu à l'Opéra-Comique le 30 avril 1902. Proust se passionna pour cet opéra, qu'il écouta souvent au théâtrophone en 1911 et dont il fit un pastiche en février de la même année (*Pastiches et mélanges*, éd. citée, p. 206).

Page 208.

a. j'entendais cette scène. C'est aussi Leconte de Lisle[1] : / L'aile du vent joyeux porte l'odeur des roses / Au vieux Liban trempé des larmes de la nuit. — Quel chef-d'œuvre *ms., dactyl.*

1. Notamment le *Massacre des Innocents*, *Thésée*, *Léda*, *L'Enfance de Bacchus*. La collection du musée du Louvre est beaucoup plus riche. Degas avait fait en 1870 une copie de *L'Enlèvement des Sabines* du musée du Louvre, copie aujourd'hui au Norton Simon Museum, à Pasadena (Californie). Elle appartenait à la collection d'Henri Rouart et fut vendue aux enchères en décembre 1912 pour 55 000 francs (voir Jacques-Émile Blanche, *Propos de peintre. De David à Degas*, préface de Proust, Émile-Paul, 1919, p. 273). Proust mentionne le tableau dans sa préface (*Essais et articles*, éd. citée, p. 584). Degas en effet contribua au retour à Poussin dans les années 1890 : culte teinté de nationalisme et de classicisme, auquel le nom de Cézanne, lui aussi antidreyfusard, fut associé.

2. Voir l'Esquisse XVII, p. 1084.

3. Il y aura plus loin une description, très proche de celle-ci, de Mme Verdurin dans son jardin à La Raspelière : voir p. 390-391. Toutes deux proviennent en fait du même brouillon pour Mme de Chemisey dans son jardin : voir la notule de l'Esquisse XV.

1. Leconte de Lisle, « L'Apothéose de Mouça-Al-Kébyr » (1879), v. 7-8 (*Poèmes tragiques*, Lemerre, 1884). Proust citera le début du premier vers dans son article sur Baudelaire en 1921 : Leconte de Lisle « a usé (et avec quel bonheur !) de l'*aile du vent* » (*Essais et articles*, éd. citée, p. 635). Dans un brouillon ancien pour l'essai sur Sainte-Beuve, il citait le premier vers comme ici : Cahier 64, f° 163 v°. On trouve aussi dans les *Poèmes tragiques* : « L'aile du vent joyeux trouble la mer sonore, / Des baisers de l'écume argentant tes cheveux » (« Thestylis » [1862], v. 58-59).

4. Voir l'Esquisse XVII, p. 1085. À l'acte III, sc. III, de *Pelléas et Mélisande*, « Une terrasse au sortir des souterrains », Pelléas s'écrie : « Ah ! je respire enfin !... [...] Tiens ! on vient d'arroser les fleurs au pied de la terrasse, et l'odeur de la verdure et des roses mouillées monte jusqu'ici [...]. » En mars 1911, dans une lettre à Reynaldo Hahn, Proust évoque *Pelléas et Mélisande*, qu'il demande sans cesse au théâtrophone : « [...] quand Pelléas sort du souterrain sur un "Ah ! je respire enfin" calqué de *Fidelio*, il y a quelques lignes vraiment imprégnées de la fraîcheur de la mer et de l'odeur des roses que la brise lui apporte » (*Correspondance*, t. X, p. 256-257).

Page 209.

1. Dans sa lettre de mars 1911 sur *Pelléas et Mélisande* (n. 4, p. 208), Proust comparait aussi l'œuvre de Debussy à celle de Wagner, avec précaution, puisque Reynaldo Hahn n'appréciait pas l'opéra de Debussy : « Cela n'a rien d'"humain" naturellement mais est d'une poésie délicieuse, quoique étant, autant que je puis supposer par comparaison, ce que je détesterais le plus si j'aimais vraiment la musique, c'est-à-dire n'étant que notation "fugace" au lieu de ces morceaux où Wagner expectore tout ce qu'il contient de près, de loin, d'aisé, de difficile sur un sujet (seule chose que j'estime en littérature) » (*Correspondance*, t. X, p. 257).

2. M. L. Bronarski, « Les Élèves de Chopin », *Annales Chopin*, t. VI, Varsovie, 1965, p. 7-12, donne une centaine de noms d'élèves plus ou moins authentiques de Chopin. Voir Jean-Jacques Eigeldinger, *Chopin vu par ses élèves*, Neuchâtel, À La Baconnière, 1970. Ainsi Camille Dubois, née O'Meara (1830-1907), élève de Chopin de 1843 à 1847-1848, « compte au nombre de celles [les élèves de Chopin] dont le talent a le mieux conservé les traditions caractéristiques, les procédés du maître » (Antoine Marmontel, *Les Pianistes célèbres*, Heugel, 1878, p. 7, cité par Eigeldinger, p. 148). La marquise de Cambremer aurait pu elle-même avoir été l'élève de Chopin.

3. Voir *Du côté de chez Swann*, t. I de la présente édition, p. 326-330, où un *Prélude* et une *Polonaise* de Chopin sont joués chez Mme de Saint-Euverte, en présence des deux dames de Cambremer.

4. Allusion au poème des *Fleurs du Mal* de Baudelaire « L'Albatros », v. 16 : « Ses ailes de géant l'empêchent de marcher. »

5. Sur Albertine et la Hollande, voir la Notice, p. 1234 et n. 7, et Henri Bonnet, « Maria ou l'Épisode hollandais », *Bulletin de la Société des amis de Marcel Proust*, n° XXVIII, 1978, p. 602-613.

6. Sur cette synonymie, voir p. 36.

Page 210.

a. D'ailleurs le temps devait venir bientôt où Debussy lui-même serait momentanément *[un mot absent au bord du manuscrit]* où[1] la race dont

1. Début d'une paperole, absente du manuscrit et appartenant au reliquat, qui continue jusqu'à la page 211, ligne 23, « que suivant la théorie ».

l'appétit effrénément capricieux et vite blasé se nourrit d'idées, après avoir dit dans le temps que Debussy lui apparaissait comme un Rameau, que Wagner était plus italien qu'on ne croyait, imitateur de Bellini dont les seules idées originales étaient de Liszt, nous montreraient qu'il n'y a dans *Mélisande* que le trémoussement musical, à peine déguisé, de *Manon*, et que Debussy usant pour cela exclusivement de l'art de Massenet n'avait fait qu'appliquer quelques idées neuves d'Érik Satie. Car les théories *ms.* ↔ *b.* pas encore venu. Après avoir épuisé tout ce qu'avait apporté de nouveau l'art des *Maîtres Chanteurs* ou de *Tristan* où une idée n'est abandonnée qu'après avoir été creusée à fond par l'artiste, montrée dans ses dernières conséquences à l'auditeur, on allait au mode inverse, celui qui se contente d'indiquer d'un trait juste mais bref. Comme à la Bourse, *ms., dactyl. lacunaire.* ↔ *c.* en profitant, un certain nombre *ms., dactyl., dactyl. corr., orig. Nous corrigeons.*

1. La lutte contre les congrégations commença en 1899, en raison notamment de la suprématie des établissements religieux d'enseignement secondaire. La loi sur les associations de juillet 1901 instaura le régime de l'autorisation préalable, prévoyant la dissolution des congrégations non autorisées dans les trois mois. Après l'arrivée au pouvoir du parti radical en mai 1902, la lutte s'accentua et les congrégations autorisées furent dissoutes par la loi du 7 juillet 1904.

2. La guerre russo-japonaise de 1904-1905, provoquée par la rivalité des deux pays en Corée et en Mandchourie, se termina par la victoire du Japon. Cette victoire, aux yeux de l'opinion publique européenne, répandit le sentiment nouveau de la supériorité des Jaunes sur les Blancs, exalta les oppositions dans les colonies, et le « péril jaune » devint après 1905 une expression courante.

3. Jules Massenet (1842-1912) mit en musique *Manon* (1884), d'après le roman *Manon Lescaut* de l'abbé Prévost, sur un livret de H. Meilhac et Ph. Gilles.

Page 211.

a. Il y a un morceau enclavé de Turner *ms. Le mot* enclavé *ne figure pas sur la dactylographie.*

1. Proust écrivit par ailleurs : « Et Flaubert était ravi quand il retrouvait dans les écrivains du passé une anticipation de Flaubert, dans Montesquieu, par exemple : "Les vices d'Alexandre étaient extrêmes comme ses vertus ; il était terrible dans la colère ; elle le rendait cruel" » (voir « À propos du "style" de Flaubert », *La Nouvelle Revue française*, janvier 1920 ; article repris dans *Essais et articles*, éd. citée, p. 587). Proust citait déjà la phrase de Montesquieu dans une lettre de janvier 1913 à Antoine Bibesco, où il annonçait un article sur Flaubert (voir la *Correspondance*, t. XII, p. 34).

Page 212.

a. passionné, [comme si ç'avait été une comme *biffé*] elle aurait dit *dactyl. corr.*[1] : passionné ; elle aurait dit : *orig. Nous corrigeons.*

1. Pour les états antérieurs, voir var. *a*, p. 213.

↔ *b.* la saisit. « Vous aimez Chopin ? » s'écria-t-elle d'une voix qui tâchait d'être basse à cause de sa belle-fille que cela pourrait fâcher. Mais elle ne put se contenir au souvenir des polonaises. Elle battit *dactyl. corr.*

1. Voir l'Esquisse XVII, p. 1085. Au tournant du siècle, la critique était en effet partagée au sujet de Chopin, comme de Wagner ou de Debussy. Maurice Rollinat lui consacre un poème dans ses *Névroses* en 1883, et Camille Bellaigue, le critique de *La Revue des Deux Mondes*, écrit : « Pour une phrase élégante ou touchante, et autour de cette phrase même, quel déluge de notes, quel bavardage inutile, quel enguirlandement insupportable de toute mélodie. » Chopin, conclut le critique, aurait mis « des pompons à la *Vénus de Milo* » (*Le Figaro*, 28 avril 1888). Voir Christian Goubault, « Frédéric Chopin et la critique musicale française », *Sur les traces de Frédéric Chopin*, éd. Danièle Pistone, Champion, 1984, p. 162. Le 2 juin 1909, les Ballets russes dansèrent *Les Sylphides* sur un amalgame de morceaux de Chopin qui souleva la polémique. Mais le centenaire de la naissance de Chopin fut marqué par un important numéro spécial du *Courrier musical*, le 1er janvier 1910 ; si Debussy avait décliné l'invitation à y faire un article, Camille Mauclair et Maurice Ravel y participèrent. Par ailleurs, les notations du *Journal* de Gide sur Chopin témoignent d'une nouvelle compréhension du musicien, ainsi que le bel article de Jacques Rivière, « Pensée sur Chopin », *L'Occident*, décembre 1909.

2. Debussy évoque rarement Chopin dans ses écrits critiques ; il mentionne toutefois les *Sonates*, à propos de celles de Paul Dukas : « Certes, la nervosité de Chopin sut mal se plier à la patience qu'exige la confection d'une sonate ; il en fit plutôt des "esquisses" très poussées. On peut tout de même affirmer qu'il inaugura une manière personnelle de traiter cette forme, sans parler de la délicieuse musicalité qu'il inventait à cette occasion. C'était un homme à idées généreuses, il en changeait souvent sans en exiger un placement à cent pour cent qui est la gloire la plus claire de quelques-uns de nos maîtres » (*Monsieur Croche et autres écrits*, éd. François Lesure, Gallimard, 1971, p. 50). Marguerite Long, dans ses souvenirs, répète que Debussy revendiquait Chopin pour principal modèle (*Au piano avec Claude Debussy*, Julliard, 1960, cité par Edward Lockspeiser, *Claude Debussy*, Fayard, 1980, p. 307).

3. Jean-Henry Latude (1725-1805) — dit Jean Danry, Danger, Jedor, Masers d'Aubrespy, Masers de Latude —, aventurier languedocien, envoya à Mme de Pompadour une boîte explosive de sa fabrication puis dénonça la machination dans l'espoir d'une récompense. Il passa, malgré plusieurs évasions, trente-cinq ans sans jugement dans les prisons de la fin de l'Ancien Régime (1749-1784). *Latude, ou Trente-cinq ans de captivité* est un mélodrame historique en trois actes et cinq tableaux, par Guilbert de Pixérécourt et Anicet Bourgeois, créé au théâtre de la Gaîté le 15 novembre 1834, et reprise au théâtre de la porte Saint-Martin en 1893, et au théâtre de l'Ambigu en 1903. Le prisonnier est libéré à la dernière scène, sans commentaire sur ses yeux brillants. Voir l'Esquisse XVII, p. 1085.

4. Dans l'opéra de Beethoven (1805-1814), le chœur des prisonniers respirant « cet air qui vivifie » figure dans le finale de

l'acte III : « *O welche Lust in freier Luft dem Atmen leicht zu heben* » (« Ô quel plaisir dans l'air libre de respirer sans effort »). En mars 1911, faisant à Reynaldo Hahn l'éloge de la scène où Pelléas sort du souterrain, dans l'opéra de Debussy, Proust jugeait l'air « Ah ! je respire enfin » « calqué de *Fidelio* » (*Correspondance*, t. X, p. 256-257 ; voir n. 4, p. 208).

Page 213.

a. enfin « cet air *[p. 212, 22e ligne]* qui vivifie ». « Mon Dieu, *ms., dactyl.* : enfin « cet air qui vivifie ». [Quant à la douairière, elle battit l'air de ses bras. Je crus qu'elle allait poser *[...]* tremper ses moustaches. *add.*[1]] « Mon Dieu, *dactyl. corr.* : enfin « cet air qui vivifie ». Quant à la douairière, je crus qu'elle allait poser [...] tremper ses moustaches. « Mon Dieu, *orig. Nous corrigeons.* ↔ *b.* l'usage, et qui n'ose pas *ms., dactyl.* : l'usage, et dont il n'ose pas *dactyl. corr., orig.*

1. « Mes cousins de Ch'nonceaux », dans le Cahier 46, f° 73 r°.
2. « Dans un autre clan, chez les Souvré par exemple », dans le Cahier 46, f° 73 r°.

Page 214.

a. car si pour causer avec elle je parlais comme Legrandin, *ms., dactyl. lacunaire.* : car si pour causer j'employais avec elle des expressions de Legrandin, *dactyl. corr.* : car si pour causer j'employais avec elle ces expressions de Legrandin, *orig. Nous retenons la leçon du manuscrit.*

1. Elme Marie Caro (1826-1887), philosophe spiritualiste, professeur à la Sorbonne de 1864 à 1887, conférencier de talent apprécié du grand public, aurait servi de modèle au philosophe mondain dans *Le monde où l'on s'ennuie* d'Édouard Pailleron ; voir *Le Côté de Guermantes II*, t. II de la présente édition, p. 786.
2. Voir *Le Côté de Guermantes I*, *ibid.*, p. 547.
3. Charles Lamoureux (1834-1899), violoniste et chef d'orchestre, adepte de la musique classique et de Wagner, fonda en 1881 les Nouveaux concerts qui plus tard portèrent son nom. Les concerts avaient lieu le dimanche, au Cirque des Champs-Élysées, puis au Nouveau théâtre. Le brouillon de 1914 portait simplement « son assiduité aux cours de la Sorbonne et aux concerts symphoniques » (Cahier 46, f° 74 r°), sans les noms propres et leur effet de réel.

Page 215.

a. femme *[p. 214, dernière ligne]* absolument supérieure », ajouta-t-elle, soit que cette supériorité fût un prétexte pour colorer d'une apparence intellectuelle les raisons de snobisme qui faisaient souhaiter à Mme de Cambremer de connaître une femme appartenant à un si haut rang, soit

1. En fait cette addition est légèrement différente du texte définitif, voir à ce propos les variantes *a* et *b*, p. 212.

que celui-ci eût agi suffisamment sur l'esprit de Mme de Cambremer comme il eût fait sur celui de son frère, pour créer réellement en elle la croyance peut-être erronée mais sincère en l'intelligence supérieure de la duchesse. Sachant *ms., dactyl.* ↔ *b.* disaient ces méchantes provinciales dès qu'elles *ms., dactyl.* : disaient ces méchantes [provinciales *biffé*] dès qu'elles *dactyl. corr.* ↔ *c.* la roture, l'amabilité *ms., dactyl., dactyl. corr., orig. Nous corrigeons.* ↔ *d.* confirmation aux miens. *Le passage qui suit ces mots et qui va jusqu'à* leur vie à son œuvre *[p. 216, 1er §, dernière ligne] figure sur une paperole ajoutée à la dactylographie corrigée.*

1. Proust avait noté dans le Carnet 1, en 1909 ou 1910 : « Elle n'éprouvait aucun ennui d'être née Legrandin pour la raison qu'elle n'en n'avait gardé aucun souvenir » (voir *Le Carnet de 1908*, éd. citée, p. 118).

Page 216.

a. c'est moi qui en ai le plus grand nombre [de *en surcharge sur* , et] ses toiles préférées. *dactyl. corr.*[1] : c'est moi qui en ai le plus grand nombre de ses toiles préférées. *orig. Nous corrigeons.* ↔ *b.* temple du Le Sidaner. *dactyl. corr., orig. Nous corrigeons.* ↔ *c.* a des doutes sur lui-même, il bouche aisément les fissures de son opinion sur lui-même par les témoignages *dactyl. corr., orig. Nous corrigeons.* ↔ *d.* demain par exemple ? » *Le passage qui suit ces mots et qui va jusqu'à* d'autres tentations encore *[4e ligne en bas de page] ne figure ni sur le manuscrit, ni sur la dactylographie, ni sur la dactylographie corrigée. Il a dû être ajouté par Proust sur un état postérieur qui n'est pas en notre possession.*

1. Il y a dans l'œuvre de Le Sidaner quelques marines, en particulier parmi les œuvres de jeunesse.

2. Chauvelin de Crisenoy (1685-1762), qui apparaît dans les *Mémoires* de Saint-Simon, devint garde des Sceaux en 1727. Un baron de Crisenoy et un comte de Crisenoy de Lyonne figurent dans le *Tout-Paris* de 1908.

Page 217.

a. vrai poète *[9e ligne en bas de page]*, me dit Mme de Cambremer. Du reste je vois que vous n'aimez pas seulement la musique », ajouta-t-elle, en me montrant le livre que j'avais pris pour ne pas l'oublier, en me levant en même temps qu'elle. J'étais debout à côté de la marquise et un peu embarrassé, suivi de mes jeunes amies qui s'étaient levées aussi. Le premier président *ms., dactyl.*

1. Des cloches sont entendues à l'acte III, scène III, de *Pelléas et Mélisande*, déjà citées à propos de l'odeur des roses (voir p. 208 et n. 4). « Il est midi ; j'entends sonner les cloches », dit Pelléas en sortant des souterrains.

1. Pour cette variante et les deux variantes suivantes, voir var. *d*, p. 215.

Page 218.

a. hésiteraient à assumer, et qui *ms.* : hésiteraient à assurer, et qui *dactyl., dactyl. corr., orig. Nous retenons la leçon du manuscrit.* ↔ *b.* où elle avait à s'en aller *ms., dactyl., dactyl. corr., orig. Nous corrigeons.* ↔ *c.* fait un mariage d'argent, et l'avait gardée par bonté. Et la douairière de sa voix qui sembla alors soulevée par une vague rouler des galets, et à laquelle l'imperfection même du râtelier en lui faisant mâchonner les mots renforçait encore l'impression d'enthousiasme, et brandissant sa main s'écria : « Et puis elle est si hartthhiestte ! » avec cette foi qui, quand on arrive à la conserver avec l'âge semble encore mille fois plus ardente chez les vieilles femmes que chez les jeunes, trouve une expression extatiquement grimaçante dans le décharnement passionné de leurs traits. Puis elle monta *ms., dactyl.*

1. L'adjectif « talentueux », absent du dictionnaire de Littré, figure chez les Goncourt en 1876, après « talenteux » en 1857, selon *Le Grand Larousse de la langue française*. Voir l'Esquisse XVII, p. 1085, où l'adjectif est appliqué à Mme de Noailles.

Page 219.

a. Rosemonde et Gisèle me regardèrent, pénétrées *ms.* : Rosemonde et Gisèle me regardaient, pénétrées *dactyl., dactyl. corr., orig. Nous retenons la leçon du manuscrit.* ↔ *b.* le lift appelait les *ms.* : le lift appelle les *dactyl., dactyl. corr., orig. Nous retenons la leçon du manuscrit.*

1. Andrée et Victoire, selon le Cahier 46, f° 76 r°.

Page 220.

a. devant lequel nous passions alors, *ms.* : devant lequel nous posions alors, *dactyl., dactyl. corr., orig. Nous retenons la leçon du manuscrit.* ↔ *b.* Il venait en droite ligne, *ms.* : Il venait de droite ligne, *dactyl., dactyl. corr., orig. Nous retenons la leçon du manuscrit.*

1. Aucune femme de chambre n'est mentionnée au soir de la première arrivée à Balbec, dans *À l'ombre des jeunes filles en fleurs.*

Page 221.

1. On a souligné l'intérêt croissant de Proust, au cours de la rédaction du roman, pour les classes sociales et pour la révolution : voir *À l'ombre des jeunes filles en fleurs*, t. II de la présente édition, p. 41-42 ; et *Le Côté de Guermantes*, *ibid.*, p. 327.

2. En juillet 1908, Proust est intervenu auprès du général Dalstein, gouverneur militaire de la ville de Paris, afin d'obtenir un sursis à Nicolas Cottin, son valet de chambre, convoqué en août pour une période de treize jours (voir la *Correspondance*, t. VIII, p. 179, lettre à Mme Catusse, et p. 187-188, lettre à Reynaldo Hahn). Dans la lettre à Reynaldo Hahn, Proust envisage de faire appel au général Picquart, le héros de l'affaire Dreyfus devenu ministre de la Guerre, mais il

préfère le réserver, ainsi que Fallières, le président de la République, pour ses propres treize jours, auxquels il eſt convoqué pour octobre : Cottin fit ses treize jours (*ibid.*, p. 205-206, lettre d'août 1908 à Céline Cottin). Deux ans plus tard, dans une lettre à Hahn, qui, à son tour, paraît lui demander comment intervenir auprès de la puissance militaire afin d'obtenir un sursis pour quelqu'un, Prouſt, en juillet 1910, rappelle sur un ton désabusé l'épisode passé, et fait allusion aux garçons d'hôtel qui obtiennent aisément un sursis pour leur service militaire : « Bien que cela paraisse invraisemblable mais j'ai pu en avoir la preuve au moment des treize jours de Nicolas, tandis que des gens qui avaient des recommandations de Dalſtein etc. etc. etc. faisaient tout de même leurs treize jours, des garçons qui sans évoquer aucune raison de santé disaient Mon service dans tel hôtel, ou auprès de tel maître, ou pour telle moisson, exige que je sois présent maintenant, je perdrais ma place, mais je pourrai dans six mois, obtenaient presque infailliblement un sursis (sans recommandation par lettre à l'autorité militaire en allant déposer sa demande à la Gendarmerie du bureau de Recrutement dont il fait partie et qui doit être Boulevard Lannes, mais il doit le savoir). Une fois le sursis obtenu vous verriez. Ou alors sursis pour raison de santé par Calmette » (*ibid.*, t. X, p. 151).

Page 222.

a. les choses. C'eſt la commodité d'un grand hôtel, d'une maison comme était autrefois celle de Rachel, c'eſt que, *dactyl. corr.*[1], *orig. Nous corrigeons.* ⁂ *b.* pas insultante si nous étions *[p. 221, 1er §, dernière ligne]* malheureux. Aussitôt seuls *ms., dactyl.* : pas insultante si nous étions malheureux. [On ne peut pourtant *[...]* qu'il ne faut pas dire. *add.*[2]] Aussitôt seuls *dactyl. corr.* ⁂ *c.* laquelle des deux hypothèses était la vraie ? *ms., dactyl.* : laquelle des deux hypothèses je formais depuis longtemps sur elle était la vraie ? *dactyl. corr., orig. Nous corrigeons.* ⁂ *d.* le soir, ce lampas *ms., dactyl., dactyl. corr., orig. Nous corrigeons.*

1. Sur ces deux hypothèses, voir déjà l'Esquisse XV, p. 1058, antérieure à 1912, où le héros fait deux hypothèses sur le comportement d'Andrée à son égard : eſt-elle sincère ou non ? Dans l'Esquisse XVI, p. 1061 et suiv., les deux hypothèses concernent l'attirance ou non d'Albertine pour les femmes.

Page 223.

a. usé avec Albertine durant mon premier séjour *ms., dactyl.*

1. Allusion au comportement du héros après qu'il a décidé de ne plus voir Gilberte, mais sans l'annoncer à la jeune fille (voir *À l'ombre*

1. Pour les états précédents, voir var. *b* ci-dessous.
2. Voir var. *a* ci-dessus.

des jeunes filles en fleurs, t. I de la présente édition, p. 575). Voir cette comparaison dès l'Esquisse XV, p. 1057.

Page 224.

a. tenir *ms.* : taire *dactyl., dactyl. corr.* ◆◆ *b.* seulement *ms.* : simplement *dactyl., dactyl. corr., orig.*

Page 225.

a. de *ms.* : ces *dactyl., dactyl. corr.* ◆◆ *b.* à me contenir et à ne pas embrasser [— à embrasser presque avec le genre de plaisir que j'aurais eu à embrasser ma mère — *add.*] ce visage nouveau *ms.* : à me contenir et à ne pas embrasser presque avec le même genre de plaisir que j'aurais eu à embrasser ma mère — ce visage nouveau *dactyl., dactyl. corr., orig. Nous adoptons la leçon du manuscrit.*

Page 226.

a. eût été moins si *dactyl. corr. Autre rédaction dans le manuscrit et dans la dactylographie.* ◆◆ *b.* pas aimée. De sorte que comme dans les œuvres de Vinteuil les musicographes ne se contentent pas d'isoler des mouvements divers, mais au sein de ceux-ci numérotent des sous-mouvements, de même si le rythme binaire suivi souvent par l'amour, qui fait alors alterner la déclaration et la brouille, est le procédé le plus sûr pour former *ms., dactyl.* ◆◆ *c.* cause, produit en tous cas *ms., dactyl., dactyl. corr., orig. Nous corrigeons.* ◆◆ *d.* ses torts *ms.* : les torts *dactyl., dactyl. corr., orig. Nous retenons la leçon du manuscrit.* ◆◆ *e.* si évidente [qu'on *[*devait *en surcharge sur* dut*]* la faire passer *corrigé sur une paperole en* qu'on doit la faire passer] avant tout, *ms.* : si évidente qu'on dut la faire passer avant tout, *dactyl., dactyl. corr.* : si évidente qu'on dût la faire passer avant tout, *orig. Nous retenons la première correction du manuscrit.*

1. Voir l'Esquisse XVII, p. 1085.

Page 227.

a. lève *ms.* : lave *dactyl., dactyl. corr., orig. Nous retenons la leçon du manuscrit.*

Page 229.

a. dur avec elle. [Sur la mer, tout près du rivage, essayaient de s'élever les unes par-dessus les autres des vapeurs couleur de soir si bien que les plus élevées penchant au-dessus de la tige déformée et jusqu'en dehors du centre de gravité de celles qui les avaient soutenues jusque-là semblaient sur le point d'entraîner cet échafaudage déjà à mi-hauteur du ciel, pour le précipiter dans la mer. La vue d'un vaisseau qui s'éloignait comme un voyageur de nuit me faisait penser au bonheur que ce serait de partir avec Albertine pour Venise ou pour Amsterdam. D'ailleurs entourés que nous étions de tous côtés, par les images de la mer qu'assemblaient autour de nous les reflets dans les vitrages des bibliothèques, n'étions-nous pas Albertine et moi, assis comme sur la couchette d'un de ces bateaux que nous voyions non loin et que, dans l'obscurité qui était venue nous sentions se déplacer avec cette lenteur assombrie des cygnes silencieux, presque invisibles mais éveillés et qui passent toute la nuit sur l'eau. *biffé*] Je dis *ms.*

1. Dans l'Esquisse XVII, qui met en place le second séjour à Balbec, l'ébauche du paragraphe précédent appelle une notation importante : « Probablement après du bonheur (si le chapitre finit là) mettre un grand blanc puis ce que je mets au verso suivant de ma conversation avec ma mère sur *Les Mille et Une Nuits* » (Cahier 46, f° 81 v°). C'est dire que le paragraphe qui s'achève ici représente une ponctuation capitale du séjour. Dans une dédicace à Marie Scheikévitch, en novembre 1915, Proust résume la suite de son roman et présente le personnage d'Albertine. Or, il cite longuement le paragraphe qui s'achève ici (voir *Essais et articles*, éd. citée, p. 560-561 ; la *Correspondance*, t. XIV, p. 281 ; et notre Notice, p. 1241). Il se trouve pourtant qu'une version plus ancienne de ce paragraphe, comprenant l'idée de suspendre la liaison avec la jeune fille dans un instant de bonheur, existait dès avant 1912, dans l'esquisse pour trois séjours avec Maria à Querqueville : les mêmes mots, « comme par quelque pédale la tonalité du bonheur », achevaient alors une addition sur le cidre mousseux apporté aux deux jeunes gens dans la voiture (Cahier 64, f° 81 r°). Le cidre mousseux deviendra un symbole de la vie d'amants du héros et d'Albertine lors de leurs promenades en voiture (voir p. 403).

Page 230.

a. d'autre part elle ne devait pas *ms., dactyl., dactyl. corr.* : d'autre part qu'elle ne devait pas *orig. Nous adoptons la leçon des états antérieurs.* ♦♦ *b.* restait fidèle, et même de renoncer à des habitudes fautives comme de dire Fénélon, selon une prononciation vicieuse qu'elle trouvait plus douce et par là mieux en harmonie avec l'auteur de *Télémaque*. Enfin *ms., dactyl.*

1. Voir l'Esquisse XVII, p. 1086.

2. Antoine Galland (1646-1715), orientaliste français, donna la première traduction des *Mille et Une Nuits*, sous ce titre, en douze volumes publiés de 1704 à 1717, pour la cour de Louis XIV. Joseph Charles Victor Mardrus (1868-1949), médecin et orientaliste français, entreprit une nouvelle traduction de l'ouvrage, qui parut de 1899 à 1904, sous le titre *Le Livre des Mille Nuits et Une Nuit, traduction littérale et complète du texte arabe*, aux Éditions de la Revue blanche. Une note des éditeurs annonçait : « Pour la première fois en Europe, une traduction complète et fidèle des ALF LAILAH OUA LAILAH (MILLE NUITS ET UNE NUIT) est offerte au public. Le lecteur y trouvera le mot à mot pur, inflexible. » Mardrus dénonçait la première traduction, qui aurait été « systématiquement émasculée

de toute hardiesse et filtrée de tout le sel premier » (t. I, p. XVIII). Gide, dans un compte rendu de la traduction de Mardrus, témoigne de la même réaction que Proust et se montre partisan de la nouvelle traduction littérale des injures (*Prétextes* [1903], Mercure de France, 1963, p. 101). Proust reprit peut-être la lecture des *Mille et Une Nuits* au printemps de 1916, ainsi que le suggère une lettre à Lucien Daudet de mai ou juin 1916 : « T'ai-je demandé, (dans un désir de "divertissement" de ces angoisses de la guerre) si je devais lire "Sindbad-le-Marin", dans Mardrus ou dans Galland ? » (*Correspondance*, t. XV, p. 150). *Les Mille et Une Nuits* jouent un rôle important dans *À la recherche du temps perdu*. Voir en particulier Jean Rousset, *Forme et signification*, José Corti, 1962, p. 150-164, et Victor E. Graham, « Marcel Proust and the *Mille et Une Nuits* », *Canadian Review of Comparative Literature*, hiver 1974, p. 86-96.

3. Voir p. 167 et n. 1.

4. Voir l'Esquisse XVII, p. 1086.

5. Augustin Thierry (1795-1856) est l'auteur des *Récits des temps mérovingiens* (1840), que Proust pratiqua avec assiduité au cours de sa jeunesse, ainsi que de l'*Histoire de la conquête de l'Angleterre par les Normands* (1825). Dans une lettre de 1888 à sa mère, Proust évoque l'« année d'Augustin Thierry » (*Correspondance*, t. I, p. 110). Il s'agirait de l'automne 1886 à Illiers. Voir dans *Du côté de chez Swann* (t. I de la présente édition, p. 152 et n. 2) une allusion possible à cette saison. L'historien est mentionné deux fois, comme écrivain et comme héros, dans l'*Album* d'Antoinette Faure (*Essais et articles*, éd. citée, p. 336). Le troisième des *Récits des temps mérovingiens* porte pour titre « Histoire de Mérowig ». Une note du premier récit décrète : « Quelque jugement qu'on porte en général sur l'adoption de l'orthographe germanique pour les noms des personnages franks de notre histoire, on sentira que cette restitution était ici une convenance inhérente au sujet. Elle contribue à la vérité de couleur dans ces récits, où j'ai mis en scène les diverses populations de la Gaule conquise ; elle forme un contraste qui sépare, en quelque sorte, les hommes de races différentes. Si le lecteur s'étonne de trouver changés des noms qu'il croyait bien connaître, de rencontrer des syllabes dures et des lettres insolites, cette surprise même sera utile, en rendant plus marquées les distinctions que j'ai voulu établir » (Furne, 1846, 6e éd., t. I, p. 261).

6. Voir p. 234.

Page 231.

a. où *Ce relatif n'a pas d'antécédent logique.*

1. Cette image de la chaleur est notée tardivement dans le Cahier 59, f° 34 r°.

Page 232.

a. notre vie même, sera le dernier. *Le passage qui suit ces mots et qui va jusqu'à* sacrifices des Orgiophantes » *[p. 234, 1er §, dernière ligne] a été ajouté par Proust sur une paperole dans la dactylographie corrigée.*

1. Le passage qui commence ici et va jusqu'à la page 234, où le héros est en quête d'une jeune fille désirable, est une addition tardive notée dans le Cahier 59, ffos 29-33.

2. La villa de Gaston Calmette à Houlgate s'appelait « Les Tamaris » (voir la *Correspondance*, t. X, p. 151, lettre de juillet 1910 à Reynaldo Hahn). Voir aussi une notation du Carnet 1, « tamaris » (*Le Carnet de 1908*, éd. citée, p. 112).

Page 233.

a. d'eux-mêmes ces sortaient *dactyl. corr.*[1] : d'eux-mêmes sortaient *orig. Nous corrigeons.*

1. La recherche de la jeune fille désirable (voir n. 1, p. 232) prenait fin autrement dans le Cahier 59 : « Étant donné un fait de sentiment l'ensemble des phénomènes qui d'instant en instant et décrivant autour de ce point minuscule un orbe immense, le modifient, sont aussi absurdes à omettre que si dans une expérience de physique on omettait les conditions données. L'attente trop prolongée dans une voiture, un chagrin d'un autre ordre que le désir éprouve, l'impossibilité de faire coïncider le visage d'une jeune fille présente devant vous avec celui qu'on avait entrevu à la sortie d'un bal, au point que malgré la concordance des renseignements qui certifient l'identité, il y a erreur pour le souvenir, voilà le plus intéressant. (À mettre dans *Guermantes II* avec les pétales rouges, presque pendant des jeunes filles en fleurs, [...]) Cette phrase (de la page précédente) devrait être presque une simple incidente. Disons-le franchement. Le visage de ces jeunes filles (très Einstein mais ne pas le dire cela ne fera qu'embrouiller) n'occupe pas dans l'espace une grandeur, une forme permanente. J'en vis une et il me fut impossible de savoir si c'était celle, affreuse, que j'avais vue *[sic]* attendre si longtemps au bout d'une des rues qui débouchaient sur la plage, ou celle enivrante qui non loin de moi au milieu de la troupe de ses amies était sortie d'un tennis. Si c'était celle-là, à qui elle ressemblait si peu, ce n'était pas la peine de faire des recherches puisque l'autre l'enivrante n'existait pas ou du moins n'existait [que] comme enivrante, animée d'une certaine vitesse, au sortir du tennis, assez loin, inapprochable au milieu de ses amies, n'attendait pas, peut-être irretrouvable, dans une certaine toilette entièrement différente de celle où était maintenant l'insignifiante et sous un tout autre chapeau » (Cahier 59, ffos 32 ro, 33 ro et 32 vo).

1. De cette variante à la var. *c*, p. 234, voir var. *a*, p. 232.

Page 234.

a. tel précis. *dactyl. corr., orig. Après Clarac et Ferré, nous suppléons la lacune par le mot* trait . ◆◆ *b.* le parfum des nuages, la manne *dactyl. corr.* : le parfum des mages, la manne *orig. Nous retenons la leçon de la dactylographie corrigée.* ◆◆ *c.* le parfum des nuages, mais aussi *dactyl. corr.* : le parfum des mages, mais aussi *orig. Nous retenons la leçon de la dactylographie corrigée.*

1. Ce personnage du roman de *Lancelot* (XIIIe siècle) recueille le héros et ses deux cousins au fond de l'eau et fait d'eux des chevaliers modèles.

2. Personnage des *Contes* de Perrault.

3. Toute la fin du paragraphe s'inspire des *Hymnes orphiques*, dans la traduction de Leconte de Lisle (Lemerre, 1869) déjà utilisée ; voir n. 1, p. 102.

4. « Parfum de Prothyraïa, le Styrax », *Hymnes orphiques*, I, p. 87.

5. *Ibid.*, IV, p. 89.

6. *Ibid.*, XV, p. 98.

7. *Ibid.*, XX, p. 102.

8. *Ibid.*, XXXII, p. 110.

9. *Ibid.*, XXI, p. 102.

10. *Ibid.*, V, p. 90.

11. Poséidon, selon le nom grec du dieu, alors que Proust lui donne son nom latin ; *ibid.*, XVI, p. 99.

12. Néreus ; *ibid.*, XXII, p. 103.

13. Lètô ; *ibid.*, XXXIV, p. 112.

14. Voir n. 9.

15. *Ibid.*, LIX, p. 130.

16. *Ibid.*, LXXVI, p. 142.

17. Circé la magicienne, dans l'*Odyssée*, transforme Ulysse et ses compagnons en porcs ; elle n'est pas à sa place dans la liste des dieux des *Hymnes orphiques*.

18. *Ibid.*, LXXIII, p. 140.

19. *Ibid.*, LXXV, p. 141. Mais Proust se trompe dans la lecture, car le parfum d'Éos est la manne.

20. *Ibid.*, LXXIV, p. 141.

21. Aucun des *Hymnes orphiques* n'est adressé au Jour, mais Proust songe sans doute à Hélios, dont le parfum est en effet l'encens, « à droite engendrant le matin, et à gauche, la nuit » (*ibid.*, VII, p. 91).

22. *Ibid.*, LX, p. 131.

23. « Tous les parfums, excepté l'Encens » ; *ibid.*, L, p. 123.

24. « Toutes les semences, excepté les Fèves et les Aromates » ; *ibid.*, XXV, p. 105.

25. « Parfum de Prôtogonos, La Myrrhe » ; *ibid.*, V, p. 90. Le texte de Leconte de Lisle est celui-ci : « J'invoque Prôtogonos aux deux sexes, grand, qui vagabonde dans l'Aithèr, sorti de l'œuf, aux ailes d'or, ayant le mugissement du taureau, source des Bienheureux et des hommes mortels, mémorable, aux nombreuses orgies, inénarrable, caché, sonore, qui chassa de tous les yeux la noire nuée primitive,

qui vole par le Kosmos sur des ailes propices, qui amène la brillante lumière, et que, pour cela, je nomme Phanès. Bienheureux, très sage, aux diverses semences, descends, joyeux, vers les sacrifices des Orgiophantes ! »

Page 235.

a. faire la connaissance *ms., dactyl., dactyl. corr., orig. Nous corrigeons.* ↔ *b.* moyennant des promesses *ms.* : moyennant les promesses *dactyl., dactyl. corr., orig.* ↔ *c.* un peu. J'aurais d'ailleurs moins besoin de lui bientôt car je savais que même si leur effet disparaissait, nulle cause ne ferait plus renaître ma souffrance, Andrée devant partir *ms., dactyl.* : un peu. Je savais d'ailleurs [...] partir *dactyl. corr.* : un peu — je savais d'ailleurs [...] partir *orig.*

1. Claire et Victoire, dans le Cahier 46, f° 86 r°.

Page 236.

a. nous devions sortir. Et en cela elle manquait de perspicacité car s'il y avait une femme qui ne pouvait plus m'inspirer de jalousie à propos d'Albertine, c'était bien Andrée. C'était la seule en effet au sujet de laquelle Albertine m'avait fait un serment formel, dont je me rappelais tous les termes et de la sincérité duquel je n'aurais pas eu l'idée de douter. Andrée cependant *ms., dactyl.* ↔ *b.* mes absurdes soupçons. *Après ces mots*[1], *on trouve dans le manuscrit et dans la dactylographie le passage concernant la rencontre de la sœur et de la cousine de Bloch au casino. Proust déplaça cette scène, dans la dactylographie corrigée, pour former la conclusion de « Jalousie » (voir p. 197 à p. 198 et var. b, p. 197) et inséra à sa place les aventures de M. Nissim Bernard*[2] *et les mots de Marie Gineste et de Céleste Albaret*[3]. *Les citations de Racine étaient absentes de la version du manuscrit des aventures de M. Nissim Bernard qui commençait ainsi dans le manuscrit* : L'oncle de Bloch, M. Nissim Bernard entretenait un des jeunes commis, comme il eût fait d'une figurante. Aussi dînant le soir par esprit de famille à la villa qu'il louait pour son neveu, retenait-il tous les jours sa table au restaurant comme le protecteur d'un « rat d'Opéra » a son fauteuil à l'orchestre. C'était son plaisir quotidien de suivre à travers la salle à manger *[p. 238, 4e ligne]. Le passage qui va jusqu'à ces mots est ajouté à la main dans la dactylographie corrigée.*

Page 237.

a. Et soit frayeur encor ou pour le caresser, *dactyl. corr.* : Et sois *[sic]* frayeur encor ou pour le caresser, *orig. Nous corrigeons.* ↔ *b.* le deuxième

1. Voir var. *c*, p. 244.

2. Une première version des aventures de M. Nissim Bernard figurait plus bas dans le manuscrit au début du Cahier VI, sur une longue paperole, entre le dîner de M. de Charlus au Grand-Hôtel avec un valet de pied et sa correspondance avec Aimé (voir var. *d*, p. 375). Cette paperole appartient au reliquat. Nous donnons les variantes du manuscrit à la place qu'elles occupent dans le texte définitif.

3. Cette addition à la dactylographie corrigée va jusqu'à la page 244, fin du 1er paragraphe.

jour, de M. Nissim Bernard *dactyl. corr.* ◆◆ *c.* beau porter [clients *add.*] le pain et le sel [aux autres *biffé*], comme son chef *dactyl. corr. L'édition originale, que nous suivons, ne tient pas compte de l'addition incomplète portée sur dactyl. corr.*

1. Voir les apparitions précédentes du thème racinien, p. 64-66 et 171. Proust cite cette fois dix-sept vers d'*Athalie*, dont dix de l'acte II, sc. IX, où le chœur évoque Joas.

2. *Athalie*, acte II, sc. IX, v. 788-791 ; une voix du chœur évoque Joas.

3. *Ibid.*, v. 772 ; une autre voix du chœur évoque Joas. Ce vers a déjà été cité : voir n. 6, p. 171.

4. Citation modifiée d'*Athalie*, acte IV, sc. II, v. 1279 : « [...] Sur la richesse et l'or ne met point son appui. » Le conseil est impersonnel et à la troisième personne chez Racine : c'est Joas qui répète la leçon de Joad, et non Joad qui parle.

5. *Athalie*, acte II, sc. IX, v. 794 ; une voix du chœur évoque Joas.

6. Citation modifiée d'*Athalie*, acte I, sc. II, v. 253-254 : « Et soit frayeur encore, ou pour me caresser, / De ses bras innocents je me sentis presser. » C'est Josabeth qui parle de Joas.

7. Citation modifiée d'*Athalie*, acte II, sc. IX, v. 784-785 : « [...] Et du méchant l'abord contagieux / N'altère point son innocence » ; une voix du chœur évoque Joas.

8. *Ibid.*, v. 821-822 ; une voix du chœur évoque Joas.

9. *Ibid.*, v. 824-825 ; la même voix.

10. Citation modifiée d'*Athalie*, acte III, sc. VIII, v. 1201-1204 : « [...] Où les honneurs et les emplois / Sont le prix d'une aveugle et basse obéissance, / Ma sœur, pour la triste innocence / Qui voudrait élever la voix ? » ; vers de Salomith.

Page 238.

a. dissimulait. Que ce fût *ms.*[1] : dissimulait, que ce fût *dactyl., dactyl. corr., orig. Nous adoptons la leçon du manuscrit.* ◆◆ *b.* Celles de sommelier *ms.* : Celles du sommelier *dactyl., dactyl. corr., orig. Nous retenons la leçon du manuscrit.* ◆◆ *c.* et la <raison> de ce que *ms.* : et ce que *dactyl., dactyl. corr., orig. Nous corrigeons.*

Page 239.

a. encore son Degas, *ms.* : encore *[un blanc]* Degas, *dactyl.* : encore un Degas, *dactyl. corr., orig.* ◆◆ *b.* le caractère passionné de ces hommes *ms.* : le caractère de ces hommes *dactyl., dactyl. corr., orig.* ◆◆ *c.* s'être inquiété des travaux de mon ami Bloch et donné *ms., dactyl., dactyl. corr., orig. Nous corrigeons.* ◆◆ *d.* avant l'heure du goûter, celui qui l'appelait : « Mon bibi ». *Après ces mots, on trouve dans le manuscrit et dans la dactylographie un long développement qui sera résumé en quelques lignes dans la dactylographie corrigée (2e § de la page). En voici le texte :* Ce qui faisait que M. Nissim Bernard <se plaisait> à l'hôtel de Balbec, c'était je crois en partie que

1. Voir var. *b*, p. 236, et sa n. 2.

M. Nissim Bernard avait pour les entrées multiples, les sorties dérobées, les intrigues, les complications, la nuit, un goût oriental. Si au rez-de-chaussée de l'Hôtel de Balbec on jouât *[sic]* publiquement *Esther* et *Athalie*, les corridors de ce rez-de-chaussée et surtout les étages semblaient plutôt un décor pour *Bajazet*, un décor magnifique car l'hôtel s'était ajouté des annexes (le directeur voyait grand), ayant perfectionné son confort sans rien changer à l'admirable simplicité des pièces qui faisait de chacune une piscine, ayant engagé un personnel appartenant pour une partie à la même race antique que celle de l'hôtel de Guermantes, tous les gens élégants qui eussent passé plus volontiers leurs vacances dans quelque Dinard avaient jeté leur dévolu sur cet établissement de Balbec, à nom presque persan, ensemble de construction qui dominait au loin toute la côte et semblait avoir été construit, isolé, loin des villes et des villages, devant la mer. À cause de la multiplicité des escaliers on pouvait entrer dans chaque appartement de huit ou dix façons différentes. De loin les fenêtres à cause de la dureté de tons de la mer, avaient l'air d'être tantôt en malachite et tantôt en lapis-lazuli. Quand on entrait dans une magnifique chambre, au parquet en bois des îles, aux tapis neufs mais style Empire ornés d'emblèmes pré-romains, où sur les murs nus des plaques de bronze travaillées comme elles l'eussent été par ces ciseleurs qui suivirent le Directoire et voulurent remonter jusqu'au-delà de l'Antiquité, avaient l'air des tables de loi, M. Nissim Bernard éprouvait un grand bien-être à sentir tant d'espace en ce vide, dans du luxe moelleux, d'attributs mystérieusement héroïques pour lui seul. Seul il croyait l'être dans la chambre, mais il voyait se détacher du fond un chef d'étage, monumental Étrusque tout à ses ordres, prêt à appeler s'il le désirait la troupe de jeunes figurants célébrant *Esther* devant la salle à manger, prêt à s'offrir lui-même si le mélancolique Israélite préférait une beauté plus solide et mûrie, aux tons cuivrés de poterie, prêt si le client préférait l'inconnu des rencontres, à ouvrir la porte d'une dame passionnée de baccarat et qui avait beaucoup perdu dans la semaine ou d'un Péruvien décavé. L'une et l'autre eussent fait sembl<ant> de se tromper de chambre en entrant dans celle de M. Nissim Bernard qui les eût au contraire invités à y rester, et eût dîné avec lui ou avec elle, devant les fenêtres en lapis-lazuli. Aimé avait été autrefois un de ces chefs d'étage. Il s'était toujours rendu exactement aux rendez-vous que lui fixaient des Persans ou des Argentins, car il aimait sa femme et ses enfants et prenait la vie au sérieux. Aussi n'aimait-il pas le liftier que malgré toutes ses prières il n'avait pu procurer à de grands personnages, se heurtant en lui à une de ces résistances physiques qu'en vrai travailleur il trouvait qu'on devait savoir vaincre (mettre ici en résumant le portrait d'Aimé chef d'étage, tel qu'il est dans un de ces cahiers d'ajoutages, celui-ci ou le précédent). Mais M. Nissim Bernard ne se souciait ni d'Aimé, ni des autres individus à la race étrusque, non qu'ils ne lui eussent plu par eux-mêmes. Mais les chambres étaient éclairées. On aurait pu les fermer à clef, les éteindre, il préférait plus de circuits, d'allées et venues où presque seul il était capable de se retrouver. À l'heure où le jeune homme dont il était le protecteur attitré était parti, il quittait la chambre, rencontrait dans les couloirs d'en haut les cortèges célestes de jeunes femmes courant se rendre à des rendez-vous en simple robe de chambre aux manches courtes blanches ou rouges, larges comme des ailes, et qui leur donnaient l'air d'anges, de séraphins, volant vers le bonheur, puis ayant feint de ne pas voir celles qu'il connaissait pour ne pas les gêner de leur galante entreprise, il descendait par des escaliers déjà plus sombres, s'engageait dans des vestibules, des vestiaires, des salons, des lavabos, des salles à manger, des salles de danse, lieux déserts à cette heure-là, où parfois dans la nuit complètement noire il heurtait sans le faire bouger un surveillant endormi, jusqu'à ce qu'à l'entrée d'un bureau de comptabilité, d'un office, d'une cuisine, d'une resserre, il trouvât dans le noir quelque jeune enfant auquel il avait donné rendez-vous et qui ne lui aurait pas plu, sans ce labyrinthe de mystères. Nourri dans le sérail, il ne faisait pas ici qu'en retrouver, il en aimait les détours. Son plaisir pris, il rentrait chez lui, en tâchant qu'il ne fût pas trop tard car sa famille qu'il avait soigneusement bannie de l'hôtel et du casino de Balbec, quoique elle comprît, comme ces faits permanents dont on ne cherche plus l'explication, qu'il aimât la mer, cherchât la distraction loin de son chez soi, devant les vagues, craignait toujours, c'était l'oncle à héritages et d'ailleurs trouvé « un être exquis » à cause de son colorement à la Burnes-Jones semé de poils malpropres il est vrai, qu'il perdît de l'argent à la salle de baccarat, ou peut-être même aux petits chevaux. ◆◆ *e.* Tandis que se risquant *Le passage qui commence par ces mots et qui va jusqu'à* s'adressait peut-être à Albertine. *[p. 244, 2ᵉ §, dernière ligne] ne figurait pas dans le manuscrit et la dactylographie. Il a été ajouté par Proust dans la dactylographie corrigée.*

1. Une autre tragédie de Racine appelée par le contexte est, bien sûr, *Bajazet* (voir var. *d* de cette page). Voir Emily Eells-Ogée, « Proust et le sérail », *Études proustiennes*, nº V, 1984.

2. Citation de *La Juive* (1835) d'Halévy, sur un livret de Scribe (voir *Du côté de chez Swann*, t. I de la présente édition, p. 90). Les vers sont chantés par le chœur, acte II, sc. 1 ; le premier, modifié par Proust, était dans le livret : « Dieu de nos pères [...]. »

Page 240.

1. Il s'agit du grand air des *Brigands* (1869) d'Offenbach, « Saltarelle », chanté à l'acte I, 6ᵉ partie, par Fragoletto.

2. Céleste Gineste (1891-1984) épousa en 1913 Odilon Albaret (1881-1960), chauffeur de taxi dont Proust utilisa les services à partir de 1910. Elle devint la gouvernante de Proust au début de la guerre, et resta au service de l'écrivain jusqu'à la mort de celui-ci en 1922. Elle était originaire d'Auvergne. Elle a laissé d'intéressants souvenirs : *Monsieur Proust*, recueillis par Georges Belmont, Laffont, 1973. Marie Gineste, sa sœur aînée de trois ans, célibataire, la rejoignit à Paris après la mort de leurs parents, en octobre 1918. Les pages sur Marie Gineste et Céleste, tardivement ajoutées au roman, sont évoquées par Céleste dans ses souvenirs (ouvr. cité, p. 145-147). Sur les deux courrières, voir, dès 1927, R. Frêne, « Marcel Proust et les deux courrières », *Procès-verbaux des séances de la Société des lettres, sciences et arts de l'Aveyron*, t. XXX-XXXI, 6 octobre 1927, p. 127-128 ; et la réponse de Paul Dropy dans la même revue, même tome, 24 avril 1930, p. 316-323. Voir aussi Franck Sidney Alberti, avec la collaboration de Mlle Yvonne Monsigné, « Les Deux "Courrières" de Balbec

visitées », *Bulletin de la Société des amis de Marcel Proust*, n° XXIII, 1973, p. 1574-1586 : compte rendu d'une visite aux deux sœurs.

Page 241.

1. La phrase qui suit, ainsi que quelques autres additions tardives des pages 241-242, vraisemblablement ajoutées sur épreuves ont été notées dans le Cahier 59, f° 48.

Page 243.

1. Une dernière notation du Carnet 59 n'a pas été intégrée au roman : « Pour Sodome III (ou pour II s'il en est temps encore) Céleste Albaret me dit : "Ô dignité du ciel reposée sur un lit (car vous ne ressemblez en rien à tout ce qui voyage sur cette vile terre). Vos yeux qui sont deux bijoux dans votre figure. Malice ne vous manque pas. On dirait que le feu sait que vous avez du génie. Navigateur, ne sait pas mettre les airs qu'il faut à son visage" » (Cahier 59, f° 80).

2. Alexis Saint-Léger Léger (1887-1975), dit Saint-John Perse ; son premier recueil poétique, *Éloges* (1911), était le seul paru du vivant de Proust. Celui-ci avait sans doute lu ces poèmes dans *La Nouvelle Revue française* de juin 1911. Céleste dit dans ses souvenirs : « Une fois, je m'en souviens, il me lut des vers qu'il venait de recevoir ou d'acheter — j'oublie si c'était de Paul Valéry ou de Saint-John Perse. Quand il a fini je lui dis : "Monsieur, ce ne sont pas des vers ; ce sont des devinettes." Il se met à rire comme un fou. Dans les jours qui ont suivi, il m'a raconté qu'il l'avait répété partout » (*Monsieur Proust*, éd. citée, p. 151). Paul Morand rapporte en effet : « Petit dîner au Ritz avec Hélène et Proust. [...] Céleste dit des vers de Léger que "ce sont plutôt des devinettes que des vers". Proust rit aux éclats de cette formule, en montrant ses superbes dents » (*Journal d'un attaché d'ambassade*, 26 juin 1917, La Table ronde, 1949, p. 299).

3. Dans le livre de Céleste Albaret, est reproduite une feuille manuscrite où Proust avait noté ces vers : « Ici-bas tous les lilas meurent, / Tous les chants des oiseaux sont courts ; / Je rêve aux étés qui demeurent / Toujours [...] » Il s'agit du poème intitulé « Ici-bas », extrait de *La Vie intérieure*, *Œuvres de Sully Prudhomme*, *Poésies 1865-1866* (Lemerre, 1883, p. 32), qui avait été mis en musique par Fauré (Opus 8, n° 3, 1877). Le même vers sera cité de nouveau p. 509. Les sentiments de Proust à l'égard de Sully Prudhomme sont mêlés. Dans une lettre de septembre 1908 à Marcel Plantevignes, qu'il avait beaucoup fréquenté au cours de l'été, Proust cite la même phrase « avec mélancolie » (*Correspondance*, t. VIII, p. 221). Il cite encore les deux premiers vers du poème, mais ironiquement, dans une lettre de janvier 1914 à Reynaldo Hahn (*Correspondance*, t. XIII, p. 86). Voir aussi, l'Esquisse IV, n. 2, p. 950, une citation de Sully Prudhomme témoignant de l'ambiguïté des opinions de Proust ; et, Esquisse XVII, n. 5, p. 1084, un autre vers

du poète, manifestement cité d'après la mélodie correspondante de Fauré.

4. Céleste Albaret avait quatre frères. Le deuxième, dit-elle dans ses souvenirs, « avait épousé une nièce de l'archevêque de Tours, Mgr Nègre » (*Monsieur Proust*, éd. citée, p. 137), ce qui ravissait Proust et lui inspira un poème, cité par Céleste : « Grande, fine, belle, un peu maigre, / Tantôt lasse, tantôt allègre, / Charmant les princes et la pègre, / Lançant à Marcel un mot aigre, / Spirituelle, agile, intègre, / C'est la presque nièce de Nègre. » L'évêque de Rodez n'est pas mentionné par Céleste. Dans une lettre d'août 1915 à Lucien Daudet, Proust note : « Son frère est marié depuis quelques années avec Mademoiselle Nègre, nièce chérie de l'Archevêque de Tours. Ils habitent avec la famille de ma femme de chambre, et Monseigneur Nègre est venu faire lui-même le mariage » (*Correspondance*, t. XIV, p. 203).

Page 244.

a. détruisant de tout, *dactyl. corr.*[1], *orig. Nous corrigeons.* ◆◆ *b.* vraiment céleste. *Le paragraphe qui suit ces mots est encore une addition de Proust dans la dactylographie corrigée.* ◆◆ *c.* Un autre incident fixa davantage encore mes préoccupations du côté de Gomorrhe. *Avec cette phrase, la dactylographie corrigée et l'édition originale rejoignent le manuscrit et la dactylographie dont le texte depuis* calmer mes absurdes soupçons. *[p. 236, 1er §, dernière ligne] était différent (voir var. b, p. 236).*

1. Le Cahier 61 contenait une notation plus suggestive : « Faire pour les femmes pendant de la scène de Charlus dans l'établissement de Jupien. Ce sera Gomorrhe. Bals. Levages. Léa au casino rira en me voyant avec Albertine tout en chatouillant dans le cou une cousine de Bloch. Albertine se retournera vers moi sans les regarder, d'un air impénétrable (Nahmias, Mme *[un nom illisible]* etc.) » (Cahier 61, f° 95 r°).

Page 245.

a. Ce rendez-vous, en ce cas, *Le passage qui commence par ces mots et qui va jusqu'à* encore plus moche. » *[p. 247, 2e §, dernière ligne] est une addition de Proust sur la dactylographie corrigée (voir var. a, p. 247).*

1. Le Cahier 62 contenait une notation plus précise : « À propos d'Albertine (Sodome II) / Certes des jeunes femmes jetaient sur elle des regards, où il y avait de l'intuition et de l'appel, ces jeunes femmes-là pouvaient ne rien savoir du passé. Mais pour celle dont je parle ses regards étaient tout autres, dès qu'elle avait aperçu Albertine, elle avait tourné vers elle des yeux longuement chargés de toute une mémoire de l'an passé ou d'une autre année. Ces regards ne disaient même pas : “Veux-tu ?” comme les regards de celles qui se croyaient sûres, mais étaient criblés du propre souvenir que la jeune

1. Nous ne possédons pas pour ce passage d'état antérieur. Voir var. *e*, p. 239.

fille avait de soirées passées avec Albertine, si bien que la flegmatique immobilité de celle-<là> était le refus momentané de répondre non pas seulement à un désir, soit pour l'attiser mieux, soit parce que j'étais là, mais parce que j'étais là, à un souvenir, à un souvenir si vivace que la jeune femme parut stupéfaite, eut le regard dont la traduction usuelle est : tu ne peux pas ne pas me reconnaître, et pensant qu'il y avait une raison capitale en jeu, par délicatesse, par crainte de créer des ennuis à Albertine, cessa de la regarder et ne s'occupa <pas> plus d'elle que si elle n'avait pas existé » (Cahier 62, ffos 12 r°-14 r°).

Page 246.

a. Mais sous la table on aurait pu voir [sous la table bientôt tournante *add.*] leurs pieds, puis leurs jambes et leurs mains qui étaient confondues. *dactyl. corr.* [1].

1. Quelques-uns des épisodes des pages 245 à 248, qui accentuent les soupçons du héros, sont notés tardivement dans le Cahier 60, ffos 113-116 : une femme entrant au casino, une passante.

Page 247.

a. de lui adresser *[p. 245, 19e ligne]* ces signaux lumineux. Peut-être ne réclamaient-ils quelque chose pour le présent qu'en faisant allusion aux bonnes heures du passé, et devais-je y lire le Mane Thecel Pharès qui menaçait mon bonheur. / D'autres fois ce furent de petits faits différents qui causèrent mon malaise. Albertine savait que j'étais ennuyé, qu'elle pût rencontrer chez une amie de sa tante qui avait mauvais genre et venait quelquefois passer deux ou trois jours à Incarville. Gentiment *ms., dactyl.*

Page 248.

1. L'épisode des frères aux têtes de tomates est tardivement noté dans le Cahier 59, f° 28 v°. Les chasseurs jumeaux du Ritz sont évoqués par Proust dans une lettre de juin 1922 à Sidney Schiff : « Un des deux jumeaux dont vous jugez la personnalité différente (elle est pareille, et d'ailleurs nulle) est parti accompagner lord Northcliffe en Suisse » (*Correspondance générale*, éd. citée, t. III, p. 42).

2. Allusion vague à l'époux d'Alcmène, dont Jupiter emprunta les traits en son absence afin de séduire sa femme. Dans la comédie de Molière, comme dans celle de Plaute, Mercure a pris les traits de Sosie, valet d'Amphitryon, et à l'acte I, sc. I, le vrai Sosie se fait rouer de coups par le faux.

1. L'addition interlinéaire portée par Proust dans la dactylographie corrigée a été mal lue et mal placée dans l'édition originale.

Page 249.

a. prévenir une interprétation *[p. 248, 3e ligne]* défavorable. Pendant plusieurs jours je ne pus dormir en pensant à ce que m'avait dit Albertine, j'avais autant de battements de cœur que si on m'eût fait boire vingt tasses de café, mais je n'osai lui demander aucune explication. Et ainsi renaissait en moi[1]. [Ce jour-là, la salle[2] du casino me devint l'enfer. Toutes mes pensées furent tendues vers ce but : empêcher Albertine d'y aller. Chaque fois qu'elle devait s'y rendre, j'inventais, avec quelle fatigue, <quelque> nécessité de sortir même si j'étais malade, de lointaines parties afin d'arriver à ce qu'elle n'allât pas dans la salle du casino les jours où je savais qu'il y avait chance pour cela, où on dansait. Les gens qui donnaient des matinées dansantes me paraissaient les plus détestables et les plus imbéciles scélérats qu'il y eût sur la terre. Mais à peine le fait que je voyais Albertine me sacrifier sans trop de difficulté le plaisir d'aller dans la salle de danse, je voyais sur le terrain de tennis une jeune fille qui ne connaissait pas Albertine lui donner au passage un coup de coude qui m'entrait dans le cœur. Je demandais à Albertine qui c'était, elle l'ignorait, me disait qu'elle avait l'air d'une folle, mais voyant bien que je paraissais préoccupé quelques minutes après, croyant tout arranger elle me disait : « Vous avez entendu quand elle a repassé devant moi comme je lui ai crié : "allô" pour me moquer d'elle ? » Or je ne l'avais pas — mais sans doute Albertine craignait que je l'eusse — entendu et cherchait à s'excuser. Alors quand tout à l'heure elle n'avait pas répondu au coup de coude c'était peut-être parce qu'elle voyait que je la regardais et avait avec cet « allô » voulu montrer à la jeune fille que sa provocation ne lui avait pas été désagréable. Alors c'était le terrain de tennis qui devenait le lieu maudit — parce que je me l'y représentais accostée par une jeune fille — qui devenait le lieu maudit où il fallait l'empêcher d'entrer. Mais je sentais ce que ma crainte de ces lieux avait d'arbitraire, qu'ils n'étaient plus atroces pour moi que les autres à cause de ce que j'avais vu et que ma présence seule avait fait — peut-être — avorter. Ils étaient peu nombreux, successifs comme ces images que je me faisais d'un pays à cause de l'infirmité de l'imagination. Mais si l'on pouvait en conclure qu'ils n'étaient pas plus terribles, on le pouvait aussi que les autres l'étaient tout autant. Sans doute la rue de la mer, le pâtissier, tant d'autres lieux, et des lieux du passé où elle retournerait m'eussent causé des impressions aussi cruelles. Et je ne pouvais pas, ne fût-ce qu'à cause de mon état de santé (la maladie est un frein à la fatigue et si ce frein ne nous est pas donné nous le cherchons dans la mort), être à toute minute avec elle, ce qui eût du reste été souffrir à toute minute. Il y eut alors des jours où je voulus me noyer, me pendre, la tuer (car on aime une femme comme on aime le poulet à qui on est heureux de tordre le cou pour en manger à dîner, seulement pour les femmes on veut les tuer non pour en avoir du plaisir mais pour qu'elles n'en prennent pas avec d'autres). Sans doute ce jour où je voulus me pendre à cause du coup de coude au tennis, je me rappelai très bien que la salle d'études où Gilberte disparaissait parfois, et l'avenue des Champs-Élysées où je l'avais vue un soir se promener avec un jeune

1. C'est par ces mots que se termine le Cahier IV du manuscrit.
2. Ce passage figure d'une part dans la marge du Cahier V et d'autre part sur une paperole ajoutée au Cahier V.

homme, avaient été pour moi des lieux aussi odieux et ne l'étaient plus du tout, ces impressions étant peu durables, par conséquent sans réalité, comme celles que le café rend pendant quelques heures si claires, si puissantes, et que sa suppression rend faibles, mais ici en un délai non de quelques heures mais de quelques années ou quelques mois, par l'oubli. Mais le passé a beau nous instruire, c'est (qu'il s'agisse de nous tuer immédiatement ou de nous rendre la vie impossible en mangeant en un an notre fortune) aux sensations de la minute présente que nous sacrifions un avenir où nous savons que nous ne nous soucierons plus d'elle. Ainsi, car on a beau savoir que sous la curiosité simplement voluptueuse, sous un léger plaisir amoureux, c'est l'atroce souffrance de bientôt qui se cache comme un poison sous les fleurs, on est si lâche qu'on cède chaque fois au plaisir d'aimer, en préférant ainsi soi-même son être au châtiment terrible de l'Ange ; deux fois pourtant où j'étais calme, où Albertine était gentille, où je ne l'aimais presque plus, je voulus profiter de ces bons moments pour me tuer. Ce qui m'en empêcha fut un mal de gorge compliqué d'un accès de fièvre. On est si naïf qu'on s'imagine la mort et les minutes qui la précèdent comme la simple continuation, le son soutenu par une pédale, des minutes qu'on vient de passer. Si elles sont agréables la mort paraît douce. Mais le prolongement sous l'espèce de l'éternité d'un mal de gorge n'attire pas. La maladie conseille la guérison <et> la vie. En tous cas que ceux qui ont connu les terribles souffrances de l'amour, une fois débarrassés ne laissent pas échapper une occasion de recommencer avec une autre est encore plus incroyable que de voir des hommes qui ayant souffert la démorphinisation, se remettent périodiquement à la morphine, en sachant qu'il leur faudra recommencer chaque fois la terrible crise. *add. et paperole*] renaissait en moi[1], mais aussi douloureuse maintenant qu'elle avait été enivrante, cette curiosité qui avant que j'eusse parlé à Albertine me faisait me demander, dans le désir d'être maître de tout son corps, ce que reflétait la plaque noire et éclatante de ses yeux, quelles pensées, quels désirs, quels souvenirs d'une existence qu'il me fallait connaître et me soumettre, sans quoi la possession du corps serait incomplète puisque m'échapperaient les yeux. Leur émail derrière lequel j'aurais tant voulu pénétrer autrefois, croyant y trouver le bonheur, je me demandais souvent maintenant ce qu'il contenait quand, transmuté en un sombre velours profond et doux je le surprenais, tandis que je causais avec une autre jeune fille, immobilisé en face de mon interlocutrice en ce qui était peut-être une rêverie distraite, mais peut-être aussi une contemplation. Était-ce le désir, le souvenir, de certaines caresses ou seulement la vague d'un moment de fatigue et d'absence qu'Albertine cachait alors sous les pétales noirs et veloutés de ses yeux tandis que, isolés, immobiles comme s'ils avaient été en prière, ils gardaient un recueillement dont ils avaient vite fait dès qu'ils se sentaient surpris, de s'éveiller et de sortir. En eux d'ailleurs, même quand j'étais seul avec elle, je distinguais parfois le long des prunelles, comme d'une fenêtre éclairée, les ombres mobiles de pensées qui allaient et venaient à l'intérieur que je ne pouvais voir. Le reste du visage, ces joues avec leur saveur que j'avais crue si désirable et trouvée si fade, s'étaient à nouveau remplies pour moi de choses inconnues et parfois quand Albertine s'arrêtait brusquement au

1. C'est par ces mots que débutait le Cahier V avant la longue addition marginale et sur paperole.

milieu d'une phrase aussi insignifiante que : « Tiens, j'ai oublié mes gants au tennis » ou « Ah ! demain je ne pourrai venir que tard » et comme si ces mots avaient exhibé quelque incompréhensible indécence qu'il fallait cacher au plus vite, elles se couvraient, comme le ciel après le coucher du soleil, d'une rougeur mystérieuse. Mais celle-ci révélait trop la nudité qui avait eu le temps de disparaître et l'avait laissée là, de sorte qu'Albertine portait ses mains sur son visage pour tâcher d'écarter ces voiles de pourpre qui en se déroulant avaient en un instant gagné jusqu'à son front. Parfois, venant de l'abîme, inexplorable pour autrui, où, en tout être, roulent en silence comme des mondes inconnus, ses joies mortes et ses aspirations vers l'avenir, tout d'un coup passaient sur les joues d'Albertine le reflet ardent ou l'ombre de quelque pensée invisible, rapide comme un éclair de chaleur, comme une étoile filante, ou prolongée comme une éclipse. Et ce mystère pareil à celui qui m'avait jadis donné un si grand désir de posséder les pensées, les souvenirs, toute la vie qu'Albertine menait avec ses amies, parce que maintenant, comme alors, quoique sans joie, je ne me sentais pas maître de tout cela, qui était en eux, je ne posséderais pas les yeux, ce second mystère ressemblait encore au premier — où la curiosité de ce qui était dans les regards, l'amour de la beauté, m'avait donné le désir et le goût de toute une sorte d'existence inconnue — lui ressemblait encore en ceci qu'il était comme lui épars dans toute la petite bande de jeunes filles et que parfois si j'arrivais un peu brusquement auprès d'elles, je l'y surprenais, commun à elles toutes, comme eût été une âme collective. Alors ce n'était pas Albertine seule qui se taisait soudain, éprouvait une gêne qu'elle cherchait à cacher par tant d'assurance que si même ce jour-là elle était malade et triste, elle répondait à ma question : « Comment allez-vous ? » « Mais admirablement bien ! » Sur Victoire, sur Rosemonde, sur Gisèle, peut-être tout simplement parce que sans qu'aucune fût coupable elle les avait averties de prendre garde à ne pas donner prise à mes soupçons, je voyais le secret qu'elle n'avait pas eu le temps de cacher à mon approche traîner en désordre sur leur visage surpris. Et un même trouble peut-être fort innocent et imprudemment extériorisé fardait encore si bien leurs joues, avait si bien suspendu pour un instant leurs mouvements comme dans l'immobilité d'une pose devant un peintre, qu'elles formaient à nouveau comme autrefois au bord de la mer ou dans la campagne ce groupe de beautés magnifiques qu'un Rubens semblait avoir assemblées, et me donnaient à admirer ce concert de visages contrastants, tachetés par un même mensonge dont l'ardent incarnat les avait éclaboussées. / Quand elles furent toutes parties et qu'Albertine se trouvât seule (Andrée devait revenir pour la fin de la saison, mais celle-là sa présence ne me ferait pas souffrir et même à cause de l'aversion particulière que je lui savais pour ce vice, de sa supériorité d'intelligence, et de sa confiante intimité avec moi, je n'eusse été que plus tranquille si elle eût été là), la voir me fut plus facile, moins nécessaire et me parut même dangereux. À supposer même qu'Albertine pût éprouver du bonheur auprès de moi, comme il ne se laisse jamais posséder *ms., dactyl.* : prévenir une interprétation défavorable. [Pendant plusieurs jours *[comme dans ms.]* aucune explication. Et ainsi renaissait en moi *biffé*] [Je me rappelle aussi une triste journée de cette période qui allait finir. *add.*] [J'avais mal compris *[p. 194, 3ᵉ §, 1ʳᵉ ligne]*, dans mon premier séjour [...] personne était plus jalouse *[p. 197,*

1er §, dernière ligne] que moi-même. *add.*[1] [Au reste ma jalousie causée par les femmes qu'aimait peut-être Albertine, allait brusquement cesser. *add.*] *[trois feuillets absents*[2]*]* *[*Quand elles furent toutes parties *[comme dans ms.]* auprès de moi, comme il ne se laisse jamais *vraisemblablement corrigé sur dactyl. corr. en* Les amies d'Albertine *[p. 249, 2e §, 1re ligne]* étaient parties [...] ne se laisse jamais posséder *dactyl. corr.* ◆◆ *b.* donne elle eût *ms., dactyl., dactyl. corr., orig. Nous corrigeons en supprimant* elle *qui est un résidu de la rédaction du manuscrit, remaniée dans la dactylographie corrigée.*

Page 250.

a. sur la digue sans moi *[p. 249, 10e ligne en bas]* Dès le lendemain du départ de ses amies, comme Saint-Loup venait d'arriver à Doncières-La-Goupil je demandai à Albertine de m'y accompagner. [En même temps pour avoir d'avance du pain sur la planche j'avais envoyé la veille un télégramme à Mme Verdurin en lui demandant si pour le cas où je serais bien un jour de la semaine je pourrais venir la voir, au besoin avec une cousine (c'était Albertine à qui je prêtais cette parenté) que je pouvais difficilement laisser seule. Je demandais de plus à Mme Verdurin de me dire pour une raison que je lui expliquerais de vive voix si Mme Putbus était en ce moment ou arriverait prochainement à La Raspelière. J'étais décidé en effet, ce que je me gardai d'écrire à Mme Verdurin, à ne pas aller chez elle si elle avait actuellement Mme Putbus comme invitée, ou peut-être à y aller sans Albertine, pour causer à la femme de chambre et m'assurer qu'il n'y avait aucun risque qu'elle vînt en promenade à Balbec. *biffé*] [Ainsi nous ne serions pas trop longtemps seuls ensemble. Je conseillai <à> Albertine de se remettre à la peinture *[comme dans le texte définitif, avec lég. var.]* pour emmener Albertine au loin ce jour-là. *corr.*] Le petit chemin de fer *ms.* ◆◆ *b.* la falaise d'Équemauville. Bientôt le petit train lui-même arriva lentement. *ms., dactyl.* : la falaise d'Équemauville. Bientôt le petit train arriva lui-même lentement. *dactyl. corr.* ◆◆ *c.* où on aurait voulu. Une bicyclette rapide au contraire arriva à ce moment. Le lift en sauta pour venir à moi, il était hors d'haleine. Mme Verdurin avait téléphoné un peu après notre départ pour demander que je vinsse dîner [le lendemain *biffé*] après-demain. [Monsieur peut amener qui il veut. La dame dont Monsieur a parlé n'est pas là en ce moment *biffé sur ms.*] Le [sur *add.*] lendemain était en effet un mercredi et chose que j'ignorais, c'était à La Raspelière comme à Paris le jour de grand dîner pour Mme Verdurin. Mme Verdurin ne donnait *ms., dactyl.*

1. Plusieurs lieux de la géographie proustienne d'avant 1914 se trouvent ainsi rapprochés : Balbec d'*À l'ombre des jeunes filles en fleurs*,

1. Cette addition figurait déjà dans la dactylographie corrigée sur une paperole (voir var. *a*, p. 194). Proust a vraisemblablement songé à reporter ici ce passage pour conclure les scènes éveillant les soupçons du héros.

2. Ces trois feuillets devaient sans doute porter le texte définitif, depuis « Nous étions Albertine et moi » (p. 248, 2e §, 1re ligne) jusqu'à « qu'il ne se laisse jamais posséder complètement » (p. 249, 2e §, 4e ligne), ce texte se substituant au début du Cahier V du manuscrit.

Doncières du *Côté de Guermantes*, et bientôt la maison de campagne des Verdurin que la version de 1912 du roman, à la suite des brouillons de 1909, situait dans la région parisienne (voir les Esquisses II et XI, p. 938 et 1028). L'amalgame n'incite pas à chercher à tracer un plan réaliste pour le trajet du petit train (voir n. 4, p. 180).

2. Dans une lettre à la comtesse de Maugny datant de la fin de 1920, Proust décrit un petit chemin de fer de la montagne, qui aurait servi de modèle pour le petit train de Balbec : « Que de soirs nous avons passés ensemble en Savoie à regarder le mont Blanc devenir, tandis que le soleil se couchait, un fugitif mont Rose qu'allait ensevelir la nuit ! Puis il fallait regagner le lac de Genève, et monter, avant Thonon, dans un bon petit chemin de fer assez semblable à celui que j'ai dépeint dans un de mes volumes non encore parus, et que vous recevrez l'un après l'autre, si Dieu me prête vie. Un bon petit chemin de fer patient, d'un bon caractère, qui attendait, le temps voulu, les retardataires, et, même une fois parti, s'arrêtait si on lui faisait signe, pour recueillir ceux qui, soufflant comme lui, le rejoignaient à toute vitesse. À toute vitesse, en quoi ils différaient de lui, qui n'usait jamais que d'une sage lenteur. À Thonon, long arrêt, on serrait la main d'un tel qui était venu accompagner ses invités, d'un autre voulant acheter les journaux, de beaucoup que j'ai toujours soupçonnés de n'avoir rien d'autre à faire là que de retrouver des gens de connaissance. Une forme de vie mondaine comme une autre que cet arrêt à la gare de Thonon » (lettre ayant servi de préface à *Au royaume du bistouri. Trente dessins par R. de M.*, Henn, s. d. [1920 ?] ; *Essais et articles*, éd. citée, p. 566-567).

Page 251.

a. qui lisait *La Revue des Deux-Mondes*. Malgré *ms., dactyl.* : qui lisait *La Revue des Deux-Mondes* [et M. Nissim Bernard qui avait un œil poché *add.*]. Malgré *dactyl. corr.* ✦✦ *b.* prétentieuse dans ses gestes, et *ms.* : prétentieuse dans ses goûts, et *dactyl., dactyl. corr., orig. Nous retenons la leçon du manuscrit.*

1. La princesse Sherbatoff existait dès les brouillons de 1909 (voir l'Esquisse X, p. 1006). Dans *Jean Santeuil* (éd. citée, p. 377 et 700), une marquise était pareillement prise pour une cocotte.

2. Plus haut, p. 250, l'invitation était pour le surlendemain. Il s'agit ici d'un résidu d'une rédaction antérieure (voir var. *c*, p. 250).

Page 252.

a. plus considérable que moi. *Proust a ajouté, puis biffé à cet endroit, dans la marge de la dactylographie corrigée l'épisode des frères aux têtes de tomates dans une version plus brève :* M. Nissim Bernard ne nous gêna pas car il descendit à la première station. Il trompait son jeune commis avec un garçon du restaurant « Aux Cerisiers » [...] J'espérais *[voir la variante suivante]* ✦✦ *b.* J'espérais qu'elle descendrait à Toutainville, mais non. *ms., dactyl.* : J'espérais que la dame [...] mais non. *dactyl. corr., orig. La leçon de la dactylographie corrigée et de l'édition originale n'a pas de sens puisque M. Nissim Bernard n'est plus dans le train.* ◆◆ *c.* s'arrêta à Évreville, elle resta *ms., dactyl., dactyl. corr., orig. Nous corrigeons.*

1. Voir n. 1, p. 177.
2. Sur le trajet du petit train, voir n. 4, p. 180.

Page 253.

a. l'arrivée au paradis *[1er §, 21e ligne]* d'un être qui a souhaité d'être immortel et l'a souhaité en tous temps, mais tous temps — l'un après l'autre *perdus* — où chaque fois il est devenu déjà si différent que rien que ce seul souhait était en lui-même contradictoire. Et pourtant à travers ces moi si différents certaines particularités, si rares, si intermittentes soient-elles, persistent, plus longtemps même peut-être que la vie de l'individu, au cours de toute une ascendance. J'en devais connaître de plus essentielles, j'en retrouvai une bien chétive au cours de cette promenade dans Doncières : « Ton oncle Charles est chez sa belle-sœur, avais-je dit à Saint-Loup. — Oui, me répondit-il, et je lui ai fait une scène sur la sortie qu'il t'a faite chez lui le soir de ton premier dîner chez ma tante Guermantes. — Mais je t'avais défendu de lui en parler ! — Ça m'est égal, je l'ai fait exprès, ce n'est pas mauvais de lui donner des leçons de temps en temps. — Mais ce n'est pas bien de ta part pour moi. — Enfin que veux-tu, c'est ainsi. J'ai tenu à le dire, je l'ai dit, et je recommencerais si c'était à refaire. » Je me rappelai aussitôt ce qu'il avait déjà répété à Bloch et qu'il m'avait avoué avec le même air de satisfaction. C'était décidément quelque chose à quoi une fois par hasard il fallait s'attendre avec Saint-Loup, quelque chose d'absolument excentrique à son caractère, qui était peut-être en lui le caractère d'un parent dont il tenait comme on a le nez d'un oncle, peut-être une violence momentanée et qu'ensuite il essayait de fonder en raison comme il était plus intellectuel qu'intelligent, due à quelque état de l'estomac ou des nerfs. Quoi qu'il en soit à ces moments-là son caractère, son éducation sur lesquels, même une fois qu'on le connaissait bien on croyait pouvoir compter aveuglément, craquaient, se dérobaient, tant il est difficile de tenir dans notre intelligence une vue complète de toutes les possibilités du caractère de quelqu'un. En réalité la race humaine est trop vieille, les tares se sont multipliées par l'hérédité, et si nous examinions avec impartialité les gens les plus sensés, les meilleurs que nous connaissons, nous reconnaîtrions qu'il n'y a peut-être personne dont nous ne puissions dire à un certain moment, pour l'excuser dans telle circonstance, ou devant telle manie : « C'est un fou. » / L'heure où Saint-Loup devait nous quitter arriva enfin. « Tu sais qu'on prétend que ma tante Oriane se sépare de mon oncle, me dit-il avant de me dire adieu. Je n'ai pas à t'apprendre combien le ménage va mal. Ce n'est pas la première fois qu'on annonce la séparation ou le divorce. Mais cette fois-ci je crois que ça y est. Ça nous ennuiera beaucoup, mais vraiment la vie d'Oriane n'est pas tenable. Je ne sais pas du reste s'ils ne sont pas déjà séparés de fait. En tous cas il n'était avec elle à aucune des représentations de charité qui ont clôturé la saison. Ça a frappé tout le monde. » Il nous laissa *ms., dactyl.* ◆◆ *b.* mes adieux à... (chez ma tante) parce que *ms., dactyl.* ◆◆ *c.* Mlle de Kermaria *ms., dactyl.*

Page 254.

a. c'était vrai. Car remontant plus haut que le premier baiser que m'avait donné Albertine, je me souvenais des paroles de Bloch sur le désir qui possède toutes les femmes. Mais il m'eût *ms., dactyl.* ↔ *b.* comme *ms.* : encore *dactyl., dactyl. corr., orig. Nous retenons la leçon du manuscrit.* ↔ *c.* sa conversation, comme monte un jet d'eau ou un feu d'artifice, je ne me rendais *ms., dactyl.* ↔ *d.* avec les cheveux grisonnants[1]. *ms., dactyl.* : avec les cheveux grisonnants [, tout ce qui aux lumières eût semblé l'animation du teint chez un être encore jeune. *add.*] *dactyl. corr. Le passage qui suit ces mots et qui va de* Tout en causant avec lui *à* le faisait surveiller. *[p. 256, 1er §, dernière ligne] figure dans la dactylographie corrigée sur une paperole qui annule trois feuillets déjà paginés. Proust a donc récrit au dernier moment la rencontre de Charlus et Morel (voir pour les états antérieurs, var. c, p. 256).*

1. La rencontre entre M. de Charlus et le musicien est l'une des scènes les plus anciennement conçues du roman, de même que la rencontre entre M. de Charlus et Jupien : Proust mentionne toujours ces deux rencontres ensemble dans ses lettres (voir la Notice, p. 1204 et 1223). En 1909, il ébauche la rencontre du musicien à la suite de la rencontre de Borniche, le fleuriste qui préfigure Jupien (voir l'Esquisse II, p. 939). Dans la version de 1912, où les Verdurin résident aux environs de Paris, comme dans les brouillons de 1909, la rencontre a lieu à la gare Saint-Lazare (voir l'Esquisse XI, p. 1022). Elle est déplacée à Doncières, ville désormais située en Normandie, au début de la guerre, lors de la mise en place du second séjour à Balbec (voir l'Esquisse XVII, p. 1089). Le musicien a d'abord été, en 1909 et en 1912, un pianiste : le modèle en serait Léon Delafosse (1874-1951), pianiste que Proust présenta en 1894 à Robert de Montesquiou. Ce dernier le protégea et le lança dans le monde, jusqu'à la brouille qui eut lieu trois ans plus tard. Dans le Cahier 72, brouillon rédigé au début de la guerre pour la seconde partie du séjour à Balbec, le musicien ne porte pas encore de nom, mais, dans une addition sur une page de gauche, il s'appelle Charley (f° 29 v°). On songe à Charlie Humphries, un jeune Anglais, ancien valet de chambre d'Henri Bardac et ami de Paul Goldschmidt (voir une lettre de décembre 1917 à Paul Goldschmidt, *Correspondance*, t. XVI, p. 327-329). Dans le manuscrit mis au net pendant la guerre, il porte le nom de Santois. Alors que le musicien avait une apparence féminine dans les textes d'avant-guerre (voir l'Esquisse XI, p. 1022 en particulier), il devient mâle dans le texte définitif (voir l'Esquisse XVII, n. 1, p. 1091, en particulier). Le personnage sera enrichi jusque sur les épreuves du roman, prenant de plus en plus d'envergure, comme pendant d'Albertine. Dans une lettre d'octobre 1921 à Gaston Gallimard, Proust dit encore : « la première rencontre de Charlus et Morel est entièrement changée ces jours-ci » (*Lettres à la N.R.F.*, éd. citée, p. 155).

1. Voir la variante *c*, page 256.

Page 255.

a. Le musicien porte le nom de Santois *dans le manuscrit et dans la dactylographie (voir var. c, p. 256). C'est dans la dactylographie corrigée que Proust lui donne son nom définitif :* Morel . ◆◆ *b.* comment le baron pouvait connaître Morel. La disproportion sociale à quoi je n'avais pas pensé d'abord était trop immense. L'idée *dactyl. corr.*[1] : comment le baron pouvait connaître la disproportion sociale à quoi je n'avais pas pensé. L'idée *orig. Nous retenons la leçon de la dactylographie corrigée, celle de l'originale n'offrant pas de sens logique.* ◆◆ *c.* c'est que, devant partir pour *dactyl. corr.* : c'est que, avant de partir pour *orig. Nous adoptons la leçon de la dactylographie corrigée.*

Page 256.

a. tout en continuant harmonieusement *dactyl. corr.* : tout en contribuant harmonieusement *orig. Nous retenons la leçon de la dactylographie corrigée.* ◆◆ *b.* figures [intercalées *lecture douteuse*]. Au reste *dactyl. corr.* : figures interceptées. Au reste *orig. La leçon de l'originale n'offrant pas de sens, nous revenons à la leçon probable de la dactylographie corrigée.* ◆◆ *c.* avec les cheveux *[p. 254, 3e §, avant-dernière ligne]* grisonnants[2]. Au moment où je détournais légèrement la tête pour que, du quai, M. de Charlus ne pût m'apercevoir, il s'arrêta net, frappé comme d'un boulet par la vue d'un jeune militaire au beau visage, l'air mâle et décidé, mais qui ne devait pas manier des engins trop meurtriers car il portait seulement un clairon brodé sur sa manche au-dessus de son double galon rouge de caporal. C'était le jeune Santois. Pendant quelques instants la figure de M. de Charlus prit l'expression assez étrange qu'il avait parfois en apercevant soudain certains jeunes gens. La vue d'un bœuf qui se mettrait à voler n'eût pas causé chez lui un air de stupéfaction plus profonde. Et comme en même temps pour les gens avoisinants, surtout s'il y en avait de connaissance, l'élan de son regard projeté se brisait en une série de mines confuses, interrogatives et graves. Et tandis que continuaient à flamber ses yeux qu'il ne pouvait pas éteindre il avait l'air à la fois déconcerté d'un poltron qu'on vient d'insulter ou d'un homme contrarié d'une mésaventure ou qui serre la main dans un enterrement. Quand j'avais vu Santois au concert de Balbec, si j'avais parlé le langage de la plupart des gens, je lui aurais certainement dit : « Que diable faites-vous ici ? », phrase consacrée, particulière à la vie en voyage et de bains de mer, et qu'entendent à l'égal du « devine qui je viens de rencontrer » ou « comme le monde est petit » qui la suit d'habitude quelques minutes après les quais des gares, les halls d'hôtel, les salons de casinos. C'est que le théâtre du monde habituellement habité dispose de moins de décors que d'acteurs — de même qu'il possède moins d'acteurs que de « situations ». De sorte que de même que des péripéties tout à fait différentes se passent à quelque temps de distance dans une même chambre, de même un même acteur se retrouve dans des circonstances différentes et d'autres lieux — même dans des situations où il est méconnaissable et pourtant reconnu. « Reconnaissances » qui

1. Voir var. *d*, p. 254.
2. Voir var. *d*, p. 254.

seraient un pauvre expédient dans une œuvre factice, mais qui peuvent atteindre jusqu'à la plus haute et la plus shakespearienne fantaisie, quand elles expriment le romanesque vrai de la vie où un personnage est pris pour ce qu'il n'était pas et arrive là où on ne l'attendait guère. / « Vous verrez que je ne serai plus comme cela, pardonnez-moi », me dit Albertine en me tendant tristement la main et sans faire attention à M. de Charlus qu'elle ne connaissait pas. « Quant à votre ami si vous croyez qu'il m'intéresse vous vous trompez bien, la seule chose qui m'intéresse en lui c'est qu'il a l'air de tant vous aimer. » / Comme le caporal-clairon avait l'air d'attendre juste en face <de> la salle où nous étions le train d'intérêt local qui sur l'autre voie s'arrêtait à Doncières cinq minutes avant celui qui devait nous ramener à Balbec et sur l'autre voie, M. de Charlus pressé par le temps n'hésita pas à rebrousser chemin et alla droit au militaire. À partir d'un certain âge, et même pendant que d'autres évolutions s'accomplissent en chacun de nous, les traits par lesquels on ressemble à certains membres de sa famille vont s'accentuant. De sorte qu'au fur et à mesure qu'on devient plus soi-même, que par certains traits on diffère de plus en plus d'eux, par d'autres on leur ressemble de plus en plus. C'est ainsi par exemple qu'à l'époque où M. de Charlus commençait à devenir tout ce qu'il y a de plus différent de certains membres tout à fait stupides de sa famille, presque tous défunts, ceux-ci comme des affluents venaient rejoindre et grossir sa personnalité. Dans les années mêmes où il était un homme d'une intelligence qui eût été incompréhensible à ces parents racornis, et de plus une curieuse tante, il devenait aussi un oncle à manies du vieux faubourg Saint-Germain, un amusant personnage en même temps qu'une étrange personnalité. Mais la ressemblance qui me frappa au moment où le baron marcha ainsi au militaire, fut une ressemblance frappante aussi bien dans la patte d'oie du coin de l'œil que dans un certain balancement de la démarche. Le baron allait vers ce clairon exactement de la même manière que j'avais souvent aperçu le duc rattrapant une femme dans la rue. La courbe de leurs mouvements, l'entrelacs étaient les mêmes. Seule la figure interposée était un jeune homme au lieu d'une femme ; car la nature continue harmonieusement le dessin de sa tapisserie, mais dans l'unité de la composition introduit la variété des figures. On ressemble mais en différant, et pourtant même en différant on ressemble encore. Le baron alla donc droit au clairon et s'arrêta devant lui, le toisant avec une certaine hauteur. Hauteur relative d'ailleurs, comme celle de la situation de M. de Charlus qui variait selon le point de vue d'où on la considérait. Un Guermantes domine en effet un vulgaire pioupiou. Mais un vieux débauché qui l'aime est dominé par tout beau jeune homme. De sorte que la vie de tout Charlus se passe en avances à des gens qu'il dédaigne à cause de sa suprématie, que reconnaît la noblesse mais non par exemple le préfet de police qui le fait surveiller. Parlant à cause de l'agitation où il était et aussi de l'air d'assurance et d'autorité qu'il voulait prendre, beaucoup plus haut qu'il n'aurait voulu, « Pardon Monsieur », fit M. de Charlus en levant lentement sa main gantée jusqu'au feutre gris dont elle n'atteignit pas tout à fait le rebord, tandis que ses regards feignant le vague d'une somnolence esquissaient l'embryon d'un salut, « excusez-moi de vous aborder ainsi. Mais je vois que vous êtes musicien... vous jouez du clairon ? » C'était une feinte de M. de Charlus car il n'avait certainement pas manqué d'apercevoir que le jeune clairon, comme le témoin d'un duel porte les pistolets, tenait enveloppé dans sa gaine un violon, appendice matériel caractéristique de sa profession, complétant la silhouette humaine de l'artiste comme la coquille celle du colimaçon. Santois qui n'avait pas répondu jusqu'ici au salut et avait gardé l'air avenant mais hardi, c'est-à-dire en somme railleur et presque insolent d'un jeune Français qui n'a pas froid aux yeux, interrompit M. de Charlus. « Je suis premier prix de violon au Conservatoire. — Ah ! voilà qui m'intéresse bien davantage, dit M. de Charlus. En deux mots, Monsieur, pour ne pas vous faire manquer votre train, et pour le cas où vous auriez des relations musicales dans cette ville, j'aurais voulu me faire jouer ce soir une sonate de Bach. Naturellement vous ne pouvez pas puisque vous êtes militaire et trop pris, dit hypocritement le baron, mais peut-être connaissez-vous un artiste plus libre. Les conditions seraient cent francs pour la séance. Et en somme cela pourrait peut-être en me rendant très grand service ne pas être désagréable au musicien. — Mais je ne suis pas si pris que cela, dit le musicien, ce soir je ne suis pas libre, vous tiendriez absolument à ce que ce fût ce soir... — Le train est signalé, *ms., dactyl.* ↔ *d.* à qui *ms.* : en qui *dactyl., dactyl. corr., orig. Nous retenons la leçon du manuscrit.*

1. En marge de la mise en place rédigée pendant la guerre, Proust avait noté : « Marchande de journaux voulant absolument qu'on prenne *L'Écho de Paris* serait mieux » (Cahier 46, f° 97 v°).

Page 257.

a. au-dessus de son âge. Mais il sentait que cet enfant était déjà un homme ; et il ne se trompait pas car, comme il y a des exceptions à toutes les règles, c'était la première fois peut-être que dans ses amours il allait donner le nom d'homme, non plus à un hermaphrodite mais à un mâle. « Voilà quelqu'un *ms., dactyl.* ↔ *b.* se dit M. de Charlus, emporté par l'élan diffusé du désir physique qui pour se dissimuler disparaît d'un côté sous les champs de l'imagination, de l'autre sous ceux de l'utilité pratique. Le train *ms., dactyl. erronée.* ↔ *c.* De même que quand je disais à Mme de Villeparisis que j'aimerais causer avec lui et qu'elle me répondait : « Il serait *ms., dactyl.*

1. La fin de l'épisode était légèrement différente dans le Cahier 46 : « Je sentis que pour une fois car il y a des exceptions à toutes les règles c'était en effet un homme qu'avait rencontré M. de Charlus » (f° 97 v°).

Page 258.

a. où le désir met à une échelle *ms.* : où le désir à une échelle *dactyl., dactyl. corr., orig. Nous retenons la leçon du manuscrit.* ↔ *b.* une certaine élégance qui ne se commet pas avec tout le monde, le jugement *ms.* : une certaine élégance qui ne se connaît pas avec tout le monde, le jugement *dactyl.* : une certaine élégance [qui ne se connaît pas avec tout le monde, *biffé*] le jugement *dactyl. corr.*

1. Sur la parenté des Guermantes et des La Rochefoucauld, voir n. 3, p. 81.

2. Sur le caoutchouc d'Albertine, voir l'Esquisse XVI, p. 1069, et l'Esquisse XVII, p. 1081 et 1089-1090. Il y sera fait allusion dans *Albertine disparue* (t. IV de la présente édition). Albert Agostinelli était revêtu d'un caoutchouc semblable lors des randonnées avec Proust en automobile : « [...] mon mécanicien aurait revêtu une vaste mante de caoutchouc et coiffé une sorte de capuche qui, enserrant la plénitude de son jeune visage imberbe, le faisait ressembler, tandis que nous nous enfoncions de plus en plus vite dans la nuit, à quelque pèlerin ou plutôt à quelque nonne de la vitesse » (« Journées en automobile » [1907], *Pastiches et mélanges*, éd. citée, p. 66-67).

Page 259.

a. cette tunique de Nessus qui épousait *ms. Le nom propre a été laissé en blanc dans la dactylographie. Proust a commencé, dans la dactylographie corrigée, à le restituer puis l'a biffé.* ↔ *b.* lui dis-je *ms.* : dis-je *dactyl., dactyl. corr., orig. Nous retenons la leçon du manuscrit.* ↔ *c.* par *ms.* : sur *dactyl., dactyl. corr., orig. Nous retenons la leçon du manuscrit.* ↔ *d.* lointains et bleuâtres. *Fin du premier volume de l'édition de 1930 de « Sodome et Gomorrhe I » et « II » en deux volumes.* ↔ *e.* Dans le petit chemin de fer *C'est par ces mots que commençait l'extrait paru dans « La Nouvelle Revue française » du 1er décembre 1921 (p. 641 à 675) sous le titre « En tram jusqu'à La Raspelière ».* ↔ *f.* Cottard à la gare de... où *ms., dactyl.* : Cottard à la gare de Saint-Vast où *NRF déc.*

1. Vigny, « La Maison du berger », poème des *Destinées*, v. 323-324 (éd. citée, p. 128) ; voir l'Esquisse XVII, var *d*, p. 1090, et p. 1091. Proust récitait ces vers à Marie de Chevilly en 1899, en Savoie, « au bercement de la voiture [...] sur la route assombrie dans la nuit commençante » (lettre d'octobre 1899 à Pierre de Chevilly, *Correspondance*, t. II, p. 367).

2. L'extrait publié dans *La Nouvelle Revue française* en décembre 1921 : « En tram jusqu'à La Raspelière », qui commençait ici, était dédié à Jacques Boulenger, avec qui Proust correspondait depuis 1919, à la suite d'un article sur *À l'ombre des jeunes filles en fleurs*. L'histoire de cette dédicace est complexe. Boulenger ayant publié au printemps de 1921 un recueil de ses articles, *... Mais l'art est difficile !* (Plon), Proust insista pour que *La Nouvelle Revue française* en fît un compte rendu. Celui-ci parut en juin 1921, sous la signature de Louis Martin-Chauffier, dans le numéro même qui contenait l'article de Proust sur Baudelaire (« À propos de Baudelaire », *Essais et articles*, éd. citée, p. 618-639). Mais ce compte rendu était mitigé, il reprochait à Boulenger son excès de politesse envers les académiciens. Boulenger rédigea une réponse, où il notait que René Boylesve était le seul académicien à faire l'objet d'une de ses critiques. Elle parut dans *La Nouvelle Revue française* de juillet 1921, suivie d'un mot de Jacques Rivière, soulignant que Martin-Chauffier ne s'en était pas pris à l'Académie (voir la lettre à Jacques Boulenger, *Correspondance générale*, éd. citée, t. III, p. 248-251). Proust prit la dispute à cœur, d'autant plus, sans doute, que Boulenger avait été à l'origine de la parution

d'un autre extrait du roman, « Jalousie », dans *Les Œuvres libres*, publication qui avait irrité Gaston Gallimard (voir la Notice, p. 1252). C'est dans ce contexte que Proust proposa à Boulenger, en novembre 1921, de lui dédier l'extrait de *La Nouvelle Revue française*. L'affaire ne fut pas sans conséquence sur le roman, puisque Proust confie en novembre 1921 à Boulenger : « C'est au point que j'ai renoncé à écrire pour des étymologies à Martin-Chauffier (qui a toujours été très gentil pour moi cependant), parce que je ne peux pas m'empêcher de lui en vouloir » (*Correspondance générale*, éd. citée, t. III, p. 271).

3. Jean Cocteau, relisant *À la recherche du temps perdu* et abordant ici le dixième volume du roman, dans la collection Blanche de Gallimard, notait dans son journal : « Après relecture du premier volume de *Sodome et Gomorrhe*, je viens de relire avec stupeur les 150 premières pages du deuxième volume. [...] C'est illisible. Et j'ai relu mot par mot. Un gâchis de phrases mal écrites, de parenthèses après lesquelles ces phrases restent en suspens, de comique vulgaire, de personnages oubliés et retrouvés à l'improviste. [...] Bref ces 112 pages sont une mauvaise ébauche de ce qu'elles pouvaient être. Elles sont une large tache sur le reste et j'espère ne rien trouver d'analogue en relisant le tout. [...] C'est un désastre et donnant prise à une terrible révision en appel » (*Le Passé défini*, éd. citée, t. I, p. 269-270). Ce commentaire concerne les pages 259-368, c'est-à-dire le dîner chez les Verdurin. Sur la présentation des fidèles dans la version de 1912, à commencer par Brichot, voir l'Esquisse XI, p. 1019 et suiv. Brichot y porte aussi le nom de Crochard. Lors d'un brouillon plus ancien pour le personnage, dans le Cahier 24 (voir la notule de l'Esquisse IX), celui-ci s'appelle Cruchot : ces variations renvoient à l'un des modèles de Brichot, Victor Brochard (1848-1907), professeur de philosophie ancienne à la Sorbonne, qui fréquentait le salon de Mme Aubernon.

Page 261.

a. seul de son espèce dans un wagon, il ne manquait *ms.* : seul de son espèce, il ne manquait *dactyl., dactyl. corr., orig.* ✦✦ *b.* quelqu'un », et avec l'obscure perspicacité des voyageurs d'Emmaüs discernait, *ms.* : quelqu'un », discernait, *dactyl., dactyl. corr., orig. Nous adoptons la leçon du manuscrit pour des raisons de contexte (voir, dans la suite de la phrase, l'allusion à une* auréole *).* ✦✦ *c.* l'emporter sur les humanités[1]. Il se bornait *ms., dactyl. lacunaire.*

1. Brochard (voir n. 3, p. 259) souffrait d'une faible vue.

2. La réorganisation du haut enseignement eut lieu entre 1885 et 1896, abolissant les anciennes facultés napoléoniennes et créant les universités. Proust songe à la querelle entre les partisans des humanités classiques et ceux de la méthode, réputée germanique d'origine, qui divisa toutes les disciplines à la fin du siècle, et qui culmina entre l'affaire Dreyfus et la loi de séparation de l'Église et

1. Voir la note 2 de cette page.

de l'État. Brichot est du côté des humanités, comme Brunetière ou Faguet. Voir notre ouvrage, *La Troisième République des lettres, de Flaubert à Proust*, Éditions du Seuil, 1983.

Page 262.

a. Comment, lui avait-elle dit, une femme *ms., dactyl.* La Patronne *est une correction systématique de Proust dans la dactylographie corrigée.* ↔ *b.* même pas présenter ma « cousine » à Cottard (qui ne la reconnaîtrait certainement pas), car il était *ms., dactyl. Dans le manuscrit et dans la dactylographie, Albertine était du voyage.*

1. Voir *Le Côté de Guermantes I*, t. II de la présente édition, p. 509-510 ; et l'Esquisse XI, p. 1020.

Page 263.

a. personne de la société mais sans qu'ils en éprouvassent aucun regret, peut-être même parce qu'ils ne le voulaient pas. De sorte que les gens tout à fait élégants, arrivés au faîte et qui ne pouvaient plus monter, avaient un regard de perverse curiosité vers ces inconnus qui se passaient d'eux, qui ne cherchaient pas à aller chez eux comme tous ceux qui étaient en train de monter. D'ailleurs ce goût du nouveau, qui renaît perpétuellement de l'oisiveté de la vie mondaine et du vide que laissent les satisfactions de l'amour-propre, est généralement conjugué avec quelque idée directrice momentanément régnante et auxquelles *[sic]* les gens du monde dont le nom est seul du XVIIe siècle, mais dont l'esprit est gouverné par les modes intellectuelles du XXe, n'échappent pas. Le salon Verdurin passait *ms., dactyl.* ↔ *b.* il y en avait parmi eux qui étaient élèves à la Schola où la Sonate *ms., dactyl.* ↔ *c.* partition *[10e ligne en bas de page]* d'orchestre. Même la princesse de [Sélinonte *biffé ms.*] Caprarola ayant eu à demander à Mme Verdurin certains tableaux et certains meubles pour une exposition qu'elle organisait avec la comtesse Molé, était allée voir Mme Verdurin et avait dîné chez elle. Aussi Mme Verdurin disait : « Ah ! elle est intelligente, elle, c'est une femme agréable. Ce que je ne peux pas supporter ce sont les imbéciles, les gens qui m'ennuient. » Les imbéciles, les gens qui l'ennuyaient, c'étaient tous les gens qui n'étaient pas aimables avec elle. Et malgré cela il faut reconnaître que si l'on n'allait pas encore chez les Verdurin, c'était pourtant dans les milieux les plus intelligents du monde qu'on commençait à parler d'eux. Même Mme d'Arpajon avait prononcé leur nom *ms., dactyl.*

1. Voir n. 3, p. 141.

Page 264.

a. dites-vous, Verduret ? avait répondu *ms., dactyl.*

1. Voir n. 5, p. 49.

Page 265.

a. On sentait à son ton que cela voulait *[p. 264, 10e ligne en bas]* dire que pour elle, Odette, comme pour Mme de Souvré, on ne s'embarquait pas dans ces galères-là. Et peut-être en effet était-elle obligée à plus de prudence, n'étant rien, que les deux illustres personnes qui étaient avec la duchesse de Guermantes et un peu au-dessous, à la tête de la société, et n'avaient rien à perdre à aller chez les Verdurin. Chez ceux-ci d'ailleurs Mme de Caprarola était la seule personne qui fût venue et une fois seulement. Mais Mme Verdurin lui avait rendu sa visite et avait entrevu chez elle la comtesse Molé qui partait pour aller passer 15 jours chez la reine de Grèce. Et comme d'autre part Mme Molé avait été très aimable pour elle et que Mme Verdurin savait les trésors d'art que la comtesse possédait, celle-ci lui apparaissait non pas tout à fait à tort du reste comme une personnification de la plus haute aristocratie. Que ces premiers contacts avec le monde dussent avoir des suites ou non, leur seule conséquence jusqu'à présent avait été que les Verdurin souhaitaient assez vivement qu'on vînt maintenant dîner chez eux en habit du soir ; M. Verdurin eût pu maintenant être salué sans honte par son neveu, celui qui était « dans les choux » sans qu'ils fussent pourtant allés jusqu'à demander l'abrogation du veston aux anciens fidèles. / Parmi ceux *ms., dactyl.* ↔ *b.* Sentant qu'il ennuyait *ms., dactyl., NRF déc., dactyl. corr.* : Sentant qu'il s'ennuyait *orig. Nous retenons la leçon des états antérieurs.*

Page 266.

1. La description de Ski au piano pourrait être une allusion à la manière de Reynaldo Hahn (voir Claude-Henry Joubert, *Le Fil d'or. Étude sur la musique dans « À la recherche du temps perdu »*, Corti, 1984, p. 81).

Page 267.

a. gare d'Évreville, ils *ms., dactyl.* : gare [d'Évreville *corrigé en*[1] de Graincourt], ils *dactyl. corr.* ↔ *b.* semblaient elles-mêmes, même dans les moments les plus insignifiants, regarder elles-mêmes avec *ms., dactyl., dactyl. corr., orig. Nous supprimons le premier* elles-mêmes.

Page 268.

a. comme [eût dit M. de Tocqueville *biffé ms.*] [parlerait Mgr d'Hulst *corr. ms.*], un sale coup *ms., dactyl. lacunaire.* ↔ *b.* oublier la première. Celle-ci pendant ces vingt-quatre heures de rémission avait retrouvé de la force et me revenait avec une sorte de nouveauté. Les souffrances morales sont comme les médicaments. Elles peuvent continuer à produire plus longtemps un effet plus puissant, si on les fait alterner entre elles. À Harambouville, comme le tram *ms., dactyl.* ↔ *c.* peina le bon cœur et alarma *ms.* : peina et alarma *dactyl., dactyl. corr., orig. Nous retenons la leçon du manuscrit.*

1. Abel François Villemain (1790-1870), critique, professeur à la Sorbonne, membre de l'Académie française à trente et un ans, homme politique, fut ministre de l'Instruction publique dans le cabinet Guizot (1840-1844). Lors de sa campagne académique, en 1861, Baudelaire eut affaire à Villemain, alors secrétaire perpétuel. Il voulut se venger

1. Cette correction n'est pas autographe.

de la manière dont il avait été traité, et conçut un article qui ne vit pas le jour, mais dont des notes préparatoires furent publiées en 1907 dans le *Mercure de France* : « L'Esprit et le Style de M. Villemain » (*Œuvres complètes*, Bibl. de la Pléiade, t. II, 1976, p. 192-214). Proust a envisagé deux autres noms propres auxquels attacher l'expression prêtée à Villemain : Tocqueville et Hulst ; voir var. *a*. Dans une note de sa traduction de *Sésame et les lys*, à propos des archaïsmes de Ruskin, Proust remarquait déjà : « Employer tel mot dans son sens ancien devient, dans le genre sérieux, la marque d'un esprit sans invention et sans goût aussi bien que dans le genre plaisant faire suivre une locution d'argot des mots : "comme parle Mgr d'Hulst" » (*Sésame et les lys*, Mercure de France, 1906, p. 94 [suite de la note 1, p. 93]).

2. L'expression est notée dans le Carnet 3, f° 8 r°, sans nom d'auteur.

Page 269.

1. « Qui n'a pas vécu dans les années voisines de 1780 n'a pas connu le plaisir de vivre » ; ce mot célèbre de Talleyrand, dans une lettre à Guizot, est cité par ce dernier dans ses *Mémoires pour servir à l'histoire de mon temps*, Michel-Lévy, 1858-1867, 8 vol., t. I, p. 6. André de Fouquières juge que « le mot — si galvaudé — de Talleyrand sur la "douceur de vivre" s'impose », pour évoquer le temps d'avant 1914 (*Cinquante ans de panache*, éd. citée, p. 57). Du « plaisir de vivre » à la « douceur de vivre », la *dolce vita*, Proust n'est pas seul à faire le glissement.

2. Charles Maurice de Talleyrand-Périgord (1754-1838), prince de Bénévent ; voir *Le Côté de Guermantes I*, t. II de la présente édition, n. 2, p. 430.

3. Paul de Gondi (1613-1679), cardinal de Retz. Le mot de *struggle for lifer* adapte l'expression anglaise de *struggle for life*, vulgarisée par les travaux de Darwin, et apparue sous la forme *struggle-for-lifeur* dans la pièce d'Alphonse Daudet, *La Lutte pour la vie* (1889).

4. La Rochefoucauld (1613-1680), l'auteur des *Maximes*, fut prince de Marcillac jusqu'à la mort de son père. Le traitant ici de « boulangiste », comme un partisan du général Boulanger (1837-1891), Brichot paraît suggérer une équivalence — qui ne va pas de soi — entre le boulangisme et la Fronde.

5. Charles de Secondat, baron de La Brède et de Montesquieu (1689-1755).

6. Ce tic, à comparer au tic de langage de M. de Charlus, p. 440, est noté dans le Cahier 60, f° 105, en addition marginale.

7. Comparer aussi à M. de Charlus, p. 337. Proust note dans le Carnet 2 : « Mun. Politesse des articles sur la guerre : "l'empereur Guillaume" » (Carnet 2, f° 58 v°). L'allusion se rapporte aux articles du comte Albert de Mun dans *L'Écho de Paris* pendant les premiers mois de la guerre, articles réunis sous le titre *La Guerre de 1914. Derniers articles d'Albert de Mun* (28 juillet-5 octobre 1914), Éditions de l'Écho de Paris, 1914.

Page 270.

a. et à la campagne, où il se faisait *dactyl. corr., orig. Rédaction différente dans le manuscrit et dans la dactylographie.* ✦✦ *b.* grande-duchesse Anastasie, chez lesquelles, *ms., dactyl.*

1. Cette communauté religieuse de femmes était située à l'emplacement du 16, rue de Sèvres, à Paris, dans le VIIe arrondissement. Auprès du cloître, on ouvrit après la Révolution un asile pour les dames du grand monde. Mme Récamier s'y établit en 1814, et dans son salon défilèrent Chateaubriand, Lamartine, Hugo, qui y lurent leurs œuvres.

2. Émilie, marquise du Châtelet (1706-1749), dame de tabouret de la reine, femme de lettres, eut une longue liaison avec Voltaire, qui se retira chez elle à Cirey en 1734.

3. Voir dans l'Esquisse X, p. 1006, et l'Esquisse XI, n. 4 p. 1021, les descriptions de la princesse dans les brouillons de 1909 et dans la version de 1912. Dans *La Comédie humaine* de Balzac (*La Vieille Fille* et *Le Cabinet des antiques*), une grande dame russe s'appelle la princesse Sherbelloff (Bibl. de la Pléiade, t. IV, p. 931 et 1067). Dans une lettre d'août 1915 à Lucien Daudet, Proust note que « le tzar a pris comme ministre le prince Scherbatof (la princesse Scherbatof remplit le troisième volume) » (*Correspondance*, t. XIV, p. 202).

4. Voir p. 221 et n. 2.

5. Sans doute Agrippine, femme de Claude et mère de Néron. Tacite condamne le fait, contraire à la tradition des Anciens, qu'une femme siège devant les enseignes romaines (*Annales*, XII, 37). Alors que les cohortes prétoriennes sont partagées entre deux chefs, Agrippine fait transférer le pouvoir à un seul, qui lui est acquis (*ibid.*, 42), et elle préside au combat avec son mari (*ibid.*, 56). Le grief rejoint un reproche que Tacite faisait déjà à la première Agrippine (« Le pouvoir d'Agrippine était déjà plus grand auprès des armées que celui des légats, que celui des généraux » [I, 69]), et à Plancine (II, 55).

6. « Qui aime père ou mère plus que moi n'est pas digne de moi, et qui aime fils ou fille plus que moi n'est pas digne de moi », Évangile selon Matthieu, X, 37. Voir aussi Luc, XIII, 26.

7. En novembre 1891, Guillaume II écrivit cet aphorisme dans le livre d'or de l'hôtel de ville de Munich : *Suprema lex, regis voluntas*, « la volonté du roi est la loi suprême ». Quelques jours plus tard, le 23 novembre, passant en revue des recrues à Potsdam, il leur dit que, leur ordonnerait-il de tirer sur leurs frères, sœurs, père et mère, ils devraient obéir « sans un murmure ». Les deux incidents scandalisèrent l'opinion, en France, en Angleterre, en Russie, et aussi en Allemagne, où l'empereur était *primus inter pares*.

Page 271.

a. dans une pension de famille et en changeant de « pension » quand les Verdurin *ms., dactyl.* : dans une pension et changeant de pension quand les Verdurin *NRF déc.* : dans une pension et en changeant de « pension » quand les Verdurin *dactyl. corr., orig. Nous corrigeons.* ✦✦

b. vers de Vigny remis en lumière par une épigraphe de Robert de Montesquiou : « Toi seule *NRF déc.* ⁂ *c.* comme ces auteurs qui, craignant de *ms.* : comme les auteurs qui craignent de *dactyl., dactyl. corr., orig. Nous retenons la leçon du manuscrit.*

1. Vigny, *Éloa*, chant III, v. 47. Ce vers sert d'épigraphe aux poèmes de Robert de Montesquiou recueillis dans *Les Chauves-Souris*, G. Richard, 1893, nouvelle édition en 1907. Proust le cite dans une lettre de juin 1907, où il accuse réception du volume (*Correspondance*, t. VII, p. 174).

Page 272.

a. elle s'effaçait, avait exprès *ms., dactyl.* ⁂ *b.* de quelqu'un de nouveau ou si *ms. Les mots* de nouveau *ont été mal placés dans la dactylographie puis biffés dans la dactylographie corrigée.*

Page 273.

a. riche à vingt-cinq millions. Dame vingt-cinq millions, *ms., dactyl.*

Page 274.

a. Mme Verdurin c'est une femme du monde, tandis que la duchesse de Guermantes c'est une arriviste. Vous saisissez *ms., dactyl.* ⁂ *b.* ajouta-t-il *ms., dactyl., dactyl. corr., orig.* : ajoutait-il *NRF déc. Nous adoptons la leçon de la NRF.* ⁂ *c.* Cottard ajouta en *ms., dactyl.*

1. Voir *Du côté de chez Swann*, t. I de la présente édition, p. 185.
2. Voir *Le Côté de Guermantes I*, t. II, p. 597.

Page 275.

a. Un Cottard a ainsi sa baronne ou sa marquise, laquelle est pour lui « la baronne » ou « la marquise », comme *ms., dactyl.* : Un Cottard a ainsi sa marquise, laquelle est pour lui la « baronne », comme *dactyl. corr., orig. Nous retenons la leçon du manuscrit.* ⁂ *b.* jamais eu un, la marquise ou la baronne dont ce Cottard ne dit pas davantage le nom parce qu'elle est la seule qu'il connaisse, mais chez laquelle il est persuadé par ce qui découle de sa définition de marquise ou de baronne qu'il se rencontre en soirée avec tous les grands noms de France et qui se réduit en réalité à un lot de personnes titrées ou non qui ne sont pas connues d'une seule personne qu'on puisse citer et ne se rattachent à aucune société aristocratique, si obscure qu'elle puisse être. Mais qu'importe, plus les titres *ms., dactyl.* ⁂ *c.* centre gauche mâtiné de chéquard. » *ms. Les mots* mâtiné de chéquard *ne figurent pas dans la dactylographie.*

1. Les comtesses et les marquises anonymes sont nombreuses dans le théâtre de Marivaux, mais il n'y a pas une seule baronne.
2. Voir *Du côté de chez Swann*, t. I de la présente édition, p. 163-164. Proust, comme Émile Mâle, était hostile aux restaurations à la manière de Viollet-le-Duc (voir ici, p. 402).
3. Voir n. 2, p. 269.

Page 276.

a. À Saint-Pierre-des-Ifs monta une splendide jeune fille *Le passage qui commence par ces mots et qui va jusqu'à* et qu'on ne reverra jamais. *[p. 277, 1er §, dernière ligne] est une addition tardive de Proust dans la dactylographie corrigée ; elle est postérieure à la numérotation des pages de la dactylographie corrigée par Proust et absente de « La Nouvelle Revue française ». Son emplacement n'est pas clairement indiqué par Proust et elle pourrait venir après* alors que je sauterai dessus. *[p. 275, 13e ligne en bas de page], avant l'intervention de Saniette.* ⁂ *b.* rapide, [franche *corrigé en*[1] fraîche] et rieuse : *dactyl. corr.*[2].

1. Jean Cocteau remarque : « [...] les jeunes filles de l'époque ne fumaient pas dans les trains, n'avaient pas cette liberté d'allure garçonnière » (*Le Passé défini*, éd. citée, t. I, p. 269).

Page 277.

a. Il a sûrement été fourré au bloc, *ms., dactyl., dactyl. corr.*

Page 278.

1. Voir p. 144, où les héros de l'affaire Dreyfus étaient les mêmes, à la différence de Clemenceau, qui ne figure plus.

2. Vincent d'Indy (1851-1931) ne fit pas mystère de son antidreyfusisme, ni de son antisémitisme en général. Le cas de Debussy est moins simple. René Peter, ami commun de Proust et de Debussy, raconte : « D'instinct il se trouvait évidemment porté vers le parti des nationalistes, des soldats » (*Claude Debussy*, Gallimard, 1931, p. 144). Ses amis Pierre Louÿs et René Peter étant à couteaux tirés, Debussy aurait persisté dans sa neutralité. Il aurait cependant eu de la sympathie pour Picquart, en faveur de qui, au dire de Peter, il aurait signé un manifeste dans *Le Figaro* (*ibid.*, p. 150-151). L'ironie du sort a voulu que Debussy fût associé à Dreyfus après *Pelléas et Mélisande* : « La musique a maintenant son affaire Dreyfus », dit-on à la suite des articles de Jean Lorrain publiés dans *Le Journal* d'août à décembre 1903 et repris dans *Pelléastres* (A. Méricant, 1910) ; voir Edward Lockspeiser, *Debussy*, Londres, Cassell, 1965, t. II, p. 75.

Page 279.

a. tenir en haleine les fidèles essaimés dans le voisinage et parfois *ms. Le mot* essaimés *ne figure pas dans la dactylographie.*

Page 280.

a. plaisanteries favorites. *Le passage qui suit ces mots et qui va jusqu'à* pousser un hurlement : *[p. 284, 29e ligne] consacré en particulier*

1. Cette correction n'est pas autographe.
2. Voir la variante *a* de cette page.

aux étymologies des noms de lieu de la région de Balbec, figure sur une paperole dans le manuscrit. Il a été augmenté dans la dactylographie corrigée.

1. Le rapprochement entre Cléopâtre et les héroïnes de Meilhac (voir *Du côté de chez Swann*, t. I de la présente édition, p. 328) est lâche. Proust rédigea un compte rendu du roman d'Henri de Saussine, *Le Nez de Cléopâtre* (Ollendorff, 1893), (*Essais et articles*, éd. citée, p. 358-359).

2. « Le nez de Cléopâtre s'il eût été plus court toute la face de la terre aurait changé » (Pascal, *Pensées*, éd. Brunschvicg, n° 162).

3. Voir n. 4, p. 204.

Page 281.

a. islandais *ms.* : irlandais *dactyl., dactyl. corr., orig.* ↔ *b.* et signifie port. *Après ces mots, on lisait dans le manuscrit et dans la dactylographie* : , que ce soit dans Barfleur, dans Flers, dans Vittefleur, dans Honfleur, dans Fiquefleur, dans Harfleur, etc. *(Voir la variante suivante).* ↔ *c.* De même l'excellent prêtre *Le passage qui commence par ces mots et qui va jusqu'à* « *Sanctus Martialis* » *[3e ligne en bas de page] a été ajouté par Proust dans la dactylographie corrigée.*

1. Sur l'introduction de la toponymie dans le roman, voir la Notice, p. 1245 et suiv. Dans *Du côté de chez Swann*, quelques noms de lieux sont expliqués par le curé de Combray, lors de ses visites à la tante Léonie (t. I de la présente édition, p. 103-105 et 144). Le thème est tardif : absent du manuscrit et de la dactylographie, il apparaît sur des additions manuscrites des secondes épreuves, au plus tôt pendant l'été de 1913. La source de Proust est alors le petit livre de Jules Quicherat, *De la formation française des anciens noms de lieu* (Franck, 1867). Mais si Proust s'est inspiré de l'ouvrage de Quicherat pour les quelques étymologies de « Combray », la source des longues digressions de *Sodome et Gomorrhe* n'est pas la même, quand Brichot réfute les étymologies du curé de Combray pour les noms de la région de Balbec. De fait, la genèse des étymologies de *Sodome et Gomorrhe* montre que Proust n'avait pas encore prévu ce retour du thème lorsqu'il l'avait exposé dans *Du côté de chez Swann* en 1913. Une première couche d'étymologies de noms de lieu apparaît dans les brouillons datant du début de la guerre, en particulier dans le Carnet 2 : ce sont, d'une part, une série de noms provenant de l'ouvrage du curé d'Illiers (voir n. 4, p. 204, et n. 1 et 4, p. 353) ; d'autre part, la notation « Mandeville, Manchester » (f° 54 r°) ; enfin, le nom Bricquebec qui apparaît à l'envers à la fin du carnet (f° 59 v°). Dans le Carnet 4 figurent une douzaine d'étymologies, dont une seule sera reprise dans le roman (voir n. 1, p. 323) : elles proviennent toutes du petit ouvrage d'Hippolyte Cocheris, inspecteur général de l'Instruction publique, *Origine et formation des noms de lieu*, Librairie de l'Écho de la Sorbonne, 1874, et Delagrave, 1885. Il s'agit de la source la plus ancienne de la toponymie dans *Sodome et Gomorrhe*, pour lequel Proust n'a plus consulté l'ouvrage de Quicherat, et elle

concerne les étymologies générales. On a supposé que Proust avait trouvé toute son information dans l'ouvrage plus connu de Quicherat, bien que fort peu des étymologies proustiennes de *Sodome et Gomorrhe* y figurent (Jacques Nathan, *Citations, références et allusions de Marcel Proust dans « À la recherche du temps perdu »*, 2e éd., Nizet, 1969, p. 17). De fait, Cocheris rend hommage à Quicherat à la page 4 de son livre, et intègre ses étymologies. On a aussi prétendu que l'information de Proust provenait de l'ouvrage posthume d'Auguste Longnon, *Les Noms de lieu de la France, leur origine, leur signification, leur transformation*, publié par Paul Marichal et Léon Mirot, Champion, 5 fascicules et index, 1921-1929 (Victor E. Graham, « Proust's Etymologies », *French Studies*, juillet 1975, p. 300-312). Proust en aurait eu connaissance avant la publication, et les théories de Longnon, directeur d'études à l'École pratique des hautes études en 1886, professeur au Collège de France en 1889, avaient fait l'objet de son enseignement régulier jusqu'à sa mort en 1911. Un grand nombre des étymologies proustiennes sont en effet traitées par Longnon, mais cette hypothèse complexe est inutile, et nous la réfuterons dans les notes correspondantes. La première génération des étymologies générales de *Sodome et Gomorrhe* sont empruntées à l'ouvrage de Cocheris. La preuve incontestable en est le Cahier 72, mettant en place le second séjour à Balbec en 1915, à partir de la description des fidèles dans le train : toutes les étymologies qui y figurent, et qui correspondent aux pages 321-324 du présent volume, notamment l'analyse des noms de personne tirant leur origine de noms de végétaux et la discussion de Balbec, s'inspirent alors exclusivement de Cocheris. Le Cahier 72 contient plus loin des listes d'étymologies, en regard d'un plan de la ligne du petit train (voir notre Notice, p. 1246), et Cocheris est encore la source. Une preuve complémentaire se trouve dans le manuscrit où, parmi des étymologies notées en marge, Proust a ajouté une indication de page (p. 164), qui correspond en effet à la page de l'ouvrage de Cocheris où se trouvent quelques-unes des étymologies (voir var. *a*, p. 383, et sa note 2). Les choses se compliquent avec la seconde génération des étymologies de *Sodome et Gomorrhe*, datant de l'après-guerre, et composées d'additions et « paperoles » du manuscrit et de la dactylographie. Les nouvelles étymologies sont plus spécialisées, et concernent les noms de lieu d'origine scandinave en Normandie, principalement dans le Cotentin et l'Avranchin. À la différence de la première génération, il paraît impossible de rapporter les étymologies normandes de *Sodome et Gomorrhe* à une seule source. L'influence scandinave en Normandie a été beaucoup étudiée dans la seconde moitié du XIXe siècle ; les principaux savants qui ont attaché leur nom à cette recherche sont Estrup, Depping, Le Prévost, Petersen, Duméril, Gerville, Fabricius, Le Héricher, Joret ; et la question était déjà vulgarisée lorsque Proust écrivait son roman : voir, ainsi, A.-H. Bougourd, *Saint-Pair-sur-la-Mer et Granville-la-Victoire. Abrégé de leur histoire à travers les âges, suivi d'étymologies de noms de pays et de notes antiques très curieuses de la Normandie et de la Bretagne*, Granville, J. Goachet, 1912. La synthèse la plus méthodique se trouve dans l'ouvrage posthume de Longnon ; mais, là encore, l'hypothèse que Proust en aurait eu connaissance doit être réfutée, comme nous le montrerons dans les notes correspondantes. Proust s'est peut-être adressé à un fils de Longnon, ainsi que le suggère une lettre de la fin de 1919 à Louis Martin-Chauffier : « Monsieur, j'aurai peut-être dans la suite des temps un conseil à vous demander pour les étymologies. Je l'avais demandé à M. Dimier (que je ne connais d'ailleurs pas), lequel m'avait gentiment répondu en m'offrant de me mettre en rapport avec M. Longnon. Du reste, je ne manque pas de gens pouvant m'apprendre toutes les étymologies » (*Correspondance générale*, éd. citée, t. III, p. 298). Cela dit, l'information de Proust est composite. L'ouvrage dont elle est le plus proche est celui d'Édouard Le Héricher, *Philologie topographique de la Normandie*, Caen, A. Hardel, 1863, extrait des *Mémoires de la Société des antiquaires de Normandie*, t. XXV, 1863. Mais toute l'érudition de Proust n'est pas contenue dans cette source, et elle est parfois extrêmement précise, comme lors de la référence à Eudes le Bouteiller (voir p. 283) ou à Louis d'Harcourt (p. 327). D'autre part, Proust se sépare parfois de Le Héricher sur des points de détail, où il rejoint Longnon ; mais alors, curieusement, le Longnon auquel il est fidèle n'est pas celui du gros ouvrage des années 1920, mais celui d'une seule page sur les noms de lieu normands d'origine scandinave, dans *Origines et formation de la nationalité française*, avec une préface de Charles Maurras, Nouvelle Librairie nationale, 1912, p. 52 : cela pourrait bien être tout ce que Proust connut de Longnon, ou en tout cas suffit pour préciser son information plus ancienne, provenant d'érudits locaux et manquant de méthode scientifique. L'érudition de Proust est donc intermédiaire entre les ouvrages de Le Héricher, datant des années 1860, et la somme de Longnon, enseignée dans les années 1880 mais publiée seulement dans les années 1920. Un auteur représente bien ce moyen terme : Charles Joret, dont les deux ouvrages, *Des caractères et de l'extension du patois normand*, F. Vieweg, 1883, et *Les Noms de lieu d'origine non romane et la Colonisation germanique et scandinave en Normandie*, Rouen, A. Lainé, 1913, extrait du *Congrès du millénaire de la Normandie*, Rouen, L. Gy, 1912, 2 vol., marquent la transition de l'érudition locale à la méthode philologique ; mais Proust ne paraît pas l'avoir consulté. Son érudition normande demeure donc, pour nous, en partie un mystère. Il écrira en mars 1922 à Martin-Chauffier : « Soyez rassuré pour les terribles étymologies que je devais vous demander. Je m'en suis tiré tout seul de mon mieux, ou plutôt fort mal. On mettra ce qu'elles ont de fantaisiste ou d'erroné sur le compte de mes ignorants personnages » (*Correspondance générale*, éd. citée, t. III, p. 304) ; et à peu près dans les mêmes termes, dès juillet 1921, à Jacques Boulenger : « Je m'en suis tiré tout seul vaille que vaille » (*ibid.*, p. 279). Si ce fut le cas, nous ne saurions le dire. À part quelques étymologies isolées, il y a trois grandes leçons étymologiques de Brichot dans *Sodome et Gomorrhe* : la première, en train vers La Raspelière (p. 280-283), apparaît sur une paperole du manuscrit, avec des ajouts spécialisés sur la dactylographie corrigée ; la deuxième, au cours du dîner chez les Verdurin (p. 316-324 et 327-329), appartient en totalité au manuscrit, avec une seule addition sur une paperole pour l'origine de Pont-à-Couleuvre (p. 317) ; la troisième, à la fin du séjour à Balbec (p. 484-486), est en entier dans le manuscrit. La seconde leçon est la plus ancienne, ainsi que le montre une addition marginale du manuscrit (voir var. *a*, p. 316) ; puis fut rédigée la troisième leçon, ainsi que le montre une note de régie suggérant l'introduction de la première leçon (voir var. *b*, p. 484) : cela explique les redites — et les contradictions — entre les leçons. Enfin, dans le manuscrit, c'était Albertine, présente dans le train vers La Raspelière et au dîner chez les Verdurin, qui s'intéressait aux étymologies et interrogeait Brichot, ainsi que le rappelle encore la troisième leçon (voir p. 484 et n. 1). Le premier morceau étymologique qui commence donc ici (p. 280-283), se composant d'additions du manuscrit et de la dactylographie, mêle les étymologies de la première et de la seconde génération, et complète Cocheris par des étymologies scandinaves de noms de lieu normands. Il faut le comparer aux pages 327-329, qui discutent les mêmes étymologies de manière contradictoire. Au chapitre « Influences naturelles », section « Des montagnes et vallées », Cocheris écrivait : « Les Celtes avaient, pour désigner une élévation, les mots *dun* et *briga*. [...] Quant au mot *briga* qui semble avoir eu la double acception de montagne et de château fort, il se retrouve sous la forme *briga*, *brigogilus* dans les plus anciens noms de la Gaule » (ouvr. cité, p. 55). Cocheris ne donnait pas d'exemples.

2. Au chapitre « Influences politiques » section « Ponts et chaussées », Cocheris notait : « Les Celtes appelaient *briva* ce que les Romains nommaient *pons* » (ouvr. cité, p. 126), citant ensuite des exemples qui ne sont pas ceux de Proust. Quant à l'idée que *bricq* serait le vieux mot norois signifiant « pont », elle appartient à Proust ; mais on trouve chez Le Héricher une référence à *briva*, « pont » en celte, afin d'expliquer : « Bricquebec, en patois Briguebec, Bricqueville, en patois Brigueville, [...] Brumare ("passage de l'étang"), Bruquedalle ("de la vallée"), Bricquebost ("du bois") » (*Philologie [...]*, éd. citée, p. 8). L'interprétation de Longnon est toute différente. *Bricq* est certes une forme du suffixe saxon *brigg*, « pont » (*Les Noms de lieu [...]*, éd. citée, p. 192). Mais, dans son chapitre sur les « Noms à terminaison noroise », Longnon considère que Bricqueville et Bricquebec sont dérivés d'un nom d'homme, et nullement de « hauteur » ou « pont » : « Plus fréquemment, *-bec* est combiné avec un nom d'homme : on a lieu de considérer comme tel le terme initial quand on le retrouve, dans d'autres noms de lieu de Normandie, combiné avec le mot roman *ville* : à cet égard Bolbec est à rapprocher de Bolleville (Manche, Seine-Inférieure) — Bricquebec de Bricqueville (Calvados, Manche) » (p. 280-281). Longnon confirme cette interprétation à propos de Bricqueville : « Le premier terme [...] est sans doute un nom d'homme » (p. 288). Briquebec

est mentionné par Barbey d'Aurevilly dans *L'Ensorcelée* (Bibl. de la Pléiade, t. I, p. 568).

3. Cocheris dit de *fleur*, à la sous-section des « Noms anglo-saxons et scandinaves » de la section « Des noms de lieu ayant la signification d'agglomération » : « Le mot *fleur*, qui sert de terminaison à tant de noms de lieu de la Normandie, a été de la part des savants l'objet de nombreuses recherches. M. Depping y voit le mot islandais *oe* (prononcer *eu*) et *oer* (prononcer *eur*), qui signifie "lieu baigné par les eaux". Il est plus logique de rattacher les noms de lieu Har*fleur* (Seine-Inférieure), Bar*fleur* (Manche), Fique*fleur* (Eure), Vitte*fleur* (Seine-Inférieure), Fletre (Nord), Flers (Nord), au mot danois *fiord* » (Cocheris, ouvr. cité, p. 89). L'explication de Longnon est plus éloignée du texte de Proust, dans la section des « Origines saxonnes en Normandie » : « Le dernier terme des noms Barfleur (Manche, canton de Quettehou), Fiquefleur (Eure, cant[on] de Beuzeville), Harfleur (Seine-Inférieure, cant[on] de Montivilliers), Honfleur (Calvados) et Vittefleur (Seine-Inférieure, cant[on] de Cany) fait, à première vue, penser au norois *flodh*, "golfe" ; ces noms auraient alors été importés sur notre sol par les Normands, soit au IXe siècle seulement. Mais à considérer qu'ils ne constituent qu'un fort petit groupe, et s'appliquent à des localités maritimes ou peu éloignées de la côte, on peut, sans trop s'aventurer, les attribuer aux Saxons, dont la langue désignait par *flead* une eau courante, une petite rivière, un canal, par *flod* un amas d'eau, la marée. [...] Honfleur est appelé en 1198 *Honneflo*, et, dans les formes médiévales des noms qu'on vient de lire, la terminaison est d'ordinaire *-flue* ou *-fleu* ; parfois elle est rendue par le latin *fluctus*, dont le sens ne diffère guère de celui de *fleod*. L'*r* finale n'est apparue qu'à une époque relativement récente, et, de nos jours encore, la prononciation locale ne la fait ordinairement pas sentir » (Longnon, ouvr. cité, p. 185-186). Il n'y a chez Longnon de référence ni au *fiord* danois, ni à l'islandais *oe*, devenu chez Proust irlandais, dans la dactylographie. *Fiord* signifie non pas « port », mais « baie », « golfe » : l'interprétation proustienne peut s'expliquer par l'absence de traduction par Cocheris.

4. Cocheris écrit, à la section des noms de lieu tirant leur origine des « Ponts et chaussées » : « C'est ainsi que les gués, en latin *vadum*, ont été à l'origine d'un grand nombre de localités. [...] On a fini, dans certains cas, par oublier l'origine de *vez*, qu'on a pris pour une source grossière de "vieil". C'est ainsi qu'on dit Vendin-le-Vieil (Pas-de-Calais), autrefois Vendin-le-Vez, c'est-à-dire Vendin-le-Gué [...]. On pourrait même confondre quelquefois avec "voie" certaines formes irrégulières du *vadum*. [...] Les Anglais appelaient *ford* le *vadum* des Romains, Oxford, Hereford, etc. viennent de là » (ouvr. cité, p. 128-129). Aucune association de "vieil" et *vadum* chez Longnon.

5. Il faudrait lire Saint-Martin-le-Vêtu, pour se conformer à la désignation du lieu, 10 lignes plus haut, mais il y a aussi un Saint-Mars-le-Vieux dans la région de Balbec (p. 284 et 400) qui devient Saint-Mars-le-Vêtu (p. 403) quand Albertine s'inquiète de l'étymologie.

6. Cocheris écrit, à la section des noms de lieu tirant leur origine « De la terre considérée comme surface » : « Il y a un mot germanique *gwast*, *wast*, d'où *wastjan*, qui signifie "ravager", auquel doit se rattacher notre verbe *vastare*, et qui a formé en français les mots "gâter" (en picard *water*), "jachères" (du bas latin *gascaria* pour *wastaria* et "gâtines" (du haut allemand *wastinna*) » (ouvr. cité, p. 64). Parmi les exemples, figurent Le Vast, Sottevast, Martinvast, Hardinvast, pour le département de la Manche (p. 65). Il manque toutefois l'association avec Terregate. On la trouve chez Le Héricher : « À *vastare*, "rendre vide, vaste", se rapportent les nombreux Vast, Gast, Gastine, Gatte, Vatte, Gastel, qui indiquent des contrées défrichées, et peut-être ravagées, dévastées : [...] Brillevast (*Beroldivast*), [...] Sottevast (*Satowast*), Saint-Denis-le-Gast, [...] les deux Terre-Gate de l'Avranchin (de *terra vasta*) » (*Philologie [...]*, p. 33). L'étymologie était débattue dans le Cahier 72, brouillon datant du début de la guerre, à propos de Saint-Fargeau-Vêtu, dont Albertine demandait l'origine : « non vêtu mais dénudé, *vastatus* », lui répondait Brichot (Cahier 72, f° 16 v°).

7. Cocheris, au chapitre des « Influences religieuses », section « Noms de saints », dresse la liste suivante pour *Sanctus Medardus* : Saint-Médard (Gers), Saint-Mard (Meurthe et Oise), Saint-Mards-en-Othe (Aube), Saint-Marc (Yonne), Saint-Mars (Sarthe, Seine-et-Marne), Saint-Merd (Corrèze), Cinq-Mars près Langeais (Indre-et-Loire), et Damas (Vosges) (ouvr. cité, p. 146). L'ordre est le même que celui de Proust, et la liste est plus proche de celle de Proust que celle de Quicherat, « Saint-Médard, Saint-Mard, Saint-Mars, Saint-Merd » (ouvr. cité, p. 66), qui ne comprend ni Cinq-Mars ni Damas, ou que celle de Longnon (ouvr. cité, p. 432).

8. Cocheris, au chapitre des « Influences religieuses », section « Paganisme », écrit : « Je me contenterai d'indiquer les lieux qui certainement doivent leur nom au culte de certains dieux tels [...] Jupiter, d'où Jeumont (*Jovismons*) » (ouvr. cité, p. 139 ; non mentionné par Quicherat ni par Longnon).

9. Cocheris, au chapitre des « Influences religieuses », section « Noms de saints », note : « Quelquefois la qualité du saint s'est mélangée avec un nom et a produit des mots singuliers, comme [...] Loctudy (Finistère), pour *Loc. Sancti Tudeni* » (*ibid.*, p. 149-150 ; non mentionné par Quicherat ni par Longnon).

10. Autre exemple du même phénomène, selon Cocheris : « Sammarcoles (Vienne), pour *Sanctus Martialis* » (*ibid.*, p. 149). À la même page de son ouvrage, Cocheris traite les cas où, par « les transformations singulières des noms passant du latin en français, [...] certains saints sont devenus des saintes et réciproquement ». Un exemple est *Sancta Eulalia*, devenue Saint-Éloi dans l'Ain (voir *Du côté de chez Swann*, t. I de la présente édition, p. 103). La même phrase figurait chez Quicherat : « Il y a des exemples de saints qui sont devenus des saintes, ou réciproquement » (ouvr. cité, p. 67).

Page 282.

a. Robehomme *[3ᵉ ligne de la page]*, Néhomme, Quettehou, etc. — Est-ce que Néhomme, *ms., dactyl.* : Robehomme, Néhomme, Quettehou, etc. [» Ces noms me firent *[...]* dans un instant. « *add.*] Est-ce que Néhomme, *dactyl. corr.* : Robehomme, Néhomme, Quettehou, etc. » Ces noms me firent [...] dans un instant. « Est-ce que Néhomme, *orig.* ↔ *b.* Votre abbé s'hypnotise devant Duneville. Mais dans *dactyl. corr.*[1] : Votre abbé s'hypnotisait devant Duneville repris dans *orig. Nous revenons à la leçon de la dactylographie corrigée, qui a sans doute été mal lue par les typographes.* ↔ *c.* Votre curé qui sent tout de même *dactyl. corr.* ↔ *d.* Il s'en réjouit fort, ce qui est *dactyl. corr.* ↔ *e.* en *u* ne me choque *dactyl. corr.* : en *m* ne me choque *orig. Nous retenons la leçon de la dactylographie corrigée.*

1. Le débat entre *holl*, « colline », et *holm*, « île », n'apparaît pas chez Cocheris, ni d'ailleurs chez Longnon. Cocheris ne mentionne pas le radical. Le Héricher écrit : « Le terme topographique normand *homme*, “île” ou “presqu'île”, est le *holm* scandinave, commun en son pays d'origine, Stockholm, Bornholm, etc. » (ouvr. cité, p. 46). Parmi les exemples, on trouve : « Néhou, “entouré” d'eaux, *Nigelli humus*, littéralement “île de Nial” (Nicolas en scandinave), Quettehou. » Longnon l'identifie à l'« île » des Scandinaves, et l'aperçoit sous la forme *-homme*, dans Engehomme et Robéhomme (*Les Noms de lieu [...]*, p. 285), mais la page de son ouvrage *Origines et formation de la nationalité française* disait déjà : « [...] *holm*, “île”, Le Houlme, Engohomme, Tahomme » (éd. citée, p. 52). La forme *holl*, « colline », correspond, pour Quettehou et Néhou, qui ne sont pas des îles, à l'explication de Charles Joret dans *Des caractères et de l'extension du patois normand* (éd. citée, p. 39-40). Néhou est mentionné par Barbey d'Aurevilly dans *L'Ensorcelée* (éd. citée, t. I, p. 641).

2. L'analyse d'Amfreville est donnée par M. de Gerville, *Études géographiques et historiques sur le département de la Manche*, Cherbourg, Feuardent, 1854. « Amfreville, “ville d'Asfridr” », note Longnon (*Origines et formation [...]*, n. 1, p. 53). L'analyse de Bigot est courante (voir Cocheris, ouvr. cité, p. 172-173).

3. Voir p. 196, où les noms de lieu sont toutefois différents.

4. L'analyse est de Proust.

5. Le Héricher écrit dans son chapitre « Origines germaniques » : « Kerke, “église”, l'allemand *Kirche*, en écossais *kirk*, reste dans les localités Querquebu, Kerkebu, Querqueville, littéralement “habitation de l'église”, comme Dunkerque est “l'église des Dunes” » (ouvr. cité, p. 38). Longnon, traduisant aussi Dunkerque par « l'église des dunes » (*Les Noms de lieu [...]*, p. 345), ne mentionne pas Querqueville. Carquetuit (Seine-Inférieure) et Carquebut (Manche) sont analysés par Cocheris, mais à propos de *tuit* et de *boe*, *beuf* (ouvr. cité, p. 88-89).

1. Voir la variante *a* de la page 283, et sa note 1.

6. Cocheris, au chapitre « Influences naturelles », section « Montagnes et vallées », écrit : « Les Celtes avaient, pour désigner une élévation, les mots *dun* et *briga*. Nous avons plusieurs : Dun (Ariège), Dun-le-Roi (Cher), Les Dunes (Nord), Dunet (Indre), Dun-sur-Meuse (Meuse), Duneau (Sarthe), Châteaudun (Eure-et-Loir), Dunkerque (Nord), Dune-les-Places (Nièvre), Le Donon, haute montagne de la chaîne des Vosges (Meurthe) » (ouvr. cité, p. 55) ; comparer à la liste de Proust.

7. Les différentes étymologies de Douville — *Donvilla* ou *Domvilla* — ne sont pas discutées par Cocheris (ni d'ailleurs par Longnon). On trouve toutefois chez Cocheris un paragraphe sur le passage de « saint » à *dom* (*domnus* et *domna*) (ouvr. cité, p. 154), ainsi qu'un paragraphe sur les noms dérivés du titre d'abbé, comme Abbeville, Abbecourt, Villabé (p. 164). La lecture *domino abbati* appartient à Proust ; elle est peu conforme au latin, et elle n'explique pas d'ailleurs le passage à *Domvilla*.

8. À Saint-Clair-sur-Epte, en 911, eut lieu une entrevue entre Charles le Simple, roi de France, et Rollon, premier duc de Normandie, consacrant la cession de la province. On emploie en général le mot de traité, bien que ce fût vraisemblablement une convention verbale. Le terme de capitulaire est en tout cas impropre, qui désigne les actes législatifs émanant des rois mérovingiens et carolingiens.

9. Le roi du Danemark ne fut pas suzerain de la Normandie conquise.

10. Dieu de la mythologie scandinave.

11. L'étymologie de Lyon n'est pas mentionnée par Cocheris. Elle est bien connue.

12. Dans sa *Philologie topographique de la Normandie*, à propos des noms de lieu d'origine germanique et du radical *cliff*, « rocher », Le Héricher cite Escalescliff, ancien nom de Doville (éd. citée, p. 36). Il écrit aussi à propos des noms d'hommes qui entrent dans les noms de villes : « Escalescliff, qui au XIIIe siècle devint Doville, du nom d'Eudes le Bouteiller, son seigneur » (p. 49). Le changement est commenté plus longuement par Le Héricher dans un autre ouvrage : « La vue du littoral de Douville suggère naturellement l'étymologie de *Dunorum villa* ; mais l'analogie générale, les exemples historiques, l'orthographe des chartes ne permettent pas de reconnaître d'autre radical qu'un des noms propres les plus communs parmi les Normands : Douville, c'est *Odonis villa*. Le même nom propre se retrouve dans d'autres communes du département, dans Ouville, *Ouvilla*, et Audouville, *Eudonvilla*, Hudimesnil, *Eudimesnilum*, peut-être dans Denneville, et assurément dans Doville, car on connaît pour celle-ci l'époque où elle prit son nom, et le seigneur qui le lui donna. Son nom primitif est Escaleclif, dans lequel on retrouve le nom saxon d'Escale, mêlé à notre histoire du XVe siècle. Eudes ou Odon le Bouteiller, seigneur d'Escaleclif et de l'Estre, partant pour la Terre sainte vers 1233, donna à l'abbaye de Blancheland l'église d'Escaleclif : c'est de cet Odon que la paroisse prit son [nom] moderne de

Doville. Saint-Martin d'On, ou en latin des chartes *Don*, offre probablement le nom d'Odon. Il y a encore un Donville en Normandie : il y a trois ou quatre Doville. » Le texte de Proust est voisin de celui-ci, extrait de l'*Avranchin monumental et historique* de Le Héricher (Avranches, E. Tostain, 1845, t. I, p. 508). Il est vraisemblable qu'un maillon nous manque entre Le Héricher et Proust.

Page 283.

a. Allemands *[p. 282, 16ᵉ ligne].* Vous connaissez Dunkerque, l'église de la dune, Querqueville[a], Carquebut. Vous pensez *ms., dactyl. lacunaire* : Allemands. Vous connaissez Querqueville, Carquebut, sans parler de Dunkerque [Car mieux *[...]* des eaux renommées *add. marg. et paperole*[1]] Vous pensez *dactyl. corr.* : Allemands. Vous connaissez Querqueville sans parler de Dunkerque. Car mieux [...] des eaux renommées, Carquebut. Vous pensez *orig. Nous remettons* Carquebut *à sa place.* ↔ *b.* Lawrence O'Toot, *ms.* : Lawrence 'Toot, *dactyl., dactyl. corr., orig. Nous corrigeons.*

1. Cette abbaye, fondée en 1155 dans le diocèse de Coutances, eut longtemps pour suzerain le roi d'Angleterre. L'abbaye de Blanchelande est évoquée dans le roman de Barbey d'Aurevilly, *L'Ensorcelée* (éd. citée, t. I, p. 557).

2. Le Héricher analyse les métamorphoses du radical celtique, *dour* « eau » : « *Our*, et, sous cette forme, il entre dans plusieurs noms de la topographie normande : Urville (en patois Ourville), Ourville, Ouville, dite la Rivière » (*Philologie [...]*, éd. citée, p. 12).

3. Cocheris fait dériver le nom d'Aiguemorte (Gironde) du mot latin *aqua*, « eau », mais il ne mentionne pas un changement possible en *eu* ou en *ou* (ouvr. cité, p. 22). C'est Le Héricher qui, après *our*, consacre encore plusieurs pages aux transformations du *dour* celte, et non du *aqua* latin, en *aur*, *or*, *oir*, *eur*, *ur*, *ail*, etc. (ouvr. cité, p. 11-16).

4. La liste des saints mentionnés par Brichot est fantaisiste. Le premier doit vraisemblablement son nom à Ursus, trente-deuxième abbé de Jumièges au XIIᵉ siècle (*Gallia Christiana*, 1650-1725, t. XI, p. 195).

5. Déformation vraisemblable du nom du bienheureux Geoffroy de Savigny, qui naquit à Bayeux à la fin du XIᵉ siècle ; il fut moine à l'abbaye de Cerisy, dépendant alors du diocèse de Bayeux, puis en 1113 à l'abbaye de Savigny, aux confins de la Normandie et de la Bretagne, dans le diocèse de Coutances. Second abbé de Savigny en 1122, il mourut en 1139.

6. Un saint Barsonor ou Barsanore aurait été abbé de La Croix-Saint-Leufroy, dans le diocèse d'Évreux, au VIIIᵉ siècle. Mais,

a. l'église de la *[un blanc]*, Querqueville, *dactyl.*

1. En fait ce passage est légèrement différent de la version définitive. Voir de la variante *b* à la variante *e*, page 282.

suivant les bollandistes, il n'a pas existé et doit être identifié à saint Barsanuphe, auteur ascétique et moine grec (Ve-VIe siècle) (*Dictionnaire d'histoire et de géographie ecclésiastiques*, Letouzey, 1932, t. VI, col. 955).

7. Saint-Laurent-de-Brèvedent, commune de la Seine-Maritime, canton de Saint-Romain.

8. Ancienne abbaye de cisterciens près de Neufchâtel-en-Bray, dans le diocèse de Rouen, appelée Saint-Laurent-de-Beaubec en raison de son patron ; c'est la première fille de Savigny, fondée au début du XIIe siècle.

9. L'auteur qui se trompe paraît être Cocheris, qui écrit : « Le mot *tofta*, en anglo-saxon, est synonyme de "cour", de "masure", d'"habitation". [...] Le mot *tofta*, écrit et prononcé *tot* en Normandie, entre dans la composition des localités appelées », par exemple Yvetot, seul exemple commun à Proust et à Cocheris. « On peut, poursuit Cocheris, rattacher à ce mot la forme *Tuit* », dont les exemples sont : Thuit, Braquetuit, Carquetuit (ouvr. cité, p. 87-88). Le Héricher, plus prudent, voyait dans *tuit* une forme de *tot*, « habitation » en vieil allemand ; il notait pourtant : « Toutefois ce *tuit* ressemble beaucoup à l'islandais *thwaite*, que M. Worsaae explique par "pièce de terre isolée" » (*Philologie [...]*, éd. citée, p. 39). L'ouvrage posthume de Longnon redresse la confusion : *tot*, *toft*, « masure », est distingué de *thveit*, « défrichement » (*Les Noms de lieu [...]*, éd. citée, p. 289-290). Les quelques lignes que Longnon — dans ses *Origines et formation de la nationalité française*, éd. citée — consacre aux « traces noroises » dans les noms de lieu de la Normandie donnent exactement les traductions de Proust pour les formes noroises, avec les mêmes exemples, à peu de chose près : *thveit*, « essart », « défrichement », dans Le Thuit, Braquetuit, Regnetuit, etc. ; *toft*, « masure », « emplacement de maison », dans Le Tot, Criquetot, Yvetot, etc. (p. 52). Les mots, peu courants, « essart » et « masure » sont présents ; le seul exemple divergent est Le Tot chez Longnon, auquel correspond Ectot chez Proust.

10. *Thorp* n'est pas analysé par Cocheris, ouvr. cité. Longnon dit brièvement : « *thorp*, "village", comme dans Le Torp, Clitourps, Saussetorp, etc. » (*Origines et formation [...]*, éd. citée, p. 52). Dans son ouvrage posthume, aucune hésitation ne règne entre *cliff* et *clivus* : « On ne peut citer que de rares exemples de *thorp* employé comme dernier terme d'un nom de lieu [...] Clitourps (Manche) [...] est certainement formé sur le mot *klif*, "rocher" » (*Les Noms de lieu [...]*, éd. citée, p. 288). Proust avait noté un développement légèrement différent sur un feuillet : « Il semble du reste assez incertain sur ce nom. Dans le *Cli* de Clitourps il voit tantôt le *cliff* ("rocher") des peuples du nord, tantôt le *clivus* ("pente") des latins. Pour *tourps* du même Clitourps, autant d'hésitations. C'est, dit-il, *torp*, *tourp*, "village". La raison qu'il en donne n'est pas du reste absurde. C'est que dans un cartulaire il a trouvé que Clitourps s'appelait d'abord Turgistorp, "le village de Turgis", mais en somme cela ne tranche rien » (B. N., N. a. fr. 16 729, f° 129). Ceci renvoie à Le Héricher, qui

écrit à propos des origines germaniques : « *Cliff*, “rocher en pente”, se rattache par sa forme dure plutôt aux langues du Nord qu'à son congénère, le latin *clivus*, et d'ailleurs domine en Angleterre et en Normandie » (*Philologie [...]*, éd. citée, p. 36). À propos des origines scandinaves, Le Héricher complète : « *Tourp*, *torp*, l'islandais *thorp*, “village”, resté en Normandie dans beaucoup de noms de lieu, comme Clitourps (*Klitor*), qu'on a aussi appelé *Torgis torp*, “le village de Turgis” » (p. 48). Mme de Turgis avait été un nom de Mme de Surgis dans le manuscrit (voir var. *c*, p. 88).

11. Le prêtre romain est saint Laurent, l'un des sept diacres, qui fut martyrisé en 258, sous Sixte II. L'abbaye de Beaubec (mentionnée 11 lignes plus haut), dans le pays de Bray, a pour saint patron Laurent. Laurent O'Toole (1120-1180), saint Laurent de Dublin, évêque de Dublin, patron de Dublin et d'Eu, fut longtemps vénéré en Normandie, où il mourut en cherchant à rencontrer Henri II.

12. L'étymologie de Graignes n'est donnée ni par Cocheris, ni par Longnon. Le Héricher la mentionne parmi les origines germaniques : *gruna* (saxon), signifiant « marais », qui donne *craignes* ou *grenne*, comme dans Les Cresnays ou Grenneville (*Philologie [...]*, éd. citée, p. 38).

Page 284.

1. L'étymologie de Montmartin n'est donnée ni par Cocheris ni par Longnon. On trouve toutefois chez Cocheris, au chapitre des « Influences religieuses », section « Paganisme », Marteville et Martimont (*Martis villa* et *Martis mons*) (ouvr. cité, p. 139).

2. Jean-Baptiste Poquelin, dit Molière.

3. Le médecin d'Argan, dans *Le Malade imaginaire*, que Proust vient de pasticher : « Que vous tombiez dans la bradypepsie, [...] De la bradypepsie dans la dyspepsie, [...] De la dyspepsie dans l'apepsie, [...] De l'apepsie dans la lienterie, [...] De la lienterie dans la dysenterie, [...] De la dysenterie dans l'hydropisie, [...] Et de l'hydropisie dans la privation de la vie, où vous aura conduit votre folie » (acte III, sc. V ; *Œuvres complètes*, Bibl. de la Pléiade, t. II, p. 1159).

4. Francisque Sarcey (1827-1899) fut l'un des critiques dramatiques les plus célèbres de l'époque, par la chronique hebdomadaire qu'il tint dans *Le Temps* pendant plus de trente ans, de 1867 à sa mort. Pour son bon sens et sa jovialité de représentant du public moyen, il avait été surnommé l'Oncle.

Page 286.

a. s'écria Cottard sans s'inquiéter *ms., dactyl., dactyl. corr.* : s'écria Cottard non sans s'inquiéter *orig. Nous retenons la leçon des états antérieurs.* ↔ *b.* — Vous disiez, monsieur, *Le passage qui commence par ces mots et qui va jusqu'à* fervidæ aquæ *[13ᵉ ligne en bas de page] a été ajouté par Proust, sur une paperole, dans la dactylographie corrigée.* ↔ *c.* la princesse du ton *dactyl. corr.*[1] : la princesse d'un ton *orig. Nous adoptons la leçon manuscrite de la dactylographie corrigée.* ↔ *d.* il ne pouvait pas aller *ms.* : il ne pouvait aller *dactyl., dactyl. corr., orig.*

1. L'étymologie est donnée par Le Héricher, à propos du latin *aqua* (*Philologie [...]*, éd. citée, p. 25).

2. Phineas Taylor Barnum (1810-1891), charlatan américain, directeur de cirque, écrivit des Mémoires — *The Life of P. T. Barnum, written by himself* (1855) — auxquels s'ajouta bientôt un « Art de faire fortune » grâce à la crédulité des hommes : *The Art of Money Getting ; or Golden Rules for Money Making.* Une adaptation française des Mémoires de Barnum parut chez Hachette en 1899 : *Les Millions de Barnum, amuseur des peuples.*

Page 287.

a. et croient devoir retenir *ms., dactyl., dactyl. corr.* : et croient retenir *orig. Nous adoptons la leçon des états antérieurs.*

1. Étymologie banale (voir ouvr. cités de Quicherat, p. 81 ; Cocheris, p. 108 ; Longnon, p. 609). Si Quicherat et Longnon donnent le nom latin, *Ciconia*, Cocheris se contente du nom français ; d'où peut-être l'orthographe fautive de Proust, qui avait toutefois noté sans erreur *Ciconia* dans le Cahier 72 (f° 16 v°).

2. « Nous descendîmes à Bénerville (mettre un nom qui figure dans mon énumération) », écrivait Proust dans la mise en place rédigée pendant la guerre (Cahier 72, f° 6 v°).

Page 288.

a. pâtis, *ms.* : pâtés, *dactyl., NRF déc., dactyl. corr., orig. Nous retenons la leçon du manuscrit.* ↔ *b.* donnait *ms., NRF déc.* : donnent *dactyl., dactyl. corr., orig. Nous retenons la leçon du manuscrit.*

1. La négation de la mort est un thème fréquent du roman. Ainsi, le duc de Guermantes niait la mort de son cousin (voir *Le Côté de Guermantes II*, t. II de la présente édition, p. 862-863), et Mme Verdurin niera plus tard la mort de la princesse Sherbatoff (voir *La Prisonnière*, p. 743-744).

Page 289.

1. Cottard devrait être dans l'autre voiture (voir p. 287, dernière ligne).

2. Voir *Du côté de chez Swann*, t. I de la présente édition, p. 185.

3. Ignace Paderewski (1860-1941), pianiste et compositeur polonais, interprète virtuose de Chopin, joua à Paris en 1888, à la salle Érard, puis aux concerts Lamoureux. Il négocia avec les Alliés la restauration d'une Pologne libre, dont il fut le président du Conseil en 1919.

1. Voir la variante précédente.

4. Édouard Risler (1873-1929), pianiste français, interprète de Liszt et de Beethoven, admirateur de Wagner, connut de brillants succès en France et en Allemagne, et créa des pièces de Dukas et de Fauré.

5. Suétone, *Vies des douze Césars*, livre VI, 49. « Quel grand artiste périt avec moi ! » Le débat sur l'interprétation des dernières paroles de Néron, auquel Proust paraît faire allusion, repose sur la divergence des assertions de Tacite et de Suétone quant à l'authenticité des poésies de Néron. Tacite affirme que Néron n'avait fait que réunir des pièces de circonstance, composées par divers poètes de cour ; énoncé contredit par Suétone, qui affirme avoir eu entre les mains des brouillons couverts de ratures. Quelle fut la position de la « science allemande » sur la question ? La reconnaissance des talents poétiques de Néron inspire nettement l'article « Nero » de A. Haackh dans la *Real-Encyclopädie* de Pauly, t. V, 1848, p. 584. Il est donc possible que ce soit cette étape de la recherche qu'évoque Brichot. La deuxième étape de la « science allemande » sur le problème, au tournant du siècle, est représentée notamment par Hermann Schiller (*Geschichte des Romischen Kaiserreichs unter des Regierung des Nero*, Berlin, 1872), qui affirme que, dans le néronisme, le projet impérial fut premier par rapport au projet poétique. Il faudrait, non plus traduire *artifex* par « artiste » ou « poète », mais rendre le projet civilisateur par le terme de « créateur », au sens le plus large. Dans la nouvelle édition de la *Paulys Realencyclopädie*, par Wissowa et Kroll, l'article « Domitius (Nero) », parvenu trop tard pour figurer à sa place dans l'ordre alphabétique en 1903, fut publié en 1918, t. III du « Supplément », art. 29, col. 349-394. Son auteur, Ernst Hohl, est nettement favorable à Néron, dont il offre un portrait aussi indulgent que possible, le présentant comme un excellent souverain. C'est donc vraisemblablement à l'indulgence de la « science allemande », pour le poète et pour l'empereur, que Brichot fait allusion.

6. *Missa solemnis*, opus 123, de Beethoven.

Page 291.

1. L'étymologie est donnée par Le Héricher, parmi les noms d'hommes du Nord entrant dans les noms de villes (*Philologie [...]*, éd. citée, p. 49).

Page 293.

a. rappela à Brichot Cottard qui n'avait pas *ms., dactyl., NRF déc., dactyl. corr.* : rappela Brichot à Cottard qui n'avait pas *orig. Nous retenons la leçon des états antérieurs.*

1. La formule est habituelle — « ô Chevrier », « ô Pasteur » — dans les *Idylles et épigrammes* de Théocrite traduits par Leconte de Lisle, à la suite de la *Théogonie* d'Hésiode (éd. citée, p. 149-287), volume que consulta Proust à plusieurs reprises lors de la rédaction de *Sodome et Gomorrhe* (voir n. 2, p. 15 ; n. 1, p. 88 ; n. 1, p. 102 et n. 3, p. 234).

2. Pampille est le nom de plume de Mme Léon Daudet, qui tenait la rubrique de la mode et de la cuisine, dans *L'Action française*, dirigée par son mari. Elle réunit ses chroniques dans *Les Bons Plats de France*, Fayard, 1913 (voir *Le Côté de Guermantes II*, t. II de la présente édition, p. 792 et n. 1). La recette des demoiselles de Caen, qui sont de petites langoustes, ne figure pas dans le volume. Mais Émilie de Clermont-Tonnerre, que Proust cite plus bas (voir p. 399), écrit au chapitre « Août » de son *Almanach des bonnes choses de France* (Georges Crès et Cie, 1920, p. 108) : « La demoiselle de Caen, qui n'est qu'une langouste plus petite et plus fine, est très bonne grillée. »

3. La casbah étant une forteresse en arabe, et les jérémiades tirant leur origine de Jérémie, prophète biblique aux lamentations célèbres, la combinaison est cocasse.

Page 294.

a. retrouvé, et avec qui il aurait été obligé de rester sans cela à Doncières, à lui *ms., dactyl.* : retrouvé et qui l'embête à crever mais sans qui il aurait été [...] à Doncières, à lui *dactyl. corr., orig. Nous corrigeons.* ◆◆ *b.* sa femme. Mais déjà je n'écoutais plus M. Verdurin et je tâchais non seulement de lui faire faire silence, mais de faire silence en moi-même ; nous traversions pour aller au salon une galerie où s'amorçait le grand escalier et dans laquelle j'avais l'enivrante impression de dépaysement d'être entré dans je ne pouvais me rappeler quelle maison de Combray où la sonnette continue à tinter longtemps, tant chacun de mes pas, tandis que je suivais M. Verdurin, était recueilli et répété par un silence rustique, oisif, indiscret et sonore. Sur les marches de l'escalier le soleil semait à côté des fleurs du tapis, blanches comme des giroflées, d'autres fleurs pâles. Et j'étais tellement heureux que des larmes me vinrent aux yeux quand, couronnant mon impression confuse et profonde, j'aperçus à l'entresol sur une console chinoise, des pots de faïence bleue qui contenaient ces étoiles de velours bleu que sont les fleurs de cinéraires. Le sculpteur *ms., dactyl.* ◆◆ *c.* et enfin étaient soigneusement *ms., dactyl., dactyl. corr., orig. Nous corrigeons.*

1. Voir l'Esquisse II, p. 940, et l'Esquisse XI, p. 1023.
2. Voir p. 53.

Page 295.

a. un comte Billette de Charlus *ms., dactyl.* ◆◆ *b.* à lui aussi elles permirent de dire : *ms., dactyl., dactyl. corr., orig. Nous corrigeons.* ◆◆ *c.* qu'on parlait ; mais comme il arrive souvent c'était malgré cela d'une affirmation vraie (les mœurs du baron) qu'on donnait des raisons fausses. Fausses ces raisons l'étaient toutes et ne tenaient pas uniquement à la confusion avec le faux Charlus mais aussi à ce que le vrai, le nôtre, avait été l'ami intime *ms., dactyl.*

1. Ronsard écrivait dans l'Élégie XXI (texte de 1587) : « Or, quant à mon ancestre, il a tiré sa race / D'où le glacé Danube est voisin de la Thrace : / Plus bas que la Hongrie, en une froide part, / Est

un Seigneur nommé le marquis de Ronsart. » La légende de l'ascendance roumaine de Ronsard est dénoncée par Henri Longnon, *Pierre de Ronsard. Essai de biographie. Les ancêtres, la jeunesse*, Champion, 1912. Proust envisage de consulter un M. Longnon, sans doute l'un des fils d'Auguste Longnon, à propos des étymologies (voir n. 1, p. 281). S'agissait-il de celui-ci, seiziémiste, ou de Jean Longnon, auteur d'un guide intitulé *La Haute Normandie* (Delagrave, collection « Guides artistiques et pittoresques des pays de France », dirigée par Louis Dimier, 1912) ? Dimier et Longnon sont associés dans une lettre de la fin de 1919 à Louis Martin-Chauffier (n. 1, p. 281). Jean Longnon publia un article sur la toponymie lors de la publication de l'ouvrage posthume de son père : « Ce que disent les noms de lieu », *La Revue critique des idées et des livres*, t. XXX, n° 179, 25 décembre 1920, p. 663-675. « La guerre, écrit-il, a ranimé en France le goût de la géographie. [...] Ne peut-on dire d'abord que l'art de la guerre est avant tout compréhension du terrain, et tel écrivain ne s'est-il pas révélé le premier critique militaire parce que géographe et topographe éminent ? » S'agit-il de Proust, dont *Le Côté de Guermantes I* venait de paraître en octobre 1920 ? Cela plaiderait pour un contact entre Proust et un éventuel informateur en toponymie.

Page 296.

a. les personnes *[1er §, dernière ligne]* de leur milieu. [Pour eux un duc, même ruiné, se rattache à la famille ducale qu'ils connaissent à fond, est quelqu'un qu'ils inviteront dans leurs réunions les plus choisies, tandis que le petit-bourgeois qui lui a prêté cinq louis le met dans la catégorie des décavés et ne soupçonne pas que pour des gens du monde très riches, ce duc ruiné puisse être beaucoup plus que lui, petit-bourgeois qu'ils n'inviteront jamais. C'est que ce même duc, les gens du monde et les bourgeois le font entrer dans un système de notions différentes comme un même mot, poisson par exemple, présente pour le grammairien un certain nombre de particularités comme d'être un substantif masculin, absolument différentes de celles qu'il présente pour le naturaliste qui le range dans la catégorie des animaux qui respirent au moyen de branchies, etc. *add. ms.*] Cette illusion rend plus aisée et moins méritoire aux grands seigneurs la simplicité, l'humilité presque que tant d'entre eux affectent en causant avec un bourgeois, avec un artiste, mais à son tour entretient et aggrave l'erreur de ces derniers. Il en est peu qui eussent su par exemple qui était Saint-Loup plus que ne le savaient les cavaliers de son escadron qui le tenaient seulement pour riche et auraient été plutôt enclins à le croire mal né parce qu'il était familier. Le prince d'Agrigente *ms., dactyl.* ↔ *b.* pressée pour un malade. *Le paragraphe qui suit ces mots a dû être ajouté par Proust sur un état postérieur à la dactylographie corrigée et que nous ne possédons pas.* ↔ *c.* Mme Verdurin qui pour nous recevoir s'était levée *ms., dactyl. Le texte que l'on peut lire à cet endroit dans la version définitive figurait plus loin dans le manuscrit et dans la dactylographie (voir var. b, p. 298).*

1. Sur le riche vocabulaire du professeur Cottard ayant trait aux cabinets d'aisance, voir p. 268 et 457-458.

2. Le paragraphe ajouté sur les épreuves de 1922 paraît une allusion — encore mystérieuse — à un modèle réel.

Page 297.

a. les rochers [de Doville *biffé*] d'Harambouville qu'Elstir *ms. Le nom de lieu ne figure pas dans la dactylographie.* ↔ *b.* les yeux ; leur grande affaire ici étant de vivre *ms.* : les yeux ; leur grande affaire ici était de vivre *dactyl., dactyl. corr., orig.* ↔ *c.* joyeux goûters. À cet égard leur amour de ce pays était peut-être plus naturel, plus pareil à ce que pouvait être celui d'un Normand pour la Normandie, que le mien en quête de spectacles et plus pareil à l'amour qu'éprouvent les touristes. D'ailleurs l'amour des Verdurin pour ce pays n'était pas seulement naturel mais cultivé. Je vis plus tard *ms., dactyl.*

Page 298.

a. unique au monde. Elle introduisait ainsi dans le total de leur « situation », et des impressions que j'en recevais, un facteur aussi particulier et important que ceux qui avaient différencié pour moi chaque « salon » de Paris. De plus cette supériorité *ms., dactyl.* ↔ *b.* l'aveu sincère, lui parut justifié *[sic]* par les mérites extraordinaires d'un pays unique, auquel du reste elle était prête à préférer tout autre, si pour des raisons contingentes, elle ne relouait pas l'été suivant. Elle trouva pourtant sans doute mon émotion exagérée, mais ne soupçonnant pas la différence qu'il pouvait y avoir entre mes impressions et les siennes, elle en fut touchée car elle crut feinte et commandée par la politesse. Comme le goût des Verdurin était toujours, si réel et si vif qu'il fût, tourné vers des fins de société, Mme Verdurin avait décoré ce soir-là son salon en dressant en trophées des fleurs des champs qui aux murs faisaient alterner les gramens, les bleuets, les coquelicots vivants avec ceux qui, il y a plus de deux siècles, avaient été peints en camaïeu par un artiste consciencieux et charmant. « J'entends la voiture *ms., dactyl. Voir la variante c, page 296.* ↔ *c.* qui revient. Espérons qu'elle les a trouvés », murmura *ms.* : qui revient », murmura *dactyl., dactyl. corr., orig.* ↔ *d.* ne ressemblait plus alors à ce qu'elle était *ms.* : ne ressemblait plus à ce qu'elle était *dactyl., dactyl. corr., orig.*

Page 299.

a. idées traditionnelles de politesse qui *ms.* : idées de politesse traditionnelles qui *dactyl., dactyl. corr., orig.* ↔ *b.* double médiumnique[1] qui se charge *ms.* : double qui se charge *dactyl., dactyl. corr., orig.* ↔ *c.* de les introduire *ms., dactyl., dactyl. corr., orig. Nous corrigeons.*

1. L'arrivée de M. de Charlus est notée dans le Cahier 62 : « Pour Sodome II (Balbec) / M. de Charlus entra (dans le salon des Verdurin) avec ces mouvements de tête penchée, ses mains ayant l'air de manier un petit sac, caractéristiques chez les dames

1. Après ce mot Proust a écrit : « (voir le mot) ».

bourgeoises bien élevées et chez ce[ux] que les Allemands appellent les homosexuels d'une certaine agoraphobie, l'agora se trouvant être là l'espace de salon qui sépare la porte du fauteuil où se tient la maîtresse de maison » (Cahier 62, f° 57 r°).

Page 300.

a. pendant le même temps toujours aimé les hommes, cette habitude *ms., dactyl.* ↔ *b.* d'une grande dame. *Le passage qui suit ces mots et qui va jusqu'à* M. de Diaghilev *[p. 303, 1er §, dernière ligne] était très différent dans le manuscrit (voir var. c, p. 303).* ↔ *c.* Au reste *Dans « La Nouvelle Revue française*[1] *», le passage qui commence par ces mots et qui va, dans le texte définitif jusqu'à* mères profanées *était différent. En voici le texte :* Au reste peut-on séparer entièrement l'aspect de M. de Charlus du fait que les fils, n'ayant pas toujours la ressemblance paternelle, même en recherchant les femmes consomment dans leur visage la profanation de leur mère ? Mais laissons ici ce qui mériterait un chapitre à part.

1. Ce chapitre, que *À la recherche du temps perdu* ne développera pas, correspond à un thème très anciennement envisagé par Proust. C'est celui qu'il abordait dès *Les Plaisirs et les Jours*, dans « La Confession d'une jeune fille » (éd. citée, p. 85-96). Il est suggéré par une notation du Carnet 1 : sur une liste de « pages écrites » dès 1908, figure « le visage maternel dans un petit fils débauché » (*Le Carnet de 1908*, éd. citée, p. 56). Un passage des brouillons de 1909 y revient : « Le visage d'un fils qui vit, ostensoir où mettait toute sa foi une sublime mère morte, est comme une profanation de ce souvenir sacré » (*Contre Sainte-Beuve*, éd. Fallois, chap. XIV). Le thème est aussi celui de la scène de Montjouvain (voir *Du côté de chez Swann*, t. I de la présente édition, p. 157-163). Voir notre article, « Ce frémissement d'un cœur à qui on fait mal », *Nouvelle revue de psychanalyse*, n° XXXIII, mai 1986. Voir aussi *Le Côté de Guermantes I*, t. II de la présente édition, p. 546-547.

Page 301.

a. du petit noyau), et eût dit volontiers : « Quiconque aime son père et sa mère autant que moi est indigne de moi », après m'avoir dit *dactyl. corr.* ↔ *b.* n'en était pas », *On trouve à cet endroit dans la marge de la dactylographie corrigée une addition biffée dont voici le texte :* « En voilà un qui ne marcherait pas pour la musique moderne. »

1. Le caractère de Morel est l'enrichissement le plus tardif apporté par Proust à *Sodome et Gomorrhe*. Les pages 301-303 sont transformées dans le Cahier 62, ff^os 2 r°-6 r°.

2. Voir *Le Côté de Guermantes I*, t. II de la présente édition, p. 562-563.

1. Pour les états antérieurs, voir var. *c*, p. 303.

3. L'expression « en être », ou « être de la confrérie », suscitant à chaque fois une ambiguïté de l'interprétation, deviendra une rengaine dans la suite de *Sodome et Gomorrhe* : voir p. 325, 332, 359, 410, 425, 432, 438.

Page 302.

1. Jean Gilbert Victor Fialin, duc de Persigny (1808-1872), homme politique, bonapartiste dès 1834, député en mai 1849, soutint le coup d'État du 2 décembre 1851, avant de devenir ministre de l'Intérieur et ambassadeur à Londres.

Page 303.

a. virtuosité mais admirable [et *biffé*] mais me faisait *dactyl. corr.* ⁂ *b.* concernait ses vraies supériorités, mais de premier ordre, *dactyl. corr.* : concernait ses vraies supériorités, talents, mais de premier ordre, *orig. Nous retenons la leçon de la dactylographie corrigée.* ⁂ *c.* M. de Charlus avait cessé d'entendre *[p. 300, 26e ligne]*, déploya les séductions d'une grande dame de sorte que le baron mérita au plus haut point l'épithète anglaise de *lady-like*. Santois vint me dire bonjour, et sachant que j'avais toujours voulu lui demander deux choses, je ne me souvins que de l'une d'elles : s'il avait demandé [Bien que d'autres raisons *[p. 300, 2e §, 1re ligne]* présidassent *[...]* dans ceux-là *[p. 301, 2e ligne]* le sexe. *add.*] [Santois eut l'air très embarrassé en me voyant. Il vint pourtant me dire bonjour, je[1] n'aurais pas de moi-même été à lui, comprenant qu'il pouvait être gêné d'expliquer à Mme Verdurin que son oncle avait été valet de chambre du mien. Il n'eut pas besoin de le faire, Mme Verdurin m'ayant vu d'abord causer avec M. de Charlus crut que c'était par celui-ci que je connaissais Santois[2]. Je savais que je voulais demander deux choses au jeune violoniste, mais je ne pus à ce moment me souvenir que d'une, c'est-à-dire s'il avait pensé à demander comment mon oncle avait la photographie du portrait de Mme Swann *add.*] à son père comment mon oncle avait le portrait de Mme Swann. À vrai dire j'étais doublement gêné d'abord d'être devant lui parce qu'il croyait peut-être que j'avais dit que son père était domestique de mon oncle et ensuite de parler justement de Mme Swann ici où lui Santois ne pouvait comprendre que tant de liens la rattachaient, chez les Verdurin dans le salon de qui Swann avait commencé à l'aimer où elle avait connu Forcheville, et non loin de Charlus, probablement son amant à lui Santois, et qui avait passé pour l'amant d'elle et tant de soirs avait été chargé par Swann de la distraire honnêtement. Pour le premier point je ne devais pas tarder à être rassuré ; Santois avait sans doute pris les devants car Mme Verdurin me dit un jour en me faisant son éloge : « C'est le fils de braves gens très simples qui vivent à la campagne, pas très loin d'ici. <C'est> pourquoi il a demandé à faire son service à Doncières. Mais du reste vous devez le connaître je crois ; il m'a dit, il me semble, que l'un des siens avait été *intendant* dans votre famille. C'est par vous

1. Après ce mot, la page du manuscrit est arrachée jusqu'à « Où çà un baron ? » *[p. 303, dernière ligne]*. Elle appartient au reliquat.
2. Voir la leçon de la dactylographie.

peut-être qu'il a connu le baron ? » me demanda-t-elle d'un air négligent mais curieux. Pour Mme Swann je m'arrangeai à ne pas la nommer et lui dis simplement : « Est-ce que par hasard vous avez jamais pensé à demander à votre père comment mon oncle avait ce portrait d'une femme habillée en homme ? — Parfaitement j'y ai pensé », me dit-il car il avait à côté de terribles défauts que je ne connus que plus tard quelque chose de poli, d'exact, d'adroit, qui était extrêmement agréable ; il n'oubliait rien de ce qu'on lui demandait. « J'aurais même dû vous écrire. Mon père m'a dit que vous sauriez peut-être ce que je voulais dire, car il croit que vous vous souvenez d'elle ; c'était une amie de monsieur Octave que vous avez vue chez lui un jour que vous étiez venu le voir après déjeuner, quand vous étiez encore très petit. Cette dame raffolait de vous. Mais elle n'a jamais pu vous revoir, parce que c'est à ce moment-là qu'il y a eu entre votre oncle et vos parents cette petite pique dont vous m'avez parlé cet hiver et que mon père a bien sue. Aussi vous étiez bien jeune pour connaître déjà des femmes de noce. J'ai entendu causer que mon père était fou de celle-là. Elle lui a emprunté deux mille francs qu'il n'a jamais revus. » Mme Swann était la même personne que la dame en rose que j'avais vue chez mon oncle ! Alors me rappelant le portrait d'Elstir, y comparant non seulement l'Odette que j'avais connue mais celle que représentaient les plus anciennes photographies, je compris combien ce qu'Elstir avait vu, avait aimé en elle, était différent de ce que nous voyions tous, était une torsion des traits — comme un texte à qui on veut absolument faire dire une chose préalablement pensée — pour les amener à une ressemblance avec Mme Elstir, avec l'idéal d'Elstir, avec certains portraits de primitifs aussi qu'Elstir avait particulièrement étudiés. Ce n'est pas seulement ainsi qu'Elstir avait peint Mme Swann, mais qu'il l'avait vue, cherchant dans tout visage ce qu'il pouvait contenir de ce qu'Elstir aimait, était. De tels portraits quand ils représentent — pour le peintre seul — une femme aimée, expliquent tout un amour, toute une vie vouée à un être que nos regards déforment perpétuellement. Le portrait alors n'étant plus le portrait de la femme elle-même mais de la chimère près de qui le peintre a cru passer sa vie, a quelque chose de tragique et qui dépasse l'art même. Car ce que le peintre nous dit de si étrange c'est la confession même, le secret, l'erreur de tout amour. M. de Charlus était là depuis quelques instants, et je lui parlais de Saint-Loup, quand Cottard entra au salon *ms.* : M. de Charlus avait cessé d'entendre, déploya *[comme dans ms.]* que c'était par celui-ci que je connaissais Santois. [J'ai dit que Morel *[p. 301, 6e ligne]*, échappé *[...]* développé en tous sens par *[p. 303, 1er §, dernière ligne]* M. de Diaghilev. *add.*] Je savais que je voulais *[comme dans ms.]* quand Cottard entra au salon *dactyl.*

1. Voir p. 141.
2. Voir l'Esquisse II, p. 939, et l'Esquisse XI, p. 1026.

Page 304.

a. « Le baron nous disait *[p. 303, 6e ligne en bas de page]* justement... — Un baron ! où ça un baron ? » demanda Cottard cherchant des yeux avec un étonnement qui frisait le soupçon d'imposture et l'incrédulité mais cependant sans se départir de la majestueuse lenteur qui avait remplacé au moins presque toujours, à force d'étude, et par l'apaisement qui s'était fait chez un homme aussi « arrivé » l'anxieuse précipitation d'autrefois. Mme Verdurin, avec l'indifférence *ms., dactyl.* ↔ *b.* prince de la science », ne s'inclina pas et murmura : « Je suis charmé. — Mais non pas du tout, c'est moi », protesta le professeur pour mettre à l'aise le baron. Mais il s'arrêta *ms., dactyl.* ↔ *c.* la vieille marquise [(ou comtesse) (elle a pu devenir marquise par la mort d'un beau-frère, peut-être le dire) (ou bien lui est marquis et sa mère comtesse) *biffé*] Il était, *ms.*

1. La remarque est notée sur un feuillet recueilli sous la cote B.N., N.a.fr. 16729, f° 130.

2. La phrase sur M. de Cambremer regardant avec son nez est tardivement retravaillée dans le Cahier 59, f° 66, pour une addition sur les épreuves.

Page 305.

a. le mot nordique[1] ou latin qui les désigne, entendant une consonne pour une autre et prenant un nom propre de possesseur de domaine pour un adjectif qui lui ressemble vaguement, ont fini *ms., dactyl.*

Page 306.

1. La remarque est répétée p. 316.

Page 307.

a. quand il ferait la connaissance des fidèles, *ms., dactyl., dactyl. corr.* : quand on lui présenterait ance *[sic]* des fidèles, *orig. Cette leçon aberrante résulte sans doute d'une correction incomplètement exécutée sur épreuves, correction destinée à éviter une répétition (voir 3 lignes plus bas). Nous corrigeons.* ↔ *b.* une fable de La Fontaine [« Les grenouilles devant l'aréopage » *biffé*] et une de Florian[2] [« Le singe montrant la lanterne magique » *biffé*] qui lui paraissaient *ms.*

1. Voir *À l'ombre des jeunes filles en fleurs*, t. I de la présente édition, p. 525.

2. Quelles sont ces deux fables ? M. de Cambremer citera, de La Fontaine, la fable « L'Homme et la Couleuvre » (p. 317). Mais il fera plus tard allusion à la fable « Le Chameau et les Bâtons flottants », aussi de La Fontaine (p. 353-354). Quant à la fable de Florian, une parenthèse suggérera plus loin qu'il s'agirait de « La Grenouille devant l'aréopage » (p. 317). Toutefois le manuscrit proposait ici une attribution différente : « Le singe montrant la lanterne magique » pour Florian, et « Les Grenouilles devant l'aréo-

1. Ce mot est absent dans la dactylographie.

2. Il s'agit de la fable de Florian, « Le singe qui montre la lanterne magique », *Fables*, II, VII. Mais aucune fable de La Fontaine ne porte un titre voisin de celui indiqué par Proust. Il songe vraisemblablement à la fable, « Les grenouilles qui demandent un roi », *Fables*, III, IV.

page » pour La Fontaine (var. *b*). « Le singe qui montre la lanterne magique » est en effet de Florian (*Fables*, II, VII). Mais nulle fable ni de La Fontaine ni de Florian, n'associe dans son titre la « grenouille », ou les « grenouilles », et l'« aréopage ». Y aurait-il dans l'esprit de Proust une confusion avec « Les grenouilles qui demandent un roi » (La Fontaine, *Fables*, III, IV) ? Il s'agirait alors d'une confusion ancienne, puisqu'on trouve cette notation dès le Carnet 1 : « le singe montrant la lanterne, les grenouilles du Nil, l'aéropage *[sic]* » (*Le Carnet de 1908*, éd. citée, p. 111). L'allusion au Nil ne plaide pas pour une confusion avec « Les grenouilles qui demandent un roi », fable qui se prête du reste mal au sens que paraît donner M. de Cambremer à l'expression de « la grenouille devant l'aréopage ». Il y a au demeurant chez Florian « Le Berger et le Rossignol » (*Fables*, V, I), où le rossignol se trouve devant des grenouilles, et « La Fauvette et le Rossignol » (*Fables*, IV, XIII), où le rossignol paraît devant un aréopage, mais sans Nil.

Page 308.

a. M. Julien Lévy *ms., dactyl.* ⁂ *b.* qui croient qu'en altérant *ms., dactyl., dactyl. corr., orig. Nous corrigeons.* ⁂ *c.* présenta M. de Charlus à Mme Sherbatoff ; *ms., dactyl., dactyl. corr.*

1. François de Beauchâteau, et non Julien, fut, comme Pic de La Mirandole, un enfant prodige. Proust se souvient peut-être d'un livre souvent réédité au cours du XIXe siècle : Michel Masson, *Les Enfants célèbres, ou Histoire des enfants de tous les siècles et de tous les pays, qui se sont immortalisés par le malheur, la piété, le courage, le génie, le savoir et les talents*, au Bureau central des dictionnaires, 1837, suivi de nombreuses éditions chez Didier de 1841 à 1881. Quelques pages seulement y séparent la vie de François de Beauchâteau de celle de Pic de La Mirandole.

Page 309.

a. choses *[15e ligne de la page]* qu'elle possédait et qui pouvaient aisément se marier à cet intérieur, notamment de vieilles toiles françaises et des paravents de laque d'une époque où il semble qu'il n'y ait pas eu cloison étanche entre les pays et même les races, de sorte que des saints personnages de Giotto n'eussent pas été déplacés parmi ceux qui se penchaient à cette balustrade nacrée de l'Extrême-Orient, et que les Asiatiques qui y figuraient ne choquaient pas plus dans ce castel normand que des motifs chinois dans l'église de Balbec. Surtout Mme Verdurin poussant même jusqu'à des conséquences extrêmes un de ses axiomes qui était qu'on doit vivre fût-ce pour quelques mois au milieu des choses qu'on aime, avait apporté à La Raspelière et placé des encadrements de vernis Martin, des chinoiseries décoratives de Leprince, et de Huet[1] qui se

1. Vernis Martin, des quatre frères Martin, qui ne furent pas les premiers à se servir d'un vernis à la résine de copal afin d'imiter les laques chinoises, mais qui portèrent cet art à la perfection ; Robert, l'aîné (1706-1765), fut vernisseur du roi

mariaient aimablement aux paravents leurs voisins, comme l'Orient français des adaptations de Galland aux *Mille et Une Nuits* véritables. Je ne continuerai d'ailleurs pas cette description parce qu'elle est presque entièrement rétrospective. Au moment même, soit dans l'excitation que me donnait le monde et l'envie de briller, soit dans l'abrutissement où me plongeaient, prétendait Albertine, les médicaments dont j'abusais, soit aussi à cause de préoccupations morales et aussi par le fait d'une tournure d'un esprit qui n'était jamais dirigé vers l'observation de la réalité concrète, la vision que j'eus de ce qui était autour de moi resta très vague. Elle ne laissa pas pourtant d'être agréable, tout cet ameublement laissant passer jusqu'à mon moi trop distrait, à défaut de notions claires des effluves sympathiques. Je m'en rendis compte par la laideur que je trouvai plus tard par contraste à d'autres habitations. Alors mon souvenir se reporta vers La Raspelière et les heures agréables que j'y avais passées, que je n'y pouvais plus passer car elle appartenait maintenant à des inconnus et le groupe qui s'y réunissait était dispersé. Elle devint alors pour moi un de ces objets d'imagination vers lesquels je dirigeais autant d'attention que j'en avais peu pour la réalité concrète. Je ne cessai d'interroger ceux qui y avaient dîné avec moi sur ce qui s'y trouvait. C'est ainsi que j'entendis parler avec grands détails de choses au milieu desquelles je m'étais promené tant de fois tout en causant mais les yeux fermés comme un somnambule, des chinoiseries de Leprince, de bien d'autres charmantes raretés dont ce n'est pas le moment de parler ici. Je dirai seulement que Mme Verdurin avait surtout utilisé de vieux meubles de la plus grande beauté, appartenant aux Cambremer mais que ceux-ci n'avaient pas su apprécier. Ainsi dans le salon on voyait, chose si rare aujourd'hui dans les plus vieilles demeures, des canapés dessinés jadis pour le panneau où ils étaient venus grâce à une étrangère, retrouver leur place prédestinée. À ce point de vue *ms., dactyl.*

Page 310.

a. connaître ce terme et pour que Mme Verdurin ne prît pas trop à la lettre l'humilité de son propriétaire). Cottard, *ms., dactyl.* ♦♦ *b.* le regardait [pour faire connaissance *add.*[1]] sous son lorgnon [et rompre la glace avec des clignements *add.*[2]] beaucoup *ms.* : le regardait, pour faire connaissance, sous son lorgnon et rompre la glace, avec des clignements beaucoup *dactyl., dactyl. corr., orig. Nous corrigeons.*

1. Ferdinand Barbedienne (1810-1892), fondeur en bronze, fut spécialiste des reproductions réduites de statues antiques et modernes, destinées aux intérieurs modernes. Ses bronzes se répandirent dans les salons bourgeois au XIXe siècle.

à partir de 1733. Jean-Baptiste Leprince (1733-1781), peintre et graveur, élève de Boucher, voyagea en Hollande et en Russie ; de retour à Paris en 1864, il se rendit célèbre par des suites de pièces russes. Jean-Baptiste Huet (1745-1811), peintre réputé pour des paysages et des scènes animalières ; ses dessins gravés restèrent recherchés.

1. Cette première addition est dans l'interligne.
2. Cette seconde addition est dans la marge.

Page 311.

a. chez un Charlus par un homme *ms., dactyl.* ◆◆ *b.* l'inverti le fait implacablement sentir à celui qui l'excite, comme il ne le ferait *ms., dactyl.* : l'inverti le fait implacablement sentir à celui qui la provoque, comme il ne le ferait *dactyl. corr., orig. Nous corrigeons.* ◆◆ *c.* et plus encore celles *ms.* : et encore plus celles *dactyl., dactyl. corr., orig.*

Page 312.

a. lui-même, c'est aussi *ms., dactyl., dactyl. corr., orig. Nous corrigeons.* ◆◆ *b.* concurrent, n'est pas *ms., dactyl.* : concurrent, il n'est pas *dactyl. corr., orig. Nous retenons la leçon du manuscrit.*

1. Le héros de *L'Avare* de Molière.

Page 313.

a. si mon femme *ms., dactyl., dactyl. corr.*

Page 314.

1. Quelques expressions de ce genre sont notées dans le Cahier 60 : « Mots que Cottard trouve ridicules : s'en fiche comme de l'an 40, toujours des chiffres, être sur son 31, il glisse plus bas à Brichot un chiffre obscène » (Cahier 60, f° 58 r°).

2. Voir p. 137 et n. 2.

Page 315.

1. « C'est ce qui fait que notre âme a tant de moyens de résister à la vérité qu'elle connaît, et qu'il y a un si grand trajet de l'esprit au cœur, surtout lorsque l'entendement ne procède en bonne partie que par des pensées sourdes, comme je l'ai expliqué ailleurs » (*Essais de théodicée*, IIIe partie, § 311). De nombreux extraits de la *Théodicée* de Leibniz furent publiés à la fin du XIXe siècle, introduits par les meilleurs spécialistes : éd. Paul Janet, Hachette, 1874 ; éd. M. Fouillée, Delagrave, 1875 ; éd. H. Marion, E. Belin, 1875 ; éd. Th. Desdouits, J. Delalain, 1875.

2. John Stuart Mill (1806-1873), philosophe anglais, était surtout connu en France par la traduction de son ouvrage, *Auguste Comte et le positivisme*, souvent réédité chez G. Baillière entre 1868 et 1903. Proust fait plus vraisemblablement allusion au *Système de logique déductive et inductive* (Ladrange, 1866 ; G. Baillière, 1880), où Mill combat la doctrine de l'intuition sous toutes ses formes et, empiriste convaincu, affirme la réalité du monde extérieur tel que nous le percevons.

3. Jules Lachelier (1832-1918), philosophe ; sa célèbre thèse *Du fondement de l'induction* (1871) fut souvent rééditée chez Alcan, de 1896 à 1924, suivie de *Psychologie et métaphysique*. Son influence fut considérable. La préoccupation centrale de sa pensée concernait les conditions de l'existence d'un monde qui se révèle à l'expérience,

et la façon dont il devient objet de pensée. Par l'induction, il désignait le passage de la contingence des faits perçus à la nécessité des lois du monde extérieur. Proust l'oppose donc avec raison à Mill.

Page 316.

a. *On lit à cet endroit, en marge du manuscrit, cette addition biffée :* « Monsieur, je ne peux pas vous dire comme vous m'intéressez, dis-je à Brichot. Nous avions à la campagne un vieux curé qui savait une foule d'étymologies. J'ai regretté après coup de n'en avoir pas mieux profité. Je voudrais beaucoup vous demander ce que signifient certains noms de ce pays. »

1. Voici, jusqu'à la page 324, ligne 14, la couche la plus ancienne des étymologies de *Sodome et Gomorrhe*. Elle apparaît au début de la guerre dans le Cahier 72, brouillon qui met en place la seconde partie du séjour à Balbec. Or toutes ces étymologies proviennent de l'ouvrage d'Hippolyte Cocheris (n. 1, p. 281) : il s'agit de l'indication capitale démontrant que Proust se servit de l'ouvrage de Cocheris pour la toponymie générale, avant de donner à Brichot une spécialité dans les étymologies normandes. Parmi les exemples de noms d'animaux entrés dans la formation de noms de lieu, Cocheris donne Chantepie (Ille-et-Vilaine, etc.) (p. 108). L'étymologie est notée par Proust dans le Cahier 72, f° 11 r°, dans le corps de la page.

2. L'expression est notée dans le Cahier 60 : « Mme Verdurin (pour Charlus ou Saniette) à mi-voix : "Attrape" » (f° 121 v°). Elle sera répétée p. 353.

3. Chantereine (Seine-et-Oise) et Renneville (Eure, etc.) sont cités par Cocheris parmi les noms de lieu formés sur le nom de la grenouille (ouvr. cité, p. 109). L'étymologie est notée dans une addition marginale du Cahier 72 (f° 12 r°).

4. Voir p. 306.

Page 317.

1. *Fables*, X, I ; voir n. 2, p. 307.

2. À la section des noms de lieu tirant leur origine des « Ponts et chaussées », Cocheris écrit, dans une de ses analyses les plus développées : « Le lieu dit Pont-à-Couleuvre désigne un terrain baigné par l'Oise entre Noyon et Salency. Aux basses eaux, on aperçoit encore les restes d'un pont que les antiquaires qualifient de romain, et que je me contenterai de qualifier d'ancien. Rien de plus naturel, au premier abord, de supposer qu'un nid de couleuvres a pu être découvert dans les interstices de ce pont, et que les habitants, en mémoire d'une trouvaille si peu agréable, aient surnommé ce pont le "pont à couleuvres" ; mais cette supposition tombe d'elle-même lorsqu'on retrouve dans un texte une forme plus ancienne, qui est Pont-à-Quileuvre. Que veut dire *quileuvre* ? c'est ce que je n'aurais probablement pas trouvé sans un texte latin où ce lieu est appelé *Pons cui aperit*, c'est-à-dire "Pont-à-qui-l'ouvre". / Pont-à-Couleuvre est donc simplement un pont fermé qui s'ouvrait à ceux qui pouvaient l'ouvrir, c'est-à-dire un pont clos par des barrières, que l'on ouvrait au passant moyennant finance » (ouvr. cité, p. 127-128).

3. Voir n. 2, p. 307. L'allusion de Proust demeure mystérieuse. Elle était notée dans une addition marginale du Cahier 72, mais au pluriel : « Je me fais l'effet des grenouilles devant l'aréopage » (f° 13 r°). Dans *Du côté de chez Swann*, Odette employait la même expression (t. I de la présente édition, p. 195).

4. Une notation du Cahier 60, non exploitée par le roman, donnait une indication fort intéressante sur la curiosité de M. de Cambremer pour les étymologies de Brichot : « Quand la princesse de Parme parle à M. de Charlus pour Mlle d'Oloron ajouter capitalissime. / Le nom de Cambremer était connu de M. de Charlus bien avant Balbec, quoique on ait pu croire. Le père du marquis actuel et grand-père du fiancé qu'on proposait avait eu en effet une réputation fâcheuse quasi proverbiale et qui n'était pas restée limitée à l'Avranchin, d'autant plus que son nom était assez souvent cité des érudits parisiens parce qu'il avait été président de la Société des études normandes. (Rétrospectivement quand au dîner Verdurin à La Raspelière, Brichot donne des étymologies M. de Cambremer dira : "Vous auriez beaucoup intéressé mon père. Ah ! il aimait ces choses-là plus que tout", un imperceptible sourire déplisse la bouche de M. de Charlus) » (f° 110 r°). La Société des antiquaires de Normandie, fondée en 1824 — et non la Société des études normandes —, publiait des *Mémoires*, où parurent de nombreux travaux de philologie normande, en particulier ceux de Le Héricher. Lorsque, dans le roman, la princesse de Parme parlera à M. de Charlus pour Mlle d'Oloron, c'est au nom de Legrandin, oncle du marié, que M. de Charlus réagira, mais de la même manière qu'ici à propos du grand-père du marié (voir *Albertine disparue*, t. IV de la présente édition).

Page 318.

a. Tout en répondant aux questions que Mme de Cambremer me posait sur Santois, je me rappelais que la raison principale pour laquelle Saint-Loup m'avait dit aller assez souvent à Féterne était de faire plaisir à un de ses amis, celui qui s'étant plus particulièrement lié avec moi à Doncières et qui, m'avait dit dernièrement Robert, était amoureux fou de la marquise. Mme de Cambremer m'inspirait si peu de goût, de curiosité, à plus forte raison d'anxieux intérêt, que je ne pouvais pas comprendre que les émotions d'un jeune homme pussent s'accumuler autour d'elle. Et pourtant je savais bien que l'acte d'aimer n'est pas plus simple que celui de voir, que c'est avec notre propre substance que nous créons le charme d'une femme comme la couleur d'un objet, que notre maîtresse n'est que le point d'intersection entre le monde extérieur et nos rêves personnels. Si on pouvait voir ces rêves, on se rendrait compte qu'ils tiennent la plus grande place dans un amour. Et on les voit si l'amoureux est un poète, comme l'auteur des plus beaux vers de la langue française, lequel ayant rendu son cerveau transparent nous a permis de comprendre ce qu'était sa passion pour une négresse. S'il n'avait jamais écrit, le vulgaire ne voyant que l'objet c'est-à-dire la négresse, aurait dit : « Drôle d'idée, singulier choix. » Or ce sont les mots mêmes que je me disais en regardant Mme de Cambremer et en pensant à l'amour de l'ami de Saint-Loup, au lieu de penser que des pays où il avait eu envie d'aller, des livres de blason, des dictionnaires d'archéologie, le genre de peau de petites filles avec qui il avait joué enfant, et le genre de peau de certains fruits, étaient sans doute dissous dans son sentiment pour Mme de Cambremer, et comme ces métaux dont on fait les piles, permettaient à des courants d'émotion d'aller de lui vers elle et de lui être apportés par elle. Mais ces réflexions sur l'amour me ramenèrent vite à un sujet qui me tenait plus au cœur. Je ne causais que distraitement avec Mme de Cambremer. J'étais surtout préoccupé par une conversation que j'avais eue avec ma mère dans l'après-midi. *ms., dactyl.*

1. Voir l'Esquisse XI, p. 1018.

2. Il s'agit sans doute d'une variante du nom du président Poncin, premier président de la cour d'appel de Caen.

3. Citation modifiée d'une lettre de Mme de Sévigné, datée du 1er octobre 1684 : « Elle a de très bonnes qualités, du moins je le crois, mais dans ce commencement, je ne me trouve disposée à la louer que par les négatives : elle n'est point *ceci*, elle n'est point *cela* ; avec le temps je dirai peut-être : elle est *cela*. [...] elle n'a point l'accent de Rennes » (*Correspondance*, Bibl. de la Pléiade, t. III, p. 146). Il s'agit de la femme de Charles de Sévigné.

Page 319.

a. remettaient en mes mains *ms.* : remettaient entre mes mains *dactyl., dactyl. corr., orig.* ❖ *b.* jeune fille au caractère violent et au ricanement d'hystérique. Il n'y a presque *ms., dactyl.*

Page 320.

a. le jour où pour Wagner et pour Franck ils me diront : la Barbe ! — Mais c'est très bien *ms., dactyl.*

1. Proust note le même trait de langue en 1920, dans un article sur Réjane (*Essais et articles*, éd. citée, p. 600).

Page 321.

1. Les pères conscrits étaient, à Rome, les membres du Sénat.

2. Charles-Louis de Saulces de Freycinet (1828-1923), élève à Polytechnique en 1848, s'interposa entre le peuple et la troupe. Collaborateur de Gambetta après 1870, sénateur de 1876 à 1920, il fut quatre fois président du Conseil de 1879 à 1892, ministre d'État en 1915-1916, et membre de l'Académie française à partir de 1890.

3. Toutes les origines végétales proviennent de l'ouvrage de Cocheris (n. 1, p. 281), la plupart du chapitre des « Influences naturelles », section « Des arbustes et plantes ». Il s'agit de noms de lieu chez Cocheris, et Proust applique les étymologies aux noms de personne. Dans le Cahier 72, Proust énumère les membres de l'Académie dont le nom a une origine végétale (f° 12) : le passage appartient au corps de la page, et les noms des « Quarante » sont même en plus grand nombre qu'ici. Le saule, en latin *salix*, se retrouve

dans Saulce (Yonne) et Saulces-Champenoises (Ardennes) (ouvr. cité, p. 42). « Le frêne, en latin *fraxinus*, d'où *fraxinetum*, “lieu planté de frênes” » (*ibid.*), se retrouve dans Fraissinet (Lozère et Aveyron) (*ibid.*, p. 43).

4. Justin de Selves (1848-1934), homme politique français, fut préfet de la Seine de 1896 à 1911, sénateur du Tarn-et-Garonne en 1909, ministre des Affaires étrangères en 1911-1912, et membre de l'Académie des beaux-arts.

5. « Le mot latin *sylva* (“forêt”) a formé les noms de : Selve (Aisne) », etc. (Cocheris, ouvr. cité, p. 27).

6. « Proust ajoute des invités à l'improviste et les abandonne après (afin de placer une boutade) », note Jean Cocteau (*Le Passé défini*, éd. citée, t. I, p. 270). La remarque s'applique notamment au « philosophe norvégien », pour lequel Proust prit des notes très tardivement dans le Cahier 59, f° 16 : il était question alors d'un professeur suédois, plus proche du modèle, Algot Henrik Leonard Ruhe (1867-1944), suédois lui-même, membre de l'Académie des Neuf. Traducteur de Bergson et auteur d'une vie du philosophe en anglais (Londres, Macmillan, 1914), il avait aussi écrit un article sur Proust, « Un nouvel écrivain », qui parut dans *Var Tid*, Stockholm, numéro annuel de 1917. Il envoya en 1921 des nouvelles à Proust, qui les transmit à Jacques Rivière. Celui-ci répondit en novembre de la même année : « J'ai lu les nouvelles de M. Algot Ruhe. Elles sont loin d'être mauvaises. C'est dommage qu'elles soient écrites dans un français si incertain, pour ne pas dire si incorrect. On pourrait d'ailleurs peut-être en arranger le style. » Proust répliqua le 29 ou 30 novembre 1921 : « Bergson (qui m'avait mis en rapport avec lui et dont il est le traducteur, commentateur etc. exclusif) est tout indiqué pour mettre au point ces petits poèmes si vous les aimez. Si cela vous ennuie de déranger Bergson (qui sera sûrement heureux de se donner de la peine pour Ruhe mais qui est tellement absorbé dans Einstein qu'il en a renoncé à ses cours), je suis tout disposé à faire ce travail de mise au point (j'espère que cet éminent Suédois ne se reconnaîtra en rien dans le philosophe norvégien de *Sodome II* mais j'en tremble) » (M. Proust-J. Rivière, *Correspondance*, éd. citée, p. 210-211 et 213). Étant donné la ressemblance entre les remarques de Rivière sur le français d'Algot Ruhe et les indications du roman sur le français du philosophe norvégien, le modèle suédois n'eut sans doute pas grand-peine à se reconnaître. La présence, ici, d'Algot Ruhe sert de liaison avec les analyses du sommeil (p. 370-375), directement inspirées de Bergson, elles aussi additions tardives.

Page 322.

a. que nous entendîmes conférencer, Saniette, *ms., dactyl., dactyl. corr.* : que nous entendîmes conférencier, Saniette, *orig. Nous adoptons la leçon des états antérieurs.* Conférencer *est un néologisme de Brichot.* ◆◆

b. aux confins du monde, comme proconsul *ms.*[1], *dactyl., dactyl. corr., orig.* ◆◆ *c.* Au nom de Saniette [...] qui démonta le timide. *Cette phrase figure dans la marge du manuscrit. Dans la dactylographie, la dactylographie corrigée et l'édition originale, elle est placée, vraisemblablement par erreur, dix lignes plus bas, après* lui demandai-je *[p. 323, 9ᵉ ligne].*

1. Voir *À l'ombre des jeunes filles en fleurs*, t. II de la présente édition, p. 42.

2. Au numéro 228, rue de Rivoli, l'un des meilleurs hôtels de Paris à la fin du XIXᵉ siècle.

3. Émile Boutroux (1845-1921), philosophe et professeur à la Sorbonne en 1885, eut pour élève Bergson.

4. Henry Houssaye (1848-1911), historien et critique, spécialiste de l'époque napoléonienne, fut élu à l'Académie française en 1894. « L'ancien haut allemand *Hüliz* (allemand moderne *Hülse*) qui s'est transformé en bas latin en *Hulsetum*, "lieu planté de houx" » a donné en particulier La Houssaye (Eure) et Houssaye (Oise, etc.) (Cocheris, ouvr. cité, p. 44).

5. Wladimir d'Ormesson (1888-1973), diplomate et écrivain, était lui-même fils de diplomate. « L'orme. Cet arbre qui a été l'objet d'un culte tout particulier en France, se retrouve sous différentes formes. Le latin *ulmus* ("orme"), d'où *ulmetum* a fourni » en particulier Ulm (Allemagne) et Ormesson (Seine) (*ibid.*, p. 41). L'orme est chanté par Virgile, notamment dans les *Géorgiques*, I, II.

6. Antoine Paul René Lefebvre de La Boulaye (1833-1905) fut ambassadeur en Russie de 1886 à 1891. André de La Boulaye, diplomate, futur ambassadeur, était en poste à Washington en décembre 1913, quand son ami André de Fouquières lui rendit visite (*Cinquante ans de panache*, éd. citée, p. 135). « Le bouleau. Du latin *Betula*, les Gallo-Romains avaient fait le collectif *Betuletum*, la Boulaye » (Cocheris, ouvr. cité, p. 40).

7. Charles-Marie Le Pelletier d'Aunay fut ambassadeur à Berne en 1907. Sur *Alnus* et Aunay (Nièvre), voir *ibid.*, p. 38.

8. Edmond Renouard de Bussières (1804-1888) fut ambassadeur à Naples. Sur *Buxus* et Bussières (Nièvre), voir *ibid.*, p. 44.

9. L'origine du nom Albaret ne figure ni dans l'ouvrage de Cocheris, ni dans le Cahier 72. C'est une addition de la dactylographie. Sur Céleste Albaret, voir p. 240 et n. 2.

10. Armand-Pierre, comte de Cholet, avait été le lieutenant de Proust pendant son service militaire à Orléans. Cocheris voit « Le chou (*Caulis* d'où *Cauletum*), dans : Cholet (Maine-et-Loire) » (ouvr. cité, p. 52).

11. Henri Berdalle de Lapommeraye, pseudonyme d'Henri d'Alleber (1839-1891), fut critique, professeur d'histoire et de littérature au Conservatoire de musique et de déclamation en 1878, conférencier habituel de l'Odéon, et auteur de la préface des

1. Dans le manuscrit la rédaction du passage où figurent ces mots est sur un papier collé sous lequel on lit cette autre rédaction : « aux confins du monde civilisé, comme proconsul ».

Conférences faites aux matinées classiques de l'Odéon, 1889, « Le pommier, *pomerium*, d'où *pomeretum*, qui signifie "pommeraie" » a donné en particulier Pommeraye (Calvados, Vendée, etc.) (Cocheris, ouvr. cité, p. 45). Le Cahier 72 notait encore d'autres étymologies végétales pour ces pages : M. Cambon, « Dans le Midi, les terres à chanvre s'appelaient *Cambones* » (*ibid.*, p. 50) ; La Bruyère (*ibid.*, p. 49) ; M. de Chevregny, M. de Cabrières, « De *Caprariae*, lieux où se rassemblent les chèvres, sont venus [...] Cabrières (Gard), [...] Chevregny (Aisne), *Capriniacum* en 893 » (*ibid.*, p. 105) ; deux prélats porteurs du même nom, Hulst et Quelen, du houx, de l'ancien haut allemand transformé en bas latin en *hulsetum*, et du breton où le houx se nomme *quelen* (*ibid.*, p. 44).

12. Désiré Paul Parfouru, dit Porel (1842-1917), comédien et directeur de théâtre, débuta en 1863 à l'Odéon, passa au Gymnase en 1867, revint à l'Odéon en 1871 et, après en avoir été le grand comédien, en devint le directeur de 1884 à 1892. Il fut le directeur du théâtre du Vaudeville de 1893 à sa mort, et l'époux de la grande actrice Réjane (1856-1920) de 1893 à 1905. Jacques Porel, leur fils, fut lié à Proust au lendemain de la guerre, et ce dernier s'installa au-dessus de chez Réjane et Jacques Porel, en 1919, quand il dut quitter le boulevard Haussmann. Les poèmes de Jacques Porel sont mentionnés à plusieurs reprises dans les lettres de Proust et de Rivière à partir de 1920.

13. Le bon mot de Brichot, « Porel au temps de son proconsulat », est noté dans le Carnet 3, f° 30, complété par le mot « Odéonie », f° 5.

Page 323.

a. tous les jours, ce baron, il a un air *ms.* : tous les jours, il a un air *dactyl., dactyl. corr., orig.* ↔ *b.* me présenter tous les nobles *ms., dactyl., dactyl. corr.*

1. Les deux étymologies sont données par Cocheris (ouvr. cité, p. 144). Saint-Frichoux est dans l'Hérault, et Saint-Fargeau dans l'Yonne. Saint-Fargeau figure sur une liste d'étymologies notées par Proust dans le Carnet 4, qui proviennent toutes de l'ouvrage de Cocheris (n. 1, p. 281). Seule celle de Saint-Fargeau sera reprise dans le roman : *Liberiacum*, Livry (ouvr. cité, p. 180), *Albiniacum*, Aubigny (*ibid.*), *Campineola*, Champigneules (p. 190), *Montepodium*, Montempuis (p. 196), *Christoilum*, Créteil (p. 196), *Spinogilum*, Épinay (p. 196), La Croix-l'Évêque (p. 166), Villeneuve-l'Archevêque (p. 164), *Sanctus Ferreolus*, Saint-Fargeau (p. 144), *S. Leodegarius*, Saint-Léger (p. 145), *Sancta Eulalia*, Saint-Aulaire (p. 144), *Spicarium*, Épieds (p. 100) (Carnet 4, f° 51 v° et r°). Saint-Fargeau est aussi noté dans le Cahier 72, f° 16 v° : voir n. 6, p. 281. Le Cahier 72 contient encore une longue liste d'étymologies plus ou moins fictives, développant celles du Carnet 4 : voir n. 1, p. 485. Saint-Fargeau y est encore noté.

Page 324.

1. On lit dans le manuscrit : « etarder ». « Pétarder » serait-il le mot de Ski ?

2. L'étymologie est de Proust. Cocheris ne donne que des exemples de noms formés sur le *robur* latin (ouvr. cité, p. 36).

3. Au chapitre des « Influences naturelles », section « De l'eau », Cocheris évoque la racine sanscrite *av*, l'un des signes du mouvement (*ibid.*, p. 7). « Il y a l'*Av*ario, aujourd'hui l'*Av*eyron, affluent du Tarn [...]. La forme *ewe* est conservée dans le mot "évier" où se jettent les eaux des cuisines, et dans l'adjectif *eveux*, qui signifie "humide". [...] La forme *ève* entre dans la composition de certains autres noms, tels que [...] Lod*ève* (Hérault) » (p. 8). D'après les lois de permutation, « on arrive à reconnaître sans crainte de se tromper, le mot *eve, ave, ive* », par exemple dans Saint-Pierre-des-*Ifs* (Eure) (p. 9).

4. « En breton, *ster* signifie tantôt "rivière", tantôt "fleuve", aussi trouve-t-on en Bretagne » : Ster-laër, Sterpouldu, Sterbouest, Ster-en-Dreuchen (*ibid.*, p. 13). Proust avait noté une étymologie différente dans le Cahier 59 : « Stermaria, oui je sais très bien, ils ont dans leurs armes une étoile (*ster* en breton) et par extraordinaire la devise n'est pas en breton mais en latin et d'ailleurs assez belle : *Lumen in coelo* » (f° 68).

5. *La Chercheuse d'esprit* est un opéra-comique (1741) de Favart (1710-1792). Une adaptation en fut donnée en 1888 au théâtre de l'Alcazar, et en 1900 à l'Opéra-Comique. L'œuvre est mentionnée dans des notes prises par Proust au cours de Maxime Gaucher, son professeur de rhétorique au lycée Condorcet (André Ferré, *Les Années de collège de Marcel Proust*, Gallimard, 1959, p. 183). L'allusion, à ajouter sur les épreuves, est notée tardivement dans le Cahier 59 : « [Legrandin *biffé*] ne dit pas seulement *La Chercheuse* pour faire plus court, mais par habitude de lettré [:] surveiller aux cuisines, *Le Malade*, *Les Fourberies*, Madeleine (pour Madeleine Béjart). Paraît un peu essoufflé après chaque algarade de M. Verdurin » (f° 64). Madeleine Béjart (1618-1672) jouait les rôles de soubrette dans la troupe de Molière, dont elle fut la maîtresse.

Page 325.

a. « J'étais à la Ch... — — Che, che, che, tâchez *ms., dactyl., dactyl. corr.* : « J'étais à la Ch..., Che, — che, che, tâchez *orig. Nous retenons la leçon des états antérieurs en supprimant un tiret.* ↔ *b.* reprit une voix *ms.* : reprit d'une voix *dactyl., dactyl. corr., orig.*

1. La réflexion rappelle la sociologie de Gabriel de Tarde (1843-1904), qui voyait dans l'innovation et l'imitation les deux principes gouvernant les sociétés humaines. Tarde ne donnait toutefois aucun sens péjoratif à la notion d'imitation, dans *Les Lois de l'imitation* et dans *La Logique sociale* (F. Alcan, 1890 et 1895).

Page 326.

a. à propos des Bussière.) *dactyl. corr.* : à propos de Bussière.) *orig. Nous ne possédons pas, pour ce passage, d'états antérieurs à la dactylographie corrigée (voir la variante suivante).* ↔ *b.* il n'était pas de tempérament *[7ᵉ ligne de la page]* ibsénien. D'ailleurs, *ms., dactyl.* ↔ *c.* comme elle-même disait : Madame La Rochefoucauld. Elle n'avait *ms., dactyl., dactyl. corr.*

1. À la suite de Porel (voir n. 12, p. 322), Émile Marck et Émile Desbeaux dirigèrent l'Odéon de 1892 à 1896. Paul Ginesty et André Antoine leur succédèrent. Mais Antoine, qui introduisit Ibsen en France, démissionna avant la fin de l'année, et Ginesty, qui introduisit Tolstoï, demeura seul à la direction de l'Odéon jusqu'en 1906, où Antoine lui succéda jusqu'en 1914.

2. Le roman de Tolstoï *Résurrection* (1899) fut en effet adapté à la scène par Henry Bataille, et donné pour la première fois à l'Odéon le 14 novembre 1902. Cette adaptation fut reprise au théâtre de la Porte-Saint-Martin le 25 janvier 1905. Edmond Guiraud monta *Anna Karénine* au théâtre Antoine ; la première eut lieu le 30 janvier 1907.

3. Il n'a pas encore été question d'un portrait de Favart. Le peintre suisse Jean-Étienne Liotard (1702-1789) fit en 1757 un portrait au pastel de Favart — gravé par Littret — ainsi qu'un portrait de Mme Favart. Autrefois à Genève, dans la collection de Mme Lambotte, il provenait de la collection de Georges et Henri Pannier, à Paris, composée essentiellement d'œuvres ayant appartenu à Favart : voir P.-A. Lemoisne, « Les Collections de MM. Georges et Henri Pannier », *Les Arts*, mars 1907, p. 10-29. Le portrait de Favart, dont la localisation actuelle est inconnue, est reproduit à la page 11 de l'article. Il n'est pas impossible que Proust l'ait vu chez Georges Pannier. Dans le numéro précédent de la revue *Les Arts*, Charles Saunier présentait « La Collection de Mme A. Arman de Caillavet ».

Page 327.

a. comment eût-il pu être bizarre *ms.* : comment eût-il été bizarre *dactyl., dactyl. corr., orig.* ↔ *b.* faisait la Zerbine, dit Saniette. — Samary, c'est ce que nous appelons une Duval[1], dit le docteur en souriant avec assurance. — La Zerbine ? Qu'est-ce *ms.*

1. Jeanne Samary (1857-1890) débuta au Théâtre-Français en 1875 et excella dans les emplois de soubrette. Elle créa, en 1881 la Suzanne du *Monde où l'on s'ennuie* de Pailleron. Sa sœur aînée, Marie Samary, appartenait à la troupe de l'Odéon dans les années 1870.

2. La Zerbine est un personnage de soubrette dans le répertoire comique, mais il n'y a pas de soubrette dans *La Chercheuse d'esprit* de Favart. Dans *Le Capitaine Fracasse* de Théophile Gautier, livre cher

1. Aline Duval (1824-1903), au théâtre du Palais-Royal en 1842, réussit dans les rôles de soubrette, grisette, travesti, elle se produisit par la suite aux Variétés, aux Bouffes, à l'Ambigu.

à Proust (pastiché dans « Journées de lecture », et loué, contre Faguet, dans les brouillons de l'essai sur Sainte-Beuve ; voir *Pastiches et mélanges* et *Contre Sainte-Beuve*, éd. citée, p. 175 et 295), Zerbine est le nom de la soubrette du marquis.

3. Personnages du répertoire comique et du roman de Gautier, lequel fut adapté deux fois à la scène : sur un livret de Catulle Mendès, le compositeur Pessard en tira un opéra-comique, représenté au Théâtre-Lyrique en 1878 ; Émile Bergerat en fit une pièce, donnée à l'Odéon en 1896.

4. L'association de Balbec et Dalbec qui ne figure pas chez Cocheris, ni chez Longnon du reste, est de Proust. Le Héricher cite bien Becdal, comme dérivant du scandinave *dale*, « vallée », ou de l'islandais *dal* : « Dale, "vallée", de l'islandais *dal*, se trouve exclusivement en Haute-Normandie : Dieppedale (profonde vallée), Becdal (ruisseau du val), Bruquedale (val du pont ou passage) » (*Philologie [...]*, éd. citée, p. 42). Mais pour l'étymologie de Balbec, Proust combinera deux analyses de Cocheris, pour *bec* et *dal* (voir n. 2, p. 328 et n. 3, p. 329).

5. Dans le diocèse de Bayeux, les templiers possédaient plusieurs commanderies dans le bailliage de Caen : Baugy, fondée en 1148 par Roger Bacon ; Voismer, fondée à la même époque par Roger de Gouvix et Guillaume son fils ; Bretteville-le-Rabet, inconnue avant 1250 ; Courval enfin. Après la suppression de l'ordre des templiers, ces quatre commanderies passèrent à l'ordre de Malte, puis furent réduites à deux : Baugy et Voismer (voir C. Hippeau, *Dictionnaire topographique du département du Calvados*, Imprimerie nationale, 1883, p. XXIX-XXX).

6. Louis II d'Harcourt, mort en 1459, fut le quarante-neuvième évêque de Bayeux, en 1459. Comme il avait été archevêque de Narbonne auparavant, il fut honoré par le pape du titre de patriarche de Jérusalem, car il n'était pas juste qu'il perdît son rang. La baronnie de Douvre relevait en effet de lui, ainsi, du reste, que la baronnie de Cambremer (Hermant, *Histoire du diocèse de Bayeux*, Caen, 1750, p. 339 et 350). Le temporel de l'évêché comprenait en 1460, époque où le dénombrement fut fait par Louis d'Harcourt, sept baronnies. Douvre, dans le Calvados, canton de Caen, orthographié Douvres à tort, selon C. Hippeau (ouvr. cité, p. 101), est sans rapport avec les rois d'Angleterre. Nous ignorons la source de l'érudition de Proust sur ce point.

Page 328.

a. Brillat-Savarin, ressemble à un personnage [de Walter Scott *biffé ms.*] d'Anatole France, et m'a exposé *ms., dactyl.* ♦♦ *b.* en se l'appropriant. Le mot était *ms.* : en se l'appropriant, le mot était *dactyl., dactyl. corr., orig.* ♦♦ *c.* Briand, ou bien *brice*, *ms., dactyl., dactyl. corr., orig. Nous corrigeons.*

1. Anthelme Brillat-Savarin (1775-1826), gastronome et écrivain, est l'auteur de la *Physiologie du goût* (1825).

2. Cocheris est encore pour une large part à l'origine de ce passage : « Les Germains avaient, pour désigner un ruisseau, un petit cours d'eau, un mot dérivé du sanscrit *pay* (“se mouvoir”, “couler”), que les Persans écrivent *Bak* et qui a pris en haut allemand et en allemand moderne la forme *bach*. Les Anglo-Saxons le prononçaient *beec*, *bekke*, les Hollandais, *beek*, *beeke*, les Suédois et les Danois *back*, et les Normands l'écrivent *bec* » (ouvr. cité, p. 14). Le Cahier 72, brouillon du début de la guerre, s'inspirait directement de Cocheris, et Proust donnait comme exemples : Le Bec-Hellouin (Eure), Le Bec-Thomas, Notre-Dame-du-Bec, Le Robec, Caudebec, Bricquebec, Le Becquet, Becquerel, Les Hauts-du-Bec. Tous étaient mentionnés par Cocheris, sauf Caudebec, Bricquebec et Les Hauts-du-Bec, ajoutés par Proust.

3. Cette illustre abbaye, fondée en 1034 par le bienheureux Herluin, s'installa plus tard au Bec-Hellouin (d'où son nom), dans l'ancien diocèse de Rouen, actuellement d'Évreux.

4. Le Cahier 72 ne citait pas Mobec. L'origine de ce nom n'est donnée ni par Cocheris ni par Longnon. Le Héricher rattachait *mar* et *mor* au mot celtique signifiant « landes marécageuses », et donnait l'exemple de « Mobec pour Morbec, littéralement “le ruisseau de la lande” » (*Philologie [...]*, éd. cité, p. 21). La terminaison *-mare* vient du mot norois *mar* signifiant « marais », écrit Longnon, comme, entre autres exemples, dans Alvimare ou Briquemare (*Les Noms de lieu [...]*, éd. citée, p. 287). Là encore, la courte page des *Origines et formation de la nationalité française*, du même Longnon, suffisait à apporter ces informations : *mar*, « étang », « marais », comme dans Alvimare, Briquemare, Londemare (éd. citée, p. 52 ; voir n. 1, p. 281). Mais l'assimilation n'est pas faite avec *mor* ou *mer*. Tout au contraire, Longnon juge, quant aux noms en *-mer* : « Leurs formes anciennes attestent en plus d'un cas une origine toute autre. Cambremer (Calvados), connu depuis le VIIe siècle, était alors appelé *Cambrimarum* » (*Les Noms de lieu [...]*, p. 187). Longnon précise que, dans Courtomer il voit un nom d'homme : *Cortis Audomari*. Cambremer n'est cité ni par Cocheris ni par Le Héricher.

5. Comparer à la page 281, où les mêmes noms de lieu étaient analysés. Brichot contestait alors l'analyse du curé, qui faisait dériver Bricqueville, Bricquebosc, Bricquebec, Briand, de *briga*, « hauteur », « lieu fortifié » en celte. Brichot ne condamne plus à présent cette analyse et ne tranche plus entre *briga*, « hauteur », ou *bricq*, « pont », pour l'origine de ces noms de lieu.

6. Le rapprochement avec Innsbruck et Cambridge ne figure ni chez Cocheris, ni chez Longnon.

Page 329.

a. étangs réservés. *On trouve à cet endroit, dans la marge du manuscrit un passage qui ne figure pas dans la dactylographie. En voici le texte :* Tout en écoutant Brichot je tâchais d'être aimable avec Saniette en manière de consolation. Mme de Cambremer qui affectait de me croire de l'esprit mais qui prétendait à ce qu'il fût réservé pour elle, fut piquée de me voir en frais pour ce convive secondaire. « Pourquoi *faites-vous du charme* pour des gens qui n'en valent pas la peine ? » me dit-elle car elle était prétentieuse. ◆◆ *b.* Vue d'une falaise voisine, les flèches de l'église, située en réalité à une grande distance, ont l'air de se mirer dans l'eau. — Je crois bien, *ms., dactyl. La parenthèse* (fels [...] Falaise) *qui a été ajoutée par Proust dans la marge de la dactylographie corrigée, a vraisemblablement été mal insérée dans un état que nous ne possédons pas, postérieur à cette dactylographie corrigée, ce qui a dû amener à une adaptation sur les épreuves.* ◆◆ *c.* Vous connaissez Biche ? s'écria *ms., dactyl., dactyl. corr.* ◆◆ *d.* j'appelle ça du barbouillé, *ms.* : j'appelle cela du barbouillé, *dactyl., dactyl. corr., orig.* ◆◆ *e.* Il y a de tout. La personnalité était ce qui lui a toujours manqué. — Il restitue *ms.* : Il y a de tout. — Il restitue *dactyl.*

1. Comme exemples des noms en *bec* (voir n. 2, p. 328), Cocheris donnait, entre autres, Le Bec-Hellouin, Le Robec, Becquerel. Bolbec et Caudebec ne figuraient pas sur sa liste. Il poursuivait avec la référence allemande : « Le mot *bach* est la forme germanique de *bec*, nous avons l'Offenbach [...] ; l'Osterbach, [...] ; il se retrouve aussi dans beaucoup de noms de lieu de l'Est sous la forme *pach* » — et de donner Ranspach et Aspach comme premiers exemples (ouvr. cité, p. 15). Le Cahier 72 était ici entièrement fidèle à Cocheris, identifiant *bec* à la forme normande du germain *bach* ou *pach*, comme dans Offenbach, Osterbach, Anspach, Ranspach (f° 15). Proust avait déjà transformé Aspach en Anspach.

2. Varaguebec n'est mentionné ni par Cocheris, ni par Longnon. Le Héricher cite ce nom parmi ceux en *bec* dans la *Normandie scandinave, ou Glossaire des éléments scandinaves du patois normand* (Avranches, Henri Tribouillard, 1861) : Caudebec, Bolbec, Robec, Bricquebec, Varanguebec et Beaubec. Varanguebec signifierait « le ruisseau de la garenne » (p. 36-37). Varanguebec était mentionné par Barbey d'Aurevilly dans *L'Ensorcelée* (éd. citée, t. I, p. 641).

3. « En Flandres, écrit Cocheris, et surtout en Alsace, la vallée est représentée par les mots d'origine germanique *thal* et *dal.* » Rosendal est un exemple, et Cocheris ajoute : « On en rencontre même en Normandie où se trouve le lieu-dit Darnetal » (ouvr. cité, p. 60-61). Le Cahier 72 était ici encore entièrement fidèle à Cocheris, citant seuls Rosendal et Darnetal (f° 15). Proust ajoutera Becdal.

4. « Le haut allemand *felise*, qui a produit *fels* en allemand moderne et *fâlije*, "carrière de pierres" en wallon, a produit : Falaise (Ardennes, Calvados) » (*ibid.*, p. 57). L'étymologie ne figure pas chez Longnon.

5. Voir var. *c*, Elstir s'appelait Biche du temps de Swann (voir *À l'ombre des jeunes filles en fleurs*, t. II de la présente édition, p. 218).

6. Paul Helleu (1859-1927), peintre et graveur français, portraitiste de la Société de Paris et de Londres, se rattachait par son style au XVIIIe siècle, d'où le surnom mentionné par Brichot. Robert de Montesquiou publia sur lui une étude : *Paul Helleu, peintre et graveur*, Floury, 1913.

Page 330.

a. assez drôle, ça ne soit pas *ms.* : assez drôle, ce ne soit pas *dactyl., dactyl. corr., orig.* ↔ *b.* — Au fond, je ne sais pas *ms.* : — Au fait, je ne sais pas *dactyl., dactyl. corr., orig.*

Page 332.

a. pas nécessaire et ce n'est pas *ms.* : pas nécessaire. Ce n'est pas *dactyl., dactyl. corr., orig. Nous retenons la leçon du manuscrit.* ↔ *b.* Degrange *ms., dactyl., dactyl. corr., orig. Nous corrigeons.*

1. « Il était facile à Proust, commente Jean Cocteau, de faire dire par Charlus à Verdurin : "Ce n'est pas moi que vous avez gêné, cher monsieur, c'est Cambremer" — puisque Charlus dont l'attitude serait explicable dans un bordel ne peut accepter de couleuvres en face de Cambremer et de Proust » (*Le Passé défini*, éd. citée, t. I, p. 270). Cet épisode était conçu de longue date, ébauché dans les brouillons de 1909 (voir l'Esquisse II, p. 941), et mis en place dans la version de 1912 (voir l'Esquisse XI, p. 1024-1025 et 1027-1028).

Page 333.

a. que j'ai vu tant *ms., dactyl., dactyl. corr.* : que j'ai vu à tant *orig. Nous retenons la leçon des états antérieurs.* ↔ *b.* je suis aussi [marquis d'Oléron, comte de Louvain, comte du Hainaut, duc de Viareggio et prince des Dunes *biffé ms.*] duc de Calabre, prince des Dunes et marquis de Groix et de Pont-à-Mousson. D'ailleurs *ms., dactyl.* ↔ *c.* en ville, m'avait *ms.* : en ville, n'avait *dactyl., dactyl. corr.* : en ville, ne m'avait *orig. Nous retenons la leçon du manuscrit.* ↔ *d.* à La Raspelière. Le vieux logis l'avait entretenue, le champagne l'avait achevée, de sorte que ce fut avec un débordement d'éloges pour sa demeure que j'accueillis la maîtresse de maison quand elle me dit : « Tenez, *ms., dactyl.* ↔ *e.* chercher cet effet-là. » *À cet endroit, dans la marge du manuscrit, on lit :* NOTA BENE. Ne pas dire dans ce volume que Mme Verdurin l'appelait M. Tiche, ni 2° que je comprends que c'est le même dont on m'avait raconté autrefois la vie. Et garder la première chose pour le pastiche Goncourt, la deuxième pour le chapitre final de l'ouvrage.

1. Le titre de damoiseau de Montargis est noté dans le Cahier 60 (f° 1 v°), ainsi que ceux de marquis d'Oloron et de duc d'Agrigente (f° 56 r°). Il y eut des ducs de Brabant du XIIe au XVe siècle ; le titre passa alors dans la maison de Bourgogne puis dans celle d'Autriche. Le titre de damoiseau de Commercy avait été adopté au XVe siècle par les seigneurs de Commercy, seuls à s'en servir. Montargis était le nom de Saint-Loup dans la version de 1912 du roman. Le titre de prince d'Oléron, avec une incertitude, prépare l'adoption de la fille de Jupien qui s'appellera Mlle d'Oloron (voir *La Prisonnière*, p. 815). Elle épousera Léonor de Cambremer, dont le prénom est une anagramme d'Oléron (Alain Roger, *Proust et les noms*, Denoël, 1985, p. 159). Viareggio est une ville d'Italie. Nicolas

Oudinot, maréchal d'Empire, était duc de Reggio. La bataille des Dunes fut gagnée en 1658 par Turenne sur l'armée espagnole, aux alentours de Dunkerque. Carency ne paraît pas appeler de commentaire.

Page 334.

a. cueillies pour lui par elle-même, *ms.* : cueillies par lui pour elle-même, *dactyl., dactyl. corr., orig.* ↔ *b.* princes du sang. » Malheureusement les éloges que je faisais à Mme Verdurin sur La Raspelière n'étaient pas de ceux qui pouvaient le plus lui plaire, car ils n'avaient pas trait à la beauté intrinsèque des objets qu'elle avait apportés avec elle, mais à des impressions confuses, à des réminiscences que faisaient naître en moi beaucoup moins les objets d'une grande beauté apportés de Paris par Mme Verdurin que la demeure et dans celle-ci même moins ses mérites intrinsèques que ce qui éveillait tout d'un coup en moi des réminiscences confuses, des impressions que j'aurais voulu approfondir. De sorte que je ne touchai pas davantage les Cambremer par mon enthousiasme pour leur maison. Je restais froid *ms., dactyl.*

Page 335.

a. s'écria Mme de Cambremer. Et quand je m'attendris en parlant des cinéraires elle déclara qu'il n'y avait pas une fleur qu'elle détestait plus. Je mis le comble — car j'avais encore la folie de croire, comme quand j'analysais devant M. de Norpois ma déception de la Berma — que je parlais devant des gens supérieurs qui me comprendraient si j'étais sincère — le comble fut *ms., dactyl.* ↔ *b.* je ne sais pas chez quelle vieille demoiselle de village, dans quel bureau *ms., dactyl., dactyl. corr.*

1. Cette « lustrine verte », dont il subsiste peu de chose dans le texte définitif, aurait constitué une réminiscence de plus préparant *Le Temps retrouvé*. Elle était annoncée dès le début du Carnet 1, parmi d'autres réminiscences : « Peut-être dans les maisons d'autrefois un morceau de percale vert bouchant un carreau au soleil pour que j'aie eu cette impression » (*Le Carnet de 1908*, éd. citée p. 63). Proust vient d'évoquer une association entre un « salon de noblesse de province », et l'hôtel des Réservoirs à Versailles. Dans les pages de préface à l'essai sur Sainte-Beuve, cette sensation est évoquée à nouveau ; elle ne peut recevoir un nom et elle figure là comme un échec de la résurrection : « En traversant l'autre jour une *[sic]* office, un morceau de toile verte bouchant une partie du vitrage qui était cassée me fit arrêter net, écouter en moi-même » (*Contre Sainte-Beuve*, éd. citée, p. 214). Dans les brouillons les plus anciens du *Temps retrouvé*, la lustrine verte était également rappelée dans la chaîne des réminiscences avortées préparant la révélation finale : « [...] à Rivebelle aussi devant le morceau de toile verte et qui cette fois-là avaient éveillé en moi un souvenir que je n'avais pas revu » (Cahier 58, f° 12 v°, *Matinée chez la princesse de Guermantes*, éd. citée, p. 125). Proust avait barré l'indication concrète : « devant un morceau

de toile verte bouchant ma fenêtre ». De tout cela, que le manuscrit développait (voir var. *c*, p. 339), il ne reste plus dans le roman que deux allusions infimes, ici et p. 339. L'élimination d'une réminiscence qui aurait servi à annoncer le dénouement d'*À la recherche du temps perdu*, montre que Proust se soucie moins, dans *Sodome et Gomorrhe*, de l'aspect doctrinal, que de l'aspect romanesque du livre.

Page 336.

a. Peut-être était-ce parce que le désir d'amabilité n'était pas égalé [...] vocabulaire que Mme de Cambremer, tenant à pousser *ms.* : Peut-être était-ce parce que le désir d'amabilité n'était pas égalé [...] vocabulaire que Mme de Cambremer tenait[1] à pousser *dactyl.* : Peut-être était-ce parce que le désir d'amabilité n'était pas égalé [...] vocabulaire que cette dame tenait[2] à pousser *dactyl. corr.* : peut-être était-ce parce que le désir d'amabilité n'était pas égalé [...] vocabulaire que cette dame tenait à pousser *orig. Nous adoptons la leçon* tenant *(voir la note 1 de cette variante).*

1. Sur les adjectifs de Mme de Cambremer, voir n. 5, p. 473.

Page 337.

a. une lettre en l'adressant à son Altesse *ms., dactyl., dactyl. corr.* : une lettre en mettant comme adressant à son Altesse *orig. Nous adoptons la leçon des états antérieurs.*

1. Voir n. 6, p. 269, où le tic de langage est attribué à Brichot.

2. Proust tient son information d'un article de Ferdinand Bac, « Notes et souvenirs sur Guillaume II », paru dans *La Revue de Paris* en pleine guerre, le 1er avril 1916 (p. 470-495). Ferdinand Bac rapporte le récit de deux ducs français que le Kaiser avait reçus à bord de son yacht, pendant la semaine sportive des régates de Kiel, en 1907 : « Vous ne m'avez pas encore demandé, *Monseigneur* — il dit *Monseigneur* à tous les *ducs* français —, comment je considère la question de l'Alsace-Lorraine » (p. 494). Voir Annie Barnes, « Marcel Proust et Guillaume II », *Bulletin de la Société des amis de Marcel Proust*, n° XXIX, 1979, p. 97-99.

3. La famille allemande des Hohenzollern est mentionnée à partir du XIe siècle. La ligne de Franconie donna les rois de Prusse à partir du XVIIIe siècle, et les empereurs d'Allemagne après 1859. L'abdication de Guillaume II en 1918 marqua le terme de l'existence souveraine de la maison. « Cette famille, venue de Souabe, n'est pas plus ancienne que la mienne », disait Bismarck.

4. Le Hanovre devint un royaume après le traité de Vienne. En 1866, lors du conflit austro-prussien, il fut envahi par la Prusse, et annexé à la suite de la défaite de Sadowa. Il garda longtemps un esprit séparatiste. Georges V, qui en était le roi depuis 1851, fut

1. En fait ce mot est corrigé : on peut lire « tenait » ou « tenant ».
2. Voir n. 1 de cette variante.

dépossédé de ses États sous le règne de Guillaume Ier et le gouvernement de Bismarck, et mourut en 1878. La spoliation n'a donc pas été le fait de Guillaume II. En revanche, ce dernier a détourné la fortune mobilière des Hanovre, qui leur avait été restituée en principe, par une convention de 1867 (affaire du Guelph Fond, 1897). Le cousinage entre les Guermantes et les Hanovre, difficilement explicable, pourrait remonter à des alliances entre Hanovre et Hesse (maison de Brabant).

5. « On peut douter chez vous de mon sincère désir de m'entendre avec la France. On a tort. *C'est un désir constant et formel* » (Ferdinand Bac, art. cité, p. 493).

6. « On dit chez vous que je suis théâtral, et que je change d'uniforme dix fois par jour à propos de tout ou à propos de rien. Mais c'est une critique de démocrates qui ne comprennent rien aux obligations d'un chef d'État dans une monarchie » (*ibid.*, p. 493).

7. Hugo von Tschudi (1851-1911), historien d'art allemand, fut directeur de la Nationalgalerie de Berlin de 1896 à 1907. Partisan de l'impressionnisme, il écrivit un livre sur Manet en 1902. Mais Guillaume II n'appréciait pas cette peinture. Tschudi réunit des fonds privés afin d'acheter des toiles de Manet, Renoir et Degas pour le musée de Berlin. Il dut abandonner son poste peu après.

Page 338.

a. c'est une poignée de main, *ms.* : c'est ma poignée de main, *dactyl., dactyl. corr., orig. Nous retenons la leçon du manuscrit.* ↔ *b.* fallu la dénier *ms.* : fallu le dénier *dactyl., dactyl. corr., orig. Nous retenons la leçon du manuscrit.*

1. Louis XIV n'aimait pas les maîtres flamands mais les peintres italiens. Théophile Gautier, dans son *Guide de l'amateur au musée du Louvre* (Charpentier, 1882, p. 135), note que Louis XIV méprisait, ainsi, Téniers le Jeune (1610-1690).

2. Toujours à propos de l'Alsace-Lorraine, l'empereur se serait exprimé ainsi selon Ferdinand Bac : « *Moi, personnellement, je n'aurais jamais annexé* ; j'aurais demandé une autre sorte d'indemnité. Aujourd'hui nous serions amis. *Mais ce n'est pas un coup de chapeau que je veux, c'est une poignée de main.* (Cette phrase, il l'a répétée plusieurs années à presque tous les Français qu'il a rencontrés.) » (art. cité, p. 494). La formule de Guillaume II aurait connu une variante intéressante peu avant le déclenchement des hostilités ; il aurait dit en février 1914, devant le baron Beyens, ambassadeur de Belgique à Berlin : « Souvent j'ai tendu la main à la France : elle ne m'a répondu que par des coups de pied » (Baron Beyens, « L'Empereur Guillaume », *La Revue des Deux Mondes*, 1er mars 1915, p. 18). Céleste Albaret avait conservé le souvenir de l'expression : « Il [Proust] détestait Guillaume II, le Kaiser, pour sa responsabilité ; mais il disait que nous l'avions bien voulu aussi. [...] Toujours à propos des rapports entre la France et l'Allemagne, il y avait une phrase qu'il jugeait admirable et qu'il me citait fréquemment, prise

dans un article d'un Allemand, publié par le *Mercure de France* : "Je ne veux pas un coup de chapeau de la France, mais une poignée de mains." — Je crois que le mot était de Guillaume II » (*Monsieur Proust*, éd. citée, p. 249). Le *Mercure de France* résuma l'article de Ferdinand Bac dans sa « Revue de la quinzaine » du 1er juin 1916 (p. 517-518) ; mais c'est de la version complète de *La Revue de Paris* que Proust s'inspire : en effet, le *Mercure de France* ne rapporte pas la phrase sur les ducs français, citée n. 2, p. 337. Proust a déjà fait allusion à la phrase de Guillaume II sur la poignée de main : voir *Le Côté de Guermantes II*, t. II de la présente édition, p. 817.

3. Philippe, prince von Eulenbourg et Hertfeld (1847-1921), diplomate, confident de Guillaume II, fut ambassadeur à Vienne de 1894 à 1902. Il fut accusé d'homosexualité en 1906 ; plusieurs procès retentissants suivirent en 1907 et 1908. L'affaire Eulenbourg joua un rôle important dans la genèse d'*À la recherche du temps perdu* en 1908. Proust évoque plusieurs fois l'affaire dans ses lettres de 1907 et 1908, et le nom est présent dès le début du Carnet 1 en 1908 : « Balzac dans *Splendeur[s] et Misère[s]*, Rouvier, Eulembourg, (*Candide* mais c'est plus particulier) » (*Le Carnet de 1908*, éd. citée, p. 66). Dans les brouillons du roman de 1912, Proust impute à l'affaire la diffusion du mot « homosexualité » en France (voir l'Esquisse IV, p. 955). L'allusion du Carnet 1 à Balzac s'éclaire dans le brouillon : elle renvoie au mot « tante » que Balzac utilise et que Proust préfère à celui d'« homosexuel ». Sur l'affaire Eulenbourg, voir la Notice, p. 1196 et suiv. Une version de la présente allusion est notée dans le Cahier 62 vers la fin de la guerre, dans un autre contexte, mais Charlus est aussi l'orateur : « J'avoue [trois quarts *biffé*] [quatre cinquièmes *addition interlinéaire*] de demi-fous sur l'ensemble du monde. C'est ce qui rend si l'on ne travaille pas, si l'on n'est *[sic]* loin les uns des autres et loin de soi, la vie si difficile, toute en querelles où chacun obéit à sa manie poussée jusqu'au délire non sans fournir des apparences d'arguments. Mais si tous ces maniaques ne sont pas des invertis, une bonne moitié l'est qui se double par le besoin d'un complice. Aussi l'inversion est-elle dans tous les pays occidentaux — laissons l'Orient où elle est trop naturelle — le lien d'une société si nombreuse, que son étude devrait dominer celle de la politique. Il n'y a pas un pays où elle ne l'[ait] commandée depuis vingt ans. Il est vrai que l'empereur d'Allemagne a fait poursuivre ceux qui s'asseyaient à la table ronde d'Eulenbourg. Mais leur silence prouve-t-il autre chose que leur fidélité admirable au souverain, ou bien la pusillanimité de celui-ci, ou enfin la raison d'État comprise de la même façon par ceux qu'on poursuivait et qui était assez sûr[e] d'eux pour les laisser poursuivre » (Cahier 62, ffos 47 r°-48 r°). L'allusion à l'affaire Eulenbourg, et donc aux années 1907-1908, est incohérente par rapport à la chronologie du roman, qui voudrait que le second séjour à Balbec ait lieu vers 1900, peu après l'affaire Dreyfus, aux retombées de laquelle les références sont fréquentes.

4. L'*Almanach de Gotha* — annuaire diplomatique et généalogique publié à Gotha à partir de 1763, par l'éditeur Justus Perth, en allemand

et en français — range, au début du siècle, après la première partie consacrée à la « Généalogie des maisons souveraines d'Europe », en deuxième partie la « Généalogie des seigneurs médiatisés d'Allemagne ». *Durchlaucht* (« Altesse sérénissime ») est une qualification concédée aux chefs de ces familles princières par décision de la Diète germanique du 18 août 1825 : les familles médiatisées, auparavant co-États du Saint-Empire romain, se sont ainsi vu reconnaître un rang et un titre conformes à leur droit d'égalité de naissance avec les maisons souveraines. Les princes ont reçu la qualification de *Durchlaucht*, et les comtes princiers celle de d'*Erlaucht* (« Altesse illustrissime »). Certaines de ces familles ne sont pas spécifiquement allemandes : ainsi les Arenberg (maison de Ligne), Croÿ, etc. Les Croÿ, comme les Guermantes, sont à la fois ducs en France et princes médiatisés en Allemagne, et à ce dernier titre se trouvent dans la deuxième, et non la troisième partie du Gotha (voir n. 11), laquelle contient les maisons ducales et princières qui n'ont pas exercé de souveraineté immédiate.

5. À l'exception de quelques souverains régnants (ducs de Lorraine, de Savoie), l'altesse n'était pas reconnue en France aux princes étrangers, notamment à ceux de la maison de Lorraine-Guise, sauf au chef de leur maison (Saint-Simon, *Mémoires*, éd. citée, t. I, p. 517-518). Dans tout le passage, le modèle des prétentions des Guermantes est la maison de Lorraine. Dans le même sens, Proust notait ainsi sur un feuillet : « Je pensais au rang que le nom de Guermantes donnait à la cour, que les Guermantes étaient traités de cousin par Louis XIV et passaient avant les princes de la maison de Lorraine. Je pensais que la qualité de duchesse de Guermantes était si haute que Louis XIV appelait la duchesse de Guermantes ma cousine, la faisant passer avant les Guise et les princes de Lorraine, que même aujourd'hui l'impératrice de Russie, la reine d'Angleterre traitaient Mme de Guermantes comme de la première naissance » (Reliquat du Fonds Marcel Proust, lot n° 16).

6. Saint-Simon dénonce cet abus chez le cardinal de Bouillon et le prince de Monaco, mais au cours de leur ambassade à Rome, et non à la cour de France (*ibid.*, t. I, p. 597). Pour les cadets de Lorraine, établis à la cour, il s'agissait seulement de prétentions (*ibid.*, p. 517-518).

7. Nette allusion à une relation de Saint-Simon, en 1698, concernant les prétentions du duc de Lorraine, qui, comme duc de Bar, devait l'hommage à la couronne de France : « Sa justice principale à Bar s'avisa, dans l'ivresse de ces grandeurs nouvellement imaginées, de nommer le Roi dans quelques sentences *le roi très chrétien.* L'avocat général d'Aguesseau représenta au Parlement la nécessité de réprimer cette audace, ce furent ses propres termes, et d'apprendre aux Barrois que leur plus grand honneur consistait en leur mouvance de la couronne. Sur quoi, arrêt du Parlement qui enjoint à ce tribunal de Bar diverses choses, entre autres de ne jamais nommer le Roi que *le Roi* seulement, et ce à peine de suspension, interdiction, et même privation d'offices : à quoi il fallut obéir. M. de Lorraine

en fit excuse et cassa celui qui l'avait fait » (Saint-Simon, *Mémoires*, éd. citée, t. I, p. 567). L'appellation « le roi très chrétien » servait à désigner le roi dans les textes diplomatiques internationaux. Les « grandeurs nouvellement imaginées » par le duc de Lorraine consistent justement à se faire donner de l'altesse royale par ses sujets.

8. Cette qualité ne peut être confondue avec le titre. Saint-Simon écrit en 1698 à propos des Rohan : « Il y a nombre de ces principautés d'érection en France, dont pas une n'a jamais donné et ne donne encore aucune espèce de distinction à la terre que le nom, ni à celui qui en a obtenu l'érection non plus, ni à ses successeurs » (éd. citée, t. I, p. 507).

9. Mais le duc de Lorraine était sans conteste un prince souverain en Lorraine, ce que n'étaient pas tous les princes étrangers, qu'ils soient ou non cadets d'une maison souveraine (Savoie, Lorraine ou Rohan, Monaco).

10. Allusion probable à Élisabeth, demoiselle de Commercy, fille du prince de Lillebonne, de la maison de Lorraine, qui épousa en 1691 Louis Ier de Melun, prince d'Épinoy. La princesse d'Épinoy est un personnage important des *Mémoires* de Saint-Simon. Retz était damoiseau de Commercy par héritage maternel. Il avait vendu cette seigneurie à la princesse de Lillebonne en 1665, qui la fit ériger en principauté par le duc de Lorraine contre cession des droits de souveraineté. Pour mémoire, il y a dans *Lucien Leuwen* de Stendhal, une comtesse de Commercy appartenant à la maison de Lorraine (voir n. 1, p. 475).

11. Après la généalogie des maisons souveraines d'Europe, et celle des seigneurs médiatisés d'Allemagne (voir n. 4), la troisième partie de l'*Almanach de Gotha* donnait la généalogie d'autres maisons princières non souveraines d'Europe.

Page 339.

a. Brichot. Hein, *ms., dactyl.* : Brichot [dit Ski *add.*]. Hein, *dactyl. corr.* : Brichot. Hein, *orig. Nous retenons la leçon des états antérieurs.* ↔ *b.* Peut-être au moment même ne le savais-je pas davantage, *ms., dactyl.* : Peut-être [au moment même ne le savais-je *biffé*] [au moment ne le savais-je *corr.*] pas davantage, *dactyl. corr.* : Peut-être au moment ne le savais-je pas davantage *orig. Nous adoptons la leçon du manuscrit et de la dactylographie.* ↔ *c.* dit M. Verdurin s'approchant de nous. Je fus honteux de voir que j'étais le seul à ne pas remarquer qu'en énumérant ces étymologies, Brichot avait été ridicule et avait fait rire de lui. Je ne m'en étais pas aperçu, comme d'ailleurs presque toujours de beaucoup de choses qui se passaient autour de moi, parce que pendant ce temps-là, j'en enregistrais d'autres, essayais d'approfondir quelles réminiscences avaient pu éveiller en moi les cinéraires bleus, et surtout quand j'étais allé dans l'office essuyer mes bottines un morceau de lustrine verte bouchant un carreau cassé qui je ne sais pourquoi me rappelait le plus intense soleil que j'eusse senti de ma vie, dans une cave me semblait-il, mais à quelle époque, dans quelle ville, je n'en savais rien. Le parquet du salon en bois des îles n'avait pas été pour diminuer mon émotion.

Et même au sein de la salle à manger normande, j'avais ressenti des impressions de nature que les autres ou n'éprouvaient pas ou refoulaient en eux, de sorte que les mêmes heures racontées par un autre eussent été aussi différentes que sont les impressions d'un homme des indications fournies par un insecte ébloui des lumières, par une vitre sensible au brouillard, par le baromètre impressionné par l'orage qui se prépare, ou plus voisin de l'humanité, par le maître d'hôtel qui n'entend qu'une partie des conversations et les transforme dans son cerveau de maître d'hôtel. Et comme les impressions *ms., dactyl.*

1. Ce mot, qui n'est pas de Swann, n'apparaît pas dans *À la recherche du temps perdu*.

2. Sur cette lustrine verte, voir n. 1, p. 335.

Page 340.

a. « gobé » Brichot, de Mme de Cambremer devant qui je ne trouvais à louer dans La Raspelière qu'un papier de mur insignifiant qui me rappelait Combray, comme je l'avais déjà paru *ms., dactyl.* ↔ *b.* raisons de fait *ms.* : raisons du fait *dactyl., dactyl. corr., orig. Nous retenons la leçon du manuscrit.* ↔ *c.* soyez sincère. Rien que ces brise-bise, quelle faute de goût ! » Je me promis de les regarder quand j'y retournerais. Il est vrai qu'ils avouèrent que la vaisselle était belle. Je ne l'avais pas vue davantage. « Enfin, *ms., dactyl.*

Page 341.

a. s'y était résigné. *Le passage qui suit ces mots et qui va jusqu'à* qu'il savait définitive. *(voir la variante b de cette page) a été ajouté par Proust dans la marge du manuscrit, ce qui peut expliquer que l'on lise après cette addition une phrase voisine de celle qui a précédé l'addition.* ↔ *b.* seront un peu oubliés. Ces disgrâces ne durant souvent qu'une saison, aigrissant pourtant celui qui en est la trop faible et sensible victime, on peut juger combien la disgrâce définitive de Brichot l'affligeait. Mais il l'avait acceptée comme la perte de ses yeux. Il savait que Mme Verdurin riait *ms. La phrase* Mais il l'avait acceptée comme la perte de ses yeux. *ne figure pas dans la dactylographie.*

Page 342.

a. Le duché d'Aumale *Le passage qui commence par ces mots et qui va jusqu'à* car il n'y avait pas de feu. *[p. 352, fin du 1er §] correspond à l'extrait publié dans « Les Feuilles libres », n° 26, avril-mai 1922, p. 75-86, sous le titre : « Une soirée chez Mme Verdurin ».*

1. Le duché d'Aumale était dans la maison de Lorraine-Guise et passa par héritage dans celle de Savoie-Nemours. Louis XIV l'acheta pour son fils légitimé, le duc du Maine. Il n'est donc pas à proprement parler entré dans la maison de France, même si le titre en échut à Louis-Philippe d'Orléans, en 1822, du chef de sa mère, fille du duc de Penthièvre, qui était l'héritier des fils légitimés de Louis XIV. Louis-Philippe titra duc d'Aumale son quatrième fils, Henri, mort

en 1894, et resté le plus notable des Orléans. Le père de Bloch est surnommé le duc d'Aumale (voir *À l'ombre des jeunes filles en fleurs*, t. II de la présente édition, p. 130).

2. M. de Charlus ne précise pas en quelle qualité ; en principe, les ducs avaient la préséance sur les princes étrangers non souverains, c'est-à-dire essentiellement les cadets de Lorraine, mais ceux-ci remettaient constamment cette matière en question. À l'enterrement de Monsieur, duc d'Orléans, les carrosses étaient réglés à l'avantage des duchesses sur les princesses lorraines, mais, pour la première fois, et pour éviter les querelles, le roi ordonna que seules les princesses du sang donneraient l'eau bénite (*Mémoires* de Saint-Simon, éd. citée, t. II, p. 21-22).

3. La maison de Croÿ descend des anciens rois de Hongrie. Signalée dès le règne de Philippe-Auguste, elle contracta de nombreuses alliances avec plusieurs maisons royales. Elle figure dans la deuxième partie du *Gotha*. Les prétentions princières de la famille sont condamnées par Saint-Simon (éd. citée, t. IV, p. 689-691).

4. Saint-Simon relate plusieurs épisodes de querelles entre duchesses et princesses étrangères, notamment entre la duchesse de Saint-Simon et Mme d'Armagnac (maison de Lorraine) ; et entre la duchesse de Rohan et la princesse d'Harcourt (maison de Lorraine), à laquelle Louis XIV enjoignit de demander pardon à la première, Mme de Maintenon ayant toutefois obtenu que ce ne fût pas chez la duchesse (ouvr. cité, t. I, p. 581-588).

5. Louis (1682-1712), dauphin de France, petit-fils de Louis XIV et père de Louis XV.

6. La baguette portée par l'huissier est signe de ses fonctions.

7. Les ducs de Brabant étaient issus d'Antoine de Bourgogne, second fils de Philippe le Hardi. La postérité était finie en 1430. Le duché passa sous la domination de la maison de Lorraine-Autriche. Leur cri était « Brabant au noble duc ! » — et non « Limbourg à qui l'a conquis ! », comme le prétend le duc de Guermantes (voir *Le Côté de Guermantes II*, t. II de la présente édition, p. 879).

8. Voir *ibid.*, où le duc de Guermantes évoque une pareille liaison entre les Guermantes et les ducs de Brabant. « Passavant li meillor » était le cri de Thibault, comte de Champagne au XIIIe siècle. « Passavant ! » fut le cri des comtes de Vendôme. Pour mémoire, le comte de Passavant, personnage des *Faux-Monnayeurs* de Gide, aurait eu pour modèle Jean Cocteau.

9. Louise Chrétienne de Savoie-Carignan (1627-1689), femme du prince de Bade, est évoquée par Saint-Simon (ouvr. cité, t. I, p. 580). Mais l'allusion paraît renvoyer aux prétentions de la duchesse de Hanovre-Brunswick, qui contraignit le carrosse de Mme de Bouillon à se ranger pour laisser passer le sien (*ibid.*, p. 49). Les Bouillon se vengèrent en battant les gens de Mme de Hanovre, et le roi refusa de se mêler de la querelle.

10. L'épisode relaté par M. de Charlus constitue une transposition d'un « célèbre mot d'Henri IV », rapporté par Saint-Simon, concernant la préséance des princes du sang sur les princes étrangers.

Les protagonistes sont le prince de Condé et le duc de Savoie : « Il se trouva qu'un matin, venant au lever d'Henri IV, le prince de Condé et [Charles-Emmanuel, duc de Savoie], qui venaient par différents côtés, se rencontrèrent en même temps à la porte de la chambre où le Roi s'habillait. Ils s'arrêtèrent l'un pour l'autre ; Henri IV, qui les vit, éleva la voix et dit au prince de Condé : "Passez, passez, mon neveu ; M. de Savoie sait trop ce qu'il vous doit" » (*Mémoires*, éd. citée, t. I, p. 666). Le passage est cité par Proust dans une lettre d'octobre 1910 à Charles d'Alton : « D'autre part, *La Revue de Paris* a publié dans les derniers numéros des *Mémoires* du marquis de Saint-Maurice, envoyé de Savoie à la cour de Louis XIV, le petit-fils je pense de ce duc de Savoie qui hésitait avec Condé dans une porte quand Henri IV cria à Condé : "Entrez mon neveu, M. de Savoie sait trop ce qu'il vous doit." Fort Aimery comme vous voyez » (*Correspondance*, t. X, p. 188). Aimery est le comte de La Rochefoucauld, un modèle du duc de Guermantes (voir n. 3, p. 81).

Page 343.

a. Morel garda un silence *Le passage qui commence par ces mots et qui va jusqu'à* Et c'était peut-être vrai. *[p. 344, 4ᵉ ligne en bas de page] a été ajouté par Proust dans la dactylographie corrigée.*

1. La configuration de parenté est plausible. Le prince de Hanovre est George Louis (1660-1727), électeur de Hanovre, monté sur le trône en 1698, appelé au trône anglais en 1714, et roi d'Angleterre sous le nom de George Iᵉʳ, chef de la dynastie encore aujourd'hui régnante. Il était le cousin de Wilhelmine de Brunswick, épouse de l'empereur Joseph Iᵉʳ, roi de Hongrie dès avant la mort de son père Léopold Iᵉʳ, et dont la tante, Éléonore d'Autriche, avait été la femme du roi de Pologne Michel Wisnowiecki, avant de devenir duchesse de Lorraine en épousant Charles IV. Par ailleurs, la mère de George Iᵉʳ de Hanovre et d'Angleterre était princesse palatine.

2. Citation d'Horace, *Odes*, livre I, 1 : « Mécène, issu d'ancêtres royaux. » Mécène était le protecteur de Virgile et d'Horace.

3. Il s'agit de la *Première sonate* pour violon et piano, opus 13 (1875), de Gabriel Fauré, chef-d'œuvre de la nouvelle musique de chambre française, antérieure de plus de dix ans à celle de Franck (1886), à laquelle elle est souvent comparée, cette dernière ayant été l'un des modèles de la sonate de Vinteuil dans *Du côté de chez Swann*, selon la dédicace de Proust à Jacques de Lacretelle en avril 1918 (*Essais et articles*, éd. citée, p. 565).

Page 344.

a. M. de Charlus avait, bien plus que le duc leur mère, il avait aimé sa femme, *dactyl. corr.*[1]. *Malgré la correction, la phrase de l'édition originale reste incohérente.*

1. Pour les états antérieurs, voir la variante *a*, page 343.

1. Voir l'Esquisse IV, p. 954-955, où cette idée est ajoutée lors de la révélation de l'inversion de M. de Charlus dans la version de 1912 du roman. La liaison de l'inversion et d'une disposition artistique est du reste un lieu commun de la médecine au tournant du siècle. Proust écrivait à Gide en juin 1914 : « [...] je suis convaincu que c'est à son homosexualité que M. de Charlus doit de comprendre tant de choses qui sont fermées à son frère le duc de Guermantes, d'être tellement plus fin, plus sensible » (*Correspondance*, t. XIII, p. 246).

2. Dans le quatrième mouvement, allegro finale, de la sonate de Fauré, se déploie d'abord un thème ample et chaleureux, dans le style lyrique de Schumann : la comparaison est courante. Un second thème, plein de force, est alors exposé au piano. Développement, réexposition suivent jusqu'à la *coda*.

Page 345.

a. simple famille bourgeoise de petits architectes. *ms.* : simple bourgeoisie de petits architectes. *dactyl., dactyl. corr., orig. Nous retenons la leçon du manuscrit.*

1. *Fêtes* est le second des trois *Nocturnes* pour orchestre de Debussy (1899). L'exécution au violon d'une œuvre à l'orchestration si complexe paraît invraisemblable (voir Georges Matoré et Irène Mecz, *Musique et structure romanesque dans la « Recherche du temps perdu »*, Klincksieck, 1972, p. 138 ; Joubert, ouvr. cité, p. 34-35).

2. Meyerbeer ; l'idée de la scène est notée tardivement par Proust dans le Carnet 59 : « Erreur du Debussy et Meyerbeer » (f° 66 r°). Au-dessous, Proust avait noté « Scarlatti ». Une scène analogue avait lieu dans le roman d'Henri de Saussine, *Le Prisme* (Ollendorff, 1895). Dans une lettre d'août 1895, Proust suggérait à Tristan Bernard de publier un compte rendu de ce roman dans *La Revue blanche* (*Correspondance*, t. IX, p. 239). Le compte rendu du *Figaro* citait la scène dont Proust se souvient ici : « Je signalerai une amusante scène où un pianiste fait pâmer d'aise des dames du monde, leur fait rouler des yeux passionnés en leur jouant des morceaux inédits de Wagner, qui ne sont autre chose que des fragments du *Chalet* et du *Domino noir* habilement défigurés » (29 juillet 1895, p. 4, sous la signature « Ph. G. », c'est-à-dire Philippe Gille [1830-1901], auteur dramatique et critique littéraire). *Le Chalet* (1834), opéra-comique d'Adam sur un livret de Scribe et Duveyrier, sera utilisé par Proust comme exemple de mauvaise musique, le duc de Guermantes s'en montrant amateur (*Le Côté de Guermantes II*, t. II de la présente édition, p. 781). *Le Domino noir* (1837) est un opéra-comique d'Auber sur un livret de Scribe. Le même genre de confusion musicale sera évoqué par Proust lors de la matinée chez la princesse de Guermantes, dans *Le Temps retrouvé* (t. IV de la présente édition).

3. Il peut s'agir d'Alessandro Scarlatti (1660-1725), qui connut le succès par ses opéras, dont le style contribua à la formation de l'école

napolitaine. Après 1850, il fut condamné, comme marquant le début du déclin de la musique dramatique ; ainsi dans la thèse de Romain Rolland, qui le juge le « grand homme de la décadence italienne » et dénonce l'illusion d'un âge d'or de l'opéra à son époque (*Les Origines du théâtre lyrique moderne. Histoire de l'opéra en Europe avant Lulli et Scarlatti*, Ernest Thorin, 1895, chap. IX). Scarlatti fut cependant réhabilité dans l'ouvrage d'Edward J. Dent en 1905, *Alessandro Scarlatti* (Londres, E. Arnold). L'auteur du « morceau maudit » est toutefois plus vraisemblablement son fils Domenico Scarlatti (1685-1751), connu pour la liberté et la virtuosité de ses pièces pour le clavecin, dont A. Longo entreprit l'édition intégrale chez Ricordi à partir de 1906.

Page 346.

a. quatuors de Beethoven à la fois pour montrer qu'elle *ms.* : quatuors de Beethoven pour montrer à la fois qu'elle *dactyl., dactyl. corr., orig. Nous adoptons la leçon du manuscrit.* ↔ *b.* des antimilitaristes décadents discutent *ms.* : des antimilitaristes discutent *dactyl.* ↔ *c.* déliquescent et Rose-Croix, par obédience. Mais vraiment *ms.* : déliquescent ou Rose-Croix, par obédience. Mais vraiment *dactyl.*

1. La passion de Proust pour les derniers quatuors de Beethoven, spécialité du Quatuor Capet, est bien connue (voir *À l'ombre des jeunes filles en fleurs*, t. II de la présente édition, p. 110). « Et ce que je connais de plus beau en musique, l'enivrant finale du *Quinzième Quatuor* de Beethoven est le délire d'un convalescent qui mourut, d'ailleurs, peu après », écrivait-il à Robert de Montesquiou au printemps de 1918 (*Correspondance générale*, éd. citée, t. I, p. 245).

2. Proust lui-même, dans sa jeunesse, condamnait l'hermétisme, sans citer Mallarmé, dans un article de *La Revue blanche* du 15 juillet 1896, intitulé « Contre l'obscurité » (*Essais et articles*, éd. citée, p. 390-395). Suivait une défense de Mallarmé par Lucien Muhlfeld, intitulée « Sur la clarté » : « M. Proust, notait-il d'emblée, résume l'opinion d'un lot honorable de lecteurs mondains » (p. 72). Il est vraisemblable que l'article de Mallarmé, « Le Mystère dans les Lettres », paru dans la même revue le 1er septembre 1896, constitue une réponse à l'article de Proust (voir Anne Henry, *Marcel Proust. Théories pour une esthétique*, Klincksieck, 1981, p. 59-65).

3. Il ne s'agit pas ici de la confrérie d'illuminés allemands du XVIIe siècle, mais d'un mouvement intellectuel et esthétique qui réunit des écrivains et des artistes à la fin du XIXe siècle, en particulier Péladan. Le passage est ébauché tardivement dans le Cahier 62 : « [L'impressionnisme *biffé*] [Les symbolards et autres *addition interlinéaire*] dont nous voyons férus nos bons esthètes à demi délirants » (fo 10 ro).

4. Proust avait noté sur un feuillet : « Ce n'est ni d'un bon Français, ni même d'un bon Européen » (Reliquat, lot no 16).

Page 347.

a. Gandin, Legandin. « Je *ms.* : Gandin, Le Gandin. « Je *dactyl., dactyl. corr., orig.* ↔ *b.* « Est-ce que vous comptez *Le passage qui commence par ces mots et qui va jusqu'à* comme saint Michel *[p. 348, fin du 1er §] est une addition postérieure à la dactylographie corrigée.*

1. Louis, prince de Condé (1621-1686), chef de la Fronde des princes.

2. « Leur » serait plus cohérent : voir p. 267.

3. La fin du paragraphe, ajoutée sur les épreuves du roman, est notée par Proust dans le Cahier 59 (ffos 59-61), ainsi que les différents traits du catholicisme de Charlus (voir p. 428 et 460).

Page 348.

a. c'est égal. — Galli-Marié ? dit le docteur *ms. Le nom propre ne figure pas dans la dactylographie.* : c'est égal — Égal... Galli-Marié ? dit le docteur *dactyl. corr.* : c'est égal. — Égal... Ingalli ? dit le docteur *orig. Nous retenons la leçon de la dactylographie corrigée.* ↔ *b.* y entendre Ingalli, Heilbronn[1], Galli-Marié. » Le marquis *ms. Les noms propres ne figurent pas dans la dactylographie.* : y entendre Ingalli-Marié. » Le marquis *dactyl. corr., orig.*

1. L'expression est notée dans le Carnet 3, f° 4 v°. Les enfants de Cottard n'ont pas encore été mentionnés et n'ont pas leur place au dîner chez Mme Verdurin : ils subsistent d'une rédaction antérieure.

2. Célestine Galli-Marié (1840-1905), chanteuse qui débuta à l'Opéra-Comique en 1862, connut un grand succès jusqu'en 1885. Elle créa *Mignon* d'Ambroise Thomas en 1866, et le rôle titre de *Carmen* en 1876, à l'Opéra-Comique.

3. Speranza Engally débuta à l'Opéra-Comique en 1878 dans le rôle d'Éros de *Psyché*, d'Ambroise Thomas. Cottard joue sur les noms des deux chanteuses.

Page 349.

a. présenté *à* ses convives *ms.* : présenté à ses convives *dactyl., dactyl. corr., orig.* ↔ *b.* avait eu lieu, *ms., dactyl., dactyl. corr.* : avait lieu, *orig. Nous retenons la leçon des états antérieurs.* ↔ *c.* professeur de chant de leur fille. « Si *ms.* : professeur de chant de leur famille. « Si *dactyl., dactyl. corr., orig. Nous retenons la leçon du manuscrit.*

1. Charles Bouchard (1837-1915), médecin et biologiste, membre de l'Institut à partir de 1887, était membre de l'Académie de médecine ; il demeurait 174, rue de Rivoli, selon le *Tout-Paris* de 1908.

2. Voir *Le Côté de Guermantes I*, t. II de la présente édition, p. 597.

1. Marie Heilbronn (1849-1886) créa à l'Opéra-Comique *Manon* de Massenet.

Page 350.

a. Ce n'était pas ce qu'il fallait jouer, *Le passage qui commence par ces mots et qui va jusqu'à* vieille paysanne. *[p. 352, 7e ligne en bas de page] est une addition qui figure sur un feuillet dactylographié*[1] *que Proust a inséré dans la dactylographie. C'est une addition précoce car elle figure déjà dans les épreuves de 1921.* ⁂ *b.* « Hé bien ! Adèle, tu pionces, *dactyl.*[2] : « Hé bien ! [Adèle *corrigé en* Léontine[3]], tu pionces *dactyl. corr.*

1. Docteur et Mme Gabriel Bouffe de Saint-Blaise, 11 *bis*, rue Balzac, selon le *Tout-Paris* de 1908.

2. Docteur et Mme Courtois-Suffit, 38, boulevard de Courcelles *(ibid.)*.

Page 351.

1. Diéthylsulfone-éthylméthylméthane ou diéthylsulfonebutane ($C^8H^{18}O^4$), hypnotique très employé.

2. Le porto 345 nous est inconnu.

Page 352.

a. car il n'y avait pas le feu. *Avec ces mots s'achève le deuxième volume de « Sodome et Gomorrhe II » dans l'édition originale, ainsi que l'extrait des « Feuilles libres » (voir la variante a page 342).*

Page 353.

a. — Attrape, me dit *ms., dactyl., dactyl. corr.* ⁂ *b.* horreur *ms.* : honneur *dactyl., dactyl. corr., orig. Nous retenons la leçon du manuscrit.*

1. Proust s'inspire ici de la monographie du chanoine Marquis, curé d'Illiers ; voir p. 204 et n. 4. Les Arrachepel ont donné leur nom à la propriété de La Rachepelière, ou La Raspelière, dans la région d'Illiers.

2. Ces descriptions sont fantaisistes, surtout la seconde. On en trouve plusieurs ébauches dans le Cahier 60 : « Pour ajouter aux Cambremer / Cantonné de vingt croisettes recroisettées, au pied fléché d'or, à dextre un vol d'hermine » (f° 1 v°) ; « Au bâton péri en barre de gueules » (f° 125 v°) ; « D'azur à trois têtes d'aigle arrachées d'or » (f° 126 r°). La seconde ébauche est celle des armes de Charles d'Orléans-Valois, et la source consultée par Proust est le *Nouvel armorial du bibliophile* de Joannis Guigard (1890, 2 vol., t. I, p. 34), dont il s'est beaucoup servi pour les devises des livres de Charlus (voir p. 427).

3. L'expression a déjà été utilisée par Mme Verdurin : voir n. 2, p. 316.

1. Il en existe une paperole manuscrite dans le reliquat.

2. Ce passage ne figure pas dans le manuscrit. Voir la variante précédente.

3. Même correction page 351 et page 352.

4. Selon le chanoine Marquis, curé d'Illiers : « Eudes, qui vivait fin du XIe siècle et commencement du XIIe siècle, comme nous l'apprend une charte de Saint-Père, était connu pour son audacieuse bravoure. Il a donné son nom à son château, et ce nom signifie : "Qui arrache les pieux" » (ouvr. cité, p. 321). Le chanoine Marquis note encore que, vers 1400, Guillaume et Macé Arrachepel défendirent le château d'Illiers contre les Anglais et les Bourguignons. Le nom disparut au début du XVIIe siècle. La Raspelière était la propriété de François Gouin en 1662 (p. 321-324). Dans le Carnet 2, Proust avait noté au début de la guerre une série de noms, en provenance de l'ouvrage du chanoine Marquis, et dont certains serviront dans le roman : Roussainville, Bréhainville, Raspelière, Arrachepel, Rachepel, Merobert, Marcheville, Beaurouvre, Courville, Gaville (f° 23 v°).

Page 354.

a. d'un dilettante, *ms., dactyl., dactyl. corr.* : d'une dilettante[1], *orig.*

1. Allusion à la fable de La Fontaine « Le Chameau et les Bâtons flottants » (IV, X). Sur les fables citées par M. de Cambremer, voir n. 2, p. 307.

2. Molière emploie le mot dans *Sganarelle ou le Cocu imaginaire*, et aussi dans *L'École des femmes*, acte V, sc. IX, v. 1762 : « Si n'être point cocu vous semble un si grand bien [...]. »

3. Cette dernière expression est notée dans le Carnet 4, f° 30 v°. Paraphrase de l'expression « À trompeur, trompeur et demi », venue de Corneille, *La Veuve*, acte IV, sc. VII, v. 1522 : « Un trompeur en moi trouve un trompeur et demi. »

Page 355.

a. le grand air. [Je suis peut-être *[...]* toutes changées. *add.*] La Faculté *ms.* : le grand air. La Faculté *dactyl., dactyl. corr., orig. Nous adoptons la leçon du manuscrit.* ↔ *b.* qui semblaient le palper. *Après ces mots on trouve dans le manuscrit une longue addition, qui a été dactylographiée sur une feuille à part dans la dactylographie puis écartée de la dactylographie corrigée et de l'édition originale. En voici le texte* : « Vous, Monsieur, me dit plus explicitement Mme Cottard, je sais que vous restez encore quelque temps notre voisin. C'est très bien. Je trouve la mer plus belle que jamais en fin de saison. Vous viendrez voir notre petit trou ; je me permettrai de vous faire appel. J'ai entendu dire que vous étiez un homme du soir, d'après-dîner. Mais ne venez pas trop tard, vous risqueriez de me trouver dans les bras de Morphée. » Je vis même qu'elle avait l'intention d'une invitation formelle, mais comme chez elle, même quand les projets étaient précis les expressions, par noblesse, restaient vagues, elle se contenta de dire d'un air de mystère : « J'en parlerai à Mme Verdurin. » Et elle roula un œil malicieux, aimable et secret pour me dire, ce qui était le maximum de netteté qu'elle pût donner à une intention d'invitation : « Nous

1. Le mot est du masculin.

tâcherons d'*arranger quelque chose.* » Je lui fis valoir que mes billets ne me donnaient pas <le droit> de rester plus tard que le 15 octobre. « Je les ferai renouveler, ne vous en inquiétez pas[1], dit M<me Cottard>. J'en parlerai au professeur. Il est médecin de la compagnie et il prendra l'affaire en mains », mots *[lacune[2]]* scandaliser M. de Charlus.

Page 356.

a. Chevrigny *ms., dactyl., dactyl. corr., orig. Nous corrigeons.* ◆◆ *b.* avec la même certitude que celle qui permet de condamner [pour un juge *add.*] un criminel *ms.* : avec la même certitude pour un juge que celle qui permet de condamner un criminel *dactyl., dactyl. corr., orig. Nous retenons la leçon du manuscrit, l'addition interlinéaire y figurant ayant été mal insérée dans la dactylographie et non rétablie dans les états suivants.*

1. Proust écrit Chevregny ou Chevrigny (voir la Note sur le texte, p. 1298). L'étymologie est notée dans le Cahier 72 et correspond au nom Chevregny, emprunté à l'ouvrage d'Hippolyte Cocheris : voir n. 11, p. 322.

2. Sur la voix des invertis, voir n. 1, p. 63.

Page 357.

a. une répulsion physique, savent arranger *dactyl. corr.*[3], *orig. Nous corrigeons.* ◆◆ *b.* dans le sexe masculin *[10e ligne de la page]* où exilées, tendant avec des battements d'aile impuissants vers les hommes qui ne veulent pas d'elles, elles constituent une colonie à part, méprisée, quoique douée de qualités qui sont loin d'être méprisables, fine, sensible, sachant arranger un salon, en somme charmante, inspirant une répulsion physique et dans ses ébats (inaperçus d'elle-même, méconnus de ceux qui, incapables de s'élever à la poésie du mythe, ne voient pas, oubliant le veston et la moustache, minauder devant eux une charmante femme), dans ses ébats pareils à celui que venait tout exceptionnellement d'avoir M. de Charlus, infiniment ridicule. M. de Charlus ne s'inquiétait pas *ms., dactyl. Voir la variante précédente.* ◆◆ *c.* le maréchal d'Uxelles, *ms., dactyl., dactyl. corr., orig. Nous corrigeons.*

1. Proust écrit « Uxelles » (voir var. *c*). Il s'agit de Nicolas de Laye du Blé (1652-1730), marquis d'Huxelles, maréchal de France ; Saint-Simon fait son portrait dans les *Mémoires* de 1703 : « [...] glorieux jusqu'avec ses généraux et ses camarades et ce qu'il y avait de plus distingué, pour qui, par un air de paresse, il ne se levait pas de son siège [...] » (éd. citée, t. II, p. 303-304). Le passage qui précède immédiatement celui-ci sera évoqué par Proust dans *La Prisonnière* (voir p. 807).

1. Proust, durant son séjour à Beg-Meil en octobre 1895, fit ainsi intervenir André Bénac, secrétaire du conseil d'administration des Chemins de fer de l'État et ami de ses parents, afin de prolonger ses billets de Bains de mer. Voir la *Correspondance*, t. I, p. 431-432.

2. Le coin droit de la paperole est déchiré.

3. Pour les états antérieurs, voir la variante suivante.

2. L'idée de ces quelques répliques, ajoutées sur les épreuves de 1922 du roman, est notée dans le Cahier 59 : « Vous n'avez personne dans votre faubourg de panné pour être mon concierge » (f° 65). Elle s'inspire d'une anecdote favorite de Montesquiou, rapportant un mot de Lady Sassoon, seconde fille de Gustave Rothschild : « Vous n'auriez pas un vieux gentilhomme à me recommander, pour une place de concierge ? » (« Les Cahiers secrets de Robert de Montesquiou », *Mercure de France*, 15 avril 1929, p. 313).

Page 358.

a. si vous aimez dîner *ms.* : si vous aimez à dîner *dactyl., dactyl. corr., orig.*

1. Jean Cocteau juge invraisemblable le comportement de Mme Verdurin : « La première chose que ferait une Mme Verdurin entendant Charlus lui dire qu'il est le frère du duc de Guermantes serait de chambrer Proust et de lui poser mille questions à ce sujet. Or elle se contente de ne pas le croire » (ouvr. cité, t. I, p. 273).

Page 359.

a. c'est excessivement malsain ; *On trouve dans le manuscrit un membre de phrase dont l'emplacement n'est pas clairement indiqué mais qui vraisemblablement devait suivre ces mots. En voici le texte* : il suffit d'une fois pour prendre un bon coup de froid. ◆◆ *b.* D'abord moi, on *ms.* : D'abord, on *dactyl., dactyl. corr., orig.* ◆◆ *c.* huit jours. Non ce n'est pas votre affaire. » [Est-ce que la baronne Putbus n'est pas à Doville ? Il me semblait l'avoir aperçue. — Mais pas du tout, elle est à Venise. Mais d'où la connaissez-vous ? — Je ne la connais pas du tout, on me l'a seulement montrée une fois. — Si cela vous amuse dit-elle sans penser *add. biffée*] Et sans penser *ms.* : huit jours, mais ce n'est pas notre affaire. » Et sans penser *dactyl., dactyl. corr., orig. Nous retenons la leçon du manuscrit.* ◆◆ *d.* il y a un cidre *ms., dactyl., dactyl. corr.* ◆◆ *e.* n'entendit que cette *ms.* : n'entendit pas cette *dactyl., dactyl. corr., orig. Nous retenons la leçon du manuscrit.*

1. Voir n. 3, p. 301.

Page 360.

a. infesté de rastaquouères. Vous croyez *ms.* : infesté de *[un blanc].* Vous croyez *dactyl.* : infesté de [moustiques *corr.*] Vous croyez *dactyl. corr.* : infesté de moustiques. Vous croyez *orig.* ◆◆ *b.* la petite Madame de Portefin ? Elle est *ms., dactyl.* : la petite Madame de Vieux-Pont ? Elle est *dactyl. corr.* ◆◆ *c.* de monde, de Madame de Portefin et de vous. *ms., dactyl.* : de monde, de Barbe de Vieux-Pont ou de vous. *dactyl. corr.* ◆◆ *d.* le matin même dans *ms.* : le matin dans *dactyl., dactyl. corr., orig.* ◆◆ *e.* annonçait que le grand écrivain venait de partir pour la Grèce. Enfin *ms., dactyl.*

1. L'imminence de la mort de Bergotte était annoncée dès *Le Côté de Guermantes II* (t. II de la présente édition, p. 621).

Page 361.

a. incapable de s'ennuyer, physiquement incapable, comme les croisières sont impossibles aux gens qui ont le mal de mer. « Dieu sait si je sais les défauts de Brichot, mais comme il a plus de fond que tous les Swann du monde ! » Je me disais *ms., dactyl.* ↔ *b.* rougir des pédanteries de Brichot, je me le demandais *ms., dactyl.* : rougir les pédantesques facéties de Brichot, je me le demandais *dactyl. corr. En dépit de la correction ultérieure, le tour reste hardi.*

Page 362.

a. borgne ici. De plus il gèle les autres qui ne *ms.* : borgne ici. De plus il y a là les autres qui ne *dactyl.* : borgne ici. Et puis les autres qui ne *dactyl. corr., orig. Nous retenons la leçon du manuscrit.* ↔ *b.* hé bien ! *ms.* : eh bien ! *dactyl., dactyl. corr., orig.* ↔ *c.* fait pour vivre ici. » J'eus l'imprudence, par couleur locale de parler de galette normande. La cuisinière de Mme Verdurin ne savait pas la faire. « Pour prendre un cancer de l'estomac ? Non, je n'assassine pas mes invités. D'ailleurs on voit bien que vous n'y avez jamais goûté, c'est aussi mauvais de goût que néfaste pour l'estomac. C'est exquis pour les gens qui ne s'y connaissent pas en cuisine et en pâtisserie », ajouta Mme Verdurin en me montrant que je porterais sur moi-même un jugement. Elle accepta d'ailleurs la rétractation que je n'avais pas encore fait entendre : « Oui, ça n'est pas ce que vous vouliez dire, vous êtes distrait, vous pensiez aux sablés, on vous en fera manger d'exquis. » Et sa figure qui au mot de galette normande avait pris une expression terrible, se radoucissant progressivement : « Vous pourriez très bien venir habiter. *ms., dactyl.*

1. Est-ce une allusion à la future liaison de Saint-Loup et Morel ?

Page 363.

a. comme un homme *ms.* : comme en homme *dactyl., dactyl. corr., orig. Nous retenons la leçon du manuscrit.* ↔ *b.* de l'effet à faire, *ms.* : de l'effet qu'il va faire, *dactyl., dactyl. corr., orig.*

Page 364.

a. — Mais alors vous en avez cinq, *ms., dactyl., dactyl. corr.* : — Mais alors vous avez cinq, *orig. Nous retenons la leçon des états antérieurs.*

1. Voir n. 2, p. 261.
2. Allusion à la défaite de Napoléon et de la flotte franco-espagnole par les Anglais, le 21 octobre 1805.
3. Proust avait noté dès le Carnet 1 : « Voix qui mue, "mais tu as du monde à dîner et il est huit heures" ; "mais tu as le double-six" » (*Le Carnet de 1908*, éd. citée, p. 58).
4. Le roi de pique.

Page 365.

a. gagné ! — Si Signor. — Voilà une belle victoire, *ms., dactyl., dactyl. corr.* ↔ *b.* — Ah ! alors, dit M. de Cambremer *ms.* : — Ah ! ah ! dit

M. de Cambremer *dactyl., dactyl. corr., orig. Nous retenons la leçon du manuscrit.*

1. « Encore une victoire comme celle-là, et nous sommes perdus » : ce mot célèbre fut prononcé par Pyrrhus après la victoire d'Asculum (279), où il avait battu les Romains, mais au prix de pertes énormes.

Page 366.

a. pour aller détruire les eaux de Pouzzoles découvertes *ms.* Pouzzoles *ne figure pas dans la dactylographie.*

1. La comparaison de Cottard aux docteurs de Salerne qui en voulaient à Virgile est notée par Proust dans le Cahier 61 : « Cottard Du Boulbon / les docteurs salernitains / pour aller ruiner les eaux de Pouzzoles, (découvertes par Virgile, cet autre médecin littéraire) » (f° 100). Il s'agit d'une allusion à une tradition médiévale concernant Virgile, lequel, en dehors de ses talents poétiques, a été connu comme magicien, notamment dans la région de Naples, où il avait été enterré. Un certain nombre de textes attribuent à Virgile la création de bains miraculeux à Pouzzoles, près de Naples. Dans les *Otia imperalia* de Gervais de Tilbury (XIIe siècle), le *Speculum historiale* de Vincent de Beauvais (XIIIe siècle), etc., la réussite de Virgile auprès des malades qui viennent prendre les bains suscite la jalousie des médecins de Salerne, qui se rendent à Pouzzoles et saccagent l'installation thermale ; mais le dénouement mentionné par Proust : le naufrage des médecins, est absent. En revanche, dans la *Cronica de Partenope*, composée à Naples dans la seconde moitié du XIVe siècle, et plus intéressée aux prouesses virgiliennes accomplies dans la région, figure l'anecdote relatée par Proust. Au retour de leur expédition vengeresse, les médecins périssent en mer au cours d'une tempête. Cette chronique a été partiellement éditée dans *Annali della università toscana*, t. VIII, 1866, 1re partie, p. 162-172, et en appendice du livre de Domenico Comparetti, *Virgilio nel medio evo*, Livourne, 1872, t. II, p. 236, ou Florence, 2e éd., 1896, t. II, p. 253-254. Comment Proust eut-il connaissance de cette histoire ? nous l'ignorons. André Bellessort (*Virgile, son œuvre et son temps*, Perrin, 1920) dit seulement : « [...] il avait donné aux eaux de Pouzzoles la faculté de guérir les maladies les plus diverses, à la grande colère des médecins » (p. 317) ; ce qui suggère le degré de l'érudition proustienne sur ce point. L'ouvrage de Comparetti a été traduit en anglais en 1895, mais pas en français.

Page 367.

a. Doville-Féterne. *ms.* : Donville-Féterne *dactyl., dactyl. corr., orig.*[1]. *Nous corrigeons.* ↔ *b.* celle-ci : *ms., dactyl., dactyl. corr.* : celui-ci : *orig. Nous retenons la leçon des états antérieurs.* ↔ *c.* une petite course. »

1. Même variante à la cinquième ligne de la page.

Une femme qui passait n'entendant que le mot « petite course » mais croyant dans le reflet de la lanterne voir un louis d'or dit tout haut : « Quel grand seigneur ! » simplement dans l'acception de : « Quel homme généreux ! » M. de Cambremer se tourna vers moi en souriant : « Elle ne sait pas si bien dire ! » Lui et Mme de Cambremer *ms., dactyl.*

1. S'agit-il de Brichot, qui sera amoureux de Mme de Cambremer (voir p. 477) ?

Page 368.

a. les palmes du martyre. *C'est sur la dactylographie corrigée que Proust a, après ces mots, séparé le chapitre* II *et le chapitre* III. *Nous nous trouvons à la charnière des Cahiers V et VI du manuscrit. Les 9 derniers feuillets du Cahier V et les 6 premiers feuillets du Cahier VI qui figurent dans la dactylographie ont été supprimés par Proust dans la dactylographie corrigée et remplacés par 8 feuillets manuscrits de sa main et de celle de Céleste Albaret. Ces 8 feuillets constituent le début du chapitre* III, *jusqu'à la page 375, fin du 2*^e^ *paragraphe. Voici le texte de la fin du Cahier V et du début du Cahier VI du manuscrit auquel la dactylographie corrigée substitue les pages 369 à 375 du chapitre* III : Peut-être chaque soir acceptons-nous le risque de vivre en dormant bien des souffrances que nous considérons comme nulles et non avenues parce qu'elles seront ressenties au cours d'un sommeil que nous croyons sans conscience parce qu'il est sans mémoire et que ce que nous ne nous rappelons pas est pour nous comme s'il n'avait pas été. Peut-être est-ce ainsi qu'après notre mort nous serons étonnés d'avoir manqué de courage devant les souffrances de la vie, anéanties avec la mémoire particulière à l'existence que nous aurons perdue et que nous ne pourrons pas dans ce cas relier davantage à nous qu'un malade éveillé du sommeil du chloroforme les craintes ou les angoisses dont il a eu l'émotion mais dont il a perdu le souvenir. On est brave pour les autres, et celui qu'on sera pendant un temps où la mémoire sera abolie est un autre. Qu'il soit douloureux ou non, de ce premier sommeil profond où nous tombons la nuit il nous est difficile de parler ; sans doute le plus souvent il ne tarde pas à s'éclairer d'un rayon de conscience mais qui alors le modifie. Ce fut dans un de ces sommeils profonds que je tombai, en rentrant de ce premier dîner chez les Verdurin, dans mon lit de Balbec. J'aurais bien voulu avant de me coucher pouvoir embrasser ma mère car mes regrets de ma grand-mère, descendus depuis quelques jours dans les régions inconscientes de la mémoire, m'étaient remontés au cœur. Il avait suffi pour cela que dans le langage intérieur à l'aide duquel je causais avec moi-même j'employasse spontanément certains mots qui figuraient aussi dans le souvenir douloureux d'une phrase de Françoise revenue à ma mémoire : « Cette pauvre Madame Amédée elle disait : “Il faut qu'il puisse avoir une photographie de moi” et elle pleurait tout ce qu'elle savait malgré qu'elle n'aimait pas à se faire connaître. » Et me rappelant cet air de satisfaction qu'avait ma grand-mère sous son beau chapeau, je pensais à ce plaisir qu'elle avait su se donner en ce jour de détresse, plaisir de se dire que si le lendemain comme elle le croyait elle devait mourir, elle avait encore le temps de faire faire pour moi une photographie d'elle. J'avais fait un peu de bruit en me déshabillant dans l'espoir que ma mère m'entendrait et me dirait de venir lui dire bonsoir. Mais elle ne s'était pas éveillée. Et bientôt c'était moi qui m'étais endormi. De ces premiers sommeils quand ils sont vraiment profonds il nous est difficile de parler. Sans doute le plus souvent il ne tarde pas à y filtrer un rayon de conscience qui les éclaire mais les modifie, et l'état, de nature inconnaissable, que nous voulons connaître, se détruit dans la mesure où nous devenons capables de lui appliquer des instruments de connaissance. Puis le jour de la conscience grandit, la mémoire le fixe et l'on est — je fus moi-même alors — la proie de ces accès intermittents d'aliénation mentale auxquels chacun de nous est sujet en dormant et pendant lesquels nous voyons sans nous en étonner un homme que nous connaissons ayant pour tête celle d'un autre homme, ou celle d'un cheval, ou un globe de lampe, et où se tenant debout auprès de nous, reviennent les morts. Ma grand-mère était dans la chambre contiguë, moi je travaillais à ma table et je me disais : « Enfin elle va me voir travailler, elle qui l'a tant désiré, et avait fini par désespérer, par renoncer pour toujours. Quelle joie ça allait être de tenir ses joues froides et rouges, de les embrasser et de lui prouver, par le travail déjà accompli, la continuité de mes habitudes. Par instants je sortais à demi du sommeil, mais sans perdre le contact avec l'irréel, comme un nageur qui sort à demi de l'eau pour tendre quelque chose à une personne restée sur la plage mais y reste à demi plongé. Ces sommeils secondaires, différents du plus profond que je venais de quitter, prenaient pour moi, par contraste, l'aspect, la vérité de la veille. Je n'étais qu'endormi d'une autre manière, je me croyais réveillé. Oui tout à l'heure je dormais, me disais-je. Mais maintenent je suis éveillé, je sens bien mes membres qui peuvent remuer. Et pourtant je sais que ma grand-mère est à côté, qu'elle sera heureuse de me trouver au travail. Il est donc bien certain que les morts vivent. Ce n'est pas comme si je l'avais cru pendant le sommeil. Maintenant il n'y a plus aucun doute. Soudain ma grand-mère entrait, je me levais pour prendre sa tête dans mes mains et avant que j'eusse pu lui annoncer que je m'étais mis au travail, elle m'annonçait qu'elle partait pour passer les vacances avec mon grand-père. Mon cœur battait ; je sentais que sa décision de ne pas imposer à mon grand-père de passer les vacances avec moi dont la vie <était> incommode pour un vieillard à cause de mon état de santé et qui lui eût causé aussi des colères par mes occupations frivoles, les soirs où je me « galvaudais » chez les Verdurin, contenait un reproche muet à mon adresse. Je fus secoué d'un mouvement de révolte, je ne voulais pas la quitter : « Où vas-tu lui criais-je, dis-moi l'endroit où tu pars, je vivrai de votre vie, j'irai aussi. » Elle ne disait ni oui ni non, avait l'air un peu contrarié de cette menace qu'elle savait aussi bien que moi être vaine parce que je n'étais plus capable de secouer les habitudes de vie qui m'enchaînaient. Mais je sentais palpiter en elle comme en moi l'angoisse de la séparation et le vent désolé de nos deux solitudes. Oh ! d'ici son départ il allait falloir se hâter de la rendre heureuse, lui montrer chaque soir le travail fait dans la journée, afin qu'en me quittant elle emportât la certitude que je ne cesserais plus de travailler, et même faire preuve de tant de sagesse, de tant de raison que peut-être elle allait se remettre à espérer la possibilité d'une vie nouvelle pour moi, elle allait rajeunir, et que nous irions tous passer la vie à jamais ensemble. « Mais tu ne pars avant longtemps, lui dis-je. » Et avec le léger embarras qui était le sien quand elle avait à m'annoncer une décision que pour m'éviter un énervement elle m'avait dissimulée le plus longtemps possible, et que, une fois que je l'aurais connue, mes violences briseraient peut-être, elle me répondit les sourcils légèrement rapprochés, la figure congestionnée, les yeux détournés de moi : « Mais demain de bonne heure. Il le fallait. Ton grand-père a besoin de moi. » Et je sentais que ma grand-mère m'était retirée, avant que j'eusse pu lui redonner confiance en moi, désespérée, pleine de reproches, acceptant une vieillesse où elle aurait renoncé à toutes ses ambitions pour moi. La souffrance que je sentais en ma grand-mère et que j'éprouvais n'était pas imaginaire, mais remontée à ma conscience, gonflant jusqu'à briser mon cœur le corps qui se tenait debout devant moi ; c'était celle que m'avait causée ma mère le jour de mon premier départ pour Balbec quand elle m'avait annoncé qu'elle ne viendrait pas avec nous, qu'elle passait les vacances avec mon père. Et cette angoisse qui avait été effectivement ressentie par moi donnait à l'image de ma grand-mère quelque chose de poignant, d'actuel, la faisait frémir d'une vie qu'elle avait perdue depuis qu'elle ne brillait plus que si pâlie à l'horizon de mon esprit, où je levais parfois vers elle un regard sans pensée. Albertine ne m'eût nullement préoccupé — pas plus que Gilberte quand le soir à Combray j'avais besoin de ma mère — en ce moment où ma grand-mère approchée brusquement tout près de moi, immense, changeait en moi dans un bouleversement le régime de toutes choses. Elle rentra dans sa chambre et ma mère me dit : « Laisse-la, elle n'est pas bien. — Mais je voudrais tellement lui dire bonsoir. — Non, elle pourrait avoir un nouveau malaise. » Malgré la tristesse que ma mère me causait par ces paroles je m'assoupis un instant, mais j'étais bientôt réveillé par un arrêt du train. Comment ma grand-mère n'était-elle pas avec moi ? L'avais-je donc perdue en route ? Tout d'un coup je l'aperçus en toilette de voyage sur le chemin qui mène à la gare, marchant vite, courant presque. Je voulus aller au devant d'elle, la barrière était fermée. Dans toutes les directions j'entendais siffler des trains qui partaient, elle se dépêchait, elle avait sali sa robe, presque perdu un soulier, son chapeau était tout de travers sous son voile jusqu'auquel était montée une éclaboussure de boue, son visage était violet et elle avait si mauvaise mine que le cerne noir de ses yeux descendait presque jusqu'à sa bouche. Ses yeux étaient d'une tristesse inconsolable mais farouche et rancuneuse. Peut-être était-elle fâchée contre moi et plutôt pour me donner une leçon que par colère véritable ; peut-être aussi avant de mourir, quand ceux qui ont vécu le plus détachés d'eux-mêmes voudraient un instant retenir ce corps qu'ils sentent se dérober sous eux, avait-elle compris la duperie qu'avait été pour elle sa vie de sacrifice, et peut-être mon égoïsme cessant tout à coup de lui être caché par les sophismes de son cœur lui était-il apparu dans son immensité. Alors se rappelant toutes les fatigues prises pour moi qu'elle sentait que je n'aurais pas prises pour elle, sentit-elle qu'elles avaient mangé sa vie, et peut-être était-il sans trace d'amour subsistant, sans pardon possible, l'équitable ressentiment avec lequel elle regardait celui qui lui avait fait le plus de mal, parce que c'était celui qu'elle aimait le plus et qui avait causé sa mort pour avoir été sa vie. J'étais soulevé par un immense désir de la rejoindre, de l'embrasser, de me faire pardonner. Comme cet amour que j'éprouvais pour elle, cet amour fait de pitié, était plus profond plus douloureux, que le plus grand amour qu'on peut avoir pour une femme dont on est amoureux ! Je n'avais jamais éprouvé une pareille souffrance. Devant ma grand-mère marchait en hâte ma mère ; je l'appelai. Mais elle ne m'entendit pas. Enfin je pus par un chemin de traverse déboucher auprès de ma grand-mère, mais au moment où j'arrivai près d'elle, elle détourna la tête, farouche, essoufflée, épuisée, irréconciliable ; je sentais que ma mère avait une seule pensée qui était de partir avec sa mère ; je me rappelais pourtant combien leurs deux visages s'étaient penchés doucement sur mon enfance ; ma grand-mère m'avait dépassé, je voulais courir mais soudain je ne pus plus avancer, déjà un employé faisait signe à ma grand-mère que le train allait partir ; ma pitié pour sa fatigue dominait encore mon angoisse de la perdre. Un employé la poussa brutalement dans[1] un wagon comme le train se mettait déjà en marche ; je me disais qu'elle s'en allait pour un pays que je ne connaissais pas, où je ne pourrais pas la retrouver, et peut-être me rendant compte à demi que je dormais, que <si> j'avais pu passer aussi près d'elle, ce n'était qu'à la faveur d'un rêve comme je n'en referais plus, je sentis que je l'avais vue pour la dernière fois et qu'elle était partie pour toujours. À ce moment le réveil, comme un magnétiseur qui aurait touché mon front, me fit sortir de ce sommeil où s'étaient montrés tout nus des sentiments selon lesquels je n'avais pas vécu, qui n'inspireraient en rien la vie si différente que j'allais recommencer à mener, et pourtant collaborant peut-être déjà à l'esquisse d'une vie plus lointaine qui un jour serait, pouvait devenir la mienne. « Elle est partie pour toujours », me dis-je en m'éveillant, car le premier moment de conscience au réveil n'est pas mobile et met seulement en pleine lumière le moment où nous nous trouvons. J'étais bien entré dans les pensées claires de la veille, mais celles-ci ont d'abord pour objet la dernière vision du rêve et réveillé, c'est au wagon qui emportait ma grand-mère et devant lequel je me croyais que s'appliqua ma première et inerte réflexion. Mais la seconde s'aperçut que cet objet était un rêve et douée de l'élasticité dont avait été dépourvue la précédente, elle rebondit jusqu'au moment où je m'étais endormi pour me rappeler que j'avais dîné la veille chez les Verdurin et étais rentré coucher à Balbec. Alors je me rappelai que malgré qu'elle eût passé si près de moi dans mon rêve, ma grand-mère n'était plus. Mais si je me mis à pleurer sur ce passé n'étant plus qu'une image immatérielle, si je dus me résigner dès ma clairvoyance revenue à l'idée que ce passé n'existait plus nulle part dans le monde réel, que je ne pourrais jamais retourner à lui, si je pleurai sur les êtres aimés qui l'avaient animé et qui s'étaient si doucement penchés sur mon enfance, tout ce qui composait ce temps irretrouvable, me semblait si indivisible, je venais de le revoir il y avait encore seulement un instant si homogène, en songe, et j'avais si bien l'impression que je ne pouvais rien en revoir qu'en songe, je savais si bien que tout cela, et jusqu'à l'odeur des joues de ma grand-mère que je sentais encore, tout cela ne pouvait plus exister maintenant que j'étais réveillé, qu'il eût fallu pour cela une impossible résurrection, que tout d'un coup pensant que des deux visages qui avaient été si près de moi pendant que je dormais, des deux visages si aimés à Combray, il en était un que je pouvais dans un instant, en pleine réalité, dans ma chambre de Balbec retrouver encore, mon étonnement le plus profond dans la lumière du réveil ne fut peut-être pas le premier, en apprenant que ma grand-mère était morte, mais le second en me souvenant que ma mère était vivante. À ce souvenir, ma mère que je pleurais déjà parce que je l'avais vue tout à l'heure à côté de ma grand-mère dans un tableau que je savais imaginaire, quitta le passé irréel que j'avais eu en dormant devant mes yeux fermés, et si je l'en vis se détacher pour revenir auprès de moi

1. Fin du Cahier V, début du Cahier VI du manuscrit.

dans le présent, dans la vie actuelle, ce fut avec l'émerveillement, presque avec l'incrédulité que, en pleine période historique, j'aurais éprouvé à la vue d'un ange échappé à l'anéantissement du paradis terrestre, qui m'en eût rendu la douceur, en eût gardé le souvenir et eût pu encore faire pour moi le miracle de me donner les mêmes baisers évanouis que j'y avais reçus. Cet ange vint auprès de moi quelques heures après. Mais c'était moi maintenant qui avais perdu la nostalgie de l'Âge d'Or. [Tout d'un coup je me rappelai ce que j'avais voulu demander à Mme Verdurin. C'était si on ne possédait pas d'autres œuvres de Vinteuil que sa sonate. Car maintenant je la connaissais par cœur. La première fois que je l'avais entendue je n'avais absolument <rien> distingué sauf une phrase que je n'avais pas trouvée jolie, mais comme elle revenait à deux ou trois reprises et qu'il m'avait bien semblé que c'était la même que je reconnaissais, je m'étais attaché à celle-là. Mais depuis cette phrase était devenue la plus ravissante amie de ma mémoire au point que quand je me rappelais cette première audition où je l'avais discernée sans l'admirer, <elle> me faisait rétrospectivement l'effet de ces soirées confuses où on se rappelle qu'on a rencontré pour la première fois la personne qui devait jouer un rôle décisif dans votre vie et qu'on voit tellement autrement maintenant. Maintenant c'est toute la Sonate que je connaissais par cœur et j'étais désolé que Vinteuil n'eût laissé qu'elle. Mais pas une fois à La Raspelière je ne pensai à demander à Mme Verdurin si on ne connaissait vraiment rien d'autre de lui. *add.*] Je dis à ma mère que j'avais demandé à M. de Charlus s'il avait remarqué la toque et le voile que la princesse de Luxembourg portait en automobile. M. de Charlus qui s'y connaissait à merveille dans la toilette des femmes, de laquelle il parlait volontiers comme un sujet artistique et innocent, tandis qu'il baissait les yeux et gardait un silence décent au seul mot de pantalon beige, m'avait répondu qu'il savait très bien ce que je voulais dire, qu'il n'avait pas besoin de demander à la princesse, que c'était une toque en chinchilla avec écharpe en mousseline de soie, faites par Callot[1], et pour me montrer qu'il m'avait bien compris, il m'avait crayonné un dessin qui fit l'admiration de ma mère. Elle fut seulement étonnée et un peu choquée que j'eusse pu le rencontrer chez les Verdurin ; il n'entrait dans son ennui rien de l'égoïsme de ma grand-tante trouvant qu'une relation brillante que nous avions manquait à tous ses devoirs si elle se laissait déprécier par une fréquentation douteuse. Ma mère était incapable de ce sentiment. Mais elle était de Combray, elle ne comprenait pas qu'un homme d'une caste supérieure comme M. de Charlus s'aventurât chez des gens nés dans une caste inférieure à la nôtre (c'est-à-dire y appartenant pour leur vie, car la société de Combray n'imaginait pas qu'on pût jamais changer de caste). Ma mère n'enviait pas les Verdurin de recevoir M. de Charlus ; au contraire elle eût trouvé indiscret que nous l'invitions ; mais les mêmes raisons lui faisaient trouver sa présence chez nous excessive et tout à fait déplacée chez les Verdurin. M. de Charlus chez les Verdurin, elle éprouvait de cette nouveauté un étonnement où elle ne trouvait rien de plaisant ; car l'horreur de l'encanaillement étant née non pas du mépris des autres mais du respect de soi-même, ne peut être comme on le croit à tort d'essence aristocratique : c'est un préjugé bourgeois. « Cependant,

1. Voir *À l'ombre des jeunes filles en fleurs*, t. II de la présente édition, p. 254, et *Le Temps retrouvé*, CF, t. III, p. 43.

avait ajouté M. de Charlus, je crois me souvenir que c'est Elstir qui a peint Mme de Luxembourg avec cette toque et ce voile, qui les lui avait commandés. Et il me semble qu'il y a eu tout de même un peu de lui dans la forme et surtout dans le gris très doux qu'il a eu assez de peine à trouver. Puisque vous désirez avoir la[1] même chose pour votre cousine, dites aux sœurs Callot de vous faire la même chose exactement qu'à la princesse de Luxembourg. Je la préviendrai pour qu'elle ne soit pas fâchée. » Je savais le détail du choix par Elstir, Albertine le savait aussi et cela avait peut-être augmenté son admiration quand nous avions vu passer la princesse de Luxembourg. Mais elle savait que Callot n'était pas fait pour une jeune fille pauvre comme elle. D'autant qu'Elstir dont le goût en toilettes était extrêmement difficile et exclusif lui avait donné la superstition de certains faiseurs, lui avait assigné qu'entre leur façon et celle de <ceux> qui croient les imiter à bon marché ou même à des prix très élevés, il y a autant de différence qu'entre un amour délicieux de Clodion ou du petit temple du Trianon, et l'amour presque semblable d'une époque plus lourde. Aussi sachant le plaisir que je lui ferais, je chargeai ma mère de commander au plus vite, la toque et le voile mais me gardai bien d'en rien dire à Albertine[2].

Page 369.

1. Parvenant ici dans sa relecture du roman en 1951, Cocteau, qui s'était montré sévère pour le dîner chez les Verdurin (voir n. 3, p. 259), notait : « Dès la page 112 ou 115, Marcel Proust retrouve sa forme et [...] ses zigzags et ses fatigues disparaissent au profit d'une course en ligne droite. Il n'en subsistera qu'une reprise du thème "Étymologie des noms de la contrée" et, passant de la plume de Proust dans la bouche de Charlus, du thème des jeunes israélites de Racine » (ouvr. cité., t. I, p. 272).

2. Proust avait noté dans le Cahier 60 : « La sœur du lift bien mariée » (f° 59 r°).

Page 370.

1. Le passage qui suit, sur le sommeil et les rêves, et qui va jusqu'à la page 375 — moins la description de l'attelage du sommeil (p. 370-372), qui sera ajoutée encore plus tard (voir var. *a*, p. 372) —, est une addition tardive pour laquelle Proust avait pris des notes dans le Cahier 59, ff^os 4-16 et 21-23. Au folio 16, Proust ébauchait le personnage du philosophe norvégien, alors suédois (voir n. 6, p. 321), dont l'apparition est liée aux réflexions sur le sommeil (voir p. 373). Au folio 17, il définissait la place qui devait être dans le roman celle du passage sur le sommeil : « Arranger tout ce que je dis du rêve (et où je contredis Bergson) plutôt dans la trame du roman (retour

1. La fin du passage figure sur un feuillet arraché du manuscrit qui appartient au reliquat.

2. Les dernières lignes de ce passage du manuscrit correspondent, dans le texte définitif, à la fin du 2e paragraphe de la page 375 (voir la variante *c*, page 375).

de chez Mme Verdurin à Balbec par exemple). » Selon Edmond Jaloux, qui y aurait assisté, les propos sur le sommeil sont l'écho d'une conversation entre Proust et Bergson sur l'insomnie et les narcotiques (*Avec Marcel Proust*, Paris-Genève, La Palatine, 1953, p. 18-19). Cette conversation aurait eu lieu en septembre 1920, lors de la réunion du jury du prix Blumenthal, qui fut attribué à Jacques Rivière (George Painter, ouvr. cité, t. II, p. 404). Mais les réflexions de Proust paraissent répondre assez directement à un texte de Bergson intitulé « Le Rêve », conférence de 1901 reprise en volume dans *L'Énergie spirituelle* en 1919. La thèse de Bergson est que les éléments constitutifs du rêve sont des sensations réelles, et que le souvenir inconscient est la puissance qui leur imprime une forme. L'ébauche du Cahier 59 en est plus proche que le texte définitif ; elle commence par la remarque : « Ces lourds sommeils m'empêchent d'être d'accord avec Bergson. » Toutefois, une idée n'apparaît pas dans le texte de Bergson, une idée que Proust lui attribue dès le Cahier 59 et à laquelle il s'oppose : que les narcotiques aient un effet dissolvant sur la mémoire, non pas la mémoire quotidienne, mais celle des citations grecques (voir p. 373). Des réflexions voisines sur le sommeil profond se sont aussi ajoutées tardivement ailleurs dans le roman, ainsi à Doncières (voir *Le Côté de Guermantes*, t. II de la présente édition, p. 384-391), ou dans *La Prisonnière* (voir p. 121-126) ; et les cahiers d'additions de la fin de la guerre contiennent de nombreuses notations sur le sommeil, par exemple le Cahier 60, ff^os 6, 13, 80-83, et le Cahier 62, ff^os 7 et 54-55, juste avant la mort de Bergotte. Tout cela témoigne d'une préoccupation majeure de Proust pendant les années 1919-1922. Dans *Sodome et Gomorrhe*, le thème apparaissait déjà dans « Les Intermittences du cœur » avec les rêves de la grand-mère (p. 152-176), et le manuscrit renouait ici avec le thème pour un dernier rêve (voir var. *a*, p. 368), l'un des plus émouvants. Dans le Carnet 2, Proust avait pris des notes sur la ressemblance du sommeil profond et de la mort (ff^os 48 v°-50 r°), ressemblance qui, dans le manuscrit, introduit le dernier rêve de la grand-mère : « Sur le sommeil (par exemple quand je regrette ma grand-mère) », avait indiqué Proust en tête des notations. On peut citer aussi, ajoutés tardivement, le sommeil et le réveil de Mme Cottard à La Raspelière (p. 350-352).

2. Proust s'oppose ici à la thèse de Bergson, qui, dans la conférence sur « Le Rêve », rattachait les éléments du rêve à des sensations visuelles, auditives, tactiles, par exemple les bruits du rêve à des bruits de la chambre. C'est, disait-il, « avec de la sensation réelle que nous fabriquons du rêve » (*Œuvres*, éd. citée, p. 884).

3. « En quelques secondes, écrivait Bergson, le rêve peut nous présenter une série d'événements qui occuperait des journées entières pendant la veille » (*ibid.*, p. 894). Il renvoie à l'ouvrage d'Alfred Maury *Le Sommeil et les Rêves*, Didier, 1861.

4. La description du char du sommeil, ajoutée sur les épreuves de 1922, était aussi ébauchée, mais plus loin, dans le Cahier 59, sous le titre « Pour le sommeil profond » (ff^os 51-54). Proust avait noté

en marge : « Penser à mettre cette dictée dans mon testament. » La notation témoigne de l'importance que revêtait alors à ses yeux le thème du sommeil et du rêve, lié à l'anticipation de la mort, ainsi que le confirment d'autres notations voisines du Cahier 59, dont celle-ci : « Capitalissime immédiatement avant la mort de Bergotte. / Dans les mois qui précédèrent sa mort, souffrant d'insomnies, il essayait avec excès des différents narcotiques. Certains sont d'une autre famille que ceux auxquels nous sommes habitués (dérivés par exemple de l'amyle et de l'éthyle). On n'absorbe le produit nouveau, d'une composition toute différente, qu'avec la délicieuse attente de l'inconnu. Le cœur bat comme à un premier rendez-vous. Vers quel genre ignoré de sommeil, de rêves, le nouveau venu va-t-il nous conduire ? Il est maintenant en nous, il a la direction de notre pensée, de quelle façon allons-nous nous endormir, et une fois que nous le serons par quels chemins étranges, sur quelles cimes, dans quel gouffre inexploré le maître tout-puissant nous conduira-t-il ? Quel groupement nouveau de sensations allons-nous connaître dans ce voyage ? Nous mènera-t-il au malaise, à la béatitude, à la mort ? Celle de Bergotte vint un jour où il s'était confié à un ami (ami ? ennemi ?) trop puissant. / Suit la mort de Bergotte » (f° 49 v°). Proust notait encore : « Narcotiques de Bergotte / rendez-vous vers la mort. Elle vint. Buissons ou plein ciel. » On peut sans doute associer ces réflexions sur le sommeil et la mort, sur leur proximité, à l'empoisonnement dont Proust, s'étant trompé dans les doses de ses somnifères, fut victime à l'automne de 1921, et qui faillit lui coûter la vie. Une autre description du char du sommeil, voisine de celle du roman, figure sur un feuillet isolé (B.N., N.a.fr. 16729, f° 131).

Page 372.

a. somme, on a dormi tout *[p. 370, 13e ligne en bas de page]* le jour. Certes on peut prétendre *dactyl. corr.*

Page 373.

1. Sur le « philosophe norvégien », voir n. 6, p. 321.

2. Voir n. 3, p. 322. Boutroux était lui aussi membre du jury du prix Blumenthal, lors de la réunion de septembre 1920 où Proust et Bergson auraient échangé des idées sur le sommeil (voir n. 1, p. 370).

3. Dans le Cahier 59, Proust notait déjà que, selon Bergson, les narcotiques ont un effet dissolvant sur la mémoire, non pas la mémoire quotidienne, mais celle des citations grecques. Or les narcotiques en cela identiques au sommeil, provoquent selon Proust un oubli de la réalité. Proust évoque souvent les troubles de sa mémoire dans ses lettres, par exemple en mars 1915 à Lucien Daudet, à propos du *Journal* des Goncourt : « [...] le véronal m'a fait tellement perdre la mémoire, en ce moment, que je vois que j'avais entièrement oublié ce volume dont sérieusement je ne me rappelle plus rien » (*Correspondance*, t. XIV, p. 78).

Page 374.

1. Citation des *Fleurs du Mal* de Baudelaire, XXXIX, v. 5-6 : « Ta mémoire, pareille aux fables incertaines, / Fatigue le lecteur ainsi qu'un tympanon. »

2. Porphyre, ou Maine de Biran, selon l'ébauche du passage dans le Cahier 59 ; Bergson évoquait Plotin dans la conférence sur « Le Rêve » (*Œuvres*, éd. citée, p. 887).

3. C'était en effet la position de Bergson dans « Le Rêve » : « Oui, je crois que notre vie passée est là, conservée jusque dans ses moindres détails, et que nous n'oublions rien, et que tout ce que nous avons perçu, pensé, voulu depuis le premier éveil de notre conscience, persiste indéfiniment » (*ibid.*, p. 886). Le rêve est ainsi conçu comme la résurrection du passé, d'un passé aboli.

4. Pour Bergson, dans une autre conférence recueillie dans *L'Énergie spirituelle*, « L'Âme et le Corps », l'hypothèse de l'immortalité de l'âme résultait de l'observation que nous possédons aussi les souvenirs que nous ne nous rappelons pas, ce qui suppose que la vie mentale ait une extension plus grande que la vie cérébrale, et pose la question de la survie de la vie mentale à la vie cérébrale : « Si, comme nous avons essayé de le montrer, la vie mentale déborde la vie cérébrale, si le cerveau se borne à traduire en mouvements une petite partie de ce qui se passe dans la conscience, alors la survivance [de l'âme] devient si vraisemblable que l'obligation de la preuve incombera à celui qui nie, bien plutôt qu'à celui qui affirme » (*ibid.*, p. 859). L'essai de Maeterlinck, « L'Immortalité », recueilli dans *L'Intelligence des fleurs* (voir n. 1, p. 4), passait de manière analogue à l'idée d'immortalité depuis celle d'intermittence du moi (voir n. 2, p. 153). La liaison proustienne est identique.

Page 375.

a. sa propre mère [Mme Verdurin parce qu'elle avait acheté cinq milliards un bouquet de violettes *add.*] ; j'étais *dactyl. corr.* : sa propre mère. Mme Verdurin, qu'elle avait acheté cinq milliards un bouquet de violettes ; j'étais *orig. Nous retenons la leçon de la dactylographie corrigée.* ↔ *b.* de la veille et toutes *dactyl. corr., orig. Nous corrigeons.* ↔ *c.* je me sentisse tout reposé. *Après ces mots qui constituent la fin des 9 feuillets manuscrits du début du chapitre* III *insérés dans la dactylographie corrigée, à la place de la fin du Cahier V et du début du Cahier VI du manuscrit au net (voir la variante a, page 368), on trouve dans la dactylographie corrigée, avant le paragraphe qui commence par* J'aurais bien étonné *[p. 375, dernier §, 1re ligne] deux feuillets dactylographiés corrigés et paginés qui correspondent aux folios 4, 5 et 6 du Cahier VI, c'est-à-dire à la fin de la variante a, page 368, sur la sonate de Vinteuil et la toque de la princesse de Luxembourg. Dans l'édition originale, le texte de ces deux feuillets dactylographiés est remplacé par deux lignes blanches. Ces deux lignes blanches précèdent le paragraphe suivant où l'allusion à la toque d'Albertine [parenthèse de la 5e à la 3e ligne à partir du bas de la page 375] demeure mystérieuse, puisqu'il n'est plus question que le héros lui en ait commandé une semblable à celle de la princesse de Luxembourg (voir la variante suivante).* ◆◆ *d.* J'aurais bien étonné ma mère, *Le passage qui commence par ces mots et qui va jusqu'à* il l'avait espéré plus viril. *[p. 376, 24e ligne] est une correction de Proust dans la dactylographie corrigée qui se substitue au début d'une longue paperole du Cahier VI du manuscrit. Cette paperole, aujourd'hui arrachée du manuscrit (elle appartient au reliquat) et qui va jusqu'à* conditions de M. de Charlus et d'Aimé[1]. » *[p. 382, 2e §, dernière ligne] contenait à la suite, le dîner de M. de Charlus et du valet de pied du Grand-Hôtel, les aventures de M. Nissim Bernard (ce passage figure dans le texte définitif de la page 238 à la page 239), et les démêlés de Charlus et d'Aimé. Voici le début de cette paperole, jusqu'à la page 376, 24e ligne :* Qu'aurait dit ma mère qui s'étonnait de voir M. de Charlus aller chez les Verdurin si elle avait su qu'il était venu quelques jours après celui où elle avait commandé la toque dîner au Grand-Hôtel dans un salon avec un monsieur en qui je reconnus immédiatement le valet de pied d'un cousin des Cambremer. Ce valet de pied était habillé avec la plus grande élégance, et quand il traversa le hall et monta l'escalier avec M. de Charlus pour se rendre dans le cabinet particulier, quoique domestique il « fit homme du monde » comme eût dit Saint-Loup, pour les clients de l'hôtel qui ne le connaissaient pas et qui crurent à un Américain très chic. Mais les « jeunes chasseurs » qui à ce moment, comme c'était l'heure de la relève, encombraient les abords du temple ne firent aucune attention aux deux arrivants, tandis que M. de Charlus tenait en baissant les yeux d'un air confus à montrer qu'il ne leur en accordait pas trop. Il avait l'air de les écarter pour se frayer un passage à lui et à son compagnon et murmurait : / « Ciel ! quel nombreux essaim d'innocentes beautés / S'offre à mes yeux en foule et sort de tous côtés / Quelle admirable pudeur sur leur visage est peinte[2] ! » / Le valet de pied qui ne connaissait pas ces vers d'*Esther* dit au baron : « Plaît-il ? » Mais M. de Charlus mettait un certain orgueil à ne pas répondre aux questions. Il continua comme s'il n'avait pas entendu : / « Prospérez, cher espoir d'une nation sainte ! » / Mais il ne dit pas : / « Il faut les appeler. Venez, venez mes filles[3]. » / Car précisément ces jeunes enfants n'avaient pas encore ce sexe tout à fait formé et l'âge qui plaisaient à M. de Charlus. Pour lui ils ressemblaient encore trop à des filles. Il y avait pourtant si l'on ne demeurait pas sur le péristyle des servants — des desservants — qui étaient déjà de grands jeunes gens. L'un, élancé dans sa haute taille, et élevant au-dessus de son habit noir un visage coloré de la même pudeur que celui d'Hippolyte, avait l'air d'un arbuste rose. Il eût peut-être pu plaire à M. de Charlus. On ne s'étonnait pas d'abord du raffinement extrême avec lequel était vêtu cet officiant chargé de disposer sur la table les hors-d'œuvre et le sel, et dont le linge avait une blancheur de surplis. Mais à peine lui avait-on demandé quelque chose qu'à la gentillesse exquise avec laquelle il vous répondait, au sourire timide de ses yeux noirs, à la coquetterie de son col haut dressé, on reconnaissait que ce n'était pas un homme. M. de Charlus eût-il adressé la parole à ce magnifique frère aîné d'Éliacin, il se fût aperçu tout de suite que le rôle en était tenu par une demoiselle de Saint-Cyr. Ce n'était pas ce que voulait M. de Charlus, mais des hommes et des hommes déjà faits. Il pensa que son compagnon pourrait lui en procurer d'autant plus

1. Voir la variante *b*, page 382.
2. Racine, *Esther*, acte I, sc. II, v. 122-124.
3. *Ibid.*, sc. II, v. 125 et sc. I, v. 112.

que tout le monde ne partageait pas ses dédains. / L'oncle de Bloch, M. Nissim Bernard entretenait un des jeunes commis, comme il eût fait d'une figurante.

[Suit le passage qui va, dans le texte définitif, de la page 238, 2e ligne à la page 239, 1er §, dernière ligne (voir la variante b, page 236 et la variante d, page 239)]

Mais à cette heure vespérale, M. Nissim Bernard n'était pas là mais entre les siens en bon parent et M. de Charlus eût pu enlever son jeune amant à l'ancien ami de son beau-frère Marsantes. Cette concurrence avec M. Bernard lui eût peut-être fait porter quelque attention au jeune Israélite. Mais l'ignorant il le trouva encore trop femme. Ce n'était pas ce que M. de Charlus voulait, mais des hommes, et des hommes déjà faits. Il pensa que son compagnon pourrait lui en fournir d'autant plus que lui ayant écrit simplement parce qu'il avait appris qu'un valet de pied de Mme de Chevregny était fort docile, il le trouvait à le voir plus efféminé qu'il n'eût voulu.

1. Bergson écrivait dans « Le Rêve » : « Il faut instituer une expérience décisive sur soi-même. Au sortir du rêve — puisqu'on ne peut guère s'analyser au cours du rêve lui-même — on épiera le passage du sommeil à la veille, on le serrera d'aussi près qu'on pourra : attentif à ce qui est essentiellement inattention, on surprendra, du point de vue de la veille, l'état d'âme encore présent de l'homme qui dort » (ouvr. cité, p. 891). Le texte de Proust réalise une telle expérience.

2. Dans la réécriture des pages précédentes sur le sommeil, les références du manuscrit à cette toque ont disparu : voir var. *a*, p. 368. Le héros a aperçu la toque et le voile de la princesse de Luxembourg, et il s'est renseigné sur eux auprès de M. de Charlus, qui lui a appris qu'ils venaient de chez les sœurs Callot.

Page 376.

a. plus efféminé qu'il n'eût voulu. *Voir la variante d, page 375.* ◆◆ *b.* que ce fussent ses qualités *ms.* : que ce fussent ces qualités *dactyl., dactyl. corr., orig.*

1. Citation d'*Esther* de Racine, acte I, sc. II, v. 125. Élise s'adresse au chœur. Proust attribue par erreur le vers à Josabet dans *Athalie*. Il s'agit de la quatrième et dernière apparition du thème racinien dans *Sodome et Gomorrhe* (voir n. 1, p. 64). Dans le manuscrit, ici figurait une longue paperole, qui paraît représenter le développement original du thème et qui, à la suite du dîner de M. de Charlus et du valet de pied au Grand-Hôtel, passait aux aventures de M. Nissim Bernard et de son commis, destinées à fournir la troisième apparition du thème dans le texte définitif (voir n. 1, p. 237), avant d'en venir aux relations de Charlus et d'Aimé. On trouve une ébauche du présent passage dans le Cahier 61, f° 41 r°, correspondant au moment où Proust redistribue le thème dans la dactylographie corrigée (voir n. 1, p. 171) : les vers 122-124 d'*Esther* y sont cités, le vers 125 est ajouté. Proust supprima les vers 122-124 du texte définitif, vraisemblablement

parce qu'ils avaient déjà été cités lors de la première apparition du thème (voir n. 3, p. 65).

2. Citation d'*Esther*, acte I, sc. 1, v. 112. Esther s'adresse au chœur, mais Proust attribue de nouveau le vers à Josabet dans *Athalie*. Ce vers n'était pas cité dans l'ébauche du passage, Cahier 61.

Page 377.

a. derrière sa main une phrase *ms.* : derrière sa main [, par ce qu'il crut de la politesse, *add.*] une phrase *dactyl. corr.*

1. Proust avait noté dans le Cahier 61 : « M. de Charlus : "Oui c'est un joli bibelot, j'avoue que je m'intéresse plus que jamais aux jolis bibelots, je continue à faire les antiquaires comme au temps de ma jeunesse" » (f° 14 v°).

2. Allusion à la scène célèbre de l'*Odyssée* (XIX, 474), où sa vieille nourrice est la première à reconnaître Ulysse lors de son retour à Ithaque sous un déguisement, grâce à la cicatrice d'une blessure ancienne, qu'elle aperçoit en lui lavant les pieds.

Page 378.

a. aimé, elle eut toujours avec lui de la politesse, mais qui avait refroidi et était additionnée *ms.* : aimé, elle eut toujours avec lui de la politesse, mais qui avait refroidi et était toujours additionnée *dactyl., dactyl. corr., orig.* ◆◆ *b.* traînent tout simplement *ms.* : traînent simplement *dactyl., dactyl. corr., orig.*

1. Viollet-le-Duc avait obtenu au concours en 1845, en collaboration avec Lassus, la restauration de Notre-Dame de Paris, dont les sculptures, en particulier, avaient été endommagées pendant la Révolution. Son œuvre fut critiquée. Sur la méfiance de Proust pour les restaurations, voir p. 401-402.

2. Allusion probable à la nouvelle d'Edgar Poe, *The Purloined Letter*, traduite par Baudelaire sous le titre *La Lettre volée*. Proust l'évoquait dans une lettre de mai 1911 à Mme Straus, à propos d'un dessin de Monnier qui avait disparu : « J'espère surtout que c'est comme dans *La Lettre volée*, qu'il nous crève les yeux et que je vais l'apercevoir » (*Correspondance*, t. X, p. 292).

Page 379.

a. et la seconde fois[a], *Le passage qui suit ces mots et qui va de* , en train de servir, *à* Mais l'imagination suppose au-delà de la réalité. *[p. 380, 4e ligne] a été ajouté par Proust dans la dactylographie corrigée.* ◆◆ *b.* convenir au baron. Bien que personnellement je me plusse au contraire avec les femmes de chambre (il faudra que je parle de trois, nées dans un pays de torrent et qui avaient gardé dans leur parole impétueuse et charmante le flot qui renverse tout), Aimé comme tous [...] du prince de Guermantes,

a. et la seconde fois sorti. *Fin de la phrase dans ms.*

appartenait à une race plus ancienne que celle du prince, donc plus noble. L'hôtel de la princesse de Guermantes était décoré par leur stature immobile d'Étrusques ayant conservé le culte de divinités abolies, appliqués à des divinations occultes et absurdes qui leur faisaient dire de tout nouvel invité que certainement il entretenait la princesse. Elle s'en rendait si peu compte que quand on lui disait : « Ils ont l'air de vous être bien dévoués », elle répondait par cette phrase stupide : « Je les traite de mon mieux. Ma mère disait toujours que les bons maîtres font les bons domestiques. » De même à l'hôtel de Balbec, quand on demandait *dactyl. corr.*[1]

1. Voir *À l'ombre des jeunes filles en fleurs*, t. II de la présente édition, p. 125.

2. Voir *Le Côté de Guermantes I*, *ibid.*, p. 467.

3. Une notation du Carnet 60 évoquait les profits qu'Aimé tirait de sa position de chef des étages (ff^{os} 6-7).

Page 380.

a. sincérité de ces excuses, *ms.* : sincérité de ses excuses, *dactyl., dactyl. corr., orig.* ↔ *b.* affection. « J'ai eu alors un moment l'idée que vous pourriez, sans *ms.* : affection. « J'avais eu alors un moment l'idée que vous pouviez, sans *dactyl., dactyl. corr., orig. Nous adoptons la leçon du manuscrit.*

1. Marcel Plantevignes notait la similitude de ton de la lettre de Charlus à Aimé, et d'une lettre qu'il avait reçue de Proust en août 1908, peu après leur rencontre à Cabourg : « Monsieur, / Tandis que vous me prodiguiez avec une ténacité et une insistance qui m'inquiétaient parfois, parce que je me demandais si un jour elles ne friseraient pas la bassesse, des marques du plus sincère attachement, j'étais bien loin de me figurer que vous vous apprêtiez lâchement à me poignarder dans le dos. / Ayant toujours fort peu apprécié ces mœurs de la Renaissance, je viens aussitôt vous en dire mon mépris et que je ne vous reverrai jamais. / Vous avez maladroitement gâché une amitié qui aurait pu être fort belle. / Et je n'éprouve pas de regrets à ne pas même vous dire adieu » (*Correspondance*, t. VIII, p. 208 ; et Marcel Plantevignes, *Avec Marcel Proust*, Nizet, 1966, p. 98). Le destinataire rapporte qu'il ne comprit rien à cette lettre, mais qu'elle faillit provoquer un duel entre Proust et son père, selon un scénario qui n'est pas non plus sans rappeler le duel fictif envisagé ici par M. de Charlus pour sauver l'honneur de Morel (p. 450-458 ; voir n. 1, p. 450).

Page 381.

a. je ne vous avais vu parler. *ms., dactyl., dactyl. corr.*

1. Pour les états antérieurs, voir la variante *a* de cette page.

Page 382.

a. antisocial qui était *ms.* : antisocial qu'était *dactyl., dactyl. corr., orig. Nous adoptons la leçon du manuscrit.* ◆◆ *b. Fin du paragraphe dans le manuscrit, c'est-à-dire fin de la longue paperole signalée à la variante d, page 375 :* conditions de M. de Charlus et d'Aimé. Et M. de Charlus, s'il avait gardé copie de sa lettre, et s'il la relut jamais à froid, dut éprouver plus qu'un autre le sentiment qui saisit d'ailleurs tous ceux qui aiment quand ◆◆ *c.* la station de Martigny, les *ms., dactyl.*

1. Dans le Cahier 72, brouillon de la guerre, le nom de l'église est d'abord Doville sous biffure, puis Saint-Jean-sous-Goville (f° 27).

Page 383.

a. depuis longtemps *[p. 382, 2e ligne en bas de page]* passées, cachée par les arbres au fond d'une cavée le long d'un ruisseau[1]. La première fois[2] *ms.* : depuis longtemps passées. La première fois *dactyl.* : depuis longtemps passées. [Pour le nom *[...] Aprivilla. add.*] La première fois *dactyl. corr.* ◆◆ *b.* prîmes le petit *ms.* : prîmes un petit *dactyl., dactyl. corr., orig. Nous adoptons la leçon du manuscrit.* ◆◆ *c.* ç'avait déjà été pénible de *ms.* : ç'avait déjà été terrible de *dactyl., dactyl. corr., orig.* ◆◆ *d.* semblait à cause du désir qu'on avait, soit située sur une terrasse, soit vue à l'envers dans quelque glace accrochée à la fenêtre, une piscine *ms.* : semblait à cause du désir qu'on avait, soit *[mots biffés illisibles]* soit située sur une terrasse, soit vue à l'envers dans quelque glace accrochée à la fenêtre, une piscine *dactyl.* : semblait (à cause du désir qu'on avait), soit [soit *biffé*] située sur une terrasse, (ou vue à l'envers dans quelque glace accrochée à la fenêtre), une piscine *dactyl. corr.* : semblait (à cause du désir qu'on avait), soit située sur une terrasse (ou vu à l'envers dans quelque glace accrochée à la fenêtre), une piscine *orig. Nous corrigeons.*

1. Les deux étymologies d'Épreville, tardivement ajoutées par Proust, ne s'inspirent directement d'aucune de celles de ses sources que nous avons identifiées. On trouve seulement chez Cocheris : « Le domaine appartenant à Aper est devenu *Apriacum*, Évry (Seine-et-Oise) » (ouvr. cité, p. 170). Mais les deux étymologies figurent dans une liste du Cahier 72 : voir n. 1, p. 485.

1. Après ces mots, le feuillet du manuscrit a été déchiré mais le restant appartient au reliquat.

2. On lit en marge du manuscrit : « Noter Comtesse (de la Comtesse) La Haye de l'allemand Haga qui a aussi donné La Hague Bettancourt Bettonis Curtis la ferme de Betton Orgeville Otgerisvilla le domaine d'Olger Viroflay Offlerin — villa le domaine d'Offlerin Martigny Martiniacum le domaine appartenant à Martin la Croix-l'Évêque le Pré-l'Évêque la Commanderie Saint Jean du Coran Saint Pierre d'Arthéglise Rembercourt Raginberticurtis Liberiacum Livry Saint Jean de Losne Latona. » Il y a aussi une indication de page : « p. 164 » qui renvoie à la source de ces étymologies : Hippolyte Cocheris, *Origine et formation des noms de lieu*, Librairie de l'Écho de la Sorbonne, 1874, où elles se trouvent toutes, non loin de la page indiquée, sauf Saint-Jean-du-Coran et Saint-Pierre-d'Arthéglise, qui sont nos conjectures.

2. Grattevaste dans l'édition originale. Voir n. 3 et 4, p. 180.

3. Proust emprunte cette longue phrase, décrivant le cabinet de toilette de sa mère, à une description de la chambre de sa grand-mère lors du premier séjour à Balbec, ajoutée aux épreuves de l'extrait publié dans la *NRF* en juin 1914 (p. 943-944), et non reprise dans *À l'ombre des jeunes filles en fleurs*, t. II de la présente édition (voir p. 64 et n. 2). Les épreuves de l'extrait de la *NRF* se présentent ainsi, pour cette ligne d'*À l'ombre des jeunes filles en fleurs* : « [...] sur un coin de digue, [sur une cour et sur la campagne, et était autrement meublée *biffé*] [sur la campagne, et sur une courette aux quatre murs d'une blancheur mauresque, au-dessus desquels, et enfermé dans leur carré, on voyait le ciel aux flots moelleux glissants et superposés comme une piscine située sur une terrasse. Cette chambre de ma grand-mère était meublée autrement que la mienne, *addition marginale*] avec des fauteuils » (B.N., N.a.fr. 16 776, f° 18). Proust fait allusion à cette description dans le Carnet 2 en 1915, lorsqu'il ébauche la rencontre de l'aéroplane, située plus bas dans le roman (p. 416-417) : « *Capital* / À l'endroit où je mets dans mon second séjour à Balbec la phrase du ciel bleu piscine ou plutôt pas tout à fait à cet endroit mais par un jour semblable qui sera un autre des jours où je sors avec Albertine et à cause de cela il vaudra mieux mettre la promenade déjà écrite où je rencontre un aéroplane plus tôt, de façon à l'avoir déjà vu avant ce que je vais dire / Voici la nouvelle chose, capitale. / Certains jours à cause de la chaleur nous ne sortions que très tard. Au-dessus du mur blanc de la courette le ciel était tout entier en ce bleu radieux et pâle comme le promeneur couché dans un champ le voit parfois au-dessus de sa tête, mais tellement uni, tellement profond, qu'on sent que le bleu dont il est fait a été employé sans aucun alliage » (Carnet 2, ff^os 34 r°-35 r°).

4. La description de la traversée de la forêt de Chantepie reproduit celle de la traversée des bois de Chantereine et de Canteloup, lors du premier séjour à Balbec : voir *À l'ombre des jeunes filles en fleurs*, t. II de la présente édition, p. 79.

5. Voir *ibid.*, n. 3.

Page 384.

a. qui ne se communiquent pas ainsi — à moins qu'elle n'entendît par là autre chose que je ne pouvais aisément imaginer — je trouvais plus prudent, pour qu'elle ne me trouvât pas moins intéressant qu'elle n'avait cru, de lui dire *ms., dactyl. erronée.* ◆◆ *b.* faire une visite à Gourville chez des amis des Cambremer, *ms.* Gourville *ne figure pas dans la dactylographie.* ◆◆ *c.* je commandai [un taxi *biffé ms.*] [un *corr. ms.*] automobile à un loueur du voisinage. Albertine, laissée *ms., dactyl.*

1. La commande de la toque ne figure plus dans le roman : voir n. 2, p. 375.

2. L'étymologie de Saint-Fargeau a déjà été indiquée par Brichot : voir n. 1, p. 323.

Page 385.

a. commandé pour Mademoiselle Simonin. Je ne peux *ms., dactyl.* ↔ *b.* aussitôt, c'est mademoiselle Simonin, et Monsieur, *ms., dactyl.*

1. Sur la transformation qu'apporte l'automobile au sentiment de l'espace, Proust avait écrit, à la suite de ses excursions en Normandie avec Agostinelli pendant l'été de 1907, un article, « Impressions de route en automobile », publié dans *Le Figaro* en novembre 1907, et repris dans *Pastiches et mélanges* sous le titre « Journées en automobile » (éd. citée, p. 63-69). On y trouve l'ébauche du texte sur les trois clochers de Martinville, qui figure dans « Combray » (*ibid.*, p. 64-65 ; t. I de la présente édition, p. 178-180). Cet article est aussi à l'origine des pages sur l'automobile dans *Sodome et Gomorrhe*. Le thème sera développé p. 392-394. Les pages de Proust sur la manière dont l'espace et le temps sont vaincus par la vitesse sont voisines des réflexions de Maeterlinck, publiées sous le titre « En automobile » et recueillies dans *Le Double Jardin* (Fasquelle, 1904). Proust les connaissait, ainsi qu'en témoigne une notation du Carnet 1 datant de 1908, sur l'« odeur des automobiles en campagne » (*Le Carnet de 1908*, éd. citée, p. 70). Proust pasticha le texte de Maeterlinck (voir *La Prisonnière*, p. 912-913). Sur la lutte de l'espace et de la vitesse, Maeterlinck notait : « [Les arbres] murmurent à mes oreilles les psaumes volubiles de l'Espace qui admire et acclame son antique ennemie, toujours vaincue jusqu'à ce jour mais enfin triomphante : la Vitesse » (ouvr. cité, p. 62).

2. Dans le Cahier 72, brouillon datant de la guerre, Proust donnait, à la place de ces noms-ci, Bricqueville, Bénerville, Blapertis. Il ajoutait : « (Changer les noms) » (f° 33 r°).

Page 386.

a. expression, que Mme Swann au temps où elle cherchait [...] en ne bougeant pas, dût-elle souvent ne pas faire ses frais, eût traduite avec contresens *ms., dactyl., dactyl. corr.*

1. L'automobile paraît ainsi annoncer la révélation qui aura lieu à la fin d'*Albertine disparue* : les deux côtés de Guermantes et de Méséglise peuvent se rejoindre (voir. t. IV de la présente édition, p. 250, et ici var. *a*, p. 394).

2. Le nom figurait dans *L'Ensorcelée* de Barbey d'Aurevilly (éd. citée, t. I, p. 563).

3. Proust écrivait dans « Impressions de route en automobile » : « Du plus loin qu'elles nous apercevaient, sur la route où elles se tenaient courbées, de vieilles maisons bancales couraient prestement au-devant de nous en nous tendant quelques roses fraîches ou nous montraient avec fierté la jeune rose trémière qu'elles avaient élevée et qui déjà les dépassait de la taille » (*Pastiches et mélanges*, éd. citée, p. 63). Maeterlinck, lui, disait : « On croirait qu'ils [les arbres] accourent, rapprochent leurs têtes vertes, se massent, se concentrent devant le phénomène qui surgit, pour lui barrer la voie » (*Le Double Jardin*, éd. citée, p. 61).

Page 387.

a. chez Mme Verdurin. Cette proposition essentielle au Credo du petit clan pendant les mois d'été (volontiers rappelée d'ailleurs aux privilégiés des vacances pendant les mois d'hiver) et qui ne tendait à rien moins qu'à donner aux Verdurin une sorte de droit exclusif sur ces promenades uniques comme *ms., dactyl.* ↔ *b.* Mme Verdurin se moquait du manque de goût que, selon elle, les Cambremer montraient non seulement dans l'ameublement de La Raspelière et l'arrangement de son jardin, mais encore dans les promenades *ms., dactyl.* : Mme Verdurin se moquait du manque de goût que, selon elle, les Cambremer montraient [non seulement *biffé*] dans l'ameublement de La Raspelière et l'arrangement de son jardin, mais encore [de leur manque d'initiative *add.*] dans les promenades *dactyl. corr. L'édition originale porte le même texte aberrant que la dactylographie corrigée. Nous adoptons la leçon du manuscrit.*

Page 388.

1. Allusion à la villa que l'empereur Hadrien (76-138) se fit construire près de Tivoli (Villa Adriana), et dont les monuments rappelaient les sites qui l'avaient frappé dans ses voyages.

2. Tous les états du texte donnent « samedi ». Il faut pourtant lire « lundi ». Voir p. 386 (12e ligne du 2e §) et p. 389 (13e ligne en bas de page).

Page 389.

a. brodée de rouge où sous les trumeaux *ms., dactyl., dactyl. corr.* : brodée de rouge et sous les trumeaux *orig. Nous adoptons la leçon du manuscrit.*

1. Le pudding de cabinet, dit aussi diplomate, est un entremets sucré préparé avec des biscuits à la cuiller imbibés de kirsch ou de rhum.

Page 390.

a. distinguer, venait aussi *dactyl. corr.*[1] : distinguer, tenait aussi *orig. Nous retenons la leçon de la dactylographie corrigée.* ↔ *b.* mais sur la table auquel il donnait *ms., dactyl.* : mais sur la table il donnait *dactyl. corr., orig.*

Page 391.

a. du chemin de fer ou des voitures *ms.* : du chemin de fer et des voitures *dactyl., dactyl. corr., orig.*

1. La description de Mme Verdurin à La Raspelière reprend une ancienne description, datant de 1909-1911, de la vieille Mme de Chemisey — nom antérieur de Mme de Cambremer —, pour un

1. Les états antérieurs à la dactylographie corrigée donnent un texte différent.

troisième séjour au bord de la mer, où le héros et Maria auraient résidé tous les deux à Bellerive, chez les Chemisey (Cahier 64, ffos 68-50 ; voir l'Esquisse XV, p. 1059). C'est pour cette raison sans doute que la présente description ressemble à celle de Mme de Cambremer dans son jardin (voir n. 3, p. 208).

Page 392.

a. en marche sur l'allée en pente du parc parce que le domestique nouveau avait oublié *ms.* : en marche sur la pente du parc parce que le domestique avait oublié *dactyl., dactyl. corr., orig. Nous adoptons la leçon du manuscrit.*

1. Le *wattman*, par un faux anglicisme, est le conducteur d'un véhicule automobile.

Page 393.

a. que nous ne relions à rien, qui sont pour nous comme des personnages de roman. La première année *ms., dactyl.* ↔ *b.* Beaumont *s'appelle* Mont Saint-Martin *dans le manuscrit et dans la dactylographie.* ↔ *c.* telles et telles *ms.* : telles ou telles *dactyl., dactyl. corr., orig.*

1. Il s'agit sans doute de Beaumont-en-Auge, près de Pont-l'Évêque, et de la villa de Mme Straus à Trouville : voir une lettre d'août 1917 à Mme Straus, *Correspondance*, t. XVI, p. 205.

2. Le Héricher écrivait dans la *Philologie topographique de la Normandie* : « La localité Parville (Eure) est latinisée en *Patervilla* » (éd. citée, p. 31). L'étymologie est notée dans le Cahier 72 : voir n. 1, p. 485.

Page 394.

a. me faisant penser avec terreur par son exemple que peut-être si j'avais fait une promenade en automobile à Combray au lieu de la faire à Balbec, j'aurais peut-être découvert que le côté de Guermantes et le côté de Méséglise n'étaient nullement opposés et qu'on pouvait réaliser aisément ce qui pendant toute mon enfance m'avait paru aussi contradictoire et chimérique que la quadrature du cercle prendre par Méséglise pour aller à Guermantes. Il peut sembler *ms., dactyl.* ↔ *b.* feuillée séculaire les cercles *ms., dactyl.* : feuillée séculaire, on a ces cercles *dactyl. corr.* ↔ *c.* pour lui échapper *ms., dactyl., dactyl. corr.* : pour échapper *orig. Nous retenons la leçon des états antérieurs.* ↔ *d.* Ce que malheureusement *Le passage qui commence par ces mots et qui va jusqu'à* elle l'avait pris pour un « monsieur ». *[p. 397, 1er §, dernière ligne] est absent du manuscrit. Il s'agit d'une addition ancienne, dont il existe une paperole autographe dans le reliquat : le nom y est déjà* Morel *et elle figure déjà dans les épreuves de 1921. Dans la dactylographie corrigée, elle se compose de deux feuillets à en-tête de la* Banque centrale de la Dendre-Alost / Contrôle pour la présence du personnel.

1. Ce « il » désigne vraisemblablement l'automobile, que Proust met parfois au masculin comme on faisait aussi à la fin du siècle

dernier. Voir deux autres occurrences du même pronom dans cette page (10e et 6e ligne en bas de page) ; voir aussi var. *c*, p. 384.

2. Maeterlinck, dans « En automobile », comparait lui aussi les changements apportés au sentiment de l'espace par le train et par l'automobile : « Mais ici, dans ce petit char de feu, si docile, si léger et si miraculeusement infatigable, entre les ailes repliées de cet oiseau de flamme qui vole au ras de la terre pour nous montrer les fleurs, qui caresse les blés, respire les ruisseaux, connaît l'ombre des arbres, entre dans les villages, voit les portes ouvertes et les tables servies, compte les moissonneurs qui se penchent sur les prés, fait le tour de l'église entourée de tilleuls, se repose à l'auberge sur le coup de midi, puis repart en chantant pour aller voir d'un bond ce qui a lieu parmi les autres hommes, à trois journées de marche du repas achevé, et surprend la même heure dans un monde nouveau, — ici, l'Espace devient vraiment humain, il se proportionne à notre œil, aux besoins de notre âme à la fois prompte et lente, étroite et colossale, insatiable et méticuleuse ; il est assimilable enfin et nous offre sans cesse, en chacun de ses buts, chacune des beautés qu'il n'offrait autrefois qu'à l'arrivée pénible » (*Le Double Jardin*, éd. citée, p. 64).

Page 395.

a. et usait de *ms.*[1] : et usant de *dactyl., dactyl. corr., orig. Nous retenons la leçon du manuscrit.*

1. Voir *La Prisonnière*, p. 638-643, où le héros fera confiance au chauffeur pour surveiller Albertine.

2. En 1868, Pernet père appela une rose Baronne de Rothschild, du nom de l'épouse du baron Alphonse de Rothschild (voir *À l'ombre des jeunes filles en fleurs*, t. I de la présente édition, n. 4, p. 509, et *Le Côté de Guermantes I*, t. II de la présente édition, p. 590 et n. 2).

3. En 1864, Philippe Noisette appela une rose Maréchal Niel, d'après Adolphe Niel (1802-1869), maréchal de France en 1859, et non d'après son épouse.

4. Dans le Cahier 59, Proust avait noté pour ajouter aux épreuves du roman : « Mal Niel et Baronne de Rothschild », ainsi que : « Avez-vous de jolis titres ? » (fo 69).

Page 396.

a. à Saint-Mars-le-Vêtu *[p. 395, 21e ligne].* « La petite blonde qui vendait des fleurs, encore une qui a sûrement une petite amie. Et cette vieille qui dînait là-bas voudrait bien..., était en train de dire Morel. — Mais comment *ms., dactyl.* : Saint-Mars-le-Vêtu. Morel que le tête-à-tête avec M. de Charlus n'amusait pas lui communiquait ses intuitions : « La petite blonde qui vendait des fleurs, encore une qui a certainement une petite amie. Et cette vieille qui dînait là-bas aussi. Mais comment *dactyl.*

1. En fait le passage qui va de la page 394 (dernière ligne) à la page 397 (1er §, dernière ligne) figurait sur une paperole (voir var. *d*, p. 394 et var. *a*, p. 400).

corr. ◆◆ *b.* femmes que lui à elles. Il *ms., dactyl., dactyl. corr., orig. Nous corrigeons.* ◆◆ *c.* héréditaire de domestique *ms.* : héréditaire du domestique *dactyl., dactyl. corr., orig. Nous retenons la leçon du manuscrit.* ◆◆ *d.* aimer et de la dépuceler. » M. de Charlus *ms., dactyl.*

Page 397.

a. pendant que le sommelier entrait. *ms.* : pendant que le tonnelier entrait. *dactyl., dactyl. corr., orig. Nous retenons la leçon du manuscrit.* ◆◆ *b.* Jupien est un trop brave homme, la petite est charmante, ce serait affreux *ms.* : Jupien est un brave homme, la petite est charmante, il serait affreux *dactyl., dactyl. corr., orig.* ◆◆ *c.* tandis que Morel était *ms., dactyl.* : tandis que Morel [le violoniste *add.*] était *dactyl. corr.* : tandis que Morel le violoniste était *orig. Proust a dû omettre de biffer* Morel *dans la dactylographie corrigée. Nous corrigeons.* ◆◆ *d.* « Je n'ai jamais entendu *Le passage qui commence par ces mots et qui va jusqu'à* Charlie, partons. » *[p. 399, 20e ligne] est une addition de Proust ultérieure à la dactylographie corrigée.*

1. Proust écrivait en décembre 1908 à Georges de Lauris : « Moi je n'aime guère (en ce moment je n'aime rien comme vous pouvez penser) que les jeunes filles comme si la vie n'était pas déjà assez compliquée comme cela. Vous me direz qu'on a inventé pour cela le mariage mais ce n'est plus une jeune fille, on [n'] a jamais une jeune fille qu'une fois. Je comprends Barbe-Bleue, c'était un homme qui aimait les jeunes filles. » (*Correspondance*, t. VIII, p. 326).

2. Camille Stamati (1811-1870), pianiste et compositeur grec naturalisé français, virtuose réputé, se consacra surtout à l'enseignement. Saint-Saëns fut son élève.

Page 398.

1. Proust avait pris des notes pour le sadisme de Charlus dans le Cahier 59, ffos 45-47 : « Au reste combien étrange ce diabolisme que les sadiques veulent goûter dans l'être choisi », écrivait-il notamment (fo 46).

2. Proust avait néanmoins cherché à obtenir une transcription au piano d'un *Quatuor* de Beethoven pour son « pianola » (piano mécanique anglais en vogue au début du siècle ; il sera question du pianola d'Albertine dans *La Prisonnière*, p. 874). Il écrivait en décembre 1917 à Mme Straus : « Malheureusement on n'a pas les morceaux que je voudrais jouer. Le sublime quatorzième *Quatuor* de Beethoven n'existe pas dans leurs rouleaux. À ma réquisition ils ont répondu que "jamais un seul de leurs quinze mille abonnés depuis dix ans ne leur avait demandé ce quatuor". Je n'ai pas démêlé s'ils en tiraient une conclusion fâcheuse à l'égard de leurs quinze mille abonnés ou bien du quatorzième *Quatuor* » (*Correspondance générale*, éd. citée, t. VI, p. 182-183). L'incohérence qui fait ici de Morel un pianiste s'explique sans doute par le fait que le musicien fut en effet un pianiste dans les premiers états du roman, avant de devenir un violoniste dans les cahiers datant de la guerre (voir n. 1, p. 254).

3. « Côté gosse du Mendelssohn inusable », notait Proust dans le Cahier 59 (f° 66).

Page 399.

a. Malheureusement pour M. de Charlus, *Le passage qui commence par ces mots et qui va jusqu'à* s'y refusait énergiquement. *[p. 400, 1er §, dernière ligne] a été ajouté par Proust dans la dactylographie corrigée.* ↔ *b.* et à laquelle sa nature, *dactyl. corr.*[1], *orig. Nous corrigeons.* ↔ *c.* Saint-Jean-de-la-Heuse, *dactyl. corr.*

1. Citation approximative de *La Comtesse d'Escarbagnas*, comédie en un acte de Molière. La comtesse dit, à la scène IV : « Tenez, c'est un billet de Monsieur Tibaudier, qui m'envoie des poires. » M. Tibaudier, amoureux de la comtesse et profitant du nom des poires qu'il lui envoie pour lui déclarer son amour, termine son billet en ces termes : « [...] je conclu[s] ce mot, en vous faisant considérer que je suis d'un aussi franc chrétien que les poires que je vous envoie, puisque je rends le bien pour le mal, c'est-à-dire, Madame, pour m'expliquer plus intelligiblement, puisque je vous présente des poires de bon-chrétien pour des poires d'angoisse, que vos cruautés me font avaler tous les jours » (*Œuvres complètes*, Bibl. de la Pléiade, t. II, p. 963-964). La bon-chrétien est une poire flamande. Dans son article de 1905 sur Montesquiou, « Un professeur de beauté », Proust, lui attribuant le mot, le citait comme un exemple d'idolâtrie, c'est-à-dire de fétichisme littéraire : « On apporte des poires. "Ce sont des poires bon-chrétien, dit M. de Montesquiou, celles que M. Thibaudier *[sic]* envoie à Mme d'Escarbagnas et qu'elle prend en disant : 'Voilà du bon-chrétien qui est fort beau'" » (*Essais et articles*, éd. citée, p. 514). Charlus partage l'idolâtrie de Montesquiou à plusieurs reprises dans *Sodome et Gomorrhe* (voir n. 1, p. 438). Une notation du Cahier 59, pour les épreuves du roman, était : « Poires » (f° 69).

2. Proust emprunte les noms de poires qui suivent au livre d'Émilie de Clermont-Tonnerre pour le mois de septembre, *Almanach des bonnes choses de France*, Georges Crès et Cie, 1920, p. 140-142.

3. Mme de Clermont-Tonnerre disait de « la Doyennée du Comice, vert pâle blondissante, éclairé de carmin » : « C'est la meilleure des poires, mais son poirier en est avare » (ouvr. cité, p. 142).

4. On lit « Virginie-Dallet » dans l'édition originale, et nous ne disposons d'aucun état antérieur (voir var. *d*, p. 397). La duchesse de Clermont-Tonnerre écrit « Virginie-Ballet », Charles Baltet était un horticulteur réputé, spécialiste de la culture du poirier, auteur de nombreux ouvrages.

Page 400.

a. géométrie, la belle « mesure *[p. 394, avant-dernière ligne]* de la

1. Voir la variante précédente.

terre ». / Quand[1] Albertine *ms., dactyl.* ◆◆ *b. Dans le manuscrit, la dactylographie et la dactylographie corrigée (voir la variante c, page 399), on lit* Saint-Jean-de-la-Heuse *à la place de* Saint-Jean-de-la-Haise . ◆◆ *c.* à Gourville et à Balbec-Plage, mais à Féterne, à La Raspelière, à Balbec-le-Vieux, que je pouvais aller *ms., dactyl.* ◆◆ *d.* Mlle de Silaria, *ms., dactyl. erronée.*

Page 401.

a. de ligne que suivait *[1re ligne de la page]* mon caractère, et en pensant qu'ils me survivraient, que les arbres seraient encore là à l'heure où je serais mort, ils me conseillaient de me mettre enfin vite au travail, pendant qu'elle n'avait pas sonné encore. Je descendais. *ms., dactyl.* : de ligne que suivait mon caractère [, et en pensant *[comme dans ms.]* sonné encore. *corrigé sur une paperole dans dactyl. corr. en* C'était naturel, et ce n'était pourtant indifférent *[...]* repos éternel.] Je descendais *dactyl. corr., orig. Nous corrigeons en ajoutant* pas *après* ce n'était pourtant .

Page 402.

a. celle des siècles. *La phrase qui suit ces mots a été ajoutée par Proust dans la dactylographie corrigée.* ◆◆ *b.* dorés du couchant. *On lit dans la marge du manuscrit :* « Mettre fronton Madeleine[2] » ◆◆ *c.* et recevai<en>t d'elle, tandis qu'elle faisait le tour de l'église la même impulsion, tout en la traduisant autrement, avec une inertie qui avait de la grâce ; *ms., dactyl. Le sens était plus clair qu'après la correction portée sur la dactylographie corrigée.*

1. Au cours de l'été de 1907, lors de ses excursions en automobile, Proust visita l'église de Norrey, entre Caen et Bayeux, ainsi qu'il le rappelle dans une lettre d'octobre 1907 à Antoine Bibesco (*Correspondance*, t. VII, p. 297). Le village s'appelle Bretteville-l'Orgueilleuse, nom dont Proust se souvient ici. Se rappelant plus tard leur visite, le narrateur appellera l'endroit Briqueville-l'Orgueilleuse (voir *Albertine disparue*, t. IV de la présente édition, p. 61).

2. Albertine, s'élevant contre les restaurations, est une disciple d'Elstir : le thème sera rappelé dans *La Prisonnière* (p. 673). Elstir exprime ici l'opinion d'Émile Mâle, ainsi qu'en témoignent des indications des brouillons : « L'opinion d'Elstir (Mâle) sur les bonnes et mauvaises restaurations » (Cahier 54, f° 56 v°). Dans le même cahier, Proust fait aussi allusion aux vues de Monet, Hallays, Ruskin contre les restaurations (f° 35 v°). Proust écrivait à Émile Mâle en août 1907, de Cabourg, préparant les excursions en Normandie qui sont à l'origine des pages sur l'automobile dans *Sodome et Gomorrhe* : « [...] les monuments restaurés ne me donnent pas la même impression que les pierres mortes depuis le XIIe siècle par exemple, et qui en sont restées à la reine Mathilde » (*Correspondance*, t. VII, p. 250). Voir Richard Bales, *Proust and the Middle Ages*, Genève, Droz, p. 66.

1. En fait le passage compris entre la page 394, dernière ligne et la page 397, 1er paragraphe, dernière ligne, figure sur une paperole arrachée du manuscrit et appartenant au reliquat. Voir la variante *d*, page 394.

2. Il s'agit sans doute du porche, datant du XVIe siècle, de l'église de Verneuil.

Page 403.

a. je ne l'aime pas ; mais je voudrais bien savoir pourquoi ce Saint-Mars s'appelle le Vêtu ; il faudra demander à Brichot. Il y a aussi Marcouville-l'Orgueilleuse dont j'aime bien le nom. On ira *ms., dactyl.* ↔ *b.* ses yeux rieurs sur *ms.* : ses yeux noirs sur *dactyl., dactyl. corr., orig.* ↔ *c.* à Marcouville, dont *ms., dactyl.* ↔ *d.* en quittant Saint-Mars-le-Vêtu, pour *ms., dactyl.* ↔ *e.* les filles des faubourgs. Comme une femme spirite en qui un autre être s'incarne, elle changeait de personnalité, presque immédiatement elle cessait d'avoir sa voix mais prenait celle d'une autre personne, une voix enrouée, *ms., dactyl.* ↔ *f.* Le soir tombait. Nous apercevions entre les arbres, au-delà de Gourville, le coucher de soleil, comme si ç'avait été la localité suivante, forestière, éloignée, qu'on aurait peine à atteindre le soir même. J'avais peut-être *ms., dactyl.*

1. Le cidre mousseux arrosant le héros et Albertine en voiture était déjà le signe du bonheur lors d'un brouillon ancien pour un séjour au bord de la mer avec Maria (Cahier 64 ; voir n. 1, p. 229).

Page 404.

a. pour Albertine *[p. 403, 3e ligne en bas de page]*, mais n'osant pas le lui laisser apercevoir bien qu'il existât en moi comme une vérité qui ne vaudrait que si on pouvait l'expérimenter, comme ces pays à qui on ne trouve que parce qu'on croit qu'ils existent, un charme qui se dissiperait pourtant si on pouvait aller jusqu'à eux, il me semblait irréalisable *ms., dactyl.* : pour Albertine, mais n'osant pas le lui laisser apercevoir, [bien qu'il existât en moi *[comme dans ms.]* il me semblait *corrigé dans dactyl. corr. en* bien que s'il existait *[...]* il me semblait] irréalisable *dactyl. corr., orig. Nous corrigeons.* ↔ *b.* gazons verts, tantôt sous les feuillages, *ms., dactyl., dactyl. corr., orig. Nous corrigeons.*

1. S'agit-il du garçon végétal du premier séjour à Balbec (*À l'ombre des jeunes filles en fleurs*, t. II de la présente édition, p. 66) ?

Page 405.

a. volupté suprême *La phrase qui suit ces mots figure dans le manuscrit mais a été omise lors de la dactylographie du passage ; elle est donc absente de tous les autres états. Nous réparons cette omission.* ↔ *b.* ajoutait *ms.* : ajoutant *dactyl., dactyl. corr., orig. Nous retenons la leçon du manuscrit.*

Page 406.

a. chercher Albertine après dîner : « Comme tu dépenses *ms.* : chercher Albertine : « Comme tu dépenses *dactyl., dactyl. corr., orig. Nous adoptons la leçon du manuscrit.*

1. Citation modifiée d'une lettre de Mme de Sévigné à sa fille, du 27 mai 1680 : « [...] mais sa main est un creuset qui fond l'argent » (éd. citée, t. II, p. 950). L'allusion apparaît dans une addition marginale du Cahier 72 (f° 33 *bis* r°).

Page 407.

1. La description de la lune comme d'un fruit avait été ébauchée dans le Carnet 2 en 1915 : « Pour un soir (un certain soir car la lune ne peut pas être à son dernier quartier toujours) il avait [fait] si chaud que nous rêvions Albertine et moi des fruits que nous trouverions en rentrant pour calmer notre soif et dans le ciel déjà à demi nocturne la lune tout étroite à son dernier quartier apparaissait à cause de l'heure encore claire que nos yeux enfiévrés de soif croyaient y voir comme la légère pelure mauve d'un fruit qu'un couteau eût commencé d'écorcer délicatement dans le ciel » (Carnet 2, f° 46 r°-v°). Proust a répété la description de la lune au tout début de *Sodome et Gomorrhe II*, lors de l'arrivée à la soirée chez la princesse de Guermantes (voir p. 34).

Page 409.

a. projets d'où j'étais *ms.* : projets dont j'étais *dactyl., dactyl. corr., orig.* ❖ *b.* brusque remplacement de mon inquiétude (terme chimique) dans la figure rose par une quiétude *ms., dactyl.* ❖ *c.* Je donnais [la même *biffé*] [à Saint-Loup *corr.*] autorisation [à Saint-Loup *biffé*] [de venir *corr.*] ces jours-là, *ms.* : Je donnais à Saint-Loup autorisation de venir ces jours-là, *dactyl., dactyl. corr., orig.* ❖ *d.* dans une vision d'un instant trop court *ms.* : dans un instant de vision, trop court *dactyl., dactyl. corr., orig.*

Page 410.

a. la fin de la phrase de Saint-Loup m'éclaira sa pensée en même temps qu'il me fit entendre certaine expression chère à Mme Verdurin, dans un autre sens qu'elle (non plus comme elle montrer des dispositions artistiques, mais faire partie d'un clan) mais tout aussi opposé dans cette acception nouvelle à la courante avec laquelle il ne faisait pas moins calembour, à la courante que Mme Verdurin était excusable d'ignorer mais dont on est toujours étonné que des hommes ayant vécu ne se souviennent pas assez pour éviter ces équivoques de termes qui font si souvent rire même dans les journaux. « Ce sont des milieux, *ms., dactyl.*

1. La fameuse question se trouve acte III, sc. 1, de la pièce de Shakespeare. Sur « en être », voir n. 3, p. 301.

Page 411.

a. d'éprouver près de lui *ms.* : d'éprouver auprès de lui *dactyl., dactyl. corr., orig.* ❖ *b.* qu'ils ne connaissent pas vous disent un bonjour *ms., dactyl.* : qu'ils ne connaissent pas vous jettent un bonjour *dactyl. corr., orig. Nous ajoutons le pronom* ils .

Page 414.

a. la station d'Harambouville avant *ms. Le nom de lieu est laissé en blanc dans la dactylographie.*

1. Benjamin Godard (1849-1895), compositeur français, auteur d'opéras à succès — dont *Jocelyn* (1888), célèbre pour sa berceuse —, représente ici la musique facile.

Page 415.

a. s'il fut très bien admis de ceux-ci, *ms., dactyl., dactyl. corr., orig. Nous corrigeons.* ◆◆ *b.* les plus belles théories sur l'égalité humaine, ma mère avait ainsi tout comme ma tante Octave (tout en différant tellement d'elle) son Saint-Simon vivant, bien plus proche du vrai que les pastiches qu'en faisait, dans ses manières, M. de Charlus. Quand un valet de chambre à la maison s'émancipait, disait une fois « vous » et glissait insensiblement à ne plus me parler à la troisième personne, ma mère avait de ces usurpations *ms., dactyl.* : les plus belles théories sur l'égalité humaine [, ma mère avait ainsi *[comme dans ms.]* personne, ma mère avait *corrigé dans dactyl. corr. en* , ma mère, quand un valet de chambre s'émancipait, disait une fois « vous » et glissait insensiblement à ne plus me parler à la troisième personne, avait] de ces usurpations *dactyl. corr., orig.*

1. Ceci se produit constamment dans les *Mémoires* de Saint-Simon.

Page 416.

a. rejoindre Paris *[p. 415, 4ᵉ ligne en bas de page]* dès le lendemain pour se diriger sur Biarritz. De sorte qu'à partir de ce jour-là, nous dûmes *ms., dactyl. L'addition ici commencée en marge de la dactylographie corrigée, se poursuivait sur dix feuillets, mais l'indication n'a pas été suivie :* avec Morel. Ils emmenaient ensemble de petites filles de douze ans dans les bois, et Dieu sait alors ce qui se passait. Il demanda simplement à Morel que les Verdurin remplaçassent *[p. 417, 2ᵉ §, 2ᵉ ligne] et se poursuivait jusqu'à la page 422, fin du premier paragraphe, augmentée des passages signalés (var. c, p. 418, var. d, p. 419, var. a, p. 421 et var. a, p. 422). Le fait que cette longue addition de la dactylographie n'ait pas été insérée à sa place a provoqué les perturbations signalées à la variante d, p. 416.* ◆◆ *b.* qu'au plaisir. D'abord si je ne sortais guère avec ma mère je n'étais pourtant libre, étant toujours avec Albertine, de me donner à ces désirs dont j'avais ajourné la réalisation, lors de mon premier séjour avec Mme de Villeparisis, quand j'apercevais sur les routes quelqu'une de ces belles filles que l'éloignement — en rendant invisibles leurs imperfections, en laissant pour l'imagination place à d'enivrants contresens — suffit à diviniser à quelques pas d'elles-mêmes, en leur propre statue. Peut-être n'eussé-je pas trouvé en elles plus d'inconnu qu'en Albertine ; du moins leur vue en réveillait en moi l'appétit ; emmenées à Venise par exemple, elles n'eussent pas tendu entre la ville nouvelle et moi ce réseau d'habitudes où m'enserrait Albertine et qui me dispensait de sortir. Il était assez épais il est vrai pour que j'en arrivasse même à oublier au milieu du bien-être ce que je mourrais si je continuais ainsi sans avoir connu. Mais il arrivait aussi *ms., dactyl.* ⁂ *c.* pour un instant l'actuel, à l'appel de quelque éclairage du jour sur un mur, oublié et que je reconnaissais en le rencontrant, parfois simplement dans un couloir de l'hôtel, comme l'image offerte d'une vie à laquelle j'avais depuis longtemps renoncé et qui ne demandait qu'à être suivie. J'éprouvai ce désir d'évasion aussi un jour *ms., dactyl.* ⁂ *d.* Épousant les formes *Le passage qui commence par ces mots et qui va jusqu'à* droit vers le ciel. *[p. 417, 1er §, dernière ligne] est reporté dix feuillets plus loin dans la dactylographie corrigée, après la longue addition qui va de la page 417 à la page 422 (voir la variante a, page 416 et la variante b, page 422). L'édition originale suit le texte du manuscrit et de la dactylographie et ne tient pas compte des corrections portées par Proust dans la dactylographie corrigée, notamment la suppression des larmes du héros à la vue de l'aéroplane (voir les variantes b et c, page 417).* ⁂ *e.* a donné comme cadre *ms.* : a donné pour cadre *dactyl., dactyl. corr., orig.*

1. La rencontre du héros à cheval et d'un aéroplane est ébauchée dans le Carnet 2, ffos 34-38. Dans *La Prisonnière*, le héros et Albertine rencontreront un aéroplane à Versailles (voir p. 907).

Page 417.

a. Leur souvenir replaçant les lieux où je me trouvais en dehors du monde, je n'aurais *dactyl. corr.*[1] ⁂ *b.* je levai les yeux vers le point d'où semblait venir ce bruit, et je vis *dactyl. corr.* ⁂ *c.* pour la première fois un demi-dieu. Dès que j'avais reconnu que le bruit venait d'au-dessus de ma tête, j'avais dû me retenir pour ne pas pleurer car j'avais compris (ils étaient encore rares à cette époque) que ce que j'allais voir pour la première fois c'était un aéroplane. Cependant l'aviateur *dactyl. corr.* ⁂ *d.* de la pesanteur, et comme retournant *dactyl. corr.* ⁂ *e.* Pour revenir au mécanicien, *Le passage qui commence par ces mots et qui va jusqu'à* vis-à-vis de lui-même *[p. 422, 1er §, dernière ligne] a été ajouté par Proust dans la dactylographie corrigée (voir la variante a, page 416 et la variante a, page 422).*

1. Le modèle probable de l'aquarelle d'Elstir est le *Poète mort porté par un centaure* de Gustave Moreau, aquarelle sur papier que Proust a pu voir au musée Gustave Moreau (*Catalogue des peintures, dessins, cartons, aquarelles exposés dans les galeries du musée Gustave Moreau*, Éditions des musées nationaux, 1974, n° 481). Gustave Moreau est d'ailleurs nommé dans l'ébauche du Carnet 2. Sur les aquarelles à sujet mythologique vues par le héros chez le duc et la duchesse de Guermantes, voir *Le Côté de Guermantes II*, t. II de la présente édition, p. 714. Voir J. Theodor Johnson Jr., « Marcel Proust et Gustave Moreau », *Bulletin de la Société des amis de Marcel Proust*, n° XXVIII, 1978, p. 636.

1. Pour cette variante et les variantes *b*, *c* et *d* de cette page, voir la variante *d*, page 416.

Page 418.

a. contre lui Mme Verdurin et le plongeait, car il avait le cœur faible, dans un état *dactyl. corr.*[1] ◆◆ *b.* domestiques de Mme Verdurin *dactyl. corr.* ◆◆ *c.* à l'écurie sur le *[13e ligne de la page]* jeune homme. [Chez les Verdurin vint dîner un grand *[*chirurgien *biffé] [*avocat *corr.]* de passage avec sa femme et son beau-fils. *[Suivait une première version de la description de l'avocat amateur de Le Sidaner et de sa famille (voir var. a, p. 202 et var. d, p. 215)]* Quant au beau-père l'avocat, la marche lui était saine, ce qui donna lieu à la proposition d'une promenade, laquelle fut précisément l'occasion d'un fait que j'ai à rapporter, fort utile pour la suite de ce récit *corrigé en* Je rapporterai, bien que ce ne fût que l'occasion de ce qui allait avoir lieu, mais parce que les personnages m'ont intéressé qu'il y avait ce jour-là un ami des Verdurin en villégiature chez eux et à qui on voulait faire faire une promenade à pied avant son départ, fixé au soir même. Il désirait se dégourdir les jambes avant le chemin de fer. Or cette promenade permit justement l'occasion d'un fait que j'ai à rapporter, fort utile pour la suite de ce récit.] Ce qui me surprit *dactyl. corr. Le passage est fort confus : il est transcrit incomplètement par une autre main sur un feuillet intercalaire.* ◆◆ *d.* par exemple [Cowlett *biffé*] Howsler ; *dactyl. corr.* ◆◆ *e.* Howler *dactyl. corr.*

Page 419.

a. Howxler *dactyl. corr.* ◆◆ *b.* sur le carreau, demanda *dactyl. corr., orig. Nous corrigeons.* ◆◆ *c.* se retrouvera dans l'histoire *dactyl. corr.* : se retrouvera dès l'histoire *orig. Nous retenons la leçon de la dactylographie corrigée.* ◆◆ *d.* certains jours d'une gentillesse *Dans la dactylographie corrigée, ce passage se poursuit sur un feuillet qui se trouve 5 feuillets plus loin dans la longue et complexe addition signalée dans la variante a, page 416 et la variante e, page 417, ce qui peut expliquer qu'il ne figure pas dans l'édition originale. En voici le texte :* purement désintéressée qui touchait, gai, plein d'entrain, avide de s'instruire, ayant oublié tous ses vices ; le lendemain changé comme le temps sombre, se méfiant de tout le monde, cherchant à vous égarer par tout ce qu'il vous disait, se méfiant de vous alors, de tout le monde comme il avait été affectueux la veille. Il était tellement menteur que quand il me disait qu'une femme qu'il connaissait était honnête puis (dans une autre phrase) ne l'était pas, je concluais que le second propos était vrai. Par quoi sans le vouloir il est vrai il me lança souvent sur de fausses pistes et me fit essuyer bien des rebuffades. La seconde phrase était dans ce cas non un aveu involontaire mais l'expression de sa « philosophie » que toutes les femmes sont des « put ». Je ne m'en étais pas moins cassé le nez. Il avait tellement peu de suite dans les idées que sauf pour une brimade dans le genre de celles qu'il avait fait subir — sans se compromettre car il n'était pas brave — au jeune cocher Howxler, il n'eût pas été capable de poursuivre une méchanceté, même favorable à ses intérêts, d'une façon bien continue, car bien vite le désir de n'importe quoi l'emporterait et il ne songeait plus à ce qu'il avait prémédité. Il avait été soigné me dit plus tard son père dans son enfance comme un peu idiot et je le crois volontiers. Car capable de toutes les bassesses et tous

1. Voir la variante *e*, page 417.

les vices, son esprit faible n'en était pas moins immédiatement sensible à telle conception élevée de la vie qu'on développait devant lui. Il eût été capable dans ces moments-là de rompre la trame de toutes ses vilaines habitudes. Malgré sa bêtise fréquente, il avait parfois des inspirations qui frappaient ceux qui s'étaient crus plus malins que lui comme le jour où il était venu chez moi et m'avait reproché de ne pas avoir de photographie de mon grand-oncle. Quant à rien savoir de sa vie c'était impossible, et même un sentier de son intelligence ou de son tempérament n'était pas capable à suivre plus de deux minutes tant tant d'autres s'entrecroisaient et tant le tout avait été foulé, sans doute dans une enfance très dure car le vieux valet de chambre de mon oncle si respectueux avec son maître buvait beaucoup et dès qu'il était gris rouait de coups ses enfants. Rien ne m'a jamais tant passionné que ces dislocations de la nature humaine où tout le temps il y a à induire, à revenir en arrière, à se voir berné par le contraire de ce qu'on avait supposé. Une intelligence dont notre intelligence suit la grande route en pleine lumière, une vie dont nous n'avons qu'à écouter le récit véridique de la bouche d'un homme sincère n'ont pas cette singularité. Aussi les natures troubles telles que celle de Morel, (ou, autre cas, la nature de n'importe quelle femme dont nous sommes épris, nature qui par le fait de notre amour devient trouble) m'attachent plus par leur incohérence que les plus beaux discours. C'est ainsi que les demeures les plus belles que j'aie visitées me parurent toujours moins différentes de ce que je connaissais que le restaurant où Saint-Loup m'emmena avec sa maîtresse, un jour que je vis ce restaurant dans mon sommeil. Il était dans notre appartement, j'y accédais de ma chambre à coucher et ses fenêtres donnaient sur le détroit de Gibraltar. On ne voit jamais rien de nouveau qu'en rêve et par le même moyen que dans la connaissance de certaines natures, ou de natures quelconques transformées par notre amour, c'est-à-dire dans ces deux cas comme dans le rêve par notre étonnement devant les conséquences illogiques que les prémisses n'impliquaient pas.

1. Voir *La Prisonnière*, p. 638 et suiv.

Page 420.

a. À cela l'évidence *dactyl. corr.* : À cela il fallait l'évidence *orig. Nous corrigeons, aucun des deux états n'offrant un texte satisfaisant.* ↔ *b.* laid et était plein *dactyl. corr.* : laid et plein *orig. Nous retenons la leçon de la dactylographie corrigée.*

1. « Travaillez, travaillez, mon cher ami, devenez illustre » : lettre de Fontanes à Chateaubriand du 28 juillet 1798, citée par Chateaubriand dans les *Mémoires d'outre-tombe*, livre XI, chap. III. Le marquis Louis de Fontanes (1757-1821), grand maître de l'Université sous l'Empire, écrivain médiocre, s'était lié avec Chateaubriand en exil à Londres après la Terreur.

2. Allusion possible aux lettres à Joséphine, publiées par exemple sous le titre : *Tendresses impériales*, suivies du *Dialogue sur l'amour*, E. Sansot, 1913 ; ou encore à l'apocryphe : *Quarante lettres inédites*, lettres à une dame de Valence prétendument écrites en 1791, Ponthieu, 1825.

Page 421.

a. violon au concours *[avant-dernière ligne de la page]* de ce prestigieux Conservatoire. Certes je ne citerai pas comme une contradiction chez Morel (car en somme cela devait tout naturellement se passer ainsi) le fait que m'ayant recherché, fui ensuite parce que son père avait été le valet de chambre de mon grand-oncle, quand ayant compris que je ne révélerais jamais le fait, étais considéré chez les Verdurin comme étant d'un milieu tout de même supérieur au sien et, sinon de quelque utilité pour lui, du moins sans danger aucun auprès de M. de Charlus, il se remit à causer beaucoup avec moi, la personne dont il me parla toujours ce ne fut jamais de mes parents mais justement de ce grand-oncle dont il eût dû, semble-t-il, devoir éviter de prononcer le nom. Le culte que lui avait transmis son père était le plus fort. Mon grand-oncle était un excellent homme, parfaitement inconnu, un peu vantard, et qui avait peut-être par là donné une haute idée de lui à son valet de chambre. Mon père, tout en conservant une simplicité absolue, s'était fait une situation considérable. Malgré cela le vaniteux Morel ne parla jamais une seule fois de lui. La seule autorité qu'il invoquait comme considérable était celle de mon grand-oncle, qui à côté de mon père pourtant avait été toute sa vie exactement rien. Pour quelqu'un le titre d'ami de mon grand-oncle était un titre de haute noblesse. De ces amis de mon grand-oncle il ne parlait jamais qu'avec un respect profond et familier, avec ce sourire que le nom de Méséglise amenait sur les lèvres de Françoise. Pour Morel j'avais eu un grand-oncle, mais que j'eusse un père et une mère il ne semblait même pas le savoir. Jamais il ne daigna me parler d'eux. Ces fréquentes allusions à mon grand-oncle ne peuvent en somme être appelées des contradictions chez Morel. Mais pour les contradictions réelles que j'ai dites plus haut, c'est peut-être encore trop *dactyl. corr.* : aux concours de ce prestigieux Conservatoire. / Mais c'est peut-être encore trop *orig. Nous corrigeons.*

1. Siège du Conservatoire national de musique et de déclamation jusqu'en 1913, date à laquelle il fut déplacé rue de Madrid.

Page 422.

a. Le passage qui a été inséré par Proust dans la dactylographie corrigée (voir la variante a, page 416 et la variante e, page 417) se termine par ces mots : vis-à-vis de lui-même. À côté de cela je m'aperçus qu'il s'était beaucoup lié avec un chauffeur du pays qui (je n'ai su cela hélas ! que beaucoup plus tard) aimait les petites filles de douze ans, ils les entraînaient dans les bois et Dieu sait ce qui se passait. J'appris un jour que le cocher des Verdurin avait été renvoyé et remplacé par ce chauffeur. *Suit le passage donné à la variante d, page 419 et après la fin de la longue addition signalée à la variante a, page 416 et la variante e, page 417, suit enfin le passage qui figure dans le texte définitif de la page 416 à la page 417 (voir la variante d, page 416) et qui concerne les réactions du héros à la vue de l'aéroplane.* ↔ *b.* il piqua droit *[p. 417, 1er §, dernière ligne]* vers le ciel. / Pour moi je restai enfermé dans la même vie où les Verdurin prenaient de plus en plus de place et à laquelle je ne pouvais même pas reprocher la sécheresse et le vide de la vie mondaine que j'avais menée à Paris. D'abord parce que seul est mince ce qu'on sent superficiellement et que les sensations qui se forment en nous à une certaine profondeur, la répètent exactement, par un reflet symétrique dans la personne qui nous les fait éprouver, grâce à quoi je composais moi-même à Albertine une sorte de plénitude. Mais même le simple agrément de la vie mondaine et que celle-ci avait depuis longtemps cessé de me donner à Paris, était redevenu vif depuis qu'au bord de la mer, un cadre différent et des formes nouvelles lui imposaient des transformations encore plus profondes que celles qu'elle avait subies pour moi en passant de la crèche de Noël du salon Swann étoilée de lampes, à la galerie printannière de tapisseries nautiques chez Mme d'Arpajon. Le dîner en ville n'était plus ce que j'avais connu sous ce nom maintenant qu'il était précédé d'un long trajet en chemin de fer où l'on cueillait les amis aux stations, et d'une promenade en voiture, au soleil couchant, le long de la mer qu'on apercevait à travers des bosquets de rhododendrons, avant d'arriver au vieux château qui dominait toute la baie et la vallée. Bientôt même *ms. La première phrase de la variante figure encore dans la dactylographie et dans la dactylographie corrigée. Le passage qui commence par* Bientôt même *et qui va jusqu'à* seulement de le lire *[p. 423, 3e ligne en bas de page] est absent de la dactylographie et de la dactylographie corrigée — les deux feuillets sur lesquels il figurait ayant disparu.* ** *c.* dans leurs petits chalets. *ms.* ** *d.* Mlle de Kermaria *ms.*

1. Sur la glace « jadis détestée », voir *À l'ombre des jeunes filles en fleurs*, t. II de la présente édition, p. 27 ; sur les vitres des bibliothèques, *ibid.*, p. 160-161.

Page 423.

a. marais du Bec *ms.* : marais du Bac *orig. Nous retenons la leçon du manuscrit.* ** *b.* ce que vous faites. Si c'est aller dîner à La Raspelière, il est légitime *ms.* ** *c.* En quoi les gens occupés *À partir de ces mots, nous disposons à nouveau de la dactylographie et de la dactylographie corrigée (voir la variante b, page 422). Mais comme pour le passage qui va de la page 416 à la page 417, l'édition originale suit pendant 10 lignes le texte du manuscrit et de la dactylographie et ne tient pas compte des corrections portées par Proust dans la dactylographie corrigée (voir la variante d, page 416).*

1. Voir *Le Côté de Guermantes II* , t. II de la présente édition, p. 661-662. Mais il ne paraît s'agir alors que d'une satisfaction fugitive, méritant peu le nom de possession.

Page 424.

a. désintéressée, qui *[p. 423, dernière ligne]* leur paraît un comique passe-temps *dactyl. corr.*[1] ** *b.* individu tout à fait hors ligne. » Mais *dactyl. corr.* ** *c.* modifiée *ms.* : modifié *dactyl., dactyl. corr., orig. Nous adoptons la leçon du manuscrit.*

1. L'allusion au bijoutier Cartier permet de dater la rédaction du manuscrit au net de *Sodome et Gomorrhe II*. La description du nécessaire d'Albertine y figure en effet sous la forme d'une addition marginale (Cahier VI du manuscrit au net, B.N., N.a.fr. 16 713, f° 46 r°). Or, Proust se renseigna pour cette description auprès de Lucien Daudet,

1. Voir la variante *c*, page 423.

dans une lettre de mai 1916 : « Je te rappelais l'autre soir que tu préfères [...] le bijoutier Cartier au bijoutier ***. Précisément la jeune fille dont je t'avais parlé m'avait demandé un petit nécessaire qu'on emporte avec soi, avec montre en émail bleu, etc. Mais j'ai pensé que ce serait si cher chez Cartier, que je le fis faire chez ***. Or, tu as peut-être lu dans *Madame de Castiglione* de Montesquiou que la marquise Casati a des choses de ce genre avec miroir, etc. de chez le bijoutier que tu aimes moins. Peux-tu me dire exactement ce que c'est (chez l'un ou chez l'autre). Une jeune fille peut-elle l'emporter en auto ? — à dîner ? — à cheval ? — à la campagne ? » (*Correspondance*, t. XV, p. 111). Et dans sa lettre suivante à Lucien Daudet, Proust poursuit : « Tu es un prodigieux descripteur de tout. Si prodigieux que, comme ma jeune fille ne fume pas, ne se met pas de rouge, pas de poudre parce que cela me fait éternuer, je ne veux plus qu'elle ait de nécessaire. Quant à celui de ***, sa description (vague mais assez longue) est dans la *Castiglione* à ta disposition » (*ibid.*, p. 113 ; et Lucien Daudet, *Autour de soixante lettres de Marcel Proust*, Gallimard, 1929, p. 164-167). Si ces lettres datent bien du printemps de 1916, la rédaction de la plupart du manuscrit au net de *Sodome et Gomorrhe* était achevée à cette date. Voir la Notice, n. 1, p. 1234. En septembre 1910, Proust avait donné aux deux jeunes sœurs d'Alton, Colette et Hélène, des petites montres pendentifs. Après s'être renseigné sur le prix que Cartier lui demanderait, il avait prié Reynaldo Hahn d'aller voir si les mêmes montres ne valaient pas deux fois moins cher aux *Trois Quartiers* (*Correspondance*, t. X, p. 169-170). L'ouvrage de Montesquiou auquel Proust fait allusion dans sa lettre à Daudet est *La Divine Comtesse. Étude d'après Mme la comtesse de Castiglione*, préface par Gabriele D'Annunzio (Manzi, Joyant et Cie, 1913). Le bijoutier de la marquise Casati était Lalique : « Quand elle s'assied à table, un soir de dîner, elle porte avec elle tout un bagage : des éventails, des miroirs, des flacons, des sacs, des agendas, tous les chefs-d'œuvre, je ne dis pas de tous les Lalique, puisqu'il n'y en a qu'un, donc du seul Lalique ; et pour ne pas égarer tant de richesses, elle les rassemble dans un pli de sa jupe, où elles vont rejoindre ce qui tombe de son cou, plusieurs millions de perles » (*La Divine Comtesse [...]*, p. 212). L'attirail rappelle celui de la vieille marquise de Cambremer lors de sa visite au héros au Grand-Hôtel (voir p. 201 et 203).

Page 425.

a. voyaient passer en se dandinant ce gros homme *ms.* : voyaient passer ce gros homme *dactyl., dactyl. corr., orig.* ◆◆ *b.* s'empêcher de jeter furtivement et plutôt par habitude de connaisseur mais sans trop de feu, puisque maintenant il avait un amour qui le rendait chaste ou du moins transposait sa lubricité dans le même mode platonique que les religieuses mystiques, tentées et pures, sur les hommes *ms., dactyl.* ◆◆ *c.* seul, en garçon, *ms.* : seul, un garçon, *dactyl.* : seul, garçon... *dactyl. corr., orig.*

1. Plus loin la station où monte M. de Charlus est Saint-Martin-du-Chêne (p. 429 et 437).

Page 426.

a. tenu sur elle. Et il méditait, et exécutait parfois de terribles vengeances contre le mécontent sans le savoir et le traître supposé. Mais il n'y avait *ms., dactyl.*

Page 427.

a. une expression solennelle (bien qu'elle fût la femme la plus simple du monde, elle avait l'emphase et l'emplois de langage du monde bourgeois) : « pour y fixer, *ms., dactyl.* ↔ *b.* docteurs, tel que leur peuple en plein relief, chacun d'eux se presse *orig.*[1]. *Nous corrigeons.*

1. La source de l'information de Proust pour les devises des livres de M. de Charlus, ici et plus loin (p. 449, 452-453, 456), est l'ouvrage de Joannis Guigard, *Nouvel armorial du bibliophile. Guide de l'amateur des livres armoriés*, E. Rondeau, 1890, 2 vol. Marcel Plantevignes raconte que son père lui avait fait cadeau du Guigard durant l'hiver de 1909-1910. Proust, dit-il, le lui emprunta aussitôt et pour longtemps, plus de six mois. De fait, Proust consulta encore le Guigard après la guerre, ainsi qu'en témoignent des notations nombreuses des cahiers d'additions, notamment du Cahier 60 : « Les livres portent : "Je suis au baron de Charlus", "*Spes mea*", "*In prœliis semper*", "*Atavis et Armis*", "*Arte et marte*" » (f° 1 r°), « "*Fortis fortuna fortior*", "*Plus ultra Carol*", "*Expectata non eludet*", "*Mesmes plaisirs du mestre*" » (f° 1 v°), « "Mort m'est vie", "J'attendrai", "*Manet ultima cœlo*", "*Ab uno tantus splendor*" » (f° 2 r°). Et à l'autre bout du cahier : « "*Tenemus omne canet*", "*Non sine labore*" » (f° 126 r°), « "*Carolus, non est mortale quod opto*" » (f° 125 v°). Le Cahier 59 contient aussi une liste d'armes et de devises : « D'or accompagnée en chef de trois têtes de loup arrachées de sable. Pour Saint-Loup. D'or à deux loups courant l'un sur l'autre, couronnés, colletés et bouclés du champ avec une rose boutonnée d'or. D'or au loup morné de sable » (f° 36 r°). Suivent des devises empruntées à la table des devises de Guigard (ouvr. cité, t. II, p. 493) : « "J'augmenterai". "À l'ami son cœur". "*Quid obstet ?*" "*Bonus semper et fidelis*". "*In bello lupi, in pace columbæ*". "*Omnia cum tempore*". "*Vel sic crescent rosæ*". "*Premium virtutis bellicæ*". » La devise « Je suis au baron de Charlus », notée dans le Cahier 60, f° 1 r°, est ainsi calquée sur « Je suis au duc de Mortemart » (Guigard, ouvr. cité, t. II, p. 378).

2. « Pas toujours dans les combats. » Dans le Cahier 60, f° 1 r°, Proust avait noté : « *In prœliis semper.* » La devise la plus voisine chez Guigard est celle des Lubersac, famille dont Proust connaissait plusieurs membres : « *In prœliis promptus* » (ouvr. cité, t. I, p. 321).

3. « Rien n'est acquis sans effort. » Proust avait noté cette devise dans le Cahier 60, f° 126 r° : c'est celle du cardinal de Retz (*ibid.*, p. 289).

1. Pour les états antérieurs, voir la variante *a*, page 428.

4. Pour la fin du paragraphe, sur le christianisme de Charlus, ajoutée aux épreuves du roman en 1922, Proust avait pris des notes dans le Cahier 59, ffos 58-59, ainsi que pour les autres ajouts sur la piété du baron (voir p. 347 et 460). La notation commençait ainsi : « Pour les épreuves de *Sodome II* que Gallimard va me renvoyer : "Cela (l'erreur de Mme Cottard) m'amusait." »

Page 428.

a. tolérant, il est vrai qu'il était *[p. 427, 12e ligne en bas]* converti. Quant au docteur, *ms., dactyl., dactyl. corr.* ◆◆ *b.* nombre d'années, il ne s'était *ms., dactyl., dactyl. corr., orig. Nous corrigeons. Ce* il *est une survivance de la première rédaction donnée par le manuscrit.* ◆◆ *c.* On sent le pauvre diable qui n'a pas de relation, qui s'humilie. » *ms.* : On sent, le pauvre diable, qu'il n'a pas de relations, qu'il s'humilie. » *dactyl., dactyl. corr., orig.*

1. Ce lieu commun psychiatrique de la fin du XIXe siècle est développé notamment dans l'ouvrage de Cesare Lombroso (1835-1909), *Genio e follia* (1864), traduit par Fr. Colonna d'Istria sous le titre *L'Homme de génie* chez Alcan en 1889.

Page 429.

a. aux longs cils d'Almée et que M. de Charlus n'avait *ms., dactyl. lacunaire.*

1. Le mot « bayadère » remplace le mot « almée » du manuscrit : l'Almée était un surnom d'Emmanuel Bibesco (George Painter, ouvr. cité, t. I, p. 370).

Page 430.

a. d'aussi inquiet. Mais les mêmes hommes qui ont le don de rester physiquement invisibles pour les autres, en ce qui concerne une partie de leur être (il n'y avait que bien peu d'années que M. de Charlus avait cessé de l'être pour moi) ne se rendent pas compte de ce qui en eux, est visible et ne l'est pas, [et commettent là-dessus une perpétuelle erreur où les mensonges que les autres leur font par politesse achèvent de les enfoncer. Sûrs d'eux-mêmes alors, aux mensonges ils répondent par d'autres derrière lesquels leur interlocuteur voit la vérité et des aveux qu'il prend au contraire pour tels et par conséquent ne sont pas moins pernicieux. *biffé ms.*] Même pour ceux *ms., dactyl.* ◆◆ *b.* en dehors de leurs suppositions, affermissait la croyance où la politesse de l'interlocuteur, faisant semblant d'accepter ses dires. *ms., dactyl. erronée.*

1. La variante *a* paraît montrer qu'au moment de la rédaction du manuscrit, achevée avant le printemps de 1916 (voir n. 1, p. 424), Proust n'avait pas encore décidé où il placerait dans le roman la rencontre de M. de Charlus et Jupien, laquelle révèle au héros la vraie nature du baron. La rencontre avait été esquissée par Proust dès 1909 (voir l'Esquisse II, p. 936), mais sa place dans le scénario de 1912 est l'une des énigmes de la genèse de *Sodome et Gomorrhe* : voir notre Notice, p. 1220-1221.

Page 431.

a. Mme Verdurin ayant toujours l'air d'admettre *ms., dactyl.* : Mme Verdurin [ayant *biffé*] [semblant *corr.*] toujours l'air [d' *biffé*] admettre *dactyl. corr.*[1] : Mme Verdurin semblant toujours avoir l'air d'admettre *orig.* ↔ *b.* Car M. de Charlus était momentanément *Le passage qui commence par ces mots et qui va jusqu'à* prend pour de la faiblesse. *[p. 434, 1er §, dernière ligne] figure sur 5 feuillets qui ont été insérés par Proust dans la dactylographie corrigée après que celle-ci a été paginée.*

Page 432.

1. Proust avait noté dans le Cahier 60 : « Le prince de Guermantes et Charlus, est-ce que ça marche ? » (ff^os 63-64). La notation est suivie d'une autre, que le roman n'a pas reprise : « Au début de La Raspelière elle aimait beaucoup M. de Charlus. Elle trouvait qu'il parlait bien et brillait dans le petit clan. Elle ne trouvait pas encore qu'il parlait trop et nuisait par son éclat aux autres fidèles. Elle n'avait jamais eu à ses mercredis un convive pareil. Elle lui disait de toute fête qu'elle allait donner : "Mais bien entendu que vous en êtes. Vous devriez avoir la présidence de mes mercredis. Je ne vous la donne pas parce qu'il a toujours été convenu qu'elle était réservée à mon mari qui est le roi ici. Mais quand je m'absenterai vous pourrez présider avec lui, il sera roi, et vous reine" » (ff^os 64-65).

2. « On dit souvent dans le peuple "corder" pour : être, vivre en bonne intelligence. [...] ce semble être une apocope de "accorder" » (Littré).

3. L'incident des petits marins est aussi pris en note dans le Cahier 60, f° 65.

4. Proust avait noté dans le Cahier 60 : « Mme Verdurin à M. de Charlus : "Le Jockey, c'est une réunion d'idiots. Oh ! pardon j'ai tort de dire cela, j'oublie toujours que vous en êtes. Et pourtant on ne peut pas en être plus que vous" » (f° 63). Lors de sa relecture de *Sodome et Gomorrhe* en 1951, Jean Cocteau se montra sévère pour cette reprise du chapitre « M. de Charlus chez les Verdurin » (voir n. 3, p. 259), et pour les variations répétées sur l'expression « en être » : « Ce matin, [...] à partir de la page 203, je fus pris d'un sentiment nouveau. Marcel retombait dans une sorte de bredouillage lyristique et psychologique, dans tout un dédale de "qui", de "que", de "mais" et de parenthèses d'où il semble ne pouvoir sortir. Au lieu de ma première stupeur je me désespérai comme si Marcel était malade en ma présence, avait eu de sa crise d'asthme, ou comme si je me reprochais devant cette preuve, de ne m'être pas, à l'époque, assez inquiété de lui. Je prends cette note après le passage où Mme Verdurin se demande si on peut inviter ensemble M. de Charlus et le prince de Guermantes ce qui va tout de même un peu fort et la suite de

1. Vraisemblablement Proust a voulu corriger en : « Mme Verdurin semblant toujours admettre ».

pataquès à double sens qu'elle lui jette à la figure et où le "en être ou ne pas en être" revient avec une insistance et une pauvreté de chansonnier montmartrois » (ouvr. cité, t. I, p. 276).

Page 433.

a. Deux Mondes, la princesse Sherbatoff *dactyl. corr.*[1]

1. Le titre exact du livre d'Henry Roujon (1853-1914), écrivain et critique littéraire, est *Au milieu des hommes* (J. Rueff, 1906). Il s'agit d'un recueil d'articles de critique. Roujon fut le directeur des Beaux-Arts en 1891, élu à l'Académie française en 1913. Proust a noté deux fois cette allusion dans les cahiers d'additions après la guerre : dans le Cahier 61, « Un livre de Roujon s'appelle *Parmi les hommes*. "C'est tout à fait un livre pour vous", dit sans malice au baron Mme Verdurin » (fº 97 rº) ; dans le Cahier 59 : « Épreuves Capital / Roujon *Parmi les hommes*, je crois que c'est un livre qui vous intéressera » (fº 65). En 1904, Proust et sa mère jugent une « stupidité » un article de Roujon paru dans *Le Figaro* du 23 septembre, intitulé « Neurasthénie » et s'en prenant à l'époque moderne (lettre à Mme Proust, *Correspondance*, t. IV, p. 286 ; et la réponse de Mme Proust, p. 299).

Page 434.

a. un sourire tremblant d'amoureux, le salut hautain d'un Rochefort quelconque ; *dactyl. corr.* : un sourire brillant[2] d'amoureux, le salut hautain d'un Rochefort[3] quelconque ; *orig.* ↔ *b.* Au reste je ne dois pas *Le paragraphe qui commence par ces mots et qui va jusqu'à* ne m'a jamais salué depuis. *est une addition ultérieure à la dactylographie corrigée.* ↔ *c.* Journier-Sarlovèze. *orig.*[4]. *Nous corrigeons.*

1. Fournier-Sarlovèze, ancien préfet, fondateur de la Société artistique des amateurs, enlumina les billets d'invitation pour la fête persane de la comtesse de Chabrillan, le 29 mai 1912 ; son fils, Robert, fut maire de Compiègne et député de l'Oise (Fouquières, ouvr. cité [n. 2, p. 46], p. 109).

2. Allusion possible à Gabriel Fauré — membre de l'Institut et directeur du Conservatoire —, pour qui l'amour des femmes fut source d'inspiration (voir Fauré, *Correspondance*, éd. Jean-Michel Nectoux, Flammarion, 1980, p. 213).

1. Voir la variante *b*, page 431.
2. Le bon texte est sans doute « tremblant » non déchiffré, le texte de la dactylographie corrigée étant manuscrit (voir var. *b*, p. 431).
3. Sur Rochefort, voir *Le Côté de Guermantes I*, t. II de la présente édition, p. 539 et n. 3.
4. Nous ne possédons pas, pour ce passage, d'état antérieur (voir la variante précédente).

Page 435.

a. de l'étoffe. Pour nous en tenir à l'ignorance de M. de Charlus ces quelques exemples bien qu'appartenant à un ordre différent (celui de la malveillance mondaine) de ceux qui ont déjà été donnés au cours de cet ouvrage mais concordants avec eux, de l'irréductibilité de nos rapports réels avec les autres, de l'opinion qu'ils se font de nous, à l'idée que nous avons de ces rapports et de cette opinion, idée dans laquelle nous ne faisons que refléter, en les corrigeant arbitrairement, nos propres sentiments que nous prenons pour les leurs. Certains propos concernant M. de Charlus eussent été tout aussi différents de ce que le baron se figurait, si au lieu de les choisir parmi ceux que tenait Mme Verdurin, on les eût prélevés sur la conversation de tels de ses parents qui l'aimaient le mieux, chaque fois qu'ils le voyaient ils lui parlaient de cette affection, lui en donnaient des témoignages, et <évi> taient ce qui concernait ses mœurs. Mais entre eux, quand M. de Charlus n'était pas là, ils disaient les mots omis en sa présence, lesquels se relient entre eux et font cet ensemble entièrement différent de celui constitué par les mots d'affection à M. de Charlus. Or c'est avec ce second ensemble, le seul qu'il connaissait, que M. de Charlus avait décoré cette « opinion que ses parents avaient de lui ». Pouvait-il imaginer ces mots dits par cette tendre parente à un cousin qui admirait *[un mot illisible]* le baron : « Comment veux-tu *ms., dactyl.*

Page 436.

a. de gens *ms.* : des gens *dactyl.* : de gens *dactyl. corr.* : des gens *orig. Nous adoptons la leçon du manuscrit et de la dactylographie corrigée.* ◆◆ *b.* ses ébats ou l'aviculteur tout-puissant qui va venir le tirer du milieu *ms., dactyl.* : ses ébats ni l'aviculteur tout-puissant [...] (pour qui l'aviculteur, à Paris, sera Mme Verdurin), le tirera sans pitié du milieu *dactyl. corr.*

Page 437.

a. de graves *[p. 436, avant-dernière ligne]* inconvénients. Ce genre de malentendus sur l'opinion que les autres ont de vous peut devenir tout à coup grave et entraîner de terribles conséquences. Mais jusque-là il n'empêche pas plus la vie normale de continuer, que ne fait un peu d'albumine, de sucre ou d'arythmie cardiaque pour celui *ms., dactyl.* ◆◆ *b.* de catastrophes. Pour le moment cette connaissance qu'on avait à l'insu de M. de Charlus de ses relations platoniques ou non avec Santois, n'avait pour le baron aucun inconvénient sérieux. Elle le poussait seulement (ou du moins dans les premiers temps ce fut elle seule qui l'y poussa) à dire *ms., dactyl.* ◆◆ *c.* ou la bonne éducation. Alors les saillies se développaient dans un ordre parfait. Mais il ne fallait pas que dans le fonctionnement de la machine un maladroit voulût intervenir directement. Si un ami mal élevé et jaloux de M. de Charlus eût fait devant lui, sur lui des révélations désobligeantes, on n'aurait plus entendu que balbutiements, arguments stupides qui condamnent, avec ces regards d'effroi qu'un jour au théâtre avait eus M. de Charlus, ne reconnaissant pas quelqu'un qui lui souriait, et qu'il avait eu peur de voir venir jusqu'à la loge de la princesse de Guermantes, le compromettre de sa familiarité. C'est ainsi que Bloch qui faisait volontiers des plaisanteries sur les juifs (comme Legrandin sur les snobs) un jour qu'on lui demanda s'il l'était répondit en se troublant devant des gens qu'il ne pouvait tromper pourtant : « D'origine, mais éloignée. » Ainsi encore voyez-vous dans une soirée un poltron faire à bon compte le brave en racontant avec esprit les débordements d'une absente. Mais le causeur devient blême, verdit s'il vient d'apercevoir à deux pas de lui le fils de cette dame, lequel l'écoute et va sans doute le gifler. Heureusement pour le repos de ceux qui ont été victimes de ces surprises où se dévoile leur secret, où s'accuse leur snobisme, leur égoïsme ou leur lâcheté, ceux qui en ont été témoins feignent de les avoir oubliées. Et les Charlus, les Legrandin, les Bloch, bien d'autres encore, auxquels on ne reparle jamais de ces incidents désagréables, finissent par croire que leur vie forme dans l'esprit d'autrui un ensemble continu et harmonieux, fait de tous les moments où ils se sont montrés ce qu'ils désiraient paraître. / Quand M. de Charlus *ms., dactyl.* ◆◆ *d.* le sien. Parfois même il le nommait fort crûment. Comme le voyant avec un Balzac à la main et lui disant qu'il connaissait ce romancier encore mieux que ne faisait son frère, je lui demandais *ms., dactyl.* ◆◆ *e.* la série des *Illusions perdues.* » Et comme j'avouais mal connaître ces dernières, lui qui maintenant se plaçait à un point de vue spécial, librement encore, mais si volontiers qu'on sentait se préparer pour l'avenir l'obsession d'une idée fixe : « Comment vous connaissez mal les *Illusions perdues* ? C'est si beau, *ms., dactyl.*

1. Proust écrivait en octobre 1917 à René Boylesve : « [...] parce que j'admire l'immense fresque des *Illusions perdues* et *Splendeur et misère [sic]*, cela ne m'empêche pas de placer au moins aussi haut *Le Curé de Tours*, ou *La Vieille Fille*, ou *La Fille aux yeux d'or* et d'égaler l'art de ces miniatures à la fresque » (*Correspondance*, t. XVI, p. 266).

2. M. de Charlus se souvient confusément des *Illusions perdues* : il évoque la rencontre — vers la fin du roman, afin d'introduire *Splendeurs et misères des courtisanes* — de Lucien de Rubempré, au moment où celui-ci s'apprête à se jeter dans la Charente, et du faux chanoine Carlos Herrera, alias Vautrin, qui rend au jeune homme le goût de vivre. La calèche où ils sont montés tous deux passe bientôt, sur la route d'Angoulême à Paris, devant la gentilhommière des Rastignac, que Lucien signale à son compagnon de voyage. Vautrin fait arrêter afin de regarder la maison, mais il n'en a pas demandé le nom. S'il a connu autrefois Rastignac à la pension Vauquer (dans *Le Père Goriot*), s'il s'est intéressé à lui, l'amour de Vautrin pour Rastignac paraît une exagération de M. de Charlus. C'est Rubempré que Vautrin aimera. Il est vrai que dans *Splendeurs et misères des courtisanes*, Vautrin enjoindra avec autorité à Rastignac de traiter Rubempré en ami. « Tristesse d'Olympio » est un des poèmes les plus célèbres de Hugo, dans *Les Rayons et les Ombres*, XXXIV : le poète revoit avec mélancolie les lieux du début de son amour pour Juliette Drouet. Proust songeait à l'allusion à Balzac dès les premiers feuillets du Carnet 1 en 1908, supposant déjà que Vautrin avait aimé Rastignac, et donnant la même interprétation du silence de Vautrin

visitant la maison du jeune homme : « Balzac : rencontre de Vautrin et de Rubempré près de la Charente. Langage de Vautrin à la Montesquiou et Mme de Chaponay : "Ce que c'est que vivre seul" etc. / Sens physiologique de ces paroles. Langage excitant de Rubempré. Vautrin s'arrêtant pour visiter la maison Rastignac ("Tristesse d'Olympio" de la pédérastie) » (*Le Carnet de 1908*, éd. citée, p. 48-49). Revenant sur cette scène dans son esquisse de 1909 sur « Sainte-Beuve et Balzac », Proust est plus explicite et commente l'amour de Vautrin pour Rastignac ; voir *Contre Sainte-Beuve*, éd. citée, p. 273-274 : « [...] le plus beau sans conteste est le merveilleux passage où les deux voyageurs passent devant les ruines du château de Rastignac. J'appelle cela la "Tristesse d'Olympio" de l'homosexualité : *Il voulut tout revoir, l'étang près de la source*[1]. »

Page 438.

a. répondit Brichot piqué, que, pour parler *ms.* : répondit Brichot, que, pour parler *dactyl.*

1. L'« homme de goût » était Oscar Wilde. Dans « The Decay of Lying », dialogue publié dans *Intentions* en 1891, Vivian, porte-parole manifeste de l'auteur, dit : « *One of the greatest tragedies of my life is the death of Lucien de Rubempré* » (« l'une des plus grandes tragédies de ma vie est la mort de Lucien de Rubempré »). Le contexte est une comparaison de Balzac et de Zola, et un éloge des *Illusions perdues*. *Intentions* fut publié en traduction française chez Stock en 1905. Dans l'esquisse de 1909 sur « Sainte-Beuve et Balzac » (voir n. 2, p. 437), Proust faisait allusion à ce mot : « [...] Vautrin n'a pas été seul à aimer Lucien de Rubempré. Oscar Wilde, à qui la vie devait hélas apprendre plus tard qu'il est de plus poignantes douleurs que celles que nous donnent les livres, disait dans sa première époque [...] : "Le plus grand chagrin de ma vie ? La mort de Lucien de Rubempré dans *Splendeurs et misères des courtisanes*" » (*Contre Sainte-Beuve*, éd. citée, p. 273). Proust citait dans les mêmes termes le mot de Wilde dans une lettre de mai 1908 à Robert Dreyfus : évoquant vraisemblablement un projet d'article sur la pédérastie auquel il songea à la suite de l'affaire Eulenbourg, devenu un projet de nouvelle, il rappelle toutefois sa prévention contre les œuvres d'art qui dépendent trop de la circonstance et de l'anecdote ; il ajoute une mise en garde symétrique : « Ce qui d'ailleurs présenté ainsi a l'air non pas faux mais banal et mériter *[sic]* quelque soufflet cuisant de l'existence irritée (comme Oscar Wilde disant que le plus grand chagrin qu'il avait eu c'était la mort de Lucien de Rubempré dans Balzac, et apprenant peu après par son procès qu'il est des chagrins plus réels) » (*Correspondance*, t. VIII, p. 123). À travers l'exemple de Wilde, Proust s'en prend à ce qu'il appelle ailleurs l'idolâtrie, qui consiste à confondre l'art et la vie, à traiter l'art comme la vraie vie et à vivre la vie comme une œuvre d'art : le contexte de la citation

1. Vers 13.

de Wilde dans *Intentions* est justement une dénonciation du réalisme et un éloge esthète de l'art contre la vie. Aux yeux de Proust, le modèle littéraire de l'idolâtrie est Ruskin, et le modèle réel, Robert de Montesquiou. Proust définit ainsi le plus précisément l'idolâtrie dans son article de 1900 dans *La Gazette des Beaux-Arts*, « John Ruskin », repris dans *Pastiches et mélanges* (éd. citée, p. 105-141). Commentant la profusion des références dans les écrits de Ruskin, Proust compare la manie de la citation de l'écrivain anglais au fétichisme d'« un de nos contemporains les plus justement célèbres » — Montesquiou, qu'il ne nomme pas —, qui aime à retrouver dans la vie les détails des œuvres d'art, par exemple « dans la toilette d'une de ses amies : "la robe et la coiffure mêmes que portait la princesse de Cadignan le jour où elle vit d'Arthez pour la première fois" » (*ibid.*, p. 135). Proust dénonce à ce propos le « péché intellectuel » d'idolâtrie : « La toilette de Mme de Cadignan est une ravissante invention de Balzac parce qu'elle donne une idée de l'art de Mme de Cadignan, qu'elle nous fait connaître l'impression que celle-ci veut produire sur d'Arthez et quelques-uns de ses "secrets". Mais une fois dépouillée de l'esprit qui est en elle, elle n'est plus qu'un signe dépouillé de sa signification, c'est-à-dire rien [...] » (*ibid.*, p. 136). Proust reprend la critique de l'idolâtrie de Montesquiou dans son article de 1905 sur le comte, « Un professeur de beauté » (*Essais et articles*, éd. citée, p. 506-520) : l'exemple est alors celui des poires bon-chrétien venues de Molière, exemple que nous avons vu citer par M. de Charlus (p. 399 et n. 1). Ce dernier comparera aussi la robe d'Albertine à une robe de la princesse de Cadignan (p. 441 et n. 1, p. 442). Tous ces rapprochements plaident sans doute en faveur d'une affinité entre M. de Charlus et Robert de Montesquiou ; ils confirment surtout que le contexte des commentaires de M. de Charlus sur Balzac est celui de l'idolâtrie, telle que Proust la décrivait dès 1900 à propos de Montesquiou (voir aussi var. *c*, p. 439). La mort de Rubempré, qui sert à illustrer l'idolâtrie de Wilde, a lieu dans *Splendeurs et misères des courtisanes* : le jeune homme, accusé injustement de la mort de sa maîtresse, Esther, qui s'est suicidée, se pend dans sa cellule de la Conciergerie au moment où on va le libérer. Proust a lu ce roman en septembre 1895, au cours de son séjour à Beg-Meil avec Reynaldo Hahn. Il écrivait alors à Robert de Billy : « Je lis de Balzac un livre qui commence par *Splendeur et misère*, qu'on ne peut pas nommer tout entier à un homme marié, et qui est stupide » (*Correspondance*, t. I, p. 428). Quoi qu'il en soit, et qu'il ait ou non déjà connu la remarque de Wilde, Proust fut vraisemblablement ému par la mort de Rubempré et il en fit sans doute part à sa mère, puisque celle-ci lui écrivit en septembre 1896, lisant le roman de Balzac à son tour : « La mort de Rubempré m'a touchée moins que celle d'Esther » (*ibid.*, t. II, p. 133).

2. « Esther heureuse » était dans l'édition de 1844 le titre de la première partie de *Splendeurs et misères des courtisanes*, remplacé par « Comment aiment les filles » dans l'édition définitive. « À combien l'amour revient aux vieillards » et « Où mènent les mauvais

chemins » sont les titres des deuxième et troisième parties du même roman, « La Dernière Incarnation de Vautrin » en étant la dernière.

3. Rocambole est le héros d'une trentaine de romans publiés par Ponson du Terrail (1829-1871) dans la seconde moitié du XIXe siècle. Il est le type du personnage aux aventures invraisemblables et incroyables, « rocambolesques ».

4. La même expression a déjà été associée à Cottard dans *Du côté de chez Swann*, t. I de la présente édition, p. 197.

5. Voir p. 270 et n. 1.

6. Proust avait noté ce mot dans le Cahier 60, f° 66 r°.

Page 439.

a. on pense qu'Hutinel[1] a fait des travaux *ms.* Hutinel *est laissé en blanc dans la dactylographie.* ↔ *b.* et les Jardies *ms., dactyl., dactyl. corr., orig. Nous corrigeons.* ↔ *c.* zélé du *[9e ligne en bas de page]* charabia. » J'avais entendu dire par Swann que Brichot était un pédant ennuyeux. Mme Verdurin trouvait au contraire que Swann n'avait jamais été à côté de Brichot qu'un fade mondain. Depuis j'ai vu des gens également intelligents se placer à ces deux points de vue très différents. Brichot était certes incapable des fins silences, des piquantes alliances de mots, des opinions paradoxalement profondes de Swann. Mais la pudeur même qui empêchait celui-ci de se livrer à des conversations graves, dès qu'elles le devenaient son mutisme ponctué seulement de monosyllabes à demi ironiques, la frivolité habituelle de celles auxquelles il se livrait, ont laissé une impression de vide et d'ennui à des gens affamés de sérieux. Et ceux-là d'autre part étaient agacés de l'importance qu'il attachait à telle robe, à telle coiffure de la duchesse de Guermantes. Ils ne voyaient là que du snobisme, soit parce que ne connaissant pas eux-mêmes cette dame, ils prêtaient à Swann l'intention de les éblouir, soit qu'ils ne fussent peut-être pas tout à fait assez artistes pour se rendre compte de la particulière corruption esthétique qui faisait pour Swann placer certaines toilettes, certaines femmes sur le même plan que certaines œuvres d'art. « Je comprends que c'est très agréable pour lui d'avoir fréquenté ces dames, ai-je entendu dire à un auteur de grand talent, mais pour nous qui ne les connaissons pas, quel intérêt cela peut-il avoir ? » Ils ne se rendaient pas compte que Swann parlait d'une robe de Mme de Guermantes d'une façon aussi désintéressée et aussi curieuse qu'il eût parlé de la robe que portait la femme de Rubens dans le tableau qu'il avait chez lui. C'est pour la même raison que Robert de Montesquiou est si incompris de certaines personnes et que beaucoup de contemporains de Villiers de l'Isle-Adam, au lieu d'être ravi de l'entendre parler de l'ordre de Malte[2], trouvaient que c'était très agréable pour lui d'avoir eu de si grands ancêtres, mais indifférent pour eux qui ne les avaient pas eus. Mais les personnes qui aiment tant les lettres qu'il <ne> leur suffit pas qu'elles <aient> aiguisé l'esprit de celui qui cause avec elles, mais encore qu'elles fassent l'objet

1. Henri Hutinel (1849-1933), médecin, professeur de clinique infantile et spécialiste en pédiatrie.

2. Philippe Villiers de l'Isle-Adam (1464-1534), grand-maître de l'ordre de Malte, s'illustra par la défense héroïque de Rhodes contre Soliman le Magnifique en 1522 et obtint l'établissement de l'ordre à Malte en 1530.

de sa causerie, ceux-là pouvaient s'en donner à cœur joie avec Brichot. Précisément toutes les citations, les expressions, même toutes les plaisanteries, que Swann eût omises, parce qu'elles étaient un peu trop courantes, meublaient la conversation de Brichot comme tant de substantiels articles de revues. Pour prendre la chose d'une autre façon on peut dire que la plus grande partie de l'humanité considère les grâces de la conversation comme quelque chose d'extérieur aux individus, à la façon des vérités scientifiques impersonnelles que chaque individu ne refait pas pour son compte, ou des modes auxquelles on se conforme précisément parce que les autres les suivent. Ainsi Cottard ayant entendu Brichot dire : « Notre Sarcey national », ou « Monsieur qui de droit », ou « on a coupé les ailes à ce canard », crut, ne faisant en cela du reste que ce qu'avait cru Brichot lui-même, que ces plaisanteries n'étaient pas inutilisables par cela même qu'elles avaient été faites, comme serait un vers par exemple, mais étaient valables pour tous comme deux et deux font quatre. Beaucoup faisaient comme lui, et le fait qu'il eût entendu ou lu souvent une expression était pour lui non un obstacle mais un encouragement à l'employer. Il disait « c'est du bluff » comme il s'était acheté un pardessus à taille, parce qu'il voyait que c'était décent, élégant. Il disait ces choses-là comme un homme du peuple siffle selon les années derrière l'omnibus, *En revenant de la revue*, *Le Père la Victoire*, *Viens Poupoule*. Swann agissait d'une façon inverse et il s'abstenait d'une plaisanterie non parce qu'elle était, non parce qu'elle n'était pas en usage. Il n'aurait pas dit « c'est du bluff ». Du moins, je le crois, car il ne suffit pas de proscrire les banalités, il faut compter avec l'expérience et même les sympathies et les habitudes familiales de chacun, ce qui fait que telle chose ne leur semble pas une banalité qui pour un autre en semble une, par distraction ou par manque d'antipathie personnelle. Brichot était tout à fait au sommet de la catégorie des Cottard. Au fond le sourire avec lequel les Cottard disent : « Et comment ! », une autre : « en beauté », une troisième : « un peu là ! », une dernière : « et voilà ! » a son importance. Il faut y voir le désir de briller mais cherchant presque chez tous à se satisfaire, moitié par docilité de caractère, moitié par médiocrité d'esprit, en imitant ce qu'ont apporté les rares innovateurs. Ainsi le vocabulaire est-il grossi pendant quelque temps de « Et comment ! » comme il le fut jadis de « pschutt », puis « Et comment ! » vieillit, il devient ridicule de le dire et un autre mot le remplace. Telle est l'importance du sourire des Cottard. Il explique à la fois l'uniformité du monde et ses changements. Brichot ne savait pas refuser ces mille expressions courantes qui lui permettaient de briller. Il était comme ces personnes qui n'ont pas le courage de brûler tous les meubles riches et laids qu'ils possèdent parce qu'ils pensent que cela fera toujours de l'effet et que cela meublera. Mais il possédait bien d'autres choses et des connaissances fort sérieuses et avec lui on pouvait goûter sinon la délicatesse d'un goût sévère, du moins le plaisir d'apprendre. « Chateaubriand *ms., dactyl.* ↔ *d.* irrité par Brichot, *Le passage qui suit ces mots et qui va jusqu'à* condescendance admirable. *[p. 440, 1er §, dernière ligne] figure dans le manuscrit mais n'a pas été reproduit dans la dactylographie. Proust l'a récrit en marge de la dactylographie corrigée.*

1. Cette devise, adoptée par Montaigne, est commentée dans une addition de 1588 à l'*Apologie de Raimond Sebond* (*Œuvres complètes*, Bibl. de la Pléiade, p. 508 *b*).

2. « Connais-toi toi-même. » Cette devise, gravée au fronton du temple d'Apollon à Delphes, fut adoptée par Socrate.
3. Évangile selon Jean, XV, 12.
4. Voir n. 1, p. 349.
5. *Materiam superabat opus*, « le travail surpassait la matière » (Ovide, *Métamorphoses*, II, 5). Paul Souday avait cité le mot d'Ovide dans le compte rendu de *Du côté de chez Swann* (*Le Temps*, 10 décembre 1913), l'attribuant par erreur à Horace. Proust, irrité par les critiques de Souday sur ses fautes de français, lui répondit en décembre de la même année : « Je vous assure que si le "vieil universitaire" que vous proposez d'adjoindre aux maisons d'édition n'avait à corriger que mes fautes de français, il aurait beaucoup de loisirs. / Permettez moi d'ajouter [...] qu'il pourrait en employer une partie à vérifier vos citations latines. Il ne manquerait pas de vous avertir que ce n'est pas Horace qui a parlé d'un ouvrage où *materiam superabat opus*, mais Ovide, et que ce dernier poète avait dit cela non pas sévèrement, mais en manière d'éloge » (*Correspondance*, t. XII, p. 381).
6. Rabelais, qui fut assigné à cette paroisse, est appelé le Curé de Meudon.
7. Retraite de Voltaire entre 1758 et 1778.
8. Maison située près de Sceaux, que Chateaubriand acheta en 1811 et où il habita plusieurs années.
9. Nom de la maison de Balzac à Ville-d'Avray, où il habita de 1837 à 1840. La Polonaise est Mme Hanska, que Balzac épousa en 1850. Un recors est un agent préposé à l'exécution des ordres de justice.

Page 440.

a. Fausse Maîtresse, ms.[1]*, dactyl. corr.* : *Jaune Maîtresse, orig. Nous retenons la leçon des états antérieurs.* ↔ *b.* Quand je disais à Swann que ce côté hors nature comme on dit bêtement me frappait beaucoup chez Balzac il me disait : *ms.* ↔ *c.* Je ne connaissais pas Monsieur Taine, mais j'avoue sincèrement que je me tenais pour fort honoré d'être du même avis que lui », ajoutait M. de Charlus avec un ton à la fois de fatuité et de déférence, car en homme de grande intelligence il avait des égards pour le talent mais était resté trop homme du monde pour ne pas considérer ces égards comme prodigieux, et pour ne pas admirer lui-même qu'un Guermantes pût se sentir sincèrement honoré d'avoir quelque rapport avec M. Taine. Il est probable que si quelque mariage ancien avait noué une parenté entre sa famille et celle de Balzac, il en <eût> ressenti de la satisfaction, mais en l'exprimant, il n'eût pu s'empêcher de la souligner comme une chose fort étonnante. / Parfois *ms.* ↔ *d.* sous la férule de leur institutrice. Mais pendant ce court instant les enfants avaient pensé à toutes les bonnes parties qu'ils manquaient, comme faisait M. de Charlus pendant cet éclair de regret et <à> l'image de ces sacrifices qu'il faisait au respect humain, par obéissance et en homme sévèrement tenu. Au mot dont M. de Charlus avait fait suivre *ms., dactyl.*

1. Voir la variante *d*, page 439.

1. Dans son article bien connu sur Balzac, publié dans le *Journal des débats* en 1858, Taine insiste sur le caractère maladif et monstrueux de *La Comédie humaine*. « Ses médecins, écrit-il notamment, n'ont pas de plus grand plaisir que la découverte d'une maladie étrange ou perdue ; il est médecin et fait comme eux. Il a décrit maintes fois des passions contre nature, telles qu'on ne peut pas même les indiquer ici. » Taine cite en note : *La Fille aux yeux d'or*, *Sarrasine*, *Vautrin*, *Une passion dans le désert* (voir les *Nouveaux essais de critique et d'histoire*, Hachette, 8ᵉ éd., 1905, p. 62). Ce sont les titres que Proust mentionne aussi, et auxquels il ajoute « La Fausse Maîtresse », une nouvelle où deux amis sont amoureux de la même femme, mais qui n'a rien de l'équivoque des autres œuvres citées : *Sarrasine* (et non *Sarrazine*, comme Proust écrit) évoque le travestissement et l'inversion, *Une passion dans le désert* la bestialité, et *La Fille aux yeux d'or* l'amour entre femmes. Le héros et Gilberte parleront de *La Fille aux yeux d'or* dans *Le Temps retrouvé* (t. IV de la présente édition).

2. Proust avait noté dans le Cahier 60 ce trait de M. de Charlus, disant M. Bergson, M. Loti (fº 105). Le même tic prenait un autre sens chez Brichot, p. 269.

3. La scène à laquelle songe M. de Charlus se trouve à la fin des *Illusions perdues* (voir n. 2, p. 437).

4. Allusion probable à l'impératrice Eugénie. Voir n. 3, p. 104.

Page 441.

a. je n'avais vu Élodie, ou Oriane-Élodie, ce qui fait *ms., dactyl., dactyl. corr. On lit également dans ces trois états* Oriane-Élodie *quatre lignes plus bas.* ↔ *b.* et allait-on en voiture de Balbec à Incarville. Il y a des gens qui parlent des mêmes choses que nous, mais qui comme ils les voient d'ailleurs, ne les appellent pas de la même façon que nous et gardent des particularités de vocabulaire qu'on ne parvient pas à réduire. [(Peut-être mieux pour M. de Cambremer) *biffé ms.*] « De quoi parliez-vous *ms., dactyl.*

1. L'épithète de « sérieux », alors appliquée par M. de Charlus à Saint-Loup, a déjà été commentée en termes voisins : voir *Le Côté de Guermantes I*, t. II de la présente édition, p. 591.

2. Voir n. 4, p. 180.

Page 442.

a. Mme d'Espard. *ms.* : M. d'Espard. *dactyl., dactyl. corr., orig. Nous retenons la leçon du manuscrit.*

1. Dans *Les Secrets de la princesse de Cadignan*, Balzac décrit en ces termes la robe de la princesse lors de sa seconde rencontre avec d'Arthez : « Elle offrit au regard une harmonieuse combinaison de couleurs grises, une sorte de demi-deuil, une grâce pleine d'abandon, le vêtement d'une femme qui ne tenait plus à la vie que par quelques liens naturels, son enfant peut-être, et qui s'y ennuyait » (*La Comédie humaine*, Bibl. de la Pléiade, t. VI, p. 979-980). Proust, dans son article

de 1900 sur « John Ruskin », avait déjà évoqué la tenue de la princesse de Cadignan afin de définir l'idolâtrie de Ruskin et de Montesquiou (voir n. 1, p. 438). Mais, de cet article de 1900 au roman, Proust est passé de la robe de la première rencontre avec d'Arthez à celle de la seconde rencontre.

2. Mme d'Espard est l'amie et la confidente de la princesse de Cadignan. Les deux femmes se rencontrent souvent dans le jardin de la princesse : « Dans un des premiers beaux jours du mois de mai 1833, la marquise d'Espard et la princesse tournaient, on ne pouvait dire se promenaient, dans l'unique allée qui entourait le gazon du jardin [...] » (Balzac, ouvr. cité, p. 955). De fait, il y a un lien entre les personnages de Balzac et ceux de Proust : la princesse de Cadignan avait pour modèle Cordélia de Castellane, dont la fille était Mme de Beaulaincourt, elle-même un modèle de Mme de Villeparisis, tante de M. de Charlus (*ibid.*, n. 1, p. 954).

Page 443.

a. pas invitée. » *Le passage qui suit ces mots et qui va jusqu'à* c'était son père. *[p. 444, 9e ligne] a été ajouté par Proust dans la dactylographie mais figure déjà dans les épreuves de 1921 (voir la variante a, page 445).*

1. Paul Thureau-Dangin (1837-1913), d'abord journaliste, puis historien catholique et conservateur, est l'auteur d'une *Histoire de la monarchie de Juillet*, 1884-1892, 7 vol. ; élu à l'Académie française en 1893.

2. Gaston Boissier (1823-1898) fut professeur d'éloquence latine au Collège de France, auteur d'ouvrages sur l'archéologie et la littérature latines, notamment *Promenades archéologiques : Rome et Pompéi* (1880) et *Nouvelles promenades archéologiques : Horace et Virgile* (1886) ; élu à l'Académie française en 1876. Boissier est aussi l'auteur de *Madame de Sévigné* dans la collection « Les Grands Écrivains français », Hachette, 1887.

Page 444.

a. c'était son père. *le passage qui suit ces mots et qui va jusqu'à* rien qui vaille le 40 *bis.* » *[p. 445, 1er §, dernière ligne] a été ajouté par Proust dans la dactylographie corrigée.*

1. Confiseur situé au 7, boulevard des Capucines.

2. Proust avait habité au 9, boulevard Malesherbes avec ses parents jusqu'en 1900.

Page 445.

a. Mme Boissier n'a-t-elle pas été *[p. 443, 8e ligne en bas de page]* invitée." "Pour moi, Monsieur, dit paraît-il à Norpois Mme de Villeparisis qui en grande dame de l'Ancien Régime est très difficile sur le chapitre des relations, tous les académiciens sont célibataires ou veufs." » Mais à l'air mélancolique *ms. En ce qui concerne la dactylographie, voir la variante a, page 443.* ✦✦ *b.* assez indifférente. Un instant le nom de Norpois ramena sur ses lèvres un sourire : « Norpois, dit-il, a justement été dans son jeune temps un de ces hommes que Balzac appelle dans *Les Secrets de la princesse de Cadignan* "un des plus perfides attachés d'ambassade[1]". » Et il éclata franchement de ce rire que la naïveté de Balzac excite chez ceux qui l'admirent le plus. Mais reprenant son air rêveur et comme se parlant à soi-même : *ms., dactyl.*

Page 447.

a. « Celui qu'on acclame *[6e ligne de la page]* en ce moment couchera cette nuit chez moi. » Quand la vie de Swann était devenue si douloureuse qu'il aurait encore mieux aimé ne plus voir Odette, il se disait avec son instinct pratique : « Prolongeons encore un peu, que Sagan, que Modène m'aient vu avec elle. » Pourtant sa liaison ne faisait que détruire sa position mondaine. Mais d'une part il se surfaisait Odette comme cocotte élégante, lui qui savait si exactement les positions sociales (mais dans le demi-monde, la sociologie n'est pas comme dans le monde constituée à l'état de science exacte), et de l'autre ce qu'on appelle ici amour-propre faussé, dans le cas de Swann, dans celui de M. de Charlus, n'est qu'un de ces innombrables déguisements que prend, pour connaître tous les plaisirs, l'amour. Santois ne sentant *ms., dactyl.*

Page 448.

a. il faut reconnaître *[11e ligne de la page]* qu'au moins dans les premiers temps, Santois était admirable de simplicité, de franchise, et de désintéressement. Ce désintéressement n'était peut-être qu'apparent et Santois ne refusait peut-être certains avantages que pour s'en assurer dans l'avenir de plus grands. De plus, tandis que *ms., dactyl.* ✦✦ *b.* inflexible et gracieuse. Mais cette ligne-là était déjà dans le visage ouvert et franc, dans le visage vraiment français de Santois avant qu'il connût M. de Charlus. Déjà excessivement « fort pour son âge » c'était à le voir un Grec de Champagne. Et ses propos étaient aussi nets que ses traits, les sentiments qu'exprimaient ses propos aussi nets que les mots. Il n'empêchait que souvent, *ms., dactyl.* ✦✦ *c.* démentir souvent. Il était hellénique et français mais humain. Parfois même *ms. ; le mot* hellénique *est laissé en blanc dans la dactylographie.* ✦✦ *d.* de la froideur de leur divinité qu'ont les pères idolâtres et les amants, il n'en continuait *ms. Dans la dactylographie, on lit* dureté *à la place de* divinité . ✦✦ *e.* il rencontrait chez *Le passage qui suit ces mots et qui va jusqu'à* à qui je doive un seul merci. » *[p. 450, 1er §, avant-dernière ligne] est une correction de Proust dans la dactylographie corrigée qui se substitue au texte du manuscrit et de la dactylographie (voir la variante a, page 450).*

1. Allusion possible aux sculptures de la façade de la cathédrale de Reims, dont Proust regretta la destruction pendant la guerre de 1914-1918 (voir *Le Temps retrouvé*, t. IV de la présente édition). « C'est un type de jeune Champenois idéalisé », écrivait Viollet-Le-

1. Voir *La Comédie humaine*, Bibl. de la Pléiade, t. VI, p. 1000-1001.

Duc d'une tête d'ange de la cathédrale de Reims dans l'article « Sculpture » de son *Dictionnaire raisonné de l'architecture française*, 1854-1863, t. VIII, p. 152.

Page 449.

a. bagues symboliques avec des inscriptions commençant [par Carolus Caroli *biffé*] portant l'antique inscription : *dactyl. corr.*[1].

1. Dans l'index des noms cités dans les *Mémoires* de Saint-Simon, Charmel suit Charlus : il s'agit de Louis de Ligny, comte du Charmel, ami de Saint-Simon.

2. Proust s'inspire tout simplement de la devise de Charles Quint qu'il a trouvée dans l'ouvrage de Guigard : *Plus Ultra Carol' Quint* (ouvr. cité, t. I, p. 67). Il l'avait déjà notée sous la même forme abrégée dans le Cahier 60, f° 1 v°.

Page 450.

a. Or à la place *[p. 448, dernière ligne]* il rencontrait chez Santois la fierté du peuple, son désintéressement, dû en partie à la négligence, et capable aussi de subir de grandes éclipses. Devant un adversaire nouveau, M. de Charlus aurait dû changer son procédé. Mais qui en est capable ? Notre caractère n'est pas plus perfectible que l'instinct animal qui continue à s'exercer là où l'objet fait défaut. Aussi M. de Charlus continuait *ms., dactyl.* ++ *b.* Cette douleur [me toucha tant *biffé*[2]] que, *dactyl. corr. Voir la variante a, page 451.*

1. L'épisode du duel fictif de M. de Charlus n'est pas sans rappeler le duel que Proust faillit avoir avec le père de Marcel Plantevignes, à Cabourg, pendant l'été de 1908, à la suite de la lettre que nous avons citée n. 1, p. 380. Le jeune homme montra la lettre à son père, qui rendit visite à Proust. Celui-ci, sans donner d'explication et se contentant de répéter : « Ce jeune homme est assez grand garçon pour se rendre compte de ce qu'il fait et de ce qu'il dit », voulut, comme le fils était mineur, se battre en duel avec le père, et il demanda au vicomte d'Alton et au marquis de Pontcharra de lui servir de témoins. L'explication vint enfin : « Ayant rencontré sur la digue une dame qui m'insinua que Proust avait des mœurs spéciales, j'avais paraît-il acquiescé », apprit Marcel Plantevignes, qui put enfin s'excuser et éviter le duel (*Avec Marcel Proust*, éd. citée, p. 98-115).

Page 451.

a. tandis qu'il restait *[p. 450, 7e ligne en bas de page]* devant le train hébété devant moi. Sa vue me toucha tant que je dis à Albertine à l'oreille que j'allais la laisser rentrer seule et sautant sur le quai à Doncières demandai à M. de Charlus s'il voulait que je l'accompagnasse. Cela me faisait

1. Voir la variante *e*, page 448.
2. Ces trois mots ont vraisemblablement été biffés par erreur.

grand-peine de quitter Albertine et d'un autre côté je trouvais *ms., dactyl. Voir la variante b, page 450.*

Page 452.

a. gaieté, gueulait de tout cœur : *ms. Le verbe ne figure pas dans la dactylographie.* ↔ *b.* À ce nom toute *ms.* : À ce moment toute *dactyl., dactyl. corr., orig. Nous retenons la leçon du manuscrit.* ↔ *c.* ce vieux Chinois peut bien se faire empaler si ça lui plaît. *ms.* : ce vieux Chinois peut bien se faire *[un blanc]* si ça lui plaît. *dactyl.* : ce vieux Chinois peut bien se faire [zigouiller *corr.*] si ça lui plaît. *dactyl. corr.*

1. Premiers mots de la chanson populaire *Viens Poupoule*, par Henri Christiné-Trebitsch, créée par Félix Mayol au café-concert *L'Eldorado* en novembre 1902.

2. Voir n. 1, p. 427.

Page 453.

a. le cachet C.C. (Caroli Carolus), il se mit *ms.* Caroli Carolus *ne figure pas dans la dactylographie. Voir la variante a, p. 449.* ↔ *b.* (l'un était Ski) pour *ms., dactyl.*

1. « Mon espoir. » Citation incomplète de la devise du roi Henri III : *Spes mea Deus* (Guigard, ouvr. cité, t. I, p. 19). Proust l'avait notée sous la même forme dans le Cahier 60, f° 1 r°.

2. « Il ne décevra pas les espérances. » Citation approximative de la devise de Marguerite de Valois, première femme d'Henri IV : *Expectata non eludet* (*ibid.*, p. 92). Proust l'avait notée dans le Cahier 60, f° 1 v°.

3. Devise du duc d'Aumale (*ibid.*, p. 41). Proust l'avait notée dans le Cahier 60, f° 2 v°.

4. Proust avait noté cette devise dans le Cahier 60, f° 1 v°. Elle ne paraît pas figurer dans l'ouvrage de Guigard.

5. « Les tours soutiennent les lys. » Citation approximative de la devise des Simiane : *Sustendant lilia turres* (*ibid.*, t. II, p. 440). « D'or, semé de tours d'azur et de fleurs de lis du même », disait Guigard. Proust avait noté dans le Cahier 60 : « Pour les Simiane semé de tours d'azur et de fleurs de lys avec la devise : *Sustendant lilia turres* » (f° 1 r°).

6. « La fin appartient au ciel. » Devise d'Henri III (*ibid*, t. I, p. 20). Proust l'avait notée dans le Cahier 60, f° 2 r°.

7. « J'ai l'ambition d'un immortel. » Citation approximative de la devise de Charles de Lorraine : *Non est mortale quod opto* (*ibid.*, p. 319). Proust l'avait notée exactement dans le Cahier 60, f° 125 v°. Elle imite les *Métamorphoses* d'Ovide, livre II, vers 56 : *Sors tua mortalis ; non est mortale quod optas,* « Ton destin est d'un mortel ; ton ambition d'un immortel ».

8. « Par les ancêtres et par les armes. » Devise du marquis d'Angivillier (Guigard, ouvr. cité, t. II, p. 15), et aussi de Daniel de Montesquiou, seigneur de Prichac, lieutenant-général des armées du roi (1634-1715) (*ibid.*, p. 364).

Page 454.

a. que la Maison de France, car il n'y avait pas dans sa lignée de mésalliance comme celle des Bourbons avec les Médicis, ces marchands, se disait *ms., dactyl.* ↔ *b.* fréquenter le maître *On trouve après ces mots dans le manuscrit une autre rédaction biffée dont voici le texte :* et qu'il était extraordinaire que quand les ambassadeurs et les princes régnants ne laissaient pas dix minutes sans réponse un mot de lui, il ne pût jamais avoir à l'heure un mot de Santois, que celui-ci lui posât des lapins, sans même prévenir, sans s'excuser. Et M. de Charlus répétait cette phrase qui avait pris chez lui la forme automatique d'un tic, comme tel refrain de café-concert ou telle phrase de la symphonie avec chœurs, qu'on chante sans l'entendre, dans les moments d'émotion : « C'est à ne pas croire. »

Page 456.

a. Il ne céda pas du premier coup. *Le passage qui commence par ces mots et qui va jusqu'à* des dernières hésitations de M. de Charlus. *[p. 457, 16e ligne en bas de page] figure sur une paperole que Proust a ajoutée à la dactylographie corrigée.* ↔ *b.* Sarah Bernhardt dans [*Phèdre biffé*] *L'Aiglon, dactyl. corr.*[1].

1. Cette devise, en effet celle des La Rochefoucauld, n'est pas citée par Guigard.

2. « Un tel éclat venant d'un seul. » Citation approximative de la devise de Louise de Lorraine, veuve d'Henri III : *Ab uno tantus splendor* (Guigard, ouvr. cité, t. I, p. 90). Proust l'avait notée exactement dans le Cahier 60, f° 2 r°.

3. Variation de Proust sur un cri célèbre, celui de François Ier : « Mort à autrui, à moi vie. » Nombreux sont les cris qui associent les mêmes mots : *« Mors mihi vita est »*, « Mourir pour vivre », *« Mors et vita »*, etc.

4. Sarah Bernhardt créa le 15 mars 1900 le rôle titre du drame d'Edmond Rostand, et elle y remporta un énorme succès. L'œuvre fut représentée 237 fois dans l'année.

5. Jean-Sully Mounet (1841-1916), dit Mounet-Sully, acteur, devint sociétaire de la Comédie-Française en 1874. Oreste et Hamlet furent parmi ses plus grands rôles. Il jouait le rôle titre de la tragédie de Sophocle *Œdipe roi* au début du siècle. Mais le spectacle avait lieu l'été au théâtre antique d'Orange plutôt qu'aux arènes de Nîmes : « M. Mounet-Sully donnait aux Parisiens la sensation des inoubliables représentations d'Orange », relate Edmond Stoullig dans *Les Annales du théâtre et de la musique*, à propos d'une reprise d'*Œdipe roi* à la Comédie-Française en mars 1900 (t. XXVI, Ollendorff, 1901, p. 35).

Page 457.

a. blessassent avant les adversaires, *dactyl. corr.* ↔ *b.* une échappatoire, *ms.* : un échappatoire, *dactyl., dactyl. corr., orig. Nous corrigeons.*

1. Voir la variante précédente.

1. Allusion à la leçon d'escrime du *Bourgeois gentilhomme*, acte II, sc. III.

Page 458.

a. classe des invertis (même, *ms., dactyl.* ↔ *b.* l'expérience se figura *ms., dactyl.* : l'expérience, il se figura *dactyl. corr., orig. Nous retenons la leçon du manuscrit.*

Page 459.

a. imaginaire, il fallait *ms., dactyl., dactyl. corr.* : imaginaire. Il fallait *orig. Nous retenons la leçon des états antérieurs.*

1. Le mazagran est un café additionné de rhum, le gloria est un mélange de café sucré et d'eau-de-vie ou de rhum. Dans *Le Voyage de M. Perrichon*, M. Perrichon boit « trois gouttes de rhum dans un verre d'eau » (acte II, sc. V). On boit des glorias dans *Madame Bovary* de Flaubert, dans *L'Ensorcelée* de Barbey d'Aurevilly.

2. « Il a donné à l'homme un visage tourné vers le ciel » (Ovide, *Métamorphoses*, I, 85).

Page 460.

a. au bout d'un instant *Le paragraphe qui commence par ces mots et qui va jusqu'à* « Alleluia ! » *[2e §, dernière ligne] est une addition ultérieure à la dactylographie corrigée.*

1. Livre de Tobie, XI. L'archange Raphaël ramène le jeune Tobie à la maison de son père, Tobit, qui est aveugle, et Tobie lui rend la vue. Comme les autres additions sur les épreuves de 1922 à propos de la piété de Charlus, celle-ci avait été notée dans le Cahier 59, ffos 61-63. Charlus comparera encore Morel au jeune Tobie (voir *La Prisonnière*, p. 827).

Page 461.

a. Dans le manuscrit et dans la dactylographie, il n'était question que de dix mille francs *(voir également la 22e et la 34e ligne de la page).* ↔ *b.* le monde et ne « faisait *ms., dactyl.* : le monde, qu'en somme il « ne faisait *dactyl. corr., orig. Nous adoptons la leçon du manuscrit.* ↔ *c.* toujours faite[1]. *ms., dactyl., dactyl. corr., orig. Nous corrigeons.* ↔ *d.* La station suivante *Le passage qui commence par ces mots et qui va jusqu'à* imaginé, ni surtout comment. *[p. 468, 1er §, avant-dernière ligne] figure sur une longue paperole que Proust a insérée dans la dactylographie corrigée et qui se substitue à une version plus brève comprise entre* il me faut noter *[p. 463, 12e ligne de la page]* et voyait en plein le baron. *[p. 467, 1er §, avant-dernière ligne] qui avait été ajoutée dans la dactylographie : la scène se passait alors à* Couliville *au lieu de* Maineville *.*

1. Voir la variante suivante.

Page 463.

a. Grattevast, *dactyl. corr.*[1] : Gralevast, *orig. Nous retenons la leçon de la dactylographie corrigée.* ↔ *b.* au départ par une élève lui eussent [fait *biffé*] [produit sur lui *corr.*] un effet *dactyl. corr.* : au départ par une élève lui eussent produit un effet *orig. Proust a omis de biffer* lui *sur la dactylographie corrigée. Nous achevons sa correction.*

1. Grattevast est maintenant sur la ligne de Balbec à Douville-Féterne, alors que cette station était auparavant située sur un autre embranchement : voir p. 383 et n. 2. Sur la géographie incertaine de la région, voir n. 4, p. 180.

2. L'étymologie de Maineville ne figure pas dans les livres consultés par Proust et identifiés par nous (voir p. 281 et suiv., notes). Mais elle apparaît sur une liste d'étymologies plus ou moins fantaisistes dans le Cahier 72, brouillon datant de la guerre : voir n. 1, p. 485.

Page 464.

a. soulèvements géologiques [du cerveau *biffé*] [de la pensée *corr.*]. Dans celui de M. de Charlus qui *dactyl. corr.* : soulèvements géologiques de la pensée. Dans celui de M. de Charlus qui, *orig. Nous achevons la correction de la dactylographie corrigée.*

1. Proust avait noté dans le Cahier 61 : « Jupien à M. de Charlus. Embrasse-moi mon bébé, mon loulou, ma petite gueule » (f° 71 r°).

2. Proust accorde selon le sens (syllepse de nombre).

Page 465.

a. Mademoiselle Léontine. *dactyl. corr. Ce sera son nom tout au long de l'épisode dans la dactylographie corrigée.* ↔ *b.* Couliville, *dactyl. corr.* : Corlesville, *orig. Nous retenons la leçon de la dactylographie corrigée.* ↔ *c.* devait le cacher *dactyl. corr.* : devait les cacher *orig. Nous retenons la leçon de la dactylographie corrigée.*

Page 466.

a. Mlle Noémie, et laquelle *orig. La conjonction est un résidu d'une rédaction antérieure biffée dans la dactylographie corrigée. Nous corrigeons.*

1. Allusion à la résurrection de Lazare ; Évangile selon Jean, XI, 1-44.

Page 467.

a. Fin du paragraphe dans la dactylographie corrigée avant l'addition du paragraphe suivant : voyait en plein le baron en face de lui. (Passer à un autre sujet, l'épisode est fini.)

1. Voir la variante *d*, page 461.

Page 468.

a. ni surtout comment. *C'est par ces mots que se termine la longue addition de la dactylographie corrigée (voir la variante d, page 461). Le paragraphe qui suit est une addition marginale de la dactylographie corrigée qui fait la liaison avec le texte du manuscrit.* ↔ *b.* le B.C.H., *dactyl. corr.* : le B.C.N., *orig. Nous corrigeons (voir p. 180, 2e ligne au bas de la page).* ↔ *c.* À Harambouville, où *ms., dactyl. Voir la variante d, page 461 et la variante a de cette page.*

1. Sur la géographie proustienne et son incertitude, voir n. 4, p. 180.

2. Voir n. 1, p. 463.

3. Proust a emprunté le nom à Guigard (ouvr. cité, t. II, p. 465) : Louis de Verjus (1629-1709), comte de Crécy, conseiller d'État, membre de l'Académie française, portait : « D'azur, au lion d'or, au chef d'argent, chargé d'une branche de verjus, feuillée et tigée de sinople couchée en fasce. » La référence était notée dans le Cahier 60 : « Pierre de Verjus comte de Crécy armes une branche de Verjus » (f° 1 r°).

Page 469.

1. Voir n. 3, p. 468.

Page 470.

a. client. » Quant *[p. 469, dernière ligne]* au directeur, comme les vêtements simples, *dactyl. corr., orig. Nous corrigeons.* ↔ *b.* Réduit à une *[p. 468, dernière ligne]* vie extrêmement modeste, je sentais qu'un cigare, *[fin de phrase incohérente]* La tristesse de la vie *ms., dactyl.* : Réduit à une vie extrêmement modeste, je sentais qu'un cigare, [*[fin de phrase incohérente de dactyl.] biffé*] [une consommation étaient *[...]* connus et aussi de *[p. 469, 7e ligne]* généalogie. *[*Comme il me parlait du frère de Mme de Cambremer, M. de Méséglise (car, ce que j'avais ignoré, Legrandin se faisait appeler depuis peu Legrandin de Méséglise et à cause de la longueur du nom M. de Méséglise), quand je lui dis que Legrandin n'avait nul droit à ce nom, et que je savais qu'il y avait eu une famille de Méséglise mais éteinte depuis le XVIe siècle, il me répondit en inclinant la tête avec un fin sourire épanoui qui me montra qu'il le savait parfaitement et que, tout autant que le perdreau que je lui *faisais* manger et le sauternes que je lui faisais boire, il *éprouvait* un plaisir extrême à m'entendre dire que je le *savais aussi. corrigé en* Comme je lui demandais *[[...]]* du verjus.*]* Il aimait *[p. 469, 15e ligne]* les vins *[...]* mais qu'il connaissait *[p. 469, 1er §, dernière ligne]* aussi bien. *1re partie paperole*[1]] [Comme j'étais[2] pour Aimé

1. Les corrections portées par Proust sur la dactylographie corrigée figurent sur une paperole composée de deux parties. La première partie commence par « une consommation étaient ».

2. C'est par ces mots que débute la seconde partie de la paperole qui figure dans la dactylographie corrigée.

[p. 469, 2e §, 1re ligne] un client *[...]* n'égala[1] pas *[p. 470, 1er §, dernière ligne]* leur durée. Très modeste *[p. 471, 24e ligne]* en ce qui *[...]* et un authentique[2] *[p. 471, 26e ligne] [interrompu] 2e partie paperole]* La tristesse de la vie *dactyl. corr.*

1. Sur Constant Coquelin, voir *Du côté de chez Swann*, t. I de la présente édition, p. 73 et n. 2.

Page 471.

a. croire que Legrandin appartenait à la famille de Méséglise ou que Cambremer et Guermantes étaient tout un. Quand il vit que je n'étais pas de ces gens-là, peut-être un peu allumé d'ailleurs *ms., dactyl.* ↔ *b.* autant que par avidité *ms., dactyl., dactyl. corr.* : autant par avidité *orig. Nous retenons la leçon des états antérieurs.* ↔ *c.* jusque-là. [Je tremblai rétrospectivement de penser que j'aurais pu le faire et aussi regrettai de ne l'avoir pas fait quand ayant parlé de lui chez Mme Verdurin et lui ayant dit : « Aucun rapport naturellement avec Odette de Crécy », elle me répondit : « Mais comment c'était son mari ! » *biffé ms.*] « Il est *ms. dactyl.*

1. Fondé en 1828 par le duc de Guiche au coin de la rue de Grammont et du boulevard des Italiens, installé en 1857 boulevard des Capucines, le cercle de l'Union, comprenant cinq cents membres, fut le cercle par excellence pendant le second Empire.

2. La Société des bibliophiles françois, fondée en 1820, comprenait principalement des aristocrates ; elle fut présidée pendant cinquante ans par le baron Pichon. Le nombre de ses membres, vingt-quatre à l'origine, fut porté à vingt-neuf en 1897 (voir Georges Vicaire, *La Société des bibliophiles françois*, Édouard Pelletan, 1901, tiré à trente exemplaires). Nous ignorons si elle se réunissait au cercle de l'Union.

3. Le comté de Montgomery (« Montgommery » est l'orthographe de l'édition originale) fut annexé au comté de Pembroke en 1630. La maison de Buckingham-et-Chandos figure dans le *Gotha* sous ce nom (édition de 1908, p. 288). Arthur Capel, homme politique anglais (1632-1683), comte d'Essex en 1661, gouverna l'Irlande de 1672 à 1677 ; arrêté en 1683 lors du complot de Rye House, il se suicida dans la Tour de Londres. Proust connaissait Berthe Capel, dont le père, Arthur Capel, avait été témoin avec Armand de Guiche quand Proust se présenta au Polo-Club de Paris en 1908 : voir une lettre d'août 1912 à Armand de Guiche, *Correspondance*, t. XI, p. 172.

4. Titre relevé pour Philippe Marie d'Orléans (1844-1910), deuxième fils de Louis d'Orléans, duc de Nemours, et de la princesse Victoire de Saxe-Cobourg-Gotha.

5. « Une des reines de Paris était encore Émilienne d'Alençon, dont était fort épris le brillant jockey Alec Carter », écrit André de Fouquières dans ses souvenirs des années 1900 (ouvr. cité, p. 105). Émilienne Andrée, célèbre cocotte, fut reçue au Conservatoire de

1. En fait le passage compris entre « client » et « n'égala » est légèrement différent du texte définitif, voir la variante *a*.

2. La fin de cette seconde partie de la paperole qui figure dans la dactylographie corrigée suggère que toute cette seconde partie aurait peut-être dû être insérée plus loin dans le texte après « la Société des bibliophiles », p. 471, 24e ligne.

musique et de déclamation l'année où Lugné-Poë échoua, ajoute André de Fouquières. Plus tard, elle présenta des lapins savants sur la scène des Folies-Bergère. Elle publia un recueil de poèmes, *Sous le masque*, E. Sansot, 1918. Elle avait été la maîtresse de Jacques, quatorzième duc d'Uzès, qui s'était ruiné pour elle et mourut en 1893 au Congo, où sa famille l'avait envoyé pour le séparer d'elle (voir n. 2, p. 70).

Page 472.

a. Seylor. » *ms.* : Saylor. » *dactyl., dactyl. corr., orig.* ↔ *b.* « Ne sçais l'heure. » *Le passage qui suit ces mots et qui va jusqu'à* qu'avait le provincial. *[p. 473, 1er §, dernière ligne] est une correction de Proust sur le manuscrit qui se substitue à un court paragraphe dont voici le texte* : « Oui c'est un très brave homme et de grandes manières, dit Mme Verdurin. Il était né avec une grande fortune et ne vit plus que d'une petite rente. — Aucun rapport entre le comte de Crécy et Odette de Crécy ? dis-je en riant à Mme Verdurin. — Mais si, me répondit-elle tandis qu'opinait de la tête M. de Cambremer, c'était son premier mari. Elle l'a ruiné et c'est Swann qui lui a fait cette petite rente quand il a épousé Odette, car ce Monsieur que vous rencontrez à Incarville était le premier mari. » ↔ *c.* Hermonville *ms.* : Hermenonville *dactyl., dactyl. corr., orig. Nous corrigeons.* ↔ *d.* plus bien sûr lui-même et ne pouvait répondre que : « Si c'est à voir, je l'ai vu. » Mais ce vague *ms., dactyl.* ↔ *e.* Baron fils, Yvonne Printemps » ; il me citait *ms., dactyl.*

1. La devise ne figure pas dans l'ouvrage de Guigard. Nous ignorons si elle est une invention de Proust.

2. Jean-Alexis Périer (1869-1924) débuta en 1892 à l'Opéra-Comique, et créa en 1902 le rôle de Pelléas dans l'opéra de Debussy. Proust a déjà évoqué le jugement des aristocrates de province sur *Pelléas et Mélisande* (voir p. 207).

3. Voir *Le Côté de Guermantes I*, t. II de la présente édition, p. 556.

4. Comédie en quatre actes d'Alfred Capus (1858-1922), journaliste et auteur dramatique, élu à l'Académie française en 1914, directeur politique du *Figaro* la même année. La première de *La Châtelaine* eut lieu, non pas au théâtre du Gymnase, mais au théâtre de la Renaissance, le 25 octobre 1902. Les trois acteurs cités ne semblent pas avoir joué dans la pièce de Capus.

5. Peut-être s'agit-il de Simone Frévalles, qui joua notamment au théâtre de la Porte-Saint-Martin ; ou encore d'Eugène Félix Constant Langlois, dit Fréville (1826-1890), qui entra au théâtre de l'Odéon en 1852 et y resta jusqu'en 1886. Il est l'auteur de plusieurs comédies, dont *L'Abbé de Blanchelande, chronique cotentinaise*, F. Langlois, 1888.

6. Marie Magnier (1848-1913) fit ses débuts au théâtre du Gymnase en 1867. Elle joua aussi aux théâtres du Palais-Royal, du Vaudeville, des Variétés, de l'Odéon.

7. Louis Baron, dit Baron fils (1870-1939), fils du grand acteur Louis Bouchenez, dit Baron (1838-1920), premier prix de comédie du Conservatoire de musique et de déclamation en 1893, joua aux théâtres de l'Odéon, du Vaudeville, des Nouveautés et du Palais-Royal.

Page 473.

a. sans les faire précéder comme eût fait M. de Guermantes de ce Monsieur, de ce Madame que l'aristocratie donne aux roturiers quand elle parle d'eux, aussi bien que quand elle leur parle, pour marquer les distances, qu'elle ne supprime que pour les morts et qui fait qu'elle parle du même ton *ms., dactyl.* ↔ *b.* qu'avait le provincial. Pour ce qui est de Pelléas il fut d'ailleurs obligé de se placer au bout d'un certain temps de changer sa manière d'en parler *[sic]* comme d'une certaine sorte de robes qu'on eût portée une saison et qui était affreuse, Mme de Cambremer l'ayant entendu s'exprimer ainsi et ayant bondi sur cette occasion de « rompre des lances ». Elle avait d'ailleurs pour cela des alliées dans les nièces de M. de Chevregny, jeunes filles qui n'avaient jamais quitté plus que des giroflées les pierres du vieux château. Mais pour les coins les plus antiques luisent aussi le soleil, la saison, les nouvelles années. Au reste les demoiselles de Chevregny tiraient beaucoup moins leur poésie de leurs idées artistiques nouvelles que d'une politesse ancienne envers tout étranger, composée de poignées de main, d'amabilités de tout genre et de sourires confectionnés selon des recettes un peu locales et certainement séculaires, qu'elles m'offrirent avec grand empressement dès ma première visite, comme à Combray on m'eût donné du sirop de cassis ou de fleur d'oranger. Cette politesse simplement gracieuse croyait devoir aller jusqu'à une exagération, que ces demoiselles jugeaient sans doute touchante, envers les gens du peuple. Ils les savaient de si grande naissance qu'ils s'enflammeraient d'amour devant tant de simplicité. J'avais déjà assez vécu pour savoir tout ce qu'il y a d'artifice et d'orgueil dans cette politesse-là. Mais tout compte fait j'y trouvais tout de même chez celles qui l'exerçaient le bénéfice d'avoir percé à jour bien des illusions d'importance, de dureté, qui malgré ses allures démocratiques, exerçaient encore tout leur prestige sur le maître d'hôtel ennemi-ami de Françoise. Y eût-il eu une révolution il eût mieux valu tomber entre les mains des demoiselles de Chevregny que de ce maître d'hôtel-là. C'est pour cela qu'il serait permis de regretter la fin de la politesse aristocratique si la politesse n'était pas universellement humaine et n'était pas destinée à fleurir toujours. Même ce méchant maître d'hôtel, si Françoise était malade, parlait bas en passant près de sa chambre et courait lui acheter des feuilles de tilleul. Pour chaque politesse qui disparaît, une différente prend sa place, et l'illusion est aussi grande de croire que les révolutionnaires n'en auront pas que de croire qu'une république ne peut pas avoir d'alliés, comme le pensait M. de Cambremer. Lui, sa femme et sa belle-mère avaient tout de suite accueilli Albertine avec la plus grande amabilité ; dès après le premier dîner *ms., dactyl.* ↔ *c.* « le jeune ménage », bien que *ms.* : « le jeune mariage », bien que *dactyl., dactyl. corr., orig. Nous retenons la leçon du manuscrit.* ↔ *d.* dont on eût reconnu l'écriture *ms.* : dont on reconnaît l'écriture *dactyl., dactyl. corr., orig. Nous retenons la leçon du manuscrit.* ↔ *e.* un plaisir. Et croyez à mes sentiments affectueux, vrais », manquant toujours *ms., dactyl.*

1. Yvette Guilbert (1867-1944) commença vers 1885 une grande carrière de chanteuse de café-concert.

2. Voir *Le Côté de Guermantes I*, t. II de la présente édition, p. 597.

3. Ernest Cornaglia (1834-1912), après douze ans passés dans les

théâtres de province, fut remarqué par Coquelin aîné qui le présenta au théâtre du Vaudeville. Il y créa *L'Arlésienne* d'Alphonse Daudet en 1872, et entra au théâtre de l'Odéon en 1880.

4. Émile Dehelly (1871-1969), premier prix de comédie du Conservatoire en 1890, débuta à la Comédie-Française en décembre de la même année, dans le rôle d'Horace de *L'École des femmes*.

5. Voir p. 336. Proust évoquait déjà ce trait du style de Sainte-Beuve, dans une note de sa traduction de *Sésame et les lys*, à propos des archaïsmes de Ruskin : « Chez un Sainte-Beuve le perpétuel déraillement de l'expression, qui sort à tout moment de la voie directe et de l'acception courante, est charmant, mais donne tout de suite la mesure — si étendue d'ailleurs qu'elle soit — d'un talent malgré tout de second ordre » (*Sésame et les lys*, Mercure de France, 1906, p. 94 [suite de la note 1 de la page 93]). Dans l'esquisse sur « Sainte-Beuve et Baudelaire » de 1908, le « goût de faire dérailler le sens des mots » est encore donné par Proust comme typique de Sainte-Beuve (*Contre Sainte-Beuve*, éd. citée, p. 248). Sainte-Beuve était bien connu pour les impropriétés (alliances inusitées et images impropres) et les archaïsmes de sa longue phrase préclassique, rappelant les prosateurs de l'époque de Louis XIII : voir l'analyse de la langue de *Volupté* par Charles Bruneau dans le tome XII, *L'Époque romantique*, de l'*Histoire de la langue française des origines à nos jours* de Ferdinand Brunot (A. Colin, 1948, p. 330-336).

Page 474.

a. politesse. Comme ils *ms.* : politesse. Je pensais que comme ils *dactyl., dactyl. corr., orig. Nous retenons la leçon du manuscrit.*

1. Voir n. 2, p. 432.

Page 475.

a. France. En tous cas sous Louis XIV, nous *ms.* : France. *[un blanc]* nous *dactyl.* : France. Sous Louis XIV, nous *dactyl. corr., orig.* ↔ *b.* les La Rochefoucauld ; je ne parle pas des Montmorency ni des La Tour d'Auvergne ces deux familles étant éteintes et ceux qui portent indûment <ces noms> étant je ne dis pas moins La Tour d'Auvergne et moins Montmorency que moi, ce qui pourrait être encore beaucoup dire, mais n'étant nullement La Tour d'Auvergne ni Montmorency. Ajoutez *ms., dactyl.*

1. Aucune famille ne paraît avoir entretenu ce genre de prétention, alors que plus d'une voulait faire remonter ses origines aux deux premières races : les Montesquiou et les La Rochefoucauld aux Mérovingiens, la maison de Lorraine aux Carolingiens. Mais il est possible, et plausible, que Proust joue encore ici avec des références historiques et littéraires, après avoir prévenu d'ailleurs que « les enseignements de M. de Charlus étaient faux ». À propos de Louis VI le Gros (1081-1137), et de son frère fictif, il faut remarquer que le prénom d'Aldonce eût été inconcevable pour un Capétien, à une

époque où la dévolution du nom obéissait à des règles très strictes, sauf bien sûr s'il s'agissait d'un bâtard, auquel n'aurait alors su revenir le trône. Cependant, Proust doit se souvenir que Louis le Gros, aîné des enfants de Philippe Ier et de Berthe de Hollande, et le seul fils issu de leur mariage, avait un frère consanguin, mais puîné, Philippe de Mantes, issu de Bertrade de Montfort, que Philippe Ier avait enlevée après avoir répudié Berthe. Bertrade essaya d'imposer son fils au détriment de l'aîné, lequel n'avait pas été sacré du vivant de son père, bien qu'il eût été élu roi désigné entre 1098 et 1100. C'est pourquoi Louis le Gros se fit sacrer à Orléans, à la hâte, dès la mort de Philippe Ier, et adressa ensuite ses excuses à l'église de Reims. Voir Achille Luchaire, *Louis VI le Gros. Annales de sa vie et de son règne (1081-1137)*, A. Picard, 1890. On peut aussi noter que selon une légende dont se serait réclamé le comte de Bretagne au début de la minorité de saint Louis, arrière-arrière-petit-fils de Louis VI le Gros, Robert, premier comte de Dreux, aurait été l'aîné des fils de Louis le Gros, écarté du trône au profit de Louis VII (voir Régine Pernoud, *La Reine Blanche*, Albin Michel, 1972, p. 153). À propos de Mme de Commercy, personnage de *Lucien Leuwen* (voir n. 10, p. 338), Stendhal notait : « Mme la comtesse de Commercy appartenait, en effet, à la maison de Lorraine, mais à une branche aînée, injustement dépossédée, et par une conséquence peu claire, se croyait plus noble que l'empereur d'Autriche » (*Romans et nouvelles*, Bibl. de la Pléiade, 1952, t. I, p. 862).

2. Le roi, dit Saint-Simon dans ses *Mémoires*, drapa six mois à la mort de Monsieur, en 1701 (éd. citée, t. II, p. 21).

3. Aucun caractère plausible : les deux grand-mères du roi et de Monsieur sont Marie de Médicis et Marguerite d'Autriche, dont la postérité est exclusivement royale à l'époque de la mort de Monsieur.

4. La famille des La Trémoïlle, fondue au XVIIe siècle dans la maison de Montmorency, tirait son nom d'un fief du Poitou et avait rang de prince étranger en France. Son origine dans les anciens comtes souverains de Poitiers est incertaine : son auteur, Pierre, qui vivait en 1040, aurait été le petit-fils de Guillaume III, comte de Poitou. Les La Trémoïlle étaient en effet devenus héritiers des rois de Naples de la maison d'Aragon en 1605, par suite du mariage en 1521 de François de La Trémoïlle avec Anne de Laval, descendante de Frédéric, roi d'Aragon, ce qui leur valut la reconnaissance par Louis XIV de la dignité princière. Une longue digression des *Mémoires* de Saint-Simon pour 1707 traite des prétentions de la maison de La Trémoïlle sur le trône de Naples (éd. citée, t. III, p. 45-54).

5. Les Crussol d'Uzès sont en effet peu anciens comme famille, mais les plus anciens pairs : Uzès devint au XIVe siècle le chef-lieu d'une vicomté, érigée en duché-pairie en 1572 en faveur de la famille de Crussol, maison du Vivarais dont le nom apparaît au XIIe siècle. Saint-Simon mentionne l'ancienneté de cette pairie en 1693 (éd. citée, t. I, p. 122).

6. La famille d'Albert de Luynes, famille provençale noble, faisait remonter ses origines aux Alberti, lesquels seraient venus dans le

comtat Venaissin vers le commencement du XVe siècle. Mais les Luynes ne se sont illustrés que depuis Louis XIII : Charles d'Albert (1578-1621), ministre et favori du roi, fut fait duc et pair après la paix d'Angoulême en 1619. Il avait épousé en 1617 Marie de Rohan. Son fils, Louis Charles, épousa Louise Marie de Séguier puis Anne de Rohan.

7. Cette famille descendrait des anciens comtes de Langres, ou de Hugues, comte de Bassigny et de Boulogne-sur-Marne, vivant à la fin du Xe siècle. La mort du maréchal de Choiseul en 1705 éteignit le duché-pairie.

8. Cette illustre famille de Normandie prétend se rattacher à Bernard, parent du chef normand Rollon, premier ministre de Guillaume Ier, dit Longue-Épée, qui gouvernait la Normandie au début du Xe siècle.

9. Citée dès le Xe siècle, c'est une des plus illustres familles de France, originaire du Poitou. Elle remonte à Hugues II, sire de Lusignan, par son petit-fils, Foucauld, sire de La Roche, tige de la maison. La descendance directe de Foucauld s'est éteinte en 1762. Saint-Simon rédigea en 1711 un mémoire pour obtenir la préséance sur M. de La Rochefoucauld.

10. Les Noailles, originaires du bourg de Noailles en Corrèze, font remonter leur filiation au XIe siècle et sont parmi les premières maisons de la noblesse française. Louis-Alexandre de Bourbon (1678-1737), comte de Toulouse, second fils légitimé de Louis XIV et de Mme de Montespan, épousa en 1723 Sophie de Noailles, veuve du marquis de Gondrin, dont il eut un fils, le duc de Penthièvre. Le mariage, d'abord secret, fut ensuite déclaré : « Le monde, écrit Saint-Simon, qui abonde en sots [et] en jaloux, ne lui vit pas prendre le rang de son nouvel état sans envie et sans murmure » (éd. citée, t. VIII, p. 659). Ce fut donc tout le contraire de ce que suggère Proust. Notons d'ailleurs que les autres légitimés avaient été unis à des princes ou princesses du sang, ce qui relativise le caractère dérogeant du mariage d'une Noailles avec un bâtard royal.

11. Les Montesquiou-Fézensac sont une illustre maison issue des anciens comtes de Fézensac. Aimery Ier vivait au début du XIe siècle.

12. Maison d'une grande antiquité, issue de Thibaut, comte d'Arles et de Provence au XIe siècle, elle se divisa en plusieurs branches à partir du XIIIe siècle.

13. M. de Charlus oublie pourtant les Rohan, les Polignac, les Durfort de Lorges, les Gramont, les Maillé, etc., toutes maisons ducales d'extraction féodale. Les Castellane, les Noailles, les Montesquiou sont de moins haute noblesse. La raison pour laquelle Proust privilégie ces familles serait-elle qu'il en connut certains membres ? La hiérarchie n'est en tout cas nullement celle de Saint-Simon.

14. D'après le marquis de Cambremer, les Cambremer sont alliés aux Arrachepel et, par eux, aux Féterne (voir p. 353). Dans *Le Côté de Guermantes*, le duc de Guermantes parle d'une de ses cousines « royaliste enragée, [qui] était la fille du marquis de Féterne, qui

joua un certain rôle dans la guerre des Chouans » (voir *Le Côté de Guermantes II*, t. II de la présente édition, p. 830). Ainsi, quoi qu'en dise M. de Charlus, les Cambremer cousinent avec les Guermantes.

15. Proust avait noté le mot de M. de Charlus dans le Cahier 61, f° 98.

Page 476.

a. avec le petit clan. Je n'ai jamais été observateur (tant qu'on ne m'a pas averti qu'une femme est enceinte, je ne remarque guère que son ventre grossit). Comme nous revenions, Albertine, les Cottard, *ms., dactyl.*

1. Le duc de Guermantes s'en était déjà pris aux faux La Tour d'Auvergne pendant la soirée chez la princesse de Guermantes : voir n. 2, p. 80.

2. Parmi les romans de Balzac que M. de Charlus citait plus haut, deux appartiennent aux *Scènes de la vie de province* : *Le Curé de Tours* et *Illusions perdues* (voir p. 437).

Page 477.

a. Mme de Mortsauf. — Ah ! vous trouvez qu'elle a l'air d'un lys ? » (phrase stupide mais qu'aurait pu dire cette Mme Swann que je laissais parler à ma place quand je soulevais une conversation mondaine). Le train s'arrêta *ms., dactyl.* ↔ *b.* aux drames qui en sortaient un goût *ms., dactyl.* : aux drames qu'ils déchaînaient un goût *dactyl. corr., orig. Nous adoptons la leçon des états antérieurs.*

1. Allusion à Mme de La Baudraye, née Dinah Piédefer, héroïne de *La Muse du département*, des *Scènes de la vie de province* de Balzac. Elle tint un salon dans le Berry, écrivit des essais littéraires sous le pseudonyme de Jan Diaz, eut une liaison avec Étienne Lousteau, dont elle eut deux enfants reconnus par M. de La Baudraye ; elle revint ensuite auprès de son mari.

2. Personnage des *Illusions perdues* ; M. de Bargeton, plus âgé qu'elle et qui lui était soumis, possédait un hôtel à Angoulême. Il se battit en duel avec M. de Chandour, qui avait répandu des calomnies sur les relations de Mme de Bargeton et Lucien Chardon de Rubempré. Veuve, Mme de Bargeton épousa le comte Sixte du Châtelet.

3. Héroïne du *Lys dans la vallée*, autre roman des *Scènes de la vie de province* ; grâce au mariage et à la maternité, elle surmonta l'amour qu'elle avait éprouvé pour Félix de Vandenesse, et elle mourut de la maladie que cet effort provoqua.

Page 478.

a. d'aller à Féterne, *La fin de la phrase a été biffée dans la dactylographie corrigée mais figure dans l'édition originale.* ↔ *b.* « Vous répondrez pour *ms., dactyl., dactyl. corr.* : « Vous répondez pour *orig. Nous retenons la leçon des états antérieurs.* ↔ *c.* M. et Mme Féret. *ms., dactyl.*

L'orthographe restera celle-ci dans le manuscrit et dans la dactylographie. ◆◆ *d.* la grande naissance de la mère de M. Féret, ni de la mère de Mme Féret, et le cercle *ms.* : la grande naissance de la mère de M. Féré[a], et le cercle *dactyl., dactyl. corr., orig. Nous retenons la leçon du manuscrit.*

Page 479.

a. chaque année. M. Féret par opposition à ce que Mme de Cambremer appelait quelqu'un de très mal, était ce qu'elle appelait quelqu'un de très bien. On les avait invités *ms., dactyl.* ◆◆ *b.* toutes les heures du jour. J'ai gardé un bon souvenir de ce dîner à Féterne malgré le froid qu'y jeta l'absence de M. de Charlus, à cause de la présence de Legrandin qui était venu passer quelques jours chez sa sœur, villégiature redoutée de celle-ci mais qu'elle ne croyait pouvoir éviter. Pour Legrandin toujours écorché vif quand il était chez les Cambremer par qui il se croyait méprisé, je n'étais plus du moment que j'étais invité chez eux le petit garçon qu'il avait connu à Combray. Et c'est parce qu'il était pour moi le monsieur que j'avais connu à Combray que sa vue me fit tant de plaisir et aussi parce qu'il est joli de voir revenir dans la vie comme dans un panneau décoratif, un même ornement mais transformé, entouré d'autres qui le font valoir de façon différente. De plus je le voyais plus aisément dans ce milieu où je sentais que se croyant seulement toléré il me croyait favori, sans avoir besoin des efforts qu'il m'eût fallu à Paris pour le retrouver, obtenir de lui audience. Je le retrouvais au contraire à Féterne sans difficulté, avec l'aisance d'un chanteur dont la voix a monté et qui reprend un thème une octave au-dessus. / Les Cambremer feignirent *ms., dactyl.*

1. Sur la géographie de Balbec, voir n. 4, p. 180.

2. Berthe de Clinchamp, comtesse par la grâce de l'empereur François-Joseph, prit la suite de sa tante, la comtesse de Coeffier, comme dame de compagnie de la duchesse d'Aumale. Elle tint ensuite la maison du duc, dont elle était fervente. Elle écrivit, après sa mort, *Le Duc d'Aumale, prince, soldat*, Tours, Mame, 1899. Sur le duc d'Aumale, voir *Du côté de chez Swann*, t. I de la présente édition, p. 258.

Page 480.

a. épouse sa fille, l'est aussi. *ms., dactyl., dactyl. corr.* ◆◆ *b.* ma tante de Chevregny si elle voyait *ms., dactyl.*

1. *In medio stat virtus*, « La vertu est au milieu », ou, selon le *Petit Larousse*, « également éloignée des extrêmes ».

Page 481.

a. très mal. » Je *[p. 480, dernière ligne]* demandai qui. Pressée *ms.* : très mal. » Je demandai. Pressée *dactyl., dactyl. corr., orig. Nous retenons la leçon du manuscrit.* ◆◆ *b.* Mme de Cambremer qui n'eût jamais exprimé son dédain à l'endroit de Mme Verdurin en l'appelant Verduret,

a. de M. Féret, et *dactyl.*

Verdurot, Verduron, finit par dire : *ms., dactyl.* ↔ *c.* Doville, *ms.* : Douville, *dactyl., dactyl. corr., orig.*

1. Albert Feuillerat, dans son ouvrage de 1934, *Comment Marcel Proust a composé son roman* (New Haven, Yale University Press), tirait argument de cette évocation de Paris afin de confirmer que dans la version du roman prête à la veille de la guerre, les épisodes de La Raspelière étaient situés dans la région parisienne. Il est exact que, dans la version de 1912, le chapitre « Monsieur de Charlus et les Verdurin » se déroulait près de Paris (voir l'Esquisse XI, p. 1009) ; mais la mention de Paris appartient ici au manuscrit rédigé pendant la guerre, une fois la décision prise de déplacer la villégiature des Verdurin dans la région de Balbec, et elle figure dans le corps de la page du manuscrit ; la conclusion de Feuillerat ne s'impose nullement, Paris n'est pas ici une trace de la version antérieure du roman. D'ailleurs cette phrase, comprenant déjà la mention de Paris, était esquissée telle qu'elle figure ici dans le brouillon rédigé pendant la guerre, mettant en place le second séjour à Balbec et déplaçant le chapitre « Monsieur de Charlus et les Verdurin » au bord de la mer (Cahier 72, f° 55).

Page 482.

a. vous en avez eu aussi, *ms., dactyl., dactyl. corr.* : vous en avez aussi, *orig. Nous retenons la leçon des états antérieurs.* ↔ *b.* particularités des premiers que *ms., dactyl., dactyl. corr.* : particularités des premières que *orig. Nous retenons la leçon des états antérieurs.* ↔ *c.* pense le professeur *[1er §, avant-dernière ligne]* Cottard ? » Mais le professeur s'était fait une règle de ne pas parler médecine hors de son cabinet, soit scrupule professionnel et pour ne donner d'avis que motivé, soit dédain pour la mentalité scientifique des gens du monde, soit fatigue et désir de ne leur demander que de la distraction et du repos, soit sentiment de l'inutilité de donner des conseils à des gens qui n'en feront qu'à leur tête, soit crainte des responsabilités, ou de se laisser extorquer des consultations gratuites sous prétexte qu'on a dîné ensemble. Je revis[1] *ms., dactyl.*

1. Voir n. 2, p. 307, et n. 3, p. 317.

Page 483.

a. de Vichy avait une [sœur *biffé*] amie ainsi qu'Albertine, *ms.*[2] : de Vichy avait une amie aussi, qu'Albertine, *dactyl., dactyl. corr.* : de Vichy était une amie aussi, qu'elle, Albertine, *orig. Nous retenons la leçon corrigée du manuscrit.* ↔ *b.* habitaient Menton, ce n'est pas de ce côté-là qu'il fallait prendre mes gardes pour l'avenir. / Souvent *ms.,*

1. En fait le passage qui commence par ces mots et qui va jusqu'à « détruire mes soupçons. » (p. 483, 1er §, dernière ligne) figure sur une paperole collée dans le manuscrit mais dont le point d'insertion n'est pas défini. Ce passage a été dactylographié sur une feuille à part dans la dactylographie et enfin intégré dans la dactylographie corrigée.

2. Pour cette variante et la variante *b*, voir la note 1 de la variante *c*, page 482.

dactyl. ↔ *c.* entendu votre voix *ms.* : entendu notre voix *dactyl., dactyl. corr., orig. Nous retenons la leçon du manuscrit.* ↔ *d.* Doville *ms.* : Douville *dactyl., dactyl. corr., orig.*

Page 484.

a. Penmarch *ms.* : Pennemarck *dactyl., dactyl. corr., orig. Nous retenons la leçon du manuscrit.* ↔ *b.* Marcouville-l'Orgueilleuse. *On lit à cet endroit, dans la marge du manuscrit* : Il vaudrait mieux que les étymologies fussent dites à l'aller à chaque station où Albertine les demande à Brichot en y ajoutant les noms comme Marcouville qui ne sont pas des stations. ↔ *c. Marcovilla superba, ms.* : *Marcouvilla superba, dactyl., dactyl. corr., orig. Nous adoptons la leçon du manuscrit.* ↔ *d.* vous pouvez voir *ms.* : vous pourriez voir *dactyl., dactyl. corr., orig.* ↔ *e.* Hermonville, *ms.* : Hermenonville, *dactyl.* : Arembouville, *dactyl. corr.* : Harembouville *orig. Nous adoptons la leçon du manuscrit, qu'impose la démonstration de Brichot, 4 lignes plus bas.* ↔ *f.* yeux vous auriez vu l'illustre *ms., dactyl., dactyl. corr.* ↔ *g.* je ne sais pourquoi on *ms., dactyl., dactyl. corr.* : je ne sache pourquoi on *orig. Nous retenons la leçon des états antérieurs.*

1. Dans le brouillon rédigé pendant la guerre (Cahier 72), c'était en effet Albertine que les étymologies intéressaient. Dans le texte définitif toutefois, lors des apparitions précédentes du thème étymologique, c'est le héros qui a interrogé Brichot. Pour cette dernière apparition du thème, la source est encore l'ouvrage d'Hippolyte Cocheris (voir n. 1, p. 281).

2. Brichot a déjà discuté la terminaison *fleur* des noms de lieu de la Normandie : voir n. 3, p. 281. La discussion de la terminaison *bœuf* est nouvelle. L'ouvrage de Cocheris est voisin du texte de Proust par les exemples donnés : Harfleur, Barfleur, Fiquefleur, Vittefleur, Fletre, Flers ; et Cocheris associait *fleur* au mot danois *fiord*, mais il ne le traduisait pas (ouvr. cité, p. 89). *Fiord* ne signifie d'ailleurs pas « port », mais « bras de mer », « golfe ». Pour *beuf*, Cocheris donnait plusieurs exemples, dont Criquebeuf mais non Elbeuf, et traduisait par « demeure ». Le Héricher traduisait *bœuf* par « village » (*Philologie topographique de la Normandie*, ouvr. cité, p. 41). Une fois encore, la traduction de Proust est conforme à la courte page de Longnon dans *Origines et formation de la nationalité française* : « *budh*, "baraque", "cabane" » comme dans Criquebeuf, Elbeuf, Quillebeuf (ouvr. cité, p. 52) : voir n. 1, p. 281, sur l'usage que Proust paraît avoir fait de ce petit livre de Longnon.

3. Au chapitre « Influences naturelles », section « Montagnes et vallées », Cocheris écrivait : « Le gaulois *pen*, qui a la même signification [que l'anglo-saxon *tor* ou l'allemand *hart*, c'est-à-dire "montagne"], rappelle les Apennins autrement dit les Alpes Pennines ainsi que les lieux dits : [...] *Penne*depie (Calvados) [...] *Pen*marck (Finistère) » (ouvr. cité, p. 58).

4. Voir n. 1, p. 402. L'étymologie de Marcouville-l'Orgueilleuse ne figure pas chez Cocheris, ni chez Le Héricher, ni chez Longnon.

Proust la reconstitue vraisemblablement. Marcouville est un nom de la région d'Illiers. Saint-Marcouf, arrondissement de Bayeux, canton d'Isigny, vient de *sanctus Marculphus*.

5. Cocheris, à propos « Des noms de lieu ayant la signification d'agglomération », donne l'étymologie latine des noms en *ville*, (« domaine collectif ou village »), sans évoquer la fréquence du nom en Normandie ni donner d'exemples normands (ouvr. cité, p. 83-84). Le Héricher cite quelques « noms d'hommes du Nord qui entrent dans les noms de villes ou de paroisses », mais pas ceux mentionnés par Proust (ouvr. cité, p. 49). Longnon écrivait : « Les noms de lieu romans, formés à l'imitation des noms de village datant de l'époque franque, offrent la combinaison d'un nom propre d'origine noroise avec le mot *ville*, qui avait alors le sens de "village" ; ils sont relativement nombreux et nous indiquons en note quelques-uns des plus caractéristiques », c'est-à-dire « Amfreville (ville d'Asfridr), Fréville (ville de Fridr), Tourville (ville de Torf) » (ouvr. cité, p. 52-53). Les exemples de Proust n'en sont pas moins inspirés de Cocheris : voir la note suivante, et n. 1, p. 485.

6. Au chapitre « Influences onomastiques et suffixes ethniques », Cocheris revient sur les noms en *ville* : « Très souvent le nom du propriétaire est uni au nom qui exprime le genre du domaine possédé, comme *villa*, *villare* » (ouvr. cité, p. 170). Un des exemples est : « Hermonville (Marne), de *Herimundivilla*, c'est-à-dire "domaine d'Herimund" » (p. 171).

Page 485.

a. Incarville ou village de Wiscar, et Arembouville, Herimbaldville c'est-à-dire le domaine d'Herimbald. Tourville, *ms., dactyl., dactyl. corr.* ↔ *b.* Thorp. *ms.* : Thorph. *dactyl., dactyl. corr., orig. Nous retenons la leçon du manuscrit.* ↔ *c.* ma mère et aux pieds duquel je ne tombe pas. « Homme » *ms., dactyl. erronée.* ↔ *d.* « îlot », comme dans Le Houlme, Engohome, Robehome, Le Home, Tahome, etc. *ms., dactyl.* ↔ *e.* on le retrouve dans Clitourps, Saussetorp, etc. Dans Thorpehomme *ms., dactyl.* ↔ *f.* pour Orgeville *Otgerivilla*[1], *ms., dactyl. lacunaire* : pour Orgeville *Otgervilla dactyl. corr., orig. Nous retenons la leçon du manuscrit.* ↔ *g.* le domaine *[11e ligne en bas de page]* d'Otger. Mais nous voici *ms., dactyl. lacunaire*

1. Les étymologies d'Incarville et de Tourville, absentes des livres de Cocheris, Le Héricher, Longnon (lequel, pour Tourville, cite Torf, Turulfus ; *Les Noms de lieu [...]*, éd. citée, p. 297-298), sont vraisemblablement de Proust. Mais, entre les deux (voir var. *a*, p. 485), le manuscrit insérait une étymologie qui provient incontestablement de Cocheris, celle d'Arembouville, rattaché à Herimbald. Cocheris commençait en effet sa liste des noms de lieu dérivés du nom du propriétaire par l'exemple d'« Arembouts-Capelle (Nord), de *Herembaldi capella*, c'est-à-dire "chapelle d'Erembald" » (ouvr. cité,

1. Voir la variante suivante.

p. 170). Proust avait pris en note ces exemples dans le brouillon datant de la guerre et mettant en place la seconde moitié du séjour à Balbec : Hermonville, Arembouville et Incarville étaient rattachés à Herimund, Wiscar et Herimbald (Cahier 72, f° 55 v°). Avant les informations spécialisées de Proust sur les étymologies normandes, à la fin de la guerre, il s'agit ici de variations proustiennes à partir de l'ouvrage de Cocheris ; le Cahier 72, mettant en place le second séjour à Balbec au début de la guerre, est le mieux représentatif de cet état, en particulier dans une longue liste de noms de lieu et d'étymologies qui figure auprès des essais de plan pour le petit chemin de fer d'intérêt local (voir notre Notice, p. 1246) : « *Sanctus Ferreolus*, Saint-Fargeau, *Sprevilla*, Épreville, *Cleriacum*, Cleri, Mont-Saint-Remy, *Sancti Remigii Mons, Britonisvilla*, Brétenonville, *Vigovilla*, Igoville, *Crux Episcopi*, Saint-Martin-du-Chêne, *Media Villa*, Maineville, *Paternivilla, Patervilla*, Parville, Saint-Médard, *Granicurtis*, Graincourt, Incarville, Wiscarville, *Ciconia*, La Sogne, *Herimundvilla*, Hermonville, *Sanctus Fructuosus*, Saint-Frichoux, *Peleavilla*, Plainville, *Albiniacum*, Aubigny, *Sanctus Medardus Vetu*, Saint-Mars-le-Vieux, *Sanctus Martinus in Campania, Meravilla*, Merville, *Scudavilla*, Écaudeville, *Sterpiniacum, Theodonis Villa*, Thionville, *Tilliolum in Occa*, Le-Theil-en-Ouche, *Liberiacum*, Livry, *Huldeboldvilla*, Heudebouville, *Gernosavilla*, Graignenseville, *Fulchevilla*, Fouqueville, *Aquilaevilla*, Égleville, *Sanctus Leodegarius*, Saint-Léger, *Spicarium*, Épieds, *Sanctus Fructuosus* » (f° 34 v°), et « Herembaldville, Arembouville (d'Erembald), Évreville, *Aprivilla* (Aper), *Dolonis Villa*, Douville, Doncières, *Dominus Cyriacus* (Saint-Cyr) » (f° 35, addition marginale). Un certain nombre de ces noms figurent dans le livre de Cocheris ; les autres paraissent des inventions, des reconstructions de Proust. Cette liste du Cahier 72 développe une liste du Carnet 4, elle toute entière empruntée à Cocheris : voir n. 1, p. 323.

2. Dans *Origines et formation de la nationalité française*, Longnon mentionne en note « Aumenancourt, *Alamannorum Cortis* » (éd. citée, n. 1, p. 24) comme exemple d'établissement barbare dans les environs de Reims. Proust paraît bien avoir utilisé le petit ouvrage de Longnon pour cette page du roman : voir n. 3, 4 et 5. L'exemple est aussi traité dans l'ouvrage posthume de Longnon, *Les Noms de lieu de la France*, éd. citée, p. 130.

3. Comme traces du passage des Saxons en Gaule, et de leur établissement dans l'île de Bretagne, Longnon cite Essex, Wessex, Sussex et Middlesex (ouvr. cité, p. 39) ; dans *Les Noms de lieu [...]*, Sissonne (Aine) témoigne du passage des Saxons, mais la comparaison n'est pas faite avec Wessex et Middlesex (p. 134).

4. « Un autre témoignage des colonies mauresques de notre pays réside dans le vocable Mortagne, encore porté par divers lieux de notre pays et qui représente une appellation latine, *Mauretania* », écrit Longnon (ouvr. cité, p. 25). L'étymologie est reprise dans *Les Noms de lieu [...]* (p. 136).

5. À propos de l'influence wisigothique en France, Longnon mentionne, « de forme absolument romaine », « les noms *Villa*

Gothorum et *Gothorum Villa*, “village de Goths” devenus en langue vulgaire, selon les contrées, Villegoudou, Goudourville, Goudourvielle et plus au nord Gourville » (ouvr. cité, p. 31). L'étymologie est reprise dans *Les Noms de lieu [...]* (p. 134).

6. Cocheris, parmi les exemples de noms de lieu dérivés de noms de personne par adjonction d'un suffixe ethnique, cite le domaine appartenant à Latinus, devenu *Latiniacum*, aujourd'hui Lagny (Seine-et-Marne) (ouvr. cité, p. 170). À la même page figure Arembouts-Capelle (voir n. 1), et à la page suivante Hermonville (voir n. 6, p. 484). Longnon, traitant de Lagny dans ses *Noms de lieu [...]*, le fait dériver de *Latiniacus* (éd. citée, p. 80), explication plus éloignée de l'analyse proustienne que celle de Cocheris. Toute l'information de Proust, à l'exception de Sissonne, pour cette page figure donc chez Cocheris (Hermonville, Arembouville, Lagny) ou dans le petit ouvrage de Longnon, *Origines et formation de la nationalité française* (Aumenancourt, Middlesex, Wessex, Mortagne, Gourville).

7. L'étymologie de la terminaison *homme* a déjà été discutée par Brichot : voir n. 1, p. 282 ; celle du radical *thorp* également : voir n. 10, p. 283. La combinaison paraît ici une invention originale de Proust.

8. « Orgeville (Eure), de *Otgerivilla*, c'est-à-dire “domaine d'Otger” », écrivait Cocheris (ouvr. cité, p. 171). Ce nom avait été noté par Proust dans l'un des cahiers du manuscrit au net datant de la guerre, parmi d'autres noms empruntés à Cocheris (voir var. *a*, p. 383). Robert Ier serait Robert le Magnifique, ou le Diable, célèbre duc de Normandie, mort en 1035.

9. Les étymologies d'Octeville-la-Venelle, Bourguenolles, La Chaise-Baudoin constituent une addition tardive. Rien chez Cocheris ne l'explique, ni d'ailleurs chez Longnon ; mais des éléments disparates chez Le Héricher, qui, dans sa *Philologie topographique de la Normandie*, voit dans Bourguenolles un nom d'homme et l'associe à Bourg-Baudoin : « Bourg est généralement suivi d'un nom d'homme, Bourg-Baudoin, Bourgthéroulde, Bourguenolles » (ouvr. cité, p. 35). Dans *Avranchin monumental et historique* (Avranches, E. Tostain, t. II, 1846) Le Héricher donnait, comme nom propre figurant dans Bourguenolles : Canolles, Knolles ou Nolles (p. 682), mais nullement Môles. Dans le tome I (1845), il avait vu Balduini dans la Chaise-Baudoin (p. 249), mais nullement de Môles. La liaison de Bourguenolles et de La Chaise-Baudoin n'était donc pas faite. Elle l'est dans une étude anonyme des *Mémoires de la Société d'archéologie, littérature, science et arts des arrondissements d'Avranches et de Mortain* de 1894-1895, qui explique Bourguenolles par “Bourg de Môles”, de Baudoin de Môles, ainsi que la Chaise-Baudoin par *Casa Balduini*, du même Baudoin de Môles (t. XII, p. 147). Quant à Octeville-la-Venelle, on trouve dans les *Études géographiques et historiques sur le département de la Manche*, de M. de Gerville (Cherbourg, Feuardent, 1854), que ce village tire son nom de la famille Avenel, célèbre en Normandie (p. 171). Pour les trois noms de lieu cités par Proust dans cette addition, un maillon nous manque assurément entre

Gerville, Le Héricher, l'auteur anonyme des *Mémoires de la Société d'archéologie [...] d'Avranches et de Mortain*, et Proust.

Page 486.

a. parfois des faux airs *ms.* : parfois de faux airs *dactyl., dactyl. corr., orig.* ◆◆ *b.* et même de Fontainebleau. » *Avec ces mots, s'achève le Cahier VI du manuscrit au net.* ◆◆ *c. Début du Cahier VII du manuscrit :* Mais je disais ◆◆ *d.* à Épreville, à Égleville, nous aurions *ms., dactyl.* ◆◆ *e.* Hermonville *ms.* : Hermenonville *dactyl., dactyl. corr., orig. Nous retenons la leçon du manuscrit.* ◆◆ *f.* Chevrigny, *ms., dactyl.* : Chevregny, *dactyl. corr.* ◆◆ *g.* Faisan Doré. Si Saint-Loup venait lui-même, pendant *ms., dactyl.* : Faisan Doré. Si Saint-Loup venait souvent lui-même, et pendant *dactyl. corr., orig. Nous achevons la correction de la dactylographie corrigée.*

1. « Quelquefois, écrivait Cocheris, les titres de saint ou sainte étaient remplacés par celui de *dom* (*domnus* et *domna*) » (ouvr. cité, p. 154), et il citait, parmi ses exemples : Doncières (Meurthe), de *domnus Cyriacus* (p. 155). Proust avait noté dans le brouillon datant de la guerre : « Doncières, *Dominus Cyriacus* (Saint-Cyr) » (Cahier 72, fo 35, addition marginale ; voir n. 1, p. 485).

2. Il s'agit sans doute d'une variante d'Aumenancourt (p. 485, 4e ligne) et d'Amenoncourt (p. 182, 2e §, 5e ligne).

Page 487.

a. lui étant une réponse *ms.* : lui était une réponse *dactyl., dactyl. corr., orig.* ◆◆ *b.* présence d'Albertine m'empêchât de *ms., dactyl., dactyl. corr.* : présence d'Albertine empêchât de *orig. Nous retenons la leçon des états antérieurs.* ◆◆ *c.* de me faire m'occuper *ms.* : de me faire occuper *dactyl., dactyl. corr., orig.*

Page 488.

a. ma politesse et laisser de côté M. de Charlus, Saint-Loup, etc. Mais cet exemple prouve que nos rapports avec les êtres ne se développent <pas> d'une façon nécessaire, presque dessinable à l'avance, d'après leurs qualités ou défauts et les nôtres, nos sympathies et nos antipathies. Bien souvent il suffit qu'un incident entièrement extérieur à cette pure géométrie (cet incident était ici la présence d'Albertine et de gens qui pouvaient la courtiser) s'interpose accidentellement, absurdement entre deux destinées *ms., dactyl.* ◆◆ *b.* sympathie fuyante. *Le passage qui suit ces mots et qui va jusqu'à* par simple politesse pour moi : *[p. 489, 10e ligne en bas de page] a été ajouté par Proust dans la dactylographie corrigée (voir la variante c, page 489).*

1. Proust avait noté tardivement l'incident dans le Cahier 59 : « Les gens odieux qui vous disent : "Tout le monde parlait de toi mais exprès je n'ai rien dit", comme celui qui éprouverait une gêne à parler devant d'autres de ce qu'il aime trop. Belle propagande et réclame ! »

(fº 22). Dans une lettre d'octobre 1915 à Mme Catusse, Proust dénonce la « pudeur » des parents Bénac, qui refusent de rendre publiques les lettres de leur fils, mort au front : « Hélas, les familles, sauf de rares exceptions, pensent à leurs "pudeurs" à elles qu'elles devraient immoler au renom du mort » (*Correspondance*, t. XIV, p. 242).

2. Proust s'inspire de la traduction des *Hymnes orphiques* par Leconte de Lisle, qu'il a déjà utilisée (voir p. 15, 88, 102, 234, 293). Il s'agit de l'hymne LXXII, « Parfum de Hypnos. Le Pavot » : « Tu enveloppes les corps de doux liens [...] car tu es le frère de Lèthè et de Thanatos » (éd. citée, p. 145-146).

3. Invective homérique : Agamemnon traite ainsi Achille, ou Ulysse Thersite.

4. Il s'agit d'Aidôs, fille de Zeus, au sujet de laquelle Proust a lu dans *Les Travaux et les Jours* d'Hésiode traduits par Leconte de Lisle avec la *Théogonie* : « Aidôs et Nèmèsis délaissant les hommes et rejoignant les Immortels » (ouvr. cité, p. 63).

Page 489.

a. qui vous prient *dactyl. corr.*[1] : qui nous prient *orig. Nous adoptons la leçon de dactyl. corr.* ↔ *b.* autre que l'agacement. *Après ces mots, on lit dans la dactylographie corrigée, l'indication suivante biffée par Proust :* petit alinéa. ↔ *c.* ramené sa sympathie *[p. 488, 1er §, dernière ligne]* fuyante. « Mais est-ce que votre ami n'est pas le jeune Hébreu que j'ai vu chez Mme de Villeparisis ? me dit M. de Charlus. Il a l'air intelligent, *ms., dactyl.*

1. M. de Charlus s'était déjà renseigné sur Bloch auprès du héros, lors de la matinée chez Mme de Villeparisis (voir *Le Côté de Guermantes I*, t. II de la présente édition, p. 583-585) : il s'agissait alors d'une paperole ajoutée aux épreuves. À propos de Bloch, il lui était aussi déjà arrivé de donner libre cours à ses fantasmes de cruauté antisémite (*Le Côté de Guermantes II*, *ibid.*, p. 674-675). Il s'agit ici d'une paperole du manuscrit.

Page 490.

a. guère que pour *dactyl. corr.*[2] : guère pour *orig. Nous retenons la leçon de la dactylographie corrigée.* ↔ *b.* « Il habite *[p. 489, avant-dernière ligne]* Balbec ? me demanda M. de Charlus. — Non, ils ont loué près d'ici *ms., dactyl.*

1. Proust s'inspire encore de Cocheris, qui écrivait, au chapitre des « Influences religieuses », section « Christianisme », sous-section « Des abbayes ou monastères et prieurés » : « Les localités qui portent le nom de Le Temple sont d'anciennes préceptoreries dépendant de l'ordre du Temple ; celles qui s'appellent La Comman-

1. Voir la variante *b*, page 488.
2. Voir, pour les états antérieurs, la variante suivante.

derie ont été pour la plupart créées ou possédées par les chevaliers de l'ordre de Saint-Jean-de-Jérusalem, autrement dit de Malte. Dans le Périgord, les lieux dits La Cavalerie rappellent d'anciens domaines du Temple » (ouvr. cité, p. 165-166).

2. Ces noms s'inspirent de Cocheris : Le Prieuré et L'Abbaye (*ibid.*, p. 165), Le Monastère (p. 163-164), La Maison-Dieu (p. 157 et 168), les titres d'abbé et d'évêque dans les noms de lieu (p. 164-165).

3. Voir n. 3, p. 214.

4. Cet oratorio, opus 25 de Berlioz (1850-1854), fit partie du programme des concerts Colonne un Vendredi saint, le 28 mars 1902, avec la *Cantate de Pâques* de Bach et « L'Enchantement du Vendredi saint » de Wagner : voir Edmond Stoullig, *Les Annales du théâtre et de la musique, 1902* (éd. citée, t. XXVIII, p. 486-487).

5. Cette page du premier tableau de l'acte III de *Parsifal* (voir *À l'ombre des jeunes filles en fleurs*, t. I de la présente édition, p. 624) a lieu le matin du Vendredi saint, près de la cabane du vieux chevalier Gurnemanz, sur les domaines du Graal, après le sacre de Parsifal et le baptême de Kundry. Il s'agit d'un des morceaux favoris de Proust. Dans l'esquisse sur « Sainte-Beuve et Balzac » de 1909, Proust l'évoquait déjà, comparant la genèse de *La Comédie humaine* à celle de *Parsifal* : « Telle partie de ses grands cycles ne s'y est trouvée rattachée qu'après coup. Qu'importe ? *L'Enchantement du Vendredi saint* est un morceau que Wagner écrivit avant de penser à faire *Parsifal* et qu'il y introduisit ensuite. Mais les ajoutages, ces beautés rapportées, les rapports nouveaux aperçus brusquement par le génie entre les parties séparées de son œuvre qui se rejoignent, vivent et ne pourraient plus se séparer, ne sont-ce pas de ses plus belles intuitions ? » (*Contre Sainte-Beuve*, éd. citée, p. 274). Proust reprendra cette idée erronée sur la genèse de *Parsifal* dans *La Prisonnière* (p. 665 et suiv.). Il est possible qu'il l'emprunte à l'un des classiques du wagnérisme au tournant du siècle, *Le Voyage artistique à Bayreuth* d'Albert Lavignac (Delagrave, 1897), qui dit de ce morceau : « Il répand un intense sentiment de calme et de doux recueillement ; on l'appelle *Le Charme* (ou *L'Enchantement*) *du Vendredi saint* », et ajoute en note : « On l'appelle aussi parfois : *La Prairie fleurie*. Il a été écrit longtemps avant le reste de la partition » (5e éd., 1903, p. 498). Voir à ce sujet Jean-Jacques Nattiez, *Proust musicien*, Christian Bourgois, 1984, p. 35 et suiv. D'autre part, Proust, dans sa dédicace de *Du côté de chez Swann* à Jacques de Lacretelle en 1918, citait ce morceau comme l'un des modèles de la sonate de Vinteuil, lors de la soirée chez Mme de Saint-Euverte (*Essais et articles*, éd. citée, p. 274).

6. Pour les remarques sur les rues de Paris des pages 490-492, Proust s'inspire du tome IV, *IVe arrondissement*, de l'ouvrage du marquis F. de Rochegude, *Promenades dans toutes les rues de Paris*, Hachette, 1910, 20 volumes. Rochegude sera cité plus bas (voir var. *d*, p. 491). Il avait également publié avec M. Dumolin un *Guide pratique à travers le vieux Paris*, Hachette, 1903, réédité avec d'importants changements chez Champion en 1923.

Page 491.

a. rue Barre-du-Bec, parce que l'Abbaye du Bec, en Normandie, *ms.* : rue Barre-du-Bac, parce que l'Abbaye du Bac, en Normandie, *dactyl., dactyl. corr., orig. Nous retenons la leçon du manuscrit.* ↔ *b.* raffinent pas par perversité en élisant *ms., dactyl.* ↔ *c.* religieux. La perversité est d'autant *ms., dactyl.* ↔ *d.* la *Judengasse* de Paris. M. de Rochegude appelle cette rue le ghetto parisien. C'est là *ms.* : la Judengasse de Paris. C'est là *dactyl., dactyl. corr., orig. Nous adoptons la leçon du manuscrit.*

1. « La rue Barre-du-Bec avait été ainsi nommée parce que l'abbaye de Notre-Dame-du-Bec-Hellouin en Normandie y avait sa barre de justice » (Rochegude, ouvr. cité, p. 118).

2. Voir *ibid.*, p. 11, 16, 17 et 63.

3. « Louis IX y établit en 1258 des frères mendiants, dits serfs de la Sainte Vierge, qui étaient porteurs de longs manteaux blancs » (*ibid.*, p. 105).

4. Rochegude dit de la rue Ferdinand-Duval qu'elle « s'appelait encore, en 1900, rue des Juifs » (ouvr. cité, p. 95), avant qu'on lui donnât le nom d'un ancien préfet de la Seine. Mais la rue dont le nom échappe à M. de Charlus est la rue des Rosiers, que Rochegude décrit en ces termes : « Aujourd'hui elle est presque entièrement habitée par les juifs (enseignes israélites, caractères hébraïques sur de nombreuses boutiques, boucheries juives, fabriques de pains azymes, etc.). Il est très curieux, pour ceux que la physionomie des rues intéresse, de visiter cette rue un samedi. On y entend parler toutes les langues et on y rencontre à chaque pas le type sémite. C'est le ghetto parisien » (*ibid.*, p. 104). L'oubli du nom de la rue des Rosiers par M. de Charlus n'est pas sans intérêt : Jacques du Rozier sera plus tard le nom que prendra Bloch, croyant dissimuler ainsi ses origines (voir *Le Temps retrouvé*, t. IV de la présente édition).

5. Le philosophe Baruch Spinoza (1632-1677) fut excommunié de la synagogue d'Amsterdam en 1656, en raison de ses doutes sur l'authenticité des textes sacrés.

Page 492.

a. et plus complet. M. Bloch y manque et fait tache ailleurs. Soyez sûr *ms., dactyl.* ↔ *b.* chez ce peuple à la perversité que la proximité *ms., dactyl.* ↔ *c.* Quelle famille ! *Le passage qui suit ces mots et qui va jusqu'à* Ç'aurait été un recoupé. » *[p. 493, 4ᵉ ligne de la page] a été ajouté par Proust dans la dactylographie corrigée.* ↔ *d.* qui eût désespéré *dactyl. corr.*[1] : qui avait désespéré *orig. Nous adoptons la leçon de la dactylographie corrigée.*

1. Rembrandt (1606-1669), qui n'était pas juif, a vécu dans le quartier juif d'Amsterdam. Il eut pour voisins et amis les rabbins orthodoxes, Menasseh ben Israel et Morteira, adversaires de Spinoza.

1. Voir la variante précédente.

D'une génération plus âgé que le philosophe, la question a souvent été posée de savoir s'il l'avait connu et même peint. Rembrandt a en tout cas souvent pris comme modèles les habitants de son quartier et il a fait de nombreux dessins de la synagogue, tél celui du musée du Louvre, *La Synagogue* (1648).

2. Rochegude écrivait, au sujet de l'église évangélique des Billettes, située 22, rue des Archives : « Là jadis s'élevait dans l'ancienne rue des Jardins (*vicus jardunarium*) la maison du juif Jonathas, qui fut accusé et convaincu d'avoir fait "bouillir Dieu" en brûlant une hostie consacrée, qui, dit-on, fut sauvée miraculeusement, et fut conservée jusqu'à la Révolution par l'église Saint-Jean-en-Grève. La maison du juif où le crime et le miracle avaient eu lieu (1290) revint de droit, après l'exécution de Jonathas, au domaine de la couronne » (ouvr. cité, p. 110). L'auteur ajoute que la rue s'appela longtemps : « rue où Dieu fut bouilli ».

3. Rochegude écrivait, au sujet du n° 47, rue Vieille-du-Temple : « C'est devant l'hôtel du maréchal de Rieux, près de la poterne Barbette, que le duc d'Orléans, sortant de souper chez Isabeau de Bavière, sa belle-sœur et maîtresse, fut assassiné par les gens de Jean sans Peur le 23 novembre 1407 » (*ibid.*, p. 103-104). Il complétait un peu plus bas, à propos de l'église des Blancs-Manteaux : « C'est dans la première église que fut déposé le corps de Louis d'Orléans, assassiné par Jean sans Peur qui vint s'agenouiller devant sa victime en simulant une profonde douleur » (p. 107).

4. Il s'agit du petit-fils de Louis-Philippe, second fils du duc d'Orléans et de la princesse Hélène (1840-1910). Sa parenté avec M. de Charlus n'est pas claire.

Page 493.

1. Jean Cocteau dira de cette dernière évocation du petit train : « Le petit chemin de fer d'intérêt local prend une vie charmante moins confuse et moins surchargée de préoccupations mondaines. Raseurs sont les fidèles, raseurs les gentilshommes — mais Proust donne ces rencontres si lourdes comme légères et comme celles d'amis. En réalité ce sont les noms des lieux et des gens qui l'émeuvent même lorsqu'il estime [...] que le trajet s'humanise et que les gens priment les lieux gommés par l'habitude » (ouvr. cité, t. I, p. 277).

Page 494.

a. transparent, c'était *[p. 493, dernière ligne de la page]* la belle maison de M. de Chevregny où je savais *ms., dactyl. On trouve également dans le manuscrit une rédaction biffée dont voici le texte :* c'était la salle à manger de M. [Féret *biffé*] de Chevregny où je savais qu'on serait toujours content de m'avoir si je n'allais pas à La Raspelière et où parfois avant le dîner, envoyé à tout hasard par sa femme, M. de Chevregny venait « au train » dans l'espoir de nous « enlever » Albertine et moi, pour le soir même. ◆◆ *b.* Incarville, *ms., dactyl.*

Page 495.

a. de jour pour nos prochaines agapes ? Hé ! dites donc, pas de bêtises, vous savez que nous avons laissé en train *ms., dactyl.* ↔ *b.* volailles. Douville ! Maintenant c'était pour moi l'endroit où je retrouvais Cottard. Égleville *ms., dactyl.* ↔ *c.* craindre qu'il se réveillât *ms., dactyl., dactyl. corr., orig. Nous corrigeons. Dans le manuscrit, sous biffure, on lit* sentiment *au lieu de* crainte *(ligne précédente).*

1. L'étymologie d'Égleville est sans doute proustienne. Elle était notée sur la liste des noms de lieu du Cahier 72, f° 34 v° : voir n. 1, p. 485. La princesse monte aussi dans le train à Maineville (p. 267-268).

2. Sur Maineville, voir n. 2, p. 463.

3. Sur Parville, voir n. 2, p. 393.

Page 496.

a. C'était en effet la dégradation, comme le charme aussi de ce pays de Balbec, qu'il était devenu pour moi *ms., dactyl.* ↔ *b.* connaissances ; si leur répartition territoriale, leur ensemencement extensif, *ms., dactyl.* : connaissances ; si sa répartition territoriale, son ensemencement extensif, *dactyl. corr., orig. Nous adoptons la leçon du manuscrit et de la dactylographie.* ↔ *c.* donnait *ms., dactyl.* : donnaient *dactyl. corr., orig.* ↔ *d.* voyage, elle restreignait aussi *ms.* : voyage, elles restreignait *[sic]* aussi *dactyl., dactyl. corr., orig. Nous corrigeons.*

Page 497.

a. Balbec-Doville *ms.* : Balbec-Douville *dactyl., dactyl. corr., orig.* ↔ *b.* le mariage avec Albertine *[1er §, avant-dernière ligne]* m'apparaissait comme une folie. Et je n'attendais qu'une occasion pour rompre avec elle. Et comme ma mère partait le lendemain pour Combray, *ms., dactyl. C'est dans la dactylographie corrigée que Proust a séparé le chapitre III et le chapitre IV en ajoutant sur un béquet :* Quatrième chapitre *suivi du sommaire.*

1. L'*Annuaire des châteaux* fut publié pour la première fois en 1887-1888, comme une extension du *Tout-Paris. Annuaire de la Société parisienne*, que Proust consultait aussi, tout comme son héros (voir l'Esquisse VIII, p. 985 et p. 999 ; l'Esquisse XV, p. 1057 ; et *Le Temps retrouvé*, t. IV de la présente édition.

2. Le Cahier 72, brouillon datant de la guerre, se terminait en notant le « comment va de M. de Chevregny » (f° 57).

3. « Au revoir », en grec : mot à mot, « réjouis-toi. » Cette fin de chapitre figurait dans le brouillon rédigé pendant la guerre dans le Cahier 72.

4. Le chapitre IV de *Sodome et Gomorrhe II* a été publié sous le titre « Étrange et douloureuse raison d'un projet de mariage », dans la revue *Intentions*, 1re année, n° 4, avril 1922, p. 1-20. En conclusion du volume, le héros découvre qu'Albertine connaît Mlle Vinteuil et part pour Paris avec elle. Cet épisode était appelé par Proust « Les Intermittences du cœur II », dans le plan pour la fin du roman donné

avec *À l'ombre des jeunes filles en fleurs* au lendemain de la guerre (voir notre Notice, p. 1233). Ce titre définissait une symétrie rigoureuse avec « Les Intermittences du cœur I », à l'ouverture du second séjour à Balbec, où le héros prenait conscience de la mort de sa grand-mère lors de son arrivée au Grand-Hôtel (voir p. 148-178). Ici, il revoit la scène de Montjouvain, entre Mlle Vinteuil et son amie (voir *Du côté de chez Swann*, t. I de la présente édition, p. 157-163). Cette structure symétrique du second séjour à Balbec apparaît dès les premiers brouillons qui mettent en place le roman d'Albertine en 1914. Le Cahier 71, que Proust appelait Dux, ébauche le début du second séjour à Balbec sous le signe de Gomorrhe, puis saute au dénouement de *Sodome et Gomorrhe II* et continue par l'intrigue de *La Prisonnière*, jusqu'au départ d'Albertine (voir l'Esquisse XVI, p. 1059-1075) : la grand-mère, au lieu de la mère, accompagne alors le héros, dont la discussion avec elle précède la conversation avec Albertine. Le dénouement de *Sodome et Gomorrhe II* est repris au début du Cahier 53, brouillon datant de la guerre, qui fait suite aux Cahiers 46 et 72, consacrés au second séjour à Balbec. Le Cahier 53 commence par la « Désolation au lever du soleil », et poursuit par l'intrigue de *La Prisonnière* ; mais Proust envisage déjà de faire se terminer ici un volume, témoignant ainsi de l'importance de la ponctuation (voir notre Notice, p. 1235). Si les rêves de la grand-mère, dans « Les Intermittences du cœur I », paraissent se rattacher à des rêves que fit Proust de sa mère en arrivant à Cabourg en juillet 1908 (voir notre Notice, p. 1228), « Les Intermittences du cœur II », concluant le séjour, semblent, quant à elles, rappeler son départ précipité de Normandie, le 4 août 1913, en compagnie de son chauffeur et secrétaire, Alfred Agostinelli : arrivé à Cabourg le 26 juillet, il se décida à reprendre le train pour Paris au cours d'une excursion à Houlgate (voir la *Correspondance*, t. XII, p. 242-244 et 250-251 ; lettres d'août 1913 à Charles d'Alton et Georges de Lauris).

Page 498.

1. L'idée qu'Incarville soit la dernière station avant Parville paraît nouvelle, et contraire à des indications antérieures ; voir en particulier p. 494-495, où M. de Montpeyroux et M. de Crécy y rendent visite aux voyageurs du train. Voir aussi n. 4, p. 180, sur la géographie de la région.

Page 499.

a. musicien ? — Mon petit chéri, quand *ms., dactyl.* ↔ *b.* je dois dans quelques semaines en embarquant à Cherbourg, c'est un peu baroque mais vous savez comme j'aime la mer, aller retrouver à Trieste, hé bien ! *ms., dactyl.* ↔ *c.* la fille de Vinteuil. C'est chez elle que j'espère aller voir, en quittant Balbec, son amie, celle que j'appelle grande sœur. » À ces mots *ms., dactyl.* ↔ *d.* pour mon châtiment peut-être [qui sait ?

d'avoir laissé mourir ma grand-mère *add.*[1]] ; surgissant *ms.* : pour mon châtiment, qui sait ? d'avoir laissé mourir ma grand-mère, peut-être ; surgissant *dactyl., dactyl. corr., orig. Nous retenons la leçon du manuscrit.*

1. Voir l'Esquisse XVI, p. 1072, où c'est Albertine, au lieu du héros, qui prononce le nom du musicien.

2. Trieste se substitue à Amsterdam comme lieu du rendez-vous d'Albertine et de Mlle Vinteuil : voir l'Esquisse XVI, p. 1074. Sur Albertine et la Hollande, voir n. 5, p. 209.

3. Dans l'*Odyssée*, Homère dit seulement que pendant la huitième année après le meurtre d'Agamemnon, son père, au retour de Troie, Oreste se vengea de Clytemnestre, sa mère, et d'Égisthe, l'amant de celle-ci (III, 306). Selon la légende ultérieure, toutefois, Oreste aurait été sauvé de la mort lors de l'assassinat de son père, ou par sa nourrice Arsinoé ou par sa sœur Électre.

Page 500.

a. presque joyeux, celui d'un homme *ms., dactyl.* : presque joyeux, d'un homme *dactyl. corr., orig. Nous retenons la leçon du manuscrit.* ↔ *b.* autre, le téléphone planant *ms.* : autre, les téléphone *[sic]* planant *dactyl., dactyl. corr.* : autre, les téléphones planant *orig. Nous retenons la leçon du manuscrit.* ↔ *c.* m'inquiétais tant en *ms.* : m'inquiétais tout en *dactyl., dactyl. corr., orig. Nous retenons la leçon du manuscrit.*

1. Proust avait ajouté aux épreuves du récit de la scène de Montjouvain, dans *Du côté de chez Swann* : « On verra plus tard que, pour de tout autres raisons, le souvenir de cette impression devait jouer un rôle important dans ma vie » (voir t. I de la présente édition, p. 157). Mais il semble que cette annonce concernait alors plutôt les premiers soupçons du héros sur l'amour d'Albertine pour les femmes, avant même que la scène de la danse entre Albertine et Andrée au Casino fût ébauchée : les brouillons rattachaient en effet expressément ces premiers soupçons à l'épisode de Montjouvain : voir l'Esquisse XVI, p. 1061. Dans le texte définitif toutefois, c'est seulement ici que la réminiscence de Montjouvain est évoquée.

2. Proust se trompe : à l'Exposition universelle de Paris, en 1889, des appareils sophistiqués furent présentés au pavillon de la Société générale des téléphones, notamment un commutateur téléphonique pour 3 000 abonnés. Les grandes curiosités furent le phonographe d'Edison (voir n. 1, p. 128), et quatre salles d'audition reliées par téléphone aux principales scènes parisiennes de musique. Cette dernière invention se répandit sous le nom du « théâtrophone » cher à Proust (voir n. 1, p. 207).

1. Dans le manuscrit, il n'y a aucun signe indiquant l'emplacement exact de cette addition, d'où son insertion incohérente dans les états postérieurs.

Page 501.

a. accomplissait ainsi pour *ms.* : accomplissait aussi pour *dactyl., dactyl. corr., orig. Nous retenons la leçon du manuscrit.* ◆◆ *b.* Rivebelle (changer le nom) dans une étude *ms., dactyl.*

1. Un « lever de soleil sur la mer » avait été donné par Elstir au patron du restaurant de Rivebelle (voir *À l'ombre des jeunes filles en fleurs*, t. II de la présente édition, p. 183).

2. Le héros apercevait un lever de soleil depuis le train, lors de sa première arrivée à Balbec (*ibid.*, p. 15-16). Proust déplace ici des éléments de sa description : voir n. 1, p. 513.

3. Allusion à la scène inaugurale des soupçons du héros sur les mœurs d'Albertine, lors de la danse avec Andrée : voir p. 190. Mais le casino était alors à Incarville et non à Parville.

Page 502.

a. l'épaule de Victoire, la regardant *ms., dactyl.* ◆◆ *b.* appris de Mlle Vinteuil ? *Après ces mots on trouve dans le manuscrit, sur une page du Cahier 53 collée dans le Cahier VII, une rédaction biffée concernant la visite de la mère, précédant ici celle d'Albertine. En voici le texte :* Sans doute ma mère m'entendit pleurer. Elle entra et je m'attendais si peu à la voir qu'au premier instant je ne la reconnus pas. Ses cheveux grisonnants en désordre autour de ses yeux inquiets et de ses joues vieillies, je ne crus pas que c'était elle mais une apparition de ma grand-mère comme j'en avais eu quelquefois. *Après une lacune de plusieurs pages, le haut du feuillet suivant, en notre possession porte une rédaction également biffée, qui suit le vœu du héros d'épouser Albertine. En voici le texte :* Ces paroles firent du chagrin à ma mère. Elle ne le manifesta pas. Mais ses yeux préoccupés semblaient supputer s'il valait mieux me faire de la peine, ou me laisser me faire du mal. Elle montra la soumission qu'elle avait eue jadis à Combray le soir où me trouvant éveillé comme ce matin-ci, elle s'était résignée à passer la nuit auprès de moi, la soumission qu'avait ma grand-mère quand je voulais boire du cognac. Ce qu'elle semblait ne pas comprendre c'est que je n'eusse pas l'air heureux, puisqu'elle ne formulait pas d'opposition de principe à ce mariage. Peu à peu le ciel *[15e ligne de la page]* ◆◆ *c.* à en attendre. *Après ces mots, on trouve dans le manuscrit une rédaction biffée dont voici le texte :* Aussi je pus à peine retenir un sanglot en pensant à tous les paysages désormais indifférents que le ciel allait éclairer et qui la veille m'eussent rempli *Après une lacune de plusieurs pages, le feuillet suivant en notre possession porte une rédaction également biffée. En voici le texte :* à ma mère d'aller se recoucher sous le prétexte que j'avais quelque chose à dire à Albertine (à qui je lui promis de ne pas parler encore de mariage, au moins d'une façon précise) et qui ne m'en voudrait pas de l'avoir fait réveiller. J'allai sonner à l'ascenseur le lift faisant en ce moment office de concierge de nuit. Je l'envoyai demander à Albertine si elle pouvait me recevoir. « Mademoiselle aime mieux *[28e ligne de la page]* ◆◆ *d.* ici dans un instant *ms., dactyl.* : ici dans n'un instant *dactyl. corr.* : ici dans un instant *orig.* ◆◆ *e.* importune et qui forçait à chuchoter, ressemblait jadis, quand s'y peignaient si bien *ms.* : importune et qui forçant à chuchoter, ressemblait jadis, quand s'y peignèrent *[sic]* si bien *dactyl., dactyl. corr., orig. Nous retenons la leçon du manuscrit.*

1. Cette phrase est très proche de la description d'une scène de tendresse entre Albertine et une amie, scène qui suscite les premiers soupçons du héros, avant l'invention de la danse au Casino : voir l'Esquisse XVI, p. 1061. Elle reprend elle-même un geste d'un brouillon plus ancien, entre Maria et une amie qui s'appelle déjà Andrée, à Querqueville : voir l'Esquisse XV, p. 1055.

Page 504.

a. considérer comme dans un atlas, comme dans un recueil *ms., dactyl.* : considérer ainsi que dans un atlas, comme dans un recueil *dactyl. corr., orig. Nous retenons la leçon des états antérieurs.*

1. L'Autriche paraît se substituer à la Hollande comme lieu mythique de l'origine d'Albertine : voir n. 2, p. 499.
2. Voir *Du côté de chez Swann*, t. I de la présente édition, p. 401.
3. Voir p. 252-253.
4. Voir *Le Côté de Guermantes II*, t. II de la présente édition, p. 661.

Page 505.

a. n'allât pas à Nice, j'aurais *ms., dactyl.* ◆◆ *b.* peut-être à Nice (?) c'était qu'elle y reverrait avec l'amie de Mlle Vinteuil cette... et cette... dont elle m'avait parlé ; car l'imagination, *ms., dactyl.* ◆◆ *c.* nature et se mue en sensibilité, *ms.* : nature et se tourne en sensibilité, *dactyl., dactyl. corr., orig. Nous adoptons la leçon du manuscrit.* ◆◆ *d.* en ce moment à Nice, qu'elles[1] ne pourraient pas voir *ms., dactyl.* : en ce moment à Cherbourg ou à Trieste, qu'elle ne pourrait pas voir *dactyl. corr.* ◆◆ *e.* C'était de Nice, de ce monde *ms., dactyl.* ◆◆ *f.* pensive, les canaux dorés, *ms.* : pensive les *[un blanc]* dorés, *dactyl.* ◆◆ *g.* maintenant à Amsterdam (ou Nice), mais *ms., dactyl.* ◆◆ *h.* permanente. La laisser partir bientôt pour Trieste *ms., dactyl.*

1. Voir *Du côté de chez Swann*, t. I de la présente édition, p. 406.

Page 506.

a. Mlle Vinteuil me donnait une quasi-certitude, *ms.* : Mlle Vinteuil me devenait une quasi-certitude, *dactyl., dactyl. corr., orig. Nous adoptons la leçon du manuscrit.* ◆◆ *b.* mauvais pour eux, Maman [pensait avec colère à sa tante *biffé*] Car la vie de ma grand-mère, elle incapable de rancune, était pour ma mère comme une pure et innocente enfance *ms., dactyl. lacunaire* : mauvais pour eux. Mais maman devenue ma grand-mère, elle incapable de rancune, la vie de sa mère était pour elle comme une pure et innocente enfance *dactyl. corr.* : mauvais pour eux. Mais maman, devenue ma grand-mère, elle était incapable de rancune ; la vie de sa

1. Elles sont plusieurs dans le manuscrit. Voir la variante *b* de cette page.

mère était pour elle comme une pure et innocente enfance *orig. Nous corrigeons.* ◆◆ *c.* les uns *[15ᵉ ligne en bas de page]* et les autres. Mais maintenant elle était très malade et maman trouvait un devoir de faire *ms., dactyl.* ◆◆ *d.* mais si seulement s'ils étaient *dactyl. corr.*[1] : mais si seulement ils étaient *orig. Nous corrigeons.*

1. La décision rappelle celle du départ de Proust et Agostinelli de Cabourg en août 1913 : voir n. 4, p. 497.

Page 507.

a. venue offrir *[p. 506, 4ᵉ ligne en bas]* à ma grand-mère. Ma mère en profiterait pour certaines réparations qu'il y avait à faire à Combray. « Ah ! ça ne serait *ms., dactyl.* ◆◆ *b.* nuit-là j'avais vraiment voulu mourir, *ms.* : nuit-là j'avais parfaitement voulu mourir, *dactyl., dactyl. corr., orig. Nous adoptons la leçon du manuscrit.* ◆◆ *c.* puisque Albertine aimait tant *ms.* : puisque Albertine aimant tant *dactyl., dactyl. corr., orig. Nous retenons la leçon du manuscrit.* ◆◆ *d.* coups, je me retins de l'imprudence que j'eusse commise du temps *ms., dactyl.* : coups, je ne commis pas l'imprudence (si c'en était une) comme j'aurais fait au temps *dactyl. corr., orig. Nous adoptons la leçon du manuscrit.*

1. Dans *Albertine disparue*, le héros commandera un yacht et une voiture (une Rolls-Royce) pour Albertine (voir t. IV de la présente édition). La lettre où il lui fait part de leur commande s'inspire de très près d'une lettre à Alfred Agostinelli, datant du 30 mai 1914, le jour même de la mort du jeune homme (*Correspondance*, t. XIII, p. 217).

2. La comparaison a lieu dès l'Esquisse XV, p. 1057.

Page 508.

1. Proust notait cette conception de l'amour dès le deuxième feuillet du Carnet 1, au début de 1908 : « Je ne vous aime pas, si je vous vois je vous aimerai ; ruse. Pas chercher à posséder par impuissance de plaire et de donner du bonheur. Chartres. Souffrance d'avoir été un ridicule = amour. Si peut être dissipée en me donnant beau rôle plus amour. Ou peut-être possibilité car plus de haine » (*Le Carnet de 1908*, éd. citée, p. 48). Le principe sera rappelé dans *Albertine disparue* : « J'avais dit autrefois à Albertine : "Je ne vous aime pas" pour qu'elle m'aimât » (voir t. IV de la présente édition).

Page 509.

a. craindre). Je ne pouvais pas *ms., dactyl., dactyl. corr.* ◆◆ *b.* du même genre *Le passage qui suit ces mots et qui va jusqu'à* Ensuite, *[9ᵉ ligne en bas de page] a été ajouté par Proust dans la dactylographie corrigée.* ◆◆ *c.* Marie du reste [sanglota *biffé*] faisait du reste entendre *dactyl. corr.*[2].

1. Pour les états antérieurs, voir la variante *a*, page 507.
2. Voir la variante précédente.

1. Les deux courrières sont déjà apparues p. 240-244 ; voir n. 2, p. 240.
2. Voir n. 3, p. 243.

Page 510.

a. Herimbald *ms. Le mot est laissé en blanc dans la dactylographie :* Heribald *dactyl. corr., orig. Nous retenons la leçon du manuscrit.* ◆◆ *b.* arrivée, où j'avais aimé Mlle de Kermaria, guetté *ms., dactyl.* ◆◆ *c.* Je prenais mieux conscience *ms.* : Je prenais conscience *dactyl., dactyl. corr., orig. Nous adoptons la leçon du manuscrit.* ◆◆ *d.* l'unité de lieu. *Après ces mots on trouve dans le manuscrit un passage transcrit avec des lacunes dans la dactylographie dont voici le texte :* Il faudra à la fin [du livre (?) *add.*] dire : Et pourtant toutes les passions s'en vont [elles étaient superficielles *add.*], seules [plus profondes *add.*] les impressions restent, [la poésie survit à la souffrance et quand je me réveillais brusquement *add.*] et de la chambre de Balbec où j'avais tant souffert à côté d'Albertine, je ne me rappelais que l'odeur de vétiver, la couleur des rideaux et la hauteur du plafond. *Proust a noté puis biffé en marge :* Capital

1. Robert Guiscard (vers 1015-1085) fut un des aventuriers normands qui fondèrent le royaume de Naples.

Page 511.

a. soir, je les avais entendues. Mais *dactyl. corr.*[1], *orig. Nous corrigeons.* ◆◆ *b.* Comme un courant *dactyl. corr., orig. Nous corrigeons.*

Page 512.

a. roman après que nous en avons fini *[p. 511, 5e ligne]* la lecture[2] et alors qu'un fou seul pourrait continuer à faire de l'émotion un moment éprouvée le chagrin stable et fixe de sa vie. / Comme la vue *ms., dactyl. Le feuillet du manuscrit sur lequel figure ce texte est une page de brouillon du Cahier 53, numérotée 18 par Proust et collée dans le Cahier VII. Au verso de ce feuillet, on trouve le passage concernant la rupture de fiançailles qui donne au héros le droit de pleurer, suivi de cette addition marginale :* Il y aura capitalissime ou bien dans ce chapitre ou dans tout autre du livre : le froid dont on se plaignait parce qu'il venait seulement d'arriver et qu'on n'y était pas encore habitué, pour cette même raison exaltait ma vie en faisant renaître inconsciemment en moi les premiers jours d'hiver oubliés, les soirs d'arrivée à Paris où j'allais entendre Fragson et Mayol. La belle saison en s'enfuyant avait emporté les oiseaux. Mais d'autres musiciens invisibles, intérieurs, les avait remplacés. Car la bise glacée qui soufflait par les portes mal jointes de l'appartement que nous habitions dans le vieil hôtel Guermantes était saluée, comme par les oiseaux des bois les beaux jours de l'été, par les refrains, inconsciemment, éperdument,

1. Voir la variante *a*, page 512.
2. Le passage qui dans le texte définitif suit ces mots et va jusqu'à « même pas regardée ? » *[p. 511, dernière ligne]* a été ajouté par Proust dans la dactylographie corrigée.

inextinguiblement chantés par moi dans ce froid délicieux, de toutes les chansons de Fragson. Si c'est dans ce chapitre que je le mets j'ajouterai : « Mais je n'allais plus les entendre pour ne pas quitter Albertine. » ⬥⬥ *b.* si belle ni si douloureuse. [Car à tous moments à la place de ce qui était sous mes yeux, ce que je voyais c'était la chambre de Montjouvain où Albertine rose, pelotonnée comme une grosse chatte, le nez mutin, avait pris la place de l'amie de Mlle Vinteuil et disait avec son rire profond : « Hé bien ! si on nous voit ça n'en sera que meilleur. Moi je n'oserais pas cracher sur ce vieux singe. » Et par-dessus cette scène, la plage de Balbec, la mer, la lumière du soleil levant, tout ce que je voyais dans la fenêtre n'étendait qu'un voile morne et transparent comme un reflet superposé. Ô sonate de Vinteuil qui m'avait semblé symboliser dans ma vie mon amour pour Albertine ! Je ne pus retenir des sanglots. *biffé*] En pensant *ms.*

Page 513.

a. mon enfance. Je ne l'avais pas remarqué, mais cela était fatal. Ainsi *ms. dactyl.* ⬥⬥ *b.* autour de soi le soleil inévitablement entraîné à passer par les mêmes phases, rappeler à s'y méprendre le soleil qu'il y avait la veille à la même heure, et éveiller *ms.* : autour de soi le soleil qu'il y avait la veille à la même heure, et éveiller *dactyl.* : autour de soi le soleil qu'il y avait la veille à la même heure, éveiller *dactyl. corr., orig. Nous adoptons la leçon du manuscrit.* ⬥⬥ *c.* une telle ressemblance. D'ailleurs elle l'exagérait encore, non pas exprès, mais de son fait, en ayant toujours, non seulement auprès d'elle, mais sur elles toutes ces précieuses reliques qui avaient appartenu à ma grand-mère, qu'elle avait portées et consacrées. « Je suis venue, *ms., dactyl.*

1. Les éléments pour la description de l'aube, p. 512-514, sont empruntés au récit de la première arrivée en train à Balbec dans *À l'ombre des jeunes filles en fleurs*, ainsi que le montrent les dactylographies et les épreuves : voir *À l'ombre des jeunes filles en fleurs*, t. II de la présente édition, var. *a*, p. 16 (B. N., N. a. fr. 16 732, f° 179 ; N. a. fr. 16 735, f° 186 ; N. a. fr. 16 761, f° 45 VIII-46 I).

2. Dans la première mise en place du dénouement de *Sodome et Gomorrhe*, c'était à sa grand-mère que le héros avait affaire après avoir appris l'intimité d'Albertine et de Mlle Vinteuil : voir l'Esquisse XVI, p. 1073.

Page 514.

a. jaunissait le bas (mettre le terme exact) de leur voile *ms., dactyl.*

Page 515.

a. j'épouse Albertine. » / Fin de l'avant-dernier volume (Sodome et Gomorrhe I) *ms.* : j'épouse Albertine. » / Fin du tome I de « Sodome et Gomorrhe » *dactyl.* : j'épouse Albertine. » / Fin du tome II de « Sodome et Gomorrhe ». *dactyl. corr., orig.*

La Prisonnière

NOTICE

La Prisonnière, publiée en novembre 1923, soit un an après la mort de Marcel Proust, est le premier des trois textes posthumes qui concluent *À la recherche du temps perdu*. C'est aussi la première partie — la seconde est *Albertine disparue* — du cycle d'Albertine, capital dans l'architecture de l'œuvre, et en premier lieu en raison de sa masse. Mais c'est un cycle surajouté : Albertine, le personnage dont le nom apparaît le plus souvent dans *À la recherche du temps perdu*[1], Albertine qui ne quitte pas le devant de la scène dans *La Prisonnière* et qui, en dépit de sa mort, reste encore présente dans *Albertine disparue*, est absente des premiers états du roman. On le savait[2], mais de nouveaux documents, devenus récemment disponibles, éclairent mieux la transformation d'*À la recherche du temps perdu* en 1913-1914 autour de ce personnage. En 1983, la Bibliothèque nationale a acquis les derniers cahiers de brouillons, jusqu'alors inaccessibles. Deux d'entre eux contiennent des ébauches de *La Prisonnière*[3] ; ils permettent de vérifier les hypothèses des études précédentes, d'y ajouter. En outre, les nouvelles datations que propose Philip Kolb dans son édition de la *Correspondance de Marcel Proust*, où il publie pour les années 1913-1914 les archives de la maison Grasset[4], précisent la chronologie déjà connue, tant pour l'auteur que pour son roman.

Chercher la mystérieuse Albertine de la fiction dans les cahiers de brouillons de l'auteur, c'est retrouver chacun des stades successifs du roman, depuis le projet initial où elle ne figure pas. Rappelons qu'en 1912, Proust envisageait deux volumes qui auraient eu pour titre général *Les Intermittences du cœur*. Seul le premier de ces volumes, *Le Temps perdu*, était dactylographié. La seconde partie, *Le Temps retrouvé*, que Proust croit alors pouvoir faire tenir en un volume, est loin d'être achevée. Dans une lettre du 28 octobre 1912, il annonce à son éditeur potentiel, Eugène Fasquelle : « Cette deuxième partie est entièrement écrite » ; il précise : « [...] elle est en cahiers et non dactylographiée[5] ».

1. É. Brunet, *Le Vocabulaire de Proust*, préface de J.-Y. Tadié, Genève, Slatkine, Paris, Champion, 1983, 3 vol.
2. Voir notamment Albert Feuillerat, *Comment Marcel Proust a composé son roman*, New Haven, Yale University Press, 1934 ; Maurice Bardèche, *Marcel Proust romancier*, Les Sept Couleurs, 1971 ; Kazuyoshi Yoshikawa, *Étude sur la genèse de « La Prisonnière » d'après des brouillons inédits*, thèse de doctorat de 3e cycle, Paris-IV, 1976 (thèse partiellement publiée dans le *Bulletin d'informations proustiennes*, n° 7, 1978, et dans les *Études proustiennes III, Cahiers Marcel Proust*, 9, Gallimard, 1979).
3. Cahiers 71 et 73.
4. Voir les tomes XII et XIII de l'édition de la *Correspondance* publiée chez Plon.
5. *Correspondance*, t. XI, p. 255.

Albertine est également absente de la version de 1913, telle qu'elle est annoncée lors de la publication de *Du côté de chez Swann*, chez Grasset, en novembre 1913. Figurent en effet dans le volume paru chez Grasset les sommaires des tomes en préparation de ce qui s'appelle désormais *À la recherche du temps perdu*. Or, ni dans le sommaire du tome II — *Le Côté de Guermantes* —, ni dans celui du tome III — *Le Temps retrouvé* —, il n'est fait mention de la jeune fille.

Le tome II est en partie rédigé au moins depuis la mi-mai 1913, quand Proust indique son titre, *Le Côté de Guermantes*, à Bernard Grasset[1]. En revanche, le tome III de l'ensemble en trois volumes est encore sous forme de « brouillons illisibles[2] », comme Proust l'écrivait à Bernard Grasset, le 24 février 1913.

Les chapitres indiqués lors de la parution de *Du côté de chez Swann* pour ce *Temps retrouvé* sont : « À l'ombre des jeunes filles en fleurs ». — « La Princesse de Guermantes ». — « M. de Charlus et les Verdurin ». — « Mort de ma grand-mère ». — « Les Intermittences du cœur ». — « Les "Vices et les Vertus" de Padoue et de Combray ». — « Madame de Cambremer ». — « Mariage de Robert de Saint-Loup ». — « L'Adoration perpétuelle ».

À ces chapitres correspondent des fragments de cahiers. Le premier, « À l'ombre des jeunes filles en fleurs », n'occupe pas encore sa place définitive. Avec le dernier, « L'Adoration perpétuelle », Proust disposait déjà, pour la conclusion de l'ensemble de l'œuvre, des Cahiers 58 et 57, rédigés pour le premier à la fin de 1910, pour le second en 1911. Ces cahiers ont été transcrits par Henri Bonnet et publiés en 1982 sous le titre : *Matinée chez la Princesse de Guermantes*[3].

Les autres chapitres, qui trouveront leur place du *Côté de Guermantes* au *Temps retrouvé*, sont consignés dans les Cahiers 47, 48 et 50, datant également de 1910-1911. Quelques-unes de ces ébauches s'intégreront à *La Prisonnière*. Dans le Cahier 47 sont évoqués les salons Verdurin, l'ancien situé rue d'Astorg et le nouveau, place Malesherbes. Le marquis de Gurcy, futur Charlus, « vieil ami du petit pianiste » y est introduit[4]. Suivent une conversation avec Brichot, qui est aussi appelé Crochard, et le retour du narrateur chez lui, en compagnie de ce dernier[5]. Également reprise dans *La Prisonnière*, une longue rêverie du héros sur Venise dans le Cahier 48[6]. Enfin, le Cahier 50 s'achève sur une longue série de réminiscences[7] du héros insomniaque qui revoit « telle ou telle scène de sa vie d'autrefois ». Ce rappel des motifs et de la situation qui sont la matière même de l'ouverture de *Du côté de chez Swann*, sert ici de finale provisoire pour un état

1. *Ibid.*, t. XII, p. 176.
2. *Ibid.*, p. 97.
3. Marcel Proust, *Matinée chez la Princesse de Guermantes*, édition critique établie par Henri Bonnet en collaboration avec Bernard Brun, Gallimard, 1982.
4. Ff^os^ 23-32.
5. Ff^os^ 32-37.
6. Ff^os^ 41-43.
7. Ff^os^ 40-63.

du roman, sans doute conçu dans son ensemble mais encore très partiellement rédigé. De plus, ni la situation ni le thème central de *La Prisonnière* n'y figurent.

Le personnage d'Albertine et son rôle à l'intérieur du projet de Proust apparaissent dans un ensemble d'additions, d'esquisses et de notes datant de la fin de 1913 et de 1914. Proust a ajouté le nom d'Albertine sur les versos du Cahier 34, puis dans le Cahier 33, lesquels constituent le manuscrit d'un deuxième séjour du narrateur au bord de la mer, où il rencontre les jeunes filles. On verra qu'il a ébauché le troisième séjour, devenu entre-temps le second, autour d'Albertine, dans le cahier de brouillons qu'il appelle « Dux[1] ». Parallèlement, il a rédigé un plan où la place de ce personnage, dont l'importance ne cesse plus dès lors de grandir, est située dans la structure du roman. On a trouvé ce plan dans le Cahier 13, que des références au roman de Paul Adam, *Le Trust*, paru en 1910, et au Cahier 57, de 1911, permettent de situer dans ces années-là. Mais le plan pour une « 2e année à Balbec[2] » a été noté par Proust dans les premiers mois de 1914. Il indique en style télégraphique : « Les filles. Je fais leur connaissance par le peintre. Je m'amourache de Maria », ce dernier nom étant biffé et corrigé en « Albertine ». Il poursuit par une liste de scènes construites autour de cette dernière, à Balbec, puis à Paris : « Est-ce que je pourrai vous voir à Paris ? Difficile. Gentillesse d'Andrée. Jeu de furet. Espoir. Déception. Scène du lit. Déception définitive. Désirs disponibles se retournent vers Andrée. Profite de sa gentillesse pour avoir prestige pour Albertine. Renoncement peut-être à Andrée. Paris. Mme de Guermantes. Chez Mme de Villeparisis. M. ne sait pas qui est là. Mlle Albertine. Mort de ma grand-mère. Montargis et Mme de Silaria. Visite d'Albertine où elle me chatouille. L'île du Bois. Soirée chez Mme de Villeparisis. Milieu Guermantes. Vie maladive. Invitation chez la princesse de Guermantes. Je me promets de faire signe à Albertine ce soir-là. » Enfin, de nouveau à Balbec, il conclut : « Je vais à Balbec parce que j'y connais tout le monde. Je remarque l'attitude d'Albertine et d'Andrée. Danse contre seins. »

Dans le chapitre II de sa thèse déjà citée, Kazuyoshi Yoshikawa avait daté ce plan d'avril à août 1913. Il s'était fondé sur une addition marginale où apparaît le nom de Montargis : « Montargis et Mme de Silaria ». Dans un de ses carnets agendas, le Carnet 2, Proust avait églement noté, au folio 25 recto : « M. de Montargis » pour « Balbec la 2e année ». Au début de ce même carnet, l'adresse d'Odilon Albaret à Levallois, où ce dernier n'a habité qu'après son mariage avec Céleste, le 27 mars 1913, peut indiquer que son contenu n'est pas antérieur à cette date. Par ailleurs, dans une lettre qui date sans doute des premiers jours de septembre 1913 et où Proust fait part à Lucien Daudet de ses intentions pour la suite du roman, on constate que le nom de Saint-Loup a définitivement remplacé celui de

1. Aujourd'hui le Cahier 71.
2. Cahier 13, f° 28 r°.

Montargis[1]. Cette indication pourrait permettre de situer le plan du Cahier 13 avant cette lettre du début de septembre.

Mais il arrive à Proust de ne pas respecter une cohérence en devenir et d'utiliser de nouveau pour ses personnages un nom déjà abandonné. Il est plus convaincant de remarquer que le plan du Cahier 13 place des chapitres d'*À l'ombre des jeunes filles en fleurs* avant ceux du *Côté de Guermantes*, à l'inverse de la table de l'édition Grasset de 1913, citée plus haut. Ce plan participe donc de la réorganisation de cette partie d'*À la recherche du temps perdu*, réorganisation postérieure à novembre 1913[2]. Or, on sait, par son contexte biographique, que l'épisode d'Albertine a été rédigé en 1914. Deux cahiers de brouillons, le Cahier 71 et le Cahier 54, que Proust appelle « Vénusté », contiennent le second séjour à Balbec et la vie du narrateur avec Albertine à Paris, le départ de celle-ci, sa mort. Et, dans la partie la plus ancienne du premier de ces deux Cahiers, on retrouve la « danse contre seins » du plan du Cahier 13 ; on lit en effet au verso du folio 3 : « Et aussi M. de Faucompré qui me fait remarquer qu'elles jouissent en dansant les seins l'une contre l'autre. » Cette note additionnelle, parmi d'autres fragments destinés au second séjour du narrateur à Balbec, est donc contemporaine du plan du Cahier 13, dont on voit qu'il tient compte du récit que l'auteur vient de commencer, selon la méthode de composition caractéristique de Proust. Puis celui-ci, toujours dans le Cahier 71, passe à une rédaction continue[3]. C'est, dans les premiers mois de 1914, le point de départ de *La Prisonnière*, telle que nous la connaissons.

Dans les premiers mois de 1914 : en effet, de l'étude des cahiers de brouillons qui annoncent et préparent *La Prisonnière*, les Cahiers 13, 47, 48, 50 et 71, on peut tirer deux enseignements ; d'une part, le personnage d'Albertine n'apparaît pas dans l'œuvre avant le début de la présence permanente dans la vie de Proust d'Alfred Agostinelli, au printemps de 1913 ; d'autre part, la réorganisation d'*À la recherche du temps perdu* qui suivit fut parallèle aux événements vécus avec Agostinelli : son départ en décembre 1913, sa mort en mai 1914. À l'inverse — mais ce n'est pas une contradiction, la vie venant seulement appuyer les intentions littéraires —, Proust avait annoncé l'illustration des thèmes liés à la scène de Montjouvain, par une remarque qui précède cette scène dans *Du côté de chez Swann* : « C'est peut-être d'une impression ressentie aussi auprès de Montjouvain, quelques années plus tard, impression restée obscure alors, qu'est sortie, bien après, l'idée que je me suis faite du sadisme[4]. » Cette phrase apparaît dans la première dactylographie de *Du côté de chez*

1. « Dans le troisième volume Mlle Swann épouse Robert de Saint-Loup » (*Correspondance*, t. XII, p. 259 ; la datation proposée est due à Philip Kolb). Proust annonce ainsi un événement qui trouvera place dans *Albertine disparue*.

2. Voir aussi Takaharu Ishiki, *Maria la Hollandaise et la naissance d'Albertine dans les manuscrits d'« À la recherche du temps perdu »*, thèse de doctorat (décret du 5 juillet 1984), Paris III, 1986, chap. V : « De Maria à Albertine ».

3. Voir cette Notice, p. 1653.

4. *Du côté de chez Swann*, t. I de la présente édition, p. 157.

Swann, en 1911-1912. Peut-être Proust avait-il aussi tiré ce nom d'Albertine d'une lecture de Barbey d'Aurevilly faite également en 1912[1].

En somme, on pourrait ajouter foi aux confidences de l'auteur dans *Le Temps retrouvé* : « Un écrivain peut se mettre sans crainte à un long travail. Que l'intelligence commence son ouvrage, en cours de route surviendront bien assez de chagrins qui se chargeront de le finir[2]. » Un peu plus loin, il est encore plus explicite. Le narrateur évoque Albertine, cause de désordre, de ruine et de chagrin dans sa vie. Sa conclusion : « En me faisant perdre mon temps, en me faisant du chagrin, Albertine m'avait peut-être été plus utile, même au point de vue littéraire, qu'un secrétaire qui eût rangé mes paperoles[3]. »

Alfred Agostinelli.

Secrétaire, Alfred Agostinelli l'a été auprès de Proust, pendant quelques mois, en 1913. On connaissait son rôle dans le déclenchement du cycle d'Albertine. À la suite de l'article de Robert Vigneron, « Genèse de Swann[4] », des témoignages oraux, et donc peu vérifiables, rapportés par Léon Pierre-Quint dans *Proust et la stratégie littéraire*[5], de l'étude — celle-là à partir de documents écrits — d'Henri Bonnet, *Marcel Proust de 1907 à 1914*[6], mais aussi et surtout grâce à l'édition de la *Correspondance*, il est possible de retracer avec plus de précision les événements et les circonstances d'un épisode qui, dans la réalité, dura au total sept ans.

Proust avait rencontré Alfred Agostinelli en août 1907 lors du premier des séjours, du moins depuis la mort de ses parents, qu'il fit à Cabourg. Agostinelli, né en 1888, avait alors 19 ans. Il était employé comme chauffeur par la compagnie des taximètres *Unic*, de Monaco, qui assurait le service à Cabourg pendant la saison. Jacques Bizet, le fils de Mme Straus et le condisciple de Proust au lycée Condorcet, était administrateur de cette société. Par son intermédiaire, l'écrivain est entré en rapport non seulement avec Agostinelli, mais aussi avec les autres chauffeurs, Odilon Albaret et Jossien.

Pendant l'été 1907, conduit par Agostinelli, Proust a visité les églises de Normandie. Il s'est arrêté à Caen, Lisieux, Dives, Bayeux, Balleroy[7]. Son article, « Impressions de route en automobile », paru dans *Le Figaro* du 19 novembre 1907 et repris en 1919 dans *Pastiches et mélanges*[8], évoque le jeune mécanicien jouant des phares de la

1. Voir cette Notice, p. 1691.
2. T. IV de la présente édition, p. 486.
3. *Ibid.*, p. 488.
4. *Revue d'histoire de la philosophie*, janvier 1937.
5. Corréâ, 1954.
6. Nizet, 1976.
7. Lettres à Émile Mâle, [mi-août] 1907, *Correspondance*, t. VII, p. 253 ; à Georges de Lauris, 27 août 1907, *ibid.*, p. 263.
8. Cet article figure dans l'édition Clarac de *Pastiches et Mélanges*, *Contre Sainte-Beuve*, Bibl. de la Pléiade, p. 63.

voiture, comme sur un clavier, pour éclairer les cathédrales dans la nuit. Proust le compare à sainte Cécile, comparaison qu'il reprend dans *La Prisonnière* pour Albertine actionnant le pianola chez le narrateur[1]. Proust avait acheté, en 1913, un tel instrument[2]. Il avait sous les yeux, manœuvrant ce pianola, le modèle qui a suscité par métonymie une sainte Cécile, patronne des musiciens, mais sportive et cycliste dans la scène de *La Prisonnière* : Agostinelli. Dans une note ajoutée à « Impressions de route en automobile » en vue de sa publication en volume, Proust, revenant sur son voyage de 1907, résuma la brève vie de son mécanicien d'alors : « Je ne prévoyais guère [...] que sept ou huit ans plus tard ce jeune homme me demanderait à dactylographier un livre de moi, apprendrait l'aviation sous le nom de Marcel Swann dans lequel il avait amicalement associé mon nom de baptême et le nom d'un de mes personnages et trouverait la mort à vingt-six ans, dans un accident d'aéroplane, au large d'Antibes[3]. »

En septembre 1907, Agostinelli ramena Proust en voiture à Paris. Celui-ci le retrouva l'année suivante à Cabourg, où il ne renouvela pas ses excursions, puis à Versailles. Enfin, trois ans plus tard, en mai 1911, à Paris, Agostinelli, sachant que Proust était l'ami de Francis de Croisset, lui demanda d'intervenir auprès de ce dernier pour faire obtenir à sa compagne, Anna, une place d'ouvreuse au théâtre des Variétés. Proust transmit cette demande à Francis de Croisset, lui rappelant qu'il avait cité Agostinelli « dans un article du *Figaro*[4] ».

Au début de 1913, Agostinelli réapparaît. Il demande à Proust une place de chauffeur. Proust emploie déjà Odilon Albaret ; il engage cependant Agostinelli, mais comme secrétaire. Ses fonctions : dactylographier le second volume d'*À la recherche du temps perdu*, qui est alors *Le Côté de Guermantes*. Il vient habiter l'appartement du boulevard Haussmann avec Anna, que Proust désigne dans ses lettres, sur la foi d'Agostinelli ou par souci des convenances, comme la femme de ce dernier. Il entretient le couple à grands frais sans acquérir sa gratitude, provoquant au contraire l'antipathie d'Anna. Il se plaint de soucis d'argent, de pertes financières à la Bourse. Il se méfie de tous, de ses domestiques même. C'est ainsi qu'il demande à René Blum et à Bernard Grasset, avec qui il négocie l'édition de *Du Côté de chez Swann* à compte d'auteur, en février 1913, de cacheter leurs lettres à la cire et de ne pas lui téléphoner[5].

À Louis de Robert qui, en janvier 1913, lui a servi d'intermédiaire auprès d'Alfred Humblot, directeur de la maison d'édition Ollendorff, il avoue, en juin de la même année : « Je vais *très mal* et de plus j'ai beaucoup de chagrin. » Il précise aussitôt qu'il ne parle pas

1. P. 884.
2. Lettre du 5 janvier 1914 à Mme Straus, *Correspondance*, t. XIII, p. 31.
3. *Pastiches et mélanges*, éd. citée, p. 66.
4. Lettre à Francis de Croisset, [seconde quinzaine de mai] 1911 ; *Correspondance*, t. X, p. 294.
5. Lettre à René Blum du 23 février 1913, *Correspondance*, t. XII, p. 91 ; à Bernard Grasset, 24 février 1913, *ibid.*, p. 97.

de ses tentatives de publication, de « *carrière* », comme il le souligne ironiquement, mais de sa vie sentimentale, faisant allusion aux déboires que son ami vient de connaître avec une jeune admiratrice[1]. Proust lui écrivait, à ce propos, le mois précédent : « Vous avez été trop bon. » Il lui donne ce conseil : « Et quand ces gentillesses-là trop prodiguées n'ont pas réussi, il faut faire le contraire, cesser d'être gentil[2]. » Mais de ce conseil, qui, dans *La Prisonnière*, s'applique à la vie mondaine et à l'amour[3], Proust ne tient pas compte pour lui-même.

Le 26 juillet 1913, il part sans « crier gare[4] » pour Cabourg, conduit par Agostinelli. Fait exceptionnel, il n'y reste que dix jours. Lors d'une excursion à Houlgate avec son chauffeur, il prend brusquement la décision de rentrer à Paris. Il ne repasse même pas à l'hôtel et part « sans affaires, sans bagages », comme il le raconta peu après, avec des variantes, à Charles d'Alton et à Georges de Lauris[5]. Au premier, il recommande de ne parler d'Agostinelli « à personne ». Recommandation qu'il fait également au jeune Albert Nahmias le 11 août de la même année : « Évitez de parler de mon secrétaire (ex-mécanicien). Les gens sont si stupides qu'ils pourraient voir là (comme ils ont vu dans notre amitié) quelque chose de pédérastique. Cela me serait bien égal pour moi mais je serais navré de faire du tort à ce garçon[6]. »

Dans ses mêmes lettres du 4 août à Charles d'Alton et du 11 août à Georges de Lauris, il fait respectivement allusion à une personne qu'il voit rarement à Paris — mais ce ne peut être ni Alfred, ni Anna — et à une « situation délicate ». Ce serait donc la cause de la crise qui a provoqué ce retour précipité, en tous points semblable à celui qui, à la fin de *Sodome et Gomorrhe*, ramène par le train à Paris le narrateur et Albertine, et détermine la situation de *La Prisonnière*.

Alors que *Du côté de chez Swann* va enfin paraître, le drame à huis clos de la jalousie se poursuit boulevard Haussmann entre Proust et ceux qui, comme il l'écrira à Émile Straus l'année suivante, sont devenus « part intégrante[7] » de sa vie. Comme dans *La Prisonnière*, les protagonistes quittent l'appartement pour des promenades — en particulier aux terrains d'aviation[8]. Agostinelli a fréquenté celui de Buc, près de Versailles, où Ferdinand Collin dirigeait depuis 1910 l'école d'aviation Blériot. Collin, qui avait participé à la préparation de la traversée de la Manche, en 1909, a raconté dans *Parmi les*

1. Lettre à Louis de Robert, [seconde quinzaine de juin] 1913, *Correspondance*, t. XII, p. 212.
2. Lettre à Louis de Robert, [première huitaine de mai] 1913, *ibid.*, p. 170.
3. « La meilleure manière qu'on vous recherche, c'est de se refuser » (p. 872).
4. Lettre à Reynaldo Hahn du 26 juillet 1913, *Correspondance*, t. XII, p. 236.
5. Lettres à Charles d'Alton du 4 août 1913, *ibid.*, p. 242 ; à Georges de Lauris du 11 août 1913, *ibid.*, p. 250.
6. Lettre à Albert Nahmias fils (Ben Nahmias pour l'état civil), *ibid.*, p. 249.
7. Lettre à Émile Straus du 3 juin 1914, *Correspondance*, t. XIII, p. 228.
8. Voir p. 613.

précurseurs du ciel[1] la visite, en novembre 1913, du « maître d'hôtel » de Proust[2] venu lui demander pour son employeur un rendez-vous à vingt-deux heures à l'hôtel des Réservoirs de Versailles. À l'heure convenue, Proust signa un contrat pour les leçons de pilotage de son secrétaire[3], Agostinelli, qui se révéla un élève doué, avant d'interrompre sa préparation au brevet de l'Aéro-club.

Car, au début de décembre, Agostinelli s'en va sans prévenir. « Monsieur Alfred est parti[4] ! » a-t-on pu annoncer à Proust. Agostinelli s'est rendu dans sa famille à Monaco. Proust demande à Albert Nahmias « des adresses de policiers[5] ». Le jeune homme sera finalement chargé de l'enquête et envoyé à Nice pour retrouver Alfred, puis de négocier auprès de sa famille son retour à Paris, au moins jusqu'au mois d'avril, contre des mensualités[6].

De Paris, Proust multiplie à l'adresse de Nahmias les télégrammes signés de pseudonymes, les instructions, les conseils de prudence et lui recommande de ne pas donner d'argent. Il a le sentiment d'en avoir trop donné à Alfred Agostinelli et n'a aucune illusion vis-à-vis de sa famille, prête à tirer profit de la situation. Tout reste vain. Quelques mois plus tard, Agostinelli, qui a poursuivi entre-temps les leçons de pilotage, tombe au cours de son deuxième vol, le 30 mai 1914, au large d'Antibes, et se noie. On retrouve son corps le 7 juin, près de Cagnes. Proust, informé par un télégramme d'Anna ne contient plus son chagrin. À ses correspondants, et pendant des mois, il avoue sa peine ou détaille les qualités de celui qu'il vient de perdre définitivement[7].

Que cet épisode douloureux ait été à l'origine de ceux qui structurent le cycle d'Albertine, rien de plus évident. Le texte de *La Prisonnière* prend parfois le ton d'un journal intime. Les divers métiers qu'exerça Agostinelli transparaissent au cours du récit, dans leur décor réel — Versailles en particulier[8]. Albertine conduit

1. J. Peyronnet, 1947, p. 254-257. Signalé par Henri Lavagne dans *Le Passant*, nov. 1987.

2. Sans doute Nicolas Cottin, son valet de chambre.

3. « 800 francs d'apprentissage et 1 500 francs de dépôt comme garantie de casse », dépôt que Proust laissera généreusement à Collin après le départ et la mort d'Agostinelli. Toujours selon Ferdinand Collin, Agostinelli (qu'il orthographie Agostini) aurait commencé avec lui les leçons plusieurs mois après son inscription, ce qui ne paraît pas possible. Enfin, Collin signale sa rencontre en 1910 sur le terrain d'aviation de Pau avec le prince Bibesco (il ne précise pas le prénom mais il peut s'agir de Georges Bibesco), *Parmi les précurseurs du ciel*, p. 206.

4. « Mlle Albertine [...] est partie », annonce Françoise au narrateur dans chacune des versions de ce passage, du Cahier 71 de 1914 au texte final (p. 915). Voir l'Esquisse XX.

5. Lettre à Albert Nahmias du 1er ou du 2 décembre 1913, *Correspondance*, t. XII, p. 355.

6. Lettres à Albert Nahmias des 3 et 7 décembre 1913, *ibid.*, p. 357 et 366.

7. Lettres à Reynaldo Hahn du 30 novembre 1914, *Correspondance*, t. XIII, p. 357 ; à Charles d'Alton, 12 mai 1915, *Correspondance*, t. XIV, p. 130 ; à Clément de Maugny, 22 mai 1915, et à Mme Jean Vittoré, 27 mai 1915, *ibid.*, p. 136 et 139.

8. Voir p. 613 et 638-640.

l'automobile du narrateur[1], tandis que le rôle du chauffeur — tenu par Agostinelli dans la réalité — est ici attribué au « charmant mécanicien apostolique » employé lors du second séjour à Balbec, ami de Morel qu'il dépasse « en finesse et en goût[2] », et, comme lui, dénué de scrupules.

Mais Proust a choisi d'écrire l'histoire d'Albertine et non celle d'Agostinelli, qui était pourtant tellement plus romanesque[3]. Et l'histoire d'Albertine a des origines — textuelles et biographiques — plus anciennes que l'épisode Agostinelli.

Antécédents textuels et biographiques.

On peut trouver des prémices de *La Prisonnière* dans les premiers essais du jeune Proust, en particulier dans celui qui conclut *Les Plaisirs et les Jours* : « La Fin de la jalousie ». La fin de la jalousie, ce ne peut être que la fin de l'amour en même temps que la fin de la vie pour un homme jeune, Honoré, qui va mourir des suites d'un accident de cheval, comme Albertine. Tout est ébauché : d'abord la passion qui s'exprime à plein dans la première phrase du récit, en forme d'incantation : « Mon petit arbre, mon petit âne, ma mère, mon frère, mon pays, mon petit Dieu, mon petit étranger, mon petit lotus, mon petit coquillage, mon chéri, ma petite plante[4] [...]. » Ensuite, et déjà, le fétichisme du cou, la partie du corps de Françoise qui appelle le désir de son amant[5], la naissance des doutes, puis des soupçons, que suscite la remarque d'un ami, remarque en apparence banale, qui, cependant, ne se laisse plus oublier. La jalousie prend toute la place disponible dans la vie d'Honoré ; elle s'accompagne d'un cortège de manœuvres, de surveillance, autour de l'objet aimé et détesté à la fois. Enfin, après l'accident lors duquel Honoré est renversé dans la rue, l'approche de la mort : « Je ne suis plus jaloux, c'est que je suis bien près de la mort[6]. » Toutes les phases qui mènent de l'amour à la mort apparaissent ainsi rétrospectivement au lecteur d'*À la recherche du temps perdu*, vingt ans avant que proust n'écrive *La Prisonnière*. Comment ne pas reconnaître encore une ébauche de sa conception de l'amour, série de paradoxes pourtant logiques, dans *L'Indifférent* ? Cette courte nouvelle, publiée en 1896, dans *La Vie contemporaine et Revue parisienne réunies*, n'a pas été reprise dans le recueil des *Plaisirs et les Jours*[7]. C'est une miniature du système proustien : Madeleine aime Lepré bien qu'il ne l'aime pas ; parce

1. Voir p. 672.
2. Voir p. 640.
3. Choix que le romancier américain Louis Auchincloss a regretté dans son article : « Marcel at the Transom : Something is Wrong With Proust's Narrator » (*The New York Times Book Review*, 4 août 1985).
4. *Les Plaisirs et les Jours, Jean Santeuil*, Bibl. de la Pléiade, p. 146.
5. *Ibid.* Voir *La Prisonnière*, p. 884 ; ce rapprochement a été signalé par J.-Y. Tadié, *Proust*, Belfond, p. 121.
6. *Ibid.*, p. 165.
7. *L'Indifférent*, préface de Philip Kolb, Gallimard, 1978.

qu'il ne l'aime pas. Le récit ne comprend aucune action ; le temps qui passe ramène Madeleine à l'indifférence.

Dans « Avant la nuit », texte qui avait paru dans *La Revue blanche* de décembre 1893[1] on lit la confession d'une jeune fille. Elle a voulu se suicider, désespérée dans son amour pour une autre femme. On trouve aussi dans ce récit une justification artistique et littéraire des homosexualités.

Des textes de *Jean Santeuil* précisent encore cette mécanique des sentiments amoureux[2]. Dans son édition de 1952, Bernard de Fallois les avait rassemblés en un chapitre qu'il avait intitulé *De l'amour*, en référence à l'ouvrage de Stendhal. Face à Stendhal, ou plutôt contre lui, ces textes sont une illustration d'une « théorie du déclin et de la mort de l'amour », qui reprend en l'inversant le système stendhalien de la progression de l'amour[3]. Passion « subordonnée à l'amour et analogue à lui[4] », elle en est le prolongement lors du déclin de celui-ci.

Proust change-t-il de genre, passant au théâtre ? Sa vision des sentiments amoureux n'en est pas affectée. On peut s'en convaincre en lisant une scène de comédie, restée jusqu'ici inédite, que Proust a écrite sur les dernières pages d'un cahier, pris à l'envers de *Sésame et les lys* :

HENRI — ROSALIE — FRANÇOISE

ROSALIE : Le duc de Mirecourt a fait déjà téléphoner pour savoir si madame est rentrée.

FRANÇOISE : Non, je suis allée à la campagne, je ne suis pas encore rentrée.

Silence

HENRI : C'est vrai que vous êtes allée à la campagne ?

FRANÇOISE : Non.

Rosalie sort, puis rentre.

FRANÇOISE : Qu'est-ce que c'est que ces orchidées ?

ROSALIE : C'est M. le duc de Mirecourt qui les a fait envoyer tantôt.

FRANÇOISE : Emportez-les.

ROSALIE : Il y avait un mot pour madame.

FRANÇOISE : Bien.

ROSALIE : Madame ne veut pas le voir ?

FRANÇOISE : Non, ce n'est pas la peine.

Rosalie sort avec la gerbe à laquelle une lettre est fixée.

HENRI : Pauvre garçon, il doit être si malheureux à se demander s'il vous verra.

FRANÇOISE : Qu'est-ce que vous voulez que j'y fasse ?

1. Voir *Les Plaisirs et les Jours*, éd. citée, p. 167.

2. Voir *Jean Santeuil*, Bibl. de la Pléiade, p. 745-850.

3. Alma Saraydar, *Proust disciple de Stendhal, les avant-textes d'« Un amour de Swann » dans « Jean Santeuil »*, Les Lettres modernes, 1980, p. 28.

4. *Ibid.*, p. 45.

HENRI : Voyez-le.

FRANÇOISE : Ah ! non.

HENRI : Est-ce que vous ne recevez pas ce soir ?

FRANÇOISE : Si, les gens qui viendront.

HENRI : Excepté lui.

FRANÇOISE : Naturellement.

HENRI : C'est pourtant le plus intelligent de vos amis, peut-être celui que vous aimiez le mieux.

FRANÇOISE : Quand il ne m'aimait pas. [*trois mots illisibles*]

HENRI : Il vous dit tout le temps qu'il vous aime.

FRANÇOISE : Tout le temps ? Je vous dirai que je le vois fort peu.

HENRI : Tout le temps qu'il vous voit.

FRANÇOISE : Même pas. Comme il voit que cela m'ennuie, par moments il me dit qu'il ne m'aime pas, ou qu'il en aime une autre pour voir si cela le fera mieux supporter.

HENRI : Et cela ne fait rien.

FRANÇOISE : Non, il est encore plus odieux comme cela.

HENRI : C'est pourtant le ressort de toutes les comédies, l'homme qui fait semblant de ne plus aimer et qu'on aime aussitôt.

FRANÇOISE : C'est un ressort bien faux. Un homme qui nous aime empeste une odeur d'amour qui rend sa présence intolérable. Qu'il dise qu'il aime, qu'il dise qu'il n'aime pas, cela n'a aucune importance. Croyez-vous qu'il puisse nous tromper ?

HENRI : Vous qui êtes si bonne.

FRANÇOISE : Aussi, cela me fait beaucoup de peine.

HENRI : Cela ne vous en fait aucune. Sans cela vous le recevriez, au lieu de le laisser attendre ainsi.

FRANÇOISE : Ah ! non, cela je ne peux pas. Mais je vous assure que je le plains beaucoup, que j'ai beaucoup d'amitié. Ah ! s'il me demandait un service, je ferais n'importe quoi pour lui.

HENRI : Excepté la seule chose qui pourrait le rendre heureux.

FRANÇOISE : Henri !

HENRI : Oh ! Je ne parle pas de ce que vous croyez. Simplement le voir un peu tous les jours.

FRANÇOISE : Oh ! Cela non, je ne le verrai même plus du tout, et cela dans son intérêt. Mon petit Henri, conseillez-moi, j'ai besoin de cinquante mille frances.

HENRI : Mais vous avez déjà refusé que je vous les prête.

FRANÇOISE : Est-ce que vous croyez que j'accepterais de l'argent d'un ami ?

HENRI : Il faut que ce soit d'un amant.

FRANÇOISE : Dans ce cas il faut que cela m'amuse. Mais je veux donner quelque chose en échange.

HENRI : Hé bien, je crois que le vieux Zurgen coucherait.

FRANÇOISE : Il est bien dégoûtant.

HENRI : Ça c'est vrai, voyons... Qu'est-ce que vous diriez de la comtesse de Larive.

FRANÇOISE : Oh ! mon petit Henri, ne compliquons pas. Restons dans votre sexe.

HENRI : Mais, tenez, quelqu'un qui serait fou de joie et qui ne demanderait même pas à vous abaisser en échange si cela vous déplaisait tant il serait heureux de vous rendre service, d'être au moins matériellement quelque chose pour vous.
FRANÇOISE *(joyeusement)* : C'est qui ?
HENRI : C'est le duc de Mirecourt[1]. »

Au vu de l'écriture, la rédaction de cette scène paraît postérieure à la traduction de l'ouvrage de Ruskin contenue dans ce cahier et qui date de 1906. Par les dimensions, il s'agit d'une saynète de patronage ; non par le thème, qui touche déjà à l'impossibilité des rapports amoureux, anticipant par là « Un amour de Swann » et *La Prisonnière.* Une réplique de l'héroïne, Françoise, le dit assez : « Un homme qui nous aime empeste une odeur d'amour qui rend sa présence intolérable. » Dans *Jean Santeuil* aussi, la relation entre Jean et Mme S., entre Jean et Françoise — tel est également le nom de l'héroïne de « La Fin de la jalousie » — annonce « Un amour de Swann ». *La Prisonnière* reprend tous ces thèmes et les développe jusqu'à leur conclusion ultime, dans le troisième mouvement d'une dialectique dont le second est *À l'ombre des jeunes filles en fleurs*. Et dans la conclusion de *La Prisonnière*[2], la jalousie est présentée comme un moyen de connaissance privilégié. Mieux que le texte définitif, l'ébauche qui lui a donné naissance détaille « ce chemin de communication privé, secret, ouvert comme une blessure, sur la vie des autres qu'est la jalousie[3] ».

Le 22 août 1912, Proust écrit à Reynaldo Hahn : « Je crois que c'est dans "La Fin de la jalousie" que je dis "Mon pays". Comme c'est vrai. Comme j'apaise ma nostalgie quand je suis à penser à toi[4]. » « La Fin de la jalousie » est l'écho de la relation amoureuse entre Proust et Hahn, comme les textes de *Jean Santeuil* rassemblés dans « De l'amour » le sont de celle entre Mme Straus et l'écrivain, dont toute la correspondance permet de remarquer des constantes dans l'évolution des passions.

Avec la passion naît le désir d'un ou plusieurs voyages, et quelquefois leur réalisation. Le premier : celui que Proust fit en compagnie de Reynaldo Hahn, à Belle-Île et à Beg-Meil, de septembre à octobre 1895. Puis viennent les inquiétudes, les soupçons, les soucis de la jalousie, « fantaisie de malade », selon l'expression de Proust, « et qu'à cause de cela il ne faut pas contrarier », ajoute-t-il à l'adresse de son ami[5]. Quelquefois plus ;

1. *Sésame et les lys* (cahier), 6ᵉ cahier des Juifs (ffᵒˢ 40 vᵒ-rᵒ et 39 vᵒ-rᵒ), N.a.fr. 16 626. Les noms « Mirecourt » et « Larive » sont conjecturaux.
2. « L'amour, c'est l'espace et le temps rendus sensibles au cœur » (p. 887).
3. Cahier 71, fᵒ 98.
4. *Correspondance*, t. XI, p. 198. « Mon pays » est une des expressions tendres contenues dans la première phrase de « La Fin de la jalousie ». Voir notre Notice, p. 1636.
5. Lettres à Reynaldo Hahn, [mi-juillet-8 août] 1896 (*Correspondance*, t. II, p. 97) et [18-20 août] 1896 (*ibid.*, p. 104).

il écrit à Lucien Daudet, le 20 mars 1903 : « [...] je n'ai pas de police. Nous n'en sommes heureusement ou hélas plus là tous deux[1]. » Double regret. C'est Albert Nahmias qui lui tiendra lieu de police lors de la fuite d'Agostinelli, en décembre 1913. Après la mort de ce dernier, Louis Gautier-Vignal sera aussi chargé d'enquêter sur le disparu. L'année suivante, Proust continuera à rassembler des renseignements sur Agostinelli. Écrivant le 8 août 1915 à Maurice Rostand, il lui demande s'il a pu, par un valet de chambre qu'Émile Agostinelli lui a procuré, « savoir quelque chose sur son frère Alfred ». Il ajoute : « Tu sais à quel point cela m'intéresse, par reconstitution balzacienne[2]. »

Quand la communication avec l'objet aimé est délicate, comme avec Bertrand de Fénelon, à qui il a dédicacé le 30 octobre 1901 un exemplaire des *Plaisirs et les Jours* « avec l'espoir qu'il égalera le grand nom littéraire qu'il porte, et l'espoir plus incertain de devenir son ami[3] », il s'épanche auprès d'un autre ami qui peut aussi lui servir d'intermédiaire : Antoine Bibesco, prince roumain, aspirant dramaturge. Fénelon a alors vingt-trois ans, comme Antoine Bibesco, et Proust trente.

Les lettres de Proust à Bibesco, mises bout à bout, forment un autre exposé de son système de l'amour — ici ostensiblement appliqué à l'amitié — qu'il désigne par le terme médical d'affection et dont l'évolution, jusqu'à sa guérison, est tout à fait prévisible. À Bibesco, confident privilégié, Proust en dit toujours trop ou trop peu. Il feint de se moquer des « salaïstes », les invertis, selon leur expression habituelle, ou, après avoir souligné dans un post-scriptum, « *Bertrand est très, très bon* », il poursuit en semblant suggérer à Antoine Bibesco de faire l'inverse de ce qu'il lui recommande : « Mais ne le lui dis pas[4] ! » Après un bref voyage vers la Touraine, le 6 septembre 1902, où Fénelon accompagne Proust pendant une partie du trajet en train, ce dernier écrit à Antoine Bibesco, le 8 : « Mon affection pour "Ses Yeux bleus" subit en ce moment une crise malheureuse[5]. »

« *Ses yeux bleus* » rappelle le titre français (*Deux yeux bleus*) du roman de Thomas Hardy, *A Pair of Blue Eyes*, publié en 1873. Proust n'en lira la traduction qu'en 1910 dans le *Journal des Débats*. Sans doute, Antoine Bibesco, angliciste, lui avait-il déjà parlé de l'héroïne tragique de Thomas Hardy, la jeune fille aux yeux bleus, Elfride Swancourt. De là le surnom donné à Fénelon quand les deux amis ne le désignent pas par son anagramme : Nonelef.

Du 3 au 10 octobre 1902, Proust a fait un autre voyage, de Paris à Bruges et Anvers. Bruges, c'est la Venise du Nord, selon une formule que Proust appliquera à sa manière dans ses brouillons, quand

1. *Correspondance*, t. III, p. 277.
2. *Ibid.*, t. XIV, p. 201.
3. *Ibid.*, t. IV, p. 423. Voir également le chapitre « L'Amour de Proust pour Bertrand de Fénelon », dans H. Bonnet, *Les Amours et la Sexualité de Marcel Proust*, A.-G. Nizet, 1985.
4. Lettre à Antoine Bibesco, 17 août 1902, *Correspondance*, t. III, p. 102.
5. *Ibid.*, p. 132.

il remplacera le contexte pictural flamand qui entoure Maria, personnage qui donnera naissance à celui d'Albertine[1] par les tableaux du Vénitien Carpaccio. Anvers est le décor de la « Religieuse d'Anvers », un fragment de *Jean Santeuil*. Proust, après avoir visité, le 3 octobre, une exposition d'art flamand à Bruges, a rejoint Fénelon à Anvers. Puis, le 14, les deux amis se retrouvent encore à Amsterdam ; ils sont descendus à l'Hôtel de l'Europe. Le 17, Proust écrit à sa mère : « Je suis dans un état sentimental si désastreux que j'ai craint d'empoisonner de ma tristesse le voyage du pauvre Fénelon[2]. » Un peu plus loin ce demi-aveu : « Fénelon était la seule personne avec qui je pouvais faire une absence. »

À la suite du départ de Fénelon, nommé secrétaire d'ambassade à Constantinople, le 8 décembre 1902, Proust forme en janvier 1903 le projet d'aller rejoindre son ami dans cette ville, sous le prétexte d'y retrouver aussi Antoine Bibesco. Les lettres de Proust à ce dernier sont autant de questions pour une enquête minutieuse sur la vie et les sentiments de Fénelon : a-t-il appris son intention de le rejoindre ; si oui, depuis quand ; enfin, avec qui est-il[3] ? Chacune des éventualités successives est minutieusement examinée selon une logique qui, mise en route, poursuit sur sa lancée, « pour l'amour de l'art », comme l'explique (pour s'en convaincre ?) Proust à Bibesco[4]. Ce qu'il apprend avive-t-il ses regrets ? Peut-être cette enquête à Constantinople dans l'Orient de toutes les tentations, est-elle à l'origine d'un fragment non utilisé du Cahier 60, destiné à l'exposé de Charlus sur l'homosexualité, lors de la soirée Verdurin de *La Prisonnière* : « Sur celui-là il y a longtemps que je suis fixé. Du reste j'ai été après lui à Constantinople et j'ai eu des renseignements plus précis[5]. »

De plus, Proust demande les lettres de Fénelon que Bibesco a reçues de son côté. Il va jusqu'à écrire une lettre pour Fénelon où, se faisant passer pour Bibesco qui doit la recopier, il parle de lui-même, comme en se moquant[6]. Proust peut-il ainsi tromper Fénelon qui semble s'être lassé de leur correspondance, peut-il même avoir confiance en Bibesco, toujours provocateur ? Il donne en tout cas à ce dernier le rôle de détective qu'il a lui-même assumé vis-à-vis de Louis d'Albuféra et de Louisa de Mornand, à l'époque de leur rupture consécutive au mariage d'Albuféra. Il s'était montré négociateur avisé, intermédiaire habile. C'est là un domaine où il se sait des compétences[7]. Celles de Bibesco n'ont pas produit le résultat escompté : Fénelon garde ses distances.

1. Voir cette Notice, p. 1671.
2. *Correspondance*, t. III, p. 163.
3. Lettre à Antoine Bibesco, 9 février 1903, *ibid.*, p. 244.
4. Lettre à Antoine Bibesco, 16 février 1903, *ibid.*, p. 251.
5. F° 116 r°. Voir cette Notice, p. 1643, n. 4.
6. Lettre datée du 11 mai 1903, *ibid.*, p. 313.
7. « Dès qu'il ne s'agit plus de moi, cher Ami, j'ai des vertus de sorcier que vous devriez éprouver [...] Je n'ai pas réconcilié que des amis, mais des ménages » (lettre à Louis de Robert, 1er mai 1913, *ibid.*, t. XII, p. 165).

Près de cinq ans après cet épisode, Proust regrette toujours cette amitié manquée. Dans une lettre à Georges de Lauris, écrite de Balbec le 27 août 1907, il semble espérer encore : « Si vous êtes auprès de Bertrand dites-lui de ma part de tendres choses, bien vraies. Au-dessus des ruines de mon intimité avec lui plane souvent ce que Chateaubriand eût appelé le Génie de l'Amitié et qu'il aurait si bien dépeint dans une pose à la fois poétique et funéraire. Et je me demande parfois si je n'ai pas passé à côté du seul ami que j'aurais dû avoir, dont l'amitié eût pu être féconde pour l'un et pour l'autre[1]. »

En mai 1908, il écrit à Louis d'Albuféra qui vient de lui envoyer un jeune télégraphiste — car Proust se documente alors sur cette profession : « Il ressemble à Bertrand de Fénelon, sauf qu'il est beaucoup mieux tenu[2]. »

Quatre ans plus tard, la mort de Louis de Montebello, beau-frère de Bertrand de Fénelon, est l'occasion d'une lettre de Proust, la première depuis longtemps, le 26 juillet 1912[3]. Proust propose : « Tâchons de nous revoir quand tu reviendras. Même j'irai te trouver hors de Paris. » En décembre de la même année, évoquant la réponse de Fénelon, Proust confie à Nahmias : « Vous vous rappelez le plaisir que m'a fait cet été un petit mot de B. de Fénelon. Nous en avons parlé ensemble. Or il y avait plus de sept ou huit ans que nous ne nous voyons ni écrivons. Cela n'empêche pas que nous avons été mille fois plus liés que vous ne serez jamais avec moi et que dans le silence et l'éloignement nos cœurs n'ont pas changé. Quand on lui parlait de moi je sais, et quand on me parlait de lui, il peut savoir, que nous étions restés les mêmes[4]. »

La confidence est cruelle pour Nahmias ; les regrets restent vifs à l'endroit de Fénelon. Il a le visage de l'amitié, de la jeunesse, de la nostalgie ; il est paré de tous les prestiges littéraires et historiques du nom : Proust y est sensible, c'est le seul snobisme qu'il ait jamais confessé.

Dernier acte : un an et demi plus tard, le 17 décembre 1914. Alors que quelques mois auparavant Proust avait envoyé à Fénelon un exemplaire de *Du côté de chez Swann*, adressé à « l'être [qu'il] aime le plus profondément », ce dernier meurt à la guerre. Proust ne le saura avec certitude qu'en mars 1915. Il est alors en train d'ébaucher dans ses cahiers de brouillons ce qui deviendra *Sodome et Gomorrhe, La Prisonnière* et *Albertine disparue*. Dans le chapitre premier de *Sodome et Gomorrhe II* — chapitre dont la conclusion, située pendant le second séjour à Balbec, est intitulée « Les Intermittences du cœur » — Fénelon, à l'occasion d'une remarque sur la prononciation par une dame de Combray de son patronyme, qui est celui du « doux chantre de Télémaque », apparaît sous son nom et dans sa fonction d'ami du narrateur. Ce dernier ne se distingue pas alors de l'auteur, « ayant

1. *Correspondance*, t. VII, p. 265.
2. Lettre à Louis d'Albuféra, [5 ou 6 mai] 1908, *ibid.*, t. VIII, p. 114.
3. Lettre à Bertrand de Fenelon, *ibid.*, t. XI, p. 169.
4. Lettre à Albert Nahmias, 22 décembre 1912, *ibid.*, p. 328.

pour ami le plus cher l'être le plus intelligent, bon et brave, inoubliable à tous ceux qui l'ont connu, Bertrand de Fénelon[1] ».

Quant à Agostinelli, à l'autre bout de l'échelle sociale, et mort la même année que Fénelon, s'il est le point de départ contingent d'un développement de cette section d'*À la recherche du temps perdu*, il n'a été ni le seul secrétaire employé par Proust ni son seul modèle. Robert Ulrich offrait ses services quand il avait perdu sa place de chauffeur ; à Cabourg, pendant l'été, Marcel Plantevignes donnait sa collaboration amicale. Albert Nahmias, homme de confiance, s'était occupé de la dactylographie du manuscrit de *Du côté de chez Swann*, quand ce n'était pas des spéculations boursières de l'auteur. Car la Bourse était, par tradition familiale, le métier du jeune homme, coulissier et conseiller financier. Tous ces jeunes gens ont été mis à contribution par le romancier d'*À la recherche du temps perdu* qui a emprunté à leurs traits de caractère, à leur correspondance, et même à leurs passe-temps. Comme Albertine, Henri Rochat, qui de 1919 à 1921 a logé chez Proust, faisait de la peinture et jouait aux dames avec le maître des lieux, quand il ne recopiait pas son courrier. Le Suédois Ernst Forssgren fut son valet de chambre après la mobilisation de ses domestiques, Odilon Albaret et Nicolas Cottin, en août 1914. Forssgren accompagna Proust pendant son séjour de septembre 1914 à Cabourg. On sait, par le texte de ses souvenirs[2], que Proust au seuil de la mort, en novembre 1922, s'était levé pour l'attendre vainement, une partie de la nuit, à son hôtel.

Tous ces collaborateurs, même les plus modestes, comme le télégraphiste envoyé par Albuféra, sont, si l'on en croit Proust, immanquablement intelligents. On lit ainsi, dans une lettre à Émile Straus écrite le 3 juin 1914, peu après la mort d'Agostinelli, que celui-ci « était un être extraordinaire possédant peut-être les dons intellectuels les plus grands que j'ai connus[3] ! ». L'auteur de *La Prisonnière* n'est lui-même pas dupe de ces exagérations. Un paragraphe du Cahier 60[4], sans doute postérieur à 1919, rapproche d'Albertine Agostinelli et Rochat, réalité et fiction confondues : « Albertine me parlait souvent de ses amies, de sa tante. Mais je remarquais que souvent elle mentait sans même y prendre garde, ce qui faisait qu'elle se contredisait ensuite. D'autre part elle en voulait à mort aux gens, les trouvait les pires de tous, mais était prompte à se réconcilier, les trouvait "en somme les moins mauvais de tous" (Alfred [Agostinelli], Henri [Rochat])[5]. »

1. *Sodome et Gomorrhe*, p. 168.

2. Ernst Forssgren, *Les Mémoires d'un valet de chambre*, présentation de Jacques Bersani et Michel Raimond, *Études proustiennes II, Cahiers Marcel Proust*, 7, Gallimard, 1975, p. 119.

3. *Correspondance*, t. XIII, p. 228.

4. Il s'agit d'un cahier d'ébauches et de notes destinées au *Côté de Guermantes*, à *Sodome et Gomorrhe*, à *La Prisonnière* et au *Temps retrouvé*.

5. F° 28 r°. Voir J.-Y. Tadié, *Proust et le roman*, Gallimard, 1971, rééd. 1986, p. 64, n. 1.

Le moins qu'on puisse dire est que cette remarque que Proust destine à *Sodome et Gomorrhe I* n'établit pas l'intelligence de ces deux jeunes hommes. Proust ajoute dans la marge, toujours pour Albertine : « Elle avait en plus, effet soit de ses mensonges qui la forçaient à juger d'après ce qu'elle avait dit, soit de ses rancunes ou de ses attendrissements qui la faisaient tour à tour changer l'objet de ses haines, une extrême instabilité de jugement et de décision. »

On voit bien que la vie de l'auteur ne nous fournit pas de véritables clés. Ou alors elles sont trop nombreuses, surtout pour ce personnage d'Albertine qui a connu des métamorphoses successives avant de trouver son aspect et son rôle final. Cependant, les antécédents textuels et autobiographiques de *La Prisonnière* nous permettent, par ce mouvement de va-et-vient entre la vie et l'œuvre, d'éclairer et de suivre le cheminement du roman dans sa progression d'année en année. Les clés les plus intéressantes, celles de l'œuvre, Proust nous les fournit dans une note portée sur une feuille volante, classée avec d'autres par la Bibliothèque nationale en un Reliquat[1].

Dans le théâtre élisabéthain, tous les rôles étaient tenus par des hommes. Dans *À la recherche du temps perdu*, certains modèles ont inspiré à la fois des personnages masculins et féminins. Le même ami, Fénelon, a ainsi posé deux fois pour le romancier, qui remarque, mais pour lui seul : « Saint-Loup un peu Albertine, ce qui explique que malgré mépris amitié. » Pas plus dans cette note que dans ses lettres à Mme Scheikévitch et à Maria de Madrazo, lettres où il décrit ce que sera *La Prisonnière*, Proust ne se distingue de son narrateur, qui, de plus, révèle par deux fois dans cette partie d'*À la recherche du temps perdu* — et ce seront les seules — qu'il porte (peut-être) le même prénom que l'auteur[2].

Une lecture faite par Proust en 1905 forme le trait d'union entre la vie de l'auteur et l'œuvre à venir. C'est un roman d'Anna de Noailles, *La Domination*, paru le 7 juin 1905 chez Calmann-Lévy. Proust, qui l'a reçu quelques jours auparavant, n'a pas écrit moins de cinq lettres enthousiastes et admiratives à son auteur[3]. À peine l'a-t-il ouvert qu'il ne l'a « plus quitté » écrit-il le 3 ou 4 juin. Il avoue aussitôt que ce roman l'a touché personnellement : « Calme depuis des années, quelles souffrances ce livre ne me rend-il pas et pour combien d'années. » À quels moments de sa vie, à quels lieux ce livre le renvoie-t-il ? Justement à Bruges, à Venise. En effet, le roman d'Anna de Noailles fait parcourir au héros, le jeune, le magnifique Antoine Arnault, un itinéraire sentimental et sensuel qui le conduit de Paris aux Pays-Bas, où il visite Amsterdam et La Haye, puis à Venise.

Anna de Noailles a placé en épigraphe de ce roman de la conquête une citation de Pascal : « Pyrrhus ne pouvait être heureux ni avant

1. Lot 16, f° 21.
2. Voir p. 583 et 663.
3. Lettres à Anna de Noailles, *Correspondance*, t. V, p. 194 (3 ou 4 juin 1905) ; p. 201 (4 ou 5 juin) ; p. 210 (6, 7 ou 8 juin) ; p. 223 (18 juin) et p. 232 (19 juin).

ni après avoir conquis le monde[1]. » Elle l'a dédié « Aux jeunes écrivains de France, à ceux dont la sympathie m'a chaque jour dans mon travail aidée ».

Antoine Arnault, vingt-six ans, est le type du jeune conquérant romantique. Écrivain déjà célèbre et fêté, couvert de femmes, il s'observe avec une délectation douloureuse. Il part avec sa maîtresse pour les Pays-Bas, non sans faire en chemin une visite patriotique à la maison des dernières cartouches, à Bazeilles, dans les Ardennes, haut lieu de la guerre de 1870. Bruges, puis Amsterdam et La Haye matérialisent des souvenirs de Spinoza, Rembrandt, Pieter de Hooch. Sa maîtresse retrouve un ami à Amsterdam. « Au bout de deux jours, [Antoine] fut jaloux. Sans tendresse pour cette femme, sans violent désir, il la voulait voir isolée, triste et faible dans cet hôtel, misérable comme son cœur à lui, son cœur ennuyé[2]. » Ils se quittent. Devenu député « d'un groupe républicain » il rencontre l'épouse française d'un gentilhomme italien, la comtesse Albi, qu'il rejoint à Venise « où tout finit, l'effort, le but, l'ambition : il n'y a plus que la volupté[3] ». C'est justement ce que le héros reconnaît dans le *Saint Sébastien* de Mantegna. La comtesse séduite, il lui préfère, un temps, sa dame de compagnie dont il aime « le cou clair et gonflé[4] ».

Quelques années plus tard, de retour à Paris, après d'autres succès, en politique et au théâtre, il épouse la noble Élisabeth. Leur bonheur est de courte durée : elle meurt et Antoine la suit bientôt dans la mort ; agonies qui ont dû rappeler à Proust celles qui concluent les textes des *Plaisirs et les Jours*, « La Mort de Baldassare Silvande », « La Confession d'une jeune fille », « La Fin de la jalousie ». Dans sa première lettre à Anna de Noailles, il lui écrit : « Je suis encore bien brisé de l'agonie d'Élisabeth[5]. »

Une nouvelle lettre le lendemain : « Toujours sous l'oppression de ce grand livre, je voudrais vous en reparler, ne le puis[6]. » Il cite pour y applaudir des phrases d'Anna de Noailles aux expressions précieuses. Dans sa troisième lettre, quelques jours plus tard, une allusion au style des Goncourt est un peu ambiguë[7]. Proust la clarifie aussitôt, ce qui est aussi une manière de la souligner. Le 18 juin 1905, à propos d'un compte rendu de *La Domination*, il voit du Barrès non dans l'analyse, comme le pense le critique, mais dans le personnage

1. La citation de Pascal : « Pyrrhus ne pouvait être heureux ni avant ni après avoir conquis le monde » est sur la page de titre, non paginée. La dédicace « Aux jeunes écrivains de France, à ceux dont la sympathie m'a chaque jour dans mon travail aidée, je dédie ce livre. A. N. » est sur la page suivante, également non paginée. *La Domination* commence à la page suivante, paginée 1.

2. Anna de Noailles, *La Domination*, Calmann-Lévy, 1905, p. 83.

3. *Ibid.*, p. 104.

4. *Ibid.*, p. 142.

5. Lettre du 3 ou 4 juin 1905, *Correspondance*, t. V, p. 195.

6. Lettre du 4 ou 5 juin 1905, *ibid.*, p. 201.

7. Lettre du 6, 7 ou 8 juin 1905, *ibid.*, p. 211.

principal[1]. Et le lendemain 19 encore, il écrit à la comtesse de Noailles à propos d'un autre compte rendu dans *Le Figaro* de ce jour où Marcel Ballot avait pour sa part découvert un travesti dans le héros. Ce n'était pas si mal observé, mais Proust accumule les protestations, puis les compliments les plus excessifs : « Je suis encore si ébloui de cette *Domination*. C'est un livre si en dehors de tous les autres, c'est une si merveilleuse planète conquise à la contemplation des hommes[2] », etc. Il mentionnera encore ce roman, trois ans plus tard, dans une lettre à Marthe Bibesco, en faisant allusion aux lieux évoqués sur le mode exclamatif, comme dans la prose lyrique de *La Domination*[3]. Toute flatterie vis-à-vis d'Anna de Noailles mise à part, on ne comprend pas pourquoi Proust a admiré ce livre sinon parce qu'il le touche personnellement. Il y retrouve sa propre expérience, en particulier son voyage avec Fénelon aux Pays-Bas. Ce qu'il n'a encore exprimé que d'une manière allusive, dans ses lettres de 1902, devient par l'exemple d'Anna de Noailles un matériau romanesque qu'il pourra, à son tour, utiliser : démarche habituelle de Proust lecteur.

Le cheminement est visible dans les manuscrits. Quand Proust introduit le personnage d'Albertine dans le Cahier 13, c'est en le substituant à Maria, une des premières jeunes filles. Autour de celle-ci, il avait imaginé un épisode qui se serait passé aux Pays-Bas, et qu'il avait ébauché dans le Cahier 23, sans doute en 1910[4]. Proust y a inscrit un titre, *Femmes*, qui renvoie à l'un des projets parallèles envisagés pour le *Contre Sainte-Beuve* : un essai sur les femmes. Outre Maria, il y a la femme de chambre de la baronne Putbus qui, elle, ne disparaîtra pas complètement d'*À la recherche du temps perdu* car elle demeure l'expression d'un désir que le narrateur associe à Venise. Dans les rapports du narrateur avec Maria, figure déjà toute la dialectique de la curiosité et de l'indifférence : « Je dirai pour Maria, avant je désirais connaître ce qu'elle faisait à la campagne, je l'aimais et je ne connaissais pas cela. Maintenant je connaissais cela et ne l'aimais plus », avait écrit Proust dans le Carnet 2[5], et, l'année suivante, dans le Cahier 71 : « Il faudra marquer ceci qui est capital. Quand je ne connais pas Albertine elle est pour moi un rêve, quelque chose d'immense ; quand je la connais cela se réduit à presque rien[6]. » Mais, en ce qui concerne le décor, Proust a noté sur la première page du Cahier 23 : « Pour Maria quand je dis qu'elle est hollandaise. » Suit une longue comparaison : « Comme ces femmes que les primitifs entouraient d'une scène de nature, je ne voyais Maria

1. Lettre du 18 juin 1905, *Correspondance*, t. V, p. 224. Le compte rendu de *La Domination* avait paru dans le *Bulletin bibliographique* de la *Renaissance latine* du 15 juin 1905 ; l'auteur était G[aston] R[ageot] (voir la note 7, page 226 de la *Correspondance*, t. V, édition de Philip Kolb).

2. Lettre du 19 juin 1905, *Correspondance*, t. V, p. 233.

3. Lettre du 29 mars 1908, *ibid.*, t. IX, p. 241.

4. Voir Henri Bonnet, « Maria ou l'épisode hollandais », *Bulletin de la Société des amis de Marcel Proust*, n° 28, 1978.

5. F° 2 v°.

6. Voir l'Esquisse VII, p. 1109.

que se détachant sur le fond d'un paysage de Hollande, bien mieux que faisant partie de lui, qu'en étant issue. Elle était pour moi tandis que je la regardais, sans que je me le formulasse, une chose de Hollande, j'associais à ses cheveux l'idée de feuillages de là-bas, je pensais à des canaux en voyant ses yeux et dans le léger enrouement, dans l'éraillement un peu vulgaire de sa voix, je croyais sentir le voile de grands brouillards de la Zeelande[1]. » Peu satisfait de cette première rédaction, il a inscrit en marge « détestable », mais a poursuivi plus loin : « Le désir d'une femme est le désir d'une vie inconnue dont sa beauté semble nous parler... L'amour de Maria me semblait une chose déterminée comportant des promenades en barque sur les canaux de la Zeelande, de longs parcours aveuglés de brouillard blanc où l'on se réchauffe en buvant à côté d'elle du Schidam. » On lit également, en marge, cette mention biffée : « J'espérais aller un jour en Hollande avec elle, je n'aurais voulu l'aimer que là. »

Dans *La Prisonnière*, les allusions à la Hollande et à Amsterdam concernent Albertine, qui y a séjourné. Proust lui a attribué le passé hollandais qu'il avait imaginé pour Maria, mais un passé qui, à la fin du roman, évoque des débauches[2]. Par là, il la rapproche de Montjouvain, au moyen du personnage qui symbolise toutes les dépravations, Mlle Vinteuil. De cette dernière manière, Albertine reprend également l'une des fonctions dévolues à la femme de chambre — originaire de Combray — de la baronne Putbus.

Le personnage d'Albertine n'est cependant pas doté de l'ensemble du passé hollandais de Maria. Ainsi, la maison du « tuteur de Maria », située à Amsterdam au bord de l'Herengracht dans la version primitive du *Temps retrouvé*[3], cette « maison aux escaliers vernis de l'Heerengracht (vérifier le nom) », a-t-elle disparu du texte final. Dans les cahiers de brouillons, le 71 en 1914, le 55 en 1915, Proust l'avait rapprochée des lieux où Albertine « avait pu avoir des désirs, des plaisirs ». On lit, dans le Cahier 55, une évocation des promenades de la jeune fille « avec des amies dans la campagne hollandaise[4] ». De même, un fragment isolé[5] illustre ce thème : « La Hollande d'ailleurs l'entourait, la baignait comme si elle faisait partie de son paysage, ou plutôt c'était le cercle nécessaire dans lequel je me mouvais en étant avec elle, qui est celui du temps et de l'espace, de la journée où on se trouve. » De plus, Proust hésite entre divers décors sur lesquels détacher Albertine. À la fin de *Sodome et Gomorrhe*, dans la scène « des aveux », par référence à la scène célèbre de la *Phèdre* de Racine[6], Albertine se vante d'avoir passé à Trieste les « meilleures

1. F° 1 r°.
2. Voir p. 886-887, 894 et 914.
3. Cahier 57, ff^os^ 70 et 72-73. Voir *Matinée [...]*, p. 220-225.
4. F° 37 v°.
5. Il est aujourd'hui classé dans le lot 16 du Reliquat Marcel Proust de la Bibliothèque nationale, où nous avons déjà trouvé des clés pour le personnage d'Albertine.
6. Voir *Sodome et Gomorrhe*, p. 503-506, et *Phèdre*, acte II, sc. V.

années » de sa vie avec l'amie de Mlle Vinteuil. Et dans les versions successives de *La Prisonnière*, Proust substitue Nice à Amsterdam, comme villégiature à laquelle Albertine a renoncé pour suivre le narrateur à Paris.

Dans la dernière version d'*À la recherche du temps perdu*, le passé hollandais d'Albertine n'est plus que l'écho lointain de projets primitifs, d'avant-textes, de souvenirs de lecture ou personnels. Mais c'est à Balbec que Proust a associé Albertine en la plaçant parmi les jeunes filles du premier séjour, avant de déplacer et d'amplifier le récit de celui-ci, devenu la seconde partie du deuxième volume de l'œuvre, *À l'ombre des jeunes filles en fleurs*. La fiction, par là, rejoint la réalité : Albertine apparaît à Balbec comme Agostinelli à Cabourg. Dans le roman, le développement tardif de *La Prisonnière* et de tout le cycle d'Albertine est équilibré par la durée diégétique rétrospectivement acquise par le personnage, depuis *À l'ombre des jeunes filles en fleurs*.

Le contexte historique.

La Prisonnière correspond donc dans la vie de Proust aux années 1902-1914. Le contexte historique du roman n'est guère différent pour l'essentiel. Certes, les allusions littéraires, artistiques, celles qui renvoient aux découvertes technologiques, aux événements politiques, permettent de le situer de 1900 à la guerre de 1914-1918, et même au-delà, jusqu'en 1921-1922. Mais les références les plus nombreuses ont trait aux années 1905-1914[1].

Le choix du prénom d'Albertine, et donc l'existence au moins virtuelle du personnage, a pu précéder l'épisode Agostinelli. Dans une lettre à Jean-Louis Vaudoyer, sans doute du 25 juillet 1912, Proust évoque Barbey d'Aurevilly : un auteur dont il aime beaucoup parler, ajoute-t-il[2]. Il le fera justement dans *La Prisonnière* : l'héroïne d'une des nouvelles des *Diaboliques*, « Le Rideau cramoisi », qu'il mentionne à la page 877, se prénomme Alberte, ou Albertine.

Proust a déjà inscrit, depuis deux ou trois ans, vers 1908-1910, dans un des cinq agendas que Mme Straus lui a offerts, des notes de lecture à propos de Barbey d'Aurevilly. Il a fait de même pour Thomas Hardy dont il a lu en 1909-1910 *Jude l'obscur*, *Deux yeux bleus*, *La Bien-Aimée*, *Barbara*. Des réflexions sur la structure qu'il a reconnue dans les romans de Thomas Hardy sont développées dans *La Prisonnière*[3]. Il ne fait pas à cette occasion les réserves que l'on trouve dans sa correspondance vis-à-vis d'un romancier qu'il admire cependant moins que George Eliot dont il a lu *Le Moulin sur la Floss* en 1910. D'autres remarques, sur les romans de Dostoïevski, lus à la même époque : *Les Frères Karamazov*, *L'Idiot*, *Crime et châtiment* et leurs

1. Voir Willy Hachez, « Les "faits historiques indiscutables" et la chronologie de la *Recherche* », *Bulletin de la Société des amis de Marcel Proust*, n° 35, 1985.
2. *Correspondance*, t. XI, p. 165.
3. Voir p. 878, 879.

personnages apparaissent dans les mêmes pages de *La Prisonnière*, sous la forme d'une leçon de littérature que le narrateur donne à Albertine. De D'Annunzio, Proust a vu le 23 mai 1911 au Châtelet la répétition générale du *Martyre de saint Sébastien*, sur une musique de Debussy, qu'il n'a guère aimé, écrit-il à Reynaldo Hahn[1].

Pour la musique, Chabrier est une des clés du septuor de Vinteuil. On trouve dans une page du Reliquat de la Bibliothèque nationale les indications que Proust se donne à lui-même : « J'ajoute encore à Vinteuil car c'est encore Chabrier qui me l'inspire mais cette fois c'est *Briséis* et non plus *Gwendoline*. » Cette note est suivie d'un texte sur la patrie perdue des musiciens. *Briséis ou la Fiancée de Corinthe* est un ouvrage dramatique resté inachevé. *Gwendoline*, opéra en trois actes, avait été créé à l'Opéra de Paris en 1886 et repris le 11 novembre 1912[2]. Proust l'avait écouté grâce à son abonnement au théâtrophone, qui lui permettait d'entendre les représentations chez lui, par l'intermédiaire du téléphone. L'année précédente, le 21 février, il avait écouté *Pelléas et Mélisande* de Debussy, transmis de l'Opéra-Comique[3]. En novembre 1914, dans une lettre à Joseph Reinach il fait référence à Saint-Saëns[4]. Même ses sorties musicales pour écouter le violoniste Enesco se retrouvent dans la conversation de Charlus soulignant la qualité du jeu de Morel lors de la soirée Verdurin de *La Prisonnière*[5]. La « mauvaise musique » enfin, dont Proust avait fait l'éloge dans *Les Plaisirs et les Jours*, n'était pas absente non plus de *La Prisonnière*, jusqu'à ce qu'une correction de dernière minute annule dans la troisième dactylographie un passage où le narrateur fredonne des airs « de Fragson, de Mayol ou de Paulus[6] ». Proust apprécie particulièrement Mayol qu'il juge « sublime » dans une lettre à Reynaldo Hahn du 1er octobre 1910. Il voudrait même le faire venir chez lui — comme il l'avait fait pour le quatuor Poulet quand il avait voulu entendre les quatuors de Beethoven — afin qu'il chante *Viens Poupoule* et *Une Fleur du pavé*. Il avait déjà formé le même projet, après avoir entendu Mayol le 7 octobre 1907[7]. Sans doute s'était-il rendu ce soir-là à *La Scala*, parce que Reynaldo Hahn lui avait dit que Mayol était « moschant », selon l'expression qu'ils employaient entre eux pour désigner les invertis. C'est un critère que Proust ne néglige jamais, lui, le pourfendeur de la critique biographique à la Sainte-Beuve, en matière littéraire, artistique ou musicale.

Enfin, pour l'actualité, en particulier pour celle qui a trait à la politique mais aussi pour celle des faits divers, Proust, grand lecteur

1. *Correspondance*, t. X, p. 289.
2. Lettre à Mme Straus, 10 novembre 1912, *ibid.*, t. XI, p. 294, n. 16.
3. Lettre à Reynaldo Hahn, 21 février 1911, *ibid.*, t. X, p. 250.
4. Lettre à Joseph Reinach, 22 novembre 1914, *ibid.*, t. XIII, p. 351.
5. P. 791. De même que le concert Gabriel Fauré entendu le 14 avril 1916 à l'Odéon (voir la *Correspondance*, t. XV, p. 85, n. 2).
6. Passage correspondant à la page 567 de la présente édition. Voir var. *b*, p. 567.
7. Lettres à Reynaldo Hahn du 7 octobre 1907, *Correspondance*, t. VII, p. 281, et du 1er octobre 1910, *ibid.*, t. X, p. 177.

de journaux, a semé le texte de références. Ainsi Doodica et Rosita, les sœurs siamoises, attraction de cirque en 1901-1902, et qu'une opération chirurgicale a séparées, sont-elles une métaphore de la double apparence et de la double personnalité d'Albertine[1]. Le procès de Landru, en 1921, est l'occasion d'un paradoxe judiciaire, évidemment ajouté à la dernière minute : « L'irresponsabilité aggrave les fautes et même les crimes, quoi qu'on en dise[2]. » Les hommes politiques apparaissent sous leur nom véritable, le plus souvent lorsque l'auteur rappelle l'affaire Dreyfus. Une parenthèse[3] indique à peu près le temps de l'écriture qui est dans ce cas particulier postérieure au manuscrit, puisqu'elle peut correspondre à 1919 si l'on considère que la grâce du 19 septembre 1899 termine l'affaire. 1901 serait alors le temps du récit qui peut être aussi placé en 1908 par référence au jugement de réhabilitation du 12 juillet 1906. En fait, 1901 correspond à la chronologie interne d'*À la recherche du temps perdu*, à l'âge des personnages ; 1908 à une chronologie externe, historique, rappelée par l'état de la technologie, automobile, aéronautique, ou par l'arrivée au pôle Nord de l'explorateur Peary, en 1909. Le décalage entre les deux chronologies, dans *La Prisonnière*, *Albertine disparue* et *Le Temps retrouvé*, est une des conséquences du gonflement de l'œuvre. Enfin, les allusions à la diplomatie de l'avant-guerre se distinguent aisément de celles qui renvoient à la guerre.

Dans ce dernier domaine, la référence devient le texte, car les nouvelles expressions qui parsèment les communiqués militaires et les éditoriaux de la presse, vocabulaire et syntaxe dont Proust s'est moqué dans *Le Temps retrouvé*, ont tout de même laissé quelques traces dans son livre. Il est vrai que les métaphores militaires utilisées aussi bien dans le domaine de la politique électorale que dans celui des sports, de l'économie, et même de la vie la plus quotidienne, se sont depuis intégrées à notre langue. En voici un exemple parmi d'autres, tiré du manuscrit de 1916, où dans le Cahier XI, au verso du folio 117, figure cette addition marginale : « La réalité est le plus habile des ennemis. Elle prononce ses attaques sur le front de notre cœur qui ne s'y attendait pas et n'était pas défendu. » Proust a modifié ce texte, à la page 890 de notre édition, en : « La réalité est le plus habile des ennemis. Elle prononce ses attaques sur le front de notre cœur où nous ne les attendions pas, et où nous n'avions pas préparé de défense. » Conscient de ces tentations linguistiques, il y succombe à demi en utilisant les guillemets pour l'expression « monter » une offensive[4], expression popularisée par les journaux de la guerre.

1. Voir p. 581.
2. P. 710.
3. Voir p. 548 : « l'affaire Dreyfus était pourtant terminée depuis longtemps, mais vingt ans après on en parlait encore, et elle ne l'était que depuis deux ans. »
4. P. 826.

La genèse du texte : des notes et ébauches au manuscrit.

Les cahiers et carnets qui concernent *La Prisonnière* correspondent à six séries de rédactions successives s'échelonnant de 1908 à 1922.

Fragments anciens : 1908-1909. — On a relevé une indication dans le plus ancien des quatre carnets, le Carnet 1. Cet agenda a été commencé en 1908, ce que rappelle le titre sous lequel il a été publié : *Le Carnet de 1908*[1]. Sa rédaction s'est poursuivie en 1909 et les années suivantes. Proust qui a déjà déclaré en mai 1908 à Louis d'Albuféra qu'il avait « en train », parmi un ensemble de projets, « un roman parisien » et « un essai sur les Femmes[2] », annonce au début du Carnet 1 : « Dans la deuxième partie du roman la jeune fille sera ruinée, je l'entretiendrai sans chercher à la posséder par impuissance du bonheur. » Il répète, au verso du même feuillet : « Dans la seconde partie, jeune fille ruinée, entretenue sans jouir d'elle (comme Mlle Georges par Américain, Luigia par Sallenave) par impuissance d'être aimé[3]. » À ceci près que dans *La Prisonnière* Albertine est sans fortune au lieu d'être ruinée, la situation matérielle et psychologique ainsi envisagée préfigure celle du narrateur face à Albertine, même si le personnage n'a pas encore de nom.

Lorsque celui-ci apparaît dans le plan du Cahier 13, c'est pour une « 2e année à Balbec », où le narrateur retrouve les jeunes filles et remarque « l'attitude d'Albertine et d'Andrée. Danse contre seins[4] ». On a vu que ces indications destinées à un retour du narrateur à Balbec étaient parallèles au début du Cahier 71 : « Quand l'année suivante peu de temps avant que je parte pour Balbec, ma mère entendit dire que ni Albertine ni Claire n'y viendraient probablement cette saison[5]. » Le thème gomorrhéen prévu dans ces deux cahiers est annoncé dans *Du côté de chez Swann*, lors de la scène de Montjouvain, à la suite de la phrase d'anticipation déjà signalée[6]. Avant d'observer Mlle Vinteuil et son amie, le narrateur commente à l'intention du lecteur : « On verra plus tard que, pour de tout autres raisons, le souvenir de cette impression devait jouer un rôle dans ma vie[7]. » Alors que la phrase précédente était une addition à la dactylographie de 1912, la seconde a été ajoutée à la dernière minute puisqu'on ne la trouve que dans les épreuves Grasset qui préparent la publication de novembre 1913. Cette seconde phrase annonce le coup de théâtre qui conclut *Sodome et Gomorrhe*, le départ brusqué de Balbec, lorsque Albertine apprend au narrateur qu'elle connaît intimement Mlle Vinteuil et son amie, en un aveu qui la révèle

1. Édition de Philip Kolb, Gallimard, 1976.
2. Lettre à Louis d'Albuféra, [5 ou 6 mai] 1908, *Correspondance*, t. VIII, p. 112.
3. Carnet 1, f° 3 r° v°. Voir *Le Carnet de 1908*, éd. citée, p. 50.
4. Cahier 13, f° 28 r°. Voir cette Notice, p. 1630.
5. Cahier 71, f° 2 r°. Voir cette Notice, p. 1631.
6. *Du côté de chez Swann*, t. I de la présente édition, p. 157. Voir aussi cette Notice, p. 1631.
7. *Du côté de chez Swann, ibid.*, p. 157 et var. *a*.

à celui-ci comme une « pratiquante professionnelle du saphisme[1] » et qui précipite son désir de la garder à Paris, prisonnière.

La conception du roman incluant le cycle d'Albertine tel que nous le connaissons ne peut donc être antérieure à la fin de 1913. Des fragments ébauchés dans les premiers cahiers de brouillons, rédigés pour le projet[2] romanesque que Proust révèle à Albuféra en mai 1908, contiennent cependant des éléments qui seront repris dans les brouillons de *La Prisonnière*.

Ils ne forment pas un récit continu, mais une série de rédactions reprenant les mêmes motifs. Ce sont les réveils successifs d'un narrateur qui discerne, aux « premiers bruits de la rue[3] » ou à « la couleur du jour en haut des rideaux[4] », le temps qu'il fait. « Les parfums les plus simples[5] » évoquent des souvenirs de saisons, de voyages. Des jeunes filles aperçues par la fenêtre sont l'objet du désir du héros[6]. Enfin, une des jeunes employées de ses fournisseurs lui est amenée[7].

1910-1911 : un premier état des structures romanesques. — Le Cahier 50 reprend les fragments des premiers cahiers de brouillons, mais dans un texte continu de vingt-cinq feuillets. Il date de 1910-1911 et constitue, pour les matinées de *La Prisonnière*, un premier état partiel du roman. Dans son étude déjà citée, Kazuyoshi Yoshikawa a montré comment Proust avait procédé à un montage minutieux des premiers cahiers avant de réorganiser l'ensemble dans une nouvelle série de rédactions successives. Ce qui est maintenant une matinée type[8], décrite à l'imparfait, conclut la nuit d'insomnie du narrateur, nuit qui est le point de départ d'*À la recherche du temps perdu*. Cette matinée anticipe la découverte de la vocation littéraire à laquelle s'oppose la procrastination du héros qui retarde sans cesse ce qu'il appelle au folio 52, « [sa] ferme décision de commencer à travailler ».

La matinée est aussi l'espace temporel où le passé, dont le récit a déjà été fait, est systématiquement évoqué. Les bruits de la rue, l'odeur des brindilles jetées dans le feu par Françoise rappellent, au folio 47, les séjours à Querqueville ou bien dans la ville de garnison

1. *Sodome et Gomorrhe II*, p. 500.

2. Ce projet est *Contre Sainte-Beuve*, mené à bien de l'hiver de 1908 au début de l'été de 1909 ; les cahiers de brouillons sont les Cahiers 3, 2, 4 et 6.

3. Cahier 3, f° 19.

4. Cahier 3, f° 20.

5. Cahier 4, f° 1.

6. Cahier 3, f° 29 ; Cahier 4, f° 21.

7. Cahier 6, f° 63. Voir l'Esquisse XII, p. 1137, et l'Introduction générale, t. I de la présente édition, p. XL-XLVI. Voir également Claudine Quémar, « Autour de trois avant-textes de l'ouverture de la *Recherche*. Nouvelles approches des problèmes du *Contre Sainte-Beuve*, *Bulletin d'informations proustiennes*, n° 3, 1976.

8. Voir p. 519, 522, 537, 589-590, 645 et 911. Voir les Esquisses I, III, V, VIII, XII et XVIII.

du jeune Montargis[1]. Les noms de Balbec, Doncières et Saint-Loup n'apparaissent pas encore. Un peu plus loin, au folio 49, l'odeur d'une automobile et le bruit de sa trompe sont autant d'invitations à d'autres voyages, ici « à Pinçonville chez la femme de chambre de la baronne Putbus », voyages qui correspondent aux épisodes antérieurs[2].

Ainsi, ce Cahier 50, mieux que les fragments des Cahiers 47 et 48, également déjà signalés comme ébauches partielles, forme bien un premier développement des motifs narratifs et de la structure de *La Prisonnière*.

1913-1914 : un premier état de l'épisode d'Albertine. — Des brouillons du dernier volume de 1910-1911 aux brouillons de *La Prisonnière*, en 1915, Proust a poursuivi un travail de préparation dans des ébauches datant de 1913-1914. Elles sont contemporaines de l'apparition du personnage d'Albertine. Le Cahier 33 constitue le manuscrit d'un deuxième séjour à Balbec destiné au début du troisième volume, celui qui, en 1913, doit débuter par le chapitre « À l'ombre des jeunes filles en fleurs ». Un troisième séjour est alors prévu. Finalement, il n'y en aura que deux principaux, symétriques et antithétiques. Dès ce Cahier 33, le narrateur considère une vie imaginée sans Albertine. À la présence de cette dernière, il oppose — comme dans *La Prisonnière* — ses propres désirs de voyage.

Mais le premier état de la future *Prisonnière*, on le trouve dans un cahier de 1914, le 71, que Proust appelle « Dux ». Il contient des ébauches qui se retrouveront dans *Sodome et Gomorrhe II*, *La Prisonnière* et le début d'*Albertine disparue*. Plus précisément, il présente la totalité des relations du narrateur avec Albertine, depuis le second séjour à Balbec jusqu'à la fuite de la jeune fille après la vie en commun à Paris. Le roman d'Albertine est ainsi envisagé dans son entier : les causes de la jalousie du narrateur, le retour à Paris, l'évolution des rapports amoureux, des scènes et des ruptures apparemment multiples, le départ d'Albertine et sa mort prévue pour la suite du texte.

Le « Dux » se présente à la fois comme un plan, entrecoupé de blancs destinés à recevoir des développements ultérieurs, et comme un ensemble de passages rédigés, proches de leur version finale, dont certains feuillets ont été découpés ou détachés pour être transférés dans les cahiers suivants. Plusieurs couches de rédaction sont visibles : d'abord seule la moitié droite des rectos a été utilisée ; puis des additions ont été portées sur leur partie gauche et sur les versos. Sur les 105 feuillets du cahier, les folios 1 à 33 ne présentent du second séjour à Balbec que ce qui concerne Albertine et ses amies : Claire, parfois Simone, dont les noms ont été remplacés ensuite par celui d'Andrée. L'indifférence initiale du narrateur à leur égard se change en un intérêt passionné quand, à la suite des médisances de Françoise

1. Voir p. 536 et l'Esquisse IV.
2. Voir p. 912 et l'Esquisse XIX.

qui déteste Albertine, et d'une remarque qui recoupe celle de la « danse contre seins » du Cahier 13, le narrateur soupçonne la nature de leurs rapports. Au verso du folio 24, cette indication résume ce qui tiendra lieu d'action à la future *Prisonnière* : « Je mettrai quelque part et probablement quand elle m'a dit qu'elle connaissait Mlle Vinteuil. / Alors la curiosité heureuse que j'avais eue de sa vie, de ce qu'elle faisait, de ses goûts, se changea en une curiosité terrible dans sa vie, dans ce qu'elle faisait, dans ses goûts. Je voulais savoir tout ce qu'elle faisait et qu'elle sût que je savais tout ce qu'elle faisait. Je questionnais ses amies. Je me mis en rapport avec la police. Et je lui montrais des lettres de policiers en lui disant que c'était des ennemis à moi qui me les faisaient envoyer. »

Dans la marge, l'auteur a ajouté cette formule lapidaire : « cette curiosité amènera enquête, enquête méfiance, méfiance départ, départ mort, en quelques semaines ». Auparavant, sur les versos des folios 9 et 10, il avait précisé le rôle d'Albertine dans l'ensemble de l'œuvre : « En dehors des nombreuses Albertine simultanées (ou du moins remarquées pendant les mêmes vacances) il y avait les nombreuses Albertine qu'elle fut pour moi d'année en année, quand de mes yeux et de mon cerveau elle passa dans mon cœur, puis remonta à mon cerveau (dernière phase que je noterai quand je dirai à la fin de l'ouvrage : cette recherche du Temps perdu n'avait pas abouti en ce qui concernait l'amour d'Albertine car en ce qui est égoïste il n'aboutit jamais. Mais je m'en consolais car Albertine était remontée de mon cœur à mon cerveau, je ne tenais plus à elle, elle était une image comme Saint-Loup, comme Swann, comme Gilberte, comme Mme de Villeparisis. *Je ferai résulter la transmigration au cœur d'une continuité.* »

Dans la suite du cahier les folios 45 verso à 51 recto[1] contiennent une version élaborée de la comédie de la rupture qui suit, dans le texte final, le retour de la soirée Verdurin[2]. L'auteur signale pour ce passage : « Ceci vient après ce qu'il y a dans la fin de ce cahier ou du moins au milieu de cette fin, c'est une première brouille[3]. »

À partir du folio 58 recto et jusqu'au 105 recto, Proust a paginé 40 folios du cahier, de 1 à 40. Cette partie du manuscrit, proche du texte final, retrace l'événement déterminant : la nouvelle qu'Albertine connaît Mlle Vinteuil, et sa conséquence, le retour à Paris, d'abord refusé, puis accepté par Albertine. Il poursuit avec la vie quotidienne du narrateur et d'Albertine : les promenades de celle-ci avec Andrée, chargée de la surveiller, les hypothèses, les doutes du narrateur sur sa captive, comparée dans les séances de pianola à une « grande déesse du Temps ».

Les derniers versos, du folio 101 au folio 103, dans le Cahier « Dux », non paginés par Marcel Proust, contiennent un second récit

1. Ff^os 34-36, 39-44, 52-56, 70 blancs. Voir t. I de la présente édition, p. CLX.
2. Voir p. 844-861.
3. Voir l'Esquisse XVI, p. 1162.

du départ d'Albertine[1] avec, au folio 103 verso, l'indication de la suite, c'est-à-dire de ce qui deviendra *Albertine disparue*, et un renvoi au Cahier « Vénusté », le 54, qui reprend l'annonce du départ et poursuit au-delà. Quant au dernier folio paginé par Marcel Proust, le 41, il l'a été après coup puisqu'il se trouve au folio 38 recto dans le numérotage de la Bibliothèque nationale. Ce dernier folio a trait aux conséquences du départ d'Albertine pour le narrateur, c'est-à-dire encore à la future *Albertine disparue*.

Pour *La Prisonnière*, le « Dux » contient toute la dialectique de la jalousie, même si la place des différents moments où elle est exposée n'est pas encore arrêtée. Ce sont des moments plus que des épisodes. Le face à face d'Albertine et du narrateur est répétitif, intemporel. Manquent les décors, les motifs narratifs de la matinée du Cahier 50, toute la soirée Verdurin et son contexte mondain, musical. Une seule addition au verso des folios 97 et 98 signale ce qui sera un des faits saillants de cette soirée : la rupture du violoniste Morel avec Charlus. Elle est annoncée en ces termes, avec une variation pour l'instrument du jeune musicien : Charlus « venait d'être quitté par son jeune pianiste ». Et le reste de cet ajout de deux pages est un retour du narrateur sur ses propres sentiments pour Albertine.

« La Prisonnière » de 1915 : les Cahiers « V », « VI » et « VII ». — Les Cahiers de brouillons « V », « VI » et « VII » font suite à ceux qui décrivent le second séjour à Balbec, le 46, et le 72 que Proust désigne par la couleur de sa couverture, le « Rouge » ; Proust a noté sur celle-ci : « Cahier IV, Deuxième partie de l'épisode ».

Le Cahier 53[2], numéroté « V » par Marcel Proust, est sous-titré « Deuxième partie de l'épisode », comme le précédent. Proust l'appelle aussi « Cahier Bleu ». De ses 63 feuillets, les 11 premiers concluent *Sodome et Gomorrhe*. Ils commencent au milieu d'un dialogue entre le narrateur et Albertine qui parle d'une amie en ces termes : « [...] que j'espère aller retrouver à Amsterdam, dans quelques mois, en m'embarquant près d'ici, eh bien ! regardez comme c'est extraordinaire, c'est précisément la propre fille de Vinteuil[3]. » Les folios 12 à 58 ont trait à *La Prisonnière* : vie en commun avec Albertine, analyse de ses mensonges, de la jalousie, matinée du Trocadéro. Ils correspondent pour l'essentiel au premier tiers du roman, mais le cahier s'achève par l'épisode des lettres anonymes, finalement situé p. 898.

Le Cahier 73 est numéroté « VI » par l'auteur qui a inscrit puis rayé « Deuxième partie de l'épisode » sur sa couverture. Cinquante-cinq des 61 feuillets du cahier portent une pagination autographe de 1 à 55. Les 20 premiers reprennent les situations du cahier précédent : « Ouverture pour un jour de fête ». Mais l'auteur la

1. Voir l'Esquisse XX, p. 1179.
2. Pour les Cahiers 46, 72, 53, ainsi que 73 et 55, voir t. I de la présente édition, p. CLX-CLXI.
3. Cahier 53, f° 1 r° ; voir *Sodome et Gomorrhe II*, p. 499.

situe « le lendemain », qui est un matin printanier. Puis, au folio 2, on lit l'arrivée du *Figaro*, le rituel du réveil et une conversation avec Albertine au folio 3, où la jeune fille déclare : « Que voulez-vous si c'est mon destin de mourir d'un accident de cheval. J'en ai souvent le pressentiment ! » Suivent des fragments destinés à des promenades avec Albertine, à Saint-Cloud et au Bois, ainsi qu'une évocation de la musique wagnérienne que le narrateur voudrait entendre au concert Lamoureux.

Puis, du folio 22 à la fin, ce cahier contient une rédaction suivie de la soirée Verdurin avec le déroulement qu'on lui connaît : rencontre de Brichot, évocation de l'ancien salon Verdurin, des farces d'Elstir, portrait de Charlus affichant ses goûts, la musique de Vinteuil, c'est-à-dire un quatuor et une symphonie. Pour le concert, Proust a finalement substitué le quatuor à la symphonie, comme « Charly » ou « Bobby », d'abord flûtiste, devient violoniste à la dernière page. De longues additions sur la musique de Vinteuil apparaissent sur les versos, ainsi que d'autres concernant la conversation de Charlus sur l'homosexualité. La scène que le narrateur, de retour chez lui, fera à Albertine est brièvement ébauchée. Ses causes sont les mêmes que dans le texte final : on attendait Mlle Vinteuil et son amie à la soirée où Albertine avait voulu se rendre. Le cahier s'achève par l'affront public fait à Charlus par le jeune violoniste[1].

Le Cahier 55 porte sur la couverture l'indication biffée « Cahier n° VII », et une parenthèse également biffée : « (mais dans lequel sont intercalés des morceaux comme le pastiche de Goncourt qui viennent après) ». Il contient 96 feuillets. Les 8 premiers sont restés blancs. Les folios 9 à 45 ont trait à *La Prisonnière*, du retour de la soirée Verdurin en compagnie de Brichot[2] au départ d'Albertine. Le reste du cahier entremêle des passages qui ont trouvé leur place dans *Albertine disparue* et *Le Temps retrouvé*.

Il est clair que ces trois cahiers vont au-delà des limites finales de *La Prisonnière*. Ils s'inscrivent dans la série des brouillons allant de *Sodome et Gomorrhe* jusqu'au *Temps retrouvé*.

On a daté les cahiers de *La Prisonnière* grâce à la dédicace d'un volume de *Du côté de chez Swann* envoyé à Mme Scheikévitch vers le 3 novembre 1915. Il s'agit en fait d'une longue note écrite sur huit pages blanches de l'exemplaire[3]. Annonçant la suite à sa correspondante, Proust décrit ce qui deviendra *La Prisonnière* : « Puis vous verrez notre vie commune pendant ces longues fiançailles, l'esclavage auquel ma jalousie la réduit, et qui, réussissant à calmer ma jalousie, fait évanouir, du moins je le crois, mon désir de l'épouser. Mais un jour si beau que pensant à toutes les femmes qui passent, à tous les voyages que je pourrais faire, je veux demander à Albertine de nous quitter, Françoise en entrant chez moi me remet une lettre de ma fiancée qui s'est décidée à rompre avec moi et est partie, depuis

1. Voir l'Esquisse XIV, p. 1150.
2. P. 830.
3. Voir la *Correspondance*, t. XIV, p. 280.

le matin. » Suivent des allusions à la future *Albertine disparue*. Les cahiers de brouillons sont donc antérieurs à novembre 1915, sans doute de plusieurs mois pour les premiers.

Enfin, parallèlement aux cahiers de brouillons, Marcel Proust a rédigé des esquisses dans ses carnets. Outre le premier, commencé en 1908, ce sont le 2, le 3, et le 4, contemporains de la guerre. Dans le Carnet 2, Albertine est mentionnée au verso du folio 34, à l'occasion d'une addition destinée au motif des aéroplanes[1]. Une allusion au *Temps* du 3 ou 4 février 1915, au feuillet précédent, date ce passage. Dans ce même carnet, en revanche, d'autres notes de l'auteur concernent Maria. Ainsi, au verso du folio 2 : « Je dirai pour Maria, avant je désirais connaître ce qu'elle faisait à la campagne », fragment que nous avons déjà cité page 1646. L'auteur est encore plus laconique au recto du même folio : « Aimer Maria, son air brutal », et au folio 28 recto : « Maria et Gilberte. » On trouve aussi dans ce carnet une allusion à Robert Ulrich, neveu de la cuisinière de l'auteur, Félicie Fitau, pour lequel Proust a tenté plusieurs fois de trouver une place d'employé ou de chauffeur. Dans ces brèves lignes, on aura reconnu les préoccupations du narrateur vis-à-vis d'Albertine. Celle-ci succède à Maria dans ce Carnet 2, soulignant la contingence des personnages de Proust, comme l'allusion à Ulrich, et l'utilisation de la biographie à des fins multiples.

Les autres mentions d'Albertine, dans les carnets suivants, le 3 et le 4 datent de l'année 1914 comme on peut s'en convaincre par les allusions aux événements de l'heure. De plus, les Carnets 3 et 4, contiennent des fragments destinés à la musique de Vinteuil[2], fragments intégrés par la suite au texte de *La Prisonnière*.

Le manuscrit « au net » (1916-1921). — Vingt cahiers du manuscrit « au net » contiennent le texte d'*À la recherche du temps perdu*, depuis *Sodome et Gomorrhe* jusqu'au *Temps retrouvé*. *La Prisonnière* occupe quatre de ces cahiers, ainsi que le début d'un cinquième. Les cinq cahiers ont été numérotés par Proust de VIII à XII[3].

Le texte du manuscrit au net a été établi à partir des cahiers de brouillons. Mais il constitue un développement considérable de ceux-ci. Après une première rédaction, il a été l'objet de nombreuses additions s'étalant sur plusieurs années. La première rédaction est portée sur les rectos des cahiers. Quelquefois, Proust a retiré des pages des cahiers de brouillons, écrites recto-verso, pour les placer, telles quelles, dans les cahiers du manuscrit. On peut avancer la date de 1916 pour la majeure partie de la constitution de ce manuscrit au net.

1. Voir l'Esquisse XI, p. 1134.
2. Voir l'Esquisse XIII, p. 1144.
3. On a vu que des cahiers de brouillons étaient également numérotés en chiffres romains par Proust. Il ne s'agit pas de la même série, et donc pas de la même numérotation. Pour la description des Cahiers VIII à XII, voir la Note sur le texte, p. 1693-1694, et dans le tome I de la présente édition, p. CLXIII-CLXIV.

Ensuite, Proust a apporté des modifications à son texte, par des substitutions et surtout par des additions. Car il ne réduit jamais un passage déjà écrit, sauf pour en faire une transition annonçant un nouveau développement. Les additions dans les marges ou sur des feuilles collées par-dessus la page qu'elles annulent ou au bas de celle-ci, en béquets successifs, représentent un accroissement d'au moins cinquante pour cent par rapport au texte initial. Elles rendent celui-ci moins lisible, car ces additions multiples s'insèrent souvent au même endroit. Ainsi, de fragment ajouté en fragment ajouté, on revient à chaque fois au point de départ de ces nouveaux développements, comme par une boucle sans fin. La paperole ainsi constituée a sa cohérence interne, mais quelquefois elle se rattache mal au passage qui lui a donné naissance. À cette difficulté s'en ajoute une autre : les feuillets collés au bas et sur le côté des pages n'ont pas toujours été assemblés correctement. Céleste Albaret, au service de Proust depuis l'été de 1913 était chargée de monter ces paperoles. Elle a aussi écrit sous la dictée quelques passages de *La Prisonnière*. Il arrive que sa sagacité soit prise en défaut, qu'elle intervertisse des feuillets. Proust ne s'est pas soucié de vérifier.

Ces deux types d'additions, marginales et sur paperoles, se sont poursuivies de la fin de la première rédaction, au début de 1917, jusqu'à la dactylographie du manuscrit, cinq ans plus tard, en 1922. Les additions sur paperoles sont logiquement les plus récentes, puisque Proust passe à ce procédé quand tout l'espace disponible dans les marges a été noirci. C'est ainsi que Morel ne porte son patronyme définitif que dans les paperoles, alors qu'il s'appelle Santois dans le texte de la première rédaction et dans les additions marginales. Les expressions nées de la guerre et passées ensuite dans le langage courant abondent dans les ajouts.

Tout en accroissant de la sorte le contenu des cahiers du manuscrit au net, Proust a consigné d'autres fragments destinés à *La Prisonnière* dans les Cahiers 60, 62 et 59.

Les Cahiers « d'ajoutages » 60, 62, 59 et 75 : 1919-1922. — Le manuscrit au net est en effet suivi de trois cahiers contenant soit de brèves indications, soit des passages entiers destinés à être intégrés au texte. Ces additions ont continué à être portées dans ces cahiers pendant la mise au point de la dactylographie qui constitue l'état final du texte de *La Prisonnière*.

Le Cahier 60 est le plus ancien. On peut le dater de 1919-1920, car il contient une copie d'une lettre de Proust à Pierre de Polignac de la main d'Henri Rochat. Proust assure à son ami Polignac qu'il a changé dans son roman le nom de Vermandois[1], primitivement choisi, pour celui de Mlle d'Oloron. Il précise au folio 56 : « M. de

1. Cahier 60, ff^os^ 61-62. Philip Kolb date cette lettre à Pierre de Polignac de février 1920 (voir les *Lettres retrouvées*, Plon, 1966, p. 133-134). Vermandois aurait été trop proche de Valentinois, nom de jeune fille de la future épouse de Pierre de Polignac, Charlotte Grimaldi, duchesse de Valentinois.

Charlus adopte la fille de Jupien. Elle prit le nom de Mlle d'Oloron (éviter Vermandois à cause de Pierre de Polignac), nom qu'eût régulièrement porté la fille de M. de Charlus, s'il en avait eu une. » Toujours pour le même personnage, on trouve au folio 55, ce raccourci pour l'ensemble d'un épisode dont la partie principale est dans *La Prisonnière* : « Santois a remarqué fille de Jupien en venant chez moi, le roman qui s'en suit. » Proust a finalement substitué Morel à Santois, mais il n'a jamais choisi entre fille et nièce de Jupien, puisqu'il désigne ce personnage indifféremment de l'une ou l'autre manière.

Le reste des notes du Cahier 60 destinées à *La Prisonnière* a trait aux promenades d'Albertine sous la garde d'Andrée[1], aux mots de Françoise à propos d'Albertine[2], à la vie en commun du narrateur avec Albertine[3]. On lit également un passage « pour ajouter au sommeil d'Albertine[4] ».

Le Cahier 62, dont on sait par les références aux autres parties de l'œuvre qu'il date de 1920-1921, contient des additions pour « *Sodome III* » : les indices du départ d'Albertine[5], des expressions pour cette dernière[6], des développements sur le sommeil[7]. Proust avait également ébauché au folio 44 un paragraphe à placer « à un endroit où je suis malade ». Ces remarques, sur l'usage des médicaments comparés à des amis, seront intégrées, après avoir été amplifiées, à l'épisode de la mort de Bergotte[8]. L'épisode lui-même, qui est absent des cahiers du manuscrit au net, apparaît au folio 57 du Cahier 62, pour la partie qui va de « Il mourut dans les circonstances suivantes » à « De sorte que l'idée que Bergotte n'était pas mort à jamais est sans invraisemblance[9] ». On sait que la mort de Bergotte devant la *Vue de Delft* de Vermeer a été inspirée à Proust par le malaise qu'il a éprouvé lors de sa visite, en mai 1921, à l'exposition de peinture hollandaise au musée du Jeu de Paume. Enfin, à la suite de ce passage, Proust a ajouté au folio 58 qui termine le Cahier 62 : « (Ici mettre le passage placé je ne sais où de ses œuvres faisant la veillée devant sa tombe, aux vitres enflammées des librairies.) »

Dans le Cahier 59, comme dans le texte définitif, la mort de Swann suit de près celle de Bergotte[10]. On en trouve la rédaction complète du folio 39 au folio 44. N'y figure pas, cependant, une addition de dernière minute où Proust s'adresse à son personnage comme s'il était véritablement représenté sur le tableau de Tissot « entre

1. F° 14.
2. Ff^os^ 31, 33, 54, 69 et 122.
3. Ff^os^ 28 et 99-102.
4. Ff^os^ 123-124.
5. F° 19.
6. F° 31.
7. Ff^os^ 54-55.
8. Voir p. 691.
9. P. 693.
10. À laquelle sont destinés deux fragments du Cahier 59 et une note, au folio 48 : « Narcotiques de Bergotte, rendez-vous vers la mort. Elle vint. Buissons en plein ciel. »

Galiffet, Edmond de Polignac et Saint-Maurice[1] », alors que c'est Charles Haas, l'un des modèles de Swann, qui figure sur ce tableau. Non plus que la mort de Bergotte celle de Swann ne figurait dans les cahiers du manuscrit au net.

D'autres notes du Cahier 59 sont destinées à *La Prisonnière*, désignée, comme dans le Cahier 62, sous le titre de *Sodome et Gomorrhe III*[2]. Elles concernent, par exemple au folio 74, le patois de Françoise. Une note du folio 80 est passée dans le texte : « Céleste Albaret me dit : "Ô dignité du ciel reposée sur un lit (car vous ne ressemblez en rien à tout ce qui voyage sur cette vile terre)"[3]. » Quant au cahier 75, il contient un brouillon d'article sur Léon Daudet, proche d'une allusion au polémiste de *l'Action française* (ici, p. 802).

1919-1922 : vers la publication en volume.

À l'ombre des jeunes filles en fleurs a été publié en 1918 avec un plan, en tête de l'ouvrage, qui prévoyait cinq volumes pour l'ensemble d'*À la recherche du temps perdu*. Proust avait lui-même rédigé ce sommaire[4]. Sous le titre général, *Pour paraître en 1919, À la recherche du temps perdu*, il avait inscrit : « Du côté de chez Swann (un volume paru), À l'ombre des jeunes filles en fleurs (un volume paru), Le Côté de Guermantes (sous presse), Sodome et Gomorrhe I, Sodome et Gomorrhe II — Le Temps retrouvé. » Il avait aussi indiqué le détail — reproduit dans le plan de 1918 — des volumes à venir, les troisième, quatrième et cinquième. Dans ce dernier, *Sodome et Gomorrhe II — Le Temps retrouvé*, trois titres de chapitres résument les trois parties principales de *La Prisonnière* (mais non le détail de sa chronologie) : « Vie en commun avec Albertine ». « Les Verdurin se brouillent avec M. de Charlus. » « Disparition d'Albertine. »

Mais *À l'ombre des jeunes filles en fleurs* est à peine achevé d'imprimer que Proust, en décembre 1918, constate que l'ensemble de l'œuvre dépassera les cinq volumes annoncés dans le plan. Il en envisage désormais six, au moins, cela afin d'inclure, d'une part, les additions aux vingt cahiers du manuscrit où il a rédigé sans interruptions notables toute la partie de l'œuvre qui va de *Sodome et Gomorrhe I* au *Temps retrouvé* inclus, et, d'autre part, celles qu'il note encore dans les cahiers « d'ajoutages », 60, 62, 59 et 75. Il conçoit donc, avant *Le Temps retrouvé*, un *Sodome et Gomorrhe III*, titre qu'il portera de sa main sur la première des trois dactylographies de *La Prisonnière*, et qui a été conservé en sous-titre de l'édition originale de 1923. Mais au début de 1919, alors qu'il continue à apporter des additions aux Cahiers VIII, IX, X, XI et XII du manuscrit, il n'a pas encore fixé les limites de ce qui deviendra *La Prisonnière*. Il ne le fera jamais tout à fait. Car le mouvement qui anime la composition de ses textes modifie en conséquence découpages et choix des titres. Proust avait procédé de

1. Voir p. 705.
2. Voir cette Notice, p. 1662-1665.
3. P. 527.
4. Feuillet autographe, vente de la collection Guérin du 6 novembre 1985, Drouot.

la sorte pour les premières versions d'*À la recherche du temps perdu*, en 1912 et 1913. Pour *La Prisonnière*, cette difficile mise au point est compliquée par les travaux que lui imposent les publications en cours, c'est-à-dire la correction des épreuves du *Côté de Guermantes* en 1919 et 1920, de *Sodome et Gomorrhe* en 1921, une correspondance plus abondante, suscitée par ces parutions, les déménagements[1], l'aggravation de la maladie, et enfin, les publications d'extraits des volumes à paraître.

Ses interlocuteurs privilégiés sont, pendant les quatre dernières années de sa vie, son éditeur, Gaston Gallimard, et le directeur de *La Nouvelle Revue française*, Jacques Rivière. Lire l'ensemble des lettres que Proust leur a adressées, c'est suivre, presque au jour le jour, les étapes finales de son œuvre[2].

Dès sa première lettre depuis son retour de la guerre, Jacques Rivière demande à Marcel Proust, le 19 avril 1919, la permission de publier un extrait d'*À l'ombre des jeunes filles en fleurs*, dans le premier numéro de la nouvelle série de la revue, le 1er juin. C'était reprendre la correspondance où il l'avait laissée, puisqu'en mai 1914, il avait déjà sollicité et obtenu de lui des extraits parus sous le titre : *À la recherche du temps perdu, I et II*, dans les numéros de juin et juillet. La publication de ces extraits ne s'était pas faite sans difficultés ni malentendus, aussitôt dissipés mais toujours renouvelés. Ils préfigurent ceux qui précéderont la sortie de *La Prisonnière*. En effet, alors que ni ce roman ni sa suite ne sont prêts à être publiés, Proust ne peut annoncer ce qui n'est pas encore définitivement arrêté. En revanche, il souhaite toujours qu'on indique à ses lecteurs où se placent les extraits choisis. Il craint par-dessus tout qu'ils donnent une idée fausse des volumes à paraître. De là ces découpages et ces reconstructions destinés à faire de ces extraits une sorte de résumé didactique de l'ensemble. Ce ne sont pas de simples bonnes feuilles mais de véritables réductions « à l'échelle » de morceaux entiers, de nouvelles synthèses, plus réduites encore, de l'œuvre déjà écrite où Marcel Proust exerce ses talents de pédagogue.

Et puis, où les publier ? « Je ne souhaite que la *N.R.F.* », écrivait déjà Proust à Rivière en mai 1914[3]. Cependant, il n'en dédaigne pas pour autant *Le Figaro*, ou *La Revue hebdomadaire*, *La Revue de Paris*, *Les Œuvres libres*, ou encore des revues étrangères. À Gaston Gallimard, il écrit à la fin de juin 1920 : « Je me sens *N.R.F.* à un point que je ne peux dire[4]. » En revanche, au mois de janvier 1921, parce qu'il n'est pas d'accord avec tout ce qu'on publie dans la revue, il

1. Proust a dû quitter le 30 mai 1919 son appartement du 102, boulevard Haussmann, pour loger rue Laurent-Pichat, puis il quitte le 1er octobre 1919 l'appartement de la rue Laurent-Pichat pour s'installer au 44 de la rue Hamelin.

2. Voir la nouvelle édition (par Pascal Fouché) des lettres à la N.R.F., à paraître chez Gallimard (1re édition : 1932) ; Marcel Proust et Jacques Rivière, *Correspondance (1914-1922)*, édition présentée et annotée par Philip Kolb, Gallimard, 1976 (première édition : Plon, 1955).

3. M. Proust-J. Rivière, *Correspondance*, éd. citée, p. 29.

4. Nouvelle édition des lettres à la N.R.F.

semble se raviser et affirme, toujours à son éditeur : « Je ne suis pas un *N.R.Fiste* fanatique[1] ». De même, il fait part de ses critiques à Rivière, pour le numéro d'avril 1920 qui ne lui convient pas et pour celui de juillet, parce qu'il contient un compte rendu favorable sur *G.Q.G. secteur I* de Jean de Pierrefeu, critique au *Journal des Débats*. Mais que Pierrefeu, qui avait été sévère pour Proust, se montre plus compréhensif et tout est bien[2]. D'ailleurs, peu avant, il avait assuré Rivière, le 1er juillet 1922, qu'il était « avant tout N.R.fiste[3] ».

Dans sa réponse du 25 ou 26 avril 1919 à la requête de Rivière il demande simplement pour les numéros de juin et juillet de *La Nouvelle Revue française*, qu'on indique, avec les extraits d'*À l'ombre des jeunes filles* et du *Côté de Guermantes*, le titre des volumes à paraître : *Le Côté de Guermantes*, *Sodome et Gomorrhe*, *Le Temps retrouvé*, trois volumes qui — le croit-il vraiment ? — « paraîtront seulement quelques mois plus tard, mais tous à la fois[4] ». Avec le même Rivière il est un peu plus explicite, au début de juillet 1920 sur le plan de la suite. Son œuvre, dit-il, « est une construction », avec « des pleins, des piliers », et « dans l'intervalle », de « minutieuses peintures[5] ». Puis il annonce ce qui sera d'ailleurs plutôt *Albertine disparue* que *La Prisonnière*, mais toujours inclus, sans plus de précisions, dans *Sodome et Gomorrhe* : « Tout le volume sur la séparation d'avec Albertine, sa mort, l'oubli, laisse loin derrière lui la brouille avec Gilberte. De sorte qu'il y aura trois esquisses très différentes du même sujet (séparation de Swann avec Odette dans *Un Amour de Swann* — brouille avec Gilberte dans les *Jeunes Filles en fleurs* — séparation avec Albertine dans *Sodome et Gomorrhe*, la meilleure partie)[6]. »

Six mois plus tard, dans une lettre à Gaston Gallimard de janvier 1921, il annonce son programme après *Sodome et Gomorrhe I*, désormais suivi de trois volumes supplémentaires : « *Sodome II*, *Sodome III*, *Sodome IV et le Temps retrouvé*, quatre longs volumes qui se succéderont à intervalles assez espacés (si Dieu me prête vie)[7]. » Il se répète peu après, encore et toujours les malentendus ! : *Sodome III* et *Sodome IV* formeront chacun un tome[8].

En octobre 1921, parce qu'il se remet difficilement d'un empoisonnement accidentel, et qu'il est fatigué de préparer ces fragments[9], il annonce à Gaston Gallimard qu'il ne donnera aucun fragment de

1. Nouvelle édition des lettres à la N.R.F., [mi-janvier 1921].
2. Voir H. Bonnet et P.-E. Robert : « Jean de Pierrefeu et Marcel Proust : une correspondance inédite (janvier-décembre 1920) », *Revue d'histoire littéraire de la France*, 79e année, n° 5, septembre-octobre 1979.
3. M. Proust-J. Rivière, *Correspondance*, éd. citée, p. 231.
4. *Ibid.*, p. 48.
5. *Ibid.*, p. 114.
6. *Ibid.*, p. 114.
7. Nouvelle édition des lettres à la N.R.F., [début de janvier 1921].
8. *Ibid.*, lettre à Gaston Gallimard du 21 janvier 1921. Dans sa lettre à Proust du 14 janvier 1921, Gaston Gallimard avait récapitulé l'ensemble des tomes d'*À la recherche du temps perdu*.
9. Il déclare à Gaston Gallimard : « Composer pour moi ce n'est rien. Mais rafistoler, rebouter, cela passe mon courage. » (*ibid.*, [19 ou 20 octobre 1921]).

Sodome et Gomorrhe II à Rivière. Sitôt *Sodome et Gomorrhe II* terminé, « et avant de commencer à mettre au point *Sodome III*, je lui donnerais la fin de *Sodome III* où il n'y a rien à changer et qui est ce que j'ai écrit de mieux (La Mort d'Albertine, l'oubli)[1]. » Cette fin de *Sodome et Gomorrhe III* n'est autre qu'*Albertine disparue* qui, à ce moment, n'est pas dissociée de *La Prisonnière*. Peu après, il pense peut-être à un découpage différent car il annonce à Gaston Gallimard, en novembre 1921, que *Sodome III*, auquel il va « [s']atteler », sera « un volume bref et d'action dramatique[2] ». Peut-être faut-il entendre linéarité autant que brièveté. Il est vrai que pour chaque volume Proust voit ses estimations démenties par les ajoutages successifs qu'il apporte à son texte. Il est plus précis dans une des lettres suivantes à Gallimard, de décembre : *Sodome III* « a des chances d'être un très court volume selon l'endroit où nous le couperons (ce que nous déciderons de commun accord)[3] ». Il envisage sa parution dans moins d'un an : « [...] vous pourriez peut-être donc tout préparer comme si *Sodome III* devait paraître en octobre. Je ne vous jure pas que cela sera possible, mais cela ne me semble pas absolument impossible ». Voici la méthode plus expéditive (et tout à fait irréalisable) qu'il suggère à son éditeur : « On ferait une dactylographie de *Sodome III*, je corrigerais (peu je crois) sur ladite dactylographie et elle servirait de texte définitif pour le bon à tirer. De cette façon vous n'auriez ni les frais d'épreuves, ni ceux de composition. Enfin je vous propose de réduire encore ces frais en vous déchargeant de la dactylographie. Dans ce cas, j'engagerais un ou une dactylographe et ferais faire le travail chez moi. »

Il n'accepte pas en janvier 1922 la proposition de Gallimard « de mettre ce *Sodome III* au net » avec lui[4]. Et ce même mois il se montre moins affirmatif sur la date d'achèvement : « Pour *Sodome III*, je ne peux rien vous dire[5]. » Le 6 février 1922, son éditeur lui écrit que *Sodome III*, remis en mai, pourrait paraître le 15 octobre 1922. *Sodome IV* paraîtrait alors le 1er mai 1923[6]. C'est donc au début de 1922 que Proust engage Yvonne Albaret, nièce de Céleste, pour dactylographier son manuscrit. En tête de la première dactylographie, il inscrit « *Sodome et Gomorrhe III* ». En juin 1922, il envisage de donner *Sodome et Gomorrhe III* à la *Revue de France*. Il écrit à Jacques Rivière entre le 19 et le 24 juin : « Je donnerai probablement *Gomorrhe III* à la *Revue de France* qui me l'a demandé[7]. » Le directeur de cette revue est Marcel Prévost ; il a proposé à Proust une prépublication en feuilleton. La réponse de Jacques Rivière : « Si

1. *Ibid.*, [19 ou 20 octobre 1921].
2. *Ibid.*, [29 ou 30 novembre 1921].
3. *Ibid.*, [7 ou 8 décembre 1921]. Réponse de Gaston Gallimard, le 9 décembre 1921 : « Entendu pour *Sodome et Gomorrhe III*. Il ne peut y avoir en effet de meilleure solution que celle que vous me proposez. »
4. *Ibid.*, [peu avant le 13 janvier 1922].
5. *Ibid.*, [avant le 29 janvier 1922].
6. Lettre de Gaston Gallimard du 6 février 1922.
7. M. Proust-J. Rivière, *Correspondance*, éd. citée, p. 228.

vraiment vous donnez le troisième *Sodome* tout entier à la *Revue de France*, vous me portez un coup terrible[1]. » Il ajoute : « Vous savez bien pourtant l'immense importance que j'attribue à révéler le premier au public vos nouvelles œuvres. » Puis il conclut par un argument de professionnel : « La *Revue de France* est une revue en pleine décadence. »

Proust renonce à son projet vers le 1er juillet 1922 : « Quant à *Sodome III* attendez que je vous en parle. Il n'y a pas de péril car je n'ai pris nul engagement[2]. » Pour se justifier, il explique : « Je ne puis vous promettre de vous en réserver des extraits car c'est un récit qui n'en comporte guère. » Et il lui promet pour 1923 « des extraits des volumes suivants ». Il est d'autant moins prêt à une publication même partielle de ce volume qu'il vient d'écrire à Gaston Gallimard, le 25 juin 1922 : « Je ne puis rien vous dire quant à mon livre. Mon accident (le médicament avalé pur) a eu lieu vers le 2 mai et vous savez ce que j'ai souffert sans trêve depuis. [...] Je possède bien le manuscrit ou, pour mieux dire, la dactylographie complète (et le manuscrit aussi) de ce volume et du suivant, puisque vous vous rappelez que j'avais pris pour cela une dactylographe. Mais le travail de réfection de cette dactylographie, où j'ajoute partout et change tout, est à peine commencé. Il est vrai qu'elle a été faite en double[3]. »

En effet, et une fois de plus, « c'est un nouveau livre », selon le mot de Jacques Copeau devant les épreuves remaniées de Grasset que Proust rappelait à Gaston Gallimard, en 1919[4]. Mais, toujours dans sa lettre du 25 juin 1922 à son éditeur, il envisage aussi un nouveau titre : « [...] Tronche[5], il y a quelque temps, m'avait dit que j'avais tort de ne pas varier mes titres que les gens étaient si bêtes que lisant une œuvre intitulée comme la précédente *Sodome et Gomorrhe* se disaient : Mais j'ai déjà lu cela (je croyais qu'il exagérait, mais un exemple que je vous raconterai semble lui donner raison). Aussi, depuis que j'ai été tenté par les propositions de Prévost, j'ai repensé à ce que m'a dit Tronche et j'ai pensé que je pourrais peut-être intituler *Sodome III, La Prisonnière* et *Sodome IV, La Fugitive*, quitte à ajouter sur le volume (suite de *Sodome et Gomorrhe*)[6]. »

Et sur la seconde des dactylographies, il ajoute à la main, au-dessus de *Sodome et Gomorrhe III, La Prisonnière*. Quand sera-t-elle prête ? À Gaston Gallimard qui souhaite préparer son programme d'édition pour 1922-1923, il répond en juillet 1922 : « Si vous désirez, *dans le doute*, annoncer mes deux volumes suivants pour 1923, bien volontiers, cher ami. Mais si de les avoir annoncés vous oblige à les publier à date fixe, je ne peux prendre aucun engagement. Car aucune des deux parties n'est "prête", ce qui s'appelle "prête"[7]. »

1. M. Proust-J. Rivière, *Correspondance*, éd. citée, p. 230.
2. *Ibid.*, p. 231.
3. Nouvelle édition des lettres à la N.R.F.
4. *Ibid.*
5. Jean-Gustave Tronche, fondé de pouvoir de Gaston Gallimard.
6. *Ibid.*
7. *Ibid.*, [2 ou 3 juillet 1922].

Il veut parfaire son travail, dans le temps que la maladie lui laisse. Il invoque un nouvel argument : « On est un peu repu de mes trois volumes. » Il sait que les deux suivants ne cessent de grossir et il souhaite convaincre son éditeur d'être patient : « Il vaut mieux que je laisse souffler mon monde et que l'appétit revienne. Cependant il vaudrait mieux que l'intervalle ne soit pas trop long, car tout le monde ne gardera pas présent à l'esprit qu'à la fin de *Sodome II* je pars vivre avec Albertine, et cette vie constituant *Sodome III* (qui n'aura pas ce titre), il est préférable (dans la mesure de mes forces) qu'on n'ait pas eu le temps d'oublier[1]. » Proust explique qu'il n'a pas non plus arrêté son choix pour le titre : « Je pensais appeler la première partie *La Prisonnière* ; la deuxième, *La Fugitive*. Or, Madame de Brimont vient de traduire un livre de Tagore, sous le titre *La Fugitive*. Donc, pas de *Fugitive*, ce qui ferait des malentendus. Et du moment que pas de *Fugitive*, pas de *Prisonnière* qui s'opposait nettement[2]. »

Dans une autre lettre, du 22 juillet 1922, à son éditeur, où par lapsus, il parle de *Sodome et Gomorrhe IV*, voulant, comme il le corrige aussitôt, dire *Sodome et Gomorrhe III*, il n'est pas moins hésitant : « J'ai l'intention de vous envoyer d'ici peu le manuscrit de *Sodome et Gomorrhe IV* (*La Prisonnière*), afin d'en avoir les premières épreuves que je remanierai fort. Le grand intérêt pour moi est de me rendre compte si cette *Prisonnière* sera assez courte pour que je puisse faire paraître en même temps sa suite, *La Fugitive*, car si matériellement il est certain que les livres courts se vendent mieux, dans mon cas, comme j'ai réussi jusqu'ici à ne pas dégringoler, il ne faudrait pas, pour avoir un ouvrage moins long, faire dire : "Il est très en baisse"[3]. »

Il n'est donc plus question de se servir de la dactylographie comme « texte définitif pour le bon à tirer[4] », ainsi que Proust l'avait proposé dans sa lettre de décembre 1921 à Gaston Gallimard. L'incertitude demeure pour le découpage des volumes. C'est sans doute à la même époque que, dans cette optique d'un seul volume pour les deux parties (*La Prisonnière* et *La Fugitive*), il écrit de sa main en tête de la troisième des dactylographies : « *La Prisonnière* », avec ce sous-titre : « 1re partie de *Sodome et Gomorrhe III* ». En août et en septembre 1922 il continue à employer ce titre de *La Prisonnière* dans sa correspondance avec les éditeurs. Gaston Gallimard lui demande le 5 septembre 1922 : « Quand pensez-vous pouvoir me donner votre texte de *La Prisonnière* à composer ? » Et si on trouve de nouveau *Sodome et Gomorrhe III* sous sa plume en octobre, c'est à *La Prisonnière* qu'il revient dans sa dernière lettre — du 30 octobre ou du 1er novembre 1922 — à Gaston Gallimard.

1. *Ibid.*
2. *Ibid.*
3. *Ibid.*
4. *Ibid.*, [7 ou 8 décembre 1921].

La préparation de ce volume et de sa suite n'est pas la seule préoccupation des derniers jours de Proust. La publication en revue de leurs extraits est, comme ce fut le cas pour *Sodome et Gomorrhe II*, source de conflits. Car *Les Œuvres libres* viennent de lui proposer de publier, avant leur sortie en volume, *La Prisonnière* et *La Fugitive*[1]. Proust avait donné *Jalousie*, « roman inédit » tiré de *Sodome et Gomorrhe II*, au directeur de cette revue, Henri Duvernois, qui l'avait publié en novembre 1921. Sans doute Proust avait-il eu l'autorisation de Gaston Gallimard, mais non son approbation[2]. Cette fois-ci, Proust prend les devants et fait remarquer à Gaston Gallimard, dans une lettre du 19 août 1922, que si Paul Morand, l'« as » de la maison, « figure au prochain numéro des *Œuvres libres* », c'est donc que son éditeur a changé d'avis sur ce sujet et que lui, Marcel Proust, peut donc publier à son tour dans *Les Œuvres libres* cette *Prisonnière* qu'il juge « tout à fait romanesque[3] ».

Il est d'autant plus pressant auprès de Gallimard que Rivière, le 13 août, lui réclamait le « Sommeil d'Albertine » pour le numéro d'octobre de *La Nouvelle Revue française*, demande qu'il a renouvelée le 21, parce que Proust ne lui avait pas répondu. Ce dernier lui écrit, sans doute le lendemain ; il cherche à se dégager de l'insistance de Jacques Rivière en arguant, non sans impatience ni mauvaise foi, qu'il ne peut encore lui donner de réponse car il n'a pas reçu celle de Gallimard. « J'ai beau me creuser la cervelle, je ne me rappelle pas que ma lettre contînt le moindre reproche[4] », répond le 26 août Rivière, étonné par le ton un peu vif de la lettre de Proust. Il se contente de rappeler à celui-ci sa promesse de fournir deux extraits à *La Nouvelle Revue française* : « Le Sommeil d'Albertine » et « Cris de Paris ». Enfin, Rivière ne voit pas d'inconvénients à ce que Proust donne « quelque chose aux *Œuvres libres* ». Attendons, lui répond en substance Proust, dans une lettre de la fin du mois d'août. Il lui confie d'ailleurs qu'il préférerait donner à *La Nouvelle Revue française* « un extrait de *La Fugitive*[5] », afin de garder son caractère d'inédit à *La Prisonnière* pour *Les Œuvres libres*. Voilà qui n'éclaire pas beaucoup Rivière : le 3 septembre, il déclare, dans sa réponse, ignorer ce que Proust désigne par ces titres ! Avec l'accord de Gallimard, au début de septembre, un compromis est trouvé.

C'est ainsi que Proust donne à Henri Duvernois un long extrait de la première partie de *La Prisonnière*, extrait qui paraîtra dans le numéro de février 1923 des *Œuvres libres*. Il a tenu à en changer le titre, comme il l'avait fait précédemment avec *Jalousie*, ce qu'il rappelle à Gaston Gallimard vers le 8 septembre 1922. Il assure à son éditeur qu'il ne s'agit que d'un extrait « (qu'ils nomment toujours

1. « [...] les Feuilles libres *[sic pour « Les Œuvres libres »]* publient *La Prisonnière* et *La Fugitive* » (lettre à Jacques Rivière, 22-25 août 1922, M. Proust-J. Rivière, *Correspondance*, éd. citée, p. 240).

2. « Oui, je regrette que vous ayez accepté une telle proposition », écrivait Gaston Gallimard à Marcel Proust, le 9 septembre 1921 (nouvelle édition des lettres à la N.R.F.).

3. *Ibid.*, [samedi 19 août 1922].

4. M. Proust-J. Rivière, *Correspondance*, éd. citée, p. 241.

5. *Ibid.*, p. 243.

roman complet, *Jalousie* aussi, mais tout le monde comprend[1]) ». Le fragment de *La Prisonnière* paraîtra finalement sous le titre « Précaution inutile », « Roman inédit ». *La Nouvelle Revue française* aura le « Sommeil d'Albertine », mais non sous ce titre. Ce sera, comme Proust l'avait écrit à Gallimard dans la même lettre du 7 ou 8 septembre 1922, « La regarder dormir ». Il reproche à Rivière, toujours au début de septembre, d'avoir annoncé cet extrait sans son accord, et il lui en donne le nouveau titre vers le 8 ou le 10 du même mois.

Jacques Rivière veut cet extrait immédiatement : « Quand me remettrez-vous le manuscrit ? Il ne faudrait pas que ce fût au-delà du 28 ou du 29 de ce mois[2]. » Il ne sait pas Proust affaibli et n'imagine pas quels efforts la préparation de ces inédits lui coûte. Malgré son admiration sincère pour Marcel Proust, Jacques Rivière montre dans ses lettres qu'il ne soupçonne rien des méthodes de travail de l'écrivain.

Finalement, le 23 ou le 24 septembre, Proust lui propose deux extraits, « La regarder dormir », et « Mes réveils » qui paraîtront dans *La Nouvelle Revue française* de novembre 1922. Jusqu'à la dernière minute, il y apporte des corrections. Dans sa dernière lettre à Gaston Gallimard, du 30 octobre ou du 1er novembre 1922, Proust exprime le sentiment d'en avoir terminé avec son œuvre, commencée près de quinze ans plus tôt. Sinon le sentiment de l'avoir achevée, du moins celui de ne pouvoir aller plus loin, d'être allé au bout de ses forces : « L'espèce d'acharnement que j'ai mis pour *La Prisonnière* (prête mais à faire relire — le mieux serait que vous fassiez faire les premières épreuves que je corrigerai), cet acharnement surtout dans mon terrible état de ces jours-ci, a écarté de moi les tomes suivants. Mais trois jours de repos peuvent suffire. Je m'arrête, adieu, cher Gaston[3]. » Il ajoute ce dernier post-scriptum : « Lettre suivra quand pourrai. » Le 7 novembre 1922, Gaston Gallimard répond à Proust : « J'ai bien reçu votre manuscrit. Je l'envoie de suite à la composition. Je vous enverrai les épreuves dès que je les aurai[4]. »

Peu après la mort de Proust, le 18 novembre 1922, un encart publicitaire dans le numéro du 1er décembre de *La Nouvelle Revue*

1. Nouvelle édition des lettres à la N.R.F., [7 ou 8 septembre 1922].
2. M. Proust-J. Rivière, *Correspondance*, éd. citée, p. 248.
3. Nouvelle édition des lettres à la N.R.F., [30 octobre ou 1er novembre 1922].
4. La veille de sa mort, dans la nuit du 17 au 18 novembre 1922, Proust dicta encore à Céleste Albaret (voir *Monsieur Proust*, Robert Laffont, 1973, p. 421). Nous devons à l'obligeance de M. Louis Clayeux trois fragments, rédigés cette nuit-là sur des feuillets collés, et destinés à *La Prisonnière*. Le premier, bref et interrompu, renvoie au morceau d'Albertine sur les glaces et à une remarque sur les noms (voir var. *a*, p. 705). Le deuxième et le troisième paraissent destinés à la mort de Bergotte. On lira le troisième dans la variante *a* de la page 691. Voici le deuxième, qui évoque le ballet des médecins autour du mourant : « Ils s'étaient eux-mêmes dessiné<s>, se donnant une formidable place dans le décor, mais une place noire, la dernière maladie de Bergotte à cause de l'importance des personnages, mais leurs quadranguillages *[sic]* s'approchaient du malade allaient tenir entre eux des conférences infinies, mais quand *[sic]* à lui parler de son état que par définition, il dise [la médecine *biffé*] non, non la médecine n'est pas une chose de malade. Quelle grossièreté disait Bergotte, car évidemment ils veulent dire par là. *[sic]* Il voudrait savoir combien de temps [pour bien de temps il allait *addition de la main de Proust*] ils ont encore, sans même penser que ce temps s'il désire même le savoir [moins lui même que cet homme *addition de la main de Proust*] *[interrompu]* ».

française annonce la suite d'*À la recherche du temps perdu*, non sans quelque incertitude sur les titres et l'organisation de ses derniers volumes : « Sous presse : / *Sodome et Gomorrhe III. La Prisonnière Albertine disparue* / À paraître : / *Sodome et Gomorrhe* en plusieurs volumes (suite) / *Le Temps retrouvé* (fin)[1]. »

Si la division entre *La Prisonnière* et *Albertine disparue* a été indiquée par l'auteur dans la troisième dactylographie de *La Prisonnière*, le texte de celle-ci n'a pas été entièrement mis au point par lui. *La Prisonnière* a été publiée un an plus tard[2], après révision de la dactylographie par Robert Proust et Jacques Rivière[3]. Cette publication a été précédée d'extraits dans *La Nouvelle Revue française*. Ce sont, dans le numéro de janvier : « Une Matinée au Trocadéro[4] » et « La Mort de Bergotte » ; dans celui de juin : « Le Septuor de Vinteuil ».

Un roman en devenir : thèmes et motifs essentiels ou surajoutés.

Albertine jusqu'à l'obsession. — *La Prisonnière* est un roman dont le titre correspond à une situation envisagée dans la structure primitive d'*À la recherche du temps perdu*, au moins depuis le plan du Cahier 13 pour une deuxième année à Balbec. Cette situation, avec ses conséquences, est toute l'action du roman, aussi classique en cela que dans son unité de lieu et de temps. À son tour, la situation envisagée organise ou réorganise la totalité du texte.

Ainsi, dans la première rédaction du Cahier 53, la mère du narrateur est-elle physiquement présente. Il en était de même dans la matinée du Cahier 50 dont s'inspire la rédaction du Cahier 53. On a vu qu'à l'origine la mère était aussi l'interlocutrice du narrateur dans les ébauches du *Contre Sainte-Beuve*. Mais elle n'a plus cette fonction importante dans la première version du Cahier 53 et sa présence ne paraît être qu'un vestige de ces ébauches. Elle n'y est mentionnée qu'incidemment, aux folios 34, 44, 50. Son rôle maternel et son rôle d'interlocutrice du narrateur ont été distribués entre Albertine qui, comme la mère à Combray, donne ou refuse le baiser du soir, puis, dans la version des cahiers du manuscrit au net, participe à une longue discussion littéraire, et Françoise, dans une moindre mesure, puisque c'est maintenant elle qui apporte *Le Figaro* au narrateur dont elle protège le sommeil. Pour une addition figurant dans le Cahier 53, Proust se donne cette indication : « Quand je dis que ma mère est obligée d'aller à Combray[5]. » Ce sera la situation choisie pour le texte définitif. Mais, absente, la mère n'est pas écartée du roman car elle écrit chaque soir au narrateur, à la manière de Mme de Sévigné écrivant à sa fille. Cette lettre quotidienne, par les citations de Mme de Sévigné qu'elle contient, est aussi un rappel de Combray ; elle sert également de commentaire permanent de l'action

1. Voir P.-E. Robert, « L'Édition des posthumes de *À la recherche du temps perdu* », *Bulletin de la Société des amis de Marcel Proust* n° 38, 1988.
2. L'édition originale porte un achevé d'imprimer du 14 novembre 1923.
3. Voir la Note sur le texte, p. 1696.
4. Il s'agit de l'extrait qui devait paraître sous le titre de « Cris de Paris ». Voir la Notice, p. 1666.
5. F° 12 v°.

en cours, puisque la mère y exprime son avis au sujet d'Albertine. Proust en fait « un chaînon important » selon une note du Cahier 53[1]. Sa répétition quotidienne[2] s'insère dans la structure temporelle des cinq journées qui divisent *La Prisonnière*, explicitement lors des première, troisième et quatrième journées[3]. Tandis que le retour de la mère annoncé dans le Cahier 55 coïncide, comme dans la version finale, avec le départ d'Albertine.

Pour l'autre protagoniste de *La Prisonnière*, Françoise, Proust a noté tardivement un grand nombre d'expressions ironiques et injurieuses à l'endroit d'Albertine dans les Cahiers « d'ajoutages » 61 et 60. Françoise y exprime sa jalousie à elle, matérielle devant les cadeaux somptueux faits à Albertine, et affective envers une rivale dans le cœur du maître de maison.

Albertine unique objet de la jalousie du narrateur organise également, en tant que personnage, les deux axes du roman : Gomorrhe d'abord, puis Sodome. Ceux-ci convergent dans la soirée chez les Verdurin. L'annonce de la mort de Bergotte qui précède immédiatement la soirée a, parmi d'autres fonctions, celle, peut-être plus visible dans l'ordre de notre texte[4], de prouver une fois de plus les liaisons homosexuelles d'Albertine. Parallèlement, le côté de Sodome est immédiatement évoqué, toujours à l'occasion de la nouvelle de la mort de Bergotte, par le mot du maître d'hôtel qui rapporte sur le mode naïf — naïf par rapport à ce que sait le lecteur — qu'il a vu le baron de Charlus rester « longtemps dans une pistière[5] ».

La mort de Swann a été introduite dans le texte de la dactylographie. Comme pour la mort de Bergotte, l'auteur a repris les fragments qu'il avait notés dans ses cahiers « d'ajoutages ». De la sorte, l'annonce de la mort de Swann est suivie, dans l'interminable exposé de Charlus sur l'homosexualité à travers les âges, d'une réserve de celui-ci sur les mœurs du disparu, en guise de panégyrique. « Est-ce que [Swann] avait ces goûts-là ? » demande Brichot. « Je ne dis pas qu'autrefois, au collège, une fois par hasard », répond le baron de Charlus[6]. Cette « insinuation », qui nuance le portrait final de Swann, homme à femmes, avait été préparée dans le Cahier de brouillons 73 qui correspond à la soirée Verdurin. Dans une addition au verso du folio 48 de ce Cahier 73, Charlus reconnaît, tout à fait symétriquement, à propos d'Odette : « J'avais couché avec elle une fois qu'elle avait joué Miss Sacripant, elle était délicieuse dans son demi-travesti. » Il attribue cette affirmation aux « mauvaises

1. F° 21 v°.
2. Dans un autre fragment isolé (Cahier 53, f° 16 v°), Proust précise que la lettre arrive « vers dix heures ».
3. Voir p. 523 et 526 pour la première journée, p. 647 pour la troisième, p. 865 pour la quatrième. Voir cette Notice, p. 1678.
4. Voir p. 693.
5. « Pistière » pour « pissotière », p. 696.
6. Voir p. 803.

langues » dans ce même passage du texte définitif, où subsiste le « demi-travesti » de cette minutieuse arithmétique sexuelle.

Ni Swann ni Charlus, le narrateur n'en passe pas moins à l'égard d'Albertine par des sentiments comparables à ceux qu'ils éprouvent, l'un pour Odette et l'autre pour Morel. Mais consciemment : Albertine ou comment s'en débarrasser — tel pourrait être le titre parodique du roman et tout son résumé. Le narrateur prend quotidiennement la résolution de se séparer d'Albertine, et il attend pour agir le jour où il ne sera plus jaloux d'elle. Cette contradiction ne peut être résolue que par un dénouement qui en inverse les termes : la fuite inopinée d'Albertine. Tandis que la décision que le narrateur ne cesse d'envisager, sans jamais s'y résoudre, souligne l'unité psychologique du roman. Celui-ci avance dans de brusques montées de tension comme une tragédie qu'évoquent les vers de l'*Esther* de Racine cités par ses protagonistes. Mais une tragédie dont la conclusion — la mort d'Albertine — est différée. *La Prisonnière* ne cesse pas pour autant d'être une comédie dont la situation évoque *L'École des femmes* de Molière ou *Le Barbier de Séville* de Beaumarchais avec la séquestration de la jeune fille par un gardien jaloux de tous et dont l'obsession passe tour à tour du pathétique au grotesque.

Dans la trame du récit, le fil Fortuny. — « [...] le “leitmotiv” *Fortuny*, peu développé, mais capital jouera son rôle tour à tour sensuel, poétique et douloureux », annonce Proust à Maria de Madrazo dans une lettre du 17 février 1916[1]. Faisant allusion à cette partie de son roman qui deviendra *La Prisonnière*, et qu'il désigne encore comme le « 3e volume », il explique : « Dans le début de mon deuxième volume un grand artiste à nom fictif qui symbolise le grand peintre dans mon ouvrage comme Vinteuil symbolise le grand musicien genre Franck, dit devant Albertine (que je ne sais pas encore être un jour ma fiancée adorée) que à ce qu'on prétend un artiste a découvert le secret des vieilles étoffes vénitiennes etc. C'est Fortuny. / Quand Albertine plus tard (troisième volume) est fiancée avec moi, elle me parle des robes de Fortuny (que je nomme à partir de ce moment chaque fois) et je lui fais la surprise de lui en donner. La description très brève, de ces robes, illustre nos scènes d'amour (et c'est pour cela que je préfère des robes de chambre parce qu'elle est dans ma chambre en déshabillé somptueux mais déshabillé) et comme, tant qu'elle est vivante j'ignore à quel point je l'aime, ces robes m'évoquent surtout Venise, le désir d'y aller, ce à quoi elle est un obstacle etc. Le roman suit son cours, elle me quitte, elle meurt. Longtemps après, après de grandes souffrances que suit un oubli

1. Voir la *Correspondance*, t. XV, p. 57 ; voir aussi les lettres à la même en date du 6 février (*ibid.*, p. 48) et du 9 mars 1916 (*ibid.*, p. 62). Les datations de ces lettres sont dues à Philip Kolb ; dans leur première publication, ces lettres portaient la date de leur cachet postal (7, 18 février et 10 mars 1916) : « Huit lettres inédites à Maria de Madrazo », présentées par Marie Riefstahl-Nordlinger, *Bulletin de la Société des amis de Marcel Proust*, n° 3, 1953. Voir également J.-Y. Tadié, *Proust et le roman*, éd. citée, p. 96-98.

relatif je vais à Venise mais dans les tableaux de XXX (disons Carpaccio puisque vous dites que Fortuny s'est inspiré de *Carpaccio*), je retrouve telle robe que je lui ai donnée. Autrefois cette robe m'évoquait Venise et me donnait envie de quitter Albertine, maintenant le Carpaccio où je la vois m'évoque Albertine et me rend Venise douloureux[1]. »

Voilà donc quel sera le rôle du « leitmotiv Fortuny », tel que Proust l'a clairement défini : comme un motif wagnérien, il annonce ou rappelle le personnage d'Albertine, depuis le séjour à Balbec où Elstir évoque les étoffes Fortuny, jusqu'à *Albertine disparue*, avec, au centre, le développement du roman même d'Albertine : *La Prisonnière*.

La lettre du 17 février 1916 à Maria de Madrazo avait été précédée d'une autre, en date du 6, où il demandait à sa correspondante ces renseignements : « Savez-vous [...] si jamais Fortuny dans des robes de chambre a pris pour motifs de ces oiseaux accouplés, buvant par exemple dans un vase, qui sont si fréquents à S<ain>t-Marc, dans les chapiteaux byzantins. Et savez-vous aussi s'il y a à Venise des tableaux (je voudrais quelques titres) où il y a des manteaux, des robes, dont Fortuny se serait (ou aurait pu) s'inspirer. Je rechercherais la reproduction du tableau et je verrais s'il peut moi m'inspirer[2]. »

Enfin, par une troisième lettre, du 9 mars, Proust remercie Maria de Madrazo pour un album de Carpaccio qu'il lui retourne. À propos du manteau que porte un des personnages de Carpaccio, il demande encore : « Donc quand vous verrez Fortuny vous me ferez grand plaisir en lui demandant la description la plus *plate* de son manteau, comme ce serait dans un catalogue disant étoffe, couleurs, dessin [...][3]. »

Maria de Madrazo, née Hahn, une des sœurs de Reynaldo, était une amie de longue date que Proust avait déjà associée à ses projets littéraires quelque vingt ans plus tôt. Une lettre qu'il lui avait écrite de Dieppe vers le 10 août 1895 — Maria Hahn avait alors trente ans — nous apprend qu'il lui avait confié le manuscrit de « La Mort de Baldassare Silvande », nouvelle qu'il destinait au volume des *Plaisirs et les Jours*[4]. À cette occasion, il lui déclare : « Votre opinion est à peu près la *seule* qui m'importe[5]. »

Par son mariage avec le peintre Raymond de Madrazo, en 1899, elle est devenue la tante par alliance de Mariano Fortuny y Madrazo. Celui-ci a l'âge de Proust : né en 1871 à Grenade, il mourra en 1949. Après un séjour à Paris il s'est établi à Venise où il a fondé en 1907 une fabrique d'étoffes et de tapis. À la fois artiste, artisan et technicien,

1. Lettre à Maria de Madrazo, 17 février 1916, *Correspondance*, t. XV, p. 57. Le membre de phrase « puisque vous dites que Fortuny s'est inspiré de *Carpaccio* » manque dans l'édition citée. Nous le rétablissons à l'aide du texte publié dans le *Bulletin de la Société des amis de Marcel Proust*, n° 3, 1953.
2. *Correspondance*, t. XV, p. 49.
3. *Ibid.*, t. XV, p. 62-63.
4. *Ibid.*, t. I, p. 417.
5. *Ibid.*, p. 419.

il a créé diverses étoffes de velours, de soie, de satin, de coton sur lesquelles il pratiquait directement des impressions, au moyen de pinceaux, ou des décolorations[1]. Il obtenait un effet de gaufré grâce à l'emploi de molettes gravées, passées sur le tissu « avant que le liant (colle ou albumine) ait été complètement sec[2] ». Ses robes, fort éloignées de la mode de son époque, se veulent « naturelles » et tiennent plutôt de la robe d'intérieur. Elles s'inspirent de la tradition antique, telle la tunique « Delphos », et des artistes vénitiens : Carpaccio, Le Titien, Bellini. Proust pouvait aussi bien les observer chez Barbani qui en vendait au 98, boulevard Haussmann, à deux pas de chez lui. De plus, ces étoffes lui étaient familières depuis leur origine : il en parle à Reynaldo Hahn dans une lettre de mai 1909 car, par lui, il connaissait Fortuny[3].

Donner des robes de Fortuny à Albertine ? Les cadeaux que lui fait le narrateur ne sont pas encore déterminés dans les brouillons, comme en témoigne cette note du Cahier 53 : « Chaque fois que je dirai distractions, richesse, plaisirs, mettre quelque chose de concret, souliers à brillants comme Mme de Guermantes, écharpe comme Mme de Guermantes, plan pour une auto, pour un yacht[4]. » Au recto, il a mentionné dans la marge : « Capital : Mettre ici ou plus tard, je lui avais acheté aussi un canot automobile et pensais si nous nous mariions, lui donner pour pouvoir l'avoir avec moi un beau yacht. » L'achat du yacht, le projet de sa décoration, ont subsisté d'une manière accessoire dans *La Prisonnière*. Proust, en s'éloignant de l'autobiographie — n'avait-il pas voulu offrir une automobile, puis un aéroplane à Alfred Agostinelli, après le départ de ce dernier en décembre 1913 ? — a choisi pour les cadeaux que son narrateur fait à Albertine les seules robes et parures de la toilette. Celles-ci s'identifient à la jeune fille qui les porte, et finissent par la symboliser. Ce sont des « peignoirs en crêpe de Chine », pour lesquels le narrateur est allé se renseigner auprès de la duchesse de Guermantes[5]. On lit également, dans le Cahier 55 : « Je lui commandais robes sur robes et en vue de la belle saison nous venions d'en commander une d'une grande beauté. » Proust ajoute cette parenthèse : « (dire tout cela mieux et donner des précisions)[6] ».

Précisions et améliorations qu'apportera le choix exclusif des robes de Fortuny comme cadeaux. Car celles-ci présentent l'avantage de constituer un système de références cohérent et celui de fournir une

1. *Catalogue de l'exposition du Musée historique des tissus*, Chambre de commerce et d'industrie de Lyon, 1980, p. 27.

2. L'emploi d'œufs pour ses préparations explique la remarque du narrateur à la duchesse de Guermantes : « "Et cette robe de chambre qui sent si mauvais, que vous aviez l'autre soir, et qui est sombre, duveteuse, tachetée, striée d'or comme une aile de papillon ? — Ah ! ça, c'est une robe de Fortuny." » Voir p. 552.

3. Voir la *Correspondance*, t. IX, p. 94, et la lettre du 26 août 1906 à Reynaldo Hahn, *Correspondance*, t. VI, p. 197.

4. F° 15 v°.

5. Cahier 53, f° 23 v°.

6. F° 41 r°.

provenance estampillée[1] et non la moindre, puisque les robes viennent de Venise. Or, Venise était associée aux avant-textes de *La Prisonnière*. Dans le Cahier 48 de 1910-1911, Proust avait rédigé, au folio 41, une évocation de la ville sur le mode lyrique, avant de la biffer en entier : « Venise ! L'image que me présentait ce nom n'était plus celle devant laquelle mon cœur battait en ces vacances de Pâques où j'avais cru une première fois y aller. Mais elle était encore pour moi un monde spécial, où l'on pouvait aller voir une sorte de saphir dans l'ambiance lumineuse et bleue de laquelle on pouvait baigner. » Cette rêverie sur Venise est un rappel de celles du narrateur de *Du côté de chez Swann*, autant que le fruit des deux voyages que l'auteur y fit, en mai et en octobre 1900. Elle est surtout ruskinienne. Elle renvoie à l'étude de l'essayiste anglais abordée par Proust en 1897 et poursuivie pendant près de dix ans, par la lecture des *Sept Lampes de l'architecture*, de *Pierres de Venise*[2], précisément, et par ses propres traductions de *La Bible d'Amiens* et de *Sésame et les lys*, publiées respectivement en 1904 et 1906[3]. Il a ainsi décrit « une école d'architecture gothique fleurissant au milieu de la mer[4] ». Dans le cours du Cahier 48, ce désir de Venise est la conséquence de l'annonce, lue dans le journal, d'un départ imminent de la baronne Putbus pour cette ville. Le narrateur s'y rend à son tour avec sa mère et y retrouve la femme de chambre. Leur séjour est également contenu en partie dans le Cahier 50, que Proust utilisait concurremment. Mais la cause de la rêverie sur Venise a disparu dans les cahiers de brouillons de *La Prisonnière* avec le personnage qui la motivait. Le désir de Venise, dans le Cahier 53[5], est simplement, pour le narrateur, celui de mettre fin à la vie qu'il mène à Paris avec Albertine. Des additions au Cahier 55[6] développent les images de la ville. À celle-ci, Albertine n'est donc liée que d'une manière négative ; elle est un obstacle à sa découverte.

Ce motif Fortuny aux fins multiples, qui accompagne Albertine et évoque Venise, il ne reste maintenant plus à Proust qu'à l'insérer et à le répartir dans le récit. Comme cela avait été le cas pour la scène de Montjouvain, un passage qui servira d'annonce pour la suite du roman est ajouté, semble-t-il *in extremis*, sur les épreuves d'*À l'ombre des jeunes filles en fleurs* : Elstir apprend au narrateur et à Albertine que Fortuny a retrouvé le secret des vieilles étoffes vénitiennes[7].

1. C'est également le cas des meilleurs fournisseurs du monde de Proust : le couturier Doncet, le traiteur Potel et Chabot, etc.

2. Proust a rendu compte dans *La Chronique des arts et de la curiosité* (n° 18, 5 mai 1906) de la traduction française de Mathilde Crémieux (préface de Robert de la Sizeranne) parue en 1906 chez H. Laurens. *Pierres de Venise* a été réédité en 1983 chez Hermann.

3. Au Mercure de France. Rééditions : *La Bible d'Amiens*, « 10/18 », Christian Bourgois, 1987 ; *Sésame et les lys*, Éd. Complexe, 1987.

4. Voir Cahier 48, f° 40 v°, en face du texte précédent, f° 41.

5. Ff^os 20-52.

6. F° 41.

7. Voir t. II de la présente édition, p. 252.

Pour *La Prisonnière*, tout ce qui concerne Fortuny apparaît dans des fragments additionnels, plus ou moins tardifs. Ce sont, dans l'ordre du texte : les « robes ou robes de chambre que portait Mme de Guermantes », c'est-à-dire « ces robes que Fortuny a faites d'après d'antiques dessins de Venise[1] ». Il s'agit d'un ajout marginal au Cahier VIII[2], alors que la fin de ce passage est une addition, plus tardive encore, sur les dactylographies[3]. Les « peignoirs de Fortuny » mentionnés page 663 ne le sont qu'à titre d'exemple parmi les différents cadeaux destinés à Albertine. Cette mention des « peignoirs de Fortuny » est contenue dans la rédaction principale du manuscrit au net[4], tandis qu'une autre allusion, page 715, est plus tardive, car elle se trouve sur des feuillets détachés à la fin de ce même cahier, feuillets sur lesquels Morel porte son nom définitif.

Les développements les plus longs sur les « robes de Fortuny » se situent aux pages 871-873 et 895 de notre édition. Ils ont été rédigés sur des feuilles, collées dans le premier cas sur les pages du Cahier XI, aux folios 82 et 83, et, dans le second cas, sur un feuillet, le 123, tiré du Cahier 55. Le premier développement reprend la description des robes de Fortuny de la duchesse de Guermantes, robes à propos desquelles le narrateur nous confie maintenant que celle-ci « n'était pas d'un très utile conseil[5] ». Le second passage décrit la soirée « où Albertine avait revêtu pour la première fois la robe de chambre bleu et or de Fortuny[6] ». Dans les deux cas l'évocation de Venise est liée à l'impossibilité, pour le narrateur, de s'y rendre. Car sa vie avec Albertine est une captivité mutuelle, dont la fin se trouve ainsi suggérée. Enfin, les trois autres allusions à Fortuny que l'on trouve dans la conclusion de *La Prisonnière*[7] sont, pour la première et la troisième, de simples corrections. La première figure au folio 127 du Cahier XI qui est l'un des feuillets détachés du Cahier 55 ; le nom de Fortuny y est introduit, accompagné d'additions pour « des verreries de Venise » et pour une description de l'étoffe dont est faite la robe d'Albertine, étoffe comparée à « l'azur miroitant du Grand Canal ». Cette « robe bleu et or de Fortuny » est l'objet de la troisième addition, au folio 43 du Cahier 55. Quant à la deuxième allusion, elle constitue un ajout au folio 134 du Cahier XI, ajout qui n'est aucunement déterminé par le contexte : Albertine jette un manteau de Fortuny sur un peignoir, également de l'artiste vénitien, afin d'accompagner en voiture le narrateur à Versailles. L'allusion est quelque peu artificielle ; elle est trois fois soulignée — deux manteaux et un peignoir sont dénombrés.

1. Voir p. 543.
2. F° 24.
3. Voir p. 552.
4. Cahier IX, f° 34.
5. P. 872.
6. P. 895.
7. Voir p. 900, 906 et 913.

Le rappel du motif dans *Albertine disparue*[1] justifie *in fine* l'allusion précédente, puisque le narrateur reconnaît sur un des *Compagnons de la Calza* « le manteau qu'Albertine avait pris » lors du voyage « en voiture découverte à Versailles », la veille de sa fuite. Ce texte doit donc être à peu près contemporain de la lettre à Maria de Madrazo du 9 mars 1916, demandant la description, à la manière d'un catalogue, de ce manteau de Fortuny.

Pour le motif tout entier, Proust a accordé, une fois de plus, sa méthode de composition à ses intentions esthétiques, même s'il s'agit ici d'une réalisation tardive — essentiellement de 1916 — et, sinon inachevée, du moins, comme pour presque toute *La Prisonnière*, non parachevée. En introduisant après coup dans son texte, anticipations, développements et rappels allusifs, en les distribuant aux articulations du récit, il structure une nouvelle fois, selon cette méthode rétroactive que le narrateur, ici porte-parole de Proust, a reconnue dans *La Comédie humaine* de Balzac[2], et l'ensemble d'*À la recherche du temps perdu* et le roman de *La Prisonnière*. Le cycle et le personnage d'Albertine en reçoivent un surcroît d'unité. Grâce au motif Fortuny sont aussi renforcées la crédibilité de ces existences romanesques[3] et la cohérence interne du récit. Albertine, d'abord vue comme un objet d'art, vêtue de ces objets d'art que sont les étoffes de Fortuny, elles-mêmes inspirées des peintres vénitiens, est, au-delà de sa mort, enfin retrouvée à Venise dans les tableaux de ces mêmes artistes. Par là, toute l'histoire d'Albertine s'inscrit dans un vaste aller et retour de l'art à la vie.

Ainsi, le fil conducteur du motif Fortuny court à travers *La Prisonnière*. Au-delà, et de même que l'ouverture de *La Prisonnière* est un retour à celle de *Du côté de chez Swann*, le motif Fortuny ferme déjà la boucle d'*À la recherche du temps perdu*. Il annonce, comme les morts de Swann et de Bergotte, comme la musique de Vinteuil, la découverte du *Temps retrouvé*, où l'art donne toute sa réalité à la vie.

Un air du temps : aéroplanes, automobiles. — Les fonctions et la genèse du motif Fortuny ont leur contrepartie dans un autre motif centré sur *La Prisonnière* : celui des aéroplanes. Il est antérieur au motif Fortuny de plusieurs années, sans avoir cependant connu un développement important. Enfin, il lui est symétrique et complémentaire. Symétrique parce qu'une première rencontre d'un aéroplane aperçu, vers la fin de *Sodome et Gomorrhe*[4], par le narrateur à Balbec, alors qu'il se rend — fait unique pour lui — à cheval chez les Verdurin, préfigure deux passages de *La Prisonnière* où le narrateur et Albertine se rendent sur un terrain d'aviation, puis observent un aéroplane lors de leur excursion à Versailles[5]. Enfin, des aéroplanes

1. Voir t. IV de la présente édition, p. 226.
2. Voir p. 666.
3. Pensons à la sensualité d'Albertine, l'autorité artistique d'Elstir, le bon goût de la duchesse de Guermantes.
4. Voir p. 417.
5. Voir p. 612 et 907.

au-dessus du Paris de la guerre sont, dans *Le Temps retrouvé*, un rappel de cette dernière promenade, mais un rappel *a contrario* parce que d'une parenthèse Proust l'écarte en faisant souligner à son narrateur que le souvenir de cette promenade avec Albertine lui « était devenu indifférent[1] ». Motif complémentaire aussi, car il se place à côté de celui de la toilette féminine, renouvelée des peintres du XVIe siècle, comme un témoignage sur les découvertes technologiques du XXe, et comme une activité héroïque et masculine, dans ces années de naissance de l'aviation.

Pour l'aviation nous sommes, dans la première occurrence de ce motif, en 1908-1909, ce qui est une des chronologies possibles du récit, comme on l'a vu, par référence à l'affaire Dreyfus, alors terminée « depuis deux ans[2] ». La presse du 25 juillet 1908 rapporte que la première femme aviateur, le sculpteur Thérèse Peltier, a, comme passagère, accompli un vol de 200 mètres à Turin. Les évolutions limitées de l'appareil observé par le narrateur à Balbec peuvent correspondre à celles de l'avion d'Henri Farman, bouclant le premier kilomètre en circuit fermé sur le terrain d'Issy-les-Moulineaux, le 18 janvier 1908, ou à celles de Louis Blériot, la même année, avant sa traversée de la Manche en juillet 1909. Si nous en croyons le témoignage de Marcel Plantevignes, nous retrouvons par là la biographie de Proust. C'est Plantevignes qui, se promenant à cheval près de Cabourg en 1908 ou 1909, aurait aperçu l'aéroplane et aurait fait le récit de cette « rencontre » à Proust[3]. Mais pour les occurrences suivantes, dans *La Prisonnière*, l'auteur a accéléré les progrès de l'aviation par rapport au temps du récit : les performances qu'il signale pour les distances et l'altitude sont celles de 1913-1914.

C'est qu'à l'origine de ce motif, dans la vie, il y a une fois de plus Agostinelli et sa passion de l'aviation, Agostinelli à qui Proust a voulu, en mai 1914, offrir un avion pour l'inciter à revenir à Paris. Dans le Cahier 72, brouillon de la fin du second séjour à Balbec écrit en 1914, la réalité est à peine transposée dans cette phrase du folio 34 : « Albertine veut faire de l'aéroplane. » Elle l'est à peine plus dans *Sodome et Gomorrhe*, où la première « rencontre » d'un aéroplane suit de près le détail des malversations du chauffeur de Balbec : « jeune évangéliste » malhonnête, « jeune apôtre » sans scrupules[4].

La genèse de ce motif est bien contemporaine des années 1913-1914 : hormis l'indication déjà citée pour une Albertine aviatrice et la « rencontre » d'un aéroplane à Balbec, rédigées dans le Cahier 72, tous les fragments sur l'aviation ont été consignés dans un des petits carnets-agendas, le Carnet 2. Sur seize pages de ce carnet, Proust a inscrit à la fois des passages suivis et des indications destinées à leur utilisation future. C'est ainsi qu'une première note prévoit l'anticipation du motif par la scène de *Sodome et Gomorrhe*, déjà écrite.

1. Voir t. IV de la présente édition, p. 313.
2. Voir p. 548 et cette Notice, p. 1650.
3. Marcel Plantevignes, *Avec Marcel Proust*, A.-G. Nizet, 1966, p. 350-353.
4. Voir p. 416.

Son importance et sa nouvelle fonction sont ainsi précisées. Les fragments suivants seront répartis dans *La Prisonnière* et en rappel dans *Le Temps retrouvé*[1]. Ce montage a été effectué tardivement, dans le manuscrit au net, où le passage situé lors de l'excursion à Versailles de *La Prisonnière*, au folio 118 du Cahier IX, est une addition de la main d'Henri Rochat.

Mais Proust n'a pas exploité toutes les possibilités qu'il avait, semble-t-il, envisagées pour ce motif. La première possibilité — Albertine faisant « de l'aéroplane » — a été simplement gommée. Dans *La Prisonnière* c'est le narrateur qui la conduit sur les aérodromes ; elle n'est que « passionnée pour tous les sports[2] ». Une autre approche, amorce d'une orchestration plus ample du même motif, figurait dans une ébauche du Cahier 54, au verso du folio 4 : M. de Charlus a appris des ragots sur « le fameux XXX, un bon gros garçon, le roi des aviateurs ». Le monde de l'aviation est décrit comme une « Olympe invisible et peuplée de jeunes gens ». Les métaphores renvoyant à la mythologie grecque sont présentes dans tous les états de ce motif. Quant au milieu qu'on rencontre sur les aérodromes, le roman de Proust ne s'y est finalement pas aventuré.

Le motif des aéroplanes s'est donc limité au développement qui avait été préparé dans le Carnet 2. Avant le motif Fortuny, mais comme lui, il est inspiré par le même but : apporter une structuration supplémentaire au roman, parallèlement à son développement. Il est aussi révélateur de la même méthode de composition qui fonctionne comme une téléologie à rebours, tandis que le rappel de la biographie souligne encore la contingence des matériaux romanesques.

L'automobile constitue un autre motif de même nature, technique, que les aéroplanes, s'opposant aussi au motif artistique des étoffes et des robes de Fortuny. Comme les aéroplanes, l'automobile apparaît hors des limites de *La Prisonnière*, notamment dans le chapitre III de *Sodome et Gomorrhe II*, où elle est déjà le moyen de transport utilisé lors des promenades avec Albertine. On voit bien qu'avec les aéroplanes, l'automobile est, par Agostinelli, liée à la vie de Proust et à la chronologie génétique de *La Prisonnière*. Dans le roman, elle est le contrepoint de la vie recluse du héros, le monde extérieur rendu accessible. Sa valeur est ambiguë : elle sert aux promenades quotidiennes d'Albertine, lui procure donc une dangereuse liberté. À la fin du texte[3], les bruits de moteur, l'appel des trompes d'automobile, et même l'odeur de pétrole — Proust, résolument moderniste, ne s'en plaint pas — sont une incitation au voyage, une promesse de liberté.

Ainsi, l'automobile est avec les aéroplanes, et après le téléphone, un nouveau point de repère chronologique. Car, de *La Prisonnière* au *Temps retrouvé*, le passage du temps s'accélère. Et les inventions

1. Carnet 2, f°s 34 r°-v°, 34 v°-38 r°, 38 v°-39 r°, 42 v°, 44 v°-46 r°. Voir les Esquisses XI, p. 1134. Voir *La Prisonnière*, p. 612 et 907, et *Le Temps retrouvé*.

2. P. 613.

3. Voir l'Esquisse XIX, p. 1174.

techniques du début du XXe siècle, que Proust a toutes passées en revue et utilisées, encadrent, comme le rappel des expositions universelles qui, de onze ans en onze ans, en 1867, 1878, 1889, 1900, les glorifient, la progression de son roman.

Un livre d'heures.

Les cinq journées de « La Prisonnière ». — En suivant l'évolution des textes de Proust, des premiers cahiers de 1908-1909, puis de ceux de 1910-1911 et de 1913-1914 à la version de 1915 de *La Prisonnière*, on a constaté que la structure ternaire de ce roman est fixée à partir des trois cahiers de brouillons de cette année 1915[1]. Les Cahiers 53, 73 et 55 correspondent, tout en dépassant ses limites, au développement en trois parties : l'arrivée d'Albertine chez le narrateur et leur vie en commun, la soirée Verdurin, la fuite d'Albertine. Il s'agit là d'une structure logique. Elle se dégage dans la rédaction de ces trois cahiers, considérés par Proust, à son habitude, comme des unités de travail semi-indépendantes.

Mais à l'intérieur de ce cadre général, le mouvement amorcé depuis les premiers cahiers se poursuit. On a vu que les fragments les plus anciens, dans les Cahiers 3, 2, 4 et 6, présentent les réveils du narrateur dans sa chambre, narrateur que sollicitent les bruits venus du dehors. À cette situation répétée et habituelle, s'oppose l'article écrit par le narrateur dans *Le Figaro* et qu'on lui apporte. Le projet initial destiné au *Contre Sainte-Beuve*, bien que de dimensions réduites (Proust parlait d'un « article ») a ainsi servi de point de départ au roman, après le montage des fragments primitifs dans le Cahier 50 où apparaît la matinée type avec tous ses thèmes : désirs de voyage avec lesquels contraste la vocation littéraire, toujours retardée, du narrateur et qu'accompagnent des retours à divers moments du passé. La situation romanesque d'un narrateur « prisonnier » dans sa chambre est par là définie, comme est définie, avec cette unité de lieu, une unité temporelle du récit : tous les matins, les heures qui suivent son réveil.

La matinée du Cahier 50, synthétique et intemporelle, a donné naissance dans les cahiers de brouillons de *La Prisonnière* à une série de journées qui découpent le récit. Celui-ci occupe environ six mois de la vie du narrateur, de son retour de Balbec avec Albertine, au début de l'automne, jusqu'aux premiers beaux jours de l'année suivante. Ce temps de la fiction n'est pas celui du calendrier auquel l'auteur ne se réfère même pas. Les allusions historiques, lorsqu'elles existent, sont composites. Mais, en raison du point de vue adopté, celui d'un narrateur immobile à sa fenêtre, le passage des saisons, avec leurs signes avant-coureurs, devient la référence au temps vécu par celui-ci.

Cette durée a été divisée en cinq journées ou séries de journées types, les cinq actes de cette tragédie classique. Les deux premières sont composées sur le même modèle. Le matin : réveil du narrateur, bruits du dehors, rêverie ; l'après-midi : sorties ; la soirée : compagnie

1. Voir cette Notice, p. 1651.

d'Albertine. La première journée[1] est marquée par l'apaisement de la jalousie du narrateur vis-à-vis d'Albertine, par son désir de la quitter. La fin de la journée est occupée par une visite du narrateur à la duchesse de Guermantes. En sortant de chez elle, il rencontre Charlus et Morel dans la cour. La visite et la rencontre sont présentées comme habituelles. La deuxième journée[2] combine, de même que la première, les éléments des matinées types avec leurs variations : le temps qu'il fait, le désir du narrateur de partir pour Venise sans Albertine, et un événement particulier : l'intention qu'exprime Albertine d'aller faire une visite à Mme Verdurin. La troisième journée, « le lendemain[3] », est entièrement événementielle : réveil aux cris des marchands dans la rue, puis lecture du *Figaro*. Celle-ci provoque chez le narrateur les affres d'une jalousie réveillée par le projet d'Albertine d'aller au Trocadéro. Une promenade avec Albertine au Bois, le dîner, la nouvelle de la mort de Bergotte, la visite du narrateur chez les Verdurin occupent le reste de la soirée. Enfin, le retour du narrateur chez lui, en compagnie de Brichot, est suivi d'une comédie de rupture avec Albertine.

La rédaction originale des deux premières journées, « diptyque antithétique », selon la formule de Claudine Quémar[4], est constituée par les feuillets 14 à 33 du Cahier 53, premier jet relativement bref mais continu de ces journées types, décrites de façon similaire du matin au soir ; le réveil de la jalousie dans la seconde s'oppose à son apaisement dans la première. La première journée est l'objet d'une narration à l'imparfait. Elle est semblable à toutes les journées. À cela rien d'étonnant, puisqu'on sait que le Cahier 71, première version de *La Prisonnière*, présentait de la sorte en 1914 les moments répétitifs du face à face entre le narrateur et Albertine. Dans la version qui lui a fait suite, celle du Cahier 53, la seconde journée est encore rapportée à l'imparfait, jusqu'à ce que l'auteur introduise un événement particulier : Albertine annonce qu'elle va se rendre chez les Verdurin. Proust est alors conduit à récrire son texte au passé simple, temps du compte rendu ponctuel. Ainsi il corrige au folio 27 de ce Cahier 53 : « Parfois elle était obligée de m'en dire un mot, je comprenais qu'elle voulait aller le lendemain faire une visite aux Verdurin » en : « Cette fois du projet qu'elle avait, elle fut obligée de m'en dire un mot, je compris qu'elle voulait aller le lendemain faire une visite aux Verdurin ». Tandis qu'au folio suivant : « Pendant qu'elle allait ôter ses affaires, je téléphonais à Andrée », l'imparfait exprimant une fausse répétition a subsisté avant d'être finalement remplacé par un passé simple dans la première dactylographie : « Pendant qu'elle allait ôter ses affaires, et pour aviser au plus vite, je me saisis du récepteur du téléphone[5] ». On voit le

1. Voir p. 519-589.
2. Voir p. 589-623.
3. Voir p. 623-863.
4. « Sur deux versions anciennes des Côtés de Combray », *Études proustiennes II*, 1975, p. 240.
5. Correction interlinéaire au f° 101 de *dactyl. 1*. Voir p. 606.

changement imprimé au récit et surtout la solution ainsi apportée au problème que posait une rédaction sur le mode du souvenir récurrent. Comme pour *Du côté de chez Swann* où le temps de Combray est structuré en journées types, celles du samedi, du dimanche et toutes les autres, l'action de *La Prisonnière* peut se dérouler dans le cadre fixe de ses journées, que modifient cependant les saisons.

Après avoir ainsi démonté et réutilisé dans un contexte narratif tout à fait nouveau — la vie avec Albertine — les éléments de la journée type rédigée quatre ans plus tôt dans le Cahier 50, éléments maintenant intégrés dans les deux premières journées, Proust a immédiatement continué, dans la suite du Cahier 53, par la rédaction de la troisième journée. Dans un deuxième temps, il en a retiré les soupçons du narrateur sur la vie secrète d'Albertine pour les placer finalement dans la conclusion de *La Prisonnière*[1]. Les événements successifs, tels qu'ils apparaissent dans la version définitive, ne figurent dans cet ordre que dans une troisième version rédigée aux folios 46 à 54 du Cahier 53. Puis l'auteur a réorganisé les premières journées dans des additions au Cahier 53. La deuxième prend ainsi un caractère de transition entre les longues descriptions de la vie avec Albertine, qui émaillent la première journée, et les événements de la troisième, « le lendemain », à laquelle s'enchaîne la soirée Verdurin[2].

La troisième matinée et la soirée Verdurin sont toute la matière du cahier suivant, le 73, où ces événements sont rapportés au passé simple.

La quatrième journée ne peut être ainsi appelée que parce qu'elle commence, précisément, le lendemain de la soirée Verdurin[3]. Cependant le passé simple est aussitôt abandonné pour l'imparfait et, malgré la référence à « ce matin-là[4] », les réflexions du narrateur sur Albertine, la musique que celle-ci lui joue au pianola, leur conversation littéraire dans la nuit combinent la matière de plusieurs journées, étalées sur plusieurs mois. La coupure entre la troisième et la quatrième journée apparaît dans le Cahier XI, sur une addition portée sur un feuillet tiré du Cahier 55[5]. Ce dernier est beaucoup plus proche que le Cahier 53 du texte final, car, comme le 73, il tient compte de la réorganisation du Cahier 53, de son passage au mode événementiel.

La cinquième journée commence par une évocation du cadre temporel du récit : « L'hiver cependant finissait ; la belle saison revint, [...] Bientôt les nuits raccourcirent[6]. » Cette série de journées où chaque jour est semblable au précédent et au lendemain, cède la place à une succession accélérée d'événements qui se précipitent jusqu'à leur conclusion. Il faut ici parler de journée au sens où on l'entendait dans le théâtre classique, c'est-à-dire une durée qui peut dépasser les vingt-quatre heures. Celle qui conclut *La Prisonnière* dure, pour sa

1. Exactement à la fin de la quatrième journée. Voir p. 886-889.
2. Voir les Esquisses VIII et XII, p. 1114 et 1136.
3. Voir p. 863.
4. Voir p. 865.
5. F° 66.
6. Voir p. 889.

partie événementielle, trente-six heures. Elle va de l'incident, « un soir[1] », où, après les reproches du narrateur, Albertine lui refuse son baiser du soir, ce qui annonce son départ, jusqu'à celui-ci, non le lendemain comme le narrateur le craignait, mais le matin suivant. On peut aussi la diviser en trois parties afin de souligner la continuité du schéma adopté par Proust pour un récit qui va, à chaque fois, du matin au soir. La journée qui suit l'incident, journée purement événementielle, devient ainsi une sixième journée suivie d'une dernière matinée, celle du départ d'Albertine. Mais c'est bien l'ensemble de ces dernières trente-six heures du récit qui constitue le dénouement de la tragédie, ce que souligne le rappel final des vers de l'*Esther* de Racine[2].

L'après-midi chez la duchesse de Guermantes. — Tous les après-midi, le narrateur sort de chez lui. « Mais déjà la journée finissait », précise-t-il au cours de la première journée de *La Prisonnière* : « [...] j'avais encore le temps de m'habiller et de descendre demander à ma propriétaire, Mme de Guermantes, des indications pour certaines jolies choses de toilette [...][3] ». Pour se rendre chez la duchesse de Guermantes, il lui suffit, depuis *Le Côté de Guermantes I*, de traverser la cour de son hôtel. Dans *La Prisonnière*, ces visites ne sont plus que le reliquat des ambitions mondaines du narrateur. Il les a satisfaites ; elles ne l'intéressent plus. Il ne va chez la duchesse que parce que « c'était plus commode pour lui demander longuement les renseignements désirés par Albertine[4] ». Outre les toilettes de la duchesse, le narrateur notera sa prononciation et son vocabulaire, ainsi que les conséquences mondaines de l'affaire Dreyfus, dont la candidature malheureuse du duc de Guermantes à la présidence du Jockey Club. Avec ce retour aux Guermantes, à l'art de la conversation, la soirée Verdurin qui conclut la troisième journée de *La Prisonnière* renouvellera le contraste déjà souligné entre les deux milieux depuis *Du côté de chez Swann*. Les visites à la duchesse de Guermantes occupent dans le texte imprimé treize pages[5]. Dans les cahiers de brouillons, elles ne figuraient que sur deux versos du Cahier 53[6]. Ces deux pages n'évoquaient guère que la raison poussant le narrateur à se rendre chez Mme de Guermantes. Tout le reste est le fruit d'ajouts dans le Cahier VIII et dans les dactylographies. Les visites, répétées et semblables, ont fini par n'en faire qu'une, qui rassemble toutes les autres, mais qui est aussi le moment où des événements particuliers ont lieu.

1. Voir p. 895.
2. Voir p. 896 et n. 4.
3. Voir p. 540.
4. Voir p. 541.
5. Voir p. 540-553.
6. Voir l'Esquisse VI, p. 1108.

Dans le Cahier VIII, ce thème apparaît en addition marginale au folio 19 recto[1]. On trouve depuis le folio 20 recto jusqu'au folio 24 recto une série d'ajouts concernant les toilettes de la duchesse, et deux paperoles, l'une au folio 25 recto, l'autre au folio 26 recto, cette dernière faite de divers fragments, sur la prononciation de Mme de Guermantes. Une dernière addition marginale, au folio 27 recto, conclut le récit des visites et sert, comme la première addition, de transition avec le reste de la narration. Le caractère répétitif des visites[2], souligné dans le Cahier VIII, a été gommé par l'auteur sur les dactylographies. Dans la première de ces dactylographies, une longue paperole collée au folio 37 développe l'épisode particulier de l'élection manquée du duc de Guermantes à la présidence du Jockey Club. Elle s'achève sur un verbe au passé simple[3]. Le passage au récit événementiel ainsi réalisé est complété par l'inclusion dans la dactylographie suivante de l'épisode dans la première des journées de *La Prisonnière*, grâce à un présent de narration qui rejoint le présent de l'action : « Aussi l'après-midi dont je parle...[4]. » Dans cette même dactylographie, la dernière, une autre série d'additions parachève la transformation, faisant des après-midi un après-midi particulier, et multipliant les personnages. Car M. de Bréauté, « toujours là à cette heure[5] », participe maintenant à une conversation avec le duc de Guermantes. Proust ajoute aux répliques de ce dernier son « *bel et bien* » cocasse, conséquence linguistique, pour lui, de l'affaire Dreyfus — puisqu'il n'employait pas cette expression auparavant —, ainsi que sa sortie : « Les femmes n'entendent rien à la politique[6]. » Enfin, les expressions chères à Norpois sont évoquées[7]. Même s'il n'est pas présent, celui-ci contribue, comme les autres personnes mentionnées, à donner l'illusion d'une réunion mondaine animée. Les Guermantes ne jouent qu'un rôle secondaire dans *La Prisonnière* ; ils n'en sont pas pour autant exclus.

La soirée Verdurin. — Plus encore qu'à l'après-midi chez la duchesse de Guermantes, la soirée Verdurin s'oppose à l'affrontement à huis clos entre le narrateur et Albertine. Mais cette soirée, en dépit de la foule des invités venus écouter le septuor de Vinteuil, ne permet pas au narrateur d'échapper à sa solitude et à ses tourments. En l'absence de l'amie de Mlle Vinteuil, qu'il comptait y rencontrer, il demeure

1. « [...] demander des indications pour certaines jolies choses de la toilette [...]. » Voir p. 540.
2. Voir par exemple « À chaque visite que je lui faisais » (var. *b*, p. 542) et « De même quand il fit plus beau » (var. *a*, p. 543).
3. « [...] je me remis précipitamment à parler robes. » Voir p. 547-551.
4. *Dactyl. 3*, f° 61. Voir p. 549.
5. Voir p. 547.
6. *Dactyl. 3*, ff^{os} 58 r° et 62 r°. Voir p. 549-551.
7. *Dactyl. 3*, f° 56 r°. Voir p. 547.

seul, essayant de déchiffrer la vérité sur Albertine derrière les paroles de Brichot, des Verdurin, de Charlus.

Cette soirée Verdurin de *La Prisonnière* est à l'origine la seconde moitié de l'ébauche du Cahier 47 : « M. de Charlus et les Verdurin ». Bien qu'elle ait connu son développement dans le deuxième des cahiers de brouillons de *La Prisonnière*, le 73, une des fonctions de la soirée est révélée par l'ébauche primitive dans le Cahier 47 : Charlus, reçu chez les Verdurin dans *Sodome et Gomorrhe*, en est chassé dans *La Prisonnière*. À son déclin qui s'amorce correspond l'ascension mondaine de ceux-ci. Par l'évocation à la fois nostalgique et ironique des anciens habitués lors de la conversation entre Brichot et le narrateur, elle préfigure aussi la matinée chez la princesse de Guermantes du *Temps retrouvé*.

La soirée est elle-même précédée de l'annonce de la mort de Bergotte et, alors que le récit de la soirée est commencé, du rappel de celle de Swann. La nouvelle de ces morts et leurs circonstances ont été insérées par l'auteur dans les dactylographies de *La Prisonnière*, où il leur a ajouté un commentaire de dernière minute. Bergotte, à l'origine, devait figurer dans le roman jusqu'au *Temps retrouvé*, puisque, dans des additions portées sur les versos du Cahier 57[1], Proust lui faisait commenter la guerre dans les journaux. Il lui donnait ce rôle d'éditorialiste, à l'opposé de la véritable création littéraire, rôle finalement assumé par Norpois. Ce dernier, diplomate-écrivain, est d'ailleurs plus caricatural ; il représente pour Proust, et depuis *Jean Santeuil*, le domaine de la confusion absolue[2].

À l'annonce de cette mort, déjà préparée, en particulier dans les Cahiers 59 et 62, Proust a ajouté sur la troisième dactylographie ce qu'il venait de vivre personnellement : le malaise éprouvé pendant la visite au musée du Jeu de Paume en mai 1921 et le récit de cauchemars qu'il prête à Bergotte. Fruit des circonstances de la vie de l'auteur, cette partie du texte est aussi le fruit des circonstances du roman. Celles-ci sont immédiates et propres au thème de *La Prisonnière* puisque la date de la mort de Bergotte, annoncée par les journaux, apporte au narrateur la preuve de la duplicité d'Albertine qui affirmait l'avoir rencontré le même jour. Mais le contexte de ces morts concerne également l'ensemble de l'œuvre.

La mort de Bergotte termine l'initiation littéraire du héros. Le maître qu'il s'était choisi, celui qui avait été l'admiration de son adolescence, ne peut plus lui être utile. La première raison est qu'il a cessé de produire. Proust fait justice de sa réputation en deux parenthèses ironiques : « (il y avait vingt ans qu'il n'avait rien fait) »

1. Cahier 57, f° 5 v° ; voir « Un verso de cahier », [H. Bonnet], *Bulletin de la Société des amis de Marcel Proust*, n° 25, 1975, p. 5.

2. Voir *Jean Santeuil*, Bibl. de la Pléiade, p. 441 (le jeune Duroc, chef de cabinet du ministre des Affaires étrangères), et *Le Temps retrouvé*, t. IV de la présente édition (les diplomates-écrivains).

et « (il ne lisait rien[1]) ». La seconde, plus importante, est que son enseignement montre ses limites dans la comparaison entre ses intentions d'artiste et la réussite qu'il reconnaît dans la *Vue de Delft* de Vermeer. C'est la musique de Vinteuil, avec ses leitmotive, dans le septuor entendu pendant la soirée Verdurin, qui permettra au narrateur d'aller plus avant. Et, en matière de littérature, le narrateur exprimera un peu plus tard à l'adresse d'Albertine ses propres opinions. Les auteurs étrangers qu'il passe alors en revue sont, justement, parmi ceux que Bergotte, « fort exclusivement de son pays[2] », détestait.

La mort de Swann était prévue depuis longtemps par Proust, depuis la première version d'ensemble d'*À la recherche du temps perdu*, en 1910-1911. Dans le Cahier 47, au folio 2, il fait dire « Swann est mort » au « vieil ami » qui conduit le narrateur chez les Verdurin. Et la mort de Swann sera finalement insérée, après avoir été décrite en 1921 ou 1922 dans le Cahier 59, dans le passage de la dactylographie qui correspond à ce moment du récit : chez les Verdurin, lors d'une conversation entre le narrateur et Brichot, « le vieil ami ». Cette insertion est donc la conséquence de la genèse du texte et de l'illustration de ses thèmes. Même si, au regard des conventions romanesques, ce retour sur la mort de Swann peut surprendre, son contexte, c'est-à-dire l'audition imminente du septuor de Vinteuil, le justifie pleinement.

Dans la version de 1915, au folio 35 du Cahier 55, une incidente confirme la disparition de Swann : « Si Swann avait été encore vivant, et si j'avais pu la lui montrer, s'il l'avait admirée et s'il m'avait dit d'elle de ces choses qui ennoblissaient la beauté, je n'en eusse pas été heureux car chaque fois que ma pensée s'enfermait dans une idée artistique et que je pouvais y rattacher Albertine j'étais ému comme si dans ma chambre je l'avais vue entrer. » Cette allusion à Swann, à sa conception de la femme-objet d'art, est devenue finalement : « Je savais ce que c'était qu'admirer une femme d'une façon artistique, j'avais connu Swann[3]. » Le parallèle entre les relations de ce dernier avec Odette et celles du narrateur avec Albertine avait déjà été souligné, jusque dans leurs circonstances. Il en est ainsi de l'obstination de ces mêmes Verdurin à séparer les couples, obstination dont Swann avait été la victime. Dans *La Prisonnière*, c'est Albertine qu'ils veulent éloigner car elle empêche la présence régulière du narrateur chez eux[4]. Mais c'est la vie des autres, et non comme Swann des objets d'art, que le narrateur veut collectionner.

Swann, pour Venise aussi, avait été l'initiateur du héros du roman. En revanche, il a été un initiateur incomplet pour la musique de Vinteuil. Il s'était contenté de faire de la sonate pour piano et violon

1. Voir p. 690.
2. Voir *À l'ombre des jeunes filles en fleurs*, t. I de la présente édition, p. 546.
3. Voir p. 885.
4. Voir p. 869.

de Vinteuil, entendue chez les Verdurin, « l'air national[1] » de son amour avec Odette, puis « les refrains oubliés du bonheur[2] ». Le message de la sonate lui échappe et il n'a même pas reconnu dans Vinteuil l'obscur professeur de piano de Combray. Comme Bergotte, il est désormais inutile et il doit s'effacer avant la révélation du septuor. Dans le Cahier 57, au folio 19, Proust qui destinait alors au *Temps retrouvé* l'audition d'un sextuor de Vinteuil, résume ses intentions dans une note soulignée d'un « Capitalissime, issime, issime, peut-être le plus de toute œuvre » : « Quand je parle du plaisir éternel de la cuiller, tasse de thé, etc. = art : était-ce cela ce bonheur proposé par la petite phrase de la sonate à Swann qui s'était trompé en l'assimilant au plaisir de l'amour et n'avait pas su où le trouver (dans l'art) ; ce bonheur que m'avait défini comme plus supraterrestre encore que n'avait fait la petite phrase de la sonate, l'appel mystérieux, le cocorico du sextuor que Swann n'avait pu connaître car cet évangile-là n'avait été divulgué qu'un peu plus tard et Swann était mort comme tant d'autres avant la révélation qui les eût le plus touchés. »

Leçon d'esthétique et mode d'emploi de « La Prisonnière ».

Le septuor de Vinteuil. — L'initiateur du narrateur d'*À la recherche du temps perdu* que n'ont pu être ni Bergotte ni Swann sera donc Vinteuil. Pour l'œuvre, il sera plus encore : Proust, dans une lettre de 1919 au critique Paul Souday, a souligné le premier que ce personnage était bien une des clés de voûte de sa construction romanesque[3].

Si Vinteuil n'apparaît pas en personne dans *La Prisonnière* — il est mort depuis longtemps —, il détermine tout le roman dont l'origine est la scène de Montjouvain entre sa fille et l'amie de celle-ci. Le déchiffrement du septuor est dû aux soins de cette dernière. Némésis du narrateur qu'elle poursuit de sa vengeance, par Albertine interposée, pour avoir été observée à Montjouvain, l'amie de Mlle Vinteuil lui permet de trouver à la soirée Verdurin ce qu'il n'était pas venu chercher : au milieu de l'ensemble des personnages de *La Prisonnière*, la découverte du génie de Vinteuil, de la réalité de l'art[4]. L'analyse le conduit ensuite à une conclusion plus générale. Dans une conversation avec Albertine, qui est plutôt une leçon de littérature, il explique à la jeune fille que les grands écrivains ont, comme les musiciens, comme Vinteuil, sans cesse recomposé la même œuvre. Ainsi, la structure musicale d'*À la recherche du temps perdu*, si souvent analysée, sur les indications de Proust lui-même,

1. Voir t. I de la présente édition, p. 215.
2. *Ibid.*, p. 339.
3. *Correspondance générale*, éd. citée, t. III, p. 70. Voir Kazuyoshi Yoshikawa, « Vinteuil ou la genèse du septuor », *Études proustiennes III*, *Cahiers Marcel Proust*, 9, Gallimard, 1979.
4. Voir p. 767.

trouve-t-elle dans *La Prisonnière* son point d'appui ou, pour reprendre Proust encore, son principal pilier[1].

Mais une fois de plus, il n'y a, à l'origine, rien de tel dans les textes de Proust. La place et les fonctions du septuor de Vinteuil ne se sont imposées que progressivement. La scène de sadisme, dans une ébauche du Cahier 14, vers 1910-1911, était accompagnée de réflexions illustrant ce principe de *compensation*, système moral que Proust avait découvert chez Emerson et reconnu chez George Eliot[2]. Dans le Cahier 14, il explique en effet que l'amie de la fille de Vinteuil[3], cause de son chagrin sinon de sa mort, tirera son œuvre de l'oubli. Cette explication, qui constitue la seconde partie de l'ébauche, a été de nouveau rédigée dans le récit du concert chez les Verdurin, tel qu'il figure dans le Cahier 73, deuxième des cahiers de brouillons de *La Prisonnière* ; elle a été reprise une nouvelle fois dans la version finale[4].

Le septuor a connu, comme son auteur, de nombreux avatars. À peine *Du côté de chez Swann* a-t-il paru que Proust annonce ses intentions à la presse pour les volumes suivants. Il déclare ainsi à André Arnyvelde qui rapporte ses propos dans *Le Miroir* du 21 décembre 1913 : « Ainsi, dans mon livre, verra-t-on, entre beaucoup d'autres, un certain Vinteuil qui, dans *Du côté de chez Swann*, est un brave homme, un bourgeois un peu lourd, plutôt banal ; et ce n'est que dans le volume suivant qu'on apprendra qu'il est un musicien de génie, auteur d'une cantate sublime...[5] » À défaut de cantate, il note à la même époque dans ses carnets-agendas, notamment le 3, au verso du folio 4, de brèves indications : « Pour Vinteuil dans le second volume. » Ce sont des références musicales à Beethoven, Chopin, Fauré, Franck, Schubert, Schumann, Wagner. Il y en aura d'autres. Dans le Carnet 4, au folio 4, des remarques préfigurent l'exposé de son esthétique à partir de l'audition du septuor de Vinteuil dans *La Prisonnière* : seul l'art peut exprimer la « différence qualitative des sensations », la « monotonie » d'œuvre en œuvre est « une preuve de fixité » chez un même artiste. Il ébauche les métaphores qu'il reprendra pour les phrases du septuor.

Un fragment du Cahier 57, qu'on peut dater de 1914 — Proust l'appelle une « note » — constitue le stade suivant de l'écriture. Il préfigure la rédaction du futur septuor[6]. Il s'agit maintenant d'un récit continu dans le contexte du *Temps retrouvé*. Le narrateur, invité à ce qui n'est pas encore la matinée, mais une soirée chez la princesse

1. Georges Matoré et Irène Mecz, *Musique et structure romanesque dans « La Recherche du temps perdu »*, Klincksieck, 1972 ; voir la quatrième partie. Voir également : Françoise Leriche, « La Musique et le Système des arts dans la genèse de la *Recherche* », *Bulletin d'informations proustiennes*, n° 18, 1987.

2. P.-E. Robert, *Marcel Proust lecteur des Anglo-Saxons*, A.-G. Nizet, 1976, p. 48.

3. Celui-ci s'appelle alors Vington ; il n'est pas musicien mais naturaliste.

4. Voir p. 765-767.

5. Voir *Essais et articles*, éd. citée, n. 1, p. 559.

6. Voir Cahier 57, f° 3 ; « La Matinée chez la princesse de Guermantes », p. 292-296.

de Guermantes, entend de la bibliothèque « à travers la porte un quatuor de Vinteuil ». Venant après les épisodes de souvenir affectif — les dalles inégales rappelant Saint-Marc, le bruit de la cuiller un voyage en train — qui étaient déjà décrits dans le Cahier 58 de 1910-1911, l'audition du quatuor fait comprendre au narrateur que « ce qu'il y a de réel dans l'essence commune du souvenir » se révèle « par l'art », mais « ni par le voyage, ni par l'amour, ni par l'intelligence ». Ce quatuor devient ainsi un rappel et un renouvellement de la sonate, comme l'« épine rose[1] » l'avait été pour les aubépines de Combray. Le quatuor est ainsi « la sonate en rose », préfigurant « le rougeoyant septuor » face à « la blanche sonate » dans *La Prisonnière*[2]. Ce fragment est un montage des notes du Carnet 3 et du Carnet 4, à l'exclusion de leurs références musicales et picturales. Ces notes sont maintenant intégrées dans un développement logique qui, partant de la reconnaissance de la sonate dans le quatuor, applique cette ressemblance à toute l'œuvre de Vinteuil et conduit à cette conclusion que seule l'œuvre d'art révèle « cette qualité particulière des émotions de l'âme que nous ne trouvons pas dans le monde réel ».

Puis Proust transporte ce développement, prévu pour *Le Temps retrouvé*, dans la version de 1915 de *La Prisonnière*. Mais il le fait en dissociant les trois parties de son ébauche de 1914. La première, l'audition du quatuor, passe dans la soirée Verdurin. Le texte initial, d'un peu plus d'un feuillet dans le Cahier 57, en occupe treize dans le Cahier 73. Il y est l'objet de deux rédactions distinctes : d'une part, 5 feuillets d'un texte continu sur les rectos des folios 41 à 45, paginés de 50 à 54 par l'auteur, texte correspondant aux pages 753-755 et 763-767 de *La Prisonnière* ; d'autre part, 8 feuillets inégalement remplis au verso des folios 35, 39, 40, 42, 43, 45, 47, 48 et 53. Ces derniers contiennent des additions dont certaines[3] seront finalement placées dans la séance de pianola[4], ainsi que d'autres ajouts pour le concert chez les Verdurin et, enfin, trois brèves notes sur Vinteuil vu par Mme de Guermantes et par Charlus et, sur l'amie de Mlle Vinteuil, « exécutante hors de pair », compensant par son enseignement musical son vice[5].

De quatuor, dans la page initiale de cette première rédaction, il n'est même pas question. Il s'agit d'une symphonie qui renouvelle pour le narrateur l'« univers épuisé » de la sonate, ce qui était le point de départ dans la démonstration du Cahier 57. Dans un deuxième temps, au folio suivant, « symphonie » a été rayé et remplacé par « quatuor ». Un *Nota Bene* terminant l'addition du folio 39 v° du Cahier 73 précise quelle était la fonction envisagée pour la symphonie : « (N. B. Pour la symphonie il n'y aura je crois

1. Voir t. I de la présente édition, p. 137.
2. Voir p. 759.
3. Celles du f° 35 v°. Voir p. 877.
4. Ff^os 47 v°, 53 v°, 48 v°.
5. Voir f° 41 r°, p. 50 pour Marcel Proust.

ni aube, ni aurore, tout se passera dans une douteuse matinée et finira par l'embellissement enfin certain du soleil brûlant et des cloches titubantes de midi). » Ce sont les thèmes du quatuor, qui déjà « ruisselait de soleil » dans l'ébauche du Cahier 57. Il est ainsi opposé, dans cette même page du Cahier 73, à la sonate, où « tout se passait dans la blancheur liliale d'une aube sur les géraniums bleus ». Est aussi soulignée l'orchestration des matinées de *La Prisonnière*, comme cette « Ouverture pour un jour de fête[1] » selon la comparaison musicale que Proust emploie à la première page du Cahier 73. Avec elle commence cette troisième journée du roman. Les œuvres de Vinteuil, la sonate, le quatuor et la symphonie, s'inscrivent par là dans la structure temporelle des cinq journées de *La Prisonnière*.

Il y a une autre allusion à cette symphonie de Vinteuil dans le cahier de brouillons suivant, le 55. Au folio 25 recto, le narrateur demande à Albertine de « jouer au pianola la symphonie de Vinteuil et certaines dernières œuvres de lui », alors que dans le texte final ne subsiste plus pour cette occasion que « de la musique de Vinteuil[2] ». À la suite de la scène du pianola des folios 26 à 29 du Cahier 55, intermède musical ébauché dans sa répétition quotidienne au folio 24 verso du Cahier 53 puis biffé, Proust a placé, aux folios 31 à 34 du Cahier 55, la deuxième et la troisième partie de son ébauche du Cahier 57, l'analyse de la musique de Vinteuil et le rôle de l'art en général. Pour des réflexions à partir des « premières compositions » de ce musicien, où « on voit apparaître de ces phrases qui reviendront si souvent [...] plus tard dans tout ce qu'il a écrit », il a repris non seulement l'ébauche du Cahier 57 mais aussi les esquisses consignées dans les Carnets, comme il se l'était promis dans une addition au folio 43 v° du Cahier 73 : « Se rappeler que je n'ai mis ni les fées familières, ni la composition astrale, ni la phrase la plus jolie, [...] ni bien d'autres choses toutes dans les petits cahiers de bonshommes, et que peut-être je mettrai là, peut-être au pianola, peut-être à la soirée finale. » En effet, les références musicales explicites des petits carnets aux couvertures illustrées de « bonshommes », comme le motif de « l'enfant qui dort » de Schumann, réapparaissent, mais appliqués aux « premières études » de Vinteuil.

Les mêmes hésitations et les mêmes retours aux petits carnets, qui ont servi à la fois à la préparation et aux ajouts, étaient aussi visibles dans une addition de la fin du Cahier 71, qui date de 1914. Elle est encadrée d'une indication portée en marge par l'auteur : « Peut-être mettre cela tout à fait à la fin du livre », et, en conclusion, d'une parenthèse : « (Ceci mieux dit dans un des petits cahiers à bonne femme[3]) ».

1. Voir l'Esquisse XII, p. 1140.
2. Voir p. 875.
3. Cahier 71. Voir ff^os 100-101 v^os.

Dans l'addition du Cahier 71, Proust a souligné le point essentiel par une phrase qui, remaniée, figurera dans *La Prisonnière*[1], lors de l'audition du septuor : « Pour mettre quand elle me joue les choses de Vinteuil (où j'aurai soin de dire “*le même motif revenait plusieurs fois, mais sur un autre rythme, entouré d'un autre accompagnement, jamais tout à fait le même, comme reviennent les choses dans la vie.*” » Quant à la place de l'analyse visant non à décrire les œuvres en question mais à montrer leur identité, elle n'est, à l'évidence, pas encore arrêtée.

Enfin, dans le manuscrit au net de *La Prisonnière*, l'auteur a déplacé les réflexions théoriques, nées de l'audition de la musique de Vinteuil, de la séance de pianola à la soirée Verdurin, lors de l'exécution de ce qui devient le septuor de Vinteuil. Elles occupent les pages 757-758 et 761-765 du concert, que Proust a continué d'enrichir, et surtout de rendre moins abstraites, en intercalant des indications scéniques et des dialogues. Une conversation littéraire avec Albertine remplace désormais la méditation musicale devant le pianola. Elle a été composée à partir de notes de lecture remontant aux années 1909-1910, et dont l'affectation n'était évidemment pas décidée. Elle conduit à cette conclusion que « les grands littérateurs n'ont jamais fait qu'une seule œuvre, ou plutôt réfracté à travers des milieux divers une même beauté qu'ils apportent au monde[2] ». Elle devient ainsi un rappel de l'audition du septuor à laquelle est désormais rattachée la découverte de cette loi de la création artistique.

Dans le texte du manuscrit, l'audition du septuor rassemble maintenant la totalité des thèmes et des personnages qui ont été associés à la musique de Vinteuil. Pour *La Prisonnière*, celle-ci fait suite au « réveil en musique » et aux cris vocalisés de la rue, tandis que la révélation qu'elle contient est en partie différée jusqu'à la place qu'elle occupait initialement dans *Le Temps retrouvé*.

Mais, pour les caractéristiques musicales proprement dites de l'œuvre de Vinteuil, Proust s'est montré plus allusif qu'explicite. La multiplicité des modèles mentionnés dans les brouillons est un obstacle de plus pour qui tente de retrouver la part de chacun. Du quintette de Franck, ou de sa *Symphonie en ré mineur* pour le motif des cloches, à Schumann pour le motif de « l'enfant qui dort », dans les premiers fragments, et jusqu'aux opéras de Chabrier dans les esquisses suivantes, comment suivre et reconnaître une composition que l'auteur a bien été le seul à entendre[3] ? D'un quatuor, Proust est passé dans le manuscrit de *La Prisonnière*, non sans hésitations ni contradictions, à un sextuor, un septuor, voire une « pièce pour dix instruments » dans une addition marginale au manuscrit au net[4]. Finalement, sont mentionnés aux pages 753, 755 et 780 du texte huit instruments au moins : violon, piano, violoncelle — ou contrebasse,

1. Voir p. 763.
2. Voir p. 877.
3. Proust avait fait jouer chez lui, au début d'avril 1916, à l'époque où il rédigeait *La Prisonnière*, « le 13e quatuor de Beethoven et le quatuor de Franck » (lettre à Raymond Pétain, peu après le 14 avril 1916 ; *Correspondance*, t. XV, p. 77 ; il demande encore à Pétain de « rejouer le quatuor de Franck » et de « jouer le quatuor de Fauré »). Voir la Notice, p. 1649.
4. Cahier X, f° 35 r°.

la confusion apparaît dès le premier jet de la description —, harpe, des cuivres, une flûte et un hautbois. Les quatre premiers instruments témoignent du quatuor disparu. Avec les suivants, qui ne sont nommés qu'après coup, ils constituent, au moins symboliquement — mais le pluriel mis à « cuivres » autorise toutes les hypothèses — un ensemble symphonique. D'ailleurs, Morel, le « génial interprète » de Vinteuil, selon Charlus dans le même passage, a, de son côté, été successivement dans les brouillons pianiste puis flûtiste, avant de devenir, et de rester, violoniste. Il a été, dans ce domaine encore, un véritable homme-orchestre.

Mais cette symphonie, dont le septuor improbable forme la synthèse avec le quatuor originel, le narrateur de *La Prisonnière*, comme souvent Proust dans la vie, ne la connaissait que par sa transcription au piano. Il en est si conscient que dans une addition marginale au folio 45 verso de son Cahier 73 il distingue entre imagination et réalité musicale, mettant ainsi, par avance, un terme aux spéculations sur cette série de métaphores qu'est la musique de Vinteuil : « Quand j'ai à dire dans ce chapitre, entendre ce qu'on ne connaît qu'au piano revêtu des couleurs de l'orchestre (et si ce n'est pas dans ce chapitre que je le mets, cela n'est pas moins utile à noter car 2 ou 3 fois dans le livre cette comparaison revient et les éléments nouveaux que je vais ajouter permettront de varier la composition <un nombre> quelconque de fois. Ce qui m'inclinerait à le mettre dans ce cahier est que je pensais surtout à Chabrier : / Car qui a entendu une œuvre au piano connaît la photographie de l'œuvre seulement, c'est-à-dire l'œuvre dépouillée de ces bleus si célestes, de ces rouges lumineux et féroces, de ces violets orageux que l'œil ne peut imaginer et qui superposent à l'œuvre que nous connaissons une seconde œuvre plus originale encore, plus insoupçonnable, plus personnelle que la première. Ainsi quand sur ce dessin de l'œuvre de Vinteuil qu'était sa transcription il fallait étaler toutes les fragrances des cuivres, tout le crépuscule lilas des violons, toute une palette inconnue où plus encore que dans l'invention des thèmes se réalisait sa personnalité. »

Toute la littérature ! — L'« Essai sur Sainte-Beuve » et l'« Étude sur le roman[1] », que Marcel Proust annonçait dans sa lettre de mai 1908 à Louis d'Albuféra, n'ont jamais vu le jour, du moins sous cette forme. Mais les ébauches du *Contre Sainte-Beuve* sont devenues, sept ans plus tard, le cadre temporel et thématique de l'histoire d'Albertine. Dans le projet initial de Proust, l'article de critique littéraire du *Figaro* devait être le sujet d'une conversation du narrateur avec sa mère. S'il ne l'est plus dans *La Prisonnière*, où le narrateur a écrit pour ce journal un essai romanesque — une page sur les clochers de Martinville —, la conversation littéraire a subsisté, mais avec Albertine.

1. *Correspondance*, t. VIII, p. 112.

Passant de la musique, qu'Albertine lui joue grâce au pianola, à la littérature, le narrateur explique à son amie[1] l'unité profonde des grandes œuvres littéraires. Trois auteurs viennent à l'appui de cette affirmation : Barbey d'Aurevilly, Thomas Hardy, Dostoïevski, sans compter des allusions à Stendhal, Tolstoï, Gogol, Paul de Kock, Mme de Sévigné, Choderlos de Laclos, Mme de Genlis, Baudelaire, ainsi que des références aux tableaux de Vermeer, Rembrandt, Carpaccio, Munkacsy...

Ces trois exemples principaux, Proust les avait choisis pour lui-même, avant de les prêter au héros de son livre. Ils ont une double provenance. Les remarques sur Barbey d'Aurevilly et Thomas Hardy viennent, presque textuellement, de notes consignées dans le Carnet 1. Pour Barbey d'Aurevilly, aux folios 35 verso et 36 recto, il a noté à propos d'*Une vieille maîtresse* et de *L'Ensorcelée*, dans un style télégraphique que le texte final conservera[2] : « Le mari de *L'Ensorcelée* parcourant la lande ». Plus loin : « Couleur locale, tous les usages, les objets notamment à l'enterrement faisant une trame ancienne et locale à cette histoire, sentiment à comparer à celui de l'histoire orale indiqué dans la préface, draps, pièces de monnaie. » En outre, Proust avait, à la même époque, parlé à l'occasion du *Contre Sainte-Beuve*[3] de *L'Ensorcelée*, dont un des personnages, le berger, lui paraît être « un homme à la Mantegna ».

De Thomas Hardy, il signale, au folio 10 recto du Carnet 1, la nouvelle « Deux ambitions », lue dans *La Revue hebdomadaire* du 24 octobre 1908[4], et, au folio 48 recto, trois romans : *Jude l'obscur, Deux yeux bleus, La Bien-Aimée*. Proust avait lu en 1906 la traduction française de *Jude* et en 1910 celle des deux autres romans. L'analyse qu'il tire de ces deux derniers est fort proche du texte de *La Prisonnière*[5]. Proust écrit dans le Carnet 1 : « Je remarque dans les *Yeux bleus* cet admirable parallélisme géométrique, ces tombes [...] ce bateau parallèle à la montagne où sont Knight et Elfride, et ces wagons contigus où sont Knight et Smith, tandis qu'un 3e wagon emporte Elfride morte[6]. » Puis il compare *Deux yeux bleus*, où c'est la femme qui aime trois hommes, à la situation inverse de *La Bien-Aimée*. Enfin, il note la place qu'occupe la pierre sculptée dans ces romans. C'est la structure d'ensemble qui l'intéresse ; il la soulignera dans *La Prisonnière*. En revanche, il n'a pas repris dans le texte final les références à *Denys l'Auxerrois*, de l'essayiste anglais Walter Pater, lu à l'époque des traductions de Ruskin, ni celle, au folio 35 recto de ce même Carnet 1, au *Moulin sur la Floss* de George

1. Il la tutoie brièvement à cette occasion, ce qui est un vestige de la conversation primitive avec sa mère ; ailleurs, il vouvoie Albertine. Voir p. 880.
2. Voir p. 878.
3. « Notes sur la littérature et la critique », *Contre Sainte-Beuve*, éd. citée, p. 305.
4. Voir *Le Carnet de 1908*, éd. citée, p. 59, et n. 87, p. 145.
5. Voir p. 878-879.
6. Voir *Le Carnet de 1908*, éd. citée, p. 114.

Eliot, tous deux caractéristiques de son intérêt pour la littérature de langue anglaise[1].

Enfin, chez Dostoïevski, Proust fait observer au narrateur de *La Prisonnière* « des puits excessivement profonds, mais sur quelques points isolés de l'âme humaine[2] ». Dostoïevski, cependant, n'est pas présent dans les notes de lecture du Carnet 1. En revanche, la correspondance de Proust, dans les années 1912-1917, abonde en références : *Les Frères Karamazov*, lus en 1911, selon une lettre du 2 janvier 1912 à Mme Carlos Hahn, *Crime et Châtiment*, cité dans une lettre du 22 mai 1913 à Jacques Copeau, deux romans qu'il cite encore à André Gide dans une lettre du 6 ou 7 avril 1914[3]. De plus, quelques mois avant sa mort, Proust avait encore noté dans le Cahier 59, cahier « d'ajoutages », un autre développement sur Dostoïevski[4]. Il avait inscrit en tête du fragment : « Pour le dernier cahier. Capitalissime. » Puis il souligne, en s'appuyant sur *L'Idiot* et *Crime et Châtiment*, que l'originalité de Dostoïevski est « dans la composition ».

En fin de compte, le montage, dans le contexte romanesque de *La Prisonnière*, des notes du Carnet 1, des fragments du *Contre Sainte-Beuve* et des remarques au jour le jour dont témoigne la correspondance de l'auteur a été rapide. Il n'est qu'un aperçu du projet primitif. Cette « conversation avec Albertine » ne reprend pas non plus les arguments de Proust contre la méthode critique de Sainte-Beuve. Il est vrai que dans le roman Sainte-Beuve a déjà été ridiculisé par les jugements mondains que Mme de Villeparisis porte sur les grandes figures de la littérature française du XIXe siècle, au cours des promenades avec le narrateur, autour de Balbec[5].

La « conversation avec Albertine » est précédée dans *La Prisonnière* par un monologue du narrateur. En attendant le retour d'Albertine, il joue du piano[6]. Puis il passe de l'analyse de la sonate de Vinteuil à celle des opéras de Wagner. En s'appuyant sur la carrière du compositeur de la Tétralogie, il poursuit par une réflexion sur la création artistique. Il en arrive à la littérature et il invoque l'exemple de Balzac, « qui a vu après coup dans ses romans une *Comédie humaine*[7] ». Cette découverte de l'unité des œuvres d'un même auteur anticipe la révélation du septuor de Vinteuil et les conclusions de la « conversation avec Albertine ». La conversation est à son tour prolongée par une sorte de *post-scriptum*, à la fin de *La Prisonnière*. Il s'agit de nouveau d'un monologue du narrateur, puisque Albertine, présente, reste silencieuse. Alors qu'ils rentrent à la nuit, le narrateur

1. P.-E. Robert, *Marcel Proust lecteur des Anglo-Saxons*, p. 30, 57 et 121.
2. Voir p. 881.
3. *Correspondance*, t. XI, p. 19 ; t. XII, p. 180, n. 10, p. 181 ; t. XIII, p. 139. Une lettre de Proust à Antoine Bibesco, du 15 mai 1917, révèle qu'il lui avait emprunté *Les Frères Karamazov* pour y vérifier ce qu'il était lui-même en train de rédiger pour *La Prisonnière* (*Correspondance*, t. XVI, p. 138, n. 6).
4. Voir *Essais et articles*, éd. citée, p. 644-645. Gaston Gallimard, dans une lettre du 21 juillet 1922, écrit à Proust qu'il tient à sa disposition *Les Possédés*.
5. Voir *À l'ombre des jeunes filles en fleurs*, t. II de la présente édition, p. 70.
6. Voir p. 664-668.
7. Voir p. 666.

fait admirer à Albertine le clair de lune sur Paris et cite les métaphores célèbres des poètes du XIXe siècle : Chateaubriand, Victor Hugo, Baudelaire, Leconte de Lisle — scène et métaphores précédemment évoquées dans le récit[1]. Ce passage a été hâtivement repris d'une esquisse, d'ailleurs plus complète, contenue dans le Cahier 54, dont on a vu qu'il formait en 1914 avec le Cahier 71 la première version du cycle d'Albertine. Ce n'est qu'un autre signe du relatif inachèvement de cette dernière partie d'*À la recherche du temps perdu*.

Que la forme soit restée quelque peu inachevée ne signifie pas pour autant que les intentions de l'auteur n'aient pas été menées à leur terme. Les réflexions sur la littérature étaient à l'origine du *Contre Sainte-Beuve*. Elles sont passées dans *À la recherche du temps perdu* où elles sont éparpillées. Mais elles convergent dans *La Prisonnière* où sont exposées les grandes lignes de la méthode critique de Marcel Proust. Sans doute, les remarques qu'il prête à son narrateur ne constituent-elles pas un système, mais plutôt une série de remarques particulières, qui visent pourtant au général. Et Barbey d'Aurevilly, Hardy, Dostoïevski, apportent une caution universelle. Ce que Proust a relevé à leur lecture, la composition d'autant plus réussie chez Dostoïevski qu'elle est moins voulue, les répétitions significatives chez Barbey d'Aurevilly ou Hardy, s'applique bien évidemment à la *Recherche du temps perdu*. Une fois de plus, *La Prisonnière* annonce la conclusion du cycle, ici les pages qui terminent *Le Temps retrouvé*, par un exposé de l'esthétique à l'œuvre dans tout le roman. Mais, plus précise que l'esthétique générale qui conclut *Le Temps retrouvé*, car appliquée à la seule littérature, celle de *La Prisonnière* révèle ses sources, sa méthode critique et tout son mode d'emploi[2].

PIERRE-EDMOND ROBERT.

NOTE SUR LE TEXTE

I. MANUSCRIT

La « mise au net » de la fin d'*À la recherche du temps perdu*, depuis *Sodome et Gomorrhe* jusqu'au *Temps retrouvé*, figure dans une série de vingt cahiers manuscrits numérotés par Proust en chiffres romains. *La Prisonnière* occupe les Cahiers VIII à XI de cette série, ainsi que les douze premiers feuillets du Cahier XII, qui enchaîne avec *La Fugitive*, future *Albertine disparue*[3]. On lit sur la couverture du Cahier VIII la mention suivante : « Cahier VIII (avec lui commence le tome cinquième et dernier d'*À la recherche du temps perdu*, tome intitulé Sodome et Gomorrhe III. [Le temps retrouvé *biffé*]) ». Au

1. Voir p. 909-919 et 680.
2. Cette Notice est dédiée à la mémoire d'Henri Bonnet ; Paris, le 18 juillet 1988.
3. N.a.fr. 16715 à 16719. Pour la description de ces cahiers, voir t. I de la présente édition, p. CLXIII-CLXIV.

folio 1 du même cahier, on retrouve ce dernier titre, *Le Temps retrouvé*, cette fois non biffé : « À la recherche du temps perdu. Tome cinquième et dernier. Sodome et Gomorrhe II *[sic]*. Le Temps retrouvé ». Ce folio 1, qu'augmentent deux longues additions marginales et un béquet, commence comme le texte définitif.

Le Cahier VIII correspond aux pages 519 à 607 de notre édition, le Cahier IX aux pages 607 à 738, le Cahier X aux pages 738 à 801, le Cahier XI aux pages 801 à 907, les douze premiers feuillets du Cahier XII aux pages 909 à 915.

Au folio 12 du Cahier XII, *La Prisonnière* s'achève comme le texte définitif : « [...] je vais vous sonner tout à l'heure[1]. » L'auteur a d'abord marqué un alinéa pour la phrase suivante. Puis il a tracé un trait de raccord pour indiquer qu'il ne devait finalement pas y avoir d'alinéa. Ainsi, comme c'était déjà le cas dans le Cahier 55, cahier de brouillons contenant la fin de *La Prisonnière* et le début d'*Albertine disparue*, il n'y a dans le manuscrit au net aucune séparation entre *La Prisonnière* et *Albertine disparue*.

II. DACTYLOGRAPHIES

Il existe trois dactylographies de *La Prisonnière* ; elles sont conservées à la Bibliothèque nationale qui les a reliées en six volumes[2].

Première dactylographie.

La première dactylographie a été reliée en deux volumes[3]. Marcel Proust a corrigé les folios 1 à 123 — suivant le compostage de la Bibliothèque nationale — du premier volume. Ces folios correspondent aux pages 519 à 622 de la présente édition. La suite de ce volume ne porte pas de corrections. Proust en a transféré 34 feuillets en tête du deuxième volume de la troisième dactylographie. Les feuillets non corrigés restant dans le premier volume de la première dactylographie correspondent aux pages 669 à 748 de notre édition.

Le second volume de la première dactylographie ne porte que des corrections dues aux premiers éditeurs de *La Prisonnière*, Robert Proust et Jacques Rivière, et, au folio 114, une addition qui est peut-être de la main de Marcel Proust. Ce second volume correspond aux pages 748 à 896 de la présente édition.

Deuxième dactylographie.

La deuxième dactylographie a été reliée en un volume[4]. Elle ne couvre pas l'ensemble de *La Prisonnière* mais ne correspond, avec des

1. Voir p. 915.
2. Pour leur description, voir t. I de la présente édition, p. CLXVII.
3. N.a.fr. 16742 et 16743.
4. N.a.fr. 16744.

lacunes, qu'aux pages 519 à 633 de notre édition. Il s'agit d'un état composite, qui se décompose de la façon suivante :

— Ffos 1-11 : d'une nouvelle frappe, ils intègrent les corrections des feuillets correspondants de la première dactylographie. Ils ont été à nouveau corrigés par Marcel Proust. Ils correspondent aux pages 519 à 527 de notre édition[1].

— Ffos 12-34 : double non corrigé de la première dactylographie. Ces feuillets ne sont pas corrigés.

— Fo 35 : ce feuillet, également un double de la première dactylographie, a été corrigé par Marcel Proust[2].

— Ffos 36-100 : double non corrigé de la première dactylographie. Comme les feuillets 12 à 34, ces pages sont vierges de toute correction.

— Ffos 101-104 : le texte dactylographié sur ces feuillets ne figure pas dans la première dactylographie. Ces pages portent de nombreuses corrections[3].

Troisième dactylographie.

La troisième dactylographie a été reliée en trois volumes[4]. Le premier volume correspond aux pages 519 à 626 de la présente édition.

— Ffos 1-136 : ces feuillets intègrent les corrections autographes des onze premiers feuillets de la deuxième dactylographie puis, par la suite, celles de la première dactylographie. Ils ont eux-mêmes été revus et corrigés par Marcel Proust.

— Ffos 137-213 : ils comprennent quatre corrections de l'auteur[5].

— Ffos 214-219 : il s'agit de fragments corrigés d'une dactylographie précédente, comme en témoigne la différence des caractères dactylographiques employés.

Le deuxième volume de la troisième dactylographie enchaîne avec la fin du premier volume. Il correspond aux pages 626 à 782 de notre édition.

— Ffos 1-34 : transférés de la première dactylographie, ils portent des corrections et additions de Marcel Proust.

— Ffos 35-237 : ils portent quelques corrections et additions de Marcel Proust[6]. On trouve encore, au folio 81, une longue paperole concernant la mort de Bergotte[7].

Le troisième volume de la troisième dactylographie enchaîne avec la fin du deuxième volume. Il correspond aux pages 782 à 915 de

1. Voir var. *a*, p. 528. Le folio 8 de *dactyl. 1* et le folio 10 de *dactyl. 2* ont été intervertis.
2. Voir var. *b*, p. 545.
3. Leur pagination autographe est également surajoutée : 126 bis, 126 quater, 130 bis, 130 ter.
4. N.a.fr. 16745 à 16747.
5. Aux folios 151, 178, 194 et 213.
6. Aux folios 156, 158, 159 et 218.
7. Voir p. 687 et n. 1.

notre édition et porte de nombreuses corrections et additions autographes[1]. Le dernier feuillet, le 239, est d'une frappe différente, plus serrée que ce qui précède ; il contient le dernier paragraphe du texte et s'achève donc par « [...] je vais vous sonner tout à l'heure. »

Cette troisième dactylographie porte la trace de corrections et de remaniements dus à Jacques Rivière et Robert Proust, qui écrivirent le mot « Fin » sur le dernier feuillet. C'est de cet état qu'ils tirèrent l'édition originale.

III. ÉDITION ORIGINALE

L'édition originale de *La Prisonnière* parut aux Éditions de La Nouvelle Revue française en novembre 1923, soit un an après la mort de Marcel Proust ; « Achevé d'imprimer le 14 novembre 1923 par F. Paillard à Abbeville (Somme). »

Cette édition compte deux volumes et comprend un avertissement de l'éditeur : « Le texte dactylographié du présent ouvrage, qui forme le tome VI d'*À la recherche du temps perdu*, nous avait été remis par Marcel Proust peu de temps avant sa mort. La maladie ne lui ayant pas laissé la force de corriger complètement ce texte, une révision très soigneuse sur le manuscrit en fut entreprise après sa mort par le Dr Robert Proust et par Jacques Rivière. C'est le résultat de ce travail, où nous espérons qu'un minimum d'imperfections se laissera découvrir, que nous publions aujourd'hui. »

En fait, Robert Proust et Jacques Rivière ont fait beaucoup plus qu'une correction du texte. Ils ont appliqué à celui-ci les principes de non-contradiction logique et chronologique du roman traditionnel. C'est ainsi que, par exemple, Cottard et Bergotte réapparaissant dans le récit après que leur mort avait été signalée dans des additions marginales de dernière minute, les éditeurs ont été amenés à récrire ou à supprimer des passages entiers. De la sorte, Charlus peut aller voir Bergotte « quelques jours avant sa mort[2] », suivant la formule que Robert Proust et Jacques Rivière ajoutèrent à des paragraphes que Marcel Proust avait rédigés à l'imparfait et qu'ils ont transposés au plus que parfait pour plus de vraisemblance. Ailleurs, la mention incidente de la mort de Cottard a été supprimée par eux, parce qu'on retrouve le personnage un peu plus loin dans la soirée Verdurin[3]. De la même manière, ils ont substitué Françoise à Céleste, laquelle intervient au début du volume sous son propre nom[4] ; ils ont agi ainsi dans un but de normalisation avec le reste du texte, normalisation ici injustifiée. Leurs efforts pour éclaircir et compléter le texte de Marcel Proust vont à l'encontre de son authenticité. De plus, de

1. Aux folios 6, 16, 18, 23, 38, 39, 42, 43, 46, 47, 48, 52, 53, 55, 56, 59, 61, 65, 68, 71, 72, 73, 74, 83, 88, 90, 93, 115, 149, 151, 224 et 238.
2. *La Prisonnière*, édition originale, t. II, p. 26. Voir ici p. 725, 726.
3. *Ibid.*, p. 53. Voir ici p. 746.
4. *Ibid.*, t. I, p. 21. Voir ici p. 527.

nombreuses fautes d'impression se sont ajoutées aux erreurs de lecture et rendent insuffisante l'édition originale.

IV. ÉTABLISSEMENT DU TEXTE

L'édition de *La Prisonnière* procurée en 1954 par Pierre Clarac et André Ferré dans la Bibliothèque de la Pléiade n'a pas été établie sur la base de l'édition originale, à quoi son caractère posthume ôte toute autorité, mais à partir des dactylographies et du manuscrit, états qui n'avaient pas encore été acquis par la Bibliothèque nationale. Cette édition comprend bon nombre de corrections régressives par rapport aux documents suivis. D'autre part, en raison de lacunes, notamment en ce qui concerne la mort de Bergotte[1], Clarac et Ferré ont parfois eu recours à des passages de l'édition originale.

Nous nous sommes efforcé de suivre toujours le dernier état revu par l'auteur, ce qui nous a amené à passer d'une dactylographie à l'autre :

— p. 519 à 581 : nous suivons le premier volume de la troisième dactylographie[2], tout en en vérifiant le texte sur les dactylographies antérieures et sur le manuscrit. Cependant, en cas de divergence entre le texte des états antérieurs et celui de cette troisième dactylographie, nous n'avons pas corrigé celle-ci, sauf lorsqu'elle offrait un texte incohérent. En effet, quand la dactylographe avait mal lu Proust, celui-ci ne consultait pas toujours le manuscrit pour corriger les erreurs commises ; il écrivait souvent un nouveau texte en adaptant la mauvaise lecture de la dactylographe. Nous conservons bien évidemment le texte refait, puisqu'il est de Proust.

— p. 581 à 622 : au-delà de ce qui correspond à la page 581 de notre édition, la troisième dactylographie n'est plus le dernier état revu par Marcel Proust. Nous suivons donc le premier volume de la première dactylographie. Rappelons que celle-ci est un état postérieur à la deuxième dactylographie, sauf pour les onze premiers feuillets de cette dernière[3].

— p. 622 à 915 : au-delà de ce qui correspond à la page 622 de notre édition, la première dactylographie n'est plus corrigée. Nous revenons donc au texte de la troisième dactylographie dont nous suivons les deuxième et troisième volumes, tout en en vérifiant les leçons sur le manuscrit. Il va de soi que nous avons intégré à notre texte les corrections portées par Marcel Proust sur la troisième dactylographie. De plus, nous avons maintenu les passages qui figurent dans cet état mais non dans le manuscrit, parce que Marcel Proust dictait aussi certains passages, en écrivait d'autres sur des feuilles volantes dont le contenu était intégré au texte lors de la

1. Nous avons retrouvé le fragment manquant pour la mort de Bergotte dans le Reliquat de la Bibliothèque nationale.

2. La page 581 correspond au folio 136 du premier volume de la troisième dactylographie.

3. Voir p. 1694-1695.

frappe[1]. Nous avons parfois pu retrouver certains des fragments manquants — fragments dont l'absence avait contraint Clarac et Ferré à suivre le manuscrit — dans le Reliquat de la Bibliothèque nationale.

On peut voir, en comparant les indications des éditeurs de 1954[2] avec l'inventaire actuel de la Bibliothèque nationale, que les documents ayant servi à la première édition de *La Prisonnière* dans la Pléiade ne se présentaient pas tout à fait dans l'état où nous les connaissons. En examinant les dactylographies, on peut se demander s'il n'y a pas eu substitution de feuillets de l'une à l'autre. Quel qu'en soit l'artisan, Proust lui-même ou bien les éditeurs de 1923, on ne peut être toujours certain de l'ordre exact dans lequel l'auteur a laissé cette partie de son roman.

À cette difficulté, générale en pareil cas, s'ajoute celle, particulière, qui est la conséquence du procédé de composition adopté par Proust. En déplaçant, en reconstruisant sans cesse les éléments de son texte, il ne peut lui donner son aspect définitif que lorsqu'il signe le bon à tirer. Le texte de *La Prisonnière*, comme celui des volumes suivants, ne peut être plus définitif que l'auteur ne l'a laissé. Il sera donc un dernier état de sa genèse.

Sur bien des points, le texte de la présente édition se distingue de celui des précédentes. Outre les modifications de temps ou de mode, les aménagements syntaxiques et les normalisations que s'étaient autorisés Robert Proust et Jacques Rivière, nous nous écartons de nos prédécesseurs sur nombre de lectures ponctuelles. La plupart des cas de lecture douteuse ont pu être résolus. Nous avons par exemple rétabli « la petite nous rabat les oreilles[3] » au détriment du correct « nous rebat », parce que l'expression est dans la bouche de Mme Bontemps à qui le barbarisme doit être attribué. Nous avons conservé la leçon « tram », comme avaient fait Robert Proust et Jacques Rivière, au lieu de sa correction par Clarac et Ferré en « train[4] ». Des dizaines d'autres cas pourraient être cités. Nous n'avons pas hésité à conserver également des répétitions, lorsqu'elles étaient dues à Marcel Proust. Quelques passages qui figuraient en note de bas de page dans l'édition de 1954 ont pu être intégrés au texte. D'autres apparaissent désormais dans un ordre différent de celui qu'on connaissait.

Nous avons autant que possible respecté la ponctuation de l'auteur, tout en ajoutant des virgules lorsque leur absence rendait la lecture trop ardue[5]. Quant aux alinéas, Proust n'agissant pas de façon

1. Lors de la frappe, Proust donnait des instructions, dont on peut avoir une idée par celles qui nous sont parvenues, par exemple dans le 1er volume de la 3e dactylographie, f° 72 : « Ceci suit la partie manuscrite (à dactylographier) qui est en marge. Une fois cet ajout terminé, rejoindre à la marque au crayon bleu. Paginer l'ensemble 65, 65 bis, 65 ter, etc. » En marge, une note : « Bonjour Mademoiselle Yvonne [Albaret] et bravo. »

2. Voir *CF*, t. III, p. 1057.

3. Voir p. 521.

4. Voir p. 526.

5. Voir Jean Milly, « Un aspect mal connu du style de Proust : sa ponctuation », *Proust dans le texte et l'avant-texte*, Flammarion, 1985.

systématique en la matière, nous avons essayé de les normaliser en tenant compte des additions marginales les plus importantes et des longs dialogues, afin de faciliter, là aussi, la lecture.

SIGLES UTILISÉS

ms. Manuscrit.
dactyl. 1 Première dactylographie.
dactyl. 2 Deuxième dactylographie.
dactyl. 3 Troisième dactylographie[1].
orig. Édition originale de 1923[2].

NOTES ET VARIANTES

Page 517.

a. Titre dans ms.[3] *et dactyl. 1 :* Sodome et Gomorrhe III *. Titre dans dactyl. 2 :* La Prisonnière (Sodome et Gomorrhe III) *. Titre dans dactyl. 3 :* La Prisonnière (1re partie de Sodome et Gomorrhe III) .

Page 519.

a. il entendait comme le bruit d'une conversation ; *ms., dactyl. 1, dactyl. 2* : il [entendait comme le bruit *biffé*] [entendait un bruit *corr.*] d'une conversation ; *dactyl. 3.*

1. Voir l'Esquisse I, p. 1099. Le « petit personnage intermittent », métaphore météorologique, est développé p. 522.

Page 520.

a. qu'elle avait renoncé à l'idée d'aller à Nice[4], qu'elle avait *ms.* : qu'elle avait renoncé à l'idée d'aller [*un blanc complété ultérieurement en* faire

1. Pour les trois dactylographies, nous suivons l'ordre de la Bibliothèque nationale.

2. On a vu que l'édition originale n'avait pas d'autorité. Nous sommes cependant amenés à la citer dans nos variantes lorsque nous adoptons une correction qui y figure dans les cas, peu nombreux, où aucun des états revus par Proust n'offre de sens ou n'est complet.

3. De la page 519 à la page 607 de ce volume, c'est le Cahier VIII qui constitue — avec de nombreuses lacunes — le manuscrit. Il est suivi de trois états dactylographiés : *dactyl. 1*, *dactyl. 2* (dont, nous le rappelons, seuls les onze premiers folios, le folio 35 et les quatre derniers ont été corrigés par l'auteur, tandis que le reste de *dactyl. 2* n'est qu'un double non corrigé de *dactyl. 1*) et *dactyl. 3*. Jusqu'à la page 581 de ce volume, notre texte est établi sur *dactyl. 3*. Voir la Note sur le texte, p. 1697.

4. Dans les passages correspondants des Cahiers 71 (1914) et 53 (1915), la ville mentionnée est Amsterdam (voir l'Esquisse II, p. 1099). Rappelons qu'avant l'invention d'Albertine, la jeune fille, qui portait alors le prénom de Maria, avait

une croisière], qu'elle avait *dactyl. 1 ↔ b. Entre la mise au net du manuscrit et sa dactylographie, Proust a continué à travailler sur ce passage*[1]*. On trouve dans le Cahier 60, cahier d'« ajoutages » qui date de 1919-1920, le texte suivant :* pour mettre dans le cahier VIII sans doute, quand je dis qu'Albertine et moi nous pouvions faire notre toilette presque à côté l'un de l'autre comme des camarades au bord de la mer. Il faudra laisser cette comparaison pour la fin du morceau et écrire ainsi. / Parfois, si elle savait que dans la nuit de ma chambre aux rideaux fermés je ne dormais pas, elle faisait un peu de bruit en se baignant. Alors il m'arrivait d'aller jusqu'à son cabinet de toilette. On sait que tandis qu'autrefois un directeur dépensait plusieurs centaines de mille francs pour que l'actrice eût de vraies émeraudes sur sa robe, un vrai sceptre d'or etc., des décorateurs modernes par de simples jeux de lumière ont beaucoup mieux réussi à donner la translucidité de l'émeraude et l'éclat de l'or au spectateur, en faisant jouer des rayons de diverses couleurs sur des verroteries sans valeur ou même sur de simples morceaux de papier. Mais même ces prodiges, déjà plus immatériels, ne sont rien auprès de ceux que nous trouvons quand nous avons l'habitude de nous lever à midi, dans un cabinet de toilette à huit heures du matin. Les seuls décors vraiment exaltants, les seuls véritables changements à vue, sont ceux qui, provenant par exemple d'un changement d'heure, éveillent jusqu'au fond de nous-même toute une série oubliée de souvenirs. Les fenêtres du cabinet de toilette d'Albertine étaient, afin qu'on ne pût pas la voir du dehors, non pas lisses, mais froncées et chiffonnées d'un givre artificiel et démodé qui faisait rideau. Pour peu qu'un rayon de soleil parût, c'était un charme de voir changer de couleur et s'échauffer cette mousseline de verre. On aurait dit le fond d'un jour tout blanc, et où un oiseau ne manquait pas, car Albertine avait l'habitude qui m'enchantait de siffler. Quelquefois je me décidais alors à m'habiller moi aussi pour sortir avec elle et une cloison si mince séparait nos deux cabinets de toilette que nous causions tout en nous habillant, avec cette intimité des vacances où on a moins de chambres qu'à Paris, dans un hôtel au bord de la mer. / Puis vers la fin du séjour d'Albertine à la maison. / Il y avait des matins où, pensant à Albertine, je ressentais à son sujet une lassitude presque exaspérée. Alors si, sachant que dans la nuit de ma chambre aux rideaux fermés je ne dormais pas, elle se mettait tout en faisant sa toilette à siffler et à chantonner, son gazouillis jadis si doux pour moi me paraissait stupide et irritant. Quand elle venait me voir je lui disais que j'exécrais qu'on se crût obligé en faisant quelque chose de chanter. Si je lui citais toutes les professions où on ne chante pas, et par contraste lui déclarais que, après avoir cherché à classer toutes les choses les plus bêtes que je connaissais, le prix de niaiserie me semblait devoir être accordé au chant traditionnel des ouvriers qui viennent peindre un appartement, elle ne me contredisait pas, mais la fois suivante, ne s'étant sans doute pas fait l'application à elle-même, se remettait pendant qu'elle faisait sa toilette à chanter et à siffler.

été imaginée dans un décor hollandais (Cahier 23, 1910 ; voir la Notice, p. 1646-1648). « Nice » renvoie à Agostinelli (*ibid.*, p. 1635).

1. Voir l'Esquisse II, p. 1099-1100.

1. C'était le supérieur de Robert de Saint-Loup à Doncières, lorsque le narrateur s'y était rendu. Voir *Le Côté de Guermantes I*, t. II de la présente édition, p. 372-373.

2. Sur les Ballets russes, voir *Sodome et Gomorrhe*, p. 140 et suiv., et l'annotation.

Page 521.

1. Refrain du *Biniou*, romance sur des paroles de H. Guérin, et une musique de E. Durand (1830-1903).

2. Premier vers de *Pensée d'automne*, mélodie de Jules Massenet (1842-1912). Proust avait aimé le compositeur, à qui il avait écrit le 8 décembre 1897 (voir la *Correspondance*, éd. Philip Kolb, Paris, Plon, 1970 [...], t. V, p. 384). Massenet, professeur au Conservatoire, avait eu Reynaldo Hahn comme élève.

Page 522.

1. Voir l'Esquisse III, p. 1101-1102.

Page 523.

1. Cet « article » est une référence à un passage contenu dans *Du côté de chez Swann* (t. I de la présente édition, p. 179). Il est un vestige à la fois du premier essai littéraire du narrateur d'*À la recherche du temps perdu*, et du premier projet de son auteur, le *Contre Sainte-Beuve* de 1908 : on se souvient que devait y figurer une conversation entre le narrateur et sa mère à propos de l'article de celui-ci sur la méthode critique de Sainte-Beuve, article paru dans l'exemplaire du *Figaro* que lui apportait sa mère, ce jour-là. La mise en cause du système de Sainte-Beuve, toujours sur le mode ironique ou polémique, a été répartie dans l'ensemble d'*À la recherche du temps perdu*. On en trouve un autre exemple, quoique non précisé par Proust, un peu plus loin dans le texte de *La Prisonnière* (voir n. 3, p. 543). Dans ce volume subsistent aussi du projet initial du *Contre Sainte-Beuve*, mais avec un contexte et, partant, un rôle différent, une conversation littéraire — avec Albertine —, p. 877 et suiv., et l'arrivée — quotidienne — du *Figaro*, maintenant apporté par Françoise. Précédée de remarques du narrateur sur la composition littéraire, p. 666, cette conversation est suivie d'une autre, toujours avec Albertine, p. 909 qui est plutôt un monologue du narrateur, car la jeune fille reste silencieuse. Cet ensemble constitue dans *La Prisonnière* l'aboutissement des réflexions du *Contre Sainte-Beuve* et, sous forme d'ébauche, la méthode critique de Marcel Proust. Nous renvoyons aux études, déjà citées, d'Henri Bonnet (*Marcel Proust de 1907 à 1914*, Nizet, 1976), Claudine Quémar (*Autour de trois avant-textes de l'« Ouverture » de « La Recherche »*, *Bulletin d'informations proustiennes* n° 3, 1976), Kazuyoshi Yoshikawa (*Études sur la genèse de « La Prisonnière » d'après des brouillons inédits*, thèse dactylographiée, Paris IV-Sorbonne, 1976), et à notre Notice, p. 1690 et suiv.

2. La parenthèse renvoie à un épisode réel : après un accident, en 1894, le frère de Marcel Proust, Robert, avait été soigné par la jeune Valentine Mestre. Parce qu'il vient de demander, le 27 mai 1915, à Mme Catusse de fleurir la tombe d'Agostinelli pour l'anniversaire de sa mort, Marcel Proust explique le 5 juin 1915 à Mme Catusse en guise de parallèle : « Quand Robert eut autrefois un chariot de 3 000 kilogrammes qui lui passa sur la cuisse, Maman fraternisa avec la petite cocotte qui le soignait » (*Correspondance*, t. XIV, p. 136 ; et n. 4 et 5, p. 150).

Page 525.

a. habilement *dactyl. 1, dactyl. 2, dactyl. 3. Nous adoptons le texte de ms., que semble imposer le contexte.* ◆◆ *b.* écrivit une seconde lettre *ms., dactyl. 1, dactyl. 2*

Page 527.

a. On trouve à cet endroit dans la dactylographie 2 un paragraphe biffé que nous donnons en raison de son intérêt, sans toutefois rendre compte des différents états de ce passage : J'entendais les premiers pas d'Albertine. Comme Françoise lui avait dit que j'étais réveillé, elle allait sans crainte dans son cabinet de toilette qui était presque adossé à ma chambre et me criait bonjour à travers la cloison. Et nous avions la même impression joyeuse que des amis qui font un voyage ensemble et ont loué des chambres voisines, quand tandis que coulait l'eau de son robinet elle me demandait gentiment sur ma santé, sur l'endroit où je voulais qu'elle allât ce jour-là, mille choses que j'entendais mal et qui me faisaient lui répondre de se taire, que nous causerions de tout cela quand elle serait prête, moment qu'elle n'attendait pas pour entrer m'embrasser. Malgré tout ce qu'il pouvait y avoir de déraisonnable à assimiler Albertine à Odette, le souvenir de la visite de celle-ci à Forcheville dans le temps où Swann l'avait crue à la Maison d'Or et de sa possession vingt ans plus tard par Bloch, en wagon, entre Saint-Lazare et P <assy> m'eussent fait lever pour accompagner Albertine si elle avait dû sortir seule à pied. Mais je lui avais acheté une automobile et avais engagé un ami du chauffeur des Verdurin. Ce dernier qui était tout à ma dévotion me l'avait procuré.

1. Lettre de Mme de Sévigné à Mme de Grignan, 5 janvier 1676 : « Vous me dites bien sérieusement en parlant de ma lettre : *monsieur votre père*. J'ai cru que nous n'étions point du tout parentes. Que vous était-il à votre avis ? » (*Correspondance*, Bibl. de la Pléiade, t. II, p. 212).

2. Les premiers éditeurs de *La Prisonnière*, en 1923 avaient substitué ici le nom de Françoise à celui de Céleste. Mais Proust s'était bien donné cette indication, dans le Cahier 59, f° 80 r° : « Pour *Sodome III* (ou *II* s'il en est temps encore) Céleste Albaret me dit : "Ô divinité du ciel reposée sur un lit." » Dans *Sodome et Gomorrhe II*, p. 240 et suiv., Céleste est l'une des deux courrières du Grand-Hôtel de Balbec. Dans *Sodome et Gomorrhe III*, c'est-à-dire *La Prisonnière*, Céleste Albaret figure encore p. 637. On sait que, gouvernante de Proust, elle vécut chez lui de 1914 à 1922.

Page 528.

1. Racine, *Esther*, acte I, sc. III, v. 195-196 (Racine écrit « à leurs yeux », non « à ses yeux »), 199-200, 201-204. Voir aussi p. 627, 896, 913.

Page 536.

1. Voir l'Esquisse IV, p. 1103-1104.

Page 537.

a. d'être individuels, de ne s'adresser qu'à une personne, comme si aucune autre ne pouvait les satisfaire, et par conséquent qu'on fausse, si on leur donne, dans sa pensée, cet objet abstrait, contradictoire et inexistant, la Beauté. Aussi, *ms.* : d'être individuels [, de ne s'adresser *[comme dans ms.]* la Beauté *biffé*]. Aussi, *dactyl. 1. Dactyl. 2 donne le texte de ms.*

1. Voir l'Esquisse V, p. 1107.

Page 540.

a. complètes. / Cependant la raie du jour diminuait au-dessus des rideaux assombris de la fenêtre. Mais aussitôt sur leur aile grise, le rosier soudain évoqué de Rivebelle mettait comme sur l'aile de certains papillons des taches de feu ; et l'aimantation d'une partie d'un souvenir attirant les autres, j'aurais voulu aller avec Saint-Loup boire une tasse de consommé froid et revoir les femmes qui étaient alors dans le restaurant. C'était impossible ; d'ailleurs Saint-Loup était absent, et eût-il été là que j'eusse évité de le faire venir de peur qu'il rencontrât Albertine, qu'un amour pût naître entre eux. Et puis à défaut de Rivebelle, n'aurais-je pas tout à l'heure, en Albertine qui, dans sa vie plus libre, plus active que la mienne avait possédé mieux que moi et détenait un peu la plage et la mer ensoleillée de Balbec. Comme autrefois pour tout ce en quoi j'avais cru, Albertine pour avoir été quelque temps une des mystérieuses statues vivantes du cortège déroulé au bord de la mer et que je désirais tant connaître restait pour moi dans l'espèce spéciale où je l'avais tout d'abord classée et je croyais pouvoir auprès d'elle atteindre tous mes autres rêves. Sa présence il est vrai détruisait cet enchantement comme quand on navigue au soleil couché, l'eau qu'on prend dans le creux de la main perd aussitôt sa nacre rouge. Mais aussitôt que le bateau s'est éloigné, se reforme et s'irise à nouveau sur elle le reflet de l'astre disparu. Mes rideaux étaient devenus entièrement crépusculaires, mais sur leur aile grise, le rosier évoqué de Rivebelle mettait comme sur l'aile de certains papillons, une lunule soufrée, même ne me conduisant pas vers les femmes d'alors ; cette minute en elle-même, par les désirs qu'elle éveillait en moi et qui étaient un suffisant plaisir, recélait toute l'originalité de ces beaux soirs froids d'automne où le manteau du crépuscule ne sert qu'à couvrir nos départs vers des heures de plaisir que ceux qui restent, ceux qui dînent déjà et seront couchés avant notre arrivée aux lumières, ne posséderont pas. La connaissance de ces plaisirs me suffisait pour jouir d'eux, comme dans sa chambre jouit de la pluie ou des fleurs celui qui les a une fois respirées. Et bien que ces heures de Rivebelle eussent été frivoles et sèches — comme pour chaque moment de notre vie les particularités physiques et morales qui y convergeaient n'ont connu que cette seule coïncidence — elles formaient avec toutes ces modalités quelque chose de plus vaste qu'elles-mêmes et de si unique que replongé dans leur atmosphère fraîche et calme je la respirais *ms.* : complètes. / Cependant la raie *[comme dans ms., avec lég. var.]* fenêtre. [Mais aussitôt *biffé*] [et *corr.*] sur leur aile grise [, le rosier soudain évoqué de Rivebelle mettait comme sur l'aile de certains papillons *biffé*] [de papillons, l'évocation de certain rosier qu'on connaît, mettait *corr.*] des taches de [feu *biffé*] [soufre *corr.*] [; et l'aimantation d'une partie d'un souvenir *[comme dans ms.]* dans leur atmosphère fraîche et calme *biffé*] [/ Replongé par la mémoire dans une atmosphère ancienne et fraîche, *corr.*] je la respirais *dactyl. 1* : complètes. / [Replongé *biffé*] [La décroissance du jour me replongeant *corr.*] par [la mémoire *biffé*] [le souvenir *corr.*] dans une atmosphère ancienne et fraîche, je la respirais *dactyl. 3. La dactylographie 2 donne, à quelques fautes de lecture près, la leçon du manuscrit.* ◆◆ *b.* Champs-Élysées. / Enfin la nuit tombait tout à fait ; un carré de lumière blafarde découpé dans le couloir de la cuisine tôt éclairée me rappelait le soir d'automne où dans la maison encombrée de tapis qu'on allait poser j'avais reçu la dépêche de Mlle de [Kermaria *biffé dactyl. 1*] [Stermaria *corr. dactyl. 1*] ; et aussi cette arrivée à Balbec, quand j'avais été écœuré par [la lumière du *biffé dactyl. 1*] [le *corr. dactyl. 1*] gaz et l'odeur des [cuisines *biffé dactyl. 1*] [éviers *corr. dactyl. 1*] qu'un soupirail laissait passer à travers son parquet de verre. [Tout à coup *biffé dactyl. 1*] à l'heure où jadis à Combray [la pensée d'être le soir séparé de ma mère s'imprégnait d'une désolation infinie dans ma vie, l'ordre *[*des valeurs de ma vie *omis dactyl. 1]* se renversait brusquement, la plus précieuse de toutes c'était la possession d'Albertine pour moi seul, je la bénissais de bien vouloir revenir coucher tous les soirs et qu'elle ne m'eût encore jamais demandé d'aller passer 48 heures chez des amis. Le plus souvent à ces moments d'angoisse de la fin de l'après-midi et comme je calculais qu'il y avait encore longtemps avant qu'elle rentrât, je m'habillais et je descendais chez la duchesse de *biffé dactyl.* 1] [j'étais imprégné de la désolation du soir et je savais pourquoi car maintenant je ne souffrais plus d'être séparé de ma mère ou de ma grand-mère. Regardant machinalement *[comme dans le texte définitif, avec lég. var.]* ma propriétaire, Mme de *corr. dactyl. 1*] Guermantes *ms.*[1], *dactyl. 1* : Champs-Élysées. / [Enfin la nuit tombait *[comme dans dactyl. 1]* séparé de ma mère ou de ma grand-mère. *biffé*] [Mais déjà la journée finissait et j'étais envahi par la désolation du soir. *corr.*] Regardant machinalement [...] ma propriétaire, Mme de Guermantes *dactyl. 3. La dactylographie 2 donne le texte de ms. à l'exception des mots également omis dans dactyl. 1.*

1. Ce rappel du voyage aux Enfers d'Orphée le musicien pour en arracher Eurydice se double d'une série d'allusions à une autre partie du roman : dans *À l'ombre des jeunes filles en fleurs*, l'avenue, précisément, des Champs-Élysées où le narrateur retrouve Gilberte,

1. La suite immédiate du texte est légèrement différente dans le manuscrit ; nous ne relevons pas cette variante.

lieux où se dresse aussi le « pavillon treillissé de vert » de la « marquise » ; une « fraîche odeur de renfermé » y évoque Combray au narrateur (t. I de la présente édition, p. 483-485). De plus, toujours dans ce contexte des Champs-Élysées, le narrateur venait de signaler son intérêt pour les palais de Gabriel, comparés au « décor de l'opérette *Orphée aux Enfers* » d'Offenbach (*ibid.*, p. 480, et n. 7.).

2. Voir l'Esquisse VI, p. 1108.

Page 541.

1. « Quand, à Paris, nous entendons la voix d'un ami, qui, de Marseille, nous fait ses adieux par le téléphone avant de s'embarquer, nous ne pensons pas que cela soit merveilleux, et en effet cela n'était merveilleux que quand cela n'était pas » (Anatole France, « Roman et magie », *Le Temps* du 13 janvier 1889, repris dans *La Vie littéraire*, 2e série, 1890 ; *Œuvres complètes*, Calmann-Lévy, 1926, t. VI p. 632).

Page 542.

a. arrivée à Balbec, *dactyl. 1, dactyl. 2, dactyl. 3. Nous adoptons, pour des raisons de sens, la leçon du manuscrit.* ↔ *b.* l'art de s'habiller : à chaque visite que je lui faisais, on aurait dit que la toilette dans laquelle elle apparaissait n'aurait pas pu être autre, se trouvant déterminée par la fantaisie souveraine d'un goût qui, dans ses caprices mêmes, obéissait à des lois supérieures. Si descendant *ms.* : l'art de s'habiller. [À chaque visite *[comme dans ms.]* lois supérieures. *biffé*] Si, descendant *dactyl. 1. La dactylographie 2 donne le texte de ms.*

Page 543.

a. heure [De même quand il fit plus beau, et que pourtant le printemps fut encore frais, si la duchesse ayant froid dans une robe ouverte par un avril gelé et avait jeté sur ses épaules un voile de soie bleue que je ne lui avais pas encore vu, j'éprouvais la même émotion qu'on a par un temps aigre où le vent souffle dans les bois à découvrir le fleurissement d'une première violette. *biffé dactyl. 3*] [Du reste ce que je dis des robes de la princesse[1] j'aurais pu le dire des fleurs qu'il y avait toujours chez elle. Persuadé qu'elles étaient disposées là dans un ordre secret, j'étais plus disposé à tâcher de le comprendre ou du moins de le sentir qu'à me permettre d'y intervenir et de le modifier. Et si je n'envoyai presque jamais de bouquet cette année-là à Madame de Guermantes, c'était par peur de commettre, en en introduisant un au milieu des tapis de fleurs qui, selon les jours, variaient la surface de son piano, de ses étagères, un sacrilège qui m'eût, d'ailleurs, fait perdre toute ma foi ; car nous ne trouverions plus aucun émoi religieux, aucune soif de pénétrer dans le mystère, si quand commence le mois de mai — ou quand nous aurons pour la première fois été à Florence — il était permis à notre chétif caprice de modifier

1. Lapsus de Proust. On trouve « duchesse » partout ailleurs dans le reste du passage.

l'ordre des floraisons ou l'arrangement des paysages, de soumettre à ses lois ces réalités auxquelles nous venons en demandeur[1], si nous pouvions modifier à notre gré, réduire à nos mesures, dépouiller de nécessité et de mystère, l'Italie et le printemps. Non seulement ce dernier n'était pas plus réel pour moi que les saisons humaines et mystérieusement changeantes qui diapraient diversement le salon de la duchesse, mais plutôt c'était lui, et comme lui l'été, l'automne et l'hiver qui n'étaient pour elle qu'une sorte de décor complémentaire, comme celui qu'on pose pour un acte nouveau d'une pièce, faisant régner en décembre autour du petit salon vitré de la duchesse une tranche extérieure de nuit, ponctuée de petites lumières, tandis qu'en juin à la même heure elle recevait à l'abri du soleil qui filtrait par les fenêtres et l'irisait mystérieusement comme une belle souveraine[2] *[deux mots illisibles]* de Thétis, dans son grand et frais salon du rez-de-chaussée où les murs étaient tendus de tapisseries du XVIIIe siècle qui <représentaient> en ses différents aspects une mer couverte de vaisseaux aux mâts noués de fleurs roses et jaunes, plates et déplissées, qui les faisaient à de grands *[interrompu[3]]* / Mais il faut dire que de *biffé dactyl. 1*[4]] [. De *corr. dactyl. 1*] toutes les robes *ms., dactyl. 1, dactyl. 3. La dactylographie 2 donne le texte de dactyl. 1 avant correction.*

1. Mariano Fortuny de Madrazo (1871-1949), artiste peintre, fut le fondateur d'une fabrique d'étoffes vénitiennes (voir la Notice, p. 1670-1675).

2. Dans *Les Secrets de la princesse de Cadignan*, cette héroïne de Balzac choisit en effet ses toilettes en fonction des circonstances de sa vie sentimentale. L'allusion de Proust n'est que la reprise de la conversation du baron de Charlus, en présence d'Albertine, sur la toilette féminine, dans *Sodome et Gomorrhe II* (voir p. 441-442). Cette même conversation, sans Albertine, se répétera, ici, lors de la soirée Verdurin (p. 714-715).

3. Proust, une fois de plus, se moque de la méthode critique de Sainte-Beuve, en choisissant pour son raisonnement le plus grand écart possible entre des écrivains, leur vie et leur œuvre, qu'il oppose deux à deux. La réalité est moins tranchée. On sait bien que Mérimée était ainsi intervenu auprès du ministre de la Justice, en 1857, en faveur de Baudelaire poursuivi à cause des *Fleurs du mal*, poésies qu'il n'aimait pas. Il s'en était justifié dans sa correspondance : « Je n'ai fait aucune démarche pour empêcher de brûler le poète dont vous me parlez, sinon de dire à un ministre qu'il vaudrait mieux en brûler d'autres d'abord. Je pense que vous parlez d'un livre intitulé *Fleurs du mal*, livre très médiocre, nullement dangereux, où il y a quelques étincelles de poésie dans un pauvre garçon qui ne connaît pas la vie et qui en est las parce qu'une grisette l'a trompé. Je ne connais pas l'auteur, mais je parierais qu'il est niais et honnête ; voilà pourquoi

1. Lecture conjecturale.
2. Lecture conjecturale dans le manuscrit.
3. En marge dans le manuscrit, cette note de Proust : « Peut-être insister ici sur le nom, la fée, le château de la fée, et aussi sur le changement d'appartement. »
4. En raison des difficultés de lecture du manuscrit, la dactylographe a laissé des blancs dans *dactyl. 1* (et dans son double non corrigé *dactyl. 2*).

je voudrais qu'on ne le brûlât pas » (Mérimée, *Correspondance générale*, éd. Parturier, Le Divan, Paris et Privat, Toulouse, 1941-1964, t. XIII, p. 364-365). Baudelaire avait écrit de son côté le 27 juillet 1857 à Mme Aupick que Mérimée était « non seulement un littérateur illustre mais le seul qui représente la littérature au Sénat » (Baudelaire ; *Correspondance*, Bibl. de la Pléiade, t. I, p. 418). Les rapports entre Stendhal et Balzac, aussi bien personnels que littéraires, ont été en revanche nombreux et largement marqués par l'admiration mutuelle. C'est un fait que *De l'amour* a inspiré *La Physiologie du mariage* de Balzac, lequel appréciait par-dessus tout *La Chartreuse de Parme.* Voir les notices de Roger Pierrot dans son édition de la *Correspondance* de Balzac (Garnier, 1964) et, dans le tome III, après l'envoi de *La Chartreuse de Parme* par Stendhal à Balzac, le 29 mars 1839, la réponse de ce dernier, le 5 avril (*ibid.*, p. 585-587) : « Monsieur, il ne faut jamais retarder de faire plaisir à ceux qui nous ont donné du plaisir. *La Chartreuse* est un grand et beau livre. Je vous le dis sans flatterie, sans envie [...]. » Malgré certaines réticences de Balzac sur son style qu'il ne pouvait pas accepter telles quelles, Stendhal se déclare néanmoins, dans une lettre à Balzac du 24 juin 1839, « un admirateur et un ami ». Paul-Louis Courier n'a connu, pour sa part, que les débuts — il est mort en 1825 — de Victor Hugo, alors seulement l'auteur d'une *Ode sur le rétablissement de la statue d'Henri IV* (1819), d'une *Ode sur la mort du duc de Berry* (1820), des *Odes* (1822) et *Nouvelles Odes* (1824), de *Bug-Jargal* (1820) et de *Han d'Islande* (1823). Courier, pamphlétaire, opposant de la Restauration, ne pouvait que rejeter ce premier Hugo, poète officiel du règne de Charles X. Enfin, Mallarmé avait rendu compte de *L'Ingénue*, comédie de Meilhac et Halévy, dans la troisième livraison de *La Dernière Mode*, en septembre-décembre 1874 (Voir *Œuvres complètes*, Bibl. de la Pléiade, p. 751 et 1628). Ici, le contraste est caricatural, entre l'auteur à succès et le poète qui s'improvise journaliste.

Page 544.

1. Proust fait allusion, dans sa correspondance, à la comtesse René de Béarn, née Martine de Béhague (1870-1939) ; voir, dans la Correspondance, t. VIII, la lettre à Mme Straus du 15 juin 1908, p. 141, et note 12, p. 141-142, ainsi que la lettre à André Beaunier, p. 372, et note 8, p. 373.

2. Lors de ses séjours en Normandie, Proust fréquentait cette ferme-restaurant, située à Dives, dans le Calvados. Dans une lettre du 11 mai 1915 à Émile Straus (*ibid.*, t. XIV, p. 125), il rappelle qu'il y buvait du cidre. Il avait déjà utilisé son décor pittoresque (ainsi que son menu) pour la description de l'hôtel où le héros retrouve le jeune Montargis et ses amis, dans une version ancienne de la ville de garnison, future Doncières (voir la thèse de Takaharu Ishiki, *Maria la Hollandaise et la Naissance d'Albertine*, Thèse de doctorat, Paris III, 1986, t. I, p. 108).

Page 545.

a. certains noms dont [il<s ?> *biffé*] brusquement, *dactyl. 3. À la suite de Clarac et Ferré, nous corrigeons. Pour les autres états de ce passage, voir var. b, p. 546.*

1. *Mémoires d'Outre-Tombe*, 1re partie, livre troisième, chap. III (Bibl. de la Pléiade, t. I, p. 83).

Page 546.

a. chez Mme H*** aveugle, rappelant ainsi d'une façon poignante quoique au diminutif *[interrompu]* elle contait *dactyl. 3. Nous corrigeons en supprimant le membre de phrase non achevé. Pour les autres états de ce passage, voir var. b de cette page.* ↔ *b.* en contact[1] *[p. 545, 8e ligne]* avec les terres où elle était souveraine, étant essentiellement régionale. Une fille de la maison de Rohan qui prétend avoir gardé la forme du crâne des anciens Gallois garderait dans ses façons et son langage qui ont l'âpre saveur des crêpes de blé noir cuites sur un feu d'ajoncs, le privilège de nous rendre les pardons, les pèlerinages, un Montesquiou tout le panache à la mousquetaire des gentilhommes du Périgord. / D'ailleurs *ms.* : en contact [avec les terres *[comme dans ms.]* des gentilhommes du Périgord *biffé*] [avec les terres *[comme dans le texte définitif, avec lég. var.]* histoire de France. Comme je demandais *[p. 545, début du 3e §]* à Mme de Guermantes *[comme dans le texte définitif, avec lég. var.]* cuites sur *[p. 546, fin du 1er §]* un feu d'ajoncs. *corr.*] / D'ailleurs *dactyl. 2* : en contact [...] histoire de France. [S'il n'y avait *[p. 545, début du 2e §]* aucune affectation *[...]* sans cesse « Frochedorf ». *add.*] [Comme *biffé*] [Une fois que *corr.*] je demandais à Mme Guermantes [...] un feu d'ajoncs. [/ Du marquis du Lau *[p. 546, début du 2e §]* (dont on sait *[...]* après la chasse, à [Bois-Boudran[2] *biffé]* Guermantes, il se mettait *[...]* Périgord. *add.*] / D'ailleurs *dactyl. 3. La dactylographie 1 est lacunaire pour ce passage. Pour deux points d'établissement de texte, voir var. a, p. 545 et var. a, p. 546.*

1. Mme Léon Daudet publiait sous le nom de Pampille des recettes de cuisine dans *L'Action française*. Elles ont été réunies en volume sous le titre : *Les Bons Plats de France. Cuisine régionale*, publié en 1913 à la librairie Fayard. Dans la partie consacrée à la Bretagne, on lit (p. 92-93 de l'édition de 1934) cette recette pour les crêpes de blé noir : « Pour bien réussir les crêpes de blé noir, il faut avoir une cheminée bretonne, un feu breton, une galetière bretonne (la galetière est une poêle plate sans rebord avec un tout petit manche), une palette en bois breton, une raclette bretonne, une cuisinière bretonne, du blé breton et une âme bretonne [...]. On met sur le feu d'ajoncs clairs la galetière [...]. »

2. Le marquis de Lau était, comme Charles Haas, et Charles Swann dans le roman de Proust, un ami intime du prince de Galles, le futur Édouard VII. La parenthèse concernant Mme H*** évoque les relations entre Chateaubriand et Mme Récamier.

1. Le début de la phrase est différent du texte définitif ; nous ne nous astreignons cependant pas à le donner dans cette variante.

2. Bois-Boudran était le château du comte Greffulhe.

Page 547.

a. que j'avais l'air *La suite du texte, jusqu'à* normalement. *[p. 564, avant dernier §, 1re ligne], manque dans ms., qui reprend à* quand je remontais *[var. a, p. 564].* ↔ *b. Ce paragraphe et les suivants, jusqu'à la fin de l'avant-dernier paragraphe de la page 551, ne figurent pas dans la frappe originelle des deux premières dactylographies. Dactyl. 1 le donne, à quelques variantes près, en addition manuscrite, non reportée sur dactyl. 2.*

Page 548.

a. s'effectuer et [être *biffé*] [serait très *corr.*] profitable *dactyl. 3. Il n'y a pas d'état antérieur à dactyl. 3 pour ce passage. Nous adoptons la correction de Clarac et Ferré.*

1. Dreyfus a été gracié le 19 septembre 1899 et réhabilité par le jugement du 12 juillet 1906 ; ce qui place le récit soit en 1901, soit en 1908. Voir notre Notice, p. 1650.

Page 549.

1. Sur le fonctionnement interne du Jockey-Club, Proust paraît être bien renseigné — par ses amis, et les comptes rendus du *Figaro* et du *Gaulois*. Il avait pour lui-même songé un temps au cercle de l'Union, en 1902-1903. Mais ses opinions dreyfusardes l'y auraient fait blackbouler. Les boules dont il vient d'être question (p. 548), blanches et noires, ne sont d'ailleurs qu'une métaphore au Jockey, où les bulletins portent imprimés les noms des candidats. Il est possible que Proust ait utilisé pour sa propre démonstration romanesque l'élection de janvier 1909, à l'issue de laquelle le duc de Fezenzac succéda au duc de Doudeauville (voir Louis de Beauchamp, *Marcel Proust et le Jockey-Club*, Émile-Paul, 1973). Proust avait cependant acquis une expérience directe du monde des cercles en devenant membre du Polo en 1908 — sans pratiquer le sport de ce nom, évidemment —, et en le restant jusqu'en 1916.

Page 550.

a. embbaitée, *dactyl. 1. Cette leçon manuscrite (voir var. b, p. 547), plus significative que celle du texte final, n'est cependant pas reprise par dactyl. 3, que nous suivons.*

1. Voici l'un des exemples, dans *La Prisonnière*, d'intervention dans le récit d'un « auteur » qui s'adresse au « lecteur », ici pour préciser l'identité d'un de ses personnages, plus loin pour justifier les thèmes du roman (p. 555-556), ou le commenter (p. 557 et 559).

2. Le compagnon d'Énée, dans *L'Énéide* de Virgile.

3. C'est ici une nouvelle allusion au procès d'Émile Zola et à sa condamnation, non appliquée, à un an de prison en 1898, à la suite de son éditorial du 13 janvier 1898 dans *L'Aurore* : « J'accuse ». Ce même journal avait publié, le lendemain, une pétition en faveur de

la révision du procès Dreyfus, que Proust avait signée. On sait que Proust a décrit dans *Jean Santeuil* le procès de Zola, auquel il avait assisté, du 7 au 23 février 1898.

Page 551.

a. Fin de l'addition sur dactyl. 1 signalée à la variante b, p. 547.

1. Édouard Drumont (1844-1917), auteur de *La France juive* (1886) et *Les Juifs et l'Affaire Dreyfus* (1899), est le fondateur de *La Libre Parole*. La duchesse de Guermantes se démarque doublement par rapport à l'antisémitisme de Drumont en indiquant qu'elle n'a rien lu de lui, ce qui implique qu'il ne serait pas acceptable dans le milieu Guermantes. Voir la lettre à Antoine Bibesco du 22/23/24 décembre 1902, où Marcel Proust écrit : « Lucien [Daudet] croyait que si les Gramont ne l'invitaient jamais c'était à cause de son frère [Léon Daudet] (Libre parole et duchesse née Rothschild) » (*Correspondance*, t. III, p. 200).

Page 552.

1. Les sœurs Callot, Doucet, Paquin, couturiers parisiens, étaient situés respectivement, vers 1900, 24, rue Taitbout, 21, rue de la Paix et 3, rue de la Paix.

2. Consuelo de Manchester a bien existé : née en 1858 (*Bottin*, éd. 1906), devenue duchesse douairière à la mort de son mari en 1892, elle est apparemment morte avant le temps du récit de Proust.

Page 553.

a. À partir de ce paragraphe, et jusqu'à du Midi. *[var. a, p. 563], le texte, ne figurant pas dans le manuscrit est donné, sur dactyl. 1, par des additions et des corrections autographes, non reportées sur dactyl. 2, mais reprises et augmentées dans dactyl. 3.*

Page 554.

a. fait de la paresse de ne pouvoir *dactyl. 3. Faute d'état antérieur, nous corrigeons selon le sens de la phrase. Voir var. a, p. 553.* ↔ *b.* Mais Morel répondit *dactyl. 3. Nous corrigeons pour éviter la répétition.*

Page 556.

1. Xerxès (vers 510-465 av. J.-C.) roi des Perses, fils de Darius Ier (lequel avait régné de 521 à 486), vaincu par les Grecs à Salamine, vit sa flotte détruite par la tempête dans l'Hellespont. La scène que rappelle Proust — « Xerxès [...] faisant fouetter de verges la mer qui avait englouti ses vaisseaux » —, lui permet d'illustrer quelques traits de son esthétique romanesque. Il souligne ainsi son intérêt pour les lois générales du moraliste, son goût pour les allégories, l'absence

de distinction entre ce qui est du domaine poétique ou du domaine le plus prosaïque (voir J.-Y. Tadié, *Proust et le roman*, Gallimard, 1971, chap. XIV, « Du roman des lois au roman poétique »).

Page 558.

a. faute une amourette sans conséquence *dactyl. 1* : faute [une amourette *biffé*] [un flirt *corr.*] sans conséquence *dactyl. 3. Rappelons (voir var. a, p. 553) que ms. et dactyl. 2 ne donnent pas ce passage.*

Page 559.

a. lettre. [Mais, malheureux romancier, pense le lecteur, vous tombez d'une invraisemblance dans une autre. On vous a passé la première et, si vos bourgeois ne sont pas de trop grands bourgeois, sont un peu bohèmes, un peu artistes, on admet que votre petite couturière soit reçue par deux ou trois d'entre eux. Mais la seconde invraisemblance est trop forte, qui est de vous faire admettre ceci : *biffé dactyl. 3*] [Comment, *corr. dactyl. 3*], M. *dactyl. 1, dactyl. 3* ↔ *b.* giletier ? [Vous oubliez, lecteur, que *biffé dactyl. 3*] [D'abord, raison suprême, *corr. dactyl. 3*] Morel était là. *dactyl. 1, dactyl. 3*

1. Le petit-fils du maréchal Murat fut roi de Naples de 1808 à 1815.

Page 560.

1. Cet autre exemple d'intervention de l'« auteur » a pour objet de rappeler la scène dans le restaurant de Saint-Mars-le-Vêtu entre Charlus et Morel (voir *Sodome et Gomorrhe II*, p. 396-397).

Page 561.

a. bourgeois) que les théories qu'il avait crûment exposées au Baron à [Querqueville *biffé*] [Balbec *corr.*] étaient [crues et *biffé*] basses. Seulement *dactyl. 1* : bourgeois) [que les théories qu'il avait crûment exposées au Baron à Balbec étaient basses. *biffé*] [qu'étaient d'une bassesse sans fard celles qu'ils avaient exposées à M. de Charlus au sujet de la séduction, du dépucelage. *corr.*] Seulement *dactyl. 3. Nous rétablissons* les théories .

Page 562.

a. abordait le solliciteur par *dactyl. 1, dactyl. 3. Nous corrigeons, à l'aide de l'occurrence précédente.*

1. L'oncle de Bloch.

Page 563.

a. quand je quittais la duchesse, car il m'arrivait de me plaire tant auprès d'elle que non seulement j'en oubliais l'attente anxieuse précédant les retours d'Albertine, mais même l'heure de ce retour lui-même. [Je mettrai à part *[...]* Cette fin d'après-midi-là, *add.*] Mme de Guermantes m'avait donné [...] venus du Midi[1]. Quand je remontai *dactyl. 1* : quand je quittai la duchesse, car [il m'arrivait *[comme dans dactyl. 1]* ce retour lui-même. *biffé*] [le plaisir que j'avais auprès d'elle[2] que j'en venais *[...]* l'heure de ce retour. *corr.*] Mme de Guermantes m'avait donné [...] venus du Midi. Quand ayant quitté la duchesse je remontai *dactyl. 3*

1. Jacques Thibaud (1880-1953), violoniste ; Proust connaissait sa réputation depuis ses débuts puisqu'il fait allusion à un concert, salle Pleyel, le 24 avril 1899, où il jouait des œuvres de Fauré (voir la lettre à R. de Montesquiou du 21 avril 1899, *Correspondance*, t. II, p. 283). Il avait débuté l'année précédente aux Concerts Colonne. Dans sa lettre de novembre 1908 à Mme Straus, Proust le choisit pour cette comparaison : « Chaque écrivain est obligé de se faire sa langue, comme chaque violoniste est obligé de se faire son "son". Et entre le son de tel violoniste médiocre, et le son (pour la même note) de Thibaud, il y a un infiniment petit, qui est un monde ! » (*ibid.* t. VIII, p. 276-277).

Page 564.

a. insignifiant. [*[*Mais *biffé]* sauf cet incident unique, tout se passait normalement *add.*] quand je remontais *dactyl. 1* : insignifiant. [Elle avait failli *[...]* si c'était vrai. *add.*] Sauf [...] quand je remontais *dactyl. 3. À partir de* quand je remontais *reprend le texte du manuscrit (voir var. a, p. 547).*

Page 565.

a. Bergotte, la sonate de Vinteuil. Alors *ms.* ⬩⬩ *b.* Bloch [ou Saint-Loup *biffé*] que *ms.*

1. Voir l'Esquisse VII, p. 1109.

Page 566.

1. Voir *Sodome et Gomorrhe II*, p. 191.

Page 567.

a. Albertine, je me hâtais de faire sortir [Bloch *biffé dactyl. 3*] [si j'avais *[...]* de le faire sortir *corr. dactyl. 3*], ne le lâchant *ms., dactyl. 1, dactyl. 2, dactyl. 3* ⬩⬩ *b.* marches. Il[3] me disait que j'allais prendre mal, me faisant remarquer que notre maison était glaciale, pleine de courants d'air et qu'on le paierait bien cher pour qu'il y habitât. De ce froid on se plaignait parce qu'il venait seulement de commencer et qu'on n'y était pas habitué encore, mais pour cette même raison, il déchaînait en moi une joie qu'accompagnait le souvenir inconscient des premiers soirs d'hiver où

1. Ici finissent les additions et les corrections signalées à la variante *a*, page 553.
2. Comme firent les éditeurs de 1923, nous ajoutons après ces mots « était tel ».
3. Bloch. Voir *var. a.*, p. 567.

autrefois, revenant de voyage, pour reprendre contact avec les plaisirs oubliés de Paris, j'allais au café-concert. Aussi est-ce en chantant qu'après avoir quitté mon ancien camarade, je remontais l'escalier et rentrais. La belle saison en s'enfuyant avait emporté les oiseaux. Mais d'autres musiciens invisibles, intérieurs, les avaient remplacés. Et la bise glacée dénoncée par Bloch, et qui soufflait délicieusement par les portes mal jointes de notre appartement, était comme les beaux jours de l'été par les oiseaux des bois, éperdument saluée de refrains, inextinguiblement fredonnés, de Fragson, de Mayol ou de Paulus. Dans le couloir *ms., dactyl. 1, dactyl. 2* : marches. [Il me disait *[comme dans les états précédents]* de Paulus. *biffé*[1]] / Dans le couloir *dactyl. 3*

Page 568.

1. Octave « dans les choux », le neveu des Verdurin.

Page 569.

1. C'est, encore une fois, tout le système de la jalousie, déclenchée par une phrase en apparence banale, comme dans le texte des *Plaisirs et les jours* : « La Fin de la jalousie » (voir *Les Plaisirs et les jours*, Bibl. de la Pléiade, p. 146-165 ; et notre Notice, p. 1636).

Page 572.

a. le désir, c'est-à-dire la connaissance [...] approfondie de cette toilette. Les femmes *ms.* : le désir [de cette toilette *add.*], [c'est-à-dire *biffé*] [et qui en est *corr.*] la connaissance [...] approfondie [de cette toilette *biffé*]. Les femmes *dactyl. 1* : le désir de cette toilette, et qui en est la connaissance [...] approfondie. [Elle, parce qu'elle n'avait pu *[...]* à Dresde ou à *[Vienne biffé] [Venise biffé]* Vienne. Tandis que *add.*[2]] les femmes *dactyl. 3. La dactylographie 2 donne le texte de ms.* ⁂ *b.* ennui. Mais une jeune fille pauvre comme l'était Albertine, un jeune homme cherchant à lui faire plaisir comme moi, ressemblaient à ces étudiants qui ayant lu force livres sur un certain peintre, étant, sur une reproduction ou un tableau de lui entrevu, devenus amoureux de son art, se désespèrent que leurs moyens ne leur permettent pas d'aller à Munich ou à Dresde où se trouvent ses principales œuvres. Chacune de ces œuvres-là, ils les connaissent par des descriptions, par des photographies ; cent fois par jour ils essaient d'en imaginer la couleur ; ils en désirent les moindres détails, le pot-au-lait qui est dans le coin, le tapis à grands dessins de la table, et quand ils peuvent enfin s'offrir le voyage, la promenade dans le musée leur cause, au lieu de la fatigue infligée par le morne tourbillon des couleurs au visiteur incapable de discerner ce qu'il voit parce qu'il ne l'a pas d'abord longtemps regardé en lui-même, la sensation délicieuse d'une faim préalable, hantée d'hallucinations gourmandes, qui rencontre enfin son assouvissement.

1. Ce long passage, biffé dans *dactyl. 3*, sera maintenu dans l'originale.
2. Cette addition est consécutive à la biffure que nous signalons dans la variante suivante.

C'est ainsi que telle toque *ms., dactyl. 1, dactyl. 2* : ennui. [Mais une jeune fille *[comme dans les états antérieurs]* C'est ainsi que *biffé*] telle toque *dactyl. 3* ◆◆ *c.* et comme dans *dactyl. 3. Nous adoptons la leçon du manuscrit, suivi par dactyl. 1 et dactyl. 2.* ◆◆ *d.* conciliées. Je pouvais, en quittant Bloch et parce que je sentais qu'il faisait froid, continuer à fredonner des airs que chantaient alors Mayol ou Fragson, successeurs amoindris de Paulus bien qu'ils eussent profité de ses conquêtes, mais je ne songeais certes pas à aller les entendre. J'aurais eu trop peur de laisser Albertine seule à la maison, ou qu'au café-concert la foule bigarrée éveillât en elle des désirs et des regrets ; aussi je restais auprès d'elle au coin du feu, et toute la soirée, assise devant un pianola que j'avais acheté, me faisait de la musique. / Elle lisait beaucoup *ms. dactyl. 1, dactyl. 2*[1] : conciliées. [Je pouvais *[comme dans dactyl. 1]* de la musique. *biffé*] / Elle [n'était pas frivole du reste, *add.*] lisait beaucoup *dactyl. 3* ◆◆ *e.* intelligente [et quelquefois d'elle-même, avec un bon rire, elle me disait : « Vous vous rappelez "mon cher Racine". » Je répondais : « Oui, à Balbec, sur la falaise. — Oui ; mais, à ce moment-là, vous ne m'avez pas dit combien j'étais ridicule. Mais à Paris, vous vous souvenez, le jour où vous m'avez dit que c'était tellement stupide. Qu'est-ce qu'avait donc mis Gisèle ? "Mon cher ami". Ah ! c'était le bon temps ! » Ces derniers mots m'affligeaient, mais j'étais consolé en pensant qu'Albertine ne les disait que par un retour conventionnel vers le passé ; j'étais consolé surtout parce qu'elle ajoutait : « Maintenant je me demande comment j'ai pu être une petite fille aussi stupide, croire sérieusement à toutes ces choses-là. Et *biffé dactyl. 3*] [Elle disait, en se trompant d'ailleurs : « *corr. dactyl. 3*] je suis épouvantée *ms., dactyl. 1, dactyl. 2, dactyl. 3* ◆◆ *f. Pour le texte qui suit, jusqu'à la variante a, p. 575, voir ladite variante.*

Page 574.

a. se montrer moins hardie. *dactyl. 1* : se montrer hardie *dactyl. 3. Nous corrigeons.*

Page 575.

a. je le serais *[p. 572, dernière ligne]* restée. Ne dites pas non, c'est extraordinaire l'influence que vous avez eue sur moi. Tout le monde reconnaît les progrès que j'ai faits. Les premiers temps Andrée prétendait que quand je venais de voir cela ne sentait pas seulement en sentant les herbes que vous brûlez et dont j'emporte l'odeur dans mes vêtements. Comment vous ne le savez pas ? C'est parce que vous vivez au milieu de cela, mais cela se reconnaîtrait à deux cents mètres quand votre fenêtre est ouverte. Tous vos livres le sentent, vos manteaux, votre lit. Mais Andrée disait que même sans cela on le sentait parce qu'en vous quittant je parlais comme vous, j'avais le même son de voix, je faisais les phrases comme vous. Au téléphone il paraît que je m'embarque dans des phrases absolument pareilles aux vôtres. « Si Andrée ne me faisait pas la lecture, elle me faisait *[p. 575, 2e §, 2e ligne]* de la musique [...] rendait reposants.

1. La leçon que nous venons de donner est en fait celle de *dactyl. 1.* Elle comprend, par rapport à celle de *ms.* quelques corrections et additions que nous ne signalons pas, car elles sont de peu d'importance. *Dactyl. 2* donne la leçon de *ms.*

Je ne parlais pas à Albertine, nous causions, et c'est encore trop dire, nous échangions à peine, d'instant en instant, une de ces plaisanteries qui portées <par> sa beauté semblent pleines de charme, et réclament pour complément un baiser. Cette même tendresse que j'avais pour elle que ses actions les plus simples me touchaient. Quand elle mettait une bûche dans le feu pour que je n'eusse pas froid, je me félicitais d'avoir une telle servante. Si j'allais l'appeler dans sa chambre pour qu'elle vînt passer la nuit dans mon lit, j'admirais cet être docile, je trouvais précieux d'avoir au moment où cela me plaisait, une compagne qui me tînt chaud dans mon lit ou m'aidât à passer les heures d'insomnie. Le vide *ms.* : je le serais restée. Ne dites pas non, *[comme dans ms.]* pareilles aux vôtres. » [Albertine ou Andrée avaient-elles un sentiment pour moi ? *[...]* qu'elle ne connaissait *[p. 575, 5e ligne avant la fin du 1er §]* pas *add.*] Si [Andrée *biffé*] [Albertine *corr.*] ne me [faisait pas la lecture *biffé*] [lisait pas à haute voix *corr.*], elle me faisait de la musique *[comme dans ms.]* d'instant en instant [une de ces plaisanteries *[comme dans ms.]* Cette même tendresse *biffé*] [comme des promeneurs qui vont à la découverte et ne donnent que le coup d'aviron nécessaire, une plaisanterie qui réclamait pour complément un baiser. La tendresse *corr.*] que j'avais pour elle *[comme dans ms., avec lég. var.]* les heures d'insomnie. Le vide *dactyl. 1* : je [le serais restée *corrigé en* serais restée stupide]. [Ne dites pas non, c'est extraordinaire l'influence que vous avez eue sur moi *biffé*] [Ne le niez pas *[...]* à vous *corr.*] [Tout le monde reconnaît les progrès *[comme dans dactyl. 1]* pareilles aux vôtres. *biffé*] « [Albertine ou Andrée avaient-elles *biffé*] [On sait *[...]* L'une ou l'autre avait-elle *corr.*] un sentiment pour moi ? [...] qu'elle ne connaissait pas. [Ainsi n'avait-elle *[...]* avec moi. *add.*] [Si Albertine *biffé*] [Les soirs où cette dernière *corr.*] ne me lisait pas à haute voix, [...] reposants. [Je ne parlais pas à Albertine *[comme dans dactyl. 1]* coup d'aviron nécessaire. *[*Les grands aigles pareils à celui qui était figuré sur sa bague, se maintiennent ainsi immobiles à des hauteurs vertigineuses, en se contentant de battre de l'aile à de longs intervalles. *add. biffée]* La tendresse que j'avais pour elle *[comme dans dactyl. 1]* les heures d'insomnie. *biffé en définitive*] Le vide *dactyl. 3. La dactylographie 2 donne le texte de ms.* ◆◆ *b.* je réclamais d'elle. Et si je lui disais avant de se coucher auprès de moi de dormir un moment dans ma chaise pour qu'elle n'eût pas sommeil, elle s'endormait si facilement, et [si facilement *add. dactyl. 1*] s'éveillait à mon premier appel, qu'il me semblait dans l'intervalle avoir écouté dans sa respiration de dormeuse l'écoulement léger [, arrêté à volonté par moi *add. dactyl. 1*] d'une fontaine. <Elle> me donnait, quand elle était en promenade, cette chose si simple et que j'avais souri autrefois d'entendre qualifier par mon père (dans un sens un peu différent, il est vrai) de « si intéressante » : le temps qu'il faisait. Mais tout en reconnaissant avec regret que, dès qu'Albertine était là, je vivais moins amplement que dans la solitude, pourtant je continuais à ne pas éprouver auprès d'elle l'impression de sécheresse et de vide que me laissait la vie mondaine, et même l'amitié [masculine, l'amitié de Bloch et de Saint-Loup *biffé dactyl. 1*]. Une sensualité venue des régions plus profondes de mon être mettait en Albertine une consistance que sont incapables de créer les plaisirs de la vanité et de la conversation. Derrière *ms., dactyl. 1, dactyl. 2*[1] : je réclamais d'elle.

1. *Dactyl. 2* donne le texte de *ms.*

[Et si je lui disais *[comme dans dactyl. 1]* et de la conversation. *biffé*] Derrière *dactyl. 3*

1. Voici une autre intervention dans le récit, non plus d'un « auteur » (voir var. *a* et *b*, p. 559), mais d'un « narrateur », figure romanesque distincte du personnage qui vit l'action. Voir l'addition signalée par la variante *a.*, p. 564.

Page 576.

a. toute la nuit. [Son charme était fait de l'émoi douloureux que sa fuite incessante excitait alors en moi. *biffé dactyl. 1*] [Toutes les lances qui nous ont percés peuvent se changer miraculeusement en fleur. La douce beauté d'Albertine était faite avec l'apaisement de ma douleur, *corr. dactyl. 1*] Maintenant que je la savais dans sa chambre, dérobée à tant d'admirateurs et d'admiratrices, non plus filant à toute vitesse mais assise [à ciseler *biffé dactyl. 1*] [devant un travail de ciselage *corr. dactyl. 1*], j'étais tranquille [et souvent je ne l'appelais pas de tout un jour *biffé dactyl. 1*], [et plus heureux qu'elle ne fût pas auprès de moi *corr. dactyl. 1*]. Si autrefois je l'avais aimée à cause de ce que j'attendais de Balbec, je l'aimais maintenant à cause de ce qu'elle me rappelait de lui. Elle était un fragment de ces merveilleux après-midi, déjà si différents de ma vie actuelle. [Je croyais les étreindre en pressant sur moi cette jeune fille qui y allumait en même temps une excitation d'un autre genre, et la seule à la vérité que son étreinte permît d'assouvir. *biffé dactyl. 1*] J'étais fier aussi d'avoir coupé à la racine, d'avoir cueilli, d'avoir dérobé à tous les autres qui maintenant la cherchaient vainement à Balbec, la plus belle rose d'entre les jeunes filles en fleur. Albertine *ms., dactyl. 1* : toute la nuit. [Toutes les lances *[comme dans dactyl. 1]* mais assise *[*dans sa chambre *add.]* devant *[*un travail de ciselage *biffé] [*un de ces travaux de peinture et de ciselage auxquels elle avait pris goût, *corr.]* j'étais tranquille *[comme dans dactyl. 1]* jeunes filles en fleurs. *biffé en définitive.*] Albertine *dactyl. 3. La dactylographie 2 donne le texte du manuscrit.* ◆◆ *b.* était là [dans ma chambre *biffé dactyl. 1*] à l'abri des désirs de tous, [à me faire *biffé dactyl. 1*] [dans sa chambre ou dans la mienne si elle me faisait *corr. dactyl. 1*] la lecture. Mais par là même qu'elle était ici en déshabillé, ce n'était plus qu'en me souvenant que je restituais le personnage qu'elle jouait devant la mer à Balbec, tant nous sommes de personnes différentes selon le costume, l'attitude, le milieu ; le changement était intérieur aussi et je comprenais combien peu il reste d'un être quand ses tissus se sont usés, remplacés par d'autres. La mer s'était retirée d'elle avec un murmure que j'entendais encore ; et en compensation s'étant assimilée bien des connaissances qu'elle ne devait qu'à moi, Albertine était en train de faire peau neuve, grâce à une habitude qui m'ôtait toute l'image de splendeur que je m'étais faite autrefois d'elle et la remplaçait par la douceur familiale d'une possession. / Sans doute, *ms., dactyl. 1* : était à l'abri des désirs de tous [qui désormais pouvaient la chercher vainement, tantôt *add.*] dans [sa *biffé*] [ma *corr.*] chambre [ou *biffé*] [tantôt. *corr.*] dans la mienne[1] [si elle ne me faisait

1. Ce mot a été corrigé en « sienne » par les éditeurs de 1923. Nous adoptons cette correction.

la lecture. *biffé*] [où elle s'occupait à quelque travail de dessin et de ciselure. *corr.*] [Mais par là même *[comme dans dactyl. 1]* d'une possession. *biffé*] / Sans doute *dactyl. 3. La dactylographie 2 donne le texte de ms.*

1. Voir *Sodome et Gomorrhe II*, p. 188-193.

Page 578.

a. souffle. [Et sous la couronne auguste de ses cheveux, une statue magnifique connue de moi seul, s'était dégagée de la femme plus ou moins agréable qu'elle était tout à l'heure. J'aurais voulu à la fois la montrer pour qu'on sût quel chef-d'œuvre m'appartenait et la cacher pour qu'on n'eût pas la tentation de me le ravir. Mais je jouissais peut-être moins de posséder sa beauté que cette *biffé dactyl. 3*] [J'écoutais cette murmurante *corr. dactyl. 3*] émanation *ms., dactyl. 1, dactyl. 3. La dactylographie 2 donne le texte de ms.*

Page 579.

1. Allusion à Raphaël. Voir aussi p. 666. Les arbres, dans les compositions de ce peintre, n'apparaissent le plus souvent que comme un décor lointain (*Saint Sébastien*), en arrière-plan de portraits, de scènes (*Mise au tombeau, 1507*).

Page 581.

a. l'illusion de l'essoufflement du plaisir *fin du folio 136 du premier volume de la troisième dactylographie. À partir du folio suivant jusqu'au dernier de cette dactylographie, on ne compte plus que quatre corrections de l'auteur sur les folios 151, 178, 194 et 213, plus d'autres portées sur les six derniers folios tirés d'une dactylographie ancienne. Jusqu'à la page 622 (voir var. a), nous ne retenons donc plus dactyl. 3 pour l'établissement du texte, qui se fait d'après dactyl. 1. Voir la Note sur le texte, p. 1697.* ↔ *b.* sur la plage de Balbec, devant le flot, au clair de lune *ms.* : sur la plage [de Balbec, devant le flot *biffé*], au clair de lune *dactyl. 1. La dactylographie 2 donne le texte de ms.*

1. Radica (et non *Rosita*, comme l'écrit Proust) et Doodica étaient des sœurs siamoises exhibées par le cirque Barnum en 1901-1902. Alors âgées de douze ans, elles furent séparées par le professeur Doyen en 1902.

Page 583.

a. Le paragraphe qui commence par ce mot n'apparaît que sur dactyl. 1. Le feuillet du manuscrit correspondant à ce passage est déchiré. On n'y peut lire que la phrase suivante, interrompue : D'ailleurs aussi vite elle s'était endormie, aussi vite elle s'était réveillée *. Ce membre de phrase a été dactylographié. Proust l'a biffé sur dactyl. 1 et, après un premier essai de nouvelle rédaction, essai qu'il a biffé et que nous ne donnons pas, il a écrit le paragraphe qui figure dans le texte définitif.* ↔ *b.* la cause importante, la différence *dactyl. 1, dactyl. 2, dactyl. 3. Nous suivons le manuscrit.*

1. Le présent « auteur de ce livre » propose, au conditionnel, son prénom, Marcel, pour le narrateur, qui coïncide ici avec le héros du roman. Dans l'œuvre entière de Proust, seule *La Prisonnière* présente cette situation, répétée p. 622 — au moins par implication, dans le texte imprimé, puisque Albertine y dit : « "Mais où tu vas comme cela, mon chéri ?" et en me donnant mon prénom [...] » — ; et encore p. 663, dans le mot qu'Albertine, du Trocadéro, fait porter au narrateur, à qui elle s'adresse ainsi : « Quel Marcel ! » On verra à cette dernière page que, dans ce cas, il s'agit peut-être du souvenir d'une lettre de l'auteur. M. Susuki, dans le *Bulletin de la Société des amis de Marcel Proust* n° 9, 1959, et K. Yoshikawa, dans sa thèse déjà citée, ont mis en évidence que, dans les cahiers du projet initial de *Contre Sainte-Beuve*, en particulier les numéros 2 et 5, le héros s'appelle bien Marcel et que, comme Proust dans la vie, il a un frère, Robert. Mais il n'en est plus de même dans l'ensemble des cahiers pour *À la recherche du temps perdu*. Dans *La Prisonnière*, ces mentions du prénom de l'auteur, loin d'être des vestiges d'un état antérieur du roman, sont des additions tardives. En témoigne une note, au folio 71 r° du Cahier 61 : « Albertine à moi : Mon chéri Marcel. » Cette note a été suivie des trois additions en question, dans les cahiers du manuscrit ; le Cahier VIII pour la première, au folio 39 r°, substitution supralinéaire : « Mais, comme en s'éveillant elle m'avait dit : "Mon Marcel", "Mon chéri Marcel", il ne fallait pas que le visiteur fût quelque parente qui me rappellerait qu'en famille on m'appelait : "chéri", etc. » Les deux suivantes sont dans le Cahier IX, l'une sur un béquet collé au bas du folio 14 : « [Elle] entrouvrait les yeux, me disait d'un air étonné — et en effet c'était déjà la nuit — "Mais où tu vas comme cela Marcel ?" », et la dernière, qui n'est pas différente du texte final, dans la marge du folio 34. Enfin, dans les dactylographies, une restriction a été apportée à chacune des deux premières mentions du prénom de ce narrateur, respectivement par une incidente — « en donnant au narrateur le même prénom qu'à l'auteur de ce livre » — et une parenthèse — « et en me donnant mon prénom ». On voit bien que cette démarche, chez Proust, est tout le contraire d'une suppression de l'autobiographie, suppression d'ailleurs déjà accomplie, mais plutôt le désir de souligner à la fois la proximité et l'éloignement de l'auteur du roman par rapport à son narrateur.

Page 584.

a. quelque chose d'odieux à apprendre sur elle — même en conservant les impressions *ms.* : quelque chose d'odieux à [apprendre *biffé dactyl. 1*] [savoir *corr. dactyl. 1*] [sur elle — même en consultant[1] les *biffé dactyl. 1*] [bien plus même à ne consulter que ces *corr. dactyl. 1*] impressions *dactyl. 1, dactyl. 3. La dactylographie 2 donne le texte de dactyl. 1 avant correction.* ↔ *b.* que d'habitude. / Pendant ces parties de dames, si

1. « consultant » est une erreur de lecture de la dactylographe.

quelqu'un demandait à me dire un mot, je faisais préalablement disparaître ma compagne qui allait m'attendre dans sa chambre. Mais comme en s'éveillant elle m'avait dit : « Mon Marcel », « Mon chéri Marcel » il ne fallait pas que la visiteuse fût quelque parente qui me rappellerait qu'en famille on m'appelait « Chéri » etc. Car ces mots me semblaient l'extrait[1] suprême des plaisirs que me donnait Albertine. Je n'en voulais qu'un exemplaire unique, celui qui me venait d'elle. On détruisait mon trésor, on m'empêchait de croire à son prix, si d'autres me disaient ces mots délicieux et j'entrais en fureur. Mais le plus souvent c'était un camarade. Il est peut-être quelqu'un d'entre eux qui ait pu entendre de loin, tandis qu'il m'attendait, le son de la voix d'Albertine, mais quand il entrait auprès de moi il me trouvait seul comme ces amis du m<arqu>is d'Effiat qui l'entendait causer mais ne trouvaient personne avec lui dans sa chambre, de laquelle il les renvoyait d'ailleurs bientôt, sans qu'aucun — au point qu'ils finissaient par se demander s'ils n'avaient pas été victimes d'une illusion, ou si le marquis ne parlait pas haut quand il était seul — ait jamais réussi à apercevoir la visiteuse inconnue. / L'ami congédié, je me déshabillais *ms.* : que d'habitude. [/ Pendant ces parties *[comme dans ms., avec des blancs laissés par la dactylographe en raison des difficultés de lecture.]* la visiteuse inconnue. *biffé dactyl. 1*] / L'ami congédié, je me déshabillais *dactyl. 1, dactyl. 3. Dactyl. 2 donne le texte de dactyl. 1 avant correction. Nous supprimons* L'ami congédié, *qui ne se justifie plus après la biffure du paragraphe intermédiaire, lequel faisait double emploi avec la correction signalée var. a, p. 583.*

1. Voir l'Esquisse X, p. 1128 et suiv.
2. La même scène — le reflet dans la glace, mais avec, en tiers, la mère — conclut « La Confession d'une jeune fille », dans *Les Plaisirs et les Jours* (éd. citée, p. 95).

Page 585.

1. Voir les paragraphes d'ouverture de « La Fin de la jalousie », dans *Les Plaisirs et les Jours*, soulignant la valeur érotique du cou (éd. citée, p. 146). Voir ici p. 622, 644.

Page 586.

a. Pour le texte de ms. et de dactyl. 3 à partir d'ici, et jusqu'à la variante c, p. 588, voir ladite variante.

Page 587.

a. partie intégrale de son corps *dactyl. 1, dactyl. 2, dactyl. 3. Nous adoptons la leçon du manuscrit.* ◆◆ *b.* la place [d'un divin puzzle au saillant accidentel dont s'enlaidit l'homme *biffé dactyl. 1*] [qui chez l'homme s'enlaidit *corr. dactyl. 1*] comme *ms., dactyl. 1 ; dactyl. 2 donne le texte de ms.*

1. Lecture conjecturale.

1. Le même terme décrit la petite madeleine de Combray dans *Du côté de chez Swann*, t. I de la présente édition, p. 44.

2. Léonard de Vinci était volontiers caricatural dans ses dessins.

Page 588.

a. la possibilité insoupçonnée du désastre : *ms.* ↔ *b.* la plus contrastée, celle *dactyl. 1, dactyl. 2, dactyl. 3. Nous adoptons la leçon du manuscrit.* ↔ *c.* dentelles. » *[p. 586, var. a]* Puis c'était à son tour de [c'était le tour d'Albertine de *dactyl. 3*] me dire bonsoir en m'embrassant de chaque côté du cou ; sa chevelure me caressait comme une aile aux plumes aiguës et douces. Si incomparables l'un à l'autre que fussent ces deux baisers de paix, Albertine glissait dans ma bouche, en me faisant le don de sa langue, comme un don du Saint-Esprit, me remettait un viatique, me laissait une provision de calme presque aussi doux que ma mère imposant le soir à Combray ses lèvres sur mon front[1]. Je ne m'étonnais plus *ms., non inclus dans dactyl. 1 et dactyl. 2, dactylographié dans dactyl. 3, avec la variante indiquée, sur le folio 147 qui n'est pas rattaché au reste du texte.*

Page 589.

a. le silence calmant, tout l'intérêt *ms.*

1. Voir l'Esquisse VIII, p. 1116.

Page 590.

a. tourner autour de moi *ms., dactyl. 1, dactyl. 2, dactyl. 3. Nous adoptons la leçon de l'édition originale, aucun état revu par Proust n'offrant de sens.*

1. Écho d'un passage du *Crime de Sylvestre Bonnard*. Dans le chapitre de conclusion : « Dernière page », Anatole France décrit « [...] une maison à pignon dont le toit d'ardoise s'irise au soleil comme une gorge de pigeon. » (*Œuvres*, Bibl. de la Pléiade, t. II, p. 311).

2. Dans le temps du récit, ces allusions renvoient à l'affaire Dreyfus, à la déclaration de guerre et à la mobilisation d'août 1914.

3. Proust fait peut-être ici allusion à son duel, le 6 février 1897, avec Jean Lorrain qui l'avait attaqué, ainsi que Lucien Daudet, à propos des *Plaisirs et les Jours*, dans *Le Journal* du 3 février 1897.

Page 591.

a. impossibles, ses songes qu'elles l'étaient avant *dactyl. 1, dactyl. 2, dactyl. 3. Nous adoptons la leçon du manuscrit.* ↔ *b.* que j'avais prise [à Combray *biffé dactyl. 1*] [jadis *corr. dactyl. 1*], mais *ms., dactyl. 1, dactyl. 2 donne le texte de ms.*

1. On retrouve l'image au second paragraphe de la page 520.

Page 592.

a. Même les tout premiers jours de l'arrivée, je n'avais même pas *ms., dactyl. 1, dactyl. 2, dactyl. 3. Nous corrigeons.*

Page 594.

1. *La Prisonnière* contient deux allusions (voir l'autre p. 810-811) à ce personnage qui n'apparaît jamais directement dans le récit. La femme de chambre de la baronne Putbus est l'objet des désirs du narrateur depuis *Sodome et Gomorrhe II.*

Page 595.

1. « Ce soir-là » indique le passage à l'événementiel d'un récit primitivement rédigé à l'imparfait de répétition. Voir notre Notice, p. 1679.

Page 596.

a. Souvent j'avais vu [Albertine *biffé*] à Balbec *ms.* : Souvent j'avais vu à Balbec *dactyl. 1, dactyl. 2, dactyl. 3. Nous adoptons la correction de l'originale.*

1. Dernière mention du vicomte de Borrelli, déjà signalé dans *Du côté de chez Swann* (t. I de la présente édition, p. 237 et n. 3) et *Le Côté de Guermantes* (t. II de la présente édition, p. 510 et n. 2, p. 546).

Page 597.

a. où *omis dans dactyl. 1. Nous restituons ce mot d'après dactyl. 3.* ◆◆ *b.* vieillard [de cette façon même trop réservée maintenant *biffé dactyl. 1*] [avec tant de fixité *[...]* ne voyait pas *corr. dactyl. 1*]. [Les cocus *biffé dactyl. 1*] [Les maris trompés *corr. dactyl. 1*] qui ne savent *ms., dactyl. 1, dactyl. 2 donne le texte de ms.* ◆◆ *c.* que nous aimons, [l'excite pour le mensonge *biffé dactyl. 1*] [centuple ce penchant, quand *corr. dactyl. 1*] la femme *ms., dactyl. 1, dactyl. 2* : que nous aimons, centuple ce penchant quand la femme *dactyl. 3. Nous introduisons* elle .

1. C'est ici la définition de *La Prisonnière*, à l'origine *Sodome et Gomorrhe III.*

Page 598.

1. Voir l'Esquisse IX, p. 1123.

Page 599.

a. qui la repoussait *dactyl. 1, dactyl. 2, dactyl. 3. Nous adoptons la leçon du manuscrit.* ◆◆ *b. À partir d'ici, et jusqu'à la variante a, p. 601, le texte est procuré par une addition manuscrite dans dactyl. 1, qui n'a pas été reportée sur dactyl. 2, et que l'on retrouve intégrée dans dactyl. 3.*

Page 600.

a. l'amour n'a pas pour objet *dactyl. 1, dactyl. 3 (le passage ne figure ni dans ms., ni dans dactyl. 2 ; voir var. b, p. 599). Nous supprimons* pas .

Page 601.

a. Fin de l'addition dans dactyl. 1 que nous signalions var. b, p. 599.

Page 603.

a. n'y a de regards et de paroles *ms.*

Page 604.

a. « Je lui ai dit *À cet endroit, on constate une déchirure dans le manuscrit. Le texte reprend plus bas (voir var. b, p. 606).*

Page 606.

a. qui altérait la santé *dactyl. 1, dactyl. 2, dactyl. 3. En l'absence du manuscrit (voir var. a, p. 604), nous corrigeons.* ◆◆ *b.* Pendant[1] qu'Albertine allait ôter[2] *ms.* : Pendant qu'elle allait ôter *dactyl. 1, dactyl. 2, dactyl. 3. Nous retenons la leçon du manuscrit.*

1. Ces remarques injurieuses de Françoise à l'égard d'Albertine sont toutes des additions préparées dans les cahiers « d'ajoutages » 60 et 61.

Page 607.

a. modernes Boucher [et de ceux que S*[aniette[3]]* appelait des Watteau à vapeur *biffé dactyl. 1*] [ou Fragonard *corr. dactyl. 1*] [ne fit *biffé dactyl. 1*] [peignit *corr. dactyl. 1*] pas au lieu de *ms., dactyl. 1, dactyl. 2* : modernes [...] peignit pas au lieu de *dactyl. 3. Nous corrigeons.* ◆◆ *b.* douleurs. Ces trahisons qui nous semblent être indifférentes à celui que nous envions de pouvoir dire « ma femme » ou « Odette » ôtaient toute douceur à ces noms qui sont ceux de notre[4] continuel martyre. Le mensonge *ms.* : douleurs. [Ces trahisons *[comme dans ms.]* ceux de n *biffé*] Le mensonge *dactyl. 1. Le texte de dactyl. 2, qui donne la leçon de ms. jusqu'à* ceux de n *, s'interrompt à cet endroit (f° 100) et reprend, au folio 101, au texte de notre page 623.*

1. Le manuscrit reprend ici (voir var. *a*, p. 604).
2. En fait sur le manuscrit, on trouve « Pendant qu'elle » biffé par Proust, puis plus bas « Pendant qu'Albertine », que vraisemblablement la dactylographe n'a pas vu.
3. En toutes lettres dans le manuscrit.
4. Fin du Cahier VIII. À partir de « notre continuel martyre » commence le Cahier IX, qui constitue le manuscrit jusqu'à la page 738 de notre édition.

1. François Boucher, le maître, et Jean-Honoré Fragonard, l'élève, ont pratiqué, le premier dans le genre mythologique et le second à la mode du XVIIIe siècle, le type de mise en scène, qu'évoque ici Marcel Proust, en pensant peut-être à *La Lettre d'amour*, que Fragonard avait commencée pour Mme Du Barry en 1772, à *La leçon de musique* ou *La Musique* du même peintre.

Page 610.

a. tirée [avec *biffé dactyl. 1*] [comme pour *corr. dactyl. 1*] un appel des yeux, nous *ms*[1], *dactyl. 1* ◆◆ *b.* à qui [il était si souvent adressé, et qui même peut-être auprès de moi, sans qu'Albertine pensât <à> elle<s>, <il> était *[...]* machinal *add. dactyl. 1*] Puis *ms., dactyl. 1. Dactyl. 3 incorpore l'addition portée sur dactyl. 1. Outre les restitutions notées entre crochets obliques, nous corrigeons* et qui , *avant* même peut-être , *en* que .

Page 611.

a. incarné une *dactyl. 1, dactyl. 3. Nous adoptons la leçon du manuscrit.*

Page 612.

a. sur leur repas, sentant *dactyl. 1, dactyl. 3. Nous adoptons la leçon du manuscrit.*

1. Voir p. 556 et n. 1.
2. Voir l'Esquisse XI, p. 1133 et suiv.

Page 613.

a. et que[2] [je voyais *biffé dactyl. 1*] [je contemplais *corr. dactyl. 1*] ensuite, se détacher en *ms., dactyl. 1, dactyl. 3. Nous corrigeons en* détachant .

Page 614.

a. Nous ajoutons ce à *, ainsi que les deux qui suivent, devant* traquer *et* la forcer . ◆◆ *b.* à ma [grand-mère *biffé dactyl. 1*] [mère *corr. dactyl. 1*], laquelle *ms., dactyl. 1, dactyl. 3*

Page 615.

a. incantations *dactyl. 1, dactyl. 3. Nous adoptons la leçon du manuscrit.*

1. Voir la *Correspondance*, t. XVI, p. 57.

1. Les feuillets paginés 65 et 66 par Marcel Proust ne se trouvent pas dans le Cahier IX, mais dans le Reliquat récemment acquis par la Bibliothèque nationale ; ils vont de « qu'elle avait eue si longtemps en moi » (fin du 1er § de la présente page) à « un après-midi » (p. 613 ; voir la variante *a* de cette page).

2. Ce sont les deux premiers mots du folio 4 (f° 67 dans la pagination de Marcel Proust) du Cahier IX de *ms.* (voir la note 1 en bas de cette page.)

Page 616.

1. C'est la deuxième mention du conseiller d'Ulysse (voir *À l'ombre des jeunes filles en fleurs*, t. I de la présente édition, p. 443).
2. Voir *Sodome et Gomorrhe II*, p. 194-195.

Page 617.

a. la sagesse trop inflexible *ms.*

Page 619.

1. Voir l'Esquisse X, p. 1128.

Page 621.

a. ses tendresses [de surface *add. dactyl. 1*] ne faisaient *ms., dactyl. 1* ↔ *b.* du fond d'une eau sombre une fleur cachée qui jette son pollen maléfiquement fécond et rentre dans les profondeurs translucides ou bien une eau encore où un brusque rayon permet de distinguer dans une bague tombée au fond un nom inconnu qu'on n'aperçoit qu'un instant et dont on n'aura jamais su à quoi il se rapportait (aussi peut-être vaudrait-il mieux qu'elle m'eût dit ce soir-là « Juliette » en me disant que je lui avais parlé de Vérone et de Roméo et Juliette). Mais d'ordinaire, *ms.* : du fond [d'une eau sombre *biffé*] [de l'élément à peine translucide *corr.*] [une fleur *[comme dans ms.]* translucides *biffé*] [l'aveu d'un secret qu'on ne comprendra pas *corr.*]. Mais d'ordinaire *dactyl. 1*

Page 622.

a. nullement *dernier mot du dernier folio corrigé de dactyl. 1, qui s'interrompt jusqu'à la page 669 (voir var. b, p. 669). Nous suivons désormais dactyl. 3 ; dactyl. 2 est toujours lacunaire, jusqu'à la page 623.*

Page 623.

1. Ici commence la troisième journée de *La Prisonnière*. Voir l'Esquisse XII, p. 1136.
2. *Boris Godounov*, l'opéra de Moussorgski, fut représenté à Paris le 19 mai 1908, à l'Académie nationale de musique. Proust avait assisté à la représentation du 22 mai 1913, au théâtre des Champs-Élysées.
3. *Pelléas et Mélisande*, de Debussy, avait été créé le 30 avril 1902 à l'Opéra-Comique.

Page 624.

1. La citation — « Si je dois être vaincue, est-ce à toi d'être mon vainqueur ? » — est tirée, non d'une œuvre de Jean-Philippe Rameau, mais d'*Armide*, livret de Quinault, musique de Lully. Le texte exact est : « Ah ! si la liberté me doit être ravie, est-ce à toi d'être mon vainqueur ? » (acte III, sc. 1).

2. *Pelléas et Mélisande* met en scène, outre Mélisande, Arkel, le vieux roi d'Allemonde, sa femme Geneviève, et ses fils Pelléas et Golaud. Proust va citer le texte de Maeterlinck.

Page 626.

a. poulies *[p. 623, 2ᵉ §, 17ᵉ ligne]* d'un navire embarqué dans l'azur, sur les petites laitières, les petites porteuses de pain, qui se hâtaient d'empiler les flûtes de pain dans les corbeilles ou d'accrocher au crochet les bouteilles de lait. Une automobile enflait son crescendo, comme au milieu d'un orchestre. Un chauffeur gagnait à pied son garage couvert de sa peau de bique avait l'air d'une femme peu élégante — ou obéissant à une mode très laide, dans un paletot sac en poil de chèvre, et les « chasseurs » azurés, aile aux teintes changeantes, s'échappaient tôt, pour rejoindre les voyageurs à la gare, des grands hôtels et, volant au ras de leurs bicyclettes, filaient rapides comme des [libellules *corrigé en* « demoiselles »], fardés comme les instrumentistes travestis d'une affiche de Chéret. / Françoise m'apporta *Le Figaro.* *ms. Dactyl. 2 lacunaire. Le texte corrigé de dactyl. 3 figure au folio 1 du 2ᵉ volume de la 3ᵉ dactylographie.*

1. Cette troisième journée reprend la situation de la première : l'attente par le narrateur de la parution de son article dans *Le Figaro*. Voir p. 523.

Page 627.

1. *Esther*, acte II, sc. VII, v. 632, 638 (« cet ordre » pour « un ordre ») et 669-670.

2. Dans *Albertine disparue*, l'héroïne meurt — comme le héros de « La Fin de la jalousie » dans *Les Plaisirs et les Jours* — lors d'un accident de cheval, « jetée par son cheval contre un arbre pendant une promenade », selon les termes du télégramme envoyé par Mme Bontemps (voir t. IV de la présente édition). L'anticipation, ici, de la mort d'Albertine a un double but : dans le déroulement événementiel du récit, l'annonce qu'Albertine fait de la « haute voltige » (on notera d'autre part que le terme peut s'appliquer à l'aviation ; de plus, l'éventualité de la mort par noyade d'Albertine — comme Agostinelli — est suggérée dans *Le Temps retrouvé*) renforce la plausibilité de l'accident à venir. La disparition d'Albertine, envisagée et désirée par le narrateur, lui permet de vivre par avance, en accéléré, les mois qui la suivront dans *Albertine disparue*. Le texte de ce passage avait été plus longuement développé (voir var. *a*, p. 628). Seule, du fragment supprimé, a subsisté, modifiée, la phrase : « Oh ! je sais bien que vous ne me survivriez pas quarante-huit heures, que vous vous tueriez. »

Page 628.

a. vous arrivait *[p. 627, 2ᵉ ligne en bas]* un accident [« Quoi ? vous ne vous tueriez tout de même pas ? dit-elle en riant. — Non, mais ce serait le plus grand chagrin que je puisse avoir. » Et comme, quoique vivant uniquement chez moi, quoique devenue très intelligente, elle restait malgré tout en rapport mystérieux avec l'ambiance du dehors — comme les rosiers de sa chambre refleurissaient au printemps — et suivait comme par une harmonie préétablie, car elle ne causait guère avec personne, les modes ineptes et gentilles du langage féminin, elle me dit : « C'est bien vrai ce gros mensonge-là ? » Et même elle devait, sinon m'aimer plus que je ne l'aimais, du moins induire de ma gentillesse avec elle que ma tendresse était plus profonde qu'elle ne l'était en réalité, car elle ajouta : « Et puis si, je crois que vous ne me survivriez pas 48 heures, que vous vous tueriez. Vous êtes bien gentil, je n'en doute pas, je sais que vous m'aimez bien. » Et elle ajouta : « Que voulez-vous, si c'est mon destin de mourir d'un accident de cheval ? J'en ai eu souvent le pressentiment, mais cela m'est bien égal. Il peut bien m'arriver ce que le bon Dieu voudra. » Je crois qu'elle n'avait au contraire ni pressentiment ni mépris de la mort, et que ses paroles étaient sans sincérité. Je suis sûr en tout cas qu'il n'y en avait aucune dans les miennes sur le plus grand chagrin que je puisse avoir. Car, sentant qu'Albertine ne pouvait plus que me priver des plaisirs ou me causer des chagrins, que je ne ferais que gâcher ma vie pour elle, je me rappelais le vœu qu'avait jadis formé Swann à propos d'Odette, et sans oser souhaiter la mort d'Albertine, je me disais qu'elle m'eût rendu, pour parler comme le Sultan, ma liberté d'esprit et d'action. *biffé dactyl. 3*] [Je ne lui souhaitais *[...]* tueriez. » *corr. dactyl. 3*] » / Ainsi *ms., dactyl. 3. Dactyl. 2 lacunaire.*

1. Le narrateur ne répondra à la question d'Albertine que six pages plus loin (p. 633) : « Aussi fut-ce le plus sincèrement du monde que je pus répondre à Albertine [...]. » Les paragraphes intermédiaires sont le résultat de développements successifs à partir d'un feuillet manuscrit (*Reliquat Marcel Proust*, voir n. 1 en bas de page 1727). Les dernières additions ont été portées sur la dactylographie (*dactyl. 3*). Les thèmes du sommeil, du réveil, y sont une reprise de ceux des premières pages de *Du côté de chez Swann* (voir l'article de Jean Milly : « Étude génétique de la rêverie des chambres dans l'Ouverture de *La Recherche* », *Bulletin d'informations proustiennes*, n°s 10, 1979, et 11, 1980). S'y ajoutent, p. 631, des remarques sur les sommeils artificiels des soporifiques, qui réapparaissent lors du récit de la mort de Bergotte, p. 691-692.

Page 629.

1. Taine a déjà été mentionné dans *À l'ombre des jeunes filles en fleurs* (t. I de la présente édition, p. 532) et *Sodome et Gomorrhe II* (p. 440 du présent volume). George Eliot apparaît également deux fois dans *À l'ombre des jeunes filles en fleurs* (t. I de la présente édition, p. 546 ; t. II, p. 295).

Page 630.

1. Détournement mythologique : la Mémoire est évidemment, chez les Grecs, Mnémosyne, mère des neuf muses.

Page 631.

1. Voir *À l'ombre des jeunes filles en fleurs*, t. II de la présente édition, p. 144-145.

Page 633.

a. sincérité. *[p. 628, fin du 2e §]* [« Cela ne vous gêne pas tous ces bruits du dehors, me demanda-t-elle, mais vous qui avez le sommeil si léger ? » Je l'avais au contraire parfois très profond, surtout quand je dormais sous l'influence de ce plus puissant de tous les soporifiques, un premier sommeil inattendu qui rend le second plus lourd. Je savais la beauté qu'avait alors le réveil final, et cette véritable novation qui se trouve introduite dans la vie. En elle en effet les grands changements de rythme (comme ceux qui en musique font que dans un andante une croche contient autant de durée qu'une blanche dans un *prestissimo* sont inconnus à l'état de veille. La vie y est presque toujours la même, d'où les déceptions du voyage. Dans le sommeil seul, les quarts d'heure peuvent quand on ouvre les yeux sembler avoir été des journées. Les nuits où cette fortune m'était advenue, j'avais vécu tant d'heures en quelques minutes que pour tenir à Françoise que j'appelais un langage conforme à la réalité et réglé sur l'heure, j'étais obligé d'user de tout mon pouvoir interne de compression pour ne pas dire : « Hé bien Françoise nous voici à 5 heures du soir et je ne vous ai pas vue depuis hier après-midi » et pour refouler mes rêves. En contradiction avec eux et me mentant à moi-même je disais effrontément et en me réduisant de toutes mes forces au silence des paroles contraires : « Françoise, il est bien dix heures ! » Je ne disais même pas dix heures du matin pour que dix heures — ces dix heures si incroyables eussent l'air prononcés d'un ton plus naturel. Ô miracle ! Françoise n'avait pu soupçonner la mer d'irréel qui me baignait encore tout entier et à travers laquelle j'avais eu l'énergie de faire passer mon étrange question. Elle me répondait en effet : « Il est dix heures dix », ce qui me donnait l'apparence d'être un sage et dissimulait que j'étais un fou. À force de volonté je m'étais réintégré dans le réel. Je jouissais encore des débris de sommeil, c'est-à-dire de la seule invention, du seul renouvellement qui existe dans la manière de contes, toutes les narrations à l'état de veille, fussent-elles embellies par l'art littéraire ne comportant pas ces mystérieuses différences. J'en jouissais, mais en revanche, j'avais perdu en dormant trop peu, une bonne moitié des cris, par où nous est rendue sensible la vie circulante des métiers, des nourritures de Paris. Aussi d'habitude (sans prévoir le drame que le réveil tardif et mes lois draconiennes et persanes d'Assuérus racinien devait bientôt amener pour moi) je m'efforçais de m'éveiller de bonne heure pour ne rien perdre de ces cris. *biffé dactyl. 3*] [« Cela ne vous gêne *[...]* ces cris. *corr. dactyl. 3*] [En plus du plaisir *[...]* de moi. *add. dactyl. 3*] / Aussi *ms.*[1], *dactyl. 3. Dactyl. 2 lacunaire.*

1. Depuis le 3e § de la page 628, le texte procuré par *ms.* se trouve, non plus dans le Cahier IX — lacunaire jusqu'à la page 638 (voir var. *c* de cette page) —, mais dans le Reliquat (achat 26803).

1. Les lois de Dracon, législateur athénien du VIIe siècle av. J.-C., sont restées célèbres pour leur sévérité. Pour les lois persanes, ce sont celles édictées par Assuérus, dans *Esther* de Racine. Voir p. 528 et 627 de *La Prisonnière*.

2. Ce restaurant parisien continue d'offrir comme spécialités les fruits de mer.

Page 634.

1. Dans le rituel de la messe, cette formule précède le *Pater noster* : « Instruits dans ses préceptes sauveurs et formés par son enseignement divin, nous osons dire [...]. »

2. Allusion aux règles du chant grégorien dont on attribue la création au pape Grégoire le Grand, qui régna sur l'Église de 590 à 604. Le chant dit grégorien est en réalité postérieur.

3. Voir *Sodome et Gomorrhe*, p. 89 et n. 1.

Page 635.

1. Le confiseur, alors rue du Faubourg-Saint-Honoré, a déjà été mentionné par Mme Swann (*À l'ombre des jeunes filles en fleurs*, t. I de la présente édition, p. 593).

2. Poiré-Blanche, glacier, est situé boulevard Saint-Germain, le Ritz est le célèbre hôtel de la place Vendôme.

Page 637.

1. Proust avait vu des bonsaï en 1904, chez Bing, 22, rue de Provence à Paris. Dans une lettre du début février 1904 à Marie Nordlinger, il écrit : « [...] les arbres nains de Bing sont des arbres pour l'imagination » (*Correspondance*, t. IV, p. 58).

2. C'est la deuxième mention de Céleste, ici avec son patronyme, et presque le même dialogue avec le narrateur qu'à la page 527.

Page 638.

a. Le dialogue entre le narrateur et Céleste, depuis laquelle la veille *[p. 637, 6e ligne en bas de page], a été omis par les éditeurs de l'originale et par Clarac et Ferré car le même passage, dans une version à peine différente, figure déjà p. 527. Nous l'avons conservé pour ne pas être amené à refaire une transition comme nos prédécesseurs de 1923 et 1954. Il sert ici de conclusion au morceau sur les glaces, écrit sur un triple béquet ajouté à dactyl. 3 (fo 10 du deuxième volume de la troisième dactylographie), depuis* le jour où les Verdurin recevaient *jusqu'à* qu'elle m'aimait. *Voir var. b.* ↔ *b.* parce que je sais que *[p. 633, 2e §, 3e ligne]* vous les aimez. ["À la barque *[...]* qu'elle m'aimait. *add. dactyl. 3*] / Une fois *ms.*[1], *dactyl. 3.* ↔ *c.* la mienne. Je

1. Nous retournons à partir d'ici, pour le texte de *ms.*, au Cahier IX (voir la note 1 de bas de page à la variante *a*, p. 633).

n'étais pas seulement excédé d'ennui par cette fatigue perpétuelle, celle-ci m'usait ; obligé de me droguer de plus en plus pour ne pas entendre remuer Albertine, je perdais maintenant constamment le fil de mes idées, je ne trouvais plus mes mots, ma parole devenait souvent embarrassée ; j'étais menacé d'une attaque comme ma grand'mère ; d'autre part, grâce à cette présence constante, je n'avais plus les anxiétés qui m'avaient rendu si affreuse ma dernière nuit de Balbec ; les palpitations cardiaques dont j'avais tant souffert alors ne s'étaient plus renouvelées, du moins avec cette violence. Il y a *ms.* : la mienne [je n'étais pas *[comme dans ms.]* violence. *biffé*] Il y a *dactyl. 3*

1. Shéhérazade est la princesse de ces *Mille et Une Nuits* mentionnées dès *Du côté de chez Swann*, t. I de la présente édition, p. 70, et évoquées dans *La Prisonnière*, p. 652, 753, 758.

2. Cet hôtel-restaurant est situé 26, rue des Réservoirs à Versailles. Proust avait séjourné à l'hôtel des Réservoirs, 9, rue des Réservoirs, d'août à décembre 1906 et en septembre 1908. On a vu (voir la Notice, p. 1635) que, à la fin de 1913, il y avait donné rendez-vous au directeur de l'école de pilotage de Buc pour inscrire Agostinelli.

Page 640.

1. La forme du volant à quatre branches des automobiles d'alors, telles que le taxi dans lequel Agostinelli conduisait Proust à Cabourg, en 1907, a inspiré à Proust cette métaphore, déjà utilisée dans *Sodome et Gomorrhe II*, p. 416.

Page 642.

1. Anticipation des critiques que Proust formulera dans *Le Temps retrouvé* (voir t. IV de la présente édition) à l'égard des modes esthétiques.

Page 643.

a. ou celui du cœur ? *[p. 638, fin de l'avant-dernier §]* [/ J'étais en tout cas bien content *[...]* Andrée. *add. dactyl. 3*] / Laissant *ms.,dactyl. 3*

Page 644.

1. Voir n. 2, p. 634. Palestrina fut chargé par le pape Grégoire XIII d'adapter le chant à la liturgie de Pie V. La « déclamation lyrique des modernes » peut faire penser à l'école de César Franck.

Page 645.

a. un instant à *[p. 643, 2e §, 2e ligne]* la fenêtre. Mais la vue nostalgique que j'avais de ces petites filles pouvais-je *ms.* ↔ *b.* un jour, cette fiche *ms.* : un jour, [et pareil *add.*] cette fiche *dactyl. 3. Nous corrigeons.*

1. Voir l'Esquisse XII, p. 1136.

Page 647.

1. Montage d'extraits de lettres de Mme de Sévigné à sa fille Mme de Grignan. Mme de Sévigné conclut ainsi sa lettre du 14 juin 1671 : « Quand on se couche, on a des pensées qui ne sont que gris-brun, comme dit M. de La Rochefoucauld, et la nuit, elles deviennent tout à fait noires ; [...] » (*Correspondance*, éd. Duchêne, Bibl. de la Pléiade, t. I, p. 272). Et on lit dans une lettre du 29 septembre 1675, adressée de sa propriété des Rochers. « Si les pensées n'y sont pas tout à fait noires, du moins elles en sont approchantes. Je pense à vous à tout moment ; je vous regrette, je vous souhaite. Votre santé, vos affaires, votre éloignement, que pensez-vous que tout cela fasse entre chien et loup ? » (éd. citée, t. II, p. 111).

2. Lettre de Mme de Sévigné à Mme de Grignan du 11 février 1671. La citation est pratiquement exacte (« loin » pour « fort éloignés » ; éd. citée, t. I, p. 155).

3. Lettre de Mme de Sévigné à Mme de Grignan du 27 mai 1680 (« Il a trouvé le moyen » pour « Il trouve l'invention » ; éd. citée, t. II, p. 950). Charles de Sévigné (1648-1713) est le fils de l'épistolière. Les conseils de bonne économie, que la mère du narrateur d'*À la recherche du temps perdu* illustre par cette citation de la marquise de Sévigné à propos de son fils dépensier et sans cesse à court d'argent, sont suivis du don d'un pourboire princier, quoique approximatif pour le montant, à la jeune crémière que Françoise procure au narrateur, à la manière des entremetteuses auxquelles celui-ci fait allusion. Dans le temps où il écrivait *La Prisonnière*, Proust citait encore cette lettre, en août 1915, à Jacques-Émile Blanche (*Correspondance*, t. XIV, p. 199), en s'appliquant le jugement de Mme de Sévigné.

Page 650.

a. entrer pour cela. *[p. 648, 2e §, 7e ligne]* [Elle avait un nez trop rond qui me parut bête, mais sa joue était jolie quand elle était de profil, et lui ayant dit pour me donner une contenance *biffé*] Seriez-vous *ms.* : entrer pour cela. [Elle était parée *[...]* petite crémière : *add.*] « Seriez-vous *dactyl. 3*

1. Vêtement féminin à manches, en tricot de laine, destiné au sport — mais non exclusivement à celui dont il porte le nom — et par extension à un ensemble « sportif ».

2. Casaque, ou ici, coiffure à l'imitation de celle des joueurs de polo.

Page 651.

1. Comédie en vers (1864) de Théodore de Banville (1823-1891).

2. Voir *Sodome et Gomorrhe*, p. 197-198. Il s'agissait de la sœur et de la cousine de Bloch. Mais leur identité n'est pas répétée dans *La Prisonnière* (voir p. 655-657, 859).

Page 652.

a. Il fallait à tout prix qu'au Trocadéro elle pût retrouver *ms., dactyl. 3. Comme Clarac et Ferré, nous proposons de compléter cette phrase par* empêcher *sur le modèle d'une répétition à la page 654, ligne 19 (bien qu'on puisse aussi comprendre :* il fallait [pour Albertine] à tout prix qu'au Trocadéro elle pût retrouver.*)*

Page 653.

a. ne connaissons, et l'air *ms., dactyl. 3. Nous ajoutons le* pas

Page 655.

a. parfois exaltante[1], souvent *ms.* ↔ *b.* leur originalité double, physique et morale. *ms.*

Page 656.

a. une pose plus fringante — celle *dactyl. 3. Nous adoptons la leçon du manuscrit.*

Page 657.

a. audacieusement *[p. 656, 14e ligne en bas de page]* [Certes, *[...]* celle d'Ixion. *add.*] même si elles[2] n'étaient *ms.*

1. Les cinquante filles de Danaos, roi légendaire d'Argos, pour avoir tué leurs époux, furent condamnées aux Enfers à verser éternellement de l'eau dans un tonneau sans fond.

2. Héros de la mythologie grecque, roi des Lapithes ; Zeus le fit attacher par Hermès à une roue enflammée qui devait tourner éternellement aux Enfers.

Page 658.

a. mon amour. Que faire ? J'ouvre les mains *[comme p. 654, 22e à 35e ligne, avec lég. var.]* et de ses deux amies. Mais d'abord *ms., dactyl. 3. Nous adoptons la correction de l'édition originale, où ce passage, faisant double emploi, a ici été supprimé.* ↔ *b. Le paragraphe qui suit, jusqu'à* garder copie *[fin de p. 659], vient en addition dans le manuscrit. Dans dactyl. 3, il a été inséré là où Proust l'avait indiqué dans le manuscrit, par erreur pensons-nous, après* remettre *[p. 658, 6e ligne avant la fin de l'avant-dernier §]. À la suite de l'édition originale, nous le déplaçons après* dont elle avait besoin .

1. Page 654, le narrateur donne cinq francs à la laitière. Les éditeurs de 1923, soucieux d'éviter une contradiction ont biffé « deux francs » sur *dactyl. 3.* Notons que le passage de la page 654 auquel nous renvoyons est une addition sur le manuscrit, alors que celui-ci est un fragment de la rédaction primitive.

1. Lecture conjecturale.

2. Les « deux jeunes filles » (p. 656, 15e ligne en bas de page). L'enchaînement était clair avant l'addition sur le manuscrit. Pour le maintenir, nous substituons « les deux jeunes filles » à « elles ».

2. Comme l'avaient noté les éditeurs de 1923 dans la marge de *dactyl. 3*, la mère du narrateur n'est pas encore rentrée à Paris. Cette contradiction avait conduit Robert Proust et Jacques Rivière à supprimer « je demandai [...] la journée ».

Page 660.

a. avec moi, qu'il *dactyl. 3. Nous adoptons la leçon du manuscrit.*

1. Rappelons que Céleste Gineste, épouse Albaret, était née en Lozère, le 17 mai 1891.

Page 661.

a. si doux d'avoir l'air *[p. 660, 19ᵉ ligne en bas de page]* d'être aimé !) « Partez vite. » J'étais prêt. *ms. Au passage qui n'est pas encore écrit dans le manuscrit et qui figure dans dactyl. 3 correspond partiellement cette note portée dans le Cahier 59 (fᵒ 74 rᵒ), un des cahiers d'« ajoutages » utilisés entre la rédaction du manuscrit et la dactylographie :* Pour *Sodome III* : Le patois était devenu entre Françoise et sa fille, devant nous, la langue réservée uniquement comme certaines langues savantes ne s'emploient que dans certains cas, à la colère et au secret. « M'exasperate », entendait-on. ↔ *b.* que non, pas *fin du folio 34 de la « troisième dactylographie II » (rappelons que les trente-quatre premiers folios de cette portion de dactyl. 3 ont été transférés de dactyl. 1 par l'auteur*[1]*. À partir du folio 35 (frappe antérieure du folio précédent) et jusqu'au folio 237 et dernier, seuls quatre folios portent des corrections autographes. À l'exception de ceux-ci, nous préférons désormais les leçons de ms. quand il y a erreur de lecture ou modifications dues aux éditeurs de 1923.*

1. Cet « employé de téléphone » reprend ici le rôle des demoiselles du téléphone évoquées p. 606-607.

Page 662.

a. Dans dactyl. 3, la dactylographe n'a pas su lire avenir *et a laissé un blanc.*

Page 663.

a. paisible que j'eusse *ms., dactyl. 3. Nous adoptons la correction de l'édition originale.*

1. Cette formule rappelle, peut-être, celle employée par Proust dans une lettre à Albert Nahmias de novembre 1911, selon la datation de Philip Kolb : « Cher Albert, quelle idée vous avez de moi ! » (*Correspondance*, t. XIII, p. 368).

Page 665.

a. les tente, s'arrachant *ms., dactyl. 3. Nous adoptons la correction de l'édition originale.*

1. Proust fait très souvent référence dans sa correspondance, en particulier avec Reynaldo Hahn, aux œuvres de Wagner. Il les

1. Voir la Note sur le texte, p. 1694.

connaissait essentiellement par des morceaux entendus, comme pour *Tristan et Isolde*, aux Concerts Lamoureux. Ceux-ci se tenaient, vers 1900, au Cirque des Champs-Élysées : voir p. 674. Dans une lettre de juin 1913 à Anna de Noailles, Proust reconnaît : « [...] les *Adieux de Wotan*, le *Prélude* de *Tristan*, entendus autrefois à l'orchestre Pasdeloup ou Colonne ne pouvaient tout de même pas donner l'idée de l'œuvre wagnérienne entière » (*Correspondance*, t. XII, p. 214). Dans les fragments du *Cahier 73*, il évoque un « festival Wagner » au concert Lamoureux (voir l'Esquisse XVII, p. 1167).

2. Comme à l'ordinaire, Proust n'avait pas pu assister aux représentations de *Parsifal*, en janvier 1914, à l'Opéra de Paris (Voir sa lettre à Reynaldo Hahn du 29 janvier 1914, *Correspondance*, t. XIII, p. 87).

3. Cet opéra-comique d'Adolphe Adam (1803-1856) fut créé à l'Opéra-Comique en 1836.

4. Dans sa lettre de juin 1913 à Anna de Noailles, Proust compare les poésies de celle-ci aux opéras de Wagner : *Lohengrin*, *Tannhaüser*, *Tristan et Isolde*, *Les Maîtres chanteurs de Nuremberg*, *Parsifal*. Les termes employés par lui à cette occasion pour décrire la forme « organique » qu'il distingue dans les deux cas se retrouvent à la fois dans cette évocation de *Tristan et Isolde* et lors de l'audition du *Septuor* de Vinteuil, p. 757 et suiv. La comparaison avec une « névralgie », qui termine ce paragraphe, reviendra pour le *Septuor* (voir p. 764 ; la *Correspondance*, t. XII, note 8, p. 215 ; les Esquisses XIII, p. 1146 et XVII, p. 1167.

5. Dans le Cahier 28, en 1910-1911, Proust a écrit au folio 66 r° : « Wagner a un certain génie féodal, parce que le rôle des écuyers contenant des thèmes guerriers particuliers, sont pleins, existent. » Voir aussi le Cahier 49 (f° 42 v°) : « Wagner n'était pas le premier artiste qui écrivît un rôle d'écuyer. Mais les autres faisaient dire aux écuyers les mêmes choses musicales qu'ils eussent dû faire dire à d'autres personnages. »

Page 666.

1. « [...] la sonnerie de cor d'un chasseur, l'air que joue un pâtre sur son chalumeau » sont des morceaux des actes II et III de *Tristan et Isolde* ; « le chant d'un oiseau » évoque *Siegfried* et *Le Crépuscule des dieux*. Voir l'ébauche de ce passage dans le Cahier 49, f° 43 v°.

2. *La Bible de l'humanité* de Michelet (1864), est une tentative de synthèse de l'histoire humaine, où chaque civilisation est un livre d'une Bible laïque. La préface de l'*Histoire de la Révolution française* date de 1847, celle de l'*Histoire de France* de 1869. Proust connaissait *La Bible de l'humanité* par Alphonse Darlu, son maître de philosophie du lycée Condorcet. Voir *Sésame et les lys*, Mercure de France, 1906, p. 146.

3. C'est dans la préface de l'*Histoire de France* qu'on lit : « Le dirai-je ? » Proust a utilisé l'expression, sous la forme « Faut-il le dire », dans son pastiche de Michelet (« "L'Affaire Lemoine" par Michelet », *Pastiches et mélanges*, éd. citée, p. 28). Dans une seconde préface de son *Histoire de la Révolution française*, en 1868, Michelet retrace la genèse du livre.

4. Dans son *Avant-Propos* de 1842 à ce qu'il appelle désormais *La Comédie humaine*, Balzac défend son entreprise d'observation objective

de la société. Il se justifie ainsi de ce que tous ses personnages n'ont pas la pureté de ceux du peintre Raphaël, par une comparaison avec la *Clarissa* de Richardson : « Cette belle image de la vertu passionnée, a des lignes d'une pureté désespérante. Pour créer beaucoup de vierges, il faut être Raphaël. La littérature est peut-être, sous ce rapport, au-dessous de la peinture » (*La Comédie humaine*, Bibl. de la Pléiade, t. I, p. 17).

Page 667.

1. *Tristan*, acte III, scène I.
2. Le héros de la Tétralogie, dans la scène de la forge, premier acte de *Siegfried*.

Page 668.

a. Le passage qui vient, jusqu'à var. b, p. 670, est en addition dans ms. ; voir la variante en question. ⬥⬥ *b.* un livre » [C'est ce qu'aurait pu, mais trouvait inutile de répliquer M. de Charlus, ayant *biffé*] deviné *ms., dactyl. 3 lacunaire. Nous adoptons la correction de Clarac et Ferré.*

1. Ce paragraphe est à la fois un rappel du motif des aéroplanes (voir l'Esquisse XI, p. 1136) par leur comparaison avec le cygne de *Lohengrin*, et une reprise des termes employés par Proust pour critiquer le style de Maurice Maeterlinck (Proust vient de lire « La Mort » dans *Le Figaro du* 1er au 6 août 1911) dans une lettre à Georges de Lauris du 23 au 24 août 1911 : « Et puis la beauté même du style, la lourdeur de sa *carrosserie* ne conviennent pas à ces explorations de l'Impalpable. Je dis carrosserie parce que je crois que c'est ainsi que parlent nos amis qui ont des automobiles et que je me souviens que je me suis permis devant vous de petites irrévérences à l'endroit de Maeterlinck — ma grande admiration du reste — en parlant d'Infini quarante chevaux et de grosse voiture marque Mystère ». (*Correspondance*, t. X, p. 337). La métaphore de l'aéroplane est déjà contenue dans un des cahiers de brouillons destinés au *Côté de Guermantes*, le Cahier 49 (f° 42 r°).

2. Flaubert, *L'Éducation sentimentale*, IVe partie, chap. VI. Mme Arnoux, chez Frédéric Moreau, reconnaissant au mur un portrait de la Maréchale, la maîtresse de Frédéric :

« Je connais cette femme, il me semble ? / — Impossible ! dit Frédéric. C'est une vieille peinture italienne » (*Œuvres*, Bibl. de la Pléiade, t. II, p. 450). Cet avant-dernier chapitre commence par ces « blancs » qu'admirait Proust (« Il voyagea. / Il connut la mélancolie des paquebots [...] » ; *ibid.*, p. 448). On notera que Rosanette tient son surnom de Maréchale d'un travesti d'officier, porté au bal, et que Morel est une variation phonétique de Moreau.

Page 669.

a. il s'en gardait bien qu'aussitôt *ms., dactyl. 3. Nous adoptons la correction de Clarac et Ferré.* ◆◆ *b.* cours d'algèbre *Ici reprend dactyl. 1*[1] *(voir var. a, p. 622). Nous ne prenons cependant plus en compte cet état.*

Page 670.

a. rien) avait tant désiré *ms., dactyl. 3. Nous insérons* il . ◆◆ *b.* Je ne sais *[p. 668, var. a]* pourquoi *[...]* bouleversé. *add. ms. Ce passage du Cahier « d'ajoutages » 62 est contemporain de l'addition sur le manuscrit :* Je me rappelais malgré moi de temps en temps l'après-midi où il lui avait dit grand pied de grue. J'avais oublié un moment, mais de là datèrent des malaises cardiaques qui n'attendaient peut-être qu'une occasion de se déclarer. Je crois (ou plutôt je croyais alors) que Morel et la nièce de Jupien s'étaient fait moins mal à eux-mêmes en se disputant ainsi qu'à la personne — moi-même — qui assistait à leur duel. Ils ne s'étaient, je le crus longtemps, rien fait, mais comme des adversaires maladroits ils avaient blessé le témoin *(f° 49 r°).*

Page 671.

a. une où s'étendait *ms., dactyl. 3. Nous suivons le texte de l'édition originale.* ◆◆ *b. Dans ms., ce mot est orthographié* chique .

Page 672.

a. Ms. donne je me sentais senti ; *la dactylographe a observé un blanc après* sentais . *Nous adoptons la correction de l'édition originale.*

1. Gabriel Davioud (1823-1881) est l'architecte du Trocadéro, construit pour l'Exposition de 1878, et du Châlet dans l'île du bois de Boulogne. Le narrateur avait voulu conduire au Châlet Mme de Stermaria (*Le Côté de Guermantes II*, t. II de la présente édition, p. 678).

Page 673.

a. de [Marcouville l'Orgueilleuse *biffé*] [Saint Mars-le-vêtu *corr.*] qu'il *ms.* : de Saint Marc-le-vêtu qu'il *dactyl. 3. erronée. Nous conservons le nom biffé dans ms. à cause de l'allusion qui suit aux* saints de Marcouville .

1. Elstir.

2. Voir l'Esquisse XVIII, p. 1170.

3. À l'arrière-plan du Martyre de saint Sébastien (1467) conservé au Louvre, on aperçoit en effet, sur un promontoire, une ville fortifiée qui peut évoquer l'ancien Trocadéro, bien que celui-ci ait été de style mauresque, alors que la cité représentée par Mantegna semble s'inspirer plutôt de monuments mantouans.

Page 674.

1. Le cirque des Champs-Élysées (près du Rond-Point) était alors utilisé pour des spectacles divers, dont des concerts. Voir n. 1, p. 665.

1. Au folio 124. Jusqu'au dernier folio, le 209, *dactyl. 1* n'est plus qu'un jeu incomplet, double non corrigé des folios correspondants de *dactyl 3*. Pour cette raison nous n'en tenons plus compte, nous n'avons donc plus que deux états du texte : *ms.*, et *dactyl. 3*.

La « tempête wagnérienne » dont il est aussitôt question a déjà été décrite dans un des cahiers de brouillons du *Côté de Guermantes*, le Cahier 49, aux folios 43 r° et 42 v°.

Page 675.

a. trois jeunes filles assises *ms., dactyl. 3 ; nous adoptons la correction de l'édition originale.*

Page 676.

a. les villes plus merveilleuses *ms., dactyl. 3. Nous adoptons la correction de l'édition originale.*

Page 678.

1. La péri est un génie femelle dans la mythologie arabo-persane.

Page 679.

a. Ce paragraphe, jusqu'à la fin de la page, apparaît dans ms. en addition sur un béquet qui ne se trouve pas dans la suite de la rédaction, au f° 59 du Cahier IX *mais au f° 39 où il ne se rattache pas à un passage biffé. Les éditeurs de 1923 l'ont déplacé dans le 2ᵉ volume de dactyl. 3, f° 64. Nous les suivons.*

Page 680.

a. c'était comme *ms., dactyl. 3 ; nous adoptons la correction de l'édition originale.* ◆◆ *b.* le retour [sous le couvert assombri *biffé*] de petites *ms.*

Page 681.

1. C'était un cocher, à la page précédente, et, p. 672, Albertine elle-même, qui conduisait une auto.

2. Il s'agit plutôt de Mme de La Rocheguyon, mentionnée dans les *Historiettes* de Tallemant des Réaux, et de l'hôtel de Liancourt, rue de Seine : « On dit que Mme de La Roche-Guyon, comme quelqu'un luy disoit qu'elle devoit estre bien aise de passer l'esté en un si beau lieu que Liancourt, respondit qu'il n'y avoit point de belles prisons » (Bibl. de la Pléiade, t. II, p. 147).

3. Le pronom renvoie à « notre maison », à la fin du premier paragraphe de la page.

Page 682.

a. que j'eusse trouvé l'hypothèse *ms., dactyl. 3. Nous supprimons* j'eusse trouvé *à la suite de Clarac et Ferré.*

1. Ferdinand Barbedienne (1810-1892), fondeur en bronze, spécialiste de la statuette d'ameublement, exemple ici du contresens artistique que le narrateur tolère — comme précédemment Swann chez les Verdurin, en raison d'Odette (voir t. I de la présente édition, p. 204) — parce qu'il aime Albertine.

Page 684.

a. est passée [ou non rue Tronchet, *biffé*] rue de Berri *ms.*

Page 685.

1. Est-ce une allusion à André Gide et à la *N.R.F.* ?

Page 686.

a. projet de secouer *[p. 683, 5ᵉ ligne]* sa chaîne. [Des faits accessoires *[...]* d'insister devant ce mauvais *[p. 686, 10ᵉ ligne]* vouloir. *add.*] [Ce soupçon que j'eus, suffit pour me faire souhaiter de prolonger encore un peu notre vie commune, de remettre à plus tard, à un moment où j'aurais retrouvé mon calme, le projet de rompre notre liaison et de renoncer définitivement au mariage. Et pour ôter à Albertine l'idée de le devancer, pour lui faire paraître sa chaîne plus légère, le plus habile me parut de lui faire croire que j'allais moi-même la rompre. *biffé*] [Tout être aimé *[p. 686, 2ᵉ §, 1ʳᵉ ligne]*, même *[...]* n'était pas folle. *[*En dehors de la raison que je ne dis pas, j'étais seulement indifférent *biffé]* En la regardant à ce moment dans la voiture, j'avais peine à me retenir d'épancher sur elle tous les rêves que je formais et peut-être s'en apercevait-elle. *add.*] En tout cas *ms.* : projet de secouer sa chaîne. Des faits accessoires [...] n'était pas folle. En la regardant à ce moment dans la voiture, j'avais peine à me retenir d'épancher sur elle tous les rêves que je formais et peut-être s'en apercevait-elle. En tout cas *dactyl. 3 Les éditeurs de 1923, que nous suivons pour ce passage*[1]*, ont d'une part restitué le passage qui va depuis* Pour lui faire paraître *jusqu'à* la rompre *, biffé dans le manuscrit et par conséquent absent de la dactylographie 3, mais nécessaire à la compréhension du texte ; ils ont, d'autre part, supprimé le passage qui figure dans la dactylographie 3 et qui va depuis* En la regardant *jusqu'à* s'en apercevait-elle.

Page 687.

a. À partir d'ici, et jusqu'à la 5ᵉ ligne de la page 698, le texte, qui manque dans le Cahier IX de ms., se trouve dans le Reliquat — et, pour deux fragments, dans les Cahiers 59 et 62 (voir var. a, p. 689 ; a, p. 691 ; a, p. 693) —. Voir n. 1.

1. Voir var. *a.* Ici commence le récit de la mort de Bergotte, qui se termine par des commentaires annexes, p. 693-697 : c'est-à-dire qu'il est à la place que lui assigne le deuxième volume de la troisième dactylographie (ffᵒˢ 81-101). Car ce récit ne figure pas dans le Cahier IX du manuscrit au net. Cependant, nous avons pu en reconstituer tous les éléments, grâce aux feuillets du « Reliquat Marcel Proust » (achat 26803), qui n'étaient pas accessibles aux éditeurs précédents. Dans la troisième dactylographie, les feuillets de ce passage ont été découpés et assemblés dans l'ordre de l'édition originale, sans doute par les premiers éditeurs. Nous n'avons pas été tenus par leur choix et nous avons tenté de retrouver son organisation

1. Ce passage figure, dans le manuscrit, sur un béquet collé en haut de la page 67 du Cahier IX et n'est pas rattaché de façon explicite à un endroit du texte.

primitive. Bien que le texte soit globalement le même, son enchaînement est sensiblement différent, de même que sa fonction qui, dans le déroulement de cette journée de *La Prisonnière*, est de fournir encore un exemple de la duplicité d'Albertine, tout en annonçant la mort de Swann. La troisième dactylographie contient un long fragment autographe, au folio 81 : « D'ailleurs il n'avait jamais aimé le monde [...] Bergotte les essaya tous » (p. 688-691), paginé 187 *bis*. Il faut y ajouter une feuille dactylographiée : 187 *ter* (qui précède la 187 *bis* dans l'ordre du récit), suivie d'une addition marginale autographe et d'un long béquet, également autographe : 187 *quater*, composé de quatorze feuillets (Reliquat Marcel Proust, achat 26803), collés à la suite et dont nous avons respecté l'ordre, de préférence à celui de la troisième dactylographie, bouleversé par des découpages et non revu par Proust. Ces fragments vont du début : « J'appris que ce jour-là », à la fin : « Je demandai à Albertine si elle ne » (p. 698), moins le passage de *dactyl. 3* déjà mentionné et le récit proprement dit de la mort de Bergotte : « Il mourut dans les circonstances suivantes [...] sans invraisemblance » (p. 692-693), qui est tiré du Cahier 62 (ff^os^ 57 r°-58 v°). On sait que, lors de sa visite à l'exposition hollandaise en mai 1921, Marcel Proust avait été pris d'un malaise, qu'il a directement utilisé dans son roman. Enfin, un autre fragment tiré du Cahier 59, (ff^os^ 48 v°-49 v°) a été dactylographié et inséré au début de cet ensemble : « J'ai dit que Bergotte ne sortait plus de chez lui [...] sans l'avoir appris » (p. 689) ; ainsi qu'un second pour la description des somnifères employés par Bergotte, où l'auteur, encore, utilise directement sa propre expérience : « Certains sont d'une autre famille [...] (ami ? ennemi ?) trop puissant » (p. 691-692). Pour le détail, on se reportera aux variantes de ce passage, p. 687 à 698. Concluons cependant qu'on peut y observer la méthode de composition de Marcel Proust : d'abord un récit cursif : « J'appris que ce jour-là [...] » ; puis des additions pour un développement sur la médecine ; puis un retour-arrière : « Il y avait des années que Bergotte ne sortait plus [...] » ; suivi d'une nouvelle addition, comme souvent, introduite par un *d'ailleurs* : « D'ailleurs, il n'avait jamais aimé le monde [...] » ; enfin le reste du texte primitif, grossi des morceaux écrits dans les cahiers d'« ajoutages », poursuivi par une analyse (p. 693-697) où chaque terme envisagé reçoit sa définition, et chaque question sa réponse provisoire.

Page 689.

a. De D'ailleurs il n'avait jamais aimé le monde *[p. 688, 2e §, 2e ligne] à* de rien de tout cela. *[p. 689, 2e §, 1re ligne], le texte dactylographié aux folios 85 à 87 de dactyl. 3 reprend une addition autographe portée au folio 81, se terminant par une indication de raccord qui se trouve renvoyer au Cahier « d'ajoutages » 59 :* de rien de tout cela. J'ai dit qu'il *. Le texte dactylographié se poursuit effectivement au folio 87 par la fin du second paragraphe de cette page, de* J'ai dit que Bergotte *à* sans l'avoir appris. *, texte repris du Cahier 59, sur lequel il est précédé de ces notations :* Fin de la mort de

Bergotte. Une résurrection qui ne peut être sans doute immortelle. Car si longues que soient ces réputations, si avant dans les générations que brillent les gloires, pour pénétrer l'œuvre des hommes encore faut-il des hommes. Et un jour il n'y en aura plus. Ce présage universel est souvent contenu dans une vie humaine particulière. Il l'avait été dans celle de Bergotte. , *et suivi de celles-ci :* Narcotiques de Bergotte. Rendez-vous vers la mort. Elle vint. Buissons en plein ciel. *Le texte, dans dactyl. 3, se poursuit au folio 81 par l'addition autographe redactylographiée aux folios 88 à 91 que nous signalons var. a, p. 691.*

1. Plutôt qu'Anaxagore (Ve siècle av. J.-C.), philosophe grec de l'école ionienne, Sénèque (4 av. J.-C.-65) a employé de telles formules stoïciennes.

Page 690.

a. les cauchemars [d'Elstir *add.*] n'étaient *dactyl. 3*[1]. *Nous adoptons la correction de l'édition originale.*

Page 691.

a. Depuis Dans les mois qui précédèrent sa mort *[p. 689, début du dernier §], le texte dactylographié aux folios 88 à 91 de dactyl. 3 reprend une addition autographe portée au folio 81, se terminant par cette indication de raccord avec un fragment du Cahier 59 :* Bergotte les essaya tous. Certains . *En effet, dactyl. 3 se poursuit, aux folios 91 à 94, par le passage qui va dans notre texte de* Certains sont d'une autre famille *à* trop puissant. *[p. 692, fin du 1er §], reprise du Cahier 59 (fo 49 vo). Cet « ajoutage » est précédé, dans le Cahier 59, de cette note :* Capitalissime : immédiatement avant la mort de Bergotte. Dans les mois qui précédèrent sa mort, souffrant d'insomnies, il essayait avec excès de différents narcotiques , *et suivi de celle-ci :* Suit la mort de Bergotte. *L'épisode de la mort de Bergotte, qui suit dans dactyl. 3, est repris du Cahier 62 (voir var. a, p. 693). À partir de* Certains sont d'une autre famille , *nous suivons la partie autographe de dactyl. 3, puis les Cahiers 59 et 62, plus authentiques que dactyl 3, remaniée par les éditeurs de 1923 jusqu'à* le symbole de sa résurrection. *[p. 693, fin de l'avant-dernier §]. Enfin, le troisième feuillet dicté par Proust, la nuit précédant sa mort, à Céleste Albaret (voir la Notice, p. 1667, n. 5) paraît être une addition destinée aux pages 690-691 :* Et puis un jour tout est changé, ce qui était détestable pour nous, qu'on nous avait toujours défendu, on nous le permet. « Mais par exemple, je ne pourrais pas prendre de champagne ? — Mais parfaitement si cela vous est agréable. » On n'en croit pas ses oreilles. On fait venir des marques qu'on s'était le plus défendu, et c'est ce qui donne quelque chose d'un peu vil à cette incroyable frivolité des mourants. *(Reproduit avec l'aimable autorisation de M. Louis Clayeux, que nous remercions).*

1. Voir p. 631.

Page 692.

1. Il faut entendre : le jour de l'histoire selon Albertine. Voir p. 693, début du dernier alinéa.

1. Il s'agit ici, dans *dactyl. 3*, de l'addition autographe signalée var. *a*, p. 691.

2. Marcel Proust était allé admirer ce tableau de Jan Vermeer à La Haye, le 18 octobre 1902, lors de son voyage aux Pays-Bas en compagnie de Bertrand de Fénelon. Le critique est Jean-Louis Vaudoyer ; il avait écrit pour l'hebdomadaire *l'Opinion* une étude en trois parties : « Le mystérieux Vermeer » dans les numéros des 30 avril, 7 et 14 mai 1921. Vaudoyer, rappelle, dans le numéro du 30 avril : « Au milieu du siècle dernier, Vermeer de Delft était exactement, non point un méconnu, mais un inconnu. » À propos de la *Vue de Delft*, il déclare dans le numéro du 7 mai : « Vous revoyez cette étendue de sable rose doré, laquelle fait le premier plan de la toile et où il y a une femme en tablier bleu qui crée autour d'elle, par ce bleu, une harmonie prodigieuse ; vous revoyez les sombres chalands amarrés ; et ces maisons de brique, peintes dans une matière si précieuse, si massive, si pleine, que si vous en isolez une petite surface en oubliant le sujet, vous croyez avoir sous les yeux aussi bien de la céramique que de la peinture. » Enfin dans le numéro du 14 mai : « Il y a dans le métier de Vermeer une patience chinoise, une faculté de cacher la minutie et le procédé de travail qu'on ne retrouve que dans les peintures, les laques et les pierres taillées d'Extrême-Orient. » Proust, dans une lettre timbrée du 2 mai 1921, écrit à Vaudoyer, en faisant référence au premier de ces articles : « Depuis que j'ai vu au Musée de La Haye la *Vue de Delft*, j'ai su que j'avais vu le plus beau tableau du monde. Dans *Du Côté de chez Swann*, je n'ai pu m'empêcher de faire travailler Swann à une étude sur Vermeer. Je n'osais espérer que vous rendriez une telle justice à ce maître inouï » (*Correspondance générale*, éd. Robert Proust, Plon, 1930-1936, t. IV, p. 86). C'est avec Vaudoyer que Proust se rend à l'exposition hollandaise du Jeu de Paume ; il lui écrira encore : « Je garde le souvenir lumineux du seul matin que j'aie revu et où vous avez guidé affectueusement mes pas qui chancelaient trop vers ce Vermeer où les pignons des maisons "sont comme de précieux objets chinois". Depuis j'ai pu me procurer un ouvrage belge dont les nombreuses reproductions, regardées avec votre article à la main, m'ont permis de reconnaître dans des tableaux différents, des accessoires identiques » (*ibid.*, p. 90-91). Le narrateur fait encore allusion à Vermeer dans sa conversation avec Albertine, à propos de Dostoïevski (p. 879-880). Le « petit pan de mur jaune » se trouve à l'extrême droite du tableau.

3. En réalité, là où se trouve le petit pan de mur jaune, ou plutôt les pans de murs jaunes car il y en a plusieurs, à l'extrême droite du tableau, on n'aperçoit pas d'auvent mais la partie supérieure d'un pont basculant, aux pièces de bois parallèles.

Page 693.

a. Ce paragraphe, depuis p. 692, début du 2^d §, vient du Cahier 62 (ff^os 57 r°-58 v°) ; voir var. a, p. 691. Une note de Proust renvoie au paragraphe que nous donnons ensuite et qui apparaît dans dactyl. 3. ◆◆ *b. À partir d'ici, jusqu'à var. a, p. 698, nous suivons le texte d'un béquet autographe conservé dans le Reliquat, et dont l'ordre diffère de celui de dactyl. 3*

Page 695.

a. un édicule Rambuteau [Vespasien, par Swann *biffé*] était *ms.*

1. Claude Philibert Barthelot, comte de Rambuteau (1781-1869), préfet de la Seine de 1833 à 1858, dirigea divers travaux publics dans Paris, dont la construction d'édifices que Proust avait, dans son texte, d'abord attribués à Vespasien, empereur romain de 69 à 79 (voir var. *a*).

2. Sans doute parce que leur couleur claire sort des normes vestimentaires. Précédemment (p. 545-546 de notre édition), nous avions appris que « les culottes beiges du beau-frère de Robert [de Saint-Loup] » l'avaient fait prendre pour un Anglais par un « villageois du Léon ».

3. Cette notation rappelle que l'appartement de la famille du narrateur est dans le Faubourg-Saint-Germain.

4. Robert de Montesquiou-Fezensac a fourni, avec certains de ses traits, ses titres à la lignée Guermantes.

Page 697.

1. L'« auteur », dans cette nouvelle intervention, se démarque de son narrateur, l'« amant ».

Page 698.

a. si elle ne *fin du béquet signalé var. b, p. 693 et reprise du Cahier XI de ms., après la lacune signalée var. a, p. 687. Nous reprenons dactyl. 3 pour base de l'établissement de notre texte.* ↔ *b.* à elle comme un lien que j'aspirais à rompre, quand après avoir dîné en tête à tête avec elle dans sa chambre, en me désolant de penser que s'il n'y avait pas eu d'Albertine (car avec elle j'eusse trop souffert de la jalousie dans un hôtel où elle eût toute la journée subi le contact de tant d'êtres) j'aurais pu dîner à Venise dans une de ces petites salles à manger surbaissées comme une cale de navire, où par des fenêtres cintrées qu'entourent des moulures arabes, j'aurais regardé le Grand Canal. [Après avoir dit *1re réd. ms.*] [Je dis *2e réd. ms., dactyl. 3*] à Albertine *ms., dactyl. 3. Nous adoptons le parti des éditeurs de 1923, qui ont supprimé la fin de la phrase précédente, qui fait double emploi avec celle de la page 681, fin du 2e §.*

Page 700.

a. pour une destination *[inachevé]* Amour *ms., dactyl. 3. Nous adoptons la leçon figurant dans l'édition originale.* ↔ *b.* dînaient à XXX *ms., dactyl. 3. Nous adoptons la leçon de l'édition originale.*

Page 702.

a. journée. (Elle y en avait peut-être laissé d'autres plus durables, mais qui ne devaient venir à ma connaissance que bien plus tard.) C'était *ms., dactyl. 3. À la suite des éditeurs de 1923, nous supprimons cette phrase qui se retrouve quelques lignes plus loin (haut de la page 703).*

Page 703.

a. je fis arrêter ma voiture. Je *ms., dactyl. 3. Nous adoptons la correction de l'édition originale.* ↔ *b. Le passage sur la mort de Swann, qui va jusqu'à var. a, p. 706, manque dans le cahier IX de ms. Le paragraphe précédent s'y achève ainsi, demeurant inachevé :* me dit-il. [Il y a pourtant de cela ce que le poète appelle à bon droit : *grande spatium mortalis aevi. biffé*] — Mais non ce n'est pas ici *L'épisode de la mort de Swann figure, à l'exception du paragraphe signalé var. a, p. 704, dans le Cahier 59 (ffos 39 à 44), et est repris dans dactyl. 3, aux folios 112 à 116, sauf les 15 dernières lignes (voir var. a, p. 706).*

1. Brichot fait une allusion symétrique — et bien dans sa manière — aux lieux où se rencontrent les fidèles des Verdurin : La Raspelière, sur la côte normande, et le quai Conti, où, près de l'hôtel particulier des Verdurin, se trouvait, au moins jusqu'en 1913, une boutique de nouveautés à l'enseigne du *Petit Dunkerque* (voir le pastiche du *Journal* des Goncourt, où réalité et fiction sont mêlées à un degré supplémentaire, dans *Le Temps retrouvé*, au tome IV de la présente édition).

Page 704.

a. Ce paragraphe, jusqu'à personnage de Swann *, p. 705, n'apparaît pas dans le Cahier 59.*

Page 705.

1. Allusion à la « reine des snobs » dans *À la recherche du temps perdu* : Blanche Leroi (voir notre article, « Mme Leroi contre *À la recherche du temps perdu* », *The French Review*, Champaign, Ill. vol. LV, n° 3, février 1982). Proust avait explicité la métaphore construite sur les glaces d'Albertine dans le premier des trois feuillets dictés à Céleste Albaret le 18 novembre 1922 (voir la Notice, p. 1667, n. 5 et var. *a*, p. 691) auquel nous conservons l'orthographe de Céleste : « Et puis dut-il pour moment *[sic]* prendre la consistance d'un nom ancien et faux. Cela vaut mieux. Car ce serait démouler par trop vite dans le sens où devait *[sic]* rester un peu moulé *[sic]* les glaces d'Albertine. » (Collection Louis Clayeux.)

2. Peintre français (1836-1902) ; son tableau, *Le Cercle de la rue Royale* (1868), représentant les membres de ce cercle, avait été commandité par ceux-ci et tiré au sort entre eux (il était ainsi devenu la propriété de la famille Hottinguer). Dans ce passage, Proust attribue à Swann la figure tout à fait réelle de Charles Haas. Les autres personnages, tous réels, sont le général de Galliffet (1830-1909), le prince Edmond de Polignac (1834-1901), Gaston de Saint-Maurice. L'allusion est, comme la mort de Bergotte, liée à l'actualité : *L'Illustration* du 10 juin 1922 avait reproduit ce tableau.

3. Voir *Le Côté de Guermantes II*, t. II de la présente édition, p. 882.

Page 706.

a. ne viendrait plus. / « Mais non, reprit Bichot, ce *dactyl. 3. La fin du passage sur la mort de Swann (voir var. b, p. 703) ne se trouve que dans le Cahier 59 ; nous la maintenons. D'autre part, c'est à* mais non, *que reprend le texte du Cahier IX de ms., qui donne la leçon* mais non, ce .

1. Voir le pastiche du *Journal* des Goncourt, dans *Le Temps retrouvé*, t. IV de la présente édition.

Page 707.

a. disposer [aussi librement *biffé*] de mon temps que l'après midi quand [, au piano, *biffé*] je savais *ms. Nous rétablissons le premier passage biffé, nécessaire au sens.* ↔ *b.* dernier moment, [était *[...]* extra *biffé*] et, *ms. À la suite de l'édition originale, nous rétablissons le passage biffé.*

1. Établissement fictif. Proust a peut-être pensé à l'hôtel des Ambassadeurs de Hollande, dans le Marais.

Page 708.

1. Photographe à la mode, 15, rue Royale, à Paris, vers 1900.
2. Parfumeur, 245, rue Saint-Honoré.

Page 710.

1. Son procès, à la cour d'assises de Versailles, eut lieu en 1921. Il fut guillotiné l'année suivante. La remarque sur Landru figure sur une addition au manuscrit, qu'elle date donc de 1921.
2. Ici prenait fin le premier des deux volumes de l'édition originale (1923).
3. La citation exacte de La Bruyère est : « Un dévot est celui qui sous un roi athée, serait athée » (*Les Caractères*, « De la mode », 21 ; *Œuvres complètes*, Bibl. de la Pléiade, p. 398).
4. Le passage fait allusion aux *Idylles* de Théocrite (IVe-IIIe siècle av. J.-C.), notamment à la première et la troisième.

Page 711.

1. Voir *Albertine disparue*, t. IV de la présente édition.
2. *La Divine Comédie* de Dante sert à Proust de métaphore. Si l'auteur d'*À la recherche du temps perdu* avance seul dans l'enfer de Sodome, son héros y est accompagné par Charlus. Précédemment, Swann l'avait guidé à la manière du Virgile de Dante vers la vérité esthétique (voir *Le Temps retrouvé*, t. IV de la présente édition).
3. C'est le nom argotique de la pièce de 5 francs, avant 1914, qui a subsisté dans des expressions populaires (« sans une thune »).

Page 712.

a. auxquelles la nécessité *ms., dactyl. 3. Nous adoptons la leçon procurée par l'édition originale.*

1. La remarque de Charlus au narrateur a peut-être ici un double sens pour l'auteur. Celui-ci, reçu au concours de bibliothécaire à la Mazarine — située 23, quai Conti —, aurait dû y commencer ses fonctions d'attaché non rétribué le 6 juin 1895. Mais il se fit mettre aussitôt en congé ; ce congé fut définitif en 1900. Voir la chronologie du tome I de la présente édition, p. CXIX.

2. Cette phrase est le début d'une addition au manuscrit écrite sur une paperole (voir var. *a*, p. 715). L'insertion de cette addition explique la répétition du mot « cousine » à deux lignes d'intervalle.

Page 713.

1. Voir *Le Côté de Guermantes II*, t. II de la présente édition, p. 836.

Page 714.

1. Ou *kakochnik*, coiffure en diadème des femmes russes.

Page 715.

a. Verrons-nous *[p. 712, 10e ligne en bas de page]*, votre cousine [...] mon épaule *add. ms. sur une paperole, incorrectement placée à la fin du Cahier* IX *(f° 103) et non reprise dans dactyl. 3. Nous la rétablissons ici.* ◆◆ *b. Ms. et dactyl. 3 donnent* fille[1] *. Nous corrigeons.*

Page 716.

a. rencontrait, être passé *ms. dactyl. 3. Nous adoptons la correction de l'édition originale.*

1. Charlie est le diminutif de Charles Morel. Proust l'orthographie parfois *Charly* ou *Charley*. Nous unifions.

Page 717.

1. Deuxième mention de Jean Sully Mounet, dit Mounet-Sully, tragédien (1841-1916), sociétaire de la Comédie-Française. Voir *Sodome et Gomorrhe II*, p. 456.

Page 718.

a. Santois *ms. dactyl. 3. Comme le firent Robert Proust et Jacques Rivière en 1923, et Clarac et Ferré en 1954, nous unifions sur* Morel *. Nous ne signalerons plus cette variante.* ◆◆ *b.* fait. Il est pour moi un bon petit camarade pour qui j'ai la plus grande affection, comme je suis sûr (il en doutait donc, qu'il éprouvait le besoin de nous dire qu'il en était sûr ?) qu'il a pour moi, mais rien d'autre. Je ne sais pas avec qui il me trompe,

1. Proust a hésité entre « fille » et « nièce » de Jupien, sans choisir. Nous unifions en « nièce » et ne signalons plus cette variante.

mais je ne le vois presque pas. » Si *ms., dactyl. 3. Les deux dernières phrases de la réplique ont été supprimées par les éditeurs de 1923, en raison du double emploi avec la page 719, 13 lignes avant la fin de la page. La deuxième des deux phrases n'étant pas reprise page 719, nous la conservons.*

Page 719.

1. La petite balle de sureau qui, attachée à un fil de soie isolant, sert aux expériences d'électricité statique : repoussée par le bâton de verre électrisé, elle est attirée par le bâton de résine.

Page 720.

a. Dans le Cahier « d'ajoutages » 60, figure ce fragment destiné à être inséré dans ms., mais qui ne l'a jamais été : Mme Verdurin, comme Cottard dit à M. de Charlus : « Je trouve que par moments le baron a l'accent de Marseille », répond en s'adressant au baron : « Est-ce que vous en êtes ? » (en voulant parler de Marseille) « Eh ! Eh ! vous allez un peu fort », répondit le baron qui, à force de fréquenter des gens du peuple et de leur parler leur langage, disait pour la première fois « un peu fort », qu'il n'aurait pas dit dix ans plus tôt *(f° 27 r°).* ↔ *b.* en être. [Il avait longtemps *biffé*] Après longtemps ignoré, [mais enfin, depuis un temps plus long que celui de cette innocence première, il savait *biffé*] il avait *ms.* : en être. Après longtemps ignoré, il avait *dactyl. 3. Nous adoptons la restitution de l'édition originale.*

1. Ici, c'est le héros qui est ostensiblement le narrateur du récit. Voir p. 715-716.

2. Selon la formule que l'auteur des *Mémoires* applique à Monsieur, Philippe, duc d'Orléans (1640-1701), deuxième fils de Louis XIII et d'Anne d'Autriche, frère de Louis XIV, « le goût de Monsieur n'était pas celui des femmes, et il ne s'en cachait même pas ». (*Mémoires*, Bibl. de la Pléiade, t. I, p. 33). Voir, ici, n. 2, p. 807.

Page 721.

1. La phrase ne sera pas achevée.

Page 722.

1. Morel use du même stratagème qu'Albertine vis-à-vis du narrateur (voir p. 640-641, 837).

2. Anticipation de la scène dans l'hôtel de Jupien : voir *Le Temps retrouvé*, t. IV de la présente édition.

3. Bloch, bien sûr.

Page 723.

1. Argot érotique, de « faire un carton » : avoir des rapports sexuels avec une femme.

2. Agnolo ou Anjiolo Di Cosimo, dit Il Bronzino (1503-1563), peintre florentin à la cour des Médicis, est connu pour ses portraits.

Page 725.

a. divulgation. [On disait qu'il allait adopter Morel. Et ce n'est pas extraordinaire. L'inverti *[comme p. 747, fin du 1er §]* d'être père. *add. ms.*] Vous *ms., dactyl. 3. Ce passage figure sur un béquet dans le manuscrit. Il a été inséré ici dans dactyl. 3, sans doute par erreur. À la suite de Clarac et Ferré, nous le déplaçons à la page 747.*

1. Le passage qui suit ne tient pas compte du récit de la mort de Bergotte, inséré tardivement dans le roman (voir p. 687 et n. 1).

Page 726.

a. plus mal [parce qu'il sentait [...] mieux *[4 mots illisibles*[1] *add.*]. Seulement *ms.*

Page 727.

a. Morel (Charmel) comme *ms. Le nom entre parenthèses est celui du valet de pied de M. de Charlus (voir « Le Côté de Guermantes », t. II de la présente édition, p. 847, et le pseudonyme artistique que Charlus propose à Morel (Charlus et Charles plus le nom de la propriété où ils se retrouvent : les Charmes) dans « Sodome et Gomorrhe », p. 449. Proust n'a pas précisé l'indication qu'il se donnait ainsi.*

1. Le licite et l'illicite.
2. Giovanni Antonio Bazzi, dit Il Sodoma (vers 1477-1549), peintre italien, dont le surnom même est une justification des thèses esthétiques, ici à la Oscar Wilde, de Charlus.
3. C'est exactement ce que fera le même Morel à l'encontre de Charlus, « un peu avant la guerre » (*Le Temps retrouvé*, t. IV de la présente édition) ; ce qu'annonce l'« auteur » huit lignes plus loin : « On verra plus tard [...]. »

Page 728.

a. Vinteuil. [Mais il doit *biffé ms.*] [j'ai appris *[...]* y *biffé ms.*] avoir *ms., dactyl. 3. À la suite des éditeurs de 1923, nous rétablissons le second début de phrase biffé.* ↔ *b.* eux. Mais qu'est-ce que vous avez ? vous êtes vert, allons, entrons, vous prenez froid. Entrons. Elles *ms. ceci est répété en substance quelques lignes plus loin ; nous ne l'insérons pas.*

Page 729.

a. impressionnable tout *ms., dactyl. 3. Nous adoptons la correction de l'édition originale.*

1. Qui pourraient être : « en avait plus haut ».

Page 731.

a. rendez-vous à Albertine *[p. 730, 16e ligne]* chez Mme Verdurin. [Maintenant j'eusse laissé *[...]* particulièrement. *add.*] comme nous *ms.* ↔ *b.* faire. [Je n'osai pas lui dire que ce qui eût pu m'intéresser ce n'était pas les médiocres services de la plus riche argenterie bourgeoise, mais tout au moins celle de Mme du Barry. J'étais beaucoup trop préoccupé — et ne l'eussé-je pas été, quand j'étais dans le monde j'étais beaucoup trop distrait et agité pour porter mon attention sur des objets plus ou moins jolis. Celle-ci n'eût pu être fixée que par l'appel de quelque réalité s'adressant à mon imagination, par exemple quelque belle vue de cette Venise, à laquelle j'avais tant pensé. *biffé*] M. de Charlus *ms.*[1] ↔ *c.* de plus, [venant s'ajouter *biffé*] à ceux *ms.* : de plus, à ceux *dactyl. 3. Nous adoptons la restitution des éditeurs de 1923.*

1. Mme Verdurin. Le sens était clair avant l'addition signalée à la variante *a*.

Page 732.

a. Ce paragraphe figure dans ms. en addition sur un béquet.

Page 733.

a. d'ordre, très bien *ms.* : d'ordre, [voilà les compétences, *add.*] très bien *dactyl. 3*[2]

1. En réalité, l'abbé Charles Batteux (1713-1780), auteur d'un *Cours de belles-lettres* (1750), académicien.

Page 734.

a. En fait, dactyl. 3 donne fidèle . *Nous adoptons, pour des raisons de sens, la correction de Clarac et Ferré. Ce passage, absent de ms. (voir var. a, p. 735) figure dans dactyl. 3 sur deux folios (158 et 159) abondamment corrigés par l'auteur.*

Page 735.

a. le concours *[p. 734, 1re ligne]* du violoniste. Elle *ms.*

1. Mme Verdurin. Cela s'entendait aisément avant l'introduction du passage qui précède (voir var. *a*).

2. Proust avait fait allusion à Saintine dans *Du côté de chez Swann*, t. I de la présente édition, p. 144 et n. 2.

Page 737.

a. en excluant de ne pas admettre *ms., dactyl. 3 lacunaire. Nous supprimons la négation.*

1. Jusqu'à « violoniste », p. 734, 2e ligne, dactyl. 3 est erroné.
2. Au folio 156, corrigé par Proust.

Page 738.

a. avec *Fin du Cahier IX de ms. Avec* un gentilhomme *commence le Cahier X.*

1. Charles d'Albert, de la famille florentine des Alberti, avait en effet reçu de Louis XIII ce titre de duc de Luynes.

Page 739.

1. La concierge des *Mystères de Paris* (1842-1843), d'Eugène Sue.
2. Personnages des *Scènes populaires* (1835) — les *Nouvelles Scènes populaires* datent de 1862 — et des *Mémoires de Joseph Prudhomme* (1857), de Henri Monnier.
3. Suzanne Reichenberg (1853-1924), comédienne connue pour ses rôles d'ingénue à la Comédie-Française — déjà mentionnée dans *Le Côté de Guermantes*, t. II de la présente édition, p. 723 —, dont le style et les emplois sont à l'opposé de ceux de Sarah Bernhardt.

Page 740.

1. Joseph Reinach (1856-1921), homme politique et publiciste, dreyfusard de la première heure, est l'auteur d'une *Histoire de l'affaire Dreyfus* en 7 volumes (1901-1911). Proust y fait allusion dans une lettre du 15 janvier 1915 à son auteur, où il souligne sa propre déception. En effet, Reinach a refusé d'intervenir pour faire confirmer la réforme militaire de Proust (*Correspondance*, t. XIV, p. 35).
2. Paul Hervieu (1857-1915), anti-dreyfusard, romancier, auteur dramatique français, critique avec une ironie cruelle la société mondaine : *Flirt* (1890), *Peints par eux-mêmes* (1893). Proust fait allusion à son ouvrage *Les paroles restent* (1892) dans une lettre de condoléances à Mme de Pierrebourg, le 26 octobre 1915, (*ibid.*, p. 253).

Page 741.

1. On sait que Proust avait obtenu la signature d'Anatole France pour la pétition que *L'Aurore* avait publiée le 14 janvier 1898, lendemain de la parution de l'éditorial de Zola : « J'accuse ! »
2. Les établissements de ces traiteurs parisiens se trouvaient, au début du siècle, 25, boulevard des Italiens et 28, rue Vivienne.
3. Il s'agit de la jeune marraine des Ballets russes, comme nous l'avons appris dans *Sodome et Gomorrhe II*, p. 140 : en réalité, Mme Alfred Edwards, née Misia Godebska, chez qui Proust s'était rendu fin janvier 1915 (voir dans la *Correspondance*, éd. citée, t. XIV, p. 43, la lettre de Proust à Lucien Daudet du 30 ou 31 janvier 1915, et n. 4, p. 44).

Page 742.

a. du Règlement de *[un mot illisible]* de même, *ms.*

1. Rappelons que le lieutenant-colonel Picquart témoigna en faveur de Dreyfus, et que Fernand Labori était l'avocat de Dreyfus et de Zola.

2. Le général Zurlinden était ministre de la Guerre pendant l'affaire Dreyfus.

3. Émile Loubet a été président de la République de 1899 à 1906, lors de la révision du procès Dreyfus.

4. Le colonel Jouaust était le président du tribunal militaire de Rennes lors du second procès Dreyfus, en 1899.

5. Ballet, d'après l'œuvre de Rimsky-Korsakov, représenté à l'Opéra de Paris en 1910.

6. *Les Danses du Prince Igor*, opéra de Borodine, avaient subi une adaptation, en 1909, pour les Ballets russes.

7. Le philosophe Helvétius (1715-1771) et sa femme recevaient le monde intellectuel de leur époque.

8. Ballet sur des orchestrations, par Stravinski, en 1909, de partitions de Chopin.

Page 744.

1. Fondé en 1888 par l'acteur Antoine, le Théâtre libre (qui devint en 1896 le Théâtre-Antoine), a présenté dans une mise en scène qui visait à se rapprocher du réel des drames naturalistes — notamment *La Fille Élisa* des Goncourt —, mais aussi des pièces telles que *Boubouroche*, de Courteline, et des œuvres de Tourguéniev, Ibsen, Strindberg, Gerhart Hauptmann.

Page 746.

a. il froissait *[p. 745, fin du 1er §]* Mme Verdurin. / Je ne pus *ms. Le fragment absent de ms. a fait l'objet d'une frappe différente dans dactyl. 3, paginée à l'origine 354, 354 bis, 354 ter (ffos 175-177).*

1. La mort de Cottard, comme celles de Bergotte et de Swann, figure dans une addition tardive à la troisième dactylographie (voir. var. *a*). Annoncée incidemment au cours de ce dialogue, cette mort, non plus que les précédentes, n'est véritablement intégrée au récit : Cottard est de nouveau vivant dans cette même soirée Verdurin (p. 783) ; et sa mort est signalée au cours de la guerre, dans *Le Temps retrouvé* (t. IV de la présente édition).

Page 747.

a. à l'égard *[8 lignes plus haut]* de Charlie. Il *ms., dactyl. 3. Nous insérons ici l'addition du Cahier IX (voir var. a, p. 725), moins son début :* On disait qu'il allait adopter Morel.

1. M. de Charlus.

Page 748.

a. intimité *[p. 747, 6e ligne en bas de page]* secrète. / On eût *ms.* ◆◆ *b.* Actuellement non. Il y avait une merveille, mais elle est partie en Pologne. — C'est un peu loin. — Dites donc *ms., dactyl. 3. Nous supprimons ces deux répliques qui se retrouvent 13 lignes plus bas.* ◆◆ *c. C'est ici que nous passons du premier au deuxième volume de la première dactylographie (voir la Note sur le texte, p. 1694). Le deuxième volume de cette dactylographie est, comme le premier, un double incomplet de dactyl. 3. On y trouve une seule correction autographe, au folio 114, correction qui complète un blanc de la dactylographie. Nous ne prenons pas en compte dactyl. 1 pour l'établissement des variantes (voir var. b, p. 669, note 1 en bas de la page 1735).*

1. Variante de l'idée exprimée p. 711.

Page 750.

1. Aristide Bruant (1851-1925), le chansonnier montmartrois, se fit connaître au *Chat-Noir* ; il créa ensuite *Le Mirliton.*

Page 751.

1. Marie Sophie Amélie (1841-1925), avait pour sœurs, Élisabeth, impératrice d'Autriche, et Sophie, duchesse d'Alençon.

Page 752.

1. Dans cette place forte, Marie Sophie Amélie, épouse de François II, roi de Naples et des Deux-Siciles, avait réellement fait le coup de feu, en 1860, avant de partir pour Paris, en exil. Marcel Proust connaissait cet épisode par Pierre de la Gorce, *Histoire du Second Empire* (E. Plon, Nourrit et Cie, 1894-1905, 7 vol.).

Page 753.

a. ainsi tout d'un coup [je reconnus dans cette *biffé*] au milieu de cette *ms., dactyl. 3. Nous adoptons la correction de l'édition originale.*

1. Voir l'Esquisse XIII, p. 1146.

2. Les Nornes, déesses du destin dans les mythologies scandinave et germaine, tissent les fils de l'action au début du *Crépuscule des dieux* de Wagner.

Page 754.

a. chant de [quatre not<es> *biffé*] sept *ms.*

1. Voir la Notice, p. 1688 et suiv.

Page 755.

a. semblait, [jeune *biffé ms.*] petite déesse allégorique, aller *ms., dactyl. 3 Nous supprimons, comme les éditeurs de 1923* petite déesse allégorique *en raison du double emploi, p. 756, 2e ligne.*

Page 756.

a. L'alinéa qui s'achève ici, comme le précédent, est suivi d'un blanc de plusieurs lignes dans ms. La dernière phrase est suivie de ces quelques indications (f° 19 r°) : pianiste fausses notes ? (ou pour le dernier chapitre), vieillard qui monte à l'orgue cru Vinteuil ? (ou pour le dernier chapitre) *. Voir À l'ombre des jeunes filles en fleurs, t. II de la présente édition, Esquisse LXXIV, p. 1013 et suiv.* ◆◆ *b.* des cloches [s'étant *biffé ms.*] ayant chassé *ms., dactyl. 3. Nous adoptons la restitution de l'édition originale.* ◆◆ *c.* m'avouer que [tous mes autres amours n'avaient eux aussi été dans ma vie que des appels *biffé*] comme *ms.*

1. Voir, t. II de la présente édition, *À l'ombre des jeunes filles en fleurs*, p. 268, 272, 284 et *Le Côté de Guermantes II*, p. 680 ; dans le présent volume, *Sodome et Gomorrhe*, p. 123, 179.

Page 757.

a. C'est ici que pourrait se placer un béquet autographe isolé (catalogue Ader, vente Guérin du 22 novembre 1985). Ce béquet, arraché à un cahier de brouillons, vraisemblablement le Cahier où le folio correspondant manque, semble avoir été directement utilisé, après la transformation du quatuor en septuor, pour le manuscrit au net de « La Prisonnière » (voir l'Esquisse XIII, p. 1143). En voici le texte : Je m'étais dit que Vinteuil avait pu créer d'autres œuvres, d'autres univers aussi complets que la Sonate (chercher dans *Swann* ce que je dis de la Sonate monde fermé création du monde pour harmoniser) comme j'avais eu différentes amours. Or maintenant je comprenais bien que mes autres amours n'avaient guère été plus dans ma vie que des appels préparant l'amour pour Albertine, comme au sein de l'amour pour Albertine elle-même les premiers essais de l'aimer à Balbec, d'abord tout au début, puis après la partie de furet, le retour en voiture la nuit où elle avait couché, puis à Paris le dimanche de brume, puis le jour de la soirée Guermantes, puis de nouveau à Balbec, puis enfin de nouveau à Paris où j'avais eu la vie complète avec elle sans peut-être là-bas [*un mot illisible*]. Or de même et comme dans le quatuor de Vinteuil les divers éléments s'y préféraient pour s'unir à la fin, de même sa Sonate, ses autres œuvres n'avaient été, dans son œuvre totale que des essais timides, imparfaits de la méthode et du génie qui triompheraient dans le quatuor. Par là, je n'avais pas eu tort de croire que les autres œuvres correspondaient à mes différents amours, et si j'avais bien mon amour pour Albertine encore à son début il est vrai, dans la Sonate, c'est comme dans le seul exemplaire que je possédasse, moins parfait que les sentiments, mais cependant les contenant dans une certaine mesure, de la pensée de Vinteuil. ◆◆ *b.* domestique [de la sonate *biffé*] du sextuor. Peut-être — *ms. Nous normalisons en* septuor *partout où Proust a laissé* sextuor *, sans plus le signaler.*

Page 758.

1. Tels sont les titres de deux morceaux pour piano de Schumann, dans la série des *Scènes d'enfants*. Le titre exact de la seconde est « L'Enfant qui s'endort ».

Page 759.

a. quand le *[un blanc]* naissait *ms., dactyl. 3. Le mot* sublime *est une conjecture des éditeurs de 1923 — que nous adoptons.* ◆◆ *b.* de même, notes par notes, touches par touches la musique d'Elstir *ms., dactyl. 3 Nous supprimons en raison de la répétition immédiate, et, comme les éditeurs de 1923, nous corrigeons* Elstir *en* Vinteuil. ◆◆ *c.* épars. C'était pourtant l'une *ms., dactyl. 3. Nous corrigeons.*

1. Nouvelle allusion aux fresques de Michel-Ange, représentant la création du monde ; voir la conclusion de *Du côté de chez Swann*, t. I de la présente édition, p. 416.

Page 760.

a. nous pouvions en *ms., dactyl. 3. Nous corrigeons.*

1. Voir la reprise — d'ailleurs non poursuivie — sur les phrases « types », littéraires aussi bien que musicales, dans la « conversation littéraire avec Albertine », p. 877, et n. 3. Voir également la Notice, p. 1689.

Page 761.

a. rend son son éternel *ms., dactyl. 3. Nous corrigeons, comme les éditeurs de 1923* son *en* chant . ◆◆ *b. Le manuscrit et dactyl. 3 donnent en fait* Bergotte . *Nous adoptons la correction de l'édition originale.*

Page 764.

a. surtout [des dernières œuvres *corrigé en* la dernière période de l'œuvre] de Vinteuil *ms.* : surtout dans la dernière période de l'œuvre de Vinteuil *dactyl. 3 Nous restituons, à la suite de Clarac et Ferré* <de> la dernière période de l'œuvre. ◆◆ *b. En marge, en regard de ces lignes, cette note biffée dans ms. :* Au moment de la scène du vieillard qui monte à l'orgue (*voir var. a, p. 756*)

1. Voir p. 665 et n. 4.

Page 765.

a. indéchiffrables notations ? [Indéchiffrables, mais, car tout ici-bas est compensation *biffé*] [avaient été déchiffrées ainsi que je l'appris par une personne *1re rédaction non biffée*] [mais qui pourtant *[...]* respect, par la seule personne *2e rédaction sur béquet*] qui *ms.* ; *dactyl. 3 reprend la 2e rédaction de ms. ; nous suppléons* par être déchiffrées .

1. Dernière allusion à Giovanni Bellini (1429-1516), et à ses anges musiciens, figurant dans les compositions de retables vénitiens.

2. Cette allusion, après celle faite au *Saint Sébastien* de Mantegna (p. 673), concerne une *Assomption*, où figurent des anges au buccin.

3. Voir *Du côté de chez Swann*, t. I de la présente édition, p. 177-178, pour les clochers de Martinville ; et *À l'ombre des jeunes filles en fleurs*,

t. II, p. 76-77, pour la rangée d'arbres d'Hudimesnil, près de Balbec. Voir aussi, ici, p. 523 et 876-877. L'article dont le narrateur attend la parution dans *Le Figaro* est précisément son premier texte littéraire, portant sur les clochers. C'est dans *Albertine disparue* (voir t. IV de cette édition) que le narrateur découvre enfin son article dans *Le Figaro*.

4. Voir la scène de Montjouvain, dans *Du côté de chez Swann*, t. I de la présente édition, p. 157 et suiv.

Page 766.

a. Du reste, *[18 lignes plus haut]* Mlle Vinteuil [...] assez douce *add. ms.*

1. L'amie de Mlle Vinteuil. Cela s'entendait mieux avant l'addition sur le manuscrit, que nous signalons dans la variante *a*.

Page 767.

a. par exemple, était *ms., dactyl. 3. Nous adoptons la leçon de l'édition originale.*

1. Ces deux morceaux tirés de *Tannhäuser* de Wagner eurent aussitôt la faveur du public. Dans « À propos de Baudelaire », article publié dans *La Nouvelle Revue française* de juin 1921, Proust a évoqué ses souvenirs : « Pour moi qui admire beaucoup Wagner, je me souviens que dans mon enfance, aux Concerts Lamoureux, l'enthousiasme qu'on devrait réserver aux vrais chefs-d'œuvre comme *Tristan* ou *Les Maîtres chanteurs*, était excité, sans distinction aucune, par des morceaux insipides comme la romance à l'étoile ou la prière d'Élisabeth, du *Tannhäuser*. » (*Essais et articles*, Bibl. de la Pléiade, p. 623).

2. *Odes et ballades* (1823-1828), XIIe et VIe ballades.

3. Poème XIX des *Orientales* (1829).

Page 768.

a. entrent [et que *biffé ms.*] dont les journalistes *ms., dactyl. 3. Comme l'édition originale, nous revenons au premier jet, biffé, de ms.*

1. Adjectif tiré du scandale politico-financier de Panama (1892).

Page 769.

a. En marge, dans ms., cette note : Mettre tout cela dans le dernier chapitre du livre. ◆◆ *b.* comme Charles le Mauvais *ms., dactyl. 3. Nous adoptons la correction de l'édition originale.*

1. Retour en arrière sur la cause de la présence à Paris, chez le narrateur, d'Albertine : la crise provoquée chez celui-ci par l'affirmation d'Albertine qu'elle connaît l'amie de Mlle Vinteuil (*Sodome et Gomorrhe II*, p. 499).

2. Voir *Sodome et Gomorrhe II*, p. 254-255.

3. Morel est le fils du valet de chambre de l'oncle Adolphe, chez qui le narrateur avait rencontré la « dame en rose » (*Du côté de chez Swann, ibid.* 75) : lors d'une visite de Morel — il apporte au narrateur la collection de photographies d'actrices et de cocottes accumulée par l'oncle Adolphe et trouvée dans ses papiers après sa mort —, celui-ci apprend que la « dame en rose » était Odette de Crécy, avant de devenir Mme Swann (*Le Côté de Guermantes I*, t. II de la présente édition, p. 560).

Page 770.

a. Depuis le début du paragraphe [p. 769], nous donnons le texte d'une addition dans ms., portée sur un béquet collé au bas du folio 36, auquel il ne se raccorde pas, et qui aurait dû être placé au bas du folio 39. Le dactylographe de dactyl. 3 l'a d'ailleurs dactylographié à part. ↔ *b. Ici commence dans ms. une longue addition sur papiers collés, qui va jusqu'à la page 777, var. a.* ↔ *c.* artistique revêtu *ms., dactyl. 3. L'originale restitue le* a ; *nous la suivons.*

1. Saniette réapparaît dans le récit, p. 828.

Page 771.

a. pareilles. » [Se faire présenter à Mme Verdurin *biffé*] [Personne n'y eût plus pensé qu'à se faire présenter *corr.*] [On la trouvait déjà bien favorisée que M. de Charlus eût daigné donner cette fête *biffé*] à Mme Verdurin qu'à l'ouvreuse d'un théâtre une grande dame a pour un soir amené toute l'aristocratie. *ms.* : pareilles. » Personne n'y eût plus pensé qu'à se faire présenter à Mme Verdurin qu'à l'ouvreuse d'un théâtre une grande dame a pour un soir amené toute l'aristocratie. *dactyl. 3. Nous adoptons les trois corrections de l'édition originale.*

1. Adaptation parodique de l'*Histoire naturelle* (1749-1789) de Buffon

Page 772.

a. qu'à dix heures. Dites-lui *ms., dactyl. 3. Nous adoptons la correction de l'édition originale.*

Page 773.

1. Proust pense-t-il à ses propres chroniques mondaines, telles que « Le Salon de la comtesse d'Haussonville », ou « Le Salon de la comtesse Potocka », publiées en 1904 dans *Le Figaro*, sous le pseudonyme d'Horatio, parmi d'autres exemples (voir *Essais et articles*, éd. citée, p. 482, 489) ?

Page 775.

a. pas été *ms., dactyl. 3. Nous adoptons la correction de l'édition originale.* ↔ *b.* nous vous éviterons toute peine et cherchant par son zèle à réparer sa gaffe : « Il n'y aurait pas moyen que je donne une soirée pour faire entendre votre ami ? — Vous voulez dire mon protégé, rectifiait M. de Charlus qui n'avait pas plus de pitié pour le savoir grammatical que pour les dons musicaux de sa cousine. Mais si... bien qu'il y ait toujours danger à ce genre d'exportation d'une personnalité fascinante dans un cadre qui resterait à approprier. — Mais mon cousin, nous vous éviterons toute peine. Je me charge *ms., dactyl. Nous adoptons la correction de l'édition originale, le passage qui va de* Il n'y aurait *à* toute peine *figurant aux pages 774-775.*

Page 776.

a. troisième. Pendant tout ce temps la Patronne resta isolée, exclue de la fête qu'elle donnait. Seule la reine de Naples *[interrompu*[1]*] /* Je fus *ms., dactyl. 3. À la suite des éditeurs de 1923, nous supprimons la fin de l'alinéa.*

Page 777.

a. Fin de l'addition sur ms. signalée var. b, p. 770. Le jet primitif de ms. s'enchaîne donc ainsi : de reconnaître en elle *[p. 769, fin du 1er §]* Mme Swann. / Les invités

Page 778.

1. Allusion à la réception houleuse de *Tannhäuser* à Paris le 13 mars 1861 (l'opéra avait été créé à Dresde en 1845), en dépit du soutien de la princesse de Metternich, femme de l'ambassadeur d'Autriche à Paris sous le Second Empire.

Page 779.

a. quand elle partit *[un blanc]* ; en *ms., dactyl. 3 ; le blanc, dans ms., occupe les trois quarts d'une ligne.*

1. L'autre reine des Deux-Siciles (voir p. 751 et n. 1) : Charlus ne lui reconnaît pas ce titre.

Page 780.

1. Ce personnage des *Maîtres chanteurs de Nuremberg*, de Wagner, se ridiculise en voulant participer à un concours de chant.

Page 781.

a. Comme [il aimait comme Monsieur, le frère de Louis XIV, il ajouta *1re rédaction, partiellement biffée*] [M. de Charlus aimait aussi à *2e rédaction*] répéter *ms.*

1. Voir p. 751, 18e ligne et suiv.

1. Bernardin de Saint-Pierre (1737-1814), l'auteur de *Paul et Virginie* (1787), est réduit par Charlus à sa caricature habituelle.

Page 782.

a. Mme de Duras. *Ici finit le deuxième volume de la troisième dactylographie. Notre texte est désormais établi sur le troisième volume de la troisième dactylographie, que nous vérifions sur les Cahiers de manuscrit* X, XI *et* XII *(voir la Note sur le texte, p. 1695).*

1. Il s'agit sans doute d'une allusion au décret du 15 octobre 1812 signé par Napoléon Ier à Moscou, avant la retraite de Russie, et fixant les statuts de la Comédie-Française et de ses sociétaires.

Page 783.

a. et [qui *biffé*], après *ms.* ◆◆ *b.* pareil. [Castillo *biffé*] [Hoyos *corr.*] était *ms.*

1. Le comte de Hoyos, ambassadeur d'Autriche à Paris, au moment du récit, a déjà été mentionné dans *Le Côté de Guermantes II*, t. II de la présente édition, p. 779.

Page 784.

a. Junien *ms. corrigé par les éditeurs de 1923 en* Jupien *sur dactyl. 3. De même plus loin, 3 lignes en bas de page.*

Page 785.

a. celui qu'à cette *ms., dactyl. 3. Nous adoptons la correction de l'édition originale.* ◆◆ *b.* auprès du flûtiste. [/ Mais d'où sort-on cette symphonie, demandai-je à Brichot, je croyais qu'on ne possédait de Vinteuil que sa sonate. *biffé ms.*[1]] « Allons, *ms., dactyl. 3. L'édition originale corrige* flûtiste *en* musicien *; nous adoptons la correction* violoniste *, proposée par Clarac et Ferré.*

1. Chez elle.

Page 786.

1. Dans cette nouvelle allusion au philosophe de Koenisberg, les objections de Brichot ne sont que la parodie de celles qu'on opposait aux « postulats de la raison pratique » de Kant, postulats qui font découler une métaphysique de la morale — une morale ni utilitaire ni affective, abstraite et inefficace selon ses détracteurs.

2. Dans *Le Banquet*, Platon discute, parmi les types d'amours, celui des hommes pour les éphèbes. *Le Banquet* était le titre de la revue mensuelle que Proust et ses anciens condisciples du Lycée Condorcet

1. Il s'agit d'un fragment découpé et collé de *ms.*

firent paraître du 1er mars 1892 au 1er mars 1893. Sa raison sociale était au 71, passage Choiseul, dans le IIe arrondissement.

Page 787.

a. mortification, [je suis bien sûr que nous pécherions par mansuétude *biffé ms.*] il n'est pas besoin d'être grand clerc que nous pécherions, comme dit l'autre, par mansuétude *ms., dactyl. 3. Nous adoptons la restitution de* pour être sûr *proposée par Clarac et Ferré.* ↔ *b.* les médiocres d'une *ms., dactyl. 3. Le mot* couverts *est une conjecture de Clarac et Ferré ; nous l'adoptons.*

1. Dans cette plaisanterie laborieuse de Brichot, Xénophon (430-355 av. J.-C.), autre élève de Socrate, ne pouvait s'ennuyer « à cent sous l'heure », comme Albertine, p. 837.

2. Joseph Péladan (le Sâr) voulut acclimater en France, dans les années 1890, la secte mystique allemande du XVIIe siècle.

3. L'auteur du *Satiricon*, s'ouvrit les veines en 65 ap. J.-C. Charlus est donc, selon Brichot, la somme d'un symbolisme ésotérique à la manière des rose-croix, et de chroniqueurs satiriques, de Pétrone à Saint-Simon : esthétisme, libertinage et élitisme aristocratique.

Page 788.

a. La dactylographe n'a pas su lire mortalis aevi spatium *et a laissé dans dactyl. 3 un espace blanc.*

1. Citation tirée de la *Vie d'Agricola* de Tacite, chap. III « une grande partie de la vie d'un homme », c'est-à-dire 15 ans chez Tacite, et non 25, comme ici. Voir var. *b*, p. 703.

Page 789.

a. Depuis s'est détachée *[p. 788, 11e ligne en bas de page], ce passage est dans ms. de la main de Céleste Albaret.* ↔ *b. Le manuscrit et dactyl. 3 donnent* retrouvais de Doncières[1] . *Nous adoptons la correction de l'édition originale.* ↔ *c.* rose mais aussi de la patine profonde qu'y ajoute celui qui en les regardant se souvient d'elles et leur superpose leur « double » spirituel, tapis *ms., dactyl. 3. Les éditeurs de 1923 ont supprimé la notation sur la patine qui se retrouve en haut de la page 790 ; nous les suivons.* ↔ *d. Le manuscrit et dactyl. 3 donnent* salon de la place Malesherbes ; *nous adoptons la correction de l'édition originale.* ↔ *e.* de [Balbec *biffé*] [Doville (?) *corr.*] où *ms.* ↔ *f.* le flûtiste feraient *ms., dactyl. 3. Comme précédemment (var. b, p. 785), nous corrigeons* flûtiste *en* violoniste .

1. Le passage qui va de « Ceux de ses anciens meubles » à « la maîtresse de la maison et a » (11 lignes en bas de page) et qui occupe le folio 51 du Cahier X, a été rédigé sur un feuillet — également noirci au verso — tiré d'un cahier de brouillons. Les noms propres n'y sont pas définitifs (voir var. *d* et *e*).

Page 790.

a. tout cela éparpillait faisait *ms., dactyl. 3 ; ce passage, depuis* fini, *[p. 789. 10 lignes en bas de page] et jusqu'à la fin du paragraphe, est de la main de Céleste Albaret. La faute d'orthographe n'a pas été corrigée par la dactylographe.* ↔ *b.* des Verdurin. [Le salon des Verdurin ! C'était la même acception immatérielle que lui donnaient, mais avec d'autres yeux, que le regardaient les invités de M. de Charlus, pétillants de curiosité, s'attendant à trouver ce qu'ils ne voyaient pas ailleurs, épiant l'entrée des fidèles, étouffant un fou rire aux fleurs d'Elstir, faute de mieux. *biffé*] / « Nous *ms., le passage biffé est encore de la main de Céleste Albaret (voir var. a)*

1. Voir l'Esquisse XIV, p. 1150.
2. L'héroïne d'*Hernani*, de Victor Hugo (1830) : lors du dénouement, quand après le mariage d'Hernani et de Doña Sol les invités sont partis, la sonnerie du cor de Don Ruy Gomez de Silva rappelle à Hernani son serment de mourir sur-le-champ.

Page 791.

a. Jouerait pas [au bridge *biffé dactyl. 3*] [au poker *corr. dactyl. 3*]. Ah ! *ms., dactyl. 3*

1. Thomas Couture (1815-1879), peintre français, est l'auteur du tableau auquel il est fait allusion ici : *Les Romains de la décadence* (Salon de 1847). Exposé au musée d'Orsay, il représente une scène d'orgie fort conventionnelle, que paraissent réprouver, au premier plan à droite, deux « philosophes ».
2. Dans son édition de ce texte, Jean Milly a souligné le rappel onomastique que Charlus fait entre Charlie et le Don Carlos d'*Hernani*, le futur Charles Quint (*La Prisonnière*, Flammarion, 1984, p. 539). Quant au dénouement du drame, Proust va en donner une version parodique, après le départ des invités : l'exécution symbolique de Charlus.
3. Georges Enesco, violoniste et compositeur roumain (1881-1955) ; Lucien Capet, violoniste français (1873-1928), soliste et animateur du quatuor Capet, un des plus grands interprètes de Beethoven ; Jacques Thibaud, violoniste français déjà mentionné (voir n. 1, p. 563) : Proust les avait tous entendus avant la guerre de 1914, Enesco en 1913 (voir la *Correspondance*, XII, p. 147), le quatuor Capet également.
4. Théodore Rousseau (1812-1867), peintre français, fut un paysagiste de la forêt de Fontainebleau.

Page 792.

a. à dire à la plupart *ms., dactyl. 3. Le mot* vérité *est une conjecture de Clarac et Ferré, que nous adoptons. Pour ms., voir également var. b.* ↔ *b.* qu'on comptait *[p. 791, 3e ligne en bas de page]* sur elle ? [— Archi-certain. *biffé*] [— Ah ! je ne sais pas. *corr.*] » [M. de Charlus *[...]* d'un autre. *add.*] Mais *ms.*

1. C'est, à notre connaissance, la seule allusion à Georges Bizet (1838-1875) dans *À la recherche du temps perdu*. Depuis le lycée Condorcet, Proust était l'ami de Jacques Bizet, fils du compositeur ; la veuve de ce dernier était remariée à Émile Straus.

Page 793.

a. patronne. *[p. 792, fin du 1er §] /* Je dis *ms. Le § manquant dans ms. figure dans dactyl. 3. Nous lui conservons sa place, comme les éditeurs de 1923, au cas où il aurait été revu par l'auteur.*

1. Voir *Du côté de chez Swann*, t. I de la présente édition, p. 243 et suiv.

Page 794.

a. bourgeois, dit-il en soulignant le mot, peut-être par goût de la précision ou insolence à mon égard, plus *ms., dactyl. 3. L'insistance de Charlus et son « insolence » seront reprises quelques lignes plus loin ; nous suivons l'édition originale qui supprime l'incise.*

1. Auguste Vacquerie, écrivain et homme de lettres français (1819-1895), fut admirateur et disciple de Victor Hugo. Son frère, Charles, mari de Léopoldine Hugo, se noya avec elle à Villequier en 1843. Paul Meurice (1820-1905), disciple et exécuteur testamentaire de Victor Hugo, collabora avec Vacquerie à une *Antigone* (1844).

2. Comme dans *Le Côté de Guermantes II* (t. II de la présente édition, p. 650), et plus directement qu'au début de *La Prisonnière* (p. 590 et n. 3 du présent volume), le narrateur est ici Proust lui-même, rappelant son duel avec Jean Lorrain en 1897, ou celui qu'il faillit avoir, toujours pour les mêmes accusations d'homosexualité, avec Marcel Plantevignes, ou à défaut son père, en août 1908 à Cabourg (voir la *Correspondance*, VIII, p. 208). Quant à son absence d'amour-propre, sa correspondance la révèle aussi.

Page 795.

a. dans un autre milieu, *[p. 794, 16e ligne]* mes camarades. [C'est autre chose, *[...]* le faire. *add.*] [et étais retenu d'ailleurs par cette même lâcheté qui jadis à Combray me faisait fuir quand on faisait boire du cognac à mon grand-père[1] *biffé*] « La vue *ms.*

Page 796.

a. type. S'ils viennent ils le *ms., dactyl. 3. Nous adoptons la correction de Clarac et Ferré.*

1. Début de la préface, dans le rituel latin de la messe : « Haut les cœurs », passée dans l'usage comme expression d'encouragement.

1. Voir *Du côté de chez Swann*, t. I de la présente édition, p. 12.

Page 797.

1. Citation de Ralph Waldo Emerson (1803-1882), dont Proust admirait et citait les essais. Il en a tiré les épigraphes des *Plaisirs et les Jours*. Cette citation apparaît dans une page sur George Eliot, publiée dans *Essais et articles*, éd. citée, p. 656.

2. En sortant de chez Mme de Villeparisis (*Le Côté de Guermantes I*, t. II de la présente édition, p. 581), M. de Charlus avait proposé au jeune narrateur, dont c'était l'entrée dans le monde, de lui servir de guide dans sa vie.

3. Comme pour Bergotte et Cottard, la mort de Mme de Villeparisis n'est pas intégrée dans le roman puisque le personnage est toujours vivant dans *Albertine disparue* (t. IV de la présente édition).

Page 798.

a. créer. [Mais je fus plus intéressé d'apprendre que Mme de Villeparisis avait deux sœurs. « Mais qui donc ? — Hé bien Célia, la cadette, qui est morte l'année dernière, la princesse d'Hanovre » (c'était celle que j'avais tant désiré connaître, je n'avais eu l'idée de personne qui pût me présenter et elle déjeunait tous les jours chez Mme de Villeparisis). « L'autre est morte il y a très longtemps, elle était Mme d'Hazefeld. Elle avait été très connue du nom de son premier mari sous lequel elle a laissé de bien jolis *Mémoires*. C'était la plus remarquable des trois sœurs, ma propre tante, Mme de Beausergent. Elle a laissé toute sa fortune à mon frère Basin qui était son neveu préféré. » Ainsi le Basin dont ma grand-mère et moi nous avions tant rêvé comme du modèle de l'enfant idéal qui avait dû devenir un homme accompli, c'était ce même duc de Guermantes dont ma grand-mère avait dit : « Ma fille, comme il est commun », et qui à la mort de ma grand-mère, admiratrice inconnue de son personnage juvénile. Et à Balbec, c'était à la propre sœur de l'auteur que ma grand-mère avait caché, craignant qu'elle ne comprît pas, les mémoires de Mme de Beausergent que ma grand-mère eut aimé parler de cet écrivain à Mme de Villeparisis mais toutes deux étaient mortes sans avoir su *[fin de phrase illisible*[1]*] biffé*] / « Mais *ms.*

Page 799.

1. Voir p. 852 et l'Esquisse XVI, p. 1162.

Page 800.

1. Allusion au *Michel-Ange* de Romain Rolland (1907).

1. Mme de Beausergent, déjà mentionnée dans « À l'ombre des jeunes filles en fleurs », pour ses « Mémoires », t. II de la présente édition, p. 13, 57, 86, 94, ainsi que dans *Sodome et Gomorrhe*, p. 167, apparaît de nouveau avec sa sœur la princesse de Hanovre dans le pastiche du *Journal* des Goncourt (*Le Temps retrouvé*, t. IV de la présente édition), passage qui reprend cette fin de béquet rayée du Cahier X.

2. Le pape Léon X, qui régna de 1513 à 1521, commanda en effet à Michel-Ange différents ouvrages, dont les tombeaux des Médicis à Florence.

3. C'est-à-dire le monde, et son envers : les bouchers et les apaches de La Villette, qui se rencontreront dans la maison de Jupien (*Le Temps retrouvé*, t. IV de la présente édition).

4. Sans doute est-ce encore une allusion à l'affaire Dreyfus.

Page 801.

a. calculs du baron *fin du Cahier* X *de ms. Avec* Trois sur dix ! *commence le Cahier* XI.

1. *Jarniguié* (Je renie Dieu) se trouve chez Molière, dans *Don Juan ou le Festin de pierre* (1665), où, dans la scène III de l'acte II, Pierrot, le paysan, à qui Molière fait parler un pseudo-dialecte de comédie, l'emploie à tout propos sous des formes voisines : *jerniguié, jerniguienne, jerni, jarni.* Quant à *goddam*, juron de même sens, c'est sans doute une allusion à la tirade de Figaro dans *Le Mariage de Figaro* (1784), acte III, scène V : « Diable ! c'est une belle langue que l'anglais ; il en faut peu pour aller loin. Avec *God-dam*, en Angleterre, on ne manque de rien nulle part. »

Page 802.

1. Au cours de sa carrière politique de député, Maurice Barrès dénonça la corruption parlementaire comme membre de la Ligue de la patrie française, dans *Leurs figures* (1902), et dans nombre d'articles concernant le scandale de Panama, et l'affaire Dreyfus.

2. Urbain Le Verrier, astronome français (1811-1877), déduisit en 1846, de ses calculs sur l'orbite d'Uranus, la présence de Neptune, qui ne fut effectivement découverte que plus tard.

3. Allusion aux ouvrages de Léon Daudet, tels que *La Vermine du monde, roman de l'espionnage allemand*, Arthème Fayard, 1916 — que Proust évoque dans une lettre du 10 juin 1916 à Lucien Daudet (voir la *Correspondance*, t. XV, p. 168 et n. 2, p. 170) —, ou que *L'Entre-Deux Guerres. Souvenirs des milieux littéraires, politiques, artistiques et médicaux de 1880 à 1905*, Nouvelle Librairie nationale, 1915 — également évoqué dans une lettre à Lucien Daudet, du 20 août 1916 (voir la *Correspondance*, t. XV, p. 268 et n. 10, p. 269). Quant à la chronique quotidienne, c'est celle que Léon Daudet tenait dans *L'Action française*, journal qu'il avait fondé avec Charles Maurras en 1908. Un des cahiers d'« ajoutages », le 75 (voir « Le Fonds Proust de la Bibliothèque nationale », t. I de notre édition, p. CLXV), contient, outre des ajouts destinés au *Côté de Guermantes* et à *Sodome et Gomorrhe*, des additions destinées à *La Prisonnière* et au *Temps retrouvé*, un fragment d'article sur Léon Daudet et *L'Action française* (ff[os] 13 à 15 v[os] du Cahier, rédigés en partant de la fin) : / « Parmi ces ouvrages historiques qui racontent des événements datant de plusieurs années, parfois de plusieurs siècles, le plus intéressant sans conteste est celui qui porte

le nom d'*Action française* et qui est animé d'un bout à l'autre par l'extraordinaire génie littéraire de Léon Daudet. Il est vrai que l'auteur feint d'annoncer ce qui arriverait, dit-il, dans un avenir plus ou moins proche, de prophétiser en un mot. Mais c'est là une prétention qui n'est pas soutenable et que dément l'examen, même le plus superficiel, des faits. Léon Daudet parle par exemple au futur d'une guerre européenne, du rôle suspect joué par des individus dont l'histoire n'a retenu que les noms, Duval, Lenoir, Almeyreyda, de l'arrestation du grand argentier Caillaux. Or deux ans ne s'écoulent pas sans que la réalité ne vienne à point nommé confirmer ces prévisions. Si on avait à faire, comme le laisse croire Daudet, à des circonstances non encore réalisées, il y aurait là un véritable don de prophétie qui ne semble pas compatible avec les limites de l'esprit de l'homme, à une sorte d'infaillibilité telle que les derniers papes eux-mêmes n'y ont pas prétendu. À qui fera-t-on croire que trois jours seulement à l'avance, Léon Daudet ait pu annoncer la démission de M. Briand, lequel n'était même pas à Paris, en plein exercice de sa haute magistrature, mais à la conférence de Cannes. Ce mot de conférence n'implique par lui-même aucune continuation de travaux parlementaires, bien au contraire une sorte de détente, de gracieux divertissement. Dans l'atmosphère enchantée du Midi de la France, sous les orangers en fleurs, non loin de véritables champs de roses, devant l'azur d'une mer incomparable chacun ne songe qu'au plaisir, au repos bien mérité. Là, tous les peuples fraternisent, évoquant pour un jour la paix bénie de l'âge d'or. L'Anglais apprend aux peuples qui ne les connaissent pas encore, ces parties de golf, insipides en elles-mêmes mais auxquelles est restée fortement attachée la nation britannique. On échange des invitations. Les Italiens convient les Allemands et les Moskovites à venir admirer dans la rade merveilleuse de Gênes, ces régions favorisées du soleil que l'homme du nord n'imagine même pas dans sa prison de glace. Trêve bien peu propice on l'avouera, à un changement de ministère ! Au reste ne chicanons pas Léon Daudet sur sa prétendue prescience politique. Ce qui nous intéresse bien plus en lui c'est l'écrivain sans pareil. Bien avant le sous-marin, bien avant l'aéroplane, il a exploré des fonds insoupçonnés, il a fait faire à jamais à l'esprit humain une cure d'air, une cure d'altitude où chacun de nous quand il se trouve las, retrouvera la vigueur et la santé. Ses études sur Stevenson, Dostoïevski, sur Molière, sur le rôle que jouent dans notre vie intérieure les images ancestrales forment autant de morceaux de critique, souvent d'amples créations qui ne seront jamais surpassées. »

Un appel « 1 » après « changement de ministère » (10 lignes plus haut) renvoie à cette note de bas de page : « En réalité il ne semble [pas qu'il y ait *biffé*] même un changement de ministère. La coutume paraît [au bout de quelque temps *biffé*] qu'on changeât au bout de quelque temps le nom du ministre, non sa personne. Pour obéir à cette loi de changement, purement nominal, le ministre Briand prit le nom de Poincaré et continua d'exercer la magistrature suprême. Si un adversaire l'avait remplacé, on ne comprendrait pas que des journaux fort lus à cette époque, eussent passé d'un camp à l'autre. Il y aurait eu là une intolérable faute de goût que le public n'eût pas supportée. » La note ajoutée par Proust à ce projet d'article (distinct de celui intitulé « Un esprit et un génie innombrables », datant de mars 1920, que Bernard de Fallois avait publié à la suite du *Contre Sainte-Beuve* — et reprise dans l'éd. de la Pléiade, voir *Pastiches et mélanges*, éd. citée, p. 601-604) semble faire référence à janvier 1922 quand Aristide Briand, président du Conseil et ministre des Affaires étrangères depuis janvier 1921, démissionna et fut remplacé dans les mêmes fonctions par Raymond Poincaré. Ce projet d'article est attesté par une lettre de Proust à Gaston Gallimard (nouvelle édition des lettres à la N.R.F. [29 ou 30 novembre 1921]) : « Jacques Rivière [...] n'a pas voulu que j'écrive sur Léon Daudet craignant le ton lyrique (il ne se trompait pas), je vous demande éventuellement la permission de faire cet article dans la *Revue de la semaine.* » Gaston Gallimard a donné son accord le 1er décembre 1922.

Page 803.

a. et bien que je n'eusse envie que de dormir, [à cause des mauvaises langues, *biffé dactyl. 3*] [les mauvaises langues avaient prétendu, car c'est affreux ce que le monde est méchant, que *corr. dactyl. 3*] j'avais couché Odette. *ms., dactyl. 3. Nous ajoutons* avec *devant* Odette , *comme le firent les éditeurs de 1923.* ⁂ *b.* Swann. aveuglé *ms., dactyl. 3. Nous suppléons le verbe manquant.*

1. Voir son portrait par Elstir, daté d'octobre 1872 (*À l'ombre des jeunes filles en fleurs*, t. II de la présente édition, p. 203-205)

Page 804.

a. horreur ! pas plus qu'Odette à qui ç'aurait été bien égal, elle que... Allons, ne me faites pas dire de bêtises. Raconter *ms., dactyl. 3. Comme l'ont fait les éditeurs de 1923, nous supprimons l'ébauche de confidence, qui se retrouve 3 lignes après.* ⁂ *b.* recevoir. C'est moi qui ai été le témoin de Swann quand il s'est battu avec d'Osmond qui était à ce moment-là l'amant d'Odette, pendant que Swann pour se consoler entretenait la sœur d'Odette. Ah ! j'ai *ms., dactyl. 3. À la suite de l'édition originale, nous supprimons cette phrase, dont la substance se retrouve quelques lignes plus loin.* ⁂ *c.* ménage-là. [Mais sans moi, Swann était condamné pour complicité d'espionnage, où il n'était pour rien naturellement, il ne savait même pas qu'Odette était la fille naturelle de l'ambassadeur d'Allemagne *biffé ms.*] [; et *dactyl. 3*] naturellement *ms., dactyl. 3*

Page 805.

1. Le narrateur a en effet rencontré Pierre de Verjus, comte de Crécy, dans le tortillard de Balbec (il montait à Grattevast) ; et il l'invitait à dîner (*Sodome et Gomorrhe*, p. 468).

2. Nouvelle allusion au peintre Whistler, auteur dans la réalité du portrait du comte Robert de Montesquiou. Dans le pastiche du *Journal* des Goncourt, M. Verdurin, critique d'art, a écrit un ouvrage sur lui (voir *Le Temps retrouvé*, t. IV de la présente édition, p. 287).

Page 806.

a. Sur deux versos de ms. (Cahier XI, ff^{os} 9 v° et 10 v°) apparaît un fragment isolé, commençant en cours de phrase, qui est une première version du passage précédent, depuis Évidemment le nombre de ceux *[vers le milieu de la page]. Ce fragment, partie de la main de Proust, partie de celle de Céleste Albaret ne sera pas repris dans dactyl. 3 :* varie énormément si vous vous en rapportez aux dires de leurs pareils, ou de ceux qui en ont de bonnes. Sans doute on peut dire que la malveillance de ceux-ci est limitée par la trop grande facilité qu'ils ont à croire pratiqué par des gens dont ils connaissent la délicatesse, la sensibilité, la droiture, un vice qu'ils se représentent comme aussi abominable que le goût de voler ou de tuer, tandis que la malveillance des autres <est> stimulée tantôt, par le désir de croire accessibles des gens qui leur plaisent et méritent le mal qu'ont dit précisément d'eux-mêmes des gens qui ne leur plaisent pas. Mais la raison de l'écart énorme qu'il y a dans le nombre des homosexuels selon qu'on consulte là-dessus des non-homosexuels ou des homosexuels, n'est pas là, mais dans l'extrême mystère dont les seconds entourent leurs agissements pour les cacher aux premiers lesquels ne possèdent pour les percer à jour aucun des innombrables moyens d'information des seconds ; aussi ceux-ci seraient-ils stupéfaits s'ils apercevaient seulement une partie de la vérité. « Évidemment, dit Brichot avec satisfaction, j'avoue à ma honte que je manque totalement de moyens d'information. — Il n'y a pas à en tirer gloire, dit Charlus, piqué. C'est aussi intéressant que les racines grecques. Aussi désintéressé que vous dans la question je suis plus curieux. Je m'amuse comme vous pourriez le faire pour le vôtre à regarder ce qui se passe dans mon quartier. À vingt maisons de chez moi il y a un établissement de bains.

Page 807.

a. En regard de ce passage, on trouve dans ms. cette note, biffée : N.B. Pour M. de Charlus dire : Chose curieuse c'est dans les artistes qu'il y en a le moins et les littérateurs et malgré l'exemple de trois des plus grands, qu'il y en a le moins. ♦♦ *b. En face de ces vers, cette note marginale :* Insister sur ce que l'homosexualité n'a jamais empêché la bravoure, de César à Kitchener. ♦♦ *c. Proust a porté cette note en regard de ce passage (puis l'a biffée) :* Il faudra dire (peut-être bien avant cette soirée) que Charlus n'est plus comme les tantes qui croient ne pas être tantes, aiment seulement un bel homme.

1. Le comte de Vermandois (1667-1683), fils légitimé de Louis XIV et de Mlle de La Vallière ; le prince Louis-Guillaume de Baden (1655-1707), filleul de Louis XIV, homme de guerre ; le duc de Brunswick, prince et chef militaire allemand (1624-1705) ; Charles de Bourbon, comte de Charolais, petit-fils du Grand Condé (1700-1760) ; le duc de Boufflers, maréchal de France (1644-1711) ; le Grand Condé (1621-1686) ; Henri-Albert de Cossé, duc de Brissac (1645-1699), beau-frère de Saint-Simon. Cette liste de grands noms de la cour et des guerres de Louis XIV, à l'exception de Molière, qu'on n'a jamais taxé d'homosexualité sinon en faisant allusion à son amitié pour le jeune Baron, qu'il prit dans sa troupe, paraît avoir été compilée dans la *Correspondance complète* de Madame (Charpentier,

1863) — Charlus la cite à la page suivante —, Charlotte Élisabeth de Bavière (1652-1722), duchesse d'Orléans, seconde épouse de Monsieur. Elle atteste en particulier la réputation de Louis de Baden (lettre du 27 janvier 1707), de Condé (5 juin 1716, t. I, p. 241), de Vermandois (14 juin 1717, t. I, p. 302). Ce thème de l'homosexualité virile est à l'origine du personnage de Charlus. Le rôle est repris par Saint-Loup dans *Le Temps retrouvé* jusqu'à sa mort au front (voir t. IV de la présente édition). Dans le présent passage, ce thème est souligné par la référence à César et Kitchener (voir var. *b*.).

2. Voir les *Mémoires* de Saint-Simon en ce qui concerne Monsieur (voir n. 2, p. 720) et Brissac, au goût « trop italien », selon le mémorialiste qui rapporte « une vie obscure, honteuse, de la dernière et de la plus vilaine débauche » (*Mémoires*, éd. citée, t. I, p. 81 et 575.

3. Louis Joseph de Bourbon, duc de Vendôme, arrière-petit-fils d'Henri IV et de Gabrielle d'Estrées (1654-1712), fut le chef militaire de la guerre de succession d'Espagne. Voir la *Correspondance complète* de Madame, éd. citée, lettre du 17 novembre 1718, et Saint-Simon : « D'une singulière horreur pour tous les habitants de Sodome, et jusqu'au moindre soupçon de ce vice, M. de Vendôme y fut plus salement plongé toute sa vie que personne, et si publiquement, que lui-même n'en faisait pas plus de façon que de la plus légère et de la plus ordinaire galanterie, sans que le roi, qui l'avait toujours su, l'eût jamais trouvé mauvais, ni qu'il en eût été moins bien avec lui » (éd. citée, t. II, p. 694).

4. Amaury Goyon de Matignon, marquis de La Moussaye, mort en 1650.

5. « Mon cher ami La Moussaye, / Ah ! Bon Dieu ! quel temps ! / Landerirette, / Nous allons périr par la pluie. / — Nos vies sont en sécurité, / Car nous sommes Sodomites / Et ne devons périr que par le feu / Landeriri » (chanson notée par le traducteur de la *Correspondance complète* de Madame, éd. citée, t. I, p. 241).

6. Claude Louis Hector, duc de Villars (1653-1734) maréchal de France, est signalé dans une lettre de Madame, du 28 octobre 1718 : « Le maréchal de Villars était exclusivement passionné pour un prince d'Eisenach ; il lui fit une déclaration d'amour » ; du prince Eugène, Eugène de Savoie-Carignan (1663-1736), homme de guerre au service de l'Autriche, une lettre du 30 octobre 1720 rapporte que les jeunes gens l'appelaient « Mme Putana » ; François Louis de Bourbon, prince de Conti, neveu du Grand Condé (1664-1709), est signalé le 11 août 1717.

7. Charlus fait référence aux campagnes du Tonkin, de 1883 à 1887, et donc aux troupes du corps expéditionnaire ; et, dans l'actualité du récit, au débarquement de Casablanca, en 1907.

Page 808.

a. elle le portrait ne varietur de la *ms.* : elle [le portrait *[un blanc]* *biffé*] [la synthèse lyrique *corr.*] de la *dactyl. 3* ↔ *b.* François [II *biffé*] (?) de *ms.*

1. De Paul Bourget (1852-1935), Proust paraît évoquer outre *Le Disciple (*1889) et *Essais* et *Nouveaux essais de psychologie contemporaine* (1883-1885), qui posent le problème de la responsabilité des « aînés » vis-à-vis de « la nouvelle génération », un ouvrage de 1890 : *Physiologie de l'amour moderne.*

2. Nicolas du Blé, marquis d'Huxelles, maréchal de France (1652-1730) ; Charlus cite ici sa source, Saint-Simon, que Proust a consulté pour l'occasion (il le signale en marge du Cahier de brouillons 73, f° 52) : « Il ressemblait tout à fait à ces gros brutaux de marchands de bœufs, paresseux, voluptueux à l'excès en toutes sortes de commodités, de chère exquise, grande, journalière, en choix de compagnie, en débauches grecques, dont il ne prenait pas la peine de se cacher et accrochait de jeunes officiers, qu'il adomestiquait, outre de jeunes valets très bien faits, et cela sans voile, à l'armée et à Strasbourg » (*Mémoires*, éd. citée, t. II, p. 303).

3. Selon Madame, ce serait le prince Eugène plutôt que le maréchal d'Huxelles (voir n. 6, p. 807).

4. Proust cite approximativement La Rochefoucauld : « Les vices sont de tous les temps ; les hommes sont nés avec de l'intérêt, de la cruauté et de la débauche ; mais si des personnes que tout le monde connaît avaient paru dans les premiers siècles, parlerait-on présentement des prostitutions d'Héliogabale, de la foi des Grecs, et des poisons et des parricides de Médée ? » (*Réflexions diverses*, *Œuvres complètes*, Bibl. de la Pléiade, p. 543.) Héliogabale fut empereur à Rome de 218 à 222 ; son règne fut marqué par des désordres de toutes sortes.

Page 810.

a. silence à [*un blanc, complété dans dactyl. 3 par* Gilbert] ; j'étais *ms., dactyl. 3*

1. Sur Théodore, voir *Du côté de chez Swann*, t. I de la présente édition, notamment p. 55, 61, 149.

Page 811.

a. le patron [du cocher *biffé*] dans lequel *ms.*

Page 812.

a. la duchesse d'[Arpajon *biffé*] [Ayen[1] *corr.*], on *ms.* ↔ *b.* Jane d'[Arpajon *biffé*] [Ayen *corr.*] je *ms.*

1. Voir var. *a.*, p. 795.

1. Depuis « Il paraît qu'avant-hier » et jusqu'à « horreur ! » (fin du paragraphe), le texte est un fragment tiré d'un cahier de brouillons. Les noms portent la trace des hésitations de l'auteur ; voir également la variante suivante.

Page 813.

1. Nous apprenons, p. 819, que M. Verdurin s'appelle Gustave.

Page 814.

a. de Mme de Canillac, lui *ms., dactyl. 3. Nous adoptons la correction des éditeurs de 1923, le manuscrit étant à cet endroit un fragment d'une rédaction antérieure ; quelques folios plus loin (voir p. 817), Proust a partiellement corrigé* Canillac *en* Duras .

1. Du sculpteur, Ski, la présence est déjà attestée (p. 792). Le narrateur et lui paraissent observer Morel et les Verdurin de loin, fiction d'ailleurs inhérente au procédé narratif proustien du « point de vue », qui oblige malgré les invraisemblances le narrateur à tout voir et à tout entendre, ou du moins à tout reconstituer pour le rapporter.

2. Charlus vient d'annoncer (p. 781) à Mme Verdurin que Mme de Duras « a engagé Morel chez elle où on redonnera le même programme ».

Page 815.

a. celui de Mlle d'Oléron, lui *ms., dactyl. 3. Nous unifions en* Oloron .

1. Proust, qui semble ici avoir repris la parole à son narrateur, exprime-t-il des opinions personnelles, par ce jugement sociopolitique à l'emporte-pièce ?

2. Après un paragraphe entièrement événementiel, l'« auteur » (et non plus Proust — voir n. 1) intervient de nouveau comme dans les romans d'aventures pour rétablir la chronologie du récit.

3. Camille Chevillard (1859-1923), compositeur français, dirigea les concerts Lamoureux à partir de 1897.

Page 816.

a. de faux monde à votre âge, cela *ms., dactyl. 3. Nous adoptons la correction des éditeurs de 1923, destinée à supprimer le double emploi immédiat.*

Page 817.

a. Proust a, dans le manuscrit, partiellement corrigé dans cette page Canillac *en* Duras *; voir var. a, p. 814.*

1. Emmanuel Chabrier (1841-1894) est l'une des clés de Vinteuil ; voir la Notice, p. 1689-1690.

Page 818.

a. de la peine parce que nous vous aimons beaucoup, Gustave et moi (on apprit par là que M. Verdurin s'appelait Gustave). Mais oui, il vous aime beaucoup, mon petit Charlie, c'eſt un sensible, il ne le montre pas. C'eſt *ms., dactyl. 3. À la suite des éditeurs de 1923, nous supprimons ce passage, repris vers le milieu de la page 819.*

Page 820.

a. vers le musicien *[p. 819, dernière ligne]* avec [l'allégresse d'un homme qui a *corrigé par biffure et en interligne en* le genre d'allégresse des hommes qui ont] organisé savamment toute sa soirée *ms.* : vers le musicien avec le genre d'allégresse des hommes qui ont organisé savamment toute la soirée *dactyl. Nous corrigeons* la *en* leur .

1. Voir *Le Côté de Guermantes II*, t. II de la présente édition, p. 842-848.

Page 821.

a. depuis longtemps il lui clouait *ms., dactyl. 3. Nous adoptons les corrections des éditeurs de 1923.* ↔ *b. Cette phrase eſt suivie dans ms., de cette « note de régie » :* Remettre sans doute ici tout ce que je dis ailleurs à La Raspelière et tortillard sur ces offenses ; c'eſt surtout que M. de Charlus était un faux brave et un faux méchant. ↔ *c.* Pan. L'étonnement, la perplexité qui succédèrent au bout d'un moment à la ſtupeur dans l'âme de M. de Charlus et qui y persiſtèrent longtemps, apparaissent mal ici parce que nous avons eu <soin> d'indiquer les causes de cet incident, au lieu de <peindre> seulement, en <ne> disant rien <de plus> que ce que savait M. de Charlus quand il reçut d'une façon <inatten>due une avanie qui lui *[fin de phrase illisible en raison d'une déchirure du ms. et suivie d'une 1re version rayée, également peu lisible de la phrase suivante] /* L'ambassadeur *ms. Dans dactyl. 3, la transcription, incomplète, s'arrête à* Seulement *suivi d'un blanc de plusieurs lignes jusqu'à* / L'ambassadeur. *Elle a été biffée, par Marcel Prouſt semble-t-il.* ↔ *d.* par qui, [presque *biffé dactyl. 3*] [pour un peu par *corr. dactyl. 3*] un aérolithe. *ms., dactyl. 3. Nous supprimons* par .

1. La description de Prouſt peut renvoyer au *Répertoire des reliefs grecs et romains*, de Salomon Reinach (E. Leroux, 1909-1912) dont les tomes II (p. 303, 343, 358, 359, 438, 489) et III (p. 85, 111, 181, 359, 360) contiennent de nombreuses planches reproduisant le dieu Pan, pourchasseur de nymphes. Prouſt avait également pu admirer la plaque Campana du Louvre, que l'on trouve dans le tome I, du même ouvrage, p. 275. Le *Grand Dictionnaire du XIXe siècle* de Larousse donne une vaſte iconographie de Pan et renvoie à Millin, *Galerie mythologique* et à Montfaucon, *L'Antiquité expliquée.*

Page 825.

a. On trouve ici en addition dans ms. cette « note de régie » : Voir après les mots Impératrice Élisabeth l'ajoutage de la page suivante — puis revenir à celle-ci. *Nous suivons cette indication, comme les éditeurs de 1923.*

1. Tel était alors le nom le plus habituel du parti conservateur anglais.

2. Cette remarque annonce la « conversation littéraire avec Albertine », où Dostoïevski est discuté, p. 879 et suiv.

3. Le rappel du siège de Gaète par Garibaldi, en 1860-1861, et de la défense de la ville à laquelle la reine de Naples a participé (voir n. 1, p. 752), éclaire par sa métaphore militaire le système mondain vu comme une guerre, où les blessures, pour être d'amour-propre, n'en sont pas moins graves. La sortie de Charlus au bras de la reine rappelle aussi, dans *Jean Santeuil* (Bibl. de la Pléiade, p. 681-682), le camouflet publiquement infligé aux Marmet — ils avaient invité, puis désinvité le jeune Jean — par la duchesse de Réveillon et le roi de Portugal se promenant en compagnie de Jean, pendant l'entracte à l'Opéra. Plus précisément encore (*ibid.*, p. 693), la duchesse de Réveillon offrira son bras à Jean, chez les Marmet, qui viennent d'humilier le jeune homme.

Page 826.

a. préparation. Après avoir pensé un instant aux Verdurin il se sentait trop fatigué, se retournait contre son mur et ne pensait à rien. On *ms., dactyl. 3. Comme Clarac et Ferré, nous supprimons cette phrase qui se retrouve quelques lignes plus loin, en addition interl. dans ms.* ◆◆ *b.* vie ; il nous abandonne le plus souvent *ms., dactyl. 3. À la suite de l'édition Clarac et Ferré, nous supprimons* il nous abandonne *qui se retrouve dans la suite de la phrase.*

1. Ce vocabulaire vient des journaux relatant les opérations militaires de la Première Guerre mondiale. On trouve de telles expressions dans les articles de Francis Charmes (*La Revue des Deux-Mondes*), Henry Bidou (*Le Journal des débats*), Polybe (Joseph Reinach, dans *Le Figaro*), tous périodiques lus par Proust. Voir n. 1, p. 855, et *Le Côté de Guermantes*, t. II de la présente édition, p. 410 à 414 et notes correspondantes, p. 1573 à 1577.

Page 827.

a. l'archange [Raphaël *biffé*] [Gabriel *corr.*] de *ms.* ◆◆ *b. À partir du § suivant, et jusqu'à la fin du 1er § de la page 830, le texte est procuré dans ms. par une addition marginale qui se poursuit sur un béquet, et est reprise dans dactyl. 3 ; pour le début du passage dans les deux états, on se reportera à la variante c.* ◆◆ *c. Début de l'addition dans ms. (voir var. b) :* Ce soir-là .

1. L'Archange Gabriel annonce à Daniel la venue du Messie (Daniel, IX, 21).

2. « [...] sept semaines et soixante-deux semaines » est la durée impartie à la reconstruction de Jérusalem, dans la prophétie de Gabriel (Daniel, IX, 25).

3. Dans cet épisode du Livre de Tobie, le fils de celui-ci, Tobias, lui amène un inconnu, l'archange Raphaël, qui le guérit de sa cécité. Proust utilise la transcription française de Tobie pour le père et son fils. La piscine probatique (destinée à la purification des victimes avant le sacrifice) de Bethsaïda, près de la porte des brebis à Jérusalem,

est décrite dans l'Évangile selon Jean (V, 2-4) comme un lieu de miracles.

Page 828.

1. Cottard, dont la mort avait été annoncée p. 746, a assisté à la soirée Verdurin (p. 783) ; nous le retrouvons encore plus bas dans cette page et à la page suivante.

2. Ces conseils ne furent pas suivis par Proust pour lui-même. En dépit de ses efforts de documentation et des conseils recherchés auprès d'agents de change et de coulissiers (Albert Nahmias, Lionel Hauser) ses opérations de bourse sont autant d'échecs. Voir en particulier sa lettre à Lionel Hauser du 28 juillet 1914, alors qu'il tire les conséquences de la panique boursière du 25 juillet 1914, survenant après les pertes financières des mois précédents (*Correspondance*, t. XIII, p. 275).

Page 829.

1. Sans doute Proust fait-il des allusions, respectivement à sa propre famille — maternelle pour « un terme rituel », paternelle pour une expression provinciale venue d'Illiers —, et aux familles de Reynaldo Hahn, né au Venezuela, ou d'Albert Nahmias, dont la mère était également originaire de l'Amérique du Sud.

Page 830.

a. de bon. Ensuite parce qu'en changeant à mon grand *[interrompu*[1]*]* Et ainsi même au simple point de vue de la prévision on se trompe. Car sans doute, *ms., dactyl. 3 lacunaire. Nous rétablissons à l'aide du manuscrit.* ↔ *b.* Colomb ou *[un blanc]*. Néanmoins *ms., dactyl. 3. Nous adoptons la leçon de l'édition originale ; voir n. 2.* ↔ *c.* déconcerté. *[fin de l'addition dans ms. signalée dans la var. c, p. 827]* / Voyant *[début d'un alinéa dans ms. que nous soulignons par un blanc supplémentaire]*

1. Dans *Du côté de chez Swann*, t. I de la présente édition, p. 196, c'est le grand-père du narrateur qui a connu les Verdurin.

2. Voir var. *b* ; nous adoptons la leçon « Peary », proposée par Robert Proust et Jacques Rivière en 1923. L'explorateur américain Peary avait atteint le Pôle Nord en 1909 ; la presse offrit un large écho à son expédition.

3. Voir l'Esquisse XV, p. 1153 et suiv.

1. Le manuscrit se présente sous la forme d'un étroit béquet collé sur la page du Cahier XI. Sous le béquet on peut lire la suite de la phrase : « étonnement l'opinion que j'avais de M. Verdurin que » dont le reste est biffé.

Page 831.

1. La deuxième des *Églogues* de Virgile présente le berger Corydon et son ami Alexis.

2. C'est ici la deuxième mention de l'égyptologue Gaston Maspéro (1846-1916), dont le narrateur lisait *Au temps de Ramsès et d'Assourbanipal* (1912) dans *À l'ombre des jeunes filles en fleurs*, t. I de la présente édition, p. 469.

3. Brichot passe d'une allusion cocasse (l'asile d'aliénés de Charenton) à un jeu de mots (blanc et grand d'Espagne) avant d'évoquer à contre-emploi l'autorité morale de Mgr d'Hulst (1841-1896), qui fut l'organisateur et le recteur de l'Institut catholique (1880-1896). Le Cardinal Alfred Baudrillart est l'auteur d'une biographie de ce prédicateur et philosophe néo-thomiste : *Vie de Mgr d'Hulst* (J. de Gigord) dont le premier volume parut en 1912 et le second en 1914.

Page 832.

1. Voici encore une référence ironique à l'endroit de Sainte-Beuve, dont la méthode consisterait donc à collectionner les potins. Mais la critique ainsi exprimée par Brichot trouve immédiatement sa contradiction dans la satisfaction qu'il va exprimer d'être renseigné sur les mœurs de son collègue X, et d'avoir ainsi la véritable signification de ses écrits et de ses arguments — ce qui est précisément la méthode de Marcel Proust.

2. La *Satire I, sur les caractères et les mots de caractère, de profession, etc.* de Denis Diderot fait plusieurs fois référence à Horace. Le second livre de l'auteur latin est cité en épigraphe et dans la dédicace : « À mon ami M. Naigeon, sur un passage de la première satire du second livre d'Horace. » Dans le texte, « l'ode troisième du troisième livre » est également mentionnée (voir Diderot *Œuvres*, Bibl. de la Pléiade, p. 1228).

Page 833.

1. Allusion aux *Promenades* (1880) et *Nouvelles promenades archéologiques* (1886) de Gaston Boissier (1823-1908). Le mont Palatin est l'une des collines de Rome ; Tibur est une ville du Latium.

2. Cette égérie athénienne vécut dans la seconde moitié du Ve siècle av. J.-C. ; elle fut la compagne de Périclès et nombre d'intellectuels athéniens se rendaient chez elle. Dans le *Ménexène* (235 e), Platon fait prononcer à Socrate un discours que celui-ci dit tenir d'Aspasie.

3. Voir « La Colombe et la Fourmi », *Fables*, XII, II : « L'autre exemple est tiré d'animaux plus petits. / Le long d'un clair ruisseau buvait une colombe. »

4. « Que les dieux détournent ce présage ! » (exactement, *quod di omen avertant*), Cicéron, *Philippiques*, III, XXXV.

5. Dans *Le Crime de Sylvestre Bonnard* (1881), d'Anatole France, c'est toute la situation du roman, où Sylvestre Bonnard, membre de

l'Institut vit dans la « cité des livres » de son appartement du quai Malaquais. Dans la première partie du roman, il répond à l'homme qui veut lui vendre un *Clef des songes* : « Oui, mon ami, mais ces songes et mille autres encore, joyeux et tragiques, se résument en un seul : le songe de la vie ; et votre petit livre jaune me donnera-t-il la clef de celui-là ? » (*Œuvres*, Bibl. de la Pléiade, t. I, p. 154.) On avait déjà noté un écho du *Crime de Sylvestre Bonnard* (voir p. 590).

Page 834.

a. levant une dernière fois [mes yeux *add. dactyl. 3*] du dehors la fenêtre *ms., dactyl. 3. À la suite des éditeurs de 1923, nous ajoutons* vers . ◆◆ *b.* d'or. [Je remontai fort calme et ne songeant plus à feindre une rupture ; en effet il me semblait bien peu probable qu'Albertine devine, Mlle Vinteuil eût-elle dû venir à Paris, quels qu'eussent été auparavant ses projets, n'étant pas venue à Paris, et Albertine, à supposer qu'il y eût collusion entre elle, Mlle Vinteuil et son amie, et Mme Verdurin, avait dû l'apprendre par cette dernière. Si même celle-ci n'avait pu ou pas voulu l'en prévenir, Albertine en tout cas si elle avait cru Mlle Vinteuil à Paris n'avait pas hésité à me la sacrifier. *biffé*] / Albertine *ms.*

Page 836.

a. que vous l'aviez rencontrée [Mme Verdurin *add.*] l'autre jour », *ms.* : que vous l'aviez rencontrée l'autre jour », *dactyl. 3. Nous suivons ms. en achevant la correction.* ◆◆ *b.* Même *[8 lignes plus haut]* en rentrant, *[...]* Mlle Vinteuil *add. ms. Suit, dans ms., une autre addition, biffée :* D'ailleurs à la bien considérer j'avais peut-être dès le début attaché trop d'importance à cette question de Mlle Vinteuil et de son amie. Parce qu'une personne a un vice — comme Mlle Vinteuil et son amie avaient le leur — elles ne sont pas forcément liées qu'avec des êtres ayant le même vice. M. de Charlus avait nombre d'amis, et de ceux qu'il aimait le mieux, qui étaient aussi ceux dont il se serait le plus caché. Il était très possible que si une complice de Mlle Vinteuil et de son amie les avait interrogées sur Albertine, elles en eussent parlé comme d'une personne entièrement opposée à leur genre de goûts, représentant tout autre chose dans leur vie. Albertine pouvait connaître la réputation de ses deux amies, ne pas y croire, mais craindre que j'en eusse de la peine, ayant même peut-être après coup deviné que n'entendant plus jamais parler de la dame que j'étais censé <connaître> et en voyant que je la surveillais de plus en plus que c'était le nom de Mlle Vinteuil qui avait causé mon désespoir à Balbec. *Puis ms. enchaîne sur* Ma petite Albertine, *p. 844, 6e ligne, le texte que nous donnons dans les pages suivantes manquant dans ms. Seuls deux fragments se retrouvent dans le Cahier XI, sur un béquet (voir var. a, p. 842 et var. a, p. 843).* ◆◆ *c. À partir d'ici, et jusqu'à la variante a, p. 844, le texte n'est plus procuré que par dactyl. 3 (ffos 96 à 111) (voir var. b), dont la pagination d'origine comprend nombre de folios bis, ter, quater, etc. Pour ce passage : il s'agit donc de feuillets dactylographiés ajoutés tardivement dans ce dactylogramme.*

1. Voir l'Esquisse XVI, p. 1165.
2. Voir p. 799, 849, 851.
3. Voir p. 642-643.

Page 838.

1. Voir *Sodome et Gomorrhe II*, p. 499-500.

Page 842.

a. Sur un béquet de ms. apparaît le dialogue avec Albertine qui constitue la fin du paragraphe, depuis la dernière ligne de la page 841, et jusqu'à affront pareil. *Dans ms., le texte commence d'une façon légèrement différente :* « Je voulais justement vous demander d'y venir avec moi », dis-je gauchement. « Vous auriez pu me le demander pendant *Le texte de ce béquet enchaîne, après un alinéa, sur celui que nous donnons var. a, p. 843.*

1. À La Raspelière, où le narrateur et Albertine se sont rendus en automobile pour une visite à Mme Verdurin, c'est plutôt celui-ci qui irrite la Patronne en refusant qu'elle les accompagne (*Sodome et Gomorrhe II*, p. 390 à 392).

Page 843.

a. Une première version du passage qui vient, jusqu'à var. a, p. 844, apparaît dans ms. sur le béquet que nous signalions var. a, p. 842 : J'aurais pu lui dire que ce que j'avais fait était insignifiant, mais brusquement gagné par un désir de larmes, de mélodrame et de mensonge, auquel s'ajoutaient des habiletés, au lieu de me défendre, je m'accusai : « Ma petite Albertine, lui dis-je, je pourrais vous dire que vous avez tort, que ce que j'ai fait n'est rien, mais je mentirais, c'est vous qui avez raison, avec votre grande intelligence vous avez compris que si insignifiant que cela parût, ce que j'avais fait était énorme, qu'il y a six mois, il y a trois mois, quand je vous aimais encore tant jamais je n'aurais fait cela. Et cela m'amène puisque vous avez deviné ce que j'espérais vous cacher à vous dire ceci :

Page 844.

a. À partir d'ici, ms. donne à nouveau un texte suivi (voir var. b et c, p. 836). Pour le début de ce passage, voir var. b. ⁂ *b.* ceci : [« Ma petite Albertine, *[9 lignes plus haut]* lui dis-je, *[...]* Vous le voulez ? » *add.*] [Cette réponse me remplit de joie, je n'étais donc pas entièrement percé à jour, dédaigné sans espoir de retour par Albertine, puisque retrouvant presque cette virginité de notre amour où elle avait pu à Balbec ce jour de la visite de Mme de Cambremer que la tristesse le jour de notre première explication croire que ma jalousie était *[un mot illisible]* et que je l'aimais, j'avais pu à Balbec la tromper par deux fois sur mon amour pour elle, lui faire croire qu'il avait pour objet non pas elle — mais d'abord Andrée puis une femme que j'avais laissée à Paris — toutes choses qui, je le sentais bien, n'auraient plus été possibles de lui faire croire, je pouvais pourtant encore la tromper sur mes sentiments pour elle, lui faire croire que j'allais la quitter. Ce qui m'avait *add. interrompue et biffée*] Et malgré *ms.* ⁂ *c. En marge de ce passage, dans ms., on trouve ce fragment biffé :* « Et puis Albertine, je vous demande en grâce une chose, c'est de ne jamais chercher à me revoir. J'oublie Dieu merci très vite mais à condition de ne pas revoir. J'avais une autre amie qui s'appelait Gilberte, que j'adorais, j'ai pu me décider à ne plus jamais la voir. Et maintenant quand ses parents me demandent d'aller goûter avec elle, ce n'est pas par sagesse que j'évite d'y aller. » *Voir p. 846, 13e ligne et p. 857, 4e ligne en bas de page.*

Page 845.

1. Albertine avait d'abord affirmé au narrateur qu'elle ne connaissait pas Esther, la cousine de Bloch (voir p. 618).

Page 846.

a. Un feuillet a été détaché du Cahier 55 et inséré ici dans ms. sans être rattaché à sa rédaction ; il donne le fragment qui précède, depuis p. 845, 4e ligne en bas de page : « vous savez. Je sens bien, lui dis-je d'un ton simple, sincère, et désolé, que quand je vous ai raconté l'autre jour que je voulais voir l'amie dont vous m'aviez parlé, vous avez cru que c'était arrangé, mais non, je vous assure que cela m'était bien égal. » Et il m'était agréable de la supposer incrédule à ce que je disais là où j'avais précisément dit la vérité pour qu'elle étendît cette crédulité au reste. « Mais non, vous êtes fou je ne l'ai pas cru, me dit-elle avec tristesse ; je vous le jure », ajouta-t-elle tendrement. « Non, il ne faut pas croire cela, je vous aimais vraiment, pas d'amour peut-être, mais de grande, de très grande amitié, plus que vous ne pouvez croire. — Mais si, je le crois. Et moi, si vous vous figurez que je ne vous aime pas ! — Et cela me fait une grande peine de vous quitter. — Et moi, mille fois plus grande ! » *Ce feuillet se poursuit avec le fragment que nous donnons var. a, p. 858.* ↔ *b.* l'autre, [ne peut comprendre *biffé ms.*] même ce qu'il sait ne peut *ms., dactyl. 3. Nous ajoutons* il .

Page 847.

a. l'objet [invisible aux autres qui est *biffé*] [qui *corr.*] devant *ms.* : l'objet qui devant *dactyl. 3. Nous maintenons* est .

Page 848.

a. maison. Cette peur qu'Albertine ne voulût secouer en partie sa chaîne était tellement contredite par tout ce qu'elle me disait toujours de son bonheur à la maison que, sauf pour la première fois et pendant un instant seulement, à la soirée Verdurin, je ne l'avais jamais ressentie. Même tout à l'heure en rentrant je ne me l'étais pas formulée. L'intention *ms., dactyl. 3. À la suite des éditeurs de 1923, nous supprimons cette phrase qui fait double emploi avec ce qui précède.*

1. « Le bon sens est la chose du monde la mieux partagée [...] » : première phrase du *Discours de la méthode* (1637 ; Descartes, *Œuvres et lettres*, Bibl. de la Pléiade, p. 126). La même citation approximative apparaît dans *À l'ombre des jeunes filles en fleurs*, t. II de la présente édition, p. 100.

Page 849.

1. Voir var. *a*, p. 836.

Page 850.

1. Dans cet alinéa, le « narrateur » du roman argumente à la fois avec lui-même en prenant du recul par rapport aux événements qu'il a vécus « à ce moment-là », comme héros de sa propre entreprise romanesque, et avec son lecteur pour justifier ses méthodes de narration. Voir p. 569-570 et p. 861.

Page 851.

a. où, si Albertine était *ms., dactyl. 3. Nous adoptons la correction des éditeurs de 1923.*

Page 852.

a. parce que j'avais *ms., dactyl. 3. Nous adoptons la correction de l'édition originale.* ↔ *b. À partir d'ici, et jusqu'à var. a, p. 854, le texte est procuré dans ms. par une addition marginale se poursuivant sur un béquet. Pour la fin de cette addition, voir var. a, p. 854.* ↔ *c.* Léa ! [C'est une chose terrible de vivre avec une menteuse. *biffé*] Je *ms.* ↔ *d.* ces [deux *biffé*] [faits *corr.*] aveux, Albertine *ms.* : ces faits, Albertine *dactyl. 3. Nous rétablissons* deux *et supprimons* aveux *, suivant en cela l'édition de Clarac et Ferré.*

1. Faut-il comprendre cette phrase littéralement, y voir une allusion aux 32 cahiers que Proust fit brûler par Céleste Albaret pendant la guerre ? La même remarque, métaphorique ou non, se retrouve à la ligne 10 de la page 854.

Page 853.

1. Une scène semblable à celle qui va être contée, mais entre la cousine de Bloch et une autre jeune femme, figure dans *Sodome et Gomorrhe II*, p. 246.

Page 854.

a. Le premier jet de ms., avant l'addition signalée var. b, p. 852, était le suivant : à tout jamais ce soir. *[p. 852, fin du 1er §]* Seulement cette simulation entraînait pour moi un peu de la tristesse qu'aurait eue l'intention véritable et que j'étais obligé de me représenter pour la feindre. Sans doute *Proust avait négligé de biffer cette phrase reprise à la fin de l'addition. Elle est dans dactyl. 3, mais nous la supprimons en raison de ce double emploi.*

Page 855.

1. Le vocabulaire de ces trois dernières phrases est celui de la Première Guerre mondiale, en particulier ce terme de « décision »,

employé lors des grandes offensives et, dans la presse, au début de chacune des années du conflit. Voir n. 1, p. 826, ainsi que *Le Côté de Guermantes*, t. II de la présente édition, p. 410-414, et notes p. 1573-1577.

Page 858.

a. *On trouve dans ms. une ébauche, inachevée et biffée, des 4 dernières lignes à la suite du fragment que nous donnons var. a, p. 846, fragment figurant sur un feuillet détaché du Cahier 55 :* « Ah ! ne pleurez pas comme cela mon chéri, s'écria-t-elle en voyant mes larmes. Tout plutôt que de vous faire du chagrin, je ne vous reverrai jamais, c'est promis. » Dans sa bouche ces paroles — ce qui n'eût pas été possible dans la mienne étaient sincères, parce qu'elles lui coûtaient moins.

Page 859.

a. *On trouve, collé dans ms., un nouveau feuillet du Cahier 55, donnant une première version du passage qui vient, jusqu'à la fin du premier paragraphe de la page 861 :* < « Ma > [petite Albertine, vous êtes bien gentille de me le promettre. Du reste, les premières années du moins, j'éviterai les endroits où vous serez. Vous ne savez pas si vous irez cet été à Balbec ou en Touraine parce que dans ce cas-là je m'arrangerais à n'y pas aller. — Je ne sais pas, dit-elle d'un air préoccupé. Peut-être j'irai en Touraine chez ma tante. » Et ce premier projet qu'elle commençait à ébaucher me glaça comme s'il commençait *biffé*] à réaliser notre séparation définitive. Elle regarda la chambre, le pianola, les fauteuils de satin bleu. « Je ne peux pas me faire encore à l'idée que je ne verrai plus tout cela, ni demain, ni après-demain, ni jamais. Pauvre petite chambre. Il me semble que c'est impossible ; cela ne peut pas m'entrer dans la tête. — Il le fallait, vous étiez malheureuse ici. — Mais non, je n'étais pas malheureuse, c'est maintenant que je le serai. — Mais non, je vous assure, c'est mieux pour vous. — Pour vous, peut-être ! » Je me mis à regarder fixement dans le vide comme si, en proie à une grande hésitation, je me débattais contre une idée qui me fût venue à l'esprit. Enfin, tout d'un coup : *[p. 860, dernière ligne] La fin du feuillet procure le texte que nous donnons, jusqu'à la fin du premier paragraphe de la page 861.*

1. Voir *Sodome et Gomorrhe II*, p. 246-247 ; ici, p. 585.

Page 860.

a. ce n'était moins *ms., dactyl. 3. Nous corrigeons.*

Page 862.

a. les Verdurin, ce corps *ms., dactyl. 3. Nous adoptons la correction de l'édition originale.*

1. Parmi les jugements derniers du Moyen Âge qui se présentent de la manière qui est évoquée ici, on peut citer celui de la cathédrale de Laon et le « portail des libraires » à la cathédrale de Rouen, toutes

deux visitées par Proust et étudiées dans l'ouvrage d'Émile Mâle qu'il a abondamment utilisé : *L'Art religieux du XIIIe siècle en France* (Livre IV, chap. VI, II).

Page 863.

a. sans le *[p. 862, dernière ligne du 1er §]* savoir. [« Venez dans ma chambre *[...]* visage de notre servante[1] *add.*] que *ms.* : sans le savoir. / « Venez [...] visage de notre servante que *dactyl. 3. Nous ajoutons* à tel point *comme cela fut fait dans l'édition originale.* ↔ *b. Ce paragraphe est en addition dans ms.* ↔ *c.* M. de Charlus ne m'eût *ms., dactyl. 3. Nous adoptons la correction de Clarac et Ferré.* ↔ *d.* d'autre part, n'était-elle pas de sa part [autre chose *add.*] qu'une *ms.* : d'autre part, n'était-elle pas de sa part autre chose qu'une *dactyl. 3. Proust a manifestement omis de biffer la négation sur ms. lorsqu'il a ajouté* autre chose . *Nous la supprimons, à la suite de Clarac et Ferré.*

1. Il s'agit des protagonistes de l'incident diplomatique annoncé à la fin du premier paragraphe ; l'enchaînement était plus clair avant l'addition que nous signalons dans la variante *b*.

Page 864.

a. avec elle provoquait *ms., dactyl. 3. Nous adoptons la correction de l'édition originale.*

1. Théophile Delcassé (1852-1923), député de l'Ariège, ministre des Affaires étrangères de 1898 à 1905, fut alors l'artisan de l'alliance avec la Russie et de l'entente cordiale avec l'Angleterre. Proust semble ici faire allusion à sa démission du cabinet Rouvier le 6 juin 1905 en raison de la tension avec l'Allemagne au sujet du Maroc. Il est vrai qu'à la veille de la guerre, Delcassé fit partie, comme ministre de la guerre, du cabinet Ribot, qui ne reçut pas l'investiture de la Chambre, le 12 juin 1914. Il n'est pas impossible que Proust fasse allusion à ces deux événements à la fois. Comme pour l'affaire Dreyfus, ils soulignent l'écart entre le temps du récit et celui de l'écriture.

2. Ici, l'allusion, appliquée aux manœuvres du narrateur à l'égard d'Albertine, fait clairement référence aux événements qui précédèrent la déclaration de guerre d'août 1914.

Page 865.

a. Ce paragraphe, jusqu'à par le dedans. *[p. 866], est en addition marginale, se poursuivant sur un béquet, dans ms.*

1. La dernière partie de l'addition, depuis « Il était si tard » jusqu'à « notre servante » se trouve sur un béquet qui reprend un passage écrit sur la page précédente et biffé jusqu'à « le visage de notre » la fin de la rédaction précédente subsistant, non biffée, au haut du folio 68 : « vieille servante ».

Page 866.

1. Citation approximative de la lettre du 25 octobre 1679 de Mme de Sévigné à sa fille, à propos de Charles de Sévigné : « Pour moi, je suis persuadée que non [...]. Pourquoi troubler cette fille, qu'il n'épousera jamais ? Pourquoi lui faire refuser ce parti, qu'elle ne regarde plus qu'avec mépris ? [...] troubler, de gaieté de cœur, l'esprit et la fortune d'une personne qu'il est si aisé d'éviter » (*Correspondance*, Bibl. de la Pléiade, t. II, p. 722).

Page 868.

a. de scènes *[4e ligne de la page]* à Albertine. [Je me demandai *[...]* dominatrice. *add.*] / Mais *ms.*

1. Alors que dans l'ouverture de *La Prisonnière*, l'article dont le narrateur attend la parution dans *Le Figaro* n'est qu'un premier essai littéraire, les événements vécus avec Albertine ont maintenant pour contrepartie romanesque la rédaction par le narrateur d'« Un amour de Swann ».

Page 869.

a. Ce paragraphe est en addition dans ms. ⁂ *b.* Françoise qui n'y voyait presque plus et savait à peine compter, voyait *ms., dactyl. 3. À la suite des éditeurs de 1923, nous supprimons l'incise, qui répète une idée exprimée quelques lignes plus tôt.*

Page 870.

a. prison. [J'eus un jour de découragement, Aimé me renvoyait la photo de Mlle Esther en disant que ce n'était pas elle. Alors Albertine avait d'autres amies intimes que celle dont par le contresens qu'Albertine avait fait en écoutant mes paroles, j'avais, en croyant parler de tout autre chose, découvert qu'elle lui avait donné sa photographie ? *add.*] / Ainsi, *ms. Cette addition, bien qu'incorporée dans dactyl. 3, n'a pas été retenue par les éditeurs de 1923, car elle fait double emploi avec le texte que l'on trouve à la page 867 ; nous adoptons ce parti.*

1. Cette citation est déjà notée p. 681 (voir n. 2 de cette page).

2. Voir, p. 687, la première mention de ces cadeaux : le yacht, sa décoration, l'argenterie, les conseils demandés à Elstir, les robes de Fortuny.

3. Ces traités, signés en 1713-1715, mettaient fin à la guerre de Succession d'Espagne.

4. Manufacture parisienne de faïence, à la seconde moitié du XVIIIe siècle.

Page 871.

a. Elstir, quand il nous parlait *Le passage qui commence par ces mots et qui va jusqu'à* et même triste *[p. 873, 10e ligne] figure dans le manuscrit sur deux feuillets collés sur les folios 82 et 83 du Cahier* XI, *consacrés aux robes de Fortuny.*

1. Orfèvre de la cour de Louis XV.
2. Voir le motif Fortuny dans la Notice, p. 1670 et suiv.
3. Ces peintres, Misia Sert, Léon Bakst et Alexandre Benois, furent les décorateurs des Ballets russes.

Page 872.

a. Je voulus *Le paragraphe qui commence par ces mots est une addition au second des feuillets signalés dans la variante a de la page 871.*

Page 873.

a. triste. [Il semblait que ces présents ne compensassent pas l'esclavage où mon amour la faisait vivre. Et quant à moi, la robe de chambre de Fortuny me le rendait plus pesant. Si la robe de Fortuny, en m'évoquant Venise, semblait me rendre plus pesant cet esclavage à Paris où me faisait vivre Albertine, celui que je lui imposais en revanche ne semblait plus être compensé par les présents pourtant continuels que je lui faisais, et desquels elle avait l'air de croire qu'elle payait la rançon de je ne *[quelques mots illisibles*[1]*] interrompu et biffé*] quelquefois *ms.* ◆◆ *b.* et seule et n'était plus *ms., dactyl. 3. Nous adoptons la correction de* et *en* elle *proposée par les éditeurs de 1923.* ◆◆ *c.* pour moi [*[*une *biffé]* cerné *lecture douteuse*] de dédain *ms.* : pour moi une pensée de dédain *dactyl. 3. Nous adoptons la leçon du manuscrit malgré son caractère incertain, le texte de dactyl. 3 résultant d'une mauvaise lecture ;* cerné *peut se rapporter à* être *[6 lignes plus haut].*

Page 874.

a. deux [et qui étaient souvent, sur ma demande, des morceaux de Vinteuil, car je pouvais entendre sa musique sans souffrance, depuis que je m'étais rendu compte qu'Albertine ne cherchait nullement à revoir Mlle Vinteuil et son amie, ayant même, entre tous les projets de villégiature que nous formions, écarté elle-même Combray, si proche de Montjouvain *add.*]. Car, *ms. Cette addition, bien qu'intégrée dans dactyl. 3, n'a pas été retenue par les éditeurs de 1923, dans la mesure où on la retrouve à la page 875 ; nous ne la retenons pas non plus.* ◆◆ *b.* que par compensation elle *ms., dactyl. 3. Nous adoptons la correction de Clarac et Ferré, le complément se retrouvant à la ligne suivante.*

1. Voir l'Esquisse XVII, p. 1170.
2. Dans *Les Ménines* (1656).
3. La lecture de « sièges » n'est pas douteuse dans le manuscrit. Son sens n'est clair que si on entend « sièges de ce souvenir ».

1. Fin du second feuillet collé sur *ms.* signalé dans la variante *a*, p. 872.

Page 875.

a. Montjouvain, souvent *ms., dactyl. 3. Nous adoptons la correction des éditeurs de 1923.* ⁂ *b. On trouve sur un papier collé dans ms. (Cahier XI, f° 79 r°) ce fragment biffé, initialement destiné à s'insérer ici :* À mêler. Quand le soir ramenait mes inquiétudes à trouver dans sa présence l'apaisement des premiers jours. Je m'étais même si bien rendu compte qu'il serait insensé d'être jaloux de Mlle Vinteuil puisque Albertine ne cherchait aucunement à la revoir et de tous les projets de voyage que j'avais faits n'en avait écarté qu'un seul, celui de Combray où j'avais proposé d'aller retrouver ma mère et qu'elle savait proche de Montjouvain, que je pus, pour mon plaisir et sans souffrance, lui demander de me jouer au pianola la symphonie de Vinteuil et certaines dernières œuvres de lui que je ne connaissais pas. Elle commençait à aimer beaucoup la musique et souvent, d'elle-même, au lieu de prendre le jeu de dames ou le jeu de cartes. Le plus souvent nous commencions par jouer aux dames ou aux cartes. Et je me faisais décrire par Albertine quelque toilette ou quelque objet qu'elle désirait avoir. Pour les premières elle était engouée en ce moment de tout ce que faisait Fortuny[1]. ⁂ *c.* des phrases inaperçues chez Mme Verdurin, larves *ms., dactyl. 3. Nous adoptons, à cause de la répétition immédiate, la correction de Clarac et Ferré.*

1. Voir la lettre à Mme Straus, du 5 janvier 1914 : « Quand je ne suis pas trop triste pour en écouter, ma consolation est dans la musique, j'ai complété le théâtrophone par l'achat d'un pianola. Malheureusement on n'a pas justement les morceaux que je voudrais jouer. Le sublime *XIVe quatuor* de Beethoven n'existe pas dans leurs rouleaux » (*Correspondance*, t. XIII, p. 31).
2. Voir p. 720.

Page 876.

a. Il me semblait même, quand *ms., dactyl. 3. Nous adoptons la correction de Clarac et Ferré.*

1. Voir la Notice, p. 1685 et suiv. et l'Esquisse XIII, p. 1144 et suiv.
2. Voir p. 522, et l'Esquisse III, p. 1101-1102.

Page 877.

a. certaine tasse de thé. [Seulement *biffé*] [En tout cas sans pousser plus loin pour le moment cette comparaison je sentais que *biffé*] [Comme cette *[...]* lumière, *corr.*] les rumeurs *ms. Dans la marge de ms. apparaît ici cette « note de régie » :* Dire peut-être ici à la place que je me demande quel genre de réalité intellectuelle symbolise une belle phrase de Vinteuil — *elle en symbolise sûrement une pour me donner cette impression de profondeur et de vérité* — et laisser à la fin du livre que cette [vérité *biffé*] réalité c'était ce genre de pensées comme la tasse de thé en éveillait. *Le passage en italique est souligné par Proust.*

1. Fin du folio 79 r°. La fin du passage, de « Le plus souvent » à « Fortuny » a été écrite directement sur la page du Cahier. Voir p. 871, 12e ligne et p. 873-874, dernier §.

1. Plus explicitement que p. 868 (voir la note 1), le narrateur souligne qu'il est l'auteur « de cet ouvrage », tout en revenant sur ces impressions des clochers de Martinville et des arbres d'Hudimesnil, déjà évoquées p. 765, auxquelles s'ajoute la tasse de thé, mais en retardant encore, comme lors de l'audition du septuor de Vinteuil, leur interprétation définitive.

2. Voir la Notice, p. 1692.

3. Pour étendre son raisonnement de la musique à la littérature, Proust fait employer à son narrateur le terme de « phrases types », qui peut en effet s'appliquer aux deux domaines. Mais au lieu d'aborder la stylistique, il passe à des commentaires généraux sur les romans et nouvelles de Barbey d'Aurevilly, Thomas Hardy, Dostoïevski, notamment. Dans les œuvres des deux premiers il souligne la répétition d'éléments de leurs décors et de leurs intrigues ; dans celles du dernier, leur système moral. Pour ce faire, il prend comme exemples certains détails significatifs dans lesquels il retrouve la structure de l'œuvre, son unité. Cette analyse de la création littéraire est à rapprocher de celle qu'avaient tentée A. Binet et J. Passy : « Étude de psychologie sur les auteurs dramatiques », dans *L'Année Psychologique* de 1894 (1re année, publiée par H. Beaunis et A. Binet, avec la collaboration de Th. Ribot, Paris). Le phénomène de la création littéraire y est abordé d'une manière qui se veut scientifique, à partir d'entretiens avec les auteurs alors les plus en vue. Parmi eux, Alphonse Daudet, que Proust, rappelons-le, connaissait dès cette époque-là, et à qui il avait consacré un article : « Opinions : sur M. Alphonse Daudet », paru dans *La Presse* du 11 août 1897 (*Essais et articles*, éd. citée, n. 2, p. 402 [p. 891-894]). Interrogé par Binet et Passy, Daudet avait souligné que son point de départ était « l'homme anecdotique, analysé dans ses paroles, ses tournures de phrase et ses pantomimes qui révèlent toute une existence » (*L'Année psychologique*, ouvr. cité, p. 87). Sa conclusion : « Par-dessus tout, l'auteur est dominé par une impression d'ensemble, l'idée de l'œuvre, idée qui par exemple pour *Fromont jeune et Risler aîné*, se résume dans ces mots : "L'honneur de la maison de commerce" (*ibid.*, p. 97). Dans le même numéro de la revue (p. 104), Henry Meilhac, objet de l'étude suivante, explique qu'il part lui aussi d'une phrase pour aboutir à un personnage.

4. De Barbey d'Aurevilly, Proust va citer quatre œuvres dans ce passage. D'abord *L'Ensorcelée* (1854), avec le personnage qui lui donne son titre, ainsi que les autres protagonistes, le mari, la vieille Clotte et le berger jeteur de sorts. Valognes est le décor du roman et Barbey compare sa ville natale à celles de l'Angleterre. Aimée de Spens sauve le chevalier chouan dans *Le Chevalier des Touches* (1864), mais non son compagnon qu'elle va pleurer dans un couvent. Dans « Le Rideau cramoisi » (*Les Diaboliques*, 1874), Mlle Alberte saisit furtivement la main du jeune officier, son voisin de table, pensionnaire chez les parents de la jeune fille. Une nuit, l'officier découvrira Alberte morte à son côté. Enfin, la Vellini est l'héroïne d'*Une vieille maîtresse* (1851).

5. Proust avait déjà noté dans le Carnet 1, au folio 35 v° : « le miroir des bergers » (voir le *Carnet de 1908*, éd. citée, p. 95) dans

des fragments consacrés à Barbey d'Aurevilly. Il fait ainsi allusion à une scène de magie, dans *L'Ensorcelée*, où le berger suscite une vision horrible à l'aide de son miroir (Barbey d'Aurevilly, *Œuvres romanesques complètes*, Bibl. de la Pléiade, t. I, p. 678-679.)

Page 878.

a. l'histoire orale faite *[p. 877, dernière ligne]* par [des bergers, des jeteurs de sort, des acheteurs de chevelures de jeunes filles, et une même anxiété *biffé*] [les pâtres au miroir, les nobles *[...]* d'Écosse *corr.*] lanceurs de malédictions *ms.* : l'histoire orale faite par les prêtres au pouvoir, les nobles [...] d'Écosse, la cause des malédictions *dactyl. 3* : l'histoire orale faite par les pâtres au terroir, les nobles [...] d'Écosse, la cause des malédictions *orig. Nous rétablissons la leçon du manuscrit.*

1. Thomas Hardy fut d'abord architecte. Les personnages des romans que cite Proust dans cette conversation du narrateur avec Albertine sont proches de cette profession : le héros de *Deux yeux bleus*, Stephen Smith, est architecte, son père était maçon ; Jude (*Jude l'obscur*) est tailleur de pierres ; Jocelyn Pierston (*La Bien-Aimée*) est sculpteur. Proust avait lu ces trois ouvrages dans leur traduction française, *Jude* en 1906, *Deux yeux bleus* et *La Bien-Aimée* en 1910.

2. Dans *Jude l'obscur*, Jude, comme Stephen Smith dans *Deux yeux bleus*, travaille à la restauration d'églises gothiques. Dans *La Bien-Aimée*, le père de Jocelyn Pierston, le sculpteur, est carrier dans leur petite île natale, l'île des Slingers.

3. Allusions aux épisodes de *Deux yeux bleus* : d'abord la scène d'amour entre Stephen Smith et Elfride Swancourt, l'héroïne aux yeux bleus ; les deux jeunes gens sont assis sur la tombe de Jeathway, prétendant d'Elfride. La scène est suivie d'une autre, parallèle, avec Henri Knight et Elfride. C'est de la falaise que ces deux derniers voient s'approcher le bateau de Stephen Smith. Enfin, Knight et Smith se retrouvent dans le train qui les ramène de Londres vers Elfride, croient-ils, mais celle-ci est morte et son cercueil se trouve dans le wagon contigu.

Page 879.

1. Dans *Deux yeux bleus*, Elfride Swancourt aime successivement Jeathway, Smith et Knight. Dans *La Bien-Aimée*, Jocelyn Pierston aime successivement Avice Caro, sa fille et sa petite-fille. L'un et l'autre des deux auteurs avaient reconnu cette similitude avec *À la recherche du temps perdu*, où, de vingt ans en vingt ans, le narrateur est face à « la dame en rose », à Gilberte, à sa fille Mlle de Saint-Loup. Au moins à l'époque du Cahier 71, en 1914, Proust avait envisagé un rôle moins symbolique pour cette dernière, puisqu'il a noté, dans une parenthèse, « à la fin du volume quand Gilberte me propose sa fille ».

2. Julien Sorel, le héros du *Rouge et le Noir*, est enfermé en haut d'un donjon après sa tentative d'assassinat sur Mme de Rênal : « Le

matin, lorsqu'il arriva à la prison de Besançon, on eut la bonté de le loger dans l'étage supérieur d'un donjon gothique. Il jugea l'architecture du commencement du XIVe siècle ; il en admira la grâce et la légèreté piquante. Par un étroit intervalle entre deux murs au-delà d'une cour profonde, il avait une échappée de vue superbe » (*Romans et nouvelles*, Bibl. de la Pléiade, t. I, p. 650). De la même manière, l'autre héros de Stendhal, Fabrice del Dongo, dans *La Chartreuse de Parme*, est emprisonné en haut d'une tour ; il lui arrivait aussi de monter à l'observatoire de l'abbé Blanès.

3. De Fédor Dostoïevski, Proust mentionne, dans ce passage, *Crime et châtiment* (1866) ; *L'Idiot* (1868) et ses personnages : Nastasia Philipovna, Aglaé, Gania, Muichkine, Rogojine, Lebedev, Ivolguine ; ainsi que ceux des *Frères Karamazov* (1880) : Grouchenka, Aliocha, Katherina Ivanovna, le père Karamazov, le capitaine, Mitia, Krassotkine, Smerdiakov. Voir le texte sur Dostoïevski publié dans les *Essais et articles*, éd. citée, p. 644.

4. Deux tableaux que Proust avait vus, Le Carpaccio à l'Académie de Venise, le Rembrandt au Louvre.

Page 880.

a. la Bethsabée *[p. 879, 8e ligne en bas de page]* de Rembrandt. [Remarquez *[...]* au monde, *add.*[1]] Comme *ms.*

1. Michael Munkacsy (1844-1900), peintre, né à Munkacs en Hongrie, vécut à Paris de 1872 à 1896. Il y exposa en particulier, au Salon de 1872, *Le Dernier Jour d'un condamné à mort en Hongrie*, ainsi que, dans son atelier, *Le Calvaire*, en 1883, et *Les Saintes Femmes au tombeau*, au Salon de 1895, tableaux auxquels se réfère Proust dans ce passage, en leur reprochant un cadrage dramatique banal. Implicitement, il leur oppose le décalage habituel dans *À la recherche du temps perdu*, où l'action est rarement saisie directement à son point culminant. Toujours dans le domaine pictural, on peut aussi comparer *Le Christ devant Pilate* de Munkacsy (1881), cadré « au moment où », selon Proust, à, par exemple, *l'Excommunication de Robert le pieux* de Jean-Paul Laurens (1875) où l'action vient d'avoir lieu (musée d'Orsay).

2. Son portier.

3. Dans *L'Idiot*, parce que Nastasia aime le prince Muichkine.

4. Nicolas Gogol (1809-1852), l'auteur des *Âmes mortes* ; Paul de Kock (1793-1871), l'auteur de *Mon voisin Raymond*. Proust paraît rejeter par ces nouveaux exemples les classifications des historiens de la littérature, portant sur des catégories extérieures aux œuvres : le roman moderne russe, ou le roman populaire, etc.

1. L'édition originale n'a pas repris le texte de cette addition dont la 1re phrase n'est pas construite. *Dactyl. 3*, ainsi que l'édition originale et celle de Clarac et Ferré, donnent « Muichkine » et non « Munkacsy »

5. Dans cette phrase et dans la suivante — cas uniques — le narrateur tutoie Albertine : ce passage est un vestige de la conversation primitive, « avec Maman ». Albertine vouvoie également le narrateur ; voir cependant p. 663 : « Toute à vous, ton Albertine ».

6. Dans *À la recherche du temps perdu*, Tolstoï fait toujours partie de listes de « grands écrivains étrangers », en concordance avec l'opinion de Proust : « On élève maintenant Balzac au-dessus de Tolstoï. C'est de la folie. L'œuvre de Balzac est antipathique, grimaçante, pleine de ridicule, l'humanité y est jugée par un homme de lettres désireux de faire un grand livre, dans Tolstoï par un dieu serein » (« Tolstoï », *Essais et articles*, éd. citée, p. 657). Voir *À l'ombre des jeunes filles en fleurs*, t. I de la présente édition, p. 546 ; *Le Côté de Guermantes I*, t. II, p. 574 ; dans le présent volume, p. 769, Proust souligne que les scènes en voiture se répètent dans *La Guerre et la Paix*, que ce soit avec le prince Bezoukhov (livre II, 2e partie, chap. I) ou le prince Bolkonski (livre II, 3e partie, chap. II et III).

Page 881.

a. Dans ms., la rédaction est ici manifestement interrompue, Proust se réservant ensuite un blanc d'une page et demie (ff^os 96 à 98 du Cahier XI).

1. L'exemple « tiré par les cheveux » n'a pas été donné à cet endroit d'*À la recherche du temps perdu* : Proust l'avait fourni dans *À l'ombre des jeunes filles en fleurs*, t. II de la présente édition, p. 14. Il y cite la lettre de Mme de Sévigné du 12 juin 1680 : « [...] je vais dans ce mail dont l'air est bon comme celui de ma chambre ; je trouve mille coquecigrues », et Proust souligne : *« des moines blancs et noirs, plusieurs religieuses grises et blanches, du linge jeté par-ci par là, des hommes ensevelis tout droits contre des arbres »*, pour conclure : « [...] je fus ravi par ce que j'eusse appelé un peu plus tard (ne peint-elle pas les paysages de la même façon que lui, les caractères ?) le côté Dostoïevski des *Lettres de Madame de Sévigné*. »

2. À peine a-t-il dévoilé ses batteries (voir p. 850, 861, et 868), que le narrateur revient sur l'expression de ses intentions romanesques.

3. Pierre Choderlos de Laclos (1741-1803), l'auteur des *Liaisons dangereuses* (1782), mais mari attentif dans sa correspondance. L'opposition vertu-perversité fascine Proust depuis *Les Plaisirs et les Jours*.

4. Mme de Genlis (1746-1830), auteur de *Contes moraux* (1802), avait été la gouvernante du futur Louis-Philippe, fils du duc (« Philippe-Égalité ») dont elle avait été la maîtresse, et de la duchesse d'Orléans.

5. La citation complète est : « Si le viol, le poison, le poignard, l'incendie / N'ont pas encor brodé de leurs plaisants dessins / Le canevas banal de nos piteux destins, / C'est que notre âme, hélas ! n'est pas assez hardie » (*Les Fleurs du mal*, préface).

Page 882.

a. détournant d'elle *[p. 881, 5e ligne avant la fin du 2^d §]* ses enfants. [Je reconnais *[...]* accompli. *add.*] Quant à *ms.*

1. Mitia est Dimitri Karamazov, l'aîné des Karamazov, dans le roman du même nom. L'épisode avec le capitaine est raconté par Katherina Ivanovna (livre IV, chap. V). Pour travailler à ce passage, Proust avait emprunté un exemplaire des *Frères Karamazov* à Antoine Bibesco (voir la *Correspondance*, t. XVI, p. 138).

2. Le père Karamazov, personnage d'abject bouffon, a engrossé Lizaveta, la folle (livre III, chap. II).

3. À la cathédrale d'Orvieto, des XIIIe et XIVe siècles, les sculptures de la façade, auxquelles Proust fait allusion, représentent Adam et Ève.

4. Ce « second épisode » des *Frères Karamazov* : la vengeance accomplie, vingt ans après, par Smerdiakov, le fils de la folle, a inspiré à Proust (note sur George Eliot, *Essais et articles*, éd. citée, p. 656) les mêmes commentaires que ceux qu'il a portés sur les romans de George Eliot, *Adam Bede* et *Silas Marner* : « Adam perd Hetty et cela était nécessaire pour qu'il trouvât Dinah. Silas perd son or et c'était nécessaire pour qu'il fût ouvert à l'amour de l'enfant (cf. Emerson, *Compensation*, et « l'homme s'agite et Dieu le mène »). » Une fois de plus, comme chez Thomas Hardy, Proust reconnaît et approuve une construction romanesque bâtie autour d'épisodes symétriques, cycliques, ainsi que ce système moral de *compensation*, dont il dit, toujours dans la note sur George Eliot *(ibid.)* : « C'est aussi par-dessus l'enchaînement de nos vices et de nos malheurs, une sorte d'ordre supérieur de providence puissante qui fait de notre mal l'instrument incompréhensible de notre bien [...]. »

Page 883.

1. Voir *À l'ombre des jeunes filles en fleurs*, t. II de la présente édition, p. 264-265.

2. C'est-à-dire l'une des deux hypothèses présentées p. 876 : réalité ou illusoire de l'art, de l'âme.

3. Reprise de l'analyse interrompue, p. 877, avant le développement de la « conversation littéraire avec Albertine ».

4. Voir *À l'ombre des jeunes filles en fleurs*, t. I de la présente édition, p. 483 et 485, où des sensations olfactives de même nature mettent en rapport le « petit pavillon treillissé de vert » des Champs-Élysées à la « fraîche odeur de renfermé », ou « de moisi », et la petite pièce de l'oncle Adolphe à Combray « laquelle exhalait en effet le même parfum d'humidité », décors, pour le narrateur, des jeux érotiques.

5. Voir *Du côté de chez Swann*, *ibid.*, p. 9.

6. Ces compositeurs ont déjà été évoqués, respectivement p. 624 et 742. Du second, Proust fait ici allusion à *Dans les steppes de l'Asie centrale* (1880).

Page 884.

a. Et ces décorations *Le passage qui commence par ces mots et qui va jusqu'à* précieuse et rose *[p. 885, 25e ligne] figure dans le manuscrit sur trois feuillets provenant d'une rédaction plus ancienne et collés sur les pages du cahier* XI *(ces feuillets sont paginés 103, 104 et 105).* ↔ *b.* jour (le dire en son temps le premier jour et marque qu'elles étaient hautes) j'avais *ms., dactyl. 3. Nous adoptons la correction de l'édition originale.* ↔ *c.* sur les *touches* (?) comme *ms.*

1. Ce qui est encore la conception de Swann.

2. Sainte Cécile, martyre en 232, patronne des musiciens, est représentée par Rubens à l'orgue. La même image était présente dans « Journées en automobile » (*Pastiches et mélanges*, éd. citée, p. 67), où Proust évoque ses randonnées de septembre 1907 avec Agostinelli : « [...] sainte Cécile improvisant sur un instrument plus immatériel encore — il touchait le clavier et tirait un des jeux de ces orgues cachées dans l'automobile [...]. » Voir en outre la Notice, p. 1632-1633.

Page 885.

a. plus résistants *[p. 884, dernière ligne]* que de la lumière, font apparaître, *ms., dactyl. 3. Nous adoptons la correction de Clarac et Ferré.* ↔ *b.* chez moi. Le plaisir et la peine qui me venaient d'Albertine *[interrompu]* Même *ms.* : chez moi. Le plaisir et la peine qui me venaient d'Albertine. Même *dactyl. 3. Pour la leçon de l'ensemble de ce passage dans ms., voir var. c.* ↔ *c.* sa substance *[24e ligne de la page]* précieuse et rose. [Mais non ce n'était pas une œuvre d'art, le sentiment qu'Albertine m'inspirait n'était pas artistique. Je savais ce que c'était qu'admirer une femme comme une œuvre d'art. Que de fois Swann *interrompu et biffé*[1]] [les[2] cheveux ; ne l'avais-je même pas vu ainsi, même pour une vieille femme, même pour la princesse Mathilde, substituer à l'impression que j'en avais reçue directement, une impression composite faite de l'usage des gens qu'elle avait connus, et de l'intérêt des vêtements qu'elle portait, et pour de plus jeunes aussi rattachant leur beauté par l'habitude qu'il avait de ces rapprochements à telle œuvre d'art prestigieuse, lui donnait tout d'un coup une dignité qui me faisant m'estimer heureux de l'avoir vue, me donnait le désir de la revoir, de comparer son ajustement et son visage avec ceux de tel Coëllo ou de tel Mantegna. Rien de tel de ma part avec Albertine ; je ne cherchais nullement à me persuader que j'étais très heureux de la voir, le plaisir et la peine qui me venaient d'elle ne prenaient jamais pour m'atteindre le détour du goût et de l'intelligence (bien que je ne puisse pas dire qu'en un certain sens, mais autre, plus élevé, plus vivant, elle ne fût pas pour moi une œuvre d'art pour moi). Sans doute certaines rêveries sur la beauté de la forme féminine avaient préexisté chez moi à la rencontre sur la digue de Balbec, et c'est sans doute à ces rêveries que je lui avais inconsciemment mêlées pour incarner en elle le charme de cette plage. Maintenant encore j'aimais à la posséder

1. Fin du f° 105 du Cahier XI. Voir var. *a*, p. 884 et n. 1.

2. Début du f° 106 du Cahier XI.

chez moi comme une espèce de modèle de beauté féminine tout patiné par le soleil marin, que j'aimais ; mais cet élément artistique s'il se mêlait à mon amour, c'était à mon insu, et c'était comme un être bien plus vivant que je l'aimais. Non pas que Swann, s'il avait été encore vivant et si j'avais pu lui montrer Albertine, et si l'admirant il m'avait dit d'elle de ces choses qui ennoblissaient la beauté, je n'eusse pas été heureux, car chaque fois que ma pensée s'enfermait dans une idée artistique et que je pouvais lui rattacher Albertine, c'était pour moi comme si dans une chambre où je me serais trouvé seul, j'avais fait entrer mon amie. Cela étendait mon amour, lui ajoutait des preuves. Mais ce n'est pas de là qu'il venait. Non, en réalité je m'ennuyais presque auprès d'Albertine, elle commençait à me devenir indifférente quand je la regardais comme un ange musicien, comme une œuvre d'art que je me félicitais de posséder. *biffé*] [Quoique je ne puisse pas dire que dans un certain sens autre, plus élevé, plus vivant, elle ne fût pas une œuvre d'art pour moi. Sans doute certaines rêveries sur la beauté de la forme féminine avaient préexisté à sa rencontre sur la plage de Balbec et alors c'est sans doute avec cette idée de derrière la tête que je l'avais pétrie comme une espèce de nymphe marine. Et maintenant encore, c'était comme une espèce de modèle de la beauté féminine, toute patinée de soleil marin, que j'aimais à l'avoir chez moi. Mais si ces rêveries avaient quelque chose d'artistique, c'était presque à mon insu et c'est comme quelque chose de vivant que je l'aimais. Non pas que si Swann *interrompu*[1]] [Mais non ; *[...]* duraient peu. *Nouvelle rédaction ms.*[2] *dactyl. 3*] On[3] *ms., dactyl. 3*

1. Les portraits féminins du peintre milanais du XVIe siècle mettent en valeur la beauté et le charme du modèle.

2. Giorgione est associé par le narrateur à ses désirs de voyage à Venise, depuis *Du côté de chez Swann* (t. I de la présente édition, p. 384-385), et à Parme (*Le Côté de Guermantes II*, t. II, p. 719). Et c'est comme un Giorgione que le narrateur imagine la femme de chambre de la baronne Putbus, dans sa conversation avec Saint-Loup (*Sodome et Gomorrhe II*, p. 94 du présent volume).

Page 886.

1. Ce « lui » annonce le « mystérieux sourire », en fin de phrase.

Page 887.

a. reçus ! [Et certes ce qui me faisait tant de mal à imaginer dans sa pensée qu'elle y avait éprouvé alors, c'était ce même besoin perpétuel d'aimer, de plaire, d'un roman nouveau à nouer, d'une nouvelle femme à connaître, qui était chez moi-même mon perpétuel désir, qui m'avait encore dévoré l'autre jour ; même à côté d'elle quand je voyais les jeunes cyclistes assises aux tables du Bois de Boulogne. Peut-être Saint-Loup n'avait-il pas tort en *[interrompu]* Serait-on absolument fidèle soi-même,

1. Au verso de la partie collée du folio 105 du Cahier XI (voir var. *a*, p. 884).
2. F° 105 d'origine, marge du folio 106, haut du folio 107 du Cahier XI.
3. Retour à la rédaction suivie du Cahier XI, f° 107.

ne souffrirait-on pas des infidélités de l'autre qu'on ne pourrait pas concevoir ? Il n'est de connaissance, on peut presque dire qu'il n'est de jalousie, que de soi-même. L'observation compte peu. Ce n'est que du plaisir qu'on a senti par soi-même qu'on peut tirer savoir et douleur. *biffé*[1]] Non, *ms.*

1. Vestige du passé hollandais de Maria : voir l'Esquisse IX, p. 1120 et 1124 et la Notice, p. 1646 à 1648.

Page 888.

a. Albertine, [soit à Paris *biffé*] soit sur la plage de Balbec, je *ms.* : Albertine *[un blanc]* sur la plage de Balbec, je *dactyl. 3. Nous corrigeons, en supposant que Proust a voulu intervertir les deux termes selon l'ordre chronologique du roman.*

1. Anatole France, dans un article sur Mérimée paru dans *Le Temps* du 19 février 1888 et repris dans *La Vie Littéraire* (éd. citée, t. II, p. 379-380) cite une lettre de Mérimée à Mrs Senior qui contient cette anecdote : « Il y avait une fois un fou qui croyait avoir la reine de Chine (vous n'ignorez pas que c'est la plus belle princesse du monde) enfermée dans une bouteille. Il était très heureux de la posséder et il se donnait beaucoup de mouvement pour que cette bouteille et son contenu n'eussent pas à se plaindre de lui. Un jour il cassa la bouteille, et, comme on ne trouve pas deux fois une princesse de la Chine, de fou qu'il était il devint bête. » (Mérimée, *Correspondance générale*, édition Parturier, Toulouse, Privat, 1953, t. VII, p. 511, lettre à Mrs Senior du 29 juillet 1855) Cette lettre a été publiée par O. d'Haussonville, *Prosper Mérimée, Hugh Elliot*, Calmann-Lévy, 1885, p. 77. C'est ainsi que Proust, familier des Haussonville et qui a pu lire dans *Le Temps* le compte rendu qu'en a fait France, a pu la connaître et en être frappé au point de la citer trois fois, dans son *Roman par lettres* de 1893 (voir l'Introduction générale, t. I de la présente édition, p. XIV), dans *Le Côté de Guermantes* (t. II, p. 587) et ici.

Page 889.

1. Les thèmes et la formulation de ce paragraphe sont ceux de la première version du roman d'Albertine, *La Prisonnière* de 1914 : le Cahier 71 (voir l'Esquisse IX, p. 1118 et suiv.). Proust revient sur cette conclusion que « c'est le chagrin qui développe les forces de l'esprit » dans *Le Temps retrouvé*, t. IV de la présente édition.

2. Cette indication climatique signale les dernières séries de journées de *La Prisonnière*. La précédente journée, la quatrième, correspondait au lendemain de la soirée Verdurin (p. 764). Voir la Notice, p. 1680.

3. Mode de la musique religieuse au Moyen Âge, servant ici de rappel à l'orchestration des « Cris de Paris » au début de la troisième journée de *La Prisonnière* (voir p. 623 et suiv.).

[1]. Ce passage biffé sera repris au paragraphe suivant.

Page 890.

a. le lendemain il arrivait que ce temps *ms., dactyl. 3. Nous adoptons la correction de l'édition originale.* ↔ *b.* sous lequel elle m'était apparue. [Un jour Madame Bontemps étant venue me voir (?)[1], je lui dis qu'Albertine était sortie avec Andrée. « Pauvre Andrée, elle n'a pas bonne mine. Elle va bientôt partir à la campagne, elle n'a pas eu cet été le temps d'air dont elle a besoin. Pensez qu'elle a quitté Balbec en juillet. Elle devait revenir passer *interrompu et biffé*[2]] [Derrière *[...]* Balbec *corr.*] au mois *ms.* ↔ *c.* à Albertine (?)[3], je *ms.* ↔ *d. Au verso d'un feuillet placé sur le folio 117 du Cahier XI (voir n. 2 en bas de page de la variante b) figure ce fragment que l'on ne peut rattacher :* Je restai un moment sans pouvoir respirer. La réalité est le plus habile des ennemis, il prononce toujours ses attaques sur le front de notre cœur qui ne s'y attendait pas et n'était pas défendu.

1. Voir *Sodome et Gomorrhe II*, p. 508-509.

2. Les points d'interrogations signalés dans les variantes *b* et *c* semblent suggérer que Proust s'était interrogé sur la raison à donner à cette visite de Mme Bontemps ; mais il n'a pas eu le temps de l'expliquer et de la mieux insérer dans le récit.

Page 891.

a. comme son [oncle *biffé*] [frère *corr.*] s'est *ms.*

Page 892.

a. Albertine (voir : *À l'ombre des jeunes filles en fleurs*[4] [page *biffé*]) C'était *ms.*

Page 893.

a. d'Andrée. [Je ne pouvais lui parler de cela maintenant, elle en eût trop voulu à sa tante et lui eût dit de ne plus jamais me parler. *biffé*] Mais *ms.*

1. Voir *Sodome et Gomorrhe II*, p. 509-510.

Page 894.

a. quitter immédiatement ; il fallait *ms., dactyl. 3. Nous ajoutons* Balbec *à la suite des éditeurs de 1923.* ↔ *b. Sur le verso du Cahier XI en regard*

1. Voir n. 2, p. 890.
2. Au folio 117 du Cahier XI, sur un feuillet tiré du Cahier 55, de 1915. Ce passage répète l'explication de la cause réelle du retour d'Albertine à Paris en compagnie du narrateur, à la fin de *Sodome et Gomorrhe*, rédigée par Proust dans la première version de *La Prisonnière*, en 1914 dans le Cahier 71. Voir la Notice.
3. Voir n. 2.
4. Voir t. II de la présente édition, p. 290-291.

de ces lignes (f° 119 v°) figure ce passage, tentative de reprise de la phrase précédente : Au besoin j'attendrais encore un peu comme on attend pour faire faire une opération inévitable mais nullement pressante qu'aient disparu les accidents qui la rendaient plus grave. Or il était certain que les paroles de sa tante avaient causé une petite rechute. Et je voulais certes que la séparation eût lieu, mais comme disent les chirurgiens « à froid ». Certes, jusque là je serais bien prisonnier, mais après cela que de jolies filles je pourrais aimer et de voyages je pourrais faire. Mais au lieu de dire que de jolies filles je pourrais aimer, il vaut mieux couler tout cela dans une forme Flaubert, et après quand j'en aime (quand elle est morte) équivalent de : mais le souvenir du 1er les lui rendaient insipides (mais c'est pour d'autres raisons)

1. Voir l'Esquisse XX, p. 1178. Le désir de Venise, aussi ancien chez le narrateur que le pouvoir de ce nom (*Du côté de chez Swann*, t. I de la présente édition, p. 40), prend un tour de plus en plus exacerbé, à mesure que le roman approche de sa conclusion. Alors que, dès le début de *La Prisonnière*, le narrateur regrettait que sa vie avec Albertine l'empêchât d'aller à Venise (p. 538, 594, 616) — regrets répétés, par la suite, directement (p. 675, 676, 681), ou par le biais des robes de Fortuny (p. 543, 871, 873) ou d'autres références artistiques (p. 642, 692, 707) —, il ajoute ici, à propos d'un voyage hypothétique à Venise avec Albertine, des raisons supplémentaires d'être jaloux d'elle. Cinq autres mentions successives de Venise apparaissent dans les vingt dernières pages de *La Prisonnière*, annonçant le voyage, dans *Albertine disparue*, du narrateur avec sa mère.

Page 895.

a. à Balbec quand le soir *ms., dactyl. 3. Nous adoptons la correction de Clarac et Ferré.* ◆◆ *b. Dans la marge de ms., en regard de ces mots, apparaît cette note :* dire mieux . ◆◆ *c.* la gare. / [Le morceau ci-dessus qui n'est pas « écrit » est capital et *peut* être mis en face après la première ligne (après le mot vaincre). Mais ce serait peut-être mieux à un autre endroit où j'aurais besoin d'étoffer l'idée que je voudrais la quitter. *biffé*] [Réfléchir à ce qui est barré *add. biffée*] [À tout hasard je multipliais toutes les gentillesses que je pouvais lui faire. Je lui commandais robes sur robes et en vue de la belle saison nous venions d'en commander une d'une grande beauté (dire tout cela mieux et donner des précisions). *biffé*] [À tout hasard *[...]* celle-là. *corr.*] / Pourtant, *ms.*

1. Voir *Sodome et Gomorrhe II*, p. 229.

2. Le projet, avorté, de « vacances de Pâques à Florence et à Venise » (*Du côté de Chez Swann*, t. I de la présente édition, p. 382) est postérieur au cadeau fait par Swann au narrateur de reproductions photographiques de Giotto, ainsi que d'une gravure de Venise d'après un dessin du Titien — offert par la grand-mère du narrateur, mais sur les conseils de Swann encore (*ibid.*, p. 80, 40). Ainsi les noms de ces artistes sont associés à la première image de Venise. Après

le retour sur la mort de Swann (p. 703-706 du présent volume) et les souvenirs évoqués par Charlus (p. 803-805) lors de la soirée Verdurin, le rôle de modèle qu'a joué Swann pour le narrateur vient d'être rappelé à deux reprises, p. 885 et 889. Sa fonction d'initiateur est ici de nouveau soulignée.

Page 896.

a. colonnes [de Saint-Marc et du palais des Doges *biffé*] desquelles *ms. Pour l'ensemble du passage, voir la variante b.* ↔ *b.* du printemps *[p. 895, 3e §, 1re ligne]*, deux mois avaient passé depuis ce que m'avait dit sa tante et [Françoise laissait échapper de temps à autre *1re rédaction non biffée*] [je me laissai emporter par la colère un soir. *[*Elle venait justement ce soir-là *biffé]* C'était justement *[...]* Dans la journée Françoise avait laissé échapper *[p. 896, 2e §, 1re ligne]* devant moi *2de rédaction marginale*] qu'Albertine n'était contente [...] poliment, un soir où *ms.* : du printemps [...] poliment. Un soir où *dactyl. 3. Nous corrigeons* Un soir *en* Ce soir-là .

1. La bibliothèque Ambrosienne de Milan possède une collection de manuscrits et d'éditions anciennes.

2. Ce rose doit son nom au peintre vénitien (1696-1770), déjà mentionné pour ses coloris (voir *Sodome et Gomorrhe II*, p. 61).

3. Il s'agit du soir de cette même série de journées, commencée p. 889.

4. *Esther*, acte II, sc. VII, v. 647-648 et 651-652 (« émoi » pour « effroi » et « partent » pour « partaient »). Comme toujours, aussi bien dans sa correspondance que dans ses articles ou dans *À la recherche du temps perdu*, Proust cite de mémoire.

Page 898.

a. exaspéré, je l'avoue. Elle *ms., dactyl. 3. Nous adoptons la correction de l'édition originale.*

Page 900.

a. Or à Balbec *[p. 899, 16e ligne en bas de page]* la première [...] un instant ? *add. ms.* ↔ *b.* néfaste (Meilleur adjectif, qui porte malheur) des animaux *ms.*

1. Ceci est la réponse du narrateur à la requête qu'Albertine a faite à la page précédente ; cette réponse a été différée par l'addition signalée à la variante *a*.

2. Voir l'Esquisse X, p. 1128 et suiv.

3. La mort d'Albertine, dans un accident de cheval, a été envisagée par le narrateur, p. 627-628. *La Prisonnière* s'achève par une série de présages annonciateurs du départ et de la mort d'Albertine, p. 902-904.

Page 901.

a. En marge de ce passage figure dans ms. cette note, biffée : Ceci peut-être mieux à un autre retour du printemps, antérieurement, là où il y aura à étoffer. Ici c'est peut-être inutile.

1. Voir le motif du chant du coq dans le septuor de Vinteuil, p. 754.

Page 902.

a. Depuis le thème de l'adagio *[p. 901, 3e ligne en bas de page] jusqu'ici, ce passage est dans ms. de la main de Céleste Albaret.*

1. Voir l'Esquisse X, p. 1131.

Page 903.

a. avait ouverte. Toute la nuit j'errai dans le couloir, espérant attirer l'attention d'Albertine par le bruit que je faisais, qu'elle aurait pitié de moi, et qu'elle m'appellerait, mais je n'entendis aucun bruit. Dans *ms., dactyl. 3. Nous adoptons la correction, l'idée étant immédiatement reprise.*

1. Voir *Du côté de chez Swann*, t. I de la présente édition, p. 23. Ce dernier rappel, ici, de Swann renvoie au point de départ d'*À la recherche du temps perdu*. De même que son « Ouverture » reprend celle de l'ensemble du cycle romanesque, la conclusion de *La Prisonnière* anticipe celle du *Temps retrouvé* et le « tintement rebondissant, ferrugineux, intarissable, criard et frais de la petite sonnette qui m'annonçait qu'enfin M. Swann était parti et que maman allait monter [...] » (t. IV de la présente édition).

Page 904.

1. Voir l'Esquisse XX, p. 1179 et suiv. Dans la vision primitive de *La Prisonnière*, ce lendemain matin était le dernier du roman : Albertine était partie. Proust a retardé le dénouement dans la version finale en accolant à la cinquième journée une sixième et dernière matinée parallèle à celle-ci.

2. La prémonition de la mort d'Albertine est ici orchestrée d'une manière amplifiée par le retour sur celle de la grand-mère (voir *Le Côté de Guermantes II*, t. II de la présente édition, p. 629-640) et l'annonce de celle, symbolique, du narrateur amoureux d'Albertine.

Page 905.

a. Je m'endormis, *[p. 904, 19e ligne en bas de page]* mais, [...] de la mort ? *add. ms.* ◆◆ *b.* plaisir (Dire mieux), me *ms.*

Page 906.

a. Versailles. Nous en revînmes très tard dans une nuit où çà et là au bord du chemin un pantalon rouge à côté d'un jupon révélaient des couples amoureux. Notre voiture passa la porte Maillot pour rentrer.

Nous *ms. À la suite des éditeurs de 1923, nous supprimons ces deux phrases reprises à la page 909 (début du 2d §).*

1. En raison du commentaire qu'en fait Proust, on peut penser à Auguste Renoir pour ces deux tableaux. Le premier évoque *Le Moulin de la Galette*, de 1876, et le second *Mme Charpentier et ses enfants*, qui établit la notoriété du peintre.

2. Mieux que *Le Déjeuner sur l'herbe* d'Édouard Manet, Proust paraît décrire les différentes baigneuses d'Auguste Renoir, en particulier ses *Grandes baigneuses.*

Page 907.

a. Fin du dernier feuillet (f° 135) du Cahier XI *de ms. L'ensemble du feuillet, depuis* comme le promeneur couché *[p. 906, avant-dernière ligne], est non autographe. Le Cahier* XII *commence au 2d § de la page 909 ; le texte que nous donnons désormais, jusqu'à var. a, p. 909, est procuré par diverses additions portées sur ms. ou sur dactyl. 3 (voir var. b et c).* ◆◆ *b.* comme elles le sont [...] des blés. *add. ms., portée sur un béquet collé par erreur au folio 118 du Cahier* XI *de ms. Ce passage, comme celui que nous signalions à la variante a, n'est pas autographe. Il est de la main de Céleste Albaret.* ◆◆ *c. À partir d'ici, et jusqu'à la fin du 1er § de la page 909, nous suivons le texte d'une addition autographe portée sur dactyl. 3 (f° 224).*

1. Rappel du motif des aéroplanes ; voir l'Esquisse XI, p. 1134 et suiv..

Page 908.

a. il arrivait alors [cette chose *biffé*] chaque fois que *dactyl. 3. Nous adoptons la correction de Clarac et Ferré.*

Page 909.

a. Début du Cahier XII *de ms.*

1. La remarque du narrateur dans cette dernière phrase peut aussi bien s'appliquer à la correspondance de Proust, où une première lettre est aussitôt suivie de lettres complémentaires ou explicatives.

Page 910.

a. Suit dans ms. un blanc de 8 lignes. ◆◆ *b. Ms. donne :* au golfe », et[1] ◆◆ *c.* supérieur, qui [est sans doute toujours libre *corrigé en* a sans doute toujours des parties libres] car *ms.*

1. La fin de ce paragraphe est une sorte de post-scriptum à la « conversation littéraire avec Albertine » des pages 877 à 883. Le narrateur y passe en revue pour Albertine un siècle de métaphores poétiques sur le clair de lune. Proust se fie encore à sa mémoire et

1. Depuis le début de ce paragraphe jusqu'à la 3e ligne du 3e paragraphe, page 911, *dactyl. 3* est lacunaire. Nous suivons *ms.*

dans cette rapide vue d'ensemble ne précise pas toutes ses références. Chateaubriand a en effet qualifié le clair de lune, d'abord, dans l'*Essai sur les révolutions* (1797), de « céruléen », puis, moins précieusement, dans les deux versions suivantes — *Génie du Christianisme* (V, XII) — de ce morceau célèbre sur « une nuit dans les déserts du Nouveau Monde », où il décrit le « jour bleuâtre et velouté de la lune ». Aussi bien qu'« Éviradnus » (*La Légende des siècles*, poème XV, des chevaliers errants) : « Sous les arbres bleuis par la lune sereine », « La Fête chez Thérèse », poème XXII des *Contemplations* de Victor Hugo peut servir d'exemple : « Le clair de lune bleu qui baignait l'horizon ». Chez Baudelaire la lune est en effet *jaune*, dans « La Lune offensée », et chez Leconte de Lisle *froide* (« Le Cœur de Hialmar »), *aux livides clartés* (« Les Hurleurs »), sinon *métallique*, description qui correspond aussi à la « Ballade à la lune » d'Alfred de Musset. Dans un passage semblable, mais non repris, du Cahier 54, Proust avait également noté, outre Baudelaire, Leconte de Lisle et Chateaubriand, les noms de Flaubert — pour *Madame Bovary* — et de Paul Bourget.

2. [...] *Le croissant fin et clair parmi ces fleurs de l'ombre / Brillait à l'occident, et Ruth se demandait, / Immobile, ouvrant l'œil à moitié sous ses voiles, / Quel dieu, quel moissonneur de l'éternel été, / Avait, en s'en allant, négligemment jeté / Cette faucille d'or dans le champ des étoiles* (Hugo, *La Légende des siècles*, II, D'Ève à Jésus ; Bibl. de la Pléiade, p. 33). « Booz endormi » est cité dans *À l'ombre des jeunes filles en fleurs* (t. II de la présente édition, p. 81), peu avant un morceau parodique sur les clairs de lune de Chateaubriand inspiré par l'ouvrage du comte d'Haussonville, paru en 1885 chez Calmann-Lévy : *Ma jeunesse*, 1814-1830 (voir Annie Barnes, « Mme de Villeparisis et le comte d'Haussonville », *Bulletin de la Société des amis de Marcel Proust*, n° 29, 1979). Le poème est encore cité ironiquement dans *Le Côté de Guermantes II*, *ibid.*, p. 818-819, 849.

Page 911.

a. à Balbec habitait *[un blanc]*, les *ms.*[1], *dactyl. 3. Les éditeurs de 1923 ont complété ce blanc par* Bloch . *Nous les suivons.*

1. La propriété de Mme de Sévigné en Bretagne.

2. Albertine, toujours versatile, dit ici le contraire de ce qu'elle affirmait violemment peu auparavant (p. 842). Pour les clés tirées de la biographie, voir le passage du Cahier 60, cité dans la Notice, p. 1643. Voir aussi le paragraphe précédent.

3. Voir l'Esquisse XVIII, p. 1174.

Page 912.

a. et [respirant *biffé*] les odeurs *ms.* ↔ *b.* arcs-en-ciel prismatiques ou *ms., dactyl. 3. À la suite des éditeurs de 1923 nous éliminons la*

1. Ce passage figure, dans *ms.*, sur un feuillet ancien collé au folio 6 du Cahier XII.

répétition. ◆◆ *c.* pour moi [cette odeur de pétrole *biffé*] (de même [...] mon arrivée à [Combray *biffé*] [Balbec *corr.*]), qui *ms.* : pour moi (de même [...] Balbec), qui *dactyl. 3. Nous adoptons la correction des éditeurs de 1923.* ◆◆ *d.* où j'allais de *[un blanc]* à *[un blanc]*, comme *ms., dactyl. 3. Nous adoptons la conjecture des éditeurs de 1923 qui ont repris les noms figurant dans Sodome et Gomorrhe II*[1].

1. Voir l'Esquisse XIX, p. 1174 et suiv.

2. Voir le premier séjour à Balbec dans *À l'ombre des jeunes filles en fleurs*, t. II de la présente édition, p. 27-28.

Page 913.

a. s'était développée avait part, *ms., dactyl. 3. Nous adoptons la correction des éditeurs de 1923.*

1. *Hélas ! ignorez-vous quelles sévères lois / Aux timides mortels cachent ici les rois ? / Au fond de leur palais leur majesté terrible / Affecte à leurs sujets de se rendre invisible* (Racine, *Esther*, acte I, sc. III, v. 191-194).

2. Voir l'Esquisse XX, p. 1180.

Page 915.

a. en Hollande, *[p. 914, 19e ligne en bas de page]* ni à Montjouvain. [Il arriverait, *[...]* l'ont aimée. *add.*] / Et [ainsi *biffé*] quand ainsi *ms.* ◆◆ *b. Début de l'avant-dernier folio de dactyl. 3 (fo 238 ; voir var. c).* ◆◆ *c. Fin de « La Prisonnière » dans ms.* : Françoise ayant entendu mon coup de sonnette entra. « J'étais bien ennuyée [...] l'éveiller. » « Ah ! très bien [...] tout à l'heure. » *Le Cahier XII (fo 13) enchaîne sans solution de continuité avec le début de ce qui deviendra « Albertine disparue » :* « Mademoiselle Albertine est partie ! » *Puis, à la ligne suivante, vient la suite,* « Comme la souffrance va plus loin en psychologie que la psychologie » *, que Proust a reliée d'un trait à l'exclamation précédente.* : *Fin de dactyl. 3 :* Françoise [...] entra assez inquiète [...] et sa conduite. Françoise[2] me dit : « J'étais bien ennuyée [...] l'éveiller. [J'ai eu beau la catéchismer, *[...]* elle est partie. » / Fin de la Prisonnière. *add.*] [« Ah ! très bien *[...]* tout à l'heure. » *biffé*] [Et alors — tant *[...]* tout à l'heure. » *corr.*] *Le feuillet suivant, dernier folio de dactyl. 3 (fo 239 de la « troisième dactylographie III »), est constitué par une nouvelle frappe du feuillet précédent, depuis la var. b, reprenant à quelques exceptions près les corrections autographes de celui-ci, et non corrigée.*

1. Voir p. 400 : « Quand Albertine trouvait plus sage de rester à Saint-Jean-de-la-Haise pour peindre, je prenais l'auto, et ce n'était pas seulement à Gourville et à Féterne, mais à Saint-Mars-le-Vieux et jusqu'à Criquetot que je pouvais aller avant de revenir la chercher ».

2. Nous corrigeons en « Elle ».

ESQUISSES

On trouvera dans la Note sur la présente édition, t. I, p. CLXXIII-CLXXIV, *toutes les indications concernant la nature de ces états préparatoires du roman de Proust.*

Dans l'appareil critique, nous donnons, pour chaque Esquisse, une notule qui précise le numéro du Cahier ou du Carnet d'où est tiré le texte qu'on va lire, et procure la liste des folios sur lesquels Proust a écrit ledit texte. Lorsque cela a été jugé nécessaire, nous avons fait suivre cette liste d'un commentaire.

Un choix de variantes renseigne le lecteur sur l'établissement du texte de chaque fragment et rend compte des hésitations de Proust. Pour la lecture de ces variantes, voir la Note sur la présente édition, t. I, p. CLXXV-CLXXVI. *Le sigle* ms. *désigne le manuscrit, composé des Cahiers ou Carnets dont nous donnons les numéros dans les notules.*

Enfin, quelques notes de caractère historique ou littéraire éclairent le texte des Esquisses.

NOTES ET VARIANTES

Page 919.

Sodome et Gomorrhe

I

Esquisse I

Cahier 7, ffos 29 r° à 55 r° ; Cahier 6, ffos 29 r° à 32 r° et 37 r° à 41 r°.

Les Cahiers 7 et 6, qui sont à dater du début de 1909, représentent un pas décisif dans la transition qui mène du projet d'un essai sur Sainte-Beuve vers *À la recherche du temps perdu*. Ils paraissent les derniers de la série des Cahiers Sainte-Beuve, où l'essai, même dans sa version narrative, ne peut plus contenir tant de matériaux. L'éclatement semble se produire justement dans les Cahiers 7 et 6. Les fragments du Cahier 7 qui présentent M. de Guercy (ffos 29 à 55) succèdent à des esquisses de Combray, des Guermantes, des Verdurin (ffos 1 à 29), tandis que la fin du Cahier revient à Sainte-Beuve et Baudelaire (ffos 56 à 71). Dans le Cahier 6, les compléments sur M. de Guercy et la race maudite sont encore plus mêlés (ffos 29 à 32 et 37 à 41) : ils viennent après des fragments destinés à « Combray » (ff^os 1 à 9), à l'article sur Baudelaire (ff^os 10 à 15), au noyau des Verdurin (ff^os 16 à 29), en particulier à la princesse Sherbatoff (voir l'Esquisse X, p. 1006 et suiv.) ; ils sont ensuite interrompus par une partie de l'article sur Nerval (ff^os 33 à 36), et la fin du Cahier revient à « Combray » (ff^os 43 à 51). Un montage des fragments que nous reproduisons a été proposé par B. de Fallois sous le titre « La Race maudite », dans son édition du *Contre Sainte-Beuve*, Gallimard, 1954, p. 247-266. Les Cahiers 51 et 49 développeront ces fragments (voir les Esquisses II et IV, p. 934 et 943).

M. de Guercy (ou Gurcy ou Guerchy), qui prendra le nom de M. de Charlus dans le texte définitif, est l'un des personnages les plus anciens d'*À la recherche du temps perdu*, et dès l'origine son existence est liée au thème de l'inversion sexuelle. C'est dans ces deux cahiers qu'il apparaît pour la première fois. Le Cahier 7 lui consacre cinq fragments, incomplets et non encore montés : M. de Guercy arrive au bord de la mer (ébauche de son irruption dans *À l'ombre des jeunes filles en fleurs* ; voir t. II de la présente édition, p. 110 et suiv.) ; M. de Guercy rend visite à Mme de Villeparisis, sa tante ; le héros se rend à la soirée chez le prince et la princesse de Guermantes ; il quitte la réception en compagnie de M. de Guercy (ébauche de sa proposition de conduire la vie du héros dans *Le Côté de Guermantes I* ; voir t. II de la présente édition, p. 580 et suiv.) ; le héros surprend M. de Guercy assoupi, ce qui lui permet d'entrevoir sa vraie nature et introduit l'exposé sur la race maudite. Seules quelques lignes blanches séparent ces crayons discontinus, mettant en place M. de Charlus. Des fragments venus du Cahier 6 complètent le tableau de l'inversion.

Parmi ceux du Cahier 7, nous donnons ici ceux qui ébauchent *Sodome et Gomorrhe*.

a. Ce paragraphe apparaît aux folios 39 et 40 r^os du Cahier 7. ↔ *b.* arrivait [le marquis de Guer <cy> *biffé*] [un gros et grand monsieur *corr.*] un monsieur à *ms.* ↔ *c.* cour [répondant d'un geste extrêmement hauta<in> *biffé*] et *ms.* ↔ *d.* Je ne [sais pas s'il savait *biffé*] [crois pas qu'il sût *corr.*] que *ms.* ↔ *e.* autre. [Pendant la première année que nous étions *biffé*] Sa *ms.* ↔ *f. Fragment des folios 40 à 47 r^os de ms., avec ajout au folio 40 v°.*

1. Le titre est de Proust ; il figure dans le Cahier 6, f° 37 r° (voir p. 930).

2. Nous donnons ici le second fragment signalé dans la notule, fragment qui suit la visite de M. de Guercy à la plage de XXX. C'est le début de *Sodome et Gomorrhe I* (voir p. 4), mais la rédaction est interrompue avant toute ébauche de la rencontre entre Charlus et Jupien, elle saute sans liaison à ce qui deviendra le début de *Sodome et Gomorrhe II*, l'arrivée du héros chez le prince et la princesse de Guermantes, où M. de Guercy n'apparaîtra que très brièvement. — Voir aussi l'Esquisse II, p. 935-936.

3. Nous donnons ici le troisième des fragments du Cahier 7 signalés dans la notule ; voir p. 34, et l'Esquisse VI, p. 962.
4. Futurs duc et duchesse de Guermantes.

Page 920.

a. Il semblait *[début du §]* qu'un [...] contraste. *add. ms.* ◆◆ *b.* plaisanterie [qu'on *biffé*] que *ms.* ◆◆ *c.* ne comprirent [pas *biffé*] mon idée [ridicule *add.*[1]] [Ils étaient si démodés *biffé*] [N'ayant jamais souhaité d'aller dans cette société, ils ne trouvèrent rien d'ex < traordinaire > *biffé*] Avec cet espèce [d'équivalent de l' *add.*] d'orgueil *ms.*

1. Le prince et la princesse de Guermantes habiteront rue de Varenne dans le texte définitif (voir p. 480).
2. Les mêmes éléments seront rassemblés dans l'église de Combray, au début de *Du côté de chez Swann* : Charles VI distrait par les vitraux, un roi de France posant pour la tapisserie du couronnement d'Esther avec une dame de Guermantes (voir le tome I de la présente édition, p. 59-60), le vitrail de Gilbert le Mauvais (p. 67), sire de Guermantes, descendant direct de Geneviève de Brabant (p. 102). La féerie sera absente de la description du palais des Guermantes dans le texte définitif ; elle en était encore un élément important dans l'Esquisse VI (voir p. 963).

Page 921.

a. « naturelle ». *[deux mots illisibles]* Après *ms.* ◆◆ *b. Ms. donne en fait* pardessus dans le parfum *. Nous corrigeons.* ◆◆ *c. La phrase n'est pas achevée.* ◆◆ *d.* bras, [une *biffé*] ma peur *ms.* ◆◆ *e.* bal, [tout va bien d'abord *biffé*] au moment *ms.* ◆◆ *f.* on lui [désigne *biffé*] tend *ms.*

1. Il est peu probable qu'il s'agisse du duc Decazes, ministre favori de Louis XVIII, mais que les Guermantes n'auraient pas reçu (voir *Le Côté de Guermantes*, t. II de la présente édition, p. 489). On songe plutôt à un ministre de Louis-Philippe, le grand-père du héros étant curieux des anecdotes que Swann rapportait de chez le duc X***, « dont le père et l'oncle avaient été les hommes d'État les plus en vue du règne de Louis-Philippe », et Proust nomme alors le comte Molé, le duc Pasquier, le duc de Broglie (voir *Du côté de chez Swann*, t. I de la présente édition, p. 21). Le comte Molé sera plusieurs fois mentionné par Mme de Villeparisis comme un ami de ses parents (voir *À l'ombre des jeunes filles en fleurs*, t. II de la présente édition, p. 70 et *Le Côté de Guermantes, ibid.*, p. 490). Mais à la lettre, ce serait le duc de Richelieu (1766-1822), ministre de Louis XVIII. Odile de Richelieu a épousé en 1905 Gabriel de La Rochefoucauld, dont le père, Aimery, est donné comme un modèle du prince de Guermantes. La princesse de Guermantes sera née duchesse en Bavière dans le roman.

1. Proust n'a pas achevé sa correction. Nous conservons le jet originel.

2. Dans sa préface à Jacques-Émile Blanche, *Propos de peintre. De David à Degas*, Émile-Paul, 1919, Proust rapportera une anecdote semblable : « Mes parents trouvant qu'un jeune homme ne doit pas dépenser son argent inutilement, me refusèrent pour me rendre au bal de Mme de Wagram, non seulement la voiture familiale dont les chevaux étaient dételés depuis sept heures du soir, mais même un modeste fiacre, et mon père déclara qu'il était tout indiqué que je prisse l'omnibus d'Auteuil-Madeleine qui passait devant notre porte et s'arrêtait avenue de l'Alma où était l'hôtel de la Princesse. Comme "boutonnière" je dus me contenter d'une rose coupée dans le jardin, sans fourreau en papier d'argent. » (*Essais et articles, Contre Sainte-Beuve*, Bibl. de la Pléiade, p. 575.)

3. Voir l'Esquisse VI, p. 964 et n. 1 de cette page.

Page 922.

a. fut pas peut-être pas *ms. Nous corrigeons.* ◆◆ *b.* j'entendis [de la bouche d' *biffé*] [lancé par *corr.*] un *ms.* ◆◆ *c.* obscur et [dévastateur *biffé*] catastrophique, *ms.* ◆◆ *d.* yeux la [prince *add.*] princesse *ms. Nous complétons.* ◆◆ *e.* entrants. [Quant *[...]* était. *add.*] Elle *ms.*

Page 923.

a. sourire [éternel et *biffé*] [disponible *[, sa main libre add.]* et son regard *corr.*] vacant *ms.* ◆◆ *b.* prendre pour [une amabilité *add.*] moi *ms.* ◆◆ *c.* petite [comédie *biffé*] [opérette *corr.*] pour *ms.* ◆◆ *d. Fragment des folios 49 à 55 r^os de ms., avec ajout sur le folio 52 v°.* ◆◆ *e.* assoupi [ou du moins fermait les yeux *add.*]. Depuis *ms.* ◆◆ *f.* sculptural, [les yeux clos *biffé*] sans *ms.*

1. Voir t. II de la présente édition, p. 56, 5e ligne du 3e §.

2. Dans le fragment suivant, que nous ne donnons pas ici (ff^os 47 et 48 r^os du Cahier 7), le héros retrouve M. de Guercy au sortir de la soirée, en une ébauche de la fin de la matinée chez Mme de Villeparisis dans *Le Côté de Guermantes I*, mais M. de Guercy ne s'offre pas encore à diriger la vie du héros. Ils sont dérangés par un invité prénommé Adalbert, première incarnation de M. d'Argencourt, et M. de Guercy retourne avec lui à la soirée. Voir *Le Côté de Guermantes I*, t. II de la présente édition, p. 580-592, ainsi que les Esquisses VI et VIII de *Sodome et Gomorrhe*, n. 2, p. 981 et n. 2, p. 983, où la proposition de M. de Charlus (alors appelé Gurcy) au héros, a encore lieu après la réception chez la princesse de Guermantes. Proust la déplaça à la fin de la matinée chez Mme de Villeparisis sur la dactylographie du *Côté de Guermantes*, afin de servir de point d'orgue au second volume prévu chez Grasset en 1914 (voir notre Notice, p. 1205-1206).

3. Nous donnons ici le cinquième des fragments du Cahier 7 signalés dans la notule de la présente Esquisse. Voir le texte définitif, p. 5, et l'Esquisse IV, p. 944.

Page 924.

a. savait [l'impression qu'il me fait *biffé*] [l'air que *[...]* que j'ai *corr.*] en ce moment [devant moi *add.*]. [Devant moi je ne peux pas me persuader que je n'ai *biffé*] On dirait *ms.* ↔ *b.* portant [dans leur prunelle *biffé*] [le petit disque *add. biffée*] [dans l'épai < sseur > *biffé*] en travers *ms.* ↔ *c.* monde, non [le corps *[*et les seins *add.]* d'une nymphe mais la tête rase et la poitrine *biffé*] le corps non *ms.* ↔ *d.* virile et [défendue *biffé*] droite *ms.* ↔ *e.* peut [espérer être comprise, aimée, *biffé*] [attendre que son désir *biffé*] assouvir *ms.*

1. M. de Guercy s'appelle parfois M. de Gurcy. À la première ligne du fragment, il est comte après avoir été jusqu'ici marquis.

Page 925.

a. une [maladie *biffé*] folie *ms.* ↔ *b.* plus [puissante *biffé*] vaste que celle des Juifs parce qu'[elle est plus secrète et *biffé*] ce *ms.* ↔ *c.* et quelquefois, [...] le médecin [qu'il consulte sur *biffé*] [par qui il veut faire soigner *corr.*] son vice, [...] poursuivre, *add. sur la page de gauche de ms.* ↔ *d.* esprit [de compréhension *biffé*] de justice pour [ses *biffé*] les *ms.*

Page 926.

a. autres et *[une ligne blanche]* / [comme les Juifs *biffé*] radotant *ms.* ↔ *b.* que [Michel Ange *biffé*] Platon *ms.* ↔ *c.* jeunes [gens *biffé*] garçons *ms.* ↔ *d.* sur [deux fiancés *biffé*] un cousin *ms.*

1. Allusion à Oscar Wilde.

Page 927.

a. Fragment porté aux versos des folios 50 à 52 de ms. ↔ *b. Début du fragment dans ms :* [Race en qui *biffé*] Le mensonge où [elle *biffé*] il ↔ *c.* désert, [sans s'être dit un mot, *biffé*] ils *ms.* ↔ *d.* D'autres [fiers de leur vice, comme d'une profession comme d'une race *biffé*] criant *ms.* ↔ *e.* maçon ; [et d'autres chastes *biffé*] certains *ms.* ↔ *f.* et qui [change de garnison le colonel *biffé*] [envoie aux colonies le chef de bataillon *corr.*] résument *ms.* ↔ *g.* télégraphiste ; [quelques-uns affectés de toilettes, de chants *biffé*] chez *ms.*

1. Deux compléments à cette version ancienne de la race maudite ont été apportés par Proust sur les versos du Cahier 7. Le premier est une ébauche de la classification des invertis.

Page 928.

a. main du [jeune homme *biffé*] l'homme *ms.* ◆◆ *b.* gens [honnêtes *biffé*] effrayés *ms.* ◆◆ *c.* tous [fuyant leurs pareils *biffé*] ambitieux *ms.* ◆◆ *d. Fragment porté aux folios 53 et 54 v*os *de ms.* ◆◆ *e.* dans une [foule *biffé*] [gare, dans un théâtre *corr.*], vous en avez [souvent *biffé*] remarqué *ms.* ◆◆ *f.* êtres [bizarres et *biffé*] délicats, [porteurs d'un plaisir singulier dont l'amateur n'est pas facile à trouver *biffé*] [au visage maladif, à l'accoutrement bizarre *corr.*] promenant *ms.* ◆◆ *g.* amour. [Elle en fait dépendre la possibilité de la réunion de circonstances si rares, d'une rencontre si exceptionnelle *biffé*] Sans doute *ms.* ◆◆ *h.* plaisir [recherché et reçu *biffé*] finit *ms.* ◆◆ *i. Fin du fragment dans ms. :* aiment. [Mais parfois *biffé*]

1. Faisant suite à la première classification des invertis, le second complément figurant sur les versos du Cahier 7 est tout aussi important ; il introduit la métaphore botanique qui prendra tant d'ampleur dans le texte définitif. Voir p. 27-28.

Page 929.

*a. Nous donnons ici le premier fragment emprunté au Cahier 6, où il figure aux folios 29 à 32 r*os. ◆◆ *b.* l'avouait pas. [Tous les dimanches *biffé*] [Les soirs sans *[*pluie et sans *biffé]* lune *corr.*] par une [entente mystérieuse et tacite *biffé*] il sortait *ms.* ◆◆ *c.* les [étreintes *biffé*] jeux *ms.* ◆◆ *d.* cependant, [plus jamais comme *corrigé par biffure et add. en* et ne connut plus jamais l'étreinte du] fantôme *ms.* ◆◆ *e.* peut-être [...] mésalliance ; *add. ms.*

1. Trois fragments empruntés au Cahier 6 complètent au début de 1909 le premier tableau de l'inversion et le premier portrait de M. de Charlus : un récit de la jeunesse solitaire de M. de Guercy et un développement portant expressément pour titre « La Race des Tantes ». Ils recoupent l'un et l'autre l'avant-dernière esquisse proposée, classant les invertis en espèces. Entre les deux, Proust a ajouté sur les versos la description d'un jeune garçon solitaire de Querqueville, le Balbec du texte définitif. En ce qui concerne le premier fragment, que nous donnons à présent, on se reportera au texte définitif, p. 25, 12e ligne.

2. Dans le texte définitif, le prince de Guermantes ne sera pas cité dans ce contexte, mais on apprendra plus tard qu'il a en effet les mêmes mœurs que M. de Charlus (voir p. 26 et 376-377).

Page 930.

a. bracelets et [reluque les jeunes gens *biffé*] et fait *ms.* ◆◆ *b.* politesse la [possibilité *biffé*] [semence *corr.*] d'une espérance *ms.*

◆◆ *c.* normal la [nostalgie *biffé*] désir [de serrer *biffé*] que la [poitrine *biffé*] [corps *corr.*] qu'il serrait contre la sienne eût *ms.* ◆◆ *d.* eau [transparente *biffé*] [profonde *corr.*] dans une piscine *ms.* ◆◆ *e.* pensant [qu'il n'y avait pas à Paris quatre situations égales à la sienne *biffé*] c'était *ms.* ◆◆ *f.* le duc de Parme [et le grand-duc de Gênes *add. interl.*] irait à Londres, *ms.* ◆◆ *g. Ce passage figure aux folios 37 à 41 r^{os} de ms.*

1. Le Cahier 6 intercale ici un morceau de l'article sur Nerval, destiné à figurer dans l'essai sur Sainte-Beuve auquel Proust n'a pas renoncé, avant de revenir au thème de l'inversion.
2. Voir le texte définitif, p. 25, 12e ligne.

Page 931.

a. aussi [chastes *biffé*] [isolés *corr.*] qu'une dame *ms.* ◆◆ *b.* obscure. [D'autres n'ont même pas cela *biffé*] Puis *ms.* ◆◆ *c. On lit en fait, dans ms.,* attendre *, mis sans doute pour* tendre *ou* attendri *.* ◆◆ *d.* société était [mieux *biffé*] [autrement *corr.*] faite *ms.* ◆◆ *e.* entre eux. [Ce sont parfois *biffé*] Qui pourrait *ms.*

Page 932.

a. peur des [avanies *biffé*] mépris *ms.* ◆◆ *b.* car si [l est vrai *add.*] on croit *ms.* ◆◆ *c.* avec [l'audace *biffé*] et l'œil curieux *ms. Nous supprimons le* et *.* ◆◆ *d.* fin [Michel-<Ange> *biffé*] Platon *ms.*

Page 933.

a. la honte. / [Et en d'autres la femme *biffé*] / Quelques-uns, *ms.* ◆◆ *b. Fragment porté sur les folios 35 et 36 v^{os} de ms.* ◆◆ *c.* jeune [homme *biffé*] garçon *ms.*

1. Ce complément sur les pages de gauche est peut-être appelé par l'allusion qui vient d'être faite à Andromède solitaire sur son rocher.
2. Querqueville deviendra Balbec dans le roman.

Page 934.

Esquisse II

Cahier 51, ff^{os} 1 r° à 17 r° (juin-juillet 1909).

Le Cahier 51, pris à l'endroit, contient les fragments sur M. de Guercy que nous reproduisons, suivis d'une ébauche de la rencontre du héros et de M. de Charlus devenu très âgé, se promenant sous la surveillance de Jupien, scène du *Temps retrouvé* (ff^{os} 17 à 22 ; voir *CF*, t. III, p. 859 à 865). Le destin de M. de Charlus fut ainsi tracé très tôt dans la composition d'*À la recherche du temps perdu*, avant les nouveaux épisodes scabreux que la guerre apportera au *Temps retrouvé*.

Ces fragments paraissent faire suite — ce serait le sens du titre — à ceux qui ont été donnés dans l'Esquisse I (Cahiers 7 et 6). Pris à l'envers, le Cahier 51 contient la version la plus ancienne du « Bal de têtes » qui achèvera *Le Temps retrouvé*, en une soirée chez la princesse de Guermantes et une soirée à l'Opéra (ff^os^ 68 à 55).

Le Cahier 51 a été publié par Henri Bonnet et Bernard Brun, *Matinée chez la princesse de Guermantes*, Gallimard, 1982, p. 47-61.

a. Fragment porté aux folios 1 à 8 r^os^ de ms. Le début du passage est : [Un jour j'étais à la f<enêtre> *biffé*] / [Un jour j'étais à ma fenêtre *biffé*] / [M. et Mme de Guermantes étaient très liés avec leur tante. Mais le fait qu'ils fussent ses héritiers présomptifs leur donnait une certaine animosité contre elle *biffé*] M. et Mme Guermantes ◆◆ *b.* l'héritage. « Ma tante *[7 lignes en bas de page]* a été [...] elle voudra. » Mme de Villeparisis *ms. Des indications marginales proposent de reporter plus bas le propos de Mme de Guermantes. Voir var. c.* ◆◆ *c.* les héritiers. Cette disposition *ms. Voir var. b.*

1. Le titre est de Proust, il figure dans le Cahier 51, f° 1 r°.

2. Pour raconter la rencontre de M. de Guercy et Borniche, surprise à la fenêtre par le héros, Proust reprend la scène de plus loin, la replace dans un récit des relations de Mme de Villeparisis et de ses neveux. Voir le texte définitif, p. 4 et suiv.

3. Sur les sentiments du duc et de la duchesse de Guermantes pour leur tante, voir l'Esquisse VI, p. 971.

4. Une jeune baronne de Villeparisis pleine d'esprit, épouse d'un petit cousin de la marquise, figure dans l'Esquisse VI, p. 976.

Page 935.

a. les Guermantes [reprirent tout l'hôtel, et brouillés *biffé*] déclarèrent *ms.* ◆◆ *b.* Mme de Villeparisis ; [comprenant qu'après un tel éclat ils n'avaient plus *biffé*] [par une contradiction apparente mais assez explicable, *corr.*] si l'espérance de l'héritage les avait [rendus assez froids avec leur tante *biffé*] [peu brouillés avec leur tante *corr.*], la certitude *ms.*

1. La jeune baronne.

2. M. de Guermantes, Adolphe ici, Basin dans le texte définitif, s'appellera encore Astolphe ; voir l'Esquisse XI, p. 1017.

3. Voir l'Esquisse I, p. 919. Les habitudes de M. de Guercy ont changé depuis le Cahier 7.

Page 936.

a. les fleurs [roses *add.*] [du *en surcharge sur* d'un] sophora *ms.* ◆◆ *b. Lacunes dans la rédaction.*

1. Refrain d'une chanson de Paul Delmet ; voir n. 1, p. 937.

Page 937.

a. Il fallait *Le passage qui, dans ms., commence ici, et va jusqu'à* l'ivresse du commérage *(var. d), est composé d'additions sur les trois versos suivants (ffos 8 à 10 vos).* ◆◆ *b.* artichaut. » [Mais bientôt l'ivresse du commérage noya la déception de son cœur. *biffé*] Au soleil *ms.* ◆◆ *c.* la solitude [[avait pris soudain *biffé]* un *[un mot illisible]* de dévastation et d'abandon infinis *1re réd. non biffée*] [était arrivé à en un instant à un degré d'abandon de dévastation inouïs *2de réd. marg.*]. Mais bientôt *ms.* ◆◆ *d.* l'ivresse du commérage *rédaction interrompue en bas de page, la page suivante manquant dans le cahier, et complétée grâce à la variante b.* ◆◆ *e. Retour aux rectos (ffos 8 et 9) après l'addition de versos signalée à la variante a.*

1. Paul Delmet (1862-1904), compositeur de chansons qui connurent une grande vogue vers 1900, dont *L'Étoile d'amour*, poésie de Charles Fallot, Enoch, 1899. L'expression citée plus haut par Proust figure dans une variation du refrain pour le quatrième couplet : « Dis-moi, petite aimée, envolons nous vers elle. / Et nous nous aimerons pendant l'éternité. / La chimère aux doux yeux, nous prêtera son aile. / Vois, là-haut dans le ciel, vois, sa pâle clarté. / C'est l'étoile d'amour, C'est l'étoile d'ivresse ; / Les amants, les maîtresses, aiment, la nuit, le jour. / Un poète m'a dit qu'il était une étoile / Où l'on aime toujours. »

Page 938.

a. Nous donnons ici le texte d'une addition portée aux folios 7 et 8 vos de ms. ◆◆ *b.* cour, [il n'était pas moins beau qu'il existât un être pour qui un vieux monsieur un peu gros à moustaches noires était l'idéal rêvé, et que *biffé*] ainsi *ms.* ◆◆ *c.* cour. [Et voici que comme les abeilles, M. de Guercy était entré dans la <cour> *biffé*] M. de Guercy y venait *ms.* ◆◆ *d. Retour aux rectos (ffos 9 et 10) après l'addition de versos signalée à la variante a.* ◆◆ *e.* la tante de [Celia *biffé*] [Léonie *corr.*] me fit *ms.* ◆◆ *f.* loué à [Chatou *biffé*] [Vésinet *biffé*] [Chatou *corr.*] et [ayant voulu profiter pour revoir l'admirable église de Maurice Denis[1] je partis par un train plus tôt que je ne prenais habituellement et que je n'aimais pas beaucoup parce que c'était le train du pianiste, du peintre et souvent de la princesse. Par ces grandes chaleurs la tante « pour ne pas être rouge en arrivant » ne prenait que le train suivant, le train du docteur. Dans la salle *biffé*] Je prenais *ms.*

1. La comparaison de la rencontre de M. de Guercy et Borniche et de la fécondation de l'orchidée par le bourdon est absente du fragment précédent. Mais il y avait un sophora dans la cour, et l'addition sur les versos que nous donnons ici y associe les rudiments de la métaphore botanique qui deviendra essentielle dans *Sodome et Gomorrhe I.*

2. Victor Hugo, *Les Voix intérieures*, XI, première strophe. Voir n. 6, p. 28.

3. Cette autre image botanique paraît être un souvenir d'un passage de *Jean Santeuil* (Bibl. de la Pléiade, p. 470), où une promenade mène Jean et Henri dans une vallée isolée et où Jean admire « au fond de

1. Maurice Denis (1870-1943) a décoré l'église Sainte-Croix du Vésinet.

la gracieuse vallée, sur une tige élancée une digitale violette ». Il se compare à elle dans sa solitude : « [...] bien souvent je me suis senti isolé du reste du monde comme la pauvre digitale » (*ibid.*, p. 471). La métaphore botanique rejoint ainsi un thème ancien.

4. Sans aucune liaison avec la rencontre de M. de Guercy et Borniche, le cahier de brouillon passe à la ligne pour une première rédaction de « M. de Charlus chez les Verdurin », après la rencontre de M. de Guercy et d'un militaire à la gare Saint-Lazare, scène que le texte définitif déplacera à Doncières. Voir p. 254, ainsi que les Esquisses XI, p. 1022 et XVII, p. 1089 et 1090.

5. La tante du pianiste (parfois sa mère) est également liée à la femme de chambre de Mme Putbus, dont le prénom serait donc Léonie (après avoir été Celia sous biffure) Voir *Textes retrouvés*, éd. Philip Kolb et Larkin B. Price, Gallimard, 1971, p. 263-268 (Cahier 36, ff^os 2-10).

6. Proust hésite entre Chatou et Le Vésinet, successivement rayés (voir var. *f*). Le Vésinet est la résidence de Montesquiou. Dans l'Esquisse XI, la maison de campagne des Verdurin sera d'abord située à Montmorency, puis fixée à Ville-d'Avray (voir n. 3, p. 1028 et var. *b*, p. 1017).

Page 939.

a. Fragment des folios 11 à 17 r^os de ms. ↔ *b.* tous les [mercredis *biffé*] samedis *ms.*

1. Pour la version définitive de ce premier dîner de M. de Guercy chez les Verdurin, voir p. 303 ; voir aussi l'Esquisse XI, p. 1026.

2. Voir *Du côté de chez Swann*, t. I de la présente édition, p. 199.

Page 940.

a. au club, [son antisémitisme *biffé*] (sauf pour Swann) [son anti-roture, *biffé*] son refus *ms. Nous supprimons* (sauf pour Swann) *que Proust a sans doute omis de biffer.*

Page 941.

1. M. de Cambremer sera le protagoniste, avec M. de Charlus, de ces épisodes dans le texte définitif (voir p. 333-334).

2. La princesse Sherbatoff. Voir l'Esquisse X, p. 1006.

Page 942.

1. Proust écrit « sinet » pour « signet », selon l'ancienne prononciation conservée par l'usage.

Esquisse III

Cahier 52, f° 1 r°. Le Cahier 52 est un cahier de compléments au brouillon de *Sodome et Gomorrhe I* et de la soirée chez la princesse de Guermantes de *Sodome et Gomorrhe II*, rédigé au début de la guerre.

De nombreuses pages ont été arrachées, et collées sur le manuscrit au net. Celles qui restent sont pour la plupart biffées. La fin du cahier (ff[os] 23 à 28) est consacrée au pastiche de Saint-Simon, de rédaction postérieure à l'automne 1917 (voir Jean Milly, « Le Pastiche Goncourt dans *Le Temps retrouvé* », *Revue d'histoire littéraire de la France*, septembre-décembre 1971, p. 816). Mais comme le manuscrit au net de *Sodome et Gomorrhe* était vraisemblablement achevé au printemps 1916, les compléments du début du Cahier 52 sont antérieurs à cette date.

L'une des inconnues majeures de la composition de *Sodome et Gomorrhe* a trait à l'endroit où Proust entendait placer la scène très tôt ébauchée (voir l'Esquisse II, p. 936 et suiv.) de la rencontre entre M. de Charlus et Jupien. Inconnu est aussi le moment où Proust a décidé d'insérer la scène — suivie de l'exposé sur « La Race des Tantes » — entre la visite au duc et à la duchesse de Guermantes, et la soirée de la princesse de Guermantes, ce qui en fait l'ouverture de *Sodome et Gomorrhe*. Le seul indice est cette page du Cahier 52, montrant qu'en 1916 la place de la rencontre du baron et du giletier était déjà celle-là.

a. Après ce mot, la suite du fragment est biffée. Nous la transcrivons cependant dans le texte même de l'Esquisse eu égard à son importance (voir la notule).

Page 943.

Esquisse IV

Cahier 49, ff[os] 42 à 68 r[os], et Cahier 38, ff[os] 52-51 v[os]. Voir p. 16-33, ainsi que l'Esquisse I, p. 923-933.

Le Cahier 49, datant de 1910-1911, après la quête de la jeune fille aux roses rouges (ff[os] 8 à 42 r[os]), donnée dans l'Esquisse VIII, est consacré jusqu'au bout à M. de Gurcy et à l'inversion. Le Cahier 38, pris à l'endroit, contient des compléments pour Combray et Querqueville, et, à l'envers, pour « La Race des Tantes » — que nous donnons ici.

a. Cahier 49, ff[os] 42-47 r[os]. La première phrase prend la suite de la dernière de l'Esquisse VIII, p. 1003. ◆◆ *b. Voir le fragment donné p. 946-948 ajouté sur les versos, et dont la fin semble devoir s'articuler ici (voir var. b, p. 948).* ◆◆ *c. En fait, on lit dans ms.* bascudant . ◆◆ *d. Voir le fragment signalé à la variante c, p. 948, ajouté sur les versos, dont le début semble devoir s'articuler ici.* ◆◆ *e. Cette phrase est, dans ms., précédée d'une première rédaction d'une dizaine de lignes, biffée.* ◆◆ *f.* tempête [wagnérienne *biffé*] du génie *ms.*

1. Le refus de l'offre de diriger la vie du héros, faite au début du Cahier 49 (voir l'Esquisse VIII, p. 983).

Page 944.

a. Voir le fragment donné p. 948-949, ajouté sur les versos, dont la fin semble devoir s'articuler ici (voir var. b, p. 949) ◆◆ *b. Lecture conjecturale.* ◆◆

c. dormait. [Il avait mauvaise mine depuis quelque temps *biffé*] Avec *ms.* ◆◆ *d. Le développement qui suit dans ms. est très retravaillé et difficile à déchiffrer.* ◆◆ *e.* santé. [Très pâle, presque sans couleurs sur son visage d'où *biffé*] [Blanc comme un marbre *corr.*] avec ses traits [bien sculptés *biffé*] [sculpturaux *corr.*] [qui dans l'ombre faisaient ressortir avec beauté le pur type des Guermantes, *[*sans regards. *add.] 1re rédaction non biffée*] [son nez fort et fin, qui ne recevant plus du regard une signification étrangère à eux-mêmes, développaient mystérieusement la beauté indépendante de leur modelé, *2de rédaction marg.*] [j'avais l'impression de voir plutôt que lui-même, sa statue[1] *[*de marbre *biffé] [*son masque de marbre funéraire et blanche *corr.]* immobile *1re rédaction non biffée*] [Ma pensée, excitée par la musique et qui était rentrée en fonction et reportait sur la compréhension de toutes choses un peu du trop plein de forces que l'œuvre musicale lui donnait, s'imagina qu'elle le voyait ainsi, non endormi dans une loge de spectacle, mais *2de rédaction interl. et marg.*] après *ms. Les reprises marginales n'ayant pas de point d'insertion très sûr, nous suivons le premier jet.* ◆◆ *f.* sur son tombeau *[6 lignes plus haut]* [telle que j'avais vu dans l'église de Combray celle de plusieurs sires de Guermantes ses ancêtres *add.*]. [C'était bien *biffé*] [Plus qu'un individu n'était-il pas du reste avant tout *corr.*] un Guermantes [comme cela serait *[...]* dans l'église de Combray. *add.*], il avait *ms. Un autre développement marginal est appelé par le mot* tombeau *:* où il serait redevenu, dès le jour de ses funérailles sur les draps noirs dont serait tendue la petite église, on verrait se détacher en vermillon non ses initiales mais la couronne princière de sa famille. ◆◆ *g.* comme [la chambre d'armes (?) d'un *add.*] [un donjon féodal aménagé *biffé*], que les goûts *ms. Faute de correction de la part de Proust, nous maintenons* donjon féodal .

1. Louis II (1845-1886), roi de Bavière de 1864 à sa mort, grand admirateur de Wagner, fit construire plusieurs châteaux inspirés des légendes reprises par les opéras du compositeur. Interné par ses ministres, il se noya au château de Berg avec son médecin dans des circonstances mal élucidées. La mode fin-de-siècle devait faire du roi vierge une de ses idoles (voir É. Carassus, *Le Snobisme et les Lettres françaises de Paul Bourget à Marcel Proust, 1884-1914*, A. Colin, 1966, p. 313-325.). Barrès l'appelle « l'éternel Hippolyte, jeune et rude et fuyant Phèdre dans une sublime solitude » (*L'Ennemi des lois*, Perrin, 1893, p. 209). Montesquiou lui consacra un poème des *Chauves-Souris*, « Treizième César », où il l'appelle « monstrueusement vierge et chastement obscène » et le qualifie de « Hermaphrodite beau, Narcisse légendaire » (*Les Chauves-Souris*, G. Richard, 1893, p. 286). Proust, dans les pages narratives des Cahiers Sainte-Beuve, faisait allusion à ses « étranges amours » (*Contre Sainte-Beuve*, éd. Fallois, p. 281).

2. La même image était appliquée au prince de Polignac dans « Le Salon de la princesse Edmond de Polignac » (*Essais et articles*, éd. citée, p. 465). Dans le roman, elle reviendra à propos de Mme de Villeparisis (voir *Le Côté de Guermantes*, t. II de la présente édition, p. 741) et surtout de Saint-Loup (*Le Temps retrouvé, CF*, t. III, p. 851).

1. Proust a sans doute omis de biffer « sa statue ».

Page 945.

a. le temps d'altérer [accourir *add.*] le caractère *ms. Faute d'entendre l'addition — ou correction —, nous ne l'intégrons pas.* ◆◆ *b.* virilité, [s'il [savait de quoi il a *biffé]* le savait : en ce moment débonnaire, las et souriant à son réveil, il a l'air d'une femme *biffé en définitive*] s'il savait : [ainsi à son réveil *biffé*] [en ce moment *corr.*], [avec *add.*] ses [beaux *biffé*] traits, son regard, son expression, son réveil même [sont d'une femme *biffé*] il a l'air d'une femme. » *ms.* ◆◆ *c.* mots [que je lui avais entendu dire *biffé*] [qu'il m'avait dits *corr.*] et *ms.* ◆◆ *d.* sans *À partir de ce mot, et jusqu'à la fin de la phrase, nous suivons le texte d'une reprise figurant sur le verso d'en face. Le texte du premier jet était le suivant :* me le fit considérer comme la plus complète, la plus pétrie, la plus cuite, la plus significative, la mieux savoureuse des œuvres d'art. ◆◆ *e.* que je voyais [...] d'art *add. ms.* ◆◆ *f.* expressions même [contingentes *biffé*] et fugitives *ms. Nous supprimons le* et *, que Proust a manifestement omis de biffer.*

Page 946.

a. Ms. donne en fait : Une fée l'eût [touchée *biffé*] des éléments ◆◆ *b.* murmuré [Il a l'air d' *biffé*] [on dirait *corr.*] une femme. *ms. C'est ici que figure un renvoi au fragment que nous donnons un peu plus loin dans cette page (voir var. e), qui développe la fin de la révélation.* ◆◆ *c.* viril [et leur tempérament *corrigé par biffure et en interligne en* justement parce que leur tempérament est] féminin, *ms.* ◆◆ *d. Fin de la phrase dans ms. :* chose [, qu'ils cherchent dans les livres, dans la vie, en eux-mêmes *biffé*] *Suit ce passage, interrompu et biffé :* Il s'était levé, appuyé contre une colonne, vraiment beau encore, avec le regard torrentueux de ses yeux, il devait troubler bien des femmes qui prises de nostalgie devant sa beauté et désespérées de son indifférence, enviaient celles qui plus belles, plus adroites qui[1] avaient su captiver ses faveurs, sans comprendre que Dieu puni incarné dans un corps dont il avait épousé l'ambition ridicule sans en adopter les goûts, il était destiné à rester seul pour toujours, envié et incomplet, splendide et foudroyé, seul, comme il était en ce moment près de cette colonne, infortuné et peut-être pas malheureux, avec le grain d'inconscience que [Dieu *biffé*] [la nature *corr.*] attache comme un remède sur la même tige que toute grande détresse, avec cette dose d'illusion dont elle ne laisse pas manquer les destins condamnés pour que si la maladie est sans remède, le malade ne soit pas sans espoir. Ce mensonge [qu'il faisait *biffé*] [avec lequel il trompait *corr.*] aux[2] autres, pendant longtemps il avait dû en être dupe lui-même, et peut-être recommencer dans une certaine mesure à le redevenir, par cette tendance que des paroles et des gestes où il n'y a pourtant pas de vérité finissant par recréer *L'exposé sur l'inversion ne parlera pas de M. de Gurcy en particulier.* ◆◆ *e. Ce complément, commencé en marge du folio 46 r° de ms., se poursuit sur le folio 45 v° ; il est appelé au niveau*

1. Proust n'a biffé aucun des deux relatifs.
2. Proust à omis de corriger « aux » en « les ».

de la variante b de cette page. ↔ *f. Cet ajoutage est porté sur les folios 36 et 37 v[os] de ms.*

1. Voir p. 16, 2e §, 4e ligne.

2. Pour ce fragment, voir le texte définitif, p. 15. Le nom de Charlus y figure ; il date donc d'un moment où Proust a repris le Cahier 49 après 1913.

3. L'ajoutage que nous donnons à présent (voir var. *f* de cette page), ainsi que celui que nous signalons à la variante *b*, p. 948, étaient destinés au début de la scène à l'Opéra, ils étaient provoqués par la musique de Wagner. Le premier est une préparation de la découverte : il compare le M. de Gurcy qui sera dans un instant trahi, et celui que le héros avait vu pour la première fois sur la plage de Querqueville. Le biais du rapprochement est Wagner.

Page 947.

a. voilà M. de Gurcy, [il va falloir le saluer *biffé*] (pour *ms.* ↔ *b.* mais [il faut que *biffé*] [raison de plus *corr.*] pour le saluer *ms.* ↔ *c.* l'idée de le saluer [(ou même *[...]* silhouette) *1re add.*] [bien marquer [...] d'Alton) *2de add.*]. Or ce monsieur *ms.* ↔ *d.* les mêmes [quoique étant autres *biffé*] [du moins le raisonnement nous l'affirme *corr.*], que nos amis *ms.*

1. Le sujet de l'affiche ne sera pas indiqué dans le texte définitif (voir t. II de la présente édition, p. 110-111).

2. Proust se lia avec le vicomte d'Alton et sa famille à Cabourg pendant l'été de 1908. Une note du Carnet 1, datant de 1908, paraît éclairer cette allusion : « Suppositions inexactes, c'est Mlle d'Alton, l'écriture des 2 cartes est la même » (Carnet 1, f° 9 r°). Il s'agirait de Mlle Colette d'Alton, l'aînée des deux filles du vicomte (*Le Carnet de 1908*, n. 79, p. 144).

Page 948.

a. allait [le mettre *biffé*] [son *corr.*] regard *ms.* ↔ *b. Pour le raccord de la fin de ce fragment dans ms., voir var. b, p. 943. Par ailleurs, on trouve, aux folios 42-45 v[os] et 40-41 v[os] de ms., une seconde addition appelée par la musique de Wagner, au niveau de la variante d, p. 943 ; il s'agit en fait d'un brouillon pour des pages sur les artistes du XIXe siècle et leurs relations avec leurs œuvres qui iront dans « La Prisonnière », au moment où le héros joue au piano la sonate de Vinteuil dont une mesure lui rappelle « Tristan » (voir p. 664-668). La situation de ces considérations esthétiques était donc toute différente dans le Cahier 49 : M. de Gurcy fuit le regard du héros à l'Opéra, celui-ci suppose que c'est par rancune, lui en voulant d'avoir refusé sa proposition :* Cette supposition ramena un instant ma pensée à la conversation que nous avions eue en revenant de chez la princesse de Guermantes, je me rappelai que précisément il m'avait parlé de Wagner comme s'il avait eu de son génie une conception particulière. *Suit l'ébauche que Proust reprendra dans « La Prisonnière ». Nous donnons la fin de l'addition, qui la relie à l'action du Cahier 49 et à laquelle il sera fait référence après le morceau sur l'inversion*[1]. ↔

1. Voir le fragment du Cahier 38 donné p. 958-960.

c. Fragment porté aux folios 40 et 41 v^os^ de ms. ◆◆ *d.* quelques dernières [ondulations *biffé*] [cercles *corr.*] d'émotion *ms.* ◆◆ *e. Lecture conjecturale.* ◆◆ *f.* voisin. [« Bonjour mon vieux comment ça va *biffé*] Leur conversation *ms.*

Page 949.

a. bravoure, [comment dirais-je sa cavatine, *add.*] vraiment *ms.* ◆◆ *b. Pour le raccord de la fin de cet ajout, dans ms., voir var. a, p. 944.* ◆◆ *c. Après les compléments à la scène de l'Opéra que nous avons donnés depuis la variante e, p. 946, nous donnons quelques extraits de la rédaction du Cahier 49 de « La Race des Tantes ». Ce premier fragment, commencé au folio 48 v° de ms., se poursuit au folio 49 r°.* ◆◆ *d.* trompeur, le [plaisir physique *biffé*] [besoin d'amour *corr.*] qui uni *ms.* ◆◆ *e.* vrais hommes [dont ils supposent qu'un penchant inexplicable, un goût pareil au leur dans une nature restée virile pareille à la leur, en croyant qu'ils l'ont éveillé les a miraculeusement rapprochés d'eux supposant qu'un hasard, un caprice, un miracle, le hasard de l'amour les a tout d'un coup penchés vers eux *corrigé par biffure et en interligne en* chez qui ils constatent] un goût pareil *ms.* ◆◆ *f.* vrai, [chez les jeunes gens surtout à cause de *add.*] quelques fibres féminines [y *add.*] persistant [parfois *add.*] assez tard *ms.* ◆◆ *g.* et aussi [de l'indétermination sentimentale *[...]* divisée et spécialisée *add.*] la curiosité, *ms.*

1. Après ces compléments à la scène de l'Opéra, voici « La Race des Tantes », dans une version intermédiaire, de rédaction fort complexe, entre les Cahiers Sainte-Beuve de 1909, et le manuscrit qui sera rédigé pendant la guerre et que Proust réécrira jusqu'à la veille de la publication en 1921. Le premier, extrait que nous en retenons, au tout début de la fresque, fait une exception à la loi de l'inversion congénitale, pour les amitiés de l'adolescence, exception que le texte définitif omettra. Voir p. 17.

Page 950.

a. Pour l'articulation de la fin de cet extrait, voir p. 17, 28e ligne. ◆◆ *b. Ff^os^ 53 et 54 r^os^ de ms.* ◆◆ *c. Expression de lecture incertaine.* ◆◆ *d. La fin du fragment est biffée dans ms. :* Alors ils cherchent la ressemblance de ce qu'ils ressentent moins dans la peinture de l'amour de Musset pour George Sand, que dans celle de l'amitié de Montaigne pour La Boétie[1], image de ceux de leurs amours inexaucés pour des amis différents d'eux, et auxquels à cause de leur chasteté involontaire ils donnent le nom d'amitié, ou se complaisent avec un sourire aux églogues de Virgile, à telle ode d'Horace,

1. Sur Montaigne, Proust écrivait en 1888 à Daniel Halévy : « Je te parlerai volontiers de deux maîtres de fine sagesse qui dans la vie ne cueillirent que la fleur, Socrate et Montaigne. » (*Correspondance*, t. I, p. 124.) Dans *Le Chancelier de fleurs* (Châteaudun, La Maison du Livre, 1908), composé à la mémoire de Gabriel de Yturri, Montesquiou avait dressé une liste des amitiés célèbres, Oreste et Pylade, Achille et Patrocle, Scipion et Lelius, Horn et Egmont, Cinq-Mars et de Thou, Montaigne et La Boétie, Edmond et Jules de Goncourt, etc., monument dont Proust se moque dans une lettre de juillet 1908 à Reynaldo Hahn (*Correspondance*, t. VIII, p. 163-164).

à telle page de Platon. ↔ *e. Ff^{os} 56 et 57 r^{os} de ms.* ↔ *f.* dans Montaigne, [dans Gérard de Nerval, *add.*] dans [Molière *biffé*] [Stendhal *corr.*] une phrase *ms.* ↔ *g. F° 59 v° de ms.* ↔ *h. Début de la phrase dans ms. :* [Leur *biffé*] [Chez certains, bien rares, le *corr.*] mal n'est pas [toujours de naissance *biffé*] [congénital *corr.*] (mettre)

1. Ce second extrait donne plus d'ampleur que ne le fera le texte définitif aux illusions des invertis dans leurs goûts pour l'art, en particulier pour la littérature. Voir p. 25, ligne 12, ainsi que l'Esquisse I, p. 930 et suiv.

2. Proust cite souvent Sully Prudhomme dans ses lettres, en particulier « Aux Amis inconnus », le poème liminaire du recueil *Les Vaines Tendresses*, et notamment ce vers : « Le vrai de l'amitié, c'est de sentir ensemble » (*Poésies 1872-1878*, A. Lemerre, 1879, p. 5). Voir par exemple les lettres de novembre 1908 à Louis d'Albufera, *Correspondance*, t. VIII, p. 294 ; d'avril 1913 à Jacques Copeau, *Correspondance*, t. XII, p. 156 ; de janvier 1920 à Jacques Boulenger, *Correspondance générale*, éd. citée, t. III, p. 204.

3. Ce troisième extrait, traitant des invertis prosélytes, ajoute encore quelques références littéraires. Voir p. 22.

4. Ce complément de verso oppose, dans la classification des inversions, les guérissables et les inguérissables, comparant celles-là à certains asthmes. Le texte définitif, au même point de la classification, ne connaîtra plus que l'inversion congénitale. Voir p. 26.

Page 951.

a. il peut *[p. 950, 6e ligne en bas de page]* guérir. [Quelquefois même *[...]* à une infirmité anatomique *[*ou un caprice nerveux *biffé],* or *[...]* avec le goût des hommes *add.*] Mais la plupart nés ainsi, meurent ainsi *ms. Proust a manifestement omis de biffer* Mais la plupart nés ainsi ; *nous supprimons.* ↔ *b.* Un jour cet [homo <sexuel> *biffé*] inverti *ms.* ↔ *c. Ff^{os} 51 v° et 51 r° (paperole collée) de ms. À partir d'ici, et jusqu'à la fin du premier § de la page 956, nous donnons une série d'ajoutages sur les versos ou en marge.* ↔ *d.* Capitalissime / [Ils *biffé*] [pour *biffé*] [à *corr.*] eux *ms.*

1. Les compléments que nous donnons à partir d'ici (voir var. *c*) sont bien plus tardifs, car les noms de Charlus, Jupien, Saint-Loup y figurent, et des allusions sont faites à la guerre. Ces ajoutages montrent comment la matière de *Sodome et Gomorrhe* s'est enrichie après 1914, sans que la distinction soit encore nette entre l'époque de *Sodome et Gomorrhe* et celle du *Temps retrouvé*, où l'inversion de M. de Charlus prendra un autre tour. Voir p. 19.

Page 952.

a. F° 49 v° de ms. plus paperole. Le renvoi est au fragment précédent.

1. Voir la Notice, p. 1196.

2. Voir *Le Temps retrouvé, CF*, t. III, p. 831.

3. Anatole France, *Les Opinions de M. Jérôme Coignard*, 1893, et *Les dieux ont soif*, 1912. Brotteaux des Ilettes — Proust écrit Bretaux —, philosophe et sceptique, assiste en spectateur à la Terreur avant de finir sur l'échafaud.

Page 953.

a. À ajouter encore *[p. 952, début du 2e §]* (capitalissime) [cela permettra *[...]* je ne sais plus le nom *[*du rom <an> *biffé] Les Dieux ont soif) add.*] au papier *ms.* ↔ *b. La pliure de la paperole rend la phrase difficile à lire dans ms.* ↔ *c. Ce paragraphe est procuré par une addition marginale au folio 51 r° de ms.*

1. Voir *Le Temps retrouvé, CF*, t. III, p. 833.

2. *Ibid.*, p. 830 et 832.

3. Les personnages de Jupien et Charlus prennent une nouvelle envergure à la faveur des notations de la guerre dans le Cahier 49 (ici p. 951-956) ; le trait est de plus en plus forcé, comme dans cette suggestion que *Le Temps retrouvé* ne retiendra pas. L'addition suivante en revanche (1er § de la page 954) trouvera sa place dans *Sodome et Gomorrhe*, où la voix des invertis deviendra un thème récurrent (voir p. 63 et 356).

4. La cathédrale de Reims fut en partie détruite pendant la guerre de 1914-1918. Voir *Le Temps retrouvé, CF*, t. III, p. 794.

Page 954.

a. F° 49 v° de ms. ↔ *b. F° 57 v° de ms.* ↔ *c. F° 60 v° de ms.* ↔ *d.* Saint-Loup [...] maintenant *add. ms.*

1. Le roman omettra cette comparaison entre inversion et snobisme. Voir *À l'ombre des jeunes filles en fleurs*, t. II de la présente édition, p. 109.

2. La supériorité intellectuelle des invertis sera aussi affirmée dans *Sodome et Gomorrhe*, expliquant l'heureuse influence musicale de M. de Charlus sur Morel. Voir p. 343.

Page 955.

a. Ff^os^ 60 r° (addition marginale) et 60 v° de ms. ↔ *b.* imiter, [dit plus crument (*Splendeur[s] et Misères*) *biffé*] emploie *ms.* ↔ *c.* particulièrement, [sinon dans tout cet ouvrage, au moins dans cette partie *biffé*] [dans tout mon ouvrage *corr.*], où [le principal personnage auquel *biffé*] [les personnages auxquels *corr.*] il s'appliquerait *ms.* ↔ *d.* en France [d'ailleurs *biffé*] [— sauf erreur — *corr.*] et traduit *ms.* ↔ *e. Une notation marginale complète dans ms. ces importantes remarques :* Voir à propos de cette marge un ajoutage capital au verso suivant. *Elle renvoie au dernier fragment de « La Race des Tantes », que nous donnons au § suivant.* ↔ *f. F° 61 v° ; pour le raccord avec le passage précédent, voir var. e.*

1. Vient ici une mise au point capitale de l'une des dernières pages de « La Race des Tantes ». Proust y rejette le terme d'« homosexuel » volontiers employé dans l'Esquisse I (qui date, rappelons-le,

de 1909) ; et il donne les raisons de sa préférence pour le terme d'« inverti », faute de pouvoir se permettre, comme Balzac, de parler des « tantes », terme qui lui paraît le meilleur. La référence à l'affaire Eulenbourg, dont date selon Proust la diffusion du mot « homosexuel » en français, rappelle un événement décisif pour la genèse du thème de l'inversion dans *À la recherche du temps perdu.*

Sur le folio 60 v° (voir var. *a*), ce fragment s'inscrit autour de celui qui vient d'être donné, p. 954-955, où apparaissent les noms de Charlus, Saint-Loup et Balbec ; il est donc postérieur à 1913 et date de la relecture du Cahier 49 pendant la guerre. D'autre part, l'indication qui ouvre le fragment, « À propos de ce qui est au verso », renvoie au folio 59 v°, c'est-à-dire au fragment que nous avons donné p. 950-951 et portant pour titre « À propos des invertis », fragment dont le contenu paraît ancien (idée d'une homosexualité guérissable) et où l'on voit Proust passer du mot « homosexuel » à celui d'« inverti », en particulier à la variante *b*, p. 951, où ce terme-là est biffé au profit de celui-ci. Le fragment que nous donnons ici se présente comme un commentaire de cette correction.

2. *La Comédie humaine*, Bibl. de la Pléiade, t. VI, p. 840. Le titre du roman de Balzac est en fait *Splendeurs et misères des courtisanes.*

3. Proust n'a pas tort. Alors que le terme de « pédérastie » était généralement utilisé jusque-là, celui d'« homosexualité » se répandit dans la psychiatrie et la médecine légale allemandes vers 1870. Krafft-Ebing, par exemple, distinguait ainsi l'un des degrés de la « sexualité contraire », après l'hermaphrodisme (ou bisexualité), avant l'efféminement et l'androgynie (voir n. 2, p. 16). Charcot et Magnan traduisirent la « sexualité contraire » allemande par l'« inversion du sens génital ». Mais le terme d'« homosexuel » apparaît dans le dictionnaire Larousse de 1906, celui d'« inverti » en 1907 : « Homosexualité !... C'était un mot nouveau pour les oreilles françaises, lorsque, en octobre 1907, il rebondit, lancé depuis les marches du trône allemand, jusque parmi les colonnes des gazettes, dans un grand tumulte de scandale », écrivent H. de Weindel et F. P. Fischer dès la page 1 de *L'Homosexualité en Allemagne, étude documentaire et anecdotique* (F. Juven, 1908). John Grand-Carteret, dans *Derrière « Lui ». (L'homosexualité en Allemagne)* (Bernard, 1908), compare Paris-Babylone et Berlin-Sodome (p. 2), ou Sodome de la Sprée (p. 20) : « Ce qui a fait employer immédiatement *homosexuel* et ce qui a fait qu'on l'emploiera, longtemps encore sans doute, c'est qu'on n'a eu en vue que les scandales de Berlin ! » (p. 4). Quant à « tante », Proust l'emploie au sens habituel d'inverti efféminé, qui n'est pas le sens propre du mot : « Les jeunes garçons que flétrit le nom de *tantes*, écrit Ambroise Tardieu, sont souvent attachés à des femmes chez lesquelles ils attirent et reçoivent habituellement les pédérastes » (*Étude médico-légale sur les attentats aux mœurs*, [1857], J.-B. Baillière, 7e éd., 1878, p. 204). A. Coffignon, dans *La Corruption à Paris* (Librairie illustrée, 1888), repère l'élargissement du terme :

« La dernière variété des pédérastes passifs est celle des *tantes*. On englobe généralement à tort sous ce nom générique toutes les catégories ci-dessus [c'est-à-dire les petits-jésus et jésus, autres catégories de la prostitution]. La *tante* est un souteneur de fille publique recherchant le commerce des femmes à l'encontre des autres pédérastes, et ne se livrant à la pédérastie que dans un but de lucre et de chantage » (p. 336).

4. Ce passage annonce la scène de la fraisette où M. de Charlus se trahira par sa voix chez les Verdurin. Voir p. 356, ainsi que le fragment donné au haut de la page 954.

Page 956.

a. il suffit *[p. 955, dernière ligne]* qu'ils parlent. [Le « médecin des maladies morales » comme aurait dit Balzac, *biffé*] reconnaîtra aussitôt, quelque [gravité *biffé*] rudesse *ms. Proust a certainement omis de biffer* reconnaîtra aussitôt . *Nous supprimons.* ↔ *b.* descende, [tout « médecin des maladies morales » comme dirait Balzac *biffé*] [on pourrait y *corr.*] reconnaître [cette chanterelle *biffé*] ce creux particulier *ms.* ↔ *c.* d'où est sortie cette fois [malgré elle trop aiguë comme celle *corrigé par biffure et en interligne en* où il y a malgré elle le fausset] d'un instrument *ms.* ↔ *d. Ff^os^ 63-68 r^os^ de ms.* ↔ *e.* regardé un [portrait de *biffé*] [visage *corr.*] peint par [un grand peintre *biffé*] [Rembrandt *corr.*] qui *ms.* ↔ *f.* nous [n' *en surcharge sur* ne] [avons l'intention *add. interl.*] mettre *ms.* ↔ *g.* poupines, et [forcé <ment> *biffé*] [devenues *add. biffée*] [hypocrites *biffé*] par nécessité *ms.* ↔ *h. En interligne dans ms. apparaît une tentative de reprise, inachevée et biffée, de ce début de phrase :* à mes yeux clairvoyants, dont la musique avait aiguisé la perspicacité si profon<de> .

1. Après la longue digression sur « La Race des Tantes », commencée p. 949, le Cahier 49 renoue avec l'action romanesque ; il revient à M. de Gurcy qui a provoqué la digression par son assoupissement.

2. Dans le Carnet 1, Proust a noté l'image que ce fragment développe : « tout homme est un orbe doué de force centrifuge infinie et ne conservant son individualité qu'à ce prix » (Carnet 1, f° 28 r°). C'est une citation d'Emerson que Proust a lue dans l'ouvrage de Marie Dugard, *Ralph Waldo Emerson. Sa vie et son œuvre*, Armand Colin, 1907, p. 114. (*Le Carnet de 1908*, n. 304, p. 174.)

Page 958.

a. ainsi dans [la lente révolution *add.*] son mouvement *ms.* ↔ *b.* le [mouvement *biffé*] *[un mot illisible]* d'épaules *ms.* ↔ *c. Cahier 38, ff^os^ 52* et *51 v^os^. Le Cahier 38 contient deux compléments importants au Cahier 49. Le premier (f° 68 v°-67 v°) est une réécriture du début de « La Race des Tantes » commençant par ces mots :* Maintenant j'avais compris, c'en était une. *Elle correspond dans « Sodome et Gomorrhe I », aux pages 16-18, et dans le Cahier 49, aux folios 46-50 r^os^, et s'achève sur la citation de Vigny,* Les deux sexes mourront chacun de son côté. *Le second fragment est celui que nous donnons.* ◆◆ *d.* comme si le [s *add.*] [changement<ents> *add. biffée*] [aspects des *add.*] visage des hommes ne pouvait en rien *ms. Nous accordons* visage *et* pouvait .

1. Après la suspension brutale du Cahier 49 sur M. de Gurcy, on trouve encore des compléments pour « La Race des Tantes » dans le Cahier 38, dont celui que nous donnons, fragment important qui s'efforce à une transition avec la suite de l'intrigue de 1912, marquée par la recherche de la jeune fille aux roses rouges (voir l'Esquisse VIII, p. 983 et suiv.).

Le fragment fait allusion au prince d'Agrigente, qui apparaissait dans une addition sur les pages de gauche du Cahier 49, addition que nous avons donnée p. 948-949.

Page 959.

a. en parlant [...] les mots il *add. ms.* ◆◆ *b.* figure, [qu'ils la fassent remarquer *add.*] qu'ils y changent *ms.* ◆◆ *c.* une main [qu'il y eût portée pour le palper et comme pour dire : « Mais c'est vrai, il n'y a plus un poil, vous êtes absolument glabre *biffé*] [dont il l'eût palpé *[...]* bien rasé. *corr.*]. Quant à ses paroles *ms.* ◆◆ *d.* Parme. [« Ah ! oui justement *[...]* intellectuels. *add.*] [Je vis avec effroi que j'étais *add.*] Incapable de [discipliner en un moment mes impressions pour en tirer une ré<ponse> *corrigé par biffure et en interligne en* tirer rapidement de mes impressions] une réponse à cette question *ms.* ◆◆ *e.* Comme un étudiant [...] la faire *add. ms.* ◆◆ *f.* et qui [correspondait si peu à ce que j'étais réellement *biffé*] donnait *ms.*

Page 960.

a. je suis *[p. 959, dernière ligne]* chez Mme de [Saintrailles *biffé*] Marengo. [— Chez Mme de Marengo *[...]* tant flatter Mme de Marengo. *add.*] Quand il eut dit *ms.*

II

Esquisse V

Cahier 36, ffos 56 à 53 vos.

Avant l'invention d'Albertine, la partie centrale d'*À la recherche du temps perdu* avait pour fil conducteur la quête que menait le héros d'une initiation sexuelle auprès d'une femme ou d'une jeune fille. Le Cahier 36, dont le début date des premiers mois de 1909, présente les premières incarnations de ce fantasme : une jeune fille aperçue au restaurant avec ses parents — fille du marquis de Caudéran, aussi appelée Mlle de Quimperlé, elle annonce Mlle de Stermaria[1] —, puis une jeune fille aux roses rouges dans les cheveux et au corsage qui

1. Ffos 67-56 vos (le cahier est paginé à l'envers). Voir *À l'ombre des jeunes filles en fleurs*, t. II de la présente édition p. 40, 44 et 48-50, ainsi que Georgette Tupinier, « Autour de cinq ébauches de Mlle de Stermaria », *Études proustiennes*, I, 1973.

provoque le héros dans un bal et lui rend une raison de vivre : il cherche son nom, rêve sur son nom. À une date postérieure, vers 1910, Proust, prenant le cahier à l'envers, y a esquissé l'histoire de la femme de chambre de Mme Putbus, mentionnée par Saint-Loup à la réception chez la princesse de Guermantes[1]. Se trouvent ainsi réunies la fille aux roses rouges et la femme de chambre, dont les rôles seront déterminants dans la version de 1912 d'*À la recherche du temps perdu*[2].

b. des roses rouges qui [allaient du rouge violet au *corrigé par biffure et en interligne en* commençant sur le rouge violet et le] rose safran *ms.*

Page 961.

a. me [regarda *biffé*] [fixa *corr.*] avec *ms.* ◆◆ *b. Lecture conjecturale.* ◆◆ *c. Lecture conjecturale.* ◆◆ *d.* buffet [en frottant tout *[*son corps *biffé] [*sa poitrine *biffé] [*ses seins *corr.]* contre moi comme pour m'en faire <sentir> la forme et la consistance, en agitant sous *biffé en définitive*] et comme comprimée *ms.* ◆◆ *e.* la couleur et l'odeur [rappelaient celles de ses *biffé*] [était la même que celle des *corr.*] roses *ms.* ◆◆ *f. Au verso du folio figure dans ms. ce qui semble être une reprise de ce passage :* [Je ne pouvais pas plus concevoir ma mort pendant que vivait la jeune fille *biffé*] Je me sentais attaché à elle par les liens d'une curiosité, d'un désir si fort que comme aux jours de mes exaltations solitaires de Combray, je [me sentais plus vivant *corrigé par biffure et en interligne en* sentais ma vie plus réelle] que la mort. Je n'existais que par cette jeune fille, ma vie ne pouvait défaillir et tomber à néant, car la loi d'attraction étant renversée je ne dépendais plus de la gravité des choses terrestres, je n'étais attiré que vers elle, je ne pouvais pas plus mourir sans elle que la partie qui tient au tout ou la carnation à la fleur. Et comment concevoir mon anéantissement qui eût eu pour effet de faire perdre [détruire *add. interl.*] dans le néant où elle n'[avait pas de nom *biffé*] mon effort pour la connaître tant que je ne l'avais pas connue. ◆◆ *g.* amis [ceux chez *add. interl.*] qui pouvaient [connaître *biffé*] fréquenter *ms.*

Page 962.

Esquisse VI

Cahier 43, ff^{os} 27 r°-64 r°.

Le Cahier 43 est le dernier d'une série de cinq Cahiers (39 à 43) portant des étiquettes numérotées de la main de Proust (4e partie, 1, 2, 3, et pour les deux derniers les chiffres 4 et 5 seulement) contenant le manuscrit du *Côté de Guermantes* prêt en 1912. Le début de la série fut dactylographié et composé, formant les épreuves Grasset de 1914, qui correspondent au *Côté de Guermantes I* mais qui se terminent par la proposition de M. de Charlus de diriger la vie

1. Ff^{os} 1-10 r^{os}. Voir *Textes retrouvés*, éd. citée, p. 263-268 ; voir le texte définitif p. 93, ainsi que l'Esquisse VI, p. 974.
2. Voir les Esquisses IV, VI, VIII et XI (Cahiers 43, 49 et 47) qui sont traversées par ces deux femmes, à partir de la rencontre de la fille aux roses rouges, Esquisse VI, p. 978.

du héros, scène ici située à la fin du Cahier 43, après la soirée chez la princesse de Guermantes au lieu de la matinée chez Mme de Villeparisis. Le Cahier 43 commence par des pages pour *Le Côté de Guermantes* (ffos 1 à 27).

Dans cette version d'*À la recherche du temps perdu* prête en 1912, l'enchaînement de l'action était très différent, sans Albertine. Il existait une soirée chez la princesse de Guermantes, assez développée déjà, plus que la matinée chez Mme de Villeparisis ou le dîner chez la duchesse de Guermantes, intermédiaire entre le fragment donné dans l'Esquisse I, datant de 1909, et la version rédigée pendant la guerre : elle figure dans le Cahier 43, dernier des cahiers du montage du *Côté de Guermantes* mis au point avant 1912 (les noms sont Gurcy et Montargis au lieu de Charlus et Saint-Loup, la duchesse s'appelle Rosemonde, mais aussi Oriane, le duc s'appelle Astolphe). Il ne s'agit plus de fragments (comme dans les Esquisses I, II et V), mais d'une rédaction qui à plusieurs reprises court sur quelques pages avant de se suspendre et de reprendre au départ sans que les versions abandonnées soient pour autant biffées. Nous en donnons des extraits.

Au début du Cahier 43, le héros, doutant qu'il ait été véritablement invité chez la princesse — une raison en est que la réception a lieu un 2 avril, après le 1er sous biffure (au folio 21 r° du Cahier) — se rend chez le duc et la duchesse pour s'en assurer ; il les quitte au moment où ceux-ci partent pour un dîner : c'est l'épisode des souliers rouges et la fin du *Côté de Guermantes II* (voir t. II de la présente édition, p. 859 à 884). Mais au lieu de la rencontre entre Charlus et Jupien, sans autre transition qu'une seule ligne blanche, vient une note sur les rêves de la nuit dont on se souvient dans le jour suivant : « Ne pas oublier dans les intercalages à mettre çà et là rêve qui à un contact d'un mot lu ou d'une pensée se condense et revient du fond de la nuit précédente [...]. » Suit le passage qui ouvre la présente Esquisse.

a. Cahier 43, ffos 27-28 et 35 ros. ❖ *b.* Son nom [...] moi. *add. ms.*

1. Allusion à la rencontre de Swann chez le duc et la duchesse de Guermantes ; voir *Le Côté de Guermantes II*, t. II de la présente édition, p. 865.

Page 963.

a. Bien plus loin au cours de la soirée, au folio 58 v° de ms., une addition semble faire allusion à ce début comme à un thème à élaborer : Intercaler quelque part plus loin. / Je pensai tout d'un coup à une jeune fille qui avait été avec moi dans une voiture fermée qui nous emmenait vers la mer. Le souvenir avait cet isolement de toutes les circonstances environnantes, cette imprécision, ce vague qu'ont certains souvenirs très anciens. Mais c'était peut-être seulement le souvenir d'un rêve et peut-être d'un rêve assez récent, le vague du rêve faussant la perspective et faisant prendre l'irréel pour du lointain. Et j'étais là à hésiter, me demandant si cela m'était jamais arrivé, si c'était du passé ou du rêve, comme parfois à Querqueville en effet du soleil mettant d'une seule couleur le ciel et une partie de la mer, [l'œil se laisse aller tour à tour à prendre tout l'horizon pour du ciel, puis pour de la mer, sans savoir *biffé*] [fixait *en surcharge sur* fixe] [une même bande bleutée *add.*] en croyant tour à tour qu'elle fît partie de la mer, puis qu'elle fît partie du ciel, sans arriver à savoir ce qui est la vérité. / *[un dessin]* / Un petit bleuet pour Reynaldo / Qui est mangé par deux petits boiseaux. / Mettre ailleurs une autre fois. ↔ *b. Ffos 31-32 ros de ms. Ce paragraphe est extrait de la première rédaction de la soirée que nous signalons à la note 1, et qui figure sur les folios 29-34 ros de ms.* ↔ *c. Ffos 35-37 ros de ms.* ↔ *d. Avant de s'interrompre, la rédaction se poursuit en fait, dans ms., par ces quelques mots, biffés :* si le jour où sa femme donnait un raout il se sentait indisposé. ↔ *e.* devoir [impérieux *biffé*] [important *corr.*], mais qui *ms.*

1. Dans une première rédaction de la soirée jusqu'à l'arrivée de la duchesse de Guermantes, rédaction abandonnée puis reprise au moment de l'arrivée du héros, Proust développe l'idée de « féerie » évoquée par l'Esquisse I à propos du palais du prince et de la princesse de Guermantes, idée qui disparaîtra du texte définitif (voir l'Esquisse I, p. 919-920). Nous donnons à partir du paragraphe suivant la seconde rédaction de la soirée chez la princesse de Guermantes.

Page 964.

a. Ffo 40 ro de ms. ↔ *b.* recevoir [l'ambasseur d'Allemagne *biffé*] [le prince d'Agrigente *corr.*] qu'on venait d'annoncer [et qui *[...]* lui dire bonjour. *add.*] *ms.* ↔ *c. Ce paragraphe est une addition au verso suivant (fo 40 vo de ms.).* ↔ *d.* on [se jette dans les bras *biffé*] [fait des mamours *corr.*] du premier aventurier *ms.*

1. Le nom du héros est ensuite crié par l'huissier, appelant la même anecdote de la patiente de Huxley que dans l'Esquisse I (voir p. 921) et dans le texte définitif (voir p. 38). Mais en marge, Proust renvoie cette fois à *De l'intelligence* de Taine, d'où elle proviendrait (ffos 29 ro et 39 ro) ; la source ne paraît pas la bonne. Quoi qu'il en soit, aucune catastrophe n'a lieu, la princesse se lève pour recevoir le héros, et le prince l'accueille même aussitôt après, à la différence du texte définitif où la recherche d'un intermédiaire qui le présenterait au prince servira de fil conducteur à tout le début de la soirée. Voir p. 39.

2. Le prince d'Agrigente est le fils de M. de Guercy dans le Cahier 51. Il réapparaîtra dans le Cahier 49 (voir l'Esquisse IV, p. 948).

3. Marie-Gilbert ou Marie-Hedwige dans le texte définitif (voir *Le Côté de Guermantes*, t. II de la présente édition, p. 527).

Page 965.

a. Ffos 41-47 ros de ms., avec additions de versos. Malgré le (suivre en face) *du paragraphe précédent, le raccord avec le folio 40 vo n'est pas parfait.* ↔ *b.* occasion. *Le passage qui suit dans ms. et va jusqu'à* formes naïves et vulgaires *[var. a, p. 966] est composé d'une succession d'additions sur les versos.*

1. Voir p. 39 et 55.

Page 966.

a. Fin, dans ms., des additions de versos signalées var. b, p. 965.

1. Voir l'Esquisse I, p. 923.

Page 967.

a. à fleur de tête *Le passage qui, dans ms., suit ce mot et va jusqu'à* en moi d'une vie intellectuelle *[var. c], est composé d'additions marginales et de verso, destinées à remplacer ce premier jet non biffé :* [le sourire *biffé*] d'une fatuité attendrie et cordiale ; cependant que la franche simplicité dont les grands seigneurs savent quand ils veulent donner l'exemple enflait des deux côtés sa bouche entrouverte, ses joues pleines et bien dessinées et faisait courir autour de leur modelé correct et un peu gras le liseré sinueux d'un sourire. ◆◆ *b. Sic.* ◆◆ *c. Fin, dans ms., des additions signalées à la variante a ; Proust a indiqué le raccord final, légèrement différent du premier jet :* Charmé, disait-il à chaque nouvel arrivant avec une brusquerie.

Page 968.

a. bien beau [cette statue *biffé*] ce portrait que vous avez là lui dit [l'ambassadeur d'Espagne *biffé*] [une jeune fille à l'air vif et qui *corr.*] avec qui *ms. Proust n'a pas achevé sa correction.* ◆◆ *b. Lecture conjecturale.* ◆◆ *c.* Mme de Vermandois [-Brissac *biffé*], ils doivent *ms.*

1. Il n'y aura plus trace de cette ascendance dans le texte définitif, où subsiste pourtant une allusion au grand Condé en liaison avec l'hôtel de la princesse de Guermantes (voir t. II de la présente édition, p. 856).

2. L'allusion à Octave Feuillet, romancier (1821-1890), n'est pas menée à son terme.

3. Le prénom de M. de Gurcy n'est pas fixé.

Page 969.

a. Ffos 45-47 vos, renvoyant au folio 48 ro. ◆◆ *b. Lecture incertaine.* ◆◆ *c. Lecture incertaine.* ◆◆ *d.* enturbannée d'argent [comme un pacha ou *biffé*] une sultane *ms.* ◆◆ *e.* les naturelles [étrangetés *biffé*] [enchantements *corr.*] de duvets *ms. Nous accordons l'adjectif.* ◆◆ *f.* avec science. [Cette *biffé*] science était d'ailleurs *ms. Sans doute Proust a-t-il omis de biffer le verbe.*

1. Le héros se dirige donc vers M. de Gurcy, ce jour-là extrêmement froid ; ce développement, qui figure aux folios 47-48 ros du Cahier 43, et reprend la mise en scène de l'Esquisse I (voir p. 923), viendra, dans le texte définitif, au cours de la matinée chez Mme de Villeparisis (voir *Le Côté de Guermantes I*, t. II de la présente édition, p. 566-567), et non de la soirée chez la princesse de Guermantes, s'étant déplacé de concert avec la proposition de M. de Gurcy de diriger la vie du héros. Le héros voit ensuite venir la duchesse de Guermantes, ce qui donne lieu, sur les pages de gauche, à l'addition sur l'élégance que nous donnons au paragraphe suivant.

Page 970.

a. Or comme [il arrive *biffé*] [de même que *corr.*] quand *ms. Nous supprimons le* comme. ↔ *b. Ffos 49 vo et 50-54 ros de ms.*

1. Proust revient à une idée déjà présente au début du complément.

2. Quelques modèles pour l'élégance des Guermantes : la comtesse Othenin d'Haussonville, née Pauline d'Harcourt, au salon de laquelle Proust a consacré un article dans *Le Figaro* du 4 janvier 1904 (*Essais et articles*, éd. citée, p. 482) ; Mme Henry Standish, née Hélène de Perusse des Cars (1848-1933), célèbre pour son élégance et dont Proust fit la connaissance en mai 1912, un soir que Mme Greffulhe l'avait emmené au théâtre (voir la lettre de mai 1912 à Robert de Billy, *Correspondance*, t. XI, p. 128) ; il se renseigna peu après sur les toilettes de ces deux dames auprès de Mme de Caillavet (voir la lettre de juillet 1912, *ibid.*, p. 154-155), et il se souvint d'elles pour établir un contraste entre la toilette de la duchesse et celle de la princesse à l'Opéra dans *Le Côté de Guermantes I* (t. II de la présente édition, p. 353), ce qui daterait le morceau ici ajouté au Cahier 43 ; sur Mme Standish, voir aussi un mot que le texte définitif n'a pas retenu (voir n. 1, p. 1390) et le pastiche de Saint-Simon (*Pastiches et mélanges, Contre Sainte-Beuve*, Bibl. de la Pléiade, p. 53). Mme Bertrand de Montesquiou, enfin, était la sœur de Mme Standish, Émilie, qui avait épousé le cousin du comte Robert de Montesquiou.

3. Nous ne donnons pas un passage (ffos 48 ro, 49 ro, 49 vo du Cahier 43) dans lequel le héros se dirige vers le salon où la duchesse de Guermantes se tient près de la porte d'entrée. Croyant qu'il s'apprête à quitter la soirée, M. de Gurcy le rejoint vivement pour lui demander de faire tout à l'heure quelques pas avec lui : nouveau comportement étrange préparant l'offre de diriger la vie du héros, que le texte définitif placera aussi pendant la matinée chez Mme de Villeparisis. Et M. de Gurcy s'éloigne tout aussi brusquement au moment où la duchesse de Guermantes s'approche d'eux. (Voir p. 61, 68, et *Le Côté de Guermantes I*, t. II de la présente édition, p. 573.) Pour le texte que nous donnons à présent, voir p. 62.

Page 971.

a. coupables [qui croient devoir *1re rédaction non biffée*] [qui ont de se *2de rédaction interl.*] se préparer *ms.* ↔ *b.* le crime. [« Dieu merci vous n'êtes pas trop fatiguée mais j'avais peur que vous ne fussiez refroidie ; avez-vous remarqué votre tante, Oriane *biffé*] « Vous n'avez *ms.* ↔ *c.* (ne parlons pas [...] ce que nous disons) *add. ms.*

1. Voir p. 62.

2. Ils auront dîné chez Mme de Saint-Euverte dans le texte définitif (voir p. 69).

3. La duchesse ne s'appelle pas encore Oriane.

Page 972.

a. Suivent dans ms. deux lignes blanches et une ligne biffée. ◆◆ *b.* voix où [chaque adverbe *biffé*] [plusieurs mots *corr.*] était accentué avec *ms. Nous accordons le verbe.*

1. Ce passage, conforme à l'animosité des Guermantes contre leur tante dans l'Esquisse II (voir p. 934-935), ne sera plus dans le ton du texte définitif.

2. Voir p. 71.

3. La duchesse s'appelle désormais Oriane.

Page 973.

a. dirait pas. [« Tiens Mme d'Arbance[1] », dit M. de Guermantes en voyant rentrer une grosse dame à figure rouge, vulgaire et maussade, leur amphitryone de tout à l'heure qui se voyant abandonnée de bonne heure par tous ses invités, avait profité pour venir chez la princesse de Guermantes. Mais cette dame prosaïque était maniérée et devant chaque personne à qui elle disait bonjour penchait la tête d'un air langoureux, fermait à demi les yeux comme attendris par le mélancolique et doux regret de voluptés disparues, en laissant tomber un regard péné <tré> et levant la main comme pour une tendre bénédiction, accordant la forme de sa bouche à son air incompris et tendre murmurant : « Bbanjar », puis reprenant l'expression rogue et matérielle qui lui était habituelle, jusqu'à ce que la vue d'une nouvelle personne de connaissance */*lui fît *add. biffée] [*incliner *en surcharge sur* inclinât *biffé] [*penchât *en surcharge sur* pencher*]* de nouveau la tête, noyant son regard de tendres sous-entendus, d'ineffables réminiscences. « Bbanjar mon cher duc, Bbanjar Oriane, enfin je vous rattrape mes prisonniers évadés, dit-elle en riant. C'était donc bien ennuyeux chez moi que vous m'ayez quittée si vite ? Bbanjar M. de Montargis, mes félicitations, je sais que vous avez eu une très belle élection au Jockey tantôt[2]. *biffé en définitive*] — Bonjour mon petit, *ms.* ◆◆ *b. L'arrivée de Montargis appelle une addition sur les pages de gauche (ffos 52-53 vos) : sa rupture avec Rachel, son départ pour le Maroc, ses relations avec Mme de Marsantes, les discussions d'argent avec Rachel et la famille de Saint-Loup, éléments qui seront avancés dans le texte définitif. Le nom utilisé dans cette addition, Saint-Loup au lieu de Montargis, la rend postérieure à la correction des épreuves de « Du côté de chez Swann » chez Grasset en 1913. Voir t. II de la présente édition, p. 643.* ◆◆ *c.* événement. » *Suivent dix lignes biffées d'une première description des fils de Mme de Blio.* ◆◆ *d. Une nouvelle rédaction portée dans la marge de ms. donne* Athéné et Mars . ◆◆ *e. Ffos 55-57 ros de ms.*

1. Voir p. 90.

2. Voir p. 93, où Mme de Blio s'appelle Mme de Surgis.

3. La description des deux fils de Mme de Blio est très retravaillée sur cette page (fo 54 ro), s'approchant de la version du texte définitif, avant que l'intrigue reprenne, et que Montargis parle de la maison

1. Elle s'appelait à la page 971 Mme d'Ordener, en surcharge sur « Mme d'Arbace ».

2. Le texte définitif fait allusion à l'élection de Saint-Loup au Jockey (voir t. II de la présente édition, p. 871).

de passe fréquentée par une Mlle d'Orcheville et par la femme de chambre de la baronne Picpus.

4. Dans le texte définitif, le capitaine de Borodino ne réapparaîtra pas après le séjour du héros à Doncières ; il sera reçu chez les Murat au lieu des Marengo (voir t. II de la présente édition, p. 430).

Page 974.

1. Le héros se rendra à la soirée des Marengo. Voir l'Esquisse VIII, p. 986.

2. Voir p. 94.

3. Il n'y aura pas de prince russe succédant à Saint-Loup auprès de Rachel dans le texte définitif.

4. Voir p. 92 et 94.

5. Mlle d'Orgeville dans le texte définitif (voir p. 92).

6. La baronne s'appellera Picpus pendant une partie de l'Esquisse XI, p. 1017 et suiv. Voir la Notice, p. 1221.

Page 975.

a. Ff[os] *56 et 57 v*[os] *de ms.* ⬥⬥ *b.* souvent éprouvés [dans la rue en voyant passer *biffé*] [rien qu'en les voyant *[...]* compte rendu de bal pour *corr.*] quelque jeune fille *ms.* ⬥⬥ *c.* volupté vulgaire, *[2 lignes biffées puis 1 ligne non biffée de rédaction annulée par la correction signalée var. b]* et en déplorant *ms.* ⬥⬥ *d. Ff*[os] *55 et 54 v*[os] *de ms.*

1. Voir p. 120.

Page 976.

a. La fin de l'addition est accompagnée dans ms. d'une note marginale : Mettre cela plutôt au moment où je vais chez la maquerelle *, c'est-à-dire au moment où le héros connaîtra la femme de chambre de Padoue (voir « Textes retrouvés », éd. citée, p. 263-268).* ⬥⬥ *b. Après les additions signalées var. a et d, p. 975, nous revenons aux rectos de ms. (ff*[os] *57 à 61).*

1. Après ces deux compléments pour la jeune fille noble et la femme de chambre, nous revenons à la rédaction principale et à la jeune baronne de Villeparisis qui se méfie des poètes. Mme de Guermantes propose au héros de le raccompagner, mais à la différence de ce qui se produira dans le texte définitif, le duc refuse, et resté seul après leur départ, le héros rencontre alors la jeune fille aux roses rouges qui servira de fil conducteur à travers l'Esquisse VIII (voir p. 983). Voir le texte définitif, p. 96.

2. Voir l'Esquisse II, p. 934.

3. Comédie d'Alfred de Musset, écrite en 1845.

4. Le texte définitif placera la réplique dans la bouche de la duchesse de Guermantes (voir t. II de la présente édition, p. 795).

Page 977.

1. Une tirade voisine est prononcée par Odette dans « Un amour de Swann » (voir t. I de la présente édition, p. 273).

2. Voir p. 114 et 120.

Page 978.

a. jeunesse. *Après ce mot, la rédaction, dans ms., se poursuit encore un moment sur la page de droite, jusqu'à la fin du présent paragraphe, mais il y a un renvoi à une autre version qui commence sur la page de gauche : c'est le fragment que nous donnons au paragraphe suivant.* ◆◆ *b.* fard [le brillant délicieux de sa carnation *biffé*]. Je restais *ms. Proust n'ayant pas corrigé, nous maintenons les mots biffés.* ◆◆ *c. Ff*^{os} *59-62 v*^{os} *et 63-64 r*^{os} *de ms. Voir var. a pour le raccord de ce fragment.*

1. Voir l'Esquisse V, p. 960-961.

Page 979.

a. Paris [où *biffé*] les rues [semblent *biffé*] [où même les *[deux mots illisibles] corr.*] ornées *ms.* ◆◆ *b.* à des [hommes *biffé*] êtres que nous *ms.* ◆◆ *c.* mais [dont *biffé*] [qu' *add. interl.*] elles *ms. Proust n'ayant pas biffé la fin de la phrase, nous maintenons le premier jet.*

Page 980.

a. la princesse de Hanovre *Ici devrait se raccorder une description de cette princesse qui a été ajoutée sur les pages de gauche (f° 62 v°, se poursuivant sur 63 v°), mais qui ne peut s'insérer telle :* une de ces grandes et belles Anglaises, comme les maîtres du XVIIIe siècle en ont peint quelques-unes, dont le visage ovale et souriant au nez busqué, aux yeux étrangement noirs, semble la réfraction, à l'autre bout du monde, dans un miroir septentrional, du type d'une belle orientale captive de Quentin Durward ou d'Ivanhoë[1]. Comptant Anne de Boleyn[2] dans ses aïeuls, un lord qui était de Cawdor et de Glamis comme Macbeth[3], on était étonné que cette lignée sans mésalliance, composée seulement de noms, qui n'avait jamais <été> mêlée au sang de l'humanité, ait pu produire ce corps gracieux, qui ne ressemblait pas à celui des autres femmes, mais le valait, ce visage rayonnant d'esprit, d'esprit un peu spécial disait-on mais qui allait au moins aussi loin que celui des plus intelligentes femmes, l'émail délicieux de ce visage, comme certains pays désolés du Nord produisent, eux aussi, tendrement et sans avoir reçu l'exemple des arbres printaniers, des fleurs qui ont aussi leurs couleurs et leur grâce penchée au soleil. Ainsi, en la tour gothique qu'était cette race féodale, cette princesse souriante apparaissait, à une fenêtre ogivale, d'une dissemblance d'ailleurs avec son étrange visage de toutes les femmes connues que la différence de pays accentuait encore ; et qui montrait bien que si elle avait été aussi femme, c' <était> par des artistes qui n'avaient pas les mêmes outils que les nôtres, qui avaient un sens spécial de la couleur et de la forme, et dont l'œuvre

1. Héros de Walter Scott.
2. Deuxième femme d'Henri VIII.
3. Dans la pièce de Shakespeare, Macbeth, qui est comte de Glamis, est accueilli par les trois sorcières sous le nom de comte de Cawdor et de futur roi. Tandis que Macbeth et Banquo se demandent le sens de ces mots, arrivent les messagers du roi, qui annoncent à Macbeth que pour le remercier d'être venu à son secours, le roi le fait comte de Cawdor (acte I, sc. III).

resterait unique, dans le détournement de son harmonie et l'originalité de sa nuance, comme une toile de Vermeer ou une mélodie de Chabrier. ↔ *b.* vit en effet et [m'adressa d'autant plus de sourires *1re rédaction non biffée*] [penchant gracieusement sa tête vers moi, m'adressa un sourire d'autant plus doux *2de rédaction marg.*] qu'étant *ms.* ↔ *c.* par l'attention [...] cet ajoutage) *add. ms.*

1. Voir *À l'ombre des jeunes filles en fleurs*, t. II de la présente édition, p. 72.

Page 981.

a. Lecture incertaine. ↔ *b.* vous. » [Je fis à son *biffé*] [Elle fit rapidement à mon *corr.*] bras *ms.* ↔ *c.* répondre, [il fallut reconnaître qu'elle devait être partie, et qu'il n'y avait qu'à renoncer pour ce soir *1re rédaction non biffée*] [et comme la princesse ne pouvait pas laisser plus longtemps la princesse d'Hanovre seule, je n'avais plus qu'à renoncer pour ce soir *2de rédaction marg.*]. Mais elle *ms.*

1. Le prince s'appellera Gilbert dans le texte définitif.

2. Sans avoir appris le nom de la jeune fille aux roses rouges, le héros se décide à quitter la soirée, et tandis qu'il descend l'escalier, M. de Gurcy l'interpelle. Malgré l'opposition de la princesse, il part avec M. de Gurcy qui s'offrira à diriger sa vie, scène esquissée dès 1909 et que le texte définitif déplacera à la fin de la matinée chez Mme de Villeparisis dans *Le Côté de Guermantes I*, la marquise au lieu de la princesse cherchant à empêcher le départ du héros en compagnie de M. de Charlus[1]. Dans le Cahier 43 ici reproduit, plusieurs notes ajoutées sur les pages de gauche hésitaient déjà à faire de la réception chez la princesse une matinée ou une soirée, hésitation qui paraît liée au dénouement de la réception par la proposition de M. de Gurcy, que Proust semble ne pas pouvoir placer en soirée. Ainsi dans cette note rédigée à propos de la visite au duc et à la duchesse avant la réception : « Dans cette visite avant la [matinée ou soirée *biffé*] [soirée *corr.*] princesse de Guermantes (soirée est mieux et n'empêchera pas jardins si c'est l'été) je demanderai si je n'y verrai pas Mlle de Silaria » (f° 22 v°). Mais Proust doute de l'avantage de la soirée dans deux notes plus tardives où figurent les noms de Charlus et Jupien : « Bien que tout cela soit changé puisque c'est peut-être une matinée (contrat Charlus) il faudra pourtant qu'il pleuve mais plutôt au retour, sans cela ce ne sera pas joli dans les jardins de la princesse » (f° 25 v°). Et plus loin à propos d'une addition : « Capitalissime dans la soirée Guermantes (que décidément il vaudrait peut-être mieux — si je peux l'étoffer assez ou en diminuer l'importance pour qu'elle ne paraisse pas trop maigre — faire distincte

1. Cahier 43, ffos 63 v° et 64-72 ros. Voir *Le Côté de Guermantes I*, t. II de la présente édition, p. 580 à 592. Dans les épreuves Grasset de 1914, la proposition a déjà lieu après la matinée de Mme de Villeparisis, et elle termine le second volume à paraître chez cet éditeur. À cette date, la version de 1912 d'*À la recherche du temps perdu*, à laquelle appartient le Cahier 43, n'était donc déjà plus celle que Proust entendait faire paraître.

du contrat Jupien) » (f° 52 v°). Jupien serait là par lapsus, à moins que Proust ne songe à une réception pour la signature du contrat entre la nièce de Jupien et le jeune Cambremer, réception qu'il a envisagé de situer dans l'hôtel de M. de Charlus, qui l'aurait en la circonstance rouvert pour la première fois depuis la mort de sa femme (Cahier 74). Les deux dernières notes citées paraissent contemporaines d'un état du roman datant de la fin de 1913, puisque les noms sont Charlus et Jupien, mais que la proposition de M. de Charlus a toujours lieu après la réception chez la princesse, devenue pour cette raison une matinée, et qu'elle n'a donc pas encore été avancée à la matinée de Mme de Villeparisis.

Quoi qu'il en soit, l'Esquisse VIII prendra la suite de l'intrigue, à laquelle elle est reliée à la fois par l'offre de M. de Gurcy et par la quête de la fille aux roses rouges.

Esquisse VII

Cahier 28, ff^os 29 r° à 32 r°. Voir l'Esquisse VIII, p. 986-990 et 995-997.

Le Cahier 28 est composite ; on y trouve des brouillons pour *Du côté de chez Swann* et *À l'ombre des jeunes filles en fleurs*, des pages sur le style proches des Cahiers Sainte-Beuve (ff^os 33-34), et divers fragments sur les noms (ff^os 24-32) : « Kreusnach », ville d'eaux de Rhénanie où Proust séjourna avec sa mère en 1895 et 1897 (voir t. II de la présente édition, Esquisse XX, p. 1172) ; « Roffredo », prénom attribué à M. de Guercy ; un fragment sur les généalogies, sous l'intitulé « Morell » ; et enfin « Duc de Marengo », remplaçant « Duc de Borodino » que Proust a biffé. Le milieu Empire ne sera évoqué que très fugitivement dans le texte définitif, à propos des Iéna qui reprendront certains traits des Esquisses VII et VIII sur les Marengo.

On ne peut dater le cahier plus exactement qu'entre 1909 et 1911, le fragment sur le milieu des Marengo étant antérieur au développement du Cahier 49 que nous donnons dans l'Esquisse VIII (voir p. 986 et suiv.).

Les fragments sur les noms du Cahier 28 ont été publiés sous le titre « Quatre ébauches de Marcel Proust », *Bulletin de la Société des amis de Marcel Proust*, n° VIII, 1958, p. 447-454, et repris dans *Textes retrouvés*, éd. citée, p. 269-275.

d. Duc de [Borodino *biffé*] Marengo *ms.*

Page 982.

a. descendant de [mariage *add.*] Neiperg *ms.* ↔ *b.* Bonaparte [anglais *biffé*] [américain *corr.*] On ne *ms.* ↔ *c.* dit : « [Marcel *add. interl. conjecturale*] Vous *ms.*

1. Le comte Adam Albrecht von Neipperg (1775-1829), maréchal autrichien, attaché par François II à Marie-Louise, obtint pour elle du congrès de Vienne le duché de Parme, et devint son amant. Après

la mort de Napoléon, il l'épousa morganatiquement et ils eurent trois enfants, dont l'aîné fut comte, puis prince de Montenuovo (1821-1895).

2. Joseph Bonaparte (1768-1844), frère aîné de Napoléon Ier, vécut aux États-Unis de 1815 à 1841, puis revint à Florence. Mais dans le Cahier 49 (Esquisse VIII, p. 989), Proust précise : « c'est le plus authentique des Bonaparte, c'est le Bonaparte américain, de la branche aînée ». La branche aînée est celle de Lucien (1775-1840), dont le fils aîné Charles-Lucien (1803-1857) épousa sa cousine Zénaïde (1801-1854), fille aînée de Joseph, en 1822 à Bruxelles, et se rendit en Amérique. Mais ils revinrent à Rome avant 1828, année où leur second fils y naquit.

3. Mme de Montesquiou-Fezensac, née Louise Le Tellier de Montmirail, petite-fille de Louvois, fut nommée gouvernante des enfants de France en 1812. Elle avait épousé en 1781 Élisabeth-Pierre de Montesquiou-Fezensac (1764-1834), grand chambellan de l'empereur en 1810, après Talleyrand, sénateur de l'Empire en 1813, pair de France en 1814 et 1819. Mme de Montesquiou, la « Maman Quiou » du roi de Rome, suivit celui-ci à Vienne en 1814, elle revint peu après en France et mourut en 1835. Elle était l'arrière-grand-mère de Robert de Montesquiou, qui rappelle dans ses mémoires : « Lors de son départ de Vienne, mon arrière-grand-mère, [...], reçut, comme souvenir visible de son dévouement à l'infortuné roi de Rome, un beau et mystérieux collier de saphirs » (*Les Pas effacés*, Émile-Paul, 1923, t. I, p. 160).

4. Voir *Le Côté de Guermantes I*, t. II de la présente édition, p. 493.

Page 983.

a. Proust a ajouté sur les pages de gauche (ff^os^ 29-30 v^os^) d'autres détails, qui seront également repris dans l'Esquisse VIII, sur la valeur historique du milieu des Marengo (voir p. 989).

1. Georges Bryen Brummel, dit le Beau Brummell (1778-1840). Arbitre de l'élégance londonienne pendant vingt ans, ruiné et poursuivi pour dettes, il fuit à Calais en 1816, avant d'être nommé consul à Caen en 1830, sinécure qui fut abolie sur sa recommandation en 1832. Il fut mis en prison en 1835.

2. Marcel Boulenger (1873-1932), romancier français. Proust fait allusion à un ouvrage de son frère Jacques Boulenger, *Sous Louis-Philippe : les Dandys*, avec une préface de Marcel Boulenger, Ollendorff, 1907.

Esquisse VIII

Cahier 49, ff^os^ 8 à 42 r^os^.

Le personnage de la jeune fille disparaîtra du texte définitif ; voir cependant, dans *Le Temps retrouvé*, *CF*, t. III, p. 989 l'évocation, auprès de la femme de chambre de Mme Putbus et de Mlle d'Orgeville, d'une jeune fille qui ressemble à celle aux roses rouges : « telle jeune fille dont j'avais vu le nom dans le compte rendu mondain d'un journal, parmi "l'essaim des charmantes valseuses" ».

Ces fragments du Cahier 49 développent celui du Cahier 36 donné dans l'Esquisse V (voir p. 960-961). Voir aussi l'Esquisse VI, p. 978 et suiv. Le Cahier 49, portant un « 7 » en couverture et datant de 1910-1911, est plus ancien que la série des Cahiers 39 à 43 formant une mise au net du *Côté de Guermantes*. La fin du Cahier 43 est en effet une version de l'offre que fait M. de Gurcy au héros de diriger sa vie plus élaborée que celle qui se trouve au début du Cahier 49. Le Cahier 49 représente cependant la suite de l'intrigue développée dans les Cahiers 39 à 43, appartenant à la version d'*À la recherche du temps perdu* prête en 1912. Les premières pages du Cahier 49 sont donc consacrées à la proposition de M. de Gurcy (ffos 1 à 8 ; voir *Le Côté de Guermantes I*, t. II de la présente édition, p. 581 et suiv.). Nous reproduisons les suivantes, correspondant à la passion pour la jeune inconnue aux roses rouges. La fin du Cahier 49 passe à la découverte de la femme en M. de Gurcy et à « La Race des Tantes » : elle a fait l'objet de l'Esquisse IV (voir p. 945 et suiv.).

Un fragment du Cahier 49 (ici, p. 990, 14e ligne, à p. 991, 16e ligne en bas de page) a été publié sous le titre « Les Mystères de la petite phrase de Vinteuil », dans *Le Figaro littéraire*, 16 novembre 1946, p. 1, et repris dans *Textes retrouvés*, éd. citée, p. 249-251.

Le héros vient donc de quitter M. de Gurcy, emporté par un cocher comme après la matinée chez Mme de Villeparisis dans *Le Côté de Guermantes I* (voir t. II de la présente édition, p. 592), et il est tracassé par la proposition qui vient de lui être faite.

b. Ms. donne est .

Page 984.

a. vie [se contentent *biffé*] de mettre *ms. ; le texte est ici procuré par une addition marginale : voir var. b.* ◆◆ *b.* La mort est facile [...] défiait la mort *add. ms.* ◆◆ *c.* Deux-Siciles, [le regretté M. Ferrari *add.*] ayant fui *ms.*

1. Tansonville dans le texte définitif.

2. François Ferrari, chroniqueur mondain au *Gaulois* puis au *Figaro.* Proust s'est entremis en 1908 pour nourrir ses chroniques ; voir la Notice, p. 1210. Voir aussi *Le Temps retrouvé*, *CF*, t. III, p. 759. Ferrari est mort le 15 mai 1909.

3. Le siège du *Figaro* était situé 26, rue Drouot.

Page 985.

a. les plus [doués *biffé*] [graves *corr.*] d'entre *ms.* ◆◆ *b. Suivent dans ms. deux lignes laissées en blanc.*

1. Voir, dans *Le Temps retrouvé*, *CF*, t. III, p. 989, « l'essaim des charmantes valseuses ».

2. Gaston Maspero (1846-1916) fit de nombreuses fouilles en Égypte. Ferrières-en-Brie est la propriété du baron de Rothschild,

luxueusement reconstruite au XIXe siècle. Bois-Boudran est la propriété du comte et de la comtesse Greffulhe, à Nangis, en Seine-et-Marne.

3. François II (1836-1894), roi des Deux-Siciles en mai 1859 ; mais les Mille de Garibaldi occupent bientôt Naples et la Sicile, qui sont rattachées à l'Italie unifiée dès octobre 1860. François II capitulera en février 1861 et partira en exil.

4. Les Bourbons qui ont occupé le trône du royaume des Deux-Siciles de 1816 à 1861 appartenaient à la branche cadette de la maison de Bourbon, rattachée aux Bourbons de France par Philippe, duc d'Anjou, petit-fils de Louis XIV et roi d'Espagne. La reine de Naples, femme de François II, apparaîtra plusieurs fois dans *À la recherche du temps perdu*, elle prendra en particulier Charlus sous sa protection après sa disgrâce chez les Verdurin (voir *La Prisonnière*, p. 823-825).

Page 986.

a. un certain nombre *[p. 985, 3e ligne en bas de page]* de jeunes filles [qu'en m'aidant *[...]* je réussissais parfois à *[en biffé]* identifier le nom. *add.*] Mais laquelle *ms.* ⬥⬥ *b.* plutôt Mlle de [Closjoly ou Mlle de Terrenova *biffé*] [Sidonia Terrano *[...]* ou Mlle de Kerbezec, *[ou* Mlle d'Évreux *biffé]* ou Mlle de Fontaine-le-Poet, ou Mlle de Rippetsheim *add.*] ou qu'une *ms.* ⬥⬥ *c.* successivement [le souvenir *add.*] son corps *ms. ; voir aussi var. d* ⬥⬥ *d.* En la matière [*9 lignes plus haut*] compacte, [...] mes rêves. *add. ms.* ⬥⬥ *e.* donnais. / [Hélas *biffé*] Montargis *ms.* ⬥⬥ *f.* le prince y venait souvent [chez eux, ayant été ami d'enfance de la duchesse *add.*] et faisait *ms. Nous supprimons le* y . ⬥⬥ *g.* sociable, aussi [bien portante *biffé*] mondaine *ms ; voir aussi var. h.* ⬥⬥ *h.* où se déployait [...] (mal dit) *add. ms.*

1. Voir l'Esquisse VI, p. 981.

2. *Ibid.*, p. 973.

3. Dans *Du côté de chez Swann*, le duc de Guermantes, alors prince des Laumes, va sans la princesse chez les Iéna, dont tous les meubles sont « Empire » (voir t. I de la présente édition, p. 333). Les Iéna reprendront dans le texte définitif bien des traits du milieu Marengo du Cahier 49 (voir *Le Côté de Guermantes II*, t. II de la présente édition, p. 807-811). Pour un rapprochement entre la soirée Marengo du Cahier 49 et une soirée chez la princesse Murat à laquelle Proust assista en 1908, voir la Notice, p. 1211. La princesse Murat est du reste mentionnée dans le roman à propos des Iéna, et auprès de la reine de Naples, que Mme de Guermantes désire lui faire rencontrer (voir t. II de la présente édition, p. 808). Une première ébauche de la soirée Marengo figure dans l'Esquisse VII, p. 981.

Page 987.

a. Suit dans ms. une première description du salon, biffée sur 15 lignes. ⬥⬥ *b.* pompe de Chateaubriand, [la majesté de Gluck *biffé*], et [les autres *biffé*] traits *ms.* ⬥⬥ *c. Dans ms., un appel renvoie à une note en bas de page :* Par exemple dans Chateaubriand ceci : , *note que Proust n'a pas complétée.* ◆◆ *d. Lecture conjecturale ; voir aussi var. a, p. 988.*

1. Futurs duc et duchesse.

Page 988.

a. Tandis *[p. 987, 4ᵉ ligne en bas de page]* que [...] de papillons *add. ms.*

1. Mme de Sainte-Euverte dans *Du côté de chez Swann.*

Page 989.

a. Proust a ajouté en marge : Vérifier. ◆◆ *b.* comme [à Sparte (?) *biffé*] il y avait *ms.*

1. Voir n. 1, p. 982.
2. Voir n. 2, p. 982.

Page 990.

a. Enfin les objets mêmes [...] un événement historique. *add. ms.* ◆◆ *b. En marge dans ms., Proust a noté :* Vérifier . ◆◆ *c.* fraîcheur des bois [, des feuillages *add.*], nocturnes où les Verdurin l'avaient amené dîner, [invité par *[*les *1ʳᵉ rédaction non biffée] [*Mme *2ᵈᵉ rédaction interl.]* Verdurin il avait passé *[...]* si elle pensait à lui, *add.*] torpeur *ms.* ◆◆ *d.* sa soif fiévreuse [rêvait *biffé*] [*un mot illisible en corr*] de tables champêtres *ms.*

1. Il y aura une description voisine du duc de Guastalla, fils de la princesse d'Iéna, dans le texte définitif (voir t. II de la présente édition, p. 810). Le portrait du grand-père n'est pas sans rappeler celui de Murat par le baron Gérard.
2. Voir n. 3, p. 982.
3. Dans la constitution des majorats, ou biens inaliénables attachés à un titre de noblesse, rétablis en 1806 quand Napoléon Iᵉʳ voulut constituer une nouvelle noblesse, pouvait entrer l'action du Mont-Milan, désigné à l'époque sous le nom de Mont-Napoléon. Elle prenait place à côté de revenus de domaines situés en Pologne ou en Allemagne, également concédés par l'Empereur dans les majorats de propre mouvement, comme des formes de dotations du chef de l'État. Le paiement se faisait en papier sur Paris. Selon la loi du 22 avril 1905, le gouvernement proposa aux Chambres une combinaison de rachat des majorats à un taux très réduit. Voir Jean Tulard, *Napoléon et la noblesse d'Empire*, Tallandier, 1979, p. 107-132.
4. Dans le texte définitif, le héros n'assistera pas aux côtés de Swann à une exécution de la sonate de Vinteuil.

Page 991.

1. Le *Cantique de Jean Racine* (*op.* 11), œuvre de jeunesse de Fauré. Sur Fauré comme modèle de Vinteuil, voir J.-M. Nectoux, « Proust et Fauré », *Bulletin de la Société des amis de Marcel Proust*, nº XXI, 1971.

Page 992.

a. comme si ce [n'était *biffé*] plus *ms.* ◆◆ *b.* c'est Mlle de [Sevirac *biffé*] [Viburnac *biffé*] Vigognac, *ms.*

1. Le prince s'appelle Hervé dans l'Esquisse VI, p. 981.

2. Sur les sentiments de Charlus envers les Iéna, voir t. II, p. 852.

Page 993.

a. Du reste [...] à celle-ci *add. ms.* ◆◆ *b.* Vous ne voulez pas [...] un Arabe *add. ms.* ◆◆ *c.* Et [soulignant maladroitement sa gaffe *biffé*] il se mit *ms.* ◆◆ *d.* pas là. Elle ne vit dans le fait qu'il était [là chez elle, bavardant, qu'un prétexte à adopter une attitude momentanément plus intime, comme si elle *biffé*] Et le voyant *ms. Nous omettons le début de la phrase biffée, Proust ayant oublié, soit de compléter celle-ci, soit de biffer celui-là.*

1. M. de Gurcy s'appelle Sigisbert dans l'Esquisse VI, p. 968.

Page 994.

a. plus facile [ajouta-t-il trouvant *biffé*] [car on trouve *add. interl.*] tout facile dès que c'était aux autres *ms.* ◆◆ *b.* Vi[c *en surcharge sur* g]ognac *ms.* ◆◆ *c. Sur la page de gauche, en regard de ce passage dans ms. figure cette tentative de reprise :* La porosité que les noms nous offrent à la pure rêverie, [leur sensibilité à jour (influence) (demander à Guiche) *add.*] ils l'offrent également à la rêverie amoureuse. Ils l'absorbent tout entière [avec toutes les *[un mot illisible]* qui lui sont attachées *add.*] ils s'imbibent de notre désir jusque dans les moindres sonorités, ils le logent et le promènent dans tout ce qu'ils désignent de celle qui nous plaît, ils la recouvrent *[un mot illisible]*, partout où ils règnent autour d'elle, partout où l'influence de leur musique se fait encore sentir. ◆◆ *d.* Là les filles [...] bataille. *add. ms.*

1. Jean de Reszké (1850-1925), seigneur polonais et ténor réputé, était le frère d'Édouard et Joséphine, tous deux artistes lyriques. Il chanta à Paris au Théâtre-Italien, puis à l'Opéra à partir de 1883. Il triompha en effet dans *Roméo et Juliette* de Gounod auprès de la Patti. Montesquiou et Reynaldo Hahn étaient liés à lui. Les frères Reszké, Jean et Édouard, sont mentionnés dans le poème VIII, intitulé « Manière », des *Chauves-Souris* de Montesquiou : « Ne me demandez pas de peindre des batailles / Ou de vibrer ainsi que les frères Reszké ! » (éd. citée, p. 40). Voir la lettre de juin 1907 à Robert de Montesquiou, *Correspondance*, t. VII, p. 175.

2. Cette orthographe se maintiendra un moment. Voir var. *b*.

3. Henri IV à M. de Lubersac (1587, vers le 10 avril) : « D'Ambrujac m'est venu joindre avecques tous les siens, chasteaux en croupe s'il eust pu. » Il s'agit de François de Boscheyron, seigneur d'Ambrughac, Ambrugeas ou Ambrugeac en Limousin. *Recueil des lettres missives de Henri IV publié par M. Berger de Xivrey [...]*, t. II, 1585-1589, Imprimerie royale, 1843, p. 284. Proust cite ce même mot dans une lettre à Louis d'Albufera de décembre 1908, la sœur du

destinataire étant fiancée au vicomte de Saint-Léon, dont la mère était née de Valon d'Ambrugeac (*Correspondance*, t. VIII, p. 322).

Page 995.

a. comme [étant non seulement aussi jolies *add.*] ayant *ms.* ◆◆ *b.* Exclues aujourd'hui [...] concédé. *add. ms.*

1. Charles de Baatz (1611-1673), seigneur d'Artagnan, le modèle du héros d'Alexandre Dumas, serait un ancêtre éloigné de Robert de Montesquiou, à ne pas confondre avec Pierre de Montesquiou (1645-1725), comte d'Artagnan, lui aussi mousquetaire.

Sur les deux autres, voir n. 3, p. 994. Proust connaissait des Lubersac (lettre de juin 1908 à Louis d'Albufera, *Correspondance*, t. VIII, p. 149).

2. Anna, duchesse de Mouchy, née en 1841, était la petite-fille de Murat (voir t. II de la présente édition, p. 811).

La comtesse Edmond de Pourtalès, Mélanie de Pourtalès (voir t. II de la présente édition, p. 695 et p. 72 de ce tome) avait été dame d'honneur de l'impératrice Eugénie et elle figure sur le tableau de Winterhalter, *L'Impératrice Eugénie et ses dames d'honneur* (musée de Compiègne). Proust l'avait connue chez Mme Lemaire et chez Montesquiou, qui lança Delafosse avec son aide (lettre de juin 1894 à Montesquiou, *Correspondance*, t. I, p. 308). Dans le texte définitif, elle recevra la noblesse d'Empire, dont Borodino (voir *Le Côté de Guermantes I*, t. II de la présente édition, p. 430). À leur sujet, voir la *Correspondance*, t. IX, n. 19, p. 121.

3. Nom des comtes dans le Rheingau, comté de Rheingrafstein, près de Kreuznach. Voir *Textes retrouvés*, éd. citée, p. 268-272 et t. II de la présente édition, p. 1172-1174.

Page 996.

a. un soir [le rôle *add.*] un personnage *ms.* ◆◆ *b.* l'esprit saisit [des rapproche <ments> attribue *biffé*] croit voir *ms. Nous supprimons le premier verbe.*

1. Voir n. 1, p. 983.

2. L'antécédent est « la jeunesse », 4 lignes plus haut, avant la rédaction interrompue mais non biffée.

3. Charlus connaîtra ainsi le petit jardin de la princesse de Cadignan (voir p. 442).

Page 997.

a. Le prénom, de lecture incertaine dans ms., est une addition interlinéaire. ◆◆ *b. La fin du paragraphe est en addition dans la marge de ms.* ◆◆ *c. Lecture conjecturale.*

1. Voir l'Esquisse VI, p. 973-974.

Page 998.

a. La noblesse [et la province *add.*] basque [...] dans le monde : *add. ms.* ◆◆ *b.* Or [...] interrompit. *add. ms.* ◆◆ *c.* qui c'est. [C'est Mlle

Tronquin, la fille d'un agent de change très riche *[*, le fils de tous ces Tronquin notaires. Il y en avait un qui était le notaire de Talleyrand *add.].* Je ne la connais pas mais on me l'avait déjà montrée au théâtre. C'est de la vieille bourgeoisie de Paris. / Dès lors ce furent les rues de Paris, les rues à vieilles études de notaires d'autrefois, les boulevards riches aussi où les agents avaient leurs hôtels, ce fut ce milieu riche, peut-être un peu vaniteux et grossier et aimant tant le luxe, mais où les filles ont encore une fraîcheur et une saveur bourgeoises qui retint toute mon imagination. Je feuilletais les listes des agents de change pour avoir l'émotion d'y trouver celui des Tronquin. *biffé*] Je l'avais aussi remarquée *ms.* ↔ *d.* Ce sont des gens [...] Bourg-la-Reine. *add. ms.*

1. Le couple de Mlle de Vigognac et de Mlle Tronchin, représentant la noblesse de province et la bourgeoisie parisienne, rappelle les milieux complémentaires où Swann poursuit lui aussi les femmes dans le texte définitif (voir « Un amour de Swann », t. I de la présente édition, p. 188).

2. Le nom conservera désormais cette orthographe.

Page 999.

a. Proust a écrit dans ms. eussent *. Nous corrigeons.* ↔ *b.* à Sainte [Clotilde *biffé*] [Séverin *add. interl.*] Qui sait *ms.*

1. Le Grand Trianon, construit en 1687 par Mansart sur l'ordre de Louis XIV, ou le Petit Trianon, construit par Gabriel pour Louis XV de 1762 à 1768, et le pavillon du Butard à La Celle-Saint-Cloud, ancien rendez-vous de chasse de Louis XV bâti en 1750 par Gabriel : il appartint au domaine de la Malmaison, Charles X et Napoléon III l'utilisèrent comme rendez-vous de chasse, et le couturier Paul Poiret y habita.

Page 1000.

1. S'agit-il d'une annonce de la rencontre de M. de Gurcy et du concierge, qui n'aurait pas encore eu lieu en ce point de l'intrigue dans la version de 1912 d'*À la recherche du temps perdu* ? Voir la Notice, p. 1220.

2. Le texte définitif ne gardera pas trace de cette méditation sur la proposition de M. de Charlus.

Page 1001.

a. Lecture conjecturale.

1. La révélation de la femme en M. de Gurcy, qui aura lieu dans quelques pages, est de cette manière annoncée. Le texte définitif se dispensera de telles allusions.

Page 1002.

a. me parut quelque chose de [si simple, de si agréable, de si parfait, *biffé*] [tellement l'atti<tude> *biffé*] une attitude *ms.* ↔ *b.* le dos et [cessa de me saluer *biffé*] [partit sans me *[un mot illisible]* *corr.*]. « Mais *ms.*

1. Le nom, la situation des parents de Mlle Tronquin se sont modifiés.

Page 1003.

a. Un soir [la *biffé*] [cette *corr.*] pensée [...] princesse de Guermantes [me fit brusquement me décider à aller à l'Opéra *biffé*] je pensai *ms.* ↔ *b.* elle pouvait encore *[14 lignes plus haut]* y venir. [Je ne quittais pas des yeux sa loge où il y avait M. de Gurcy *biffé*] [On jouait un de ces opéras de Wagner *biffé*] [dont j'avais été si souvent *[...]* et nous saisiront. Bientôt j'éprouvai *add.*] [et *biffé*] j'éprouvai *ms. Proust n'ayant pas achevé la correction du point d'articulation de l'addition, nous maintenons le début biffé de la phrase.* ↔ *c.* puissantes *Après ce mot, la fin de la phrase est donnée dans ms. par une correction portée dans l'interligne de la première rédaction, non biffée, que voici :* [s'avançant avec certitude hors des sentiers connus *biffé*] faire servir comme des aéroplanes leur technique terrestre et leur armature de métal à s'élancer au-dessus de la terre, et s'avancer avec certitude et d'aplomb au-dessus de la mer, et tout d'un coup se frayant dans l'air des routes aussi résistantes que le sol, tout d'un coup remontant d'un coup de leur aile d'acier vers le ciel comme si c'était la patrie d'où elles étaient venues et où elles retournaient.

1. Voir la soirée d'abonnement de la princesse de Parme au début du *Côté de Guermantes I* (t. II de la présente édition, p. 336 et suiv.), mais au lieu d'un opéra de Wagner, on entendra la Berma dans *Phèdre.*

2. L'image de l'aéroplane est antérieure à l'accident d'Alfred Agostinelli en avril 1914.

Page 1004.

Esquisse IX

Cahier 24, ff^os 8 r° à 11 r°. Voir l'Esquisse XI, p. 1009 et suiv.

Le Cahier 24 contient essentiellement le manuscrit d'« Autour de Mme Swann » dans *À l'ombre des jeunes filles en fleurs* (ff^os 13 à 65). Quelques pages au début du Cahier présentent cependant des ébauches pour la suite du roman : pour la proposition de M. de Gurcy au héros (ff^os 1-2 ; voir l'Esquisse VI, n. 2, p. 981, et Esquisse VIII, p. 983) ; pour une conversation du héros et d'un certain Cruchot sur M. de Gurcy, ébauche d'une conversation entre le héros et Brichot dans *La Prisonnière* (ff^os 3 à 7 ; voir p. 830-833 et l'Esquisse XI, n. 1, p. 1030) ; enfin pour le début du Cahier 47 introduisant la femme de chambre (ff^os 8 à 11). Ces pages paraissent antérieures aux Cahiers 43, 49, 47, datant de 1910-1911, et contemporaines du Cahier 36 sur la femme de chambre (Voir *Textes retrouvés*, éd. citée, p. 263-268).

À la soirée de la princesse de Guermantes où le héros s'était rendu en rêvant à Gilberte Swann, Montargis lui avait parlé d'une Mlle d'Orcheville et de la femme de chambre de la baronne Picpus, qui fréquentaient une maison de passe (Esquisse VI, p. 974). Mais le héros n'avait pas eu le loisir de songer à elles car aussitôt Montargis parti, une jeune fille aux roses rouges l'avait provoqué, et celle-ci a servi de fil conducteur à l'intrigue romanesque depuis lors, unique objet de convoitise du héros (Esquisses VIII et IV). La femme de chambre va maintenant prendre le relais, liant lâchement la suite de la version de 1912 d'*À la recherche du temps perdu* (Esquisses XI et XIII).

Notons que la patronne de la femme de chambre s'appelle ici la baronne Picpus, comme dans l'Esquisse VI et une partie de l'Esquisse XI.

a. Cette première phrase est biffée, mais Proust a indiqué en marge : rétablir . ◆◆ *b.* note. « La baronne Picpus [vient de quitter Ville-d'Avray où elle a été pendant quelques jours l'hôtesse de M. et Mme Verdurin *biffé*] après avoir été *ms.* ◆◆ *c. Lecture incertaine.* ◆◆ *d.* comme je n'aurais voulu [la connaître *biffé*] [faire sa connaissance *biffé*] avoir été vu *ms.* ◆◆ *e.* avait [dix *biffé*] vingt ans *ms.* ◆◆ *f.* présenté Swann *Ici est censée se raccorder dans ms. une addition, de fait difficile à intégrer :* tant la vie mondaine change peu et continue son même petit train à travers les vicissitudes de l'histoire qui renouvellent la face de l'Europe jusque pendant soixante ans une maîtresse de maison continue à recevoir le vendredi.

Page 1005.

a. pour peu de mois *add. ms.* ◆◆ *b.* dès les [derniers *biffé*] [premiers *corr.*] jours [de mars *biffé*] [d'avril *corr.*] pour Venise *ms.* ◆◆ *c.* départ ? *Ici devrait se raccorder une addition interlinéaire et marginale dans ms., qui est en fait difficile à insérer :* même connaître Mme Picpus eût suffi pour aller chez la maquerelle et dire à la femme de chambre que je connaissais sa maîtresse mais peut-être elle ne m'eût pas cru voyant que je n'étais pas invité aux « raouts » ◆◆ *d.* afin que quand [elle prononcerait mon nom *add.*] sa femme de chambre *ms.* ◆◆ *e.* qui doit être la [personne éclatante *biffé*] reine *ms.* ◆◆ *f.* endroits les plus [ridicules *biffé*] grotesques *ms.*

1. Dans le texte définitif, Swann souffre de la même hantise : être méprisé par les femmes de chambre qu'il désire (voir *Du côté de chez Swann*, t. I de la présente édition, p. 189).

2. Villaret de Joyeuse, amiral français (1747 ou 1750-1812), commandant des forces dirigées contre Saint-Domingue en 1801, puis capitaine général de la Martinique qu'il ne sut défendre contre les Anglais en 1809, fut nommé gouverneur général à Venise (1811), où il est mort. La rue Villaret-de-Joyeuse, près de l'Étoile, donne dans l'avenue de la Grande-Armée.

3. Voir p. 121.

4. Le comte de Wardes est l'un des adversaires de d'Artagnan dans *Les Trois Mousquetaires* d'Alexandre Dumas. Proust se souvient-il de son nom ?

Page 1006.

a. qui eux étaient partis [...] mois d'avril *add. ms.* ◆◆ *b.* un peu à M. de [Guermantes ou à *add. interl.*] Gurcy *ms.* ◆◆ *c. La phrase sera poursuivie au début de l'Esquisse XI, p. 1009.*

1. Voir n. 2, p. 995.

Esquisse X

Cahier 6, ff^os 25 r°-29 r°. Voir p. 269, ainsi qu'« Un amour de Swann », t. I de la présente édition, p. 186. Voir aussi l'Esquisse II, p. 941-942, et, dans l'Esquisse XI, la note 4, p. 1021. Sur le Cahier 6 qui, faisant partie de la série des Cahiers Sainte-Beuve, date du début de 1909, voir la notule de l'Esquisse I.

Le roman, dès sa version de 1912, reportera l'entrée en scène de la princesse Sherbatoff à la seconde époque du salon Verdurin, du temps du héros. Et c'est cette même description que *Sodome et Gomorrhe* déplacera du train de Ville-d'Avray à celui de La Raspelière.

Page 1007.

a. relations et [n'était plus reçue par personne[1] *biffé*] [les avait toutes perdues *corr.*] à la suite *ms.* ◆◆ *b.* possibles aimaient [à répandre l'opinion si *biffé*] se seraient *ms. Nous supprimons* aimaient .

1. Il a existé une grande-duchesse Anastasie (1860-1897), cousine de Nicolas II.

Page 1009.

a. Fin du fragment dans ms. : me voilà, [je lisais un journal parce que je *biffé*]

Esquisse XI

Cahier 47, ff^os 1 r° à 32 r°.

Le Cahier 47 forme, avec les Cahiers 48 et 50, le brouillon de 1911 du troisième et dernier volume d'*À la recherche du temps perdu* indiqué dans le plan de 1913 (voir la Notice, p. 1205), volume intitulé alors *Le Temps retrouvé*, jusqu'à « L'Adoration perpétuelle » et « Le Bal de têtes ». La première moitié du Cahier 47 correspond au troisième chapitre de ce volume, qui devait porter le titre de « M. de Charlus et les Verdurin ». *Sodome et Gomorrhe II* développera la même intrigue, à partir de la rencontre de M. de Charlus et Morel sur le quai de la gare de Doncières, et à La Raspelière, mais dans une mise en scène très différente.

Les Esquisses que nous donnons appartiennent au début du Cahier ; toutes ces scènes seront déplacées autour de Balbec dans le texte définitif. La suite du Cahier 47 contient deux scènes, qui, elles, rejoindront *La Prisonnière*, le retour du héros en compagnie de Brichot (alors nommé Crochard) qui lui parle de M. de Gurcy (ff^os 32 r° à 35 r°), et la conversation entre M. de Charlus et Brichot sur l'inversion (ff^os 32 à 37 v^os) (voir p. 830 à 833 et 801 à 812). Mais le héros n'a pas connu la baronne Putbus. La fin du Cahier 47 (ff^os 35 r° à 69 r°), se prolongeant au début du Cahier 48 (ff^os 2 r° à 8 r°), est

1. En fait, Proust a omis de biffer « par personne ».

consacrée au chapitre suivant du plan indiqué en 1913, la maladie et la mort de la grand-mère, et le héros reçoit le même jour une lettre de Mme Verdurin le prévenant que la baronne Putbus viendra dîner, et une lettre d'une Mme du Change lui donnant rendez-vous aux Champs-Élysées. Il contraint sa grand-mère à sortir, elle a ce soir-là son attaque, et les deux occasions sensuelles sont ratées encore une fois, elles reviendront plus tard comme des motifs de culpabilité quand le héros se sentira responsable de la mort de sa grand-mère. Mais dans le Cahier 47, la femme de chambre de Mme Putbus est surtout un fil conducteur qui sert à lier les fragments pour M. de Gurcy chez les Verdurin, déjà donnés dans l'Esquisse II et venus du Cahier 51 (voir p. 938 à 942).

b. Ffos 1-8 ros de ms. avec des additions sur les pages de gauche. Ces pages sont de lecture difficile, les rédactions successives se chevauchant souvent, d'où le nombre important des variantes. Début du Cahier : [Les Verdurin quand sur ma demande un de nos amis me présenta chez eux, avaient quitté depuis longtemps le grand rez-de-chaussée avec jardin où Swann les avait connus rue d'Astorg et habitaient un hôtel qu'ils avaient fait construire dans la plaine Monceau. *biffé*] « Vous parlez *ms.* ◆◆ *c.* chez [eux *biffé*] [les Verdurin *corr. biffée*] [eux *corr.*], mais *ms.* ◆◆ *d.* l'hôtel [de la place Malesherbes *add.*] où nous allons *ms.* ◆◆ *e.* moment [et qu'ils n'ont fait construire que bien longtemps après *biffé*], me disait *ms.* ◆◆ *f.* disait [un de nos vieux amis *biffé*] [le vieil ami *corr.*] qui me conduisit *ms.* ◆◆ *g.* certes [de la raison pour laquelle *biffé*] [pourquoi *corr.*] je lui avais demandé *ms.* ◆◆ *h.* et *[6 lignes plus haut]* qui bien des années [...] reçoivent leurs habitués. *add. ms.* ◆◆ *i.* sur un *[7 lignes plus haut]* jardin. [Ah ! les belles fêtes que nous avons eues là. Je ne dis pas que leur nouvel hôtel soit mal mais ce n'est plus ça. Et puis tous les plus agréables sont partis, Swann est mort, Elstir s'est marié *biffé*] [Vous qui aimez *[...]* quoiqu'elle le défendît. *corr.*] Ah ! ce que je me suis amusé *ms.* ◆◆ *j.* Astorg. *Pour la suite du texte jusqu'à var. c, p. 1010, voir la variante citée.*

1. Voir *La Prisonnière*, p. 706, 2e § et 707, 12e ligne.
2. Quai Conti dans le texte définitif (voir p. 707).
3. Rue Montalivet dans le texte définitif (*ibid.*).

Page 1010.

a. quelque chose de nouveau ; [je confonds *[...]* là-dedans de soupers costumés *add. marg.*], ce n'était que [charades *add. interl.*] soupers costumés *ms.* ◆◆ *b.* argent on [tout le monde *add. interl.*] peut avoir. *ms.* ◆◆ *c.* de la rue d'Astorg *[var. j, p. 1009].* [Si vous saviez toutes les inventions amusantes que ces artistes avaient. On improvisait des dîners costumés. Et je ne parle pas que des grandes fêtes *biffé*] [Tous les grands artistes *[...]* qu'on est content d'avoir vues *biffé*] [Rétablir *add. marg.*] [et qu'on ne reverra plus. Elstir s'est marié, Swann est mort, bien d'autres sont partis. *add.*] [Et pour les grandes fêtes, très rares d'ailleurs, ces grands salons en enfilade si hauts de plafond s'y prêtaient bien mieux. Et puis *add.*] Il n'y avait pas *ms.* ◆◆ *d.* Et les soirs de grande fête [qui étaient du reste *[...]* sans en donner *add.*] on ne pouvait *ms.* ◆◆ *e.* Mais ce n'était pas [hélas *add.*] pour [moi *biffé*] [y monter avec elle *corr.*]. À peine *ms.* ↔ *f.* dit-elle à [Swann *biffé*] [M. de Forcheville *corr.*] et les voilà *ms.* ↔ *g.* Ainsi, tandis que [je pensais que les Verdurin flattés de ma démarche m'inviteraient à leurs dîners, et que je pourrais faire chez eux la connaissance de Mme Putbus, ce qui me permettrait d'aborder d'en haut, en ami de sa maîtresse, cette femme de chambre si insolente et si belle, *corrigé par biffures, en interligne et en marge en* mes yeux voyaient déjà *[...]* vrai Giorgione,] que Montargis *ms.* ↔ *h. Ici sont censés se raccorder les fragments que nous donnons p. 1014-1016, à partir de var. a, p. 1014.* ↔ *i. Plusieurs rédactions successives se mêlent ici :* et dont le désir [s'était réveillé en moi *biffé*] — un des quelques désirs types [qui flottaient à l'horizon *biffé*] que je pouvais oublier pendant quelque temps mais qui ne tardaient pas à revenir et qu'avait peut-être, [un des quelques désirs types, *[*différents, presque opposés, *biffé]* qui revenaient à tour de rôle occuper *[*mes projets *biffé]* ma pensée et qui laissé quelque temps dans l'ombre par le désir des jeunes filles, était revenu *[*occuper *biffé]* prendra la place qu'avait un peu trop longtemps occupé ce dernier *add. marg.*] ainsi *ms.* ↔ *j.* l'ancien [appartement *biffé*] [demeure *corr. biffée*] [salon *corr.*] des Verdurin, rue d'Astorg, qu'ils préféraient à la nouvelle, appelant salon comme l'église [qui n'est pas seulement l'édifice religieux mais aussi la communauté *biffé*] [rétablir *add.*] des fidèles, *ms.* ↔ *k. Plusieurs rédactions successives sont mêlées :* fenêtres au midi [où s'entassaient *biffé*] [mais encore l'organisme social qui les remplit pendant tant d'années *corr.*] les poufs et les canapés bas à la soie ancienne de jour en jour plus passée dans le grand ensoleillement de l'après-midi, sur lesquels on attendait que Mme Verdurin fût prête, dans la société des roses et des œillets qui vous demandaient de patienter et l'attendaient aussi, mais encore tout l'organisme social qui les remplit et dura pendant des années ; non seulement les gens, *Proust a manifestement omis de biffer la fin de la relative et de la proposition.*

1. On ne sait où placer la mort de Swann dans la version de 1912 du roman. Voir var. *a*, p. 1025.
2. Voir l'Esquisse VI, p. 975-976, et l'Esquisse IX, p. 1004-1005.

Page 1011.

a. salon de la rue [d'Astorg *biffé*] [de Bourgogne *biffé*] [d'Astorg *corr.*] n'en étaient *ms.* ↔ *b. Plusieurs rédactions se chevauchent dans ms. :* cette partie devenue irréelle et purement [morale, précieuse parce qu'elle est sculptée *[*dans chaque chose *biffé]* meubles, voitures, gens, compotiers de fruits, *[*tous éclairés de l'intérieur, des mêmes opalescences, *biffé]* dans le même albâtre *[*doucement éclairé du dedans, *biffé]* de nos souvenirs, *[*et aussi parce que n'étant plus retrouvable qu'en nous-mêmes elle y prend une sorte *biffé] [*de cette couleur qui n'existe que pour nous et que nous ne pouvons pas faire sentir *corr.]* parce qu'elle y est baignée d'une lumière qui éclairait un chemin déjà détruit de la vie et dont nous ne pouvons donner l'impression à ceux pour qui elle n'a pas lui *biffé en définitive*] — et qu'enfin n'étant plus retrouvable qu'en nous-mêmes, y prenant de ce fait une sorte de plus-value, qui [a quitté *biffé*] [s'est détaché *corr.*] à jamais <du> monde extérieur *ms.* ↔ *c.* plus-value, [s'y assimilant à sa substance immatérielle, s'y muant *add.*] gens d'autrefois, maisons détruites, compotiers de fruits des fêtes que nous ne nous rappelons, [elles *[*sont sculptées *biffé] [*ont pris cette *biffé]* se sont muées *biffé en définitive*] [en sa substance immatérielle *add.*] en cet albâtre *ms.* ◆◆ *d.* boîtes de chocolats. [*plusieurs essais de rédaction biffés sur vingt lignes*] [Voilà l'aquarelle qu'Elstir avait faite pour votre fête. *add.*] Oui c'est [l' *biffé*] [une *corr.*] aquarelle *ms.* ◆◆ *e.* aujourd'hui. [Monsieur, ma fille, *[...]* tu es une bonne fille. *add.*] Ah ! en voilà un, [continua-t-elle en revenant à Elstir *add.*] dont on peut dire *ms.* ◆◆ *f.* cela [des horreurs *biffé*] [barbouillé *corr.*] Et [dire que *add.*] c'est *ms.*

1. Voir p. 329.

Page 1012.

a. Je crois *À partir d'ici, et jusqu'à var. d, nous suivons le texte d'une longue addition sur le verso de ms., écrite en regard des lignes précédentes.* ◆◆ *b.* soigner par Cottard [dont la sottise chaque jour m'exaspérait *biffé*] Persuadé *ms.* ◆◆ *c.* une vérité *[11 lignes plus haut]* médicale, [et beaucoup d'erreurs, j'eusse attaché plus de prix à ce que Bloch eût un mot, un mot lucide et décisif d'E... que toutes les prescriptions incertaines et innombrables de Cottard, arcboutant leur insuffisance l'une sur l'autre *biffé*] [cachée et certaine, que seul un œil profond et juste *[*comme était *[[...]]* du Boulbon — *add.]* peut dévoiler *[...]* de l'inintelligent Cottard *[*qui essayaient par leur nombre d'étayer l'une contre l'autre leur insuffisance et ne faisaient que multiplier *biffé]* qui *[*essayaient *biffé]* par *[*leur nombre *biffé] [*leur nombre *corr.] [*de trouver la vérité *biffé]* tandis qu'elles ne faisaient *[...]* belle phrase musicale. *add.*] Il est amusant *ms.* ◆◆ *d. Fin de l'addition signalée à la variante a.* ◆◆ *e. La version de jet de ms. (voir var. a et d) donne en fait :* elle se repent. [Et voilà *biffé*] Mais ce [tapis de table *biffé*] paravent *ms.*

1. Dans le texte définitif, c'est le docteur du Boulbon qui sera un admirateur de Bergotte, tandis que le professeur E*** recevra la grand-mère du héros après son attaque (voir *Le Côté de Guermantes II*, t. II de la présente édition, p. 609)

2. Cottard sera au contraire un grand clinicien dans le texte définitif (voir *À l'ombre des jeunes filles en fleurs*, t. I de la présente édition, p. 424-425).

Page 1013.

a. bouquet de [chrysanthèmes fait *biffé*] [violettes et pensées *corr.*] au pastel [par un ami *biffé*] [présent du *corr.*] grand artiste *ms.* ◆◆ *b.* ligne de la destinée ; [interpolation curieuse *[...]* toute leur vie ; *add.*] profusion *ms.*

1. Voir p. 333.

Page 1014.

a. À partir d'ici, nous donnons une série de quatre fragments portés sur des versos de ms. Le premier, que voici, figure au folio 8 v°. Le début de cette addition semble devoir se rattacher au texte des rectos au niveau de la variante b, p. 1010. ◆◆ *b.* me considère. / [Si bizarre que cela puisse passer le besoin de ne pas être dédaigné d'elle, d'être admiré d'elle, me déterminait autant que la pensée du plaisir que je pourrais tirer d'elle. *add.*] Il [eût *biffé*] [paraîtrait *corr.*] peut-être paru naturel *ms. Proust a omis de biffer* paru . ◆◆ *c.* me méprisait [et que je tâchasse de *biffé*] ; même *ms.* ◆◆ *d.* un effort [pour *biffé*] dominer *ms.* ◆◆ *e. Proust a ajouté en marge :* Voir deux pages avant la phrase sur l'Effort. *Le fragment que nous donnons p. 1015 (voir var. a de cette page) se raccorderait donc ici.* ◆◆ *f.* de cet effort. [Comme jadis la fatigue qu'il fallut m'imposer pour connaître la baie de Cricquebec, pour aller entendre la Berma, me représentait une sorte de conquête *biffé*] J'avais besoin *ms.*

1. Voir *À l'ombre des jeunes filles en fleurs*, t. II de la présente édition, p. 75. Le nom de « Cricquebec » apparaît dans les quatre compléments signalés à la variante *a*, intermédiaire entre Querqueville et Balbec, entre la fin de 1912 et le milieu de 1913.

Page 1015.

a. F° 6 v° de ms. La note de Proust que nous citons var. e, p. 1014, permet de raccorder ce fragment. ◆◆ *b.* L'idée [qu'on nous méprise *biffé*] [de nous méprisante *corr.*] ou simplement *ms.* ◆◆ *c. F° 6 v° de ms., addition dans la marge supérieure. Elle commence ainsi :* Phrase [probablement *biffé*] plus juste

1. Proust séjourna à Fontainebleau en octobre 1896, en compagnie de Léon Daudet ; il y travailla à *Jean Santeuil*. Lucien Daudet leur rendit visite. Il le rappelle dans une lettre de septembre 1913 à Mme Daudet (*Correspondance*, t. XII, p. 273). Proust se rendit une autre fois à Fontainebleau, entre deux trains. Il y fait allusion dans une lettre d'août 1910 à Albert Nahmias : « Je vous ai téléphoné bien des fois (avant d'aller à Fontainebleau etc.) » (*Correspondance*, t. X, p. 161) ; ainsi que dans une lettre de novembre 1912 à Léon Daudet : « J'y suis retourné seul un dimanche, pour une heure entre deux trains [...] » (*Correspondance*, t. XI, p. 301).

Page 1016.

a. Car ce que [nous connaissons avec les yeux seulement *biffé*] sans rien changer *ms.* ◆◆ *b.* C[e n' *biffé*] est que quand *ms.* ◆◆ *c.* que nous [avons *[un mot illisible]* si nous devons jamais *add.*] [le pouvoir de *add.*] recommen[çons *corrigé en* cer] à vivre tout entiers. *ms.* ◆◆ *d. F° 7 r°, addition dans la marge supérieure de ms.* ◆◆ *e. Ff^os^ 8 r°-11 r° de ms. Pour le début de ce fragment, jusqu'à var. b, p. 1017, nous suivons un second jet porté sur le folio 7 v°. On trouvera var. b, p. 1017, la version de jet, qui est biffée.* ◆◆ *f.* ce que pouvait être la [femme de *biffé*] [sottise *corr.*] [et l'orgueil *add. biffée*] [de la femme de *add.*] chambre d'une personne [aussi toc que Mme *[Picpus en surcharge sur* Putbus*]* *biffé*] [ayant une situation assez *corr. biffée*] [de ce genre *corr.*], et qui devait *ms.* ◆◆ *g.* chez sa maîtresse, [« chez nous » comme elle devait dire, *add.*] je voulais qu'elle me connût *ms.*

1. Voir p. 121, ainsi que l'Esquisse IX, p. 1005.

Page 1017.

a. déférence pour moi. *[p. 1016, avant-dernière ligne]* [Je voulais que d'abord *[...]* « Es-tu invité chez nous mercredi ? » *add.*] J'avais bien eu *ms.* ⬥⬥ *b. Voici le premier jet, dans ms., du début de ce fragment, dont nous avons donné une reprise de verso (voir var. e, p. 1016) :* [Le petit noyau que je retrouvai quelques jours plus tard à Montmorency s'il avait perdu quelques-uns de ses fidèles. *biffé*] / [Ma grand-mère *[*s'était opposée avec la plus grande énergie à ce que *biffé]* qui depuis l'aggravation de mon état de santé désirait que je sorte de moins en moins et qui en tous cas aurait voulu que je me réserve pour d'autres milieux, s'était énergiquement opposée à ce que je me fisse mener chez les Verdurin, sur qui pesait un de ces vieux préjugés de famille que rien n'efface et dont le nom ralliait encore l'antique « à la garde, à la garde » de mon grand-père. Mais je n'avais pu découvrir personne d'autre chez qui fréquentait la baronne Picpus. J'avais eu une fausse joie en entendant Mme *biffé en définitive*] [J'avais eu un moment d'espoir en apprenant à mon grand étonnement que M. de Guermantes connaissait le baron Picpus et j'étais allé voir la duchesse *add. biffée*] ⬥⬥ *c.* Hôpital Picpus. [Non je ne peux *biffé*] Dieu merci [je ne peux vous servir à rien auprès de cette ordure *biffé*] [Je ne peux pas *[...]* revient de Ville-d'Avray *corr.*] Mais expliquez-moi *ms.* ⬥⬥ *d.* gens agréables [vous *biffé*] [est-ce par sadisme que vous *corr.*] voulez *ms.* ⬥⬥ *e.* vous vautrer [dans cette boue *biffé*] [sur cette ordure *corr.*]. [Mon dévouement pour vous n'irait pas jusqu'à me faire *[*faire la connaissance de *biffé] [*présenter *corr.]* cette ordure *biffé*] Si je connaissais *ms.* ⬥⬥ *f.* chez elle [j'aurais poussé le ridicule d' *1re rédaction non biffée*] [je pousserais le dévouement pour vous jusqu'à *2e rédaction interl.*] aller dire : *ms.* ⬥⬥ *g.* fausses dents [dans tous les mauvais lieux de *biffé*] *[une correction illisible en interligne]* Paris *ms.* ⬥⬥ *h.* je ne doute pas qu'elle [ne soit intime dans la maison *biffé*] [*[*n'orne *biffé] [*n'exhibe dans *corr.]* le salon Picpus de ses faux diamants ses faux cheveux et ses fausses dents *corr.*] ce qui est charmant *ms. En corrigeant, Proust a omis de biffer le* de *qui dépendait du verbe « orner ».* ⬥⬥ *i.* il règne sur les îles. [Mais enfin Astolphe vous dirait qu'il avait une grande position sous Guillaume d'Orange. En tous cas il ne l'a plus *add. biffée*] [Oui *[*bien que ça ne pousse pas à entrer dans les titres *add.]* ce *[*bègue *biffé] [*baron noir *corr.]* qui se nourrit de concombres *[...]* sous Charles-le-Téméraire *[*il l'a perdue en tous cas *add.]* et de penser à lui demander s'il ne veut pas de café. *[*Il l'avait peut-être sous Charles-le-Téméraire *biffé]* Mais il ne l'a plus. *corr.*] Il est possible *ms.*

1. Astolphe était déjà le nom du duc de Guermantes dans le Cahier 43. Voir l'Esquisse VI, p. 968.

Page 1018.

a. Ils sont séparés [depuis Guillaume-le-Taciturne je ne sais pas *biffé*] [depuis le commencement du monde *corr.*] et je crois *ms.* ⬥⬥ *b.* n'avancerait pas vos affaires. [Astolphe, dit-elle à M. de Guermantes *[...]* d'une maison souveraine ? *biffé d'un trait*] / Et je ne voyais personne *ms.* ⬥⬥ *c.* que la baronne Picpus [fréquentait chez *biffé*] [était liée avec les Verdurin, *corr.*] les amis [d'un de nos vieux amis *en surcharge sur* de notre vieil ami.]. Malheureusement *ms. À partir d'ici, et jusqu'à la variante e, nous suivons le texte d'une seconde rédaction sur la page de gauche destinée à remplacer le premier jet, bien que celui-ci ne soit pas biffé, comme le montre l'indication* Version exacte *. Voici le premier jet :* Malheureusement je ne lui eus pas plutôt demandé de [m'y conduire que ma grand-mère qui depuis que l'état de ma santé s'était aggravé aurait voulu me voir sortir de moins en moins, mais surtout *biffé*] / Malheureusement à la maison un de ces antiques préjugés de famille, contre lesquels rien ne prévaut, pesait sur les Verdurin. « À la garde, à la garde » [s'écriait mon grand-père rien qu'en entendant leur nom *biffé*] [de mon grand-père semblait les poursuivre encore au-delà de la tombe *corr.*]. Et quand on sut que je voulais aller chez eux, ma grand-mère qui depuis que mon état de santé s'était aggravé aurait voulu que j'aille moins dans le monde et qu'en tous cas je me réserve pour d'autres milieux dit [à mes parents *add.*] qu'il était impossible que j'y allasse, que [je lui ferais une véritable peine *biffé*] [rien ne lui serait plus désagréable *corr. biffée*]. [C'était devant mes parents qui dirent *biffé*] [Ils me dirent devant elle de n'y pas aller *corr.*] : « Mais bien sûr, c'est un détestable milieu, ce n'est pas un milieu pour toi » et firent quelques plaisanteries sur eux. Ma grand-mère [avait je ne sais pourquoi l'air heureux ce jour-là. Puisque je l'aimais cet air heureux aurait dû me faire plaisir. Mais il *1*^re^ *rédaction non biffée*] [peut-être par timidité ou pour ne pas avoir l'air de se mêler de cela, parla d'autre chose. Elle avait l'air heureux ce jour-là. Mais trop souvent hélas pendant leur vie la joie de ceux que nous aimons prend souvent à nos yeux l'aspect d'une gaîté irritante et haïssable *[*et *biffé]* la peine que nous leur faisons se peint sur leur visage comme une colère que nous ne craignons pas de provoquer, parce que nous en trouvons le motif mesquin et bourgeois. Bien plus telle personne à laquelle nous ne penserons plus un an après nous paraît alors plus importante qu'eux et nous mettons leur plaisir au-dessous de celui que nous avons à la voir. Ce jour-là son air de bonheur *2*^de^ *rédaction marg.*] me donna une véritable rage, et j'imaginais ma grand-mère et mes parents comme tramant des complots contre moi, et sachant bien qu'ils me feraient faire ce qu'ils voudraient et plaisantant de la facilité qu'ils avaient à me faire aller où ils voulaient. [Je disais à ma grand-mère tout ce qui me semblait propre à faire disparaître de son visage cette insolente satisfaction *biffé*] Dans ces moments-là je détestais ma grand-mère [et je lui disais les choses même fausses, qui pouvaient lui être le plus désagréable et lui faire perdre son air de joie, avec la clairvoyance et les ruses instinctives d'un animal frappant son ennemi au point décisif. Avec un air de vérité, je faisais semblant de laisser échapper malgré moi que cela n'avait pas d'autre importance pour moi que j'aille chez les Verdurin, mais que cela m'obligeait à aller avant deux jours dans un endroit cent fois pire *1*^re^ *rédaction sur la page de gauche, non biffée mais interrompue*] [et avec la clairvoyance et les ruses de l'instinct, je lui annonçais la chose qui pouvait lui être la plus désagréable, que je n'eusse *[*pas faite *non biffé]* jamais faite, mais avec un air de vérité qui la laissait incertaine et suffisait à remplir mon but, lui faire perdre l'air de joie et de domination sur moi qui m'irritait. / Voir dans le cahier vert (page verdote) pour la suite la tristesse destinée à faire céder selon que je l'aurai employée avant pour la bière. *2*^de^ *rédaction sur la page de gauche*] ↔ *d.* Nous ne nous les représentons [...] ils se moquaient de nous. *add. ms.* ↔ *e.* mes parents. *Après ces mots, nous rejoignons le premier jet de ms. (voir var. c)*

1. Voir « Un amour de Swann », t. I de la présente édition, p. 196.

Page 1019.

a. depuis des années [que *biffé*] [pour voir la femme de chambre de Mme Picpus en qui *corr.*] se résumait [en cette grande fille au corps onduleux et blond, aux yeux bleus *add.*] un des désirs de ma vie, *ms.* ⁂ *b. La phrase est mal construite. Proust a ajouté en marge :* Vérifier cahier vert *, ce qui fait référence à l'enivrement du héros en chemin de fer pour Balbec (voir « À l'ombre des jeunes filles en fleurs », t. II de la présente édition, p. 12), ainsi qu'il apparaît à la fin de la variante c, p. 1018. Ce* cahier vert *est le Cahier 65, qui porte pour titre* Cahier vert Querqueville *, et le voyage pendant lequel le héros boit de la bière se trouve aux folios 27 et 28 r*[os]*.* ⁂ *c. Ff*[os] *12-15 r*[os]*. Début du fragment dans ms. :* [Le salon de Mme Verdurin *biffé*] [Si le vieil ami qui me présenta à Mme Verdurin n'y allait plus guère *biffé*] [Si bien des *[*amis *biffé]* fidèles *[*habitués *add. interl.]* du salon Verdurin n'y venaie<nt> *biffé*] La mort *ms.*

1. Voir *À l'ombre des jeunes filles en fleurs*, t. II de la présente édition, p. 12. La scène de la bière dans le train pour Balbec est voisine de la scène du cognac esquissée ici. La référence est d'ailleurs explicite à la fin de la var. *c*, p. 1018, éclairant le sens de la notation marginale de Proust, mentionnée dans la variante *b*, p. 1019.

2. Voir p. 261. Le Cahier 24 (voir la notule de l'Esquisse IX) avait donné une première ébauche de Brichot, alors appelé Cruchot. Un peu plus loin il portera le nom de Crochard.

Page 1020.

a. fort select. » [Faisant partie de cette élite *[...]* qui ont passé leur vie dans les livres *add. et en surcharge sur* Comme les plus intelligents des professeurs qui ont passé leur vie dans les livres], Brichot croyait *ms.*

1. Sur Edmond Got, voir t. I de la présente édition, p. 73 et n. 2. Professeur au Conservatoire en 1877, il prit sa retraite en 1894. Son *Journal* a été publié en 1910, par son fils, avec une préface de Henri Lavedan (Plon, 2 vol.).

2. Il est fait allusion à la mode de poser les chapeaux à terre lors de la matinée chez Mme de Villeparisis (voir *Le Côté de Guermantes I*, t. II de la présente édition, p. 509-510).

3. Philibert-Louis Debucourt (1755-1832), peintre et graveur français, élève de Vien, se spécialisa dans les tableaux de genre ; membre de l'Académie de peinture en 1781, il fut peintre du roi. Jean-Baptiste Leprince (1734-1781), peintre et graveur français, élève de Boucher, a voyagé en Hollande et en Russie ; il est mentionné par Diderot dans le *Salon* de 1765.

Page 1021.

a. En fait, après Sainte-Beuve *, on lit dans ms.* , et plus spécialement *suivi de 3 lignes biffées.* ⁂ *b. Ff*[os] *22-24 r*[os] *de ms., avec un complément sur une page de gauche.* ⁂ *c. Depuis le début du fragment, nous suivons le texte d'une reprise marginale dans ms. Voici le premiet jet, qui n'est pas biffé :* On s'étonnait beaucoup ce jour-là de ne pas voir arriver le jeune pianiste qui aurait dû se trouver au train. ◆◆ *d. Proust a écrit* Crochard *dans ms.* ◆◆ *e. Proust a écrit* le Crochard .

1. Voir *La Prisonnière*, p. 832-833.
2. Voir p. 269-270.
3. Voir p. 270, et « Un amour de Swann », t. I de la présente édition, p. 187, ainsi que l'Esquisse X, p. 1007-1009.
4. La suite du portrait du petit noyau est voisine de celle du texte définitif, ou, pour la princesse Sherbatoff, de l'Esquisse X (ff^os 15-22 r^os du Cahier 47 ; voir p. 270-275, et l'Esquisse X, p. 1007 à 1009). Après quoi le Cahier 47 en vient à la rencontre de M. de Gurcy et du pianiste dans la salle des pas perdus de la gare Saint-Lazare, aussitôt suivie de la première apparition de M. de Gurcy chez les Verdurin à Ville-d'Avray. M. de Forcheville y tient le rôle qui sera celui de M. de Cambremer dans *Sodome et Gomorrhe II*. Le héros se souvient qu'il est à la recherche de Mme Putbus — c'est de nouveau son nom —, et demande à Mme Verdurin de le prévenir quand la baronne viendra dîner. Le Cahier 47 passe alors au petit train et aux relations de M. de Gurcy avec les autres fidèles.
5. Voir p. 277, ainsi que l'Esquisse II, p. 938 et suiv.

Page 1022.

a. piqué. [En entendant son nom je me souvins très bien que je l'avais entendu à un concours du Conservatoire. Mais quand Crochard me dit que *biffé*] Je crus d'abord *ms.* ◆◆ *b.* tout d'un coup [le souvenir *biffé*] [je me rappelai que c'était le nom *corr.*] d'un pianiste que j'avais entendu [...] une revue de jeunes gens [me revint à l'esprit *non biffé*] et dont le souvenir *ms.* ◆◆ *c.* réveillé en moi par un [incident *biffé*] [fait *corr.*] dont j'avais *ms.* ◆◆ *d.* avec animation [bras dessus bras dessous *add.*] à un militaire *ms.*

1. Voir la rencontre de M. d'Argencourt (*Le Côté de Guermantes I*, t. II de la présente édition, p. 588).
2. Voir p. 294.

Page 1023.

a. Cette proposition *[p. 1022, 4e ligne en bas de page]* avait [...] signe. » *add. ms.* ◆◆ *b. Depuis* le nom de M. de Gurcy *[14 lignes plus haut], nous suivons le texte d'une reprise marginale destinée à se substituer au premier jet, non biffé :* le nom de M. de Gurcy était connu pour sa mauvaise réputation et comme il n'était connu que pour cela, et qu'on avait sur sa situation mondaine, sur la grandeur de sa famille, sur l'élégance de ses intimités aucune espèce de donnée, on y supposait volontiers qu'il était un noble taré, que personne ne voulait recevoir.

Page 1024.

a. qui contre toute attente *[p. 1023, 5e ligne en bas de page]* avait [...] il est un personnage *add. ms.* ◆◆ *b. Une note de Proust se trouve à cette hauteur sur la page de gauche de ms. :* Ici mettre la phrase de la page suivante sur Forcheville avant l'arrivée de Gurcy : « Vous connaissez M. de Gurcy. » Et après seulement le sculpteur qui n'avait pas entendu cette conversation parut bien étonné. *Proust avait prévu d'avancer la phrase qui se trouve p. 1025, début du 2ᵈ §.* ◆◆ *c.* Aussi fut-il un peu surpris après l'arrivée de M. de Gurcy, [mais il le fut bien davantage *add.*] de voir au salon [M. de Forcheville lui faire un grand salut *add.*] [M. de Gurcy qui le connaissait *[...]* à vous voir en goguette *[*chez le préfet *biffé] [*dans les salons du ministère *corr.].* » *add.*] Quand on se fut assis *ms.* ◆◆ *d. La dernière phrase appelle une note de Proust sur la page de gauche de ms. :* Voir quatre pages avant au verso (je l'ai écrit là faute de place) ce geste de Gurcy à Forcheville, mais qu'il faudra peut-être mettre après le dîner pour ne pas affaiblir prince des Laumes. *Cette note renvoie au fragment que nous donnons ensuite, qui est effectivement précédé de la note suivante :* Ceci est pour quatre pages après (Gurcy à qui Forcheville offre sa chaise) (qu'il vaudra décidément mieux laisser *avant* le dîner). ◆◆ *e. Ffᵒˢ 19-22 vᵒˢ de ms.* ◆◆ *f.* « Mais [voyons *biffé*] [mon cher *biffé*] je vous en prie, comment donc [par exemple ! *biffé*] dit M. de Fleurus, *[15 lignes biffées de rédactions enchevêtrées]* indiquant *ms.* ◆◆ *g.* à rire. M. de [Gurcy *biffé*] [Fleurus *corr.*] avait provoqué *ms.*

1. Voir p. 334, ou l'incident a bien lieu après le dîner, ainsi que l'Esquisse II, p. 941. Dans ce fragment, M. de Gurcy s'appelle M. de Fleurus, ce qui le date d'entre la fin de 1912 et le milieu de 1913.

2. Nous omettons onze lignes du Cahier 47, proches du texte définitif que l'on trouvera p. 337, lignes 21-26, et p. 338, 23ᵉ ligne à p. 339, 3ᵉ ligne.

Page 1025.

a. Un de mes bons amis [que j'ai perdu et *add.*] qui [était *en surcharge sur* est] très féru *ms.* ◆◆ *b.* Rippegrefastein [et j'ai laissé à mon fils *biffé*] et [vous savez que *add.*] je ne porte *ms.* ◆◆ *c.* l'érection de [Beauvais *biffé*] [L'Isle Adam *corr.*] qui a été transférée *ms.* ◆◆ *d. Le fragment s'achève ainsi dans ms. :* Montmorency. » [« En somme vous êtes les seconds ducs français *biffé*] ◆◆ *e. Ffᵒˢ 25-32 rᵒˢ de ms., avec additions de versos.* ◆◆ *f. Proust avait songé à avancer ce dialogue : voir var. b, p. 1024.* ◆◆ *g.* la tête des gens. » [Mme Verdurin offrit le bras à Forcheville qui eut un instant d'hésitation et mit à sa gauche M. de Gurcy. Une ombre passa sur le visage du pianiste. *add.*] Je vois que vous [vous connaissez *corrigé par biffure et en interligne en* connaissez M. de Gurcy] dit [plus tard *add.*] Mme Verdurin *ms.*

1. Voir p. 415.

2. Il y a bien mille pages sur les ducs dans les *Mémoires* de Saint-Simon, en particulier de longues comparaisons avec les grands d'Espagne (voir par exemple éd. citée, t. II, p. 122-138 et t. IV, p. 274 et suiv.). Mais le contexte permet de restreindre le choix et rappelle une page où Louis XIV, irrité par Mme de Torcy, la femme de Colbert, fait un bel éloge des ducs. Mme de Torcy, malgré qu'elle en eût, s'est en effet trouvée assise à dîner en une place fort au-dessus de son rang, en une situation analogue à celle de M. de Forcheville passant avant M. de Gurcy : « À un dîner, je ne sais comment il

arriva que Mme de Torcy se trouva auprès de Madame, au-dessus de la duchesse de Duras, qui arriva un moment après. Mme de Torcy, à la vérité, lui offrit sa place ; mais on n'en était déjà plus à les prendre. » (éd. citée, t. III, p. 27.) D'où s'ensuit une terrible colère du roi qui éclate tandis qu'il rapporte l'incident à Mme de Maintenon après le repas, et qui se termine par une tirade sur les ducs français : « [...] il se mit à exalter la dignité des ducs, et fit connaître, pour la première fois de sa vie, qu'il n'en ignorait ni la grandeur, ni la connexité de cette grandeur à celle de sa couronne et de sa propre majesté. Il dit que cette dignité était la première de l'État, la plus grande qu'il pût donner à son propre sang, le comble de l'honneur et de la récompense de la plus haute noblesse. » (*ibid.*, p. 29.) Proust évoquera la suprématie des ducs sur les princes étrangers dans son pastiche de Saint-Simon (*Pastiches et mélanges*, éd. citée, p. 44-46).

3. Voir *À l'ombre des jeunes filles en fleurs*, t. II de la présente édition, p. 114 et 201.

4. Saint-Simon conteste à plusieurs reprises le titre de premier baron de France revendiqué par les Montmorency, et qui leur viendrait de ce que le premier d'entre eux aurait reçu le baptême aussitôt après Clovis. Ils seraient tout au plus la première baronnie de l'Île-de-France (éd. citée, t. I, p. 210). Ou ailleurs : « [...] la plupart des gens sont infatués que les Montmorency sont les premiers barons du Royaume parce qu'ils prennent le titre de premier baron de France, c'est-à-dire de la France proprement dite comme province, qui est grande comme la main, autour de Montmorency et de l'abbaye de Saint-Denis, dont Montmorency relevait, et que, de sa situation, on appelle Saint-Denis-en-France » (*ibid.*, t. II, p. 846).

5. Voir p. 342, où les protagonistes sont Louis XIV et la princesse de Baden.

6. Napoléon-Louis de Talleyrand-Périgord (1811-1898), duc de Valençay, pair de France en 1845, eut d'Anne-Louise-Alix de Montmorency, morte en 1858, deux fils, Boson, prince de Sagan (1832-1910), et Nicolas-Raoul-Adalbert (1837-1880), qui releva le titre de duc de Montmorency en 1864. Proust fait allusion à cela dans *Le Côté de Guermantes II*, t. II de la présente édition, p. 880.

7. Après ces compléments plus tardifs sur les prétentions nobiliaires de M. de Gurcy, nous revenons au dîner chez les Verdurin.

8. Voir p. 308.

Page 1026.

a. sculpteur *En marge en regard de ce mot apparaît dans ms. une tentative de reprise dont le début s'articulerait ici, mais dont la fin est difficile à raccorder :* à qui comme on le lui avait présenté il avait cru devoir parler en connaisseur de sa carrière. Le sculpteur lui avait répondu qu'il aimait aussi beaucoup le monde, comme ces petites soirées Verdurin. M. de Gurcy restant sur le terrain artiste lui avait dit : Cela me semble en effet un milieu agréable, il y a des gens de talent. ↔ *b. Proust écrit dans ms. tantôt* Sherbatof , *tantôt* Sherbatoff . ↔ *c.* qui vint *À partir d'ici, et jusqu'à* Voulez-vous que je lui en parle ? » *[p. 1027, var. b], nous donnons le texte d'une addition interlinéaire, marginale, puis de versos.*

1. Voir p. 303, ainsi que l'Esquisse II, p. 939.
2. Voir p. 310.

Page 1027.

a. cent-dix ans [, il avait déjà l'air *biffé*] — [Il est mor<t> *biffé*] J'ai perdu *ms.* ◆◆ *b. Fin de l'addition signalée var. c, p. 1026. Avant de rédiger la suite, Proust se trace un plan :* / Cependant M. Verdurin (Prince des Laumes — enchaîner comme c'est écrit. Cela prendra aussitôt après « Voulez-vous que je lui en parle ? » Après un simple alinéa. [Et après je suis aussi prince des Laumes il faudra qu'on fasse quelque chose. La Pathétique ou le fou rire Briey[1], arranger cela avec ce que je ne mettrai pas dans la première partie Verdurin. *add.*] Et cela finira ainsi : au moment où on partait pour la gare comme Forcheville venait de monter dans la première voiture, j'entendis Mme Verdurin dire à son mari : « Bien plus fort, imagine-toi qu'on dit qu'il va l'épouser. Il faut l'avertir, le mettre en garde. — Mais, hasarda le sculpteur. — Mais je vous dis que c'est ce qu'il y a de pis, [la boue, la boue *biffé*] [Ce n'est rien du tout *corr.*], mais je le sais elle est venue ici pendant des années aussi souvent que vous, je vous dis que ce n'est rien du tout, [quelle blague une grande dame, *add.*] elle venait ici dans l'intimité [je l'ai vue plus de deux cents fois *add.*] » reprit Mme Verdurin avec exaltation comme si elle ne pouvait mieux déprécier quelqu'un qu'en disant qu'elle l'avait parfaitement connue.

1. La baronne est redevenue Putbus après avoir été Picpus au début du Cahier 47.
2. Voir var. *c*, p. 1028.
3. Voir p. 332.

Page 1028.

a. comme il est [marquis *biffé*] [comte *corr.*] et que vous n'êtes que [vicomte *biffé*] [baron *corr.*]. — Mais Monsieur *ms.* ◆◆ *b.* prince des Laumes [et prince d'Agrigente *biffé*] répondit-il *ms.* ◆◆ *c. En regard de ces lignes, sur la page de gauche, figure dans ms. cette notation :* Ne pas oublier que Mme Verdurin la première fois ne répond pas poliment sur Combray (Illiers[2]) « Alors vous ne deviez pas beaucoup vous amuser. Est-ce que vous aimez beaucoup ça vous les gens qui font des grandes phrases, ça

1. Proust mentionne, comme agréments pour la soirée chez les Verdurin, la sonate n° 8, *op.* 13 de Beethoven, dite la Pathétique, et le fou rire Briey. Il s'agit de la comtesse Théodore de Briey, née Amélie de Ludre, femme du général de Briey, et mère du comte Jacques de Briey. Elle servit de modèle pour le rire de Mme Verdurin (voir J. de Lacretelle, « Les Clefs de l'œuvre de Proust », *N.R.F.*, 1er janvier 1923, p. 202). Dans « Le Salon de la comtesse Aimery de La Rochefoucauld », Proust écrivait d'ailleurs avant 1900 : « Plus loin la comtesse de Briey née Ludre, femme charmante que les imbéciles croient méchante parce qu'elle a beaucoup de drôlerie dans l'esprit, rit comme d'autres pleurent en se cachant les yeux dans ses mains » (*Essais et articles*, éd. citée, p. 437), geste qui sera celui de Mme Verdurin (voir « Un amour de Swann », t. I de la présente édition, p. 202).

2. Lecture conjecturale. Peut-être s'agit-il de « Sellier ».

vous impressionne. Ce n'eſt pas le genre de la maison. » *Elle a été développée à la fin du* 1*er* § *de la page* 1027. ⁂ *d. Ces mots appellent une note de Prouſt :* Ne mettre cela qu'après l'hésitation à monter dans le wagon de M. de Gurcy. *Il faudrait donc faire passer la comparaison avec la princesse un peu plus bas, où il sera de nouveau queſtion d'elle ; voir var. b, p.* 1029. ⁂ *e.* le [marquis *biffé*] [vicomte *corr.*] de Gurcy *ms.* ; voir var. *a.*

1. Voir var. *b*, p. 1027, une addition, que Prouſt se propose d'insérer ici, faisant allusion au mariage de Forcheville et d'Odette Swann, au moment du départ des invités.

2. Voir p. 425, et l'Esquisse II, p. 939.

3. Ville-d'Avray eſt la résidence de campagne des Verdurin, après qu'ont été envisagés Le Vésinet et Chatou dans l'Esquisse II (p. 938). Chatou eſt mentionné sept lignes plus bas, et Prouſt a aussi envisagé Montmorency (var. *b*, p. 1017).

4. Les Czartoryski sont une famille princière polonaise issue des Jagellons.

Page 1029.

a. Lecture conjecturale. ⁂ *b. Ces mots appellent une note biffée par Prouſt :* Ce morceau ne vient qu'après ce que je mets maintenant et qui s'achève page précédente, dans un coin être comme la princesse. *Voir var. d, p.* 1028. *Les indications de ces deux notes ne sont pas réalisables.* ⁂ *c.* On était presque déçu [...] le cœur. *add. ms.*

1. Voir p. 428.

2. Voir *La Prisonnière*, p. 715.

Page 1030.

a. plaisir *[p.* 1029, 2*d* §, 2*e* *ligne]* de cabotinage. [Peu à peu, *[...]* dans ces moments d'alourdissement aller *[*jusqu'à dire un moment *[...]* commençait-il avec *biffé] [un passage illisible en correction]* le vieillissement *[...]* le fard lui coulait des lèvres *add.*] Se croyait-il *ms. Une autre rédaction, interrompue, figure sur la page de verso en regard de ces lignes :* Et de fait comme un acteur vieilli qui a un moment de défaillance, le travail incessant qu'il faisait depuis tant d'années en parlant, comme dans une langue étrangère où le genre des mots n'eſt pas le même, il lui arrivait de nommer le sexe non de ce qu'il était censé avoir trouvé beau, mais de ce qu'il avait trouvé beau en réalité et de dire tout d'un coup il pour elle. Commencement de sclérose, prodrome d'aphasie qui ne signifiait pas toujours, comme le croyait le sculpteur qui se jetait comme un animal féroce ⁂ *b.* Toujours eſt-il *[*17 *lignes biffées d'un trait]* [D'autres fois *biffé*] [que quand *corr.*] le petit pianiſte *ms. Les* 17 *lignes biffées sont celles que nous donnons au paragraphe suivant ; en effet, en marge de celles-ci dans ms., Prouſt a noté* Mettre cela après le pianiſte. *Voir aussi var. c.* ⁂ *c. Après* je vous embrasse. » *, Prouſt a noté dans ms. :* Après ceci je mets la page précédente qui finit par « On dira cela à vos petits élèves. » *C'eſt-à-dire le passage biffé signalé à la variante b et que nous donnons ensuite.*

1. Avant de passer à la maladie de la grand-mère, le Cahier 47 donne encore deux ébauches pour « M. de Charlus et les Verdurin », qui rejoindront *La Prisonnière*. La première, sur les rectos

(ffos 32-35), est une conversation entre le héros et Crochard sur M. de Gurcy : Brichot remplacera Crochard dans le texte définitif (voir p. 830-833). La seconde, sur les versos (ffos 32-37), est une conversation entre Brichot et M. de Charlus (voir p. 801-812), qui portent déjà ces noms : cette addition est donc postérieure à 1913.

Esquisse XII

Carnet 1, ffos 2 r°, 3 v°, 4 r°, 50 r° à 51 v°, et 54 r°. Voir p. 152 à 160 et 175-176.

Le Carnet 1, que Proust commença au début de 1908, est le premier témoignage sur l'élaboration d'*À la recherche du temps perdu*, avant même le projet d'un essai sur Sainte-Beuve. Quelques brefs fragments y annoncent les réminiscences de sa grand-mère par le héros dans *Sodome et Gomorrhe*. Ces fragments illustrent d'ailleurs la manière dont un thème romanesque s'établit. Les trois premiers sont clairement autobiographiques, il y est question de « Papa », « Maman » et Robert. Dans les Cahiers 48 et 50, qui amplifieront le thème pour la version de 1912 du roman (voir l'Esquisse XIII, p. 1044-1048), le parent mort dont le héros rêvera sera sa grand-mère, et l'interlocuteur sera son père au lieu du frère. Or aux dernières pages du Carnet 1, datant de 1909-1910, la fiction est déjà instaurée dans deux fragments où les protagonistes sont la grand-mère et Montargis, Françoise et un fleuriste appelé Brichot, le futur Borniche-Jupien.

Le Carnet 1 a été publié par Philip Kolb sous le titre *Le Carnet de 1908*, Gallimard, 1976. Les trois premiers fragments datent en effet de 1908 ; les deux derniers, moins aisés à dater, seraient de 1909-1910.

Page 1031.

a. F° 2 r° de ms. ↔ *b. F° 3 v° de ms.* ↔ *c. F° 4 r° de ms.* ↔ *d. F° 50 r°-51 v° de ms.* ↔ *e.* lui en parlant [est-ce que tu ne pourrais pas lui recommander la fleuriste qui est dans la maison de sa tante, je suis sûre qu'il passe devant sans y penser *biffé*]. Un jeune homme *ms.*

1. Ce fragment semble être postérieur à février 1908. Voir l'Esquisse XIII, p. 1032-1033.

2. Fragment de juillet 1908. Voir p. 175-176, ainsi que l'Esquisse XIII, p. 1048.

3. Fragment de juillet 1908. Voir p. 158, ainsi que l'Esquisse XIII, p. 1046.

4. Tirés des dernières pages du Carnet 1, les deux fragments qui viennent montrent que le thème des « Intermittences du cœur » est constitué. Le premier développe un remords voisin de celui que le héros aura, dans le texte définitif, de s'être moqué de sa grand-mère lors des photographies prises par Saint-Loup. Voir p. 172.

5. Brichot fut donc le premier nom de Jupien. Dans l'Esquisse II, où il porte le nom de Borniche, il est en effet fleuriste (voir p. 936 et suiv.).

Page 1032.

a. F° 54 r° de ms.

1. Ce dernier fragment du Carnet 1 relatif à la grand-mère, où le héros l'imagine lui manifestant de la réticence, sera développé dans l'Esquisse XIII (voir p. 1042), mais pas dans le texte définitif.

Esquisse XIII

Cahier 50, ff^os 15 r°, 19 r°, se poursuivant sur les folios 12 et 11 v^os du Cahier XV, 20 r° à 34 r° ; Cahier 48, ff^os 47 à 51 r^os et 50-51 v^os. La rédaction saute d'un Cahier à l'autre.

Les Cahiers 48 et 50 prennent la suite du Cahier 47 (voir l'Esquisse XI) dans la version de 1912 d'*À la recherche du temps perdu*, et correspondent aux chapitres du troisième volume annoncés dans *Du côté de chez Swann* en 1913 (voir la Notice, p. 1205) : « Mort de ma grand-mère — Les Intermittences du cœur — Les "Vices et les Vertus" de Padoue et de Combray ». Ces deux Cahiers datent de 1911. Le Cahier 48, après la mort de la grand-mère (ff^os 2 à 11), renoue avec la quête sensuelle (ff^os 11 à 40), jusqu'à la nouvelle du départ de la baronne Putbus pour Venise et une rêverie sur cette ville et sur la femme de chambre (ff^os 40 à 45). Puis, sans liaison, viennent des souvenirs de la grand-mère à Milan, en route vers Venise (ff^os 47 à 51), suivis du séjour à Venise lui-même (ff^os 53 à 65) jusqu'à la rencontre de Mme Putbus et de sa femme de chambre (f° 65 r°). Le Cahier 50 chevauche le Cahier 48 : il commence par des pages sur le désir du héros de connaître Venise (ff^os 2 à 4), passe à la rencontre de la femme de chambre à Padoue (ff^os 5 à 16), et saute aussitôt au départ de Venise et à la résurrection de la grand-mère dans le train pour Paris (f° 19 r°). Suivent, mais des pages ont été arrachées, les rêves et la méditation sur la mort de la grand-mère, qui ont maintenant lieu à Milan, à l'aller vers Venise (ff^os 20 à 34). La fin du Cahier 50 correspond aux chapitres suivants selon le plan de 1913 : « Madame de Cambremer — Mariage de Robert de Saint-Loup », à la nuit d'insomnie à Tansonville, qui mène à « L'Adoration perpétuelle » et au « Bal de têtes » des Cahiers 58 et 57 pour *Le Temps retrouvé* (ff^os 34 à 63). Les esquisses des « Intermittences du cœur » que nous donnons sont donc extraites de cahiers qui concernent le séjour à Venise, séjour que le texte définitif situera dans *Albertine disparue* (t. IV de la présente édition, p. 202-235), qui garde la trace de la présence de la baronne Putbus à Venise.

Le thème de la résurrection de la grand-mère est ancien (voir l'Esquisse XII, p. 1031-1032). Dans *Sodome et Gomorrhe*, elle a lieu au premier soir du second séjour à Balbec, rappelant la première arrivée du héros au Grand-Hôtel avec sa grand-mère. Mais dans la version de 1912 d'*À la recherche du temps perdu*, où « Les Intermittences du cœur » ont lieu en Italie, les Cahiers 48 et 50 semblent contenir deux versions de la résurrection, la première au retour de Venise, et la seconde à l'aller, dans une chambre d'hôtel de Milan où le héros est seul, en chemin vers Venise, où il doit retrouver sa mère. Cette seconde version de la résurrection de la grand-mère, située avant le séjour à Venise et non après, est postérieure et plus élaborée du point de vue romanesque, puisqu'elle permet au séjour à Venise de se dérouler sous le double signe du deuil et du désir, de la grand-mère et de la femme de chambre. *Sodome et Gomorrhe* reproduira un déchirement semblable entre la grand-mère et Albertine au cours du second séjour à Balbec.

La distinction des deux versions de la résurrection est d'autant plus complexe que la première, commencée dans le Cahier 50, se poursuit dans le Cahier XV du manuscrit d'*Albertine disparue* rédigé pendant la guerre, où a lieu un séjour à Venise pendant lequel le deuil d'Albertine remplace celui de la grand-mère : Proust y a collé des pages arrachées au Cahier 50 sur le départ de Venise, et la suite de la résurrection s'y trouve reléguée sur les versos. La seconde version de la résurrection, elle, est divisée dans le désordre entre les Cahiers 48 et 50.

b. Cahier 50, f° 15 r°, addition marginale.

2. C'est ici la première allusion aux « Intermittences du cœur » dans l'ordre du Cahier 50 (voir n. 1, p. 1033). Le héros est dans le train entre Padoue et Venise, après avoir rencontré la femme de chambre. Le rêve est suscité par le roulement du train. Voir l'Esquisse XII, p. 1031, premier rêve.

Page 1033.

a. F° 19 r° de ms. La suite des pages du Cahier 50 données dans cette Esquisse (voir var. e) se trouve sur les versos de pages arrachées au Cahier 50 et collées dans le manuscrit d'« Albertine disparue », Cahier XV (N. a. fr. 16722), dont ils constituent les folios 12 et 11 v°s. Voir Kazuyoshi Yoshikawa, « Études sur la genèse de "La Prisonnière" d'après des brouillons inédits », université de Paris IV, thèse dactylographiée, 2 vol., 1976, t. II, p. 213-216. ◆◆ *b. Lecture conjecturale.* ◆◆ *c.* colline. [Tiens j'ai oublié *biffé*] [Au bout d'un moment je m'endormis. Ma grand-mère *biffé*] Les heures *ms.* ◆◆ *d.* avait [sali *biffé*] [crotté *corr.*] sa robe, *ms.* ◆◆ *e.* mais [d'une tristesse irritée et pleine *biffé*] [aussi pleins de colère *corr.*] de rancune. *ms. C'est ici la fin du folio 19 r° du Cahier 50, accompagnée de l'indication* suivre au verso *. En fait, la suite est dans le Cahier XV, à partir du folio 12 v° (voir var. a).* ◆◆ *f. Début du folio 12 v° du Cahier XV (voir var. e) :* [*Peut-être biffé*] Était-ce ◆◆ *g.* les plus [désintéressés *en surcharge sur* détachés] d'eux-mêmes *ms.* ◆◆ *h.* quelle [immense *biffé*] duperie *ms.* ◆◆ *i.* égoïsme [meurtrier *biffé*] qui [l'avait tuée *en surcharge sur* venait de la tuer]. Et je comme je [la rattrapais *biffé*] [courais *corr.*] [après elle *biffé*] avec un besoin *ms.*

1. L'addition que nous donnions au début de cette Esquisse a sûrement été rédigée après l'apparition du thème sur les pages de droite, que nous donnons à présent, au moment où le héros et sa mère quittent Venise : il s'est disputé avec elle, voulant retarder d'un jour leur départ afin de revoir la femme de chambre, avant le départ de celle-ci pour les Indes ; il rejoint sa mère tout juste avant que le train quitte la gare. Voir *Albertine disparue*, t. IV de la présente édition, p. 233-234. Voir var *a*, p. 368.

Page 1034.

a. la [nuit *biffé*] soir *ms.* ◆◆ *b.* vinrent [de seconde en seconde *add.*] sans [que *biffé*] [qu'en moi *corr.*] je les reconnaisse grossir *ms.* ◆◆ *c.* je n'aspirai plus [qu'à rejoindre ma grand-mère *biffé*] qu'à *ms.* ◆◆ *d. Le verso de la page arrachée au Cahier 50 et collée dans le Cahier XV (f° 11 v°), où se trouve la fin de cette résurrection, se poursuit ainsi :* Après ce mot « pour toujours » vient 17 pages plus loin. En arrivant à Paris. (Que je fais précéder pour plus de clarté de ce signe *Suit le dessin d'un sofa, que l'on retrouve plus loin dans le Cahier 50 (f° 34 r°), où débute le chapitre suivant du plan de 1913 : c'est l'annonce des mariages de Gilberte et de Saint-Loup, du fils Cambremer et de la nièce de Jupien (voir « Albertine disparue », t. IV de la présente édition, p. 234 et 235), développement que Proust avait même envisagé de placer directement après la montée du héros dans le train à Venise, sans y situer le rêve de la grand-mère et la prise de conscience de sa mort (voir var. c, p. 1033).* ◆◆ *e. Nous revenons au Cahier 50, ff^os 20 à 28 r^os, avec addition sur f° 25 v° (voir var. a, p. 1038).* ◆◆ *f.* Et [aussitôt *biffé*] [dans le même instant, comme si à la faveur de cette perturbation, une des atmosphères les plus profondes de mon âme, *[*la *biffé] [*une des *corr.]* plus profonde *[*de mes atmosphères *add.],* *[*la *biffé] [*des *corr.]* plus éloignée de mon attention, *[*des *en surcharge sur* la*]* plus invisible *[*habituellement *add.] [*de *biffé]* mes atmosphères[1] revient pour la première fois à la surface, *corr.*] je vis *ms.* ◆◆ *g.* et [son *biffé*] [dans ce *corr.*] visage [dont chaque plan avait été incliné et modelé pour la tendresse *add.*] suppliant *ms. Nous supprimons le* dans *devant* ce visage *, Proust n'ayant pas poursuivi sa phrase en conséquence.*

1. La « note de régie » transcrite à la variante *d* et les modifications envisagées par Proust donnent à penser que le rêve de la grand-mère a été mis dans le train de façon improvisée, appelé par l'image du train, et qu'après coup seulement Proust a donné aux souvenirs de la grand-mère toute leur portée en les plaçant avant le séjour à Venise.

2. Après le premier rêve de la grand-mère, dans le train, au retour de Venise, le Cahier 50 — mais des pages ont été ici arrachées — passe au souvenir de la grand-mère aidant au déshabillage du héros le premier soir à Querqueville. On se rend compte à un moment (p. 1038) que l'on n'est plus dans le train entre Venise et Paris, mais à Milan, dans une chambre d'hôtel, sur la route de Venise. La rédaction revient à plusieurs reprises en arrière. Voir p. 152.

Page 1035.

a. Toute heure nouvelle *[7 lignes plus haut]* de réel. *add. ms.*

Page 1036.

a. sans cesse renaissante [au souvenir des *biffé*] [avec laquelle je me rappelais les *corr.*] moindres tristesses de ma grand-mère. Et des dernières souffrances *ms.* ◆◆ *b.* odieux, [pour aller chez les Verdurin

1. Proust a manifestement omis de finir de biffer ce « de mes atmosphères » lorsqu'il l'a déplacé un peu plus haut.

ou pour boire un verre de bière et éviter une crise, je lui avais causées. Je me rappelais le degré de tristesse auquel j'avais de propos délibéré amené son visage pour ne plus la haïr et pouvoir me réconcilier avec elle. Je me rappelais son air triste et effrayé des propos que j'avais dits comme a parte et sans aucune sincérité pour qu'elle me laissât aller chez les Verdurin, je *biffé*] comme le jour *ms.* ↔ *c.* Oh ! si j'avais pu *À la hauteur de ces mots figure dans ms., sur la page de gauche, ce passage difficile à raccorder :* En un de ces endroits (si je regarde la photographie à ce moment-là). / Tout d'un coup le sentiment de ces liens qui nous unissaient me revenait si fort [qu'en voyant *biffé*] [et m'apparaissait tellement mien *corr.*] ce visage [à la fois mien et *biffé*] indifférent, les sentiments nouveaux qui venaient de me revenir pour ma grand-mère, l'être différent qu'ils venaient de développer en moi, m'apparaissaient comme si c'était moi *[interrompu] Suit une tentative de reprise de la fin de cette phrase, depuis* ce visage *:* que je regardais jusqu'ici avec une indifférence attendrie, l'âme différente, attentive seulement à l'amour de ma grand-mère en laquelle je venais de me changer, m'apparaissait comme tellement réelle, que tout le reste était comme un songe dont je venais de sortir, et que le changement d'état d'âme qui venait de se faire en moi me semblait un événement presque matériel, une péripétie dramatique, comme quelqu'un qui a oublié son nom et tout à coup le retrouve, comme si mon oubli avait été un oubli matériel, maladif, une amnésie, si je me rappelais seulement à l'instant que cette femme c'était ma grand-mère et que ma condition sur la terre c'était d'être son petit-fils. ↔ *d.* enlever un à un tous les [doutes *biffé*] [inquiétudes *corr.*] qu'elle pouvait *ms. Nous accordons.*

1. Voir l'Esquisse XI, p. 1018, et, pour la bière, *À l'ombre des jeunes filles en fleurs*, t. II de la présente édition, p. 12.

Page 1037.

a. chapeau [clair *biffé*] [rabattu *corr. de lecture incertaine*], à être photographiée *ms.*

Page 1038.

a. Le matin vint ; *[8e ligne du §]* mais [...] jamais *add. ms., sur la page de gauche.* ↔ *b. L'addition signalée à la variante a est suivie de la note* Suit le grand morceau sur ce qu'elle n'est pas etc. *, qui permet la jonction avec le recto :* Mais ni alors, ni plus tard, *Par ailleurs, au verso, on trouve une autre rédaction, interrompue également, de ce passage :* Mais jamais alors ni plus tard je n'ai cherché à adresser à ce passé une simple adoration triste comme s'il existait encore, comme si ma grand-mère, seulement absente et invisible, avait existé encore, faisant les choses, même les petites choses qui lui auraient fait plaisir, mettant devant sa photographie les fleurs qu'elle préférait comme si cette prédilection survivait encore. Non c'eût été mentir, c'eût été par peur de souffrir, me refuser à me réconforter chaque fois par peur de la laisser s'éloigner et de ne plus la sentir.

1. Voir p. 172.
2. Nous apprenons ici le cadre des intermittences du cœur.
3. La phrase n'est pas construite.

Page 1039.

a. En marge de ms. figure cette ébauche d'addition ou de correction interrompue : Car au contraire l'impression que je ressentais était qu'elle n'était plus, qu'elle ne me connaissait plus, ni moi elle, qu'aucun rapport ne subsistait entre ma vie et elle alors que ⬥⬥ *b. Ffos 26 à 28 vos de ms. Il s'agit d'une reprise d'un premier jet sur les pages de rectos, que voici :* Cette impression double d'une image, d'une tendresse, d'une croyance survivante et d'un néant qui la traverse et qui la contredit, sans doute je ne savais pas ce qu'elle signifiait, si j'en pourrais extraire quelque vérité un jour. Mais je savais que si je pouvais un jour extraire quelque vérité ce ne pouvait être que d'elle puisqu'elle n'était ni une construction de ma pensée, ni un mensonge de ma pusillanimité, mais que c'était la mort même qui en avait comme la foudre tracé en moi le terrible et l'insaisissable sillon. C'était à lui que je devais m'attacher, de lui que je devais partir, et non de l'idolâtrie pour un souvenir avec lequel je me serais efforcé de me cacher le néant et de lui donner comme un peuple enfant aux forces de la nature, un visage humain, seulement plus immobile et un peu pâli ; c'est pour ne pas écouter le silence de l'éternité lui faire redire l'écho d'un prénom aimé ; et je ne voulais pas davantage partir de l'oubli [qui n'est rien en lui-même, qui n'est qu'une négation, l'affaiblissement de notre pensée qui n'a plus la force de recréer un moment de sa vie dans sa vérité et y substitue des images de convention *add.*], qui est moins vrai que la douleur parce qu'il est une diminution de l'être, un affaiblissement de la mémoire qui ne peut plus se représenter, de la sensibilité qui ne voit plus clairement sa douleur, quelque chose d'analogue à l'imagination confuse des écrivains sans talent qui ne savent pas retrouver leurs impressions véritables. Mais cette impression étrange, horrible et double, c'était l'opposition inconciliable du néant traversant et contredisant la survivance en moi de l'image de ma grand-mère, de ma tendresse, de ma croyance en sa réalité, cette impression certes elle restait inintelligible et telle quelle je ne pouvais pas l'appeler une vérité si petite qu'elle fût sur la mort. Mais si je devais jamais extraire une telle vérité ce ne pouvait être que d'elle, car elle n'était ni une construction de ma pensée, ni un message de ma lâcheté, ni un encrassement de mon corps, elle était le sillon que comme la foudre, la mort elle-même avait, à mon insu, sans me consulter, tracé en moi. Je devais tâcher bien que ce fût dans ma chair même qu'il fût imprimé d'en raviver, d'en entretenir, <d'en> rouvrir sans cesse la blessure, pour ne pas laisser s'effacer le dessin qu'il fallait ne pas oublier si je voulais jamais arriver à le comprendre. Aussi c'est à cette impression que je reviens sans cesse. ⬥⬥ *c.* cette impression que cet être *Après ce mot, la rédaction dans ms. passe en marge ; c'est elle qui se raccordera à la rédaction principale à la page suivante au lieu du premier jet, non biffé mais abandonné :* qui semblait tellement fait pour moi comme moi pour lui, tellement que le meilleur que nous eussions l'un et l'autre choisi, le plus génial, le plus sage, entre les millions d'êtres qui avaient paru et devaient paraître à la surface du globe depuis le commencement du monde, n'auraient pu remplacer à ma grand-mère un seul de mes défauts, à moi une seule de ses faiblesses, la pensée que je m'étais trompé, que cet être n'était pas fait pour moi, qu'il l'avait semblé un moment, mais que notre rencontre avait été trop passagère pour ne pas être fortuite, le but, la fin de nos deux natures n'étant pas comme il avait semblé être cette union préétablie, mais ne plus nous voir, ne plus même nous connaître, ne plus rien savoir l'un de l'autre, ne plus être rien l'un pour l'autre jusque dans l'éternité. Et même au moment où je pensais : elle n'est plus rien, je ne suis plus rien pour elle, <elle> ne me connaît plus, au même moment mon souvenir démenti et déchiré par ce récit qui le contredisait me rappelait ce qu'elle avait été vingt [fois par heure c'est-à-dire *biffé*] en chaque instant c'est-à-dire faite à la mesure de ma pensée, de ma tendresse, de mes besoins, non pas pour ce moment-là seulement, mais jusque dans ses intentions les plus lointaines, dans le fond de sa pensée, de sa volonté. ◆◆ *d.* pas fait pour moi ; [mais notre rencontre n'avait été qu'un moment au milieu de l'éternité où elle ne me connaissait plus, c'est-à-dire où elle n'était plus faite pour moi *biffé*] [que *en surcharge sur* où] je n'existais [plus *en surcharge sur* pas] pour elle, que si elle m'avait connu un instant, *ms.*

1. Voir p. 156.

Page 1040.

a. jamais rien. *À la hauteur de ce mot, dans la marge de ms., se trouve une rédaction malaisée à rattacher :* La mort n'a rien d'une survivance c'est la synthèse impossible à faire entre l'être et le néant, c'est qu'à la fois par le flux de son souvenir se précipitant jusqu'à l'avenir, il soit, et par le reflux de l'idée de son néant jusque dans le passé, il ne soit pas. ◆◆ *b. Les dernières lignes appellent dans ms. cette notation marginale :* Ceci est mieux mais a besoin d'être complété par le précédent *, suggérant une synthèse avec le passage que nous donnons à la variante b, p. 1039.* ◆◆ *c. Ce paragraphe du folio 28 v° de ms. paraît d'une rédaction ultérieure à ce qui précède.* ◆◆ *d.* plus que natale, [innée *biffé*] son regard *ms.* ◆◆ *e. Retour aux rectos de ms. (ff^os 29 et 30).* ◆◆ *f.* et [les traits de son visage étaient comme les plis [d'une robe que *biffé*] *1re rédaction interrompue, non biffée*] [l'expression de ses traits était comme une robe qui *2de rédaction marg.*] [dont *corr.*] [à qui *corr.*] la pensée *ms.*

1. Voir une notation du Carnet 1 : « Maman me donne la force de ne pas voir que par elle je sais que la mort n'est pas une absence et que la nature n'est pas anthropomorphique » (Carnet 1, f° 21 v° ; notation postérieure à décembre 1908).

2. Allusion aux initiales de Philibert le Beau et de Marguerite d'Autriche, entrelacées dans l'église de Brou, près de Bourg-en-Bresse. Voir « Un amour de Swann », t. I de la présente édition, p. 291.

Page 1041.

a. Proust a en fait écrit Il *dans ms.* ◆◆ *b.* l'autre [et puis nous avait séparés *biffé*]. Ce qui est en moi *ms.* ◆◆ *c. Les dernières lignes appellent une addition au verso correspondant.* Quand je dis que je ne peux pas partir pour Venise[1] : je ne parle même pas de la femme de chambre de Mme Putbus. L'apparition en moi de ma grand-mère m'avait rempli le

1. Voir p. 1038.

cœur d'un sentiment si tendre pour elle et si douloureux, que la plus petite place n'y était plus laissée pour des désirs qui me semblaient si naturels il y a quelques heures, si doux, si importants même puisque j'avais entrepris ce long voyage pour les satisfaire. Je ne les comprenais même plus. Si j'essayais d'y penser je les apercevais hors de moi, comme de pâles images étrangères. L'être nouveau que j'étais ne les comportait plus.

Page 1042.

a. F° 23 v° de ms. ◆◆ *b. Ff^os 23, 24 et 31 v^os de ms.* ◆◆ *c.* montrant [chaque *add.*] ce que j'avais fait, *ms.*

1. Avant de poursuivre la transcription des résurrections du Cahier 50, voici encore plusieurs compléments : d'abord deux rêves de la grand-mère, accompagnés d'indications montrant qu'ils sont bien censés avoir lieu au cours du séjour à Venise, en particulier au retour de Padoue, où le héros a connu la femme de chambre. Voir l'Esquisse XII, p. 1032.

2. Voir var *a*, p. 368.

Page 1043.

a. Cahier 48, ff^os 47-48 r^os. Ces pages sont une reprise d'un développement du Cahier 50 (voir p. 1039-1040), passage d'un cahier à l'autre qui a pu produire la confusion entre les deux qu'on verra plus loin (voir var. a et b, p. 1046). ◆◆ *b.* [Entre *biffé*] [Par un miracle *[...]* enfermé ma pensée, *corr.*] [si bien que quand *add. biffée*] ma grand-mère *ms.* ◆◆ *c. Lecture conjecturale.*

1. Voir *À l'ombre des jeunes filles en fleurs*, t. II de la présente édition, p. 6.

2. Voir n. 2, p. 1040.

Page 1044.

a. Cela n'était plus dans un corps. [...] n'avait pu être. *add. ms.* ◆◆ *b.* Pour elle [retrouver ou ne pas retrouver sa mère *add.*] [qu'elle ait été pour elle vraiment ou non ou ne l'eût connue que par hasard *add.*] c'était la grande affaire *ms.* ◆◆ *c. Retour au Cahier 50, ff^os 31 à 34 r^os. Voici, dans ce Cahier, le début du fragment, biffé :* Quand le jour fut venu, et que je dus penser à partir pour Venise, je n'en eus pas le courage. Certes à la femme de chambre de Mme Putbus je n'y pensais plus. Il m'eût été impossible d'aller auprès d'elle. Mais même rien qu'aller dans un lieu nouveau où ma grand-mère ne serait pas, ce serait la perdre une seconde fois. Rien qu'à me représenter combien il était beau[1], je sentais plus intolérablement qu'elle n'y serait pas. Je me sentais perdu dans Venise sans elle. / Mais même la beauté de Venise m'était intolérable à imaginer parce que devant chaque beau palais, devant la lagune, devant la mer, je sentais que ma grand-mère n'était pas là, comme dans un jardin public où je l'aurais perdue, et où chaque avenue, chaque pelouse me répondrait

1. Dans l'interligne, après « représenter », on lit « Venise ».

à mes investigations anxieuses : nous ne l'avons pas vue[1]. J'écrivis une dépêche pour ma mère pour lui demander de s'arrêter à Milan et de m'y prendre avant d'aller à Venise, et je me rejetai sur mon lit. ◆◆ *d.* je pensais *Après ces mots, et jusqu'à var. a, p. 1045, nous suivons le texte d'une reprise marginale, se poursuivant au verso, et qui se raccorde à la page suivante au détriment du 1er jet, non biffé mais abandonné :* au passé comme durant toujours. Mais à la fin ma fatigue l'emporta, mes yeux se fermèrent aux choses qui étaient autour de moi et s'ouvrirent sur ce monde du sommeil. ◆◆ *e.* monde intérieur [où *biffé*] [plus vrai, plus émouvant que l'autre parce que *corr.*] notre intelligence *ms.*

1. Après ces quelques compléments, nous revenons au Cahier 50, et à Milan, où le héros ne se sent plus assez fort pour rejoindre seul Venise et demande à sa mère de venir le prendre. Et c'est là, en l'attendant, qu'ont lieu les rêves les plus émouvants, que *Sodome et Gomorrhe* conservera, en particulier celui qui se résume aux mots « cerfs, Francis Jammes, fourchettes », qui ici comprend d'autres mots. Une autre réminiscence est expressément provoquée par l'image du Dôme de Milan, rappelant l'église voisine de Doncières que le héros a visitée le matin même où il s'est précipité pour rejoindre sa grand-mère. Voir p. 157, et K. Yoshikawa, ouvr. cité, t. II, p. 227-237.

Page 1045.

a. en dehors de nous *fin de la reprise signalée var. d, p. 1044.*

1. Voir p. 157.

Page 1046.

a. La suite de ce passage se trouve dans le Cahier 48, comme l'indique cette note : Ici la fin du rêve et le départ de Milan, tout cela écrit par une distraction stupide dans le cahier précédent. *Voir var. b.* ◆◆ *b. Cahier 48, ffos 48 à 51 ros. Ce fragment est accompagné de cette note (fo 47 vo) :* Essentiel / à cet endroit je me suis trompé car ces mots Mais je vivrai toujours près d'elle, jusqu'à le soir nous étions à Venise va dans l'autre cahier à la fin du rêve (le premier rêve), j'ai dû avoir les deux cahiers ouverts près de moi et écrire sur celui-ci au lieu de l'autre. *Voir var. a.*

1. Voir p. 158.
2. Voir l'Esquisse XII, p. 1031, troisième rêve.
3. Voir p. 159.

Page 1047.

a. impression [matinale *biffé*] [de matin *[de rivière add.]* et d'automne *corr.*], ensolei < llée > glaciale [m' *biffé*] éclaira et avant [que j'eusse *corrigé par biffure, surcharge et en interligne en* qu'il eût] eu le temps de [saisir *biffé*] [goûter *corr.*] son charme, [mon cœur battit *biffé*] entouré d'elle *ms.* ◆◆ *b.* le nom de [l'église voisine de la ville de

1. Voir p. 159.

garnison de *biffé*] de Montargis [que j'avais voulu aller visiter le matin de mon départ de la garnison *add.*], [église qu'on m'avait dit être de la même famille *biffé*] [parce qu'on m'avait dit qu'elle *[*ressemblait au Dôme *biffé]* était de *corr.*] / [la même famille de *suite de la corr., biffée*] de monument que le Dôme de Milan *ms.* ⁂ *c.* tenir [aussi *add.*] ma pensée inerte et [mon corps *biffé*] pour éviter *ms. Nous supprimons également le* et .

1. Allusion au dernier matin à Doncières, après que le héros a entendu la voix de sa grand-mère au téléphone, mais il n'y est pas question d'une église ressemblant au Dôme de Milan (voir *Le Côté de Guermantes I*, t. II de la présente édition, p. 436 à 438).

Page 1048.

*a. Ff° 50-51 v*os *du Cahier 48. Ce rêve, ajouté sur les pages de gauche pendant le séjour à Venise, est précédé de la mention :* Morceau à mettre 8 pages plus loin après les mots à quoi aspirait mon cœur et avant les mots La matinée finie *, ce qui renvoie au folio 58 v° où le séjour à Venise se déroule sous le signe de la grand-mère :* Venise était comme un monde au sein du monde, et où ma grand-mère n'était pas, et son ciel de cristal semblait retomber autour de moi comme une cloche qui me séparait une seconde fois d'elle et sous laquelle je haletais en sentant qu'elle était vide de ce à quoi aspirait mon cœur. La matinée finie, je rentrais afin de ne pas faire attendre ma mère pour déjeuner [...]. ⁂ *b.* ma grand-mère *Le début de cette phrase, jusqu'à ces mots, est dans ms. en surcharge, sans que Proust ait fait toutes les corrections d'accords, sur* Mes yeux s'étaient fermés aux choses qui m'entouraient, je m'assoupis, et s'ouvrant sur le monde intérieur ils virent ⁂ *c.* dans un fauteuil, [faible comme si elle ne vivait que de la vie du souvenir, n'ayant pas l'air de plus me connaître qu'une étrangère *biffé*] [près de mon père *add.*]. Je sentais *ms.*

1. Ainsi s'achève la seconde version des « Intermittences du cœur », où elles ont lieu dans un hôtel de Milan, sur le chemin de Venise à la poursuite de la femme de chambre. Le premier séjour à Querqueville y est sans cesse évoqué, annonçant la transformation du texte définitif qui déplacera la scène à la seconde arrivée à Balbec, où elle est plus à sa place qu'à Milan. Mais le souvenir de la grand-mère ayant été réveillé à Milan, il retentit tout le long du séjour à Venise, comme dans le rêve que nous donnons au paragraphe suivant (voir var. *a*).

2. Voir p. 175, ainsi que l'Esquisse XII, p. 1031, deuxième rêve.

3. Allusion probable à la promenade aux Champs-Élysées le jour où la grand-mère a eu une attaque dont elle ne s'est pas relevée (voir *Le Côté de Guermantes I*, t. II de la présente édition, p. 603 à 608). On sait que dans la version de 1912 d'*À la recherche du temps perdu*, le héros se sent responsable de cette sortie fatale, où il comptait rencontrer une Mme du Change, avant de partir pour Ville-d'Avray chez les Verdurin, où Mme Putbus venait dîner (Cahier 47, f° 44 r°).

Page 1049.

Esquisse XIV

Cahier 46, ff^os 53 r° à 57 v°. Voir p. 128-137.

Le Cahier 46, daté de 1914, s'ouvre sur un plan de « 3e volume » (f° 2 r°) qui paraît reposer encore sur l'idée de trois séjours à Balbec. Les feuillets suivants sont vierges (ff^os 3 à 37), jusqu'à des essais biffés pour une visite d'Albertine au héros, juste avant son départ au Bois et un rendez-vous avec Mlle de Silaria (ff^os 38 r° à 43 r°). Une nouvelle version va jusqu'à leur départ ensemble (ff^os 43 r° à 46 r°). Suivent plusieurs esquisses de visites d'Albertine : « Après la soirée de Mme de Villeparisis », « Après la description du milieu Guermantes », et c'est là qu'a lieu la scène du baiser, scène qui ira dans *Le Côté de Guermantes II* (voir t. II de la présente édition, p. 646 et suiv.), « Le soir de la soirée chez la princesse de Guermantes » (ff^os 47 r° à 52 r°). Sur la page de gauche, avant ces essais (f° 46 v°), Proust a ajouté cette notation : « Je commence ici (en face tout ce qui concerne Albertine *depuis* le chapitre : À l'ombre des Jeunes filles en fleurs) ». Vient enfin le « téléphonage » après *Phèdre*, qui suivra la soirée chez la princesse de Guermantes dans *Sodome et Gomorrhe II* (voir p. 128-129), et la visite d'Albertine, appelée dans le plan du début du Cahier, « mieux vaut tard que jamais » (ff^os 53 à 57). La suite du Cahier a trait au second séjour à Balbec, elle est donnée dans l'Esquisse XVII (voir p. 1075 et suiv.).

Les documents sont peu nombreux qui permettent de suivre les transformations que Proust a fait subir à la version de 1912 de son roman pour aboutir à la version de 1916, qui s'enrichira ensuite jusqu'à la publication. Ce Cahier 46 est l'un des seuls cahiers à nous renseigner sur la manière dont l'invention d'Albertine — supprimant la jeune fille aux roses rouges et ne laissant subsister que de rares allusions à la femme de chambre de Mme Putbus — modifia la structure de l'œuvre.

a. Ff^os 53-56 r^os de ms. La scène commence de façon abrupte, un feuillet manquant dans le brochage du Cahier 46. Par ailleurs, la première ligne de la page est surmontée d'une addition biffée : Le double trajet est si rapide, de l'oreille qui entend le bruit à l'esprit qui attend, et de l'esprit qui vient de tirer ses conclusions et de les envoyer aussitôt au cœur ému, que ce temps nous ne pouvons pas l'apprécier, le bruit est déjà à notre cœur, il semble qu'il y soit venu directement, et que c'est notre cœur en même temps que la sonnette du téléphone qu'une main lointaine fait retentir indéfiniment *ms.* ◆◆ *b.* Mon cœur [...] aller chez elle. *add. ms.*

1. Voir p. 128 et 136.

Page 1050.

a. Tout d'un coup *[p. 1049, 4e ligne en bas de page]* à ce désir [...] à Combray *add. ms. en marge, appelée par un astérisque et précédée de l'indication* Mettre sans doute au signe * mais c'est capital. ◆◆ *b.* pour ouvrir [.Comment Mlle Albertine vient aussi tard demandai-je *add. interl.*] et [comme *biffé*] [aussitôt remarquant qu' *corr.*] avec un art *ms.*

1. Voir n. 2, p. 135.

Page 1051.

a. plaisir à *[p. 1050, 5e ligne en bas de page]* s'embrasser. [Et comme je restai après cela longtemps sans la voir, l'impression douloureuse ne se renouvelant pas, mon inquiétude au sujet de sa vie n'ayant plus d'aliment *biffé*] [Et elle était rose *[...]* me répondit-elle. *corr.*] [Oh ! le joli portefeuille *[...]* le mien pour Gilberte *suite corr.*] [L'impression douloureuse *[...]* mon désir d'Albertine *suite corr.*] et je recommençai *ms.* ↔ *b. Proust a ajouté en surcharge au crayon bleu sur les dernières lignes du récit* : Mettre ici le papier de la page précédente collé au verso. *, c'est-à-dire la paperole que nous donnons au paragraphe suivant.* ↔ *c. F° 54 v° de ms. (paperole).*

1. Les allusions renvoient à des événements qui auront lieu bien plus tard dans le texte définitif, dans *Albertine disparue* et *Le Temps retrouvé* (t. IV de la présente édition).

2. La paperole que nous donnons ici est importante, elle relie divers épisodes dans les relations du héros avec Albertine, depuis le jeu de furet jusqu'aux relations avec la fille de Vinteuil et son amie, qui sont ici annoncées, et elle les associe aux retours du thème dans la sonate de Vinteuil.

Page 1052.

a. C'est à [la phrase de *add.*] cette [pièce *biffé*] [sonate *corr.*] la seule [pièce de musique *add.*] que je connus de Vinteuil [que je comparais *biffé*] (phrase qui pour Swann par exemple avait eu une tout autre signification) [car chacun Swann l'avait bien deviné devait se servir d'elle et elle ne connaissait pas les individus *add.*] que je comparais *ms.* ↔ *b. F° 53 v° de ms.*

1. Voir *À l'ombre des jeunes filles en fleurs*, t. II de la présente édition, p. 279.

Page 1053.

a. F° 54 v° de ms. ↔ *b.* Je dus [finir *add.*] pourtant lui écrire *ms.* ↔ *c.* sa mère. [J'écrivis *biffé*] [C'est sans aucune émotion, et accomplissant machinalement un devoir ennuyeux que j'avais remis de jour en jour, que je traçai sur l'enveloppe ces mots Gilberte Swann que jadis j'écrivais partout sur mes cahiers pour me donner l'illusion que je correspondais avec elle. Mais ce nom m'était de *biffé*] [D'un nom, *add.*] ce n'est pas seulement [sa *biffé*] la beauté poétique *ms.* ↔ *d.* la tâche avait été [distribuée *biffé*] *[une correction illisible]* par l'Habitude *ms.* ↔ *e. Ff^os^ 56-57 r^os^.*

1. Voir p. 136.

2. Le souvenir des petits bleus d'Albertine n'apparaîtra pas dans *Albertine disparue.*

Page 1054.

a. Nous donnons à présent trois ajoutages appelés par l'évocation des « petits bleus » d'Albertine. Le premier apparaît aux folios 56 r° et 55 v° de ms. ⬥⬥ *b. F° 55 v° de ms.* ⬥⬥ *c.* obligé moi-même de [faire machine en arrière *biffé*] de compter *ms.* ⬥⬥ *d. F° 55 v° de ms.* ⬥⬥ *e. Ff^os 57 r° et 56 v° (addition marginale) de ms.* ⬥⬥ *f.* dégoûtais. [Il *biffé*] [Pour l'aimer il *corr.*] faut [à la fois *biffé*] [en deux stades *corr.*] que sa privation *ms.*

1. L'addition que nous donnons dans ce dernier paragraphe montre combien aux yeux de Proust la visite d'Albertine, qui a lieu avant le « Deuxième séjour à Balbec », est grosse de tout le développement de sa liaison avec le héros, développement que Proust résume en une formule définitive.

Page 1055.

Esquisse XV

Cahier 64, ff^os 87 à 82 v^os, avec additions sur 85 r°, 75 r°, 54 et 53 v^os.

Le Cahier 64, lu à l'endroit, contient sur une trentaine de feuillets (ff^os 1 à 34) des fragments divers à ajouter au roman, en particulier à « Autour de Mme Swann » : Gilberte, les Champs-Élysées, l'appartement des Swann. Toutefois les filles de Querqueville, appelées Maria et Alberte, sont présentes au folio 1, et Gomorrhe apparaît dans deux notes sur Mlle Vinteuil, au folio 24 : « Ne pas oublier les deux gousses », et au folio 28 : « Ne pas oublier que le père de la gousse me donne des minéraux. » Pris dans l'autre sens, le Cahier contient d'abord des pages sur Baudelaire pour l'essai sur Sainte-Beuve (ff^os 167 à 158), et ensuite les brouillons de trois années à Querqueville : ff^os 146 à 88 pour la première, ff^os 87 à 69 pour la seconde, et ff^os 68 à 50 pour la troisième, dite : « Deux ans près ». Le Cahier 64, avec les noms de Maria, Andrée, Montargis, Chemisey, Querqueville, et une intrigue qui se réfère à l'amour pour Gilberte, paraît être contemporain du Cahier 29 ou du Cahier 27, et dater, en ce qui concerne les deuxième et troisième années à la mer, de 1909-1911.

Le Cahier 64 est fort lisible et peu raturé ; nous ne donnerons que peu de variantes.

Avant l'invention d'Albertine, il existait ainsi dans les cahiers de brouillon un personnage, du nom de Maria, qui préfigurait la première partie du « roman d'Albertine », avant *La Prisonnière* et *Albertine disparue*, c'est-à-dire les épisodes du bord de mer. Lors du premier séjour ébauché dans le Cahier 64, le héros rencontre les filles — Maria, Andrée, Simone, etc. —, il se fait présenter à elles par le peintre, et la saison se termine par le baiser refusé à l'hôtel : le tout rejoindra donc le premier séjour à Balbec dans *À l'ombre des jeunes filles en fleurs* (voir t. II de la présente édition, p. 286 et suiv.). Le héros retrouve Maria et Andrée la deuxième année ; lui viennent les premiers soupçons gomorrhéens. Suit la partie de furet que le texte définitif situera lors du premier séjour, et après un retour au baiser refusé l'année d'avant, le héros se rapproche d'Andrée, en doutant toutefois de la sincérité des sentiments de celle-ci à son égard. Le héros n'embrasse pas Maria avant la troisième année, où ils séjournent tous deux chez M. et Mme de Chemisey, dont la jeune fille est la nièce mais qui préfigurent les Cambremer — il y a une vieille comtesse douairière — et dont la propriété de Bellerive annonce La Raspelière.

Nous retenons de ce cahier les débuts de la deuxième année, introduisant encore discrètement Gomorrhe, et la scène du baiser de la troisième année.

a. *Ff^os 87-82 v^os de ms.*

1. Voir p. 148 et suiv.
2. Voir p. 191.
3. Voir p. 222.

Page 1056.

1. Il s'agira des *Surprises de l'amour* (f° 70 v°), et la représentation aura lieu chez les Chemisey.
2. Voir l'Esquisse XVI, p. 1064.
3. Proust confond avec le nom d'un autre personnage qui apparaît dans les brouillons, en particulier dans le Cahier 25, et qui préfigure Odette Swann.

Page 1057.

a. *Une addition sur la page de gauche, au folio 85 r° (nous sommes toujours sur les versos) devrait, d'après un signe de renvoi, s'insérer ici ; elle n'est cependant pas raccordable :* Je demandais à toutes les personnes que je connaissais si elles croyaient qu'il existât des amitiés immorales entre jeunes filles, si elles croyaient la province, le monde des avoués plus pur ou moins à cet égard. J'allai voir le peintre pour lui parler de Maria, lui demander ce qu'il pensait de sa nature, si à Paris elle voyait souvent Andrée.

1. Voir n. 3, p. 1056.
2. Voir l'Esquisse XVI, p. 1064.

Page 1058.

a. *F° 75 r° de ms.*

1. Suit la partie de furet, puis après un retour à la scène du baiser de l'année précédente, le héros se rapproche d'Andrée, et c'est seulement à propos des deux hypothèses sur le comportement d'Andrée — sincère ou non —, que Gomorrhe survient sur une page de gauche.
2. Voir p. 197-198.

Page 1059.

a. Ff[os] *54 et 53 v*[os] *de ms.* ↔ *b.* à Querqueville *add. ms.*

1. On mettra ce fragment en rapport avec l'Esquisse LXV de la deuxième partie d'*À l'ombre des jeunes filles en fleurs* (voir t. II de la présente édition, p. 993), qui révélait déjà des liens entre Maria et les Chemisey (les Cambremer du texte définitif), ainsi qu'avec l'Esquisse LXXI de cette même partie (*ibid.*, p. 1006), où Mlle Floriot, personnage qu'on peut à ce stade de la genèse identifier à Maria, refuse de se laisser embrasser : c'est la fameuse « scène du lit », à laquelle la fin de la présente Esquisse fait allusion. Ailleurs dans le même Cahier 64, Proust écrit : « Il faudra au moment du baiser refusé à Querqueville dire qu'elle m'aimait vraiment, qu'est-ce que cela pouvait lui coûter : “Ah ! mon petit je vous aime bien !” Elle venait de me donner le joli objet que je n'avais pas accepté. »

2. On lit ailleurs dans le Cahier 64 ces paroles de Maria : « Tenez nous allons scandaliser [Edgar *biffé*] [ce grand imbécile *corr.*]. » Il semble qu'on puisse identifier Edgar avec le « jeune Chemisey » évoqué dans l'Esquisse LXVIII de la deuxième partie d'*À l'ombre des jeunes filles en fleurs* (voir t. II de la présente édition, p. 1002).

Esquisse XVI

Cahier 71, ff[os] 2 à 21 r[os] et 25 à 33 r[os], avec additions sur versos ; ff[os] 58 à 67 r[os], 69 r°, 71 et 72 r[os].

Le Cahier 71 date du début de 1914, après le départ d'Alfred Agostinelli en décembre 1913. L'histoire d'Albertine y est rédigée d'un coup, depuis l'arrivée à Balbec pour le second séjour jusqu'à la disparition de la jeune fille. Il s'agit d'une rédaction intermédiaire entre le Cahier 64 (Esquisse XV) et le Cahier 46 (Esquisse XVII), et Andrée y porte le nom de Claire. Les folios 2 à 33 r[os] sont consacrés au début de *Sodome et Gomorrhe II*, puis, après des pages blanches vraisemblablement destinées aux épisodes intermédiaires, les folios 58-105 r[os] ébauchent la fin de *Sodome et Gomorrhe II*, avec la « Désolation au lever du soleil », et *La Prisonnière* jusqu'au départ d'Albertine.

Comme le Cahier 64 dont nous donnons des extraits dans l'Esquisse précédente, le Cahier 71 est peu raturé.

Dans ce Cahier, Albertine a remplacé la Maria de l'Esquisse XV et Proust met en place, en 1914, un second séjour à Balbec sous le signe de Gomorrhe, aboutissant à *La Prisonnière*, qui est ébauchée à la fin du Cahier : l'intrigue de Maria a trouvé sa finalité, et l'hypothèse d'une série de séjours à Balbec paraît révolue. Ce second séjour réunit Gomorrhe et les complaisances d'Albertine pour le héros, qui faisaient l'objet de deux années différentes dans l'Esquisse XV. Il s'agit d'une rédaction peu hésitante mais assez abstraite de l'intrigue d'Albertine, qui récrit le scénario de la deuxième année du Cahier 64 (voir l'Esquisse XV).

Page 1060.

a. Ffos 2 à 11 ros de ms. ◆◆ *b. Début du fragment dans ms. :* Quand l'année suivante [je dus retourner à Balbec, ma mère (qui avait rencontré la tante d'Albertine) me dit que probablement ni Albertine ni Claire *biffé*] peu de temps *ms. Nous supprimons le* Quand *initial.* ◆◆ *c.* à l'hôtel *Après ces mots viennent dans ms. 8 lignes d'une première rédaction incohérente et aussitôt reprise.*

1. Voir p. 148 et suiv., ainsi que les Esquisses XV, p. 1055 et suiv. et XVII, p. 1075 et suiv.

Page 1061.

1. Voir p. 191, et l'Esquisse XV, p. 1055 et suiv.
2. Voir *Du côté de chez Swann*, t. I de la présente édition, p. 157.
3. Voir p. 219.

Page 1063.

a. Appelée ici, une addition marginale au folio 11 r° de ms. est toutefois difficile à raccorder : Peut-être la confiance était-elle aussi naïve de croire Albertine sur parole, que la méfiance avait été peu fondée de bâtir une hypothèse sur le geste tendre de son front avancé vers Claire. Mais la jalousie, la tendresse sont comme ces âmes des morts qui n'étaient rien tant qu'un peu de sang ne leur avait permis de s'incarner dans un être individuel. La tendresse, la jalousie ne sont rien tant qu'elles restent vagues ; il leur faut pour renaître, à la tendresse une assurance, non pas vraisemblable, mais positive ; à la jalousie un motif particulier fût-il absurde. Malheureusement ma jalousie qui cherchait à renaître saisissait le premier de ces corps particuliers où elle pouvait revivre. Et ainsi elle prenait mille formes successives. Un jour elle s'était éteinte ici, exorcisée du corps de Claire par une parole rassurante d'Albertine. Demain, je la retrouvais qui était née plus loin, fécondée par un regard ambigu de la petite poupine. ◆◆ *b. Ffos 12-15 ros de ms.*

Page 1064.

a. En marge de la fin de ce passage, au folio 15 r°, figure cette addition : Ici peut-être la chose Marivaux comme dans le cahier rouge et puis étoffer ceci avec des choses différentes qui élargissent et expliquent que Françoise vienne chez moi ce dimanche-là, placer pour cela quelque chose que je ne savais pas où mettre, différent de l'histoire d'amour. *Le Cahier rouge est le Cahier 64 ; voir l'Esquisse XV, p. 1056.* ◆◆ *b. Ffos 15-16 ros et 21-24 ros (voir var. c) de ms.* ◆◆ *c.* m'étaient *Sur ces mots s'achève le folio 16 r° ; Proust a ajouté ensuite :* Ceci vient bien après, suivre en sautant cela et suivre six pages plus loin. *La suite se trouve en effet au folio 21 r°, précédée de l'indication :* Suite de six pages moins loin. *Proust reprend le fil de la narration à* étaient reparues *. Nous donnons le texte des folios 16-21 ros à la page suivante (voir var. a, p. 1065).*

1. Voir l'Esquisse XV, p. 1056.

Page 1065.

a. Ff[os] *16-21 r*[os] *de ms. (voir var. c, p. 1064).* ◆◆ *b. Ff*[os] *25-32 r*[os] *de ms.*

Page 1067.

a. À cette ébauche de l'intrigue d'Albertine sur les pages de droite de ms., s'ajoutent un certain nombre de compléments sur les pages de gauche. Le premier, que voici, figure aux folios 1-3 v[os] *; il fait donc référence au début de l'Esquisse* XVI, *p. 1060.*

1. Dans le Cahier 64, aux folios 68-50. Voir la notule de l'Esquisse XV.

Page 1068.

a. Proust a ajouté ultérieurement cette note de régie sur ms. ◆◆ *b. Nous donnons ici le texte d'une addition marginale figurant au folio 1 v*[o] *de ms.*

1. Nous ne connaissons pas ce personnage. Deviendra-t-il M. de Cambremer ? Voir p. 191.

Page 1069.

a. F[o] *9 v*[o] *de ms.* ◆◆ *b. Il s'agit là d'une addition marginale au fragment précédent.* ◆◆ *c. Ff*[os] *5-6 r*[os] *de ms., addition marginale.*

1. Voir p. 258-259, ainsi que l'Esquisse XVII, p. 1081 et 1089.
2. Voir p. 191-192, ainsi que l'Esquisse XVII, p. 1082.

Page 1070.

a. F[o] *19 v*[o] *de ms.* ◆◆ *b. Ff*[os] *19-20 v*[os] *de ms.* ◆◆ *c. F*[o] *31 r*[o] *et v*[o] *de ms.* ◆◆ *d.* prêté, j'[avais l'air *biffé*] [j'espérais que le calme même avec lequel j'avais *corr.*] d'envisager avec calme *ms. Nous ne tenons pas compte de la correction inachevée.*

Page 1071.

a. En marge du folio 31 v° *de ms., le passage appelle cette notation :* Il vaudra peut-être mieux que je lui dise que cela m'est égal car dans mes relations avec Albertine (contraire d'avec Gilberte) je dirai toujours le contraire de mon vrai sentiment. ◆◆ *b. Ff*[os] *32 v*[o] *et 33 r*[o] *de ms.*

Page 1072.

a. Ff[os] *58-67 r*[os] *de ms., numérotés de 1 à 10 par Proust. À partir d'ici, la rédaction est continue, mais des feuillets ont été arrachés, ce qui la rend lacunaire.*

1. Après quelques essais pour la disparition d'Albertine, le Cahier 71 en vient à la découverte qu'Albertine connaît Mlle Vinteuil et au départ pour Paris où se déroulera *La Prisonnière*. Voir p. 497 à 515.

2. Andrée ne s'appelle plus Claire comme au début du cahier. Ce nouveau prénom apparaît déjà p. 1069, mais dans une addition marginale (voir var. *c*, p. 1069).

Page 1074.

a. F° 69 r° de ms., numéroté 12.

Page 1075.

a. Ce paragraphe est procuré par une addition marginale subsistant sur la partie qui n'a pas été arrachée du second des feuillets manquant après le folio 69 de ms. ◆◆ *b. F° 72 r° de ms., numéroté 15.*

1. Ce paragraphe assure la transition avec *La Prisonnière*, dont le Cahier 71 poursuit l'ébauche.

Esquisse XVII

Cahier 46, ff^os 57 r° à 98 r°. Le titre est de Proust (Cahier 46, f° 57 r°). La fin du Cahier 46 (ff^os 57 à 101) souvent voisine déjà du texte définitif, et dont nous donnons ici des extraits, correspond en gros aux pages 148 à 270 de *Sodome et Gomorrhe II*. Cette Esquisse suit, dans le Cahier 46, les diverses rédactions concernant les visites d'Albertine au héros à Paris que nous donnons dans l'Esquisse XIV, p. 1049 et suiv.

La rédaction du Cahier 46 est complexe, la plupart des pages de gauche étant occupées par des compléments et prolongements, ou des remembrements de la rédaction des pages de droite. À plusieurs reprises, Proust fait référence à d'autres cahiers, dont le Cahier Dux (Cahier 71 donné dans l'Esquisse XVI) et un Cahier rouge (qui ne correspond pas au Cahier 64, donné dans l'Esquisse XV).

Le changement le plus décisif que Proust fit subir entre 1913 et 1915 à la partie du roman qui devint *Sodome et Gomorrhe II*, a trait à la constitution du second séjour à Balbec, qui occupe la majeure partie du tome publié en 1922 sous ce titre. Le Cahier 46 est assez éclairant sur sa composition. Après des additions pour les visites d'Albertine au héros à Paris (voir l'Esquisse XIV, p. 1049 et suiv.), Proust y met en effet en place le début du séjour à Balbec, jusqu'au petit train de La Raspelière où le héros fait la connaissance des fidèles des Verdurin. Le Cahier 46 paraît dater de 1914, après une période d'incertitude où Proust a songé à organiser la matière romanesque des jeunes filles en trois séjours à Balbec[1]. Mais l'hésitation n'a plus cours dans les montages du Cahier 46, qui redistribue de nombreux éléments venus de cahiers plus anciens : on assiste à la composition du scénario définitif d'*À la recherche du temps perdu*. La résurrection

1. On trouve dans le Cahier 13 (f° 28 r°), un plan remaniant le roman, datant de 1913, qui annonce déjà quelques-unes des transformations qu'*À la recherche du temps perdu* connaîtra pendant la guerre. Voir la Notice, p. 1236.

de la grand-mère et la prise de conscience de sa mort (ff^os 57 à 59) ont lieu, non plus dans le train de Venise à Paris, ou dans un hôtel de Milan, comme dans l'Esquisse XIII (voir p. 1032 et suiv. et 1038 et suiv.), mais au premier soir de l'arrivée à Balbec. Sans beaucoup récrire, Proust se contente de renvoyer aux cahiers anciens et développe aussitôt la liaison avec Albertine (ff^os 59 à 63), ses absences, et les premiers signes de la jalousie. Il tâtonne encore : la scène capitale de la « danse contre seins » entre Albertine et Andrée (ff^os 63 à 66) — le nom de Maria figurant sous biffure à la place de celui d'Albertine — a lieu en présence d'Elstir au lieu de Cottard. Et les soupçons gomorrhéens peuvent naître (ff^os 86 à 93). Vient ensuite la visite des Cambremer au Grand-Hôtel (ff^os 66 à 76), dans une version déjà toute proche du texte définitif — cependant nous n'en connaissons pas de brouillon —, puis la réconciliation avec Albertine (ff^os 76 à 82) et une page ajoutée où le héros note le point de non retour de leur liaison, le dernier moment où il aurait pu quitter Albertine heureux, page importante puisque Proust la cite longuement dans sa lettre de novembre 1915 à Mme Scheikévitch, où il résume la fin de son roman (voir p. 1086 et n. 2). Le Cahier 46 contient encore, aux folios 94 à 98, le début de « M. de Charlus et les Verdurin », pages venues, elles, de l'Esquisse XI (voir p. 1009), et de manière fort intéressante, s'installe à travers les versions successives que Proust ébauche de la rencontre de Charlus et du musicien, sur le quai de la gare d'une ville qui ne s'appelle pas encore Doncières mais qui est la garnison de Saint-Loup, la symétrie entre Albertine et Morel qui formera la structure essentielle du roman à partir de *Sodome et Gomorrhe II*. Les fidèles des Verdurin sont enfin déplacés du train de Ville-d'Avray à celui de La Raspelière (ff^os 98 à 101).

Le Cahier 72 prend le relais du Cahier 46 et ébauche la suite du second séjour à Balbec, avec le dîner chez les Verdurin et les promenades du héros et d'Albertine : voir la Notice, p. 1244 et suiv.

Le montage du Cahier 46 est complexe. Une première rédaction a eu lieu. Puis Proust a repris le début de cette rédaction et l'a poursuivie plus loin dans le Cahier (voir les variantes *c*, p. 1078 et *a*, p. 1088).

c. Ff^os 57-61 r^os de ms., avec addition sur 57 v°. Ces cinq rectos ont été numérotés par Proust de 1 à 5 lors d'un remaniement du Cahier. Pour les feuillets alors numérotés 6 et suivants, voir var. a, p. 1088. ♦♦ *d. Dans ms., Proust a noté en marge à cette hauteur :* Capitalissime *. Il fait allusion à une rédaction que nous ne connaissons pas.*

2. Voir p. 148, et, surtout, p. 151.

3. Le Cahier Dux est le Cahier 71 donné dans l'Esquisse XVI, p. 1059 et suiv. Voir la Notice p. 1244.

4. Voir p. 121, ainsi que le Cahier 43, f° 23 v°, où lors de la visite à la duchesse avant la soirée chez la princesse, le héros lui demande d'être invité à des bals.

Page 1076.

a. Et ajouter *[p. 1075, 3e ligne en bas de page]* à cela : [...] la connaissance avec des jeunes filles. *add. ms.* ↔ *b.* tout le monde. / [Pourtant *biffé*] [Certes *corr.*] je savais [qu'Andrée ni Albertine n'y viendraient *corrigé par biffure et en interligne en* qu'Albertine (pas plus qu'Andrée) n'y viendrait] cette année. Mais [cela n'*[avait rien changé *biffé*]* était pas entré en ligne *biffé en définitive*] [elles tenaient *biffé*] ni l'une ni l'autre ne me tenaient au cœur. [Et dans le séjour *[...]* changé pour moi *add.*] Sans doute *ms.* ↔ *c.* Mais *À partir d'ici, et jusqu'à* se réaliser. *[avant-dernière ligne], nous suivons le texte d'une correction, interlinéaire d'abord, puis se poursuivant sur la page de gauche (voir var. e).* ↔ *d.* Car [quand il y a déjà un peu de temps que nous n'avons vu une femme *biffé*] certains rêves *ms.* ↔ *e.* plaisir avec elle *[6e ligne du §]*. Mais [il m'était indifférent que l'intervalle entre ces jeux fût plus ou moins long. Il serait de tout un été au lieu d'être d'une semaine ou quinzaine. Quand je sentirais trop impérieux le besoin de ces caresses *biffé*] [j'avais l'habitude *[...]* se réaliser. *corr.*] je n'en aurais *ms.*

1. Ce « les » renvoie aux jeux qui apparaissaient dans la première rédaction du passage précédent (voir var. *e*).

Page 1077.

a. les essayer *[p. 1076, dernière ligne]* avec [des filles nouvelles *biffé*] [, plus complets et différents avec des femmes *corr.*] qui me donneraient *ms.*

1. Voir *Le Côté de Guermantes II*, t. II de la présente édition, p. 646. L'ébauche de cette visite d'Albertine est justement au début du Cahier 46, aux folios 38 r°, 43 r° et 50 r°.

2. Le Cahier 50, qui contient « Les Intermittences du cœur » dans la version de 1912 d'*À la recherche du temps perdu* (voir l'Esquisse XIII, p. 1032), commence en effet par cette phrase : « Mon père partant dans quelques jours pour l'Autriche ma mère resterait seule » (Cahier 50, f° 2 r°). Proust se contente donc de renvoyer ici aux pages rédigées en 1911.

3. Voir p. 152, et l'Esquisse XIII, p. 1034 et suiv., où la résurrection a lieu à Milan.

4. Voir p. 160.

5. Voir p. 177.

6. Voir p. 183.

7. *Ibid.*

Page 1078.

a. j'envoyais *[p. 1077, 5e ligne en bas de page]* Françoise. [Quelquefois Françoise restait si longtemps *1re rédaction non biffée*] [Mais parfois *[...]* elle restait si longtemps *2de rédaction marginale*] absente *ms.* ↔ *b.* je commençais *[4e ligne de la page]* à désespérer. [Soit déception de ne pas avoir le plaisir physique sur lequel je comptais pour le soir même, soit réminiscence de ma cruelle attente, oubliée depuis, le soir de la fête chez la princesse de Guermantes, quand Albertine n'était venue qu'à trois heures du matin, j'avais envie de pleurer quand *biffé*] [Dans la nuit *[...]* indépassable paroxysme. *corr.*] [Tout à coup *add.*] je voyais Françoise revenir [, mais *add.*] seule. [« Mlle Albertine ne vient pas ? — Si elle vient dans cinq minutes. Elle a été tellement longue à se pommader. Je lui avais dit qu'elle pouvait venir comme ça. Mais elle voulait se coiffer ne se trouvait pas assez bien coiffée. Elle m'avait promis qu'elle ne serait que quelques minutes. Mais je crois qu'elle n'avait plus d'odeurs chez elle, car elle a envoyé quelqu'un en courses. *[*Ça va sentir les odeurs ici tout *biffé]* Quand elle eſt venue me dire de ne pas attendre qu'elle arrivait, même en plein air cela vous montait à la tête. Et elle s'eſt relevée ses cheveux au fer. Enfin elle arrive en arrière de moi *biffé en définitive*] [« Hé bien *[...]* Je respirais. *corr.*] Enfin au bout *ms.* ✦✦ *c. En ce point, le Cahier 46 propose une bifurcation dans le récit du second séjour à Balbec. Il se poursuit sur les pages de droite dont nous continuons la transcription. Mais lors d'un remaniement ultérieur, avant cependant que le cahier soit achevé, Prouſt a fait ici redémarrer le récit sur les pages de gauche puis l'a prolongé beaucoup plus loin dans le cahier, là où il était encore vierge. Nous donnons cette version plus tardive à partir de la page 1088 (voir var. a de cette page).* ✦✦ *d. Ffos 62 r° et 61 v° de ms. Voici le début, interrompu et biffé, du folio 62 r° :* Mon chagrin s'éloigne. J'ai le désir d'aller voir Elſtir. Visite chez Elſtir. Je quittai Elſtir quand je pensai que ce jour-là Albertine était chez une amie à *[un blanc]* et au lieu de reprendre le train jusqu'à B., je ne pus pas résiſter au désir de l'avoir le soir même et au lieu de descendre à .

1. Voir p. 185.
2. Voir p. 186. La première version du second séjour à Balbec se poursuit (voir var. *c*).
3. Cette rédaction interrompue renvoie peut-être à un autre cahier.

Page 1079.

a. Quelquefois *[p. 1078, 3e ligne en bas de page]* ce n'était [...] sa canne et ses gants. *add. ms.* ✦✦ *b.* pas pour bien longtemps *Le passage qui suit ces mots, jusqu'à la fin de la page, eſt composé d'un réseau complexe d'additions successives venant à la place d'une rédaction plus schématique biffée que voici :* n'a aller à *[un blanc]* Je ferai vite. » Et je l'entendais qui disait à Françoise : « Je vais chercher n'Albertine. » Deux fois il ne put la trouver, mes sens surexcités reſtèrent insatisfaits. Et même une fois où on avait dit au lift qu'elle allait rentrer et qu'elle viendrait aussitôt, elle ne vint pas et m'écrivit qu'elle n'était rentrée que le lendemain à *[un blanc]* Mais j'eus l'impression qu'elle avait très bien eu mon mot et avait préféré *[interrompu]* le lift m'avait dit : « Elle n'était pas encore rentrée. Mais ce ne sera pas bien long. Aussitôt en rentrant n'elle viendra », [elle ne vint pas et m'écrivit le lendemain qu'elle n'était rentrée que le lendemain à *[un blanc].* Mais j'eus l'impression qu'elle avait très bien eu mon mot et avait préféré *biffé*] elle ne vint pas et <je> reçus seulement le lendemain une lettre où elle me disait qu'elle venait seulement de rentrer, n'avait pas eu mon mot avant, et viendrait me voir le soir même si je le permettais. Je connaissais trop peu l'emploi habituel de son temps, pour affirmer qu'elle mentait, mais cette phrase, comme celle qu'elle m'avait dite au téléphone le jour de la soirée de la princesse de

Guermantes, me parut cacher quelque fête où elle avait préféré rester plutôt que de venir à Balbec et quoique ayant eu mon mot à temps. Je me demandai quelles distractions si grandes pouvait bien offrir *[un blanc]* et je conçus quelque jalousie que le soir ses caresses effacèrent bien vite. *Après cette première rédaction biffée, le premier jet de ms. continue par :* Quand dès l'après-midi *[p. 1081, début du 2nd §] La mention de la lettre d'Albertine appelle cette note marginale :* C'est ce mot que je retrouverai après sa mort (petits bleus). *Voir l'Esquisse* XIV, *p. 1054.* ↔ *c.* douloureuse. *Cette dernière phrase est, dans ms., en surcharge sur :* Je cherchais à deviner la raison ignorée pourquoi Albertine n'était pas venue, quel plaisir, quelles personnes elle m'avait préférés. ↔ *d. Proust a indiqué ici au crayon rouge :* Suivre à la page Amour. *La page portant cet intitulé se trouve plus loin dans le Cahier 46 ; nous la donnons p. 1080 (voir var. b de cette page), après un complément sur les premiers signes de la jalousie du héros.*

1. Voir p. 190.
2. Voir p. 193.
3. Voir p. 194.

Page 1080.

a. F° 61 v° de ms., addition marginale. ↔ *b. Ffos 83 r°, 84 r°, 83 v° de ms. Nous opérons, après insertion de l'addition signalée à la variante a, le montage suggéré par var. d, p. 1079. Proust poursuit la nouvelle rédaction de l'attente d'Albertine, dont la première version est donnée à la variante b, p. 1079.* ↔ *c. Proust a ajouté ici dans la marge :* C'est ce petit bleu que je retrouverai après sa mort (petits bleus). *Voir l'Esquisse* XIV, *p. 1054 et suiv.* ↔ *d. À partir d'ici, et jusqu'à la fin du paragraphe, nous suivons le texte d'une addition sur le folio 83 v° de ms.* ↔ *e. Avant de revenir à la première version sur les pages de droite du Cahier 46, voici encore un complément pour le lift envoyé par le héros à la recherche d'Albertine, qui figure au folio 62 v° de ms. Il est à raccorder au folio 62 r° (voir var. d, p. 1078), au bas duquel on lit en effet :* N.B. J'ai bien dit suivre au verso (c'est-à-dire en face) mais j'ajoute quelque chose aussi au verso suivant. *Au folio 61 v°, « en face », on trouvait tous les compléments qui ont transformé l'attente d'Albertine depuis la première version donnée var. b, p. 1079.*

1. Voir p. 194.
2. On trouvera les mots de raccords cités par Proust à la variante *c*, p. 1079.

Page 1081.

a. Ffos 63-66 ros de ms. Nous revenons à la rédaction originale, où Proust a en effet indiqué : Cette page et ce qui suit vient *après* la partie qui commence 22 pages plus loin au signe AMOUR. ↔ *b. Ici se rattache l'addition marginale, que nous donnons au dernier paragraphe de la page 1082, substituant Cottard à Elstir auprès du héros.* ↔ *c.* « Vous verrez Andrée, [...] définitivement. » *add. ms.*

1. Il s'agit, après une description des jeunes filles en pêcheuses, d'une première version de la « danse contre seins » entre Albertine et Andrée, Elstir étant ici le compagnon du héros au lieu du docteur

Cottard. Le plan du Cahier 13 (f° 28 r°) évoque pour la première fois cette scène ; voir la Notice, p. 1244. Voir aussi le texte définitif, p. 190.

2. Le thème d'Albertine cycliste en caoutchouc, suggéré dans le Cahier 71 (voir l'Esquisse XVI, p. 1069), sera développé sur les pages de gauche et plus loin dans le Cahier 46 ; voir p. 1089.

Page 1082.

a. connaissais pas *[p. 1081, 4ᵉ ligne en bas de page].* [Je vis que j'avais *[...]* et je lui *[*donnai rendez-vous pour le soir à Balbec *biffé]* dis que je viendrais *[...]* à Balbec. Elstir *biffé en définitive*] habitait *ms. Faute d'une correction de la part de Proust, nous maintenons la phrase biffée, qui semble indispensable.* ↔ *b.* cahier rouge). [Puis une des jeunes filles que je *biffé*] [Maria *biffé*] [Albertine *corr.*] poussait *ms.* ↔ *c.* me montrant [Maria *biffé*] [Albertine *corr.*] et Andrée *ms.* ↔ *d. Le Cahier 46 passe aussitôt à l'arrivée des Cambremer au Grand-Hôtel, que nous donnons à partir du 2ᵈ § de la page 1084. Mais nous proposons d'abord une série de compléments appelés par la scène capitale de la « danse contre seins » (voir var. e de cette page à var. d, p. 1083).* ↔ *e. Ffᵒˢ 63 et 64 rᵒˢ de ms. (addition marginale). Voir var. b, p. 1081, pour raccorder cette addition.*

1. Sur ce cahier rouge, qui ne paraît pas être le Cahier 64 donné dans l'Esquisse XV, voir la Notice, p. 1244. À deux reprises dans cette page (voir var. *b* et *c*), le nom d'Albertine apparaît en addition supralinéaire au-dessus de celui de Maria, biffé. Serait-ce ce dernier nom qui figurait dans ce cahier rouge qui contenait une version antérieure de la « danse contre seins » ?

2. Voir dans *Du côté de chez Swann*, t. I de la présente édition, p. 157, l'annonce de la scène actuelle lors de celle de Montjouvain. Voir aussi la Notice de *Sodome et Gomorrhe*, p. 1237 et 1244.

3. Le fragment additionnel (voir var. *d*) que nous donnons ici substitue Cottard à Elstir, et du même coup introduit de multiples jalons pour la suite de *Sodome et Gomorrhe II*, prépare les visites chez les Verdurin à La Raspelière.

4. Voir p. 230, ainsi que l'Esquisse XVII, p. 1086, dont ce fragment introduit le thème.

Page 1083.

a. F° 65 v° de ms. ↔ *b. F° 63 v° de ms.* ↔ *c. Proust a ajouté en marge :* Capitalissime . ↔ *d. F° 66 v° de ms.*

1. Voir p. 198. Andrée sera substituée à Claire dans le texte définitif.

2. La suite de ce complément, reportée beaucoup plus loin dans le Cahier 46 (ffᵒˢ 84-85 rᵒˢ et 84 v°) est peu différente de la version du texte définitif ; voir p. 198 à 200.

3. Le portrait de Gisèle, qui, lui, ne sera pas repris dans le texte définitif, est proche de la description de la jeune fille dans *À l'ombre des jeunes filles en fleurs.* Voir t. II de la présente édition, p. 224.

Page 1084.

a. F° 67 v° de ms. ◆◆ *b. Ff^os 74-75 v^os de ms.*

1. Aussitôt après la « danse contre seins » et sans transition (voir var. *d*, p. 1082), le Cahier 46 passe à la visite de Mme de Cambremer, au moment où le héros se trouve devant le Grand-Hôtel avec les jeunes filles, et vient de se montrer très dur envers Albertine (ff^os 66-76 r^os). Le texte n'est pas très différent, y compris pour les manières du premier président, de celui qui sera amplifié dans le texte définitif (voir p. 200-218, et un fragment déplacé, p. 162-164). Une longue addition des pages de gauche brode sur la pédanterie de la jeune Mme de Cambremer, à propos de Monet, Poussin, etc. (ff^os 71-76 v^os ; voir p. 203-213). Nous en donnons le seul extrait que le texte définitif ne reprendra pas. Voir p. 208.

2. Poussin est l'auteur de *Paysages bibliques* dits *Les Quatre Saisons*, qui sont au Louvre.

3. « Et rien, ni votre amour, ni le boudoir, ni l'âtre, / Ne me vaut le soleil rayonnant sur la mer. » Baudelaire, *Les Fleurs du Mal*, « Chant d'automne ». Proust citait ce vers dans une lettre écrite à son père en septembre 1893, au retour de Normandie, « un vers dont tu éprouveras j'espère toute la force » (*Correspondance*, t. I, p. 238). Il figurait aussi dans les descriptions d'*À l'ombre des jeunes filles en fleurs*, lors du premier séjour à Balbec (voir t. II de la présente édition, p. 34 et 67).

4. « Chant d'automne » de Baudelaire a été mis en musique par Fauré en 1871 (*op.* 5, n° 1). Proust restera toujours attaché à la mélodie que Reynaldo Hahn chantait dans les années 1890 (lettre à Reynaldo Hahn de 1895, *Correspondance*, t. I, p. 375). Il y fera encore allusion dans son article « À propos de Baudelaire » en 1921 (*Essais et articles*, éd. citée, p. 625).

5. Fauré a composé en 1879 une mélodie (*op.* 23, n° 1) intitulée *Les Berceaux*, d'après un poème de Sully Prudhomme. Il ne s'agit toutefois pas du poème de Sully Prudhomme qui porte pour titre « Les Berceaux » (*Stances*, *Poésies 1865-1866*, *Œuvres*, A. Lemerre, s.d., t. I, p. 23), mais d'un autre poème du même recueil, « Le long du quai » (p. 163), dont le vers cité par Proust est en effet extrait, confirmant que la connaissance que Proust a de la poésie passe souvent par les mélodies de Fauré. « Vaisseaux » rime en effet avec « berceaux », au dernier vers du poème : « Et ce jour-là les grands vaisseaux, / Fuyant le port qui diminue, / Sentent leur masse retenue / Par l'âme des lointains berceaux. »

6. Baudelaire, *Les Fleurs du Mal*, « L'Albatros ».

Page 1085.

a. F° 75 v° de ms., addition marginale. ◆◆ *b. Dans ms., ce nom est suivi d'un appel renvoyant au fragment suivant.* ◆◆ *c. Autre addition marginale sur le même folio 75 v° de ms. (voir var. b).* ◆◆ *d. F° 76 v° de ms.* ◆◆ *e. Ff^os 81 et 82 r^os de ms.* ◆◆ *f.* dissiper. [La cuisinière vint lui dire que le dîner était servi. Elle répondit qu'on dînât, qu'elle rentrerait peut-être tard. Moi qui avais d'habitude tant de peine à la voir comme je voulais les rendez-vous qu'elle me refusait si facilement, pour une fête où elle avait à aller, pour un rien, j'avais réussi à m'en faire donner un par elle. *biffé*] Le soleil *ms. En marge, Proust a noté :* Mettre en son temps. C'est l'équivalent du Café des Sports maintenant. *La note, qui est biffée, demeure énigmatique.*

1. Voir p. 209. Sur l'enfance d'Albertine à Amsterdam, voir la Notice, n. 7, p. 1234 et n. 5, p. 209.

2. Le complément sur la jeune Mme de Cambremer que nous venons de donner entraîne ces deux minces allusions à un parallèle entre l'oubli de Chopin et le succès de Debussy, à un retour à la mode de Chopin, que le roman développera justement à la place du morceau précédent. En ce qui concerne le premier fragment, voir p. 208 à 213 où cette suggestion est développée.

3. Voir p. 210, et *Du côté de chez Swann*, t. I de la présente édition, p. 325 et suiv.

4. Cette autre addition, sur les tics de langage de Mme de Cambremer, sera appliquée dans le texte définitif à Mme de Sévigné au lieu de Mme de Noailles. Voir p. 211 et 218.

5. Après le départ des Cambremer, le héros monte avec Albertine dans sa chambre, où il lui avoue son amour pour Andrée et lui fait part des bruits qu'il aurait entendus sur elles deux : le premier retour de Gomorrhe après la « danse contre seins » tient ainsi au soupçon d'une liaison entre Albertine et Andrée (ff^os 76-82 r^os ; voir p. 219-229). Mais Albertine nie et la réconciliation a lieu. D'un seul passage, que nous donnons, le texte définitif s'écartera sensiblement. Voir p. 228.

Page 1086.

a. Ff^os 82-84 v^os de ms. ◆◆ *b. Proust a ajouté ici dans ms. cette notation interlinéaire :* Mettre en son temps. ◆◆ *c. F° 78 v° de ms.*

1. Voir p. 229.

2. La réconciliation avec Albertine marque ici un tournant décisif du roman : c'est le dernier moment où le héros aurait pu sans souffrir quitter Albertine. Proust, dans une lettre adressée en novembre 1915 à Mme Scheikévitch et résumant la fin du roman, reproduit la page du Cahier 46 qui marque cette scansion[1]. Or il s'agit en partie d'une page de gauche, qui dégage la portée de la scène après coup. Elle témoigne que le Cahier 46 était bien achevé à la fin de 1915, et que Proust l'avait déjà retravaillé. Il soulignait encore l'importance du tournant dans une note (f° 81 v°) : « Probablement après du bonheur (si le chapitre finit là) mettre un grand blanc puis ce que je mets au verso suivant de ma conversation avec ma mère sur les *Mille et Une Nuits*. » Le verso suivant, où se trouve la discussion du héros avec sa mère sur la traduction des *Mille et Une Nuits*, est donc

1. Ff^os 82 r° et 81 v°. Voir le texte définitif, p. 229 ; *Contre Sainte-Beuve*, éd. citée, p. 560-561 ; et *Correspondance*, t. XIV, p. 280-285 ; ainsi que la Notice p. 1241 et n. 7 et 8.

également un complément, et il est légèrement différent du roman, introduit par l'indication : « Pour mettre après le verso précédent (grâce à quelque pédale, survivre la tonalité du bonheur). » Voir p. 229-231.

3. Voir var. *b*. En fait, le texte définitif se passera de l'allusion à la traduction nouvelle de Sophocle par Leconte de Lisle (A. Lemerre, 1877), où Œdipe s'appelle Oidipous.

4. Comparant les traductions de Galland et de Mardrus (voir p. 230), Proust n'est pas fidèle à la nouvelle orthographe de Mardrus qui écrit Doniazade et Aladdin, mais Schahrazade et les Genn.

5. Sur un verso correspondant à la scène avec Albertine dans la chambre du Grand-Hôtel (voir var. *c*), Proust a noté une addition qui a trait à Cottard. Nous la donnons ici, bien qu'elle soit étrangère au contexte. Le texte définitif n'exploitera pas cette suggestion.

6. Allusion énigmatique.

Page 1087.

a. Ffos 88 et 89 ros de ms. ◆◆ *b.* des jeunes filles [...] en vogue) *biffé ms. Nous donnons le passage biffé. Une correction marginale est voisine du texte définitif.* ◆◆ *c. Ffos 90 à 93 ros de ms.* ◆◆ *d.* de ses yeux. [Que cachaient-ils peut-être rien, peut-être seulement le vague d'un moment de fatigue ou de distraction, dans ce recueillement où ils semblaient isolés de tout ce qui les entourait et duquel ils s'échappaient bien vite pour retourner à nous tous s'ils voyaient que je les avais surpris *biffé*] Je me demandais *ms.*

1. Après la réconciliation avec Albertine, le Cahier 46 en vient à toutes les occasions de soupçon du héros à l'endroit de la jeune fille, en une série de scènes que le texte définitif redistribuera. Ce sont d'abord les efforts d'Albertine et de Claire (qui deviendra Andrée dans le roman) pour rendre confiance au héros (fo 86 ro ; voir p. 234-235 ; au lieu de Rosemonde et Gisèle, c'est le nom de Victoire qui figure auprès de celui de Claire). Puis c'est l'ébauche de la scène du casino où Albertine observe la sœur et la cousine de Bloch dans un miroir, scène que le texte définitif placera juste après celle de la « danse contre seins » (ffos 86-88 ros, première version biffée ; ffos 88-90 ros, seconde version ; voir p. 198-200 ; une addition marginale substitue, aux jeunes filles anonymes, la sœur et la cousine de Bloch). C'est la transition entre les deux moments que nous donnons ici, les efforts consentis pour rendre confiance au héros et la scène du casino. Voir p. 236 et 197.

2. Albertine ayant observé les jeunes filles dans le miroir sans que le héros s'en soit douté, un prolongement moral est appelé, que le texte définitif ne reprendra pas.

Page 1088.

a. Ffos 60-58 vos et 94 ro de ms. Ces feuillets sont numérotés par Proust 6, 7, 9 (8 étant rayé), et 8. Les feuillets numérotés 1 à 5, avant une bifurcation, étaient les folios 57 r°-61 r° (voir var. c, p. 1075). Nous avions en effet signalé plus haut, à la page 1078 (voir var. c), qu'après quelques feuillets, la mise en place du second séjour à Balbec dans le Cahier 46 présentait une bifurcation. Elle se poursuivait sur les pages de droite de la façon dont nous avons rendu compte jusqu'à présent. Mais lors d'une révision du Cahier 46, Proust l'avait reprise au moment des premières visites d'Albertine au héros. La nouvelle rédaction occupe plusieurs pages de gauche avant de continuer, bien plus loin, dans le Cahier 46, sur les pages de droite là où elles étaient encore vierges. Voici cette nouvelle rédaction, à rattacher donc à la page 1078. ↔ *b.* Début de la nouvelle rédaction : [Mon chagrin s'éloigne *biffé*] (Naturellement je développerai qu'il s'éloigne.) [Mais je me dis *[...]* Car mon chagrin s'éloignant *add.*] Certains désirs *ms.* ↔ *c.* pourrait me recevoir. [Je n'eus pas à attendre, le *[*sur *add.]* lendemain *biffé*] [Deux jours après *[...]* ou si je pourrais le recevoir *corr.*] un télégramme me demandait si *ms. Nous corrigeons* demandait *en* demandant . ↔ *d.* le [soir *biffé*] [surlendemain *corr.*] même, *ms.* ↔ *e.* Épinay. *[six lignes biffées d'un début de récit de voyage vers la Raspelière]* J'étais impatient, *ms.*

1. Ici commence la seconde version du second séjour à Balbec (voir var. *a*). Il n'est pas possible de situer relativement à elle les pages du Cahier 46 depuis la bifurcation, aucune indication n'étant fournie par ce Cahier. Le texte définitif, en tout cas, attendra que la visite des Cambremer, la « danse contre seins », la réconciliation et les premiers soupçons aient eu lieu, pour en venir à ce récit qui va permettre la liaison entre les deux intrigues de *Sodome et Gomorrhe* : la relation du héros et d'Albertine, celle de M. de Charlus et du musicien. Les pages que nous donnons maintenant vont donc introduire la suite du roman, à La Raspelière chez les Verdurin, rattachant la nouvelle intrigue liée au personnage d'Albertine, et le chapitre « M. de Charlus et les Verdurin » de la version de 1912, donné dans l'Esquisse XI (voir p. 1009) : la femme de chambre de Mme Putbus resurgit, il n'y a plus de vieil ami pour emmener le héros chez les Verdurin. Pour les versions antérieures de la rencontre de M. de Charlus et du militaire, voir les Esquisses II, p. 939, et XI, p. 1021. Voir p. 249.

2. Voir l'Esquisse XI, p. 1010.

Page 1089.

a. pour le [sur *biffé*] lendemain, *ms.* ↔ *b.* attendre jusque-là [et priai le *[*cycliste *biffé] [*lift *corr.]* d'aller à Bricqueville me ramener Albertine : « Cela ne vous gênera pas mais il faut absolument qu'elle vienne. » *biffé en définitive*] et je partis *ms. Voir p. 1078.* ↔ *c.* Albertine *[14e ligne de la page]* le jour même [...] la station suivante, *biffé ms. Cette esquisse de la rencontre entre Charlus et Santois sera développée un peu plus loin (voir p. 1090) ; Proust proposera de la remplacer ici par une description de la princesse Sherbatoff, rédigée au folio 94 r°, voisine du texte définitif (voir p. 252) et suivie de ceci :* Je me cachai instinctivement au fond du wagon à..., inutilement d'ailleurs car il n'y avait aucune raison pour que Saint-Loup fût à la gare et je descendis à la station suivante qui était Brébanville. *Ce qui appelle une note en marge :* Bien dire que Saint-Loup étant à Paris jusque-là, était depuis peu à Doncières, mais que j'étais plus désireux de rester avec les filles (voir cahier rouge) de sorte que je lui disais que je n'étais pas libre. Mais je finis par y aller. La seule raison pour laquelle je n'y étais pas allé était l'envie de rester avec les filles. ⁂ *d. Fin du folio 58 v° (numéroté 9) de ms. :* qui dépose ses armes et qu'il me serait d'autant plus doux d'embrasser dans *Pour la suite de la phrase nous préférons la leçon biffée du folio 94 r° (numéroté 8) plutôt que celle, non biffée, du folio 96 r° (numéroté 10) qui convient moins par la syntaxe :* ses joues qui se dégageaient du caoutchouc fraîches et roses ; car il restait pour moi, me faisant me souvenir des longues randonnées qu'elle faisait avec dans la pluie la première année que j'étais à Balbec [comme un symbole du voyage *biffé*] (dire cela autrement). Suivre 11 bien avant (page un peu déchirée par hasard). *Cette page numérotée 11 ne figure pas dans le Cahier 46.* ⁂ *e. F° 58 v° de ms. (paperole).*

1. La version qui suit la rencontre de Charlus et du musicien est rayée (voir var. *c*). La rencontre aura lieu au retour, en présence d'Albertine (voir p. 1090).

2. Sur ce Cahier rouge, voir la Notice, p. 1244. Le développement auquel Proust fait allusion, a lieu lors du premier séjour à Balbec (voir *À l'ombre des jeunes filles en fleurs*, t. II de la présente édition, p. 259).

3. La description d'Albertine en caoutchouc de cycliste, qui sera reprise un peu plus loin, est développée sur une paperole mal reliée ; le texte définitif n'en gardera qu'une trace légère (voir p. 258). Dans *Albertine disparue*, Proust fera allusion à « l'Albertine encaoutchoutée des jours de pluie », la comparant encore à un guerrier dont il n'a jamais ôté l'armure (voir t. IV de la présente édition).

Page 1090.

a. La paperole est collée sur une addition marginale qu'elle récrit : filant à toute vitesse les épaules penchées sur sa machine, dans les rues de Balbec, enveloppée dans un caoutchouc comme dans la tunique de Méduse et sous laquelle ses seins semblaient cachés comme on se met à l'abri de la pluie dans l'épaisseur d'une forêt. Aussitôt il me semblait être avec elle, sur les routes, dans les bois, je faisais avec elle, à la vue de son caoutchouc, des lieues, tout un libre voyage. Et à l'endroit où le caoutchouc était serré aux genoux par la roue quelles belles bosses il faisait comme les cuissards de fer d'un jeune guerrier, un saint Georges dans les vieux tableaux. ⁂ *b. Ff^{os} 96, 95, 97 et 98 r^{os} de ms., numérotés par Proust 12, 13, 14, 15 (voir var. c, p. 1075, var. a, p. 1088, var. d, p. 1089). Le fragment que nous donnons est précédé par cette ébauche de dialogue interrompue et biffée, qui sera reprise quelques lignes plus loin :* Laissez-moi aller enlever mon caoutchouc. — Non je trouve cela plus gentil. Aujourd'hui comme cela vous êtes une voyageuse et . ⁂ *c.* En allant à la gare [...] faire de l'auto. *add. ms.* ⁂ *d.* hôtel bien connu. [Pour ne pas perdre de temps dès que le train se fût mis en marche je dis à Albertine : « Mais toi tu ne veux pas, voyageuse indolente, rêver sur mon épaule en y posant ton front[1]. » *biffé*] À... je ne prenais *ms. Le thème du voyage, supprimé ici,*

1. Vigny, « La Maison du berger », v. 323-324.

sera repris p. 1091. Il appelait ici cette addition marginale, biffée, au folio 96 r°, se poursuivant sur 94 r° : Car Albertine avait beau ne plus être pour moi la mystérieuse personne qu'elle était les premiers temps à Balbec et par qui j'espérais entrer dans une vie inconnue, dans l'âme de Venise, malgré tout les minces moments de plaisir physique sont plus riches s'ils s'associent à l'idée de quelque chose qui les dépasse, si au moment où on les éprouve, il nous semble qu'on goûte un instant d'une des nombreuses vies différentes et particulières qu'on voudrait pouvoir mener. Une de ces vies était celle du voyage où j'aurais eu une compagne que j'aurais pu emmener avec moi comme Vigny Éva[1]. Or ce grand caoutchouc me rappelait Albertine quand elle faisait ses longues randonnées en bicyclette et qu'il avait l'air de l'armure des anciens chevaliers partant pour de lointains voyages. Aussi rien qu'en lui demandant de m'accompagner dans cet accoutrement jusqu'à Balbec, devant les grandes plaines qui s'étendaient à l'infini, cela m'apparaissait comme si nous étions partis ensemble en voyage où ses cheveux m'auraient fait un lit silencieux. J'étais comme les enfants à qui il suffit d'imiter le sifflet du chemin de fer pour croire qu'ils font un long voyage. ↔ *e. Proust a noté en marge de ms. :* bien dire que maintenant le chemin de fer d'intérêt local passait à Doncières ce qui n'avait pas lieu avant . ↔ *f. Dans ms., Proust a noté ici en marge :* Je pourrai placer l'incident Charlus après qu'Albertine m'a répondu désagréablement et que je la crois fâchée de voir Saint-Loup et tout d'un coup je me retourne je la vois animée avec lui riant etc. C'est au milieu de ma rage que j'apercevrai le dénouement Charlus. *L'esquisse de la visite d'Albertine et du héros à Saint-Loup est ajoutée sur les versos suivants.* ↔ *g. La paperole donnée p. 1092 (voir var. a de cette page) s'articulerait ici.* ↔ *h. La fin de la paperole donnée p. 1092 s'articulerait ici.*

1. Le *Saint Georges* de Mantegna, peint vers 1460, est conservé à la Galerie de l'Académie à Venise.

2. Après la paperole signalée var. *e*, p. 1089, nous reprenons le fil du récit : Albertine et le héros reviennent vers Balbec en train, et c'est cette fois en présence d'Albertine que le héros surprend M. de Charlus et le militaire sur le quai de la garnison de Saint-Loup. Ce changement paraît important pour l'élaboration de la symétrie d'Albertine et du musicien, qui s'appellera Santois, puis Morel, dans la suite du roman. Voir p. 258.

3. C'est l'ancien nom de Saint-Loup qui semble revenir ici.

4. Sur cette toque, voir p. 384 et var. *a*, p. 368. Mais le texte définitif n'a pas gardé trace de son modèle.

5. Voir p. 251. Ici, la princesse Sherbatoff n'occupe pas encore le wagon. Voir cependant la rédaction que nous donnons à la variante *c*, p. 1089, rédaction qui l'y introduit à l'aller, sans qu'Albertine, elle, soit encore présente.

Page 1091.

a. Dans ms., Proust a noté ici en marge : donner à ce jeune homme un bel air

1. Le sous-titre de « La Maison du berger », publiée dans la *Revue des Deux Mondes* en 1844 avant d'être reprise dans *Les Destinées*, était « Lettre à Éva ». Éva n'était aucune femme réelle, mais elle tenait surtout de Marie Dorval.

si mâle qu'il soit insoupçonnable *, et il a encore ajouté un modèle :* genre fils Hermant . *Voir la note 1.* ↔ *b.* demanda *[9 lignes plus haut]* un renseignement [non sans une grande hauteur *[...]* préfet de police. *add.*] [Le jeune homme eut l'air étonné et de ne pas comprendre. *add.*] Il avait sorti *ms.* ↔ *c.* dans le *[19 lignes plus haut]* compartiment [; pour ne pas perdre de temps je lui dis : « Mais toi ne veux-tu pas voyageuse indolente, rêver sur mon épaule en y posant ton front. » Les grandes prairies sur lesquelles le soir tombait convenaient du reste parfaitement au vers « Les grands pays muets longuement s'étendront. » *biffé*] [. Le soir tombait *[...]* en y posant ton front ? » *corr.*] « On a à peine *ms.*

1. En ce qui concerne le caractère et le modèle du soldat, voir var. *a*. Dans l'Esquisse XI, le militaire était au contraire une « petite tante déguisée en soldat » (p. 1022). Pendant l'automne de 1899, où il séjourna à Évian, Proust fréquenta beaucoup l'écrivain Abel Hermant (1862-1950), à la villa Bessaraba où demeurait alors Mme de Noailles. En 1908, Proust fit la connaissance du fils adoptif d'Hermant, à qui il songe dans cette note pour Morel. La rumeur semble leur avoir prêté des relations sensuelles. Proust écrit ainsi en mars 1908 à Mme de Noailles : « J'ai dit à la princesse de Chimay que je lui raconterais — et à vous — une conversation avec Hermant. Et combien j'avais trouvé son fils gentil. Car je me refuse à croire à l'affreuse hypothèse. Bien que la solennité des sacrements d'une forme juridique comme l'adoption ne serve plus guère qu'à y ajouter quelque saveur à la banalité des situations irrégulières, je ne puis croire qu'il ait voulu parer des dehors infiniment respectables de l'inceste une banale aventure d'homosexualité. Je suis convaincu et certain qu'il n'a nullement ces goûts. Et le jeune homme, comme lui, n'aime certainement que les femmes. D'ailleurs on ne se conduit pas si bien que cela avec les femmes. Adopter ! Mais on n'épouse pas. Il est vrai que l'homosexualité montre plus de délicatesse, car elle se ressent encore de sa pure origine, l'amitié, et en retient quelques vertus » (*Correspondance*, t. VIII, p. 72-73). Dans une note du Cahier 57 datant de la guerre — les noms y sont Charlus et Bobby — se trouve également une allusion au fils Hermant, à propos de la voix spéciale des invertis : « Quelqu'un demande une explication à ce mâle jeune homme (fils d'Hermant). Alors dans le registre vocal de sa réponse longue et assez ardente, je perçus tout d'un coup quelques notes révélatrices et je me dis : "Comment, lui aussi !" » (Cahier 57, f° 40 r°, notation marginale, *Matinée chez la princesse de Guermantes*, éd. citée, p. 377.)

2. Vigny, « La Maison du berger », vers 329. Le texte définitif ne citera pas ce vers, mais seulement les deux premiers de la strophe : « Mais toi ne veux-tu pas, voyageuse indolente, / Rêver sur mon épaule en y posant ton front ? / Viens du paisible seuil de la maison roulante / Voir ceux qui sont passés et ceux qui passeront. / Tous les tableaux humains qu'un Esprit pur m'apporte / S'animeront pour toi quand devant notre porte / Les grands pays muets longuement s'étendront. » Le héros dit des vers de Vigny à Albertine comme Proust, en 1899 en Savoie, récitait « La Maison du berger » à Marie de Chevilly,

« au bercement de la voiture [...] sur la route assombrie dans la nuit commençante ». Voir la *Correspondance*, t. II, p. 367, lettre d'octobre 1899 à Pierre de Chevilly ; et Marie de Chevilly, « Marcel Proust en Savoie », *Bulletin de la Société des amis de Marcel Proust*, n° XXIII et n° XXIV, 1973 et 1974, p. 1590-1592 surtout.

Page 1092.

a. F° 96 v°, paperole. Pour son point d'insertion, voir var. g et h, p. 1090.

1. Les dernières pages du Cahier 46 (ffos 98-101) entament la description des fidèles dans le petit train pour La Raspelière. Voir p. 259-270. Saniette est introduit sur les versos (ffos 99-100 vos) : voir p. 265-266. Mais le trajet avec Albertine en caoutchouc et surtout la rencontre de Charlus et du musicien suscitent plusieurs additions importantes. D'abord, Proust développe dans une marge la référence à Vigny qu'a appelée le voyage en compagnie d'Albertine, que l'on trouve à la variante *d*, p. 1090. Mais surtout, plusieurs compléments à la rencontre de Charlus et du musicien réunissent tous les éléments qui l'agrémenteront dans le roman : le contexte de la visite à Saint-Loup et de la jalousie du héros (ffos 96-95 vos ; voir p. 252-254), la péripétie de la marchande de fleurs renvoyée par le musicien (f° 97 v°, paperole[1] ; voir p. 256), et en particulier une paperole, que nous donnons à présent, où le musicien reçoit le nom de Santois, et où sa relation avec le héros est définie. Voir p. 255.

2. Après la rencontre de M. de Charlus et de Santois, le futur Morel, en présence d'Albertine — scène essentielle pour la constitution du parallèle entre les deux personnages dans la suite du roman —, la description des fidèles des Verdurin parvient vite au bout du Cahier 46. Le Cahier 72 poursuit la mise en place du second séjour à Balbec, et le Cahier 53 prend le relais avec la découverte qu'Albertine connaît Mlle Vinteuil et le départ pour Paris : voir la Notice, p. 1244-1245. Nous ne transcrivons pas ces deux Cahiers, qui sont proches du manuscrit au net.

Page 1093.

La Prisonnière

Esquisse I

Cahier 3, ffos 19 à 21 et 23 à 27 (1908-1909) ; Cahier 50, ffos 41 à 45 (1910-1911) ; Cahier 53, ffos 14 et 15 (1915).

a. Cahier 3, f° 19 r°.

1. Voir p. 519.

1. Proust a ajouté au bord de la paperole : « marchande de journaux voulant absolument qu'on prenne *L'Écho de Paris* serait mieux ». Il n'a pas retenu la suggestion.

Page 1094.

a. Cahier 3, ff^os 20 et 21 r^os. ◆◆ *b. La fin du folio 21 r° et le folio 22 r° du manuscrit sont très incomplets.* ◆◆ *c. Cahier 3, f° 23 r°.* ◆◆ *d.* et qui ôte [...] détaché *add. ms.* ◆◆ *e.* et où je voudrais [...] à midi *add. ms.*

Page 1095.

a. Cahier 3, ff^os 24 r°, 23 v°, 25 à 27 r^os. ◆◆ *b.* non seulement nous arrivera [...] mais *add. ms. (au folio 23 v°). Pour l'ensemble de ce passage, voir var. c.* ◆◆ *c.* à la sonorité *[4e ligne de la page]* du premier tramway [...] et froid *add. ms. Cet ajout, au folio 23 v°, reprend et developpe une première addition portée par Proust en marge du folio 24 r° :* en entendant le roulement du premier tramway qui s'approche et la sonorité de son timbre d'appel je peux dire s'il est ruisselant d'eau ou en partance pour l'azur.

1. Voir p. 519, 535, 623 et 911. Voir *Contre Sainte-Beuve*, éd. B. de Fallois, p. 74 à 76.

2. Voir p. 544.

3. Proust fait ici allusion à l'église Saint-Pierre-sur-Dives où un vitrail retrace l'histoire d'une croix miraculeuse, flottant sur les eaux, ramenée par des marins. Voir l'Esquisse XVIII, p. 1173.

Page 1096.

a. Déjà j'ai sauté [...] chanter *add. ms.* ◆◆ *b. Après un blanc, le folio 27 r° contient une ébauche de la lecture par le narrateur de son article paru dans « Le Figaro » (voir « Albertine disparue », t. IV de la présente édition).* ◆◆ *c. Cahier 50, ff^os 41 r°, 42 r°, 41 v°, 43 r°, 43 v°, 45 v°.*

Page 1097.

a. que quelquefois je ne savais [...] en musique *add. ms. La fin du présent paragraphe, aux folios 42 et 43 r^os, est biffée d'un trait oblique qui signifie que Proust l'a reprise ailleurs, comme le confirme cette note marginale :* Important. Il sera prudent de relire toute cette partie barrée pour voir si rien n'a été oublié car elle est très bien. Mais si rien n'a été oublié l'ordre est le recto de l'autre page jusqu'à « si immédiate harmonie » puis la fin de la phrase au verso en face de l'autre page, et après « réveil en musique », le verso de celle-ci « ma santé chaque jour », puis cela continue à la page suivante toujours au verso (voir au recto barré si rien n'a été oublié), puis sauter 1 page au verso où est intercalé le morceau sur Combray, après quoi cela suit au verso. ◆◆ *b. En marge de ms., en regard de ces lignes, apparaît cette note de Proust :* Si je mets ces refrains populaires (du raccomodeur de fontaines etc.) dire comme dans une ouverture pour un jour de fête. ◆◆ *c. F° 43 v° de ms.* ◆◆ *d. En fait,* la sonorité du roulement *est biffé dans ms. Nous maintenons ces mots faute d'une correction de la part de Proust.*

1. Nous transcrivons la suite du premier jet de ce texte dans l'Esquisse III.2, p. 1101 et suiv.

2. Voir p. 535.

Page 1098.

a. différents [transposant *biffé*] rejouant *ms.* ◆◆ *b. En marge en regard de ces lignes, on trouve ces notes de Proust :* Suivre 1 page plus loin au verso (sauter 1 page) *et* Dire quand il fait un froid ensoleillé qu'on dirait qu'on a écarté les jointures de la maison, que rien ne joint plus, qu'on est plus dehors et que le timbre du tramway en passant frappe comme avec un couteau une maison de verre. *Voir var. c.* ◆◆ *c. Nous transcrivons à présent le texte du folio 45 v°, conformément à l'indication de montage signalée à la variante b, et ainsi que le confirme cette note de Proust au haut du folio 45 v° :* Suite de 2 pages avant au verso. ◆◆ *d. Cahier 53, ff^os 14 et 15 r^os.* ◆◆ *e.* Quand [...] part) *add. ms.*

1. Nous donnons la suite de ce texte dans l'Esquisse VIII, p. 1114 et suiv.
2. Voir p. 519 à 528.
3. *Esther*, acte I, scène III. Le premier vers est chez Racine : « Et la mort est le prix de tout audacieux ». Voir *La Prisonnière*, p. 528.

Page 1099.

a. Françoise m'apportait *[p. 1098, 17e ligne de l'Esquisse I.6]* mon courrier, [mais seulement *[...] qu'il me fasse appeler.* *add.*] je regardais *ms.*

1. Voir l'Esquisse III, p. 1101 et suiv.

Esquisse II

Cahier 71, f° 72 r° (1914) et Cahier 53, ff^os 12 r° à 14 r° et 26 v° (1915). Voir p. 520.

b. Cahier 71, f° 72 r°. ◆◆ *c.* La vie [...] impossibles. *add. ms.* ◆◆ *d.* Tout le jour [...] avec moi. *add. ms.* ◆◆ *e. Cahier 53, ff^os 12 r° à 14 r°. Ce passage est précédé au folio 12 r° d'un fragment commençant en haut de la page par* La vie nous accorde quelquefois ce qui nous semblait le plus insensé. *Ce fragment, biffé, est repris dans le texte du folio, que nous transcrivons.* ◆◆ *f.* dans le cabinet à tapisseries de mon père, *add. ms. (f° 11 v°)*

2. *Le Temps retrouvé.* Voir la Notice, p. 1660 et suiv.

Page 1100.

a. La vérité *[8 lignes plus haut]* que j'avais cru [...] l'emporter. *add. ms.* ◆◆ *b. Cahier 53, f° 26 v°.* ◆◆ *c.* Et si [...] Combray, *add. ms.* ◆◆ *d. Dans l'interligne, Proust a noté dans ms. :* mettre ce membre de phrase à la fin du morceau ainsi : à Combray : car les souffrances que nous avons endurées à cause d'un être comme moi à cause d'Albertine finissant par donner à sa chair une douceur morale.

1. La suite de ce texte est donnée dans l'Esquisse I.6, p. 1098-1099.
2. Nous transcrivons ce qui précède ce texte dans le Cahier 53 dans l'Esquisse X, p. 1128.

Page 1101.

Esquisse III

Cahier 2, f° 42 v° (1908-1909) et Cahier 50, ff^os^ 43-44 r^os^ et 51-52 r^os^ (1910-1911). Voir p. 519-522. Les considérations sur le « petit bonhomme barométrique » seront insérées dans la version du Cahier 53 (1915) avant de trouver leur place dans le Cahier VIII du manuscrit.

a. Cahier 2, f° 42 v°. ◆◆ *b. Ms. donne en réalité :* fait *. Nous corrigeons.* ◆◆ *c. Cahier 50, ff^os^ 43-44 r^os^. Voir n. 1, p. 1097.* ◆◆ *d. Le mot* un *est biffé dans ms. ; nous le rétablissons.*

1. Voir *Contre Sainte-Beuve*, éd. B. de Fallois, p. 76-77.

Page 1102.

a. Cahier 50, ff^os^ 51-52 r^os^.

Page 1103.

Esquisse IV

Cahier 50, ff^os^ 47-48 r^os^ (1910-1911) et Cahier 53, ff^os^ 17 et 18 r^os^, 17 v° (1915). Voir p. 536.

a. Cahier 50, ff^os^ 47-48 r^os^. ◆◆ *b. Cahier 53, f° 17 r° et v°.*

1. Nous interrompons la transcription de ce fragment suivi d'un développement sur le même thème à partir de sensations visuelles (fenêtres allumées) et auditives (la sonnerie d'une horloge normande dans une première rédaction biffée de ce développement).

Page 1104.

a. Lecture conjecturale. Depuis Cette similitude *[2e ligne du bas de la page 1103] jusqu'ici, le texte est procuré par une addition, au verso du folio* 17, *s'achevant en bas de la page par cette note :* Suivre en face.

Esquisse V

Cahier 4, ff^os^ 4 r°, 4 v° et 21-22 r^os^ (1908-1909) ; Cahier 50, ff^os^ 54 r°, 52 v°, 55 r° (1910-1911) ; Cahier 53, f° 19 r° (1915). Voir p. 537 et 649.

b. Cahier 4, ff^os^ 4 r° et v°.

1. Voir *Contre Sainte-Beuve,* éd. B. de Fallois, p. 79-80.

Page 1105.

a. gauche, [égayée par la belle journée *biffé*] [la matinée éblouissante et ne *[...]* transparente *corr.*]. La beauté *ms. Nous rétablissons* égayée par . ◆◆ *b. Cahier 4, ff^os 21 et 22 r^os.* ◆◆ *c. Dans ms., on trouve en fait* ces *, sans doute par inadvertance. Nous corrigeons.* ◆◆ *d. La fin du folio 22 r° de ms. est restée en blanc.* ◆◆ *e. Cahier 50, f° 54 r°.*

1. Voir *Contre Sainte-Beuve*, éd. B. de Fallois, p. 82-83.

Page 1106.

a. Depuis bonheur particulier *, la fin de la phrase est biffée dans ms. Nous la maintenons.* ◆◆ *b. Cahier 50, ff^os 52 v° et 55 r°.* ◆◆ *c.* Sans doute [...] Or *add. ms.*

1. Voir p. 536 et 645-646.

Page 1107.

a. Conformément à l'indication de montage qui précède, nous enchaînons sur le texte du folio 55 r° de ms. ◆◆ *b. On lit bien dans ms.* arquebuse *; Proust pensait peut-être à* arbalète *! Il en est de même dans le fragment transcrit du Cahier 53 (à la fin du paragraphe suivant)* ◆◆ *c. Cahier 53, ff^os 19 r°, 20 r°.*

1. Pour le fragment suivant ce texte dans le Cahier 50, voir l'Esquisse XII, p. 1138.

Page 1108.

a. Mais si le surcroît [...] goûterais pas — *add. ms.*

Esquisse VI

Cahier 53, ff^os 8 v°, 18 v° et 19 v° (1915).

b. Cahier 53, f° 8 v°. ◆◆ *c.* Et qui *[7 lignes plus haut]* d'ailleurs [...] parvenir. *add. ms.* ◆◆ *d. Cahier 53, ff^os 18 et 19 v^os.*

1. Voir la Notice p. 1681.
2. Voir p. 542.
3. C'est-à-dire au folio 12 r° du Cahier 53 ; voir l'Esquisse II, p. 1099-1100.

Page 1109.

Esquisse VII

Cahier 71, ff^os 58 r°, 92 r° et v°, 93 r° (1914) ; Cahier 53, ff^os 20 à 24 v^os (1915) ; Cahier VIII, ff^os 35 et 36 r^os (1916).

a. Cahier 71, f° 58 r° (folio paginé 1 *par Proust). L'ensemble de ce paragraphe est en fait procuré par une rédaction marginale au folio 58 r°, se poursuivant au folio 57 v°.*

1. Voir la Notice p. 1653-1654.
2. *Twelfth Night, or What you Will*, comédie en cinq actes de William Shakespeare (1600), met en scène les jumeaux Sebastien et Viola.

Page 1110.

a. Cahier 71, ffos 92 (r° et v°) et 93 (r°), paginés 20 *et* 21 *par Proust.* ◆◆ *b. Dans l'interligne de ms., cette note de Proust :* Non, ce sera au pianola. ◆◆ *c. Ce paragraphe est en addition dans ms., au folio 92 v°, non paginé par Proust.*

1. Voir p. 565 et 575-576.

Page 1111.

a. En regard de ces lignes apparaît une note de Proust : Regarder au verso précédent quelque chose qui *[un mot illisible]* peut-être ici avant de reprendre en face. ◆◆ *b. Cahier 53, ffos 20 à 24 vos.* ◆◆ *c.* un album [de Turner *corrigé en* d'Elstir], prenais *ms.* ◆◆ *d. Depuis* Alors, bien différente *[2e §, 4e ligne], nous suivons le texte d'une seconde rédaction commencée en interligne sur le folio 20 v° de ms., poursuivie en marge du folio 21 r°, puis en haut du folio 20 v°, et suivie de ces mots :* Mêler cela avec ce qui est ci-dessous. ◆◆ *e. Depuis* m'avait inspirés *[11 lignes plus haut]* Albertine *, nous suivons le texte d'une seconde rédaction, se poursuivant en marge du folio 20 v° de ms.* ◆◆ *f. Ce paragraphe apparaît au folio 21 v° de ms.*

1. Voir p. 565-567.

Page 1112.

a. Ms., en fait, donne auquel *; nous corrigeons.* ◆◆ *b. Après ces mots, le reste du feuillet 21 v° est demeuré en blanc dans ms. ; on suit au folio 22 v°.* ◆◆ *c. En interligne, dans ms., cette note de Proust :* Voir au verso précédent quelque chose de capital. *Une autre note* Ceci est la suite de ce qui est en face (passer 48 heures à la campagne chez des amis) *renvoie à un fragment interrompu au f° 22 bis.* ◆◆ *d. Nous reprenons la transcription (voir n. 1) au folio 22 bis v°.*

1. Nous sautons la conversation avec Andrée (voir p. 568-569) et l'épisode de l'achat de la laine pendant la promenade d'Albertine, qui se trouvait déjà dans le Cahier 71, dans des additions aux versos des folios 80 et 81, mais situé lors de l'explication du départ de Balbec (voir p. 890-891)

2. Voir p. 575-577.

Page 1113.

a. Hélas ce n'était pas [...] toutes. *add. ms.* ◆◆ *b. Le premier jet de ms. est celui-ci :* successives qu'elle avait été pour moi, n'étaient *; en interligne, Proust a porté* Albertine *, sans toutefois biffer le* elle *; nous le supprimons.* ◆◆ *c. Nous transcrivons ici le contenu d'un papier intercalaire, formant le folio 22 ter du Cahier 53.* ◆◆ *d. Cahier VIII, ffos 35 et 36 ros.*

1. Voir p. 575-576.
2. *Ibid.*

Page 1114.

a. Ces effigies [...] tendresse. *add. ms.* ◆◆ *b.* Elle était *[17e ligne de la page]* si bien encagée [...] un jour *add. ms.*

Esquisse VIII

Cahier 50, ff^{os} 45 v°, 49 et 50 r^{os}, 52 et 53 r^{os} (1910-1911) ; Cahier 53, ff^{os} 23 à 25 r^{os} et 26 *bis* r^{o} (1915). Voir p. 589.

c. Cahier 50, f° 45 v°.

1. Voir la Notice, p. 1678.

2. Ce fragment vient dans le Cahier 50 à la suite de celui que nous donnons dans l'Esquisse I.5, p. 1096-1098.

Page 1115.

a. Cahier 50, ff^{os} 49 et 50 r^{os}.

1. La suite de ce texte est donnée dans l'Esquisse XVIII.5, p. 1173.

Page 1116.

a. Cahier 50, ff^{os} 52 et 53 r^{os}. ↔ *b.* Au réveil *[2e §, 7e ligne]* comme un passager [...] ne la reconnaissent pas *add. ms.* ↔ *c. Proust avait initialement écrit* Hier *dans ms. ; sans le biffer, il a ensuite porté dans l'interligne* Un jour *, que nous adoptons.* ↔ *d.* Et le lendemain [...] navigation *add. ms.*

Page 1117.

a. Cahier 53, ff^{os} 23 à 26 bis r^{os}. ↔ *b. En réalité,* je voyais *est biffé dans ms. ; nous le rétablissons.* ↔ *c. Depuis* fait qu'en temps de guerre *, la fin de ce paragraphe interrompu est biffé dans ms. ; suit une ligne de blanc.*

Page 1118.

a. Ce jour-là *[début du §]* comme tous les précédents [...] je me disais que *add. ms.* ↔ *b.* la chaleur *Ces deux mots sont les premiers du folio 26bis r^{o} ; le reste du folio est biffé en croix.*

Esquisse IX

Cahier 71, ff^{os} 93 à 98 r^{os}, 84 à 89 r^{os} (1914) ; Cahier 53, ff^{os} 27 et 28 r^{os}, 38 à 40 r^{os} (1915) ; Cahier 55, ff^{os} 35 à 39 r^{os} (1915).

c. Cahier 71[1]*, ff^{os} 93 r° (21), 94 r° (22), 95 r° (23), 96 r° (24), 96 v°, 97 r° et 98 r° (marges), 97 r° (25), 84 r° (26), 85 r° (27), 86 r° (28), 87 r° (29), 89 r° (30), 88 r° (31).*

1. Voir p. 886-888, 610-611, 617-618, 598-599.

1. Nous avons indiqué entre parenthèses la pagination autographe que nous avons suivie, tout en incluant les passages rédigés en marge des folios.

Page 1119.

a. En marge du folio 94 r° se trouve cette notation de la main de Proust : C'est plutôt à un de ces endroits que je montrerai que quand les différentes images qui constituent les différents moi sont envolées il ne reste rien, que je me demande qu'est – [*interrompu*] Il faudra surtout penser à montrer que ce n'est pas encore cela le *Temps retrouvé*, car le temps que je sens en elle je ne peux l'atteindre — ce n'est pas encore l'Éternel que je trouverai dans la tasse de thé. ⬥⬥ *b. On trouve dans la marge du folio 96 r° et au verso du folio 95 de ms. cette note de Proust :* Mettre au moment où je suis si triste. Rien dans le monde ne pouvait calmer ce que j'éprouvais. ⬥⬥ *c. En marge, dans ms., apparaît cette note de la main de Proust :* Je crois que pour fondre avec plus d'unité, il faudrait mettre cela quand elle joue du pianola, ne faire en somme qu'une seule scène, elle rentre, joue, me parle jusqu'au moment du coucher. Et peut-être (?) à l'endroit où je marque ce signe +, mettre ceci qui est très important : Quelquefois elle faisait allusion à quelques-unes de ses promenades d'autrefois en bicyclette (dire en son temps que j'avais bien admiré qu'elle en avait fait beaucoup) et l'évocation de ce temps imprimait sur son visage le sinueux sourire (mettre en son temps, le premier jour) qu'elle avait alors. Et aussitôt je sentais de nouveau sous ce visage auquel je m'étais assez accoutumé pour qu'il me devînt indifférent se creuser, se réserver l'espace impossible à combler des jours que je n'avais pas connus. *Cette rédaction est elle-même surmontée d'une note postérieure, qui renvoie au texte en regard :* Toutes réflexions faites à propos de ce signe +, je crois qu'il vaudrait mieux mettre le morceau qui finit par le signe +, c'est-à-dire le mystère du temps creusé au fond d'un être, *après*, ce qui vient ci-dessous, de sorte qu'après avoir dit comme dans la glace d'une voiture, innombrables et reflétés, je pourrai mettre ce morceau (celui sur le Temps) en conclusion en rattachant par quelque chose comme ceci : D'ailleurs quand cette souffrance n'était pas trop vive, c'était la beauté de mes relations avec Albertine et la raison *[plusieurs mots illisibles]* ⬥⬥ *d. Ce paragraphe est dans ms. porté en addition dans la marge du folio 96 v°.*

Page 1120.

a. À partir d'ici, et jusqu'à var. a, p. 1121 (fin du 1er §), nous transcrivons une addition marginale figurant dans les marges des folios 97 r° (paginé 25 *) et 98 r° (paginé* 34 *et non transcrit par nous), de ms.* ⬥⬥ *b. En interligne, Proust a ici porté dans ms. (f° 97 r°) :* Oui, cela expliquera le départ d'Albertine. ⬥⬥ *c.* (je vois [...] Albertine) *add. ms.*

Page 1121.

a. Fin, dans ms., de l'addition signalée var. a, p. 1120. Nous reprenons la transcription de la dernière ligne du folio 96 r° (paginé 24 *) et du folio 97 r° (paginé* 25 *).* ⬥⬥ *b.* qu'elle *dernier mot du f° 97 r° ; la suite se trouve au folio 84 r°, paginé* 26 .

1. Est-ce une référence à la location par Proust d'une propriété, à la fin d'octobre 1913, pour quitter Paris (signalé par Philip Kolb, *Correspondance*, t. XII, p. 14), et donc une allusion aux rapports de Proust avec Agostinelli ?

Page 1122.

a. Je m'arrangeais [...] alarmé *add. ms.* ♦♦ *b. En marge de ms., en regard de ces lignes, apparaît cette addition dont Proust n'a pas fixé le point d'insertion :* À un de ces endroits : Le secret, innocent ou coupable, de ses relations avec Andrée, cette chose si petite — toujours plus précieuse — plus <que> pour l'archéologue tel petit objet authentique et perdu qui lui serait pour toute une époque un témoignage révélateur — c'était pour moi un bijou précieux. Il gisait en ce moment bien près de moi ; Albertine pouvait le voir ; elle savait quel il était ; elle le contemplait peut-être en ce moment ; il gisait tout près de moi, mais dans un élément au seuil duquel j'étais obligé de m'arrêter, où je n'avais pas d'organe pour pénétrer, bien plus inaccessible pour tout autre être qu'elle, que l'air ou la mer pour l'homme ; son âme. ♦♦ *c.* d'aller ici ou là. » [Elle avait dû le lui dire et je sentais que du visage d'Albertine s'était *biffé*] [Parfois même *[...]* s'était *corr.*] retirée *ms.* ♦♦ *d. Tout le début de ce paragraphe, depuis* Je pensais *jusqu'à* ne luttait pas *, est en addition dans ms.*

Page 1123.

a. révéler. [Triste position où la division des corps, l'organisation de l'être nous *[*contraint *biffé] [*assujettit *corr.]* d'être auprès de l'âme des autres *biffé en définitive*] [Combien alors *[...]* autre être *corr.*] comme *ms.* ♦♦ *b. Cahier 53, ffos 27 ro, numéroté* 45 *par Proust, et 28 ro.* ♦♦ *c. Début du paragraphe dans ms. :* [Parfois elle était *biffé*] [Cette fois [...] elle fut *corr.*] obligée ♦♦ *d.* je [compris *en surcharge sur* comprenais] qu'elle *ms.* ♦♦ *e. Depuis* Pour ajouter vers le bas de la page *[6e ligne du §], nous transcrivons un ajoutage inachevé sur papier collé.* ♦♦ *f. Dernière phrase en haut du folio 28 ro, non paginé par Proust. Le bas du folio manque.* ♦♦ *g. Cahier 53, ffos 38 à 40 ros, numérotés* 46 *à* 48 *par Proust.*

1. Voir p. 595-596.
2. Voir p. 885-889.

Page 1124.

a. dont [...] rempli, *add. ms.* ♦♦ *b.* Balbec. *[fin du § précédent]* [Aussitôt je sentais sous ce visage rose encore comme tout à l'heure mais que je n'avais pas revu depuis trop longtemps qu'il pût m'être familier et indifférent *biffé*] [(Mettre en son temps.) [...] m'être indifférent *corr.*] je sentais *ms.*

1. Voir n. 1, p. 888.

Page 1125.

a. Cahier 55, ffos 35 à 39 ros.

1. Voir p. 885-889.

Page 1126.

a. Ce n'est pas *[p. 1125, 3e ligne en bas de page]* que tous ces lieux [...] reçus ! *add. ms.* ◆◆ *b. Ce paragraphe apparaît en addition dans ms.*

1. Un des canaux d'Amsterdam, au bord duquel se trouvait la maison du tuteur de Maria dans la version de 1911 du *Temps retrouvé*.

Page 1127.

a. Dans les yeux *[1re ligne de la page]* d'Albertine, [...] infini. *add. ms.* ◆◆ *b. En face de cette phrase, Proust a noté :* Mettre en meilleure forme. ◆◆ *c. Ce paragraphe figure en addition dans ms.* ◆◆ *d.* Cette petite déchirure [qui se cicatrisait *[...]* rouvrir *add.*], cette cruelle issue [...] de communication [privé *[...]* tout le monde passe *add.*] vers *ms.*

Page 1128.

Esquisse X

Cahier 71, ffos 78 vo, 90 et 91 ros, 69 vo (1914) ; Cahier 53, ffos 25 et 26 vos, 32 ro, 31 vo, 33 ro (1915) ; Cahier XI, ffos 127 ro, 128 ro, 127 vo, 131 ro (1916). Ces derniers feuillets, ainsi que 7 autres de la même série, ont été détachés du Cahier 55, où ils figuraient à la suite du folio 42, pour être collés dans le Cahier de manuscrit XI. Pour l'établissement de notre texte, plutôt que de reconstruire la version initiale telle qu'elle figurait dans le Cahier 55, en partie rayée par Proust, nous avons inclus les modifications apportées dans le Cahier XI, à l'exception des pages entièrement recopiées par la suite.

Plus loin dans le Cahier 71 apparaîtra une dernière rédaction de cette scène que nous donnons dans l'Esquisse XX, p. 1178-1179.

a. Cahier 71, fo 78 vo. ◆◆ *b. Cahier 53, ffos 25 et 26 vos.* ◆◆ *c. Ce paragraphe est en addition dans ms.*

1. Voir p. 584-585.
2. *Ibid.* Après ce paragraphe vient dans le Cahier le texte que nous transcrivons dans l'Esquisse II, p. 1100.

Page 1129.

a. Depuis faire d'elle *[8 lignes plus haut], Proust a poursuivi la rédaction au recto du folio 26.* ◆◆ *b. Cahier 71, ffos 90 et 91 ros.* ◆◆ *c.* Alors j'en voulais à Andrée [...] Mlle Vinteuil. *add. ms.* ◆◆ *d. Cahier 53, ffos 32 ro, 31 vo, 33 ro.*

1. Voir p. 619-620.
2. *Ibid.*

Page 1130.

a. Depuis Alors si c'était *, au début de la page, nous donnons le texte d'une addition marginale portée au verso du folio 31 de ms., puis dans la marge du folio 32.* ◆◆ *b.* à Combray [...] maman *add. ms., fo 33 ro.*

Page 1131.

a. Cahier 71, f° 69 v°. ◆◆ *b. Cahier* XI, *ff*os *127 r°, 128 r°, 127 v°, 131 r°.* ◆◆ *c.* serrant contre [...] résurrection *add. ms.* ◆◆ *d.* Il me semblait [...] plus dure. *add. ms.*

1. Voir p. 900-902.
2. Voir p. 900-903.

Page 1132.

a. Il me sembla *[7e ligne de la page]* que tout de même [...] Nous causâmes. *add. ms. (sur un papier collé au bas du folio 128 r°). La suite du passage figure au folio 127 v°.*

Page 1133.

a. Ce verso *[p. 1132, début du 2e §]* se place [...] phrase). *add. ms.* ◆◆ *b. Folio 131 r° de ms.* ◆◆ *c. Ce paragraphe est en addition marginale dans ms.*

Esquisse XI

Carnet 2, ffos 34 r° et v°, 34 v° à 38 r°, 38 v° et 39 r°, 42 v°, 44 à 46 ros (1915).

Page 1134.

*a. Carnet 2, ff*os *34 r° et v°.* ◆◆ *b. Carnet 2, ff*os *34 v° à 38 r°. Tout le passage est biffé en croix, ce qui signifie que Proust l'a repris ailleurs.* ◆◆ *c.* la vitesse, *Nous donnons ensuite le texte d'une seconde rédaction, enchaînant dans ms. sur une première rédaction interrompue :* un bruit lointain était-il pourvu de cette sublimité qu'il a perdue et que me donnèrent ce jour-là le bourdonnement de guêpe, entendu de si près, d'un aéroplane à deux mille mètres. Indiquant une direction nouvelle des distances — comme ce remous qui raye toute une partie de l'océan par les temps calmes, comme ces ombres qui se reposent le long des montagnes et s'allongent dans la vallée — ce bruit de moteur apportait dans la trépidation de son bourdonnement l'idée nouvelle d'une mensuration dans le sens vertical, comme il n'y en avait jamais eu que de l'horizontal, l'idée d'un voyage dont les kilomètres se compteront en s'éloignant du sol et non en s'éloignant sur le sol,

1. Voir p. 612-613 et 907.
2. Voir *Sodome et Gomorrhe*, p. 417.
3. Voir p. 907.

Page 1135.

*a. Carnet 2, ff*os *38 v° et 39 r°.* ◆◆ *b. Carnet 2, f° 42 v°.* ◆◆ *c.* en lisant [Homère *biffé*] nous *ms.*

1. Voir *Le Temps retrouvé*, t. IV de la présente édition, p. 313.

Page 1136.

a. Carnet 2, ffos 44 v° à 46 r°. L'ensemble de ce fragment est biffé ligne à ligne, signifiant non pas qu'il est rejeté, mais qu'il a été réutilisé.

1. Voir p. 612-613.

2. C'est-à-dire le fragment des folios 38 v° et 39 r° que nous donnons p. 1135.

Esquisse XII

Cahier 6, ffos 66 à 63 vos (1908-1909) ; Cahier 50, ffos 56 r° à 58 r° (1910-1911) ; Cahier 73, ffos 1 v° à 5 v° et 8 r° (1915).

Page 1137.

a. Cahier 6, ffos 66 à 63 vos. ◆◆ *b. Le début de ce paragraphe au discours indirect remplace dans ms. un dialogue, inachevé et biffé, avec Françoise :* « Françoise j'ai des commissions à faire faire, est-ce qu'il n'y a pas de petite jeune fille de fournisseurs qui doive venir ? / — Ah ! non, Monsieur. / — Est-ce que la crémière a déjà envoyé le lait du déjeuner ? / — Ah ! non, c'est vrai, pas encore. / — Est-ce que c'est la petite blonde que j'ai vue l'autre jour qui viendra ? / — Ah ! non ; c'est une nouvelle crémière, l'autre donnait du si mauvais lait. / — Alors, comment est celle qui viendra ? / — Ah ! on ne sait pas. C'est une *[un mot illisible]* crémière, elle emploie cinq ou six jeunes filles. Deux jours ce sera la même et puis ce sera une autre. On ne sait pas. / — Ah ! très bien. Mais est-ce que ce n'est pas aujourd'hui la blanchisseuse

1. Voir p. 645-650.

Page 1138.

a. Cahier 50, ffos 56 r°, 57 r°, 56 v°, 58 r°.

1. Ce fragment vient dans le Cahier 50 (après un paragraphe inachevé — bas du folio 55 r°, haut du folio 56 r° à la suite de celui que nous transcrivons dans l'Esquisse V.4, p. 1106.

Page 1139.

a. Souvent ainsi [ayant esquissé pensé aux violettes, aux pensées, ayant pendant des jours *[...]* je sentais *biffé*] que *ms. Nous rétablissons la fin du passage biffé.*

Page 1140.

a. Mon imagination *[p. 1139, 2e §, 11e ligne]* avait sans trêve [...] du jardin. *add. ms., (en marge du folio 57 r° et se poursuivant au folio 56 v°). Au-dessous de* jardin *, Proust a écrit dans la marge* mauvais ? . ◆◆ *b. Cahier 73, ffos 2 r°, 1 à 4 vos, 4 à 6 ros, 5 v°, 8 r°.* ◆◆ *c. Dans la marge de ms. en regard de ces lignes figure cette note de Proust :* Après les trois premières lignes (Ouverture de fête) remettre le morceau sur le personnage barométrique[1] à la page 22 du cahier bleu. ✦✦ *d. À partir d'ici, la rédaction se poursuit sur les versos (ff*^os^ *1 à 4) de ms.*

1. Voir p. 623-628 et 645-646.

Page 1141.

a. Je sonnai *[p. 1140, avant-dernière ligne]* Françoise [car on n'entrait jamais chez moi sans être appelé ce qui faisait que ma mère me comparait à Assuérus. J'en souriais avec elle. Hélas un jour j'en devais bien pleurer *add. biffée*]. Françoise m'apporta *Le Figaro* [...] Albertine [allait *biffé*] [demandait *[...]* dire, *corr.*] monter *ms.* ✦✦ *b.* Et à part moi [...] cette heure-là. *add. ms.* ✦✦ *c.* « Françoise *[2*^e^ *§, 2*^e^ *ligne]* m'a bien dit [...] souvent). *add. ms. suivie de* Reprendre au verso avant le verso qui est en face.

1. Voir n. 1, p. 627.

Page 1142.

a. Interrompu au folio 6 r°. ✦✦ *b. Interrompu au folio 8 r° de ms. Les premières phrases du paragraphe, jusqu'à* dîner. *, figurent également sur le folio 5 v°.*

1. Voir *Du côté de chez Swann*, t. I de la présente édition, p. 349.
2. À la suite de ces lignes dans le Cahier 73, des additions rayées contiennent la suite de la scène, comme dans le texte final : lecture du *Figaro*, etc.

Page 1143.

Esquisse XIII

Cahier 14, ff^os^ 15 et 16 r^os^ (1910) ; Carnet 3, ff^os^ 4 v° à 7 r° (1914-1918) ; Carnet 4, ff^os^ 2 à 6 v^os^ (1915-1918) ; Cahier 73, ff^os^ 41 à 45 r° et 39, 42, 43, 45, 47, 48, 53 v^os^ (1915).

a. Cahier 14, ff^os^ *15 et 16 r*^os^*. Ce passage commence après un signe conventionnel de Proust qui est un renvoi à une note que l'on trouve au folio 18 v° :* Puis le morceau sur le sadisme terminé ou du moins jusqu'à ce signe. La fin viendra à une autre époque.

1. Voir p. 765-768.

Page 1144.

a. Carnet 3, ff^os^ *4 v°, 5 v°, 6 r°, 6 v°, 7 r°.* ✦✦ *b.* Pour [Ber *biffé*] Vinteuil *ms. Proust a sans doute voulu écrire* Berget *, l'auteur de la sonate, ou* Bergotte . ✦✦ *c.* fin de la [sonate *biffé*] symphonie de Franck. *ms.*

1. Voir les Esquisses I.6, p. 1098 et III, p. 1101.

Page 1145.

a. Carnet 4, ff^os 2 v°, 3 r°, 4 r°, 4 v°, 5 r°, 5 v° ◆◆ *b. Cahier 73, ff^os 41 à 45 r^os, paginés* 50 *à* 54 *par Proust.*

1. Voir p. 764.

2. Plutôt qu'à l'*intermezzo*, assez rapide, du *Carnaval de Vienne* (*opus* 26, de 1829), Proust semble faire ici allusion à une phrase lente de son *lento assaï*.

3. Voir p. 754-758 et 763-765.

Page 1146.

a. Symphonie. [/ Bientôt *[p. 1145, début du dernier §]* une phrase [...] névralgie. *add.*] [Elle *biffé*] [Cette symphonie *corr. biffée*] [Ce quatuor *corr.*] était *ms.* ◆◆ *b.* opale. [À un passage joyeux de la Sonate correspondait un morceau joyeux de la Symphonie qui me[1] *biffé*] [Dans le dernier *[début du §]* morceau [...] la Sonate. Celui-ci *corr.*] transporta *ms.*

Page 1147.

a. Cahier 73, ff^os 39, 42, 43, 45, 47, 48 et 53 v^os. ◆◆ *b. Le verso suivant (f° 40) de ms. a été découpé.*

1. C'est-à-dire le folio 20 v° du Cahier 53 ; voir l'Esquisse VII, p. 1110-1111. Voir le texte définitif p. 565.

Page 1148.

a. Depuis morceau de lui *, Proust a continué la rédaction dans la marge du folio 43 r° de ms.*

1. C'est-à-dire les Carnets-agendas 3 et 4 ; voir p. 1144-1145.

Page 1149.

a. et bientôt j'en vis [...] mourir. *add. ms. (en marge du folio 44 r°)* ◆◆ *b. Dans l'interligne de ms., cette note de Proust :* Ne pas oublier l'ami de Diaghilev et la reine d'Espagne. ◆◆ *c. Proust a noté dans ms., en interligne :* Vinteuil profitant à leurs yeux de ce que musique française .

1. Voir la Notice, p. 1690.

Page 1150.

1. La correspondance de Robert de Montesquiou avec Marcel Proust en contient de nombreux exemples ; quant à Mme Daudet, Proust a fait allusion à son style imagé (voir n. 1, p. 546).

1. Nous rétablissons « me », sans doute biffé par erreur.

Esquisse XIV

Cahier 73, ff^os^ 49 v°, 50 v°, 55 à 57 v^os^ (1915).

a. Cahier 73, f° 49 v°.

2. Voir la lettre d'André Gide du 15 juin 1914 (*Correspondance*, t. XIV, p. 354, n. 6 et 7). Le baron Doäzan est mort en 1907.
3. Voir p. 800.

Page 1151.

a. Cahier 73, f° 50 v°. ◆◆ *b. Depuis* Charlus *[9 lignes plus haut] Proust a continué la rédaction dans la marge du folio 51 r° de ms.*

1. Voir p. 801-803.
2. Dans le texte définitif, Proust a conservé les allusions à Maurice Barrès (p. 801) et à Léon Daudet (p. 802), mais non à Bernard Lazare (1865-1903), écrivain et journaliste, auteur notamment des *Entretiens politiques et littéraires* (1890), et de *La Vérité sur l'affaire Dreyfus* (1896), texte en faveur de la révision du procès de Dreyfus.

Page 1152.

a. Cahier 73, ff^os^ 55 à 57 v°.

1. Voir p. 811-812.

Page 1153.

Esquisse XV

Cahier 53, ff^os^ 51 à 54 r^os^, 56 à 58 r^os^ (1915) ; Cahier 55, ff^os^ 9 à 13 r^os^, ainsi que 10 v°, 11 r°, 14 et 15 r^os^, 13 et 14 v^os^, 16 à 18 r^os^ (1915).

a. Cahier 53, ff^os^ 51 à 54 r^os^. Ce passage est précédé de Et je partis chez les Verdurin. / Soirée Verdurin. /

1. Voir p. 830-834 et 844.

Page 1154.

a. avec [M. d *biffé*] Brichot *ms.* ◆◆ *b. En marge dans ms., cette note de Proust :* Tout cela et tout ce qui précède est à récrire beaucoup mieux. ◆◆ *c.* d'autant plus [...] promener *add. ms.* ◆◆ *d. Le reste du folio 54 r° de ms. est en blanc, ainsi que le folio 55 r°.* ◆◆ *e. Cahier 53, ff^os^ 56 à 58 r^os^. C'est la suite du passage précédent. Les folios 56 r° et 55 v°, tous deux intitulés par Proust :* Page Hurlus , renvoient au Cahier *55, f° 11 v° (voir p. 1158 et suiv.).*

1. Voir p. 833-836 et 897-898.

Page 1155.

a. Depuis D'en bas *[p. 1154, 2e ligne en bas de page]*, nous donnons le texte d'une *reprise, en marge du folio 56 r°, se poursuivant sur le folio 55 v°, d'un premier jet qui était celui-ci :* D'en bas je vis la lumière de la fenêtre d'Albertine qui m'attendait (le dire mieux). ↔ *b. Ms. donne en fait :* m'écriai-je irrité à mon retour. *Nous corrigeons.*

Page 1156.

a. Fin du Cahier 53 ; les 5 derniers feuillets sont restés en blanc. ↔ *b. Cahier 55, ffos 9 à 13 ros. C'est là le début du texte du Cahier 55, dont les 8 premiers folios sont blancs.* ↔ *c. Le reste du folio 9 r° de ms. est en blanc, comme le folio 10 r°. La suite est au folio 12 r°.* ↔ *d. Dans la marge du folio 11 v° de ms. apparaît cette note de Proust :* Voir dans ce verso et le suivant qui ne comptent plus s'il n'y a rien que j'aie oublié de mettre dans le verso et le recto précédent et voir aussi dans le mince cahier bleu au recto et verso appelés page Hurlus et qui sont supprimés si j'ai bien mis ici tout ce qu'il y a dans cette page Hurlus. *Cette note renvoie respectivement aux folios 10 v° et 11 r° de ms. (voir p. 1158) et aux folios 56 r° et 55 v° du Cahier 53 (voir p. 1154-1155).* ↔ *e. Ce paragraphe, commencé sur le folio 11 v° de ms., se poursuit dans les marges des folios 12 v° et 13 r°.*

1. Voir p. 830-834.

Page 1157.

a. avec *[1re ligne de la page]* celle qui [...] maison *add. ms.* ↔ *b.* (voir petit cahier [bonne femme *biffé*] homme je crois) *ms.*

1. C'est-à-dire un des Carnets-agendas, qui pourrait être le 4, puisque ce Carnet porte sur sa couverture une silhouette masculine. Mais Proust ayant d'abord écrit « cahier bonne femme » (voir var. *a*), il s'agit sans doute du Carnet 2, le seul à être décoré d'une silhouette féminine, et où figure, au folio 45 r°, un fragment qu'on peut rapprocher de ce passage : « [...] sur ce visage près du mien échangeant avec moi ces confidences d'aventures [...] ».

Page 1158.

a. Cahier 55, ffos 10 v°, 11 r°, 14 et 15 ros, 13 et 14 vos, 16 à 18 ros.

1. Voir p. 833-836 et 844.

2. C'est-à-dire le fragment que nous donnons au bas de la page 1156. Nous donnons maintenant une version postérieure du même passage.

Page 1160.

a. Depuis J'allai chercher Albertine *[début du 2e § de la page], ce texte est biffé, dans ms., d'un trait oblique, signifiant que Proust l'a réutilisé ailleurs — sans doute dans l'addition signalée var. a, p. 1161.*

1. C'est-à-dire après le texte que nous donnons au début du dernier paragraphe de la page 1158 (folio 10 v° du Cahier 55). Voir p. 833.

Page 1161.

a. Ceci vient *[p. 1160, début du 4ᵉ §]* tout de suite après [...] Mlle Vinteuil ! *add. ms. (voir var. a, p. 1160)* ◆◆ *b. En marge de ms., cette note de Proust :* Capital. Certes Albertine ne m'avait jamais dit qu'elle crût que je fusse épris et jaloux d'elle. Depuis les soirs lointains de clair de lune où je lui disais : « Ce n'est pas par jalousie que je vous propose de vous reconduire. » ◆◆ *c. Dans ms.,* j'eus *est biffé sans correction ; nous rétablissons. Voir aussi var. d.* ◆◆ *d. Dans ms., la phrase est biffée depuis* l'effroi *jusqu'à* esprit *. Nous rétablissons.* ◆◆ *e. Proust a biffé dans ms. tout le début de la phrase, jusqu'à* agréments . Nous rétablissons. ◆◆ *f. La suite de la rédaction, à la dernière ligne du folio 17 r° et au début du folio 18 r° de ms., est composée de fragments biffés ou inachevés.*

1. C'est tout le système de l'amour chez Proust, depuis sa nouvelle « L'Indifférent », publiée en 1896 dans *La Vie contemporaine*, mais sans doute écrite en 1893, selon P. Kolb dans sa préface de *L'Indifférent* (Gallimard, 1978). Comme Swann pour Odette, l'amour du narrateur le rend dangereux pour Albertine.

2. C'est-à-dire au folio 46 r° du Cahier 71 ; voir l'Esquisse XVI, p. 1162.

Page 1162.

Esquisse XVI

Cahier 71, ffᵒˢ 45 v°, 46 r°, 47 r°, 48 r°, 49 r°, 50 r°, 51 r° (1914) ; Cahier 73, f° 52 r° (1915) ; Cahier 55, ffᵒˢ 16 à 18 vᵒˢ (1915).

a. Cahier 71, ffᵒˢ 45 v° à 51 r°.

1. Voir p. 844-861.

Page 1163.

a. Elle avait l'air *[12 lignes plus haut]* navré [...] longtemps. *add. ms.*

Page 1164.

a. En marge de ms. apparaît cette note de la main de Proust : Il faudra de temps en temps mettre à la fin des phrases : « Mais il faut finir, il est quatre heures du matin, c'est de la folie. » Enfin, pour le dernier soir : « Vous aurez le temps de dormir tout le reste de la vie. »

Page 1165.

a. Fin du folio 51 r° du Cahier 71 ; les folios 52 à 57 rᵒˢ de ce Cahier sont restés blancs. ◆◆ *b. Cahier 73, folio 52 r°, non paginé.* ◆◆ *c. Cahier 55, ffᵒˢ 16 à 18 vᵒˢ.*

1. Voir p. 836.

2. Voir p. 843-844.

3. C'est-à-dire le fragment que nous donnons au haut de la page 1166.

Page 1166.

a. Et puis *[p. 1165, 7e ligne en bas de page]* chaque fois [...] véritable. *add. ms.* ◆◆ *b. Suit dans ms. un blanc de 6 lignes.*

1. C'est-à-dire la proposition de rupture que nous trouvons au troisième paragraphe de la page.

2. À partir d'ici, jusqu'au haut de la page 1167, Proust reprend dans le Cahier 55 le fragment du Cahier 71 que nous donnons p. 1163.

Page 1167.

a. Ici, un signe de Proust renvoie à ce développement noté dans la marge de ms. : Je pense que j'ai dû marquer ailleurs (sans cela, le marquer ici) que cela ajoute au caractère familial de mes relations avec Albertine. Et en tout cas mettre : Et peut-être était-ce même plus fort avec Albertine qu'avec ma grand-mère. Car ce qui me faisait feindre avec cette persévérance une chose qui pouvait être désagréable, c'était la pensée que l'autre en doutait, pensait que c'était une menace vaine. Alors pour que ma grand-mère ne triomphât pas en se disant : il ne le fera pas, je disais avec calme tout ce qui semblait impliquer que mon projet était irrévocable. Or ce doute dans la pensée de l'autre qui m'enrageait, était forcément plus grand pour Albertine parce que ma santé, la vie que je menais, rendaient plus improbable le moindre projet que j'annonçais. Si, pour qu'Albertine ne pût faire de projets, je disais : « J'irai sans doute demain me promener avec vous », je sentais qu'elle pensait : « Il dit cela, mais ce n'est pas possible, il sera fatigué, il restera couché comme les autres jours. » Et le sentiment de son incrédulité augmentait le machiavélisme de ma persuasion. ◆◆ *b. Dans le Cahier 55, la suite du texte est très incomplète, car des feuillets ont été découpés et placés dans le Cahier* XI *du manuscrit, aux folios 54 et 66 ; le 54 est d'ailleurs rayé.*

Esquisse XVII

Cahier 73, ff^os 15 et 16 r^os, 35 v°, 36 r° (1915) ; Cahier 55, ff^os 32 r° à 34 v° (1915).

c. Cahier 73, ff^os 15 et 16 r^os.

1. Voir p. 664-665.

Page 1168.

a. Cahier 73, f° 35 v°.

1. Suivent les mêmes remarques sur l'originalité de Wagner que dans le texte définitif.

2. Voir p. 876-877.

3. Ballet de Richard Strauss, en collaboration avec Kessler et Sert. Voir *Albertine disparue*, t. IV de notre édition, p. 225.

Page 1169.

a. Depuis un repérage de circonstances *[14e ligne en bas de page 1168], la rédaction se poursuit dans les marges des folios 35 v° et 36 r° de ms.* ◆◆

b. Cahier 55, ff^os 32 r°, 33 r°, 34 r°, 33 v°, 34 v°. ◆◆ *c.* Même les rares fois [...] opale. *add. ms.*

1. Dans *Du côté de chez Swann*, Legrandin cite un vers de Paul Desjardins (voir t. I de la présente édition, p. 118 et n. 1). Peu après, le même Legrandin évoque Anatole France (t. I, p. 129, et n. 2 et 3). Proust les rapproche donc encore dans ses brouillons de 1915. Anatole France est mentionné deux fois dans *La Prisonnière* (p. 741 et 833). Proust fait ici de nouveau référence explicite à son œuvre (« l'Étoile » est un chapitre du « Livre de Suzanne » dans *Le Livre de mon ami*).

2. Voir p. 665, 761-762, 874, 876 et 883-884.

Page 1170.

a. Les feuillets suivants dans le Cahier 55, consacrés à la description d'Albertine en « sainte Cécile » devant le pianola, ont été déplacés aux folios 103, 104 et 105 du Cahier XI. *Leur texte, modifié après leur intégration au manuscrit « au net », est celui de l'édition, p. 884-885.*

Esquisse XVIII

Cahier 4, (1908-1909) ff^os 2 r° et v°, 3 r°, 3 v°, 4 r°, 7 et 8 r^os (1908-1909) ; Cahier 50, ff^os 45 v° et 47 r° (1910-1911) ; Cahier XII (1916), ff^os 5 et 6 r^os (feuillets découpés dans le Cahier 55, datant de 1915).

Page 1171.

a. Cahier 4, ff^os 2 r° et v°. Au folio 1 v° et en haut du folio 2 r° apparaît un premier état incomplet de ce paragraphe. ◆◆ *b. Cahier 4, ff^os 2 v° et 3 r°.* ◆◆ *c. Cahier 4, ff^os 3 v° et 4 r° ; ce passage est précédé d'une nouvelle rédaction interrompue de sa première phrase, au bas du folio 3 r° et en haut du folio 3 v°.*

1. Voir p. 911-912.

Page 1172.

a. Cahier 4, ff^os 7 et 8 r^os.

1. Ce passage a été repris dans *Contre Sainte-Beuve*, éd. B. de Fallois, p. 78.

Page 1173.

a. Depuis Et, après s'être dirigé *[7e ligne en bas de page 1172], nous suivons le texte d'une reprise marginale au folio 8 r°, se poursuivant au folio 7 v° de ms ; le premier jet est biffé.* ◆◆ *b. Cahier 50, ff^os 45 v° et 47 r°.* ◆◆ *c.* la belle *fin du folio 45 v° ; à partir de* saison *, le texte suit au folio 47 r° de ms.*

1. Vient ensuite dans le Cahier 4 le fragment que nous donnons dans l'Esquisse XIX, p. 1175.

2. Ce texte fait suite à celui que nous donnons au début de l'Esquisse VIII, p. 1114-1115.
3. Voir n. 3, p. 1095.
4. Voir la Notice, p. 1646.
5. Ce texte est suivi dans le Cahier 50 par celui que nous donnons dans l'Esquisse IV.1, p. 1103.

Page 1174.

a. Cahier XII, ffos 5 et 6 ros (feuillet suivant le folio 39) et fo 40 ro du Cahier 55, transférés dans le Cahier XII. ↔ *b. Passage au folio 40 ro du Cahier 55 (voir var. a).* ↔ *c. Après une phrase raturée, le reste du feuillet est resté en blanc dans ms.*

Esquisse XIX

Cahier 4, ffos 4 ro, 8 et 9 ros, 18 à 21 ros (1908-1909) ; Cahier 50, ffos 48 et 49 ros (1910-1911) ; Cahier 55, fo 43 ro (1915).

d. Cahier 4, fo 4 ro.

1. Proust écrit ce mot au masculin dans les premiers cahiers, au féminin dans le Cahier 55, datant de 1915, ainsi que dans ceux du manuscrit « au net », en 1916.
2. Voir p. 912-913.

Page 1175.

a. Cahier 4, ffos 8 et 9 ros. ↔ *b. Cahier 4, ffos 18 à 21 ros.* ↔ *c.* (cette odeur [...] plaisir) *add. ms. (fo 17 vo)*

1. Ce paragraphe est dans le Cahier 4 suivi du fragment que nous donnons dans l'Esquisse V.1, p. 1104-1105.
2. Ce paragraphe, dans le Cahier 4, vient à la suite du fragment que nous donnons dans l'Esquisse XVIII.4, p. 1172.
3. Nous interrompons la transcription du texte, qui reprend ensuite le motif du cidre ébauché dans l'esquisse précédente.
4. Voir *Contre Sainte-Beuve*, éd. B. de Fallois, p. 86-89.

Page 1176.

a. Cahier 50, ffos 48 et 49 ros. ↔ *b. Cahier 55, fo 43 ro.*

1. Ce passage est précédé dans le Cahier 50 par l'évocation du projet du narrateur de dîner au Bois avec Mlle de Quimperlé (Mme de Stermaria) ; voir *Le Côté de Guermantes*, t. II de la présente édition, p. 678. Il est suivi du motif des cloches, transcrit dans l'Esquisse VIII, p. 1115.

Page 1177.

a. Ce paragraphe est dans ms. en addition (ffos 42 vo et 43 ro). ↔ *b. Suit, dans ms., ce début de phrase inachevé :* Mais tout d'un coup le décor changea.

Esquisse XX

Cahier 71, ff^os 102 à 104 r^os, 101 et 102 v^os (1914) ; Cahier 54, ff^os 10 et 11 r^os (1914) ; Cahier 55, ff^os 44 r°, 43 v°, 45 r°, 46 r° (1915).

1. On en trouve trois autres, que nous donnons dans l'Esquisse X, p. 1128-1129 et 1131.

Page 1178.

a. Cahier 71, ff^os 102 à 104 r^os, paginés de 37 *à* 39 *par Proust.*

1. Voir p. 893-894, 900-902 et 914-915.

Page 1179.

a. En marge de ms., Proust a noté : Je vais mettre dans le cahier Vénusté à partir de la page *[un blanc]* des choses essentielles sur ceci à mêler avec et qui commenceront sans doute à la croix en face. *Cette addition renvoie au folio 10 r° du Cahier 54, où Proust a indiqué :* C'est-à-dire pour intercaler dans la page 39 du Cahier Dux. Au lieu de le mettre à la croix, je le mettrai un peu avant et les signes avant-coureurs seront reportés quelques jours avant, puis je n'y pense plus (comme c'est arrivé à la première rupture d'ailleurs en réalité). *Suit le fragment que nous donnons ici au bas de la page.* ⁂ *b. Cahier 71, ff^os 101 et 102 v^os.* ⁂ *c. Cahier 54, ff^os 10 et 11 r^os.*

1. Voir p. 893-894 et 914-915.
2. Nous interrompons la transcription, la suite — réflexions du narrateur sur le départ d'Albertine — concernant *Albertine disparue.*
3. Voir p. 914-915.

Page 1180.

a. Cahier 55, ff^os 44 r°, 43 v°, 45 r°, 46 r°. ⁂ *b.* m'informer [...] et partir, *add. ms.* ⁂ *c. En marge de ms., Proust a noté :* Plutôt resserrer et mettre ici ce qui est trois ou quatre pages plus loin combien la souffrance est le meilleur psychologue.

1. Voir p. 914-915, ainsi qu'*Albertine disparue*, t. IV de la présente édition, p. 3-4.

Page 1181.

1. Nous interrompons la transcription, afin qu'elle corresponde au dernier mot de *La Prisonnière*, qui se trouve ici au milieu du folio 46 r° du Cahier 55, lequel se poursuit par l'ébauche des premières lignes de la future *Albertine disparue.*

RÉSUMÉ

Sodome et Gomorrhe

I

Découverte de la vraie nature de M. de Charlus. J'ai différé de la rapporter (3). J'attends l'arrivée du duc et de la duchesse de Guermantes afin de m'assurer que je suis bien invité ce soir-là chez la princesse de Guermantes (3). Le petit arbuste de la duchesse et la plante rare exposés dans l'attente de l'insecte qui les féconderait (3). Arrivée de M. de Charlus, qui rend visite à Mme de Villeparisis à une heure inhabituelle (4). En guettant la venue de l'insecte, réflexions sur les lois du monde végétal (5). M. de Charlus sort de l'hôtel (5). Sa rencontre avec Jupien (6). Scène de la double parade amoureuse (6). Jupien quitte la cour, M. de Charlus derrière lui (8). Le bourdon entre dans la cour (8). Retour de M. de Charlus et de Jupien (8). Conjonction aussi providentielle que celle du bourdon et de la fleur (9). Mon imprudence et mes précautions pour les épier (9). Ce que j'entends (11). Longue tirade où M. de Charlus révèle les particularités de son comportement amoureux (12). Par cette scène, la vraie nature de M. de Charlus m'apparaît (15). C'est une femme (16).

La race des Tantes. Malédiction qui pèse sur elle (16). Sa franc-maçonnerie (18). Les organisations d'invertis que les solitaires finissent par rejoindre (20). Classification des invertis (22). Les prosélytes (22). Les féminins (22). Leurs relations avec les femmes (23). Les solitaires (25). Histoire exemplaire d'un inverti (25). Transferts et récidives (27). M. de Charlus est un homme exceptionnel (28). La rencontre de M. de Charlus et de Jupien est un miracle de la nature, comparable à celui de la fécondation des plantes (29). Je m'explique la scène que m'avait faite M. de Charlus (30).

M. de Charlus devient le protecteur de Jupien, au grand

attendrissement de Françoise (31). Les invertis ne sont pas aussi rares que je l'avais alors pensé (32). Nombreuse postérité des sodomistes honteux (33). J'ai manqué la fécondation de l'orchidée par le bourdon (33).

II

CHAPITRE PREMIER

Soirée chez la princesse de Guermantes. L'arrivée. Description de la lune (34). Ma crainte de ne pas être invité (34). Aventure du duc de Châtellerault et de l'huissier (35). Une innovation originale des réceptions de la princesse (35). Beauté et gentillesse de la princesse (36). Présentation du duc de Châtellerault (37). La malade d'Huxley (38). L'accueil de la princesse (38).

Dans le jardin. Je suis à la recherche de l'invité qui me présentera au prince (39). Jacassement de M. de Charlus et du duc de Sidonia (39). Pourquoi j'hésite à m'adresser au baron (40). Le professeur E*** s'accroche à moi, se fait confirmer la mort de ma grand-mère (40). Conversation médicale rappelant Molière (42). M. de Vaugoubert (43). Ses goûts en amour et les effets de sa continence (44). J'espère me faire présenter par lui au prince, mais M. de Vaugoubert me laisse avec sa femme (45). Laideur de Mme de Vaugoubert, son allure hommasse (46). Elle incarne le type de la femme de l'inverti (46). Plaisirs anticipés et réalité retardée des fêtes de ce genre (47). M. de Charlus en représentation sur le grand escalier (48). Mme de Souvré, son amabilité, sa manière de ne pas me présenter au prince de Guermantes (49). Mme d'Arpajon, difficulté à retrouver mon nom (50). Digression sur la mémoire et le sommeil (51). Mme d'Arpajon feint de ne pas entendre que je lui demande de me présenter au prince (52). Impolitesse de M. de Charlus à qui Mme de Gallardon présente le jeune vicomte de Courvoisier (53). Je demande à M. de Charlus de me présenter au prince (53). Je le fais maladroitement et M. de Charlus refuse (54). M. de Bréauté accueille enfin avec satisfaction ma demande et me présente au maître de maison (54). Accueil réservé mais simple de celui-ci (55). Différence entre le prince et le duc (55). Le prince entraîne Swann au fond du jardin (56). Le jet d'eau d'Hubert Robert (56). En arrosant Mme d'Arpajon, il provoque l'hilarité du grand-duc Wladimir (57). Brève insolence de M. de Charlus à mon égard (58). Son avis sur l'hôtel de la princesse (58).

Dans l'hôtel. Causerie avec la princesse (59). Entrée du duc et de la duchesse (59). L'ambassadrice de Turquie (59). Les yeux de la duchesse de Guermantes (61). Le duc et la duchesse sourient à présent de mes craintes de ne pas être invité (62). Mes progrès dans l'art mondain (62). La voix de M. de Vaugoubert, caractéristique des invertis (63). Confidences de M. de Charlus et de M. de Vaugoubert (64). Les secrétaires d'ambassade et les chœurs de Racine (64). Offres de Mme d'Amoncourt à Mme de Guermantes (66). Réserves du duc de Guermantes (66). Comparaison des salons de la duchesse et de la princesse (68). Mme de Saint-Euverte recrute pour sa garden-party (69). Comment elle a réalisé une véritable transmutation de son salon (70). Elle fait ses invitations verbalement (71). Tracas de Mme de Guermantes (71). Une duchesse à demi tarée (72). Insolence de Mme de Guermantes envers Mme de Chaussepierre (72). Conjectures de M. de Vaugoubert sur un Sodome diplomatique (74). Conjectures variées au sujet de la conversation de Swann avec le prince de Guermantes (74). M. de Vaugoubert maltraité par la duchesse de Guermantes (75). Situation mondaine de M. de Froberville (76). M. de Guermantes juge sévèrement le dreyfusisme de Swann (76). Mme de Guermantes refuse de faire la connaissance de sa femme et de sa fille (80). Sourire de distinction désuète commun à Mme de Lambresac et aux amies de ma grand-mère (80). Ressemblance du duc de Bouillon et d'un petit bourgeois de sa génération (81). Un musicien bavarois salue la duchesse (81). Il est durement accueilli par le duc (82). Mme de Guermantes n'ira pas à la garden-party Saint-Euverte (83). Malveillance de M. de Froberville envers Mme de Saint-Euverte (83). Beauté des deux fils de Mme de Surgis, la nouvelle maîtresse du duc de Guermantes (85). Le nihilisme de Mme de Citri (85). M. de Charlus absorbé par la contemplation des jeunes marquis de Surgis (87). Je lui apprends qu'ils sont frères (88). Swann : combien il a changé (88). Arrivée de Saint-Loup (90). Il approuve son oncle d'avoir des maîtresses (91). Réflexions sur l'oncle et le neveu (91). Saint-Loup fait l'éloge des maisons de passe (92). Il évoque l'une d'elles, que fréquentent une jeune Mlle d'Orgeville et la femme de chambre de la baronne Putbus (92). Amabilités de M. de Charlus pour Mme de Surgis (93). Illusions de Saint-Loup sur son oncle (94). Changements de Saint-Loup depuis sa rupture avec Rachel (94). M. de Charlus se fait présenter les deux fils de Mme de Surgis par leur mère (95). Swann s'approche de Saint-Loup et de moi (96). Changement d'attitude de Saint-Loup dans l'affaire Dreyfus (97). Le visage de Swann (98).

Conversation entre Swann et le prince de Guermantes. Je me joins à M. de Charlus et à Mme de Surgis (98). M. de Charlus exerce sa verve insolente contre Mme de Saint-Euverte (99). Mme de Saint-Euverte me charge pourtant de lui amener M. de Charlus le lendemain (100). Swann me raconte, avec plusieurs intermèdes et interruptions, sa conversation avec le prince de Guermantes (101). Propos de Swann sur la jalousie (101). Conversation de M. de Charlus avec les jeunes marquis de Surgis (102). Regards de Swann sur le corsage de Mme de Surgis (103). Comment le prince de Guermantes en eśt arrivé à se convaincre de l'innocence de Dreyfus (103). Hiśtoire du nom de Surgis-le-Duc (104). Les aventures de Mme de Surgis : hauts et bas de sa situation mondaine (105). Flatteries de M. de Charlus à son égard (105). Allusions de Swann à la vie amoureuse de M. de Charlus (106). Retour à la conversion du prince au dreyfusisme (106). Je refuse un souper en cercle reśtreint après la soirée, me souvenant de mon rendez-vous avec Albertine (108). Comparaison des différents ordres de plaisirs (108). Fatigue de Swann (108). De son côté, la princesse de Guermantes s'était aussi persuadée de l'innocence de Dreyfus (109). Sympathie de Swann pour ceux qui partagent son opinion sur Dreyfus (110). Il les trouve tous intelligents (110). Limites du dreyfusisme de Swann (111). Son invitation à voir Gilberte me laisse indifférent (111). Passion secrète de la princesse de Guermantes pour M. de Charlus (112).

Départ et retour. Le duc et la duchesse me raccompagnent (114). M. de Guermantes dit au revoir à son frère : attendrissement et gaffe (115). Tableau de l'escalier en quittant l'hôtel (117). Dernière apparition du prince de Sagan (118). Arrivée tardive de Mme d'Orvillers (118). Amabilité de la duchesse pour Mme de Gallardon (119). Retour avec les Guermantes dans leur coupé (120). Mes deux désirs : Mlle d'Orgeville et la femme de chambre de la baronne Putbus (121). Mme de Guermantes refuse de me présenter à la baronne Putbus (121). Les Guermantes se préparent à aller à une redoute malgré la mort de leur cousin d'Osmond (122).

Visite d'Albertine après la soirée. Albertine n'eśt pas arrivée (123). Françoise et sa fille, inśtallée dans la cuisine (123). Leur langage (123). Considérations de géographie linguiśtique (124). J'attends la venue d'Albertine (126). L'irritation due à l'attente tourne à l'anxiété (126). Appel d'Albertine au téléphone (129). Je cherche à la faire venir sans le lui demander (129). « Ce terrible besoin d'un être » : comparaison de mes sentiments envers Albertine et envers ma mère (130). Les myśtères d'Albertine (131). Comment Françoise annonce Albertine (132). Antipathie de Françoise pour Albertine (132). Visite de celle-ci (135). Baisers, cadeau du portefeuille (135). J'écris ensuite à Gilberte, sans l'émotion d'autrefois (136). Conversion du duc de Guermantes au dreyfusisme : les trois dames charmantes (137).

Visites avant le deuxième séjour à Balbec. Je vois d'autres fées en leurs demeures (138). Considérations sur l'histoire des salons (139). Le salon d'Odette, cristallisé autour de Bergotte, devient l'un des premiers (141). Une raison en est l'antidreyfusisme d'Odette (141). Une autre, sa discrétion (143). Mes plaisirs dans les salons, en particulier celui de Mme de Montmorency (146).

Les intermittences du cœur. Deuxième séjour à Balbec. L'accueil du directeur du Grand-Hôtel (148). Ses cuirs (148). Motif du second séjour : l'espoir de rencontrer chez les Verdurin la femme de chambre de Mme Putbus (149). Saint-Loup m'a recommandé auprès des Cambremer (150). Espoir de rencontrer aussi de belles inconnues (151). Comparaison avec la première arrivée à Balbec (151). Cuirs du directeur (152). « Bouleversement de toute ma personne » : la présence de ma grand-mère m'est rendue au moment où je me déchausse (152). Doctrine des intermittences du cœur (153). Je comprends pour la première fois que je l'ai perdue pour toujours (154). Mes remords des chagrins que je lui ai causés, en particulier lors de la photographie prise par Saint-Loup (155). Souffrance du deuil (156). Un rêve (157). Le réveil et les souvenirs déchirants (159). Albertine est à une station voisine, mais je ne désire plus la voir, ni personne (160). Rappel du plaisir de l'arrivée, avant le bouleversement (161). Mme de Cambremer est passée (162). Sa renommée dans les environs (163). Refus d'une invitation chez elle (164). Mon chagrin est pourtant moins profond que celui de ma mère (165). Ma mère est devenue semblable à ma grand-mère (165). Rencontre de Mme Poussin (168). Le nouveau chasseur à la porte de l'hôtel (169). Comparaison du personnel de l'hôtel et des chœurs de Racine (170). Les souvenirs de ma grand-mère me font souffrir (171). Révélations de Françoise sur les circonstances de la photographie prise par Saint-Loup (172). Révélations du directeur : les syncopes de la grand-mère (175). Nouveau rêve sur elle (175). Je m'habitue au souvenir douloureux (176). Je fais enfin venir Albertine, que je désire revoir (176). Éblouissement des pommiers en fleurs (177).

CHAPITRE II

Reprise d'intimité avec Albertine et premiers soupçons. Mon chagrin diminue, Albertine recommence à m'inspirer un désir de bonheur (178). Description de la mer rurale (179). Retour du chagrin dans le petit train que je prends pour aller chercher Albertine (180). Je renonce à la rejoindre (181). Un faire-part envoyé par les Cambremer (182). J'envoie Françoise chercher Albertine (183). Première visite d'Albertine à Balbec (183). Mise en garde de Françoise contre Albertine (184). La princesse de Parme au Grand-Hôtel (184). Les amies d'Albertine (185). J'envoie le lift la chercher quand j'ai besoin d'elle (186). Les manières et le langage du lift (187). Un soir, le lift revient sans elle, annonçant qu'elle viendra plus tard (190). Comment naîtra ma cruelle méfiance à l'égard d'Albertine (190). La « danse contre seins » : remarque de Cottard tandis qu'Albertine danse avec Andrée (191). Rivalité de Cottard et de son confrère du Boulbon (192). Retour au soir où Albertine ne vint pas, malgré l'annonce du lift (193). Attente et angoisse (193). Curiosité douloureuse pour la vie d'Albertine (194). Comment elle me sacrifie sa visite à une dame d'Infreville quand je lui propose de l'accompagner (195). Au casino de Balbec : la sœur et la cousine de Bloch, qu'elle observe dans la glace (198).

Colères contre Albertine, suivies de trêves (198). Je construis le caractère d'Albertine d'après le souvenir de celui d'Odette (199).

Visite de Mme de Cambremer, tandis que je suis sur la digue avec Albertine et ses amies (200). L'attirail de la vieille Mme de Cambremer (201). L'avocat, amateur de Le Sidaner, qui l'accompagne (201). Les deux politesses de la jeune Mme de Cambremer (202). Avec elle, je parle comme Legrandin (203). Le coup d'œil de La Raspelière (204). Les étymologies du curé de Combray (204). Partis pris esthétiques et snobismes de la jeune Mme de Cambremer (205). Son hostilité contre sa belle-mère (209). Évolution des doctrines artistiques (210). Retour à la mode de Poussin et de Chopin, pour le plaisir de la vieille marquise (212). Comment la jeune Mme de Cambremer prononce certains noms (213). Elle a perdu le souvenir d'être née Legrandin (215). Les amabilités de l'ami des Cambremer, amateur de Le Sidaner (216). Invitation des Cambremer (216). Leur départ, humiliation du premier président (217).

Albertine monte avec moi dans ma chambre (219). Air d'abattement et d'inquiétude du lift (219). Sa cause : l'absence du pourboire habituel (220). Propos sur une révolution (221). Le personnel de l'hôtel et l'argent (221). Protestations calculées de froideur pour Albertine et d'amour pour Andrée (222). Le « rythme binaire » de l'amour (223). Ayant dit à Albertine l'indifférence qu'elle m'inspire, je peux ressentir de la tendresse et de la pitié pour elle (224). Albertine me donne l'heure qu'elle aurait dû passer sans moi (226). Elle nie avoir eu des relations avec Andrée (226). Réconciliation et caresses (229). J'aurais dû la quitter dans cet instant de bonheur (229). Tranquillisé, je vis davantage auprès de ma mère (229). Lecture des *Mille et Une Nuits* (230). Promenades avec Albertine (231). Brefs désirs d'autres jeunes filles (232). Désirs et déceptions (233). Jalousie pour Albertine et soupçons renouvelés tandis que la saison bat son plein (234). Elle et Andrée calculent leurs propos en vue de détruire mes soupçons (235).

Scandale provoqué à l'hôtel par la sœur de Bloch et une actrice (236). Il est étouffé grâce à la protection de M. Nissim Bernard (236). La cause de sa fidélité au Grand-Hôtel : il entretient un jeune commis (236). Les chasseurs et les jeunes israélites d'*Esther* et d'*Athalie* (237). Amitié avec deux jeunes courrières, Marie Gineste et Céleste Albaret (240). Leur langage (240). Gloussements de la sœur de Bloch et de son amie au passage d'Albertine (244). Nouveaux motifs de soupçonner les mœurs d'Albertine (244). Une inconnue aux yeux rayonnants (245). Impolitesse suspecte d'Albertine avec une amie de sa tante (247). Suspension de ma jalousie pour les femmes qu'Albertine a pu aimer (248).

M. Nissim Bernard et les frères tomates (248). Je suis invité chez les Verdurin (249). Albertine et moi allons rendre visite à Saint-Loup à Doncières, par le petit train (250). Les réceptions des Verdurin à La Raspelière (250). Dans notre compartiment, une grosse dame vulgaire et prétentieuse (251). L'attitude d'Albertine à l'égard de Saint-Loup excite ma jalousie (252). Discussion après le départ de Saint-Loup (254).

Première rencontre de M. de Charlus avec Morel. Apparition de M. de Charlus, bien vieilli, sur le quai de la gare de Doncières, attendant le train de Paris (254). Je cause avec lui (254). Le baron me demande d'aller parler au musicien et je reconnais Morel (255). M. de Charlus nous rejoint, il ne connaissait pas Morel (255). M. de Charlus ne monte pas dans le train de Paris (256). Changement de nos perspectives sur les êtres (257). Retour avec Albertine en caoutchouc (258).

Soirée à La Raspelière chez les Verdurin. Je me rends à La Raspelière par le petit train, au mercredi de Mme Verdurin (259). Les « habitués » du petit train : Cottard, Ski, Brichot (259). Portrait de Brichot (261). Évolution du salon Verdurin vers le monde : le « temple de la musique » (263). Saniette (265). Ski (266). La princesse Sherbatoff, fidèle type (269). Cottard et les mercredis (272). La jeune fille inconnue de Saint-Pierre-des-Ifs (276). Morel a lâché l'avant-veille (277). Mme Verdurin a invité les Cambremer, de qui elle est locataire (277). Comment elle a préparé les fidèles à cette invitation (278). Propos des fidèles sur les Cambremer (279). Premiers commentaires de Brichot sur les noms de lieux de la région et les étymologies (280). La princesse Sherbatoff est la grosse dame vulgaire de l'autre jour (285). Morel, retrouvé, viendra ce soir avec un ami de son père (286). Nouvelle de la mort de Dechambre, l'ancien pianiste favori de Mme Verdurin (286). Arrivée à Douville-Féterne, poursuite en voiture vers La Raspelière (287). Mme Verdurin et la mort des fidèles (288). Beauté enivrante du paysage ; émotion (289). Arrivée à La Raspelière, accueil de M. Verdurin (291). Dechambre renié au profit de Morel (292), attendu avec un prétendu ami de sa famille : le baron de Charlus (294). Les mœurs du baron sont mieux connues dans le clan Verdurin que dans le faubourg Saint-Germain (294). Erreurs courantes sur la situation véritable des gens (295). Un éditeur de Paris (296). Indifférence des Verdurin aux beautés de la nature (296). Leur intelligence du pays pourtant (297).

Entrée de Morel et de M. de Charlus (298). Évidence de la nature féminine de celui-ci (299). Les « mères profanées » (300). Morel me demande de mentir aux Verdurin sur son origine (301). Son impolitesse une fois qu'il a obtenu satisfaction (302). Première ébauche de son caractère (303). Arrivée des Cambremer (303). Comportement bizarre de Cottard (304). Le marquis de Cambremer est vulgairement laid (305), sa femme est hautaine et morose (306). Présentations (307). Les fables de M. de Cambremer (307). Mme de Cambremer déforme les noms (308). Mme Verdurin et le protocole (308). Le jardin des Cambremer (309). Le goût de Mme Verdurin est meilleur que celui de Mme de Cambremer (309). Brève méprise de M. de Charlus, qui prend Cottard pour un inverti (310). Dureté des invertis pour ceux à qui ils plaisent (311). Le nom de Chantepie (313). Alliance de culture et de snobisme chez Mme de Cambremer (315). Autres étymologies de Brichot (316). Pourquoi M. de Cambremer s'intéresse à mes étouffements (317). Rappel de l'opinion hésitante de ma mère sur un mariage avec Albertine (318). Propos de Mme de Cambremer sur le mariage de Saint-Loup (319), et sur M. de Charlus (320). Nouvelles étymologies de Brichot (321). Intermède du philosophe norvégien (321). M. Verdurin torture Saniette (324). Encore des étymologies (327). Conversation sur Elstir (329). Mme Verdurin lui préfère Ski (330). Son mariage, sa bêtise (331). Explication de M. Verdurin à M. de Charlus sur leur faute de protocole (332). Le rire de M. de Charlus, son insolence (332). Les roses d'Elstir (333). M. de Charlus souligne un geste de politesse esquissé par M. de Cambremer (334). Mon enthousiasme pour le morceau de lustrine verte (335). Sévérité des Cambremer pour le goût des Verdurin (335). Je lis la lettre de la vieille Mme de Cambremer, apportée par son fils : la règle des trois adjectifs (336). Prétention de M. de Charlus au titre d'Altesse (337). Ironie que cache l'amabilité apparente des Verdurin pour Brichot (339). L'esprit de clan (340). Souffrances que provoquent chez Brichot les pointes des Verdurin (341). Mme Verdurin se défend d'être méchante avec Saniette (341). Anecdotes historiques dont M. de Charlus illustre ses prétentions (342). Qualités artistiques que la nature de M. de Charlus ajoute à la race Guermantes (343). Snobisme musical de Mme de Cambremer, et gaminerie de Morel, qui joue du Meyerbeer pour du Debussy (345). Couplets de Brichot (345). Dévotion de M. de Charlus pour l'archange saint Michel (347). Cottard et Morel jouent à l'écarté (348). Jeux de mots de Cottard (348). L'identité du professeur Cottard révélée à M. de Cambremer (349). Somnolence de Mme Cottard (350). Les somnifères (351). Éloge de Cottard par Mme Verdurin (352). Les armes des Arrachepel (353). La partie de cartes (354). Conversation avec Mme Cottard (355). M. de Charlus révèle sa nature en exprimant sa préférence pour la fraisette (356). Sa première escarmouche avec Mme Verdurin, son insolence (357). Mme Verdurin ne comprend pas que M. de Charlus soit le frère du duc de Guermantes (358). Elle me dissuade d'aller chez les Cambremer (358). Elle m'invite au prochain « mercredi » avec ma cousine et mes amis (359). Elle dénigre Swann auprès de moi (361). Comparaison entre l'esprit de Swann, de Brichot et des Guermantes (361). Mme Verdurin me propose même de m'établir à demeure chez elle avec ma cousine (362). Elle propose de recommander Saint-Loup où il faut (362). Nouvelle rage de M. Verdurin contre Saniette (363). Mots de Cottard qui gagne aux cartes (364), et adieux (365). Dehors (365). Rivalité de Cottard et de son confrère du Boulbon (366). En voiture jusqu'à Doville-Féterne (367). Le pourboire de M. de Cambremer (367). En train (367). L'au revoir de Mme de Cambremer (367). Le plaisir que prend M. de Cambremer aux foucades de sa femme (368).

CHAPITRE III

Réflexions sur le sommeil. Au retour de la soirée, bavardage du chasseur louche qui remplace le liftier (369). Les habitudes de sa sœur (369). Mon sommeil quand je reviens de La Raspelière (370). L'attelage du sommeil (370). Temps du sommeil et temps de la veille (372). L'effet des hypnotiques sur la mémoire : désaccord avec Bergson (373). Sommeil et mémoire (374). Le réveil après les sommeils profonds (375).

M. de Charlus dîne au Grand-Hôtel avec un valet de pied (375). Le baron compare les chasseurs et les chœurs de Racine (376). Le valet de pied lui propose de le mettre en rapport avec le prince de Guermantes (377). Les domestiques reconnaissent le valet de pied comme tel (377). Conversation avec Aimé sur M. de Charlus (378). Aimé ignore l'identité du baron, est surpris quand il l'apprend (379). Lettre étrange et passionnée que le baron avait écrite à Aimé (380).

Promenades en automobile avec Albertine. Albertine se remet à la peinture (382). Chaleur (383). La forêt de Chantepie (383). Après une toque et un voile pour Albertine, je commande une automobile (384). Fierté d'Aimé (384). L'automobile supprime les distances et modifie même l'art (385). Visite aux Verdurin (386). M. Verdurin connaît la région (387). Beauté des « vues » de La Raspelière (388). La campagne renouvelle les charmes de la mondanité (389). Mme Verdurin avait besoin de voir du monde (390). Elle veut les garder à goûter, revenir avec eux (391). Je refuse, non sans impolitesse, ses propositions (392). Effet de l'automobile sur l'espace et le temps (393). Comparaison avec le chemin de fer (394). Autres clients du chauffeur : M. de Charlus et Morel (395). Un de leurs déjeuners dans un restaurant de la côte (395). Plaisir « sadique » que donnent au baron les projets de Morel de dépuceler une jeune fille (396). Conseils musicaux de M. de Charlus à Morel (398). Les poires (399). Aux bontés de M. de Charlus, Morel répond par une dureté croissante (399). Quand Albertine peint, je me promène seul, mais ma pensée est tout occupée par elle (400). Pourquoi tout sacrifier à des fantômes ? (401). La nature paraît me donner le conseil de me mettre au travail (401). Les petites églises normandes (401). Opinion d'Albertine sur leur restauration (402). La vie de couple amoureux (403). Boire du calvados ou du cidre en voiture (403). Ma jalousie pour Albertine ne guérit pas (404) : le garçon de l'hôtel de Rivebelle (404). Calme provisoire des promenades solitaires (405). Vœu de quitter Albertine (405). Les remontrances de ma mère ont sur ce vœu un effet contraire (406). Rendez-vous du soir avec Albertine (407), et inquiétude chaque matin de l'emploi de sa journée (408). J'espace mes autres relations : Saint-Loup, que je redoute qu'Albertine rencontre (409), et Saniette (410). Le manque d'audace de celui-ci (411), son indiscrétion (412). Curiosité d'Aimé pour le pourboire du chauffeur (413). Le message du lift, qui appelle le chauffeur un « monsieur » (413). La leçon de mots que j'en retire (414). Amitié pour les ouvriers, et objections de ma mère (415). Le chauffeur quitte Balbec avant la morte saison (415). Je n'ai plus de plaisir avec Albertine (416). Rencontre émouvante d'un aéroplane au cours d'une promenade solitaire (417).

Machinations de Morel pour faire congédier le cocher des Verdurin, aussitôt remplacé par son ami le chauffeur (417). Changement favorable de l'attitude de Morel à mon égard (419). Les contradictions de son caractère, où domine la laideur (420). Son respect absolu pour le Conservatoire (421).

M. de Charlus et les Verdurin. Charme, dans l'été finissant, des préparatifs pour les soirées à La Raspelière (422). Les remontrances du premier président contre l'oisiveté (423). Voyage nocturne vers La Raspelière (424), avec Albertine (424). Le nécessaire de chez Cartier (424). M. de Charlus, nouvel habitué des Verdurin (425). Les fidèles sont d'abord gênés de voyager avec lui (425). Les devises de ses livres (427). Sa piété (427). Les fidèles le rejoignent enfin (428), et prennent plaisir à sa conversation (428), où il n'hésite pas à aborder « certains sujets » avant l'arrivée de Morel (429). Illusions de M. de Charlus sur le secret de sa vie amoureuse (430). Allusions de Mme Verdurin en son absence (431). Il devient momentanément le fidèle des fidèles (431). Animosité de la princesse Sherbatoff envers moi, à la suite d'une rencontre avec Mme de Villeparisis dans le train (433-434). Un grand musicien favorise les relations de M. de Charlus avec Morel (434). Valeur psychologique du « potin » (435). Cécité de M. de Charlus pour les véritables sentiments des Verdurin à son égard (435). Discussion entre M. de Charlus et Brichot sur Balzac et Chateaubriand (437). Interruptions de Cottard (438). Éloge du côté « hors nature » de Balzac par M. de Charlus (439). Ses regards sur les jeunes gens (440). Discrétion de M. de Charlus sur son sujet favori en présence de Morel (440). Les toilettes d'Albertine, inspirées par le goût d'Elstir, sont appréciées de M. de Charlus (441). Celui-ci les compare aux toilettes de la princesse de Cadignan (442). Considération admirative de Morel pour mon grand-oncle et pour son hôtel du « 40 *bis* » (443). Mélancolie de M. de Charlus qui s'identifie à la princesse de Cadignan (445). La conduite de Morel envers M. de Charlus me rappelle celle de Rachel envers Saint-Loup (447). La méchanceté affectée de Morel avec M. de Charlus, et pourtant son désintéressement apparent (448). Maladresse de M. de Charlus qui veut lui faire changer son nom en Charmel (449). Bassesse de nature, neurasthénie et mauvaise éducation de Morel (450).

Le duel fictif. Douleur de M. de Charlus un jour que Morel refuse de rester avec lui après un déjeuner chez les Verdurin (450). Il invente un duel pour venger l'honneur de Morel (451). Il espère le faire ramener par moi, et m'envoie chez Morel avec une lettre (452). Devises des livres donnés par M. de Charlus à Morel (453). Morel, inquiet pour sa réputation, me suit (454). M. de Charlus, triomphant, dicte les conditions de la paix (454). Morel ne doute pas que d'autres convoitent sa place auprès de M. de Charlus (455). M. de Charlus s'enthousiasme à l'idée du duel (456), mais Morel parvient à l'y faire renoncer (456). Cottard, témoin effrayé, puis désappointé (457). M. de Charlus se prend pour l'archange Raphaël auprès du jeune Tobie (460). Les demandes d'argent de Morel auprès de M. de Charlus (461).

Les stations du petit train. Souvenirs qui s'y rattachent. Maineville : le Palace qui est une maison de prostitution (461). Mésaventure qui y arriva à Morel (463). Ses cours d'algèbre en pleine nuit (464). Le prince de Guermantes lui donna dans le Palace de Maineville un rendez-vous dont M. de Charlus eut vent (464). M. de Charlus et Jupien s'introduisent dans la maison (465). On leur montre Morel avec des femmes, prévenu mais terrifié (466). Seconde déconvenue du prince de Guermantes : Morel aperçoit chez lui une photographie de M. de Charlus, et s'enfuit (467). Grattevast : le comte de Crécy (468). Les dîners que je lui offre (469). Épisode des dindonneaux découpés par le directeur (470). Je n'ose pas dire à M. de Crécy que Mme Swann était connue sous le nom d'Odette de Crécy (471). Hermenonville : M. de Chevregny, provincial féru de Paris (472). De nouveau la règle des trois adjectifs de Mme de Cambremer (473). Griefs de Mme Verdurin contre les Cambremer : ils ont invité les seuls Cottard, M. de Charlus et Morel à un dîner élégant (474). Effet des prétentions nobiliaires de M. de Charlus sur Morel (475), et grossièreté de celui-ci avec les Cambremer (476). Mme Verdurin fait cesser les visites à Féterne de Brichot, amoureux en secret de Mme de Cambremer (477). Les Cambremer ne peuvent avoir M. de Charlus au dîner qu'ils donnent à M. et Mme Féré (478). Nouvelle insolence de Morel à leur égard (479). Les Cambremer soupçonnent une cabale des Verdurin (479). Raisons de la brouille données par les Cambremer : le dreyfusisme de Charlus (479), et la familiarité des Verdurin (480). Longueur apparente du trajet jusqu'à La Raspelière (481). Caresses en voiture (482). Allusions de Mme de Cambremer au « drôle de genre » d'Albertine (482). Les plaisirs de l'imagination et de la sociabilité, au cours des voyages à La Raspelière, me font souhaiter de rompre avec Albertine et de mener une nouvelle vie (483). Dernières étymologies de Brichot (484). Brèves visites, aux stations du retour, tandis que je tiens Albertine sous mon regard (486). À Doncières : Saint-Loup (486). Un jour d'un long arrêt, où Bloch me demande de descendre saluer son père, je refuse pour ne pas laisser Albertine avec Saint-Loup (486). Interprétation erronée de ma conduite par Bloch, qui me prend pour un snob (487). Fatalité de tels malentendus qui détruisent des amitiés (487). Silence de Bloch à mon sujet, lors d'un déjeuner chez Mme Bontemps (488). Intérêt de M. de Charlus pour Bloch (489). Tirade antisémite de M. de Charlus (490). Gratitude de Morel envers moi, qui n'ai pas rattrapé Bloch (492). L'habitude et la mondanité ont vidé de leur mystère et de leur poésie tous les noms de lieux sur le trajet du petit train, et les lieux mêmes (493). Charme et dégradante influence de la connaissance du pays (496). Le mariage avec Albertine apparaît comme une folie (497).

CHAPITRE IV

Les intermittences du cœur II. Je me prépare à rompre avec Albertine (497), je veux me libérer pour l'arrivée d'Andrée (498). Mais au retour de La Raspelière, dans le petit train, peu avant de me quitter, Albertine me révèle qu'elle connaît intimement Mlle Vinteuil et son amie, qu'elle doit rejoindre bientôt (499). Réminiscence cruelle de la scène de Montjouvain (500). Je demande à Albertine de ne pas me quitter ce soir (501). Désolation solitaire dans ma chambre jusqu'au lever du soleil (501), et certitude des mœurs gomorrhéennes d'Albertine (501). Je la fais venir (502), j'invente une raison de mon chagrin : je viens de renoncer à un mariage (502). Ma jalousie se fixe sur l'amie de Mlle Vinteuil (504) ; je veux empêcher Albertine de la rejoindre (506). Projet de la faire venir à Paris, dans l'appartement de mes parents, qui seront absents (506). Les objections d'Albertine (507), puis sa brusque décision de partir avec moi le jour même (509). Effets de ce départ brusqué : visite du directeur, objections anticipées de M. de Cambremer (509). La vérité de l'amour est en nous et non pas hors de nous (510). La créature aimée, elle aussi, est en nous (512). Description du lever de soleil (512). Ma mère, alertée par mes pleurs, entre dans ma chambre (513), elle est devenue toute semblable à ma grand-mère (513). Image horrible d'Albertine avec Mlle Vinteuil à Montjouvain (514). « Il faut absolument que j'épouse Albertine » (515).

La Prisonnière

Vie en commun avec Albertine : première journée. Bruits de la rue, réveil en musique (519). Albertine à Paris sous le même toit que moi (520). Les rengaines d'Albertine (521). Le petit bonhomme barométrique (522). La lettre de Maman, son hostilité à mon projet de mariage avec Albertine (523) ; elle-même est retenue à Combray (524). Règles imposées à Albertine pour mes heures de sommeil (525). Françoise et le respect de la tradition (525). Développement intellectuel et changement physique d'Albertine (526). Andrée accompagne Albertine dans ses promenades ; je leur déconseille d'aller aux Buttes-Chaumont (529). Ma confiance en Andrée (529). Je n'aime plus Albertine ; mais ma jalousie survit à mon amour (531). Impossibilité de la soustraire à Gomorrhe, dispersée aux quatre coins du monde (532). Plaisirs de la solitude après le départ d'Albertine (534). L'odeur des brindilles dans le feu me rappelle Combray et Doncières (536). Des inconnues, aperçues de ma fenêtre, me font regretter ma claustration avec Albertine (537). La jalousie, maladie intermittente (539).

À la fin de l'après-midi, mes visites à la duchesse de Guermantes (540). Elle n'est plus la mystérieuse Mme de Guermantes de mon enfance (540). Je viens lui demander des renseignements sur des parures pour Albertine (541). Les robes de Fortuny que porte la duchesse (543). Sa conversation délicieusement française (543). Elle a oublié la présence, à la soirée de la princesse de Guermantes, de Mme de Chaussepierre, conséquence minuscule de l'affaire Dreyfus (548). Je ramène précipitamment la conversation de l'affaire Dreyfus aux robes de la duchesse (551). En rentrant de chez elle je rencontre dans la cour M. de Charlus et Morel allant prendre le thé chez Jupien (553). Scène de M. de Charlus à Morel à propos de l'expression « payer le thé » (553). Billet reçu par M. de Charlus du chasseur d'un cercle de jeu (554). M. de Charlus et M. de Vaugoubert ; l'auteur explique à son lecteur la raison de peintures si étranges (555). L'expression « payer le thé », employée par la nièce de Jupien, venait de Morel (556). La distinction naturelle de la jeune fille (557). L'idée du mariage de Morel avec elle satisfait le baron (558). Il s'imagine en guide et protecteur des futurs mariés (560). Les projets cyniques de Morel (560) ; sa nervosité maladive (561), comme vis-à-vis de Bloch et de M. Nissim Bernard (562).

Au retour de chez la duchesse de Guermantes, l'incident des seringas (563). Habituellement, les œuvres d'Elstir, de Bergotte, de Vinteuil calment mon impatience du retour d'Albertine et exaltent mes sentiments pour elle ; je cache à mes amis qu'elle habite à la maison (565). La discrétion d'Albertine depuis qu'elle me sait jaloux (566). Le plaisir que me donne sa présence (566). Les défauts d'Andrée se sont accusés ; son aigreur (567). Elle calomnie le jeune homme de Balbec, « dans les choux » (568). Mes enquêtes auprès d'elle sur les sorties d'Albertine ; elles ne m'apprennent rien : la jalousie engendre défiance et tromperie (569). Après son départ, Albertine, en robe d'intérieur, vient près de moi (571). Son goût pour les raffinements de la toilette (571) ; son élégance, elle est aussi devenue très intelligente (572). Variabilité de la nature que nous percevons chez les jeunes filles (573). De la même manière, la nièce de Jupien a changé d'opinion sur Morel et M. de Charlus (575). Soirées où Albertine me fait de la musique ; persistance du désir que m'avait inspiré la jeune fille, libre et convoitée à Balbec, aujourd'hui enfermée chez moi (575). Les différentes Albertine, au fil des années (576). Son sommeil (578). La regarder dormir (579); parfois un plaisir moins pur (580). Ses réveils (582) ; « Mon chéri Marcel » (583). Ce n'est plus une Albertine mystérieuse que je cherche, comme à Balbec la première année, mais une Albertine aussi connue de moi que possible (583). Ses baisers aussi apaisants qu'autrefois ceux de ma mère (584). Peu à peu, je ressemble à tous mes parents (586) ; surtout à ma tante Léonie (586). Sous la douceur des jeux amoureux avec Albertine, il y a la permanence d'un danger (588).

Deuxième journée. Je m'éveille par un temps différent, sous un autre climat ; ma paresse ainsi entretenue (589). Je me rappelle qu'Aimé m'avait annoncé, à Balbec, la présence d'Albertine. Pourquoi lui avait-il trouvé « mauvais genre » (592) ? Je soupçonne toutes les amies d'Albertine (592). La jalousie après coup (593), et même après la mort de l'être aimé (594).

Ce soir-là, Albertine me révèle son projet d'aller faire une visite à Mme Verdurin le jour suivant (595). Je devine le sens caché de ses paroles, de ses regards (596). Pour empêcher cette visite, je suggère à Albertine d'autres buts de promenade (599). Elle est un de ces êtres de fuite (600). Mon inquiétude sans cesse ravivée par ce qu'elle me dit (601). On sacrifie sa vie moins à un être qu'à la trame d'habitudes tissée autour de lui (604). La haine de Françoise, ses paroles sybillines à l'égard d'Albertine (605). Pendant qu'Albertine va ôter ses affaires je téléphone à Andrée ; les divinités du téléphone (606). Je suis seul à pouvoir dire « Albertine » d'une certaine façon, exprimant la possession (607). Je demande à Andrée d'empêcher Albertine d'aller chez les Verdurin, puis j'annonce que je m'y rendrai avec elles (608). Au retour d'Albertine dans ma chambre, je lui dis que je viens de téléphoner à Andrée ; elle m'annonce qu'elles ont rencontré Mme Verdurin (609). Les feux tournants de la jalousie (610). Albertine veut me dissuader de l'accompagner chez les Verdurin ; elle se propose d'aller dans un grand magasin le lendemain ; elle n'est plus pour moi qu'une suite de problèmes insolubles (611). Son temps m'appartient en quantités plus grandes qu'à Balbec ; je l'accompagne aux terrains d'aviation proches de Paris (612). Je ne rentre pas calmé de ces promenades, comme autrefois à Balbec (613). Je lui conseille d'aller le lendemain à une représentation au Trocadéro ; je répète à Albertine ce que mes parents me disaient, enfant (614). L'homme sévère que je suis devenu à son égard recouvre l'être exalté et sensible que j'avais été (615). Je songe de nouveau à partir pour Venise (616). Il est naturel d'être dur et fourbe avec ce qu'on aime ; angoisse des baisers refusés (618), ou qui ne me satisfont pas (619). Parfois je ruse pour qu'elle s'endorme dans ma chambre (620). De nouveau j'observe son sommeil (620), et son réveil (621).

Troisième journée. Le lendemain de cette soirée, je m'éveille par un matin de printemps, interpolé dans l'hiver (623). Bruits de la rue, cris musicaux des marchands (623). Françoise m'apporte *Le Figaro* et m'annonce, ce qui m'est désormais égal, qu'Albertine se rendra au Trocadéro et non chez les Verdurin (626). Entrée d'Albertine, citant *Esther* ; nous échangeons des paroles menteuses (627). Prémonition de sa mort dans un accident de cheval (627). Digression sur les différents sommeils, la paralysie et la perte de la mémoire qui les accompagnent (628). L'effet des narcotiques, rêves (631). Les *Pietà* de la Renaissance (632). Retour aux cris de Paris ; goût d'Albertine pour les nourritures vendues par ces marchands (633). Son morceau éloquent et suggestif sur les glaces (635).

Albertine sortie, je sens la fatigue de sa présence (638). Je suis content qu'Andrée l'accompagne, car j'ai moins confiance dans le chauffeur : lors d'une excursion à Versailles, Albertine l'avait renvoyé pendant sept heures (638). Confidence de la femme de chambre de Gilberte : à l'époque de mon amour pour Gilberte, j'étais dupe (641). Seul à la fenêtre, j'écoute de nouveau les bruits et les cris de la rue (643) ; j'observe les jeunes employées qui font les livraisons pour les commerçants (644). Je demande à Françoise de m'envoyer une de ces fillettes pour une course : une jeune crémière, que j'avais remarquée (645). En attendant, je lis une lettre de Maman qui, à Combray, s'inquiète de la prolongation du séjour d'Albertine à la maison (647). Françoise fait entrer la jeune crémière (647). Écart entre les femmes imaginées et approchées (648) ; la jeune fille est bientôt réduite à elle-même (649). Tout en lui parlant je lis dans *Le Figaro* que Léa, dont je connais la réputation, doit jouer *Les Fourberies de Nérine* à la matinée du Trocadéro (651). À Balbec, Albertine s'était contredite à son sujet (651). Il faut empêcher Albertine de retrouver Léa au Trocadéro (652). Je renvoie la petite laitière pour y réfléchir (654). La jalousie me remet en mémoire les images d'une Albertine vicieuse et infidèle (655). J'envoie Françoise la chercher au Trocadéro (658). Décadence du parler de Françoise, sous l'influence de sa fille (660). Elle me fait annoncer au téléphone le retour d'Albertine (661), ce que celle-ci me confirme par un mot qu'elle me fait porter (663). En l'attendant maintenant sans impatience, et même avec le sentiment de mon esclavage, je joue au piano la sonate de Vinteuil (664). La musique de Vinteuil, comme celle de Wagner, m'aide à redescendre en moi-même (665). Unité essentielle, quoique rétroactive des grandes œuvres du XIXe siècle, littéraires (666) et musicales (667). Mes rêveries musicales se détournent vers Morel, le mystère de son emploi du temps pour M. de Charlus (668). Peu après, dans la cour, je suis le témoin de la scène que Morel faisait à la nièce de Jupien : « grand pied de grue » (669). Mon calme avant le retour d'Albertine ; sa nouvelle bague (670). Nous allons en auto au Bois (672). Toutes les jeunes femmes aperçues par la vitre avivent mes regrets (672). À propos du Trocadéro, conversation sur l'architecture avec Albertine (673). Sans lui en parler, j'ai décidé d'aller ce soir chez les Verdurin (674). Ma vie avec Albertine me prive d'un voyage à Venise comme de toutes les midinettes aperçues ; mon amie semble les regarder aussi (675). Similitude de la déception éprouvée auprès de femmes que j'avais connues et de villes où j'étais allé (676). Le servage d'Albertine restitue à la beauté du monde toutes les jeunes filles, mais, captive, elle a perdu sa beauté (678) ; seuls les souvenirs de mes premiers désirs à Balbec la lui rendent (679). Au Bois, nos ombres parallèles ; à notre retour, la pleine lune au-dessus de l'Arc de Triomphe (680).

Nous dînons dans sa chambre ; « il n'est pas de belle prison » (681). Contrastant avec sa docilité, certains faits me font me demander si Albertine n'avait pas formé le projet de secouer sa chaîne (682). Les propos de Gisèle, rencontrée par hasard, confirment — malgré, ou à cause de sa prudence — mes soupçons (683). Les mensonges de la petite bande s'emboîtent bien les uns dans les autres (684), comme, dans un autre domaine, ceux des éditeurs, des directeurs de journaux et de leurs collaborateurs (685). Sous les aveux d'Albertine, d'autres mensonges ; tout être aimé est un Janus (686). Je tais, pour l'instant, mon projet mensonger de rompre avec elle ; pour la distraire je veux lui commander une robe de Fortuny (687).

J'apprends que ce jour-là Bergotte est mort ; sa maladie artificiellement prolongée par les médicaments (687). Il y avait des années qu'il ne sortait plus de chez lui, entretenant des fillettes qui lui redonnaient le goût d'écrire (688). Ses cauchemars, dans les derniers mois de sa vie (689). Les avis contradictoires de ses médecins (690). Essai de tous les narcotiques (691). Sa mort pendant la visite d'une exposition hollandaise, devant la *Vue de Delft* de Ver Meer ; mort à jamais (692) ? Les obligations morales, si visibles chez l'artiste, ne rendent pas invraisemblable une réponse négative (693). Mensonge d'Albertine me racontant avoir rencontré Bergotte, alors qu'il était déjà mort en réalité (693). Le témoignage des sens ne m'aurait pas plus appris si Albertine avait menti (694) ; des exemples prouvent qu'il est aussi une opération de l'esprit : ainsi pour les « pistières » de notre maître d'hôtel et la « vieille rombière » du concierge d'un restaurant (695). Heureuse aptitude d'Albertine au mensonge, pourtant surpassée par une de ses amies (696).

Les Verdurin se brouillent avec M. de Charlus. Après avoir annoncé à Albertine qui ne veut pas sortir, d'autres buts de visite, je me rends chez les Verdurin (698). Dans la rue, je rencontre Morel en pleurs, se repentant d'avoir insulté sa fiancée (699). Sa versatilité et son cynisme (700) ; sa rancune à l'égard des êtres qu'il fait souffrir (701). Les deux produits de ma journée : la résolution de rompre avec Albertine, et d'autre part, l'idée que l'Art participe au néant de la vie ; mais ils ne seront pas durables et vont au contraire s'inverser au cours de la soirée (702). En arrivant au quai Conti, je rencontre Brichot, descendant d'un tramway ; en dépit de ses puissantes lunettes il est presque aveugle (703). Nous parlons de Swann ; retour sur sa mort qui m'avait à l'époque bouleversé (703). Il me devra de survivre parce que j'ai fait de lui un héros de roman (705). J'avais encore des renseignements à lui demander (706). Brichot évoque pour moi l'ancien salon des Verdurin, rue Montalivet, où Swann avait connu Odette (706).

Au moment d'arriver chez les Verdurin, rencontre de M. de Charlus, suivi comme souvent d'un voyou attaché à ses pas ; il est devenu monstrueux (709). Il inspire à Brichot un sentiment pénible (709). L'homosexualité et l'affinement des qualités morales (710). La déchéance de M. de Charlus se lit sur son visage et déborde dans ses propos (711). Il me parle des toilettes de ma « cousine » : Albertine ; c'est un domaine où il excelle, il aurait pu devenir un maître écrivain (712). Ses familiarités (715) ; ses manières conjugales et paternelles avec Morel (716). Il s'est détaché des contraintes sociales et affecte les façons qu'il flétrissait autrefois (717). Il nous affirme avoir vu Morel par hasard ce matin, ce qui me prouve qu'il l'a vu il y a une heure (718). Peu de temps après cette soirée, une lettre de Léa à Morel — elle l'appelle « grande sale » — ouverte fortuitement par le baron, est une cause de douleur et de stupéfaction (720). Que signifie l'expression « en être » ? M. de Charlus, n'étant qu'un amateur, de tels incidents ne peuvent lui être utiles (720). Il me demande des nouvelles de Bloch (722) ; il admire les succès féminins de Morel (722).

Charlus m'explique qu'il a organisé la soirée chez les Verdurin : la Patronne est dessaisie, il a lancé les invitations (725), choisi un public qui fera parler de Morel (725). C'est aussi pour pousser son protégé dans le journalisme littéraire qu'il entretient des relations utilitaires avec Bergotte (725). Charlus m'annonce qu'on attend la venue de Mlle Vinteuil et de son amie (728). Souffrance que cela me cause (728). Ma jalousie se reporte sur elles (730). Dans la cour de l'hôtel des Verdurin nous sommes rattrapés par Saniette (730). Dans l'antichambre, familiarités de Charlus avec le valet de pied ; M. Verdurin reprend grossièrement Saniette qui emploie des expressions archaïques (730), puis il le rabroue pour avoir annoncé la mort de la princesse Sherbatoff (732). Habitude des Verdurin de rapprocher ou au contraire de brouiller leurs invités (734). Mme Verdurin est furieuse parce que M. de Charlus a refusé les noms qu'elle lui proposait pour sa soirée (735). La versatilité du baron (737) ; ses philippiques contre Mme Molé (738). Le salon Verdurin commençait à bénéficier de l'affaire Dreyfus (739). Les Ballets russes placeront encore Mme Verdurin au premier plan (741). Elle affiche son indifférence de la mort de la princesse Sherbatoff (743). Ses précautions médicinales avant la musique de Vinteuil (745). Elle m'apprend que Mlle Vinteuil et son amie ne viendront pas (746). Morel a acquis de meilleures manières (746). Propos furtifs de M. de Charlus avec plusieurs hommes importants qui partagent ses goûts (748). Mme Verdurin se prépare à brouiller Charlus et Morel (748). Mauvaise éducation des invités du baron à l'égard de Mme Verdurin (749), à l'exception de la reine de Naples (751).

M. de Charlus impose le silence aux invités ; le concert va commencer (752). On joue une œuvre inédite de Vinteuil (753) ; elle me rappelle la Sonate, en la renouvelant (754). Attitude de Mme Verdurin, des musiciens et de Morel (755). Cette musique me ramène à la pensée de mon amour pour Albertine (756). Pourtant, quelque chose de plus mystérieux semble promis au début de cette œuvre (757). Les audaces des sonorités de Vinteuil (758). L'art n'est peut-être pas aussi irréel que la vie (759). L'accent propre à Vinteuil (760). La patrie perdue de chaque musicien (761). La Musique, exemple unique de ce qu'aurait pu être la communication des âmes (762). Reprise du Septuor (763) ; triomphe final du motif joyeux (764). Cette joie serait-elle jamais réalisable pour moi (765) ? C'est l'amie de Mlle Vinteuil qui, en transcrivant les papiers laissés par le compositeur, avait révélé son œuvre (765). L'étrange appel qu'elle a fait parvenir jusqu'à moi (767). Union profonde entre le génie et les vices qui ont permis l'audition de cette œuvre de Vinteuil (768).

Le concert terminé, M. Verdurin chasse Saniette qui a une attaque dans la cour de l'hôtel (770). Défilé des invités devant le baron ; il ne les prie pas de remercier Mme Verdurin (770). Les mots d'esprit de M. de Charlus (771). Travaux d'approche de Mme de Mortemart pour une soirée où elle compte faire jouer

Morel (773). Charlus en règle les invitations, à rebours des intentions de l'intéressée (773). M. d'Argencourt et les invertis (776). Rage de Mme Verdurin, dédaignée par les invités et exaspérée par les propos de M. de Charlus (777). L'éventail oublié par la reine de Naples (778). L'auto-satisfaction du baron (779), il se félicite de l'absence bénéfique de la Molé (780). Mme Verdurin ne peut accepter de voir son rôle de Patronne menacé (782). Conversation de M. de Charlus avec le général Deltour (783). Mme Verdurin demande à Brichot d'occuper M. de Charlus pendant que son mari entreprendra Morel (784). Brichot accepte à contrecœur (784) ; ses justifications pédantes (784). Il évoque l'ancien salon Verdurin, ajoutant aux objets leur double spirituel (785). Brichot et M. de Charlus m'entraînent avec eux (787). M. de Charlus commente le jeu de Morel : la Mèche (791) ! Il ne me renseigne pas sur la fille de Vinteuil, mais il est amical avec moi (791). Ses raisons d'apprécier l'esprit de Brichot (793). La pitié que m'inspire M. de Charlus ; mon absence d'amour-propre (794). M. de Charlus aux cours de Brichot à la Sorbonne (795). Je demande au baron de m'avertir de la venue de Mlle Vinteuil ; il me rappelle l'intérêt qu'il m'avait témoigné autrefois ; la mort de Mme de Villeparisis, sa véritable situation mondaine (796). La certitude de retrouver Albertine en rentrant fait que je reste (798) ; j'envisage à mon retour de simuler une rupture avec elle (799). Brichot lance Charlus dans une conversation sur l'homosexualité (800). Statistiques de M. de Charlus (801). Il évoque Swann, Odette et ses multiples amants, dont il a été (803) ; M. de Crécy (804). L'homosexualité à travers les âges : le Grand siècle (807) ; considérations de M. de Charlus (808). Il est déconcerté que les homosexuels se recrutent parmi les hommes les plus enragés pour les femmes (810). Il est scandalisé que les femmes se mettent à parler de tels sujets (812).

Pendant ce temps, M. Verdurin fait la leçon à Morel (813) ; puis Mme Verdurin (813). Elle n'a aucune peine à convaincre Morel (813). Elle aggrave ses accusations contre le baron (815). Nous rentrons au salon, Morel repousse M. de Charlus, qui demeure stupéfait (819). Il ne comprend pas les causes de cette rupture publique (821). La reine de Naples, revenue chercher son éventail, est indignée par la scène (823). Elle emmène fièrement M. de Charlus à son bras (824). Le baron de Charlus très changé après cette soirée, sa maladie (826). Son perfectionnement moral, qui disparaît avec le retour de la bonne santé (827). Générosité des Verdurin pour Saniette, ruiné et au plus mal (828). Les mots particuliers à certaines familles (829). Ma découverte de la nature insoupçonnée de M. Verdurin (830).

Disparition d'Albertine. Retour de la soirée Verdurin en compagnie de Brichot (830). Il commente et complète avec érudition les discours du baron de Charlus (831). Arrivé devant ma porte, j'aperçois la fenêtre allumée de la chambre d'Albertine (833). Elle est le symbole de ma servitude (834). La dissimulation d'Albertine, sa colère en apprenant que je viens de chez les Verdurin (835). Ma propre colère (836). Elle avoue le voyage inventé à Balbec (837). Je veux l'accabler à propos de Mlle Vinteuil (838). Son intimité avec elle n'était qu'un mensonge d'Albertine pour se rendre intéressante à mes yeux (839). Une Albertine inconnue se révèle à moi quand je reconstruis son expression : « casser le pot » (840). Pour mieux la retenir, je lui propose mensongèrement de nous séparer (844). Nouvelle révélation à propos de la photo d'Esther, la cousine de Bloch (845). Rappel de ma tristesse d'autrefois quand je disais à Gilberte qu'il fallait nous séparer (846). Chez Albertine, l'intention de me quitter ne se manifestait que d'une façon obscure (848). Une Albertine entièrement contraire à celle que ma raison s'en faisait (849). Difficultés d'être le narrateur de sa propre histoire (850). Duplicité d'Albertine, vérifiée par sa correction toute nouvelle à l'égard des jeunes filles de mauvais genre (851). Nouvel aveu d'Albertine : un voyage de trois semaines avec Léa. Facilité avec laquelle les gomorrhéennes se rallient (852). Part des réserves obscures de l'hérédité dans cette comédie de la rupture : la tante Léonie, autrefois avec Françoise (855). Je suis pris au jeu (857). Je demande à Albertine de ne plus me revoir (858). Mes recommandations minutieuses (859). Le projet d'Albertine d'aller en Touraine chez sa tante me glace ; je mets brusquement fin à la scène par un « renouvellement de bail » (861). Signification prophétique de cette scène ; dans la chambre, Albertine endormie : figure allégorique de la mort (862).

Quatrième ensemble de journées. Le lendemain matin j'analyse la scène de la veille : un « bluff », comme en diplomatie (863). Une lettre de ma mère : elle s'inquiète de mes intentions vis-à-vis d'Albertine (865). Celle-ci cherche à apaiser mes soupçons, comme autrefois, sans y parvenir (867). La sagacité et les médisances de Françoise à l'égard de mon amie (868) ; elle veut nous brouiller, comme sans doute les Verdurin (869). Les goûts artistiques de la belle captive (870). Les robes de Fortuny (871). Elle n'est plus qu'une pesante esclave dont je voudrais me débarrasser ; elle me joue de la musique, au pianola (873). Un ange musicien (874). Elle me joue des œuvres de Vinteuil (875). Vérité de cette musique ; je la mets en rapport avec le plaisir ressenti devant les clochers de Martinville, les arbres d'Hudimesnil, en buvant une certaine tasse de thé (876). La preuve du génie n'est pas dans le contenu de l'œuvre mais dans la qualité inconnue d'un monde unique révélé par l'artiste, en littérature aussi bien qu'en musique (877). J'en trouve des exemples pour Albertine chez Barbey d'Aurevilly,, Thomas Hardy, Dostoïevski (878). Je reviens à l'hypothèse matérialiste, celle du néant de l'art, en repassant en revue mes propres impressions (883). Albertine est-elle chez moi comme une œuvre d'art, sainte Cécile devant le pianola (884) ? Nullement : je ne l'aime que pour des raisons étrangères à l'art, pour tout ce que j'ignore d'elle (885). Ma curiosité douloureuse, inlassable de sa vie passée ; l'amour, c'est l'espace et le temps rendus sensibles au cœur (887). Elle est comme une grande déesse du Temps ; son sommeil paisible (888).

Dernière série de journées. La belle saison revient ; mes vaines résolutions de changer de vie (889). J'apprends de Mme Bontemps les promenades d'Albertine, il y a trois ans aux Buttes-Chaumont, ainsi que l'explication a posteriori de la docilité d'Albertine à revenir de Balbec avec moi, l'année précédente (890). Deux traits de son caractère me reviennent à l'esprit : l'utilisation multiple d'une même action — dans ce cas faire plaisir à Andrée et à moi (892), et la vivacité à saisir la tentation irrésistible d'un plaisir (892). Fatalement, elle me quittera un jour, mais je veux choisir le moment, « à froid » (894). Ma colère, un soir où elle avait mis une robe de Fortuny (895). Je lui fais mes excuses (896), puis je reviens sur la matinée du Trocadéro et la soirée Verdurin, nouveaux aveux (897), nouvelles accusations sur ses relations avec Andrée et les raisons de son départ de Balbec (898). Après de nouvelles excuses de ma part, elle refuse de m'embrasser comme les autres soirs (900). Pressentiments (900). Par deux fois elle refuse de me rendre mon baiser (900). Le bruit de la fenêtre ouverte dans la nuit, nouveau présage de mort (902).

Le lendemain, à mon réveil, je crains qu'Albertine ne soit partie ; quand Françoise me dit qu'elle est dans sa chambre, elle me redevient indifférente. Nouvelle prémonition de mort (904). Notre sortie ensemble à Versailles (906). Bourdonnement d'un aéroplane dans le ciel (907). Tandis que nous goûtons elle attache ses regards sur la pâtissière (907). Notre retour à la nuit (909) ; le clair de lune sur Paris me rappelle les descriptions des grands poètes du XIXe siècle, je les cite à Albertine (909). Elle veut passer chez les Verdurin, mais accepte de rentrer à ma demande (911).

Une belle matinée de printemps m'entoure à mon réveil, les bruits et les parfums familiers (911). L'odeur et le bruit d'une automobile me rappellent Balbec et m'invitent à une partie de campagne avec une femme inconnue (912). Désir de partir pour Venise sans Albertine que je suis résolu à quitter immédiatement (913). Je sonne Françoise pour qu'elle m'achète un guide et un indicateur, mais elle m'annonce que Mlle Albertine est partie ce matin à neuf heures (915) !

TABLE DE CONCORDANCE

*Un grand nombre de travaux critiques se référant à l'édition d'*À la recherche du temps perdu *parue dans la Bibliothèque de la Pléiade en 1954, il a semblé utile de procurer, volume par volume, une table de concordance entre cette édition et la nôtre.*

Le texte du tome III de notre édition correspond aux pages 599 à 1131 du tome II et aux pages 9 à 415 du tome III de l'édition de 1954.

La numérotation est donnée de 5 pages en 5 pages.

édition de 1954 tome II	*nouvelle édition*	*édition de 1954 tome II*	*nouvelle édition*
601	3-4	676	75-76
606	7-8	681	80-81
611	12-13	686	84-85
616	17-18	691	89-90
621	22-23	696	94-95
626	27-28	701	99-100
631	32-33	706	104-105
636	36-37	711	109-110
641	41-42	716	113-114
646	46-47	721	118-119
651	51-52	726	123-124
656	55-56	731	128-129
661	60-61	736	133-134
666	65-66	741	138-139
671	70-71	746	143-144

édition de 1954 tome II	*nouvelle édition*
751	148-149
756	153-154
761	157-158
766	162-163
771	167-168
776	172-173
781	177-178
786	182-183
791	186-187
796	191-192
801	196-197
806	201-202
811	205-206
816	210-211
821	215-216
826	220-221
831	225-226
836	230-231
841	235-236
846	239-240
851	244-245
856	249-250
861	254-255
866	259-260
871	264-265
876	269-270
881	273-274
886	278-279
891	283-284
896	288-289
901	293-294
906	298-299
911	302-303
916	307-308
921	312-313
926	317-318
931	322-323
936	326-327
941	331-332
946	336-337
951	341-342
956	346-347

édition de 1954 tome II	*nouvelle édition*
961	351-352
966	356
971	360-361
976	365-366
981	370-371
986	375-376
991	380
996	384-385
1001	389-390
1006	394-395
1011	399-400
1016	404-405
1021	409-410
1026	414
1031	418-419
1036	423-424
1041	428-429
1046	433-434
1051	438-439
1056	443-444
1061	447-448
1066	452-453
1071	457-458
1076	462-463
1081	467-468
1086	471-472
1091	476-477
1096	481-482
1101	486-487
1106	491-492
1111	496
1116	500-501
1121	505-506
1126	510-511
1131	515
tome III	
9	519-520
14	524
19	528-529

édition de 1954 tome III	*nouvelle édition*	*édition de 1954 tome III*	*nouvelle édition*
24	533-534	234	738-739
29	538-539	239	743-744
34	543-544	244	748-749
39	548-549	249	753-754
44	553-554	254	758-759
49	558-559	259	763-764
54	562-563	264	768
59	567-568	269	773-774
64	572-573	274	778-779
69	577-578	279	782-783
74	582-583	284	787-788
79	586-587	289	793
84	591-592	294	797-798
89	596-597	299	802-803
94	601-602	304	807-808
99	606-607	309	812-813
104	611-612	314	817-818
109	616-617	319	822-823
114	621-622	324	827-828
119	625-626	329	832-833
124	630-631	334	837-838
129	635-636	339	841-842
134	640-641	344	846-847
139	645-646	349	851-852
144	650-651	354	856-857
149	655-656	359	861-862
154	660-661	364	866-867
159	664-665	369	871-872
164	669-670	374	876-877
169	674-675	379	880-881
174	679-680	384	885-886
179	684-685	389	890-891
184	689-690	394	895-896
189	694-695	399	900-901
194	698-699	404	905-906
199	703-704	409	907-908
204	708-709	414	915
209	715-716		
214	719-720		
219	724-725		
224	729-730		
229	734-735		

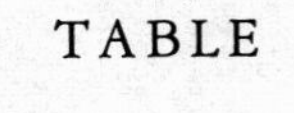
TABLE

Sodome et Gomorrhe

I

Première apparition des hommes-femmes, descendants de ceux des habitants de Sodome qui furent épargnés par le feu du ciel. 3

II

Chapitre premier : M. de Charlus dans le monde. — Un médecin. — Face caractéristique de Mme de Vaugoubert. — Mme d'Arpajon, le jet d'eau d'Hubert Robert et la gaieté du grand-duc Wladimir. — Mme d'Amoncourt, Mme de Citri, Mme de Saint-Euverte, etc. — Curieuse conversation entre Swann et le prince de Guermantes. — Albertine au téléphone. — Visites en attendant mon dernier et deuxième séjour à Balbec. — Arrivée à Balbec. — Jalousie à l'égard d'Albertine. — Les intermittences du cœur. 34

Chapitre II : Les mystères d'Albertine. — Les jeunes filles qu'elle voit dans la glace. — La dame inconnue. — Le liftier. — Madame de Cambremer. — Les plaisirs de M. Nissim Bernard. — Première esquisse du caractère étrange de Morel. — M. de Charlus dîne chez les Verdurin. 178

Chapitre III : Tristesses de M. de Charlus. — Son duel fictif. — Les stations du « Transatlantique ». — Fatigué d'Albertine, je veux rompre avec elle. 369

Chapitre IV : Brusque revirement vers Albertine. — Désolation au lever du soleil. — Je pars immédiatement avec Albertine pour Paris. 497

La Prisonnière 519

Esquisses

Sodome et Gomorrhe

I

Esquisse I : La Race des tantes 919
Esquisse II : Le Marquis de Guercy (suite) 934
Esquisse III : La Rencontre de Charlus et Jupien en prélude à la soirée chez la princesse de Guermantes 942
Esquisse IV : M. de Gurcy à l'Opéra 943

II

Esquisse V : Première apparition de la jeune fille aux roses rouges 960
Esquisse VI : Réception chez la princesse de Guermantes 962
Esquisse VII : Duc de Marengo 981
Esquisse VIII : En quête de la jeune fille aux roses rouges 983
Esquisse IX : De la jeune fille aux roses rouges à la femme de chambre de la baronne Picpus 1004
Esquisse X : La Princesse Sherbatoff 1006
Esquisse XI : M. de Gurcy et les Verdurin 1009
Esquisse XII : Rêve des parents 1030
Esquisse XIII : Les Intermittences du cœur 1032
Esquisse XIV : Visite d'Albertine au retour de *Phèdre* 1049
Esquisse XV : Maria à Querqueville 1055
Esquisse XVI : Albertine à Balbec 1059
Esquisse XVII : Deuxième séjour à Balbec 1075

La Prisonnière

Esquisse I : Réveil en musique (première journée) 1093
Esquisse II : Albertine à la maison 1099
Esquisse III : Le Petit Bonhomme barométrique 1101
Esquisse IV : L'Odeur de brindilles dans le feu 1103
Esquisse V : Désir d'inconnues 1104
Esquisse VI : Les Visites à la duchesse de Guermantes 1108
Esquisse VII : Albertine : réalité et imaginaire 1109
Esquisse VIII : Un temps différent, sous un autre climat (deuxième journée) 1114
Esquisse IX : Duplicité d'Albertine 1118
Esquisse X : Les Baisers refusés 1128
Esquisse XI : Aéroplanes dans le ciel 1133
Esquisse XII : La Jeune Crémière (troisième journée) 1136
Esquisse XIII : De Vington à Vinteuil et son septuor 1143
Esquisse XIV : Le Baron de Charlus et l'Homosexualité 1150
Esquisse XV : Retour de la soirée Verdurin 1153
Esquisse XVI : La Comédie de la rupture 1162
Esquisse XVII : Devant le pianola (quatrième journée) 1167
Esquisse XVIII : La Dernière Matinée de *La Prisonnière* 1170
Esquisse XIX : L'Odeur de pétrole d'une automobile 1174
Esquisse XX : « Mlle Albertine est partie ! » 1177

NOTICES, NOTES ET VARIANTES

Sodome et Gomorrhe

Notice 1185
I
Note sur le texte 1261
Notes et variantes 1264

II
Note sur le texte 1291
Notes et variantes 1299

La Prisonnière

Notice 1628
Note sur le texte 1693
Notes et variantes 1699

Esquisses

Sodome et Gomorrhe

I

Notes et variantes 1796

II

Notes et variantes 1815

La Prisonnière

Notes et variantes 1878

Résumé

Sodome et Gomorrhe

I 1901

II

Chapitre premier 1902

Chapitre II 1905

Chapitre III 1909

Chapitre IV 1913

La Prisonnière 1913

Table de concordance 1925

Ce volume, faisant partie
d'une nouvelle édition
d'« À la recherche du temps perdu »
de Marcel Proust,
et portant le numéro cent deux
de la « Bibliothèque de la Pléiade »
publiée aux Éditions Gallimard,
a été achevé d'imprimer
sur bible des Papeteries Braunstein
le 26 septembre 1988
sur les presses
des Imprimeries Maury S.A.
à Millau
et relié en pleine peau,
dorée à l'or fin 23 carats,
par Babouot à Lagny.

ISBN : 2-07-011143-1

N° d'édition : 44273. Dépôt légal : Novembre 1988
Imprimé en France.